ISBN 978-0-428-58904-2
PIBN 11302061

FB &c Ltd, Dalton House, 60 Windsor Avenue, London, SW19 2RR.
Company number 08720141. Registered in England and Wales.

For support please visit www.forgottenbooks.com

Kritisches

Griechisch-Deutsches

Handwörterbuch

beym

Lesen der griechischen profanen Scribenten

zu gebrauchen.

Ausgearbeitet

von

Johann Gottlob Schneider,

Professor zu Frankfurt an der Oder.

Erster Band

A — K.

Züllichau und Leipzig

bey Friedrich Frommann.

1797.

Als Einleitung mag diesem ersten Theile folgende Erklärung dienen. Am Ende der Arbeit hoffe ich in einer weitläuftigern Vorrede mich über den Plan und Gebrauch dieses Wörterbuchs bestimmter erklären zu können.

Dies neue kritische griechisch-deutsche Handwörterbuch sollte nach meiner Absicht sich von seinen lateinischen und deutschen Vorgängern vorzüglich durch folgende Hauptstücke unterscheiden.

1) Es schränkt sich auf die griechischen profanen Schriftsteller, vom Wolfischen Homer an, und auf die Erklärung von Worten und Redensarten ein; schliest also alle besondere Rücksicht auf den Sprachgebrauch des griechischen alten und neuen Testaments sowohl, als aller übrigen christlichen und kirchlichen Schriftsteller, ingleichen alle Namen von Personen, Ländern, Städten und Gegenden aus, zu deren Erklärung entweder die Kenntniss der griechischen Sprache überhaupt nicht hinreicht, oder wozu auch besonders kein Wörterbuch der griechischen Sprache bestimmt seyn soll.

2) Es soll in der alphabetischen Reihe auch alle Stammwörter aufstellen, wovon sich oft nur wenige Tempora oder Casus, oft gar keine, sondern nur Ableitungen erhalten haben. Gewöhnlich werden auch die wenigen davon übrig gebliebenen Tempora unter ganz verschiedenen Verbis zur Quaal der Lehrlinge aufgestellt. Daher wird der sonst gewöhnliche sogenannte analytische Theil der Wörterbücher beynahe ganz wegfallen. Dieselben Stammwörter werden überall in der lateinischen Sprache, welche bekanntlich aus der dorischen und aeolischen Mundart grösstentheils abgeleitet

ist, aufgesucht, und durch alle Hauptzweige der Bedeutung nach verglichen. Bisweilen werden sie im lateinischen allein wieder gefunden und daraus bemerklich gemacht.

3) Auf Etymologie, Analogie, und auf die allgemeine und besondere Ableitung aller und jeder Wörter soll durchaus das Hauptaugenmerk gerichtet werden. Deswegen ist sogleich hinter und neben das zuerklärende Wort sein nächstes Stammwort in Klammern eingeschlossen gesetzt worden. Doch habe ich mich bey Erklärung dunkler Worte nie ausser Griechenland auf einen mir weniger bekannten Grund und Boden gewagt.

4) Die ersten und allgemeinen Bedeutungen werden überall angegeben, wenn gleich oft nur eine ganz besondere oder gar metaphorische sich in einzelnen Stellen der uns übrig gebliebenen Schriften erhalten hat, oder die allgemeine gar nur etwa im Lateinischen wieder zu finden seyn sollte.

5) Die übrigen Bedeutungen sind, so viel sich durch Winke und ohne Ausführlichkeit thun liess, in der natürlichsten Ordnung, hinter oder neben einander aufgestellt und durch Beyspiele bestätiget, oder bloss mit Bemerkung und Unterscheidung der in der Construktion dazu erforderlichen Casus, des Activi, Passivi oder Medii angeführt worden.

6) Die grössere oder mindere Ausführlichkeit in diesen Bemerkungen, so wie auch die Pünktlichkeit in den Citaten beruht auf der bereits vorgefundenen Menge und Richtigkeit der angemerkten Bedeutungen und Citaten, welche ich entweder nur ausziehn und ordnen durfte, oder erst aufsuchen oder berichtigen musste.

7) Kritisch nenne ich dies Handwörterbuch ausser den bereits angeführten Ursachen besonders deswegen, weil es die Autorität und Gültigkeit eines jeden Wortes, und vieler Redensarten, wo es

nicht schon von Stephanus und seinen Nachfolgern geschehen war, erweiset oder berichtiget.

8) Viele seit Stephanus Zeiten aus den Ausgaben geworfene falsche Lesearten, oder solche, die mit bessern aus den verglichenen Handschriften vertauscht werden müssen, und die dennoch bisher immer noch in den meisten und neuesten Wörterbüchern neben den andern aufgeführt werden, entweder ganz wegläst, oder zur Warnung für meine Nachfolger oder eilfertigen Ausschreiber aus der Quelle bezeichnet, oder die Verbesserung auf die möglichst kürzeste Art andeutet.

9) Dagegen werden viele Legionen von neuen Worten, Formen und Ableitungen aus den nach Stephanus Zeiten herausgekommenen Schriftstellern, Ausgaben derselben, Denkmälern, Steinschriften, und den mancherley kritischen Sammlungen, so fern sie dem Verfasser zur Hand waren, aufgestellt und beglaubiget.

10) Dadurch möchte der Gebrauch dieses Handwörterbuchs ausser den Schulen auch auf der Studierstube des Liebhabers und des Gelehrten neben dem grofsen Sprachschatze des grofsen Stephanus und beym Lesen so mancher auf Schulen und Universitäten überhaupt von Philologen wenig genutzten griechischen Bücher nicht allein nützlich sondern gar nöthig werden.

11) Hierher gehören vorzüglich die Erläuterungen von technischen Worten und Redensarten, ingleichen die Erklärungen der Namen aus der Physik und Naturgeschichte, welche man bisher in den Wörterbüchern umsonst suchte, oder falsch angegeben fand. Diese werden, um der Zweydeutigkeit der vielen deutschen Provinzialnamen auszuweichen, auch mit dem lateinischen Kunstausdrucke oder mit dem Linneischen systematischen Ausdrucke begleitet seyn.

12) Im ganzen habe ich das Ernestisch-Hederichsche Wörterbuch vom Jahre 1788 zum Grunde gelegt. Dies zu thun und dies hier anzuführen, hatte ich folgende Gründe. Der Name des vormals billig so allgemein in Deutschland verehrten Ernesti hat gemacht, dafs das Hederichsche Wörterbuch, welches ihn, als Zeichen und Bestätigung der von Ernesti überall gemachten Verbesserungen und Zusätze, an der Stirne trägt, allgemein und fast einzig empfohlen, eingeführt und gebraucht worden ist. Dieselben Ursachen haben gemacht, dafs alle diejenigen, welche nach ihm in deutscher Sprache griechische Handwörterbücher zu verfertigen versucht haben, als Grundlage den Ernestischen Hederich ansahen, und darauf baueten. Selbst der fleifsige Haas, ob er gleich manches in seinem Muster als Fehler geahndet und erkannt zu haben scheint, hat im Ganzen die Reihe und Folge der Wörter im Ernestischen Hederich als wahr und richtig überall zum Grunde gelegt. Vermuthlich hat er in seiner Lage den übrigen Mängeln und Fehlern nicht auf die Spur kommen und sie vertilgen können. Einen Plan zum Ganzen eines Handwörterbuchs hat weder Hederich noch Ernesti nach ersichtlichen Grundsätzen gemacht oder befolgt: vielweniger aber ihre Nachfolger, den einzigen Dillenius ausgenommen. Dieser hat aber seinen Plan etwas zu eng angelegt, und nicht allein unbequem ausser der alphabetischen Ordnung, sondern auch zu dürftig ausgeführt. Der fleifsige Haas glaubte den Hederichschen Plan dadurch auf eine nützliche Art zu erweitern, dafs er Historie, Geographie und Litterairgeschichte hinzufügte. Die hebräischen Etymologien will ich gar nicht einmal erwähnen. Wirklich hätte ich nicht geglaubt, dafs in unserm Zeitalter noch irgend ein Philolog in der Sprache der Hebräer Aufklärungen der griechischen Abstammungen und Bedeutungen suchen und gefunden zu haben

glauben sollte, wenn ich nicht neben H. Haas und H. Hetzel zugleich in Frankreich den Citoyen Riviere hätte auftreten gesehn. Sobald ich im Anfange der Arbeit bemerkt hatte; dass Ernesti keine Revision des Ganzen unternommen, sondern nur Stückweise weggenommen oder zugesetzt hat, was seine Lieblingslectüre, einige gute Register über griechische Schriftsteller, *Scoti appendix* und der Zufall ihm an die Hand gaben und bemerken liessen; so entschloss ich mich, so viel es der enge voraus bestimmte Zeitraum nur irgend zulassen würde, die ganze Reihe von Wörtern und Redensarten im Ernestischen Hederich nicht allein mit dem Stephanischen Sprachschatze sondern auch in einer ununterbrochenen Lectüre der wichtigsten griechischen Schriftsteller selbst mit den Quellen zu vergleichen, und so überall die Autoritäten von Wörtern und Bedeutungen zu berichtigen. Was ich also dabey als offenbaren Fehler befand, liess ich gerade zu weg: andere Wörter habe ich als falsche Lesearten aus der Quelle bezeichnet, oder als verdächtig und zweifelhaft durch das beygesetzte zw. oder sehr zw. unterschieden, worunter jedoch auch solche begriffen sind, deren Quelle ich nicht mit meinen Hülfsmitteln auffinden konnte. Was im Stephanischen Sprachschatze seine gute Autorität mit sich führte, habe ich als gültig ohne weitern Beysatz aufgeführt. Die falschen Lesearten aber, welche mittlerweile als Grabsteine mit ihren Warnungsanzeigen für diejenige da stehn, welche etwa künftighin meine Arbeit für einen andern Verleger auszuschreiben aus Geistesarmuth, Trägheit oder Hunger für gut befinden sollten, können und sollen in einer zweyten Auflage, wofern ich diese noch selbst erlebe, ganz weg bleiben, und an ihre Stelle neue mittlerweile aufgefundene und angemerkte Wörter aufgestellt werden.

Noch will ich die Erklärung der von mir gebrauchten Abkürzungen hinzufügen, worzu ausser der Anführung von Bänden und Seitenzahlen der in Deutschland üblichsten Ausgaben als z. B. der griechischen Redner, und des Plutarchus von Reiske u. s. w. statt der viel mehr Raum fassenden und bisweilen gebrauchten Anführung der Rede oder des Titels, des Buchs und Kapitels, auch die gehört, welche beym Aufschlagen am meisten in die Augen fällt, am meisten Platz gespart hat, und schon von H. Haas gebraucht worden ist. Ich meine den unabgesetzten Druck der hintereinander folgenden Worte, und die Ersetzung der oft wiederkehrenden unabgeänderten Anfangssylben durch einen Strich.

a.	bedeutet	aus-
accus.	—	accusativus
act.	—	activum oder active
Adv.	—	Adverbium
aeol.	—	aeolisch
aor. 1.	—	aoristus primus
aor. 2.	—	— secundus
aor. 1. p.	—	— primus passivi
aor. 2. p.	—	— secundus passivi
aor. 1. m.	—	— primus medii
aor. 2. m.	—	— secundus medii
Bed.	—	Bedeutung
d.	—	der, die, das
d. i.	—	das ist
dat.	—	dativus
dor.	—	dorisch
Etym. M.	—	Etymologicum Magnum
f. 1.	—	futurum primum
f. 2.	—	— secundum
f. L. st.	—	falsche Lesart statt
femin.	—	femininum
gen.	—	genitivus
Glossar.	—	Glossarium od. Glossaria
— St.	—	Glossaria Stephani Henr.
— Philox.	—	Glossarium Philoxeni,
— Vulcan.	—	— — Vulcanii Lugd. Batav. 1600
Hesych.	—	Hesychii Lexicon
imperf.	—	imperfectum
inf.	bedeutet	infinitivus
jon.	—	jonisch
LXX.	—	die LXX Dollmetscher des alten Testaments.
m.	—	mit
masc.	—	masculinum
m. d.	—	mit dem, der, den
neutr.	—	neutrum od. neutraliter
nomin.	—	nominativus
partic.	—	participium
passiv.	—	passivum oder passive
perf.	—	perfectum
plur.	—	pluralis
poet.	—	poetisch
s. v. a.	—	so viel als
st.	—	statt
S. s.	—	Siehe, siehe
S. d. vorh.	—	Siehe das vorhergehende
Suid.	—	Suidae Lexicon
u.	—	und
u. s. w.	—	und so weiter
überh.	—	überhaupt
v.	—	von
viell.	—	vielleicht
vorh.	—	vorhergehendes
vorz.	—	vorzüglich
w. m. n.	—	welches man nachsehe
wahrsch.	—	wahrscheinlicherweise
zw.	—	zweifelhaft

A, od. α, der erſte Buchſt. des griechiſchen Alphabets; daher im Zählen 1.

ἆ, ἀὰ, ein Ausruf des Bewunderns od. Klagens, wie im Lat. und Deutſchen; auch beym Lachen ἆ, ἆ, ha, ha!

Das α in der Zuſammenſetzung iſt 1) ſ. v. a. ἄνευ, ein privativum, und bildet das Gegentheil von dem ſimplex oder ſchwächt deſſen Bedeutung, wie im Lat. *in*, z. B. ἄδηλος, unſichtbar, unbekannt, v. δῆλος, ſichtbar, bekannt, wo denn εὖ in der Zuſammenſetzung gewöhnlich das Gegentheil bildet; z. B. ἀμαθὴς, εὐμαθὴς, ἄθυμος, εὔθυμος od. πρόθυμος. 2) verbindet es, u. iſt ſ. v. a. ἅμα, *zugleich*, *zuſammen*, *mit allen Kräften*; z. B. ἄκοιτις, ἄλοχος, Gattin, Frau, die mit mir das Lager (κοίτη), Bette (λέχος) theilet, Beyſchläferin. So ἀδελφὸς, ἀγάστωρ, ἀγάλαξ. Dieſs ἅμα gehört auch 3) dahin, wo es ein α intenſivum wird; als ἄβρομος, mit vielem Geräuſch (βρόμος), ἄξυλος, gehölzig, von vielem Gehölz (ξύλον), wo es aus ἄγαν abgekürzt zu ſeyn ſcheint. Eben ſo in ἀγεννάδας, von hoher Geburt. Es wird auch vor doppelte Conſonanten zu Anfange geſetzt, um die Ausſprache leichter und gelinder zu machen, wie ἀσαφὶς, ἄσαχυς, ἀστεροπὴ ſt. σαφ u. ſ. w.

Ἀάατος, ὁ, ἡ, ſ. v. a. ἄατος.

Ἀαγὴς, έος, ὁ, ἡ, (ἄγω), unzerbrechlich, unzerbrochen, nicht leicht zu zerbrechen, nicht zerbrochen, oder ſtark, feſt.

Ἀάζω, f. άσω, ich athme mit offenem Munde aus; davon ἀασμὸς, ὁ, das Ausathmen. Ariſtotel. Probl. 34, 7. Iſt mit ἄω, αὔω, davon ἀϋτμὸς, ἀϋτμὴν, und ἄζω, ἀζάω, ἀζαίνω ich hauche warm aus, alſo trockne, einerley. Heſychius u. Etymol. M. haben ἀάζειν durch ἐκπνεῖν διὰ στόματος u. τῷ στόματι ἀθρόως προσπνεῖν erklärt; Euſtathius ἀθρόως τῷ στόματι προσπνεῖν θερμὸν auf einmal mit vollem Munde aushauchen; davon ἆσθμα, der kurze Athem, herkommt. Sylburg verglich das ariſtoteliſche ἀάζειν u. der Lateiner *halare*. Von ἄω iſt ἀτμὴ u. ἀτμὸς.

Ἀάθικτος, ὁ, ἡ, ſ. v. a. ἄθικτος.

Ἀάομαι, f. άσομαι, verletzen, beſchädigen. Hom. Il. 19, 91. S. ἄτω.

Ἄαπτος, ὁ, ἡ, (ἅπτομαι), nicht zu berühren, nicht zu beſiegen, als χεῖρες ἄαπτοι Hom. u. Heſiod.

Ἀασιφροσύνη u. ἀασίφρων, ὁ, ἡ. S. ἀεσιφροσύνη u. ἀεσίφρων.

Ἀάσκω, f. άσω. S. ἄτω.

Ἀασμὸς, ὁ. S. ἀάζω.

Ἀάσχετος, ὁ, ἡ, ſ. v. a. ἄσχετος.

Ἄατος, ὁ, ἡ, unverletzlich, unverletzbar; als (κατὰ) κράτος ἄατος Apollon., u. ἄατον Στυγὸς ὕδωρ, Hom. Il. 14, 271. vergl. Virg. Aen. 10, 113. 2) act. nicht ſchadend, nicht verletzend; als ἄεθλος α. Hom. Od. 22, 5. wiewohl es da auch nach Euſtath. πολυβλαβὴς, der furchtbare Kampf, überſetzt werden kann, wegen der doppelten Verneinung (ἀάατος), ſo wie Od. 21, 91. 3) ſ. v. a. ἄητος.

Ἀάτω, f. άσω. S. ἄτω, Hom. Od. 10, 68.

Ἄβαζος, ὁ, ἡ, bey Suid. ſ. v. a. ἀβακὴς u. ἀβακήμων.

Ἀβαθὴς, έος, ὁ, ἡ, (βάθος), untief.

Ἀβαιὸς, ὰ, ὸν, gewöhnlicher ἠβαιὸς, klein, wenig.

Ἀβακέω, f. ήσω, v. ἄβαξ, *infans*, ich bin wie ein unmündiges Kind, ohne Sprache, ſtill, ſtumm, unverſtändig, unwiſſend, einfältig, unſchuldig; οἱ δ᾽ ἀβάκησαν πάντες, ſie ſtaunten, verſtummten. Odyſſ. 4, 249. davon —κήμων, ονος, ὁ, ἡ, ſ. v. a. das folgende —κὴς, έος, ὁ, ἡ, von der Art eines *infans*, unmündigen Kindes, ſtumm, ſtill, unwiſſend, unerfahren, ſtill, ruhig, unſchuldig. So ſagt Sappho: ἀλλά τις οὐκ ἐμμὶ παλίγκοτος ὀργὰν ἀλλ᾽ ἀβακῆ τὰν φρένα ἔχω, ich bin nicht zornig von Gemüth, ſondern habe eine ſanfte ruhige Seele, wie ein Kind. Daher Heſychius hier das Wort durch ἀφελῆ, ἀσύνετον, ἡσύχιον, ἄπειρον, ἀδύνατον, ἄκακον, erklärt, alles Eigenſchaften von unmündigen Kindern; davon Adv. ἀβακέως (ſt. ἀβακῶς) εὕδοντι im Etymol. M. daher —κίζω, f. ίσω, ſ. v. a. ἀβακέω; bey Anakreon ἀβακιζόμενος ſo viel als ἀβακῆ φρένα ἔχων bey Sappho. —κιον, ου, τὸ, u. ἀβακίσκος, ὁ, Dimin. v. ἄβαξ.

'Αβάκχευτος, ὁ, ἡ, (βακχεύω), der an der Bacchusfeyer oder Wuth nicht Theil hat, nimmt.

'Αβαλε, (βάλε), ſ. v. a. *utinam*, o! daſs, ich wünſchte daſs. m. d. Optatif.

'Αβαξ, ακος, ὁ, das lat. *abacus*, ein Bret, Tafel oder Tiſch, zum rechnen mit Steinen; 2) zum ſpielen, wie das Bretſpiel; 3) zum zeichnen der mathematiſchen Figuren; 4) ein Tiſch, darauf Trinkgeſchirre, Gerichte, od. koſtbares Geſchirre zur Schau zu ſetzen; 5) ἀβακίσκος, iſt auch ein bunter Stein, womit der Fuſsboden ein- oder ausgelegt wird, *teſſellati pauimenti teſſella*.

'Αβαξ, ακος, ὁ, ἡ, (βάζω), ſtumm, ſprachlos.

'Αβάπτιστος, ὁ, ἡ, (βαπτίζω), was nicht untergetaucht werden kann, nicht untertaucht, ſondern immer oben auf bleibt, ſchwimmt wie Kork; 2) nicht getauft. Eine Art von Trepan zum trepaniren hieſs ἀβάπτιστον, τὸ.

'Αβαπτος, ὁ, ἡ, (βάπτω), unbenetzt, ungefärbt; 2) ungehärtet, weich. S. βαφή.

'Αβαρής, έος, ὁ, ἡ, ohne Laſt (βάρος), nicht läſtig, nicht ſchwer, leicht.

'Αβασάνιστος, ὁ, ἡ, (βασανίζω), ungeprüft, nicht ausgeforſcht; ohne Folter, ohne folternden Schmerz. Adv. ἀβασανίστως.

'Αβασίλευτος, ὁ, ἡ, (βασιλεύω), ohne Herrſcher, Oberherrn, unabhängig.

'Αβάσκανος, ὁ, ἡ, (βασκαίνω), Adv. ἀβασκάνως, nicht neidiſch, abgünſtig oder miſsgünſtig, offenherzig. —σκαντος, ὁ, ἡ, Adv. ἀβασκάντως, unbeneidet; vor dem Neide und dem durch Neid Beſchreyen oder Behexen zugefugten Schaden ſicher oder auch ſichernd; im letztern Sinne heiſst ein Mittel darwider ἀβάσκαντον.

'Αβάστακτος, ὁ, ἡ, (βαστάζω), nicht zu tragen, nicht fortzubringen.

'Αβατος, ὁ, ἡ, (βάω, βαίνω), nicht betreten, mithin unwegſam, wüſte; nicht zu betreten, od. geweiht, heilig; dav. ἄβατον, τὸ, heiliger, geweihter Ort. —τόω, ῶ, f. ώσω, unwegſam; wüſte machen.

'Αβαφος, ὁ, ἡ, (βαφή), nicht eingetunkt oder gefärbt.

'Αβδέλυκτος, ὁ, ἡ, nicht verabſcheuet; nicht zu verwünſchen.

'Αβέβαιος, ὁ, ἡ, Adv. ἀβεβαίως, unſtätig, unbeſtändig. —βαιότης, ητος, ἡ, Unbeſtändigkeit.

'Αβέβηλος, ὁ, ἡ, geweihet, heilig, vom Orte, wohin nicht jeder gehn kann; von Menſchen, eingeweiht, heilig, unverletzbar. S. βέβηλος.

'Αβελτερία, ἡ, Dummheit, Einfalt. —τεροκόκκυξ, γος, ὁ, dummer Gukguk, im komiſchen Sinn, Tropf, Gauch. —τερος, ὁ, ἡ, (βέλτερος), dumm, unverſtändig, einfältig.

'Αβίαστος, ὁ, ἡ, Adv. ἀβιάστως, ohne Zwang, Gewalt (βία), ungezwungen; als κίνησις, eine ungezwungene freiwillige willkührliche Bewegung. So τὸ καλὸν ἐστὶ ἀβίαστον, die Tugend leidet keinen Zwang, muſs freiwillig geübt werden.

'Αβιβλος, ον, ohne Bücher.

'Αβιος, ὁ, ἡ, 1) ohne βίος, d. i. ohne hinreichenden Lebensunterhalt; mit vielem βίος oder βίοτος (ſ. oben α, no. 3), d. i. reich, Antiph. 2) ohne βία, nicht gewaltthätig, nicht frech, wie man es bequem Hom. Il. 13, 6. nehmen kann, nach andern in der erſten Bedeutung, *dürſtig*; mit vieler, von groſser (ἄγαν) βία, von vieler Kraft, ſehr ſtark. 3) ohne βιὸς, ohne Bogen, Waffen. —ίωτος, ὁ, ἡ, (βιόω, βεβίωται), Adv. ἀβιώτως, ohne Leben, *non vitalis*, nicht zu leben; als βίος ἀβ. ein Leben, das kein Leben iſt, weil man es nicht genieſsen kann; unerträglich.

'Αβλάβεια, ἡ, Unverſehrtheit, 2) act. oder moraliſch, da jenes paſſ. od. phyſiſch war, Unſchädlichkeit, Unſchuld, Charakter eines Menſchen, der keinem ſchadet, wie *innocentia* Cic. Tuſc. 3, 8. von —αβής, έος, ὁ, ἡ, (βλάβη), Adv. ἀβλαβέως, oder ἀβλαβῶς, oder ἄβλαπτος, Adv. ἀβλάπτως, ohne Schaden, unbeſchädigt; act. unſchädlich, unſchuldig, nicht ſchadend.

'Αβλαστέω, ῶ, f. ήσω, ich bin ἀβλαστής. —στής, έος, ὁ, ἡ, oder ἄβλαστος, nicht oder ſchlecht keimend, unfruchtbar.

'Αβλεμής, έος, ὁ, ἡ, —μέως, Adv. S. βλεμεαίνω.

'Αβλεπής, έος, ὁ, ἡ, (βλέπω), ſ. v. a. φαῦλος u. ἀσθενής, aber wahrſch. bloſs zur Erklär. von ἀβλεμής ausgedacht, bey Heſych. u. Apollon. Lex. hom.

'Αβλεπτέω, f. ήσω, nicht od. ſchlecht ſehen; daher fehlen, verfehlen; v. ἄβλεπτος. daher —πτημα, ατος, τὸ, Fehler, Vergehen.

'Αβλεψία, ἡ, das ſchlechte Sehen, Blindheit; Unbeſonnenheit.

'Αβλής, ῆτος, ὁ, ἡ, (βλέω, βάλλω), nicht geworfen, als ἰὸς, ein noch nicht abgeſchoſſener Pfeil, Il. 4, 117. —ητος, ὁ, ἡ, nicht geworfen, getroffen, nicht verwundet. S. βάλλω.

'Αβληχής, έος, ὁ, ἡ, (βληχή), ἐπαύλιον ἀβληχὲς vom Schaafe unbeblökte leere Hütte. Epigr. wie ἀμύκητος.

'Αβληχρος, ὁ, ἡ, (βληχρὸς), nicht ſchwach, ſtark; mit α intenſ. ſehr ſchwach, ſchwächlich; im guten Sinn, ſanft, gefällig, Hom. Od. 11, 134. die Form ἀβληχρής hat Nicand. Ther. 885.

'Αβοηθησία, ἡ, (βοηθέω), Hülfloſigkeit. —θητος, ὁ, ἡ, ohne Hülfe; dem nicht zu helfen, unheilbar.

'Αβοητί, (βοάω), ohne Rufen, Lärmen.

'Αβολέω, εῖν, f. ήσω, (α ſt. σὺν, βάλλω),

zusammentreffen, begegnen; davon —λητύς, ύος, ἡ, Begegnung; jonisch.

*Ἀβόλλα, ἡ. S. ἄβολος, 2.

*Ἄβολος, ὁ, ἡ, (α, βάλλω), ein junges Pferd, das noch nicht die ersten Zähne verloren und gewechselt hat, oder auch das schon ausgewachsen und nicht mehr wirft. 2) bey Arrian. Perip. Eryth. p. 4. sind ἄβολοι, was hernach ἀβέλλαι heisst, das l. *abolla*, eine Art von Mantel oder Reutermantel, *chlamys*.

*Ἄβοτος, ὁ, ἡ, ohne Weide.

*Ἀβουκόλητος, ὁ, ἡ. S. βουκολέω.

*Ἀβουλεί, oder ἀβουλεύτως, Adv. ohne Ueberlegung (βουλή), unüberlegt.

*Ἀβουλέω, f. ήσω, ich will nicht, οὐ βούλομαι, ich überlege nicht, οὐ βουλεύομαι. —λής, έος, ὁ, ἡ, (βουλή), f. v. a. d. folgd. bey Hesych. —λητος, ὁ, ἡ, Adv. ἀβουλήτως, unwillkührlich; nicht wollend; unwillig, nicht nach unserm Willen, nach unserer Lust, unangenehm, lästig, als βίος, πρᾶγμα. —λία, ἡ, Unüberlegtheit, Unbesonnenheit, wenn ich keine Ueberlegung (βουλή) gebrauche; Unentschlossenheit, wenn ich keinen Rath finde. —λος, ὁ, ἡ, Adv. ἀβούλως, unüberlegt, unentschlossen.

*Ἀβούτης, ου, ὁ, ohne Rinder; wie πολυβούτης f. v. a. πολυθρέμμων.

*Ἄβρα, ἡ, oder richtiger ἅβρα, (ἁβρός), eine feine Sklavin, ein Kammermadchen.

*Ἄβρεκτος, ὁ, ἡ, (βρέχω), unbenetzt, nicht beregnet.

*Ἀβρίζομαι, bey Hesych. f. v. a. ἀβρύνομαι.

*Ἀβρίζω, f. ξω, f. v. a. βρίζω nach Suidas. Bey Eur. Rhes. 730. lesen einige ἄβριζ' wache, andre besser ἄβριξ Adv. munter.

*Ἀβριθής, έος, ὁ, ἡ, (βρίθω), nicht schwer, nicht wichtig, leicht.

*Ἄβριξ. S. ἀβρίζω.

*Ἀβροβάτης, ου, ὁ, (ἁβρός, βαίνω), weichlich, weibisch einhergehend. —βιος, ὁ, ἡ, weichlich, wollüstig lebend. —γόος, ὁ, ἡ, weibisch, unmännlich winselnd und klagend. —δαὶς τράπεζα, delikater Tisch Athenae. I. p. 4. —διαιτάομαι, ῶμαι, f. ήσομαι, weichlich, wollüstig leben; zweif. —δίαιτος, ὁ, ἡ, weichlich, wollüstig lebend. —είμων, ονος, ὁ, ἡ, (εἷμα), weibisch, wollüstig gekleidet. —καρπος, ὁ, ἡ, von weichen zarten Früchten. —κόμης, ου, ὁ, ein im Haarputze weichlicher Mensch, ein Weichling mit geputztem Haare.

*Ἀβρόμιος, ὁ, ἡ, (βρόμιος), ohne Wein od. Bacchus.

*Ἄβρομος, ὁ, ἡ, (α, d. i. ἄγαν u. βρόμος), geräuschvoll. Hom. Il. 13, 41.

*Ἀβρόπηνος, ὁ, ἡ, von feinem Faden (πήνη), fein gewebt; bey Lycophron. —πλουτος, ὁ, ἡ, schön und reich geziert.

*Ἁβρός, ά, όν, v. ἅβα, ἥβη, *pubes, pubertas*, eigentlich zart, weich, jugendlich, und wie die Jugend schön, reizend; auch im schlimmen Sinne weibisch, verzärtelt, wollüstig.

*Ἀβροσαγής, έος, ὁ, ἡ, bey Suidas in ἁβρὸς steht ἀβροσαγὲς μέτωπον, aber im Worte ἀναδούμενος steht richtiger μυροσαγὲς v. σάζω μύρον, von Salbe triefend.

*Ἀβροσύνη, ἡ, f. v. a. ἀβρότης.

*Ἀβροτάζω, f. άσω, S. ἄβροτος.

*Ἀβροτέω, f. ήσω, f. v. a. ἀβροτάζω. S. ἄβροτος.

*Ἀβρότη, ἡ, Nacht. S. ἄβροτος.

*Ἀβρότης, ητος, ἡ, Zartheit, weiblicher weibischer Charakter. S. ἁβρός.

*Ἀβρότιμος, ὁ, ἡ, (τιμή), schön und kostbar. Vergl. ἀβρόπλουτος.

*Ἀβροτόνινος, ίνη, ινον, von ἀβρότονον gemacht.

*Ἀβροτονίτης, ου, ὁ, οἶνος, mit ἀβρότονον bereiteter Wein.

*Ἀβρότονον, ου, τὸ, eine Pflanze, *abrotonum*, Stabwurzel.

*Ἄβροτος, ὁ, ἡ, gewöhnlicher ἄμβροτος, unsterblich, v. βροτὸς; auch von Sachen, die den Unsterblichen gehören. 2) ohne Menschen, ἐρημία bey Aeschyl., welches Hesych ἀπάνθρωπος erklart. Davon ist νὺξ ἀβρότη, auch allein ἀβρότη, ἡ, die Nacht, als einsam; davon ἀβροτέω, ἀβροτάζω Iliad. K. 65, auch mit eingesetztem μ. Iliad. Π. 336. ἡμβροτον ἀλλήλων, von ἀβροτέω ich irre in der Nacht herum und verfehle, m. d. Genit. wie ἁμαρτάνω; davon ἀβροτήμων, ὁ, ἡ, der fehlende, irrende; ἀβροτίνη, ἡ, f. v. a. ἁμαρτωλή, ferner ἀβρόταξις, ἡ. eben soviel; ἀμβρότιγυον, st. ακυρον scheint von ἀμβροτίξας, d. i. ἀπαρξάμενος eine lakonische Glosse bey Hesych. zu seyn.

*Ἀβροχαίτης, ου, ὁ, (χαίτη), f. v. a. ἀβροκόμης.

*Ἀβροχία, ἡ, (ἄβροχος), Mangel an Feuchtigkeit, Regen.

*Ἀβροχίτων, ωνος, ὁ, ἡ, (χιτών), f. v. a. ἀβροείμων.

*Ἄβροχος, ὁ, ἡ, (βρέχω), Adv. ἀβρόχως, f. v. a. ἄβρεκτος.

*Ἄβρυνα, od. ἄβρυνα, ων, τὰ, Maulbeeren, sonst συκάμινα, Athen.

*Ἀβρυντής, οῦ, ὁ, ein Mensch, der sich ziert, putzt, Weichling; von

*Ἀβρύνω, f. νῶ, (ἁβρός), ich mache weich, weichlich; τὴν ἐσθῆτα ἥβρυνε Philostr. Soph. 2, 3, er trug ein weichliches vornehmes Kleid; ἀβρύνομαι, ich bin weichlich, lebe, handle wie ein Weichling, putze, ziere mich im Gange, Sprache, Kleidung; thue vornehm und hoffärtig, schwelge. Vergl. ἀβρίζομαι.

'Αβρωσία, ἡ, das Enthalten von Speiſe (βρῶσις), Faſten, Hunger.

'Αβρωτος, ὁ, ἡ, (βρόω, βέβρωται), nicht gegeſſen, nicht verzehrt; nicht eſsbar, nicht gewöhnlich zu eſſen.

'Αβυρτάκη, ἡ, u. ἀβύρτακος, ὁ, eine ſaure Brühe, hauptſ. m. eingemachten Kapern bereitet. Polyaen. 4, 3, 32. Athenae. 5. p. 124.

'Αβυσσος, ὁ, ἡ, ohne Grund, βυσσὸς, unergründlich; ſehr tief; überh. unermeſslich, ſehr groſs, als ἀργύριον, πλοῦτος.

'Αβυσσος, Schlund, Tiefe; auch tropiſch Unermeſslichkeit, Unerſchöpflichkeit; im N. T.

'Αγάγω, das verdoppelte im praeſ. ungebräuchliche ἄγω, macht ἤγαγον, ἠγαγόμην, ἀγαγών.

'Αγάζηλος, ὁ, ἡ, (ἄγαν, ζῆλος), neidiſch, oder zornig. Etym. M.

'Αγάζομαι, u. ἀγάζω, f. άσω, (ἀγὴ), ich ſchätze, verehre, bewundre; auch ich beneide, Hom. Od. 4, 181. 23, 211. zürne auf Od. 13, 173. haſſe. Vergl. ἄγαμαι, welches nur eine andere Form von dieſem iſt, u. ἀγαίομαι. Bey Aeſchyl. Suppl. 1069, τὰ θεῶν μηδὲν ἀγάζειν erklärt der Schol. λίαν ἐξετάζειν, Heſych. ἀγανακτεῖν, βαρέως φέρειν; bey Sophocl. ſ. v. a. θρασύνω.

'Αγαθαρχία, ἡ, (ἀρχὴ, ἀγαθοῦ), Anfang, Urſprung des Guten. —**θαρχικὸς**, was darzu gehört, oder davon iſt. —**θίζομαι**, f. ίσομαι, gutes ſprechen, bey Heſych. Im Ariſtoph. Eccleſ. 23. leſen andre ἐγκαθιζομένας ſt. ἀγαθιζομένας.

'Αγαθὶς, ίδος, ἡ, Knaul, Kneuel.

'Αγαθοδότης, ου, ὁ, Geber des Guten. —**εργέω**, u. ἀγαθοεργία, ἡ, ſ. v. a. ἀγαθουργέω u. ἀγαθουργία. —**εργὸς**, ὁ, ἡ, wohlthuend. Bey den Lazedämoniern waren ἀγαθοεργοὶ die 5 älteſten Ritter, welche in Staatsgeſchäften gebraucht wurden. Herodot. 1, 67. Schol. Ariſtid. T. 2. p. 172. Ruhnken ad Timae. p. 4. —**ποιέω**, f. ήσω, Gutes thun, wohlthun. —**ποιία**, ἡ, gute That; Gut- Wohlthätigkeit. —**ποιὸς**, ὁ, ἡ, gutes thuend; gut- wohlthätig. —**πρεπὴς**, έος, ὁ, ἡ, Adv. ἀγαθοπρεπῶς, ſchicklich für Gute, gut, gutthätig.

'Αγαθὸς, ἡ, ὸν, Adv. ἀγαθῶς, *gut* in jeder Art, welche der Zuſammenhang beſtimmen muſs, wie im Lat. *bonus*, u. unſer *gut*: So iſt z. B. ein guter Soldat ſ. v. a. ein muthiger, tapferer; ein guter Staatsmann, ein kluger, einſichtsvoller. Eben ſo beym Feldherrn, Künſtler u. ſ. w. bey Thieren, die zu ihrer Beſtimmung gut ſind, den Menſchen dazu nützen. Das Neutr. τὸ ἀγαθὸν, und der plur. τὰ ἀγαθὰ, wie *bonum, bona*, das Gute, der Vortheil, die Güter, das Vermögen, die Reichthümer.

'Αγαθοσύνη, ἡ, ſ. v. a. ἀγαθότης. —**θοτέλεια**, ἡ, vollkommnes Gut. von —**θοτελὴς**, έος, ὁ, ἡ, (τέλος), vollkommen gut. —**θότης**, ητος, ἡ, Güte, Biederkeit. —**θουργέω**, ῶ, f. ήσω, (ἔργον), ich thue, handle gut, thue wohl. —**θουργία**, ἡ, eine gute That; Gut- oder Wohlthat. —**θουργικὸς**, ἡ, ὸν, wohlthätig. —**θοφυὴς**, έος, ὁ, ἡ, (φυὴ), von guter natürlicher Anlage. —**θοφυΐα**, ἡ, gute natürliche Anlage. —**θύνω**, f. υνῶ, wohlthun, gutes erzeigen, med. ſich gütlich thun, ſich freuen; bloſs bey den LXX. Auslegern.

'Αγαίω, gewöhnl. ἀγαίομαι, ſ. v. a. ἀγάζω, ἀγάζομαι, ἄγαμαι, ἀγάαμαι, ſtaunen; bewundern, auch nacheifern, beneiden u. haſſen. S. ἄγη. Davon Herodot. 8. 69. ἀγαιόμενοί τε καὶ φθονέοντες τῇ Ἀρτεμισίῃ, Heſiod. ἔργ. 333. m. d. Dativ. zürnen. S. γαίω.

'Αγακλεὴς, έος, ὁ, ἡ, u. ἀγακλειτὸς ſo wie auch ἀγάκλυτος, ſehr rühmlich, ſehr berühmt, v. ἄγαν u. κλέος, κλειτὸς u. κλυτὸς, wovon *inclytus*.

'Αγακτιμένη πόλις Pind. Pyth. 5, 108. ſ. v. a. ἐυκτιμένη wohlgebaute; zweif.

'Αγάλαξ, ακτος, ὁ, ἡ, u. ἀγάλακτος, ὁ, ἡ, ſ. v. a. ὁμογάλακτος d. i. ὁμόθηλος, ὁμότηθος, Bruder, Schweſter und andre Blutsverwandte, Aeſchyl. Agam. 727. daher ἀγαλακτοσύνη, ἡ, bey Heſych. ἡ συγγένεια. 2) ohne Milch; daher ἀγαλακτία, der Zuſtand einer Mutter ohne Milch.

'Αγαλλιάω, ῶ, u. ἀγαλλιάομαι, ῶμαι, f. άσομαι, bey den Kirchenſchriftſtellern ſ. v. a. ἀγάλλομαι, ich freue mich; davon ἀγαλλίασις, ἡ, und ἀγαλλίαμα, τὸ, für Freude. Davon iſt ἀγαλλιάζει für λοιδορεῖται bey Heſych. verſchieden; denn er hat auch ἀγάλλιος für λοίδορος, ſtatt deſſen im Etymol. M. ἀγάλιος u. ἀγαλίζομαι ſteht.

'Αγάλλοχον, τὸ, *agallochum*, ein indianiſches Holz v. bitterm Geſchmacke.

'Αγάλλω, f. αλῶ, Aor. 1. ἄγηλαι, ich ziere, ſchmücke. Med. ἀγάλλομαι, ich ziere mich, rühme mich, brüſte mich mit einer Sache, bin ſtolz darauf, freue mich. Nach der Ableitung von ἄγη Staunen, Bewunderung, davon ἄγαω, ἀγάζω, ἀγαύω, ἀγαίω u. ἀγάλλω, wie ἰάλλω von ἴω, ἰάω, ἵημι, bedeutet es eigentl. ſ. v. a. ἀγαλὸν oder ἀγλαὸν ποιεῖν, jemand bewundernswürdig machen, zieren, ſchmücken u. ſ. w. S. ἀγλαὸς.

'Αγαλμα, τος, τὸ, dimin. ἀγαλμάτιον, Schmuck, Zierde, z. B. von einem Halsbande Hom. Od. 18, 299. von einem Ochſen, deſſen Hörner man vergoldet hat Od. 3, 438. Und eben ſo 4, 602, von ſchönen Roſſen; daher vorzüglich, ein Bild, Statue, beſonders der Götter. Davon —**τίας**, ου, ὁ, Philoſtr. Soph. 2, 25, 6. wie eine Bildſäule ἄγαλμα geſtaltet, bildſchön. —τογλύφος, ὁ, (γλύπτω), Bildſchnitzer. —τοποιέω, ῶ, f. ήσω, Bilder machen, verfertigen. —τοποιητικὸς, ἡ, ὸν, oder ἀγαλματουργικὸς, (ποιέω, ἔργον), zum Bildhauer oder zur Bildnerey oder Bildhauerkunſt gehörig od. geſchickt. —τοποιΐα, ἡ, od. ἀγαλματουργία, Bildhauerey, Bildhauerkunſt. —τόω, ῶ, f. ώσω, zum Bilde machen, in ein Bild verwandeln.

Ἄγαμαι, ἠγάσθην ἀγασθεὶς, (welche Formen, ſo wie ἀγάσομαι, u. ἠγασάμην v. ἀγάζομαι, abzuleiten ſind, und dieſes von γάω; γαίω, ἀγάω. S. γαίω), ich bewundere, verehre, lobe, preiſe, τινὰ, τινὸς verſt. ἕνεκα; einen wegen einer Sache bewundern; davon ἀγάμενος, wovon —μένως, Adv. bey Ariſtot. ἀγαμ. λέγειν, dem ταπεινῶς entgegengeſetzt, ſ. v. a. θαυμαστῶς, mit Bewunderung, Erhebung; bey Plato Phaed. 38. ſ. v. a. ἀσμένως. Vergl. ἀγάζομαι.

Ἄγαμητος, ὁ, ἡ, (γαμέω), unverheirathet. —μία, ἡ, oder ἀγάμιον, eheloſer Stand, eheloſes Leben. —μος, ὁ, ἡ, unverheirathet, ohne Frau, (denn gewöhnlich wird es nur von Männern gebraucht, da eheloſe Frauen ἄνανδροι heiſſen); auch Wittwer.

Ἄγαν, Adv. ſehr, zu ſehr.

Ἀγανακτέω, ῶ, f. ήσω, (ἄγαν, ἄγω, ἄξω, ακτὸς, ἀκτέω), im phyſiſchen Sinne von Schmerzen hat es Dioſc. 5, 76. ἀγανακτεῖν τοὺς ὀδόντας ἐν τῇ γεύσει, u. Plato im Phädrus: κνῆσίς τε καὶ ἀγανάκτησις περὶ τὰ οὖλα, von Jucken und Schmerzen; meiſtens metaph. gebraucht für unwillig, böſe, ungeduldig, unzufrieden werden; alſo auch ſeufzen, ſtöhnen, wie Plato Phaedo §. 7. mit dem Datif u. ἐπί τινι. Bey Luzian. Somn. 6. ſteht das Medium ἀγανακτησαμένης τῆς μητρὸς; davon —κτησις, εως, ἡ, das Böſewerden, Unwille. —κτητὸς, ἡ, ὸν, mit Unwillen zu tragen, zum Unwillen reizend. —κτικὸς, ἡ, ὸν, gewöhnlich unwillig, mürriſch, unzufrieden.

Ἀγανὴς, έος, ὁ, ἡ, ſ. v. a. ἀγανὸς.

Ἀγάννιφος, ὁ, ἡ, (ἄγαν, νίφω), ſtark dick beſchneiet.

Ἀγανοβλέφαρος, ὁ, ἡ, (ἀγανὸς, βλέφαρα), mit lieblichen Augenliedern oder Augen, liebäugelnd.

Ἀγανὸς, ἡ, ὸν, lieblich, ſanft, milde. S. γάνυμι; davon —νοφροσύνη, ἡ, milder, holder, ſanfter Sinn. —νόφρων, ονος, ὁ, ἡ, (φρὴν), milde, hold, ſanft geſinnt. —νώπης, ου, ὁ, fem. ἀγανῶπις, ιδος, (ὤψ), milden, ſanften, holden Blicks.

Ἀγάομαι, ſ. oben bey ἀγαίω.

Ἀγαπάζω und Ἀγαπάω, f. ήσω, ich ſchätze hoch, verehre und liebe daher; überh. ich liebe, bezeige Liebe; 2) m. d. Dat. ἀγαπᾷν τοῖς παροῦσι, mit dem gegenwärtigen zufrieden ſeyn; auch mit folgenden ἐὰν, ἢν, εἰ, ὅτι, ich bin zufrieden, es iſt mir genug, daſs, νέκυν παιδὸς ἀγαπάζων ἐμοῦ, ich habe genug an dem Leichname meines Kindes. Eur. Phoen. 1342. Von ἀγάω, ἀγάπω, ἀγαπάω, wie Opp. Cyn. 3, 96. ἀγάπαντο für ἠγάπησαν braucht. —άπη, ἡ, Liebe, Liebesbeweiſs. —πημα, τος, τὸ, geliebter Gegenſtand. —πησις, ἡ, u. ἀγαπισμὸς, ὁ, Liebe, das Lieben. —πήνωρ, ορος, ὁ, Mannheit liebend (ἀγαπῶν ἠνορέην), männlich, muthig. Hom. Od. 7, 170. —πητὸς, ἡ, ὸν, geliebt, lieblich; bey Sohn kann man es einzig überſetzen, Hom. Od. 2, 365. 4, 817. Il. 6, 401. Marc. 1, 11. ἀγαπητόν ἐστι, ſ. v. a. ἀγαπητέον. —πητῶς, Adv. mit Liebe, gern; ἀγαπητῶς ἔχειν, d. i. ἀγαπητὸν εἶναι, oder ἀγαπᾷν, zufrieden ſeyn, ſich begnügen.

Ἀγαρικὸν, οῦ, τὸ, ein Baum- oder Zunderſchwamm, *agaricus*.

Ἀγάῤῥοος, contr. ἀγάῤῥους, ὁ, ἡ, (ἄγαν ῥέων), ſtark, ſchnell flieſsend.

Ἄγασμα, τος, τὸ, (ἄγαμαι), Gegenſtand der Bewunderung, bewundernswürdiger Gegenſtand; Bewunderung.

Ἀγάστονος, ὁ, ἡ, (ἄγαν, στόνος v. στένω), ſehr, oft ſeufzend, klagend.

Ἀγαστὸς, ἡ, ὸν, (ἄγαμαι), bewundernserſtaunenswerth. Adv. ἀγαστῶς.

Ἀγάστωρ, ορος, ὁ, (v. α u. 2 u. γαστὴρ), aus einem und eben demſelben Mutterleibe, leiblicher Bruder; naher Anverwandter. Lycophr. 265.

Ἀγασυλλὶς, ίδος, ἡ, die Pflanze, wovon das ἀμμωνιακὸν κόμμι kam.

Ἀγατὸς, ἡ, ὸν, v. ἄγαμαι, angenehm, lieblich, ergötzend, Hom. Hymn. 1, 515. S. ἀγητὸς.

Ἀγαυομαι, f. σομαι, poet. beym Oppian ſt. ἄγαμαι, bewundern.

Ἀγαυὸς, ἡ, ὸν, (ἄγαμαι), bewundernswürdig, berühmt, edel; ſ. v. a. ἀγαυόμενος, od. ἀγάμενος ἑαυτὸν, ſich brüſtend, ſtolz. Vergl. ἀγάλλω.

Ἀγαυρὸς, ρὰ, ρὸν, ſ. v. a. ἀγαυὸς, ſtolz, prächtig. Herodot. 7, 57. verbindet es mit μεγαλοπρεπής. Bei Nikand. αἰεὶ πετάλοισιν ἀγαυρὸν, *laeto florentem foliis*, mit Blättern prangend. Nach Suidas heiſst bey den Joniern der ἄπορος u. bei den Attikern der τρυφερὸς eben ſo.

Ἀγάφθεγκτος, ὁ, ἡ, (ἄγαν φθέγγομαι), laut tönend, Pindar.

Ἀγάω, ῶ, άομαι, ῶμαι, die alte, beym Hom. u. Heſ. gebräuchl. Form ſt. des ſpätern ἄγαμαι, bewundern, beneiden, haſſen oder fürchten. Heſ. Theog. 619.

Ἄγγαρα, ων, τὰ, Tagesſtationen der ἄγγαροι. —ρεία, ἡ, Dienſt, Amt, Poſtreiten der ἄγγαροι. —ρεῖον, τὸ, dr[illegible] bey Herodot. ſ. v. a. ἀγγαρεία. [illegible] της, οῦ, ὁ, der einen ἄγγαρος [illegible], ihn abſchickt. —ρεύω, ſ. σω, einen ἄγγαρος abſchicken. —ρος, ὁ, ein perſiſches Wort, bedeutet einen reitenden Eilboten, dergleichen in ganz Perſien in der Entfernung einer Tagereiſe von einander fertig ſtanden, um alle Nachrichten an den König zu bringen. Herodot. 8, 98. Cyropaed. 8, 6. 17.

'Αγγείδιον, τὸ, dimin. von ἀγγεῖον.

'Αγγειολογέω, ῶ, f. ήσω und davon ἀγγειολογία, ἡ, die Handlung, wenn man die Blutgefäſse (ἀγγεῖον) aufſucht oder beſchreibt, davon redet, (λέγω). Aber bey den alten Chirurgen hieſs es die Blutgefäſse an einer Stelle aufſuchen u. ſie zerſchneiden oder brennen, Paul. Aegin. 6.

'Αγγεῖον, τὸ, Gefäſs, Behältniſs; beſonders auch vom menſchl. Körper gebraucht, Blutgefäſs, Ader. —ειόσπερμος, u. ἀγγειοσπέρματος, ὁ, ἡ, was den Saamen in Gefäſsen oder Behaltniſſen hat, wie die Hülſenfrüchte. —ειώδης, εος, ὁ, ἡ, faſsförmig, gefäſsartig.

'Αγγελία, ἡ, Botſchaft, Nachricht, Gerücht; ein durch einen Boten überbrachter Befehl. —λίας, ου, ὁ. S. ἀγγελίης. —λιαφορέω, f. ήσω, Botſchaft überbringen, oder ich bin ein —λιαφόρος, ὁ, ἡ, Bote, Briefträger, Briefbeſteller. —λίης, joniſch ſt. ἀγγελίας. Il. 15. 640. der Bote. —λικὴ, ἡ, ὄρχησις beym Athen. beym Heſych. ἀγγελίη, ein Tanz während der Tafel. —λιώτης, ου, ὁ, Bote. H. Hymn. 2, 296.

'Αγγέλλω, f. ελῶ, eine Botſchaft, Nachricht überbringen, benachrichtigen, erzählen. —ελμα, τος, τὸ, Botſchaft, Nachricht. —ελος, ὁ, ἡ, Bote, der die Nachricht überbringt; die Nachricht, die er überbringt.

'Αγγοθήκη, ἡ, Stelle für Gefäſse.

'Αγγος, εος, τὸ, Gefäſs, jedes Behältniſs; auch Theile des menſchl. Körpers, wie die Mutter, Blutgefäſse u. ſ. w.

'Αγγούριον, τὸ, oder ἄγγουρον, eine Art von Gurke, Angurie, Waſſermelone.

'Αγγρίζω, f. ίσω, wird durch reizen, Schmerz machen erklärt von ἄγγρις, ἡ, Reiz, Schmerz; davon auch ἀγγρισμὸς, ὁ, u. ἀγγριςὴς, ὁ, in den Gloſſis. Heſych. hat auch ἄγρις ſt. ἄγγρις. Es ſcheint ἀγγρίζω oder ἀγρίζω für ἀγριαίνω zu ſtehn und aus Hippocr. die Gloſſe im Heſych. genommen zu ſeyn. Denn wo jetzt ἢν ἀγρηνθῶσιν αἱ μῆτραι, ſteht, laſen andere ἀγρισθῶσιν u. ἀγρηθῶσιν, welches vom Reize durch Blähungen zu verſtehen iſt.

Αγγὼν, ονος, ὁ, eine Art v. galliſchen Spieſse. Agathias 2. p. 40. Etymol. M.

Αγε, eigentl. imper. v. ἄγω, als Adv. gebraucht *wohlan! fort! nun!* wie *age* im Lat. u. Φέρε.

'Αγείρατος, ὁ, ἡ, im Etym. M. ſ. v. a. ἀγέραςος.

'Αγείρω, f. ερῶ, zuſammenbringen, ſammeln; daher einſammeln v. Bettler, zuſammenbetteln. Das Stammwort ἀγέρω, Ody. 11, 36. wovon ἀγορά.

'Αγείτων, ονος, ὁ, ἡ, ohne Nachbar.

'Αγελάζω, f. άσω, (ἀγέλη), eine Heerde zuſammentreiben; ἀγελάζομαι Heerdenweiſe gehen, leben. So wird v. *grex* im Lat. *congrego*.

'Αγελαιοκομικὸς, zw. ſ. v. a. ἀγελοκομικός.

'Αγελαῖος, αία, αῖον, in Haufen verſammlet; zur Heerde gehörig, von der Heerde, vom groſsen Haufen, gemein, gering.

'Αγελαιοτροφία, u. ἀγελαιοτροφικὸς, das Nähren und Halten der Viehheerden; was darzu gehört; richtiger ἀγελητρ.

'Αγελαιὼν, ῶνος, ὁ, Ort fürs Vieh, Viehweide, Trift. Suidas.

'Αγελαρχέω, ῶ, f. ήσω, führe, regiere die Heerde; von —άρχης, ου, ὁ, od. ἀγέλαρχος, Aufſeher, Führer (ἄρχων) einer Heerde.

'Αγελαςέω, ῶ, f. ήσω, (γελάω), nicht lachen, ſich des Lachens enthalten. —λαςὶ, Adv. ohne Lachen, ohne Scherz, ohne Spaſs. —λαςία, ἡ, das Nichtlachen, Sauerſehn, von —λαςος, ὁ, ἡ, der nicht lacht, ſauer ſieht, mürriſch iſt; traurig.

'Αγελεία, ἡ, die Beute treibende, machende. Ein Beywort der Athene, ſ. v. a. ἡ λείας ἄγουσα, ſonſt ληῖτις.

'Αγέλη, ἡ, Heerde, Haufen; auch von Menſchen, wie *grex*. —ληθεν, Adv. von der Heerde. —ληδὸν, Adv. Heerden- Haufenweiſe. —ληῒς, ΐδος, ἡ, ſ. v. a. ἀγελαία. —λήτης, ου, ὁ, zur Heerde gehörig, als βοῦς. —λοκομικὸς, ἡ, ὸν, (κομίζω), zur Wartung der Viehheerden gehörig. Clemens, Strom. I' c. 7.

'Αγέλως, ωτος, ὁ, ἡ, ſ. v. a. ἀγέλαςος.

'Αγενεαλόγητος, ὁ, ἡ, (γενεαλογέω), ohne Geſchlechtsregiſter, deſſen Geſchlechtsregiſter man nicht weiſs.

'Αγένεια, ἡ, (ἀγενὴς), nicht-adliche Abkunft, geringe Herkunft; daher niedrige Geſinnung.

'Αγένειος, ὁ, ἡ, (γένειον), unbärtig, ohne Bart.

'Αγενὴς, έος, ὁ, ἡ, ohne Geſchlecht (γένος), d. i. entweder, der keine Ahnen zählt, oder auch bisweilen, der kein Geſchlecht d. i. keine Kinder hat; daher auch von niedriger Geſinnung, der ſeinem Geſchlechte Schande macht.

'Αγένητος, ὁ, ἡ, nicht geſchaffen, nicht hervorgebracht; nicht gethan, nicht geſchehen, als ἀγένητα ποιήσασθαι τὰ συμβεβηκότα; ohne Geſchlecht (γένος), wie ἀγενὴς, unadelich, Sklave. Soph. Tr. 61.

'Αγεννάδας, ου, ὁ, ſ. v. a. γεννάδας, zweif.

'Αγένveια, ἡ, Geſchlechtsloſigkeit, niedrige Abkunft; niedriger, träger Sinn; von —νής, έος, ὁ, ἡ, Adv. ἀγενῶς, ſ. v. a. ἀγενής. —νησία, ἡ, Kinderloſigkeit. Vergl. ἀγενής. —νητος, ὁ, ἡ, ſ. v. a. ἀγένητος. —νίζω, ich betrage mich wie ein ἀγεννής, bin feige, handle ſo oder unedel; Teles Stobaei Ser. 37. —νία, ἡ, Feigheit, Muthloſigkeit. Polyb. 5, 83. not.

'Αγέραςος, ὁ, ἡ, (γέρας), ohne Belohnung, ungeehrt.

'Αγερέθω, beym Hom. ſ. v. a. ἀγείρω, wie ἔρω, ἐρέθω u. διώκω, διωκάθω u. αἴρω, ἀέρω, ἀερέθω.

'Αγερμὸς, ὁ, od. ἄγερσις, ἡ, (ἀγείρω), Sammlung; Verſammlung, das Zuſammenbringen. Bey Dionyſ. Hal. Antiq. 2, 19. haben die Handſch. ἀγυρμοὺς fur ἀγερμούς.

'Αγερμοσύνη, ἡ, ſ. v. a. ἀγερμὸς Opp. Jagd 4. 251; andre leſen ἀγυρμ.,

'Αγέρω, das Stammwort von ἀγείρω, wie ἐγέρω, ἀέρω, ſt. ἐγείρω, αἴρω.

'Αγερωχία, ἡ, hoher Muth; Stolz; von

'Αγέρωχος, ὁ, ἡ, Adv. ἀγερώχως. Hom. braucht es im guten Sinne fur muthig, ehrliebend, ruhmbegierig; die ſpätern brauchen es im ſchlimmen Sinne von Menſchen und Thieren, wie *ferox*, übermüthig, ſtolz, wild. Wahrſcheinlich von γέρας, ἔχω u. α. intenſiv. γεράοχος, γέρωχος, der überall den Vorzug haben will.

'Αγεσίλαος, ὁ, u. contr. ἀγεσίλας, (ἄγων λαὸν), Volkstreiber, ein Beywort des Pluto, der alle Menſchen zu ſich herabtreibt.

'Αγέςρατος, ὁ, (ἄγων ςρατὸν), Heerführer.

'Αγέτης, ου, ὁ, (ἄγω), Führer, Anführer.

'Αγευςία, ἡ, das Nichteſſen, Faſten, Hunger, wie ἀβρωσία; von

'Αγευςος, ὁ, ἡ, ungekoſtet, nicht gekoſtet, wie ἄβρωτος; act. nicht koſtend (οὐ γευόμενος) Xenoph. u. αἰὼν κακῶν ἀγ. beim Sophocl.

'Αγεωμέτρητος, ὁ, ἡ, ohne Geometrie, unerfahren darin.

'Αγεωργησία, ἡ, (γεωργέω), Vernachläſſigung des Ackerbaues.

'Αγεώργητος, ὁ, ἡ, unbebauet, unbeackert; act. ohne Ackerbau.

'Αγη, ἡ, Staunen, Erſtaunung, Verwunderung, Bewunderung; daraus entſtandene Nacheiferung, Ehrfurcht; Neid, auch Haſs. Alle dieſe Bedeut. kommen in den abgeleiteten Verbis wiederum vor, als ἀγάω, ἄγημι, ἄγαμαι, ἀγάζω, ἀγάζομαι, ἀγαίω, ἀγαίομαι, ἄγασις, ἀγαστής. Bey Herodot. 6, 60. ὡς φθόνῳ καὶ ἄγῃ χρώμενος.

'Αγὴ, ἡ, (ἄγω, ἀγνύω), Bruch, Zerquetſchung, Wunde; daher die ſich brechende Welle oder Fluth; das Ufer, woran ſie ſich bricht; tropiſch, Unglück.

'Αγηλάζω, ἀγηλατέω, ἀγηλατίζω, ſ. v. a. διώκω, ἐλαύνω, ich ſtoſse, werfe, verſtoſse, ſtoſse aus, vertreibe, Sophocl. Oed. tyr. 402. wo ἐκβαλεῖν vorhergeht. Herodot. 5, 72. wo andre ἀγηλατεῖν ſchreiben, weil ſie es von ἄγος u. ἐλάω ableiten; es kommt aber von ἄγω u. ἐλάω her; 2) für σώζειν, θεραπεύειν, aber ohne Beyſpiel; davon

'Αγήλατος, ὁ, ἡ, ἀγηλάτῳ μάστιγι bey Lycophr. vom Blitze, daher ἀγήλατοι, οἱ κεραυνοὶ bey Suidas, ſ. v. a. ἐλατὸς, geworfen, geſchleudert.

'Αγημα, τος, τὸ, *agmen*, was angeführt wird, ein Heer, v. ἄγω, ἀγέω.

'Αγηνορέω, ῶ, f. ήσω, ich bin ein ἀγήνωρ, betrage mich ſo. —ρία, ἡ, Mannheit, Gefühl ſeiner Mannheit, d. i. im guten Sinne Muth, im ſchlechten Frechheit; von

'Αγήνωρ, ορος, ὁ, ſehr oder ganz Mann, (ἄγαν, ἀνὴρ, alſo nach Euſtath. ὁ ἄγαν τῇ ἠνορέῃ χρώμενος), männlich, muthig, entſchloſſen, anmaſsend, Hom. Il. 2, 276. 10, 299.

'Αγήραος, ὁ, ἡ, (γῆρας), oder ἀγήρως, od. ἀγήρατος, nicht alternd, unverſehrt.

'Αγήρατον, τὸ, eine Pflanze, Dioſc. 4, 59. wie Schaafgarbe, *achillea ageratum*, Linn.

'Αγὴς, έος, ὁ, ἡ, (ἄγος), frevelnd, Verbrecher.

'Αγήσανδρος, ὁ, ſ. v. a. ἀγεσίλαος oder ἀγησίλας, auch ein Beywort des Pluto.

'Αγησίχορος, ὁ, ἡ, (ἄγω), Führer, Anführer eines Chors.

'Αγητὸς, ἡ, ὸν, (ἀγάω), bewundernswerth. Hom. Il. 24, 376. 22, 370.

'Αγήτωρ, ορος, ὁ, (ἀγέω), ſ. v. a. ἀγέτης.

'Αγιάζω, ſ. άσω, (ἅγιος), weihen, heiligen, als geweiht anſehen u. ehren; dav.

'Αγίασμα, ατος, τὸ, geweihter Gegenſtand, eine geweihte Sache. —σμὸς, ὁ, Weihung, Heiligung. —ςήριον, τὸ, geweihter Ort. —ςία, ἡ, (ἁγιάζω), Heiligkeit.

'Αγίζω, f. ίσω, ich weihe. Soph. Oed. Col. 1495. vorz. durch Verbrennen des auf dem Altar liegenden Opfers. S. καθαγίζω u. ἐναγίζω; im komiſchen Sinne Ariſtoph. Plut. 681. τὰ πόπανα ἥγιζεν ἐς σάκτην τινὰ ſtahl die Opferkuchen u. weihte ſie ſo in ſeinen Sack bey Seite. In demſelben Sinne hat Heſych. ἀφαγνίσας, ἀποδύσας; ἢ συλήσας.

'Αγινέω, ῶ, o. ἀγίνω, poet. bey H. ſ. v. a. ἄγω; dav. ἀγέω, ἀγίω, ἀγίνω.

'Αγιόγραφα, ων, τὰ, näml. βιβλία, die von heiligen Männern (ἅγιοι) geſchriebenen Bücher.

'Αγιον, τὸ, das Heilige, das Heiligthum, heiliger Ort.

'Αγιοπρεπὴς, έος, ὁ, ἡ, Adv. ἁγιοπρεπῶς, ſchicklich (πρέπω) für Heilige, heilig.

Ἅγιος, ία, ιον, Adv. ἁγίως, heilig, geweiht; was geweiht ist, ist ehrwürdig, und muss rein seyn. —ιοσύνη, ἡ, od. ἁγιότης, Heiligkeit. —ιόω, ῶ, f. ώσω, heilig machen, heiligen, weihen.

Ἁγιστεία, ἡ, oder ἁγιστία, Gottesdienst, gottesdienstlicher Gebrauch, Ceremoniell; als ἡ περὶ τὸ πῦρ ἁγ. Plut. u. τὰς ὁσίας ἁγ. συντελεῖν Aeschin. von —στεύω, f. εύσω oder ἁγιστέω, heilig, rein seyn, sich so beweisen, betragen; als ἁγ. περὶ τὰ θεῖα Plat. u. beym Demosth. schwört eine Priesterin: ἁγιστεύω. καὶ εἰμὶ καθαρὰ καὶ ἁγνή.

Ἀγκάζομαι. in die Arme (ἀγκαὶ), auf den Arm nehmen. Hom. Il. 17, 722.

Ἄγκαθεν, Adv. bey Aeschylus für ἀγκὰς u. auch st. ἀνέκαθεν d. i. ἄνωθεν.

Ἀγκαὶ, αἱ, die Arme, eigentlich Ellbogen, wie ἀγκών.

Ἀγκάλη, ἡ, der Arm, Ellbogen, wie ἀγκή. Aeschyl. Choe. 585 πόντιαι ἀγκάλαι, s. v. a. ἄγκεα, die Tiefen.

Ἀγκαλέω, abgekürzt aus ἀνακαλέω.

Ἀγκαλιδαγωγέω, ῶ, f. ήσω, ich bin ein ἀγκαλιδαγωγός. —γωγὸς, ὁ, ἡ, (ἀγκαλὶς, ἄγω), einer, der Bündel, einen Armvoll forträgt, fortbringt.

Ἀγκαλιδοφορέω, ῶ, f. ήσω, ich bin ein ἀγκαλιδοφόρος: —φόρος, u. ἀγκαλιδηφόρος, ὁ, ἡ, (φέρω), s. v. a. ἀγκαλιδαγωγὸς, wo Pollux den Unterschied macht, dass er diess von Menschen, die tragen (φέρω), jenes von Eseln, die schleppen (ἄγω), gebraucht wissen will.

Ἀγκαλίζομαι, s. v. a. ἀγκάζομαι. Davon —λὶς, ίδος, ἡ, Arm; Armvoll, Bündel, Hom. Il. 18, 555. —λισμα, τος, τὸ, was man auf oder in dem Arme trägt. —λος, ὁ, (ἀγκάλη), ein Armvoll, Bündel, Hom. Hymn. 2, 82.

Ἀγκὰς, Adv. od. eigentlich der accus. ergänzt κατὰ, auf die Arme; als ἀγκὰς λαβεῖν.

Ἀγκίον, τὸ, dimin. v. ἄγκος, zw.

Ἀγκιστρεία, ἡ, (ἄγκιστρον), das Angeln, das Fischen mit Angeln. —στρευτὴς, οῦ, ὁ, ein Angelnder. —στρευτικὸς, ή, ὸν, was zum Angeln gehört. —στρεύω, f. εύσω, angeln, durch die Angel fangen; daher trop. locken, reizen, fangen, wie *inesco*; auch im Medio. Philo. —στροειδὴς, έος, ὁ, ἡ, angelartig (εἶδος), krumm wie eine Angel. —στρον, τὸ, hat mit ἄγκυρα einerley Ursprung; daher ἄγκιστρον ἀγκύρας. S. θινώδης. Widerhaken, Haken, vom Angelhaken; auch an der Spindel. Plato Resp. 10, p. 327. —στροφάγὸς, ὁ, ἡ, Angel verschluckend (φάγω); der an die Angel geht. —στρόω, ῶ, f. ώσω, ich mache biege wie eine Angel.

Ἄγκλιμα, ατος, τὸ, st. ἀνάκλιμα, (ἀνακλίνω), Anlehne.

Ἀγκοίνη, ἡ, v. ἀγκὼν wird ἀγκώνη oder ἀγκοίνη Ellbogen; ἐν ἀγκοίναις in den Armen, in der Umarmung, Hom. Il. 14, 213. Opp. Hal. 2, 173 πετραίῃς ἀγκοίνῃσιν ἐφήμενα ist dunkel.

Ἀγκονέω, ῶ, f. ήσω, st. ἀνακονέω (κόνις), den Staub erregen, sonst ἐγκονέω, d. i. hurtig laufen, eifrig betreiben. Davon führt Hesych ἄγκονες an u. erklärt es durch die andere composit. v. κόνις, διάκονος, u. ἀγκονὶς erklärt ein alter griechischer Lexikograph durch ὑπηρέτις.

Ἄγκος, εος, τὸ, Thal; eigentlich wohl ein Einschnitt, Vertiefung zwischen Felsen; daher ἄγκος φρείατος κοῖλον Anal. Brunk. 1. 410.

Ἀγκρεμάννυμι, st. ἀνακρεμάννυμι oder ἀνακρεμάω, aufhängen.

Ἀγκτὴρ, ῆρος, ὁ, *fibula*, womit man die Oefnung einer Wunde verenget und zubindet, *fibula venae plagam adstringere*, bey Vegetius, *qua orae vulnerum committuntur*, bey Celsus 5. von ἄγχω, davon ἀγκτηριάζω ich verbinde die Wunde auf diese Art, u. ἀγκτηριασμὸς das Verbinden der Wunde.

Ἀγκτηριάζω, f. άσω. S. d. vorherg.

Ἀγκτηριασμὸς, ὁ. S. ἀγκτήρ.

Ἀγκυλέομαι, οῦμαι; f. ήσομαι, den Wurfspiess mit der ἀγκύλη halten, werfen, schleudern.

Ἀγκύλη, ἡ, (ἄγκυλος), der Riemen am Wurfspiesse, *amentum*, womit er fortgeschleudert wird; daher bey Eur. Or. für den Wurfspiess selbst; bey Sophocl. Oed. tyr. 204. die Sehne am Bogen, die den Pfeil fortwirft. 2) Schleife, Ring, um etwas damit zu halten, Xen. Cyr. 6, 1. 3) Der Bug des Ellbogens (ἀγκὼν) und der Kniebug, Knie, *poples*; τὰς ἀγκύλας ἐκκεκομμένοι τὰς δεξίας Theodor. H. Eccles. 5. die rechte Kniekehle war ihnen gelähmt. Cael. Aurel. Tard. pass. 5, 1. Philostr. Icon. 2, 6. Kniekehle; Quint. Smyrn. 2, 53 umschreibt d. W. d. ἀγκύλα νεῦρα γούνατος. 4) ἀγκύλη u. ἀγκύλωσις heisst an den Gliedern eine Lähmung, wobey sie krumm u. unbeweglich stehn. Celsus 5. 18. steife, krumme Glieder; ἀγκύλη oder ἀγκύλωσις γλώττης oder βλεφάρου ist, wenn Zunge oder Augenlied durch einen Fehler angewachsen, fest, unbeweglich ist, daher ἀγκυλοβλέφαρος, ἀγκυλόγλωττος, und das Instrument, womit man die Zunge löset, ἀγκυλοτόμον. Die Lat. brauchten so ihr *ancus*, steif, gelähmt.

Ἀγκυλίζομαι, f. ίσομαι, ich stosse und werfe mit der ἀγκύλη, werfe überhaupt. —λίον, τὸ, Dimin. v. ἀγκύλη, auch ein Ring in der Kette; 2) das lat. *ancile*, eine Art v. Schild; 3) s. v. a. ἀγκύλη no. 4. —λὶς, ίδος, ἡ. Oppian. Cyn. 1. 155 ein Werkzeug der Jäger. —λιστὴς, οῦ, ὁ, der wirft, schleudert. S. ἀγκυλίζομαι. —λοβλέφαρος, ὁ, ἡ, u. ἀγκυλόγλωσσος oder ἀγκυλόγλωττος. S. ἀγκύλη no. 4.

'Αγκυλοειδὴς, ἐς, krummartig (ἀγκυλος, εἶδος), gekrümmt, krummgehend. —λόεις, εσσα, εν, bey den Dichtern ſ. v. a. ἀγκύλος. —λομήτης, ου, ὁ, fem. ἀγκυλόμητις, wiewohl Euſtath. dieſs auch als maſc. annimmt und es von μῆτις, ſo wie jenes von μήδω ableitet, der krumme Plane (μῆτις) hat, hinterliſtig, verſchlagen. —λόπους, οδος, ὁ, ἡ, krummfüſsig; z. B. α. δίφρος, ein Stuhl mit krummen Füſsen, die *ſella curulis.*

'Αγκύλος, η, ον, Adv. ἀγκύλως, krumm, gekrümmt, gebogen; zugerundet; daher ἀγκύλη φράσις u. ἀγκύλως καὶ βραχέως εἴρηται bey Dionyſ. Hal. ſonſt στρογγύλως. —λοτόμον, τὸ. S. ἀγκύλη n. 4. —λότοξος, ὁ, ἡ, ein Bogenſchütze mit krummen Bogen. —λόχειλος, ὁ, u. ἀγκυλοχείλης, ου, ὁ, (ἀγκύλος, χεῖλος), mit krummen Lippen; Schnabel, von Raubvögeln; nach andern mit krummen Krallen, ἐπικαμπεῖς χηλὰς ἔχων, Hom. Il. 16, 428. Od. 19, 538. —λοχήλης, ου, ὁ, mit krummen Krallen (χηλή), Hom. Batr. 285. —λόω, ῶ, f. ώσω, oder ἀγκύλω, krümmen, krumm machen. Aretaeus 1, 6. κατόπιν ἀγκύλει τὸν ἄνθρωπον. Heſych. hat ἀγκύλεσθαι κάμπτεσθαι, wie καμπυλέω. —λωσις, εως, ἡ, Krümmung, Biegung. S. ἀγκύλη no. 4. —λωτὸς, ἡ, ὸν, gekrümmt, gebogen.

'Αγκυρα, ἡ, ancora, ein Haken; 2) der Anker; metaph. die Sicherheit; ἐπὶ δυοῖν ἀγκύραιν ὁρμεῖν αὐτοὺς ἐᾶτε Demoſth. 1295. mit zwey Ankern das Schiff befeſtigen, metaph. ihnen die Wahl, Alternative laſſen.

'Αγκυρίζω f. ίσω, bey Ariſtoph. Eq. 262, bedeutet einen Fechterſtreich, wie ein Bein unterſchlagen; daher dieſer Kunſtgrif ἀγκύρισμα, wofür bey Euſtath. ἀγάυρισμα falſch ſteht.

'Αγκύριον, τὸ, dimin. v. ἄγκυρα.

'Αγκύρισμα, τὸ, S. ἀγκυρίζω.

'Αγκυροβολέω, f. ήσω, den Anker werfen; daher feſt einhaken, ſtark befeſtigen. —ροβόλιον, τὸ, Ankerplatz, Ankerwurf. —ροειδὴς, έος, ὁ, ἡ, (εἶδος), Ankerförmig. —ρομήλη, ἡ, eine Sonde mit einem Haken. —ρουχία, ἡ, (ἔχω), das Feſthalten, Einhaken des Ankers. —ρόω, ῶ, f. ώσω, einankern, oder wie einen Anker machen; davon —ρωτὸς, ἡ, ὸν, nach Art eines Ankers gemacht.

'Αγκὼν, ῶνος, ὁ, Ellbogen, eingebogner Arm; daher jede Einbiegung, Krümmung, Apollon. II. 560. von ἄγκος, davon ἀγκύλος. Deſswegen bedeutet ἀγκὼν bey Homer den Bug der Hand, anderswo den Kniebug; ἀγκῶνα τείχους nennt Homer den Winkel der Mauer, vorſtehenden Theil, den er ſonſt πύργον προύχοντα nennt. Herodot braucht auch ἀγκῶνας von der Biegung u. Krümmung der Flüſſe, der Mauern. *Ancones* nennen auch die Lateiner die Haken, Stangen mit Haken. Vitruv. 10, 13. Gra*tius verſu* 87. die Arme am Lehnſtuhle Cael. Aurel. Chron. 2, 1. 46. ἀγκωνίσκοι Exod. 26. nach der alten Ueberſ. *incaſtraturae*, Fugen; davon —νίζομαι, ſich krümmen, in Krümmungen fortwinden, vom Fluſs beym Euſtath. —νίσκος, ὁ, in den Compoſ. gebräuchlicher. dimin. von ἀγκών. —νόδεσμος, ὁ, (ἀγκὼν, δεσμὸς), ein Ellbogenband, zweif.

'Αγλαέθειρος, ὁ, ἡ, (ἀγλαὸς, ἔθειρα), mit glänzendem, ſchönem Haare, Hom. hymn. 18, 5.

'Αγλαΐα, ἡ, (ἀγλαὸς), Glanz, Schmuck, Schönheit; feſtlicher Schmuck u. Freude; als Heſiod. im Schild v. 272. ſie ergötzten ἐν ἀγλαΐαις τε χοροῖς τε, u. v. 284. in der ganzen Stadt waren θαλίαι τε χοροί τε ἀγλαΐαι τε. Odyſſ. 17, 244. Stolz, Uebermuth. —ΐζω, f. ίσω, (ἀγλαὸς), glänzend, ſchön machen, ſchmücken, zieren. —ϊσμα, τος, τὸ, Schmuck, Zierde, Putz. —ϊσμὸς, ὁ, das Schmücken, Zieren; auch ſ. v. a. d. vorh. —ϊςὸς, ἡ, ὸν, geziert, geſchmückt.

'Αγλαόγυιος, ὁ, ἡ, (γυῖον), mit glänzenden ſchönen Gliedern. —όδενδρος, ὁ, ἡ, (δένδρον), mit Bäumen prangend. Pindar. —όθρονος, ὁ, ἡ, (θρόνος), u. —όθωκος, ὁ, ἡ, (θῶκος), mit glänzendem Sitze, Throne. Pindar. —όκαρπος, ὁ, ἡ, (καρπὸς), mit glänzenden, reizenden Früchten. —όκοιτος, ὁ, ἡ, (κοίτη), mit einem glänzenden, prächtigen Lager. —όκουρος, ὁ, ἡ, mit Kindern prangend. —όκωμος, ὁ, ἡ, mit glänzendem od. frohem Mahl, od. (ein Geſang), der ein Gaſtmahl froh macht. —όμορφος, ὁ, ἡ, (μορφὴ), von glänzender, reizender Bildung. —όπαις, αιδος, ὁ, ἡ, ſ. v. a. ἀγλαόκουρος.

'Αγλαὸς, ὁ, Adv. ἀγλαῶς, von ἀγάλλω eigentl. ἄγαλὸς, geziert, geſchmückt; ſchön, hell, glänzend; heiter u. ſ. w. auch metaph. von Menſchen, frölich, ſtolz. —ότιμος, ὁ, ἡ, (τιμὴ), glänzend od. auszeichnend geehrt. —οτριαίνης, ου, ὁ, (τρίαινα), mit glänzendem Dreyzack.

'Αγλαόφημος, ὁ, ἡ, (φήμη), mit glänzendem Ruf, weit und breit berühmt. —όφωνος, ὁ, ἡ, (φωνὴ), mit einer ſchönen, hellen Stimme. —όφωτις, ιδος, ἡ, ſ. v. a. γλυκυσίδη.

'Αγλαυρος, ὁ, ἡ, ſ. v. a. ἀγλαὸς. Nicand. Ther. 441. oft mit ἄγραυλος verwechſelt.

'Αγλάφυρος, ὁ, ἡ, (γλαφυρὸς), Adv. ἀγλαφύρως, nicht geglättet, unpolirt, nicht ſchön.

'Αγλαώπις, ιδος, ἡ, (ὢψ), mit glänzendem, reizendem Auge oder Blicke.

'Αγλάωψ, ωπος, ὁ, ἡ, mit glänzendem, reizendem Blicke.

'Αγλευκὴς, έος, ὁ, ἡ, oder ἄγλευκος, (γλεῦκος, γλυκὺς), nicht ſüſs; unſchmackhaft, unangenehm.

'Αγληνος, ὁ, ἡ, (γλήνη), ohne Augapfel, blind.

'Αγλίδιον, τὸ, ſ. v. a. ἀγλίθιον, von ἄγλις.

'Αγλίη, ης, ἡ. S. αἰγὶς no. 4.

'Αγλις, ιθος, ἡ, der Kern, dergleichen mehrere den Kopf von der Bolle des Knoblauchs ausmachen, *nucleus*.

'Αγλισχρος, ὁ, ἡ, (γλίσχρος), nicht leimicht, nicht zähe.

'Αγλυκὴς, έος, ὁ, ἡ, ſ. v. a. ἀγλευκὴς.

'Αγλυφος, ὁ, ἡ, (γλύφω), ungeſchnitzt oder ungeſchnitten: Philox.

'Αγλωττία, ἡ. das Schweigen: bey Eurip. Unberedſamkeit: von ἀγλωσσέω bey Heſych. ſ. v. a. δυσφημέω.

'Αγλωσσος, oder ἄγλωττος, ὁ, ἡ, ohne Zunge, ohne Sprache (γλῶσσα), ſprachlos, ſtumm; auch bey Sophocl. Trach. 1071. ſ. v. a. βάρβαρος.

'Αγμα, τος, τὸ, (ἄγω, ἀγνύω), abgebrochnes Stück; Bruch; davon —μίζω, f. ίσω, bey Heſych. ſ. v. a. παραθραύω. —μὸς, ὁ, das Brechen: auch ſ. v. a. ἄγμα; ein abgebrochner, d. i. abſchüſſiger, ſteiler Ort, als Berg, Ufer.

'Αγναμπτος, ὁ, ἡ, (γναμπτὸς), ungebogen: unbiegſam, unerbittlich.

'Αγναπτος, ὁ, ἡ, oder ἄγναφος, (γνάπτω), ungewalkt, ungereiniget.

'Αγνεία, ἡ, oder ἄγνευμα, (ἁγνεύω), das Reinſeyn, Reinigkeit, Keuſchheit; das Reinmachen, (in ſo fern ἁγνεύω act. gebraucht wird), Reinigung, Ausſöhnung.

'Αγνευτήριον, τὸ, Reinigungs-Ausſohnungsort oder Mittel. —ευτικὸς, ἡ, ὸν, was ſeine Reinheit oder Keuſchheit erhalt, oder mehr als ein anderes erhalt, beym Ariſtot. von ζῶον, als Gegenſ. v. ἀφροδισιαστικὸν. —εύω, f. εύσω, rein, keuſch ſeyn; act. rein, keuſch machen, reinigen, durch ein Söhnopfer oder andre ähnliche Handlung. Antiphon.

'Αγνὴς, έος, ὁ, ἡ, ſ. v. a. ἁγνὸς.

'Αγνίζω, f. ίσω, reinigen durch ein Sohnopfer; 2) beym Opfer verbrennen und dadurch der Gottheit weihen, wie ἁγίζω; zw.

'Αγνιος oder ἄγνινος, davon ἄγνιαι ῥάβδοι Ruthen von ἄγνος, *vitex*, Plutarch. Q. S. 6, 8.

'Αγνισμα, τος, τὸ, eig. das gereinigte: aber auch ſ. v. a. ἁγνισμὸς, das Reinigen, Ausſohnen. —ιςικὸς, ἡ, ὸν, gut, geſchickt zum Reinigen, Ausſohnen. —ίτης, ου, ὁ, rein; als ἁ. ἅλς Lycoph. reines, oder reinigendes Salz.

'Αγνοέω, ῶ, f. ήσω, (γνοέω, νοέω), nicht wiſſen, nicht einſehen, irren; davon —όημα, τος, τὸ, Unwiſſenheit, Irrthum. —οια, ἡ, (νοῦς), Unverſtand, Unwiſſenheit, Unerfahrenheit.

'Αγνοποιὸς, ὁ, ἡ, (ποιέω), rein machend, reinigend.

'Αγνοπόλος, ὁ, ἡ, (πολέω), rein ſeyend, bey Orph. Arg. mit καθαρμὸς, reinigend, ausſohnend, heiligend. Heſych. hat ἁγνοπολέω durch Söhnopfer reinigen.

'Αγνόῤῥοιος, (ῥόος,) reinflieſsend. zw.

'Αγνὸς, ἡ, ὸν, rein, keuſch; phyſiſch, nicht ſchmutzig; moraliſch, laſterfrey, mit keinem Verbrechen befleckt, *ſceleris purus*: daher heilig, ehrwürdig, z. B. von Feſten und Opfern, Hom. Od. 21, 259. Heſiod. op. 337.

'Αγνος, ἡ, *vitex*, ein weidenartiges Gewächs, welches die Weiber an gewiſſen Faſttagen ſich unterlegten; daher der Name des keuſchen, deutſch Keuſchlam.

'Αγνοτελὴς, ες, έος, (τελέω), rein oder keuſch handelnd, rein.

'Αγνότης, ητος, ἡ, (ἁγνὸς), Reinigkeit, Keuſchheit, Heiligkeit.

'Αγνύθες, ων, αἱ, die Steine, womit die Weber die Faden des Aufzugs beſchwerten, um ſie gerade zu halten, ſonſt λαῖαι, λεῖαι, λάες. Vergl. Senec. Epiſt. 90. *quemadmodum tela ſuſpenſis ponderibus rectum ſtamen extendat.*

'Αγνυμι, od. ἀγνύω, ἄγω, f. ἄξω, davon ἄγνω, brechen, zerbrechen.

'Αγνώδης, εος, ὁ, ἡ, (ἄγνος), weidenartig.

'Αγνωμονέω, ῶ, f. ήσω, oder ἀγνωμονεύω, ich bin ein ἀγνώμων, bin oder handle ohne Verſtand, ohne Ueberlegung; denke, handle ſchlecht (ohne Herz, mit ſchlechtem Herzen); bin unerkenntlich. 2) Active, ich behandle hart, unrecht, μὴ ἀγνωμονηθῶσι, Plutarch. Virt. Mulier. p. 24.

'Αγνωμος, ὁ, ἡ, ſ. v. a. ἀγνώμων, aber hochſt wahrſch. falſch aus dem neutro ἄγνωμον entſtanden. —μοσύνη, ἡ, Mangel an Einſicht, Dummheit, Unerfahrenheit, Mangel an Ueberlegung, Unbilligkeit, Unerkenntlichkeit. Von —μων, ονος, ὁ, ἡ, Adv. ἀγνωμόνως, (γνώμη) unverſtandig, unüberlegt; (γνώμων) aber, ein Thier, welches die γνώμονες nicht hat; ὀυκ ἀγνώμων Soph. ſ. v. a. ευγνώμων.

'Αγνωρίζω, f. ίσω, nicht wiſſen, nicht erkennen: zweif. —ριςος, ὁ, ἡ, unbekannt, nicht bekannt geworden, nicht erkannt.

'Αγνὼς, ῶτος, ὁ, ἡ, gleichſam von ἀγνῶμι partic. unbekannt; auch act. z. B. Xen. Oec. 20, 13. wie bey uns: ich bin mit dem Dinge unbekannt, nicht bekannt, und *ignotus*. —ωσία, ἡ, (γνῶσις), Unbekanntſchaft: Unwiſſenheit,

Unverständigkeit. —ωσσάσκω, (Od. 13, 95.) u. —ώσσω, von ἀγνόω, wie λιμὸς λιμόω λιμώσσω gemacht, f. v. a. ἀγνοέω nicht wissen, nicht kennen. —ωςος, ὁ, ἡ, oder ἄγνωτος, (γνωστὸς, γνωτὸς), unbekannt, nicht bekannt geworden, nicht berühmt.

'Αγοήτευτος, ὁ, ἡ, Adv. ἀγοητεύτως, nicht zu bezaubern oder zu täuschen.

'Αγομένη, ἡ, (ἄγω), verst. σχοῖνος, Strick, Seil, Mathem. vet. p. 45. wird S. 47. durch ἄκραι, Enden, erklärt, ἀγόμεναι.

'Αγόμφωτος, ὁ, ἡ, (γομφόω), nicht angenagelt, nicht fest.

'Αγόνατος, ὁ, ἡ, (γόνυ), ohne Knie; bey Pflanzen, ohne Knoten, Gelenke.

'Αγονέω. ῶ, f. ήσω, ich bin ἄγονος, ohne Kinder, kinderlos, unfruchtbar. —νία, ἡ, Unfruchtbarkeit; von —νος, ὁ, ἡ, ohne γόνος, d. i. entw. act. ohne Kinder, kinderlos, unfruchtbar, oder pass. ohne Entstehung, ungeboren.

'Αγοος, ὁ, ἡ, (γόος), ohne Trauer, unbeweint, nicht trauernd.

'Αγορὰ, ἡ, (ἀγείρω, ich versammle), *forum*, ein öffentlicher Ort, wo das Volk bey Berathschlagungen und Wahlen, die Magisträte und Richter beym Gerichte, und die Leute, die verkaufen und kaufen, zusammenkommen, also der Versammlungsplatz des Volks, der Magisträte, Richter, Redner; ἀγορὰν θέμενος. Odyss. 9, 170. hielt eine Versammlung. Homer sagt ἀγορῇ νικᾷς st. Beredsamkeit und Klugheit des Redners. 2) Der Marktplatz, Markt; 3) die Lebensmittel, *commeatus*, käuflichen Waaren; ταῖς ἀγοραῖς κομιζομέναις ἐπιπεσὼν Plut. Pyrrh. 12. er überfiel den Proviant, den man fortfuhr; 4) auch die Versammlung, Unterhandlung, Herodot. 17. 11. Luzian nennt μυρμήκων ἀγορὰν einen Ameisenhaufen; davon —ράζω, f. άσω, ich bin auf dem Markte, Herodot. 2, 35. mithin ich rede in der Versammlung, berathschlage mich mit ihr; handle auf dem Markte, kaufe oder verkaufe. —ραῖος, ὁ, ἡ, Adv. ἀγοραίως, was auf dem Markte ist, od. dahin, dazu gehört, mithin einer, der in der Versammlung des Volks spricht, vor Gerichte spricht und eine Sache od. Process vertheidigt, ein Sachwalter, Advokat; der auf dem Markte kauft oder im Kleinenverkauft, ein Höker; einer, der sich gewöhnlich auf dem Markte aufzuhalten pflegt, ein Müssiggänger, Pflastertreter, wie *subrostranus*, Theophr. char. 6, 1. vergl. Xen. Cyr. 1, 2, 3, wo er den Marktleuten ἀπειροκαλίας beylegt; dass man also gar keinen Grund hat, mit einigen alten Grammatikern zwischen ἀγόραιος u. ἀγοραῖος einen Unterschied zu machen, dass das letztere den Marktmann, das erstere aber den Müssiggänger anzeigte.

'Αγορανομέω, ῶ, f. ήσω, ich bin ἀγορανόμος. —νομία, ἡ, das Amt, die Würde eines ἀγορανόμος. —νομικὸς, ἡ, ὸν, zum ἀγορανόμος oder zur ἀγορανομία gehörig; ein gewesener ἀγορανόμος. —νόμος, ὁ, (ἀγορὰν νέμων), der Marktmeister, der die Aufsicht über den Markt, Kauf und Verkauf hat, wie der aedilis der Römer.

'Αγοράομαι, ῶμαι, f. ήσομαι, in die Versammlung (ἀγορὰ) kommen, sich versammeln, zur Berathschlagung kommen. Hom. Il. 4, 1. mithin sich berathschlagen, in der Versammlung reden Il. 1, 253. —ρασείω, kaufen wollen, Lust haben zu kaufen, v. fut. ἀγοράσω, wie *emturus emtururio*. —ρασία, ἡ, od. ἀγόρασις, (ἀγοράζω), Einkauf. —ρασμα, τος, τὸ, gekaufte Waare, oder zum Verkaufe. —ρασμὸς, ὁ, das Kaufen. —ραςὴς, οῦ, ὁ, Einkäufer, bey den Griechen ein Sklave, der auf dem Markte einkaufte, ὁ τὰ ὄψα ὠνούμενος, nach dem Athen. zu seiner Zeit ὀψωνάτωρ genannt. —ραςικὸς, ἡ, ὸν, zum Käufer, zum Kaufe gehörig. —ραςὸς, ἡ, ὸν, gekauft, zu verkaufen. —ρεύω, f. εύσω, oder ἀγορέω, (ἀγορὰ) sprechen; kaufen; wie ἀγοράω, ἀγοράζω; davon —ρητὴς, ου, ὁ, (ἀγορὴ), ein Redner, Sprecher; 2) τῆς πόλεως ἀγορητὴς, Inscript. bey Chandler scheint das latein. *Parochus* zu seyn, der Lebensmittel herbeyschafft und reicht. —ρητὺς, ύος, ἡ, Rednervermögen, Beredsamkeit: jonisch. —ρος, ὁ, f. v. a. ἀγορὰ. Eur. Andr. 1021. Iph. 1096. El. 724.

'Αγος, oder ἄγος, εος, τὸ, heisst, in so fern es v. ἄζω, bewundern, abstammt, Bewunderung, Schatzung, Verehrung; als Stammwort von ἁγνὸς rein, Reinigung, Aussöhnung, ein auszusöhnendes Verbrechen, Reinigkeit.

'Αγὸς, ὁ, ἡ, (ἄγω), Führer, Hom. Il. 4, 265. 519.

'Αγοςέω, ῶ, f. ήσω. S. ἀκοςέω.

'Αγοςὸς, ὁ, bey Homer die flache Hand, bey Theokrit. u. andern f. v. a. ἀγκὼν u. ἀγκόναι; Ellbogen, Arme.

'Αγρα, ἡ, Jagd (des Wildes), Fang (der Fische), das erjagte Wild, die gefangenen Fische, wie auch wir sagen: die Jagd, der Fang ist schlecht, gering.

'Αγραῖος, ὁ, Jäger; daher ἀγραία, Jägerin, ein gewöhnliches Beywort der Artemis; eigentlich zur Jagd ἄγρα gehörig.

'Αγραμματία, ἡ, Ungelehrsamkeit; von

'Αγράμματος, ὁ, ἡ, ohne Wissenschaften (γράμματα), ungelehrt.

'Αγραπτος, ὁ, ἡ, ungeschrieben, nicht geschrieben.

'Αγραυλέω, ῶ, f. ήσω, ich bin oder liege auf dem Lande, v. ἄγραυλος; davon —λία, ἡ, das Liegen, Durchnachten auf freiem Felde. —λος, ὁ, ἡ, (αὐλὴ), auf dem Acker oder dem Lande sich aufhaltend, schlafend. Nicand. Ther. 473. ἄγραυλοι s. v. a. ἄγροικοι. Wird oft m. ἄγλαυρος verwechselt.

'Αγραφος, ὁ, ἡ, (γραφὴ), ungeschrieben.

'Αγρει, der imper. v. ἀγρέω, s. v. a. ἄγε, Hom. Il. 5, 765. u. in plur ἀγρεῖτε, Od. 20, 149.

'Αγρεῖος, εία, εῖον, (ἀγρὸς), vom Felde, vom Lande.

'Αγρειοσύνη, ἡ, Anal. Brunck. 3. p. 185. wo es viell. ἀγερμοσύνη st. ἀγυρμὸς heissen soll.

'Αγρειφνα, ἡ, bey Hesych. ἀγρίφη auch ἀσκρίφη, im Epigram des Phanias ἀγρειφναν κενοδοντίδα, wo man es durch Harken erklart, oder σκάφη.

'Αγρεσία, ἡ, s. v. a. ἄγρευσις.

'Αγρευμα, τος, τὸ, das erjagte Wild, die gefangenen Fische; jedes erjagte oder mühsam erworbene.

'Αγρεὺς, έως, ὁ, Jäger, Fänger, Fischer. —ευσις, εως, ἡ, Jagd: das Fangen. —ευτὴρ, ῆρος, ὁ, Jager. —ευτικὸς, ἡ, ὸν, zum Jager od. Jagen, Fangen gehorig oder geschickt. —ευτος, ὁ, ἡ, gefangen. —εύω, f. εύσω, oder ἀγρέω, jagen, fangen; nehmen.

'Αγρηνον, τὸ, Garn, Netz. zw.

'Αγριαίνω, f. ανῶ, (ἄγριος), wild, grausam machen; med. ἀγριαίνομαι, wild, grausam seyn, wüthen. Plato braucht auch ἀγριαίνω fur ἀγριαίνομαι, wild werden, bose werden Resp. 6. p. 105. u. Aelian. H. A. 1. 57.

'Αγριάμπελος, ἡ, wildwachsender Weinstock; s. v. a. ἄμπελος ἀγρία, Waldrebe.

'Αγριὰς, άδος, ἡ, s. v. a. ἀγρία.

'Αγρίδιον, τὸ, (ἀγρὸς), ein kleines Feld, Land oder Landgut.

'Αγριελαία, ἡ, wilder Oelbaum. *Oleaster*. —έλαιος, ὁ, ἡ, wilder Oelbaum; adject. vom wilden Oelbaum.

'Αγρίζομαι. S. ἀγγρίζω.

'Αγριμαῖος, αία, αιον, wild, opp. v. ἥμερος, zahm. Athenae. p. 549.

'Αγριοβάλανος, ἡ, eine wilde, wildwachsende βάλανος.

'Αγριόεις, εσσα, εν, poet. s. v. a. ἄγριος. —όθυμος, ὁ, ἡ, von wildem Sinne (θυμὸς), wild, grausam. —οκάρδαμον, τὸ, wildes κάρδαμον. —οκήπιον, τὸ, (κῆπος), wilder, unbebauter Garten. —όμηλα, τὰ, (μῆλον), wilde Aepfel. —όμορφος, ὁ, ἡ, von wilder Bildung, wildem Anblick. —ομυρίκη, ἡ, wilde μυρίκη. —οπηγὸς, ὁ, (ἄγριος, πήγνυμι), beym Schol. des Aristoph. als Synonym. v. ἁμαξουργὸς Stellmacher. —οποιὸς, ὁ, ἡ, (ποιέω), wildmachend. —οραίγανος, ὁ, wilder ὀρείγανος. —όρνιθες, αἱ, (ὄρνις), wilde Hühner. —όρροδον, τὸ, (ῥόδον), wilde Rosen.

'Αγριος, ία, ον, Adv. ἀγρίως, vom Felde ἀγρὸς, als Gegensatz der bewohnten und bebauten Plätze, also wild, wie *agrestis* v. *ager*; von Thieren, die in der Wildniss leben, als Gegensatz v. ἥμερος, u. von Menschen, die in ihrer Gesinnung, ihrem Betragen wilden Thieren ähnlich, tückisch, grausam sind; vom Lande, Dorfe, (wie im Lat. *ager* als Gegensatz von *urbs*, so diess als Gegensatz v. ἄστυ, ἀστεῖος), mithin nicht so fein und gebildet, wie ein Städter, bäuerisch, grob, *rusticus* opp. *urbanus*. —οσέλινον, τὸ, wildes σέλινον. —οσταφυλὶς, ίδος, ἡ, oder ἀγριοσταφυλις, ιος, ἡ, wilde Traube. —οσύνη, ἡ, oder ἀγριότης, das Betragen eines ἄγριος, Wildheit, Grausamkeit. —όφρων, ονος, ὁ, ἡ, (φρὴν) wildgesinnt. —όφυλλον, τὸ, übers. Plin. 25, 9. *peucedanum*. —όφωνος, ὁ, ἡ, mit wilder Stimme (φωνὴ), eine wilde, ungebildete, harte Sprache oder Aussprache habend, Hom. Od. 8, 294. —οχηνάρια, τὰ, (χηνάριον, v. χὴν), wilde Gänschen. —ιόψυχος, ὁ, ἡ, (ψυχὴ), von wilder Seele. —ιόω, ῶ, f. ώσω, wild machen, erbittern.

'Αγριππος, ἡ, ἄγριφος b. Suidas u. Hesych. der wilde Oelbaum im Dialekte der Lazedämonier.

'Αγρίφη, ἡ. S. ἀγρειφνα.

'Αγριώδης, εος, ὁ, ἡ, wild.

'Αγριώνιος, ὁ, Beyw. des Bacchus, Plutar. Anton. 14. wovon das Fest ἀγριώνια bey ihm in Hellenic.

'Αγριωπὸς, ὁ, ἡ, (ὢψ), wilden Blicks.

'Αγριωτὸς, ἡ, ὸν, (ἀγριόω), verwildert.

'Αγροβότης, ἀγροβώτης, ου, ὁ, d. i. ἐν ἀγρῷ βόσκων, auf dem Felde weidend, ein Feldhirte. —γείτων, ονος, ὁ, Landnachbar, Nachbar auf dem Lande. —γενὴς, έος, ὁ, ἡ, (γένος), auf dem Lande geboren, erzeugt. —δίαιτος, ὁ, ἡ, (δίαιτα), auf dem Lande lebend, ein Landleben führend. Bey Gellius 1, 5. soll es dafür ἀναφρόδιτος heissen. —δότης, ου, ὁ, ein Land- (ἀγρὸς) oder Jagd- (ἄγρα) Geber.

'Αγροικεύομαι, f. εύσομαι, betrage mich, werde wie ein ἄγροικος d. i. bauerisch, grob, ungesittet.

'Αγροικία, ἡ, die Wohnung der Landleute; z. B. πορθεῖν τὰς ἀγροικίας; das Betragen der Landleute, Grobheit, Ungesittetheit, opp. εὐτραπελία beym Aristot. der Charakter der Landleute, Unwissenheit.

'Αγροικίζω, f. ίσω, ich mache wild; med. ἀγροικίζομαι Plat. s. v. a. ἀγροικεύομαι, thue etwas unschickliches, unanständiges, grobes.

Ἀγροῖκος, ὁ, ἡ, oder ἄγροικος, wiewohl Euſtath. zwiſchen beyden einen Unterſchied will gemacht wiſſen, ein Mann vom Lande, da lebend; daher bäuriſch, grob, ungeſittet; unwiſſend. Vergl. ἀγροικία.

Ἀγροικότονος, ὁ, ἡ, grob oder bäueriſch tönend.

Ἀγροιώτης, ου, ὁ, ein Mann vom Lande, vom Felde, Landmann, Feldmann oder Hirte. Hom. Il. 11, 548.

Ἀγροκόμος, ὁ, (κομέω), Landbeſorger, der die Aufſicht über ein Landgut hat. Joſeph. Antiq. 5. K. y. — ονομία, ἡ, das Amt eines ἀγρονόμος; oder die Verwaltung der Stadtäcker, Vertheilung (νέμω) der Aecker. — όνομος, ὁ, ἡ, paſſ. ὁ τοὺς ἀγροὺς νεμόμενος, auf den Feldern weidend, von Thieren; auf dem Lande lebend, ſich da aufhaltend und nährend, von Menſchen, Nymphen u. ſ. w. Hom. Od. 6, 106.

Ἀγρονόμος, ὁ, ἡ, act. ὁ ἐν ἀγροῖς νέμων, auf dem Lande lebend, auf den Feldern weidend, überh. ein Landmann; eine beſondere obrigkeitliche Perſon in Athen, nach Ariſt. polit. 6. waren die ἀγρονόμοι, οἱ τῶν περὶ τὰ ἔξω τοῦ ἄστεος χώρων ἄρχοντες, Aufſeher über die um die Stadt herum gelegenen Aecker und Länder, Landpfleger.

Ἀγρὸς, ὁ, *ager*, das Feld, Land, als Gegenſatz des Dorfes; das Land, als Gegenſatz der Stadt, beſonders Landgut. — ότερος, έρα, ερον, vom Felde (ἀγρὸς), oder von der Jagd (ἄγρα). Daher Artemis ἀγροτέρα, wie ἀγραία, Hom. Il. 21, 471. Auch ſ. v. a. ſonſt ἄγριος, *agreſtis*, wild, ἡμίονος, ἔλαφος Hom. Il. 2, 852. 21, 486. — ότης, ου, ὁ, fem. ἀγρότις, Landmann, vom Lande, vom Felde. — ότης, ητος, ἡ, Landweſen, Ländlichkeit: zw. — οτικὸς, ἡ, ὸν, zum Lande oder Landmanne gehörig: zw. — οφύλαξ, ακος, ὁ, Land- oder Feldwächter.

Ἀγρυξία, ἡ, (γρύζω), das Nichtmukſen, verſtummen, das tiefſte Stillſchweigen.

Ἀγρυπνέω, ῶ, f. ήσω, ich bin ein ἄγρυπνος; τινὶ, auf etwas wachſam, aufmerkſam, unermüdet bey einer Sache ſeyn. — πνητικὸς, ἡ, ὸν, gewöhnlich ſchlaflos; ſehr wachſam. — πνία, ἡ, Schlafloſigkeit; Wachſamkeit; von — πνος, ὁ, ἡ, ſchlaflos wachſam. — πνώδης, ες, ſchlaflos machend. zw.

Ἄγρω, poetiſch ſt. ἀγέρω, wie ἔγρω ſt. ἐγέρω.

Ἀγρώσσω, ſ. v. a. ἀγρεύω, Hom. Od. 5, 53.

Ἀγρώστης, ου, ὁ, der Jäger, Fänger.

Ἀγρωστῖνος, bey den Siciliern ſ. v. a. ἀγροῖκος.

Ἄγρωστις, ιος, ἡ, Feldgras, Gras, womit gewöhnlich die Felder verwachſen, Quecken. Dioſc. 4, 30. u. Hieron. in Hoſ. Hom. Od. 6, 90.

Ἀγυιὰ, ἡ, (ἄγω), Straſse, Weg, Gaſſe; Empedokles nennt auch die Blutadern ſo: τέρεν αἷμα κλαδασσόμενον δι' ἀγυιῶν. — υιάτης, ου, ὁ; ἀγυιᾶτις, ιδος, ἡ, Apollo hieſs ἀγυιάτης, als Schutzpatron, inſoferne ſeine Bildſaule auf den Straſsen zu Athen ſtand; daher ἀγυιάτιδες θεραπεῖαι Eur. Jon 186 der Gottesdienſt deſſelben; ſonſt iſt ἀγυιάτης, auch ſ. v. a. κωμήτης, γείτων, *vicinus*, der Nachbar; Pind. Pyth. 6. 2. Σεμέλα Ὀλυμπιάδως ἀγυιᾶτις ſ. v. a. d. nachfolg. ὁμοθάλαμε, Geſellin. — υιεὺς, έως, ὁ, ſ. v. a. ἀγυιάτης, *viis praepoſitus* Macrob. Sat. 1, 9. 2) eine vor den Thüren dieſem Apollo geſetzte Säule.

Ἀγυιοπλαστέω καλιὰς Lycoph. 601. Neſter in Reihen, wie die Straſsen, zuſammen bauen.

Ἄγυιος, ὁ, ἡ, (γυῖον), ohne Glieder; gliederſchwach.

Ἀγυμνασία, ἡ, Vernachläſſigung, Mangel der Uebung, Trägheit. — νασος, ὁ, ἡ, (γυμνάζω), ungeübt; τινὸς, in einer Sache ungeübt, ungeſchickt.

Ἀγύναικος, ὁ, od. ἀγύνης, ἄγυνος, ἀγύναιος, ohne Frau (γυνή).

Ἄγυρις, εως, ἡ, aeoliſch ſt. ἀγορὰ, davon ὁμήγυρις, πανήγυρις und mehrere im attiſchen Dialekte geblieben ſind. — ρμὸς, ὁ, das Zuſammenbringen, Einſammeln, Zuſammenbetteln. S. ἀγείρω u. ἀγύρτης. — ρμοσύνη, ſ. v. a. ἀγερμοσύνη.

Ἀγυρτάζω, f. άσω, ich bin ein ἀγύρτης, ſammle ein, bettle zuſammen, ziehe als Marktſchreier herum und betrüge die Leute. — ρτεία, ἡ, das Handwerk, die Künſte und Betrügereyen eines ἀγύρτης: gleichſ. v. ἀγυρτεύω. — ρτης, ου, ὁ, fem. ἀγύρτρια, (ἀγείρω), eigentlich einer, der verſammelt, zuſammenbringt, ὁ ἀγείρων ὄχλον, daher einſammelt, zuſammenbettelt und als Marktſchreier die Leute betrügt; Gaukler, Landſtreicher; Bettler, Aufſchneider. — ρτικὸς, ἡ, ὸν, Adv. ἀγυρτικῶς, ein geſchickter ἀγύρτης Gaukler, Aufſchneider; oder was darzu gehört, von ihm iſt, τὸ ἀγυρτικὸν καὶ ἀγοραῖον πλῆθος Plutarch. d. i. πλῆθος τῶν ἀγυρτῶν καὶ ἀγοραίων, ein Haufe von Bettelgeſinde und Pflaſtertretern. — ρτὸς, ὁ, (ἀγύρω) zuſammengebracht, eingeſammelt. — ρτρια, ἡ, femin. v. ἀγύρτης. — ρτώδης, εος, ὁ, ἡ, von der Art nach der Art eines ἀγύρτης, Gaukler- Landſtreichermäſsig.

Ἀγχάζομαι. ſt. ἀναχάζομαι. — αυρος, ὁ, ἡ, (ἄγχι, αὔρα), Apollon. 4, 111. νὺξ, der letzte Theil der Nacht gegen den Morgen, wo die Morgenluft zu wehen anfängt. vergl. Heſych. in ἄγχουρος u. κνέφας.

'Αγχίμαχος, ὁ, ἡ, oder ἀγχίμαχος, (ἀγχι, μάχομαι), in der Nähe streitend; ἀγχίμαχα ὅπλα, Xenoph. Waffen, womit man in der Nähe streitet.

'Αγχι, Adv. nahe, nahe dabey, vom Raum; nahe, von der Zeit, od. bald; davon —χίαλος, ὁ, ἡ, (ἅλς), nahe am Meer, am Ufer. —ιβαθής, έος, ὁ, ἡ, nahe an der Tiefe (βάθος), daher tief, als α. θάλασσα, Hom. Od. 5, 413. Φάρυγξ Epigr. vorz. von Ufern gebräuchlich, Aelian. H. A. 10, 17.; das Gegentheil ist τηλεβαθής. —ιβατέω, s. v. a. ἀγχιβαίνω, nahe hinzutreten od. nahe dabey seyn. —ιγειος, ὁ, ἡ, nahe am Lande (γέα, γεῖα, γαῖα), angrenzend. —ιγείτων, ονος, ὁ, ἡ, naher Nachbar. —ίγυος, ὁ, ἡ, dem Acker (γύα) nahe, Granznachbar. —ιθάλασσος, u. ἀγχιθάλαττος, ὁ, ἡ, nahe am Meer, Küstenbewohner. —ιθανής, έος, ὁ, ἡ, (θανέω), dem Tode oder dem Sterben nahe. —ίθεος, ὁ, ἡ, Gott oder den Göttern nahe, ihnen ähnlich. —ίθρονος, ὁ, ἡ, nahe dabey sitzend. —ίθυρος, ὁ, ἡ, nahe, an der Thüre, überhaupt nahe. —ικέλευθος, ὁ, ἡ, nahe am Wege. —ίλωψ fagten einige für αἰγίλωψ. —ιμαχητής, οῦ, ὁ, oder ἀγχίμαχος, s. v. a. ἀγχέμαχος. —ίμολος, ὁ, ἡ, (μολέω), nahe herbeykommend, einem zur Seite gehend; ἀγχίμολον, Subst. als ἐξ ἀγχιμόλοιο, Hom. Il. 24, 352. vergl. 4, 529. in der Nähe; auch Adv. nahe dabey, vom Raum; nahe, von der Zeit, oder sogleich. —χινεφής, έος, ὁ, ἡ, (νέφος), den Wolken nahe. —ίνοια, ἡ, Verstand, Scharfsinn, Einsicht; von —ίνοος, contr. ἀγχίνους, ὁ, ἡ, scharfsinnig, einsichtsvoll, klug: eigentlich der schnell fasst, begreift. —ίπλοος, contr. ἀγχίπλους, ὁ, ἡ, (πλέος, πλοῦς), nahe schiffend; überhaupt nahe, als α. πέρος, nahe Fahrt, Eurip. —ίπορος, ὁ, ἡ, (πόρος), nahe gehend, einem stets nahe zur Seite gehend, als α. κόλαξ Epigr., wie assecla. —ίπους, ποδος, ὁ, ἡ, mit nahen Füssen, nahe, dicht dabeystehend. —ίπτολις, εως, ὁ, ἡ, (πόλις) der Stadt nahe. —ίῤῥοος, contr. ἀγχίῤῥους, ὁ, ἡ, (ῥόος), mit nahen Flussen, nahe fliessend. —ισβατέω u. davon ἀγχισβασία, ἡ, s. v. a. ἀμφισβητέω u. ἀμφισβησία, Hes. u. Suid. zw. —ίσπορος, ὁ, ἡ, (σπόρος), von nahem Saamen od. Abstammung, naher Verwandter. Lucian: Demost. 14.

'Αγχιστα, Adv. Superl. v. ἄγχι, sehr nahe. —στεία, ἡ, (ἀγχιστεύω), nahe Verwandtschaft; das daher entspringende Recht der Erbfolge, ἵν' ἀποστερήσῃ τοὺς ἐγγύτατα τῷ γένει τῆς ἀγχιστείας, um die nächsten Verwandten um die Erbfolge zu bringen. Demosth. —στεῖον, τὸ, s. v. a. d. vorige. Soph. Ant. 174. —στεύς, έως, ὁ, (ἀγχιστα), der Nachste, Nachbar, naher Verwandter; davon. —στεύω, f. εύσω, ich bin Nachbar oder naher Verwandter. —στῆνος, ήνη, ῆνον. S. ἀγχιστῖνος. —στήρ, ῆρος, ὁ, (ἀγχιστος), Nachbar. Soph. —στικός, ἡ, όν, zur Nachbarschaft gehörig. —στίνδην, Adv. nach dem Grade und Rechte der nächsten Verwandschaft. —στῖνος, ίνη, ῖνον, bey Homer dicht, nahe an einander, wie προμνηστῖνος einzeln. Die Form ἀγχηστῖνος ist also falsch. —στος, ὁ, ἡ, Superl. v. ἄγχι, der Nächste. —στροφος, ὁ, ἡ, Adv. ἀγχιστρόφως oder ἀγχίστροφα, schnell plötzlich dem Umkehren (στροφή) nahe, veränderlich, wankelmuthig; ἀγχίστροφα βουλεύομαι Herodot. 7, 13. ich ändere meinen Entschluss: ἀγχίστροφαι μεταβολαὶ Thucyd. 2, 57 plötzliche Veränderung. Dionys. Antiq. 4, 23. verbindet es m. ἀστάθμητος.

'Αγχιτέλεστος, ὁ, ἡ, nahe zu vollenden, der Vollendung (τέλος) nahe, als χρόνος Non. —τέρμων, ονος, ὁ, ἡ, dem Ziele (τέρμα) oder der Grenze nahe. —φανής, έος, ὁ, ἡ, (φαίνομαι), in der Nähe erscheinend, sichtbar werdend; überhaupt nahe. —χίων, ονος, ὁ, ἡ, näher, Compar. v. ἄγχι.

'Αγχονάω, ῶ, f. ήσω, (ἀγχόνη), ersticken, erwürgen, erhenken. —όνειος, erwürgend, zuschnürend. zw.

'Αγχόνη, ἡ, (ἄγχω), das Erwürgen, Erhenken; das, womit man sich erhenkt, der Strick; tropisch marternde Angst, wie anxietas: ταῦτά δῆτ' οὐκ ἀγχόνη ist das nicht zum erhenken? Aristoph. Achar. 125. τοῦτο δὲ ἄρα ἦν ἀγχόνη καὶ λύπη τούτῳ, Aeschines. —νιστής, ὁ, Erwürger, Mörder.

'Αγχορος, ὁ, ἡ, (ἄγχι, ὅρος), angrenzend. Lycophr. v. 418 hat d. jonische ἀγχουρος.

'Αγχότατος, ἀγχοτάτω, ἀγχότερος, ἀγχοῦ, am nächsten, naher, nahe, in der Nähe, vom alten ἄγχος, nahe; daher ἔναγχος u. ἄγχω, was einem nahe auf den Leib, zu Leibe geht, urgeo, ango, wofür man im Adv. ἄγχι gesagt hat, m. d. Genitif. —ουρος, ὁ, ἡ. S. ἀγχορος.

'Αγχουσα, ἡ, attisch ἔγχουσα, anchusa, eine Pflanze, deren rothe Wurzel zur Schminke der Frauenzimmer diente, wie bey uns eine Art von Ochsenzunge, buglossum; davon

'Αγχουσίζω, f. ίσω, ich färbe, schminke mit der rothen Farbe der ἀγχουσα.

'Αγχω, f. ξω, zuschnüren; besonders die Kehle, erwürgen, erhenken; daher sehr ängstigen. Der Lat. spricht es sanfter aus, ango; med. sich erhenken, sich erwürgen; sich ängstigen. S. ἀγχότατος.

'Αγχώμαλος, ὁ, ἡ, (ἀγχι ὁμαλὸς). Adv. ἀγχωμάλως, ἀγχώμαλα, fast gleich, dem gleichen nahe, so ziemlich gleich; z. B. ἀγχώμαλα ἀγωνίζεσθαι, *aequo Marte pugnare.*

'Αγω, f. ἄξω, perf. ἦχα, attisch ἀγήοχα. aor. 1. ἦξα, davon προσῆξα Thucyd. 2, 97. συνῆχας Memorab. 4, 2, 8. führen, leiten, bringen; 2) treiben, das Vieh, und eben so ἄγειν καὶ φέρειν τοὺς πολεμίους, die Feinde ausplündern, z. B. Hom. Il. 9, 589. 3) einen leiten, als Kind, d. i. erziehen; einen erwachsenen Menschen, d. i. regieren; 4) ἡμέραν, ἑορτὴν einen Tag, ein Fest führen, d. i. feiern, wegen der dabey üblichen Aufzüge. Daher 5) ἀγ. τινὰ oder τι διὰ τιμῆς, φροντίδος einen ehrenvoll, sorgfältig auf- oder vorführen, d. i. vorzüglich ehren, versorgen. Im allgemeinen ἀγ. τι μέγα, etwas hoch aufnehmen, nicht gering achten Xenoph. Agel. 11, 6. Und eben so 6) ἀγ. τὸν βίον, welches man gleich an no. 1 anknüpfen kann, weil man das Leben mit einem Wege vergleicht. Species hiervon sind ἡσυχίαν, σχολὴν, εἰρήνην, ἄδειαν, *quietem, otium, pacem, securitatem agere;* τοῦτο ἐλευθέραν ἦγε τὴν Ἑλλάδα das erhielt Griechenland frey, Demosth. 'Αγομαι ich führe mir zu, hole mir, γυναῖκα *duco domum uxorem,* ich heirathe, hole mir eine Frau. ἐδίδοσαν δὲ καὶ ἤγοντο ἐξ ἀλλήλων Herodot. 5, 92. gaben einander und nahmen die Töchter zu Frauen.

'Αγω, f. ξω, f. v. a. ἀγνύω, ἄγνυμι, perf. med. ἦγα, ἔαγα, aor. 1. ἦξα, ἔαξα.

'Αγωγεύς, έος, ὁ, (ἄγω) der einen führt, Wegweiser; 2) der einen vor Gericht führt, fordert, Kläger; 3) der Riem am Zaume. S. ῥυτὴρ, ῥυταγωγεύς. —ωγὴ, ἡ, (ἄγω), Führung, Leitung, das Herbey- und Wegbringen, Fracht; 2) Leitung eines Kindes, einer Pflanze, d. i. Erziehung. Eben so bey Philosophen Schule, Sekte; im allgemeinen Leben, Lebensart; davon —ώγιμος, ὁ, ἡ, gut, leicht oder erlaubt wegzubringen; S. über Xen. Hellen. 7, 3. 2) leicht zu ziehen, zu leiten, zu lenken. —ώγιμα, τὰ, (ἀγωγὴ) herbeygebrachte (auf der Achse oder zu Schiffe) zum Kauf ausgesetzte Waare. —ωγὸς, ὁ, ἡ, (ἄγω), Leiter, Führer, Wegweiser; Adject. der gut lenken, leiten, anführen kann. ἀγωγὸν, das verführende, verleitende, die Verführung, Lockung.

'Αγών, ῶνος, ὁ, Kampf, Wettkampf in den [...]yerlichen Spielen; auch Kampfplatz; die Kämpfer daselbst: überhaupt ein jeder andere Kampf, Wettkampf, Streit und durchzuführender Process, die damit verbundene Anstrengung, Lästigkeit, Gefahr. —ωνάρχης, ὁ, Vorsteher (ἄρχων), Anordner der Kämpfe. —νία, ἡ, Kampf, Wettkampf, Leibesübung; Anstrengung, Gefahr, Furcht; davon —νιάζω, f. άσω, oder ἀγωνιάω, kämpfen, ringen; sich wegen der damit verbundenen Gefahr ängstigen, in Gefahr seyn. —νιάτης, ὁ, Kämpfer, Ringer, heftig nach etwas strebend, ängstlich. Diog. Laert. 2, 138. —νιάω f. v. a. ἀγωνιάζω; auch m. d. Acc. fürchten, scheuen.

'Αγωνίζομαι, f. ίσομαι, (ἀγὼν), einen Kampf unternehmen, kämpfen, ringen, einen Wettkampf mit einem andern eingehen, sey es in den öffentlichen Spielen, oder im Gericht bey Führung eines Processes, oder Aufführung eines Stücks. Ueberh. sich Mühe geben, sich bestreben. Wird auch im Passiv gefunden. ἐπὶ τοῖς κεκριμένοις καὶ ἠγωνισμένοις, Demosth. was abgeurtheilt und vor Gericht entschieden ist. —ώνιος, ὁ, ἡ, zum Kampf gehörig; mithin Gefahr, Angst verursachend. S. ἀγών.

'Αγώνιος, ὁ, ἡ, (γωνία), ohne Winkel.

'Αγώνισις, ἡ, das Kämpfen; Wettstreit.

'Αγώνισμα, τος, τὸ, einzelner Kampf, Wettstreit; Gegenstand des K. od. Wettstreits, des Eifers, Fleisses; der Ehrbegierde. —ισμὸς, ὁ, f. v. a. ἀγών. —ιστὴς, ὁ, Kämpfer, Wettkämpfer, auf dem Theater, d. i. Spieler. —ιστικὸς, ἡ, ὸν, Adv. ἀγωνιστικῶς, geschickt, gehörig zum od. im Kampfe.

'Αγωνοδίκης, ὁ, (δίκη), Kampfrichter.

'Αγωνοθεσία, ἡ, (θέσις, τίθημι), Kampfstellung, Kampfanordnung. —θετέω, ῶ, f. ήσω, ich bin ein ἀγωνοθέτης, also ich ordne, stelle Kämpfe an; ich richte über Kämpfe. Bey Polyb. 9, 34. ἀγωνοθετοῦντες καὶ συμβάλλοντες τοὺς τοιούτους πρὸς γένους. Joseph. Antiq. 17, 3. ζήτησιν Aufruhr erregen. Eben so τὸ κατὰ τοὺς Ῥοδίους καὶ Λυκίους ἀγωνοθετεῖν, die Lycier und Rhodier in Krieg zu verwickeln. Polyb. 26, 7. —θέτης, ὁ, (θέσις, τίθημι), Kampfsteller, Kampfanordner, Kampfrichter.

'Αδαδος, ὁ, ἡ, ohne Fackel (δᾶς) oder ohne die Fettigkeit, welche wir Kien am Kieferholze nennen. —δούχητος, ὁ, ἡ, (δᾳδουχέω), unbefackelt, unbeleuchtet.

'Αδαημονία, ἡ, Unerfahrenheit, Unwissenheit; von —ήμων, ονος, ὁ, ἡ, oder ἀδαὴς, unerfahren, unwissend. —ητος, ὁ, ἡ, unbekannt, unbewusst. Hes. theog. 655.

'Αδαίδαλτος, ὁ, ἡ, (δαιδάλλω), nicht bunt gemacht, nicht verziert.

'Αδαιστος, ὁ, ἡ, (δαίω), ungetheilt, ganz.

'Αδάϊος, ὁ, ἡ, nicht feindlich (δάϊος), nicht feindlich behandelt od. verwüstet; f. v. a. ἀδῄος Soph. Oed. C. 1528.

'Αδαῖος, oder ἄδαιος bey Sophron, was bald sättiget, also Ekel, Ueberdruss macht, unangenehm ist. Hesych. hat es auch für δαψιλής, reichlich, hinlänglich zum sättigen ἀδᾷν, von ἄδος, ἀδέω. S. ἀδέω.

'Αδαϊςὶ, Adv. s. v. a. ἀπείρως. Suidas.

'Αδαιτὸς, ὁ, ἡ, (δαίτη), nicht gegessen, nicht zu essen; Aesch. Agam. 56. —τρευτος, ὁ, ἡ, oder ἄδαιτρος, (δαιτρεύω), nicht vertheilt; bey Hesych. auch ἀπόῤῥητος, mit τράπεζα bey Nonn. s. v. a. ἄδαιτος.

'Αδακρυς, υος, ὁ, ἡ, oder ἀδάκρυτος, (δάκρυ, δακρύω), act. nicht weinend. pass. nicht beweint, was ohne Thränen geschieht. —κρυτὶ, Adv. ohne Thränen.

'Αδαμάντινος, ίνη, ινον, (ἀδάμας), eisern, stählern, sehr hart und fest. —ντόδετος, ὁ, ἡ, (δέω), mit Eisen oder Stahl gebunden, gefesselt; daher fest angenagelt, fest, stark. —άμας, αντος, ὁ, (δαμάω, gleichsam der Unbezwingliche), starkes Eisen, Stahl, bey den Alten; bey den spätern Diamant. —μαςὶ, Adv. (δαμάω), ungebändigt, auf eine zügellose Art. —μαςος, ὁ, ἡ, oder ἀδαματός, ἀδαμνής, ungebändigt, nicht zu bändigen; noch nicht gebändigt, noch nicht abgerichtet, als πῶλος Xenoph., und davon übergetragen (s. πῶλος), ein ungebändigtes, noch nicht verheirathetes Mädchen, *nondum experta virum.*

'Αδαξάω, άομαι, ῶμαι, ἀδαξέω u. ἀδάξω, ἀδάξομαι, Stechen oder Jucken verursachen oder haben; davon ἀδαγμὸς, ὁ, u. ἀδαξησμὸς, ὁ, das Jucken; eine andre Aussprache von ὀδαξάω u. s. w.

'Αδαπάνητος, ὁ, ἡ, oder ἀδάπανος, Adv. ἀδαπάνως, (δαπανάω), noch nicht verwendet od. verzehrt, act. nichts verwendend, nichts verzehrend; ohne Aufwand.

'Αδάρκη, ἡ, ἀδάρκης, ὁ, u. ἀδάρκιον, τὸ, lat. *adarce*, eine Art von salzigem Schwammgewächse an dem Rohre in stehenden Seen.

'Αδαςος, ὁ, ἡ, (δαΐζω), ungetheilt.

'Αδαχέω, ῶ, f. ήσω, eine andere Form v. ἀδαξάω. Suidas führt aus Aristoph. τὸν ἀχῶρα ἀδαχεῖ an für κνήθει. Hesych. aber hat dafür ἀδαυχᾷ.

'Αδδην, ἀδδηφάγος, u. ἀδδεής, s. in ἄδην, u. ἀδεής.

'Αδδιξ, ein Maass, das 4 Chönix hält.

'Αδεής, έος, ὁ, ἡ, ohne Furcht (δέος), sorglos; daher kühn und trotzig, unverschämt. Hom. Il. 21, 481. 8, 423; ohne Gefahr, d. i. wirklich frey von Gefahr, oder sich frey von Gefahr wähnend, sicher, unbekümmert.

'Αδεής, ές, u. ἀδέητος, ὁ, ἡ, (δέομαι), ohne Bedürfniss, nicht bedürfend.

'Αδεια, ἡ, Furchtlosigkeit, Gefahrlosigkeit, Sicherheit, Freiheit, Ungestraftheit.

'Αδείμαντος, ὁ, ἡ, Adv. ἀδειμάντως od. ἄδειμος, (δειμαίνω δεῖμα), ohne Schrekken, unerschrocken, nicht furchtsam.

'Αδειπνος, ὁ, ἡ, ohne Essen (δεῖπνον), nicht gespeiset.

'Αδεισιδαίμων, ονος, ὁ, ἡ, Adv. ἀδεισιδαιμόνως nicht abergläubisch.

'Αδέκαςος, ὁ, ἡ, Adv. ἀδεκάςως, unbestochen. —άτευτος, ὁ, ἡ, (δεκατεύω), unverzehntet, nicht mit dem Zehnten belastet.

'Αδεκτος, ὁ, ἡ, (δέχομαι), nicht an- oder aufgenommen; act. nicht annehmend oder fähig, als ἀδ. κακοῦ.

'Αδελφεά, ἡ, ἀδελφεοκτόνος, ὁ, ἡ, ἀδελφεὸς, u. ἀδελφειὸς s. v. a. ἀδελφὴ φοκτόνος —φὸς.

'Αδελφὴ, ἡ, Schwester. fem. v. ἀδελφὸς. —φιδῆ, ἡ, Schwester- oder Brudertochter. —φίδιον, τὸ, Brüderchen. —φιδόος, contr. ἀδελφιδοῦς, ὁ, Bruder- oder Schwestersohn; dessen Vater oder Mutter von eines andern Eltern Geschwister sind, Geschwisterkind.

'Αδελφίζω, f. ίσω, zum Bruder machen, Bruder nennen, für Bruder ansehn. Isocr. p. 764. 2) ἀδελφισμένον heisst auch metaph. was Aehnlichkeit, Verbindung, Zusammenhang, Verwandtschaft mit einer Sache hat, wie ἀδέλφιξις, Verwandtschaft, Aehnlichkeit, Gemeinschaft. —φικὸς, ἡ, ὸν, brüderlich; 2) ähnlich, verwandt. Adv. ἀδελφικῶς. —φιξις, ἡ, S. ἀδελφίζω. No. 2.

'Αδελφοκτονέω, ῶ, f. ήσω, ich bin ein ἀδελφοκτόνος. —κτονία, ἡ, Brudermord. —κτόνος, ὁ, ἡ, (κτείνω), Brudermörder. —φόπαις, δος, ὁ, ἡ, Bruder- oder Schwesterkind. —φοποιέω, ῶ, ich bin ein ἀδελφοποιὸς. —φοποιὸς, ὁ, ἡ, (ποιέω), Bruder oder Bruder machend, sie schaffend.

'Αδελφὸς, ὁ, Bruder, (aus einem und eben demselben Mutterleibe, ἅμα, δελφὺς); im weitläuftigern Sinne, naher Verwandter, Blutsverwandter. Als Adject. von Dingen, die doppelt, oder sich ähnlich sind. Xen. Mem. 2, 3, 19. Hier. 1, 22. —φότης, ητος, ἡ, Brüderlichkeit, Brüderschaft, brüderliche Aehnlichkeit.

'Αδέματος, ὁ, ἡ, ohne Körper (δέμας) bey Theocr. 15. 4. wo andre ἀδαμάτῳ oder ἀλεμάτῳ st. ἠλεμάτου lesen.

'Αδέμνιος, ὁ, ἡ, (δέμνιον), ohne Bette.

'Αδενδρος, ὁ, ἡ, (δένδρον), ohne Bäume.

'Αδενώδης, u. ἀδενοειδής, έος, ὁ, ἡ, (ἀδὴν, εἶδος), drüsenartig, drüsenförmig.

'Αδέξιος, ὁ, ἡ, nicht δεξιὸς, w. m. nachsehe.

Ἀδεξιώτως, Adv. (δεξιόω), ohne die Rechte gegeben zu haben, ohne freundschaftlichen Gruſs.

Ἀδερκὴς, έος, ὁ, ἡ, oder ἄδερκτος, (δέρκομαι), Adv. ἀδέρκτως, nicht ſehend; paſſ. nicht geſehen, unſichtbar.

Ἀδέσμιος, ὁ, ἡ, oder ἄδεσμος, feſſelfrey, ohne Feſſeln (δεσμὸς).

Ἀδέσποτος, ὁ, ἡ, Adv. ἀδεσπότως, ohne Herrn (δεσπότης); von einer Rede, Gerücht, deſſen Entſtehen man nicht weiſs.

Ἄδετος, ὁ, ἡ, (δετὸς, δέω), nicht gebunden.

Ἀδεύητος, ſ. v. a. ἄδευτος; oder ſt. ἀδέητος.

Ἀδευκὴς, έος, ὁ, ἡ, nicht ſüſs (δεῦκος), bitter, als ἀδ. θάλασσα, Apollon., u. tropiſch ὄλεθρος, *mors acerba*, Euſtath., der es auch durch ἀδόκητος erklärt, u. v. δέκω (jon. ſt. δέχομαι) ableitet, Hom. Od. 4, 489. 6, 273.

Ἄδευτος, (δεύομαι), nicht unter- oder eingetaucht, nicht naſs geworden.

Ἀδέψητος, ὁ, ἡ, (δεψέω), ungegerbt, roh.

Ἀδέω, ῶ, ſ. v. a. ἁνδάνω. Dieſe Form kömmt häufig bey Hom. u. Heſiod. vor, ſo wie die ähnliche ἄδω.

Ἀδέω, ῶ, f. ήσω, (ἄδω, ἄδος, ich ſättige, Sättigung), ich habe ſatt, habe Ueberdruſs, Ekel, Verdruſs. μὴ ξεῖνος δείπνῳ ἀδήσειε, damit der Gaſtfreund nicht Ekel, Verdruſs bey Tiſche, beym Eſſen habe; daher καμάτῳ ἀδηκότες ἠδὲ καὶ ὕπνῳ, durch Arbeit und Schlafloſigkeit ermattet und derſelben überdrüſsig. Daſs man auch ἀδάω geſagt habe, zeigt ἀδαῖος ſ. v. a. δαψιλὴς, reichlich und ſättigend. Beyde ἀδέω u. ἀδάω ſind ſ. v. a. ἀσάομαι u. ἀσαίνω von ἄση, u. ἀδημονέω v. ἀδέω, ἀδημὸς, ἀδήμων, geſättiget, überdrüſsig; avon auch ἄδην ſattſam oder viel. Bey Heſiodus ſteht ἀᾶται πολέμοιο. Alſo ſagte man ἆσαι u. ἀᾶσαι.

Ἀδεῶς, Adv. v. ἀδεὴς, ohne Furcht, ohne Gefahr (δέος); ohne Mangel (δέομαι), reichlich.

Ἀδηκορὴς. S. ἀσήκορος.

Ἀδήκτος, ὁ, ἡ, (δάκνω), Adv. ἀδήκτως, nicht gebiſſen, nicht angefreſſen von Würmern.

Ἀδηλέω, Soph. Oed. Col. 35. m. d. Genit. ſ. v. a. ἀγνοέω v. ἄδηλος.

Ἀδήλητος, ὁ, ἡ, (δηλέω), unverletzt, unverſehrt.

Ἀδηλία, ἡ, (δῆλος), Unſichtbarkeit, wenn man nicht weiſs, wo man iſt, d. i. Ungewiſsheit, Unwiſſenheit.

Ἀδηλοποιὸς (ποιέω), unſichtbar machend, vertilgend.

Ἄδηλος, ὁ, ἡ, (δῆλος), Adv. ἀδήλως, unſichtbar, dunkel, ungewiſs; davon —λότης, ητος, ἡ, Dunkelheit, Ungewiſsheit. —λόφλεβος, ὁ, ἡ, (φλὲψ), mit unſichtbaren Adern. —λόω, ῶ, ſ. ώσω, unſichtbar, unbekannt machen.

Ἀδημέω, ſ. v. a. ἀδημονέω.

Ἀδημιούργητος, ὁ, ἡ, (δημιουργέω), vom Werkmeiſter nicht bearbeitet, roh.

Ἀδημοκράτητος, ὁ, ἡ, (δημοκρατέω), nicht demokratiſch.

Ἀδημονέω, (ἄδος, *taedium*, ἀδήμων), ich bin verdrüſslich, betrübt, in Angſt, Noth, Furcht. S. ἀδήμων; davon —μονία, ἡ, Traurigkeit, Betrübniſs, Angſt, Verlegenheit; und —μονιάω, ῶ, ſ. v. a. das vorige.

Ἄδημος, ὁ, ἡ, (δῆμος), fern von ſeinem Volke, fern von ſeinem Vaterlande, οὐκ ἔνδημος, Heſych.

Ἀδημοσίευτος, ον, nicht öffentlich verſteigert.

Ἀδημοσύνη, ἡ, ſ. v. a. ἀδημονία von ἀδήμων Democr. Stobaei Serm. 38. von —ήμων, ονος, ὁ, ἡ, überdrüſsig einer Sache aus Ekel und Ueberſättigung; verdrüſslich, traurig, ängſtlich, verlegen, in Sorgen. Euſtath. leitet es von ἄδος ſt. κόρος her, richtiger von ἀδέω ἀδάω, ἀδήσω, ἀδημὸς, ἀδήμων, überſättiget, überdruſsig, verdrüſslich. Alſo iſt ἀδημονέω eigentl. ſ. v. a. ἀδέω, ἀσαίνω u. ἀσάομαι. Von ἀδημὸς iſt ἀδημέω beym Heſych.

Ἄδην, auch ἄδδην Adv. S. ἀδέω, ich ſättige, hinreichend, ſattſam; hat wie *ſatis* auch den Genit. bey ſich. 2) Heſych. erklärt es auch ἀδεῶς von δέος, ohne Furcht, dreuſt; 3) ἄδην von ἄδω ἁνδάνω für ἡδέως hat derſelbe. Il. 13, 315. οἵ μιν ἄδην ἐλόωσι πολέμοιο, die ihn mit Krieg ſättigen werden.

Ἀδὴν, ένος, ὁ, Drüſe, Glandel.

Ἀδηνὴς, ὁ, ἡ. S. δῆνος.

Ἄδηρις, oder ἀδήριτος, Adv. ἀδηρίτως, ohne Streit, ohne Hader (δῆρις).

Ἀΐδης, ου, ὁ, Gott der Unterwelt, Pluto; die Unterwelt; ἐν ἄδου (δώματι), in der Unterwelt.

Ἀδηφαγέω, ῶ, f. ήσω, (ἄδην, φάγω), ich eſſe mich ſatt, eſſe viel; davon —φαγία, ἡ, das Satteſſen, Vieleſſen, Gefräſsigkeit; von —φάγος, ὁ, ἡ, der ſich ſatt, der viel iſst; metaph. λύχνος, eine Lampe, die viel Oel verzehrt; ἵππος, ναῦς, τριήρης, ἅρμα, weil Pferde, Wagen, und Ausrüſtung von Schiffen viel Koſten verzehren und erfordern. Vorzüglich wird ἵππος ἀδηφ. durch ein ausgewachſenes, zum Wettrennen tüchtiges Pferd erklärt; als wozu die Pferde in Griechenland vorzüglich und mit groſsen Koſten gehalten wurden. So ſagt Iſocrat. Archid. ζεύγη ἵππων ἀδηφαγούντων τρέφοντας, u. Aelian H. A. 13, 13. ἀδδηφάγων ἵππων τέτρωρον. Harpokration erklärt es τελείους καὶ ἀγωνιςὰς. ἀδ. bedeutet auch einen Ringer (*pugil*), weil er viel iſst, um Stärke zu erlangen. Theokrit.

Ἀδήωτος, ὁ, ἡ, (δηόω), nicht verwüſtet.

'Αδιάβατος, ὁ, ἡ, nicht auseinandergeſetzt, als σκέλη ἀδ. Schenkel, die nicht von einander geſetzt werden, unbeweglich ſtehen; unzugangbar; nicht herüberzuſetzen. S. διαβαίνω.

'Αδιάβλητος, ὁ, ἡ, Adv. ἀδιαβλήτως, od. ἀδιαβόλητος, (διαβάλλω), untadelich.

'Αδιάγνωςος, ὁ, ἡ, (διαγνόω, διαγινώσκω), nicht oder ſchwer von einander zu unterſcheiden.

'Αδιάδοχος, ὁ, ἡ, (διαδοχὴ), ohne Folge, immer fortgehend.

'Αδιάδραςος, ὁ, ἡ, (διαδιδράσκω), unvermeidlich, nicht zu entfliehen.

'Αδιάθετος, ὁ, ἡ, (διατίθημι), Adv. ἀδιαθέτως, nicht angeordnet, nicht feſtgeſetzt.

'Αδιαίρετος, ὁ, ἡ, (διαίρετος), unzertheilbar, ohne Theile; ungetheilt, nicht zertheilt.

'Αδιάκλειςος, ὁ, ἡ, (διακλείω), nicht abgeſchnitten.

'Αδιακόνητος, ον, (διακονέω), unbedient, unbefolgt.

'Αδιακόνιςος, ὁ, ἡ, S. διάκονις.

'Αδιάκοπος, ὁ, ἡ, (διακόπτω), nicht von einandergehauen, nicht zertrennt. Adv. ἀδιακόπως. Heſych. ἀδιαίρετος, ἀδιαχώριςος.

'Αδιακόσμητος, ὁ, ἡ, (διακοσμέω), ungeordnet, nicht angeordnet.

'Αδιακρισία, ἡ, (διάκρισις), Mangel an Unterſcheidung, an Beurtheilung.

'Αδιάκριτος, ὁ, (διακρίνω), Adv. ἀδιακρίτως, nicht zu unterſcheiden, nicht zu entſcheiden; nicht unterſchieden, nicht entſchieden, nicht gerichtet.

'Αδιάλειπτος, ὁ, ἡ, (διαλείπω), Adv. ἀδιαλείπτως, ununterbrochen.

'Αδιάλεκτος, der mit niemand ſpricht.

'Αδιάλλακτος, ὁ, ἡ, (διαλλάττω), Adv. ἀδιαλλάκτως, unverſöhnlich.

'Αδιάλυτος, ὁ, ἡ, (διαλύω), Adv. ἀδιαλύτως, unauflöslich, unzertrennlich.

'Αδιαμέριςος, ον, (διαμερίζω), ungetheilt.

'Αδιανέμητος, ὁ, ἡ, (διανέμω), unvertheilt, unzertheilt.

'Αδιανόητος, ὁ, ἡ, (διανοέω), nicht einzuſehen, unbegreiflich; act. nicht einſehend, dumm.

'Αδίαντον, τὸ, eine Waſſerpflanze, Frauenhaar.

'Αδίαντος, ὁ, ἡ, (διαίνω), nicht benetzt, trocken. Bey Pind. Nem. 6, 107 σθένος ἀδίαντον, v. a. unerweichbare, unermüdbare Stärke.

'Αδιάνυτος, ὁ, ἡ, (διανύω), nicht zu vollenden, zu bewerkſtelligen.

'Αδιάπαυςος, ὁ, ἡ, Adv. ἀδιαπαύςως, nicht zu ſtillen, zu beruhigen, zu beſänftigen, heftig, ſtark (διαπαύω); unaufhörlich (διαπαύομαι).

'Αδιάπλαςος, ὁ, ἡ, (διαπλάσσω), ungebildet, roh.

'Αδιάπνευςος, ον, (διαπνέω), Adv. ἀδιαπνεύςως, nicht durchweht; act. nicht Athem holend, ohne Athem zu holen fortarbeitend.

'Αδιάπταιςος, ὁ, ἡ, (πταίω) ſ. v. a. ἀδιάπτωτος. Hierocles Pyth.

'Αδιαπτωσία, ἡ, (πτῶσις), Unfehlbarkeit.

'Αδιάπτωτος, ὁ, ἡ, (διαπίπτω), Adv. ἀδιαπτώτως, nicht zu verfehlen, wobey man nicht fehlen kann; act. nicht fehlend, nicht wankend, beſtändig.

'Αδίαρθρος, ὁ, ἡ, oder ἀδιάρθρωτος, (διαρθρόω), Adv. ἀδιαρθρώτως, nicht zergliedert, durch keine Glieder unterſchieden.

'Αδιασκέδαςος, ον, (διασκεδάννυμι), nicht zerſtreut.

'Αδιάσπαςος, ὁ, ἡ, (διασπάω), Adv. ἀδιασπάστως, nicht von einander geriſſen, nicht getrennt, ungetheilt.

'Αδιάςατος, ὁ, ἡ, (διάςημα), Adv. ἀδιαστάτως, ohne Zwiſchenräume.

'Αδιάςολος, ον, (διαςέλλω), nicht von einander geſchieden, verworren, dunkel.

'Αδιάςροφος, ὁ, ἡ, (διαςρέφω), Adv. ἀδιαςρόφως, nicht verkehrt, nicht verdreht, z. B. Auge.

'Αδιάσχιςος, ὁ, ἡ, (διασχίζω), nicht geſpalten.

'Αδιάτακτος, ὁ, ἡ, (διατάσσω), ungeordnet.

'Αδιάτμητος, ὁ, ἡ, oder ἀδιάτομος, nicht zu zerſchneiden; nicht zerſchnitten.

'Αδιατρεψία, ἡ, (διατρέπω), Unwandelbarkeit, Beharrlichkeit, Beſtändigkeit: auch im ſchlechten Sinne Hartnäckigkeit, Unverſchämtheit.

'Αδιάτρεπτος, ὁ, ἡ, (διατρέπω), Adv. ἀδιατρέπτως, unbeweglich, unveränderlich.

'Αδιατύπωτος, ὁ, ἡ, (διατυπόω), ungebildet, unförmlich.

'Αδιαφθαρσία, ἡ, (διαφθείρω), Unverdorbenheit, Unbeſtechlichkeit.

'Αδιάφθαρτος, ὁ, ἡ, unverdorben, unbeſtechlich.

'Αδιαφθορία, ἡ, ſ. v. a. ἀδιαφθαρσία.

'Αδιάφθορος, ὁ, ἡ, Adv. ἀδιαφθόρως, ſ. v. a. ἀδιάφθαρτος.

'Αδιαφορέω, ῶ, f. ήσω, (διαφορέω), nicht unterſcheiden, keinen Unterſchied machen, für gleichgültig, nichtsbedeutend halten. —φορία, ἡ, Gleichgültigkeit; von —φορος, ὁ, ἡ, Adv. ἀδιαφόρως, nicht von einander unterſchieden, gleichviel, gleichgut, gleichgültig, weder gut noch böſe, von διαφέρω, welches Unterſchied und Intereſſe bedeutet.

'Αδιάφρακτος, ὁ, ἡ, (διαφράσσω), Adv. ἀδιαφράκτως, nicht bezäunt.

'Αδιάχυτος, ὁ, ἡ, (διαχύω), nicht verſchwenderiſch, *non profuſus*.

'Αδιαχώριςος, ὁ, ἡ, (διαχωρίζω), unzertrennlich, unzertheilbar.

Ἀδιάψευςος, ὁ, ἡ, (διαψεύδομαι), nicht zu täuſchen, untrüglich.

Ἀδίδακτος, ὁ, ἡ, Adv. ἀδιδάκτως, ungelehrt, d. i. der nichts gelernt hat, mithin nichts weiſs, unwiſſend; oder von keinem andern gelehret iſt, ſondern durch ſich ſelbſt es geworden iſt.

Ἀδιεκδίκητος, ὁ, ἡ, (διεκδικέω), nicht verfochten, nicht vertheidigt.

Ἀδιεκδύτως, Adv. (διεκδύνω), ohne durchzuſchlüpfen, ohne Zögern.

Ἀδιεξέταςος, ὁ, ἡ, (διεξετάζω), unerforſchlich.

Ἀδιεξίτητος, ὁ, ἡ, (διέξειμι), nicht durchzugehen, zu erklären, zu erforſchen.

Ἀδιεξόδευτος, ὁ, ἡ, (διεξοδεύω), unwegſam.

Ἀδιέξοδος, ὁ, ἡ, (διέξοδος), unwegſam, undurchgangbar.

Ἀδιέργαςος, ὁ, ἡ, (διεργάζομαι), nicht verarbeitet, nicht bearbeitet.

Ἀδιερεύνητος, ὁ, ἡ, (διερευνάω), unerforſchlich; unerforſcht.

Ἀδιευκρίνητος, ὁ, ἡ, (διευκρίνω), nicht von einander geſchieden, unterſchieden.

Ἀδιήγητος, ὁ, ἡ, (διηγέομαι), unerklärlich.

Ἀδιήθητος, ον, (διηθέω), nicht durchgeſchlagen.

Ἀδικαίαρχος, ὁ, ἡ, d. i. ἄδικος ἄρχων, vom Cicero ad Att. 2, 12 im Scherz gemacht, um mit dieſem Worte und Dicaearchus, dem Geſchichtſchreiber, ein Wortſpiel zu machen.

Ἀδικαιοδότητος, ὁ, ἡ, Σικελία bey Diodor. worinnen keine Juſtizverwaltung, Recht, mehr Statt hatte, galt; v. δικαιοδοτεῖν.

Ἀδίκαςος, ὁ, ἡ, (δικάζω), nicht gerichtet, nicht förmlich verdammt.

Ἀδικέω, ῶ, f. ήσω, ich bin ἄδικος, bin ungerecht, handle ungerecht, thue einem Unrecht, beleidige ihn; davon —κημα, τος, τὸ, ungerechte That, angethanes Unrecht, zugefügte Beleidigung. —κητικὸς, ὁ, ἡ, der gerne, gewöhnlich Unrecht thut, beleidigt. —κία, ἡ, (ἄδικος), Ungerechtigkeit, Unrecht. —κιον, ου, τὸ, ſ. v. a. ἀδικία. Herodot. 5, 89. —κοδοξέω, ich ſuche unrechten Ruhm. Diod. bey Photius; —κοδοξία, ἡ, die Sucht nach Ruhm, die ſich in unrechten Handlungen zeigt. Polyb. —κοπραγέω, ῶ, f. ήσω, (πράγος, πράττω), Unrecht thun, ungerecht handeln. —κοπραγὴς, ὁ, ἡ, der ungerecht handelt. Stobaei Serm. 171. —κοπραγία, ἡ, Unrecht, ungerechtes Thun.

Ἄδικος, ὁ, ἡ, (δίκη), Adv. ἀδίκως, ungerecht, unrechtmäſsig; wider Sitte, wider das Gewöhnliche, zu groſs, zu viel.

Ἀδινὸς, ἡ, ὸν, Adv. ἀδινῶς, bey Homer wird es nur einmal von körperlichen Gegenſtänden gebraucht in μῆλα ἀδινὰ, wo man es λεπτὰ unter andern erklärt; am häufigſten wird es von Weinen, Seufzen und Klagen gebraucht, daher man es da οἰκτρὸς, kläglich erklärt; von den Sirenen σειρήνων ἀδινάων φθόγγον wird es durch reizend, angenehm erklärt. Wenn man es von ἅδην herleitet, ſo erhält man die Begriffe von dicht, häufig, in Menge, anhaltend, unabläſsig, groſs, πυκνὸς und συνεχὴς; und in ſo fern die Begriffe von Sättigung und Vergnügen verwandt ſind (ſ. τέρπω u. ἅδω) auch von angenehm. Pindar Pyth. 17, 47 nennt groſsen Reichthum ἀδινὸν πλοῦτον, aber 11. 97 die Schmähſucht, ἀδινὸν δάκος, Apollon. 2, 240 ἀδινὸν κῆδος groſsen Kummer, 1, 1083 ἀδινὰ κνώσσοντας feſtſchlafende 3, 1206 ἀδινῆς μνημήιον εὐνῆς ſ. v. a. γλυκερῆς.

Ἀδιόδευτος, ὁ, ἡ, (διοδεύω), unwegſam. Vergl. ἀδιεξόδευτος.

Ἀδιοίκητος, ὁ, ἡ, (διοικέω), noch ungeordnet, noch nicht angeordnet.

Ἀδίοπος, ὁ, ἡ, (διέπω), ohne Verwalter, ohne Aufſicht.

Ἀδιοργάνωτος, ὁ, ἡ. S. διοργανόω.

Ἀδιόρθωτος, ὁ, ἡ, (διορθόω), Adv. ἀδιορθώτως, nicht zu verbeſſern, unverbeſſerlich; nicht verbeſſert, nicht zurecht gemacht.

Ἀδιόριςος, ὁ, ἡ, (διορίζω), Adv. ἀδιορίςως, nicht von einander geſchieden, nicht begränzt, nicht gehörig geſondert.

Ἀδίςακτος, ὁ, ἡ, (διςάζω), Adv. ἀδιςάκτως, unbezweifelt, gewiſs.

Ἄδιψος, ὁ, ἡ, (δίψα), nicht durſtig, ohne Durſt; Durſt löſchend.

Ἀδμὴς, ῆτος, ὁ, ἡ, fem. ἀδμῆτις (δμάω, δμῆμι), oder ἄδμητος, von einer Kuh, Hom. Il. 10, 293, von einer Jungfrau, Hymn. 3, 82. ſ. v. a. ἀδάμαστος.

Ἀδόκητος, ὁ, ἡ, (δοκέω), Adv. ἀδοκήτως, unvermuthet, die Vermuthung, Erwartung täuſchend.

Ἀδοκίμαςος, ὁ, ἡ, (δοκιμάζω), Adv. ἀδοκιμάςως, ungeläutert, ungeprüft.

Ἀδόκιμος, ὁ, ἡ, nicht geläutert, bey der Läuterung nicht ächt befunden, unächt.

Ἀδολεσχέω, ῶ, f. ήσω, ich bin ein ἀδολέσχης. —λέσχης, ου, ὁ, oder ἀδόλεσχος, ſtärker ἀδολεσχικὸς, ein Schwätzer, geſchwätzig, bis zur Sättigung oder zum Ekel (ἄδος) ſchwatzend (λέσχη). Auch im guten Sinne: beſtändig auf etwas denkend, ſtets davon redend. —λεσχία, ἡ, Geſchwätzigkeit; im guten Sinne beym Plato in Phaedr. ſtete Beſchäftigung, beſtändige Unterredung.

Ἄδολος, ὁ, ἡ, (δόλος), nicht verfälſcht, truglos, nicht liſtig, nicht verſchlagen, ohne Lug und Trug. Adv. ἀδόλως.

Ἀδόνευτος, ὁ, ἡ, oder ἀδόνητος, (δονεύω, δονέω), unbewegt, unerſchüttert.

Ἀδέξαστος, ὁ, ἡ, (δοξάζω), ſ. v. a. ἀδόκητος; act. nichts vermuthend.

Ἀδοξέω, ῶ, f. ήσω, (δόξα), ohne Ruhm, unberühmt ſeyn; in ſchlechtem Rufe ſtehen; act. nicht für rühmlich, für unrühmlich halten, nicht achten. ἀδοξοῦνται πρὸς τῶν πόλεων Xenoph. Oecon. 4, 2. —ξία, ἡ, Ruhmloſigkeit, ſchlechter Ruf, Schande. —ξοποίητος, ὁ, ἡ, der ſich nicht durch die Meinung (δόξα) anderer machen, d. i. bilden, leiten laſst.

Ἄδοξος, ὁ, ἡ, ohne Ruhm, unrühmlich, unberühmt; wider die Meinung, wider Vermuthen (δόξα), nicht zu vermuthen.

Ἀδορεὶ, (δέρος), ohne das Fell abzuziehn.

Ἄδορος, ὁ, ἡ, (δέρος v. δείρω), nicht geſchunden, nicht abgefellt.

Ἀδορύληπτος, ὁ, ἡ, nicht mit der Lanze (δόρυ), d. i. im allgemeinen im Kriege zu fangen (λαμβανω, λήβω), zu beſiegen, alſo unbezwinglich; unbezwungen, unbeſiegt.

Ἀδορυφόρητος, ὁ, ἡ, (δορυφόρος, δορυφορέω), ohne Leibwache.

Ἄδος, εος, τὸ, und ἄδος, ου, ὁ, Sättigung, Fülle, Uebermaſs, Ekel; Ueberdruſs. ἄδος τέ μιν ἵκετο θυμὸν Iliad. λ. wo vorhergeht: ἐπεί τ' ἐκορέσσατο θυμόν. Iſt mit ἄση einerley v. ἄω, ἄδω, ἄσαι; von ἄδος und ἄδω kommt ἀδέω und ἀδήμων; von ἀδάω, ἀδαῖος, ſattigend.

Ἀδός, ὁ, (ἄδω), Vergnügen, Beluſtigung, Freude.

Ἄδοτος, ὁ, ἡ, (δίδωμι, δόω), unbeſchenkt.

Ἀδουλία, ἡ, Mangel an Sklaven; von —λος, ὁ, ἡ, ohne Sklaven, keine Sklaven habend. —λωτος, ὁ, ἡ, (δουλόω), nicht in Sklaverey gebracht, nicht unterjocht.

Ἀδούπητος, ὁ, ἡ, (δοῦπος), ohne Geräuſch.

Ἀδράνεια, ἡ, oder ἀδρανία, Unthätigkeit, Trägheit. —νέω, ῶ, f. ήσω, (δραίνω), ich bin ἀδρανής, unthätig, träge, ſchwach.

Ἀδράστεια, ἡ, ein Beywort der Nemeſis von Adraſt, der ihr einen Altar errichtete, nach einem Fragment des Antimachus beym Strabo 13 p. 588.

Ἄδραστος, ὁ, ἡ, (δράω), nicht flüchtig, nicht zum Fortlaufen geneigt, als ἀνδράποδον ἀδ. καὶ φιλοδέσποτον Herodot. paſſ. nicht zu entfliehen, zu vermeiden, unvermeidlich v. διδράσκω, δράω. Vergl. ἀδιάδραστος. Auch ungethan, unvollendet.

Ἀδράχνη, ἡ, *arbutus*, der Erdbeerbaum.

Ἀδρέπανος, ὁ, ἡ, (δρέπανον), ohne Sichel.

Ἀδρεπτος, ὁ, ἡ, (δρέπω), nicht abzupflücken, was man nicht abpflücken darf; nicht abgepflückt.

Ἀδρέω, ῶ, f. ήσω, ſ. v. a. ἁδρόω und ἀδρύνω als Activ. u. Neutrum; davon

Ἄδρησις, εως, ἡ, Reife, das Groſswerden, Wachſen.

Ἀδρίας, ου, ὁ, Hadriatiſches Meer.

Ἄδριμυς, εος, ὁ, ἡ, nicht herbe, nicht bitter.

Ἀδροβατικὸς, ἡ, ὸν, (ἀδρὸν, βαίνω), auf feſtem Boden gehend, ſonſt ξηροβατικὸς, opp. ὑγροβατικός. —βωλος, ὁ, ἡ, (ἁδρὸς, βῶλος), mit ſtarken Erdſchollen, mit fettem, ergiebigem Boden. —μερὴς, έος, ὁ, ἡ, (μέρος), von dicken, ſtarken Theilen. —μισθος, ον, ſtarken, groſsen Lohn verlangend. —πορος, ὁ, ἡ, bey Caſſius Probl. ἁδροὺς πόρους ἔχων, mit gröſsen Oefnungen.

Ἁδρὸς, ρὰ, ρὸν, ſtark; als δένδρον ein ſtarker, dicker Baum, καρπὸς groſse Frucht, ἀνήρ, ein ſtarker Mann, opp. μικρότερος, ſchwächer, kleiner, πῦρ ſtarkes, heftiges, groſses Feuer. Und ſo übergetragen μέγας καὶ ἁδρὸς (κατὰ) τὴν ψυχὴν Athen. ἁδρότεροι καὶ βελτίονες, die gröſsern und edlern Iſocr. überh. von Menſchen, Thieren und Früchten, die ausgewachſen, groſs und ſtark ſind.

Ἀδροσία, ἡ, (δρόσος), Mangel an Thau.

Ἁδροσύνη, ἡ, u. Ἁδρότης, ητος, ἡ, Stärke, Dicke, beym Heſiod. von Aehren. Homer verbindet es häufig mit ἥβη, druckt alſo die Stärke eines erwachſenen Menſchen aus.

Ἁδρόχωρος, oder ἁδροχῶρος, ὁ, ἡ, in einem fetten, fruchtbaren (vergl. ἁδρόβωλος) Lande wohnend.

Ἁδρόω, ῶ, f. ώσω, zur Stärke, Reife bringen; ἁδροῦμαι, zur Reife kommen, reifen.

Ἅδρυνσις, εως, ἡ, das Stark-Reifwerden; von —ύνω, f. υνῶ, ſ. v. a. ἁδρόω.

Ἄδρυς, υος, ὁ, ἡ, (δρῦς), ohne Bäume.

Ἀδρύφακτος, ὁ, ἡ, (δρύφακτος), ohne Zaun, nicht eingezäunt.

Ἀδύναμαι, nicht können, unvermögend ſeyn. —ναμία, ἡ, oder ἀδυνασία, ἀδυνατία, Mangel an Kraft, Stärke, Vermögen, Eigenthum, Anſehn, Gewalt; Unvermögen. —ναμος, ὁ, ἡ, unvermögend, ſchwach. —ναςὶ, Adv. ſchwach. —νατέω, ῶ, f. ήσω, ich bin ἀδύνατος. —νατος, ὁ, ἡ, Adv. ἀδυνάτως, unvermögend, ſchwach; τὸ ἀδύνατον paſſ. das Unmögliche.

Ἀδυσώπητος, ὁ, ἡ, (δυσωπέω), nicht zum Erröthen zu bringen, nicht zu beſchämen; unverſchämt; nicht zu erbitten, unerbittlich, hart. Adv. ἀδυσωπήτως, ohne ſich zu ſchämen, ohne Schaam.

Ἄδυτον, τὸ, nicht zu betreten, ein heiliger, geweihter Ort im Tempel. Das Neutr. verſt. οἴκημα von —τος, ὁ, ἡ, (δύω), nicht zu betreten, heilig, geweiht; τρεῖς ἀδύτους verſt. οἴκους, Hymn. Merc. 247; act. ſ. v. a. οὐ δύων, nicht untergehend.

Ἄδω, ich ſättige, fülle, davon ἄσω, ἄσαι

u. ἀμεναι, Il. 20. sich sättigen m. d. Genit. αἵματος ἆσαι Ἄρηα und σίτοιο μηδὲ ποτῆτος ἄσασθαι φίλον ἦτορ, mein Herz zu sättigen, laben mit Speiss und Trank; von ἄω, ἄσω, davon ἄδην, ἀδδην, satis, affatim, ἀδηφάγος. S. ἀδέω.

'Αἴδω, f. ᾄσω, ᾄδω, st. ἀείδω, singen, besingen, preisen.

'Αδω, wofür in Praef. ἁνδάνω, macht ἥσα, ἁδον, ἀδεῖν, so wie ἀδέω, ἀδήσω, wie μανθάνω statt μαθέω.

'Αδώμητος, ὁ, ἡ, (δωμάω), nicht gebaut, nicht zum Bau gebraucht.

'Αδωνις, νος, und 'Αδώνις, ὁ, Adonis, der Geliebte der Venus; davon —νιάζω, das Fest des Adonis (zu seinem Andenken) feyern; davon —νιασμὸς, ὁ, die Feyer dieses Festes.

'Αδώρητος, ὁ, ἡ, (ἄδωρος), unbeschenkt. —ρία, ἡ, (ἄδωρος), Unbestechlichkeit, die keine Geschenke annimmt. —ροδόκητος, ὁ, ἡ, (δωροδοκέω), Adv. ἀδωροδοκήτως, unbestechlich, unbestochen. Cic. ad Att. 5, 20. —ροδοκία, ἡ, Unbestechlichkeit. —ρόληπτος, ὁ, ἡ, (λήβω, λαμβάνω), unbestechlich, unbestochen, *donis non captus*, δώροις οὐ ληπτὸς.

'Αδωρος, ὁ, ἡ, (δῶρον), Adv. ἀδώρως, ohne Geschenke, d. i. entweder, der keine Geschenke giebt, als Plato: φιλόδωρος εὐμενίας, ἄδωρος δυσμενίας, oder der keine Geschenke nimmt, unbestechlich, unbestochen. Das Sprüchwort beym Sophocl. Ajac. 674 ἐχθρῶν ἄδωρα δῶρα, Feindes Geschenke sind keine Geschenke, erklärt der Dichter gleich selbst durch den Zusatz οὐκ ὀνήσιμα, od. ὄνησιν οὐκ ἔχοντα beym Eurip. Med. 617. Vergl. ἀβίωτος.

'Αδώτης, ου, ὁ, Nichtgeber. S. δώτης.

'Αεδνος, ὁ, ἡ, ohne Geschenke (ἔδνα), nicht beschenkt vom Bräutigam.

'Αέδνωτος, ὁ, ἡ, nicht beschenkt, (gleichsam von ἀεδνόω von ἄεδνος); ein Mädchen, welches nie vom Bräutigam beschenkt worden ist, nie einen Bräutigam gehabt hat, unverheirathet.

'Αεθλευτὴρ, ῆρος, ὁ, oder ἀεθλητὴρ, ἀεθλητὴς, Kämpfer; von —λεύω, f. εύσω, od. ἀεθλέω, (ἆεθλος), kämpfen. —λιον, τὸ, Kampf, Kampfbelohnung. Eigentlich das Neutr. von —λιος, ὁ, ἡ, (ἆεθλος), was zum Kampf gehört, dazu geschickt ist, mithin den Sieg davon trägt, als ἵππος. Callimach. Theogn. —λοθέτης, ου, ὁ, (τίθημι), Kampfanordner, Kampfaufseher. —λον, τὸ, das Kämpfen, die Anstrengung; Kampfbelohnung. —λονικία, ἡ, (νίκη τοῦ ἀέθλου), Sieg im Kampfen.

'Αεθλος, ὁ, das Kämpfen, der Kampf.

'Αεθλοσύνη, ἡ, das Kämpfen, mühseliger Kampf, Dulden. —λοφόρος, ὁ, ἡ, d. i. φέρων ἆεθλον, Kampfbelohnung davon tragend, den Preis erringend, Hom. Il. 9, 124. wo er ἵππος ἀεθλοφόρος gleich selbst erklärt durch den Zusatz: ὃς ἀέθλια ποσσὶν ἄροντο.

'Αεὶ, Adv. stets, immer, jedesmal, ὁ ἀεὶ βασιλεύων, der jedesmalige König, δεῦρ' ἀεὶ, bis jetzt. Aeschyl. Eum. 599. NB. Mehrere Composita hiervon, die ihre Endigung nicht verändert haben, sind hier weggeblieben, die man leicht in ihrem Simplex auffinden und sich selbst erklären wird. —βρυὴς έος, ὁ, ἡ, d. i. ἀεὶ βρύων, stets fliessend, stets grünend oder blühend, Nicand. Ther. 846. —γενής, έος, ὁ, ἡ, oder ἀείγνητος, oder ἀειγενέτης (ἀειγενέτης Hom. Od. 14, 446. Il. 2, 400.) d. i. ἀεὶ γινόμενος, oder, wie Hom. spricht, αἰὲν ἐών, stets seyend, ewig, unsterblich. —δελος, ὁ, ἡ, oder ἀειδής, (εἶδος), unsichtbar, dunkel. —δίνητος, ὁ, ἡ, (δινέω), stets gewirbelt, stets im Wirbel, im Kreise getrieben.

'Αείδιος, ία, ον, immerwährend, beständig, von ἀεὶ, wie *sempiternus*, v. *semper*; davon —διότης, ητος, ἡ, beständiges Seyn, Fortdauer, Ewigkeit. —δουλία, ἡ, u. ἀείδουλος, ὁ, ἡ, (Aelian. H. A. 6, 10. wo ἀίδουλοι steht) beständige Sklaverey, beständiger Sklave.

'Αείδω, f. είσω, s. ᾄδω.

'Αειζωΐα, ἡ, (ζωή), ewiges Leben. —ζωον, τὸ, ewiglebendes, d. i. immer grünendes Kraut, *sedum*, *sempervivum*, Hauslaub; von —ζωος, ὁ, ἡ, (ζῶος), ewiglebend, auch ἀείζως, st. ἀείζοος, πένθος ἀείζων Soph. —ζωτος, ὁ, ἡ, st. ἀείζωστος, (ζώννυμι), stets umgürtet, stets angekleidet, stets bereit. —θαλέω, ῶ, f. ήσω, ich bin ἀειθαλής oder ἀεὶ θάλλων, immer grünend. —θερὴς, έος, ὁ, ἡ, (θέρος), beständig heiss. —θουρος, ὁ, ἡ, Oppian. Cyn. 2. 189, stets zum Streit gerüstet θοῦρος, oder geil, θόρος, θορίσκω, wie πολύθουρος 3, 516. —καρπος, ὁ, ἡ, mit beständiger Frucht, stets fruchttragend.

'Αείκεια, ἡ, f. v. a. αἰκία in Prosa.

'Αεικέλιος, ὁ, ἡ, und ἀεικὴς, ὁ, ἡ, (εἰκὼς und α privat.) unschicklich, ungeziemend, ungebührlich, schmählich, entehrend, schändlich. S. αἰκής, αἰκέλιος und αἰκία; auch unähnlich, klein, verächtlich. Nicand. Ther. 271.

'Αεικία, ἡ, f. v. a. ἀεικεία und αἰκία.

'Αεικίζω, f. ίσω, (ἀεικής), unwürdig, schimpflich behandeln, f. v. a. αἰκίζω in Prosa.

'Αεικινησία, ἡ, (κίνησις), beständige Bewegung. —κίνητος, ὁ, ἡ, stets bewegt, immer in Bewegung. Adv. ἀεικινήτως.

'Αεικῶς. Adv. S. ἀεικής.

'Αείλαλος, ὁ, ἡ, stets redend, geschwätzig.

'Αειλαμπής, έος, ὁ, ἡ, immer leuchtend, hell. —λιβής, έος, ὁ, ἡ, immer fliefsend, *perennis.* —λογέω, ich rede immer. —λογία, ἡ, das ftete Reden, Erzählen. In der attifchen Jurisprudenz τὴν ἀειλογίαν παρέχειν, immer refponfabel, verantwortlich feyn.

'Αειλος, ὁ, ἡ, ohne Strahl (εἵλη, d. i. ἡλίου αὐγὴ), nicht beftrahlt, nicht befonnet, fchatticht, ἀνήλιος, πολύσκιος.

'Αειμνημόνευτος, ὁ, ἡ, immer erwähnt, im Andenken erhalten. —μνήμων, ονος, ὁ, ἡ, immer eingedenk. —μνηστος, ὁ, ἡ, Adv. ἀειμνήστως, (ἀεὶ, μνάω, μιμνήσκω), ftets zu erwähnen, ftets zu rühmen. —ναος, ὁ, ἡ, oder ἀείνας, d. i. ἀεὶ νάων, ftets fliefsend.

'Αειναῦται, ῶν, οἱ, bey den Milefiern, ein Magiftrat, weil er zu Schiffe deliberirte. Plutarch. Quaeft. gr.

'Αειπάθεια, ἡ, immerdauerndes Leiden, Leidenfchaft. —παθής, έος, ὁ, ἡ, immer leidend. —παις, αἶδος, ἡ, (παῖς), ftets Mädchen, ftets Jungfrau. —παλής, έος, ὁ, ἡ, (πάλος, πάλλω), in fteter Schwingung, fich ftets bewegend, ftets fchlagend (vom Herz). —παρθένος, ἡ, ftets Jungfrau. —πλανής, έος, ὁ, ἡ, u. ἀείπλανος, ὁ, ἡ, immer irrend.

'Αείρροος, contr. ἀείρρους, ὁ, ἡ, und ἀείρρυτος, ὁ, ἡ, (ῥόος), im fteten Fluffe, ftets fliefsend, ἀεὶ ῥέων, ῥύων.

'Αείρω, erheben, erhoben; οἶνον Hom. den Becher mit Wein erheben und darreichen; εὖχος Epigr. ein Gelübde erhoben, d. i. mit gen Himmel erhabenen Händen ein Gelübde, einen Wunfch thun.

'Αεισθενής, έος, ὁ, ἡ, (σθένος), von fteter Stärke, ftets ftark. —σιτος, ὁ, ἡ, ftets alle Tage, einen Tag wie den andern gefpeifet.

'Αεισκωπες, οἱ, eine Art von dem Vogel σκώψ.

'Αεισμα, τος, τὸ, (ἀειδω), das Befingen, das Rühmen.

'Αεισόος, ὁ, ἡ, (σόος, σόω, σώζω), ftets rettend. —στρεφής, έος, ὁ, ἡ, fich ftets herumdrehend, ἀεὶ στρεφόμενος.

'Αείσυρος beym Aefchyl. ft. ἀήσυρος.

'Αειφανής, έος, ὁ, ἡ, ftets fichtbar, ἀεὶ φαινόμενος. —φλεγής, έος, ὁ, ἡ, ftets brennend, ἀεὶ φλέγων. —φόρος, ὁ, ἡ, ftets tragend (von Bäumen), ἀεὶ φέρων (καρπούς). —φρούρητος, ὁ, ἡ, (φρουρέω), ftets bewacht, ftets mit einer Wache, Befatzung verfehen. —φρουρος, ὁ, ἡ, ftets bewacht; act. ftets bewachend. —φυγία, ἡ, (φυγή), immerwährende Flucht oder Verweifung. —φυλλία, ἡ, (φύλλον), das beftändige Blätterhaben, das beftändige Grünen; von —φυλλος, ὁ, ἡ, ftets Blätter habend, mit fteten Blättern, immer grünend.

'Αεκάζω, (ἀεκων), wider Willen zwingen.

'Αέκητι, oder ἀεκητὶ, Adv. gezwungen.

'Αεκούσιος, ὁ, ἡ, (ἑκούσιος), wider Willen, nicht gern, gezwungen, erzwungen.

'Αέκων, ουσα, ον, (ἑκὼν), wider Willen, nicht gern; ἐξαμαρτάνει τις ἄκων, es fehlt einer wider feinen Willen, vergeht fich, ohne dafs er den Willen, den Vorfatz hat, wider Wiffen. Demofth.

"Αελλα, ἡ, der Wirbel-Sturmwind; von ἕλω, εἴλω, εἰλέω, *volvo*, mit zugef. ἀ; andere leiten es von ἄω, *fpiro*, ab. S. ἀολλής; davon —λαῖος, αία, ον, ftürmifch, heftig, fchnell, wie ein Sturmwind.

'Αελλέω, ῶ, f. ήσω, f. v. a. εἰλέω, *volvo, convolvo.* Hefych.

'Αελλήεις, εσσα, εν, f. v. a. ἀελλαῖος.

'Αελλής, έος, ὁ, ἡ, κονίσσαλος, Iliad. 3, 13. f. v. a. ἀελλαῖος, wenn es nicht ἀέλλης heifsen mufs.

'Αελλόθριξ, ιχος, ὁ, ἡ, dichte, kraufe, ftraubichte Haare habend. Sophokles.

'Αέλλομαι, ich blafe, wehe; beym Etymolog. —λόμαχος, ὁ, ἡ, (μάχη), mit dem Sturmwinde kämpfend. —λοπος, ὁ, ἡ, und —λόπους, οδος, ὁ, ἡ, (πούς, *pes*), der fchnelle Füfse wie der Sturmwind hat. Hom. Il. 8, 409.

'Αελλώ, όος, οῦς, ἡ, der Name einer Harpye und eines Hundes.

'Αελλώδης, εος, ὁ, ἡ, f. v. a. ἀελλαῖος, ftürmifch.

'Αελπής, έος, ὁ, ἡ, (ἐλπὶς), ohne Hoffnung; paff. ungehofft, unverhofft.

'Αελπτέω, ῶ, nicht hoffen, verzweifeln, v. ἄελπτος, Hom. Il. 7, 310, wo nach andern Handfchr. ἀέλπω, welches nach Valcken. ad Herod. p. 583. wider die Analogie ift. —πτία, ἡ, Verzweifelung; unverhoffter Zufall; von —πτος, ὁ, ἡ, Adv. ἀέλπτως, nicht zu hoffen, aufzugeben; ungehofft, unverhofft.

'Αέλπω. S. ἀελπτέω.

"Αεμμα, τος, τὸ, der Bogen, τόξον bey Callimach.

'Αέναος, oder ἀέννας, ὁ, ἡ, Adv. ἀενάως, f. v. a. ἀείναος. Das Verb. ἀενάω, ich bin ἀέναος, fliefse beftändig, fteht Hom. Od. 13, 109.

'Αεννόητος, ον, (ἐννοέω), nicht gedacht, was einem nicht in die Gedanken (νοῦς) gekommen ift, unverhofft.

'Αεξίγυιος, ὁ, ἡ, d. i. ἀέξων γυῖον, Glieder- oder Körperftärkend. —τόκος, ὁ, ἡ, d. i. ἀέξων τόκον, befruchtend. —τρόφος, ον, d. i. ἀέξων τροφὴν, ernährend. —φυλλος, ὁ, ἡ, Blätter, Bäume nährend, mit Bäumen bewachfen. Aefchyl. Ag. 708. —φυτος, ὁ, ἡ, d. i. ἀέξων φυτὸν, Pflanzen nährend, grofsziehend.

'Αέξω, eine andere Form von αὔξω, αὐξέω, αὐξάνω, d. Lat. *augeo*, nähren, vermehren, verſtärken, befördern, vergröſsern; paſſ. ἀέξομαι, vermehrt werden, d. i. zunehmen, wachſen.

Ἀεπτος, ὁ, ἡ, Aeſchyl. Ag. 145 wo andre ἀάπτοισι leſen, zart, v. ἔπειν u. α privat.

Ἀεργέω, ῶ, f. ήσω, ich bin ἀεργὴς, bin müſſig, träge, faul.

Ἀεργηλὸς, λὴ, λὸν, oder ἀεργὸς, ἀεργὴς, ἀέργητος, (ἔργον), ohne Arbeit, müſsig, faul, träge. —γία, ἡ, Müſsiggang, Faulheit, Trägheit; vom Lande, das Wüſteliegen.

Ἀέρδην, Adv. (ἀείρω), erhaben, in die Höhe gehoben.

Ἀερέθω, von ἀέρω, ἀείρω, αἴρω, wie ἀγερέθω, oder jon. ἠγερέθω ſt. ἀγείρω, in die Höhe heben; paſſ. ἀερέθομαι, hängen, ſchweben, u. tropiſch: ἀνδρῶν φρένες ἠερέθονται, Hom. Il. 3, 108. d. i. unſtäte, unbeſtändig, μετέωροι. S. ἀερτάζω.

Ἀερίζω, f. ίσω, (ἀὴρ), luftig, rein wie die Luft ſeyn.

Ἀερίοικος, ον, (οἶκος), in der Luft wohnend, ſchwebend, fliegend, von Vögeln.

Ἀέριος, ὁ, ἡ, (ἀὴρ), luftig, hoch in der Luft. —ριώδης, εος, ὁ, ἡ, luftig; dick, finſter, wie die untere Luft. S. ἀὴρ.

Ἀερκτος, ὁ, ἡ, (ἕρκος); ohne Zaun, nicht eingezäunt.

Ἀεροβατέω, ῶ, f. ήσω, ich bin ein ἀεροβάτης (ἐν ἀέρι βαίνων), ſchreite, wandle in der Luft; im komiſchen Sinne beym Ariſtoph. Nub. 225. —δόνητος, ον, (δονέω); in der Luft ſich bewegend. —δρομέω, ῶ, f. ήσω, (δρόμος, δρομέω), durch die Luft laufen, eine Luftreiſe machen. Lucian.

Ἀερόεις, εσσα, εν, oder ἀεροειδὴς, dunkel, finſter, wie die untere Luft. S. ἀὴρ.

Ἀερολέσχης, εος, ὁ, ἡ, (λέσχη), ein luftiger Wäſcher, ein Windmacher, ein Aufſchneider. —μαχέω, ῶ, f. ήσω, d. i. ἐν ἀέρι μάχομαι. —μαχία, ἡ, ein Luftſtreich, ein Streit um Nichts und wieder Nichts. —μελι, ιτος, τὸ, Lufthonig, Honigthau. Athenaeus 11, p. 500. Manna, was ſich auf den Blättern ſammlet, und aus der Luft fallen ſollte; daher ὗον μέλι bey Polyaen. 4, 3, 32. —μετρέω, ῶ, f. ήσω, die Luft meſſen, d.i. mit zu hohen und nichts fruchtenden Dingen ſich beſchäftigen. Xenoph. Oec. 11, 3. vergl. Ariſtoph. Nub. 359. wo im gleichen Sinne μετεωροφροντιστὴς. —μιγὴς, έος, ὁ, ἡ, (μίγνυμι), mit Luft vermiſcht. —μορφος, ον, (μορφὴ), luftförmig. —νομέω, in der Luft ſich mit den Füſsen bewegen, von Tänzern und zappelnden liegenden Thieren. Heliodor. Aeth. 10, p. 502. wie χειρονομέω. —νηχὴς, έος, ὁ, ἡ, d. i. ἐν ἀέρι νήχων, in der Luft ſchwimmend, rudernd, fliegend, von Vögeln Ariſt. —πετὴς, έος, ὁ, ἡ, (πίπτω), aus der Luft gefallen. —πέτης, εος, ὁ, ἡ, (πέτομαι), in der Luft fliegend. —πορέω, ῶ, f. ήσω, (πόρος, πορεύομαι), ich bin ein ἀεροπόρος, gehe, ſchwebe in der Luft. —σκοπία, ἡ, (σκοπὸς, σκέπτομαι), das Umherſchauen in der Luft, das Weiſſagen aus dem Vogelflug und den Lufterſcheinungen. —τόμος, ὁ, ἡ, d. i. ἀέρα τέμνων, Luft durchſchneidend, ſchnell durchfliegend, von Vögeln. —τονος, ὁ, ἡ, durch Luft geſpannt, mit Luft geladen; ἀερότονον, τὸ, Mathem. vet. p. 77. eine Maſchine, welche durch gepreſste Luft die Pfeile wirft. —φεγγὴς, εν, ὁ, ἡ, (φέγγος,) hell leuchtend, wie die reine Luft. —φοίτης, ου, ὁ, u. ἀερόφοιτος, ὁ, ἡ, (φοιτάω), in der Luft ſich aufhaltend. —χροος, contr. ἀερόχρους, ὁ, ἡ, (χρόα), luftfarbig.

Ἀέροψ, οπος, ὁ, boeotiſch, ſ. v. a. μέροψ, eine Vogelart.

Ἀερσίλοφος, ὁ, ἡ, mit erhobnem Federbuſche, von ἀέρω, f. ἀέρσω, wie ἐγέρω, ἐγέρσω, ἐγερσίμαχος, ſtatt ἐγείρω, und αἴρω. S. ἀερτάζω. —σίνοος, contr. ἀερσίνους, ὁ, ἡ, von hohem Muthe, hochmüthig, v. νόος u. αἴρω, ἀέρω. —σιπέτης, ſ. v. a. ἀερσιπότητος. —σίπνους, ὁ, ἡ, (αἴρω, ἀέρω, πνοῦς), aufblähend, ſtolzmachend. —σιπότητος, ὁ, ἡ, oder ἀερσιπότης, ἀερσιπέτης, (v. αἴρω, ἀέρω, ἀέρσω, πέτομαι, ποτάομαι), hochfliegend. —σίπους, οδος, ὁ, ἡ, was die Füſse hebt, ſchnell, geſchwind, Hom. Il. 18, 532. v. ποῦς u. αἴρω, ἀέρω.

Ἀερτάζω, f. άσω, u. ἀερτάω, ſ. v. a. αἴρω; wird von ἀέρω, ἀείρω, αἴρω gebildet; von ἀέρω Futur. ἀέρσω, davon ἀερσίπους u. dergl. ſo wie ἐγερσίνοος von ἐγέρω, ἐγείρω und ἀγέρω, ἀγείρω. S. αἴρω. Auch ἀέρθην, ἀερθεὶς als unregelmäſsige tempora von αἴρω ſind eigentlich von ἀέρω.

Ἀερώδης, ες, ſ. v. a. ἀεριώδης.

Ἀέσαι, Inf. v. ἄω, ἄυω, ſchlafen, davon ἀέσαμεν Aor. 1.

Ἀεσίμαινα, ἡ, ein Beywort von θάλασσα beym Heſych. von raſenden Winden bekämpfet; oder wie σκοτόμαινα, σκοτομήνη.

Ἀεσιφροσύνη, ἡ, Leichtſinn, Einfalt, Hom. wo andre ἀασίφρων, ἀασιφροσύνη leſen; von ἄω, ἄημα, blaſen, Wind. —σίφρων, ονος, ὁ, ἡ, leichtſinnig, einfältig.

Ἀέσκω, davon ἀέσκοντας u. ἀέσκοντο bey Etymol. u. Heſych. für ἄω, ſchlafen.

Ἀέτειος, ὁ, ἡ, (ἀετὸς), vom Adler.

Ἀετιδεὺς, έως, ὁ, ein junger Adler, ein Junges vom Adler.

Ἀετίτης, ου, ὁ, Adlerſtein, den man im Neſt des Adlers finden ſoll; inwendig hohl.

Ἀετὸς, ὁ, Adler; auch als Kriegeszeichen, wie die Fahne; 2) der Giebel am Hauſse. ὑφ' ἑνὸς ἀετοῦ καὶ μιᾶς στέγης Dionyſ. Antiq. 4, 61 unter einem Giebel und einem Dache. V. ἄω ἄημι, von der Leichtigkeit und Schnelligkeit des windähnlichen hohen Fluges. — τοφόρος, ὁ, ἡ, d. i. τὸν ἀετὸν φέρων, der den Adler, d. i. die mit einem Adler bezeichnete Fahne tragt, Fahnenträger, Fähndrich. — τώδης, ὁ, ἡ, (εἶδος, ἀετὸς), adlerartig. — τωμα, τος, τὸ, ſ. v. a. ἀετὸς, no. 2. *faſtigium*. — τωσις, εως, ἡ, das Lat. *faſtigatio*, wenn man das Dach in eine Spitze, Giebel zugehn läſst, auch ſ. v. a. ἀέτωμα.

'Αέω, davon ἄημι, davon ἄεσαν, ſchlafen. S. εὕδω.

'Αζα, ἡ, joniſch ἄζη, ἡ, bey Homer σάκος πεπαλαγμένον ἄζῃ, iſt es Schmutz und ſchwarze Farbe, welche ungebrauchte Sachen entſtellen; andre erklaren es εὐρὼς, ξηρασία und μελανία, wie Nicand. Theriac. 748. Von der Bedeutung Trockenheit, Trockniſs kommt ἄζω, ἀζάω, ἀζαίνω ich trockne. Heſych. hat ἄζη, κονιορτὸς, ἄσβολος, κόνις. Auch ſagte man ἄδαλος, ἄσβολος u. ἀδάλεον ξηρὸν ſtatt ἄζαλος, ἀζαλέον nach Heſychius. Bey Theocr. 5, 109. laſen einige ἀζάι, wo der Schol. ſagt: τὸ καταλειφθὲν ἐν ἀγγείοις ἄζα λέγεται, ſo auch Heſych. ἄζα· κόπρος ἐν ἀγγείῳ ἀπεμείνασα. Bey Suidas ſteht auch ἀζηλόεν, μέλαν, vermuthl. ſt. ἀζαλόεν. S. in ἄζω. Oppian Cyn. 1, 134. hat ἄζην ἠελίου für Hitze. S. ἀάζω.

'Αζαίνω, (ἄζα, ἄζω, ἀζάω, ἀζάνω), ich trockne, trockne aus. S. ἄζω.

'Αζαλέος, έα, έον, (ἄζα, ἄζαλος), trocken, oder ἀζάλειος. Bey Suidas ἀζηλόεν ſt. ἀζαλόεν von ἀζαλόεις.

'Αζάνω. S. ἀζαίνω.

"Αζευκτος, ὁ, ἡ, nicht zuſammengeſpannt; nicht durch die Ehe verbunden, unverheirathet. S. ζυγὸς, v. ζεύγνυμι.

"Αζη, ἡ. S. ἄζα.

'Αζηλία, ἡ, (ζῆλος), Freyſeyn von Eiferſucht; von — λος, ὁ, ἡ, (ζῆλος), ohne Eiferſucht, d. i. paſſ. unbeneidet, gering geachtet; act. nicht beneidend, nicht eiferſüchtig.

'Αζηλοτύπητος, ὁ, ἡ, nicht zu beneiden, was man nicht beneiden darf, was keinen Neid erregt Cic. ad Att. 13, 19. 7. — τυπος, ὁ, ἡ, unbeneidet, nicht Eiferſucht erregend. Cic. ad Attic. 13, 19.

'Αζήλωτος, ον, (ζηλόω), unbeneidet, gering geachtet; nicht zu beneiden, *invidia major*.

'Αζήμιος, ὁ, ἡ, (ζημία), ohne Verluſt; ohne Strafe. Adv. ἀζημίως.

'Αζηνάσκω, ſ. v. a. ἀζαίνω.

'Αζήτητος, ὁ, ἡ, (ζητέω), nicht untersucht.

'Αζηχὴς, έος, ὁ, ἡ, bey Homer Il. 4. 435 ἀζηχὲς μεμακυῖαι von blokenden Schaafen, nach einigen μεγαλόφωνον von ἦχος, nach andern ἀδιαλείπτως unaufhörlich. Vergl. Il. 5, 658. Bey Apollon. 2, 99. ſind κορύναι ἀζηχέες ſ. v. a. ξηραὶ, von ἄζω, ἀζάω, ἀζαίνω. Andre laſen ἀζαχὲς und ἀζεχὲς. Orpheus beym Proclus übern Timaeus hat σκότος ἀζηχὲς καὶ ἄπειρον für διηνεκές.

"Αζοι, ων, οἱ, αἱ. S. ἄοζος, Diener.

'Αζυγὴς, έος, ὁ, ἡ, oder ἄζυγος, von ζυγὸς, ſ. v. a. ἄζευκτος; davon — γία, ἡ, eheloſer Stand, eheloſes Leben.

"Αζυμα, ων, τὰ, das Ungeſauerte, ein Jüdiſches Feſt, an dem ſie zum Andenken des Ausgangs aus Egypten ungeſäuertes Brod (ἀζυμίτης, näml. ἄρτος), aſsen; von — μος, ὁ, ἡ, (ζύμη), ohne Sauerteig, ungeſauert. — μοφαγία, ἡ, (φάγω), das Eſſen des ungeſäuerten Brods.

"Αζυξ, γος, ὁ, ἡ, ſ. v. a. ἀζυγής.

"Αζω, trocknen, trocken machen; paſſ. trocken werden, auch tropiſch, ſeine Säfte verlieren, ſeine Kräfte hinſchwinden ſehen, verſchmachten im Kummer Heſiod. Th. 99. Vergl. ἀζαίνω; v. ἄω, αὔω, αὖος, αὐαίνω u. ἄω, ἄζω, ἀζαίνω. S. ἀάζω u. ἄζη.

"Αζω, ehren, verehren, ſchätzen; doch iſt ἅζομαι im Medio gewöhnlicher. οὐδὲν ἅζοντα für σεβόμενον führt Euſtath. aus Sophokles an. Ueberh. verehren, ſcheuen, fürchten, wie *vereri*.

"Αζωνος, ὁ, ἡ, (ζώνη), ohne Gurt, ohne Gürtel.

"Αζωος, ὁ, ἡ, (ζωὴ), ohne Leben, leblos; kein Lebendiges (ζῶον) hervorbringend, als die Würmer Theophr. nicht wurmſtichig, ſonſt ἄκοπος.

"Αζωστος, ὁ, ἡ, oder ἄζωτος, (ζωννύω), nicht umgürtet, entgürtet, losgegürtet.

'Αηδέω, ῶ, ich bin ἀηδὴς, eklich vor etwas, habe etwas nicht gern. — δὴς, έος, ὁ, ἡ, (ἡδύς), nicht ſuſs, unangenehm, ekelhaft; davon — δία, ἡ, Unannehmlichkeit, Ekel; Charakter eines ἀηδὴς, oder eines im Umgange ekelhaften, laſtigen Menſchen, beym Theophr. char. 20. — δίζω, ἀηδίζει με, ſ. v. a. ἀηδίζομαι, es macht mir unangenehme Empfindung, Widerwillen, affizirt mich.

'Αηδόνειος, u. ἀηδόνιος, ὁ, ἡ, von einer Nachtigall, nachtigallahnlich, als ᾠδή. — νιεὺς, έος, ὁ, ein Junges der Nachtigall. Vergl. ἀετιδεύς.

'Αηδονὶς, ίδος, ἡ, eine junge, kleine Nachtigall; von

'Αηδὼ, όος, contr. οῦς, ἡ, nach der Form Λητὼ, ſ. v. a. das folgende.

'Αηδὼν, όνος, ἡ, eigentl. ἀειδὼν v. ἀείδω, die Sängerin, wie Homer die Sirenen ſo nennt; vorzugsweiſe die Nachtigall.

'Αηδῶς, Adv. v. ἀηδὴς, nicht gern, unfreundlich, mit Ekel.

'Αήθεια, ἡ, (ἀηθὴς), Ungewohntheit.

'Αηθέω, ῶ, ήσω, ich bin ἀήθης, bin ungewohnt.

Ἀήθης, εος, ὁ, ἡ, ungewohnt, ungewöhnlich, wider die Gewohnheit (ἦθος); beym Aristot. ohne Charakter (ἦθος, bestimmten Charakter, d. i. nach seiner Bestimmung, ὁ δηλοῖ τὴν προαίρεσιν), im Gegens. v. ἔχων ἦθος. — Θίζομαι, f. v. a. ἀηθέω, vergl. ἀηδέω mit ἀηδίζομαι. — θως, Adv. ungewohnt, wider die Gewohnheit.

Ἀήκης, εος, ὁ, ἡ, (ἀκή), ohne Spitze, ohne Schärfe, stumpf.

Ἄημα, τος, τὸ, (ἄημι), das Wehen, das Blasen, der Wind.

Ἀημερία, ἡ, (ἥμερος), Wildheit, Grausamkeit, Gefühllosigkeit.

Ἄημι, (ἄω), ich wehe, blase; davon ἀήτης, ἄημα, und bey Homer ἀήμεναι und ἄητον Iliad. 10 im Dualis; ἄημαι eben so viel; μέγας οὖρος ἄητο. Iliad. φ. δίχα δέ σφιν ἐνὶ φρεσὶ θυμὸς ἄητο, d. i. ἐκινεῖτο, ὥρμα, Passive; μέγα δέ μοι ἐνὶ φρεσὶ θάμβος ἄηται, Apollon. 4, 1673 d. i. κεκίνηται. Apollon. 3. 688 περί μοι παίδων σέο θυμὸς ἄηται, μὴ, meine Seele ist besorgt, bekümmert, *suspensus metu animus*. Auch ἄημι von ἀέω, ich schlafe, davon ἄεσαν. S. ἄω und εὕδω.

Ἀὴρ, έρος, ὁ, Luft, Witterung; als fem. die untere dicke Luft, Nebel, Dunkelheit, Finsterniss. Il. 5, 864. M. s. Cic. Nat. deor. 2, 26. Hesiod. Theog. 9, vergl. Ovid. Met. 3, 273. Hom. Il. 5, 776. 8, 50. Od. 9, 144. von ἄω, ἄημι.

Ἄησις, εως, ἡ, s. v. a. ἄημα.

Ἀήσσητος, ὁ, ἡ, (ἡσσάω), unbesiegbar, unübertreffbar; unbesiegt, unübertroffen.

Ἀήσυλος, ὑλη, ὑλον, Iliad. 5, 876 ἀήσυλα ἔργα sonst αἴσυλα. S. αἴσυλος.

Ἀήσυρος, ὁ, ἡ, (ἄω, ἄημι), eigentlich vom Winde wehend; daher leicht wie der Wind, schwebend, erhaben, fliegend. Im eigentlichen Sinne Apollon. 2, 1102 vom Winde: ἐπ' ἀκρεμόνεσσιν ἀήσυρος ἀκροτάτοισιν, d. i. sanft hinwehend, schwebend. Beym Aeschyl. ἀήσυροι μύρμηκες, beym Tryphiod. ἀήσυρος πόρτις, beym Orph. ἀήσυρα γυῖα d. i. leicht, flüchtig, schnell, ἐλαφρὸς, κοῦφος.

Ἀητέομαι, bey Arat. Phaen. 523 ich fliege, von ἄημι ἀήτης, ἀητέω.

Ἀήτη, ἡ, bey Hesiod. s. v. a. d. folg.

Ἀήτης, ου, ὁ, *flatus*, das Blasen, ἀνέμοιο, des Windes, bey Homer; auch allein s. v. a. Wind, Luft.

Ἀητέρροος, contr. ἀητέῤῥους, ὁ, ἡ, (ἀήτης, ῥέω), von Winden fliessend, aus dessen Fluss die Winde entstehen. Plato.

Ἄητος, ὁ, ἡ, durchweht, v. ἄημι; 2) θάρσος ἄητον bey Homer s. v. a. ἄατον, unersättlich, gross. S. ἄατος. Nicand. Ther. 783 s. v. a. ἀκόρεστος.

Ἀητὸς, ὁ, st. αἰετὸς beym Arat.

Ἀήττητος, ὁ, ἡ, s. v. a. ἀήσσητος.

Ἄηχος, ὁ, ἡ, (ἦχος), ohne Laut, Schall, Stimme.

Ἀθάλασσος, ἀθάλαττος, ὁ, ἡ, und ἀθαλάττωτος, ὁ, ἡ, eigentlich ohne Meer, figürlich ohne Erfahrung in der Seekunst, im Seekriege, v. θάλασσα und θαλασσόω, das zweyte wird auch vom Weine mit Meerwasser angemacht gebraucht, und in der Bedeutung des ersten bey Aristoph. Ran. 204.

Ἀθαλής, έος, ὁ, ἡ, od. ἀθαλλὴς, οὐ θάλλων, nicht grünend.

Ἀθαλπέως, Adv. jon. st. ἀθαλπῶς, ἄνευ θάλπους, ohne Wärme, ohne Hitze.

Ἀθαμβεὶ, Adv. unerschrocken, ohne zu zittern; von — βής, έος, ὁ, ἡ, (θάμβος), ohne Schrecken, unerschrocken; davon — βία, ἡ, Unerschrockenheit, Furchtlosigkeit. — βος, ὁ, ἡ, s. v. a. ἀθαμβής.

Ἀθανασία, ἡ, (ἀθάνατος), Unsterblichkeit. — νατίζω, f. ίσω, unsterblich machen, verewigen; davon — νατισμὸς, ὁ, Verewigung, Vergötterung. — νατος, ὁ, ἡ, (θάνατος), ohne Tod, unsterblich, ewig, ein jedes in seiner Art; wie bey uns, ewige Zänkerey, ewiger Friede, so στρατιῶται ἀθάνατοι, d. i. stehende, nie abzudankende Soldaten.

Ἄθαπτος, ὁ, ἡ, (θάπτω), unbegraben, unbeerdigt.

Ἀθάρα, ἀθάρη, u. ἀθηρὰ, ἡ, Graupen aus Spelt oder Waizen und ein daraus mit Milch gekochter Brey bey den Aegyptiern.

Ἀθαρσής, έος, ὁ, ἡ, (θάρσος), ohne Muth, muthlos.

Ἀθαυμασία, ἡ, oder ἀθαυμαςία, (θαυμάζω), wenn man sich nicht wundert. — μαςὶ. u. ἀθαυμαςεὶ, Adv. ohne sich zu wundern. — μαςος, ον, sich nicht wundernd.

Ἀθεάμων, ονος, ὁ, ἡ, d. i. οὐ θεώμενος, nicht schauend. — ασία, ἡ, jonisch ἀθεησίη, Aretaeus 5, 4. das nichtsehn, θεασία. — ατος, ὁ, ἡ, (θεάομαι), nicht zu sehen, unsichtbar; nicht gesehen, ungesehen; act. nicht sehend, als Xenoph. Mem. 2, 1. 31.

Ἀθεεὶ, Adv. (θεὸς), ohne Gott, göttliche Hülfe und Beystand, wie *sine dis* beym Horat. M. s. Hom. Od. 18, 352.

Ἀθεία, ἡ, s. v. a. ἀθεότης.

Ἀθείαςος, ὁ, ἡ, (θειάζω), nicht begeistert.

Ἀθέλεος, ὁ, ἡ, s. v. a. ἄκων wider Willen, Aesch. Suppl. 869 wo auch θέλεος st. v. a. θέλων, θέλουσα steht.

Ἀθελέω, f. ήσω, (θελέω, θέλω), ich will nicht.

Ἀθέλητος, ὁ, ἡ, (θέλω), nicht gewollt, nicht gewünscht, wider Willen geschehend.

Ἄθελκτος, ον, (θέλγω), nicht zu besänftigen, unversöhnlich.

Ἀθεμέλιος, ὁ, ἡ, od. ἀθέμηλος, (θεμέλιον), ohne Grund, grundlos.

'Αθεμις, ιδος, ὁ, ἡ, (θέμις), ruchlos, nach göttlichen Geſetzen verboten. —μιςος, ὁ, ἡ, oder ἀθεμίςιος; (Hom. Od. 18. 140. 9. 189) ruchlos, wider göttliche Geſetze handelnd; davon —μιςουργία, ἡ, (ἔργον), ruchloſe That. —μίςως, Adv. ruchlos, auf eine ruchloſe, gottloſe Art. —μιτογαμέω, ῶ, Euſeb. Praep. 6, 10 wofür hernach ἀθεμίστως, γ. ſtebt. —μιτος, ὁ, ἡ, ſ. v. a. ἄθεμις.

'Αθεος, ὁ, ἡ, ein Atheiſt; ein moraliſcher Atheiſt, gottlos; davon —ότης, ητος, ἡ, Atheismus, Atheiſterey, Gottloſigkeit.

'Αθεραπευσία, ἡ, (θεράπευσις), Mangel an Sorge, an Wartung, an Pflege, Vernachläſsigung, Verabſäumung. —πευτος, ὁ, ἡ, Adv. ἀθεραπεύτως, ungewartet, ungepflegt, ungeputzt; nicht zu heilen, unheilbar. S. θεραπεύω.

'Αθερειγενής, έος, ὁ, ἡ. S. θερειγενής.

'Αθερηΐς, ἠρύγγου ῥίζαν ἀθερηΐδα Nicand. Ther. 849. ſt. ἀθερηΐδος ἠρύγγου des ſtachlichten ἠρύγγιον. v. ἀθήρ.

'Αθερίζω, f. ίσω, ich laſſe auſser Acht, verachte, verſchmähe; Apollonius verbindet es m. d. Genitif. Man leitet es von ἀθήρ, ἀθέρος ab, d. i. ich achte wie Spreu, mir ſcheint es von θέρω, ἐθείρω, θεραπεύω mit dem α privativo zu kommen.

'Αθερίνη, ἡ, ein kleiner grätichter Fiſch von ἀθήρ.

'Αθέριξ, ικος, ὁ, ſ. v. a. ἀθήρ.

'Αθέριςος, ὁ, ἡ, (ἀθερίζω), nicht geachtet; nicht abgemäht (θερίζω).

'Αθέρμαντος, ὁ, ἡ, (θερμαίνω), nicht zu erwärmen; nicht erwärmt.

'Αθερμος, ὁ, ἡ, (θερμὸς), nicht warm.

'Αθερολόγιον, τὸ, ein chirurgiſches Inſtrument, damit Spitzen, ſpitzige Körper zu faſſen und auszuziehn, Chirurg. vet. p. 97. von

'Αθερολόγος, ὁ, ἡ, d. i. ἀθῆρας λέγων, Aehren ſammelnd; oder Spitzen aufleſend.

'Αθερώδης, εος, ὁ, ἡ, mit Aehren.

'Αθέρωμα, ατος, τὸ, od. ἀθήρωμα, (ἀθάρα, ἀθήρα), ein Gewächs, Geſchwulſt mit Materie, wie ἀθήρα, breyartig gefüllt.

'Αθεσία, ἡ, Unbeſtändigkeit; Bundbrüchigkeit, Treuloſigkeit, von ἀθετεῖν ὅρκους, πίςιν.

'Αθεσμία, ἡ, Geſetzloſigkeit, Uebertretung des Geſetzes, Verbrechen, Frevel; von —μιος, ὁ, ἡ, ohne Band (θεσμὸς), ohne Geſetze, d. i. der keine Geſetze hat, oder ſie nicht beobachtet; paſſ. nicht beobachtet, frevelhaft, oder worüber kein Geſetz da iſt. —μόβιος, ον, ohne Geſetze lebend, keinen Geſetzen gehorchend. —μόλεκτρος, ον, in einer geſetzwidrigen Ehe (Bette, λέκτρον) lebend.

"Αθεσμος, ὁ, ἡ, ſ. v. a. ἀθέσμιος. Adv. ἀθέσμως.

'Αθέσφατος, ὁ, ἡ, unausſprechlich groſs oder viel, Hom. Od. 11, 61. 372.

'Αθετέω, ῶ, f. ήσω abſtellen, abſchaffen, verwerfen, nicht mehr achten, verachten, nicht mehr halten oder übertreten, das θετὸν nicht mehr halten, oder bundbrüchig, treulos werden. Bey Polyb. ἀθετεῖν m. d. Datif ſ. v. a. ſeinen Beyfall verſagen, nicht beyſtimmen, das Gegentheil von τίθεσθαί τινι ψῆφον; davon —τημα, τος, τὸ, oder ἀθέτησις, die Abſchaffung, die Aufhebung, Verwerfung. —τος, ὁ, ἡ, Adv. ἀθέτως, nicht mehr θετὸς, abgeſchafft, verworfen; nichts mehr geltend, unnütz. Bey Aeſchyl. Prom. 150 iſt ἀθέτως ſ. v. a. ἀθέσμως, widerrechtlich.

'Αθεωρησία, ἡ, (θεωρέω), Unachtſamkeit beym Sehen, beym Beobachten. —ρητί, Adv. ohne genaue Anſchauung, überhin; von —ρητος, ὁ, ἡ, nicht anſchaulich, nicht ſichtbar; unvorhergeſehen, unerwartet; act. überhin anſehend, ſorglos betrachtend.

'Αθέως, Adv. v. ἄθεος.

'Αθήητος, ὁ, ἡ, jon. ſt. ἀθέατος.

'Αθηλος, ὁ, ἡ, (θηλὴ), ohne Bruſt, d. i. nicht mehr an der Bruſt, geſpähnt, von der Bruſt entwohnt, od. was die Bruſt nie geſogen hat.

'Αθήλυντος, ὁ, ἡ, oder ἄθηλυς, (θῆλυς, θηλύνω). nicht weibiſch gemacht, nicht weibiſch, nicht weichlich.

'Αθηνᾶ, ᾶς, ἡ, od. 'Αθήνη, 'Αθηναίη, Athene, Minerva, die Schutzgöttin Athens.

'Αθῆναι, ῶν, αἱ, Athen. Im Plur. ſtehts deswegen, wie Θῆβαι und andere, weil es aus mehreren Abtheilungen beſtand, als der eigentlichen Stadt, der Vorſtadt, der Burg u. ſ. w.

'Αθηναῖον, τὸ, Athenens Tempel.

'Αθηναῖος, αία, αῖον, von, aus, zu Athen gehörig, ein Athener.

'Αθηνιάω. S. τροπομάσθλης.

'Αθήρ, έρος, ὁ, die Hachel an der Aehre des Getraides; auch die Spitze des Degens.

'Αθήρα, ἡ, ſ. v. a. ἀθάρα.

'Αθήρευτος, ὁ, ἡ, nicht gejagt, nicht erjagt (θηρεύω); ohne Wild (θήρα).

'Αθηρηλοιγὸς, ὁ, (λοιγὸς ἀθήρ), Hachelnverderber, d. i. πτύον, Wurfſchaufel. Odyſſ. S. ἀθηρόβρωτον.

'Αθηρία, ἡ, (ἄθηρος), Mangel an Wild, unglückliche Jagd, Aelian. H. A. 8, 1.

'Αθηρόβρωτον, τὸ (βρώσκω, ἀθήρ), nennt Sophokles, was Homer ἀθηρολοιγον nannte, d. i. πτύον, Wurfſchaufel.

"Αθηρος, ὁ, ἡ, ohne Wild; ohne Jagd (θήρα); nicht zu erjagen, nicht zu fangen (θηρεύω).

'Αθησαύριςος, ὁ, ἡ, (θησαυρίζω), nicht aufgehoben; nicht aufzuheben; act.

[illegible] anfhebend, nichts aufheben könnend, verschwenderisch.

[illegible]ιος, ὁ, ἡ, (θίγω), unberührt.

[illegible]τος, ὁ, ἡ, (θίγω), unberührt, un[illegible]ffen, nicht verletzt; unberührbar, unverletzbar, unerreichbar.

[illegible], f. εύσω, oder ἀθλέω, (ἆθλος), beginne einen Kampf, kämpfe, ringe, dulde; davon —λημα, τος, τὸ, [illegible]pfter Kampf, das Kämpfen, Ringen, Dulden. —λητήρ, ῆρος u. ἀθλητὴς, ὁ, der Athlet, der Fechter; 2) metaphor. ein jeder, der durch Uebung und [Erfa]hrung in einer Kunst, Wissenschaft [vol]lkommen ist. ἀθληταὶ τῶν καλῶν ἔργων ἐγένοντο Demosth. ἀθληταὶ πολέμου Plato., ἀθληταὶ γῆς, die Ackersleute [...]losth. ἀδικίας καὶ βδελυρίας ἀθληταὶ Erzbunde von Ungerechtigkeit und Schaamlosigkeit, ἀθληταὶ τῆς ἀληθινῆς [...]ως die im wahren natürlichen Ausdrucke Meister sind. So sagen die Lat. *athletae comitiorum*, *pecuarii athletae* u. s. w. davon

[Ἀθ]λητικὸς, ἡ, ὸν, ein starker, geübter Kämpfer; zum Kampf oder Kämpfer gehörig. —τικῶς, Adv. nach Art der Kämpfer.

[Ἄθ]λιος, ία, ιον, (ἆθλος), kampf- mühvoll, mühselig. Adv. ἀθλίως. Davon —ιότης, ητος, ἡ, Mühseligkeit, Duldung, Leiden.

[Ἀ]θλοθετέω, ῶ, f. ήσω, d. i. ἆθλον θε[...] oder τίθημι, ich setze einen Kampfpreis aus, ordne Spiele an; von —θέτης, ου, ὁ, oder ἀθλοθέτης, d. i. ἆθλον [τι]θεὶς, der einen Kampfpreis aussetzt, Spiele anordnet und den Preis bestimmt. Pausan. 5, 9. wo auch ἀγῶνα τιθέναι in dem Sinne, für den Wettkampf anordnen und den Preis dem Sieger zuerkennen, vorkommt.

[Ἆ]θλον, τὸ, das zusammengezogene ἄεθλον.

[Ἆ]θλος, ὁ, das zusammengezogene ἄεθλος.

[Ἀ]θλοφόρος, ὁ, ἡ, f. ἀεθλοφόρος, z. B. Hom. Il. 9, 124. 11, 698.

[Ἄ]θολος, ὁ, ἡ, (θολὸς), ohne Schmutz, nicht schmutzig, nicht trübe.

[Ἀ]θόλωτος, ὁ, ἡ, (θολόω), nicht getrübt.

[Ἀ]θορύβητος, ὁ, ἡ, (θορυβέω), nicht beunruhigt, ruhig.

[Ἀ]θόρυβος, ὁ, ἡ, (θόρυβος), ohne Unruhe, ruhig. Adv. ἀθορύβως.

[Ἀ]θραγένη, ἡ, bey Theophr. ein wilder Baum.

[Ἄ]θρακτος, ὁ, ἡ, (θράσσω), f. v. a. ἀτάρακτος Soph.

[Ἀ]θράνευτος. S. θρανεύω.

[Ἄ]θραυστος, ὁ, ἡ, (θραύω), unzerbrochen, nicht verletzt, nicht gefallen, ganz: z. B. ἀγγεῖα, unzerbrochene, ganze Gefässe; ναῦς, unzerbrochenes, nicht gescheitertes Schiff; daher wie im Lat. *infractus*, so viel als *illaesus*, *integer*, z. B. beym Dio C. 53, 24 πόλις ἀθ. καὶ ὁλόκληρος.

Ἄθρεπτος, ὁ, ἡ, (θρεπτὸς), nicht nährend; eigentlich nicht genährt.

Ἀθρέω, ῶ, f. ήσω, sehen, ansehen, besehen, betrachten. Nach einigen st. ἀθεωρέω, d. i. ἅμα θεωρέω, nach andern v. θρῶ, sehen u. ἅμα, häufig beym Hom.

Ἀθρηνὶ, Adv. (θρῆνος), ohne Thränen, ohne Klagen.

Ἀθρίγγωτος, ὁ, ἡ, (θριγγόω od. θριγκόω v. θρίγγος od. θρίγκος), ohne Zaun oder Wall.

Ἄθρικτος, ον, (θρίζω st. θερίζω), nicht abgemäht, nicht verletzt.

Ἄθριξ, ιχος, ὁ, ἡ, (θρὶξ), ohne Haupthaar, mit einer Glatze.

Ἀθριπήδεστος, ὁ, ἡ, (θρίψ, θριπὸς u. ἐδεστὸς), von Würmern nicht angefressen, nicht zernagt.

Ἀθροίζω, f. οίσω, (ἀθρόος), zusammen nehmen, sammeln, versammeln; davon —οίσιμος, ὁ, ἡ, zusammengesammelt, zahlreich, haufenweise; ἀθ. ἡμέρα, ein Versammlungstag. —οισις, εως, ὁ, oder ἄθροισμα, ατος, oder ἀθροισμὸς, (ἀθροίζω), die Versammlung, Anhäufung, das Zusammenbringen zu einem Ganzen. —οισματικὸς, ἡ, ὸν, zum Versammeln. —οιστήριον, τὸ, Versammlungsort. —οιστὴς, ὁ, Versammler, Zusammenbringer; davon —οιστικὸς, ἡ, ὸν, Adv. ἀθροιστικῶς, ein geschickter Zusammenbringer, gut zum Zusammenbringen, dazu gehörig u. s. w.

Ἀθρόος, contr. ἀθροῦς, versammelt, zusammen, dicht, τὸ ἀθρόον, die Menge, der grosse Haufen. ἀθρόοι εἰσῆλθεν, sie giengen alle auf einmal, zusammen hinein. οἵ τοι ἐναντία σοῖο [...] ἀθρόοι εἶεν Hymn. Apoll. 152 die vor dir versammlet sind. Comp. ἀθρούστερος. Adv. ἀθρόως, auf einmal, zusammen, haufenweise; davon ἀθρόον εἰρῆσθαι Aretae. überhaupt zu reden; davon —ότης, ητος, ἡ, das Ganze.

Ἄθρυπτος, ὁ, ἡ, (θρύπτω), Adv. ἀθρύπτως, ungeschwächt, nicht verweiblicht, nicht weibisch-eitel und verschwenderisch. —υψία, ἡ, περὶ δίαιταν Plutarch. Consol. p. 404 die einfache, nicht weibliche Lebensart, d. Gegenth. v. θρύψις.

Ἀθυμέω, ῶ, f. ήσω, ich bin ἄθυμος, bin muthlos, feige, hoffnungslos. —μία, ἡ, Muthlosigkeit, Feigheit, nach Thomas Mag. ὁ πρὸς τοὺς πολεμίους ὄκνος; Traurigkeit, nach Thomas ἡ λύπη. —μος, ὁ, ἡ, (θυμὸς), Adv. ἀθύμως, ohne Muth, d. i. feige, feigherzig; ohne Muth gegen die zu befürchtenden Gefahren, d. i. muthlos, hoffnungslos, traurig.

Ἀθυρεύομαι, f. εύσομαι, od. ἀθυρέω, f. v. a. ἀθύρω, bloss bey Hesych.

'Αθυρίδωτος, ὁ, ἡ, (θυριδόω, θυρὶς), gleichſam, nicht verfenſtert, d. i. nicht mit Fenſtern verſehen.

'Αθυρμα, τος, τὸ, (ἀθύρω), Spiel; Beluſtigung, als beym Hom. Od. διδόναι ἀθύρματα θυμῷ; davon —μάτιον, τὸ, ein Spielchen.

'Αθυρογλωττέω, ῶ, ich bin ein ἀθυρόγλωττος. —γλωττία, ἡ, Geſchwäzzigkeit, Gewaſchigkeit, unüberlegtes, zügelloſes, unverſchämtes Maul. Nach Suidas ἀχαλίνωτος γλῶσσα, eine ungezügelte Zunge, ein zügelloſes Maul; von —γλώττος, ὁ, ἡ, d. i. ἄθυρος γλώττης, der keine Thüre vor ſeiner Zunge hat, ſtets und unbedachtſam oder unverſchamt redet, ſchwatzt, wäſcht, den Theognis v. 421 umſchreibt: ᾧ γλώσσῃ θύρα οὐκ ἐπίκειται. —νόμος, ὁ, ἡ, d. i. ἀθύρων τοῖς νόμοις, mit den Geſetzen ſpielend.

'Αθυρος, ὁ, ἡ, ohne Thüre (θύρα); mit nicht verſchloſſener Thüre; davon —ροστομέω, ῶ, f. ήσω, ich bin ein ἀθυρόστομος. —ροστομία, ἡ, ſ. v. a. ἀθυρογλωττία; von —ρόστομος, ὁ, ἡ, d. i. ἄθυρος στόματος, mit nicht verſchloſſenem Munde, ſ. v. a. ἀθυρόγλωττος.

'Αθύρω, ſpielen, ſich beluſtigen, Hom. Il. 15, 364. λαῖφος ἀθύρων Hymn. Merc. 152 mit dem Kleide ſpielend.

'Αθύρωτος, ὁ, ἡ, (θυρόω), mit keiner Thüre verſchloſſen, als οἴκημα; übergetragen beym Ariſtoph. ἔχων ἀχάλινον, ἀκρατὲς, ἀθύρωτον στόμα, mit einem zügelloſen, frechen, unverſchamten Maule.

'Αθυτος, ὁ, ἡ, (θύω), ungeopfert, nicht geopfert, nicht mit Opfern gefeyert oder eingeweiht, als γάμοι ἄθυτοι; daher ſo gut als gar nicht geopfert, d. i. wider die Gebräuche, entweiht, unglücklich, als ἱερὰ ἄθυτα beym Aeſchin. wird durch den Beyſatz ἀκαλλιέρητα erklärt, *ſacrificia inauſpicata, quaſi non ſacrificata*, ἀ. καὶ νόθη συνουσία unehrlicher Umgang, ungeſetzlich. Jambl. Pyth. §. 195; auch act. der nicht opfert, beym Dio C. 59, 20 οἱ ὕπατοι ἄθυτοι γίνονται ἐπὶ τῇ νίκῃ, opfern nicht wegen des Sieges.

'Αθώητος, ὁ, ἡ, ſ. v. a. d. folgd.

'Αθῷος, ὁ, ἡ, (θωὴ), Adv. ἀθῴως, ohne Strafe, ungeſtraft, unſchuldig; davon —ωόω, ῶ, f. ώσω, eigentlich ungeſtraft machen, d. i. ungeſtraft laſſen, nicht beſtrafen.

'Αθώπευστος, u. ἀθώπευτος, ὁ, ἡ, (θωπεύω), unbeſtechbar, unerweichlich durch Schmeicheleien, unerbittlich.

'Αθωράκιστος, ὁ, ἡ, (θωρακίζω), ungepanzert, unbewaffnet.

'Αθώρηκτος, ὁ, ἡ, (θωρήσσω), nicht trunken, Hippocr.

'Αθώωσις, εως, ἡ, (ἀθωόω), die Nichtbeſtrafung, Losſprechung.

Αἶ, ein Ausruf der Bewunderung, Freude, des Wunſches, des Schmerzes.

Αἴ, ein Ausruf der Bewunderung, des Schmerzes.

Αἶα, das ſanft ausgeſprochene γαῖα, Erde, Hom. Il. 3, 243. Od. 11, 300.

Αἴαγμα, τος, τὸ, das Aechzen, Gewinſel; von

Αἰάζω, f. άξω, αἶ αἶ rufen, winſeln, klagen; davon —ακτὸς, ἡ, ὸν, zu bewinſeln, zu beklagen.

Αἰανὴς, έος, ὁ, ἡ, oder αἰανὸς, Adv. αἰανῶς, kläglich, traurig, v. αἶ nach dem Schol. des Pindar. Νὺξ αἰανὴ beym Sophocl. Ajac. 681 iſt als Gegenſatz v. λευκόπωλος ἡμέρα, ſchwarze, dunkle Nacht, ſo wie umgekehrt ſchwarz, dunkel, oft ſo viel iſt als traurig, unangenehm. Bey Aeſchyl. Eum. 575 u. ſonſt ſ. v. a. ἀΐδιος, ſo wie αἰανῶς bey ihm ſ. v. a. ἀεὶ.

Αἰβοῖ, ein Ausruf des Schmerzes, des Unwillens, der Bewunderung.

Αἰγάγριος, und αἴγαγρος, ὁ, d. i. αἶξ ἀγρία, eine wilde Ziege, Gemſe. Opp. Cyn. 2, 338 wo die Aldina αἴγαστρος hat.

Αἰγανέα, ἡ, Wurfſpieſs, Schleuder; Hom. Il. 2, 774. Od. 4, 626, ἀκοντίον ἐπιτήδειον εἰς αἰγῶν θήραν nach Euſt. daſs es alſo von αἶξ, αἰγὸς herkame.

'Αἴγδην, Adv. (αἴσσω), mit Heftigkeit, Schnelligkeit ſich bewegend, ungeſtüm, heftig, ſchnell. S. αἴσσω.

Αἰγέη, ἡ, ſt. αἰγείη, nämlich δορὰ, ein Ziegenfell; von —γειος, ὁ, ἡ, (αἶξ), von Ziegen.

Αἴγειρος, ἡ, ſchwarze Pappel, *populus nigra*.

Αἰγελάτης, ὁ, d. i. αἶγας ἐλάων oder ἐλαύνων, ein Ziegentreiber, Ziegenhirt.

Αἴγεος, ſt. αἴγειος, Hom. Od. 9, 196.

Αἰγιαλεὺς, έως, ὁ, gleichſam ein Ufermann (αἰγιαλὸς), der ſich gewöhnlich am Ufer, an oder auf dem Waſſer aufhält, ein Fiſcher. —λίτης, ου, ὁ, fem. αἰγιαλῖτις, am Ufer wohnend, ſich gewöhnlich da aufhaltend, da befindlich; von

Αἰγιαλὸς, ὁ, Ufer, Küſte.

Αἰγιαλώδης, εος, ὁ, ἡ, am Ufer befindlich.

Αἰγίβοσκος, ὁ, ἡ, d. i. αἶγας βόσκων, Ziegen nährend. —βότης, ου, ὁ, d. i. αἰγῶν βούτης, Ziegenhirt. —βοτος, ὁ, ἡ, d. i. αἶγας βόσκων, Ziegen nährend, von einem Lande, gut, geſchickt zum Ziegenhalten, Hom. Od. 4, 606. — —διον, τὸ, (αἶξ), eine kleine Ziege.

Αἰγίθαλος, ὁ, *parus*, die Maiſe.

Αἴγιθος, ὁ, auch αἴγινθος, u. αἰγίοθος, *ſalus*, ein Vogel.

Αἰγίκνημος, ὁ, ἡ, (κνήμη), mit Ziegenſchenkeln, mit Bocksfuſsen. —κορεὺς, έως, ὁ, d. i. αἶγας κορέων, Ziegen ſättigend, d. i. fütternd, haltend, weidend. Plutar. Solon.

Αἰγίλιψ, ιπος, ὁ, ἡ, von Ziegen unerreichbar, als πέτρη beym Hom. ein hoher, steiler Fels. Bey Nicand. Ther. 857 haben die Handschr. αἰγίλιπος st. d. gemeinen αἰγίλυπος. Nach Hesych. sollen die Thurier die Weide (ἰτέα) αἰγίλιψ nennen; viell. aber soll es αἰγίλοπος von αἰγίλωψ heissen. — λος, ἡ, ein Kraut, den Ziegen angenehm.

Αἰγιλώπιον, τὸ. S. das folg. No. 4. —λωψ, ωπος, ὁ, Art von Haber; 2) Unkraut der Gerste; 3) Eichenart; 4) Fehler der Augen in den vordern Winkeln, Thränenfistel; davon Dimin. αἰγιλώπιον, τὸ, v. αἴξ u. ὤψ. S. auch αἰγίλιψ.

Αἰγινόεις, εσσα, εν, (αἴξ), voller Ziegen.

Αἰγινόμος, s. v. a. αἰγονόμος.

Αἰγίοχος, ὁ, ἡ, der (Zeus) oder die (Athene) die Aegis oder die Aegide (s. αἰγίς) tragende (ἔχω).

Αἰγίπαν, ανος, ὁ, Ziegenpan, oder Pan, Beschützer der Ziegen. M. s. Horat. Carm. 1, 17. 2 oder ziegenartiger Pan, mit Bocksfüssen u. am ganzen Körper rauch. —πόδης, ου, ὁ, ziegenfüssig; von —πους, οδος, ὁ, ἡ, eben das.

Αἰγίς, ιδος, ἡ, (αἴξ), ein Ziegenfell; auch ein daraus verfertigtes Kleid, Pelz; 2) ein Brustharnisch, ursprünglich von Ziegenfell, ein Schild, womit Pallas vorzüglich abgebildet u. beschrieben wird; 3) der Kern, das Herz am Kienbaum. S. λοῦσσον; 4) ein weisser Fleck, Narbe im Auge zwischen den Häuten, Hippocr. andere haben dafür ἀγλίη, αἰγιάς und αἰγιαλίς, u. erklären es auch ἀπόσιλψις, παράλαμψις τῶν ὀμμάτων; 5) ein Sturmwind. Aeschyl. Choeph. 591.

Αἰγίσκος, ὁ, Ziegenböckchen.

Αἰγλᾶς. S. αἰγλήεις.

Αἴγλη, ἡ, Glanz, Schimmer; Fackel; bey Soph. Oed. tyr. 208 Pfeil; davon —λήεις, αἰγλήεσσα, αἰγλῆεν v. αἴγλη s. v. a. ἀγλαὸς, glänzend, weiss. Dorisch αἰγλάεις, αἰγλάεν contr. αἰγλᾶς, αἰγλᾶν, αἰγλᾶντος wie αὐλῆεν, αὐλᾶν, ἀργῆεν ἀργᾶν.

Αἰγλοβολεῖν s. v. a. βάλλειν αἴγλην, strahlen. Manetho, 4, 188.

Αἰγοβοσκὸς, ὁ, s. v. a. αἰγιβόσκος. —βότης, ὁ, s. v. a. αἰγιβότης. —γενής, έος, ὁ, ἡ, (γένος), vom Ziegengeschlechte. —δίωξ, d. i. αἶγας διώκων, Ziegen verfolgend. —δορος, ὁ, ἡ, (δέρω), ῥινὸς Oppian. Hal. 5, 356 Ziegenhaut, Schlauch von Ziegenfell. —θήλας, ου, ὁ, (αἴξ, θηλή), der Ziegenmelker, die Nachtschwalbe, *Caprimulgus*; ein Nachtvogel. —κερας, ατος τὸ, Bockshorn, Bockshornkraut, *foenum Graecum* beim Plin. 18, 16. —κερεύς, έως, ὁ, oder αἰγόκερως, *Capricornus*, Steinbock. —κέφαλος, ὁ, Ziegenkopf, ein Vogel beim Aristot. —λεθρος, ὁ, Ziegenpest, ein den Ziegen schädliches, für sie tödtliches Kraut. —μελής, ὁ, Ziegenwächter, Ziegenhüter, ᾧ μέλει τῶν αἰγῶν. —νομεὺς, έως, ὁ, od. αἰγινόμος, d. i. αἶγας νέμων, Ziegenhüter, Ziegenhirt. —νόμιον, τὸ, Ziegenweide, Ziegenheerde. —όνυξ, υχος, ὁ, ἡ, (ὄνυξ), mit Ziegenpfoten, mit Ziegenklauen. —πόδης, ου, ὁ, s. v. a. αἰγιπόδης, Hom. Hymn. 18, 2. —πρόσωπος, ὁ, ἡ, (πρόσωπον), mit einem Ziegengesicht. —πυρος, ὁ, eine Pflanze, gleichsam Ziegenwaizen. —τριχέω, ῶ, bey Strabo πρόβατα αἰγοτριχοῦντα, Schaafe mit Ziegenhaaren statt Wolle. —φάγος, ὁ, ἡ, (φάγω), Ziegenfresser. —όφθαλμος, ὁ, ἡ, ziegenaugig.

Αἰγυπιὸς, ὁ, Geyer.

Αἰγυπτιάζω, f. άσω, ich betrage mich wie ein Egyptier, mache es den Egyptiern nach, im Aeussern (vergl. βαρβαρίζω), oder in der Denkungsart, d. i. bin schlau, verschlagen, falsch wie ein Eg. Denn nach Aeschyl. sind die Eg. δεινοὶ πλέκειν μηχανάς. —πτιογενής u. αἰγυπτογενής (γένος), von Egyptischem Geschlecht, Egyptisch. —πτιος, ία, ιον, Egyptisch. —πτος, ἡ, Egypten; der Nil beym Hom. Od.

Αἰγώλιος, ὁ, auch αἰτώλιος u. ἐγώλιος, eine Art von Nachtvögeln. S. auch αἰπόλιος.

Αἰγὼν, ῶνος, ὁ, ein Ziegenfell.

Αἰγωπὸς, ὁ, (ὤψ), mit Ziegenaugen, mit Ziegenblick.

Αἰδέομαι, οῦμαι, f. έσομαι, u. ήσομαι, sich schämen; mit infin. sich schämen, erröthen, anstehn etwas zu thun, (die Furcht des moralischen Gefühls, da δείδω physische Furcht und Schrecken bezeichnet, wie es Hom. sehr deutlich unterscheidet. Il. 7, 93 u. Xenoph., der Cyr. 8, 1. 31 αἰδούμενος erklärt durch τὰ ἐν τῷ φανερῷ αἰσχρὰ φεύγων); sich vor einem schämen, (etwas Unanständiges, Böses zu thun), d. i. Achtung, Hochachtung vor ihm haben; bey den Bitten eines andern erröthen, d. i. sich rühren lassen, verzeihen; als beym Demosth. wenn einer einen andern bey einem unvorsätzlichen Morde ertappt hat und hinterher αἰδέσηται καὶ ἀφῇ, d. i. sich erbitten lässt, ihm verzeiht und loslässt; diess letzte auch pass. (denn dass das act. αἰδέω ehemals gebräuchlich gewesen sey, zeigt καταιδέω, erbitten, erflehen), beym Demosth., wo ᾐδεσμένος, erfleht, versöhnt. S. αἰδέσιμος no. 2. u. δυσωπέω u. αἰδώς.

Αἰδέσιμος, ὁ, ἡ, was Schaam, Ehrfurcht einflösst, ehrwürdig; ἱερὸν, heiliger, unverletzbarer Tempel; 2) was durch Schaam u. Mitleiden zur Erhörung bewegt. τὸ συνηθὲς τῆς κοινωνίας εἰς χάριν αἰδεσιμώτερον Achill. Tatius 1. p. 35. ſo δῶρα αἰδέσιμα bey Theophyl. —μότης, ητος, ἡ, das Ehrwürdige.

Αἴδεσις, εως, ἡ, (αἰδέομαι), Ehrfurcht, Verehrung; Erröthung, d. i. Erhörung, Gewährung einer Bitte, Verzeihung, und das dabey vorhergegangene Mitleiden. S. oben αἰδέομαι. —δεςὸς, ἡ, ὸν, zu verehren, verehrungswürdig.

Αἰδέω. S. αἰδέομαι.

Ἄϊδηλος, ὁ, ἡ, (ἴδηλος), Adv. ἀϊδήλως, nicht ſichtbar, unſichtbar; geheim; vorher nicht ſichtbar, unerwartet, unverhofft.

Αἰδημονέω, ῶ. f. ήσω, ich bin αἰδήμων. —ήμων, ονος, ὁ, ἡ, (αἰδὼς), Adv. αἰδημόνως, verſchämt, blöde, ſchaamhaft.

Ἀϊδὴς, έος, ὁ, ἡ, unſichtbar. Heſiod. Sout. 477.

Ἀΐδης, ὁ, u. ἀΐδας, ſ. oben ᾅδης.

Ἀΐδιος, ὁ, ἡ, ſ. v. a. ἀείδιος; davon —διότης, ητος, ἡ, Ewigkeit.

Ἀϊδνὴς u. ἀϊδνὸς, ἡ, ὸν, eine andere Form v. ἀϊδὴς. Oppian. Hal. 4, 245 πηλὸς ἀϊδνής.

Αἰδοιϊκὸς, ἡ, ὸν, von oder zur Schaam gehörig; von —δοῖον, τὸ, die Schaam. Eigentlich das Neutr. von —δοῖος, οία, οῖον, Adv. αἰδοίως, act. ſchaamhaft, verſchämt; paſſ. vor dem man ſich ſchämt, ehrwürdig, verehrungswürdig. —δοιώδης, εος, ὁ, ἡ, ſchaamartig, geſtaltet wie die Schaam.

Αἴδομαι, ſ. αἰδέομαι. —δος, εος, τὸ, ſ. αἰδώς.

Ἀΐδουλος. S. ἀείδουλος.

Ἀϊδοφοίτης, ου, ὁ, (ἀΐδης, φοιτάω), zur Unterwelt gehend.

Αἰδόφρων, ονος, ὁ, ἡ, (αἰδὼς, φρὴν), verſchämten Sinnes, verſchämt, beſcheiden.

Ἀϊδρεία, ἡ, u. ἀϊδρία, (ἰδρεία), Unwiſſenheit, Unerfahrenheit. —δρήεις, ήεσσα, ῆεν, oder ἄϊδρις, (ἴδρις), Adv. ἀΐδρως, unwiſſend, unerfahren. —δρόδικος, ον, d. i. ἄϊδρις τῆς δίκης, unerfahren in dem Rechte, der nichts von Recht und Gerechtigkeit wiſſen will, ungerecht. Θῆρας ἀϊδροδίκας Pind. Nem. 1, 96 wilde Thiere v. ἀϊδροδίκης.

Ἀΐδρυτος, ὁ, ἡ. S. ἀνίδρυτος.

Ἀϊδωνεὺς, έως, ὁ, das auseinandergezogene Ἀΐδης.

Αἰδὼς, όος, contr. οῦς, ἡ, Schaam; die Schaam, od. die Schaamtheile; die Schaam vor einem etwas Unanſtändiges, Böſes zu thun, d. i. Ehrfurcht, Hochachtung, und im Allgemeinen Ehrgefühl, Ehrliebe, Tugend; auch Verzeihung, wie αἰδεῖσθαι verzeihen. ἀπειθήσασιν ἐγένετο ὅμως παρὰ τῶν Ἀρκάδων αἰδὼς Pauſan. 8, 27. ταύτην ἀφιᾶσιν ἀζήμιον καὶ τῷ πατρὶ καὶ ἀδελφοῖς αὐτῆς αἰδῶ νέμοντες 5, 6 aus Achtung vor ihrem Vater u. Brüdern.

Αἰζήεις, αἰζήϊος u. αἰζηὸς ſ. v. a. ἀκμάζων, ſtark, raſch, munter; nicht Jüngling, wie man es gewöhnlich überſetzt, denn Heſiod. ἔργ. 441 nennt den 40jährigen Sklaven, der pflügt, αἰζηός; u. πρέμαλος αἰζήεις bey Athenae. 4 c. 25 iſt ſ. v. a. εὐτραφὴς, wie Heſych. αἰζᾶεν, εὐτραφὲς βλάςημα erklärt.

Αἴητος, rußig, voller Ruß, Hom. Il. 18, 410. Heſych. erklärt es πνευςικὸν ἢ πυρῶδες; und hat dafür auch αἰζητὸν als Variante.

Αἰθαλέος, έα, έον, aſchfarbig, rußicht; von —άλη, ἡ, (αἴθω), Aſche, Ruß. —αλὴς, ὲς, ſ. v. a. αἰθαλόεις.

Ἀΐθαλης, ſ. v. a. ἀειθαλής. Orphika.

Αἰθαλίων, ωνος, ὁ, hitzig, Hitze oder Wärme liebend, ein Beywort der Heuſchrecke beym Theocr. —αλόεις, εσσα, όεν, brennend, glühend, als Blitz, Heſ. Th. 72; rußig, u. daher ſchmutzig, als κόνις Hom. Od. 24, 315, beym Virgil. Aen. 10, 844, *immundus pulvis*. —αλος, ἀπὸ τοῦ ἰπνοῦ Kaminruß. Hippokr. ſ. v. a. αἰθάλη. —αλόω, ῶ, f. ώσω, (αἰθάλη), Ruß machen, zu Ruß brennen, Dioſcor. 2, 81. verbrennen, rußig oder ſchwarz machen. —αλώδης, εος, ὁ, ἡ, zu Ruß oder Aſche verbrannt; rußig, aſchig, ſchwarz. —αλωτὸς, ἡ, όν, (αἰθαλόω), zu Ruß oder Aſche verbrannt.

Αἶθε, ſ. v. a. εἴγε.

Αἰθερεμβατέω, ῶ, f. ήσω, oder αἰθεροβατέω, d. i. ἐν αἰθέρι βατέω, in der Luft einherſchreiten.

Αἰθέρι, Adv. im Aether, in der Luft, bey den Dichtern, mit ausgelaſſenem ἐν. —έριος, ὁ, ἡ, oder αἰθέριος, ία, ιον, od. αἰθεριώδης, ätheriſch, luftig.

Αἰθεροβόσκας, ὁ, Diog. Laert. 6, 76 ſ. v. a. ἀερίοικος; andre leſen αἰθεριβόσκας v. βόσκω.

Αἰθεροδρόμος, ὁ, ἡ, d. i. ἐν αἰθέρι δρέμων oder τρέχων, in der Luft laufend. —οειδὴς, έος, ὁ, ἡ, (εἶδος), ätherartig. —ονόμος, ὁ, (νέμομαι), im Aether, od. am Himmel weidend. —όπλαγκτος, ον, (πλάζω), am Himmel umhergeworfen, herumſchweifend.

Αἰθήεις, εσσα, εν, (αἴθω), verbrannt, ſchwarz gebrannt.

Αἰθὴρ, έρος, ὁ, Aether, die höhere reinere Luft; daher Licht, Helligkeit Il. 16, 300. Himmel. M. ſ. Cic. Nat. deor. 2, 25.

Αἰθιοπίζω, lebe, handle wie ein Aethioper. Vergl. αἰγυπτιάζω. —ιοπικὸς, ἡ, ὸν, Aethiopiſch. —ίοψ, οπος, ὁ, fem. αἰθιόπις, (αἴθω, ὤψ), ein Aethioper, eine Aethioperin; eigentlich mit verbranntem, ſchwarz oder ſchwarz-braun gebranntem Geſichte.

Αἴθωκες oder αἰθύλικες, Brandblaſen.

Αἶθος, εος, τὸ, (αἴθω), Brand, Hitze, Feuer. Bey Eur. ὁ αἶθος.

Αἰθὸς, ἡ, ὸν, (αἴθω), ſchwarzgebrannt,

verbrannt; ſchwarz oder feurig, feuerfarben, ſ. v. a. αἴθοψ.

θουσα, ἡ, verſt. στοὰ, die Gallerie vor dem Hauſe, in welche man aus dem Vorhofe αὐλὴ u. aus dieſer in den πρόδομος, von da in den θάλαμος geht; ſie lag meiſt gegen Morgen oder Mittag, um ſich daſelbſt zu ſonnen und zu wärmen (αἴθω), Odyſſ. 4, 302 ſteht dafür πρόδομος δόμου; 2) als Adjekt. oder Part. v. αἴθων, brennend, warm, oder feuerfarbig.

θοψ, οπος, ὁ, ἡ, ſ. v. a. αἰθὸς u. αἴθων in der Bedeut. von brennend, feurig, glänzend, hell; od. verbrannt, ſchwarz, dunkel.

θρα, ἡ, joniſch αἴθρη, von αἰθὴρ wie γαστρὴ von γαστὴρ, davon αἰθρία, αἰθρίη, ein heiterer unbewölkter Himmel, heiter Wetter; 2) freyer Himmel, wie dium, divum, ἐν αἰθρίᾳ unter freyem Himmel; davon ὑπαίθριος ſubdialis; 3) ſcharfe Luft mit Reif verbunden, was Homer αἶθρος, ὁ, nennt, Sophocl. Antig. 358 δυσαύλων πάγων αἴθρια καὶ δύσομβρα βέλη, wo Schol. es ψυχρὰ erklärt. Herodot. ſetzt αἰθρίη u. δρόσος zuſammen; daher bey Theophr. C. Plant. 5, 2. σκληραὶ αἱ αἴθριαι u. οἱ ἐναίθριοι τόποι λεγόμενοι, Gegenden, wo ſcharfe Nachtluft mit Reife herrſcht.

θρανος, eine Kohlpfanne der Weiber, ſich zu wärmen, Euſtath. hat αἴθρακος.

θρηγενέτης, ου, ὁ, oder αἰθρηγενὴς, ein Beywort des Boreas beym Hom. alſo entw. αἰθέρα γεννῶν, heitern Himmel bringend, od. αἶθρον γεννῶν, Reif erzeugend, Reif bringend. Denn beydes legt ihm Homer in andern Stellen bey. Hom. Il. 15, 171. Od. 5, 296. Andere erklären es anders.

θρία, ἡ, ätheriſche, reine Luft, heller Himmel, als οἱ κεραυνοὶ ἐν αἰθρίᾳ πολλοὶ ἔπεσον beym Dio 37, 25, beym Horat. Carm. 1, 34. 7. per purum (coelum); ſonſt auch ἐν αἰθρίᾳ, unter freyem Himmel. —ιάζω, ſ. άσω, oder αἰθριάω, (αἰθρία), hellen Himmel, reine Luft machen.

θριοκοιτέω, ῶ, f. ήσω, d. i. κοίτην ἔχω ἐν αἰθρίᾳ, ſchlafe unter freyem Himmel. Theocr. Bey Antyllus Stobaei Serm. 243 ſteht falſch αἰθριοκοπούντων.

θριος, ὁ, ἡ, (αἴθρα), heiter, hell, unter freyem Himmel.

θροβάτης, ου, ὁ, ein Luftwandler. Vergl. αἰθεροβατέω.

θροπολεύω u. αἰθροπολέω, bey Maximus περὶ καταρχῶν ſ. v. a. αἰθροβατέω vom Monde.

θρος, ὁ, Reif, Morgenkälte. S. αἴθρα.

θυγμα, τος, τὸ, Reizung, Anreizung (ſ. αἰθύσσω), Zunder, Funke, Reſt. Polyb. 20, 5.

θυια, ἡ, eine Waſſervogelart.

Αἰθυιόθρεπτος, ον, (αἴθυια, τρέφομαι), ſich nährend vom Tauchen, ein Fiſcher.

Αἰθυκτὴρ, ῆρος, ὁ, (αἰθύσσω), der Hitzige, der Stürmer. Bey Oppian. Cyn. 2, 331. Hal. 1, 368 haben die Handſchr. αἰθυντὴρ in eben dem Sinne. δούνακες αἰθυκτῆρες, Leonid. epigr. ſind dunkel u. zweif.

Αἰθυλικώδης, εος, ὁ, ἡ, hitzblaſenartig (αἰθύλικες ſ. v. a. αἴθωκες).

Αἰθύσσω, f. ξω, ſ. v. a. σείω, κινῶ, ῥιπίζω, ſchütteln, bewegen, anfachen. S. παραιθύσσω.

Αἴθω, brennen, anbrennen, verbrennen; neutr. worin auch wir brennen gebrauchen, als ἕσπεροι λαμπτῆρες ἔτ' ἦθον, die Abendlampen brannten noch, Sophocl. Aj. 286. —θων, ωνος, ὁ, eigentlich partic. von αἴθω, (im genit. αἴθωνος), alſo, brennend, verbrennend; feurig, hitzig; daher ſtrahlend, blitzend wie Feuer, als αἴθωνες λέβητες, τρίποδες Hom., wenn man dieſs nicht etwa lieber mit Euſtath. durch οἱ πυρὶ αἰθόμενοι erklären will. Eben ſo αἴθ. σίδηρος Hom. Od. 10, 184 und Sophocl. Ajac. 147. tropiſch wie unſer hitzig; als ἀνὴρ Sophocl. Ajac. 222, 1107. αἴθωνες ἵπποι, βόες, λέων, ἀλώπηξ, Lat. robeus brandgelb, von der Farbe des Fuchſes.

Αἰκάλλω, ſchmeicheln, eigentl. wie ſonſt σαίνω wedeln, vom Hunde; Ariſtoph. verbindet es mit θωπεύω, κολακεύω; davon —κάλος, ὁ, Schmeichler, beym Heſych.

Αἰκεία, ἡ, ſ. v. a. ἀεικεία, u. αἰκία.

Αἰκέλιος, ὁ, ἡ, ſ. v. a. ἀεικέλιος.

Ἀϊκὴ, ἡ, die heftige Bewegung, das Losbrechen, Eindringen, von ἀΐσσω, oder ἀΐξ. Hom. Il. 15, 709.

Αἰκὴς, ὁ, ἡ, ſ. v. a. ἀεικὴς, davon αἰκῶς Il. 22, 336. αἰκεῖς Soph. El. 206. 102. 215. wird auch ἀϊκὴς geſchrieben. S. αἰκία.

Ἀικία, ἡ, in Proſa ſ. v. a. ἀεικεία, ἀεικία, von ἀεικὴς, auch αἴκία geſchrieben, jede unſchickliche ungebührliche, ſchmähliche, ſchändliche Behandlung, vorzüglich durch Schläge, Marter, Schimpfworte, Leiden, Unglück u. dergl. Thucyd. 7, 75. Sehr uneigentl. ſagt Oppian. Hal. 4, 651. αἰκίησιν ἐρετμῶν, Ruderſchläge. —κίζω, u. αἰκίζομαι, was beym Hom. ἀεικίζω iſt, drückt jede unanſtändige, unglimpfliche, ſchmähliche, ſchändliche Behandlung vorz. durch Schläge, Marter, Schimpf u. Schande aus. —κίον, τὸ, Dimin. von αἰκία, zweif. —κισμα, τὸ, u. αἰκισμὸς, ὁ, die unglimpfliche, ungebührliche Behandlung, vorz. Schläge, Marter, Schimpf, ſ. v. a. αἰκία v. αἰκίζω. —κιστής, ὁ, αἰκίστρια, ἡ, der, die ſchimpflich behandelt, ſchlägt, martert, v. αἰκίζω. —κιστικὸς, (αἰκίζω), der geneigt iſt, andere zu αἰκίζειν. —κιστὸς, Soph. Ant. 206. s. v. a. αἰκισθείς.

Αἶκλον, τὸ, bey den Lacedämoniern Abendessen, δεῖπνον.

*Αἴκτος, ὁ, (ἵκομαι, oder ἱκνέομαι), unzugangbar, sonst ἀπρόσιτος.

Αἴλινα, Adv. st. αἰλίνως, auf eine klägliche Weise; neutr. plur. von —λινος, kläglich, winselnd.

Αἰλούριος, ὁ, (αἴλουρος), Katzenkraut.

Αἰλουρόμορφος, ὁ, ἡ, (μορφὴ), von Katzengestalt, katzenartig.

Αἴλουρος, ὁ, ἡ, Katze, Kater.

Αἷμα, τος, τὸ, Blut; vergoſsnes Blut, d. i. Mord, als ἐφ' αἵματι φεύγειν Demosth. wegen eines Mordes flüchtig werden; πρὸς αἵματος Aristot. vom Blute, vom Geblüte, d. i. Blutsverwandter, wie ὅμαιμος, ὁμαίμων, σύναιμος, συναίμων; oder noch näher und eigentlicher, Kind, Sohn, als Hom. Il. 6, 211. Od. 16, 300.

Αἱμακορία, oder αἱμακουρίαι, Todtenfeyer, Todtenopfer, bey den Böotiern u. Doriern, daher es Pindar Ol. 1, 146. gebraucht, wie auch Plutarch. Aristid. 21. v. αἷμα und κορέω. Denn Todte sattigte (befriedigte, versöhnte) man mit dem Blute der Thiere und Menschen.

Αἱμακτὸς, ἡ, ὸν, (ᾕμακται, αἱμάσσω), mit Blut befleckt, vermischt; blutig.

Αἱμάλωψ, ὁ, eine Masse von angehäuftem oder geronnenem Geblüte; Aretae. Hippocr. Daher auch eine mit Blut unterlaufene Stelle am Auge u. sonst. von αἷμα; aber die Ableit. von ὦψ ist so wenig richtig als in μώλωψ, θυμάλωψ.

Αἱμὰς, άδος, ἡ, Soph. Phil. 697. s. v. a. αἱματῖτις φλὲψ, Blutader.

Αἱμασιὰ, ἡ, ein Dornzaun, oder Hecke, wie αἱμος. αἱμασιὰς λέγειν (συλλέγειν) Hom. Od. 18, 358. 24, 223 Dornen od. Dornengesträuche sammeln zu einem Zaune. —σιώδης, εος, ὁ, ἡ, mauerartig, nach Art einer Mauer.

Αἱμάσσω, oder αἱμάττω, f. ξω, (αἷμα), blutig machen, blutig ritzen, verwunden, mit Blut vermischen, mit Blut besudeln; tödten. Bey Oppian. Hal. 3, 618 u. 5, 146 steht αἱμάσσων für verwundet oder schmerzempfindend. S. περιημακτέω.

Αἱματεκχυσία, ἡ, (ἔκχυσις), das Blutvergieſsen.

Αἱματηρὸς, ρὰ, ρὸν, blutig, z. B. der blutige Sophocl. d. i. ᾑμαγμένος. mit Blut besudelte; αἱματηραὶ σταγόνες, Blutstropfen; αἱματηρὰ φλὸξ Sophocl. blutige, d. i. vom Blute der Opferthiere emporlodernde Flamme. —ματηφόρος, ον, blutbringend, blutig.

Αἱματία, ἡ, Blutsuppe, die bekannte schwarze Suppe der Lacedämonier.

Αἱματίζω, f. ίσω, blutig machen, Blut hervorlocken, blutig stechen; als Aristot. αἱ μυῖαι τῷ κέντρῳ θιγγάνουσαι αἱματίζουσι. —τικὸς, ἡ, ὸν, seltner αἱμάτινος, blutig, Blut habend, als ζῶα Arist. —τιον, τὸ, ein wenig Blut. —τίτης, ὁ, u. αἱματῖτις, ἡ, blutähnlich, λίθος, ὁ, Blutstein, Art von Eisenstein. αἱματῖτις verst. φλὲψ, ἡ, Blutader. Hesych setzt hinzu: ἰδιαίτερον δὲ αἱμοῤῥοῖς. Von der Ader, dem Behältnisse des Purpursaftes in der Schnecke braucht es Aristotel. de color. K. 2. —τόεις, εσσα, όεν, blutig, blutroth.

Αἱματολοιχὸς, ὁ, (λείχω), blutleckend. —τοποιητικὸς, ἡ, ὸν, (ποιέω), gut zum Blutmachen, geschickt Blut zu erzeugen. —τοποτέω, ῶ, ich bin ein αἱματοπότης. —τοπότης, ου, ὁ, Bluttrinker. —τοῤῥοέω, vom Blute flieſsen. —τοῤῥόφος, ὁ, ἡ, (ῥοφέω), Blut schlürfend, trinkend. —τόῤῥυτος, ὁ, ἡ, (ῥυτὸς), vom Blute flieſsend. —τοσταγὴς, έος, ὁ, ἡ, (στάζω), vom Blute träufelnd, blutend. —τοσφαγὴς, έος, ὁ, ἡ, (σφάζω), blutig gemordet, gemordet und noch blutig. Aeschyl.

Αἱματοφλοιβοίστασις, ἡ, bey Hippocr. Epidem. 6 sect. 7 laſs so Dioskorides, da andere αἱματοφλεβοίστασις lesen, wie Galen erzählt. Aber beyde Lesarten sind falsch geschrieben, und sollen wahrscheinlich αἱματοφλυζοστάσιες und αἱματοφλεβοιδήσιες heiſsen, das Stillen oder Zurückhalten der aufgeschwollenen Blutadern.

Αἱματόφυρτος, ὁ, ἡ, (φύρω), mit Blut vermischt, blutig, als βέλος. —τοχαρὴς, έος, ὁ, ἡ, (χαίρω), des Bluts sich freuend; gerne blutvergieſsend, blutgierig.

Αἱματόω, ῶ, fut. ώσω, blutig machen, mit Blut besudeln; Blut machen, in Blut verwandeln, als Galen. αἱματοῦται ἡ τροφὴ, die Speise wird in Blut verwandelt, wird Blut.

Αἱματώδης, εος, ὁ, ἡ, blutig, als διαχώρησις Galen. Blutgang, Blutfluſs; ζῶον Aristot. bluthabend, vorher αἱματικὸς, sonst ἔναιμος. —ατωπὸς, ὁ, (ὤψ), blutigen Blicks, Blutdurst im Blick. —άτωσις, εως, ἡ, (αἱματόω), das Blutwerden, die Verwandlung in Blut, beym Galen.

Αἱμευτὴς, ου, ὁ, beym Diosc. falsch st. ἁλμευτὴς *salgamarius*, der Früchte in Salzwasser eingemacht verkauft.

Αἱμηπότης, ου, ὁ, s. v. a. αἱματοπότης.

Αἱμηρὸς, ὰ, ὸν, s. v. a. αἱματηρὸς.

Αἵμνιον, τὸ, Blutgefäſs, Blutbecken.

Αἱμοβαφὴς, έος, ὁ, ἡ, (βάπτω), in Blut getunkt, blutig. Soph. Ajac. 219. —βόρος, ὁ, ἡ, (βορὰ), Blutfresser. —δαιτέω, (αἷμα δαὶς), rohes blutiges Fleisch essen, Theophrast. Porphyr. Abstin. 2, 8. —δόχος, ὁ, ἡ, (δοχὴ, δέχομαι), Blut auffangend.

Αἱμοδωρόν, ου, τὸ. S. λιμόδωρον.

Αἱμόκερχνον, τὸ, Heiſerkeit nach einem Blutſturze, Galen. —**μίκτης**, ου, ὁ d. i. ὁ αἵματι ἑαυτοῦ μιγνύμενος, der ſich mit ſeinem eigenen Blute, ſeiner Tochter vermiſcht, Blutſchande begeht. —**πότης**, ου, ὁ, ſ. v. a. αἱμηπότης. —**πτυϊκὸς**, ἡ, ὸν, (πτύω), Blut ſpuckend, Blut auswerfend.

Αἱμοῤῥαγέω, ῶ, f. ήσω, ich bin ein αἱμοῤῥαγής. —**ῤῥαγὴς**, έος, ὁ, ἡ, d. i. αἷμα ῥηγνύων, *ſanguinem cum eruptione et impetu emittens*; davon —**ῤῥαγία**, ἡ, das gewaltſame Hervorbrechen des Bluts, als beym Dioſc. αἱμ. καὶ ῥοῦς γυναικεῖος. Eben ſo ἡ ἐκ τῶν ῥινῶν αἱμ. das Naſenbluten. —**ῤῥαγικὸς**, ἡ, ὸν, das verſtärkte αἱμοῤῥαγής. —**ῤῥαντος**, ὁ, ἡ, (ῥαντὸς), mit Blut beſpritzt.

Αἱμοῤῥοέω, ῶ, f. ήσω, ich bin ein αἱμόῤῥοος, habe den Blutfluſs, leide, kränkle daran. —**όῤῥοια**, ἡ, Blutfluſs, Hämorrhoiden. —**ὀῤῥοϊκὸς**, ἡ, ὸν, das verſtärkte αἱμόῤῥοος. —**ὀῤῥοΐς**, ίδος, ἡ, Blutfluſs, wie αἱμόῤῥοια. —**όῤῥοος**, contr. αἱμόῤῥους, ὁ, ἡ, oder αἱμοῤῥώδης, mit dem Blutfluſſe behaftet, daran leidend, kränkelnd; ἡ, αἱμ. eine Frau mit der monatlichen Reinigung. —**ὀῤῥυγχία**, ἡ, (ῥύγχος), oder auch mit einem ρ, blutiger Schnabel.

Αἷμος, ὁ, ein Buſch, Hecke, Aeſchyl. wovon αἱμασιά.

Αἱμοστάτης, ὁ, Dioſcor. 5, 173 der *lapis Samius* bey Plinius 36 K. 21.

Αἱμοσταγὴς, ές, ſ. v. a. αἱματοσταγής; davon —**όσταγμα**, τος, τὸ, das Bluttränfeln. —**όφοβος**, ὁ, ἡ, ſich vor Blut fürchtend; ſich fürchtend Ader zu laſſen, Galen. —**οφόρυκτος**, ὁ, ἡ, (φορύσσω), mit Blut beſudelt, noch blutig, als κρέας Hom. Il. 20, 348. —**όφυρτος**, ὁ, ἡ, ſ. v. a. αἱματόφυρτος. —**οχαρὴς**, έος, ὁ, ἡ, ſ. v. a. αἱματοχαρής. —**όχροος**, contr. αἱμόχρους, ὁ, ἡ, (χρόα), von blutiger Farbe, blutroth.

Αἱμυλία, ἡ, ſchmeichelndes, einſchmeichelndes Betragen, gefällige Sitten, Artigkeit. —**ύλιος**, ὁ, ἡ, ſ. v. a. αἱμύλος.

Αἱμύλλω, durch Schmeicheleyen hintergehen, betrügen; von

Αἱμύλος, ὁ, ἡ. ſchmeichelnd, ſchmeichleriſch, gefällig, einnehmend; ſich einſchmeichelnd, anlockend, betrügeriſch. Hiervon αἱμυλομήτης, gefälligen Weſens, ſchmeichleriſch. Hom. Hymn. 2, 13.

Αἱμωδέω, ῶ, f. ήσω, eigentl. ich bin αἱμώδης, Suidas aber erklärt es ὀδυνῶμαι τοὺς ὀδόντας αἱμώδεις, Zahnſchmerzen haben.

Αἱμώδης, εος, ὁ, ἡ, (αἷμα), blutig, mit Blut untergelaufen; davon —**ωδία**, ἡ, Zahnſchmerzen, oder ſtumpfe Zähne Ariſt. eigentl. untergelaufenes Blut. —**ωδιασμὸς**, ὁ, ſ. v. a. αἱμωδία. —**ωδιάω**, ſ. v. a. αἱμωδέω.

Αἵμων, ονος, ὁ, ἡ, von αἷμα, blutig Eur. Hec. 88. ſt. δαίμων, δαήμων, kundig, erfahren, als Hom. Il. 5, 49 αἵμων θήρης, ein erfahrner Jäger.

Αἱμωπὸς, ὁ, ἡ, ſ. v. a. αἱματωπός.

Αἰναρέτης, ου, ὁ, zum Unglück anderer tapfer, gleichſam αἰνὸς ἀρετῆς, Hom. Il. 16, 31.

Αἴνεσις, εως, ἡ, (αἰνέω), das Loben, Rühmen, gegebener Beyfall, Lob. —**νέτης**, ου, ὁ, Rühmer, Lobpreiſer. —**νετὸς**, ἡ, ὸν, zu loben, zu rühmen, rühmlich; von —**νέω**, ῶ, f. ήσω, oder έσω, (αἶνος), ich ſpreche, rede; 2) lobe; 3) gelobe, verſpreche: ἃ δ' ᾔνεσας μοὶ δεξιᾶς θιγὼν Sophocl. 4. ſ. v. a. ἀγαπάω ich bin zufrieden, ertrage, dulde θῆσσαν τράπεζαν αἰνέσαι Eur. Alc. 2. Wird auch von denen gebraucht, die eine Einladung ausſchlagen und danken. —**νη**, ἡ, ſ. v. a. αἶνος und τιμή, Lob, Ehre. Herodot. 8, 112.

Αἴνιγμα, τος, τὸ, (αἰνίττομαι), Räthſel, dunkler, unverſtändlicher Ausdruck, dunkle, unverſtändliche Rede, entfernter Wink; davon —**γματίας**, ὁ, Diodor. 5, 31: der in Räthſeln ſpricht, ſonſt αἰνιγματιστής. —**γματίζομαι**, in Räthſeln, räthſelhaft, dunkel reden. —**γματικῶς**, räthſelhaft. —**γματιστὴς**, ὁ, ſ. v. a. αἰνιγματίας. —**γματώδης**, εος, ὁ, ἡ, räthſelhaft; dunkel, räthſelhaft ausgedrückt. —**γματωδῶς**, Adv. räthſelhaft, in Räthſeln, dunkel. —**γμὸς**, ὁ, ſ. v. a. αἴνιγμα.

Αἰνίζομαι, f. ίσομαι, ſ. v. a. αἰνέω, beym Hom. Il. 13, 374. Od. 8, 487.

Αἰνικτήριος, ὁ, ἡ, Adv. αἰνικτηρίως, u. αἰνικτὸς, räthſelhaft oder dunkel geſagt (v. ᾔνικται, αἰνίττομαι), dunkel.

Αἰνίσσομαι, oder αἰνίττομαι, f. ίξομαι, (αἶνος), in Räthſeln, dunkel ſprechen, mit einem Wink etwas zu verſtehen geben.

Αἰνοβάκχευτος, ὁ, ἡ, d. i. αἰνῶς βακχευτος. —**οβίας**, Ion. αἰνοβίης, ου, ὁ, (αἰνὸς, βία), fürchterlich-ſtark. —**όγαμος**, ὁ, ἡ, unglücklich vermählt. —**ογένειος**, ὁ, ἡ, (γένειον), mit fürchterlichen Kinnbacken. —**οδότειρα**, ἡ, Unglückgeberin, Unglückbringerin, ein Beywort der Erinnys beym Orpheus, δότειρα τῶν αἰνῶν.

Αἰνόθεν, Adv. vom Unglück, ἀπ' αἰνοῦ τινὸς, Hom. Il. 6, 97.

Αἰνόθρυπτος, ὁ, ἡ, unglücklich, oder zum Unglück verweichlicht, αἰνῶς τεθρυμμένος, wie *perdite delicatus*, auſſerordentlich, zum Entſetzen weichlich, ausſchweifend. —**ολαμπὴς**, ές, fürchterlich blitzend, αἰνῶς λάμπων. —**όλεκτρος**, ὁ, ἡ, (λέκτρον), in einem unglücklichen Ehebette. Vergl. αἰνολεχής, und αἰνόγαμος. —**ολέτης**, ου, ὁ, ein fürchterlicher Verheerer, αἰνὸς ὀλέτης.

Αἰνολεχής, ές, (λέχος), in einem unglücklichen Ehebette. Vergl. αἰνόλεκτρος. —ολέων, οντος, ὁ, d. i. αἰνὸς λέων. —όλινος, (αἰνὸς, λίνον), unglücklich; (v. dem Lebensfaden der Parcen genommen.) —όλυκος, ὁ, d. i. αἰνὸς λύκος. —ομανής, έος, ὁ, ἡ, d. i. αἰνῶς μαινόμενος. —όμορος, ὁ, ἡ, (μόρος), unglücklichen Geschicks. Hom. Il. 22, 481. —οπαθής, έος, ὁ, ἡ, d. i. αἰνῶς oder αἰνὰ παθὼν, Hom. Od. 18, 200. —όπαρις, d. i. αἰνὸς Πάρις, sonst δύσπαρις, unglücklicher, Unglück bringender Paris. —οπατήρ, έρος, d. i. αἰνὸς πατὴρ, unglücklicher Vater. —οπλήξ, ῆγος, ὁ, ἡ, d. i. αἰνῶς πλήττων, stark schlagend, schwer verwundend. —όποτμος, ον, (πότμος), unglücklichen Falls, unglücklichen Geschicks. Vergl. αἰνόμορος.

Αἶνος, ὁ, ein Wort, eine Rede, als αἶνος ἀμύμων, ὃν κατέλεξας, Hom. Od. 14, 508, sonst gewöhnlich μῦθος; daher eine Erzählung, besonders was wir Fabel in Aesopischer Art nennen, wo Thiere redend und handelnd eingeführt werden, als Hesiod. Ἔργ. 202. vergl. Aesop. Fab. 3. Auch legt ihm Eustath. die Bedeutung von Beyfall, Beystimmung bey, daher ἀναίνομαι, nicht beystimmen, verneinen, abschlagen; daher auch Lob, Lobpreisung, Hom. Od. 21, 110: τί με χρὴ μητέρος αἴνου? was brauch ich erst meine Mutter zu rühmen?

Αἰνὸς, ἡ, ὸν, Adv. αἰνῶς, ohngefähr wie δεινὸς, fürchterlich, furchtbar; fürchterlich-groß, heftig; unglücklich. —ότης, ητος, ἡ, wie δεινότης. —οτόκος, ὁ, ἡ, zum Unglück gebährend oder zeugend, ὃς oder ἣ αἰνῶς ἔτεκε, ein unglücklicher Vater oder Mutter.

Αἴνυμαι, nehmen, wegnehmen, bekommen, *capio*. Ist einerley mit ἄνω, ἀνύω, ἄνυμι, ἄνυμαι. Eben so sagt Aristoph. Plut. ἀνύσῃ τάλαντα. Theokrit. ἀνυσάμην τὸν ἀμνὸν. u. in der Anthologie: ἠνυσάμην τοῦτο ἐκ μοιρῶν, *consecutus sum a Parcis*, habe es erlangt, erhalten, bekommen.

Αἴνω. S. διαίνω.

Αἶξ, αἰγὸς, ἡ, od. ὁ, Ziege, Ziegenbock, αἶξ οὐρανία ward auch in dem Sinne gebraucht, wie κέρας Ἀμαλθείας, als Geberin des Ueberflusses.

Ἀΐξ, ἄϊκος, ἡ, die heftige Bewegung, (*impetus*), ὁρμὴ, v. ἀΐσσω, mehr gebräuchlich in den Compos. πολυάϊξ, κορυθάϊξ, τριχάϊξ, αἰγὶς, καταιγίς.

Ἀιξωνεία, ἡ, s. v. a. βλασφημία. —νεύεσθαι, von αἰξωνῆς, einer *tribus* in *Attica*, die als βλάσφημοι berüchtigt und deswegen von den Komödienschreibern sehr mitgenommen war: daher dies verbum s. v. a. βλασφημεῖν.

Αἰολάω, ῶ, u. αἰολέω, ῶ, f. ήσω, von αἰόλλω von αἰόλος, s. v. a. bewegen; metaph. von Sorgen, Unruhe. δυσθυμέει τε καὶ αἰολᾶται τῇ γνώμῃ Hippocr. Muliebr. 2. wo es Galen durch πλανᾶται erklärt; 2) s. v. a. πλανάω, ich täusche, berücke. S. ἀπαιολάω, welches bey Pind. Pyth. 4, 414 stehen soll st. αἰόλλει, im Sinne von schrecken, verlegen machen. Bey Plato Cratyl. 24 wird αἰολεῖν durch ποικίλλειν erklärt.

Αἰολίζω, f. ίσω, (αἰόλος), wie αἰόλλω, bunt machen; neutr. wie ein Aeolier seyn, sich so betragen, so sprechen, d. i. nach dem Schol. des Theocr. betrügen, listig hintergehen, s. αἰόλος. Vergl. αἰθιοπίζω. —λιστὶ, u. αἰολικῶς, nach Aeolischer Art, in Aeolischer Sprache.

Αἰόλλησις, ἡ, (αἰολλέω), Ausschmückung; schnelle Bewegung.

Αἰόλλω, ich mache, farbe bunt, αἰόλος, bey Nicand. κύκλον ποικίλον αἰόλλει. Bey Hesiod. ὄμφακες αἰόλλονται, die Trauben färben sich; *variegantur*. ἔνθα καὶ ἔνθα αἰόλλει, Odyss. 20, 27 dreht, bewegt sie hin und her. S. αἰολάω.

Αἰολόβουλος, ὁ, ἡ, (βουλὴ), schlauen Sinnes. —βρόντης, (βροντὴ), verschieden (bald heftig, bald gelinde), oder auch schnell donnernd. Pindar. —δειρος, ὁ, ἡ, mit einem bunten Nacken (δειρὴ), od. Fell (δέρος). —δερμος, ὁ, ἡ, (δέρμα), mit buntem Fell. —δικτος, ὁ, ἡ, (δείκω, δείκνυμι), verschieden, buntgezeigt, sich verschieden zeigend, von der Sonne. —δωρον, τὸ, d. i. αἰόλον δῶρον, ein buntes, d. i. aus verschiedenen Dingen bestehendes Geschenk. —δωρος, ὁ, ἡ, verschiedenes schenkend. —θώρηξ, ηκος, ὁ, ἡ, (θώραξ), mit buntem Panzer, oder auch gewandt, schnell, rasch im Panzer Hom. Il. 4, 489. 16, 173, wie es Porphyrius erklärt. —μήτης, ου, ὁ, (μῆτις), schlauen Sinnes; fem. αἰολομῆτις. —μίτρης, ου, ὁ, (μίτρη), mit bunter Haube. —μορφος, ὁ, ἡ, (μορφὴ), buntgestaltet. —νωτος, ὁ, ἡ, (νῶτον), mit buntem Rücken. —πωλος, ὁ, ἡ, mit bunten oder schnellen Rossen, ein schnelles Roß reutend. Hom. Il. 3, 185.

Αἰόλος, η, ον, bunt, buntscheckig, als σάκος, τεύχεα, Hom. daher bunt, bald so, bald so in der Bewegung, d. i. schnell, Hom. Il. 19, 404 ἵππος πόδας αἰόλος, d. i. nach Eustath. πόδαργος; bunt, buntscheckig im Leben, Reden und Handeln, d. i. unbeständig, unzuverläßig, hinterlistig, wie *varius in omni vitae genere* beym Cornel. Pausan. 1.

Αἰολόστομος, ὁ, ἡ, (στόμα), mit verschiedenem Munde, d. i. bald so, bald so sprechend, v. Orakel beym Aeschyl. —φωνος, ὁ, ἡ, (φωνὴ), verschieden tönend.

Αἰολοχαίτης, ου, ὁ, (χαίτα), mit bunten, d. i. gekräuselten Haaren.

Αἰονάω, ῶ, f. ήσω, besprengen, anfeuchten; davon —νημα, τος, τό, oder αἰόνησις, das Besprengen, Anfeuchten, Erweichen, z. B. einer Wunde mit Spiritus Dio C. 55, 17. Gewöhnlicher sind die Compos. ἐπαιονάω, καταιονάω und ἐξαιονάω. Man leitet es v. ἀιὼν st. ἠιὼν, Ufer ab.

Αἰπήεις, ήεσσα, ῆεν, oder αἰπεινὸς, (αἰπὺς), hoch, erhaben.

Αἰπολέω, ῶ, f. ήσω, ich bin ein αἰπόλος, ich weide Ziegen. Aeschyl. Eum. 196. —λικὸς, ή, ὸν, ein Ziegenhirte, wie αἰπόλος; adject. einem Ziegenhirten gehörig, von ihm herrührend; als ᾠδή. —λιον, τὸ, die Ziegenheerde; ebendaher. —λιος, ὁ, eine Vogelart, bey Artemidorus 4. 58 vermuthlich αἰγώλιος. —λος, ὁ, ein Ziegenhirt, st. αἰγοπόλος, wie μουσοπόλος, *inter Musas versans, poëta.*

Αἶπος, εος, τὸ, Höhe, Anhöhe, Gipfel. —πὸς, ή, ὸν, s. v. a. αἰπὺς, Hom. Il. 13, 625. Od. 3, 130.

Αἴπτω, d. i. ἄγαν ἴπτω, sehr schaden.

Αἰπύδμητος, ὁ, ή, (δομέω), hochgebaut.

Αἰπυδολωτὴς, ὁ, listig, betrügerisch. Sextus 11. 121.

Αἰπύκερως, ω, ὁ, ή, (κέρας), hochgehornt. —υμήτης, ου, ή, (μῆτις), mit hohem Sinn, nach hohen Dingen strebend. —ύνωτος, ὁ, ή, auf hohem Rücken (eines Berges liegend), von einer Stadt, v. νῶτον, oder νῶτος.

Αἰπὺς, εῖα, ὺ, hoch, erhaben; daher schwer, stark, als ὄλεθρος Hom. ποδῶν αἰπεῖα ἰωὴ Hesiod. —ύτιος, ία, ιον, eine andere Form des vorhergehenden.

Αἶρα, ή, Hammer, daher αἰράων ἔργον Callim. Hammerwerk, Schmiedearbeit; 2) Trespe, Raden, als σῖτοι καθαροὶ αἰρῶν Theophr. eigentlich Lolch.

Αἱρεσιαρχέω, ῶ, f. ήσω, ich bin ein αἱρεσιάρχης. —άρχης, ου, ὁ, oder αἱρεσίαρχος, d. i. ἄρχων einer αἵρεσις, Stifter, Haupt, Vorsteher einer Sekte. —μάχος, ὁ, ή, (μάχομαι), der Bestreiter, oder Verfechter einer Sekte.

Αἱρέσιμος, ὁ, ή, zum nehmen; von

Αἵρεσις, εως, ή, v. αἱρέω, also das Nehmen, Wegnehmen, Einnehmen, Erobern; das Nehmen für sich (αἱρέομαι), d. i. Neigung, Gesinnung, Vorsatz, Wahl, mithin das Gewählte, die getroffene Wahl, gewählte Lebensart, gewählte Lehrart oder Schule, d. i. Sekte, und die besondern Lehren derselben. —σιώτης, ου, ὁ, fem. αἱρεσιῶτις, ein Sektirer, Sektirerin, Ketzer, Ketzerin.

Αἱρετέος, έα, έον, zu nehmend, zu wählend, zu übernehmend. —ετης, ου, ὁ, fem. αἱρέτις, Wähler, Wählerin. —τίζω, f. ίσω, ist beym Hippocr., den griech. Uebers. des A. T. und den Schriftstellern des N. T. s. v. a. αἱρέω; davon —τιςὴς, οῦ, ὁ, der sich zu einer Parthey hält, eine Parthey wählt; Diodor. 18, 75. —τὸς, ή, ὸν, zu nehmen, zu wählen, zu wünschen; genommen, gewählt, erwählt.

Αἱρέω, ῶ, f. ήσω, v. ἄρω, ἀίρω, αἱρέω, αἰρέω wie ἄρνυμι, ἄρνυμαι, entspricht dem lat. *capio*, nehmen, ergreifen; wegnehmen, erobern, besiegen, z. B. πόλιν, ναῦν, πολεμίους, eine Stadt einnehmen, ein Schiff wegnehmen, Feinde gefangen nehmen, so wie vom Wilde fangen; mithin auch vom Gericht gebraucht, ἑλεῖν τινὰ τινὸς, einen bey einer That ertappen, d. i. überführen, ihn deswegen verklagen, verdammen. Med. αἱρέομαι, sich wählen, *sibi eligere*, mithin wollen, wünschen, als μᾶλλον ἀποθανεῖν ἑλέσθαι ἢ ζῆν Xenoph. sich lieber den Tod, als das Leben wählen, den Tod dem Leben vorziehen, oder ἑλέσθαι τὶ πρὸ τινὸς, oder ἀντὶ τινὸς, sich dies vor jenem, oder statt jenes wählen, d. i. vorziehen. Ist von einer Sekte die Rede, so ist es auch s. v. a. sich eine Sekte wählen, ihr folgen, ihre Grundsätze annehmen. αἱρεῖ ὁ λόγος, ἐμὴ γνώμη Herodot. *ratio evincit* bey Horat. Nachdenken und die Ueberlegung überzeugt uns, mit nachfolgend. Infinit.

Αἱρησιτείχης, εος, ὁ, ή, (αἱρῶν τεῖχος), Mauerstürmer.

Αἰρικὸς, ή, ὸν, oder αἴρινος, (αἶρα), trespenartig, voller Trespe.

Ἄϊρος, ὁ, unglücklicher Irus Hom. Od. 18, 72, wie er sonst spricht κακοΐλιον, οὐκ ὀνομαςόν.

Αἴρω, f. ἀρῶ, (s. ἄρω), ich hebe, erhebe; daher ich hebe und nehme; wegnehmen; daher tödten, wie *tollere* (*e medio tollere*) beym Cic. ad Div. 11, 20, 2. erheben, vergrößern; den Anker, oder das Schiff erheben, d. i. absegeln; das Lager, oder die Fahne erheben, d. i. aufbrechen, weiter gehen. med. αἴρομαι, auf sich nehmen, übernehmen, tragen, forttragen, davontragen. Soph. Phil. 1331. αἴρῃ als Passiv. von der sich erhebenden, aufgehenden Sonne. S. ἀεράζω.

Αἰρώδης, εος, ὁ, ή, (αἶρα), voll Lolch.

Ἀΐς, ἰδος, ὁ, sonst ἀίδης.

Αἶσα, ή, der Theil; das Loos; Schicksal, Glück und Unglück; die Parze als Urheberin des Schicksals; auch dient es zur Periphrasis wie ἤματος αἶσα.

Αἴσακος, ή, versch. μυρσίνη Plutar. Q. S. 1. 1. der Myrtenzweig, der beym Mahle herumgegeben wird, um dabey zu singen, ᾄσαι.

Αἰσάλων, ὁ, *aesalon*, eine kleine Falkenart.

Αἰσθάνομαι, f. αἰσθήσομαι, fühlen, empfinden. Wird aber auch von den übrigen Sinnen gebraucht, mithin sehen, einsehen, verstehen; hören, erfahren. Das Stammwort ist ἀΐω, ich höre, merke, bemerke; davon ἀΐσθω, αἴσθομαι, dav. aor. ᾐσθόμην, ferner αἰσθέω, αἰσθάω, αἰσθάνω, αἰσθάνομαι. So ἄω, athmen, ἀΐσθω. ---θημα, τος, τὸ, das empfundene, gehörte; auch s. v. a. αἴσθησις. ---θησις, εως, ἡ, das Empfinden mit den Sinnen, die Empfindung; davon αἰσθήσεις, die Sinne und Sinneswerkzeuge selbst; vorzüglich das Gefühl; 2) das Empfinden mit den innern Sinnen, Erkenntniss, Bemerkung, das Verstehn. καὶ φήμας καὶ μαντείας καὶ αἰσθήσεις τῶν θεῶν Plato Phaed. 59. d. i. Arten, den Willen Gottes zu vernehmen, zu verstehn. ---θητήριον, τὸ, (αἰσθητὸς), Ort oder Sitz der Sinne; Sinneswerkzeug, Sinnenkraft. ---θητικὸς, ἡ, ὸν, gut, fein empfindend; pass. leicht zu empfinden. ---θητικῶς, sinnlich, auf eine sinnliche, empfindbare Art. ---θητὸς, ἡ, ὸν, zum empfinden, sinnlich (v. altem αἰσθέω). ---θητῶς, Adv. s. v. a. αἰσθητικῶς.

'Αΐσθω, v. ἀω, s. v. a. ἀποπνέω bey Hom. Il. 16, 468. 20, 403.

Αἰσιμία, ἡ, nach Suidas μαντεία, nach andern Pflicht, Schicklichkeit; bey Aeschyl. Eum. 1000. ἐν αἰσιμίαις πλούτου von αἴσιμος, *faustus, felix*, also *felicitas*, in Glückseligkeit des Reichthums. ---μος, ὁ, ἡ, (αἶσα), vom Schicksal herrührend, von ihm bestimmt, als αἴσιμον ἦμαρ, Schicksals- od. Sterbetag Hom. Il. 8, 72. 22, 212; mit ihm übereinstimmend, schickl. rechtmässig, beym Hom. häufig. So auch αἴσιμος φρένας Od. 23, 14 gesunden Verstandes, vorher σαόφρων.

Αἰσιμόω, ῶ, f. ώσω, nach Suid. καταναλίσκω, s. ἀναισιμόω.

Αἰσιοποιῶ, d. i. αἴσιον, od. αἴσια, αἰσίως ποιῶ. zwf.

Αἴσιος, ὁ, ἡ, Adv. αἰσίως, von glücklicher Vorbedeutung, als ἀετὸς, οἰωνὸς, ὄρνις, von αἶσα, vergl. αἰσιμία. Die eigentliche Bedeutung v. αἶσα Theil, Loos hat sich in αἴσιος ὁλκὴ Nicand. 93 wie *justum pondus* erhalten, das rechte Gewicht, das darzu gehörige erforderliche; davon ---ιόω, ῶ, f. ώσω, etwas für eine glückliche Vorbedeutung halten, αἴσιον οἰωνὸν, bey Appian.

'Αΐσος, η, ον, (ἴσος), nicht gleich, ungleich.

'Αΐσσω, ειν, ῆξα, sich mit Leichtigkeit, Lebhaftigkeit, Heftigkeit, Schnelligkeit bewegen, daher mit Ungestüm auf jemand losgehn, (*cum impetu ferri, irruere*) hervor, hinzuspringen; mit dem Dat. ἵπποις ἔπλεις, wird dabey εἶν verstanden; ἀΐσσω εἰπεῖν, *impetum capio dicendi*, ich komme und sage. ἀΐσσεσθαι bedeutet dasselbe, *irrumpere, prorumpere*, hervorbrechen, losbrechen; davon αἴγδην und Compos. und ἀΐξ in πυλαΐξ. Mit dem Acc. ἀΐσσειν χεῖρα, mit Heftigkeit die Hand bewegen. Sophokl. Man sagt auch ἀΐσσω, ᾄσσω, davon ᾄττω und ohne Jota subscr.

Αἰστὴρ, ῆρος, ὁ, falsche Lesart Oppian. Hal. 5, 120 αἰστῆρα st. ῥαιστῆρα.

'Αΐστος, ὁ, ἡ, (ἴσημι), nicht zu wissen, nicht zu begreifen, dunkel; von dem nichts zu erfahren ist, man nichts erfahren kann, Hom. Od. 1, 235. 242. davon ---στόω, ῶ, f. ώσω, etwas unbekannt machen, das Andenken davon verwischen, überhaupt vertilgen, unsichtbar machen, als Sophocl. Aj. 515 τὴν πατρίδα, Vaterstadt zerstören; τινὰ einen vertilgen Hom. Od. 20, 79. 10, 259. ---στωρ, ορος, ὁ, ἡ, (ἴστωρ), unwissend, unerfahren. ---στωτήριος, ὁ, ἡ, (ἀϊστόω), verwüstend, zerstörend. Lycoph. 71.

Αἰσυητὴς, ὁ, oder αἰσυητὴρ, Hom. Il. 24, 347. st. dess. aber andre αἰσυμνητῆρ lasen, u. zwar in eben demselben Sinne.

Αἰσυλοεργὸς, ὁ, ἡ, d. i. αἴσυλα ἐργαζόμενος, böser, ungerechter Mensch; von

Αἴσυλος, s. v. a. ἀήσυλος, Iliad. σχέτλιος, αἴσυλα ῥέζων v. ἄω, ἄσαι, ἄτη i. v. a. ἀτηρὰ und ἀταρτηρά. Hesych. erklärt es ἀπρεπῆ, unschicklich, unrecht, τίς ἄν τοι λέξαι αἴσυλα, wer kann deine Grausamkeit beschreiben? Analect. Br. 2. p. 189.

Αἰσυμνάω, ῶ, f. ήσω, (αἶσα), regieren, herrschen. Eurip. jedem das Seinige, sein Loos anweisen, Recht und Gerechtigkeit handhaben.

Αἰσυμνητεία, ἡ, Anordnung, Beherrschung, Herrschaft, nach dem Arist. αἱρετὴ τυραννὶς, Polit. 3, 11. von ---υμνητὴρ, ῆρος, ὁ, oder αἰσυμνήτης (fem. αἰσυμνῆτις) Anordner, Richter eines Kampfs, Hom. Od. 8, 258. 2) ein vom Volke gewählter Regent; jeder Regent, Vorsteher; daher bey Theokrit 25. 48 Aufseher beym Landbaue, v. αἴσιμος, ἄισυμος.

Αἴσχιστος, η, ον, Adv. αἰσχίστως, schändlichst, stammt der Form nach wie d. compar. αἰσχίων v. αἶσχος ab, der Bedeutung nach ist es so viel als αἰσχρότατος, u. αἰσχρότερος.

Αἶσχος, εος, τὸ, Hässlichkeit, hässliche Gestalt; daher eine schändende That, schimpfliche Behandlung, Schande, Schimpf.

Αἰσχρήμων, ονος, ὁ, ἡ, schimpflich, schändlich, eigentlich entstellt, beschmutzt, v. αἰσχρὸς, als Epigr. αἰσχρήμων ἔνδεια, beym Virg. Aen. 6, 276 *turpis*, d. i. *deformis, sordida Egestas*.

Αἰσχροεπής, έος, ὁ, ἡ, (ἔπος), von ſchmutzigen, ſchändlichen Reden; davon das verb. αἰσχροεπέω Athen. ich führe dergleichen Reden. —εργέω, ῶ, (ἔργον), ich handle ſchändlich. —κέρδεια, ἡ, (κέρδος), ſchändliche, ſchmutzige Gewinn-Habſucht. —κερδέω, ῶ, f. ήσω, ich bin αἰσχροκερδής. —κερδής, έος, ὁ, ἡ, Adv. αἰσχροκερδῶς, ſchändlich gewinnſüchtig, ſchmutzig habſüchtig. —λογέω, ῶ, f. ήσω, von λόγος, ſ. v. a. αἰσχροεπέω. —λογία, ἡ, ſchmutzige Reden, entehrende Geſpräche; von —λόγος, ὁ, ἡ, ſchmutzige Reden führend. —μητις, (μῆτις), der ſchändliche, ſchimpfliche Plane faſst. —μυθέω, von μῦθος, ſ. v. a. αἰσχρολογέω. —ποιέω, ῶ, f. ήσω, ich bin αἰσχροποιός. —ποιΐα, ἡ, ſchmutziges, entehrendes Thun, Ausſchweifung; von —ποιός, ὁ, ἡ, (ποιέω), ſchmutzig, ſchändlich handelnd, beſonders beym Ariſtoph. das, was beym Martial. *fellans* iſt. —πραγέω, ῶ, f. ήσω, v. πράγος, πράττω, ſ. v. a. αἰσχροποιέω. —πραγία, ἡ, ſ. v. a. αἰσχροποιΐα. —πρόσωπος ὁ, ἡ, (πρόσωπον), häſslichen Anblicks.

Αἰσχροῤῥημοσύνη, ἡ, erklärt Pollux durch αἰσχρολογία; von —ῤῥήμων, ονος, ὁ, ἡ, v. ῥῆμα, d. i. ῥέων αἰσχρά, nach Pollux αἰσχρολόγος.

Αἰσχρὸς, ά, ὸν, häſslich, entſtellend, entſtellt, gewöhnlich im Gegenſ. v. καλὸς, ſchön; davon übergetragen aufs Denken und Handeln, moraliſch-häſslich, ſchändlich, laſterhaft. Daher in der Sokratiſchen und Stoiſchen Schule τὸ καλὸν, τὸ αἰσχρὸν, das Moraliſch-ſchöne, das Moraliſch-häſsliche, d. i. Tugend und Laſter, beym Cicero wörtlich überſetzt, *honeſtum* und *turpe*, nach der Sokratiſchen Theorie beym Xenoph. Mem. 2, 6. 30. davon —ότης, ητος, ἡ, Häſslichkeit, häſsliches Anſehen; Schimpf, Schande.

Αἰσχρουργέω, ſ. oben αἰσχροεργέω. —ουργία, ἡ, das Subſt. von —ουργὸς, ὁ, ἡ, (ἔργον), ſchimpflich, ſchändlich handelnd.

Αἰσχρῶς, Adv. von αἰσχρὸς.

Αἰσχύνη, ἡ, die Schaam, *pudenda*; daher Schändung, als γυναικῶν αἰσχύναι Iſocr. im allgem. Schändung, Beſchimpfung, als Plato: αἰσχύνην τῇ πόλει περιάπτειν, beym Demoſth. ἐν αἰσχύνῃ ποιεῖν τὴν πόλιν; Schaam, Schaamhaftigkeit wegen einer unrechten Handlung, doch aber auch im guten Sinne wie αἰδώς, als beym Sophocl. Aj. 1098. ᾧ πρόσεστιν αἰσχύνη, σωτηρίαν ἔχοντα τόνδ' ἐπίστασο, im Gegenſ. v. ὑβρίζειν v. 1100. Eben ſo beym Iſocr. ἡγοῦ μάλιστα σαυτῷ πρέπειν αἰσχύνην (v. αἶχος). —νομένως, Adv. v. partic. αἰσχυνόμενος, mit Ehrfurcht, hochachtungsvoll.

Αἰσχυντηλὸς, ή, όν, ſchaamhaft, verſchämt; denn Ariſtot. verbindet es mit αἰδήμων. Auch act. Schaamröthe erregend, deſſen man ſich ſchämt, worüber man erröthet, als τὰ ῥηθέντα αἰσχ. καὶ τὰ σημεῖα Ariſtot. Davon das Subſt. αἰσχυντηλία, Verſchämtheit, Schaamhaftigkeit (αἰσχύνη). —τήρ, ῆρος, ὁ, Schänder. —τηρὸς, ρά, ρὸν, ſ. v. a. αἰσχυντηλὸς, wenn man nicht wirklich beym Plato ſo leſen muſs. —τία, ἡ, Verſchämtheit; von —τὸς, ή, όν, verſchämt; von

Αἰσχύνω, f. υνῶ, beſchämen, ſchaamroth machen; daher ſchänden, als γυναῖκα; im allgem. ſchänden, beſchimpfen, ſchmählich, ſchimpflich behandeln, νέκυς ἠσχυμμένος Il. 18, 180. Med. αἰσχύνομαι, ich ſchäme mich, werde roth, ſtehe an, trage Bedenken etwas zu thun.

Αἰτέω, bitten, fodern, verlangen, τὶ τινὰ, oder παρά τινος; davon —τημα, τος, τὸ, die Bitte, Foderung, Anfoderung. —τημι, ſ. v. a. αἰτέω, wie βῆμι v. βέω oder βάω.

Αἴτης, ου, ὁ, (αἰτέω), Bettler.

Ἀΐτης, ου, ὁ, doriſch ἀΐτας, bey den Theſſaliern der Liebende Theocrit. 12, 14. überh. ſ. v. a. ἑταῖρος.

Αἴτησις, εως, ἡ, ſ. v. a. αἴτημα. —τητὴς, οῦ, ὁ, ſ. v. a. αἰτῶν, der um etwas bittet. —τητικὸς, ή, όν, der gerne, gewöhnlich bittet, das Bitten verſteht. —τητὸς, ή, όν, zu bitten, warum man bitten kann und muſs.

Αἰτία, ἡ, Grund, Urſache. Iſt dies von etwas böſem, ſo iſt es 2) Schuld oder Beſchuldigung, als ἔχειν αἰτίαν od. εἶναι ἐν αἰτίᾳ τινὸς, einer Sache wegen getadelt werden, deren beſchuldigt oder deswegen zur Rede geſetzt werden, deswegen verklagt werden, alſo 3) Klagepunkt, Klageſache, wie *cauſa*. No. 2 ſteht auch in guter Bedeutung, wenn man dies nicht lieber zu no. 1 rechnen will, als in αἰτίαν ἀγαθοῦ ἔχειν und τινὶ ἐπιθεῖναι, Iſocr. davon —ιάζω, f. άσω, beſchuldigen, tadeln, verklagen; davon —ίαμα, τος, τὸ, oder αἰτίασις, das Beſchuldigen, Anklagen, die Beſchuldigung. —ιάομαι, ῶμαι, f. άσομαι, ſ. v. a. αἰτιάζω. —ιατικὸς, ή, όν, Adv. αἰτιατικῶς, anklägeriſch, gerne, gewöhnlich anklagend. —ιατὸς, ή, όν, verurſacht, bewirkt; was als Urſache oder Grund angegeben wird; wovon man Grund angiebt.

Αἰτίζω, f. ίσω, bitten, gewöhnlich bitten, betteln. Hom.

Αἰτιολογέω, ich bin ein αἰτιολόγος. —λογία, ἡ, Anführung eines Grundes, Beweisführung; von αἰτιολόγος. —λογικὸς, ή, όν, geſchickt immer einen Grund anzuführen, den jedesmaligen Streitpunkt aufzufinden; vom

Αἰτιολόγος, ὁ, ἡ, (αἰτία, λόγος), der einen Grund anführt.

Αἴτιον, ου, τὸ, f. v. a. αἰτία. Denn es ist eigentlich das neutrum, so wie jenes das femin. von αἴτιος. Die Ursache, Grund, bey Antonin. philos. s. v. a. die Form, von Materie getrennt, wie αἰτιώδες —τιος, ια, ον, der der Grund, Ursache, Quell von einer Sache ist, sey sie gut, oder schlecht. Im guten Sinne steht es z. B. Xenoph. Mem. 3, 2. 1. 3, 2. 4. 5. 8. 6. 4. 15. —τιώδης, ὁ, ἡ, was die Ursache, Grund in sich hat, enthält, oder anzeigt. τὰ αἰτιώδη bey Antonin, die Form der Dinge, abgesondert von der Materie.

Αἰτώλιος, ὁ, auch αἰγώλιος, ein Nachtvogel.

Αἴφνης u. αἴφνως f. v. a. ἄφνως, welche siehe. —νίδιος, ὁ, ἡ, Adv. αἰφνιδίως, (statt dessen man auch das neutr. αἰφνίδιον findet), plötzlich, schnell, unerwartet, unversehen.

Αἰχμάζω, f. άσω, (αἰχμή), den Wurfspiess, die Lanze werfen, Hom. Il. 4, 324. überh. damit streiten, wie αἰχμάω, davon αἰχμητής. Wird häufig in den Handsch. mit σχμάζω verwechselt.

Αἰχμαλωσία, ἡ, Gefangennehmung (ἅλωσις), mit der Lanze (αἰχμή), d. i. Kriegsgefangenschaft. —λωτεύω, f. εύσω, oder αἰχμαλωτίζω, mit der Lanze erbeuten, zum Kriegsgefangenen bekommen und wegführen. —λωτικός, ἡ, όν, f. v. a. αἰχμάλωτος. —λωτίς, ίδος, ἡ, eine Gefangene. —λωτος, ὁ, ἡ, (ἁλωτός), mit der Lanze erbeutet, gefangen genommen.

Αἰχμάω, mit der Lanze Krieg führen; davon αἰχμητής.

Αἰχμή, ἡ, die Spitze an der Lanze; daher die Krallen bey Raubvögeln; die Lanze selbst, besonders bey Dichtern, und bey eben diesen, die immer einen Theil statt des Ganzen setzen, der Krieg; ἐπειδὴ σφι πρὸς τοὺς Λακεδαιμονίους κακῶς ἡ αἰχμὴ ἑστήκεε Herodot 7. 152. der Krieg gieng schlecht von Statten; vorz. kommt diese Bedeut. in den Comp. vor; von ἀκή, ἀκμή, αἰχμή, ἐπηλυσίης αἰχμὴ Hymn. Merc. 37 st. ἀλκαρ, zweif. —μήεις, εντος, ὁ, f. v. a. d. folgd. —μητής, οῦ, ὁ, fem. αἰχμῆτις, oder αἰχμητήριος, Lanzenschwinger, muthiger Streiter. —μόδετος, ὁ, ἡ, f. v. a. αἰχμάλωτος v. δέω. —μοφόρος, ὁ, ἡ, f. v. a. δορυφόρος.

Αἶψα, Adv. schnell, geschwind, bald, plötzlich; davon —ψηροκέλευθος, ὁ, ἡ, (κέλευθος), schnellen Weges, schnell laufend. —ψηρός, ρὰ, ρὸν, schnell, leicht, hastig, v. αἶψα. S. λαιψηρός.

Ἀΐω, hören, vernehmen, einsehen. S. ἀΐσθω u. αἰσθάνομαι.

Ἀϊών, ἡ, f. v. a. ἠϊών, Ufer.

Ἀιών, ῶνος, ὁ, auch ἡ, Leben, Alter, Zeit, Dauer der Zeit, fortdauernde Zeit; besonders Menschenzeit, d. i. so lange Menschen überhaupt leben, z. B. ἀπ' αἰῶνος, ab hominum inde memoria; Zeit, Lebenszeit, Leben, z. B. βίον διάγειν Xenoph. Φίλης αἰῶνος ἀμέρδεσθαι, seines lieben werthen Lebens beraubt werden, Hom. Il. 2?, 58. Hesiod. Scut. 331. Pind. Pyth. 5, 8 κλυτὸς αἰῶνος; gewöhnliche Lebenszeit, oder Menschenalter. Der Lat. hat es beybehalten und spricht es *aevum* aus; davon —ώνιος, ὁ, ἡ, u. —ώνιος, ία, ιον, von Dauer, fortdauernd, als μέθη, ein langedauernder Rausch, δόξα, ein lange oder ewig fortdauernder Ruhm.

Αἰώρα, ἡ, ein Werkzeug, worinne oder womit man Korper schwebend erhält oder in Bewegung setzt, also ein hängender Korb, Bette, Hangematte, Sänfte, Wagen und dergl. daher eine solche ruhende oder schwebende Bewegung; Dionys. Antiq. 3, 47 nennt den kreisförmigen Flug ἐγκύκλιον αἰώραν, von ἄιρω u. ἀείρω so gut als ἀρτάω von ἄρω, ἄιρω abgeleitet. In den Compos. hat man ἐώρα als das Stammwort angenommen; daher μετέωρος; davon —ρέω, in die Hohe heben, erheben, aufhängen, schwebend erhalten oder bewegen; mithin αἰωροῦμαι, hangen, schweben, ungewiss seyn, sehnlich warten. Plato Menex. braucht ἀναρτᾶσθαι und αἰωρεῖσθαι als Synonyma; davon —ρημα, τος, τὸ, das aufgehobene, hangende, schwebende, κήπων hängende Gärten. Anthol. —ρησις, ἡ, (αἰωρέω), das aufhängen, oder schwebend-erhalten oder bewegen. —ρίζω gebräuchlicher ist das gleichbedeut. μετεωρίζω.

Ἀκά, ἡ, S. ἀκή, Spitze, Scharfe.

Ἀκᾶ bey Pindar Pyth. 4, 277 st. ἀκῇ, ἀκὴν, f. v. a. ἦκα. S. ἀκή u. ἀκασκᾶ.

Ἀκαδήμεια, oder ἀκαδημία, ein Gymnasium vor Athen, von dem Heros Akademus benannt, besonders durch den Plato berühmt, der hierin lehrte, daher dessen Schule selbst diesen Namen führt. M. s. Diogen. Laert. 3, 7. davon —μαϊκός, ή, όν, einer von der Akademie, ein Akademiker, ein Platoniker.

Ἀκάζω, f. άσω, (ἀκή), schärfen, ἀκή, ἀκάω, *acies*, *acuo*, davon ἀκαχμένος von ἤκαχα, ἤκαχμαι.

Ἀκαής, έος, ὁ, ἡ, (καίω), nicht verbrannt.

Ἀκαθαίρετος, ὁ, ἡ, (καθ-αιρέω), unzerstörbar, nicht zu vernichten.

Ἀκαθαρσία, ἡ, (κάθαρσις), Unreinigkeit, Schmutz; schmutzige Laster. —θαρτος, ὁ, ἡ, (καθαίρω), unrein, schmutzig, mit Lastern befleckt. —θαρτοφαγία, ἡ, das Essen unreiner Speisen (τὸ φαγεῖν τὰ ἀκάθαρτα).

'Ακάθεκτος, ὁ, ἡ, (κατέχω), Adv. ἀκαθέκτως, unaufhaltbar, nicht zurückzuhalten.

'Ακαινα, ης, ἡ, ſ. v. a. ἀκὴ u. ἀκὶς, Dorn, Stachel, *ſtimulus*; auch ein gewiſſes Maaſs der Feldmeſſer, lat. *acnua*.

'Ακαιρέω, (ἄκαιρος), ich habe keine bequeme Zeit, habe keine Zeit, Oppoſ. εὐκαιρέω; davon auch —ρία, ἡ, Unzeit, ungelegene Zeit; act. ungelegene Störung, Unterbrechung, und das Betragen eines ἄκαιρος, od. Indiscretion, wie ſie Theophr. char. 12 ſchildert. —ρίμος, η, ον, unzeitig, ungelegen. ὅττι κὲν ἐς ἀκαιρίμαν γλῶτταν ἔλθῃ Aeſchyl. *quicquid in ſolum, buccam venerit*, was einem in den Mund kommt. —ροβόας, ὁ, (βοάω), zur Unzeit ſchreyend, ein indiscreter Schwätzer. —ρολογία, ἡ, (λόγος ἄκαιρος), unzeitiges Geſchwätz, indiscretes Gewaſch.

'Ακαιρος, ὁ, ἡ, (καιρὸς), Adv. ἀκαίρως, unzeitig, ungelegen, nicht zur gehörigen, rechten, bequemen Zeit; act. der keine Zeit hat; der keine Zeit beobachtet, unzeitiger Störer, Schwätzer, der *ineptus* der Lateiner, der nach Cicero de orat. 2, 4. 8. *aut, tempus quid poſtulet, non videt, aut plura loquitur, aut ſe oſtentat, aut eorum, quibuscum eſt, vel dignitatis vel commodi rationem non habet, aut denique in aliquo genere aut inconcinnus aut multus eſt*, alſo indiscret.

'Ακακαλὶς, ἴδος, ἡ, der Saamen einer Egyptiſchen Staude beym Dioscorides 1, 119.

'Ακακέμφατος, ὁ, ἡ, nicht mehr κακέμφατος, nicht mehr in ſchlechtem Rufe ſtehend.

'Ακάκης, ὁ, ἡ, d. i. οὐ κακῶν, nicht ſchadend, unſchädlich; paſſ. οὐ κακωτὸς, nicht zu beſchädigen, keine Beleidigung verdienend.

'Ακακήσιος, ein Beywort des Merkurs, der Akakeſier, von einer Stadt in Arkadien; vielſ. aber auch daſſelbe m. d. folgenden.

'Ακακήτης, ὁ, auch ἀκακήτα, vor Unglück ſchützend, Friedensbringer, ein Beywort Merkurs beym Hom.

'Ακακία, ἡ, Schuldloſigkeit, Unſchuld; von —κος, ὁ, ἡ, Adv. ἀκάκως (κακὸς), nicht ſchlecht, unſchuldig, nicht heimtückiſch; ſo nennt Xiphil. beym Dio C. 51, 13 die Cleopatra μὴ ἄκακος γυνὴ, ein ſchlechtes, heimtückiſches Weib, δραστηρία καὶ συνετὴ, eine unternehmende, verſchlagene. Eben ſo ſagt Dio C. 12, 1 von Commodus: πανοῦργος μὲν οὐκ ἔφυ, ἀλλ' εἰ καί τις ἄλλος ἀνθρώπων, ἄκακος, von Natur gar nicht hinterliſtig, ſondern vor allen andern ohne Falſch. Denn gleich darauf folgt ὑπὸ δὴ τῆς πολλῆς ἁπλότητος, wie *non malus* beym Cic. ad. Div. 10, 21. 7. vergl. Ep. 23, 2 *imprudentia ſum lapſus — credulitas error eſt magis, quam culpa; et quidem in optimi cujusque mentem facillime irrepit.* —κούργητος, ὁ, ἡ, (κακουργέω), nicht verſchlimmert, nicht beſchädigt. —κουργος, ὁ, ἡ, d. i. οὐ κακουργῶν. —κόφρων, ονος, d. i. οὐ κακὰ φρονῶν, ohne Trug, nicht falſch. —κυντος, ὁ, ἡ, —κύντως, Adv. (κακύνω), ſ. v. a. ἄκακος, unböſe. Hierocles Pythag. —κωτος, ον, (κακόω), ungekränkt, unverſehrt.

'Ακαλανθὶς, ἴδος, ἡ, ſ. ἀκανθὶς.

'Ακαλαρρείτης, ου, ὁ, oder ἀκαλόῤῥοος, d. i. ἀκαλῶς (ἡσύχως, πράως, ἀψόφως) ῥέων, ſanftflieſsend, Hom. Il. 7, 422. S. ἀκὴ u. ἀκέων.

'Ακαλήφη, ἡ, Neſſel; 2) Meerqualle, von der brennenden Eigenſchaft beyde *urtica* lat. genannt.

'Ακαλλὴς, έος, ὁ, ἡ, (κάλλος), ohne Schönheit, ohne Reiz, nicht ſchön.

'Ακαλλιέρητος, ὁ, ἡ, Adv. ἀκαλλιερήτως, deſſen Opfer nicht angenehm u. von keiner guten Bedeutung iſt; v. καλλιερέω. Vergl. ἄθυτος.

'Ακαλλώπιστος, ὁ, ἡ, (καλλωπίζω), ungeſchminkt, ohne Putz und Prunk.

'Ακαλὸς, ἡ, ὸν, ruhig, ſanft, geräuſchlos, ἥσυχος, ἄψοφος, πρᾶος, μαλακὸς, nach Heſych. v. ἦκα, alſo ſt. ἠκαλὸς, Adv. ἀκαλῶς. S. ἀκὴ u. ἀκέων.

'Ακάλυπτος, ὁ, ἡ, u. ἀκαλυφὴς, ὁ, ἡ, (καλύπτω), unbedeckt; die zweyte Form hat Soph. Phil. 1327 u. Ariſtot. de anima 2, 9.

'Ακαμαντολόγχης, ὁ, d. i. ἀκάμαντος, oder ἀκάματος τῇ λόγχῃ, und eben ſo ἀκαμαντομάχης, d. i. ἀκ. τῇ μάχῃ, unermüdet im Lanzengefecht, in der Schlacht. —μαντόπους, οδος, ὁ, ἡ, unermüdeten Trittes, unermüdet im Gehen. —μας, αντος, ὁ, ἡ, unermüdet, nicht zu ermüden. —ματος, ὁ, ἡ, Adv. ἀκαμάτως, (κάματος), ohne Arbeit; Arbeit, Anſtrengung nicht empfindend, d. i. unermüdet, unermüdlich. —ματοχάρμης, ὁ, d. i. ἀκάματος χάρμῃ, d. i. μάχῃ, von unermüdeter Kampfluſt.

'Ακάμμυστος, ὁ, ἡ, d. i. οὐ καμμύων, oder καταμύων, nicht blinzelnd.

'Ακαμπὴς, έος, ὁ, ἡ, (κάμπτω), unlenkbar, unerbittlich, hart.

'Ακαμπτος, ὁ, ἡ, ſ. v. a. ἀκαμπὴς; davon —μψία, ἡ, Unbiegſamkeit, unbiegſamer Charakter.

'Ακανθα, ης, ἡ, Dornen, Stacheln; auch ein Dornſtrauch; 2) die hervorſtehenden Gräten der Rückenwirbel, das ſogenannte Rückgrat vorzüglich bey den Fiſchen, wo es wie lauter Dornen ausſieht; tropiſch, z. B. ἄκανθαι τῶν ζητήσεων, ſpitzfindige, dunkle, verworrene Streitfragen, beym Cic. Fin. 4, 28 *ſpinae diſſerendi*, 3, 1 *ſpinoſum diſ-*

ferendi genus, oder *dumeta* Acad. 4, 35. S. ἄκανος; davon

Ἀκανθεὼν, ῶνος, ὁ, Dorngebüsch, ein Ort voller Dornen. —θήεις, ήεσσα, ῆεν, dornicht, stachlicht. —θίζω, f. ίσω, dornicht, stachlicht machen; neutr. dornicht seyn. —θικὸς, ἡ, ὸν, s. v. a. ἀκανθήεις. —θινος, ίνη, ινον, von Dornen, als ξύλον, στέφανος, Dornenkrone; besonders von der indianischen ἄκανθα, einer Art von Dornstrauch, *Mimosa* Linn. —θιον, ου, τὸ, Diminut. von ἄκανθα.

Ἀκανθὶς, ίδος, ἡ, dornicht, gräticht. Χαλκίδας ἀκανθίδας, Antholog. 2) ein Vogel, der sich auf Dornen halt und Disteln, wie der Stieglitz, Distelfink.

Ἀκανθοβάτης, ὁ, (βάω, βαίνω), auf Dornen gehend. —θοβάτις, ιδος, ἡ, fem. vom vorhergehenden. —θοβόλος, ὁ, ἡ, (βόλος, βάλλω), Dornen oder Stacheln werfend oder treibend, als ῥόδον beym Nicand. —θολόγος, ὁ, ἡ, (λέγω, *lego, colligo*), Disteln lesend, Stacheln sammelnd. —θόνωτος, ὁ, ἡ, (νῶτος), mit stachlichtem Rücken; Igel. —θοπλὴξ, ῆγος, ὁ, ἡ, (πλήττω), von Dornen geritzt.

Ἄκανθος, ἡ, als Kraut, *acanthus*, Bärenklau; als Baum, ein Egyptischer stachlichter Baum, auch ἄκανθα. S. ἀκάνθινος.

Ἀκανθοστεφὴς, έος, ὁ, ἡ, mit Stacheln umgeben, ganz stachlicht, als Ἰχθὺς beym Arist. —θοφάγος, ὁ, ἡ, (φαγω), Dornen essend. —θοφορέω, Dornen, Disteln tragen. —θοφόρος, ὁ, ἡ, Dornen, Disteln tragend. —θοφυέω, Stacheln treiben. —θόφυλλος, ὁ, ἡ, (φύλλον), mit stachlichten Blattern. —θόχοιρος, ὁ, Stachelschwein. —θυλλὶς, ίδος, ἡ, s. ἀκανθὶς. —θώδης, εος, ὁ, ἡ, s. v. a. ἀκανθήεις. —θὼν, ῶνος, ὁ, s. v. a. ἀκανθεών.

Ἀκανίζω, f. ίσω, wie ein ἄκανος wachsen, beym Theophr. sonst s. v. a. ἀκανθίζω. —νικὸς, ἡ, ὸν, von der Art des ἄκανος oder dazu gehörig.

Ἀκανόνιστος, ὁ, ἡ, nicht in den Kanon gebracht.

Ἄκανος, ὁ, ist urspr. mit ἄκανθα u. ἄκαινα einerley von ἀκὴ, ἀκὶς, ἀκάω, ἀκαίνω, wovon ἄκαινα, ἄκανθα u. ἄκανος, Spitze, Dorn, Stachel; vorzüglich bey Theophrast eine Distelart; u. speziell der dornichte Fruchtkopf dieser Distelgewächse. Dimin. ἀκάνιον, τὸ.

Ἀκαπήλευτος, ὁ, ἡ, (καπηλεύω), nicht verhökert, nicht verfälscht unter Hökerhänden; act. οὐ καπηλεύων, nicht hökernd. —πηλος, ὁ, ἡ, βίος πρὸς τὰ συμβόλαια ἁπλοῦς καὶ ἀκάπηλος bey Strabo, ohne die gewöhnliche Falschheit und Trug der Krämer u. Kleinhändler. S. d. vorige. *perfidus hic caupo* bey Horaz.

Ἀκάπνιστος, η, ον, (καπνίζω), nicht beräuchert, μέλι, ohne Räuchern ausgenommenes Honig. —πνος, ὁ, ἡ, (καπνὸς), ohne Rauch, ohne Feuer, als ξύλον, ein Holz, das nicht raucht, θυσία, ein Opfer, das nicht verbrannt wird.

Ἀκάρδιος, ὁ, ἡ, ohne Herz, ohne Verstand, wie *excors*.

Ἀκαρεὶ, (ἀκαρὴς), Adv. oder ἀκαρῆ, ἀκαρέως, auch ἐν ἀκαρεῖ beym Dio C. 73, 6. in einem Augenblicke, eine kurze Zeit. S. ἀκαρὴς.

Ἀκάρηνος, -ον, (κάρα), ohne Kopf.

Ἀκαρὴς, έος, ὁ, ἡ, (κείρω), nicht theilbar, ganz klein, gering, dünne. Und so wie hier vom Raum, so auch von der Zeit. Daher ὡς ἀκαρὴς οἴχοιτο πνιγεὶς dass er augenblicklich erdrosselt werde. ἐῤῥύσατό με ἀκαρῆ μέλλοντα θνήσκειν Alciphr. 3, 7. der ich im Augenblicke sterben sollte. Man findet auch ἀκαρῆ wie Adv. augenblicklich, im Kurzen, beynahe. Synesius Epist. 4 ἐλάθομεν ἐγχρίψαντες ἀκαρῆ πέτρᾳ.

Ἄκαρι, ein ganz kleines Thierchen beym Aristot. hist. anim. 5, 32, eine Milbe, die man im Käse, Mehl u. s. w. auch in der Haut der Thiere findet.

Ἀκαριαῖος, αία, αῖον, oder ἀκαρίδιος, (ἀκαρὴς), ganz klein, kleinlich; ganz kurz, von Raum und Zeit. Die zweyte Form hat Suidas allein u. sie ist zweif.

Ἄκαρνα, ης, ἡ, Hesych. erklärt es durch δάφνη, Lorbeerbaum; bey Theophr. H. P. 6. 3 u. 4 lesen einige dafür ἄκυρνα, welchen Namen Hesych. auch hat; bey Theophrast H. P. 1, 16 Plinius 21, K. 16 eine Distelart.

Ἀκάρναξ, ὁ, bey Hesych. s. v. a. der Fisch λάβραξ. Derselbe hat ἄχαρνα, εἶδος ἰχθύος. u. ἀχέρνα, ἰχθὺς ποιὸς. Bey Athenaeus 7, p. 286 u. 327 desgl. 8 p. 356 heisst dieser Meerfisch ἄχαρνος u. zweymal ἀκαρνάν. Bey Aristotel. H. A. 8, 1 u. 19 haben die Ausg. u. Handschr. ἄρχανος, ἄρχαρνος, ἄχαρνος, ἀρχάνας, ἀχάρνας, ἀθάρινος, ἀχάρινος bey Plinius 32, K. 11 *acharne*.

Ἀκαρπέω, ich bin ἄκαρπος. —πία, ἡ, Unfruchtbarkeit; von —πιστος, ὁ, ἡ, (καρπίζω), ungenutzt. —πος, ὁ, ἡ, (καρπὸς), Adv. ἀκάρπως, ohne Frucht, unfruchtbar; ohne Frucht, d. i. ohne Nutzen, unnütz. —πωτος, ὁ, ἡ, (καρπόω), nicht zu benutzen, unnütz.

Ἀκαρτέρητος, ὁ, ἡ, (καρτερέω), unerträglich.

Ἄκαρτος, ὁ, ἡ, (κείρω, καρτὸς), ungeschoren.

Ἀκαρφὴς, έος, ὁ, ἡ, (κάρφω), ungetrocknet.

Ἀκαρῶς, Adv. (ἀκαρὴς), augenblicklich.

Ἀκασκᾶ, Adv. wie ἀκᾶ, sanft, sachte, σκήπτροισιν ἀκασκᾶ προβιβῶντα Kratinus.

Ἀκασταῖος, bey Aeſchyl. Agam. 749 ἀκασταῖον ἄγαλμα πλούτου nach den Schol. λίαν κεκασμένον vom alpha intenſivo u. κάζω, wovon κεκασμένος, ſchmückend, zierend; davon ἀκαστέρων bey Heſych. συνετὸς, klug, φρεσὶ κεκασμένος, ferner ἀκασμένα, ἡρμοσμένα, ſelbſt der Name Ἄκαστος ſcheint davon zu kommen.

Ἀκατάβλητος, ὁ, ἡ, (κατα-βλέω, βάλλω), nicht niederzuwerfen, den man nicht niederwerfen (von Fechtern, Ringern), und ſo übergetragen, den man nicht beſiegen kann.

Ἀκατάγγελτος, ὁ, ἡ, nicht vorher angekündigt, vom Kriege.

Ἀκατάγνωστος, ὁ, ἡ, (κατα-γνόω, γινώσκω), Adv. ἀκαταγνώστως, nicht zu verurtheilen, zu verdammen, zu tadeln.

Ἀκαταγώνιστος, ὁ, ἡ, (κατ'-ἀγωνίζομαι), unbeſiegbar, unbekämpfbar.

Ἀκαταδίκαστος, ὁ, ἡ, (κατα-δικάζω), nicht verurtheilt.

Ἀκαταθύμιος, ὁ, ἡ, d. i. οὐ κατὰ θυμὸν, καὶ ψυχὴν, nicht nach meinem Sinn, unangenehm.

Ἀκαταιτίατος, ὁ, ἡ, (κατ'-αἰτιάομαι), nicht zu beſchuldigen, unſchuldig, ſonſt ἀνέγκλητος, ἀκατηγόρητος.

Ἀκατακάλυπτος, ὁ, ἡ, (κατα-καλύπτω), nicht bedeckt, offen.

Ἀκατακόσμητος, ὁ, ἡ, (κατα-κοσμέω), ungeſchmückt, ungeordnet.

Ἀκατάκριτος, ὁ, ἡ, (κατα-κρίνω), Adv. ἀκατακρίτως, nicht gerichtet, nicht verurtheilt.

Ἀκαταληκτικὸς, bey den Grammatikern ein Vers, der keine überflüſſige Sylbe am Ende hat; von

Ἀκατάληκτος, ὁ, ἡ, (κατα-λήγω), Adv. ἀκαταλήκτως, unaufhörlich.

Ἀκατάληπτος, ὁ, ἡ, (κατα-λαμβάνω), Adv. ἀκαταλήπτως, nicht zu begreifen oder zu umfaſſen; daher von Sachen des Verſtandes, unbegreiflich. —ληψία, ἡ, Unbegreiflichkeit.

Ἀκατάλλακτος, ὁ, ἡ, (κατ'-ἀλλάσσω), Adv. ἀκαταλλάκτως, unverſöhnlich, nicht zu beſänftigen.

Ἀκατάλληλος, ὁ, ἡ, Adv. ἀκαταλλήλως, d. i. οὐ κατάλληλα.

Ἀκατάλυτος, ὁ, ἡ, (κατα-λύω), nicht aufzulöſen, nicht zu zerſtören.

Ἀκαταμάθητος, ον, (κατα-μαθέω), nicht zu lernen, zu verſtehen, unbegreiflich.

Ἀκατάμακτος, ον, (κατα-μάσσω), nicht zu zerknäten, zu zermalmen.

Ἀκαταμάχητος, ὁ, ἡ, (κατα-μάχομαι), nicht zu beſtreiten, zu bekämpfen, unbeſiegbar.

Ἀκαταμέτρητος, ὁ, ἡ, (κατα-μετρέω), nicht zu ermeſſen, unermeſslich.

Ἀκατανόητος, ὁ, ἡ, (κατα-νοέω), nicht einzuſehen, unbegreiflich; nicht überlegt.

Ἀκαταπάλαιστος, ὁ, ἡ, (κατα-παλαίω, πάλη), nicht zu bekämpfen, im Fauſtkampf unbeſiegbar.

Ἀκατάπαυστος, ὁ, ἡ, (καταπαύω), Adv. ἀκαταπαύστως, nicht zu beruhigen, nicht zur Ruhe zu bringen, unruhig.

Ἀκατάπληκτος, ὁ, ἡ, (κατα-πλήσσω), Adv. ἀκαταπλήκτως, nicht zu erſchrecken, unerſchrocken.

Ἀκαταπόνητος, ὁ, ἡ, (κατα-πονέω), nicht durch Arbeit, Anſtrengung zu ermüden.

Ἀκατάποτος, ὁ, ἡ, (καταπίνω), nicht zu verſchlucken.

Ἀκαταπράϋντος, ὁ, ἡ, (κατα-πραΰνω), nicht zu beſänftigen.

Ἀκαταπτόητος, ον, (κατα-πτοέω), nicht zu erſchrecken, unerſchrocken.

Ἀκατάρδευτος, ὁ, ἡ, (κατ'-ἀρδεύω), nicht befeuchtet.

Ἀκατάσειστος, ὁ, ἡ, (κατα-σείω), nicht abzuſchütteln, nicht zu erſchüttern.

Ἀκατασήμαντος, ὁ, ἡ, (κατα-σημαίνω), nicht bezeichnet, z. B. ἔνταλμα Herodian. ein mündlicher nicht ſchriftlicher Auftrag.

Ἀκατάσκεπτος, ὁ, ἡ, (κατα-σκέπτομαι), Adv. ἀκατασκέπτως, nicht überlegt, unüberlegt.

Ἀκατασκεύαστος, ὁ, ἡ, (κατα-σκευάζω), Adv. ἀκατασκευάστως, nicht verarbeitet, roh. —σκευος, ὁ, ἡ, (κατασκευὴ), Adv. ἀκατασκεύως, ohne Verarbeitung, Zubereitung, ohne Kunſt, ohne vielen angebrachten Schmuck, im eigentl. und uneigentl. Sinne.

Ἀκατάσκιος, ὁ, ἡ, (κατα-σκιὰ), nicht beſchattet.

Ἀκατάσκοπος, ὁ, ἡ, d. i. οὐ κατασκοπῶν, nicht überlegend.

Ἀκατάσκωπτος, ὁ, ἡ, (κατα-σκώπτω), nicht zu verſpotten, nicht zu tadeln.

Ἀκαταστασία, ἡ, (κατάστασις, στάσις), Unbeſtändigkeit, Mangel an Beſtändigkeit, Stätigkeit; das Aufheben der Stätigkeit, der Ordnung, d. i. Aufruhr, Verwirrung; das Nehmen der Stätigkeit, d. i. Vertreibung, Verweiſung. —στατος, ὁ, ἡ, Adv. ἀκαταστάτως unſtätig, unbeſtändig.

Ἀκατάστροφος, ον, (κατα-στροφὴ), ohne Ende.

Ἀκατάσχετος, ὁ, ἡ, (κατ'-ἔχω), Adv. ἀκατασχέτως, unaufhaltbar, unbezähmbar.

Ἀκατάτριπτος, ὁ, ἡ, (κατα-τρίβω), nicht auf- oder zu zerreiben.

Ἀκατάφρακτος, ὁ, ἡ, nicht bewafnet, nicht mit Wehr und Waffen verſehen.

Ἀκαταφρόνητος, ὁ, ἡ, nicht zu verachten, Herodian. wie *non contemnendus* beym Cic.

Ἀκατάψαυτος, (κατα-ψαύω), nicht zu berühren, der ſich nicht berühren, nicht lenken läſst.

Ἀκαταψεκτος, ὁ, ἡ, (κατα-ψέγω), Adv. ἀκαταψέκτως, nicht zu tadeln, tadellos.

Ἀκατάψευστος, ὁ, ἡ, nicht erlogen.

Ἀκατέργαστος, ὁ, ἡ, nicht verarbeitet, roh, im eigentl. und uneigentl. Sinne.

Ἀκατεύναστος, ὁ, ἡ, (κατ'-εὐνάζω), nicht eingeſchläfert, nicht eingeſchlafen, wachend.

Ἀκατηγόρητος, ὁ, ἡ, (κατηγορέω), Adv. ἀκατηγορήτως, nicht zu verklagen, tadellos.

Ἀκατήχητος, ὁ, ἡ, noch nicht unterrichtet (in den Anfangsgründen des chriſtlichen Glaubens, bey den Kirchenvätern nach dem Gebrauch des v. κατηχέω im N. Teſt.)

Ἀκάτιον, τὸ, Dimin. v. ἄκατος, ein kleines Schiff, Nachen; 2) ein Segel zum Geſchwindfahren aufgezogen. S. über Xenoph. Hellen. 6, 2, 27. der Hauptſegel. Bey Agathias 3. p. 97. νῆες φορτίδες-μετεώρους εἶχον τὰς ἀκάτους καὶ ἀμφ' αὐτὰ ἤδη που. τὰ καρχήσια τῶν ἱστῶν ἀνιμηθείσας.

Ἀκατονόμαστος, ὁ, ἡ, nicht benannt; ohne Namen; ohne Ruhm, unbekannt.

Ἄκατος, ὁ, od. ἡ, ein Fahrzeug, Paketboot, Nachen. S. ἀκάτιον.

Ἄκαυλος, ὁ, ἡ, (καυλὸς), ohne Stengel, von Pflanzen; ohne Schwanz, von Thieren.

Ἀκαυστηρίαστος, nicht gebrannt, gebrandmarkt. S. καυτηριάζω.

Ἄκαυστος, u. ἄκαυτος, ὁ, ἡ, (καίω), nicht zu verbrennen; nicht verbrannt.

Ἀκαυχησία, ἡ, (οὐ καυχωμένη), Beſcheidenheit, die nicht prahlt.

Ἀκαχέω, ἀκάχημι, ἀκαχίζω, ἀκάχω von ἄχος, ἄχω, ἀχέω durch Verdoppelung, ich betrübe, ἀκάχομαι, ich betrübe mich, bin betrübt. Eben ſo ἀκάχημαι, davon ἀκαχείατο joniſch ſt. ἀκαχῆντο, u. ἀκηχέατο, ἀκηχέδαται, wie ἀγήγερκα von ἀγείρω, u. πεφράδαται ſt. πέφρασται. S. ἄχω.

Ἀκειρεκόμης, ου, ὁ, (κείρω, κόμη), nicht geſchoren, bartlos, ewig jung, Apollo beym Pindar Iſthm. 1, 8, wie *intonſus* beym Horat. Carm. 1, 21. 2.

Ἀκέλευθος, (κέλευθος), ohne Weg, unwegſam.

Ἀκέλευστος, ὁ, ἡ, (κελεύω), unbefohlen, nicht befohlen.

Ἀκέλυφος, ὁ, ἡ, (κέλυφος), ohne Schale, ohne Hülſen.

Ἀκενοδοξία, ἡ, der Charakter eines ἀκενόδοξος. —δοξος, ὁ, ἡ, (κενὴ δόξη), nicht ruhmräthig, ohne eitlen Wahn.

Ἀκενόσπουδος, ὁ, ἡ, (σπουδὴ, κενὸς), ohne Streben nach leeren, eitlen Dingen. Cic. ad Div. 15, 17. 7.

Ἀκέντητος, ὁ, ἡ, nicht angeſpornt, vom Pferde, das ſich nicht erſt anſpornen läſst, beym Pindar.

Ἄκεντρος, ὁ, ἡ, (κέντρον), ohne Stachel, ohne Sporen. (Hahnenſporen).

Ἀκένωτος, ὁ, ἡ, (κενόω), nicht ausgeleert.

Ἀκέομαι, (ἀκὴ), mit der Nadel flicken, ausbeſſern; metaph. vom Arzte, heilen; überh. jeden Schaden ausbeſſern, jeden Fehler beſſern, Sünde ausſühnen u. dergl.

Ἀκέραιος, ὁ, ἡ, von κεράω ich miſche, unvermiſcht, lauter, rein; metaph. ächt, ohne Falſch, unſchuldig; 2) unversehrt, unverletzt, v. κεραΐζω. Cyropaed. 6, 2. 31. Adv. ἀκεραίως. —ραιότης, ητος, ἡ, oder ἀκεραιοσύνη, Unverſehrtheit, unverletzter Zuſtand; oder Aechtheit, Reinheit, Lauterkeit. S. ἀκέραιος.

Ἀκέρατος, ὁ, ἡ, (κέρας), ungehörnt, ohne Hörner.

Ἀκεραύνωτος, ὁ, ἡ, (κεραυνόω), nicht angedonnert, nicht vom Blitze getroffen.

Ἀκέρδεια, ἡ, Gewinnloſigkeit, d. i. Schaden, Verluſt; von —δής, έος, ὁ, ἡ, (κέρδος), Adv. ἀκερδῶς, ohne Gewinn, keinen Gewinn, ſondern Schaden bringend.

Ἄκερκος, ὁ, ἡ, (κέρκος), ohne Schwanz.

Ἀκερμία, ἡ, (κέρμα), Mangel an kleiner Münze, Bettelarmuth.

Ἄκερος, ὁ, ἡ, ſ. v. a. ἀκέρατος.

Ἀκερσεκόμης, ὁ, oder ἀκερσέκομος, ſ. v. a. ἀκειρεκόμης.

Ἄκερχνος, ὁ, ἡ, ohne Rauhigkeit. S. κέρχνος.

Ἀκέρως, ω, ὁ, ἡ, ſ. v. a. ἄκερος.

Ἀκεσίμβροτος, ὁ, ἡ, d. i. ἀκεόμενος βροτοὺς, Menſchenretter, Aeſculap beym Orpheus.

Ἀκέσιμος, ὁ, ἡ, (ἀκέομαι), heilſam, gut zum heilen, bey Maxim. v. 149 ἀκέσσιμος poet.

Ἀκέσιος, ὁ, ἡ, Heiland, Retter, Arzt, Apollo; den Ovid. Verwandel. 1, 521 *opifer* nennt.

Ἀκεσίπονος, ὁ, (ἀκεόμενος -πόνον), ſchmerzſtillend, kummerheilend.

Ἄκεσις, εως, ἡ, oder ἄκεσμα, ἀκεσμὸς, Heilung, Rettung,

Ἀκέσμιος, ὁ, ἡ, heilbar, zu retten.

Ἀκεστὴρ, ῆρος, ὁ, oder ἀκεστὴς, Heiler, Retter. —στήριος, ὁ, ἡ, gut, geſchickt zu heilen. —στικὸς, ἡ, ὸν, gut, geſchickt zu heilen, oder etwas wieder gut zu machen. Daher ἀκεστικὴ, (τέχνη), die Kunſt auszubeſſern, Schneiderhandwerk Plut. —στορία, Jon. ἀκεστορίη, Heilkunſt. —στορικὸς, ἡ, ὸν, was zur Heilkunſt gehört. —στὸς, ἡ, ὸν, ſ. v. a. ἀκέσμιος.

Ἀκέστρα, ἡ, Nadel, v. ἀκέομαι.

Ἀκέστρια, ἡ, fem. v. ἀκέστωρ, ſo wie ἀκεστρίς. —στὺς, ἡ, joniſch ſt. ἄκεσμα. —στωρ, ορος, ὁ, Heiler, Arzt.

Ἀκεσφόρος, ὁ, ἡ, (ἄκεσιν φέρων), heilbringend.

Ἀκεσώδυνος, ὁ, ἡ, (ἀκέων ὀδύνην), ſchmerzſtillend.

Ἄκευμα, τὸ, (ἀκεύω, ἀκέω), ſ. v. a. ἄκεσμα.

Ἀκέφαλος, ὁ, ἡ, (κεφαλή), Adv. ἀκεφάλως, ohne Kopf; ein Buch ohne Kopf, d. i. ohne Anfang, deſſen Anfang verloren gegangen iſt; eine Sekte (αἵρεσις) ohne Kopf, d. i. ohne Stifter; μῦθος, eine Rede, Erzählung ohne Kopf, nicht vollendet.

Ἀκέω, ſt. ἀκέομαι, Hippocr. loc. in homin. c. 5.

Ἀκέων, ἀκέοντος, ἀκέουσα, ſtill, ruhig, ſchweigend. Homer ſagt auch im Femin. ἤτοι Ἀθηναίη ἀκέων ἦν ſt. ἀκέουσα. Von ἀκὰ, ἀκαλὸς, ἀκὴ, ἀκέω. S. ἀκα. Das Verbum ἀκέοις hat Apollon. 1.765. welcher auch 3, 85 ἀκέουσα der Bemühung entgegenſetzt.

Ἀκὴ, ἡ, die Spitze, die Schärfe, davon ἀκίς, ἀκωκὴ, ἀκμὴ, αἰχμὴ. das lat. *acies*, *acuo*, ἀκάζω, ἀμφήκης, εὐήκης, νεήκης.

Ἀκὴ, ἡ, bey Heſych. ἡσυχία, Ruhe, Stille. ἀκὴν ἐγένοντο σιωπῇ, ſie wurden ſtill, ruhig und ſchwiegen. ἀκὴν ἦγες bey Heſych. ſt. ἡσυχίαν ἦγες; ferner ἀκήνιος, ἡσύχιος. Doriſch ἀκὰ daher ἀκᾶ bey Pindar Pyth. 4, 277 ſt. ἀκὴν, ſtill, ſanft; davon ἀκαλὸς und ἀκέων, welche ſiehe.

Ἀκήδεια, ἡ, oder ἀκηδία, (ἀκηδὴς), Sorgloſigkeit, Verwahrloſung, wenn man ſich um etwas nicht bekümmert, gleichſam Unbekümmerniſs, Gleichgültigkeit. —δεμόνευτος, ὁ, ἡ, (gleichſ. v. κηδεμονεύω), verwahrloſet, vernachläſsigt. —δεστος, ὁ, ἡ, ſ. v. a. d. vorher. v. κηδέω. Nach dem Zuſammenhange auch unbeerdigt, Hom. Il. 6, 60. Adv. ἀκηδέστως, Il. 22, 465.

Ἀκήδευτος, ὁ, ἡ, (κηδεύω), unbeerdigt, unbegraben.

Ἀκηδέω, (κῆδος), es überdrüſsig werden; ἀκηδήσωσι μένοντες αὐτοῦ Quint. Smyrn. 10, 16. μακροῦ ἀκηδήσαντες ἐπὶ πτολέμοιο ἀνίη, 12, 368. —δὴς, έος, ὁ, ἡ (κῆδος), Adv. ἀκηδῶς, ohne Sorge, ſorglos, unbekümmert, ſicher; paſſiv. unbeſorgt, vernachläſsigt, z. B. von einem nicht beerdigten Leichnam Hom. Od. 24, 186. davon —δία, ἡ, Sorgloſigkeit, d. i. entw. Mangel an Sorgfalt, Fürſorge, oder Freiſeyn von Kummer und Gram; Trägſinn, der ſich um nichts mehr bekümmert, Cic. ad Att. 12, 45. —διάω, ῶ, f. άσω, ſorglos ſeyn, ſich nicht bekümmern.

Ἀκήλητος, ὁ, ἡ, (κηλέω), nicht zu erweichen, nicht zu lenken.

Ἀκηλίδωτος, ὁ, ἡ, (κηλιδόω), unbefleckt, unbeſchädigt.

Ἄκημα, τος, τὸ, (ἀκέω, ἀκέομαι), Heilung, Abhelfung.

Ἀκὴν, Adv. ſ. ἀκή.

Ἄκηπος, ον, (κῆπος), ohne Garten; κῆπος ἄκηπος, ein Garten, der kein Garten iſt, den Namen eines Garten gar nicht verdient.

Ἀκηράσιος, ὁ, ἡ, oder ἀκήρατος, von Wein, Waſſer, Gold und andern Dingen, rein, unvermiſcht, unverfälſcht; 2) unverſehrt, unverletzt, unverderblich, immerwährend, ewig, unſterblich; alſo wie ἀκηράσιος, ἀκήρατος u. ἀκέραιος von κεραίω oder κὴρ oder κεραΐζω.

Ἀκήριος, ὁ, ἡ, ohne κὴρ ſ. v. a. ἀκηράσιος und ἀκήρατος, ohne Schaden; unſchädlich; unverſehrt; unverderblich, immerwährend.

Ἀκηρυκτεὶ u. ἀκηρυκτὶ, Adv. ohne Ankündigung; ohne vorhergegangene Ankündigung; von —ρυκτος, ὁ, ἡ, (κηρύττω), Adv. ἀκηρύκτως, unangekündigt, nicht vorher angekündigt; πόλεμος ἀκ. Xen. An. 3, 3. 5. wo man keinen κήρυξ annimmt, unverſöhnlicher Krieg, ſo wie beym Dio C. fragm. 143. ἀκηρυκτεὶ πολεμεῖν; Soph. Tr. 45 μένει ἀκ. ohne Botſchaft von ſich zu ſchicken.

Ἀκήρωτος, ον, (κηρόω), nicht mit Wachs überzogen.

Ἀκηχεδὼν, όνος, ὁ, Kummer, Schmerz, ſ. v. a. ἄχος u. ἀχθὼν. —χεμαι, od. ἀκήχημαι, bekümmert ſeyn v. act. ἀκήχημι ſ. v. a. ἀκάχημι, ἀκαχέω. S. ἀκάχω.

Ἀκιβδήλευτος, ὁ, ἡ, (κιβδηλεύω), unverfälſcht. —βδηλος, ὁ, ἡ, (κίβδηλος), Adv. ἀκιβδήλως, ohne Schlacken, rein, gereinigt.

Ἀκιδνὸς, ἡ, ὸν, ſchwach, als der Menſch beym Hom. unanſehnlich, ſchlecht, als (κατ') εἶδος ἀκ. Hom. Od. 8, 169. - ἔδεσμα Athen.

Ἀκιδώδης, εος, ὁ, ἡ, nach Art einer Spitze, ἀκίς, geſpitzt, ſpitzig.

Ἀκιδωτὸς, ὁ, ἡ, zugeſpitzt, v. ἀκιδόω.

Ἀκίζω, f. ίσω, (ἀκή), ſpitzen.

Ἄκικυς, υος, ὁ, ἡ, (κίκυς), ohne Kraft und Stärke, ſchwach, ohnmächtig. Hom. Od. 9, 515.

Ἀκίναγμα, τὸ, ſ. v. a. κίνημα v. κινάω, κινάσσω, ἀκινάσσω.

Ἀκινάκης, ου, ὁ, ein eigenthümlich Perſiſches Wort, was auch die Lateiner (*acinaces*) beybehalten haben, ein kleiner Seitendegen bey den Perſern.

Ἀκινδυνὶ, Adv. ohne Gefahr; von —δυνος, ὁ, ἡ, (κίνδυνος), ohne Gefahr, ſicher. Adv. ἀκινδύνως. Eben das iſt ἀκινδυνώδης.

Ἀκινησία, ἡ, (κίνησις), Unbeweglichkeit. —νητέω, ich bin ἀκίνητος. —νητος, ὁ, ἡ, (κινέω), unbeweglich, der ſich nicht bewegt, als ἡ ὕλη ἀργὸς ἐξ ἑαυτῆς καὶ ἀκίνητος Plut. der ſich nicht bewegen läfst, Ceb. tab. 31. ἀκ. καὶ δυσμαθής; der nicht bewegt werden darf, als Gräber, daher Hesiod. Ἐργ. 750 ἐπ' ἀκινήτοισι καθίζειν, auf den Gräbern sitzen. Adv. ἀκινήτως.

Ἄκινος, ὁ, eine Pflanze *ocimastrum*, dem Basilikum ähnlich mit wohlriechender Blume; 2) Lat. *acinus*, Weinbeere.

Ἀκινητίνδα, Adv. v. ἀκίνητος, παιδιά, ein Spiel, wo man einander sucht vom Platze zu bringen; wer unbeweglich stehn bleibt, gewinnt.

Ἄκιος, ὁ, ἡ, (κίς), ohne Wurm, frey von Würmern, (ein Holz), was nicht von Würmern angetroffen wird. Hesiod. ἔργ. 435. wo andre ἀκιρώτατοι d. i. κάλλιστοι lasen.

Ἀκιρός, dav. ἀκιρῶς, bey Hesych. εὐλαβῶς, ἀτρέμας. S. ἄκιος.

Ἀκίς, ίδος, ἡ, (ἀκή), Spitze, Spitzchen, d. lat. *acies*. Bey Oppian. Hal. 5, 535 eine Art von Dreyzack.

Ἀκίχητος, ὁ, ἡ, (κιχέω; κίχημι), Adv. ἀκιχήτως, nicht zu erreichen, nicht zu ersteigen, nicht einzuholen.

Ἀκκίζομαι, f. ίσομαι, sich verstellen, *dissimulo*, thun, als will man etwas nicht, was man doch herzlich gerne nimmt. Nach d. Etym. v. ἀκκώ, einem eitlen Weibe, die immer mit sich selbst im Spiegel sprach und jenen Charakter hatte; dav. —κισμός, ὁ, Verstellung, verstellte Weigerung.

Ἀκλαιής, έος, ὁ, ἡ, (κλαίω), unbeweint.

Ἄκλαστος, ὁ, ἡ, (κλάω), nicht gebrochen, nicht zerbrochen.

Ἄκλαυστος, ὁ, ἡ, (κλαίω), unbeweint. Adv. ἀκλαυστί. —αυτος, ὁ, ἡ, Adv. ἀκλαυτεί, s. v. a. d. vor.

Ἀκλεής, έος, ὁ, ἡ, (κλέος), Adv. ἀκλεῶς, ohne Ruhm, ruhmlos, unrühmlich; dav. —εία, ἡ, Unrühmlichkeit, Schande.

Ἄκλειστος, ὁ, ἡ, (κλειστός), bey den Dichtern nach Jon. Dialekt ἀκλήϊστος, od. ἄκληστος, nicht verschlossen.

Ἄκλεπτος, ὁ, ἡ, nicht stehlend, ἐν κλέπτων; nicht betrügend, ὁυ κλέπτων νόῳ.

Ἀκληδονίστως, (κληδών), ohne Ruf, ohne Ruhm.

Ἀκληρέω, ich bin ἄκληρος. —ήρημα, ατος, τό, v. ἀκληρέω, u. ἀκληρία v. ἄκληρος, der Zustand, Lage dessen, der nicht mitgeloosst hat, Elend, Armuth. —ηρία, ἡ, (κλῆρος), s. v. a. ἀτυχία. Soph. —ηρος, ὁ, ἡ, ohne Loofs, Antheil, Erbtheil, Land; mithin arm, dürftig. γῆν ἄκληρόν τε καὶ ἄκτιτον Hymn. Ven. 123 unvertheiltes u. ungebauetes Land. —ήρωτος, ὁ, ἡ, (κληρόω), Adv. ἀκληρωτεὶ od. ἀκληρωτί Dio C. 58, 25. 43, 47. vergl. 42, 20. nicht verloosst, nicht durchs Loos vertheilt; act. der nicht mitgeloosst hat, durchs Loos nichts bekommen hat, als eine Provinz. Dio.

Ἄκλητος, ὁ, ἡ, (κλέω, καλέω), Adv. ἀκλητί, nicht genannt, nicht benannt; nicht gerufen, nicht eingeladen, uneingeladen.

Ἀκλινής, έος, ὁ, ἡ, (κλίνω), (b. den Grammatikern ἄκλιτος, was nicht bewegt, nicht deklinirt wird, Adv. ἀκλίτως), sich nicht neigend, sich nicht bewegend, unbeweglich, unerbittlich.

Ἀκλόνητος, ὁ, ἡ, v. κλονέω, u. ἄκλονος von κλόνος, unerschüttert, unbewegt, nicht beunruhigt.

Ἄκλοπος, ὁ, ἡ, ohne κλοπή, nicht diebisch, nicht betrügerisch.

Ἀκλυδώνιστος, ὁ, ἡ, (κλυδωνίζομαι), Adv. ἀκλυδωνίστως; nicht von Wogen bewegt, nicht bestürmt, ruhig.

Ἄκλυστος, ὁ, ἡ, (κλύζω), nicht bespült; nicht abgespült.

Ἀκλώνητος, ὁ, ἡ, (κλών), ohne Ranken, ohne Zweige.

Ἄκλωστος, ὁ, ἡ, (κλώθω), nicht gesponnen.

Ἀκμάζω, f. άσω, (ἀκμή), in der Blüthe seyn, blühen; in der Blüthe seiner Jahre stehen, in seinen besten Jahren seyn; mithin Jugend- od. Mannskraft haben, sie zeigen; und so von andern Dingen, die in ihrem besten Zustande sind, sich in ihrer ganzen Stärke zeigen, ihre völlige Wirkung äufsern. M. s. das folgende ἀκμαῖος u. ἀκμή. Bey Aeschyl. S. 98 ἀκμάζει βρετέων ἔχεσθαι jetzt ist es Zeit die Bildsäulen zu umfassen.

Ἀκμαῖος, αία, αῖον, d. i. ἀκμάζων, Adv. ἀκμαίως, was in der Blüthe ist, seine Blüthe zeigt, seine völlige Wirkung äufsert. ἀκμαία παρθένος, ein blühendes, reifes, mannbares Mädchen; ἀκμαῖος μόλει Sophocl. Aj. 933, er kommt zur rechten Zeit (ἐν ἀκμῇ); ἀκμαῖος (κατὰ) τὴν ὀργὴν Lucian. heftig im Zorn, den Zorn in seiner ganzen Heftigkeit, Wirkung aufsernd.

Ἀκμαστής, οῦ, ὁ, v. ἀκμάζω, s. v. a. ἀκμαῖος, als νεανίας ἀκμαστὴς Herodian.

Ἀκμή, ἡ, (v. ἄκω, ἀκή, Spitze), eigentl. d. l. *acies*, *acumen*, Spitze, Schneide, Schärfe, σιδήρου, ξυροῦ, ἐγχέων, τριαίνης Il. κ. 173. Soph. Ant. 988. Lucian; dah. κατ' ἀκμὴν χρόνου, oder allein ἀκμὴν lat. *in puncto temporis*, in dem Augenblicke, jetzt; noch jetzt. Zunächst wird ἀκμὴ σίτου u. σῖτος ἀκμάζων vom Getraide gesagt, welches ausgewachsen ist u. Aehren mit Hacheln (*aristis*) hat; daher es auch metaph. *robur et florem aetatis*, das Alter, Stärke u. Blüthe eines ausgewachsenen Menschen bedeutet, der daher ἀκμαῖος und ἀκμηνὸς heifst; auch wird καιροῦ ἀκμὴ für *opportunitas*, die rechte, die bequeme, die reife Zeit etwas zu thun, die Gelegenheit, gebraucht; daher ὁ καιρός ἐστιν ἐπ' αὐτῆς τῆς ἀκμῆς Aristoph. Plut. 256 οὐκέτ' ὄκνειν καιρὸς, ἀλλ' ἔργων ἀκμὴ d. i. καιρός. Aeschyl. Ag.

1164 τὸ μὴ μέλλειν δ' ἀκμή, wofür er auch ἀκμάζει fagt. Uebertr. das höchfte, äufserfte jeder Sache; alfo ἀκμὴ δέους Dio Caff. Verbunden mit ἀκμῆτος, ἀκμάτος, νόσου u. dergl.

Ἀκμηνὸς, ή, όν, f. v. a. ἀκμαῖος, ganz erwachfen. Hom. Od. 23, 191.

Ἄκμηνος, ὁ, ἡ, nüchtern, Hom. Il. 19, 346 u. mit σίτου 163. andre leiten es von ἀκμαίνω ab, d. i. unbenetzt. andre v. ἀκ- νηστεία ἔνδεια bey Hefych. 2 Macab. 1, 7.

Ἀκμής, ῆτος, ὁ, o. ἀκμήτης, ἄκμητος, (κάμνω) Adv. ἀκμητί, ft. ἀκαμής, unermüdet. Hom. Il. 16, 44. 2) ohne Mühe, ohne Schmerz. Nicand. Ther. 737. 820.

Ἀκμόθετον, ου, τὸ, Lager, Stelle des Ambofses, v. τίθημι u. ἄκμων.

Ἄκμων, ονος, ὁ, ft. ἀκάμων, Ambofs; daher ἄκμονες λόγχης Aefchyl. Prom. 51. f. v. a. ἀκάματοι ἐν λόγχῃ.

Ἀκνάμπτος, ὁ, ἡ, (κνάμπτω), nicht zu biegen, unbiegfam. Pind. Pyth. 4, 128. fonft ἀγνάμπτος.

Ἄκναπτος, ὁ, ἡ, nicht gewalkt. Eben dies ift ἄκναφος ft. ἄγναπτος u. ἄγναφος.

Ἀκνήμος, ὁ, ἡ, (κνήμη), ohne Waden; ohne Stiefeln (κνημίς).

Ἄκνηστις, ιδος, ἡ, Rückgrat. Od. κ. 161. Bey Nicand. Ther. 52 erklären es einige für κνίδη, andere für σκύλλα o. κνέωρον.

Ἄκνισσος, ὁ, ἡ, und ἀκνίσσωτος, ohne Fettdampf, βωμὸς ἀκ. ein Altar, auf dem kein verbranntes Fett dampfet.

Ἀκοή, ἡ, (ἀκούω), das Hören als Sinn, d. i. Gehör; als Organ, d. i. Ohr; das, was man hört, Gerücht, Ruf, Erzählung.

Ἄκοιλος, ὁ, ἡ, (κοῖλος), nicht hohl.

Ἀκοίμητος, ὁ, ἡ, (κοιμάω), nicht eingefchläfert, nicht eingefchlafen, wachend.

Ἄκοινος, ὁ, ἡ, (κοινὸς), nicht gemein. —νωνησία, ἡ, (κοινωνία), Mangel, Aufhebung aller Gemeinfchaft; Mangel an Gefelligkeit. —νώνητος, ὁ, ἡ, (κοινωνέω), Adv. ἀκοινωνήτως, nicht gemein zu machen; der fich nicht gemein, gefellig machen läfst, ungefellig, Cic. ad Att. 6, 1 u. 3.

Ἀκοίτης, ου, ὁ, (α, d. i. ἅμα u. κοίτη), f. ἄκοιτις, Bettgenoffe, Bettgenoffin.

Ἄκοιτος, ὁ, ἡ, (κοίτη), ohne Bette.

Ἀκολάκευτος, ὁ, ἡ, (κολακεύω), der fich nicht fchmeicheln läfst, keine Schmeichler duldet. Adv. ἀκολακεύτως, ohne zu fchmeicheln, ohne Schmeicheley. —λακος, ὁ, ἡ, (κόλαξ), kein Schmeichler, ohne Schmeicheley.

Ἀκολασία, ἡ, (κόλασις), Ausgelaffenheit, Zügellofigkeit, Frechheit, Ausfchweifung. —λασταίνω, od. ἀκολαστέω, ich bin ἀκόλαστος; dav. —λάστημα, τος, τὸ, eine ausgelaffene, zügellofe, freche That, begangene Ausfchweifung. —λαστος, ὁ, ἡ, (κολάζω), Adv. ἀκολάστως, der fich nicht zügeln, zurückhalten, einfchränken läfst, ausgelaffen, zügellos, frech, ausfchweifend; der nicht gezügelt, beftraft ift, nicht beftraft wird.

Ἀκόλλητος, ὁ, ἡ, (κολλάω), der fich nicht zufammenleimen, zufammenfügen, vereinigen läfst.

Ἄκολλος, ὁ, ἡ, (κόλλα), ohne Leim; auch f. v. a. ἀκόλλητος.

Ἄκολος, ὁ, (κόλον), ein Biffen, ein Stückchen. Hom. Od. 17, 222.

Ἀκολουθέω, ich bin ein ἀκόλουθος, ich folge einem, gehe hinter einem her; thue es einem nach, was er mir vorthut, oder ich ahme nach, mache es ihm nach, werde fein Schüler, ihm ähnlich; folge ihm, befolge feine Befehle, oder gehorche; davon —λούθημα, ατος, τὸ, oder ἀκολούθησις, die Folge, *confequentia*, *confequens*; die Folge, oder Nachfolge. —λουθητικὸς, ή, όν, der gerne, gewöhnlich folgt. —λουθία, ἡ, die Folge, d. i. das Gefolge; die Folge auf einander, o. Reihe, Verbindung; die Folge aus etwas, o. Uebereinftimmung; Befolgung. —λουθος, ὁ, ἡ, (Adv. ἀκολούθως, nach der Folgerung, nach der Uebereinftimmung, d. i. folglich, gemäfs), ein Begleiter, Nachfolger, d. i. Bedienter oder Schüler; adject. daraus oder darauf folgend, d. i. übereinftimmend, gleich, ähnlich. Plato Crat. 22. leitet es von ὁμοκέλευθος, ἀκέλευθος her.

Ἀκόλυμβος, ὁ, ἡ, (κολυμβάω), der nicht fchwimmen kann, Strabo u. H. batr. 157.

Ἀκομία, ἡ, (κόμη), Mangel am Haupthaar, Glatze.

Ἀκομιστία, ἡ, Mangel an Pflege, Hom. Od. 21, 283; von —μιστος, ὁ, ἡ, (κομίζω), nicht gepflegt, nicht verforgt.

Ἄκομος, ὁ, ἡ, (κόμη), ohne Haupthaar; nicht geputzt, nicht gekräufelt am Haupthaar.

Ἀκόμπαστος, ὁ, ἡ; o. ἄκομπος, (κομπάζω), ohne Prahlerey, prunklos.

Ἀκόμψευτος, ον, v. κομψεύομαι, und ἄκομψος Adv. ἀκόμψως, nicht artig, κομψὸς, nicht gefchmackvoll, fchlecht, gering.

Ἀκονάω, ῶ, f. ήσω, (ἀκόνη), wetzen, fchärfen; übergetragen, wie das comp. παρακονάω, u. παροξύνω, antreiben, anfeuern.

Ἀκόνδυλος, ον, (κονδύλη), ohne Knoten, ohne Gelenke.

Ἀκόνη, ἡ, Wetzftein, Schleifftein; v. ἀκή, Schärfe, Spitze. —νημα, ατος, τὸ, (ἀκονάω), das Wetzen; das Anfeuern. —νιον, ου, τὸ, dimin. v. ἀκόνη.

Ἀκονιτὶ, Adv. (κόνις), ohne Staub; ohne nöthig zu haben, fich zu beftauben, d. i. ohne Kampf, Arbeit, Mühe. S. κονίζομαι.

Ἀκονιτικὸς, ή, όν, von *aconitum* gemacht; von —νιτον, τὸ, u. ἀκόνιτος, ἡ. Analect. 1. p. 484. *aconitum* beym Plin

27, 2 u. 3. weil es ἐν ἀκόναις, schroffen Felsen wächst, *quia nascuntur dura vivacia caute*, *Agrestes aconita vocant* nach Ovid. Verw. 7, 418, eine giftige Pflanze.

'Ἀκόνιτος, ὁ, ἡ, (κόνις), nicht bestaubt; ohne Staub. d. i. ohne Anstrengung, Kampf, Mühe gethan. ἀκόνιτος ἄεθλον ἔλαβον st. ἀκονιτί, Quint. Smyrn. 4, 319. —νίτως, Adv. s. v. a. ἀκονιτί.

'Ἀκοντί, Adv. (ἑκών), st. ἀεκοντί, nicht gern, gezwungen.

'Ἀκοντίας, ου, ὁ, eine Lanze, von der Schnelligkeit, womit sie springt, genannt, v. ἄκων. —τίζω, f. ίσω, (ἀκόντιον), den Wurfspiefs werfen, schleudern; δόρυ die Lanze werfen, τινά, einen mit der Schleuder, dem geschleuderten Wurfspiefs treffen; 2) neutr. εἴσω γῆς ἀκοντίζουσ' ἀραὶ dringen in die Erde. Eur. Or. 1245. —τιον, τὸ, eine Schleuder, ein Wurfspiefs, den man mit einem Riemen schleuderte, *jaculum amentatum*; dimin. v. ἄκων. —τισις, εως, ἡ, o. ἀκόντισμα, ἀκοντισμὸς, (ἀκοντίζω), das Schleudern, das Werfen des Wurfspiefses. —τιστήρ, ῆρος, ὁ, od. ἀκοντιστής, (ἀκοντίζω), der den Wurfspiefs wirft; davon —τιστικὸς, ἡ, ὸν, ein geschickter, geübter Schleuderer des Wurfspiefses. —τιστὺς, ύος, ἡ, das Schleudern, Geschicklichkeit im Werfen oder Schleudern des Wurfspiefses.

'Ἀκοντοβόλος, ὁ, ἡ, d. i. ἄκοντα βάλλων, od. ἀκοντιστήρ. —τοδόκος, ὁ, ἡ, d. i. ἄκοντα δοκάζων, auf den Wurfspiefs Acht gebend, um ihm auszuweichen. —τοφόρος, ὁ, ἡ, d. i. ἄκοντα φέρων, beym Dio, sonst δορυφόρος.

'Ἀκόντως, Adv. s. v. a. ἀκοντί.

'Ἀκοπητί, Adv. (κόπος), ohne Arbeit, ohne Mühe. —πίαστος, ὁ, ἡ, (κοπιάω), Adv. ἀκοπιάστως, nicht zu ermüden, unermüdlich. —πος, ὁ, ἡ, (κόπος), Adv. ἀκόπως, unermüdlich; nicht verweslich Aristot.

'Ἀκόπριστος, ὁ, ἡ, (κοπρίζω), nicht gemistet, u. ἄκοπρος (κόπρος), ohne Mist. —πρώδης, ῶδες, nicht mistig.

'Ἀκόρεστος, ὁ, ἡ, (κορέω), Adv. ἀκορέστως, od. ἀκόρητος, ἄκορος, nicht zu sättigen, ohne Sättigung (κόρος), unersättlich; b. Xen. Symp. 8, 15 nicht sättigend. Die beyden letzten Formen heifsen auch, in so ferne κορέω fegen, reinigen ist, nicht gefegt, nicht gereinigt. —ρής, ὁ, ἡ, s. v. a. ἀκόρητος, Themist. Or. 7. p. 90. dav. —ρία, ἡ, Unersättlichkeit.

'Ἀκορίτης, ου, ὁ, über ἄκορον gezogener u. damit angemachter Wein.

'Ἀκορνα, ης, ἡ, eine gelbe Distelart. S. ἀκαρνα.

'Ἄκορον, ου, τὸ, auch ἡ ἄκορος die Pflanze, τὸ ἄκορον die Wurzel, wahrsch. unser Kalmus, *acorum*.

'Ἄκος, εος, τὸ, (ἀκέομαι), Heilung, Heilmittel; in der ersten Bedeut. haben die Lat. es in *acus* behalten.

'Ἀκοσμέω, ich bin ἄκοσμος. —μήεις, εσσα, ῆεν, od. ἀκόσμητος, (κόσμος), Adv. ἀκοσμήτως, ohne Ordnung, Schmuck. —σμία, ἡ, Unordnung, Verwirrung, *status rerum perturbatus*; Unordnung, unordentliche Lebensart, Ausschweifung Dio C. 54, 16; von —σμος, ὁ, ἡ, (κόσμος); Adv. ἀκόσμως, ohne Ordnung, ohne Schmuck, ungeordnet, verwirrt; unordentlich, liederlich.

'Ἀκοστέω, Il. 6, 506 ἀκοστήσας vom Pferde, leitet man von ἀκοστή Gerste her u. erklärt es durch κριθιάσας, gesättiget mit Gerste, u. wie wir sagen, das der Haber sticht. Aber die Lesart ist höchst ungewifs. Denn Aristonikus las: ἀχυστήσας d. i. ἐν ἄχει γενόμενος διὰ τὴν στάσιν, des Stehens im Stalle überdrüssig; andre erklärten ἀκοστήσας durch ἄκος τῆς στάσεως ζητῶν καὶ λαμβάνων; andre nahmen es für ἀκολαστήσας und erklärten es ὑβρίσας; andre wollten ἀκοιτήσας d. i. μίξεως ἐπιθυμήσας; andre ἀγοστήσας für ῥυπανθεὶς v. γοῖτος, ῥύπος. Auch scheint die Lesart ἀγοιτεύσας b. Hesych. hierher zu gehören. —στή, ἡ, Gerste, bey den Cypriern nach Hesych. wie es auch Nic. Alexiph. 106 gebraucht.

'Ἄκοτος, ὁ, ἡ, (κότος), ohne Groll, nicht grollend.

'Ἀκουάζω, bey Hom. ἀκουάζομαι, s. v. a. ἀκούω, aber Il. 4, 343 πρώτω δαιτὸς ἐμεῖο ἀκουάζεσθον, nach Hesych. τιμῆς ἀξιοῦσθε; eigentl. *vocabamini primi ad coenam*, wie ἀκούει ἐσθλὸς statt *vocatur bonus*. —ουή, ἡ, bey den Dichtern st. ἀκοή, Hom. Od. 2, 308.

'Ἀκούρευτος, ὁ, ungeschoren.

'Ἄκουρος, ὁ, ἡ, (κουρά), ohne Schur; ohne Kinder (κοῦρος st. κόρος), kinderlos, Hom. Od. 7, 64.

'Ἀκουροτρόφης, ὁ, καὶ κούφου σώματος im Poemander scheint von ἀκορίῃ τροφῆς, bey Hippocr. eigentl. ἀκοροτρ. zu seyn, nicht überladener oder schwerer Körper.

'Ἄκους, οντος, ὁ, s. v. a. ἄκων.

'Ἀκουσείω, ich will, möchte hören v. ἀκούσω. —σία, ἡ, das Gehör, Hören. Soph. —σιάζω, ich thue ungern, ἀκούσιος.

'Ἀκουσίθεος, ὁ, ἡ, (ἀκούω), von Gott gehört, erhört. —σιμος, ὁ, ἡ, hörbar. Soph. —σιος, ὁ, ἡ, (ἑκών, ἑκούσιος), Adv. ἀκουσίως, nicht gern, nicht freiwillig, gezwungen.

'Ἄκουσις, εως, ἡ, (ἀκούω), das Hören. —ουσμα, ατος, τὸ, (ἀκούω), das Gehörte, das, was man hört, als Xen. Mem. 2, 1. 31 ἥδιστον ἀκ. das süfseste, was man hört, o. die angenehmste Musik. Eben so Dio C. 52, 30. Nach dem Zusammenh. kann das, was man hört, die Lehre, der Unterricht, so wie auch im Allgemein. der Ruf, Gerücht seyn.

'Ακουσμάτιον, ου, τὸ, dimin. v. ἄκουσμα, eine kleine Erzählung, beym Lucian. u. Gellius. —ουστής, οῦ, ὁ, Hörer, Zuhörer u. Schüler; dav. —ουστιάω, d. i. ἀκουστικὸς εἰμι, od. ἀκουστικῶς ἔχω, bin ein aufmerksamer Zuhörer, will gerne hören. —ουστίζω, bey den 70 Dollmetschern hören lassen, unterrichten. τὴν περὶ τῶν ὄντων γνῶσιν ἠκουστίσθησαν bey Suidas in δόγμα. —ουστικὸς, ἡ, ὸν, ein gut Hörender; ein fleissiger, beständiger Zuhörer, wie Pythagoras Schüler hiessen, so lange sie blosse Zuhörer waren; adject. zum Hören, Gehör gehörig, als πόρος ἀκ. der Ohrgang; αἴσθησις ἀκ. der Sinn des Gehörs. —ουστικῶς, aufmerksam zuhörend. —ουστὸς, ἡ, ὸν, zu hören, hörbar, Hom. hymn. 2, 509.

'Ακούω, S. κοέω u. ἀκροάζομαι. Das medium Il. 4, 331. hören; zuhören oder jemandes Schüler seyn; auf einen hören, d. i. ihm gehorchen, unter ihm stehen, als ὅσα ἔθνη τῶν ῥωμαίων ἀκούει Dio 51, 20; ἐσθλὸς, κόλαξ ἀκούω, Theocr. und Demosth. ich höre, wenn man mich einen Edlen, einen Schmeichler ruft, d. i. ich heisse so, man nennt mich so; κακῶς, μὴ καλῶς, εὖ, auch κακὰ ἀκ. ὑπό τινος, wie *male audire*, verleumdet, beschimpft werden; dagegen ἐσθλὸν ἀκούειν, Theocr. 16, 30. ἤκουον εἶναι πρῶτοι Herodot. 3, 131 d. lat. *dicebantur esse* sollten seyn; auch bedeutet es, ich erfahre, kenne aus dem Gerüchte. εἴ τιν' ἀκούεις. Bey Soph. ἀκούειν τινὶ st. ἔκ τινος, von jemand.

'Άκρα, ἡ, die Höhe, Spitze, jedes Höchste, als eines Berges, oder Gipfel, darauf stehende Burg; des Meeres, oder Ufer, Vorgebirge; eigentl. fem. v. ἄκρος.

'Ακράαντος, ὁ, ἡ, (κραιαίνω), nicht vollendet, nicht zu Stande gebracht. Hom. Il. 2, 138.

'Ακραγὴς, ὁ, ἡ, u. ἄκραγος ὁ, ἡ, beyde erklärt Hesych. d. ἀστεργής, δυσχερής, σκληρὸς, ὀξύχολος, ἀσθενὴς, ἀνεργάστιστος. Bey Aeschyl. Pr. 809 werden ἀκραγεῖς κύνες durch stumm erklärt von κράζω. Man findet ἀκραγγὲς παιδίον v. einem schreyichten Kinde erklärt. So steht κραγὸν κράζειν. Sonach wäre das *a intensivum* nicht *negativum*.

'Ακράδαντος, ὁ, ἡ, (κραδαίνομαι), nicht zu erschüttern, unerschütterlich. Philo verbindet es mit ἀσάλευτος, βέβαιος.

'Ακραεῖ, Adv. S. ἀκραής.

'Ακραὴς, ἐος, ὁ, ἡ, (ἄκρος, ἄημι), vom ζέφυρος, βορέας bey Hom. mit οὖρος Apollon. 1, 605. wo es s. v. a. günstig ist; daher b. Hesych. ἀκραία, εὐφορα. so braucht Arrian. Indic. p. 349. ἔπλεον ἀκραεῖ mit gutem Winde. Bey Cic. Attic. 10, 17 steht *aequinoctium* ἀκραὲς dem *perturbato* entgegen, also von günstigem Winde. Gewöhnlich aber leitet man es von ἀκεραὴς d. i. κεράννυμι ab u. erklärt es *liquidum*.

'Ακραῖος, ὁ, s. v. a. ἄκρος; 2) der auf der Höhe ist, daselbst thront, wohnt, einen Tempel hat u. s. w.

'Ακραίπαλος, ὁ, ἡ, (κραιπάλη), ohne Rausch, nicht berauscht, nicht betrunken; act. wider den Rausch wirkend, als beym Diosc. 1, 25 vom κρόκος; ἀκραίπαλός ἐστι μετὰ γλυκέος πινόμενος, d. i. nach Plin. 21, 20: *qui crocum prius biberint, crapulam non sentiant.*

'Ακραιφνὴς, έος, ὁ, ἡ, st. ἀκεραιοφανὴς, s. v. a. ἀκέραιος in der doppelten Bedeutung. Adv. ἀκραιφνῶς.

'Ακραντος, ὁ, ἡ, v. κραίνω s. v. a. ἀκράαντος.

'Ακραξόνιον, ου, τὸ, das ist τὸ ἄκρον τοῦ ἄξονος.

'Ακρασία, ἡ, (κρᾶσις), schlechte Mischung, oppos. εὐκρασία, als τοῦ ἀέρος Dio, verdorbene Luft, Pest; auch st. ἀκράτεια.

'Ακράτεια, ἡ, (κρατέω), Unenthaltsamkeit, wenn man sich von seinen Leidenschaften beherrschen lässt; von ἀκρατὴς —τεύομαι, f. εύσομαι, ich bin, betrage mich, zeige mich wie ein ἀκρατὴς —τευτικὸς, ἡ, ὸν, s. v. a. ἀκρατὴς; aus Unenthaltsamkeit herrührend. —τὴς, έος, ὁ, ἡ, (κράτος), ohne Kraft, schwach; schwach gegen seine Leidenschaften, d. i. unenthaltsam, sich nicht beherrschend (κρατέω), ausschweifend, zügellos, frech, als στόμα Aristoph. ein freches Maul. —τητος, ὁ, ἡ, (κρατέω), nicht zu beherrschen, nicht zu bändigen, unbändig.

'Ακρατὶ, s. v. a. ἀκρατῶς.

'Ακρατίζω, od. ἀκρατίζομαι, denn die erste Form hat bloss Suidas ohne Beyspiel, reinen, ungemischten Wein (*merum*) trinken, vorz. zum Frühstücke, wobey man Brod ass oder auch eintunkte; also überh. frühstücken; dav. —τισμα, τος, τὸ, das Frühstück. —τισμὸς, ὁ, das Frühstücken. —τιστος, ὁ, ἡ, der nicht gefrühstückt hat, ohne Frühstück v. ἀκρατίζω.

'Άκρατον, τὸ, (κεράννυμι), ungemischter, reiner Wein; dav. —τοποσία, ἡ, (πόσις), Weintrinken. —τοποτέω, ich bin ein ἀκρατοπότης. —τοπότης, ου, ὁ, (ποτέω), Weintrinker.

'Άκρατος, ὁ, ἡ, (κεράω, κεράννυμι), rein; hell, durchsichtig; ächt, unverfälscht; daher ungeschwächt, stark, oft mit ἰσχυρὸς zusammen; brausend, wie gährender Wein, als ἀκ. (κατ') ὀργὴν Aesch. Prom. Eben so παῤῥησία, φιλονεικία, δημοκρατία ἀκ. ungebändigte Freiheit, d. i. Frechheit, Streitsucht, Volksregierung; dav.

'Ακρατότης, jon. ἀκρητότης, Reinheit, Nicht-Mischung. —τοφόρος, ὁ, ἡ, d. i. ἄκρατον φέρων, ein Faſs mit reinem Weine.

'Ακράτωρ, ορος, ὁ, ſ. v. a. ἀκρατὴς, poet. doch braucht es auch Aelian. H.A. mehrmals. —ατῶς, Adv. v. ἀκρατής.

'Ακράτως, jon. ἀκρήτως u. ἀκρατέως, (ἄκρατος), Adv. ungemiſcht, ohne Miſchung.

'Ακραχολία, ἡ, der Jähzorn; vom folgend. —χολος, ὁ, ἡ, auch ἀκρήχολος, (ἄκρος, χόλος), jähzornig; 2) bey Theocr. 24. 60. furchtſam.

'Ακρεα, τὰ, bey Hippocr. ſ. v. a. ἄκρα von ἄκρης, ὁ, ἡ, ſt. ἄκρος.

'Ακρεμονικὸς, ἡ, ὸν, mit groſsen, langen Zweigen; von —έμων, ονος, ὁ, Zweig, gewöhnl. ein ſtarker Zweig, Aſt.

'Ακρεος, ὁ, ἡ, (κρέας), ohne Fleiſch, nicht fleiſchig.

'Ακρέσπερον, Adv. nach Galen. ἄκρας ἑσπέρας, τοῦτ' ἔστι πρώτης καὶ ἀρχομένης. Neutr. von —σπερος, ὁ, ἡ, (ἄκρος ἕσπερος), mit anfangendem Abend.

'Ακρήβης, ὁ, ἡ, oder ἄκρηβος, d. i. ἐν ἄκρῃ ἥβῃ, ſehr jung.

'Ακρία, ἡ, ſ. v. a. ἀκραία, Burggöttin. S. ἀκραῖος; auch Subſt. ergänzt γῆ, Gebirge, hoher Felſen, Hom. Od. 9, 400. 10, 281. 14, 2.

'Ακριβάζω, ſ. v. a. ἀκριβόω, genau untersuchen, erforſchen, prüfen; dav. ἐξακριβάζω v. ἀκριβής. Hiervon kommen —βασμα, τὸ, das erforſchte, geprüfte; abgemeſſene; Vorſchrift. —βασμὸς, ὁ, Prüfung, Unterſuchung. Proverb. Sal. 3 Gränze.

'Ακρίβεια, ἡ, der höchſte Grad, das äuſſerſte in einer Sache, Genauigkeit, d. i. mühſamer, anhaltender Fleiſs, oder wie bey uns, Genauigkeit, Sparſamkeit im Ausgeben, genaue Unterſuchung, genau eingerichtetes od. regelmäſsiges Leben; von —βὴς, έος, ὁ, ἡ, (ἄκρος), das Höchſte, Aeuſſerſte in einer Sache habend, genau; als genau im Leben, d. i. regelmäſsig lebend, nie ohne Ueberlegung handelnd; genau in Ausgaben, d. i. ſparſam; genau im Unterſuchen, d. i. fein, ſcharfſinnig analyſirend; genaues Zeichen, genaue Nachricht, d. i. gewiſſes, zuverläſsiges; daher findet man ἀκριβὴς (κατὰ) τὴν ἐργασίαν; Plutarch legt dem Vater des Pericles ἀκρίβεια bey, der γλίσχρα καὶ κατὰ μικρὸν χορηγεῖ τῷ υἱῷ; ἀκριβὴς δίαιτα; ἀκ. δοκιμασία, ἔρευνα, ἀκ. σημεῖον, λόγος. Mithin dem nichts fehlt, was in ſeiner Art ganz, vollſtändig iſt, als ἀκ. παῤῥησία, μοναρχία, δημοκρατία, völlige Freiheit, ungemiſchte Monarchie, Demokratie.

'Ακριβοδίκαιος, ὁ, ἡ, höchſt gerecht. —βολογέω, ich bin ein ἀκριβολόγος, —βολογία, ἡ, genaue Reden, genaue Unterſuchung; genaue Rechnung oder Genauigkeit im Ausgeben; von —βολόγος, ὁ, ἡ, genau in ſeinen Reden, in ſeinen Unterſuchungen, überhaupt genau.

'Ακριβόω, ῶ, f. ώσω, (ἀκριβὴς), etwas oder einen genau machen, genau wiſſen, Xenoph. Oec. 20, 10. genau lernen, genau prüfen. —βῶς, Adv. v. ἀκριβής, mit Genauigkeit, genau, völlig, vollkommen. —βωσις, εως, ἡ, (ἀκριβόω), das genaue Thun, genaue Unterſuchung, Genauigkeit.

'Ακρίδιον, ου, τὸ, (ἀκρὶς), eine kleine Heuſchrecke.

'Ακριδοθήρα, ἡ, Heuſchreckenjagd; Heuſchreckenfalle. Theocr. —δοφάγος, ὁ, ἡ, d. i. φάγων ἀκρίδας, der Heuſchrecken iſst, davon lebt.

'Ακρίζω, f. ίσω, (ἄκρος), eigentl. das Höchſte d. i. z. B. das Höchſte, den Gipfel der Berge betreten. Eurip. S. ἐξακρίζω u. ἐπακρίζω.

'Ακρὶς, ίδος, ἡ, Heuſchrecke.

'Ακρις, ιος, ἡ, (ἄκρος), Höhe, Gipfel, Spitze;

'Ακρισία, ἡ, (κρίσις), Mangel an Ueberlegung, Unüberlegtheit, Unbeſonnenheit; ſchlechte Ueberlegung, ſchlechte Prüfung, ſchlecht getroffene Wahl, als ἀκ. περὶ τοὺς φίλους Lucian. Mangel an Entſcheidung, d. i. noch nicht entſchiedene Sache Polyb. ein Zuſtand, Lage, wo nichts genau geprüft, entſchieden, überlegt wird, Verwirrung, verb. mit ταραχὴ u. συγχύεσθαι Xenoph.

'Ακριτὶ, Adv. v. ἄκριτος, ohne Unterſuchung, ohne Wahl, ohne Ueberlegung; ohne Entſcheidung oder Verdammung, als ἀκ. ἀποκτεῖναι τινὰ, *indicta cauſa condemnare aliquem*; ohne Unterſcheidung, in Verwirrung, μετ' ἀκρισίας.

'Ακριτόβουλος, ον, d. i. ἄκριτος ἐν τῇ βουλῇ, unbeſonnen, unüberlegt. —τόμυθος, ὁ, ἡ, d. i. ἄκριτος ἐν τοῖς μύθοις, oder ἀκρίτως μυθολογούμενος, unbeſonnen, unüberlegt ſprechend, ein Schwätzer, πολυλόγος Suid. beym Hom. Il. 2, 246.

'Ακριτος, ὁ, ἡ, (κριτὸς), nicht gerichtet, d. i. nicht entſchieden; unentſchieden, ungewiſs, zweifelhaft; nicht beurtheilt, nicht überlegt, nicht geordnet; nicht zu entſcheiden, nicht beyzulegen, was nicht beygelegt, entſchieden werden kann; davon —τόφυλλος, ὁ, ἡ, (φύλλον), mit nicht zu unterſcheidenden Blättern, als ὄρος Hom. Il. 2, 868, ein dickbüſchichter Berg, daſs man das Laub einzelner Bäume nicht unterſcheiden kann. —τόφυρτος, ὁ, ἡ, (φύρω), ohne Wahl durch einander gemiſcht. —τόφωνος, ὁ, ἡ, mit nicht zu unterſcheidender od. undeutlicher Sprache, nach Heſych. βαρβαρόφωνος.

'Ακρίτως, Adv. ſ. v. a. ἀκριτί.

'Ακρόαμα, ατὸς, τὸ, (ἀκροάομαι), haben die Lat. in acroama beybehalten, das, was man hört, das, was man sich vorlesen oder vorspielen läſst, mithin, was man gerne hört, auch gerne sieht, Ohren-Augenschmauſs; der, der bey Tische vorlas, vorsang, vorspielte. —ματικὸς, ἡ, ὸν, was gehört werden kann, nur gehört wird, als διδασκαλίαι Plut. Lehren, die Schüler bey den Philosophen nur hörten, weil sie in Schriften nicht vorgetragen wurden, die er selbst durch ἐποπτικὰς erklärt, ἃς οὐκ ἐξέφερον εἰς πολλούς. —άομαι, ῶμαι, (von ἀκοάομαι, ἀκοράομαι bey Hesych. versetzt, ἀκροάομαι, s. κοέω), ich höre; höre zu; lerne, bin Schüler; ich gehorche. —ασις, εως, ἡ, das Hören, Gehör; das Zuhören, Anhören, wie *facere sibi audientiam* beym Cic. Or. 2, 80. Caton. 9, 6 sich das Anhören verschaffen, es machen, so reden, daſs man gehört wird, und man dem guten Rathe folgt; daher auch Befolgung, Folgsamkeit; das Vorlesen, als ἀκρόασιν ποιεῖσθαι; der Ort, wo, oder der Cirkel gelehrter Leute, denen man etwas vorlieſt, als beym Cic. ad Att 15, 17 *literas in acroasi legere*, u. eben so beym Plut., der es mit θέατρα verbindet. —ατήριον, ου, τὸ, ein Ort zum Hören, *auditorium*, Hörsaal. —ατὴς, οῦ, ὁ, Hörer, Zuhörer. —ατικὸς, ἡ, ὸν, zum Hören gehörig, als μισθὸς Plut. Hörlohn, Bezahlung fürs Zuhören, Collegiengeld.

'Ακροβάμων, ονος, ὁ, ἡ, (ἄκρος, βαίνω), auf den Zehen, oder gerade, aufrecht gehend. —οβαρέω, ἵνα μὴ ἀκροβαρῆσαν περινεύῃ Mathem. Vet. p. 28 damit sie nicht durch das Uebergewicht oben umschlage; v. ἄκρος, βάρος. —οβατέω, (βατέω v. βάτης, βάω, βαίνω), ich gehe auf den Zehen, stelle mich auf die Zehen; in die Höhe klettern. Polyaen. 4, 3, 23. —οβαφὴς, έος, ὁ, ἡ, (ἄκρος, βάπτω), am äuſſersten Ende, ganz oben eingetunkt. —οβελὴς, έος, ὁ, ἡ, (ἄκρος, βέλος), spitzig. —όβλαστος, ὁ, ἡ, oben an der Spitze blühend, βλαστὸν ἔχων ἐν ἄκρῳ. —οβολέω, ich bin ein ἀκροβόλος; wovon auch —οβολία, ἡ, das Schleudern, Werfen von ferne. —οβολίζω, u. ἀκροβολίζομαι, von ferne schleudern, werfen, und so den Feind necken und ihn zum Angrif reizen; davon —οβολὶς, ίδος, ἡ, spitziger, leichter Wurfspieſs. —οβόλισις, u. ἀκροβολισμὸς, das Schleudern, das Werfen aus der Ferne, mithin das Necken, Reizen zum Angrif. —οβολιστὴς, οῦ, ὁ, eben davon, u. ἀκροβόλος, (βάλλω, βολὴ), Schleuderer.

'Ακροβυστία, ἡ, Vorhaut, Nicht-Beschneidung; von —όβυστος, ὁ, ἡ, mit der Vorhaut, oder eigentlich den obern Theil, nämlich des männlichen Gliedes bedeckt, βυστὸς v. βύω u. ἄκρον, also unbeschnitten. Ein hellenistischer Ausdruck.

'Ακρογωνιαῖος, αία, αῖον, (γωνία), am äuſserſten Winkel, ganz unten, als λίθος, Grundstein. —οδακτύλιον, ου, τὸ, Fingerspitze. —όδετος, ὁ, ἡ, (δέω), am äuſserſten Ende, ganz oben gebunden. —οδίκαιος, τὸ ἀκροδίκαιον, *summum jus*, das strenge Recht. Clemens Strom. 2. p. 494. —όδρυον, τὸ, (ἄκρος, δρῦς), heiſst bey den Attikern jeder Fruchtbaum. Xenoph. Oecon. 19. Φυτὰ ἀκροδρύων γενναίων ἐμβεβλημένα Demosth. p. 1251 ächtgemachte Pflanzen von Fruchtbäumen; 2) die Früchte mit hölzerner Schaale, Nüsse, Kastanien und dergl. Geoponica 10, 74. —όζεστος, ὁ, ἡ, (ζεστὸς), oben (nur oben, nicht durch und durch) warm gemacht od. gekocht. —οθιγγάνω, nur das Obere, d. i. leicht berühren; davon —οθιγῶς, obenhin oder leicht berührt, d. i. ein wenig, als ἐμβάπτω, nur mit den Fingerspitzen, nur wenig eintauchen; u. so auch zu βλέπω. —οθινιάζω, den obern Theil eines Haufens berühren; etwas davon wegnehmen und es als Erstlinge den Göttern weihen, opfern; daher überhaupt etwas irgendwo wegnehmen oder auswählen, und in med. für sich auswählen. Eurip. Herc. 476. von —οθίνιον, τὸ, ἀκροθίνια, τὰ, heiſsen die Erstlinge der Feldfrüchte, welche zuerst u. vom oberſten Haufen (ἄκρον, θὶν u. θινὸς) weggenommen und den Göttern dargebracht werden; hernach das, was von der Beute den Göttern dargebracht wird, als Opferthiere, Geschenke in den Tempeln; Pindar nennt Olymp. 2 die von der Beute errichteten Spiele zu Olympia ἀκρόθινα πολέμου v. 7. Daraus sieht man, daſs ἀκροθίνια vom Adj. ἀκροθίνιος von ἀκρόθις oder ἀκρόθινος sind, wie ἀκρόλειον vom ἀκρόλειος.

'Ακροθώραξ, ακος, ὁ, ἡ, (θωρήσσω), nur obenhin, leicht betrunken. Arist. —όκαρπος, ὁ, ἡ, mit obern Früchten, (ein Baum), der seine Früchte oben hat, als φοῖνιξ beym Theophr. —οκελαινιάω, ῶ, (κελαινὸς), auf der Oberfläche sich schwärzen, vom aufschwellenden Fluſse Hom. Il. 21, 249. —οκέραια, ων, τὰ, eigentl. die Spitzen der Hörner, d. i. die Enden oder Spitzen der Segelstangen, wie *cornua antennarum* beym Virg. Aen. 3, 549. —οκιόνιον, ου, τὸ, (κίων), die Spitze der Säule. —οκνέφαιος, ὁ, ἡ, oder ἀκροκνεφὴς, mit Anfange der Dämmerung, κνέφας, Abends oder Morgens.

Ἀκρόκομος, ὁ, ἡ, bey Homer ein Beyw. der Thrazier, welche am äuſserſten Kopfe, verm. nur auf dem Wirbel, Haare trugen; überh. an der Spitze behaart oder belaubt. —**οκόρυφος**, ον, (κορυφὴ), mit hohem, oder auf hohem Gipfel, das Höchſte. —**οκυματόω**, ῶ, ὁλκάδα ἀκροκυματοῦσαν bey Lucian. Lexiph. ein ſchlechter Ausdruck für: auf den äuſserſten Wellen ſchwebend oder laufend. —**οκωλία**, ἡ, d. i. ἄκρον τῶν κώλων, das Aeuſſerſte, die Spitze der Glieder, wo dieſe (die Schultern) ſich mit dem Nacken verbinden, nach Pollux ἀκρωμία, ἐπωμὶς. —**όλειον**, ου, τὸ, (λεία), das Oberſte, die Erſtlinge von einem Haufen Beute; die davon den Göttern geweiheten Theile, von ἀκρόλειος. Vergl. ἀκροθίνια. —**όλιθος**, ὁ, ἡ, das Oberſte eines Steins. Vitruv. 2, 8. *ſtatua coloſſi, quam ἀκρόλιθον dicunt.* —**ολίνιον**, das Aeuſserſte, der Saum eines Kleides. —**όλινος**, ὁ, ἡ, Oppian. Cyn. 4, 383 am äuſserſten Netze geſtellt. —**ολίπαρος**, ὁ, ἡ, oben, auf der Oberfläche fett. —**ολογέω**, Aehren leſen, abpflücken, *ſummas ſpicas carpo.* —**ολόγος**, ὁ, ἡ, das Oberſte ableſend, abpflückend, wegnehmend, als μέλισσα, die aus dem Kelch der Blumen ſaugt. —**ολοφία**, ἡ, (λόφος), hoher Hügel, gebirgige Gegend. —**ολοφίτης**, ου, ὁ, der gebirgige Gegenden bewohnt. —**όλοφος**, ὁ, ſ. v. a. ἀκρολοφία bey Opp. Cyn. 1, 418 adj. πρῶνες ἀκρόλοφοι, hohe Felſen. —**ολυτέω**, (ἄκρος, λύω), ich knüpfle um aufzulöſen. Anthol. —**όμαλλος**, ὁ, ἡ, (μαλλὸς), kurzhaarig, ἐρέα Strabo 4 B. —**ομανής**, έος, ὁ, ἡ, (μανία, μαίνομαι), ganz raſend. —**ομάσθιον**, τὸ, Spitze von der Bruſtwarze. —**ομέθυσας**, (μεθύω), ganz trunken. —**ομόλιβδος**, (μόλιβδος), mit einem Bley am äuſserſten Ende, Rande, wie λίνον, das Netz. —**ομφάλιον**, ου, τὸ, oder ἀκρόμφαλον, (ὀμφαλὸς), die Mitte des Nabels.

Ἄκρον, ου, τὸ, das Letzte, Höchſte, Aeuſſerſte, Anhöhe, Gipfel, Saum. Das neutr. v. ἄκρος. —**όνηον**, τὸ, Spitze, Ende des Schiffs, ναῦς. —**ονύκτιον**, ου, τὸ, (νὺξ), das Aeuſſerſte, das Eiſte, der Anfang der Nacht. Das neutr. von —**όνυκτος**, ὁ, ἡ, ſ. v. a. ἀκρόνυχος aber zweif. —**όνυξ**, κτος, ἡ, bey Suidas zweif. ſ. v. a. ἀκρονύκτιον. —**όνυχος**, ὁ, ἡ, am Anfange der Nacht, am Abend, v. ἄκρος, νὺξ. —**οπαγής**, έος, ὁ, ἡ, (πηγνύω), oben, am äuſserſten Theile befeſtigt; oder durchbohrt. —**όπαθος**, ὁ, ἡ, (πάθος, παθέω), oben, leidend, am obern, äuſſerſten Theile beſchädigt. —**όπαστος**, ὁ, ἡ, (πάσσω), oben beſtreut, vorz. mit Salz, alſo leicht geſalzen. —**οπενθής**, ές, (πένθος), äuſſerſt traurig. —**όπηλος**, ὁ, ἡ, (πηλὸς), oben lehmig, kothig, unten hart. Polyb. —**οποδητὶ**, oder ἀκροποδιτὶ, Adv. auf der Spitze des Fuſses, auf den Zehen ſtehend, gehend. —**όπολις**, εως, ἡ, die hohe Stadt, Burg, Feſtung, ἄκρα πόλις. —**όπολος**, ὁ, ἡ, (πόλος), mit hohem Gipfel, vom Berge Hom. Od. 19, 205. —**όπορος**, ὁ, ἡ, d. i. κατὰ τὸ ἄκρον πείρων, oben durchſpieſsend, vom Bratſpieſs Hom. Od. 3, 463. —**οπόρφυρος**, ὁ, ἡ, mit Purpur verbrämt, πορφύραν ἔχων ἐν ἄκρῳ. —**οποσθία**, ἡ, od. ἀκροπόσθιον, äuſſerſte Vorhaut. Denn πόσθη iſt nach Pollux die Vorhaut. —**όπρωρον**, ου, τὸ, d. i. ἄκρα πρώρα, das Aeuſſerſte am Vordertheile des Schiffes. —**όῤῥιζος**, ὁ, ἡ, (ῥίζα), oben, nicht in die Tiefe Wurzeln treibend. —**οῤῥίνιον**, ου, τὸ, (ῥὶν), der obere Theil der Naſe. —**οῤῥύμιον**, ου, τὸ, die vordere Deichſel; die Spitze derſelben.

Ἄκρος, ρα, ρον, (ἀκὴ, ἀκερὸς), ſpitzig, ſcharf, was auf der Spitze d. i. zu äuſſerſt, am höchſten iſt, alſo der höchſte, äuſſerſte, *ſummus*, ποιητὴς ein vollkommener Dichter. —**οσαπὴς**, έος, ὁ, ἡ, (σήπω), oben, oder an den äuſserſten Theilen faulend. —**όσοφος**, ὁ, ἡ, hochweiſe. —**οσπάθια**, ων, τὰ, die Seitenweichen (die äuſserſten Ribben, σπάθαι). —**οστήθιον**, τὸ, (στῆθος), die obere Bruſt. —**οστιχὶς**, ίδος, ἡ, oder ἀκρόστιχον, (στίχος), der Anfang eines Verſes; ein Gedicht, aus deſſen Anfangsbuchſtaben bey einzelnen Verſen man einzelne Wörter und ganze Gedanken zuſammenſetzen kann, als 34 Verſe der Sibylla, die Euſebius aufführt, deren Anfangsbuchſtaben folgende Worte bilden: Ἰησοῦς χρειστὸς (ſt. χριστὸς), θεοῦ υἱὸς, σωτὴρ, σταυρὸς. Cicero Divin. 2, 54. Dionyſ. Antiq. 4, 62. Eben ſo heiſst παραστιχὶς die Aufſchrift vom Namen des Verfaſſers eines Buchs, Diog. Laert. 5, 93. u. 8, 78. Gellius 14, 6. Sueton. Gramm. 6. —**οστόλιον**, τὸ, der vordere Theil des Schiffes, und die dabey angebrachten Verzierungen. —**οστόμιον**, τὸ, nach Heſych. ſ. v. a. ἀκροφύσιον. —**οσφαλὴς**, ὁ, ἡ, (σφάλλομαι, ἄκρος), der zum fallen geneigt iſt, πρὸς ὑγίειαν Plato Resp. 3 p. 298 deſſen Geſundheit leicht wankt; 2) das leicht zum fallen bringt, ſchlüpfrig, gefährlich, ſteil. —**οσφύριος**, ὁ, ἡ, davon ἀκροσφύριον Pollux 7, 94. verſt. ὑπόδημα, eine Art von Weiberſchuh, die bis an die Knöchel σφυρὸν gieng; Heſych. hat dafür ἀκρόσφυρον wie ἀμφίσφυρον. —**οσχιδὴς**, έος, ὁ, ἡ, (σχίζω), ganz oben oder unten geſpalten, getheilt. —**οτελεύτιον**, τὸ, (τελευτὴ), das äuſserſte Ende; Ende, Schluſs einer Schrift, eines Briefes. Thucyd. 2, 35.

'Ακρότης, ητος, ἡ, s. v. a. τὸ ἄκρον.

'Ακρότης, ου, ὁ, στρατοῦ ἀκρόται Aeschyl. Pers. 997 s. v. a. ἄκροι. wo vorher ἀγρόται stand.

'Ακρότητος, ὁ, ἡ, (κρότος), nicht geschlagen; nicht zusammengeschlagen, nicht zu einander klingend, als κύμβαλα Athen.

'Ακροτομέω, oben abschneiden, τὰ ἄκρα τέμνω. —ότομος, ὁ, ἡ, oben abgeschnitten; vom Felsen, schroff, σκληρὸς, ἄτμητος nach Suid. —οτόμος, ὁ, ἡ, act. spitz abschneidend (τὰ ἄκρα τέμνων), sehr scharf. —ότονος, ὁ, ἡ, (τείνω), oben ausgespannt; act. seine äussersten Glieder, Arme, Hände ausbreitend.

'Ακροτος, ὁ, ἡ, (κρότος), ohne Klatschen, nicht beklatscht.

'Ακρουρανία, ἡ, d. i. τὸ ἄκρον τοῦ οὐρανοῦ; ein schlechter Ausdruck von Luzians Lexiphanes. —οφανής, έος, ὁ, ἡ, (φαίνομαι), ein Beywort der ἠώς beym Nonnus, die oben, auf dem Gipfel der Berge, oder zuerst scheinende, strahlende Morgenröthe. —οφυής, έος, ὁ, ἡ, (φύω), oben, auf dem Gipfel wachsend; von hoher Geburt, edler Denkungsart, guter Anlage, als ἵππος ἀκροφυέστατος εἰς πᾶσαν ἀρετὴν Synes. Epist. 40. —οφύλαξ, ακος, ὁ, Schlosswächter, Festungscommandant. —όφυλλος, ὁ, ἡ, (φύλλον), oben mit Blättern, was oben Blätter hat. —οφύσιον, τὸ, (φῦσα), der äusserste Theil des Blasebalges, der im Feuer liegt. —όχαλις, u. ἀκροχάλιξ, ὁ, ἡ, s. v. a. ἀκροθώραξ, etwas betrunken, oder äusserst trunken. —οχανής, έος, ὁ, ἡ, (χαίνω), mit weitem, tiefem Schlunde. —όχειρ, ρος, ἡ, der Vorderarm, die Hand vom Ellbogen bis zu den Fingern; davon —οχειρία, ἡ. S. ἀκροχείρισις. —οχειρίζομαι, mit dem Vorderarm od. der Hand sich bewegen, auch eine Art von Wettkampf; davon —οχειρίζω, Aristaenet. 1 Ep. 4 ἀκροχειρίζουσα τὸν κόλπον, was er 1 ep. 15 umschreibt: τῆς ἀμπεχόνης ἄκροις δακτύλοις ἐφαπτομένη τῶν κροσσῶν. —οχείρισις, εως, ἡ, od. ἀκροχειρισμὸς, ὁ, oder ἀκροχειρία, das Bewegen des Vorderarms, der Wettkampf, wobey man diese Bewegung machte. —οχειριστής, ὁ, einer, der den ἀκροχειρισμὸς treibt, übt. —οχηνίσκοι, ων, οἱ, (χηνίσκος, ἄκρος), die Enden von der ζευγλη am Joche. —οχλίαρος, ὁ, ἡ, Adv. ἀκροχλιάρως, oben durchhitzt, oben heiss. —οχολέω, ich bin jähzornig, ἄκρος, χόλος. —οχολία u. ἀκρόχολος. S. ἀκραχολία u. ἀκράχολος. —οχορδονώδης, ῶδες, warzig, voll Warzen; von —οχορδών, όνος, ἡ, Warze, mit kurzem Stiele, von χορδὴ, ἄκρος. Dioscor. 4. 194. —όψιλος, ὁ, ἡ, oben nackt und blos. —όψωλος, ὁ, ἡ, s. ψωλός.

'Ακρυπτος, ὁ, ἡ, unbedeckt.

'Ακρύσταλλος, ὁ, ἡ, (κρύσταλλος), ohne Eis, nicht beeist.

'Ακρωβελία, ἡ, (ὀβελίας), Rinde von am ὀβελὸς gebackenem oder geröstetem Brode. —ωλένιον, τὸ, (ὠλένη), der untere Ellbogen. —ωμία, ἡ, (ὦμος), oder ἀκρώμιον, die obern Arme, Schultern; am Pferde der Wiederross.

'Ακρων, ωνος, ὁ, das äusserste Glied. s. v. a. ἀκρωτήριον, als χοίρειος, der Schinken. Hippiatr. *trunculus* bey Celsus. *acrosuillus* bey Vegetius Mulomedic. —ωνία, ἡ, Verstümmelung der äussersten Glieder, als der Nase, des Mundes, beym Aeschyl. Eum. 188, sonst ἀκρωτηριασμὸς; obgleich Hesych. ἀκρωνία durch ἄθροισμα, παράστασις, πλῆθος, so wie Herodian beym Etymol. erklärt, welche Deutung der Scholiast bey dem folgenden λευσμὸς anbringt. —ώνυξ, υχος, ὁ, oder ἀκρώνυχος, (ὄνυξ), mit den Zehenspitzen oder Nägeln gemacht, als ἴχνη, ποδῶν ἀκρώνυχα u. τοῖς ἐμπροσθίοις ποσὶν ἀκρωνύχους ἐπιψαύειν, dass sie die Erde nur mit den Hufen der Vorderfüsse berührten. Plut. Eum. 11. —ώρεια, ἡ, d. i. τὸ ἄκρον τοῦ ὄρους, die Spitze, der Gipfel des Berges; Bergspitze Philostr. Icon. 2, 17.

'Ακρως, Adv. v. ἄκρος, äusserst, höchst. —ωτηριάζω, f. άσω, (ἀκρωτήριον), das Aeusserste, die äussersten Theile, Glieder wegnehmen, abschneiden, also vom Körper Hände oder Füsse, vom Schiffe den Vorder- oder Hintertheil; im allg. verringern, als ein Heer; davon —ωτηρίασις, εως, ἡ, oder ἀκρωτηριασμὸς, das Abschneiden eines äussersten Theils, Gliedes; davon —ωτηρίασμα, τὸ, der abgeschnittene, abgenommene Theil oder Glied. —ωτήριον, τὸ, der äusserste, hervorstehende Theil, von ἄκρος, ἀκρόω, ἀκρωτὴς, eines Berges, also Vorgebirge; des Schiffs, also Schiffsschnabel, *rostrum*; des menschlichen Körpers, also Hände und Füsse u. dergl. Denn was Thucyd. vorher ἀκρωτήρια nennt, erklärt er gleich darauf selbst durch ἄκρας χεῖρας u. ἄκρους πόδας, Finger und Zehen.

'Ακτάζω, ειν, (ἀκτὴ, Ufer), am Ufer (im Kühlen) schmausen, fröhlich seyn; w. d. Lateiner *in actis esse, convivari.* Clavis Ciceron. Plutarch. Q. S. 4, 4. Philodemi Epigr. 30.

'Ακτάζω, ειν, (von ἀΐσσω, ἀΐττω, ἀΐξω, davon ἀΐξ u. ἀικὴ), sich mit Heftigkeit, Leichtigkeit, Schnelligkeit bewegen, erheben, (μετεωρίζειν), losbrechen, losgehn, *impetum capere, ruere, irruere*;

nur bey Hesychius, der ἀκτάζων durch προθυμούμενος, προαιρούμενος ὁρμῆς πληρῶν, μετεωρίζων erklärt; gebräuchlicher ist ἀκταίνω.

Ἀκταία, ἡ, Hollunderbaum.

Ἀκταίνω, ειν, s. v. a. ἀκτάζω, sich heftig, schnell bewegen, erheben, springen; voll Begierden, vorzüglich wollüstiger, seyn; drückt auch überhaupt die Kraft, Stärke des Körpers aus, also ἰσχύειν. Beym Homer Odyss. 23. v. 3 γούνατα δ' ἐῤῥώσαντο πόδες δ' ὑποακταίνοντο, wo jetzt ὑπερικταίνοντο steht, erklärt es Hesychius ἔτρεμον; es bedeutet aber, sich schnell, heftig bewegen, wie ἀΐσσεσθαι. Ein muthiges, rasches Pferd, das sich lebhaft bewegt, wirft; springt, ἀκταίνει; ein müthwillig, ungestüm springender Mensch ἀκταίνει, Plato. ἀκταίνειν βάσιν, Kraft in den Fußen haben zum gehn, Aeschylus.

Ἀκταῖος, αία, αῖον, (ἀκτή), am Ufer gelegen, dazu gehörig. —**αιωρέω**, ich bin ein ἀκταίωρος; oder ἀκτωρέω. —**αίωρος**, ὁ, ἡ, (οὖρος), Uferwächter oder ἄκτωρος von ἀκτή oder ἀκταία.

Ἀκτέανος, ὁ, ἡ, (κτέανον), ohne Besitz, ohne Güter, arm, dürftig.

Ἀκτένιστος, ὁ, ἡ, (κτενίζω), ungekämmt.

Ἀκτερέϊστος, ὁ, ἡ, oder ἀκτέριστος, (κτερίζω), nicht feyerlich beerdigt.

Ἀκτή, ἡ, Ufer, Gestade, weil daran sich die Wellen brechen; ἄγεσθαι, daher auch ῥηγμὶν genannt; 2) Δημήτερος ἀκτὴ beym Hesiod. Ἐργ. 32, 466. Scut. 290 wie bey Homer ἀλφίτου ἀκτὴ ἱεροῦ u. ἔδοι δημήτερος ἀκτὴν legen viele von dem auf der Mühle gebrochenen, ἄγω, und geschrotenen Mehle aus; aber da Homer an einer andern Stelle μυληφάτου ἀλφίτου ἀκτὴν verbindet: so muss man eine andre Bedeutung annehmen. Die Alten erklärten also ἀκτὴν für δωρεὰν, Geschenk. Hesiod. versteht das Saatkorn; 3) bedeutet ἀκτή, ἀκτέα u. ἀκτὶς, *sambucus*, Hollunder, Flieder.

Ἀκτημοσύνη, ἡ, oder ἀκτησία (κτῆσις), Armuth, Dürftigkeit; von —**ήμων**, ονος, ὁ, ἡ, (κτῆμα), ohne Besitz, ohne Güter, arm, dürftig.

Ἀκτητος, ὁ, ἡ, (κτάομαι), nicht zu erwerben; nicht erworben.

Ἀκτὶν, ῖνος, ἡ, Strahl, als der Sonne, des Lichts, des Blitzes; und was sich sonst wie Strahlen aus einem Mittelpunkte ausbreitet. —ινηδὸν, Adv. strahlenartig. —**ινοβολέω**, ich bin ἀκτινοβόλος, werfe Strahlen; pass. bestrahlt werden. —**ινοβολία**, ἡ, das Strahlenwerfen, von —**ινοβόλος**, ὁ, ἡ, d. i. ἀκτῖνας βάλλων, Strahlen werfend. —**ινογραφία**, ἡ, Vitruv führt unter diesem Titel ein Buch des Demokritus von den Strahlen des Lichts an. —**ινοειδής**, έος, ὁ, ἡ, (εἶδος), strahlend, strahlenartig. —**ινοφόρος**, ὁ, ἡ, (φέρω), Strahlen tragend, umstrahlt. —**ινωτός**, ἡ, ὸν, mit Strahlen versehen (wo ἀκτινόω zum Grunde liegt), strahlend.

Ἄκτιος, ὁ, ἡ, (ἀκτή), am Ufer gelegen, dazu gehörig; mit od. bey θεὸς, Schutzpatron des Ufers, als Pan beym Theocr.

Ἀκτὶς, ῖνος, ἡ, s. v. a. ἀκτὶν.

Ἄκτιστος, ὁ, ἡ, (κτίζω), nicht geschaffen.

Ἀκτίτης, ου, ὁ, (ἀκτή), Ufermann, einer, der sich am Ufer aufhält.

Ἄκτιτος, ὁ, ἡ, (κτίζω), nicht gebauet, Hom. hymn. 3, 123.

Ἄκτωρ, ορος, ὁ, (ἄγω), Führer; nach Hesych. auch ἱμὰς, σχοινίον, Seil, Strick, Leitseil. —**ωρέω**, ἄκτωρος. S. ἀκταιωρέω, ἀκταίωρος.

Ἀκυβέρνητος, ὁ, ἡ, (κυβερνάω), nicht gesteuert, ohne Steuermann.

Ἀκύβευτος, ὁ, ἡ, (κυβεύω), der nichts wagt, gesetzt, überlegend. Antonin. 1. 8.

Ἀκύθηρος, ὁ, ἡ, ohne Reiz, keine Liebe einflossend, v. κυθήρη, wie *invenustus* v. *Venus*, von Menschen und Sachen, als einer plumpen, nicht feinen, nicht witzigen Rede beym Cic. ad Div. 7, 32. 4.

Ἄκυθος, ἡ, s. ἄκυτος.

Ἀκύλη, ἡ, ἀκυλαίων διογνήτων *Jovis ilicis*, Porphyr. Euseb. Praep. 4, 20. s. v. a. ἄκυλος.

Ἀκύλιστος, ὁ, ἡ, (κυλίω), nicht fortzuwälzen, nicht fortzubringen, unbeweglich, feststehend; auch tropisch, als κραδίη (καρδία) beym Hom.

Ἄκυλος, ἡ, Eichel der Art, welche πρῖνος u. *ilex* heisst.

Ἀκύμαντος, ὁ, ἡ, (κυμαίνω), Adv. ἀκυμάντως, oder ἀκύμαστος, ἀκύμων, nicht befluthet, ohne Fluth (κῦμα), nicht bestürmt, nicht von den Fluthen hin und hergeworfen, ruhig, still; auch s. v. a. ἄκυθος, ohne Gebahren (κύω), unfruchtbar.

Ἀκυρία, ἡ, beym Hermogenes Uneigentlichkeit, uneigentlicher Gebrauch eines Worts. —**ρίευτος**, ὁ, ἡ, (κυριεύω), nicht beherrscht, ohne Oberherrn; nicht zu beherrschen, keinen Herrn duldend.

Ἀκυρολογέω, ich bin ein ἀκυρολόγος, spreche uneigentlich, im grammatischen Sinne. —**λογία**, ἡ, uneigentlicher Ausdruck, uneigentliche Redensart. —**λόγος**, ὁ, ἡ, d. i. ἀκύρως λέγων, uneigentlich, in uneigentlichen, abgekommenen Redensarten sprechend. Adv. ἀκυρολόγως.

Ἄκυρος, ὁ, ἡ, (κῦρος), ohne Gültigkeit, ohne gültiges Recht, nicht geltend, nicht mehr geltend, abgeschafft, als ἄκυρον ποιεῖν. Vom Menschen gebraucht, im

Gegenſ. v. κύριος, kein Recht auf etwas habend, nicht Herr über etwas ſeyn. ἀκύρους ὄντας ὑμῶν, die keine Gewalt, Macht über euch haben. Demoſth. Von Wörtern gebraucht ſ. v. a. uneigentlich, *improprium*, Quintil. 8, 2. nicht paſſend, unſchicklich gebraucht. Cic. ad Div. 16, 17. 1.

'Ακυρόω, ῶ, f. ώσω, ſ. v. a. ἄκυρον ποιέω, ungültig machen, abſchaffen; davon —ρωσις, εως, ἡ, Abſchaffung, Vernichtung. —ρωτος, ον, (ἀκυρόω), abgeſchafft, vernichtet.

'Ακυτήριον, τὸ, verſt. φάρμακον, Abtreibungsmittel; von —τος, ὁ, ἡ, unfruchtbar, bey Callim. auch ἄκυθος von κύω.

'Ακωδώνιστος, ὁ, ἡ, nicht geprüft, nicht erprobt. S. κωδωνίζω.

'Ακωκὴ, ἡ, das verdoppelte ἀκή.

'Ακώλιστος, ον, (κῶλον), eines Gliedes beraubt, gleichſam v. ἀκωλίζω, d. i. ποιέω ἄκωλον. —λος, ὁ, ἡ, περίοδος bey Dionyſ. nicht in Kola getheilt.

'Ακώλυτος, ὁ, ἡ, (κωλύω), Adv. ἀκολύτως, ungehindert, frey.

'Ακωμῴδητος, (κωμῳδέω), nicht in der Komödie verſpottet, od. überh. nicht verlacht.

'Ακων, οντος, ὁ, Wurfſpieſs, wovon das diminut. ἀκόντιον iſt; v. ἀκὴ, Spitze.

'Ακων, οντος, ὁ, ἄκουσα, ης, ἡ, ἄκον, τὸ, (ἑκὼν), ſt. ἀέκων, nicht gern, nicht willig, gezwungen.

'Ακωνος, ὁ, ἡ, ohne Spitze, als πῖλος beym Joſeph. ein Hut ohne Spitze, ohne Erhöhung eines Helmes.

'Ακωπος, ὁ, ἡ, (κώπη), ohne Ruder, Griff, Handhabe.

'Αλαβαρχέω, ich bin ein ἀλαβάρχης. —βάρχης, u. ἀλάβαρχος, ὁ, leitet Cujacius obſ. 8, 37 von ἄλαβα her (nach Heſych. b. den Cypriern Tinte, μέλαν, ᾧ γράφομεν), alſo eigentl. ein Schreiber, u. ſpeciell ein Zollſchreiber, Zolleinnehmer, (man vergl. das lat. *ſcriptura*, *magiſter in ſcriptura*), od. eigentl. derjenige, der die Pacht von den Triften einnimmt. Und weil ſich in alten Zeiten, als noch bey den Römern nach Plinius Zeugniſs ihre einzigen Staatseinnahmen in den Abgaben v. den Triften beſtanden, die Pächter einſchreiben laſſen muſsten; ſo hieſsen daher die Abgaben dafür *ſcriptura*, welche Benennung aber hernach allen neuen nach u. nach aufkommenden Abgaben blieb. Daher nennt Cicero ad Att. 2, 17 den Pompejus *alabarches*, weil dieſer die Zölle des Röm. Volks ſo ſehr vermehrt haben wollte. —βαρχία, ἡ, das Amt, die Würde eines Alabarchen.

'Αλάβαστος, ſ. v. a. ἀλάβαστρος. —βάστριον, τὸ, diminut. von ἀλάβαστρον. —βαστρίτης, ου, ὁ, verſt. λίθος, fem. ἀλαβαστρῖτις, ιδος, Alabaſter. —βαστροθήκη, ἡ, (θήκη), ein Behältniſs, eine Kapſel für Salbenbüchschen; v. —βαστρον, ου, τὸ, od. ἀλάβαστρος, Alabaſter; ein aus Alabaſter gemachtes Salbenbüchschen. —βαστροφόρος, ὁ, ἡ, d. i. τὰς ἀλαβάστρους φέρων, Aeſchyl.

'Αλαβὴς, έος, ὁ, ἡ, (λαβὴ), nicht anzugreifen, nicht zu faſſen, nicht zu halten.

"Αλαδε, Adv. d. i. εἰς ἅλα, ins Meer.

'Αλαδρόμος, ον, (δρέμω; δρόμος), auf dem Meere laufend, ſich ſtets auf dem Meere aufhaltend, als ein Kaufmann.

'Αλαζονεία, ἡ, der Charakter, das Betragen eines ἀλαζὼν, Prahlerey, Aufſchneiderey, Stolz, Anmaſsung. —ζόνευμα, ατος, τὸ, das Prahlen, prahleriſche Reden, prahleriſches Thun v. —ζονεύομαι, f. εύσομαι, ich mache mich zu einem ἀλαζὼν, d. i. ich betrage, zeige mich als einen Prahler, prahle, brüſte mich, ſchneide auf. Xen. Mem. 1, 7. 5. —ζονικὸς, ἡ, ὸν, Adv. ἀλαζονικῶς, geſchickter ἀλαζὼν, prahleriſch, gewöhnlich prahlend, als Xenoph. Mem. 1, 2. 5. —ζονοχαυνοφλύαρος, ὁ, (χαῦνος, φλύαρος), ein komiſcher Ausdruck des Archeſtratus b. Athenaeus, ein feiger Wäſcher u. Prahler. —ζὼν, όνος, ὁ, ἡ, eigentl. ein Herumzieher, von ἄλη, ἀλάω, ἀλάζω, der vom Herumziehen, Hauſiren Lebende; daher ein Aufſchneider, Betrüger, Prahler, wie ein ſolcher Marktſchreyer. M. vergl. ἀγύρτης, ἀγυρτάζω. M. ſ. Xenoph. Cyr. 2, 2. 12. u. Ariſtot. ad Nic. 4. 7. Theophr. char. 23. überh. prächtig, prahleriſch; πομπὴ πολυτελὴς καὶ ἀλαζὼν Dionyſ. Antiq.

'Αλάθητος, ὁ, ἡ, (λαθέω), nicht zu verbergen; nicht zu vergeſſen; nicht zu hintergehen, als τὸ θεῖον ἀλαθ. Aeſop. 16, 5.

'Αλαίνω, eine andere Form von ἀλάομαι, ſ. ἀλεύω.

'Αλαῖος, αἷα, αῖον, ſ. v. a. ἀλαὸς; Galen. hat aus Hipp. ἀλαιὴ φθίσις angemerkt.

'Αλαλὰ, od. ἀλαλὴ, ein Kriegsgeſchrey beym Angriff, ein Huſſarufen; überh. Geſchrey, Jauchzen. Eur. Hel. 1360. —λαγὴ, ἡ, u. ἀλάλαγμα, ατος, τὸ, o. ἀλαλαγμὸς, ein frohes Kriegsgeſchrey; von —λάζω, f. άξω, ein ἀλαλὰ rufen, ein frohes Kriegsgeſchrey erheben u. ſich dadurch zur Schlacht ermuntern, Xen. Cyr. 3, 2. 9. Anab. 5, 2. 11. 4, 2. 5. Auch von jedem andern unharmoniſchen Getöſe, als 1 Cor. 13, 1; vom Gewinſel u. Geheule durch einander Marc. 5, 38.

'Αλάλημι, ἀλάλημαι von u. ſ. v. a. ἀλάω, ἄλημι, ἄλημαι, ἀλάομαι, ich irre herum.

'Αλαλητὸς, ὁ, ſ. v. a. ἀλάλαγμα, Hom. Il. 4, 436. 18, 149. Klagegeſchrey Quint. Smyrn. 1, 311. —λητος, ὁ, ἡ, unausſprechlich, unausgeſprochen, ungeredet.

'Αλαλκέω, oder ἀλάλκω, v. ἀλξ, ἀλκὸς, ἄλκω, ἀλκέω, abwehren, vertheidigen, helfen. —**κομενηῒς**, ίδος, ἡ, ein Beywort der Athene beym Hom. Il. 4, 8. 5, 908 d. i. ἀλάλκουσα μετὰ μένους, muthige Helferin, tapfere Streiterin; nach dem Ariſtarch aber, der jene Ableitung verwirft u. meint, ſie müſste dann ἀλαλκηῒς heiſsen, leitet es von Alalcomenus, einem Böotiſchen Heros ab. M. vergl. 'Αδράστεια.

'Αλαλκτήριον, τὸ, (ἀλκτὴρ), Hülfsmittel, Heilmittel.

'Αλάλκω, durch Verdoppelung von ἄλκω, ἀλκέω.

'Αλαλος, ὁ, ἡ, d. i. οὐ λαλῶν, nicht ſprechend, ſtumm.

'Αλάλυγξ, ἡ, Nicand. Alex. 18 λυγμὸς, Schlucken, nach andern aber ἀμηχανία, Angſt; davon —**λύκτημαι**, weiſe mich unruhig herum, bin äuſſerſt unruhig, beſorgt, bekümmert, v. ἄλη, ἀλάω, ἀλύω, ἀλύσσω, ἀλύξω, dav. ἀλυκτέω, ἀλύκτημι, ἀλαλύκτημι. Hom. Il. 10, 94. S. ἀλύκη.

'Αλάμπετος, ὁ, ἡ, od. ἀλαμπὴς, (λάμπω), ohne Glanz, nicht glänzend, nicht ſchimmernd, dunkel. Das kommt nur in Hom. hymn. 33, 5 vor u. Wolf hat ſtatt deſſen Pierſon's Lesart „μελάντατος (ἀὴρ, aër nigerrimus) aufgenommen.

'Αλάομαι, ῶμαι, herumſchweifen; tropiſch, ungewiſs ſeyn, nicht wiſſen, Sophocl. Ajac. 23. nach dem Schol. τῷ νῷ πλανᾶσθαι.

'Αλαὸς, ὁ, ἡ, blind, v. λάω ſ. v. a. λεύσσω; dav. —**οσκοπία**, ἡ, jon. ἀλαοσκοπίη, blinde Wache, d. i. unachtſame, fruchtloſe Wache. Hom. Il. 10, 515. 13, 10. —**οτόκος**, ὁ, ἡ, d. i. τίκτων ἀλαοὺς, blinde Junge werfend. —**όω**, ῶ, f. ώσω, blenden, blind machen. Hom. ſetzt ὀφθαλμοῦ dazu.

'Αλαπαδνὸς, ή, ὸν, leicht zu bezwingen, leicht zu erobern, von Menſchen u. Städten, v. ἀλαπάζω. —**παδνοσύνη**, ἡ, Quint. Smyrn. 7, 12. Schwäche, Unvermögen.

'Αλαπάζω, f. άξω, (λαπαρὸς), leer machen, κενόω, z. B. eine Stadt, ein Haus, d. i. wie wir da ſagen, aufräumen; plündern, zerſtören; erlegen, bezwingen, φάλαγγας νέων. Iſt mit λαπάζω einerley, welches Aeſchyl. Sept. 533 u. 458 in demſelben Sinne braucht. πάσας ἐκ κραδίας ἀνίας ἀλαπάζει bey Athenae. 2 p. 37 vertreibt.

'Αλας, ατος, τὸ, (ἅλς), Salz.

'Αλασταίνω, oder ἀλαστέω, d. i. δεινοπαθέω ὡς ἐπὶ ἀλάστοις πάθεσι, leiden, dulden; unwillig werden u. klagen.

'Αλαστορία, ἡ, (ἀλάστωρ), Plagerin, v. plagendem Gewiſſen; bey Joſeph. Antiq. zweif. —**στορος**, ὁ, ἡ, Soph. Antig. 974. ἀλαστόροισιν ὀμμάτων κύκλοις ſt. τοῖς τοῦ ἀλάστορος (v. ἀλάστωρ), des Frevlers, der die Sündenſchuld trug; darauf bezieht ſich 972 ἀρατὸν ἕλκος. Eurip. Hec. 939.

'Αλαστος, ὁ, ἡ, d. i. ἄληστος v. λήθω, nicht zu vergeſſen, was man nicht vergeſſen kann; unerträglich, höchſt läſtig, Hom. Il. 22, 261.

'Αλάστωρ, ορος, ὁ, nach der gewöhnlichen Ableitung ὁ ἄληστα καὶ πολὺν χρόνον μνημονευθησόμενα δεδρακὼς, abſcheulicher Verbrecher; δαίμων ἀλ. iſt ein rächender Plagegeiſt, Furie, Teufel; u. ſo übergetragen, ein Menſch, der uns ein Plagegeiſt iſt, Dionyſ. ἁπάσης Σικελίας ἀλ. wie ihn Clearch beym Athen. 12, 11 nennt. Eben ſo παλαμναῖος, welches man vergleiche.

'Αλατεία, ἡ, dor. ſt. ἀλητεία (ἀλάομαι), das Herumirren, Herumſchweifen.

'Αλατοπωλία, ἡ, (ἅλας, πωλέω), Salzverkauf; Erlaubniſs, Salz zu verkaufen.

'Αλάχανος, ὁ, ἡ, (λάχανον), ohne Küchengewächs.

'Αλάω, ſ. oben ἀλάομαι. —**ῶπις**, ιδος, ἡ, u. ἀλαωπὸς, ὁ, ἡ, (ὢψ, Auge, ἀλαὸς blind), am Auge blind; dunkel, finſter. —**ωτὺς**, ύος, ἡ, joniſch ſt. ἀλαοσύνη, (ἀλαὸς), Blindheit, Hom. Od. 9, 503. vergl. v. 504. 516.

'Αλγεινὸς, ή, ὸν, (ἄλγος), Adv. ἀλγεινῶς, ſchmerzhaft, kränkend. —**γέω**, (ἄλγος), Schmerzen leiden; davon —**γηδὼν**, όνος, ὁ, ſchmerzliche Empfindung, Schmerz. —**γημα**, ατος, τὸ, od. ἄλγησις, (ἀλγέω), empfundener, gemachter Schmerz. —**γηρὸς**, ά, ὸν, ſchmerzlich. —**γητικὸς**, ή, ὸν, viel, oft, gewöhnlich ſchmerzend. —**γινόεις**, εσσα, εν, ſchmerzhaft; von —**γος**, εος, τὸ, Schmerz, der dadurch verurſachte Gram, Traurigkeit, Kummer; ſchmerzendes Leiden und Unglück; dav. —**γύνω**, f. υνῶ, Schmerzen machen, zufügen, act. *dolore afficio*; paſſ. Schmerzen leiden, empfinden.

'Αλδαίνω, ſ. v. a. ἀλδέω, ἀλδήσω, u. ἀλδήσκω, ich bringe hervor, erzeuge, ernähre, vermehre, mache groſs. Das lat. *alo* iſt davon gemacht, und hat dieſelbe Bedeutung; heiſst auch *augeo*, wie ἄρω, ἀρύω, ἄρδω, ἀρδαίνω. Von ἄλω, ἄλσω iſt ἄλσος, der mit Holz bewachſene Ort, *lucus*, Hayn. —**δαίνομαι**, *augeor*, *procreo*, m. d. Datif. wie die zweifelhafte Form ἀλδύνω.

'Αλδίωμα, τὸ, ſcheint ſ. v. a. ἄλσος, *lucus*.

'Αλδύνω, ſ. v. a. ἀλδαίνω. Quint. Smyrn. 9, 472 wo Rhodom. ἀλδαίνω verb. πρωΐοις ἰούλοις ἀλδυνομένους. Suidas in ἐλδυνομένους. Eben ſo zweifelh. ſind ἀλδίσκω u. ἀλδησάσκω.

'Αλέα, ἡ, Wärme, vorz. Sonnenwärme; von ἄλη, ἕλη dav. ἀλαιθερὴς u. εἰληθερὴς; von ἄλω, dav. *halo* hauchen, dav.

ἀλθω erwärmen und heilen wie ἰαίνω u. θέρω, θεραπεύω. 2) ἀλέα od. ἀλεὴ v. ἄλη, Entfernung, Flucht, Zuflucht, Vermeidung, Schutz wider etwas. Il. 22, 301. Hel. ἔργ. 545.

Ἀλεάζω, f. άσω, od. ἀλεαίνω, (v. ἀλέα), wärmen, fonnen; 2) f. v. a. ἀλεύω.

Ἀλεγεινὸς, ή, όν, ft. ἀλγεινὸς, wie ἀλέκω ft. ἄλκω, ἀλκέω.

Ἀλεγίζω, u. ἀλεγύνω, f. d. folg. —έγω, f. v. a. λέγω, rechnen, zählen; davon λόγος Rechnung. ἐν τοῖσιν ἀλέγονται Πηλεύς τε καὶ Κάδμος, *inter hos numerantur*; daher achten, fchätzen, in Rechnung, Anfchlag bringen. θεῶν ὄπιν οὐκ ἀλέγοντες. Il. λ. 389 *reverentiam erga deos non curantes.* Λοκρῶν γενεὰν ἀλέγων Pindar. Olymp. 11, 15 zu Ehren der Nation der Lokrer; daher m. d. Genit. achten, fich daraus etwas machen, fich daran kehren, wie ἐπιστρέφομαι, ὄθομαι u. ἀλεγίζω; das letztere wird allein m. d. genit. u. in diefer Bedeut. gebraucht; hingegen ἀλεγύνω und ἀλέγω auch für beforgen, bereiten. ἔνθα νηῶν ὅπλα ἀλέγουσι Od. ζ. 268. fo braucht Pindar Ifthm. 8, 103 συναλέγω γάμον. Davon kommt νηλεγὴς f. v. a. ἀφρόντιστος, auch ἀνηλεγέω b. Apollon. Rhod. d. lat. *neglígo* nicht achten; wovon aber ἀπηλεγὴς u. ἀπηλεγέω verfchieden zu feyn fcheint.

Ἀλεεινὸς, ή, όν, (ἀλέα), voll Wärme, heifs, durchhitzt; zu vermeiden (ἀλέω), fchädlich, Phocylides: πάντων μέτρον ἄριστον, ὑπερβασίαι δ' ἀλεειναί. —είνω, f. v. a. ἀλεύομαι, ich meide, fliehe.

Ἀλέες, (ἀλίζω), plur. v. ἀλὴς, Verfammelte.

Ἀλεή, ή, f. oben ἀλέα.

Ἀλεὴς ὕπνος Soph. Phil. 859, der wärmende Schlaf, ἀλεεινὸς; andre fchrieben ἀλὴς v. ἀλέα.

Ἀλεία, ή, falfch für ἁλιεία, Fifcherey.

Ἀλεία, ή, (ἀλάομαι), das Herumirren von einem Ort zum andern, Herumwandern.

Ἀλείαντος, ὁ, ή, (λεαίνω), nicht zu glätten; nicht glatt, nicht eben gemacht.

Ἄλειαρ, ατος, τὸ, (ἀλέω), was man gemahlen hat, Mehl. Hom. Od. 20, 108.

Ἄλειμμα, ατος, τὸ, (ἀλείφω), das Salben, das Einfalben; das, womit man einfalbt, Salbe, Oel.

Ἀλεεινὸς, ή, όν, f. v. a. ἀλεεινός.

Ἀλειπτήριον, ου, τὸ, (ἀλείφω), Ort zum Salben, der im Bade zum Einfalben beftimmte Ort. —πτης, ου, ὁ, Einfalber; befonders der, welcher andere fich einfalben läfst, ihnen hiezu, wie zum Fechten und Ringen Anweifung giebt, *aliptes*, und den ganzen Kampf anordnet und regiert; metaph. wie *lanifta*, ἀλείπτας τῆς περὶ αὐτοὺς κακίας Sextus 1, 198. der Lehrer. —πτικῶς, Adv. nach Art der ἀλειπτικοί o. ἀλεῖπται.

—πτρον, τὸ, Salbenbehältnifs, Salbenbüchfe.

Ἀλεὶς, ἀλέντος. S. ἄλημι.

Ἄλεισον, τὸ, Becher mit erhabener Arbeit (nicht glatt, οὐ λεῖον); überh. jeder; denn Hom. gebraucht es promifcue mit δέπας, Od. 22, 9. vergl. 17. 8, 430.

Ἀλειτεία, ή, (ἄλη, ἀλέω, ἀλείω), f. v. a. ἀλίτημα, bey Suidas. —είτης, (ἀλέω), der Irrende, der Sünder, Verführer, z.B. Paris, Helenens Verführer Hom. Il, 3, 28. Penelopens Freier Od. 20, 121. f. v. a. ἀλιτρὸς u. ἀλιτήριος.

Ἀλειτουργησία, ή, (λειτουργία), Freyheit von Staatsdienften, Staatsabgaben, öffentlichen Laften, τὸ οὐ λειτουργεῖν. —τούργητος, ὁ, ή, frey von Staatsdienften und öffentl. Laften.

Ἀλείτω, dav. leitet man ἤλιτον u. ἀλιτεῖν ab, da beyde von ἀλίτω, ἀλίτομαι, diefe von ἄλη, Irrthum, Verfehn, Sünde, ἀλέω, ἀλάω, ἀλείω, ἀλίτης, ἀλείτης herkommen. ἐκ γὰρ δή μ' ἀπάτησε καὶ ἤλιτε ft. εἰς ἐμὲ ἥμαρτεν, gegen mich gefehlt. ἀθανάτους ἤλιτεν, ἀλιτέσθαι, gegen die Götter fündigen. ἣν δέ τι παῖς ἀλίτῃ, wenn das Kind fündiget, fehlt. Phocyl. δὶς δ' ἀλίτωμαι ἐφετμὰς, die Befehle nicht halten, dargegen fehlen. ὅστις σφὲ (θεοὺς) ἀλίτηται ὀμόσσας wer bey den Göttern falfch fchwört und fo fich bey ihnen verfündiget. Davon ἀλιτέω u. ἀλίτημι, wovon ἀλιτήμενος θεοῖς Odyff. 4. f. v. a. ἀλιτήριος θεῶν, der fich an den Göttern verfündiget u. ἀλιτήμων, Frevler. Man leitet es falfch von ἀ privat. u. λιτὴ her, wozu man die Veranlaffung aus der Stelle Iliad. ω nahm: οὔτ' ἀλιτήμων, ἀλλὰ μάλ' ἐνδυκέως ἱκέτεω πεφιδήσεται ἀνδρός. Aber auch da bedeutet ἀλιτήμων einen Frevler.

Ἄλειφαρ, ατος, τὸ, (ἀλείφω), Salbe, Salböl. Aelian. H. A. 12, 41 hat ἄλιφα, wie ἄλειφα Herodianus bey Euftath. davon

Ἀλειφατίτης ἄρτος Athen. ac. 3. p. 110 Brod mit Fett gebacken.

Ἀλειφή, ή, f. v. a. ἀλοιφή. —φοβίους καὶ φωνασκεῖν εἰωθότας bey Philo in Flacc. p. 537. wo die Handfchr. ἀλειφομένους haben. Hefych. erklärt ἀλειφοβίους durch πένητας.

Ἀλείφω, f. ψω, falben, einfalben; als Vorbereitung zum Kampfe; daher ermuntern, aufmuntern, antreiben, vorbereiten, als ἐπὶ τοὺς ἀγῶνας ὑπὲρ τῆς πατρίδος Plut. auch auslöfchen, wie ἀλοιφὴ *litura*; dav. —ειψις, εως, ή, f. v. a. ἄλειμμα.

Ἀλεκτήρ, ῆρος, ὁ, (ἀλέκω), Helfer, Vertheidiger.

Ἀλεκτόρειος, ὁ, ή, (ἀλέκτωρ), von Hahn oder Hühnern.

'Αλεκτορὶς, ἴδος, ἡ, Henne. —κτορόλοφος, ὁ, ἡ, (λόφος), mit einem Hahnenkamm, bey Plin. —κτοροφωνία, ἡ, (φωνὴ), Hahnengeſchrey.

'Αλεκτος, ὁ, ἡ, (λέγω), nicht auszuſprechen, unausſprechlich; oder was man nicht ausſprechen darf; ſ. v. a. ὁμοῦ λεκτὸς, neben einander gelagert, an eines Seite liegend.

'Αλεκτρὶς, ίδος, ſ. v. a. ἀλεκτορὶς, von ἀλέκτωρ. —κτρύαινα, ἡ, ſ. v. a. das vorhergehende. —κτρυονοπώλης, ου, ὁ, oder ἀλεκτρυοπώλης, (πωλέω), Huhnerverkäufer; davon —κτρυοπωλητήριον, τὸ, Hühnermarkt. —κτρυὼν, όνος, ὁ, ἡ, Hahn, Henne. —κτωρ, ορος, ὁ, Hahn (der nicht ſchlafende, λέγω, nach Euſtath.); der uns aus dem Bette, ἐκ τοῦ λέκτρου, aufweckende, nach Athen.

'Αλέκτωρ, ορος, ἡ, Bettgenoſſin (ὁμοῦ, λέκτρον, ſ. w. ἄλοχος v. ὁμοῦ oder ἅμα, λέχος); ohne Bette, ohne Beyſchlafer, d. i. unverheyrathet.

'Αλέκω, f. ἀλέξω, dav. ἀλέξω, ἀλεξέω; von jenem iſt ἀλεκτὴρ. In der Anthol. ſteht ἀλέκοις δ', ἀνέρι καὶ πενίην, halte von ihm Armuth ab; dav. bey Suidas ἀλεκινὸς ſ. v. a. δυνατὸς, ἄλκιμος; ferner ἄλκω, ἀλάλκω.

'Αλέλαιον, τὸ, (ἅλς, ἁλὸ-ἔλαιον), Salzöl, mit Salz gemiſchtes Oel.

'Αλέματος, Dor. ſt. ἠλέματος, Adv. ἀλεμάτως.

'Αλεξαίθριος, ὁ, ἡ, bey Sophok. was die Luft αἴθρη, αἰθὴρ abhalt, ἀλέξω.

'Αλεξάνδρεια, ἡ, davon 'Αλεξανδρεὺς u. 'Αλεξανδρῖνος, Alexanders-Stadt in Aegypten, davon ein Alexandriner. —ξανδρίζω, ich ahme dem Alexander, ἀλέξανδρος (ἀλέξω, ἀνὴρ), nach, oder bin von ſeiner Parthey, wie φιλιππίζω; dav. ἀλεξανδριστὴς bey Plut. Alex. 24.

'Αλεξάνεμος, ὁ, ἡ, was den Wind abhalt, ἀλέξω. —ξέω, ſ. v. a. ἀλέξω, v. ἀλέκω; ἀλέξω, ich helfe, ſtehe bey; 2) m. d. Akk. ich wehre ab, halte ab, wie *defendo aliquem* u. *frigus*; 3) ἀλέξομαι u. ἀλεξέομαι τινα ich wehre mich gegen jemand, ich rache mich an einem. S. ἀλέκω. —ξημα, ατος, τὸ, u. ἀλέξησις, abwehrende Mittel gegen etwas; dieſes das Abwehren, Abhalten ſelbſt. —ξήτειρα, ἡ, fem. von dem folgenden. —ξητὴρ, ῆρος, ὁ, oder ἀλεξήτωρ, Abwehrer, Vertheidiger, Helfer. —ξητήριος, u. ἀλεξητικὸς, geſchickt zum abwehren, abhalten, vertheidigen, helfen; daher ἀλεξητήριον, τὸ, verſt. φάρμακον, Hulfsmittel, Arzeney. —ξιάρη, ἡ, (ἀρὰ), Hulfe, Helferin gegen Hexerey, Fluch, Unglück. Nicand. Ther. 861. Heſiod. Εργ. 464. —ξιβέλεμνος, ὁ, ἡ, d. i. ἀλέξων βέλεμνον, Pfeilabhaltend, gegen den Pfeilſchuſs ſchützend. —ξίκακος, ὁ, ἡ, Unglück abwehrend, gegen Unglück ſchützend, Hom. Il. 10, 20. —ξίλογος, ον, helfend beym Reden. —ξίμαχος, ον, (μάχη), Schlacht oder Krieg abwehrend. —ξίμβροτος, ὁ, ἡ, d. i. ἀλέξων βροτοὺς, Menſchen helfend, von Sterblichen Unglück abwehrend. —ξίμορος, ὁ, ἡ, Schickſal oder Tod abwehrend. —ξιμος, ὁ, ἡ, Nicand. Ther. 702. ſ. v. a. ἀλεξητήριος. —ξιφάρμακον, τὸ, ein Mittel gegen Gifte, Gegengift. —ξω, f. ξήσω, abwehren, vertheidigen, helfen, τινὰ u. τὶ τινὶ. med. ſich wehren, ſich vertheidigen. S. ἀλεξέω.

'Αλεὸς, ſ. v. a. ἠλεὸς thöricht.

'Αλεότης, ητος, ἡ, ſ. v. a. ἄθροισις. S. ἀλὴς.

'Αλεόφρων, ονος, ὁ, ἡ, thörichten Sinnes, ἀλεὸς, φρὴν, unſinnig.

'Αλέπαδνος, ὁ, ἡ, ohne λέπαδνον, d. i. ἄζευκτος nach Heſych.

'Αλεπίδωτος, ὁ, ἡ, nicht ſchuppig, λεπιδωτὸς.

'Αλέπιστος, ὁ, ἡ, (λεπίζω), nicht abgeſchält, nicht abgerindet.

'Αλεσούριον, τὸ. S. ὀλοθούριον.

'Αλεστὴ, Schaale, Hulſe Joſeph. Antiq. wo aber πρὸς ἀλεστῶν beſſer von ἀλεστὴς abgeleitet wird. —στὴς, οῦ, ὁ, (ἀλέω), Mahler, Müller. —της, ου, ὁ, ἡ, mahlend, zermalmend, als λίθος, Mühlſtein. —τος, ὁ, das Mahlen, das Zerreiben. Plutarch. Anton. 45. —τρεύω, f. εύσω, mahlen, zerreiben. —τρίβανος, ὁ, (τρίβω), durch Mahlen zerreibend, Mörſerkeule. —τρὶς, ίδος, ἡ, Müllerin, Mahlerin, Sklavin, die mahlt. Hom. Od. 20, 105. zu Athen eine Ehrenjungfer beym Opfer. Ariſtoph. Lyſiſtr. 643. —τὼν, ῶνος, ὁ, Mühle. Athenae. p. 263.

'Αλευρίτης, ου, ὁ, (ἄλευρον), von Weizenmehl. —ρόμαντις, εως, ὁ, Mehlprophet, aus dem Mehle weiſſagend; von —ρον, ου, τὸ, (ἀλέω), Weizen- oder überhaupt feines Mehl. —ροποιέω, Mehl machen. —ρότησις, εως, ἡ, (ἄλευρον, σᾶν, σήθειν), Durchſieben des Mehls, Mehlſieb. Suidas erklärt es fur das feine durchgeſiebte Mehl ſelbſt.

'Αλεύω u. ἀλέω, (ἄλη, ἀλεὰ, ἀλεὴ), ich halte ab, entferne. ὀρόμενον κακὸν ἀλεύσατε, entfernt das entſtehende Unglück. Aeſchyl. Sept. 88. u. Suppl. 537. wo der Schol. ἄλευσον d. i. καταπόντωσον von ἅλς, ἀλεύω laſs. Daher Med. ἀλέομαι, ἀλεύομαι ich entferne von mir, ich fliehe, meide. ἀποτροπάδην ἀλέονται zerſtreuen ſich, entfliehen. Oppian Hal. 5, 432.

'Αλέω, ſ. v. a. ἀλέθω u. ἀλήθω, ich mahle.

'Αλέω fur ἀλίζω v. ἀλὴς hat Galeni Gloſſar.

'Αλεωρὴ, ἡ, das Vermeiden, Schutzwehr, Schutzmittel, Zuflucht, Hulfe. Hom. Il.

12, 57. Vertheidigungsmittel, Flucht Il. 24, 216.

Ἀλέως, Adv. ſ. v. a. ἅλις, u. ἀθρόως. S. ἀλής.

Ἄλη, ἡ, das Herumſchweifen, Herumirren; herumſchweifendes, unruhiges Herz, Unruhe, Angſt; Verwirrung des Geiſtes, Wahnſinn.

Ἀληθάργητος, ὁ, ἡ, nicht von der Schlafſucht befallen (gleichſ. v. ληθαργέω, u. dies v. λήθαργος).

Ἀλήθεια, ἡ, (λήθω). Aufrichtigkeit, die ſich nicht verſteckt, nichts verheelt, Wahrheitsliebe, Wahrhaftigkeit, Wahrheit, oder der Charakter eines ἀληθής. Xenoph. Oec. 10, 2. ἐρυθρότερα τῆς ἀληθείας, röther als ſie von Natur iſt. —θευτικὸς, ἡ, ὸν, wahrhaftig. —θεύω, f. εύσω, ich bin ἀληθής, nicht täuſchend, ſich nicht täuſchend (als νοῦς ἀεὶ ἀληθεύει Ariſtot.), wahrhaftig, aufrichtig, wahr; τὶ, ſagen, daſs etwas wahr iſt, wahr reden, die Wahrheit reden; beweiſen, daſs etwas wahr iſt, ſonſt auch ἀληθεύων λέγω Plutarch. —θὴς, έος, ὁ, ἡ, (λήθω), nicht verhehlend, ſich nicht verſteckend, aufrichtig, wahrhaftig, wahr, der Wahrheit, der Wirklichkeit gemäſs, wirklich ſo und ſo beſchaffen. —θίζω, od. ἀληθίζομαι beym Herodt. ſt. ἀληθεύω. —θινὸς, ἡ, ὸν, Adv. ἀληθινῶς, wahrhaftig, aufrichtig; wirklich, gewiſs, zuverläſsig. —θογνωσία, ἡ, d. i. γνῶσις τοῦ ἀληθοῦς oder τῆς ἀληθείας. —θοεπὴς, έος, ὁ, ἡ, d. i. ἔπων τὸ ἀληθὲς, Wahrheit redend. —θόμαντις, εως, ὁ, d. i. μάντις ἀληθής. —θορκεῖν, wahrſchwören Stobae. Serm. 116. —θουργὴς, ὁ, ἡ, d. i. ἀληθῆ ἐργαζόμενος. Heracl. Alleg. c. 67.

Ἀλήθω, f. αλήσω, eine andere Form v. ἀλέω.

Ἀληθῶς, Adv. v. ἀληθής.

Ἀλήιος, ὁ, ἡ, (λήιον), ohne Flur, ohne Feld, d. i. arm; ohne Beute (ληίη). In jener Bedeut. ſteht es Hom. Il. 9, 125. 267. wenn man es nicht etwa lieber v. ἄλη ableiten will, alſo ein Herumläufer, Bettler, Armer. Vergl. ἀλήμων.

Ἀλήκτος, ὁ, ἡ, (λήγω), unaufhörlich.

Ἄλημα, ατος, τὸ, Heſych. hat es für λεπτὸν ἄλευρον und ὀδοιπορία, jenes v. ἀλέω, ich mahle, dieſes von ἀλάω, ich ſtreife umher. Bey Sophocl. Aj. 381 heiſst Ulyſſes κακοτινώτατον ἄλημα στρατοῦ, wo der Schol. κακοηθέστατον κολάκευμα, τρίμμα, aber v. 389. wo derſelbe αἱμυλώτατος, ἐχθρὸν ἄλημα heiſst, es durch πλάνη, παραλογιστικὸν πανούργημα ἢ περίτριμμα παρὰ τὸ λέπειν erklärt, alſo durch ἀλήτης oder πανοῦργος, hat er beyde Ableitungen im Sinne von ἄλη u. ἀλέω. Die letztere iſt die richtigere. S. παιπάλημα. Eben ſo erklärt der Schol. Antig. 320 λάλημα δῆλον durch περίτριμμα τῆς ἀγορᾶς οἷον πανοῦργος, alſo laſs er ἄλημα.

Ἄλημι ſ. v. a. ἀλεύω, ich weiche zurück; Il. 5, 823 ἀλήμεναι, wo es mit ἀναχάζομαι einerley iſt. τῇ ὕπο πᾶς ἐάλη 13, 408 unter welchem er ſich ganz verbarg. ἆλεν ſſt. ἄλησαν gewöhnl. wird es d. συστρέφεσθαι erklärt. S. auch ἀλής.

Ἀλημοσύνη, ἡ, das Herumſchweifen, Herumreiſen; von —ήμων, ονος, ὁ, ἡ, (ἄλη), herumſchweifend, herumirrend.

Ἄληπτος, ὁ, ἡ, (λήβω), Adv. ἀλήπτως, nicht zu faſſen, nicht zu ergreifen, nicht gefangen zu nehmen, unbeſiegbar; dem man nicht ankommen kann, untadelhaft; was man nicht begreifen kann, unbegreiflich.

Ἀλὴς, έος, ὁ, ἡ, joniſch ſ. v. a. das attiſche ἀθρόος *confertus*, ſo wie ἅλις ſ. v. a. ἀθρόως, haufenweiſe, auf einmal, u. ἀλίζω ſ. v. a. ἀθροίζω. Davon hat Galen auch ἀλέω u. ἀλεότης ſt. ἀθροίζω, ἄθροισις Heſych. hat ἀλεάζω für ἀθροίζω. Einige Alten erklärten die homeriſchen ἀλεὶς u. ἀλέντες auch durch ἀθροισθέντες von ἄλημι ſt. ἀλέω, ἀλίζω. Auch iſt ἀλία Verſammlung davon.

Ἀλήσιος, (ἀλέω), zu mahlen, was gemahlen, zermalmt werden kann.

Ἄλησις, ἡ, ſ. v. a. ἄλη, beym Aratus, vom Umlaufe der Sonne.

Ἀλήστευτος, ον, (ληστεύω), nicht zu berauben, was nicht beraubt, geplündert werden kann.

Ἄληστος, ὁ, ἡ, ſ. v. a. ἄλαστος.

Ἀλητεία, ἡ, das Herumirren, vergebliche Herumlaufen; von —τεύω, f. εύσω, ich bin ein ἀλήτης, laufe herum, bettle Hom. Od. 18, 113. —τὴς, ου, ὁ, (ἀλάομαι), fem. ἀλῆτις, herumſchweifend, herumirrend.

Ἀλητοειδὴς, ἐς, (εἶδος), mehlartig, mehlfarbig; von —τὸν, τὸ, ſ. v. a. ἄλευρα.

Ἀλητὺς, ἡ, jon. ſt. ἄλη. Manetho 3, 379.

Ἀλθαία, ἡ, die wilde Malve, *althaea*.

Ἀλθαίνω, oder ἀλθέω, ἀλθήσκω, heilen, abhelfen; davon —θεξις, εως, ἡ, Heilung, Abhelfung; v. ἀλθέω, ἀλθέσσω, ἀλθαίνω. —θέσσω, bey Aretaeus 3, 13 ſ. v. a. ἀλθέω, ich heile. —θεὺς, έως, ὁ, Heiler, Arzt. —θήεις, εσσα, ῆεν, heilſam. —θηστήριος ὁ, ἡ, heilend, ἀλθηστήρια, τὰ, Heilmittel. Nicand. Ther. 493 wo die Handſchr. ἀλθεστήρια haben, v. ἀλθέω, ἀλθηστήρ. —θος, εος, τὸ, Heilung, Heilmittel. —θω, ſ. v. a. ἀλθέω, ἀλθάω, ἀλθαίνω. S. ἀλέα.

Ἀλία, ἡ, Verſammlung. S. ἀλής.

Ἀλιὰ, ἡ, (ἅλς), Salzfaſs, τρυπᾶν ἁλιὰν Apollon. Tyan. Epiſt. 7 wie *ſalinum digito terebrare* bey Perſius 5, 138 von einem armſeligen Leben, wobey man das Salz kaum hat.

Ἀλιάετος, ὁ, (ἅλς, ἀετὸς), oder ἁλιαιετὸς, Meeradler.

'Αλιαής, έος, ὁ, ἡ, (ἅλς, ἄημι), übers Meer wehend, Hom. Od. 4, 361.

'Αλίαρος, ὁ, ἡ, (ἅλς), eingesalzen, gesalzen, bey Eustath. zweif.

'Αλιάς, άδος, ἡ, nämlich κύμβα, Fischerkahn; den dor. gen. ἁλιαδᾶν beym Sophocl. Ajac. 889 erklärt der Schol. durch ἁλιέων, da es andere durch Meer-Nymphen erklären.

'Αλίαστος, ὁ, ἡ, (λιάζω), unvermeidlich, dem man nicht ausweichen, entgehen kann, Hom. Il. 2, 797, nach dem Schol. ἀνέκκλιτος; nicht aufzuhalten, nicht zu hemmen, unaufhörlich Il. 12, 471. 16, 296. nach dem Schol. ἀμετάτρεπτος.

'Αλιβάνωτος, ὁ, ἡ, (λιβανωτὸς), ohne Weihrauch, dem man keinen Weihrauch darbringt.

'Αλίβας, αντος, ὁ, (λιβὰς), eigentlich ohne Säfte, d. i. todt, ζωτικῆς λιβάδος ἄμοιρος, Hom. Plutarch. Q. S. 8, 10. ἀλ. οἶνος beym Callim. Wein, womit man nicht opfert (ὃς μὴ λείβεται ἐν σπονδαῖς Eust.), oder erstorbener Wein, nach Suid., d. i. Essig.

'Αλίβατος, ὁ, ἡ, (ἅλς, βάτης), auf dem Meere einherschreitend, gehend.

'Αλιβδύω, u. ἀλιβδύω, s. ἀλιδύω.

'Αλίβρεκτος, ὁ, ἡ, (βρέχω), vom Meere benetzt. —ίβρομος, ὁ, ἡ, (βρόμος), meerrauschend; rauschend wie Meereswogen, oder vom Meere umrauscht.

'Αλιβρὸς. S. ἀλίβρως.

'Αλίβροχος, ὁ, ἡ, s. v. a. ἀλίβρεκτος. —ίβρως, ὁ, ἡ, bey Lycophr. 443 vom Meere an oder ausgefressen, βρόω, βρώσκω. —ιγείτων, ονος, ὁ, ἡ, Meeresnachbar, nah am Meer gelegen. —ιγενής, έος, ὁ, ἡ, (γένος), vom Meere gezeugt, aus dem Meere entsprossen.

'Αλίγκιος, ὁ, gleich, ähnlich. Hom. Il. 6, 401. Od. 8, 174.

'Αλιδινής, έος, ὁ, ἡ, (δίνη), vom Meeresstrudel herumgetrieben. —ίδουπος, ον, (δοῦπος), meertosend. Vergl. ἀλίβρομος. —ιδρόμος, ὁ, ἡ, (δρόμος, τρέχω), auf dem Meere, übers Meer hinlaufend, wie ein Kaufmann. —ιδύω, f. ύσω, (δύω ἁλὶ v. ἅλς), untertauchen.

'Αλιεία, ἡ, (ἁλιεὺς), Fischerey, Fischfang. —εργής, ές, (ἔργον, ἐργάζομαι), im Meere arbeitend, Fischer; pass. vom Meer, von Meeresschnecken gemacht, purpurn. —ερκής, έος, ὁ, ἡ, (ἕρκος), vom Meere umzäunt, umgeben. —ευμα, ατος, τὸ, v. ἁλιεύω, s. v. a. ἁλιεία. —εύς, έος, ὁ, od. ἁλιευτής, Fischer; Ruderer Hom. Od. 24, 418; davon —ευτικὸς, ἡ, ὸν, zum Fischen, den Fischern gehörig, als πλοῖον, ein Fischerkahn. Adv. ἁλιευτικῶς, nach Fischer-Weise. —εύω, f. εύσω, (ἅλς), fischen, ich bin ein ἁλιεύς, bin auf dem Meere, auf dem Wasser.

'Αλίζω, f. ίσω, (ἅλις), sammeln, zusammenbringen; salzen, einsalzen (ἅλς). —ζωνος, ὁ, ἡ, (ζώνη), vom Meer umgürtet, vom Meer umgeben, sonst ἀμφίαλος, *bimaris Corinthus* beym Horat. —ήρης, εος, ὁ, ἡ, (ἐρέσσω), auf dem Meere rudernd. —ήτωρ, ορος, ὁ, s. v. a. ἁλιεύς, v. ἅλς, wie jenes. —ηχής, έος, ὁ, ἡ, (ἦχος), meertönend. Vergl. ἀλίδουπος.

"Αλιθος, ὁ, ἡ, (λίθος), ohne Steine, nicht steinig.

'Αλικὶς, ίδος, ἡ, (ἅλς), Salzigkeit, das Salzige. —κλυστος, ὁ, ἡ, (κλύζω), vom Meere bespült. Sophocl. Ajac. 1236. —κὸς, ἡ, ὸν, (ἅλς), vom Meere. —κρας, ατος, ὁ, ἡ, (ἅλς, κεράω), mit Meer oder Meer-Salzwasser vermischt. —κρείων, οντος, ὁ, Meeresherrscher. —κρηπὶς, ίδος, ἡ, (κρηπὶς), als γαῖα beym Nonnus, am Meere gegründet, d. i. am Meere gelegen. —κρόκαλος, ον, (κροκάλη), mit Meeressteinen bestreut, zw. —κτυπος, ὁ, ἡ, (κτύπος, κτυπέω), vom Meere gepeitscht, umrauscht, als ein Fels; auf dem Meere tobend, als Beywort der Woge, der Fluth (κῦμα). —κώδης, εος, ὁ, ἡ, salzig, gewöhnlicher ἁλυκώδης.

"Αλιμα, τὰ, eine salzige Pflanze und ihre Frucht, bey den LXX Job. 30, 4. M. s. Bochart. hieroz. 1, 3 p. 874 u. 75.

'Αλιμέδων, οντος, ὁ, (μέδω), Meeresherrscher.

'Αλίμενος, ὁ, ἡ, (λιμὴν), ohne Hafen, wie *importuosus*; davon —μενότης, ητος, ἡ, Hafenlosigkeit, Mangel an Hafen. —μένωτος, ον, ohne Hafen, λιμήν.

'Αλιμήδης, εος, ὁ, ἡ, d. i. ἐν ἁλὶ μῆδος ἔχων, seine Gedanken aufs Meer gerichtet, ein Beywort v. ἐμπορία beym Dionys. Perieg. —ίμικτος, ὁ, ἡ, (μίγνυμι), mit dem Meere oder Meereswasser vermischt.

"Αλιμον, τὸ, auch ἅλιμος, ὁ, eine Art von strauchartigen Spinat, *atriplex halimus* Lin.

"Αλιμος, ὁ, ἡ, (ἅλς), vom Meere; salzig.

'Αλιμος, ὁ, ἡ, (λιμὸς), ohne Hunger; act. wider den Hunger, was einem den Hunger vertreibt, einen nicht hungern läst.

'Αλιμυρήεις, εσσα, ῆεν, (μύρω), ins Meer fliessend, Hom. Il. 21, 190. von ἁλιμυρὴς hat Oppian. Hal. 2, 258 πέτρης ἁλιμυρέος vom Meere bespült.

'Αλινδέω, s. v. a. ἀλίνδω; davon —δήθρα, ἡ, ein Ort zum Wälzen der Pferde. —δησις, εως, ἡ, u. ἀλίνδεσις, das Wälzen im Sande.

'Αλίνδω, Nicand. Ther. 156 s. v. a. ἀλινδέω.

'Αλινέω u. ἀλίνω blos bey Hesych. wie ἐπαλεῖναι u. καταλεῖναι für ἀλείφω, ἐπαλ. καταλ. das Lat. *lino* anstreichen.

Ἁλινηκτειρα, ἡ, ἁλινήκτης, ὁ. u. ἁλινηχὴς, ὁ, ἡ, im Meere oder Salzwasser schwimmend, νήχω, νήχομαι.

Ἅλινος, ίνη, ινον, (ἅλς), von Salz gemacht.

Ἄλινος, ὁ, ἡ, (λίνον), ohne Netz, Jägergarn, als θήρα, eine Jagd, wozu man keine Netze braucht.

Ἅλιος, ὁ, ἡ, oder ἅλιος, ία, ιον, vom Meere, als θεὸς, θεὰ, ein Meeresgott, Meeresgöttin; vergeblich, nichts fruchtend, als βέλος, ἔπος, ὅρκιον Hom. bey welcher Bedeutung die Etymologie oder Analogie ungewiss ist. —οτρεφὴς, έος, ὁ, ἡ, (τρέφω), im Meere genährt, erzogen.

Ἁλιόω, f. ώσω, (ἅλιος), vergeblich machen, vernichten; z. B. βέλος, den Pfeil vergeblich schiessen, Hom. Il. 16, 737. vergl. 5, 18. Eben so νόον τινος Od. 5, 104 *alicujus consilium irritum facere*. Vergl. Maximus v. 512 u. 582.

Ἀλίπαινα, ων, τὰ, nicht fett, vom Pflaster, was man auf blutige Wunden legt. Galen.

Ἀλιπαρὴς, έος, ὁ, ἡ, bey Soph. El. 451. falsch st. λιπαρῆ.

Ἁλίπαστος, ὁ, ἡ, v. ἅλς u. πάσσω, mit Salz bestreut, gesalzen. —ίπεδον, τὸ, (ἅλς, πέδον, πεδίον), eigentlich eine Ebne am Meere; zu Athen die Ebne neben dem Hafen Piraeeus, Xenoph. Hellen. 2, 4. 30. 2) jede Ebne, Fläche, Theophr. H. P. 7. ἔν τε τοῖς ἁλοπέδοις τοῖς ἐπὶ τῶν τοίχων ἀνδήροις, soll ἁλιπέδοις heissen.

Ἀλιπὴς, έος, ὁ, ἡ, (λίπος), ohne Fett, nicht fett; ohne Oel, nicht gesalbt; nicht fett, d. i. mager, hager, abgezehrt.

Ἁλίπλαγκτος, ὁ, ἡ, (πλαγκτὸς), vom Meere oder auf dem Meere umhergeworfen, vom Meere bespült, als eine Insel beym Sophocl. Aj. 602. —ιπλανὴς, έος, ὁ, ἡ, (πλάνος, πλανάομαι), auf dem Meere herumirrend; davon —ιπλανία, ἡ, das Herumschweifen auf dem Meere. —ίπλοος, contr. ἁλίπλους, ὁ, ἡ, (πλόος, πλέω), auf dem Meere schiffend, darauf schwimmend, davon bedeckt Hom. Il. 12, 26. —ίπνοος, ὁ, ἡ, (πνέω), nach dem Meere riechend, *mare olens*, beym Musaeus; 2) über, durchs Meer blasend. —ιπόρφυρος, ὁ, ἡ, von Meerespurpur, als φᾶρος Hom. Od. 13, 108. —ιῤῥαγὴς, ές, (ῥήγνυμι), meerbrechend, ein Fels, an dem sich Meereswogen brechen. —ιῤῥόθιος, ον, vom Meer. Das neutr. hievon ἁλιῤῥόθιον, Meeresfluth, Meereswoge; von —ιῤῥοθος, ὁ, ἡ, (ῥόθος), meerfliessend, in oder auf dem Meere fliessend. Subst. Meeresfluth. —ιῤῥοος, contr. ἁλιῤῥους, ὁ, ἡ, (ῥόος, ῥέω), in, auf oder ins Meer fliessend. —ίῤῥυτος, ον, (ῥύω), vom Meere bespült.

Ἅλις, Adv. (ἁλὴς), haufenweise, völlig, hinreichend *satis* st. *salis*, *abunde*; mit Maassen, μετρίως nach Hesych. als φέρειν κακὸν ἅλις Eurip. Alcest. 908. Ein Substant. hat es in genit. bey sich, wie *satis*, als ἅλις δρυὸς; denn dem Sinne nach ist es da Fülle, Ueberfluss.

Ἁλὶς, ίδος, ἡ, (ἅλς), Salzigkeit, das Salzige.

Ἀλισγέω, beflecken, verunreinigen, bey den LXX; davon —σγημα, τος, τὸ, Verunreinigung, verunreinigende Speise, beym Lucas Act. 15, 20.

Ἅλισις, εως, ἡ, (ἁλίζω), oder ἁλισμὸς, das Einsalzen.

Ἁλίσκω, ich fange; ertappe, überführe, überzeuge; überwinde vorz. vor Gericht meinen Gegner. Das perf. ἑάλωκα fut. ἁλώσω u. ἑάλων Aor. 2. kommen v. ἁλόω. Der Aor. 2 ἑάλων hat die Bedeut. des passiv. ich bin gefangen, überzeugt, überwunden worden.

Ἄλισμα, ατος, τὸ, *alisma*, eine Wasserpflanze.

Ἁλίσμηκτος u. ἁλίσμικτος. S. ἐπισμήχω.

Ἁλίσπαρτος, ὁ, ἡ, (σπείρω), mit Salz besäet, bestreuet. —ιστεφὴς, ές, (στέφω), vom Meere umgeben. Vergl. ἁλιερκής. Eben das ist ἁλιστέφανος Hom. Hymn. 1, 410. —ίστονος, ον, (στόνος, στένω), meertönend, vom Meeresgetöse. Vergl. ἁλίκτυπος. —ιστὸς, ή, ὸν, (ἁλίζω), gesalzen, eingesalzen.

Ἀλίστρα, ἡ, s. v. a. ἀλινδήθρα.

Ἁλίστρεπτος, ὁ, ἡ, oder ἁλιστρεφὴς, ἁλίστροφος, (στρέφω), im Meere hin und her gekehrt, umhergeworfen.

Ἀλιταίνω, eine andere Form v. ἀλιτέω, ἀλίτω. Hesiod. ἔργ. 330. ἀλιταίνεται ὀρφανὰ τέκνα versündiget sich an verwaisten Kindern, betrügt sie; wo andre Handschr. ἀλιτραίνεται lesen. —τάνευτος, ὁ, ἡ, (λιτανεύω), nicht zu erflehen; nicht erfleht.

Ἁλιτενὴς, έος, ὁ, ἡ, (τείνω), bis zum Meer sich erstreckend, am Meere gelegen; niedrig, seicht, als θάλασσα beym Appian., welches er selbst erklärt durch den Zusatz: μεγάλαις ναυσὶν οὐκ εὐχερής. —ιτέρμων, ονος, ὁ, ἡ, (τέρμα), ans Meer gränzend.

Ἀλιτεύω u. ἀλιτέω, ich irre, fehle, sündige. S. ἀλίτω; davon —τημα, τὸ, Irrthum, Fehler, Sünde. —τημι, ἀλίτημαι s. v. a. ἀλιτέω, davon ἀλιτήμενος θεοῖς s. v. a. ἀλιτήριος θεῶν, der sich an den Göttern versündiget hat. Hesiod. Scut. 91. nennt den Eurystheus ἀλιτήμενον schlechtweg. —τήμων, ονος, ὁ, ἡ, sündiger, frevelhafter Mensch, v. ἀλιτέω. S. ἀλιτρ. —τήμωρος od. ἀλιτήμονος, ὁ, ἡ, wahnsinnig, thöricht; v. ἀλιτέω. zweif.

'Αλιτήριος, und contr. ἀλιτρός auch ἀλιτηρὸς, von ἀλίτω, ἀλίτης, ἀλίτηρ, ein ſündiger, frevelhafter Menſch. οἱ τῆς Θεοῦ ἀλιτήριοι Ariſtoph. Eq. 445 die ſich an der Minerva verſündiget, u. die Sündenſchuld auf ſich geladen haben. ὃν οὐκ ἂν ὀκνήσαιμι ἔγωγε κοινὸν ἀλιτήριον τῶν μετὰ ταῦτα ἀπολωλότων ἁπάντων εἰπεῖν ἀνθρώπων, τόπων, πόλεων-οὗτος ἦν τῶν φύντων κακῶν αἴτιος Demoſth. 280 der als ein *piaculum* die Schuld von dem Tode und Unglücke trägt; alſo iſt ἀλιτήριος ein *homo piacularis*, der Sündenſchuld auf ſich geladen hat. In eben dem Sinne ſteht bey Suidas: οὐ μόνον ἀπράκτους κατεσκευάσας ἐπανελθεῖν, ἀλλὰ καὶ ἀλιτηρίους πάντων τῶν αὐτοῖς ἐντεταλμένων ἀπέδειξας d. i. dàſs ſie die Schuld tragen, buſsen müſſen, für das, was ihnen befohlen war. Suidas legt es hier m. d. Schol. des Ariſtoph. unrecht aus durch ἀποτυχόντας, ἀστοχήσαντας. für welche Bed. ſich kein Beyſpiel findet. Daher ἀλιτήριος δαίμων ſ. v. a. ἀλάστωρ, παλαμναῖος u. μιαιφόνος, ein Rachgott, der die Sünde, Schuld, Frevel, Mord an dem, der die That begangen hat, oder an ſeinen Nachkommen racht. Denn ἀλάστωρ, ἀλάστορος, ὁ, ἡ, iſt ſ. v. a. ἀλίτης, ἀλιτήριος, von ἄλη, ἀλάζω, daher Heſychius ἀλατρίας wie ἀλετρίας, Sünden, Frevel, erklärt. S. προστρόπαιος u. ἐνθύμιος.

'Αλιτηριώδης, εος, ὁ, ἡ, was einem Frevler, der Sündenſchuld trägt, *piacularis*, gehört, zukommt. —τηρὸς ſ. v. a. ἀλιτήριος. —τόκαρπος, ὁ, ἡ, bey Heſych. ſ. v. a. ματαιότεκνος, v. ἀλίτω, ich verfehle u. καρπὸς, der keine Kinder hat. —τομαι. S. ἀλείτω. —τόξενος, ον, d. i. ἀλιτέων ξένον, gegen ſeinen Gaſtfreund frevelnd.

'Αλιτραίνω, ich bin ein ἀλιτρὸς, ſündige, frevle. S. ἀλιταίνω. —τρία, ἡ, Frevel, Charakter, Betragen eines ἀλιτρὸς. —τρόβιος, ὁ, ἡ, (βίος), von laſterhaftem, frevelhaften Leben. —τρόνοος, ὁ, ἡ, (νόος, νοῦς), von laſterhaftem, frevelhaften Sinne.

'Αλίτροπος, ὁ, ἡ, v. ἅλς u. τρόπος, τρέπω, ſ. v. a. ἀλίστροφος.

'Αλιτρὸς, ὁ, das zuſammengezogene ἀλιτηρὸς; davon —τροσύνη, ἡ, ſ. v. a. ἀλιτρία.

'Αλίτροφος, ὁ, ἡ, d. i. ἁλὶ τρεφόμενος, ſich vom Meere, vom Waſſer nährend, als Fiſcher, Schiffer, Kaufmann. —τρυτος, ὁ, ἡ, ο. —τρυτος, ύτη, υτον, (τρύω), vom Meere hin und her geworfen, als κύμβη Epigr. χεῖρες Non. vom Meere od. Rudern ermüdete Hände. —τυπος, ὁ, ἡ, oder ἀλίτυπτος, (τύπτω), vom Meere geſchlagen, gepeitſcht, als das Ufer.

'Αλίτω. S. ἀλείτω.

'Αλιφα. S. ἄλειφαρ.

'Αλιφθορία, jon. ἀλιφθορίη, Verderben, Verluſt zur See, Schiffbruch; von —φθόρος, ὁ, ἡ, (φθείρω), Seeräuber. —φλοιος, ὁ, ἡ, (φλοιὸς), Meerrinde, eine Art Fiſche beym Theophr. hiſt. plant. 3, 9.

'Αλιφροσύνη, Eitelkeit, Thorheit; von —φρων, ὁ, ἡ, (ἅλιος, φρὴν), eitel, thöricht.

'Αλίχλαινος, ὁ, ἡ, (χλαῖνα), mit einem Kleide von der See, d. i. Purpurkleide. Vergl. ἀλιπόρφυρος.

'Αλίω, f. ίσω, wie κυλίω, wälzen, fortwälzen. Eine andere Form iſt ἀλινδέω.

'Αλίως, Adv. v. ἅλιος, vergeblich.

'Αλκάθω, ſ. v. a. ἀλκάω, ἀλκέω Soph. —καία, ἡ, der Schwanz des Löwen, v. ἀλκὴ, weil ſein Wedeln ſeinen Zorn anzeigt und ihn noch zorniger, muthiger macht. —κάρ, 'αρος, τὸ, Hülfe, Mittel, Schutz gegen etwas. So nennt Phocylides den Stachel der Bienen ἄλκαρ ἔμφυτον, u. Apollon. ſagt ὑετοῦ ἄλκαρ, v. ἀλκὴ. S. Hom. Il. 5, 644. 11, 822. —κέα, ἡ, *alcea* beym Plin. 27, 4. eine Art Malven beym Dioſcor. 3, 164. —κέω, helfen, abhelfen, abwehren. Von ἄλξ, ἄλκω, ἀλάλκω, ἀλκέω. —κὴ, ἡ, Stärke des Körpers, körperliche Stärke; Stärke des Geiſtes, Muth, Mannesſinn; τινὸς, Hülfe, Mittel gegen etwas, als κακοῦ Heſiod. gegen einen, d. i. Angrif, Vertheidigung, v. ἄλξ, ἀλκὸς; davon —κήεις, ήεσσα, ῆεν, ſtark, muthig, ſtreitbar. —κηστὴς, ὁ, (ἀλκέω), Oppian. Hal. 1, 170 Krieger, Streiter, wo vorher ἀλκιστὴς ſtand. —κίμαχος, ὁ, ἡ, ſtark im Streite, mächtiger Streiter, v. ἄλξ, μάχη. —κιμοποιὸς, ὸν, ſtark machend, ἄλκιμον ποιῶν, ſtarkend. —κιμος ὁ, ἡ, auch ἄλκιμος, ίμη, ιμον, ſ. v. a. ἀλκήεις. —κιστὴς. S. ἀλκηστὴς. —κίφρων, ονος, ὁ, ἡ, (φρὴν), muthigen Sinnes, muthig. —κτὴρ, ῆρος, ὁ, (ἄλκω), Helfer, Vertheidiger; dav. —κτήριος, ὁ, ἡ, helfend. τὸ ἀλκτήριον verſt. φάρμακον, Hülfsmittel.

'Αλκυόνειον, od. ἀλκυόνιον, τὸ, hieſs eine Gattung von Thiergewächſen, wegen der Aehnlichkeit, welche man an ihr u. dem Neſte des Meereisvogels fand. Dioſkor. 5 K. 136. u. nach ihm Plinius, wovon die erſte jezt *halcyonium cotoneum* bey Linne heiſst. S. Pallas Elenchus Zoophyt. S. 359. Die fünfte Art aus der Propontis hieſs beſonders ἀλοσάχνη und darunter führt auch Ariſtot. H. A. 9, 14. an. —υόνειος, ὁ, ἡ, von oder zum Eisvogel gehörig. —υονὶς, ίδος, ἡ, das dimin. v. ἀλκυὼν. —υονίτιδες, αἱ, nämlich ἡμέραι, die 14 Tage im Winter, in denen der Eisvogel ſein Neſt baut, und die ſehr ſtill ſind. Plin. 10, 32.

Ἀλκυών, όνος, ἡ, der Meereisvogel. Die Lesart ἀλκυδὼν ist ohne Beyspiel. S. ἀλκυόνειον.

Ἀλκω von ἀλέκω, und durch Verdoppelung ἀλάλκω; vom futur. ἀλέξω ist das verb. ἀλέξω, ἀλεξέω.

Ἀλλά, aber; im Gegensatz von οὐ sondern, beydes wie *sed* im Lat.; doch, jedoch, *quamquam*; nun, *atqui*. Und so in mancherley Zusammensetzungen mit andern Partikeln, als ἀλλάγε, doch, wenigstens; ἀλλὰ νῦν γε, *saltem nunc*, (*si non antea*), καθικέτευον ἀλλὰ νῦν γε μεταβαλέσθαι, baten ihn, nun endlich einmal sich zu ändern; ἀλλὰ γάρ, jedoch, jedennoch; ἀλλ' ἤ, nun wirklich; ἀλλὰ μήν, ja noch mehr; ἀλλὰ καί, nein, vielmehr.

Ἀλλαγή, ἡ, oder ἄλλαγμα, Veränderung, Verwechselung; Wechsel; Verwechselung, Auswechselung des einen gegen das andere, Vertauschung, Tausch, Handel, Vertrag; Wechsel der Pferde, neue Station. —λακτικός, ἡ, όν, gut, geschickt zum Verwechseln, zum Kauf und Tausch; dem Vertrage gemäss.

Ἀλλαντοποιός, ὁ, (ἀλλᾶς), einer, der Knackwürste macht. ἀλλαντοποιέω, ich bin ein ἀλλαντοποιός. —τοπωλέω, ich bin ein ἀλλαντοπώλης. —τοπώλης, ὁ, (πωλέω), einer, der Knackwürste verkauft.

Ἀλλάξ, Adv. wechselsweise, wechselseitig; v. —ξις, εως, ἡ, (ἀλλάσσω), Vertauschung, Verwechselung.

Ἀλλᾶς, ᾶντος, u. ἄντος ὁ, Knackwurst.

Ἀλλάσσω, f. άξω, oder ἀλλάττω v, ἄλλος, ἀλλάω, anders machen, verändern, einen für den andern nehmen, geben, wechseln, verwechseln; gegen einander auswechseln, kaufen, verkaufen.

Ἀλλαχῆ, Adv. anderswo, anderswohin; eigentlich auf eine andere Art, wie die folgenden v. ἄλλος. —χόθεν, Adv. anderswoher. —χόθι, Adv. anderswo. —χόσε, Adv. anderswohin, anderswozu. —χοῦ, Adv. f. v. a. ἀλλαχῆ.

Ἀλλέγω st. ἀναλέγω, Hom. Il. 21, 321. 23, 253.

Ἀλλεπαλληλία, ἡ, Abwechselung; ununterbrochene Fortsetzung; v. —πάλληλος, ὁ, ἡ, abwechselnd, einer nach dem andern; ununterbrochen, ἄλλος ἐπ' ἀλλήλων.

Ἄλλῃ, Adv. eigentl. dat. fem. näml. ὁδῷ, auf einem andern Wege, an einem andern Orte, anderswo, anderswohin; auf eine andere Art; bey Aelian. H. A. 9, 59 aus einer andern Ursache. —ηγορέω, ῶ, d. i. ἄλλα ἀγορέω, ich sage etwas anders, näml. als ich verstanden wissen will, spreche allegorisch, erkläre es allegorisch; dav. —ηγόρημα, ατος, τό, allegorische Redensart; allegorische Erklärung. —ηγορητής, ὁ, ἡ, Ausleger einer Allegorie. —ηγορία, ἡ, Allegorie, eine bekannte rhetorische Figur. Cic. Or. 27. durch Allegorien etwas verdunkeln, verstecken, d. i. durch versteckte Ausdrücke, denen man einen andern Sinn unterlegen muss, als sie eigentlich haben. Cic. ad Att. 2, 20, vergl. 19, wo er es αἰνιγμοί nennt. —ηγορικός, ἡ, όν, Adv. ἀλληγορικῶς, allegorisch, im allegorischen Ausdruck. —ηλανεμία, ἡ, Abwechselung des Windes Jo. Laurentius βροντοσκοπία p. 252. —ηλέγγυοι, ων, οἱ, (ἀλλήλων, ἐγγύη), sich unter einander verbürgend. —ηλέγγυον, τό, gegenseitige Bürgschaft. adject. neutr. hier substantive gebraucht. —ηλεγγύως, Adv. durch, mit gegenseitiger Bürgschaft. —ηλεδωταί, οἱ, (ἐδωτής v. ἐδωδή), sich unter einander verzehrende. —ηλίζω, σω, einander etwas thun, anfallen, *invicem coire*; 2) immer anders reden. —ηλοβόροι, οἱ, (βορά), sich unter einander fressend. —ηλογονία, ἡ, gegenseitige Erzeugung. —ηλογραφία, ἡ, (γραφή), gegenseitiges Schreiben. —ηλοδιάδοχοι, οἱ, αἱ, sich unter einander, auf einander folgend. —ηλοκτονεῖν, (κτονέω, κτείνω), sich unter einander morden. —ηλοκτονίαι, αἱ, gegenseitige Ermordungen; von —ηλοκτόνος, ον, in plur. gegenseitige Mörder: von Sachen, gegenseitigen Mord erzeugend. —ηλομαχεῖν, (μάχομαι), unter einander kämpfen. —ηλομαχία, ἡ, gegenseitiger Kampf. —ηλοτομέω, (τομέω, τέμνω), sich gegenseitig durchschneiden. —ηλοτυπέω, (τυπέω, τύπτω), sich gegenseitig durchhauen. —ηλοτυπία, ἡ, gegenseitige Verwundung, Kampf. —ηλουχέω, (ἔχω), sich an einander halten, knüpfen, verknüpfen, zusammenhalten, ἀλληλοῦχος. —ηλουχία, ἡ, Verknüpfung, Verbindung, Zusammenhang unter einander; von —ηλοῦχος, ὁ, ἡ, unter einander verknüpft, sich an einander haltend. —ηλοφαγεῖν, sich unter einander aufzehren. —ηλοφαγία, ἡ, gegenseitige Aufzehrung. —ηλοφάγοι, ων, οἱ, αἱ, sich unter einander aufzehrende, aufreibende. —ηλοφθονία, ἡ, (φθόνος), gegenseitiger Neid. —ηλοφθορεῖν, (φθορά, φθείρω), sich unter einander zu Grunde richten. —ηλοφθορία, ἡ, gegenseitiges Aufreiben u. Tödten Plato Protag. —ηλοφονία, ἡ, (φόνος), gegenseitiger Mord. —ηλοφόνοι, οἱ, αἱ, od. ἀλληλοφόνται, gegenseitige Mörder. —ηλοφυεῖς, ῶν, οἱ, αἱ, (φύω), aus einander gezeugt. —ήλων, Dat. ἀλλήλοις, αις, οις, Acc. ἀλλήλους, ας, α, unter einander, wechſelſeitig, einer den andern, v. ἄλλος.

Ἀλλήλως, Adv. wechſelſeitig.

Ἄλλην, Adv. d. i. ἐπ' ἄλλην ὁδὸν, anderswohin; eben ſo ἄλλην καὶ ἄλλην, bald hie bald dorthin.

Ἄλληξ, ηκος, auch ἄλλιξ, ικος, ἡ, dav. das lat. *alicula*, eine Art von χλαμὺς, Oberkleid, welches nach Ulpian nur Knaben trugen; aber bey Martial 12, Ep. 83 tragen es auch Männer. Velius Longus de Orthographia ſagt: *Aliculam exiſtimant dictam, quod alas nobis injecta contineat.* Heſych. erklärt es d. χιτὼν χειριδωτὸς, auch χλαμὺς πορφυρᾶ u. χλαμὺς ἀλληλέχειρος; wahrſcheinlich weil andre ἄλληξ ſchrieben und von ἀλλάσσω ableiteten.

Ἀλλογενὴς, έος, ὁ, ἡ, (γένος), v. einem andern Geſchlecht, Volk, Volksſtamm. —λογλωσσία, ἡ, fremde Sprache, Verſchiedenheit der Sprache. —λόγλωσσος, ὁ, ἡ, eine fremde Sprache ſprechend, mithin fremd. —λογνοῶν, anders denkend; anders, als man ſoll, oder es natürlich iſt, denkend, ἄλλο γινώσκων παρὰ τὰ ὄντα Galen. d. i. der nicht bey Verſtande iſt, raſend. —λόγνωτος, ὁ, ἡ, andern, nicht mir bekannt, mithin fremd, als δῆμος Hom. Od. 2, 366. Man findet auch ἀλλόγνως dav. ἀλλόγνωτι χιτῶνι Empedokles bey Plutarch. Stoic. rep. —λοδαπὸς, ἡ, ὸν, ein Fremder, Fremdling; ἄλλος, δαπὸς, wie ποδαπὸς. —λοδημία, ἡ, joniſch ſ. v. a. ἀποδημία, Entfernung von dem Vaterlande, Reiſe. Jambl. Pyth. §. 252. Plato Leg. 12 p. 204 ἐν ἀλλοδημίᾳ ſt. ἐν ἄλλῳ δήμῳ, auſser Landes. Heſych. hat ἀλλόδημα, ἀπόδημα. —λοδοξέω, ſ. v. a. ἑτεροδοξέω, ſich in ſeiner Meinung irren; Plat. Theaet. 32. dav. —λοδοξία, ἡ, irrige Meinung. Plato Theaet. 32. wie ἀλλοφρονέω. —λοεθνὴς, έος, ὁ, ἡ, (ἔθνος), v. fremdem Volke. —λοεθνία, ἡ, anderes, verſchiedenes Volk. —λοειδὴς, έος, ὁ, ἡ, (εἶδος), anders geſtaltet. Hom. Od. 13. 194. —λοθεν, Adv. anderswoher. —λοθι, Adv. anderswo, anderswohin. —λόθροος, ὁ, ἡ, (θρόος), anders tönend, anders ſprechend, mithin fremd, Hom. Od. 1, 183. —λοινία, ἡ, (οἶνος), Abwechſelung des Weins, wenn man bey einer Mahlzeit bald dieſen, bald jenen Wein trinkt, Plutarch. Q. S. 4, 1. —λοιόθετος, ὁ, ἡ, verſchieden geſetzt. —λοῖος, οία, οῖον, anders, verſchieden, v. ἄλλος; dav. —λοιόστροφος, ον, von verſchiedenen Strophen, aus verſchiedenen Verſen. —λοιότης, ητος, ἡ, Verſchiedenheit. —λοιοτροπέω, beym Hippocr. τὸ σῶμα ἀλλοιοτροπεῖ, d. i. verändert ſich, neutraliter; dargegen hat Heſych. ἀλλοτροπῆσαι, μεταθεῖναι als Activ; auch Galen hat ἀλλοιοτροπεῖν. Aber die rechte Lesart iſt ἀλλοτροπεῖν, wie ἀλλοφρονεῖν u. mehrere jon. Worte. v. ἀλλότροπος, veränderlich, (ἄλλος, τρόπος), welches man auch ἀλλοιότροπος geſchr. findet. —λοιότροπος, veränderlich, verändert. S. das vorige Wort. —λοιόω, ῶ, f. ώσω, verſchieden machen; τινὰ, einen abwendig machen, ihn umändern, umſtimmen. —λοιώδης, εος, ὁ, ἡ, verſchieden, veränderlich. —λοίωσις, εως, ἡ, Veränderung, Umänderung. —λοιωτικὸς, ἡ, ὸν, gut, geſchickt, ſtark zum umändern. —λοιωτὸς, ἡ, ὸν, umzuändern, veränderlich. neutr. Veränderlichkeit.

Ἄλλοκα, Dor. ſt. ἄλλοτε. —κοτος, ὁ, ἡ, Adv. ἀλλοκότως, von anderer, als der gewöhnlichen Art, Beſchaffenheit, Geſtalt; überhaupt ungewöhnlich, fremd, monſtrös oder widernatürlich.

Ἄλλομαι, f. οῦμαι, ſpringen, hüpfen, tanzen. Davon ἥλατο Aor. 1. u. ἅλεται fut. ſt. ἁλοῦμαι. Il. 11, 192. —λόπους, ὁ, ἡ, ſpringenden Fuſses, ſchnell.

Ἀλλοπρόσαλλος, ὁ, ἡ, der bald hier bald da iſt, ein Beywort des Ares, der es bald mit dieſer, bald mit jener Partey hält. Il. 5, 831. 889. ἄλλος πρὸς ἄλλον.

Ἄλλος, η, ο, anderer, in der dreyfachen Bedeutung, worin wir das Wort nehmen: ein anderer, *alius*; der andere, *alter*; die andern, d. i. die übrigen, *reliqui*. Auch ſt. ἀλλότριος, als Hom. Od. 23, 274 ἄλλος ὁδίτης, ein fremder Wanderer. Daher denn auch mit dem genit. verſchieden von einem, als ἄλλα δικαίων, Xen. Mem. 4, 4. 25. d. i. ἄλλα ἢ δίκαια. Eben ſo *alius* im lat. als *aliud libertate* Cic. ad Div. 11, 2. 5. d. i. *aliud, niſi libertas*. Eben ſo *alius ſapiente beatus* beym Horat. Ep. 1, 16. 20; τὸ μὲν ἄλλο τόσον ſt. κατὰ τὸ λοιπὸν σῶμα Il. 23, 454. —λοσε, Adv. anderswohin, anderswozu. —λοτε, Adv. zu einer andern Zeit, ſonſt; ἄλλοτε, ἄλλοτε, bald, bald. —λοτι, v. ἄλλος τις bey den Attikern, frägt; τοῦτο ἄλλοτι ἢ θεοφιλὲς γίγνεται ἢ οὐ Eutyphr. 19. iſt das was anders als? ἄλλοτι ἢ διανοεῖ Crito 11. *numquid aliud niſi?* ἄλλοτι οὖν ἢ τὰς ξυνθήκας παραβαίνεις Crito 14 heiſst das was anders als den Vertrag übertreten? ἄλλοτι allein wird auch als Bejahung geſetzt. Eutyphr. 18. ἄλλοτι οὖν οὐδὲ ἰατρὸς Republ. 1 p. 178 demnach iſt alſo auch der Arzt.

Ἀλλοτριόγαμος, ὁ, ἡ, von fremdem Ehebette, d. i. fremden Weibern nachſchleichend. —τριοεπίσκοπος, ὁ, ἡ, Aufſeher, Spion bey fremden, ihn nichts angehenden Dingen. 1 Petr. 4, 15. —τριολογέω, fremde, nicht dahin gehörige Dinge ſprechen. —τριομορφοδίαιτος, ον, (μορφὴ, δίαιτα), nach immer einer andern Geſtalt lebend.

ſich immer in einer verſchiedenen Geſtalt zeigend, wie die Natur.

Ἀλλοτριονομέω, nach fremden Geſetzen leben. Bey Plato Theaet. 34 muſs es ἀλλοτριωνυμοῦντες heiſsen, fremde, falſche Namen gebend; von ὄνυμα ſtatt ὄνομα. —τριοπραγέω, betreibe fremde Geſchäfte; treibe fremde, mich nichts angehende Geſchäfte, mache Unruhe. —τριοπραγία, ἡ, das Betreiben, die Beſorgung fremder Geſchäfte. —τριοπραγμοσύνη, ἡ, Betriebſamkeit bey fremden, mich nichts angehenden Dingen. —τριος, ία, ιον, fremd, *peregrinus*, *extraneus*; mir fremd, d. i. mir nicht angehörig, mir nicht paſſend, ungewohnt, z. B. κατάστασις beym Dio; feindlich, z. B. ἀλλοτρία (γῆ); v. ἄλλος; dav. —τριότης, ητος, ἡ, das Fremdſeyn, Stand eines Fremden; das Ungewohnte, Unpaſſende, Abgeſchmakte; fremde, abwendig gemachte Geſinnung. —τριοφαγέω, ῶ, von fremdem Gute leben, fremdes Brod eſſen. —τριοφάγος, ὁ, ἡ, fremdes Brod eſſend. —τριοφθονέω, fremdes Gut beneiden, Hom. Od. 18, 18. wo man aber lieber mit Wolf ἀλλοτρίων φθονέω getheilt lieſst. —τριοφρονέω, fremd gegen einen, d. i. abgeneigt denken, geſinnt ſeyn; fremd, d. i. verſchieden denken. —τριόχωρος, ον, (χώρα), aus einer fremden Gegend, —τριόω, ſ. ώσω, fremd machen; abwendig machen; Fremden zueignen, veräuſsern, verkaufen; andern wegnehmen, als Xen. Cyr. 6, 1. 16. —τρίως, Adv. v. ἀλλότριος. —τρίωσις, εως, ἡ, fremde Geſinnung, Abneigung: eigentl. Beraubung, wenn ich etwas Fremden beylege. —τροπέω, ſ. ἀλλοιοτροπέω. —τρόπως, Adv. d. i. ἄλλῳ τρόπῳ, auf eine andere Art, anders. S. ἀλλοιότροπος. —φανής, έος, ὁ, ἡ, d. i. ἄλλος φαινόμενος, anders erſcheinend. —φάσσω, beym Hippokr. erklären einige, verwirrt ſprechen, *delirare*, ἄλλο φάσκειν; andre, ſich werfen, unruhig ſeyn, u. leiten es v. φοῖ her; daher Heſych. auch ἀλλόφασις durch Unruhe erklärt. S. ἐξαφάσσω. —φατος, ὁ, ἡ, (φάω), v. einem andern ermordet, bey Nicand. Ther. 148. χροιῇ ſ. v. a. verſchieden, ἀλλοῖος. —φέρμων, ὁ, ἡ, (φέρβω), ein fremder, anderswo erzogener. —οφράζω, ſ. v. a. ἀλλοφρονέω, jedoch zweif. —φρονέω, an etwas anders denken; ἄλλο παρὰ τὰ ὄντα φρονέω, nicht richtig denken, faſeln, irre reden. Vergl. ἀλλογνοέω. Wolf lieſst mit andern getrennt Od. 10, 374 ἄλλα φρον. —φυής, έος, ὁ, ἡ, (φυή), von anderer Natur. —φυλέω, ich bin ein ἀλλόφυλος. —φυλισμός, ὁ, gleichſ. von ἀλλοφυλίζω, zu einem Fremden machen, mithin Annahme fremder Sitten, Gebräuche; fremde Sitten, Gebräuche der Fremden. —φυλος, ὁ, ἡ, (φυλή), von fremdem Stamm, Volksſtamm, Volke, Nation. —φωνία, (φωνή), fremde Stimme, fremde Sprache. Vergl. ἀλλογλωσσία; v. —φωνος, ὁ, ἡ, (φωνέω), fremd tönend, eine fremde Sprache ſprechend. Vergl. ἀλλόγλωσσος. —χροέω, ſ. v. a. παραχροέω, ich verändere meine Farbe. —χροος, contr. ἀλλόχρους, ὁ, ἡ, (χροία), von anderer, verſchiedener Farbe. —χρως, ωτος, ὁ, ἡ, (χρώς), d. i. ἄλλον χρῶτα ἔχων, ein anderes körperliches Anſehn habend, fremd ausſehend.

Ἀλλυδις, Adv. ſ. v. a. ἄλλῃ u. ἀλλαχῇ. —λως, Adv. v. ἄλλος, auf eine andere Art, anders; in anderer Rückſicht, ſonſt, *alioqui*; aus einem andern Grunde, als ἄλλως τέ μοι καλῶς δοκεῖς ταῦτα λέγειν, καὶ ὅτι u. ſ. w. ſowohl aus andern Gründen ſcheinſt du mir dies richtig zu bemerken, als auch, weil u. ſ. w. d. i. vorzüglich ſcheinſt du mir deswegen u. ſ. w. auſserdem, als Theocr. 21, 34. zu andern, fremden Zwecke, d. i. vergebens; daher obenhin, ſorglos, leicht, Hom. Od. 20, 211.

Ἅλμα, ατος, τὸ, Sprung, v. ἅλλομαι. 2) der Ort, wohin, worauf man ſpringt; daher μαλακὸν ἅλμα bey Plato.

Ἁλμευσις, εως, ἡ, (ἁλμεύω), das Einſalzen; eigentl. das einlegen, einmachen mit Salzwaſſer. —μευτής, οῦ, ὁ. S. ἁλμευτής. —μεύω, ſ. εύσω, einlegen, einmachen in oder mit Salzwaſſer. S. ἁλμευτής. —μη, ἡ, (ἅλς), Salzigkeit, ſalziges Weſen; das, was ſalzig iſt, als Erde, Waſſer. Xenoph. Oec. 20, 12. Salzwaſſer, *muria*; das Meer; davon —μήεις, ήεσσα, ῆεν, ſalzig, geſalzen. —μιον, τὸ, dimin. ἅλμια, τά. Athenae. 4 p. 132. eingeſalzne Speiſen, Fiſche. —μοπότις, ἡ, d. i. ἅλμην πίνουσα. —μυρίζω, ich bin ἁλμυρός. —μυρίς, ίδος, ἡ, wovon *muria* u. franzöſ. *saumure*, Salzwaſſer, Salzigkeit; 2) ſalzige Erde. ἁλμυρίδος αὐχμηρᾶς Plutar. Eum. 16. wo ſie als ſandicht u. weiſs angegeben wird; daher Heſych. ἁλμυρίδες αἰγιαλοί. —μυρός, ρά, ρόν, ſalzig, als πόντος Heſiod. Th. 107. —μυρότης, ἡ, Salzigkeit. —μυρώδης, εος, ὁ, ἡ, o. ἁλμώδης, ſ. v. a. ἁλμυρός.

Ἅλξ, ἀλκὸς, ἡ, wovon der Dativ. beym Hom. ἀλκί vorkommt: ἀλκὶ πεποιθώς, Il. 5, 299. Od. 6, 130. dav. ἀλκή, ἄλκιμ. —ξεις, αἱ, Feſtungswerke, feſte Mauer, τεῖχος. S. ἔπαλξις.

Ἀλοάω, dav. ἀλωή ſ. v. a. δινέω, ich treibe, führe herum, Ariſtoph. Therm. 2. 2) wie δινέω, ich dreſche, welches durch im Kreiſe herumgetriebene Ochſen oder Pferde geſchah; daher 3) ich prügle einen, ich schlage; denn einige brauchten auch Prügel zum Ausdreschen.

'Αλοβος, ὁ, ἡ, ohne λοβὸς, von Opferthieren, deren Leber einen gewissen Lappen, *caput, exta sine capite*, nicht hat.

'Αλογεύομαι, f. εύσομαι, (ἄλογος), ich betrage, bezeige mich als einen unverständigen. —γέω, nicht achten, auch verachten, m. d. Genit. wie *contemno* u. *rationem non habeo*. Passiv. ἀλογέομαι, ich irre, täusche mich in meinem Raisonnement; überh. ich fehle, verfehle meinen Zweck. —γημα, τὸ, (ἀλογέομαι), Versehn, Irrthum, Missglück, Unglück, bey Polyb. —γία, ἡ, (λόγος), Unvernunft, wo keine Vernunft ist; das Nicht-Achten, Verachten, als ἔχειν τι ἐν ἀλογίαις, od. ἀλογίαν τινὸς ἔχειν, ἐν ἀλογίᾳ ποιεῖσθαι beym Herodot., wofür er sonst spricht ἀλογεῖν τινὸς, ἐν μηδενὶ λόγῳ ποιεῖσθαι; Unvernunft beym Handeln ist Mangel an Ueberlegung; bey der Sache oder Handlung das Abgeschmackte, Zweckwidrige. —γιος, δίκη ἀλογίου. S. λογιστής. —γίστευτος, ὁ, ἡ, nicht nachdenkend. Hierocles. —γιστὶ, Adv. unvernünftig, von ἀλόγιστος. —γιστία, ἡ, Unüberlegtheit, Unbesonnenheit; von —γιστος, ὁ, ἡ, d. i. μὴ λογιζόμενος, ohne Ueberlegung, unüberlegt, unbedachtsam. Hiervon ἀλογιστέω, ich bin ein ἀλόγιστος beym Longin. 10. 5. —γος, ὁ, ἡ, ohne Grund, grundlos; abgeschmackt; ohne Vernunft, unvernünftig: λόγος. —γοτροφεῖον, τὸ, (ἄλογα sc. ζῶα), Futterstall für unvernünftige Thiere. —γως, Adv. v. ἄλογος, grundlos, unvernünftig, nach Art unvernünftiger Thiere.

'Αλόη, ἡ, die Aloe.

'Αλόησις, εως, (ἀλοάω), das Zermalmen, Zerreiben, Mahlen. —ητὸς, ὁ, eben das; auch Mahlzeit.

'Αλόθεν, Adv. d. i. ἐξ ἁλὸς.

'Αλοιάω, ῶ, f. ήσω, f. ἀλοάω. Es steht z. B. Hom. Il. 9, 564.

'Αλοιδόρητος, ὁ, ἡ, (λοιδορέω), Adv. ἀλοιδορήτως, od. ἀλοίδορος, nicht zu beschimpfen, nicht beschimpft.

'Αλοιητὴρ, ῆρος, ὁ, Zermalmer, als ἀλοιητῆρες ὀδόντες Epigr. die zermalmenden oder Backzähne.

'Αλοῖτις, ιδος, ἡ, Aloe.

'Αλοιτὸς, ὁ, f. v. a. ἀλιτήμων.

'Αλοιφαῖος, ον, zum Salben. —φὴ, ἡ, (ἀλείφω), das Einschmieren, Einsalben; das, was man einschmiert, womit man salbt, Salbe, Oel. 2) das Auswischen, Auslöschen, u. das Ausgelöschte, *litura*, Plutarch. Consol. p. 409. τῆς νεὼς den Anstrich Polyaen 5, 34.

'Αλοκίζω, f. ίσω, Furchen ziehen; von —λοξ, οκος, ὁ, Furche, sonst auch αὖλαξ; dor. ὦλαξ; das Furchenziehen, das Besäen, auch tropisch beym Euripid. Phon. σπείρειν τέκνων ἄλοκα, wie σπέρμα, Saamen, Zeugung.

'Αλόπεδον S. ἀλίπεδον.

'Αλοπήγια, ων, τὰ, Salzwerk, Salzgrube; von —πηγὸς, ὁ, (πήγνυμι), der Seewasser in Gruben oder Seen an der Sonne verdünsten läſst u. so daraus das Salz gleichsam gerinnen läſst.

'Αλοπος, ὁ, ἡ, bey Aristoph. ἀμοργὶς ἄλοπος, ungehechelter Flachs. S. ἀμοργὶς, ἡ, v. λέπω, λέπος, λόπος, Hülse, Schaale, Rinde, Schelfen.

'Αλοσάχνη, ἡ, eine Art von *halcyonium*. S. ἀλκυόνειον; getrennt ist ἁλὸς ἄχνη, Schaum des Meeres. Hom. Il. 4. 426.

'Αλοσύνη, ἡ, besser ἠλοσύνη Nicand. Alex. 420. Dummheit, Thorheit. f. ἠλὸς.

'Αλότριψ, ιβος, ὁ, f. v. a. ἀλετρίβανος.

'Αλουργής, έος, ὁ, ἡ, f. v. a. ἁλουργὸς. —ουργὶς, ίδος, ἡ, ein Purpurkleid; Kleid mit Meerpurpur gefärbt. —ουργοπώλης, ου, ἡ, d. i. ἁλουργὸν πωλῶν, Purpurhändler; dav. —ουργοπωλική, verst. τέχνη, Purpurhandel. —ουργοπώλιον, τὸ, Purpurhandelsmarkt. —ουργὸς, ἡ, ὸν, purpurn, mit dem Purpur der Meerschnekken gefärbt, ἅλς, ἔργον; der andre Purpur war aus andern Farben gemacht und wohlfeiler.

'Αλουσία, ἡ, (λούω), Ungewaschenheit, Schmutz. —ουτέω, ich bin ἄλουτος. —ουτος, ὁ, ἡ, (λούω), ungewaschen, unreinlich, schmutzig.

'Αλοφάζειν, bey Suidas, σκιρτᾶν, παροινεῖν, wo man ἀλλοφάζειν lesen will; Hesych. hat ἀλλοφάσσειν, οὐχ ὑποφέρειν τὸ βάρος. Ist von ἄλοφος und bedeutet ἀλόφως φέρειν, das Gegentheil von εὐλόφως φέρειν von einem wilden Thiere, das nicht unter dem Joche gehn will.

'Αλοφος, ὁ, ἡ, ohne λόφος Hom. Il. 10, 258. 2) das Gegentheil von εὔλοφος.

'Αλοχος, ἡ, v. λέχος, e. f. v. a. ἀλέκτωρ Gattin, Frau.

'Αλόω, f. ώσω, die alte Form v. ἅλωμι, ἁλίσκω, sichtbar in ἁλώσω, ἁλώσομαι, ἥλωκα, ἑάλωκα.

'Αλπνὸς, dav. ἄλπνιστος. S. ἐπαλπνος.

"Αλς, ἁλὸς, ὁ, Salz; als fem. Meer, dah. ἐς ἅλα δῖαν: plur. ἅλες, salzige, scharfsinnige, beiſsende Reden, wie *sales*, *salse dicta*, *salinae*. Bey Demost. ποῦ ἅλες, ποῦ τράπεζαι; wo ist da die Freundschaft beym Tisch und Salz errichtet?

'Αλσηΐδες, ων, αἱ, o. ἀλσηΐτιδες, Haynbewohnerinnen, Nymphen im Hayn. ἄλσος.

'Αλσίνη, ἡ, *alsine*, eine unbest. Pflanze, die sehr wuchert und sich um andre schlingt, daher ἀλσινεύω bey Hesych. wuchern, um sich greifen im Wuchse.

'Αλσις, o. ἄλσις, εως, ἡ, das Tanzen, Hüpfen, Pochen, v. ἄλλομαι.

'Αλσοκομικὸς, ἡ, ὸν, einem ἀλσοκόμος gehörig; von —σοκόμος, ὁ, (ἄλσος, κομέω), Haynbeschützer, Waldaufseher. —σος, εος, τὸ, (ἄλω, ἄλδω), Wiese, Hayn, Wald, *lucus*. πόντιον ἄλσος Aesch. Prom. 109 das Meer, wie *prata neptunia* bey Cicero u. ποσειδαώνος ἀλωὴ Oppian. Hal. 1, 797. —σώδης, εος, ὁ, ἡ, waldig, buschig.

'Αλτῆρες, ων, οἱ, Bleymassen, die man in den Händen haltend sich im springen übte, v. ἄλλομαι; dav. ἀλτηρία die Uebung damit, Artemidor. 1. 59. —τηροβολία, ἡ, das Werfen mit dem ἀλτήρ. Jambl. Pyth. 97. wo falsch ἀρτηροβ. steht.

'Αλτικὸς, ἡ, ὸν, (ἄλλομαι), gut, geschickt zum Springen, zum Tanzen, geschickter Tänzer, behend auf den Füssen.

'Αλυδμαίνω u. ἀλύζω s. v. a. ἀλύω, jenes hat blos Hesych.

'Αλύκη, ἡ, v. ἀλύω, ἀλύζω f. ἀλύξω dav. ἀλυκτέω ἀλύκτημι, ich bin unruhig, voll Angst, bey Hippokr. s. v. a. sonst ἄλυσις, ἄλυξις, ἀλυσμὸς, Angst, Unruhe. Erotian. erklärt es ἀπορία μετὰ χάσμης. Hesych. hat ἀλυχὴν, ἄσην, χάσμησιν. Galen erklärt ἀλύκη für gleichbedeutend mit ἄλη, ἄλυς. S. oben ἀλαλύκτημαι. Davon des lat. *allucinor*, *allucinatio* wie beym Gellius 16, 12 angemerkt ist, welches Unachtsamkeit bedeutet.

'Αλυκὶς, ίδος, ἡ, s. v. a. ἀλμυρὶς u. ἀλυκότης v. ἀλυκὸς, zweif.

'Αλυκὸς, ἡ, ὸν, v. ἅλς, s. v. a. ἁλμυρὸς; dav. —κότης, ητος, ἡ, s. v. a. ἁλμυρότης.

'Αλυκτάζω, f. άσω, oder ἀλυκτέω, ich bin ἄλυκτος, bin furchtsam und in Angst. Herodot. 9, 70. von ἀλύω, ἀλύζω, ἀλύκω, also s. v. a. ἀλαλύκτημι und ἀλύω. —κτοπέδη, ἡ, unauflösliche Bande, v. πέδη u. dem folg. —κτος, ὁ, ἡ, v. ἀλύω, ἀλύκω, geängstiget, furchtsam, verlegen, bestürzt; 2) man erklärt es auch unvermeidlich st. ἄλυτος. —κτοσύνη, ἡ, ängstliche Lage, Angst, Furcht, Verlegenheit, äusserste Verwirrung, aus der man sich nicht heraus zu finden weiss. v. ἄλυκτος.

'Αλύμαντος, ὁ, ἡ, (λυμαίνω), nicht zu beschädigen, zu verderben; nicht beschädigt, unverletzt.

'Αλυξις, εως, ἡ, (ἀλύσκω), das Entfliehen, Vermeiden; 2) s. v. a. ἀλυσμὸς.

'Αλύπητος, ὁ, ἡ, (λυπέω), Adv. ἀλυπήτως, ungekränkt; nicht zu kränken, nicht kränkbar. —πία, ἡ, Kummerlosigkeit, Frohsinn; von —πος, ὁ, ἡ, (λύπη). Adv. ἀλύπως, ohne Schmerz, kummerfrey; act. nicht kränkend, keinen beleidigend.

'Αλυρος, ὁ, ἡ, (λύρα), ohne Leyer.

'Αλυς, υος, ὁ, ὁ ἀπὸ τῶν μυρεψικῶν καὶ χρυσοχοϊκῶν ἄλυς Zeno Clement. Paedag. 3, 11. d. i. ὄχλος, die Menge Putzwerk; Schneiders griech. W. oterb. I. Th.

bey Plutarch Probl. rom. u. Ehmen. 11. die Trägheit aus Musse und Faulheit entstanden; daher ἀλύειν bey ihm, müssig seyn, Musse haben. eigentl. s. v. a. ἄλη. Plutarch Exsil. p. 387 verbindet ἄλυς u. ῥέμβος. —υσηδὸν, Manetho 4. 486. aber 1, 314 steht besser ἀλύσεσσι. —υσθαίνω, auch ἀλισταίνω, krank, schwach, matt seyn. Callim. Del. 212. Nicand. Ther. 427. Alexi. 141. Scheint mit ἀλύω, ἀλύζω einerley Ursprung zu haben.

'Αλυσίδετος, ὁ, ἡ, (ἄλυσις, δετὸς), mit Ketten gebunden, gefesselt.

'Αλυσιδωτὸς, ὁ, nach Art einer Kette gearbeitet und durch Glieder verbunden, wie z. B. ein Panzer; v. ἄλυσις.

'Αλύσιον, τὸ, dimin. v. ἄλυσις. —σις, od. ἅλυσις, εως, ἡ, (λύω), Kette, unauflösliches Band.

'Αλυσις, εως, ἡ, od. ἄλυξις, Aengstlichkeit, wie ἄλυς, v. ἀλύω.

'Αλυσιτέλεια, ἡ, Schaden, Nachtheil. —τελὴς, έος, ὁ, ἡ, Adv. ἀλυσιτελῶς, unnütz, nichts nützend, nichts einbringend.

'Αλυσκάζω u. ἀλύσκω, f. ἀλύξω, von ἀλύω, ἀλεύω, ἀλύσκω s. v. a. ἀλεύομαι, ich meide, fliehe, entgehe, entferne mich; bisw. m. d. Genit. mit verstandenem ἐκ. Odyss. μ. ἤλυξα ἑταίρους, ich hatte mich von meinen Gefährten entfernt. S. ἀλέω; 2) Apollon. 4, 57 braucht ἀλύσκω für herumirren, wie ἀλύω. S. ἀπαλεύομαι.

'Αλυσμὸς, ὁ, Aengstlichkeit, wie ἄλυσις. v. ἀλύω; davon —υσμώδης, εος, ὁ, ἡ, ängstlich. —ύσσω, f. ξω, Il. 22, 70 ἀλύσσοντες περὶ θυμῷ erklären einige für λυσσῶντες, andre richtiger für ἀλύοντες, ἀδημονοῦντες, traurig.

'Αλυτάρχης, ὁ, von ἀλύτης (ἀλύω), der Polizeydiener, *lictor* des Vorgesetzten ἄρχων derselben, in der Würde nächst den Hellanodicis bey Lucian. Hermot. nach Hemsterhuis.

'Αλυτος, ὁ, ἡ, (λύω), Adv. ἀλύτως, unauflöslich; auch im tropischen Sinne unauflöslich, unerklärlich; unaufgelöst, unerklärt, unentwickelt.

'Αλύω, von ἄλη s. v. a. ἄλυς, herumirren, ängstlich herumlaufen, z. B. παρὰ θῖν' ἁλὸς Hom. Il. 24, 12. Daher trauern, klagen, nicht wissen, was man thun soll. Od. 9, 398. Langeweile haben, Aelian. v. h. 14, 12, ἀπορέω, sich nicht zu helfen wissen, λύσιν μὴ εὑρίσκω τῶν κακῶν. M. s. Hom. Il. 5, 352, wo es Plut. de aud. poët. c. 5 durch δακνόμαι erklärt. Eben so liest man besser Il. 16, 403 ἀλὺς v. ἄλυμι st. ἀλεὶς, v. ἀλῆναι; *se contorquens*, *convolutus*, wie man es gewöhnlich erklärt. Die entgegengesetzte Bedeutung sich freuen, frohlocken, welche Odyss. 18, 332 statt findet, γαυριάω καὶ χαίρω, wie es Plut. l. c. erklärt, leitet der Schol. des Sophocl. über Electr. 139 von ἀλέα, διάχυσις her. Von ἀλύω kommen fast unendliche Formen her, als ἀλύζω, ἀλυκτέω, ἀλύκτημι, ἀλαλύκτημαι, ἀλυδμαίνω, ἀλυσθαίνω u. f. w.

'Αλυώδης, ὁ, ἡ, bey Hippocr. Praecept. 6. zweif. andre haben ἀλιώδης oder ἀλώδης.

'Αλφα, τὸ, f. vorne bey α.

'Αλφαίνω, ἀλφάζω, ἀλφάνω, ἀλφαίω, ἀλφάω, ἀλφέω, ἄλφω, ἀλφάσδω dorifch ft. ἀλφάζω f. v. a. εὑρίσκω ich erfinde, finde; 2) erhalte, bekomme, erlange. φθόνον πρὸς ἀστῶν ἀλφαίνουσι Eurip. 3) wie εὑρίσκω mit τιμὴν, ὦνον, einen Preifs finden, bekommen, gelten, ὁ δ' ὑμῖν μυρίον ὦνον ἄλφοι Odyff. οὗτος ἀλφαίνει, ὁ δοῦλος, findet einen Kaufer bey Suidas in ἀλφαίνει.

'Αλφεσίβοιαι, ων, αἱ, παρθένοι (ἄλφω, βοῦς), Jungfrauen, welche Stiere finden, verdienen, d. i. fie in Menge von ihren Freyern bekommen haben, Hom. Il. 11, 244. womit fie von ihren Eltern abgekauft wurden; daher Lycophron 549 ἀλφὴ ἀέδνωτος, eine Ehe ohne dergleichen Gefchenke an den Vater, d. i. ein Raub der Tochter. Alfo bedeuten ἀλφεσ. παρθ. überhaupt fchöne, von Freyern gefuchte Jungfern. Dargegen ift ὕδωρ ἀλφεσίβοιον bey Aefchylus Suppl. 861 f. v. a. das Vieh nährend, fett machend.

'Αλφέω. S. ἀλφαίνω. —φή, ἡ, Erfindung, v. ἄλφω. S. ἀλφεσιβ. auch Gewinnft Lycophr. 1394. Eben das ift ἄλφησις v. ἀλφέω; dav. —φηστής, οῦ, (ἀλφέω), Homer nennt ἄνδρας ἀλφηστὰς uberh. die Menfchen vom Erfinden oder Erwerben. Aefchyl. Sept. 772 einen reichen Mann, der fich etwas erworben hat. S. ἀλφαίνω.

'Αλφι, τὸ, das von Dichtern abgekürzte ἄλφιτον. —φιταμοιβὸς, ὁ, d. i. ἄλφιτον ἀμείβων, nämlich ἀργυρίου, Gerftengraupen und Mehl für Geld vertaufchend, verkaufend. —φιτεῖον, τὸ, Mühle, wo man Gerftengraupen macht. —φιτεὺς, έως, ὁ, der Gerftengraupen bereitet, macht. —φιτηδὸν. S. καρυηδὸν. —φιτικὸς, ἡ, ὸν, von Gerftengraupen. —φιτοθήκη, ἡ, Behältnifs von Gerftengraupen. —φιτόμαντις, εως, ὁ, eben f. v. a. ἀλευρόμαντις. —φιτον, τὸ, eigentl. Gerftengraupen, nicht Mehl, wie mans gewöhnlich überfetzt, *polenta*; hernach auch Mehl, und daraus verfertigter Puder, womit die κανηφόροι, αἱ fich puderten. Ariftoph. Eccl. 732. Schol. ad Av. 1550. Im plur. τὰ ἄλφιτα, im allgemeinern Sinne, ohngefahr wie unfer *Brod*, Vermögen, Lebensunterhalt, als ἀλ. πατρῷα, väterliches Vermögen Ariftoph. dav. —φιτοποιΐα, ἡ, (ποιέω), Bereitung von Gerftengraupen. —φιτοπώλης, ου, ὁ, fem. ἀλφιτόπωλις, (πωλέω), der Gerftengraupen verkauft. —φιτοσιτέω, ich effe Gerftengraupen, Mehl, oder Gerftenbrod. Cyropaed. 6, 2. 28. —φιτοσκόπος, ὁ, v. σκοπέω, f. v. a. ἀλφιτόμαντις. —φιτόχρως, ωτος, ὁ, ἡ, (χρόα), von der Farbe der Gerftengraupen, weifs.

'Αλφὸς, ὁ, weiffe Flecken auf der Haut, vorz. des Gefichts.

'Αλφω f. ἀλφαίνω.

'Αλωὰ, ἡ, ein mit Korn befäeter oder mit Bäumen, befonders mit Weinftöcken bepflanzter Acker, Saatfeld, Saaten; mit Korn belegter Ort, oder Tenne, f. v. a. ἅλως. M. f. Hom. Il. 9, 536, wo es Saatfeld, u. 5, 499, wo es Tenne ift, 18, 561, wo es Weinland ift, fo wie Od. 1, 193. ἀλωὴ πάγκαρπος heifst die Philofophie, wofür andre πάμφορος ἀγρὸς fagen; v. ἀλοάω. S. auch ἄλσος.

'Αλῶα, ων, τὰ, *Cerealia*, ein der Ceres, der Erfinderin des Säens zu Ehren gefeyertes Feft. —αῖος, α, ον, zur ἀλωὰ gehörig, daher kommend. —ὰς, άδος, ἡ, die Göttin der Flur, Demeter oder Ceres.

'Αλώβητος, ὁ, ἡ, (λωβέω), unverletzt, unbefchädigt.

'Αλωεινὸς, ἡ, ὸν, oder ἀλώϊος, (ἀλωὰ), was auf der Tenne oder den Feldern ift, dahin gehort, dafelbft gethan wird. —εὺς, έως, ὁ, (ἀλωὰ), ein Arbeiter auf der Tenne, d. i. Drefcher, ἀλοάων; im Weinberge, d. i. Winzer; auf dem Felde, d. i. Ackermann.

'Αλων, ωνος, ἡ, fo viel als ἅλως; davon —νεύομαι, ich befchaftige mich auf der Tenne, drefche. Appian bey Suidas.

'Αλώνητος, ὁ, ἡ, d. i. ἁλὶ ὠνητὸς, für Salz gekauft, d. i. ein fchlechter thracifcher Sklave, weil die Thracier in alten Zeiten öfters für etwas Salz fich unter einander verkauften, fo wie jetzt Afrikaner fur Brantwein; mithin ein nichtswürdiger, fchlechter Sclave, ὀλίγου ἄξιος nach Hefych. Daher Menander: Θρᾷξ εὐγενὴς εἰ πρὸς ἅλας ὠνημένος.

'Αλωνία, ἡ, f. v. a. ἅλων. —νίζω, f. ίσω, ich bin ein ἁλώνιος, bin auf der Tenne. —νιος, ία, ιον, (ἅλων), einer, der auf, oder von der Tenne ift, daher neutr. ἀλώνιον fubft. ft. ἅλων.

'Αλωπεκάω, ῶ, f. v. a. ἀλωπεκίζω. —πεκῆ, ἡ, contr. aus ἀλωπεκέη, wie λεοντῆ ft. λεοντέη, Fuchsfell, Fuchsbalg. —πεκία, ἡ, ein v. ἀλώπηξ gemachtes fubft. fo wie ἀλωπεκίασις, gebildet v. ἀλωπεκιάω, ein Fuchsloch, Fuchshöle; 2) Fuchskrankheit, wenn einem wie dem Fuchs die Haare auf dem Kopfe, oder überhaupt ausgehen; denn *vulpes pilum mutat, non mores.*

'Αλωπεκίας, ου, ὁ, fuchsartig, fuchsähnlich, *vulpinaris*, wie beym Lucian einer mit einem Fuchszeichen auf der Stirne so heifst; 2) eine Hayfischart. —πεκιδεύς, ὁ, ein junger Fuchs, ἀλώπηξ. —πεκίζω, f. ίσω, ich bin ein Fuchs, betrage mich wie ein Fuchs, schlau u. hinterlistig, wie *vulpinor*. —πέκιον, τὸ, ein Füchschen, *vulpecula*; oder Fuchsbalg. —πεκὶς, ίδος, ἡ, ein junger Fuchs; ein Bastart von Fuchs und Hund. Xenoph.: ἀλωπεκίδες κύνες, διότι ἐκ κυνῶν τε καὶ ἀλωπέκων ἐγένοντο; überhaupt Fuchs, als ἀλωπεκίδας φέρειν Xenoph. Anab. 7, 4. 4 Füchse, d. i. Fuchsfelle tragen; wegen der Aehnlichkeit eine Art Weinstöcke, *caudam vulpium imitata*; *alopecis* Plin. 14, 3. —πέκουρος, ὁ, d. i. ἀλώπεκος οὐρὰ, Fuchsschwanz, eine Pflanze beym Theophr. hist. pl. 7, 10. —πεκώδης, εος, ὁ, ἡ, fuchsig, fuchsartig, schlau, hinterlistig wie ein Fuchs. S. das folgende. —πηξ, εκος, ἡ, Fuchs; von Menschen, schlau, hinterlistig, betrügerisch, wie Meister Reinicke. Bey Oppian. Cyn. 1, 432 steht ἀλωπήκεσσι, wo man ἀλωπεκέεσσι verbessert hat. Eben so *animi sub vulpe latentes* beym Horat. a. poët. 437. Wegen der Aehnlichkeit der Wohnung eine Art Vogel beym Arist. sonst χηναλώπηξ; u. eben so im plur. ἀλώπεκες die Lendenmuskeln; bey Callimach. s. v. a. ἀλωπεκία, die Krankheit. —πὸς, ὁ, ἡ, davon ἀλωπέχρους, ὁ, ἡ, von χρόα. Bey Ignatius Epist. 9 οὗτοι γάρ εἰσι θῶες, ἀλωποὶ, ἀνθρωπόμιμοι πίθηκοι. Das zweyte Wort erklärt Suidas durch πολιὸς grau, Eustath. über Odyss. ω p. 845 πολιὸς, πάλλευκος.

'Αλως, ω, ἡ, eigentlich s. v. a. ἀλωὰ, welches Arat. Dios. 79 für ἅλως braucht; vorz. die Tenne; wegen der Aehnlichkeit (denn die Tennen waren rund) der Hof um die Sonne oder den Mond; und hiervon übergetragen nennt Aeschyl. Theb. 491 einen runden und weit strahlenden Schild ἅλως.

'Αλώσιμος, ὁ, ἡ, (ἁλόω), leicht zu nehmen, zu fangen, zu erobern; von —ωσις, εως, ἡ, (ἁλόω), das Fangen, Einnehmen, Erobern, Zerstöhren; ist vom Gericht die Rede, so ist es Verdammung. —ωτὸς, ἡ, ὸν, s. v. a. ἀλώσιμος.

'Αλώφητος, ὁ, ἡ, d. i. οὐ λοφῶν, nicht mit unter Athem holend, ohne sich zu erholen beständig fortfahrend, unaufhörlich, als ἀγῶνες ἀλώφητοι Plut.

'Αμα, Adv. zugleich; ἅμα (σὺν) τινὶ, mit einem zusammen, wie *simul* u. *simulac*. τῆς ἀγγελίας ἅμα φησίσης προσεβοήθουν Thucyd. 2, 5 sobald sie die Nachricht erhielten, eilten sie zu Hülfe.

'Αμαγγάνευτος, ὁ, ἡ, d. i. οὐ μαγγανεύων.

'Αμαδρυάδες, ων, αἱ, Hamadryaden, Baumnymphen, die ἅμα (σὺν) δρυὶ geboren wurden und starben, das personificirte Leben des Baumes oder der Pflanze.

'Αμαθαίνω, ich bin ein ἀμαθὴς, bin dumm, ungelehrt; handle dumm und ohne Erfahrung. —θεια, ἡ, od. ἀμαθία, Unwissenheit, Ungelehrsamkeit, Mangel an Erfahrung, Unbedachtsamkeit, Dummheit, Mangel an Bildung, Grobheit; von —θὴς, έος, ὁ, ἡ, (μαθέω), ungelehrt, der nicht gelernt hat, besonders die Wissenschaften (μαθήματα) nicht getrieben hat; überhaupt unwissend, ohne Erfahrung, ohne Bildung, ohne Geschick; 2) passive unbekannt. Eur. Jon 916.

'Αμαθίτιδες, ων, αἱ, ein Beywort v. κόγχοι beym Epicharm. Schnecken im Sande. —θόεις, εσσα, εν, sandig; von —θος, ἡ, Sand, Staub; davon —θύνω, zu Staub machen, im Staube verbergen Hom. Hymn. 2, 140; der Erde gleich machen, zerstören, zertrümmern, als πόλιν Il. 9, 589. χρόνῳ ἀμαθύνεται ἦτορ κρατερὸν Quint. Smyr. 2, 333. —θώδης, εος, ὁ, ἡ, sandig.

'Αμαίευτος, ὁ, ἡ, (μαιεύω), gleichsam nicht behebammet, der eine Hebamme noch nicht hat helfen dürfen, Jungfrau. Non.

'Αμαιμάκετος, ὁ, ἡ, lang, groß, μακετὸς st. μακεδανὸς, μακρὸς, μαιμακετὸς mit dem α intens. wie περιμήκετος: ἱστὸν ἀμαιμάκετον; 2) wüthend, zornig, schrecklich, v. μαιμάω, μαιμάσσω, μαιμάκτης, μαίμαξ, μαίμαχος s. v. a. ἐνθουσιώδης. Soph. Oed. Col. 127 bey Homer πῦρ.

'Αμαίωτος, v. μαιόω, s. v. a. ἀμαίευτος. Oppian. Cyn. 1, 40 wo andre ἄμογος τόκοιο haben.

'Αμαλακιστία, ἡ, Diodor. 4, 35 Unerweichlichkeit, Unermüdbarkeit. —λακτος, ὁ, ἡ, (μαλάσσω), nicht zu erweichen, hart, unbiegsam.

'Αμαλάπτω, s. v. a. ἀμαλδύνω.

'Αμαλδύνω s. v. a. ἀμαλύνω, ἀμαλόω von ἀμαλὸς oder ἀμαλὴς s. v. a. ὁμαλὴς, also ὁμαλίζω der Erde gleich machen, zerstören; daher überh. vernichten, zerstören, schwächen, entkräften, bey Hippokr. von ἀμαλόω ist ἀμαλδόω u. ἀσμηλόω, ἀμανδαλέω, bey Alcaeus ἀμάνδαλον τὸ ἀφανὲς von ἀμάλάω, ἀμαλδάω, ἀμάλδανος. Eben daher hat Hesych. ἀμαλάττει, ἀμαλαιρεῖ, ἀμαλάπτω von ἀμαλάω, ἀμαλανώ.

'Αμάλη, ἡ, davon ἀμαλεύω u. ἀμαλίζω. S. ἄμαλλα.

'Αμάλθεια, ἡ, Amalthea, die Ziege, die den Jupiter geſaugt hatte, und deren Füllhorn bekannt iſt. Davon findet man noch beym Heſych. das Verb. ἀμαλθεύω, welches er durch τρέφω, πληθύνω, πλουτίζω erklärt.

'Αμαλητόμος, ὁ, ἡ, die Garben ſchneidend, mähend, Mäher. Oppian. Cyn. 1, 521.

'Αμαλλα, ἡ, (ἀμᾶσθαι erndten, ſammeln), die Garbe, das Bund Aehren, welche man abgeſchnitten hat und zuſammenbindet; bey Philoſtr. Icon. 3, 10 das Band, womit man die Garbe bindet; wie δράγμα auch die ſtehende Saat. Quint. Smyrn. 11, 156 u. 171. davon —αλλεύω und ἀμαλλίζω, ich binde in Garben; überh. ich binde. Daher Heſych. ἡμάλιζεν, ἤωρει, ἔπνιγεν, erhieng, erdroſſelte. Wird auch ἀμάλη u. ἀμαλεύω geſchrieben. —άλλιον, τὸ, das Band, die Garbe zu binden. S. ἄμαλλα. —αλλοδετὴρ, ῆρος, auch ἀμαλλοδέτης, (δέω ich binde), der die Garbe bindet. Hom. Il. 18, 553. —αλλοφόρος, (φέρω), Beyw. der Ceres, die Garben tragende.

'Αμαλὸς ſ. v. a. ἁπαλὸς, zart. ἄρν' ἀμαλὴν, Il. 10, 310. 2) ſchwächlich. Eurip. Heracl. 75. γέροντ' ἀμαλὸν ſ. v. a. ἀσθενῆ; 3) ſ. v. a. ὁμαλὴς, wovon ἀμαλῶς, μετρίως, εὐκόλως nach Heſych. Bey Hippocr. οὐχ ἀμαλῶς ἐπαινέουσι, ὁρᾷ, προσίεται τὰ σιτία nach Galens Citation, wo jetzt ὁμαλῶς oder ὁμοίως ſteht. —λόω, ῶ, f. ώσω u. ἀμαλύνω ſ. v. a. ἀμαλδύνω.

'Αμάμυξ, υκος, oder ἀμάμυξις, oder ἀμάμαξυς, ἡ, eine Art von Weinreben, die man an Bäumen in die Höhe zog.

'Αμανίται, Schwämme, Erdſchwämme, welche man iſst.

'Αμάντευτος, ὁ, ἡ, nicht geweiſſagt; act. nicht weiſſagend.

'Αμαξα, ἡ, *plauſtrum, currus*, ein Wagen; 2) der Wagen am Himmel, das Siebengeſtirn, *ſeptemtriones*, Hom. Od. 5, 273. 3) ſ. v. a. ἁμαξιτὸς, Landſtraſse. πάμφορος. Anthologie. ῥητὰ καὶ ἄῤῥητα ὀνομάζων ὥσπερ ἐξ ἁμάξης Demoſth. S. πομπεύω. —ξαία, Jon. eben ſ. v. a. ἅμαξα; davon —ξάριον, τὸ, ein Wägelchen, kleiner Wagen. —ξεία, ἡ, Wagenlaſt, Fracht. —ξεύω, f. εύσω, fahren, Fuhrmann ſeyn. ἡμάξευσα τοῦτον δύσζωον κἀβίοτον βίοτον, ich habe dieſes muhſelige Leben gefuhrt, gelebt. Antholog. auf dem Wagen leben. Philoſtr. Apoll. 7, 26. —ξηδένια, τὰ, bey Euſtath. uber Il. ε. ſ. v. a. παραξόνια. zweif. —ξήλατος, ὁ, ἡ, Fuhrweg, Wagengleis, v. ἅμ. u. ἐλάω, ἐλαύνω, eigentl. adject., wobey man ὁδὸς ergänzen muſs, ſo wie bey ἁμαξητὸς u. ἁμαξιτὸς. —ξήποδες, ων, οἱ, ſ. ἁμαξόποδες. —ξήρης, εος, ὁ, ἡ, ſ. v. a. ἁμαξιαῖος, als ἁμ. τρίβος Eurip. Fuhrweg, Landſtraſse. θρόνος, Sitz auf dem Wagen. Aeſchyl. —ξητὸς, ἡ, ſ. oben ἁμαξήλατος. —ξηφόρητος, ον, (φορέω), vom Wagen getragen. —ξία, oder beſſer ἁμαξιὰ, Wagengleis. —ξιαῖος, αία, αῖον, fur den Wagen, ſo groſs, daſs man es auf dem Wagen fortbringen muſs, als λίθοι Xenoph. Anab. 4, 2. 3. —ξιεὺς, έως, ὁ, Fuhrmann; Stellmacher, gleichſ. Wagener, d. i. Wagenmacher. —ξικὸς, ἡ, ὸν, zum Wagen gehorig. —ξὶς, ἡ, u. ἁμάξιον, τὸ, kleiner Wagen; auch als Kinderſpiel ein kleiner ſich ſelbſt bewegender Wagen. Ariſtot. Anim. mot. 7. —ξίτης, ου, ὁ, fur den Wagen, auf dem Wagen liegend, als φόρτος Anthol. —ξιτὸς, ἡ, ſ. oben ἁμαξήλατος. Xen. Anab. 1, 2. 21 wo ὁδὸς dabey ſteht und ſo viel iſt, als ein Weg, der nur ſo breit iſt, daſs man mit einem Wagen durch kann. —ξόβιος, ὁ, ἡ, u. ἁμαξοβίτης, (βίος, βιόω), auf dem Wagen lebend, alle ſein Hab und Gut mit ſich auf dem Wagen fuhrend, wie die Nomaden, beym Aeſchyl. Prom. 715: πλεκτὰς στέγας ναίοντες ἐπ' εὐκύκλοις ὄχοις Σκύθαι νομάδες, vergl. Horat. Carm. 3, 24. 10. —ξοικος, ὁ, (οἶκος, οἰκέω), auf dem Wagen wohnend, ſ. v. a. das vorherg. —ξοκυλισταὶ, ῶν, οἱ, d. i. ἁμάξης κυλισταὶ, Karrenſchieber. —ξοπηγέω, (πήγνυμι), Wagen zuſammenſetzen, machen, oder ich bin ein ἁμαξοπηγός. —ξοπηγία, ἡ, Stellmacherey; von —ξοπηγὸς, ὁ, ἡ, (πήγνυμι), Stellmacher, der Wagen zuſammenſetzt, ſie verfertigt. —ξοπληθὴς, έος, ὁ, ἡ, (πλήθω), einen Wagen füllend, groſs genung, einen Wagen zu füllen. —ξόπους, ὁ, auch ἁμαξήπους, ὁ, (ἅμαξα, ποῦς), ein Theil am Wagen. Pollux 2, 253. nach Heſych. Erklarung das, was wir jetzt am Leiterwagen die Rungen, Stützen des Obergerüſtes, nennen; 2) ἁμαξήποδες, οἱ, bey Vitruv. 10, 20 *arbuſculae, in quibus verſantur rotarum axes.* —ξοτροχία, ἡ, (τροχὸς), Wagengleis, Wagenſpur. —ξουργία, ἡ, ſ. v. a. ἁμαξοπηγία; von —ξουργὸς, ὁ, d. i. ἅμαξαν ἐργαζόμενος, ſ. v. a. ἁμαξοπηγὸς.

'Αμάρα, ἡ, Graben, Waſſerleitung, um die Wieſen zu wäſſern, oder ſie zu trocknen, das unreine Waſſer aus der Stadt zu bringen u. ſ. w.

'Αμαράκινος, ίνη, ινον, von Maioran, u. —ρακόεις, όεσσα, όεν, maioranartig; von —ρακον, τὸ, oder ἀμάρακος, *amaracum, amaracus*, Maioran. —ράντινος, ὁ, ἡ, nicht verwelklich; von Tauſendſchön; von

'Αμάραντος, ὁ, ἡ, (μαραίνω), unverwelklich; Subst. die unverwelkliche Blume, Tausendschön.

'Αμάργαρος, ὁ, ἡ, (μάργαρον), ohne Perlen.

'Αμάρευμα, ατος, τὸ, abgeleitetes Wasser, abgeleiteter Schmutz; von —ρεύω, f. εύσω, abfliessen, abgeleitet werden, ἀποδεύω nach Hes. v. ἀμάρα.

'Αμαρησκαπτὴρ, ὁ, Manetho 4, 252. ein Grabengräber, ἀμάρα, σκάπτω. —ρία, ἡ, s. v. a. ἀμάρα. —ριαῖος, αία, αῖον, v. ἀμάρα, z. B. ὕδωρ ἀμ. durch Graben geleitetes Wasser, Theophr. —ρὶς, ίδος, ἡ, s. v. a. ἀμάρα, nach Hes.

'Αμαρτάνω, f. ἁμαρτήσω, (die alte Form ist ἀμάρτω u. ἁμαρτέω, Xen. Mem. 2, 8. 6. so wie μανθάνω v. μαθέω), fehlen, verfehlen, vom Pfeil, der sein Ziel nicht trifft, Hom. Il. 8, 311. vergl. 302. 119. Xenoph. Daher 2) übergetragen, wie unser fehlen, Fehler begehen, irren, sich verirren, etwas versehen, sündigen. An jene erste Bedeutung schliesst sich 3) die des verlierens, beraubt werdens an, als Odyss. 9, 512. Eurip. Androm. 373 ἀνδρὸς ἁμαρτάνουσ' ἁμαρτάνει βίου, ein Weib, die ihren Mann verliert, verliert ihr Leben. v. 371 hiess es λέχους στέρεσθαι, und die ähnliche Bedeutung: nicht erhalten, sonst ἀποτυχέω, ἁμ. τι τινὸς, etwas von einem nicht erhalten, Fehlbitte thun, Sophocl. Philoct. 234. Und überhaupt: verfehlen, nicht erhalten, Xenoph. Cyr. 1, 6. 16. u. 5, 4. 19. davon —τὰς, άδος, ἡ, Fehler, Versehen, die jon. Form v. ἁμαρτία. —τημα, ατος, τὸ, s. v. a. d. v. —τηρὸς, ρὰ, ρὸν, fehlend, irrend. —τητικὸς, ἡ, ὸν, gewöhnlich fehlend, opp. v. κατορθωτικὸς beym Aristot. —τία, ἡ, Fehler, Versehen, Sünde. —τίνοος, ὁ, ἡ, (νόος, νοῦς), fehlenden Sinnes, dessen Sinn fehlt, dumm, thöricht, Hesiod. Theog. 511. dessen Seele oder Verstand sich verirrt hat, rasend. —τοεπὴς, έος, ὁ, ἡ, (ἔπος), fehlend in Worten, den Zweck seiner Worte verfehlend, wie es der Schol. Hom. Il. 13, 824 erklärt durch ἁμαρτάνων τοῦ σκοποῦ τῶν λόγων, u. Hesych. ἁμ. ἐν τῷ λέγειν. —τολόγος, v. λόγος, s. v. a. d. v.

'Αμαρτύρητος, ὁ, ἡ, (μαρτυρέω), unbezeugt, nicht zu bezeugen; ohne Zeugen. —τυρος, ὁ, ἡ, (μαρτυρ), Adv. ἀμαρτύρως, ohne Zeugen, nicht durch Zeugen bestätigt; ohne Zeugniss, kein Zeugniss ablegend.

'Αμάρτω, das Stammwort v. ἁμαρτάνω. —τωλὸς, ὁ, ἡ, gewöhnlich fehlend, sündiger Mensch, starker Sünder.

'Αμαρυγὴ, ἡ, splendor, jubar, das Leuchten, der Glanz des Lichts; und der Blick der Augen; die Runzeln der Stirne. —ρυγμα, ατος, τὸ, eben so viel, von —ρύσσω, ich glänze, leuchte. S. μαρμαίρω; davon —ρύτται, sc. οἱ, die Augen. S. κιλλαμαρύζειν.

'Αμὰς, άδος, ἡ, nach dem Etym. beym Aeschylus s. v. a. ναῦς. In den Suppl. 849 u. 854 steht ἀμίδα. Hesych. hat ἄμαλα.

'Αμάσητος, ὁ, ἡ, (μασάομαι), ungekauet.

'Αμαστίγωτος, ὁ, ἡ, (μαστιγόω), nicht gepeitscht, nicht gekuutet.

'Αμάσυκας, ἡ, verst. ἄπιος, u. ἀμάσυκον verst. μῆλον mit den Feigen zugleich blühend oder reifend, ἅμα, συκῆ oder σύκω.

'Αματροχάω, ῶ, d. i. ἅμα τρέχω, zusammen laufen, Hom. Od. 15, 450. —τροχία, ἡ, das Zusammenstossen der Räder; Hom. Il. 23, 422.

'Αμαυρόβιος, ὁ, ἡ, obscure vivens, welches voraussetzt, dass er nichts Grosses gethan; mithin träge, vegetirend. —ρόκαρπος, ὁ, ἡ, mit dunkeln, schwarzen Früchten. —ρὸς, ρὰ, ρὸν, dunkel, als λυχνίδιον, ein dunkelscheinendes Licht, εἴδωλον, dunkles, kaum sichtbares Bild Hom. Od. 11, 824; daher übergetragen γενεὴ Hesiod. dunkles, unbekanntes Geschlecht, genus obscurum, ἐλπὶς, dunkle, schwachschimmernde Hoffnung Arrian. Porphyr leitet es von μαίρω, leuchten, ab, indem er es durch τοῦ μαίρειν ἐστερημένος erklärt; davon —ρόω, ῶ, f. ώσω, dunkel machen, verdunkeln, als τὰς ὄψεις ἀμαυρωθεὶς. Auch übergetragen, wie obscuro, τὰς πράξεις τινὸς, jemandes Thaten verdunkeln, in Dunkel stellen, sie verkleinern. Eben so ἡ ἡδονὴ ἀμαυροῦται Arist. das Vergnügen wird schwächer, matter; τὰ φορτία ἀμαυροῦται, die Last wird verderbt. Hesiod. oper. 693; davon —ρωσις, εως, ἡ, die Verdunkelung, das Schwachwerden, z. B. τῶν ὀφθαλμῶν. —ρωτικὸς, ἡ, ὸν, gut, geschickt zum verdunkeln.

'Αμαχεὶ, ἀμαχὶ oder ἀμαχητεὶ, Adv. ohne Streit, ohne Schlacht, ohne erst streiten zu dürfen, Xenoph. —χετος, st. ἀμάχητος, s. v. a. ἄμαχος, unüberwindlich. Aeschyl. Sept. 84. —χητος, ὁ, ἡ, der nicht am Treffen Theil hat. Cyropaed. 6, 4. 14. —χος, ὁ, ἡ, (μάχη), ohne Streit, d. i. nicht streitend, der nicht gestritten hat, Xen. Cyr. 4, 1. 16; pass. nicht bestritten, nicht zu besiegen, unbesiegbar, als die Schönheit einer edlen Frau, Cyr. 6, 1. 36 die von keinem besiegt, alle besiegt.

'Αμάω, ῶ, f. ήσω, mähen, abmähen; daher sammeln, zusammenlesen, als φύλλα Hom.

'Αμβασις, u. ἀμβάτης, s. in ἀνάβασις, ἀναβάτης.

'Αμβη, ἡ, jonisch s. v. a. ἄμβων, ὁ, der erhabene, vorragende Rand an einer

Schüssel, am vertieften Schilde, sonst ἴτυς genannt. S. ἄμβων.

'Αμβιξ, ικος, ὁ, ein Becher, ein Gefäfs, welches über ein anderes gesetzt wird, um den aufsteigenden und sich ansetzenden Korper aufzunehmen, also ein Destillirhelm. Dioskorides 5, 110 wo Plinius *calix* übersetzte. Eigentlich war es ein Becher mit spitziger Oeffnung, Rande; als Destillir- oder chymisches Gefäfs haben es die Araber *alambic* übersezt; dadurch ist *alambic, alembic* in den Gebrauch der Chymiker gekommen. Von ἄμβη, welches einen convexen Korper uberh. bedeutet.

'Αμβλακεῖν, f. v. a. ἀμπλακεῖν Archilochus Clement. Strom. 6 p. 73 ἤμβλακον, wo Hom. ἀασάμην sagt; davon —ακία, ἡ, f. v. a. ἁμαρτία, f. ἀμπλακέω; 2) Fahrläffigkeit, f. v. a. βλακεία, davon καταμβλακεύειν, fahrläffig seyn, vernachlaffigen. Aretaeus 5, 1.

'Αμβλήδην, ft. ἀναβλήδην v. ἀναβάλλω, ruckweise, als ἀμβ. γοάω, *cum singultu ploro*, schluchzen, Hom. Il. 22, 476.

'Αμβλίσκω, eine Fehlgeburt thun; von ἀμβλύς. —βλόω, ῶ, f. ἀμβλώσω, eine Fehlgeburt thun, ein todtes Kind zur Welt bringen, φθείρω βρέφος ἐν γαστρὶ Eustath. Auch so viel als ἀμβλύνω. —βλυγώνιος, ὁ, ἡ, (ἀμβλύς, γωνία), stumpfwinklicht. —βλυντήρ, ὁ, der schwacht, Blöse macht. poet. vet. de herb. v. 65. —βλυντικὸς, ἡ, ὸν, gut, geschickt abzustümpfen. —βλύνω, f. υνῶ, stumpfen, abstumpfen, als Degenspitze, Augen, Muth, d. i. schwachen. —βλύς, εῖα, ὺ, stumpf, von Spitze, Augen, Muth. Im letzten Sinne steht es in diesem Epigram: ταχὺς εἰς τὸ φαγεῖν, καὶ πρὸς δρόμον ἀμβλὺς ὑπάρχεις; so ἀμβλὺς τὴν φύσιν, stumpf an natürlichen Anlagen, von stumpfem Kopfe, ein Gegens. v. εὐφυής. Xen. Mem. 3, 9. 3.; davon —βλύτης, ητος, ἡ, Stumpfheit, stumpfes, schwaches Gesicht, verlorner, geschwachter Muth; Stumpfsinn, stumpfer Kopf. —βλυωγμὸς, ὁ, stumpfes Gesicht, v. ἀμβλυώττω. —βλυωπέω, ich bin ein ἀμβλυωπής. —βλυωπής, έος, ὁ, ἡ, (ὤψ), stumpfen Gesichts, mit schwachen Augen; davon —βλυωπία, ἡ, stumpfes Gesicht, stumpfer Blick. —βλυωπὸς, ὁ, ἡ, f. v. a. ἀμβλυωπής. —βλυώσσω, oder ἀμβλυώττω, f. ώξω, (ἀμβλύς), dunkel sehen, stumpfes Gesicht haben. —βλωθρίδιον, τὸ, verst. παιδίον eine Fehlgeburt; ein Mittel dazu, Abtreibungsmittel, v. ἀμβλόω; hievon auch —βλωμα, τος, τὸ, Fehlgeburt. —βλωπής, έος, ὁ, ἡ, u. ἀμβλωπὸς, ὸν, f. v. a. ἀμβλυωπής. —βλωσις, εως, ἡ, f. v. a. ἄμβλωμα. —βλώσιμος. S. ἀμβλόω. —βλώττω, f. v. a. ἀμβλυώττω. S. auch d. folgende ἀμβλώω. —βλώω bey Maximus περὶ καταρχῶν, wovon ἀμβλώσσω ἀμβλώττω ft. ὠμοτοκέω, auch ἀμβλίσκω u. ἀμβλόω. Bey Maximus v. 275 ἦμαρ ἀμβλώσιμον ft. ἄμβλωμα wie ἦμαρ ἐλεύθερον ft. ἐλευθερία.

'Αμβολάδην, mit Aufschub, μετ' ἀναβολῆς, Herodot verbindet es sogar mit dem verbum, wovon es abstammt, da es ft. ἀναβολάδην steht, ἀμβολήδην ἀναβάλλων, einer, der es von einem Tag zum andern aufschiebt; 2) so viel als ἄνω βολ. in die Höhe werfend, vom überkochenden Waffer. Hom. Il. 21, 364. Bey Pind. Nem. 10, 62. v. ἀναβάλλεσθαι, singen. —λαδὶς, Adv. ft. ἀναβολαδὶς, d. i. ἄνω βολ. mit in die Höhe erhobenen Händen, mit aller Kraft. Callim. —λὰς, άδος, ἡ, (ἀνω βάλλω), γῆ, aufgeworfenes Land, Erde, Cyrop. 7, 5. 12. —λή, ἡ, d. i. ἀναβολή, f. v. a. das vorhergehende; Aufschub, Verzögerung; davon —λιεργὸς, ὁ, d. i. ἀναβάλλων ἔργον, seine Arbeit aufschiebend, Zögerer, Zauderer. —λίη, ἡ, jon. ft. ἀμβολία, f. v. a. ἀναβολή.

'Αμβρακεύομαι, f. v. a. καρτερέω, davon ἐξαμβρακόω, f. v. a. ἐκλύω u. ἀπαμβρακόομαι, f. v. a. ἀνδρίζομαι, καρτερέω bey Hesych.

'Αμβροσία, ἡ, (ἄμβροτος), Unsterblichkeit, d. i. Speise der Unsterblichen. M. f. Hom. Il. 5, 341. Od. 5, 93. Salbe der Unsterblichen, Il. 14, 170. Od. 4, 445. sonst ἔλαιον ἀμβρόσιον ebend. v. 172. davon —σίοδμος, ον, (ὀδμή), nach Ambrosia, oder Salbe der Gotter duftend. Vergl. Virgil. Aen. 1, 403. Georg. 4, 415. —όσιος, ία, ον, göttlich, den Gottern gehörig, ihnen eigen, als χαῖται Hom. Il. 1, 529 Zevs göttliches Haupthaar, πλόκαμοι Il. 14, 177 Hermes gottliche Locken, πέπλον, Aphroditens gottlicher Gürtel, von den Charitinnen gearbeitet Il. 5, 338. ἔλαιον, Oel, womit die Götter sich salben Il. 14, 172. daher, wie *divinus*, göttlich grofs, gottlich schön, als ὕπνος, νὺξ Hom. erquickender Schlummer, erquickende Nacht.

'Αμβροτέω, ῶ, u. ἀμβροτῶ. S. ἄβροτος. —τος, ὁ, ἡ, f. oben ἄβροτος.

'Αμβων, ωνος, ὁ, attisch f. v. a. ἄμβη, der erhabne Rand am hohlen Schilde, (sonst ἴτυς), an der Schüssel; die Rhodier nannten auch einen hervorstehenden Theil eines Berges (f. ὀφρύς) so; daher wird es auch von einigen Lexicis durch *suggestus, pulpitum, cathedra* erklart. Das lat. *umbo* ist davon abgeleitet, und wird gemeiniglich von dem mittlern erhabnen Theil (sonst ὀμφαλὸς) des (vermuthlich convexen) Schildes erklärt; doch scheint die griechische Bedeutung in der Stelle des

Statius: *undisonae quos circuit umbo Maleae* zum Grunde zu liegen; so wie die gr. Dichter ἐπ' οὔρεος ἀμβώνεσσι sagen, eben so Statius: *solidus contra riget umbo maligni montis.* Bey Plutar. Lyc. 9 der erhabne Boden des Bechers, wie in unsern Flaschen.

'Αμέγαρτος, ὁ, ἡ, (μεγαίρω), unbeneidet, wie ἄφθονος, ohne Neid, d. i. reichlich, in reichlicher Menge, als ἀμέγαρτα κακῶν Eurip. Hec. 191 endlose Leiden; zu niedrig, als dass man es beneiden sollte, als ἀμέγαρτε συβῶτα Hom. Od. 17, 219 armer Schweinhirte. Eben so Aeschyl. Prom. 402 ἀμέγαρτα, traurige Leiden, deren mich keiner beneidet, die mir keiner abnehmen wird.

'Αμεγέθης, εος, ὁ, ἡ, (μέγεθος), ohne Grösse, nicht gross, klein, gering.

'Αμεθόδευτος u. ἀμέθοδος, ὁ, ἡ, nicht geleitet, nicht angeleitet (μεθοδεύω), ohne Anleitung, ohne Plan (μέθοδος).

'Αμέθυσος, ὁ, ἡ, od. ἀμέθυστος, (μεθύω), nicht trunken; wider das Betrunkenwerden, dem Taumel widerstehend, als φάρμακον. Auch der Amethyst, violetfarbiger Edelstein Plin. 37, 9. Heliodor. Aethiop. 5, p. 223. auch eine Pflanze Plutarch. Q. S. 3, 1.

'Αμείβοντες, οἱ, eigentlich die sich unter einander tragende, d. i. Queerbalken im Dache beym Hom. Il. 23, 712. Nonnus Dionys. 37 p. 952.

'Αμείβω. S. ἀμεύω.

'Αμειδής, έος, ὁ, ἡ, od. ἀμείδητος, (μειδιάω od. μειδάω), nicht lachend, nicht heiter, traurig.

'Αμείλικτος, ὁ, ἡ, od. ἀμείλιχος, d. i. nicht μειλικτος, nicht μειλίχιος, nicht zu versüssen, nicht zu besänftigen, hart, unerbittlich, wie Pluto Hom. Il. 9, 158. 11, 137. *illacrymabilis* beym Horat. Carm. 2, 14. 6.

'Αμείνων, ὁ, ἡ, u. τὸ ἄμεινον, ονος, dem Sinne nach der compar. v. ἀγαθός, eigentlich aber st. ἀμενίων v. ἀμενός, welches der Lat. in *amoenus* beybehalten hat, also reizender, gefälliger, bequemer, besser.

'Αμείρω, von μέρος, μέρω, μείρω, ἀμέρω, ἀμείρω, davon die Compos. ἀμερσίγαμος u. dergl. wie von ἀγέρω, ἀγείρω u. ἀγέρω, ἀγείρω, ἄγερσις, ἀγερσίνοος u. dergl. s. v. a. ἀμέρδω.

'Αμειψις, εως, ἡ, Veränderung; Vertauschung; Vergeltung; Antwort, s. ἀμείβω.

'Αμείωτος, ὁ, ἡ, (μειόω), nicht zu verringern, nicht zu verkleinern; nicht verringert, noch ganz.

'Αμέλγω, f. ξω, ist das lat. *mulgeo*, ich melke. S. ἀμέργω.

'Αμελεδέω, s. ἀμελέω.

'Αμέλει, Adv. eigentl. d. imper. v. ἀμελέω, sey unbesorgt, μή σοι μελέτω διὰ τοῦτο nach Suidas, d. i. adv. ganz gewiss, zuverlässig. —λεια, ἡ, (ἀμελέω), Sorglosigkeit, der Charakter, das Betragen eines ἀμελής.

'Αμελετησία, ἡ, (μελετάω), Mangel an Uebung, Vernachlässigung, Versäumung. —λέτητος, ὁ, ἡ, (μελετάω), ungeübt, nicht vorher geübt, nicht vorher überdacht. —λετήτως, ohne Uebung; z. B. ἀμ. ἔχω, d. i. ἀμελέτητος εἰμί, bin ungeübt, habe mich nicht geübt. —λέω, ich bin ἀμελής, bin unbekümmert, unbesorgt, besorge, betreibe etwas nicht, überhaupt thue etwas nicht, als τῆς ἀσκήσεως Xen. Mem. 1, 2. 24 übe mich nicht, suche nicht vollkommner zu werden, τοῦ ὀργίζεσθαι ebend. 2, 3. 9 zürne nicht. —λής, έος, ὁ, ἡ, (μέλει), Adv. ἀμελῶς, sorglos, unbekümmert; pass. unbesorgt, nicht versorgt, warum man sich nicht bekümmert, οὐδ' αὐτῷ τῷ πλουσίῳ ἀμελὲς τοῦτο, selbst der Reiche bekümmert sich darum. —λησία, ἡ, (ἀμελέω), Sorglosigkeit, Charakter dessen, der sich um nichts bekümmert. —λητὶ, Adv. sorglos, ohne zu sorgen, s. v. a. ἀμελῶς, v. ἀμελής.

'Αμελλητὶ, Adv. unverzüglich, ohne Zögerung; von —έλλητος, ὁ, ἡ, (μέλλω), nicht zu verzögern, nicht aufzuschieben, als ἀμέλλητός ἐστι ἡ πρὸς τὸ καλὸν ὁρμὴ Lucian. das Streben nach der Tugend muss man nicht aufschieben; davon —ελλήτως, Adv. ohne Verzug, unverzüglich, wie ἀμελλητί.

'Αμελξις, εος, ἡ, das Melken, v. ἀμέλγω.

'Αμεμπτος, ὁ, ἡ, (μέμφομαι), nicht zu tadeln, untadelhaft, vollkommen gut, als δεῖπνον Xen. Symp. 2, 2. φίλος Cyr. 5, 5. 32. Eben so von menschlichen Gliedern, vollkommen, vollkommen schön Xen. Mem. 3, 10. 2, gleich darauf κάλλιστα, μὴ ἄξιος μέμψεως nach Moeris, oder ὁ μὴ μέμψιν δεχόμενος nach Thomas Mag.; act. nicht tadelnd, nicht tadelsüchtig, nicht unzufrieden, ὁ μὴ μεμφόμενός τινι, nach Thom. Mag., als ποιεῖν oder ποιήσασθαί τινα ἀμ. einen zufrieden stellen, völlig befriedigen, so viel schenken, dass er zufrieden ist, Xen. Cyr. 4, 5. 52. 8, 4. 28.; davon —έμπτως, Adv. untadelich, als βασιλεύειν Herodian. τελευτᾶν Xenoph. δέχεσθαί τινα, aufnehmen, bewirthen, Xen. Cyr. 4, 2. 37. wie vorher δεῖπνον ἀμ. act. ohne zu klagen, als ὑπό τινι βασιλεύοντι ἀμ. βιοῦν, Herodian.

'Αμεμφής, έος, ὁ, ἡ, s. v. a. ἄμεμπτος; davon —φία, ἡ, Tadellosigkeit, Unbescholtenheit, Charakter dessen, der so lebt, dass man ihn nicht tadeln kann; act. Mangel an Klage, wenn man nicht klagt, als οὐκ ἀμ. φίλοις

Aeſchyl. adv. Theb., d. i. φίλοι μέμφονται.

'Αμεμψίμοιρος, nicht unzufrieden mit ſeinem Schickſal. S. μεμψίμοιρος.

'Αμεναι. S. ἄω, ſättigen.

'Αμενηνὸς, ἡ, ὸν, (μένος), ohne Muth, Kraft und Leben, z. B. von verwundeten Hom. Il. 5, 887. von todten Od. 10, 521. von Träumen Od. 19, 562. ſchwach, ohnmächtig; zart.

'Αμενηνόω, ῶ, f. ώσω, (ἀμενηνὸς), ſchwach machen, ſchwächen, als αἰχμὴν Hom. Il. 13, 562. ſonſt ἀλιόω βέλος Il. 16, 737.

'Αμενὴς, ἐς, ſ. v. a. ἀμενηνὸς. Eur. Suppl. 1116.

'Αμέργω, f. ξω, ich breche, ſtreife ab, *decerpo, deſtringo*, ἀμέργομαι bey Heſych. δράσσομαι, ὑφαιροῦμαι, ich nehme mir, faſſe; 2) ich preſſe, drücke aus; wiſche ab; davon ἀμέργη, *amurca* und das Wort ὀμόργω, ὀμόργνυω, ὀμόργνυμι. Die 3 Worte ἀμέρδω, ἀμέργω u. ἀμέλγω werden oft verwechſelt, wenn ſie nicht gar von einerley Urſprung ſind. So heiſst ἀμέλγεις τῶν ξένων τοὺς καρπίμους Ariſtoph. Eq. 326 ſ. v. a. ἀμέργεις, abbrechen die Früchte, genieſsen. Davon ὀμόργνυμι, ich ſtreiche, wiſche ab. Das med. ἀμέργομαι für nehmen hat Nicand. Ther. 864 u. 910 wie ἀπαμέργω 861 davon nehmen.

'Αμέρδω, f. σω, v. μέρος, μέρω, μείρω, ἀμείρω, alſo ſeines Theils berauben, als τινὰ ὀφθαλμῶν Hom. Od. 8, 64. αἰῶνος τινὰ Il. 22, 58. Heſiod. Scut. 331 einen des Lebens berauben, morden, δαιτὸς Od. 21, 298 einen des Mahles berauben, ihm ſeine Portion nicht geben, ſo wie ἀμ. τινὰ ohne weitern Zuſatz Il. 16, 53 erklärt wird v. 54 durch γέρας ἀφελέσθαι. In etwas eingeſchränkterm Sinne: der Glanz der Helme, der Blitz ἀμέρδει ὄσσε, blindet, d. i. blendet die Augen Il. 13, 340. Heſiod. Theog. 698. Eben ſo der Rauch ἀμέρδει ἔντεα, blindet die Gefäſse, benimmt ihnen den Glanz Od. 19, 18. Auch uberh. wegnehmen Nic. Ther. 686 ἄμερσεν; davon ἀμερδεῖς. Bey Theophr. ὅταν ἀμέρσωσι τὸν καρπὸν, wenn man die Frucht abgenommen hat. S. ἀμείρω.

'Αμερὴς, έος, ὁ, ἡ, (μέρος), ohne Theile, nicht getheilt; einzeln; davon —ρία, ἡ, Untheilbarkeit.

'Αμεριμνάω, ῶ, f. ήσω, ich bin ἀμέριμνος, bin unbeſorgt, ſorglos, unbekümmert; davon —ριμνησία, ἡ, Unbeſorgtheit, Sorgloſigkeit. —ριμνία, ἡ, eben ſo viel, als das vorherg. von —ριμνος, ὁ, ἡ, (μέριμνα), Adv. ἀμερίμνως, ohne Sorgen, ſorgenlos, ſorgenfrey, unbekümmert.

'Αμέριστος, ὁ, ἡ, (μερίζω), unzertheilbar, einzeln; ungetheilt.

'Αμερμηρὶ, Adv. (μέρμερα), ohne Sorge, ohne zu ſorgen, ſorglos.

'Αμερσίγαμος, ὁ, ἡ, der Vermählung beraubend, ἀμείρων v. ἀμέρω fut. ἀμέρσω. —σίνοος, ὁ, ἡ, (νόος, νοῦς), des Sinnes, des Geiſtes beraubend. S. d. vor. —σίφρων, ονος, ὁ, ἡ, (φρὴν), der Denkkraft beraubend.

'Αμερῶς, Adv. ohne Theile, ganz, v. ἀμερής.

"Αμεσος, ὁ, ἡ, (μέσον), Adv. ἀμέσως, ohne Mittel, unmittelbar.

'Αμετάβατος, ὁ, ἡ, (μεταβαίνω), unübertragbar, nicht übergehend, als ἀμετάβατον ῥῆμα, *verbum intranſitivum*, oder *neutrum* bey den Grammatikern. Adv. ἀμεταβάτως, nach Art eines ἀμετάβατος.

'Αμεταβλησία, ἡ, (μεταβάλλω), Unveränderlichkeit. —βλητος, ὁ, ἡ, oder ἀμετάβολος, (μετὰ βλητὸς v. βλέω, βλῆμι, βάλλω), nicht zu verändern, ohne Veränderung (μεταβολὴ), unveränderlich. —γνωστος, ὁ, (μετὰ-γνόω, γινώσκω), ſeine Meynung nicht hinterher verändernd, unveränderlich. —δοτος, ὁ, ἡ, (μεταδίδωμι), Adv. ἀμεταδότως, nicht mittheilbar; act. nicht mittheilend, karg, filzig. —θετος, ὁ, ἡ, (μετὰ-τίθημι), nicht umzuſetzen, nicht zu verſetzen, ſtandhaft, feſt, unveränderlich. Ebr. 6, 17. 18. —κίνητος, ὁ, ἡ, (μετὰ-κινέω), Adv. ἀμετακινήτως, nicht zu bewegen, nicht fortzubewegen, unveränderlich —κλαστος, (μετὰ-κλάω), nicht umzubiegen, umzubrechen, unbiegſam, unveränderlich, τὸ ἀμετάκλαστον τῆς γνώμης, Unveränderlichkeit, Beharrlichkeit in der Geſinnung Xenoph. Epiſt. 1, 2. —κλητος, ὁ, ἡ, (μετακλέω, μετακαλέω), nicht zu wiederrufen, unwiederruflich. —ληπτος, ὁ, ἡ, (μετὰ-λήβω, λαμβάνω), nicht zu faſſen, zu begreifen, unbegreiflich. —άλλακτος, ον, (μετ'-ἀλλάσσω), nicht zu vertauſchen. —μέλητος, ὁ, ἡ, (μεταμέλομαι), nicht zu bedauern, deſſen einen nicht zu reuen braucht, beym Apoſtel Paulus Rom. 11, 29. 2 Cor. 7, 10. Cic. ad. Att. 7, 3. 13, 52. davon Adv. ἀμεταμελήτως. —νόητος, ὁ, ἡ, (μετανοέω), ſeine Meynung nicht verändernd, wie ἀμετάγνωστος; nicht reuig, ſich nicht beſſernd, beym Apoſtel Paulus Rom. 2, 5. davon Adv. ἀμετανοήτως. —πειστος, ὁ, ἡ, (μεταπείθω), nicht zu einer andern Meynung, Ueberzeugung zu bringen, συμμαχία unwandelbares Bündniſs. Diodor. Adv. ἀμεταπείστως. —πλαστὸς, ὁ, ἡ, (μετα-πλάττω), nicht umzubilden; nicht umgebildet. —ποίητος, ὁ, ἡ, (μετα-ποιέω), nicht anders zu machen, unveränderlich. —πταιστος, ὁ, ἡ, (μετα-πταίω), untrüglich, unveränderlich.

'Αμεταπτωσία, ἡ, Unwandelbarkeit. Hierocles. —πτωτος, ὁ, ἡ, (μεταπτόω, πίπτω), nicht anders fallend; nicht zu fallen, nicht zum Fall zu bringen, untrüglich, als πᾶσα ἡ ἡμετέρα συγκατάθεσις μεταπτωτή. ποῦ γὰρ ὁ ἀμετάπτωτος. Antonin. nicht bald ſo, bald ſo, beſtändig, unveränderlich; davon —πτώτως, Adv. ohne zu fallen. —στατος, ὁ, ἡ, (μεθ-ίστημι), was ſich nicht umſtellt, umändert. —στρεπτεὶ, u. ἀμεταστρεπτὶ, Adv. (μεταστρέφομαι), ohne ſich umzukehren. —στροφος, ὁ, ἡ, (μετα-στρέφω), nicht umzukehren, umzuwenden, unveränderlich. Adv. ἀμεταστρόφως. —τρεπτος, ον, Adv. ἀμετατρέπτως, ſ. v. a. d. vorige v. μετα-τρέπω. —τροπία, ἡ, Charakter eines ἀμετάτροπος, Hartnäckigkeit. —τροπος, ὁ, ἡ, eben ſ. v. a. ἀμετάτρεπτος, nur in einer andern Form v. τρόπος, τροπή gemacht. —φορος, ὁ, ἡ, (μετα-φέρω), nicht wo anders hinzubringen, nicht umzuſetzen, unveränderlich. —χειριστος, ὁ, ἡ, (μετα-χειρίζω), nicht zu handhaben, was ſich nicht behandeln läſst.

'Αμετεώριστος, ὁ, ἡ, (μετεωρίζω), nicht in die Höhe zu heben, nicht leicht, nicht leichtſinnig, ſtandhaft.

'Αμέτοχος, ὁ, ἡ, (μετέχω), nicht theilnehmend.

'Αμέτρητος, ὁ, ἡ, (μετρέω), Adv. ἀμετρήτως, u. ἀμετρὶ v. ἄμετρος, nicht zu meſſen, unermeſslich, auſserordentlich groſs, als πόνος, πένθος beym Hom. Od. 23, 249. —τρία, ἡ, (μέτρον), Ueberſchreitung des Maaſses, d. i. zu groſse Menge; von Menſchen, Unmäſsigkeit, wie *immoderatio*. —τροβαθής, έος, ὁ, ἡ, (ἄμετρος, βάθος, βαθὺς), unermeſslich tief. —τροεπής, έος, ὁ, ἡ, (ἔπος), unmäſsig im Sprechen, geſchwätzig, Hom. Il. 2, 212. —τρόκακος, ὁ, ἡ, ohne Maaſs ſchlecht, boshaft. —τρολογέω, (λέγω, λόγος), unmäſsig ſprechen, ſchwatzen. —τρος, ὁ, ἡ, (μέτρον), ohne Maaſs, unermeſslich; auſſerordentlich groſs; nicht Maaſs haltend, unmäſsig.

'Αμευσιεπής, έος, ὁ, ἡ, antwortend, ἀμειβόμενος ἔπεσι. S. ἀμεύω ſt. ἀμείβω. —εύσιμος, ὁ, ἡ, (ἀμεύω), ὅπη καὶ ἀμεύσιμον bey Apollon. wo man darüber gehn konnte, ſ. v. a. περεύσιμον. —ευσίπορος, ὁ, ἡ, (ἀμείβω, ἀμεύω, πόρος), bey Pindar Pyth. 11. 58 τρίοδος. wo ſich die Wege kreuzen. —εύω, ſo viel als ἀμείβω, von ἀμέω, ἀμεύω, ἀμείω, ἀμείβω, ich wechſele, verwechſele, tauſche, vertauſche; daher ich erwiedere, antworte, vergelte mit Dank oder Strafe, Rache; auch einen Ort mit dem andern vertauſchen, aus einem Orte in den andern gehn; über etwas gehn; daher übertreffen. ἀμεύσασθαι αντίους Pindar. Pyth. 1, 86. Herodot. 5. 72 πρὶν ἢ τὰς θύρας αὐτὸν ἀμεῖψαι, ehe er die Thüre gewechſelt hatte, über die Schwelle gegangen war. So ἔξελθ' ἀμείψας τὰς δε στέγας Sophocl. Philoct. 1256. ἄμειψον δώματα Eurip. El. 750 gehe aus meinem Hauſe. θύραν ἐκ θύρας ἀμείβοντα, von einer Thüre zur andern gehend. ἀμείβομαι ſ. v. a. ἀμείβω, u. ἀμείβεσθαί τινα ἔπεσι, λόγῳ, einem erwiedern, antworten, Opp. Cyn. 1, 19. auch Dank erwiedern, vergelten m. d. Acc. der Perſon, auch der Sache; ἀμείβομαι χαριζόμενος, ich thue dargegen eine Gefälligkeit, erwiedere ſie. Daher bey Pindar. Nem. παραμεῦσαι, ſ. v. a. παρελθεῖν, übertreffen.

'Αμη, ἡ, Sichel, Senſe, ohne Beyſpiel; 2) *ligo*, ein Werkzeug zum graben, hacken, Xen. Cyr. 6, 2. 34. 3) *hama*, ein Waſſereymer; 4) eine Harke. Geopon. 2. 22. v. ἀμάω.

'Αμῆ, Adv. attiſch, doriſch ἀμῶς, dav. ἀμηγέπη, ἀμηγέπῃ, ἀμηγέπου, ἀμηγέπως, doriſch ἀμωσγέπως, haben alle einerley Urſprung von ἀμὸς ſt. τὶς einer, davon ἀμόθεν von irgend einem, οὐδαμὸς, οὐδαμὰ, οὐδαμῶς, οὐδαμόθεν. Ariſtoph. Ach. 608. Thesm. 429 braucht ἀμηγέπη u. ἀμωσγέπως für ὁπωσοῦν, auf irgend eine Weiſe. ἀμόθεν, irgend woher Odyſſ. λ. 19 wo es ein alter Paraphraſt durch ἀμηγέπη erklärte. Plato Lgg. 7. μηχανὴν δεῖ ἐννοεῖν ἀμόθεν γε ποθὲν ὄντινα τρόπον τοῦτ' ἔσται. Ferner οὐδαμοῦ nirgendwo; οὐδαμόθεν nirgendwoher; οὐδαμὰ oder οὐδαμῶς auf keinerley Art. ναιδαμῶς das Gegenth. dav. hat Heſych.

'Αμηνις, ὁ, ἡ, (μῆνις), ohne Zorn, u. ἀμήνιτος (μηνίω), Adv. ἀμηνίτως, nicht erzürnt, nicht grollend.

'Αμήρυτος, ὁ, ἡ, (μηρύω), nicht abgeſponnen, nicht abzuſpinnen, metaph. beym Apoll. Rhod. γῆρας ἀμ. εἰς τέλος ἕλκω, ich ſchleppe mein Alter zu Ende, ohne daſs es die Parce abſchneidet.

'Αμης, ητος u. ου, ὁ, eine Art Milchkuchen Athen.

'Αμητήρ, ῆρος, ὁ, (ἀμάω), Schnitter; daher Vertilger.

'Αμητίσκος, ὁ, ein kleiner ἄμης.

'Αμητος, ὁ, (ἀμάω), das Abmähen, Abſchneiden des Korns; die Zeit des Abmähens, Erndte. —τὸς, ὁ, Erndte, Erndtezeit.

'Αμήτωρ, ορος, ὁ, (μητὴρ), ohne Mutter, mutterlos, der keine Mutter hat, ſie verloren hat; der eine Mutter hat, die den Namen nicht verdient, Sophocl. Electr.

'Αμηχανέω, ich bin ἀμηχανὴς, weiſs kein Mittel, weiſs mir nicht zu helfen; ἀμηχανῶ βιοτεύειν, weiſs nicht zu leben, mir meinen Unterhalt nicht zu verſchaffen Xen. Cyr. 2, 1. 19.

'Αμηχανής, έος, ὁ, ἡ, s. v. a. ἀμήχανος bey Dionys. Antiq. 1, 79 wo aber die Handschr. richtiger ἀχανής haben. —χάνητος, ον, (μηχανάομαι), nicht zu besiegen; unbesiegt. —χανία, ἡ, Zustand eines ἀμήχανος, Verlegenheit, Schwierigkeit, wenn ich nicht aus, noch ein weiss, mir nicht helfen, noch rathen kann; wenn ich nichts habe, also Noth und Mangel, im Gegens. v. εὐπορία beym Xen. Oec. 9, 1. daher es Suidas ganz richtig durch ἀπορία erklärt. —χανοποιέεσθαι, keine, d. i. schlechte Maschinen verfertigen, beym Hippocr. aber s. v. a. schlecht machen, im Gegens. v. καλῶς μηχανάομαι. —χανος, ὁ, ἡ, s. v. a. ἀμηχανής, als Xen. An. 2, 5. 21, wo es mit ἄπορος zusammensteht, der nicht aus, noch ein weiss, sich nicht helfen, noch rathen kann, ohne alle Mittel. Eben so Cyr. 7, 5. 69. pass. wozu man kein Mittel hat, schwierig, unmöglich, so Xen. An. 1, 2, 21 ὁδὸς ἀμ. εἰσελθεῖν στρατεύματι, unmöglich, höchst schwierig fur ein Heer hereinzukommen, oder auf diesem Wege durchzukommen. Eben so Cyr. 4, 3. 14 τοῦτο ἀμήχανον, dies ist unmöglich, u. An. 2, 3. 18 κακὰ ἀμήχανα Uebel, Unglücksfälle, wozu, wofür man kein Mittel weiss, um sich aus ihnen herauszufinden, nicht zu bestreitende Uebel. Eben so von Menschen, die man nicht besiegen kann, als von Achill, den man nicht besänftigen konnte, Hom. Il. 16. vom Nestor, rastlos, unermüdet, mühselig, Il. 10, 167. So bleibt auch die Bedeutung unmoglich in folgenden Redensarten; nur muss man sie sich einzeln angewandt denken, als ἀμήχανοι (κατὰ) τὸ πλῆθος Xen. Cyr. 7, 5. 38 unmöglig (zu zahlen) in Absicht der Menge, d. i. unendlich viele; ἀμ. ὄνειροι Hom. Od. 19, 560 unerklärliche Träume. διοίσει ἀμήχανον ὅσον wie θαυμαστὸν ὅσον, *mirum quantum, immensum quantum* unglaublich viel; davon Adv. ἀμηχάνως.

'Αμία, ἡ, Art von Thunfisch; auch ἀμίας, ὁ, beym Matron. Athenae. 4 p. 135 wo er κυανόχρως heisst.

'Αμίαντος, ὁ, ἡ, (μιαίνω), unbefleckt, nicht besudelt, rein, hell; der Amiant, ein grünlicher oder weisslicher Stein, dessen Faden sich spinnen lassen, und nicht verbrennen, daher er auch ἄσβεστος, der unverbrennliche heisst Plin. 36, 19. Die neuern Naturforscher aber unterscheiden beyde, da der letztere spröder ist, als der erste, der auch nicht so hart und schwer ist.

'Αμιγής, έος, ὁ, ἡ, (μίγνυμι), Adv. ἀμιγῶς, unvermischt, rein,

'Αμιθρέω, st. ἀριθμέω, ich zähle.

'Αμικτος, ὁ, ἡ, Adv. ἀμίκτως, nicht zu vermischen, was sich nicht vermischen, mit einem andern vereinbaren lässt; unvermischt.

'Αμιλλα, ης, ἡ, v. ἅμα εἰλέω, also das Zusammen-Gegeneinanderdrängen, od. ἅμα, ἴλλος, das Einandersehen, Streit, Kampf, Wettkampf; davon —ιλλάομαι, ἅμαι, f. ήσομαι, streiten, kämpfen, streben, wetteifern λόγον ἀμ. s. v. a. ἀγωνίζεσθαι Eur. Hec. 271. davon —ίλλημα, ατος, τὸ, Streit, gekämpfter Kampf, Wetteifer; und —ιλλητήρ, ῆρος, ὁ, Streiter, wetteifernd; davon —ιλλητήριον, τὸ, Kampfplatz. —ιλλητικός, ἡ, όν, gut, geschickt, gehörig zum Streit.

'Αμιμητόβιος, ὁ, ἡ, (μιμητὸς, βίος), von unnachahmlichem Leben, unnachahmlich in seinem Leben. Plutar. Anton. 28. von —μητος, ὁ, ἡ, (μιμέομαι), unnachahmlich.

'Αμιξία, ἡ, (μίξις), Unvermischlichkeit, Mangel, Aufhebung aller Gemeinschaft, Ungeselligkeit, als ἀμ. πρὸς ἅπαντας Lucian v. Timon, dem Menschenfeind.

'Αμιππος, ὁ, ἡ, (ἅμα-σὺν ἵπποις ὤν), bey den Pferden; plur. ἅμιπποι Thucyd. ἅμα σὺν ἱππεῦσι ὄντες, Fussvolk bey der Reuterey.

'Αμὶς, ίδος, ἡ, Nachttopf. S. ἀμάς.

'Αμίσαλλος, ὁ, ἡ, für ἀμίσγαλλος ungesellig, mürrisch.

'Αμισής, έος, ὁ, ἡ, (μῖσος), ohne Hass, nicht verhasst, geliebt, theuer.

'Αμισθεὶ u. ἀμισθί, Adv. ohne Lohn, umsonst. S. d. folgd. —σθός, ὁ, ἡ, (μισθὸς), ohne Lohn, ohne Lohn dienend, umsonst thuend, od. pass. umsonst gethan, opp. ἔμμισθος, wie *gratuitus* v. *mercenarius*; οὐ χρημάτων μόνον ἀλλὰ καὶ δόξης προῖκα καὶ ἀμισθί Plutar. Arist. 3 ohne Belohnung von Geld u. Ehre, —σθωτος, ον, (μισθόω), ungedungen; nicht gedungen, von Richtern, d. i. nicht bestochen, wie *mercenarius* beym Cic. ad Div. 3, 11. 9.

'Αμίστυλλος, ὁ, ἡ, (μιστύλλω), nicht zerschnitten, zerstückelt.

'Αμισχος, ὁ, ἡ, ohne Stiel, Stengel, μίσχος.

'Αμιτρος, ὁ, ἡ, (μίτρα), ohne Gürtel, ohne Band, d. i. ein noch keinen Gurtel tragendes, oder ganz junges Madchen Callim. ἄζωστος καὶ μὴ διαπαρθενευομένη nach dem Schol. —τροχίτων, ωνος, ὁ, ἡ, ohne Gurt oder Band an der Kleidung, d. i. am Panzer, also mit abgebundenem Panzer, entpanzert, entwafnet Hom. Il. 16, 419 μὴ ὑποζωννυμένος μίτραν τῷ χιτῶνι, d. i. τῷ θώρακι, ἀλλ' ἅμα τῷ θώρακι συνηρτημένην ἔχων καὶ τὴν μίτραν, nach Eustat. der auch die andere auf jene Stelle passende Erklärung anführt: ἐσκυλευμένος τήν τε μίτραν, τόν τε χιτῶνα.

Ἀμιχθαλόεις, όεσσα, όεν, Λῆμνον ἀμιχθαλόεσσαν erklärt man durch δύσορμος, das keinen Hafen hat, ἀμιγῆ κατὰ τὴν ἅλα; andre anders. S. ὀμιχέω.

Ἅμμα, ατος, τὸ, Band, Anknüpfen, v. ἅπτω. —ματίζω, (ἅμμα), binden. ἀμματίσας περὶ σῶμα poet. vet. de herb. verſ. 63.

Ἄμμι, εως, τὸ, eine doldentragende Pflanze, ammi.

Ἄμμιγα, Adv. (ἀνα-μίγνυμι), oder ἀμμίγδην ſt. ἀνάμιγα, vermiſcht, durch Vermiſchung; zuſammen, zugleich.

Ἄμμιον, τὸ, für das lat. minium, Mennich, eine zw. Lesart bey Dioſcor. 5, 110. andre leſen ἀμμίνιον.

Ἀμμοβάτης, ὁ, (ἄμμος, βάτης v. βάω, βαίνω), Sandgänger, im Sande gehend, eine Art Schlangen. —μόδρομος, ὁ, ein ſandiger Ort, wo die Ritter ſich zu Pferde und Wagen übten, Renn- Reitbahn. —μοδύτης, ου, ὁ, (δύω), od. ἀμμοδυώτης, ein Sandkriecher, eine Art Schlangen. —μοκονία, ἡ, Sand mit Kalk vermiſcht, calx arenata. —μόνιτρον, τὸ, Sandſalpeter, den Plin. 36, 26 beſchreibt.

Ἀμμορία, ἡ, ſt. ἀμορία, Unglück. Hom. Od. 20, 76. bey Demoſth. p. 86 iſt ἀμμορία ſ. v. a. ὁμορία, Gränze. —μορος, ὁ, ἡ, (μόρος), ohne Theil, nicht theilnehmend, als λοετρῶν ὠκεανοῖο Hom. Il. 18, 489. Od. 5, 275 ſich im Ocean nicht badend; ſ. v. a. δύσμορος.

Ἄμμος, ἡ, Sand. —μόχρυσος, ὁ, Sand- oder Steingold, eine Art Edelſteine, aurum arenis miſtum nach Plin. 27, 11. —μοχωσία, ἡ, Oribas. Coll. 10. K. 8 ſ. v. a. ψαμμισμός. —μώδης, εος, ὁ, ἡ, ſandig, ſteinig. —μων, ωνος, ὁ, Ammon, ein Beywort Jupiters in Libyen, wovon τὸ ἀμμωνιακὸν den Namen hat, einmal ſo viel als ſal ammoniacum, Salmiak, und zweytens ein Gummiharz von einem doldentragenden Gewächſe, gummi ammoniacum.

Ἀμναμος, ὁ, u. ἀμνάμων, ὁ, (ἀμνὸς), Abkömmling, Enkel; poetiſch. —νὰς, ἄδος, ἡ, oder ἀμνή, ein Lamm, fem. v. ἀμνὸς; dav. —νεῖος, εία, εῖον, vom Lamme.

Ἀμνημόνευτος, ὁ, ἡ, nicht zu erwähnen; nicht erwähnt; von —μονεύω, nicht erwähnen, nicht anführen, ſich einer Sache nicht mehr erinnern. Eben dies iſt ἀμνημονέω, ich bin ein ἀμνήμων. —μοσύνη, ἡ, Vergeſſenheit, Vergeſslichkeit; von —μων, ονος, ὁ, ἡ, (μνήμη), Adv. ἀμνημόνως, ohne Erinnerung, Gedächtniſs, uneingedenk, vergeſslich. —σικακέω, ῶ, ich bin ein ἀμνησίκακος, denke nicht an das mir angethane Unrecht; davon —σικακητος, ὁ, ἡ, τὴν ἁμαρτίαν ἀμνησικάκητον ἐποιήσατο Polyb. ſ. v. a. ἀμνησικάκησε τῆς ἁμαρτίας. —σικακία, ἡ, das Vergeſſen des erlittenen Unrechts; von —σίκακος, ὁ, ἡ, nicht μνησίκακος, des erlittenen Unrechts nicht gedenkend, es nicht zu rächen ſuchend, nicht rachſüchtig; dav. ἀμνησικάκως Adv. —στεία, ἡ, od. ἀμνηστία, (ἄμνηστος), das Nichtmehrgedenken des Vergangenen, Vergeſſenheit des erlittenen u. angethanen Unrechts. —στευτος, ὁ, ἡ, (μνηστεύω), unverheirathet. —στέω, ich bin ein ἄμνηστος, aber ſenſu act. bin uneingedenk, vergeſſe; v. —στος, ὁ, ἡ, (μνάομαι), vergeſſen, nicht mehr gedacht.

Ἀμνίον, τὸ, Schaale oder Becher zum Auffangen des Bluts bey Opfern Hom. Od. 3, 444. 2) die Schaafhaut, worinnen die Leibesfrucht eingehüllt liegt.

Ἀμνὶς, ίδος, ἡ, ſ. v. a. ἀμνή.

Ἀμνοκῶν, οῦντος, ὁ, ſt. ἀμνονοῶν, von Lammesſinn, mit einem Lammesſinn, ein Schaafskopf, ἀμνὸς τὰ ἐς νοῦν nach Euſt. beym Ariſtoph. —νὸς, ὁ, ein Lamm. —νοφόρος, ἡ, (φέρω, ἀμνος), lammtragend, ein trächtiges Mutterſchaaf.

Ἀμογητὶ, Adv. (μόγος), ohne Arbeit, ohne Mühe; v. —γητος, ὁ, ἡ, (μογέω), nicht zu ermüden, unermüdlich, Hom. Hymn. 7, 3.

Ἀμόθεν, Adv. irgendwoher. S. ἀμή. Od. 1, 10. τῶν ἀμόθεν γε θεὰ θύγατερ διὸς εἰπὲ καὶ ἡμῖν nach dem Schol. ἀπὸ τινος μέρους, ὁπόθεν θέλεις, von irgend einem dieſer Stücke hebe an und erzähle. Oppian. Cyn. 1, 401 τῶν ἀμόθεν μορφαί τε καὶ εἴδεα τοῖα τελέσθω, wo der Gebrauch ganz verſchieden u. dunkel iſt. —θι, Adv. irgendwo.

Ἀμοῖ, Adv. irgendwohin.

Ἀμοιβάδιος, ον, eine dichteriſche Form beym Oppian. ſt. ἀμοιβαῖος. —βαδὶς, od. ἀμοιβαδὸν, Adv. (ἀμείβω), wechſelsweiſe, wechſelſeitig. —βαῖος, αία, αῖον, u. ἀμοιβαῖος, ὁ, ἡ, (ἀμείβω), zum verwechſeln, was man verwechſeln, vertauſchen kann; abwechſelnd, wechſelſeitig. —βὴ, ἡ, (ἀμείβω), das wechſeln, verwechſeln, vertauſchen von Geld, Kleidern, Od. 14, 521. Behandlung, alſo Wiedervergeltung, Strafe, Dank. δέκα μνῶν ἀμοιβὴ, kleines Geld gegen 10 Minen eingewechſelt, oder ſo viel werth. —βηδὴν, Adv. oder ἀμοιβηδὶ, ἀμοιβηδὸν. —βὸς, ὁ, ἡ, wechſelſeitig.

Ἀμοιρέω, ῶ, ich bin ἄμοιρος; davon —ρημα, ατος, τὸ, Nichttheilnehmung, Ausſchlieſsung von etwas Gutem, woran andere Theil nehmen, mithin Unglück, wie ἀκλήρημα, ἀτύχημα. —ρος, ὁ, ἡ, (μοῖρα), ohne Theil, nicht theilnehmend.

'Αμολγαῖος, αία, αῖον, (ἀμέλγω), zum melken, was gemolken werden kann, gemolken wird, als μαστὸς Anthol. v. μᾶζα ἀμολγαία d. Hesiod. S. in ἀμορβός. —ολγεύς, έως, ὁ, (ἀμέλγω), Gefäss zum Melken, Melkgelte. —ολγῷ νυκτός, (ἀμέλγειν), bey Homer erklären einige vom Abend als Melkzeit, andere von der Mitternacht. Euripides hat νύκτα ἀμολγὸν gesagt. Andere scheinen ἀμορβῷ gelesen zu haben. S. ἀμορβός. Hesychius hat ἀμολγάζει für μεσημβρίζει.

'Αμόλυντος, ὁ, ἡ, (μολύνω), nicht befleckt, rein.

'Αμόμφητος, ον, o. ἄμομφος, (μέμφομαι), nicht zu tadeln, ohne Tadel, μομφή.

'Αμόρα, ἡ, Art von Kuchen.

'Αμορβαῖος, ὁ, ἡ, bey Nicand. ther. 28 ἀμορβαῖαι χαράδραι legten andre durch ποιμενικὰς, andre durch σκοτεινὰς aus, von ἀμορβός. Des Hesiod. μᾶζα ἀμολγαία erklärte Eratosthenes durch ποιμενική lass also ἀμορβαία, welches eher sich hören lässt, als die andern Erklärungen *lacte facta* u. ἀκμαία.

'Αμορβὰς, άδος, ἡ, die Begleiterin. S. ἀμορβός. —βεύς, έως, ὁ, f. v. a. ἀμορβός. —βεύω, (S. ἀμορβός), auch ἀμορμεύω m. d. Dat. ich begleite, folge. Bey Nicander Theriac. 350 wird ἀμορβεύοντο durch διηκονοῦντο, διεκόμιζον erklärt.

'Αμορβής, ἀμόρβιος, wofür bey Suidas ἀμεβὴς steht, u. ἀμορβὸς erklären die Grammatiker durch σκοτεινὸς u. leiten es von ἅμα, ὄρφνη ab. Vermuthlich lasen einige bey Hom. νυκτὸς ἀμόρβιῳ st. ἀμολγῷ. S. ἀμορβὸς no. 3.

'Αμορβὸς, auch ἀμορμὸς, leitet man ἅμα, ὁρμᾶν ab, u. schreibt daher auch ἀμορβεύω, ἀμορμεύω. Also eigentl. Begleiter Folger; dah. 2) der Hirte, der den weidenden Heerden folgt; 3) für σκοτεινὸς beruhet die Bedeut. auf dem Ansehn des Schol. Nicandri Theriac. 28 welcher für ἀμολγῷ νυκτὸς bey Hom. mit andern scheint ἀμορβῷ gelesen zu haben. S. ἀμορβής.

'Αμοργεὺς, έως, ὁ, bey Pollux. 1. 222. der die ἀμόργη auspresst. —όργη, ἡ, *amurga*, *amurca*, der wässerichte Theil der Oliven, der beym Auspressen vorfliesst; 2) der Satz; die Hefen des Olivenöls; von ἀμέργω.

'Αμοργίδιον, τὸ, dimin. von ἀμοργίς. —οργινός, ὁ, ἡ, ἱμάτιον ἀμόργινον. f. v. a. ἀμοργίς. —οργίς, ἡ, feiner Flachs, der auf der Insel Amorgus gebauet ward; daher ἄλοπος ἀμοργὶς Aristoph. Lys. 738 ungehechelter Flachs; daraus wurden ἀμόργινα, τὰ, verst. ἱμάτια, ἀμόργινοι χιτῶνες, auch ἀμοργίδες, feine leinene Frauenzimmerkleider gewebt. Pollux 7. 74.

'Αμοργμὸς, ὁ, (ἀμέργω). Meleager Ep. 129. das Pflücken, Sammlen, Sammlung f. v. a. ἀνθολογία.

'Αμοργὸς, ἡ, ὸν, ausdrückend; tropisch, aussaugend, von einem, der den Staat und dessen Einkünfte erschöpft. S. μοργὸς u. ἀμοργοί.

'Αμορία, (ἅμα, ὅρος), zusammenstossende Gränze.

'Αμορίτης, ου, ὁ, näml. ἄρτος, Brod v. ἀμόρα, Honigbrod.

'Αμορμεύω u. ἀμορμὸς f. v. a. ἀμορβεύω u. ἀμορβός.

"Αμορος, ὁ, ἡ, f. oben ἄμμορος.

'Αμορφία, ἡ, Mangel an Bildung, an Ausbildung, an Schönheit, Entstellung, Hässlichkeit; von —φος, ὁ, ἡ, (μορφή), Adv. ἀμόρφως, ohne Bildung, nicht ausgebildet, noch nicht gebildet, d. i. roh, ohne Bildung, ohne schöne Bildung, d. i. hässlich; auch im moralischen Sinne, sonst αἰσχρὸς Cic. ad Att. 7, 8. —φωτος, ὁ, ἡ, (μορφόω), nicht gebildet, noch nicht ausgebildet, noch nicht völlig bearbeitet.

"Αμος, ὁ, zusammengezogen aus ἄμαθος.

'Αμὸς, dor. st. ἡμέτερος; 2) st. τὶς S. ἀμῆ.

'Αμοτον, v. ἄμοτος, unersättlich, unaufhörlich, daher ἄμοτον wie Adv. sehr, fort und fort.

'Αμουργοὶ λαμπτῆρες bey Suidas aus Empedokles bey Aristot. de sensu c. 2 wo ἀμοργοὺς steht, aber Alexander Aphrodis. Comment. p. 97 hat ἀμουργοὺς und erklärt es ἀπεργάζοντας oder πυκνούς.

'Αμουσία, ἡ, Charakter eines ἄμουσος, d. i. Mangel an feiner Bildung, an Sittlichkeit, mithin Rohheit, Ungelehrsamkeit; Missklang, Disharmonie. —σολογία, ἡ, d. i. ἄμουσοι λόγοι, ungelehrte, ungebildete, gemeine, einfältige Reden. —σος, ὁ, ἡ, ohne Musen, als die Sängerinnen, Hom. Il. Ι, 604. d. i. ohne Gesang, unerfahren in der Musik; ohne Musen, als die Vorsteherinnen jeder edlen Kunst, d. i. ungelehrt, unwissend, ungebildet, roh, grob. Adv. ἀμούσως.

'Αμοχθεὶ, o. ἀμοχθί, Adv. ohne Arbeit, ohne dass es einem sauer wird. Vergl. ἀμογητί; von —οχθος, ὁ, ἡ, (μόχθος), ohne Arbeit, nicht arbeitend, träge.

'Αμπαιανίζω, st. ἀναπαιανίζω, stimme einen Päan an. S. παιανίζω.

'Αμπαιδες, ων, οἱ, st. ἀνάπαιδες, Aufseher über die Knaben bey den Lacedämoniern.

'Αμπάλλω, st. ἀναπάλλω.

'Αμπαλος, ὁ, st. ἀνάπαλος das Loosen von neuem, Pind. Ol. 7, 110. S. πάλος.

'Αμπαύω, st. ἀναπαύω. Und so ist in mehrern ἀνὰ in ἀμ zusammengezogen.

'Αμπελεῖον, τὸ, Weinberg. —πέλειος, ὁ, ἡ, (ἄμπελος), vom Weinstock, vom Weinberge. —πελεὼν, ῶνος, ὁ, Ort mit Weinstöcke, Weinberg.

πελινός, ή, όν, den Weinstock betreffend, dahin gehörig. —πέλινος, ό, ή, ινος, ίνη, ινον, vom Weinstocke, dazu gehörig, als φύλλον, Weinlaub Arist. Weinbeere Herodot. —πέλιον, ein kleiner ἄμπελος. —πελὶς, ίδος, ein kleiner ἄμπελος, überhaupt Weinstock; 2) Vogel. S. ἀμπελίων; 3) ein Unkraut. Oppian. Ixeut. 2, 7. —πελίτις, ιδος, ή, für den Weinstock, als beym Diosc. 5, 173, Erde, womit man die Weinstöcke beschmiert.

πελίων, bey Opp. Ixeut. 3, 2. ἀμπελίωνες οἱ κουφότατοι, u. Pollux 6, 52 heissen sonst ἀμπελίδες Aristoph. Av. 305. unbestimmter Sangvogel.

πελογενὴς, έος, ό, ή, (γένος, γεννάω), Weinstöcke tragend, zeugend. —πελόεις, όεσσα, όεν, voll von Weinstöcken, Hom. Il. 2, 561. —πελοεργὸς, contr. ἀμπελουργὸς, ό, ή, (ἔργον), Weinarbeiter, Arbeiter im Weinberge, Winzer. —πελόκαρπον, τὸ, ein Kraut beym Dioscor. 3, 183. —πελομιξία, ή, (μίξις), Vermischung mit Weinstöcken. —πελόπρασον, τὸ, d. i. ἀμπέλου πράσον Weinstocklauch, Dioscor. 2, 180. —πελος, ή, Weinstock, Weinberg; auch die *vinea* als Kriegs- oder Belagerungsmaschine, Mathem. vet. pag. 15. —πελουργεῖον, τὸ, Ort zur Pflanzung der Weinstöcke, Weinberg. —πελουργέω, (ἔργον), Weinstöcke oder den Weinberg bearbeiten. —πελούργημα, ατος, τὸ, s. v. a. d. folgend. das nomen verbale v. ἀμπελουργέω. —πελουργία, ή, (ἔργον), Anbau, Bearbeitung der Weinstöcke. —πελουργικὴ, verst. τέχνη, Weingärtnerkunst. —πελοφάγος, ό, ή, (φάγω), nagend, zerfressend die Weinstöcke. —πελοφόρος, ό, ή, (φέρω), Weinstöcke tragend. —πελοφύτης, ου, ό, o. ἀμπελοφύτωρ (φύω), Weinstockpflanzer. —πελόφυτος, ό, ή, mit Weinstöcken bepflanzt. —πελώδης, εος, ό, ή, s. v. a. ἀμπέλινος. —πελὼν, ῶνος, ό, Weinberg.

Ἀμπετὴς, ό, ή, s. v. a. ἀναπετὴς (ἀναπετάω), ὄμμα ἀμπετὲς geöfnetes Auge Heliodor. Stobae. Serm.

Ἀμπεχόνη, ή, od. ἀμπέχονον, ἀμπεχόνιον, was man um hat, Kleidung, Mantel; von —πέχω, f. ἀμφέξω, umhaben, umthun, ἔχω, ἀμφὶ, wovon φ wegen des folgenden adspirirten Buchstabens χ in π übergegangen ist, das aber im fut. ἀμφέξω wieder zurückkommt.

Ἀμπισχνεῖμαι, (ἀμπὶ st. ἀμφὶ, ἴσχω), s. v. a. ἀμφέχομαι.

Ἀμπίσχω, s. v. a. ἀμφέχω. S. ἴσχω.

Ἀμπλακέω, (ἀνὰ, πλάκω, πλάζω, πλάγχω auch πλάζομαι), ich irre, fehle; dav. —πλάκημα, τὸ, der Irrthum, Fehler, Vergehen. —πλάκητος, ό, ή, fehl. st. ἀπλάκητος Soph. Trach. 120. —πλακία, ή, Irrthum, Fehler, Vergehn. —πλάκιον, τὸ, s. v. a. ἀμπλακία. —πλακίσκω, oder ἀμπλακίζω s. v. a. ἀμπλακέω, Stobae. Serm. 147.

Ἄμπνευμα, τὸ, (ἀναπνέω), die Erholung, Ruhe, Ruhestatte; wo man wieder zu Athem kommt. —πνέω, ἄμπνυμι, ἄμπνυμαι davon ἀμπνύνθη st. ἀμπνύθη s. v. a. ἀναπνέω.

Ἀμπολέω st. ἀναπολέω, wiederholen. Pind. Nem. 7, 153.

Ἀμπρεύω, ich ziehe am Joche; 2) ich ziehe, trage, *bajulo*. metaph. βίον wie ἕλκω, *trahere vitam*, mühseliges Leben fuhren. —προν, τὸ, das Joch der Zugochsen, oder ein Seil, woran die Ochsen Lasten fortziehn.

Ἀμπτυχαὶ, αἱ, Eur. El. 868. Blick, Oefnen des Auges, v. ἀναπτύσσω.

Ἀμπυκάζω, f. άσω, u. ἀμπυκίζω, die vordern auf die Stirn herabfallenden Haare mit einer ἄμπυξ zusammenbinden; daher übergetragen auch χαλινόω (s. ἀμπυκτὴρ); u. wegen der Aehnlichkeit στεφανόω. —υκτὴρ, ῆρος, ό, s. v. a. ἄμπυξ, auch Pferdezaum. Aesch. S. 463. welches Sophocl. Oed. Col. ἀμπυκτήρια φάλαρα nennt. S. ἄμπυξ. Quint. Smyrn. 4, 510 ἄμπυκα δεύεσαν ἀφρῷ, vom Zaume.

Ἄμπυξ, υκος, ό, nach Eustath. v. ἀμπέχω τὰς τρίχας, also eigentl. das Stirnband, Stirnflechte bey Pferden, das Kopfstück des Vordergeschirrs, daher χρυσάμπυκες ἵπποι, Rosse mit goldenem Stirnband. S. ἀμπυκτὴρ. eben dies Band bey Weibern, Eurip. Hec. 464. und die über die zusammengebundenen Haare gebundene Binde; daher wegen der Aehnlichkeit Rad, Sophocl. Philoct. 687, wo er es, wenn man δρομάδα mit ἄμπυκα verbindet, als fem. gebraucht hat, wie Eurip. in d. angef. Stelle; eben so der Deckel auf einem Trinkgeschirre, τὸ πῶμα τοῦ ἀγγείου beym Aristoph. dess. Schol. es so erklärt.

Ἄμπωσις, εως, ή, st. ἀνάπωσις, das auf oder austrinken v. ἀναπίνω. vom Meere die Fluth im Gegens. v. Ebbe; überh. Fluth. Hierv. wegen der Aehnlichkeit das Zurücktreten der Säfte aus den äussern Theilen des menschlichen Körpers in die innern, beym Hippocr.

Ἀμπωτίζω, f. ίσω, st. ἀναπωτίζω, vom Meere, das bey der Ebbe zurücktritt.

Ἄμπωτις, εως, od. ιδος, ή, s. v. a. ἄμπωσις, die Ebbe.

Ἀμυγδαλέα, contr. ἀμυγδαλῆ, ή, der Mandelbaum. —δάλη, ή, die Mandel, Frucht, Nuss von dem Mandelbaum. —δάλινος, ίνη, ινον, von Mandeln. —δαλὶς, ίδος, ή, s. v. a. ἀμυγδάλη. —δαλίτης, ου, ό, gleichsam mandelig, dem Mandelbaum, der Mandel ähnlich.

'Αμυγδαλοειδής, έος, ὁ, ἡ, oder ἀμυγδαλέεις, (εἶδος), mandelartig. —δαλοκατάκτης, ου, ὁ, (καταγνύω), Mandelknacker. —δαλον, τὸ, f. v. a. ἀμυγδαλίς. —δαλος, ἡ, f. v. a. ἀμυγδαλέα. —δαλώδης, εος, ὁ, ἡ, f. v. a. ἀμυγδαλοειδής.

'Αμυγμα, ατος, τὸ, oder ἀμυγμὸς, das Zerkratzen, Zerraufen seines Gesichts, seiner Haare bey wüthenden Schmerzen v. ἀμύσσω.

'Αμυδις, Adv. eine andere Form v. ἅμα wie ἀγορὰ ἀγυρὰ πανήγυρις; zugleich, zu gleicher Zeit.

'Αμυδρήεις, εσσα, εν, und ἀμυδρὸς, ρὰ, ρὸν, Adv. ἀμυδρῶς, f. v. a. ἀμαυρὸς, v. dem es vermuthlich nur eine andere Aussprache ist, dunkel, kaum sichtbar, als γράμματα Thucyd. kaum noch sichtbare, kaum leserliche Buchstaben oder Schrift. Dav. übergetragen, ἐλπὶς Plut. dunkle, schwach schimmernde Hoffnung; davon —δρότης, Schwache, die man sieht, fühlt, bemerkt, als schwacher Pulsschlag. —δρόω, ῶ, f. ώσω, (ἀμυδρὸς), verdunkeln, schwächen; dav. —δρώεις Nicand. Ther. 274 wo die Handschrift richtiger ἀμυδρήεις haben. —δρωσις, εως, ἡ, Verdunkelung, Schwächung, wie ἀμαύρωσις.

'Αμύελος, ὁ, ἡ, ohne Mark, μυελὸς.

'Αμύζω, f. ύσω, f. v. a. μύζω zweif.

'Αμυησία, ἡ, der Zustand eines ἀμύητος, auch ἀνοργία.

'Αμύητος, ὁ, ἡ, (μυέω), nicht eingeweiht, profan.

'Αμύθητος, ὁ, ἡ, (μυθέομαι), nicht auszusprechen, unaussprechlich; unaussprechlich viel, als θρέμματα beym Philo. —θος, ὁ, ἡ, ohne Mythen, Fabeln, als ποίησις ἀμ. eine mit keinen Fabeln angefüllte Dichtung Plut.

'Αμύκητος, ὁ, ἡ, (μυκάω), ohne blöckende Rinder.

'Αμύκλαι, αἱ, Theocrit. 10, 35. u. Suidas, eine Art von vornehmen Schuh, von lakonischer Abkunft sonst ἀμυκλαΐδες genannt.

'Αμύκτηρ, ohne Nase, Strabo.

'Αμυκτικὸς, ἡ, ὸν, (ἀμύσσω), Adv. ἀμυκτικῶς, gut, geschickt zu zerkratzen, zerfleischen, od. von Arzneymitteln, stark angreifend.

'Αμύλιον, τὸ, Kuchen; von —λον, τὸ, (μύλη), ohne Mühle, nämlich ἄλευρον, Mehl, welches man nicht mahlt, sondern auf eine andere mühsamere Art zubereitet, wie sie Plin. 18, 7 beschreibet; von —λος, ὁ, ἡ, (μύλη), ohne Mühle, nicht gemahlen.

'Αμύμων, ονος, ὁ, ἡ, vielleicht st. ἀμύγμων, ohne μυγμὸς, nicht zu beschnarchen, d. i. nicht zu verachten, oder nach andern, aber unwahrscheinlicher st. ἄμωμος, fleckenlos, untadelhaft, trefflich, gut, brav, bieder.

'Αμυνα, ἡ, das Abwehren einer Beleidigung von sich, Vertheidigung, in so fern ich diese einem andern leiste, Hülfe; in so fern ich sie gegen einen andern übe, Rache; v. ἀμύνω. —νάθω, u. ἀμυνάθομαι med. Eurip. Andr. 721. f. v. a. ἀμύνω, ἀμύνομαι.

'Αμύντειρα, ἡ, fem. von dem Folgend. —τὴρ, ῆρος, ὁ, Vertheidiger, Helfer, Rächer. S. ἄμυνα. —τήριος, ὁ, ἡ, gut, geschickt, behülflich zum vertheidigen, helfen, rächen, z. B. ἀμυντήριοι ὀδόντες, die Hauer beym Eber. —τικὸς, ἡ, ὸν, ein guter, geschickter, gewandter ἀμυντὴρ. —τωρ, ορος, ὁ, f. v. a. ἀμυντήρ.

'Αμύνω, f. υνῶ, abwehren, abhalten, τί τινὸς, oder τί τινι, es von einem, oder es einem, für einen abwehren Herodt. 1, 82. Hom. Il. 1, 456. Eben so τινά τινὸς, einen von etwas abhalten, als Τρῶας νεῶν Hom. die Troer von den Schiffen abhalten, zurücktreiben. Dah. ohne Zusatz der Sache mit dem Dativ der Person, einem helfen, als τίς ἀμύνει μοι Eurip. Hec. 157 wer hilft mir? Dah. rächen, ἀμύνω περὶ σοῦ τεθνηκότος, ich streite für dich den Ermordeten, d. i. ich räche deinen Tod. Med. etwas, als Angrif, Gewalt, Unrecht, Beleidigung, von sich abwehren, d. i. sich wehren, sich vertheidigen, sich selbst helfen, Hülfe verschaffen, τινὰ, einen von sich abwehren, d. i. sich an einem rachen, wenn die Beleidigung vorher gegangen, als ἄνανδρον (ἐστὶ) τὸ μὴ ἀμύνεσθαι προαδικούμενον, es ist feige, sich nicht rächen zu wollen, wenn man vorher beleidigt ist, Herodian. 3, 6. 9. oder während der Beleidigung, des Angrifs selbsten, einen von sich abwehren, zurückschlagen, als θηρία Aelian. v. h. 13, 1 wilde, einen anfallende Thiere von sich abwehren, sich gegen sie vertheidigen. Eben so τινὰ ἀδικοῦντα Xen. An. 2, 3. 23. Hierher gehört auch ἀμύνεσθαι περὶ πάτρης Hom. Il. 12, 243 in Absicht seines Vaterlandes sich rächen, oder das seinem Vaterlande angethane Unrecht rächen, kurz für sein Vaterland kämpfen. Daher vergelten, τινὰ ὁμοίοις Thucyd. 1, 42 einem Gleiches mit Gleichem vergelten.

'Αμυξ, Adv. (ἀμύσσω), zerfetzend, durch Zerfetzen.

'Αμυξ, υχος, ἡ, (ἀμύσσω), das Zerkratzen, Zerfleischen. —ξις, εως, ἡ, eben das, was das vorherg. in einer andern Form; bey Aerzten auch das Ritzen, Schröpfen.

'Αμύσσω, u. ἀμύττω, f. ξω, gleichsam αἱμάσσω v. αἷμα nach dem Etym. blutig machen, blutig kratzen, zerfleischen, als Brust, Wangen, Hom. Il. 19, 284.

Daher übergetragen, γνώμην, Aeschin. in epist. θυμὸν Hom. Il. 1, 243. wie *lacerare, macerare animum*, oder *sauciare* u. *exulcerare*.

'Αμυσταγώγητος, ὁ, ἡ, (μυσταγωγέω), nicht in den Geheimnissen der Religion unterwiesen. —στηρίαστος, ὁ, ἡ, uneingeweiht in die Geheimnisse, ein Wort, das sich der Scholiast des Theokrits v. μυστηριάζω gemacht hat.

'Αμυστὶ, Adv. (μύω), eigentl. ohne den Mund oder die Lippen zu schliessen, d. i. ohne abzusetzen, in vollen Zügen, als πίνω beym Anacreon; dav. —στίζω, f. ίσω, in vollen Zügen, gierig, viel trinken. —στις, ιδος, od. ιος, ἡ, gieriges Trinken, Pokuliren, Saufen. Horat. Carm. 1, 36. 14 hat es beybehalten. Nach Pollux u. Suidas ist es auch eine Art thracischer Becher bey grossen Trinkgelagen, worin dies Volk Meister war.

'Αμυστος, ὁ, ἡ, eine andere Form von ἀμύητος.

'Αμυχὴ, ἡ, s. v. a. ἄμυξις —χηδὸν, o. ἀμυχὶ Adv. s. v. a. ἀμύξ.

'Αμυχιαῖος, α, ον, im Axiochus des Aeschin. dem ἀκραιφνῆ rein, unvermischt entgegen gesetzt. zweif. v. ἀμυχὴ von kurzer Dauer.

'Αμυχρὸς u. ἀμυχνὸς, ἀμυγνὸς bey Sophocl. unbefleckt, heilig. v. μῦσος.

'Αμυχώδης, εος, ὁ, ἡ, wie zerkratzt, wie zerfetzt, schorfig Hippocr. v. ἀμυχὴ.

'Αμφαγαπάζω, u. ἀμφαγαπάω, (ἀμφ' ἀγαπ.), mit Liebe umfassen, zärtlich lieben, wie *amore amplector*, Hom. Od. 14, 381.

'Αμφαγείρω, f. ερῶ, (ἀμφ' ἀγείρω), von allen Seiten zusammentreiben, sammeln.

'Αμφαγνοέω, falsch st. ἀμφιγνοέω.

'Αμφαδὰ, ἀμφαδὸν, ἀμφανδὸν, ἀμφαδίην, st. ἀναφ. Adv. sichtbar, offenbar, deutlich, von ἀναφαίνω. —φάδιος, ὁ, ἡ, (ἀναφαίνω), st. ἀναφάδιος, sichtbar, offenbar, deutlich.

'Αμφαιωρέω, (ἀμφὶ, αἰωρέω), πρὸ τῶν ὀφθαλμῶν ἰνδάλματά τινα ἀμφαιωρέουσι Aretaeus 3, 1. ringsherum schweben lassen.

'Αμφαμιῶται, ῶν, οἱ, bey den Kretensern, was bey den Lacedämoniern die Εἵλωτες waren, zu Sklaven gemachte Einwohner.

'Αμφαξονέω, ῶ, wanken, nicht fest sitzen, wenn die Achse (ἄξων) auf beyde Seiten (ἀμφὶ) sich dreht; daher nach Eustat. u. Pausan. übergetragen auf lahme, wackelnde Menschen.

'Αμφαραβέω, ῶ, od. ἀμφαραβίζω, ein Getöse umher machen.

'Αμφαριστερὸς, ὁ, ἡ, auf beyden Händen links, so wie ἀμφιδέξιος auf beyden rechts, *ambidexter, ambilaevus*.

'Αμφασία, ἡ, st. ἀφασία beym Hom. Od. 4, 704. Apoll. arg. 3, 810.

'Αμφαυξις, εως ἡ, ein abgestumpfter Fichtenstamm Theopr. H. P. 3 c. 8. sonst ἀμφιφυὰ genannt.

'Αμφαφάω, u. ἀμφαφάομαι, (ἀφάω), von allen Seiten berühren, betasten. Hom. Od. 15, 461. 19, 475.

'Αμφέλικτος, ον, umwickelt, umwunden; von —ελίσσω, od. ίττω, (ἑλίσσω), umwickeln, umwinden. —έλκω, f. ἑλξω, (ἕλκω), von allen Seiten zusammenschleppen.

'Αμφελυτρόω, f. ώσω, (ἔλυτρον), ringsherum umwickeln, einwickeln, in Wickeln schlagen; dav. —λύτρωσις, εως, ἡ, das Einwickeln.

'Αμφέπω, s. ἀμφιέπω.

'Αμφετήτυμος, ον, bey Lycophr. 620 ἀμφετητύμους soll getrennt heissen ἀμφ' st. ἀμφὶ ἀρούραις ἐτητύμους βαλεῖ.

'Αμφήκης, εος, ὁ, ἡ, st. ἀμφακὴς, (ἀκὴ), auf beyden Seiten spitzig, scharf, zweyschneidig.

'Αμφῆλιξ, ικος, ὁ, ἡ, (ἡλικία), beym Phrynichus nach Pollux, von zweydeutigem Geschlecht, weibisch, beym Cratinus ältlich, veraltet.

'Αμφημερινὸς, ἡ, ὸν, oder ἀμφήμερος, täglich.

'Αμφηρεφὴς, έος, ὁ, ἡ, (ἐρέφω), ringsherum, d. i. gut, sorgfältig bedeckt, Hom. Il. 1, 45. andere erklären es d. voll.

'Αμφήρης, εος, ὁ, ἡ, von beyden Seiten gerudert, als ναῦς, d. i. nach Hesych. ἑκατέρωθεν ἐρεσσομένη. Eben so στόμα, der oben und unten mit Zähnen versehene Mund, v. ἐρέσσω. —ρικὸς, ἡ, ὸν, ἀκάτιον Thucyd. 4, 67 ein Kahn, worin ein jeder mit zwey Rudern rudern muss, dergl. die Seeräuber hatten. —ριστος, ὁ, ἡ, (ἐρίζω), von zwey Seiten bestritten, überh. bestritten. Denn dies setzt immer zwey Parteyen (ἀμφὶ) voraus.

'Αμφὶ, praep. ringsherum, herum, bey. οἱ ἀμφί τινα s. in περί; wegen, gegen.

'Αμφιάζω, f. άσω, umthun, v. ἀμφὶ, anziehn, wie ἀμφιημι. —φίαλος, ὁ, ἡ, (ἅλς), von beyden Seiten das Meer habend, vom Meere eingeschlossen, Insel Hom. Od. 1, 386. —φιάνακτες, ων, οἱ, die Dithyramben-Dichter, weil sie gewöhnlich ihre Lieder anfiengen mit: ἀμφί μοι αὖτε Φοῖβε ἄναξ Δήλιε, v. ἀμφὶ u. ἄναξ, wie ihnen Aristoph. in Nub. nachäft; davon —φιανακτίζω, f. ίσω, ein *prooemium*, wie jene machen, dem Apoll, dem Bacchus ein Lied in hoher Begeisterung singen. —φίας, b. Suidas, ἀμφίς Athenae. 1 p. 31. ἀμφὶς u. ἀμφίας bey Hesych. ein schlechter Wein in Sizilien, nach andern οἶνος ἀνθέος oder schwarzer Wein.

'Αμφίασις, εως, ἡ, od. ἀμφίασμα, ἀμφιασμὸς, (ἀμφιάζω), das Anziehen; der Anzug, die Kleidung. Dionyſ. Ant. 8, 62 wo die Handſchr. ἀμφιεσμὸς haben. —φιαχέω, ῶ, od. ἀμφιάχω, (ἠχέω, ἰάχω), umrauſchen, umtonen.

'Αμφιβαίνω, ἀμφιβατέω, ἀμφιβάω u. ἀμφίβημι v. βάω, βαίω, βαίνω, βῆμι, herumgehn, herumſtehn; dah. umgeben. πόνος φρένας ἀμφιβέβηκε befallt mein Herz. Il. ἀμφιβαίνει μοι θράσος Eurip. wie *circumſtat corda dolor, timor, inceſſit me fiducia*; 2) v. Thieren die ihre Jungen vertheidigen, indem ſie über ihnen u. um ſie ſtehen. Opp. Cyn. 3. ἐὸν πάιν ἀμφιβεβῶτα; dah. überh. beſchützen, vertheidigen z. B. in der Schlacht einen gefallenen Krieger, den man todten, plündern oder fortſchleppen will. Die andere jon. Form ἀμφισβητέω ſt. ἀμφιβατέω ſammt den Ableit. hat beſonders die daraus hergeleitete Bedeutung behalten von ſtreiten, rechten; daher zweifeln, widerſprechen, λόγος τῷ πρότερόν λεχθέντι ἀμφισβατέων Herodot. 9, 74. ἐντεταμένως ἀμφισβατέειν 9, 14 zuverſichtlich im Streite behaupten. Daher ἀμφισβήτησις u. ἀμφισβασία λόγων Herodot. 8, 81 Wortwechſel, Streit, ἐς ἀμφισβάσιας τοῖσι λόγοισι ἀπικνέεσθαι 4, 14.

'Αμφιβάλλω, f. βλήσω, p. βέβληκα, umwerfen, umthun, anziehn, anlegen; hin u. her werfen, d. i. anſtehn; zweifeln, bezweifeln, Aelian. H. A. 9, 33 wie lat. *dubitatione, opinione varia jactatur.* —φιβασία, ἡ, u. ἀμφίβασις, (ἀμφιβαίνω), das Umſtehen, Umringen, Umzingeln, Hom. Il. 5, 623 Beſchützung, Kampf für den Leichnam, vergleiche v. 299, wo das verbum ſo ſteht. S. ἀμφιβαίνω, daher Streit überh. —φιβατέω und ἀμφιβάω. Siehe ἀμφιβαίνω. —φίβιος, ὁ, ἡ, doppellebig, d. i. im Waſſer ſowohl, als auf dem Lande lebend, eine Amphibie, *beſtia quaſi anceps* beym Cic. nat. deor. 1, 37. So auch bey νομὴ Hom. batr. 59. —φίβλημα, ατος, τὸ, (ἀμφιβάλλω), das Umgeworfene, das, was man umwirft, anzieht, Anzug, Kleidung. —φιβληστρεύω, habe, gebrauche ein Netz. —φιβληστρικὸς, ἡ, ὸν, netzartig, zum Netz gehörig, zum Netz dienend; von —φίβληστρον, τὸ, das, was man umwirft, herumlegt, anzieht, als Kleid, Sophocl. Trachin. καθῆψεν ὤμοις τοῖς ἐμοῖς ἀμφ. ſie warf um meine Schultern ein Kleid; beſonders ein Fiſchernetz. S. ἀμφιβολή; von —φιβόητος, ὁ, ἡ, ſ. v. a. περιβόητος. —φιβολεὺς, έως, ὁ, Fiſcher, der ein ἀμφίβληστρον braucht. —φιβολὴ, ἡ, λίνου ἀμφιβολὰς Oppian. Hal. 4, 49 ſt. λίνον ἀμφιβαλλόμενον oder ἀμφίβληστρον. —φιβολία, ἡ, Zweydeutigkeit; zweydeutiger Zuſtand, die Klemme, Herodot. 5; 74. von —φίβολος, ὁ, ἡ, (βάλλω), zweydeutig, ungewiſs; von beyden Seiten getroffen mit dem Wurfſpieſs od. Pfeil, oder verwundet Thucyd. herumgeworfen, λίνα ἀμφίβολα Eur. Troad. 537 πλωτῶν εὐπλεκὲς ἀμφίβολον ſt. ἀμφίβληστρον Epigr. —φιβόσκομαι, auf allen Seiten weiden, abweiden. —φίβουλος, ον, (βουλὴ), mit doppeltem, d. i. noch ſchwankendem Entſchluſſe, ungewiſs, zweifelhaft. —φιβράγχια, ων, τὰ, die Gegend um die Mandeln herum, βράγχος, βράγχιον. —φίβραχυς, εος, ὁ, auf beyden Seiten, an beyden Enden, vorne und hinten kurz, bey den Grammatikern ein pes | υ — υ |. —φίβροτος, ὁ, ἡ, den ganzen Menſchen bedeckend, beſchützend, als ἀσπὶς Hom. Il. 2, 389. κώδειαν ἀμφιβρότην hat Nikander geſagt. —φίβροχος, ὁ, ἡ, (βρέχω), ganz naſs, ganz durchnäſst; ganz naſs, naml. vom Weine (wie in der Anthol. βεβρεγμένος εἵματα, βάκχῳ), d. i. betrunken. —φίβωτος, ὁ, ἡ, contr. ſt. ἀμφιβόητος.

'Αμφιγένυς, ὁ, ἡ, (γένυς), mit doppelter Kinnlade, d. i. Schneide, Axt, Schwerdt beym Heſych. Vergl. oben ἀμφήκης u. γένυς. —φιγηθέω, ῶ, ſich ſehr freuen, Hymn. Hom. 1, 273. —φιγνοέω, (γνοέω, νοέω), bedenklich, ungewiſs ſeyn, ſich nicht entſchlieſsen können, anſtehn, zweifeln. —φίγονος, ὁ, Stiefſohn, weil er von zweyerley Eltern. —φιγυήεις, ήεσσα, ῆεν, (γυιὸς), an beyden Seiten hinkend, der Hinkende, Hephäſt Hom. Il. 1, 607. 14, 239. —φίγυος, ὁ, ἡ, ἔγχος, Hom. Il. 13, 147. erklären einige zweyſpitzig d. i. von beyden Seiten mit Eiſen beſetzt u. alſo auch verwundend, und alſo mit beyden Seiten in die Erde zu ſteckender Spieſs, Lanze. —φιγυόω, ῶ, f. ώσω, ſ. v. a. ἀκρωτηριάζω bey Heſych. ohne Beyſpiel.

'Αμφιδαὴς, έος, ὁ, ἡ, (δαίω), zweyſchneidig, b Suidas ohne Beyſ. —φιδαίω, (δαίω), ringsherum anſtecken; ringsherum brennen. —φιδάκρυτος, ον, ſehr beweint. —φίδασυς, δάσεια, δασυ, o. ἀμφιδασύς, σεῖα, σὺ, ganz rauch, zottig. Hom. Il. 15, 309. —φίδεα, τὰ, (Umbänder, ἀμφὶ, δέω), Armbander, —φιδέαι, ῶν, αἱ, od. ἀμφιδέες (Umbander, ἀμφὶ, δέω), Arm-oder Kniebander, uberhaupt auch Ketten. —φιδεὴς, έος, ὁ, ἡ, (δέος, δείδω), ſich ſehr fürchtend, furchtſam. —φιδέμω, ringsherumbauen. —φιδέξιος, ὁ, ἡ, auf beyden Handen rechts, d. i. der beyde Hande wie die Rechte gebraucht, daher auch ſehr gewandt, geſchickt; auch zweydeutig, Herodt. 5, 92 χρηστήριον, u. ἔπος ἀμφ. beym Lucian. ein zweydeutiger Ausdruck; iſt Euripid. σίδηρος ἀμφ. ſt. ἀμφήκης zweyſchneidig. ἀμφιδεξίοις ἀκμαῖς bey Soph. mit beyden Händen.

'Αμφιδεξίως, Adv. ſehr gewandt, ſehr fertig, als παίζειν b. Athen. —φίδετος, ὁ, ἡ, (δέω), auf beyden Seiten gebunden, angebunden, als ἁλύσεις ἀμφίδετοι. —φιδεύτατος, ὁ, aus der verdorbenen Lesart bey Pindar Olymp. 1. ἀμφιδεύτατα κρεῶν. —φιδέω, ῶ, (δέω), umbinden. —φιδηριάομαι, ῶμαι, (δηριάω), um etwas ſtreiten. —φιδήριτος, ὁ, ἡ, beſtritten, warum noch geſtritten wird, nicht ausgemacht, zweifelhaft, als νίκη beym Thucyd. v. δῆρις. —φιδιαίνω, umwäſſern, ganz bewäſſern. —φιδινεύω, oder ἀμφιδινέω, im Kreiſe herumtreiben. —φιδοκεύω, ſich überall umſehen, ſpioniren, Hinterhalt ſtellen. —φιδονέω, im Kreiſe herumtreiben. —φιδοξέω, ich bin ein ἀμφίδοξος, bin zweifelhaft, unentſchlüſsig. —φίδοξος, ὁ, ἡ, (δόξα), von doppelter Meinung, zweifelhaft, unentſchlüſsig. —φίδορος, ὁ, ἡ, σκῦλος ἀμφίδορον od. ἀμφιδόρου ἀχαιοῦ die ringsherum abgezogene Haut, oder des ringsherum abgezogenen Rehes; Antholog. v. δορά. —φίδουλος, ὁ, ἡ, von Sklaven geboren, deſſen Eltern beyde Sklaven ſind. —φίδοχμος, ον, v. δοχμή bey Xenoph. Equ. 4. λίθοι runde Steine, ſo groſs ſie die Hand faſſen kann, ſonſt χειροπληθεῖς. —φιδρόμια, ων, τά, das Umlaufen, der fünfte Tag nach der Geburt eines Kindes, an welchem die Hebammen mit ihm um den Heerd herumliefen; von —φίδρομος, ὁ, ἡ, (δρέμω, δρόμος), zu umlaufen, als τεῖχος Euſtath. 2, act. umlaufend, immer herumlaufend, im Kreiſe ſich herumdrehend, ſtrudelnd, als τόποι ἀμφ. beym Strabo von den Strudeln im Siciliſchen Meere, κῦμα Sophocl. Aj. 353. —φίδρυπτος, ὁ, ἡ, od. ἀμφιδρυφής, ἀμφίδρυφος, (δρύπτω), ganz zerkratzt, ganz zerfleiſcht, Hom. Il. 2, 700. 11, 393. —φίδυμος, ὁ, ἡ, (δύω), wo man von zwey Seiten hinzu gehen kann, oder einlaufen, als λιμήν, Hom. Odyſſ. 4. 847. ἀκτὴ Apollon. für doppelt überh. braucht es Oppian Cyneg. mehrmals. —φιδύω, f. ύσω, anziehen.

'Αμφιέλικτος, ὁ, ἡ, (ἀμφι-ἑλίσσω), umher, im Kreiſe herumgetrieben, ſich im Kreiſe herumdrehend, als ein Rad, der Mond. —φιέλισσος, ισσα, ισσον, von beyden Seiten gerudert, durch Ruder fortgetrieben, als ναῦς, wie ἀμφήρης δόρυ Eur. Cycl. 15. doch ſcheint die Ableit. v. ἐλίσσω eher die Bedeut. zu fordern: an beyden Enden gebogen, an der *prora* u. *puppis*. —φιελίσσω, f. ίξω, umwickeln, umwinden. —φιέμαι, ich ziehe mich an; von ἕω, ἕνω, ἑνύω u. ἕννυμι. —φιέννυμι, od. ἀμφιεννύω f. ἀμφιέσω, (ἕννυμι), anziehen. —φιέπω, auch ἀμφέπω, m. d. Acc. womit beſchäftigt ſeyn, thätig um etwas ſeyn, wirken bey um etwas, überh. unter Händen haben, treiben, betreiben, beſorgen, warten. S. in ἕπω. ἀμφὶ αὐτὸν Τρῶες ἕποντο Il. γ. 118 ihn verfolgten die Trojaner, vom Med. ἀμφιέπομαι. —φίεργος, ὁ, ἡ, (ἔργον), von zwey Seiten bearbeitet; die Erde beym Theophr. de cauſ. plant. 3, 28 die halb beregnet, halb beſonnet iſt, ἡμιβραχής, ἡμίειλος iſt. —φίεσμα, ατος, τό, (ἀμφιέννυμι), Anzug, Kleidung; davon auch —φιεστρίς, ίδος, ἡ, ein kleiner Mantel, als Nacht-Schlafmantel. —φιετεὶ, oder ἀμφιετὲς von ἀμφιετής, Adv. jährlich. —φιετηρὶς, ἡ, ein jährliches Feſt, wie τριετηρίς; von —φιετηρὸς, ſ. v. a. ἀμφιετής, ὁ, ἡ, (ἔτος ἀμφί), jährlich; dav. —φιετίζομαι, jährlich wiederkommen, wie Feſttage.

'Αμφιζάνω, (ἱζάνω), ringsherum ſitzen, beſetzen. —φίζευκτος, ὁ, ἡ, auf beyden Seiten angebunden, angejocht.

'Αμφιήκης, εος, ὁ, ἡ. S. oben ἀμφήκης.

'Αμφιθάλαμος, ὁ, ἡ, mit Zimmern auf beyden Seiten. —φιθάλασσος, od. ἀμφιθάλαττος, ὁ, ἡ, v. θάλασσα, wie ἀμφίαλος. —φιθαλής, έος, ὁ, ἡ, (θάλλω), auf beyden Seiten blühend, lebend, ein Kind, deſſen beyde Eltern noch leben, Hom. Il. 22, 496. auch vom Wohlſtande, Ueberfluſſe gebräuchlich, glücklich, reich. ἀμφιθαλῆ τὴν ἀλήθειαν, die volle reine Wahrheit. Aeſchin. Axioch. —φιθάλλω, auf allen Seiten, überall grünen. —φιθέατρον, τό, ein Platz, auf dem man ringsherum, von allen Seiten zuſehen kann, ein Amphitheater; auch als Adject. ἀμφιθέατρος, ὁ, ἡ, mit einem Amphitheater, oder in Geſtalt eines Amphitheaters ἱππόδρομος ἀμφιθέατρος Dionyſ. Antiq. 4, 44. —φίθετος, ὁ, ἡ, herumgeſetzt, ein Beywort v. φιάλη beym Hom. Il. 23, 616, nach Ariſtarch, welche auf beyde Seiten geſetzt werden kann, unten und oben, weil der Boden in der Mitte iſt; nach Euſtath., die man an zwey Seiten anfaſſen kann, mit zwey Henkeln. —φιθέω, f. θεύσομαι, herumlaufen, im Kreiſe laufen. —φιθηκτος, ον, (θήγω), auf beyden Seiten geſchärft, ſonſt ἀμφήκης. —φιθλασις, εως, ἡ, Quetſchung von allen Seiten; von —φιθλάω, ῶ, f. άσω, (θλάω), umher quetſchen, zerquetſchen, zerbrechen. —φιθορέω, überall heranſpringen. —φιθρεπτος, ὁ, ἡ, Soph.

Tr. 572 αἷμα ἀμφίθρεπτον τῶν ἐμῶν σφαγῶν ſt. τρεφόμενον (gerinnend) ἀμφὶ τὰς ἐμὰς σφαγάς.

'Αμφίθρυπτος, (θρύπτω), umher zerbrochen, zerquetſcht. —φίθυρος, ὁ, ἡ, (θύρα), auf beyden Seiten mit einer Thüre oder Oefnung.

'Αμφικαλύπτω, f. ύψω, umher bedecken, beſchützen, aufnehmen, Hom. Od. 15, 118. —φικάρηνος, ὁ, ἡ, ο. ἀμφικαρής; (κάρη, κάρηνον), auf beyden Seiten mit einem Kopf, zweyköpfig. —φίκαρπος, ὁ, ἡ, (καρπὸς), auf beyden Seiten fruchttragend. —φίκαυσις, εως, ἡ, oder ἀμφίκαυτις, (καίω), die nicht ganz reife Gerſte, welche man röſtete und hernach zu *polenta* ἄλφιτον zermahlte. —φικεάζω, f. άσω, ringsherum beſchneiden, behauen, abſchälen, als τὸ μέλαν δρυὸς Hom. —φίκειμαι, (κεῖμαι), herumliegen, ſich herum lagern. —φικείρω, f. ερῶ, ringsherum abſcheeren. —φικέλευθος, ὁ, ἡ, auf beyden Seiten am Wege gelegen, z. B. τάφος Anthol. ein Grab, an dem der Weg von beyden Seiten vorbey geht. —φίκερος, ὁ, ἡ, (κέρας, κεραία), λαίφη ἀμφίκερα Quintus Smyrn. 14, 498 die um und an den Segelſtangen hangenden Segel. —φικεύθω, f. εύσω, ringsherum bedecken, ſorgfältig verſcharren. —φικέφαλος, ὁ, ἡ, (κεφαλὴ), mit einem doppelten Kopfe, Lehne, καθέδρα Pollux 10. 36. wo andre ἀμφικνέφαλος leſen, mit Küſſen κνέφαλον, γνάφαλον, auf beyden Seiten. —φικινύρομαι, winſle überall herum, winſle laut und unaufhörlich. —φικίων, (κιὼν), ringsherum mit Säulen beſetzt, als ἀμφικίονες ναοὶ Sophocl. Ant. 285. —φίκλαστος, ὁ, ἡ, (κλάω), auf allen Seiten, ganz und gar zerbrochen. —φίκλαυστος, ὁ, ἡ, (κλαίω, κλαύω), überall, von allen oder ſehr beweint. —φικλύζω, auf allen Seiten beſpülen; dav. —φίκλυστος, ὁ, ἡ, auf allen Seiten beſpült, als πέτρα Sophocl. wo es der Schol. erklärt ἀμφοτέρωθεν ἐκ τοῦ πόντου κλυζομένη. —φικνέφαλος S. ἀμφικέφαλος. —φικνεφὴς, έος, ὁ, ἡ, (κνέφας), ringsherum dunkel, ſtockfinſter. —φίκοιλος, ὁ, ἡ, auf beyden Seiten hohl. —φίκολλος, ὁ, ἡ, auf beyden Seiten zuſammengeleimt. —φικομέω, überall oder ſehr eifrig beſorgen. —φίκομος, ὁ, ἡ, (κόμη), auf allen Seiten, d. i. gut, ſtark behaart; von Bäumen, belaubt, als θάμνος Hom. Il. 17, 677. ſ. κόμη. —φίκοπος, ὁ, ἡ, (κόπτω), zweyſchneidig. —φίκορος, (κόρος), ein Knabe, der von beyden Seiten Brüder hat und davon der mittelſte iſt. —φίκουρος, ὁ, ἡ, l. v. a. περίκουρος. —φικραδαίνω, oder ἀμφικραδάω, ringsherum bewegen, ſchwenken, ſchüttern. —φίκρανος, ὁ, ἡ, v. κράνον, ſ. v. a. ἀμφικαρής. —φικρέμαμαι, f. άσω, auf allen Seiten herabhängen. —φικρεμὴς, έος, ὁ, ἡ, auf allen Seiten herabhangend. —φίκρημνος, ὁ, ἡ, (κρημνὸς) auf beyden Seiten abſchüſſig; tropiſch ἀπάτη Lucian. ἐρώτημα Nazianz., eine Frage, deren Bejahung und Verneinung mich ſtürzen und unglücklich machen ſoll. —φίκρηνος, ſ. v. a. ἀμφίκρανος, πῖλος, um den Kopf gehend. —φικτίονες, ων, οἱ, (κτίζω), die Beſitzer; Bewohner um mich herum, d. i. Nachbarn. —φικτύονες, die Herumwohnenden, Heſych. περίοικοι Δελφῶν, die Amphiktyonen, oder Deputirten der Griechiſchen Staaten nach Thermopylä zur allgemeinen Berathſchlagung oder Entſcheidung allgemeiner Streitigkeiten. —φικτυονία, ἡ, die Geſellſchaft, Zuſammenkunft, Verbindung der Amphiktyonen. —φικτυονὶς, ίδος, näml. πόλις, eine Stadt, ein Staat, der zu den Amphiktyonen gehört. —φικυλίω, f. ίσω, herum, oder umherwälzen. —φικύπελλον δέπας bey Homer erklärt man gewöhnl. ein Becher mit zwey Handhaben. Aber beſſer iſt es mit Ariſtotel. H. A. 9, 40 es durch einen Doppelbecher zu erklären, wo ſtatt des Fuſses auch ein Becher iſt, aus welchem man trinkt. Hom. Il. 1, 584. —φίκυρτος, ὁ, ἡ, krumm gebogen, vorzüglich vom Monde, der mehr als halbvoll, aber nicht ganz voll iſt.

'Αμφιλαβὴς, ές, falſche Lesart für ἀμφιλαφὴς, ſteht noch Dionyſ. Hal. Rhetor. 3. —φιλαῖος, ſ. v. a. ἀμφαριστερὸς v. λαιὸς. zweif. —φίλαλος, ὁ, ἡ, (λαλέω), überall herum ſchwatzend, d. i. πολύλαλος, Vielſchwätzer. —φιλαμβάνω, an beyden Seiten anfaſſen, umfaſſen. —φιλάφεια, ἡ, oder ἀμφιλαφία, Gröſse, Fülle, Reichthum, Umfang; von —φιλαφὴς, έος, ὁ, ἡ, welches man gemeiniglich von λαμβάνω u. ἀμφὶ ableitet, Hemſterhuis aber von λάφος, λαφύω, λαφύσσω, λαφυρὸς, ſo daſs es eigtl. einen in vollem Wuchſe ſtehenden Baum, Pflanze, die mit Aeſten und Laube bedeckt iſt, bedeutet; alſo groſs, ſchattig; überh. voll, reichlich, groſs, weit, ſtark, reich. Adv. ἀμφιλαφῶς. —φιλαχαίνω, ringsherum aufgraben, umgraben, als φυτὸν Hom. Odyſſ. 24, 241. —φιλέγω, f. ξω, auf beyden Seiten reden, d. i. ſtreiten Xen. Anab. 1, 5. 11. zweifeln; läugnen, Xen. Apol. 12. dav. —φίλεκτος, ὁ, ἡ, Adv. ἀμφιλέκτως, bezweifelt, zweifelhaft. —φίλινος, S. κρούπαλον. —φιλογέω, v. λόγος, l. v. a. ἀμφιλέγω. —φιλογία, ἡ, Rede von beyden Seiten, d. i. Streit; Rede auf [illegible]den Seiten, d. i. Zweydeutigkeit, Doppelfinn; von

'Αμφίλογος, ὁ, ἡ, Adv. ἀμφιλόγως, auf oder für beyde Seiten redend, d. i. zweifelnd, ungewifs: paff. auf beyden Seiten beredet, bezweifelt, beftritten. —Φίλοξος, ὁ, ἡ, (λοξὸς) fchief, fchräge von beyden Seiten. —Φίλοφος, ὁ, ἡ, ζυγὸν Soph. Ant. 352. das Joch, welches den Hals, λόφος, umfafst. —Φιλύκη, νὺξ, Hom. Il. 7, 433. Apollon. 2, 671. dämmernder Morgen, grauender Morgen, f. v. a. ἀμφιλύκη welches fiehe; die Form ἀμφίλυκος findet fich nirgends.

'Αμφίμακρος, ὁ, ἡ, auf beyden Seiten lang u. in der Mitte kurz, ein pès bey d. Grammatikern |— ᴗ —|. —Φίμαλλος, ὁ, ἡ, von beyden Seiten haaricht oder wollicht; f. v. a. μαλλωτὸς, denn der χιτὼν ἀμφίμαλλος der Silenen bey Aelian. V. H. 3, 40 heifst bey Dionyf. Antiq. 7, 72 μαλλωτὸς. —Φιμάρπτω, oder ἀμφιμαρπτέω, befühlen, begreifen, betaften. —Φιμάσσομαι, ringsherum berühren, abwifchen, Hom. Od. 20, 152. S. μάσσω, u. σμάω. —Φιμάσχαλος, χιτὼν, (μασχάλη), ein Rock mit zwey Aermeln, oder um beyde Achfeln. —Φιμάχητος, ὁ, ἡ, (μάχομαι), zu beftreiten, werth, dafs man darum ftreitet, mithin fchön, vorzüglich, als νύμφη, Sophocl. —Φιμάχομαι, d. i. μάχομαι ἀμφί τινα, um einen, für einen kämpfen. —Φιμέλας, rings herum fchwarz, als ἀμφιμέλαιναι φρένες, Hom. Il. 1, 103. wie 18, 22. und 17, 591: τὸν ἄχεος νεφέλη ἐκάλυψε μέλαινα, ihn umgab die fchwarze Wolke des Aergers, des Verdruffes über die ihm gemachten Vorwürfe der Feigheit Verf. 586. —Φιμερίζομαι, in zwey Theile zerfchneiden, zerlegen, theilen. —Φιμήτορες, οἱ, (Brüder) von zwey Müttern (aber einem Vater). Eur. Andr. 466. —Φιμήτριος, ὁ, ἡ, (μήτρα), um die Mutter, uterum, vulvam, den Mutterleib herum. τὸ ἀμφιμήτριον, der Schiffsboden. Pollux 1. §. 87. oder nach Hefych.: τὰ μετὰ τὴν τρόπιν τῆς νεὼς ἐξ ἑκατέρου μέρους ἐπιτιθέμενα, die Balken neben dem Kiele. Artemid. Onirocr. 4, 30 τὰ ἀμφιμήτρια τῆς νεὼς. S. ἐγκοίλια. —Φιμιγής, έος, ὁ, ἡ, überall, gut gemifcht. v. —φιμίγνυμι, überall, gut durch einander mifchen. —Φιμυκάω, ῶ, umbrüllen.

'Αμφινεικής, κέος, ὁ, ἡ, oder ἀμφινείκητος, behadert, beftritten; werth, dafs man darum ftreitet, d. i. fchön, trefflich. vergl. ἀμφιμάχητος; von νεῖκος. —Φίνεικος, ὁ, ἡ, (νεῖκος), beftritten. —Φινέμομαι, rings herum weiden; rings herum wohnen. f. νέμω. Hom. H. 13, 186. —Φινοέω, auf beyden Seiten anfehen, überlegen; ungewifs, unentfchloffen feyn.

'Αμφιξέω, f. ξέσω, ringsherum befchaben, glatten, poliren. —Φίξοος, contr. ἀμφίξους, ὁ, ἡ, ringsherum befchabend, glättend, polirend.

'Αμφίον, τὸ, χρυσεοπήνητον bey Sophocl. und μέλασιν ἀμφίοις, Dionyf. Antiq. 4 c. 200. f. v. a. ἀμφίεσμα, Kleid, Decke. —Φιορκία, ἡ, der Schwur, den beyde Parteyen vor Gerichte einander fchwören müffen, auch ἀμφωμοσία genannt.

'Αμφιπαγής, έος, ὁ, ἡ, (πήγνυμι), ringsherum befeftigt, mithin feftfitzend. —Φιπαλύνω, ringsherum befprengen, beftreichen, beftreuen. S. παλύνω. —Φιπατάσσω, immerfort fchlagen. —Φιπάτορες, οἱ, αἱ, (Brüder) von zwey Vätern (aber einer Mutter). Vergl. ἀμφιμήτορες. —Φίπεδος, ὁ, ἡ, (πέδον), ringsherum mit Feld umgeben. —Φιπέλομαι f. v. a. πέλομαι ἀμφὶ, Od. 1, 352. —Φιπένομαι, d. i. πένομαι ἀμφί τινα, fich mit einem befchäftigen, als von einem Arzte, der um einen herumgeht, um ihn zu verbinden. Hom. Il. 16, 28. vergl. Od. 19, 455. von andern, die einem helfen wollen Il. 17. von Hunden, die einen zerreiffen wollen Il. 23, 183. —Φιπερικλάω, ῶ, f. άσω, f. v. a. ἀμφικραδαίνω. —Φιπερικτίονες, ων, οἱ, f. v. a. ἀμφικτίονες. —Φιπεριπλάζω, herumirren, herumfchweifen. —Φιπεριπλέγδην, (πλέκω), umfchlungen, Agathias. —Φιπεριστέφω, ringsherum bekränzen, Hom. Od. 8, 175. —Φιπεριστρέφω, f. ψω, oder beym Hom. Il. 8, 348 ἀμφιπεριστρωφάω, umwenden, umkehren. —Φιπεριτρίζω, oder τρύζω, fut. σω od. ξω, umfummen. —Φιπεριφθινύθω, ganz und gar, durchaus zu Grunde gehen, verdorben werden, Hom. Hymn. 3, 271. —Φίπηρος, ὁ, ἡ, ganz verftümmelt. —Φιπιάζω, f. άσω, zufammen oder von allen Seiten drücken, πιέζω. —Φιπίπτω, einem um den Hals fallen, umhalfen. —Φιπιτνέω, einem zu Füfsen fallen, einem das Knie umfaffen und ihn flehentlich bitten. —Φιπλεκής, ές, oder ἀμφίπλεκτος, (πλέκω), umflochten, verflochten. —Φιπλέκω, f. ξω, umwinden, umflechten. —Φίπληκτος, ὁ, ἡ, od. ἀμφιπλήξ, (πλήττω), act. auf beyden Seiten treffend, fchlagend, als ῥᾳ Sophocl. paff. ἀμφ' ἰσθμὸς, von zwey Meeren gefchlagen, befpült. —Φιπλὶξ, Adv. f. v. a. περιβάδην von —Φιπλίσσω, (S. πλίσσω), f. v. a. διαβαίνω. Pollux 2 fect. 172. —Φιπλύνω, auf allen Seiten, oder forgfältig abwafchen. —Φιπνευμα, τος, τὸ, das fchwere Athemholen, Hipp. Epid. 4. zweif.

'Αμφίποκος, ὁ, ἡ, ſ. v. a. ἀμφίμαλλος, v. πόκος, Wolle. —φιπολεία, ἡ, Διὸς b. Diodor. 16 die Prieſterwürde; vom folgd. —φιπολεύω, f. εύσω, und ἀμφιπολέω, ich bin ἀμφίπολος, d. i. ich beſorge etwas, bediene einen, befinde mich bey oder um einen; auch ich bin Prieſter, 'Απόλλωνι, des Apollo. —φίπολος, ὁ, ἡ, (πέλω, ἀμφὶ), der um einen herum iſt, Diener; θεῶν, Prieſter, Diener der Götter. —φιπονέω, ῶ, ſ. v. a. ἀμφιπένομαι, z. B. Hom. Il. 23, 159. —φιποτάομαι, ῶμαι, (πέτομαι, πετάω), umfliegen, umflattern. —φιπποι, ων, οἱ, Reiter, die von einem Pferde aufs andre im Reiten ſpringen, *deſultores*, wie *ambidexter*. —φιπποτοξόται, ῶν, οἱ, ſ. v. a. τοξόται καὶ ἄμφιπποι zugleich. —φιπρόστυλος, ὁ, ἡ, auf beyden Seiten mit Säulen in der Fronte beſetzt. Vitruv. 7 Praef. —φιπρόσωπος, ὁ, ἡ, (πρόσωπον), mit einem doppelten Geſichte, wie Janus, *bifrons*. —φίπρυμνος, ὁ, ἡ, ναῦς, ſ. δίπρωρος. —φίπταμαι, f. πτήσομαι, (ἵπταμαι), umflattern, umfliegen. —φίπυλος, ὁ, ἡ, (πύλη), mit zwey Thüren, als μέλαθρον, Eurip. —φίπυρος, ὁ, ἡ, (πῦρ), rings herum brennend, oder ganz im Feuer ſtehend, als τρίπους Sophocl. Aj. 1422. derſelbe nennt ſo auch die ἄρτεμις als Fackelträgerin, und Euripid. den Blitz βροντὴ, mit Feuer umgeben.

'Αμφιῤῥεπὴς, έος, ὁ, ἡ, (ῥέπω), auf beyde Seiten ſich neigend. Eben das iſt auch die andere Form ἀμφίῤῥοπος. —φιῤῥηδὴς, έος, ὁ, ἡ, S. περιῤῥηδὴς. —φίῤῥυτος, ὁ, ἡ, oder ἀμφίρυτος, (ῥέω), umfloſſen. —φιῤῥὼξ, ῶγος, ὁ, ἡ, (ῥὼξ), auf allen Seiten mit Spalten, Riſſen, als πέτρα Apollon.

'Αμφις, ὁ, S. ἀμφίας.

'Αμφὶς, Adv. auf beyden Seiten; dazwiſchen, ſo daſs etwas auf beyden Seiten iſt, als ὀλίγη ἦν ἀμφὶς ἄρουρα Hom. Il. 5. abgeſondert, als ἀμφὶς διὸς, abgeſondert von Zeus, Od. 16, 267. ſonder, ohne. —φίσβαινα, ης, ἡ, d. i. ἀμφὶς od. ἀμφοτέρωθεν βαίνουσα, vorne und hinten gehend, eine Schlangenart; αἱ ἀμφ. die von der Mutter zu den Brüſten gehenden Blutadern. Meletius de nat. hom. 6. 9. —φισβάσις, dor. ſt. ἀμφισβήτησις. —φισβατέω, doriſch ſt. ἀμφισβητέω. —φίσβατος, ὁ, ἡ, bey Heſych. dor. ſ. v. a. ἀμφίσβητος, d. i. ἀμφισβητήσιμος. Die zweyte Form hat Pauſan. 5 K. 6. ἀμφίσβητοι ἦσαν, wo es ἀμφισβητέουσιν heiſsen ſollte. —φισβησία, ἡ, Jon. ἀμφισβησίη, Streit, Streitigkeit, Hader oder Zweifel. S. ἀμφιβαίνω; von —φισβητέω ſ. v. a. ἀμφιβαίνω und ἀμφιβατέω, vorz. aber ſtreiten, rechten, hädern, zweifeln, ἠμφισβήτει οἱ αὐτῷ μέρους τινὸς τοῦ χωρίου, Iſaeus hatte mit ihm einen Rechtsſtreit um ein Stück Landes. S. ἀμφιβαίνω. —φισβήτημα, -ατος, τὸ, entſtandener Streit, Streitfrage, Zweifel, oder ſtreitiger Punkt, Streitſache. —φισβητήσιμος, ὁ, ἡ, ſtreitig, zweifelhaft. —φισβήτησις, εως, ἡ, ſ. v. a. ἀμφισβασία und ἀμφίσβασις, Streit, Hader, Zank, Zweifel. —φισβήτητος, ον, beſtritten, bezweifelt. —φισβητικὸς, ἡ, ὸν, ſtreitſüchtig, zum Streite, Zweifel gehörend. f. Les. aus Plato Soph. 12 ſt. ἀμφισβητητητικὸς. —φίσβητος, ὁ, ἡ, ſ. ἀμφίσβατος. φίσκιος, ὁ, ἡ, (σκιὰ), umſchattet. —φίσκω, anziehen, umhängen, umthun; von ἀμφὶ und ἕω, hiervon ἴσκω, wovon ἕννυμι, alſo ſ. v. a. ἀμφιέννυμι. —φισμα, τὸ, bey Suidas ἀμφισβητήσιμον, bey Pappus Praefat. libri 7. jede Linie oder Fläche, die ſich herum bewegt oder herumgeht. zw. —φίσταμαι, *circumſto*, ich ſtehe herum, um; 2) ich unterſuche; davon —φιστάτης, bey Heſych. doriſch ἀμπιστάτηρ, der unterſucht. Tabul. Heracl. p. 219. wie ἀμφισβητέω. —φίσταυρος, ὁ, ἡ, mit einem doppelten Kreutze oder Galgen. —φιστέλλω, umwickeln, umwinden, feſtbinden; bewickeln, anputzen, wie περιστέλλω. —φίστερνος, ὁ, ἡ, mit doppelter Bruſt. Aelian. H. A. 16, 29. —φιστεφὴς, έος, ὁ, ἡ, (στέφω), umflochten, umkränzt; mit einander, in einander geflochten, verflochten; κρητὴρ ἀμφ'. oder ἐπιστεφ. ein voller, bis an den Rand gefüllter Becher. ſ. ἐπιστεφὴς. —φίστομος, ὁ, ἡ, (στόμα), mit doppeltem Munde, d. i. wie ἀμφίγλωσσος, doppelzüngig, falſch; zweyſchneidig; mit doppelter Oefnung, Ausgange. θυρὶς Ariſtotel. H. A. 9. K. 40. —φιστρόγγυλος, ὁ, ἡ, rings herum, oder ganz rund.

'Αμφιτάμνω, ſ. v. a. ἀμφιτέμνω. —φιτάπης, ητος, od. ἀμφίταπις, ιδος, ἡ, die auf beyden Seiten haarige Matratze, Decke. —φίταπος, ſ. v. a. das vorherg. od. adject. ſ. v. a. ἀμφίμαλλος, auf beyden Seiten haarig. —φιταράσσω, v. allen Seiten beſtürmen, beunruhigen. —φιταρβὴς, ὲς, (τάρβος), ganz erſchrocken. —φιτείνω, ringsherum, überall ausbreiten. —φιτειχὴς, ὁ, ἡ, (τεῖχος), die Mauer umgebend, umzingelnd. —φιτέμνω, ſ. v. a. περιτέμνω. —φιτίθημι, herumſetzen, als στεφάνους, Kränze umthun, bekränzen. —φιτινάσσω, f. άξω, heftig ſchütteln, heftig erſchüttern, als φρένας. —φίτομος, ὁ, ἡ, (τόμος, τέμνω), act. zweyſchneidig; paſſ. rings herum beſchnitten. —φίτορνος, ὁ, ἡ, oder ἀμφιτόρνωτος, (τορνέω), ringsherum, mithin ganz gedrechſelt, abgerundet.

'Αμφιτρέμω, überall, an allen Gliedern zittern; vgl. ἀμφιταρβής. —φιτρέχω, herumlaufen, umlaufen. —φιτρής, ῆτος, und ἀμφίτρητος, ὁ, ἡ, (ἀμφιτράω), von beyden Seiten durchbohrt, durchbrochen. Sophocl. Phil. 19. —φιτρίτη, ἡ, Amphitrite, Gattin des Neptuns; auch das Meer ſelbſt. —φιτρομέω, ſ. v. a. ἀμφιτρέμω, Hom. Od. 4, 820. —φιτρυχής, ὁ, ἡ, (τρῦχος), von beyden Seiten zerriſſen, Eurip. Phoen. 329.

'Αμφιφαής, έος, ὁ, ἡ, überall ſichtbar oder erſcheinend, als φαντάσματα beym Ariſtoteles, im Gegenſatz von ἑσπέρια u. ἑῷα, die man nur des Abends oder Morgens ſieht. —φίφαλος, ὁ, ἡ, κυνέη, b. Homer eine Art von Helm vorn und hinten mit Knöpfen oder Nägeln, φάλοις, beſchlagen und geziert, welche man ἥλους und ἀσπιδίσκους erklärt. S. τετραφάληρος. —φιφανής, ἄστρα, die Morgens und Abends zu ſehen ſind; auch ſ. v. a. ἀμφιφαής. Beym Euripid. von einer allen bekannten That. —φιφάω, ῶ, überall leuchten, ringsherum erleuchtet ſeyn. —φίφλοξ, ογος, ὁ, ἡ, mit täuſchendem Schimmer, Eurip. ſo daſs man nicht weiſs, auf welcher Seite der Schimmer eigentlich iſt. —φιφορεύς, έως, ὁ, (ἀμφὶ, φορὰ, φέρω), ein Gefäſs, Krug mit zwey Henkeln, daſs man es auf beyden Seiten tragen kann; Hom. Il. 23, 92. Od. 24, 74. —φιφῶσα, ἡ, ſ. v. a. ἀμφαυξις. —φιφῶν, ῶντος, ὁ, ein Kuchen, den man der Munychiſchen Diana in ihren Tempel oder auf die Scheidewege brachte. Eigentl. iſt es das partic. v. ἀμφιφάω, wobey man πλακοῦς ergänzen muſs. Leuchtend hieſs er deswegen, weil man ihn nach Heſych. mit Fackeln darbrachte, oder weil nach Philochorus der Mond an jenem Tage beym Aufgange der Sonne im Abend ſteht.

'Αμφιχαίνω, gleichſam umſchlunden, d. i. verſchlucken. —φίχαιτος, ὁ, ἡ, auf allen Seiten, d. i. ſtark behaart. —φιχαλκοφάλαρος, ὁ, ἡ, (φάλαρα), ganz im ehernen Schmuck, im komiſchen Sinne beym Ariſtophanes. —φιχάσκω, Aeſchyl. Choeph. 543 ſ. v. a. ἀμφιχαίνω, in den Mund nehmen. —φιχέω, ῶ, umgieſsen, auch wie *circumfundo*, tropiſch: Licht, Wolken um einen hergieſsen, ihn damit beſtrahlen, darin verhüllen. Med. ſich um einen her ergieſsen, ihn umringen. —φιχορεύω, f. εύσω, umtanzen. —φίχροος, contr. ἀμφίχρους, ὁ, ἡ, auf allen Seiten, oder auf zwey Seiten gefärbt, d. i. mit zweyerley Farbe. —φίχρυσος, ον, ringsherum mit Gold, vergoldet. —φίχυτος, ὁ, ἡ, umgoſſen; ſo auch von Erde, ringsherum aufgeworfen, als τεῖχος Hom. Il. 20, 145. —φιχύνω, ſ. v. a. ἀμφιχέω, ſo wie ῥέω und ῥύω. —φίχωλος, ὁ, ἡ, auf beyden Seiten, an beyden Füſsen hinkend. —φοδάρχης, ὁ, d. i. ἀμφόδου ἄρχων, ein Gemeindevorſteher. —φόδιον, τὸ, ein kleines ἄμφοδον. —φοδον, τὸ, u. ἄμφοδος, ἡ, *vicus*, *platea*, *compitum*, eine Straſse, ſo fern ſie mit Häuſern beſetzt iſt, um welche die Straſse geht, ἀμφὶ ὁδός, alſo ſ. v. a. συνοικία; 2) die Straſse ſelbſt. —φόδους, όντος, ὁ, ἡ, was oben und unten die Vorderzähne oder Zähne hat, da die wiederkäuenden oben keine Vorderzähne haben.

'Αμφορεαφόρος, ὁ, ἡ, ein Waſſerträger, Träger, v. φέρω u. dem folg. —φορεύς, έως, ὁ, die Trage, Bahre, *feretrum*. Soph. 2) ein Gefäſs von einem gewiſſen Maſse, lat. *amphora*. —φορίδιον, τὸ, ein kleiner ἀμφορεύς. —φορικός, ή, όν, von der Materie od. Art eines ἀμφορεύς. zweif. —φορίσκος, eine andere Form des dimin. v. ἀμφορεύς, alſo ſ. v. a. ἀμφορίδιον.

'Αμφοτεράκις, Adv. auf beyderley Weiſe. —φοτερίζω, f. ίσω, u. ιῶ, auf beyden Seiten umgeben, als τρεῖς ἄκραι ἀμφοτερίζουσι τὰς πλευρὰς, drey Vorgebirge umgeben, ſchlieſsen ein die Seiten, Strabo. —φοτερόγλωσσος, od. ωττος, ὁ, ἡ, mit zweyerley Zunge ſprechend, für und wider diſputirend, beym Dichter Timon von Zeno gebraucht. —φοτεροδέξιος, ὁ, ἡ, ſ. v. a. ἀμφιδέξιος. —φοτερόπλοος, contr. ἀμφοτερόπλους, ὁ, ἡ, auf beyden Seiten ſchiffbar. —φοτερόπλουν, nämlich ἀργύριον oder δάνειον, Schifferlohn für Hin- und Herfahrt. —φότερος, ερα, ερον, beyde, *uterque*. ἀμφοτέρων πολλῶν πεσόντων Herodot. ſt. ἐξ ἀμφοτέρων von beyden Theilen. —φοτέρωθεν, Adv. von beyden Seiten. —φοτέρωθι, Adv. auf beyden Seiten. —φοτέρως, Adv. auf beyderley Art. —φοτέρωσε, Adv. nach beyden Seiten hin.

'Αμφουδίς, Adv. d. i. ἀμφ' οὖδας, auf die Erde; andre leſen wirklich auch ſo. —φυλάω, ῶ, (ὑλάω), umbellen, anbellen. —φύω, ſt. ἀναφύω, anwachſen, mit aufwachſen.

'Αμφω, οἱ, αἱ, τὰ, beyde, *ambo*, *ambae*. Der Genit. u. Dat. ἀμφοῖν, Acc. ἄμφω nach [illegible]. —φώβολος, eine Art von Wurfſpieſs, Eur. Andr. 1130. bey Soph. τὰ ἀμφώβολα, das Wahrſagen aus den Eingeweiden. ἀμφὶ, ὀβελὸς od. ἀμφω, βολή. —φώδων, οντος, ὁ, ἡ, ſ. v. a. ἀμφόδους, beſonders der Eſel, Lycophr. 1401. —φώης, εος, ὁ, ἡ, (οὖς), auf beyden Seiten mit einem Ohr; von Gefäſsen, mit zwey Henkeln, die man hier auch ὦτα nennt. —φωλένιον, τὸ, Armband (um den Arm, ὠλένη, herum).

'Αμφωλένιος, ὁ, ἡ, (ὠλένη), um den Arm od. Ellbogen gehend. Aristaen. Ep. 1, 25. —**φωμοσία**, ἡ, s. v. a. ἀμφιορκία, v. ὄμνυμι u. ὀμόσω. —**φωτις**, ιδος, ἡ, (οὖς), ein Gefäss mit zwey Henkeln. Vergl. ἀμφώης. —**Φωτὶς**, ἴδος, ἡ, eben s. v. a. das vorhergehende; auch eine Art von Bedeckung über die Ohren der Klopffechter oder Faustringer. —**φωτος**, ὁ, ἡ, s. v. a. ἀμφώης, Hom. Od. 22, 10.

'Αμώμητος, ὁ, ἡ, (μωμέομαι), untadelich, nicht zu tadeln, Adv. ἀμωμήτως.

'Αμωμὶς, ἴδος, ἡ, eine dem ἄμωμον im Geschmack ähnliche Pflanze. —**μίτης**, οἶνος, mit Amomum zubereiteter Wein. —**μον**, τὸ, *amomum*, eine indische Gewächs- u. Gewürzart.

'Αμωμος, ὁ, ἡ, (μῶμος), ohne Flecken, ohne Tadel, untadelich.

'Αμῶς u. ἀμωσγέπως S. in ἀμῆ.

'Αν, gewöhnlich beym optat. auch wohl beym conj. lässt sich noch am besten durch das deutsche *wohl* oder durch *möchte* ausdrücken. Denn es macht die Sache ungewiss, und dehnt sie aufs unbestimmte aus. Eben so verwandelt sie den aor. wie ποιῆσαι ἂν in ein unbestimmtes Futurum *thun würden*, *möchten*; ὅτι ἂν, was auch nur, *quodcunque*; ὅιτινες ἂν, *quicunque*. Auch steht es abgekürzt st. ἐάν.

'Ανὰ, praep. auf, über, nach, bey: ἀνὰ μέρος, nach einem Theil, d. i. zum Theil, theilweise, nach der Reihe; ἀνὰ πέντε, zu fünfen, immer fünf und fünf, *quini*. S. ἀνημιωβολιαῖος. ἀνὰ κράτος mit Gewalt. Daher ist es in der Compos. gewöhnlich so viel als ἄνω, *oben*, *hinauf*; öfters auf *wieder*, das lat. *re* in der Compos. Auch da, wo wir die Sylbe *be*, *ver* in der Zus. zu Hülfe nehmen.

'Αναβάδην, Adv. in die Höhe steigend, in der Höhe sitzend, liegend, das Gegentheil von καταβάδην. Aristophan. —**βαδὸν**, Adv. in die Höhe steigend, aufsteigend, v. ἀναβάω. —**βαθμικὸς**, ἡ, ὸν, in die Höhe gehend, stufenweise gemacht; von —**βαθμὶς**, ιδος, ἡ, Stufe. —**βαθμὸς**, ὁ, (ἀναβαίνω), Stufe; das Heraufsteigen. —**βάθρα**, ἡ, die Stufen, die Stiege auf dem Schiffe, *scala*. —**βαθρον**, τὸ, die Stufen, Treppe; Treppengang, ein hoher Sitz, als Katheder, zu den Stufen führen.

'Αναβαίνω, f. ἀναβήσομαι, (ἄνω βαίνω), aufsteigen, aufgehn, in die Höhe steigen, ersteigen; von Pflanzen, hervorkeimen, heranwachsen; vom Meere aus ins Mittelland gehn, eine Reise, einen Feldzug thun. act. steht es Hom. Il. 1, 144 ein Schiff besteigen lassen, so wie v. 310 ἐσβαίνω, hereinbringen, ins Schiff tragen.

'Αναβακχεύω, u. ἀναβακχιόω, Eur. Or. 340 Act. ich bringe in Wuth, wie eine βάκχη; 2) Neutr. austoben, anfangen zu schwärmen. —**βάλλω**, d. i. ἄνω βάλλω, aufwerfen, in die Höhe werfen, in die Höhe heben, als τινὰ ἐπὶ τὸν ἵππον, einen aufs Pferd heben Xen. Cyr. 7, 1. 38. Eben so beym Aristot. ἀναβάλλω u. καταβάλλω τὰ ὄμματα, in die Höhe und auf die Erde sehen. So beym Xen. Cyr. 7, 5. 10. ἀναβ. τὴν γῆν, die Erde aufwerfen. Daher vom Pferde: ἀναβάλλει τὸν ἱπποβάτην, es wirft beym Bäumen seinen Reiter in die Höhe, und so ihn ab. Von Sachen gebraucht, ist es aufschieben, verzögern; von der Rede oder dem Gesange, anheben, auch praeludiren, anstimmen; überh. anfangen. Diess geschah in langsamen Tönen und auf eine gesetzte Art und Takte; daher den Gesang Synesius p. 66 ἀναβεβλημένον καὶ λιγυρὸν προανακρούεσθαι τοῦ λόγου. Heliodorus Lib. 2 setzt dem ἐπίτροχος (adagio) das ἀναβεβλ. μέλος (Andante, langsam) entgegen. Philostr. heroic. 5. ἀναβάλλεσθαί τινα ὁρμὴν der ein Unternehmen im Sinne hat und damit anheben will; daher heroic. 1 ἐν ἀναβολῇ τοῦ ὁρμῆσαι. Derselbe braucht ἐν ἀναβολῇ oder ἐν ἀναβολαῖς häufig statt zu Anfange. Von der Kleidung: εἴσω τὴν χεῖρα ἔχοντα ἀναβεβλημένον Demosth. von der Statue des Solon, wie Cicero und Seneca sagen: *cohibere brachium tunica*, drückt eine Art des Tragens der Kleidung aus, wenn man das Kleid aufnimmt u. in den Busen desselben den Arm verbirgt. Dafür sagt Plutarch. Phoc. 4. οὐδ' ἐκτὸς ἔχοντά τὴν χεῖρα τῆς περιβολῆς ὅτε τύχοι περιβεβλημένος. S. ἀναβολή. Aristoph. Eccles. 97 setzt ἀναβαλλομένη, *rejecta veste*, dem ξυστειλάμεναι θοἰμάτια entgegen. Vesp. 1132 τηνδὶ χλαῖναν ἀναβαλοῦ τριβωνικῶς, wo es st. ἀμπίσχεσθαι, anziehn, zu stehn scheint.

'Αναβάσιμος, ὁ, ἡ, zum ersteigen, ersteigbar. —**βασις**, εως, ἡ, das Aufsteigen; der Weg, Reise, Feldzug vom Meere aus ins Mittelland; v. ἀναβαίνω. —**βασμὸς**, ὁ, das Aufsteigen, und Treppe zum aufsteigen, ἀναβαω. —**βαστάζω**, f. άσω, in die Höhe nehmen, um es zu tragen.

'Αναβατήριον, ein Opfer für glückliche Schiffahrt beym Plutarch. ποτ. τῶν ζ. φρ. §. 54. —**βάτης**, ου, ὁ, ein Besteiger eines Pferdes, Reiter, Xen. Mem. 3, 3. 2, wo es in ἀμβάτης zsgz. ist; vom Pferde gebr. ist es der Bespringer, Beschäler, Hengst. Bey Pausan. 5, 9. ein Wettrenner zu Pferde wie ein ἀγὼν κάλπης. —**βατικὸς**, ἡ, ὸν, ein guter, geschickter ἀναβάτης. —**βατὸς**, ὁ, zum besteigen, ersteigbar.

'Αναβεβλημένως, aufgeschoben, langsam, träge, Adv. partic. praet. pass. von ἀναβάλλομαι, aufschieben. —βήσσω, oder ἀναβήττω, aufhusten, durchs Husten in die Höhe ziehn und ausspucken. —βιβάζω, f. άσω, aufsteigen lassen, darauf setzen, als ἐπὶ τὸ ὄχημα, auf den Wagen Xen. auch tropisch εἰς τιμὴν Plut. zu Ehren erheben. ἀναβ. τὸν ἱππέα Xen. den Reiter aufsteigen lassen, ihn beritten machen. Philostr. Apoll. 6, 11 ὀκρίβαντος τοὺς ὑποκριτὰς ἀναβιβάσειν braucht es m. d. Genit. wie ἀνάπτω wegen der praep. ἀνὰ. —βιβρώσκω, an- oder auffressen. —βιόω, ῶ, f. ώσω, wieder leben, aufleben; davon —βίωσις, εως, ἡ, das Wiederaufleben, Auferstehung. —βιώσκομαι, aufleben; act. beym Plato Crit. 9. u. Aelian. H. A. 16, 19. wieder aufleben lassen, auferwecken. —βλαστάνω, o. ἀναβλαστέω, f. ἀναβλαστήσω, wieder hervorkeimen, aufwachsen; act. hervorkeimen lassen, hervortreiben. —βλάστημα, ατος, τὸ, das Wiederhervorkeimen, das Hervorkeimende. —βλέμμα, ατος, τὸ, das Aufsehen, Blick in die Höhe, das Anblicken, der Anblick; von —βλέπω, f. ψω, aufsehen, in die Höhe sehen; ansehen; wieder sehen, sein Gesicht wieder bekommen; dav. —βλέψις, εως, ἡ, das Wiedersehen, Wiedererhalten seines Gesichts. —βλήδην, Adv. v. ἀναβάλλω. Arat. Dios. 338 ἀν. ὀχέωνται wiederum sich begatten. —βληδὸν, Adv. (ἀναβάλλω), umgeworfen, nach Art eines Mantels, den man umwirft. Eben so sagt Herodot von Kleidern ἐπαναβληδὸν. —βλησις, εως, ἡ, (ἀναβάλλω), das Verzögern, Verschieben, Hom. Il. 2, 380. —βλητικῶς, Adv. verzögerungsweise, mit Aufschub. —βλύζω, f. ύσω, auf- oder hervorsprudeln, hervorquellen; davon —βλυσις, εως, ἡ, das Hervorquellen, der Quell. —βλυστάνω, bey Procop. s. v. a. ἀναβλύζω. —βοάω, ῶ, f. ήσω, aufschreyen, oder ein lautes Kriegsgeschrey erheben, Xen. Cyr. 3. 1. 13. 7. 1. 38. anschreyen, anrufen, oder sich einander zurufen Xen. An. 5. 4. 31. davon —βόησις, εως, ἡ, das Aufschreyen, lauter Ausruf. —βολάδην, Adv. s. v. a. ἀναβλητικῶς u. contr. ἀμβολάδην. —βολαῖον, τὸ, das, was man umwirft, ἀναβάλλω, Mantel, Anzug; auch ein chirurgisches Werkzeug herauf zu ziehn, zu heben, Paul. Aeg. —βολεὺς, έως, ὁ, der Reitknecht, der einem statt des Steigbügels dient, einem aufs Pferd hilft. Plutarch. Appian. Pun. 106. so braucht Xenophon Equestr. 6, 12 ἀναβάλλειν. —βολὴ, ἡ, (ἀναβάλλω), das Aufwerfen, Aufwurf, aufgeworfene Erde; das Weiterwerfen, Verzögern, der Aufschub; das Umwerfen; Anzug, Kleid zum umwerfen, überziehn, Mantel. ἀναβολὰς βραχείας φοροῦσιν, tragen kurze Mantel, Plato Protag. p. 152. —βολικῶς, s. v. a. ἀναβλητικῶς. —βορβορύζω, ein niedriges Wort bey Aristoph. Eccl. 433 um das dumpfe Getöse u. Murren mit Unwillen auszudrücken. S. βορβορύζω. —βουλεύω, ich berathschlage von neuem. —βράζω, ἀναβράσσω, ἀναβράττω, v. βράω, βράζω, βράττω, als Act. machen, dass etwas sprudelnd oder wie kochendes Wasser in die Höhe kommt, sprudelnd auswerfen, wie das wüthende Meer den Schaum; auch aufkochen, aufwallen lassen, sieden; als Neutr. kochend, sprudelnd hervorquellen, kommen; davon —βρασις, das auf- oder hervorsprudeln; kochen, *ebullitio*. —βραστος, aufgekocht, aufgewallt; aufgesotten. —βρέχω, ich benetze. —βρομέω, ich summe, töse, rausche auf. —βροχίζω davon ἀναβροχισμὸς, ὁ, (βρόχος), Paul. Aegin. 6. 13 in die Höhe und heraus ziehn mit einer Schlinge, die man um etwas legt. —βρόχω, oder vielmehr ἀναβρόζω, von βρόζω davon βρόχθος, die Kehle, wofür gewöhnlicher βρώσκω gesagt wird, ich verschlucke, verschlinge, bey Homer von der Charybdis ἀναβρόξειε, ἀναβρόξεν ὕδωρ, u. ἀναβέβροχεν, das lat. *resorbeo*. —βρυάζω, (βρυάζω), für Muth oder Fröhlichkeit aufschreyen, rufen. Aristoph. —βρυχάομαι, ich brülle auf, schreye auf, und erhebe ein Klagegeschrey, Plato Phaed. auch m. d. Accus. —βρύχω, (βρύω, βλύω), von dem hervorsprudelnden Wasser bey Homer; so viel als ἀναβρύω; doch lesen einige Il. 17, 54 ἀναβέβροχεν d. i. ἀναπέπωκεν von ἀναβρόχω oder ἀναβρώσκω für ἀναβέβροχε. —βρύω, ich quelle, dringe hervor. —βρωσις, εως, ἡ, das Auffressen, Ausfressen, Zernagen; von —βρώσκω, f. ώσω, s. v. a. das verlängerte ἀναβιβρώσκω. —βρωτικὸς, ἡ, ὸν, gut, geschickt zu zernagen, anzufressen. —βωλακια, ἡ S. βωλακιος.

'Αναγαλλὶς, ιδος, ἡ, *anagallis*, Gauchheil, eine Pflanze. —γαργαρίζω, f. ίσω, aufgurgeln, die Kehle ausspülen; davon —γαργάριστον, verst. φάρμακον, Trank zum Gurgeln.

'Αναγγέλλω, f. λῶ, wieder verkündigen, berichten, belehren. —γελος, ὁ, ἡ, ohne Nachricht, ἄνευ ἀγγέλου, nicht benachrichtigt, nicht verkündet.

'Αναγελάω, ῶ, f. άσω, auflachen, lachen. —γεννάω, ῶ, f. ήσω, wieder zeugen; davon —γέννησις, εως, ἡ, die Wiedergeburt.

'Αναγεύω, f. εύσω, zu koſten geben. —γινώσκω, f. ἀναγνώσομαι, wieder kennen, d. i. erkennen, *agnoſco*; unterſcheiden, *dignoſco*, τὶ ἀπὸ τινὸς Herodian. Daher vielleicht leſen, vorleſen, weil man hier die einzelnen Züge unterſcheidet, und ſo das Ganze kennen lernt; bereden, überreden, einem ſeine Meinung (γνώμη) beybringen. Herodot. Die Tempora werden von ἀναγνώω u. ἀνάγνωμι wie ἀνέγνων gemacht.

'Αναγκάζω, f. άσω, ich nöthige, zwinge; ſetze jemanden zu durch Worte, Drohungen, Folter und Marter τὰ ἀφροδίσια πρὸ τοῦ δεῖσθαι ἀναγκάζεις, du erzwingſt den Genuſs der Liebe, ohne das Bedürfniſs davon abzuwarten. Xenoph. Mem. 2, 1. 30. —καθέτησις, ἡ, Zwanggeſetze. Oenomaus Euſeb. 6, 7. —καία, verſt. μοῖρα, ſ. v. a. ἀνάγκη. —καιον, τὸ, ſ. v. a. ἀνάγκη; 2) ἀναγκαῖον oder ἀνακαῖον, das Gefängniſs. Xenoph. Gr. Geſch. —καῖος, ὁ, ἡ, auch ἀναγκαία, ἡ, nothwendig, wegen einer phyſiſchen oder moraliſchen Verbindung der Dinge. Von der phyſiſchen Nothwendigkeit kommt die Bedeutung des natürlichen. τὰ ἐκ θεοῦ ἀναγκαῖα, die natürl. v. Gott angeordnete Folge der Dinge. Xenoph. So heiſst ἀναγκαῖα; τὰ, die Nothdurft; die natürlichen Bedürfniſſe vom Eſſen und Trinken, ſo wie die Ausleerungen von vorn und hinten, Schlaf, Trieb zur Liebe, u. ſ. w. ἐπὶ τὰ ἀναγκαῖα ἀποχωρεῖν. Derſ. aufſtehn, um ſeine Nothd. zu verrichten. τὰ ἀναγκαῖα πράττειν den ἀδήλοις entgegengeſ. die Dinge, deren Erfolg gewiſs iſt. 2) Weil nun, was phyſiſch oder moraliſch nothwendig iſt, meiſt ungern vom Menſchen geſchieht, ſo bedeutet das Wort auch unangenehm. ἀναγκαίη δ' ἐπίμιξις ἀνδρὸς τοιουτου τελέθει, die Geſellſchaft eines Schwätzers iſt unangenehm, zwangvoll. Theognis. 3) gezwungen. ἀν. ταῦτα ποιῶ, ich thue dieſs gezwungen, nicht freywillig. Epicharm. 4) anverwandt, *neceſſarius*, Blutsfreund. Adv. ἀναγκαίως.

'Αναγκαιότης, ἡ, wie *neceſſitudo*, Blutsfreundſchaft, Verwandtſchaft. —καιοφαγέω. S. ἀναγκοφ. —κασμα, τὸ, ſ. v. a. ἀνάγκη. —καστήριος, was die Kraft oder Eigenſchaft zum zwingen, bereden, hat. —καστικὸς, ὁ, ἡ, eben ſo viel. —καστὸς, gezwungen. Adv. ἀναγκαστῶς. —κη, ἡ, Zwang, Nothwendigkeit; phyſiſche und moraliſche. Von der phyſiſchen überſetzt man es Schickſal, Beſtimmung, Naturgeſetz. αἷς ἀνάγκαις ἕκαστα γίγνεται nach welchen Geſetzen jedes in der Natur geſchieht. Xenophon Memor. εἰσὶ τέτταρες καὶ δέκα ἡμέραι, ἐν αἷς ἡ ἀνάγκη αὕτη ἔχει (τὰς κύνας) wo man es durch πάθος, Trieb, Leidenſchaft überſetzen kann, derſ. Im moraliſchen Sinne bedeutet das Wort auch alle Mittel, etwas zu bewirken ſelbſt wider den Willen des andern, alſo Marter, Folter, Schläge, Strafe, ſo wie ἀνάγκαι Feſſeln, Gefängniſs. Dionyſ. Ant. 6, 46. vom Redner, die Mittel der Beredſamkeit, womit er überredet. ἀνάγκην προστιθέναι τοῖς ἐνδεῶς τι ποιοῦσι, die etwas verfehlen zwingen und ſtrafen. Xenoph. Hiero. Ueberhaupt Noth, Gefahr, Elend. ὅταν ἐν τῇ ἀνάγκῃ ταύτῃ ἔχηται, wenn er in dieſer Gefahr iſt. Derſ. εἰς τὰς ἀνάγκας τὰς ἀλγεινοτάτας ἐμπεσόντες, d. i. in die bitterſte Noth, Elend. Auch ſteht ἀνάγκῃ ſtatt ἀναγκαίως; für Blutsfreundſchaft wie *neceſſitudo* Xenoph. Symp. 8, 13.

'Αναγκοσιτέω u. ἀναγκόσιτος, ὁ, ἡ, ſ. v. a. ἀναγκοφαγέω u. ἀναγκοφάγος, Athenae. 2. p. 47. —κοτροφέω, oder —κοφαγέω, aus Zwang oder gezwungen eſſen, nach Regeln und nur gewiſſe Speiſen, wie die Athleten. Epict. 29. —κοφαγία, ἡ, Zwangseſſen, vorgeſchriebene Diat, wie bey den Athleten. —κοφάγος, ὁ, ἡ, ſ. v. a. ἀναγκόσιτος. —κοφορέω, ῶ, ich dulde aus Zwang oder Noth. Dionyſ. Ant. 10, 16.

'Ανάγκυλος, ὁ, ἡ, (ἄγκυλος), umgebogen. zweif.

'Αναγλυκαίνω, verſüſsen. —γλυπτος, ὁ, ἡ, oder ἀνάγλυφος, in die Höhe geſchnitzt, d. i. ausgeſchnitzt; in erhobener Arbeit. —γλυφὴ, ἡ, Ausſchnitzung; erhobene Arbeit. —γλύφω, f. ψω, ausſchnitzen, wie γλύφω. —γνάμπτω, f. ψώ, umbiegen, einbiegen, krümmen; δεσμὸν ἀναγ. Hom. Odyſſ. 14, 348 ein Band wieder umbiegen, d. i. auflöſen. S. ἐπιγνάμπτω. —γνάπτω, wieder aufputzen, wie der Walker. S. γνάπτω.

'Αναγνεία, ἡ, Verunreinigung durch Frevel, v. ἁγνὸς, rein, unſchuldig. —ἀγνιστος, ον, (ἁγνίζω), nicht gereinigt, nicht ausgeſöhnt, noch unrein, mit Verbrechen befleckt. —αγνος, ὁ, ἡ, unrein; daher unkeuſch; mit einem Verbrechen befleckt, ſ. ἁγνὸς.

'Αναγνωρίζω, f. ίσω, ſ. v. a. ἀναγινώσκω, wieder kennen, erkennen. —γνώρισις, εως, ἡ, das Wiederkennen, das Erkennen. —γνώρισμα, τος, τὸ, das, woran man einen oder etwas wieder kennt, Kennzeichen, Merkmal. —γνωρισμὸς, ὁ, ſ. v. a. das vorhergehende. —γνωσείω, ich bin im Begrif zu leſen, will eben leſen, v. fut. ἀναγνώσω gemacht, wie *lecturio*. —γνωσις, εως, ἡ, (ἀνα-γνόω, γινώσκω), das

Wiederkennen, Erkennen; das Lefen, lautes Vorlefen; das Bereden, die Ueberredung. S. das verb.

Ἀνάγνωσμα, ατος, τὸ, das Erkannte, Gelefene; oder das Erkennen; das Lefen. —γνωστήριον, τὸ, ein Ort zur ἀνάγνωσις, oder zum Vorlefen. —γνώστης, ου, ὁ, ein Vorlefer. Corn. in Attic. 14, 1. —γνωστικὸς, ή, ὸν, gut, paffend zum Vorlefen; gefchickter Vorlefer.

Ἀναγόρευσις, εως, ἡ, das laute Ausrufen, das laute Verkünden, die öffentliche Ernennung zu etwas; von —αγορεύω, f. εύσω, laut ausrufen, laut erklären, ernennen.

Ἀνάγραμμα, ατος, τὸ, das Verfetzen der Buchftaben, wodurch ein anderes Wort wird, ein Anagramm, als v. χόλος, λόγος wird ὄχλος, aus ἥρα w. ἀὴρ, a. ἀρετὴ w. ἐρατή; dav. —γραμματίζω, f. ίσω, ich mache ein Anagramm, bringe durch Verfetzung der Buchftaben ein andres Wort heraus; davon —γραμματισμὸς, ὁ, Verfetzung der Buchftaben, gemachtes Anagramm. —γραπτος, ὁ, ἡ, (ἀναγράφω), aufgefchrieben, niedergefchrieben. —γραφεὺς, έως, ὁ, Auffchreiber, Abfchreiber, *fcriba publicus* beym Lyfias. Und eine Mafchine Mathem. vet. p. 52. —γραφὴ, ἡ, das Auffchreiben, Niederfchreiben; das Aufgefchriebene, die verhandelten Acten; von —γράφω, f. ψω, auffchreiben, niederfchreiben, einfchreiben, eintragen in die verhandelten Acten, τινὰ ἐν φίλοις Dio C. einen unter feine Freunde eintragen, ihn unter f. Fr. zählen. Bey Ariftot. Nicom. 1. 7 f. v. a. ausmahlen. —γρεύομαι, aufjagen, jagen, ἀγρεύω. —γρία, ἡ, (ἄγρα), gleichf. Jagdlofigkeit, Mangel, Verbot der Jagd, Zeit, wo man nicht jagen darf. —γρύζω, f. ύξω, aufgrunzen, grunzen; muchfen Xen. Oec. 2, 11. —γυμνόω, ῶ, f. ώσω, entblöfsen, blofs, nackt machen, indem m. in die Höhe ἀνὰ hält, zieht u. f. w. —γυρις, εως, ἡ, oder ἀνάγυρος, ὁ, ἡ, S. ὀνόγυρος.

Ἀνάγω, f. ανάξω, (ἄνω, ἄγω), in die Höhe führen, heben, erheben, als εἰς ὑπερῷον Act. 9, 39; eben fo τὴν ναῦν, das Schiff aus dem Hafen in die hohe, wogende See ziehen, unter Segel gehen, was auch das paff. ἀνάγομαι für fich ift, wie *feror in altum*; auch εἰς τιμὰς Plut. einen zu Ehren oder Ehrenftellen erheben; daher auch grofs ziehen, erziehen, wie *educo*; wieder führen, zurückführen (aus der Schlacht), zurückbringen, zurückfchicken, als εἰς φῶς Herod. wieder ans Licht, oder in die Oberwelt zurückbringen; auch in dem Sinne, wie wir unfer zurückführen, und der Lat. f. *refero* gebraucht, als τὶ πρὸς τὴν ὑπόθεσιν Ariftot. es auf den Satz zurückführen. Eben fo τὶ εἰς τοὺς ἄρχοντας, etwas an die Magiftratsperfonen zurückweifen, verweifen, es ihnen zur Entfcheidung überlaffen, wie *referre ad fenatum*. So ἀν. τὸν λόγον, die Erzählung zurückführen, d. i. weit damit ausholen, wie *ex alto repetere*; daher auch entlaffen, weglaffen, als αἷμα, *fanguinem reddo*, fo wie ἀναγωγὴ αἵματος, Blutlaffen, Aderlaffen. Und neutr. näml. ἑαυτὸν, ἐπὶ πόδα, Xen. Cyr. 3, 3. 69. fich zurückziehen. So wie ἀνάγειν τὴν ναῦν das Gegentheil von κατάγειν in See gehen heifst, fo bedeutet ἀνάγομαι nicht allein ich gehe in See, fondern auch metaph. ich hebe an; καὶ ὁ μὲν ἀνήγετο ὥς τι ἐρῶν, er hob an, und wollte etwas fprechen Arrian. Alex. 7. 11. ἀναγόμενον ὡς ἀδολεσχοῦντα Plato Eryx. p. 244. eben fo p. 257 ὁ Πρόδικος ἀντανήγετο ὡς ἀμυνούμενος wollte dargegen fich wehren.

Ἀναγωγεὺς, έως, ὁ, gleichfam der Herauffuhrer, dasjenige, womit man etwas herauffühmt, herauflässt, als Seil, Thau, Riemen, Band am Schild, an Schuhen zum Schnüren. Bey Aelian. V. H. 9, 11 der Rand, Quartier an den Schuhen. —γωγὴ, ἡ, die Erhebung, eigentlich das Heben in die Höhe, uneigentl. Erhebung des Geiftes, der fich in tiefe Betrachtungen einläfst, fich über das Gemeine erhebt, daher mit θεωρία verbunden; eben fo das Auslaufen aus dem Hafen in die See (f. ἀνάγω); das Grofsziehen, die Erziehung; das Zurückführen, Zurückbringen, auch in dem Sinne, wie fein verbum, des Verweifens, Ueberlaffens, und des Zurückführens oder des Bezugs. Auch die Rückgabe einer Sache, Regreis, Regrefsklage. Plato Legg. 11. —γώγια, τὰ, das Feft der Abfahrt, Abreife zur See v. ἀνάγεσθαι. —γωγία, ἡ, Mangel an Erziehung, Ungezogenheit, von ἀνάγωγος. —γωγικὸς, ή, ὸν, erhebend, erhöhend, von dem Niedrigen, Gemeinen abführend. Adv. ἀναγωγικῶς. —γωγὸς, ὁ, ἡ, f. v. a. das vorherg. —γωγος, ὁ, ἡ, (ἀγωγὸς u. α privat.), ohne Leitung, ohne Erziehung, unerzogen, fchlecht erzogen; ungezogen, unbändig, nicht zu leiten (ἄγω), nicht zu ziehen, von Menfchen und Thieren, als Pferden u. Hunden beym Xen. Adv. ἀναγώγως. —γώνιστος, ὁ, ἡ, ohne Streit, nicht kämpfend, μὴ ἀγωνισάμενος Xen. Cyr. 1, 5, 10.

Ἀναδάζω, ἀναδάζομαι, auch ἀναδαίω f. v. a. ἀναμερίζω, ἀναμερίζομαι, von neuem theilen; davon ἀναδασμὸς γῆς, eine neue Theilung des Landes, welche immer bey Revolutionen vorausgieng; überh. auch theilen.

'Αναδάκνω, f. δήξω, wieder beiſſen, um ſich beiſſen, beiſſen. —δαρκής, ές, ſ. v. a. ἀδερκής. —δασμὸς, ὁ, neue Theilung; überh. Theilung, Vertheilung. S. ἀναδάζω. —δαστος, ὁ, ἡ, von neuem getheilt, überhaupt vertheilt, ausgetheilt; bey Dio Caſſ. 54, 28. ſ. v. a. *irritus*, vergeblich gethan; zwf. —δειγμα, τὸ, (ἀναδείκνυμι), ein Bild zum zeigen; 2) eine Binde um den Hals der Ausrufer, wie φορβειὰ der Flötenbläſer Pollux 4. 93.

'Αναδείκνυμι u. ἀποδεικνύω, das fut. u. andre tempora werden vom Stammworte ἀποδείκω gemacht; eigentl. aufzeigen, vorzeigen, indem man in die Höhe hält, hebt. σημήιον ἀνέδειξε, gab ihnen ein Zeichen. τὸν πυρσὸν ἀναδείξαντες, *facem tollentes* Polyb. 8, 30. daher aufzeigen, vorzeigen, was man gemacht, gewählt hat; daher wie ἀποδεικ. ſ. v. a. *reddere* machen; auch wählen, wozu beſtimmen, weihen; überh. hervorbringen. —δειξις, εως, ἡ, das Aufzeigen, Vorzeigen; daher das Hervorbringen, Machen, Wählen, Beſtimmen, Weihen, Ernennen. ἀνάδειξις διαδήματος Polyb. 15, 26 ſ. v. a. ἀναδοχὴ Annahme; u. viell. ſollte es ἀνάδεξις von ἀναδέχομαι heiſsen. —δείπνια, ων, τὰ, Nacheſſen, Nachtiſch, bey den Lyciern nach Euſtath.

'Αναδελφος, ὁ, ἡ, ohne Bruder, der keinen Bruder hat, Xen. Mem. 2, 3. 4. —δέμω, aufbauen, erbauen. —δενδρὰς, άδος, ἡ, wilder Weinſtock, der ſich an andern Bäumen hinaufſchlingt; vorz. der an den Bäumen gezogene Weinſtock, *arbuſtum*, *vitis arbuſtiva*, auch ein mit Bäumen beſetzter Platz. Epigr. —δενδρίτης, ου, ὁ, näml. οἶνος, Wein von Reben an Bäumen alſo hoch gezogen. Athen. —δενδρομαλάχη, ἡ, zw. ſ. v. a. δενδρομαλάχη, bey Galen. —δέρκω, auf- oder in die Höhe ſehen, anſehen; vergl. ἀναβλέπω.

'Αναδέρω, f. ερῶ, eigentl. die Oberhaut von einer Wunde, womit ſie ſich oben bedeckt hat, wieder abziehn, lat. *refricare ulcus*; metaph. eine alte unangenehme Empſindung, Erinnerung wieder auffriſchen, aufrühren. Philoſtr. Soph. 1, 25, 3 ὡς μὴ ἀναδέροιτο. Bey Ariſtoph. Ran. 1106 ὅτι περ οὖν ἔχετον ἐρίζειν, λέγετον, ἔπιτον, ἀναδέρεσθον τά τε παλαιὰ καὶ τὰ καινά, wo τὰ παλαιὰ zunächſt mit ἀναδ. zuſammenhängt, wie aus Philoſtr. Nachahmung erhellt. Bey Lucian. Pſeudol. 20 aufdecken oder wiederholen. Heſych. u. Suidas haben die Bedeut. ὑπερτίθεμαι ἀπολύω u. γυμνόω. wovon die letzte ganz natürlich folgt; die andern ſind ohne Beyſpiel.

'Ανάδεσις, εως, ἡ, (ἀναδέω), das Auf- oder Anbinden. —δεσμεύω, f. εύσω, od. ἀναδεσμέω, anbinden, ſ. v. a. ἀναδέω. —δέσμη, ἡ, Binde, Band um die Haare aufzubinden, zum Putz, Hom. Il. 22, 469. —δετος, ὁ, ἡ, (ἀναδέω), auf- an- od. zurückgebunden. —δεύω, f. εύσω, anfeuchten, befeuchten, kneten, anfärben. διὰ τῆς παιδείας οἷον ἀνέδευσε τοῖς ἤθεσι τοὺς νόμους Plutarch. Num. d. i. prägte ſie tief ein, ſ. v. a. δεισοποιοὺς ἐποίησε. Soll wohl ἐνέδευσε heiſſen. —δέχομαι, f. ξομαι, aufnehmen, über ſich nehmen, annehmen. Ich nehme es auf mich, daſs er dies thun wird, Xen. Cyr. 1, 6. 18 d. i. ich verſpreche es gewiſs, ich verbürge es. Ich nehme es an, auch in dem Sinne, ich laſſe es mir gefallen, erdulde, ertrage es. —δέω, anbinden, aufbinden, umbinden, τινὰ τινὶ, einem etwas umbinden, als χρυσῷ στεφάνῳ Thucyd. u. ſo auch nach dem Zuſammenhange, einem das Diadem umbinden, d. i. zum Regenten wählen; daher Med. ἀναδεῖσθαι δόξαν, κλέος, ſich Ruhm, Ehre erwerben; im Gegenth. αἶσχος ἀναδουμένην Procop. Anecd. 2. —δημα, ατός, τὸ, das Band, etwas aufzubinden, Umband, die Binde, z. B. κόμης Eurip. Haarbinde beym Putz des Frauenzimmers, wie ἀναδέσμη; beym Sieger Xen. Symp. 5, 9. —δηξις, εως, ἡ, Anbiſs, Biſs; das Jucken, Beiſſen. —διδάσκω, f. άξω, belehren; eines beſſern belehren und machen, daſs jemand ſeine Meinung ändert. Herodot. 8, 63. τὰ δράματα ἀνεδιδάσκετο wurden von neuem aufgeführt. Philoſtr. Apoll. 6, 11.

'Αναδίδωμι, f. ώσω, ich gebe hinauf, reiche; 2) ich gebe, bringe hervor. ὅσα ἡ γῆ ἀνεδίδου ὡραῖα Thucyd. Auch neutr. διὰ ταύτην τὴν ἐκ τῆς γῆς τροφὴν ἀναδιδοῦσαν Plato Leg. 5 ſt. ἀναδιδομένην. auch v. hervorbrechenden Quellen. ἀναδοθεῖσα φλὸξ aufbrechende, hervorbrechende Flamme; 3) ich vertheile, ἡ τροφὴ εἰς ὅλον ἀναδίδοται τὸ σῶμα; 4) zurückgehn wie ἐπιδιδόναι vorwärts gehen, zunehmen. κἄπειτα πάλιν ἀναδίδωσι, Ariſtot. Rhet. 2, 15 dann geht es wieder rückwärts.

'Αναδικάζω, f. άσω, wieder richten, einen ſchon entſchiedenen Proceſs von neuem vornehmen. —δικία, ἡ, das Wiederrichten, ein von neuem vorgenommener Proceſs; von —δικος, ὁ, ἡ, (ἀνὰ, δίκη), δίκη, ein Proceſs, der von neuem vorgenommen oder kaſſirt wird. —δινέω, herumdrehen. —διπλασιάζω, f. άσω, ſ. διπλασιάζω; davon —διπλασιασμὸς, ὁ, ſ. διπλασιασμός. —διπλόω, ῶ, f. ώσω, ſ. διπλόω; davon —δίπλωσις, εως, ἡ. S. δίπλωσις.

[illegible]διφέω, auffuchen. Cratinus Clement. [Str]om. 1, 3. —δοιδυκάζω, f. άσω, zer[sto]ſsen im Mörſer, δοίδυξ, zerſtampfen, [du]rcheinander ſtampfen; untereinan[de]r rühren, miſchen. —δορή, (ἀναδέ[ρω]), das Abziehn des Fells. —δοσις, [εω]ς, ἡ, (ἀναδίδωμι), gleichſam das Her[au]fgeben, das Herauftreiben, Hervor[tre]iben, Hervorbringen, von der Erde, [d]ie Früchte hervorbringt. Eben ſo [v]om Quell, der hervorquillt, vom Wind, [de]r aus der Erde hervorbricht; ver[th]eilen, auch von Speiſen, die ſich im Körper vertheilen, d. i. verdauen.

[Ἀν]αδοτικός, ή, όν, vertheilend, als ἀναδοτικὴ ἡ κοιλία τῶν τροφῶν, der Magen, der die Speiſen vertheilt; von —δοτος, ό, ἡ, (ἀναδίδωμι), zurückgegeben. Thucyd. 3, 52. —δούλωσις, εως, ἡ, (δουλόω), Wiederunterjochung, wenn man von neuem in die Sklaverey gebracht wird. —δοχεύς, ·έως, ὁ, ſ. v. a. ἀνάδοχος. —δοχή, ἡ, Auf- und Annahme; Verſprechen, ſ. ἀναδέχομαι. —δοχος, ὁ, ἡ, Auf- u. Annehmer; Verſprecher, Verbürger, Bürge. —δρομή, ἡ, (ἀναδρέμω, τρέχω), das Herauflaufen, das Herauftreiben, z. B. vom Saft, der in die Pflanzen tritt, αν. εἰς βλαστήσεις Theophr. u. allein in eben der Bedeutung beym Eurip. wo es Heſych. durch αὔξησις erklärt; das Zurücklaufen; das Verbeſſern. S. ἀνατρέχω.

[Ἀ]ναδῦμι, od. ἀναδύω, f. ύσω, heraufkommen, aus der Tiefe in die Hohe kommen, als ἀνέδυ πολιῆς ἁλὸς Il. 1, 359. vergl. 13, 352. u. mit dem accuſ. 1, 496 ἀνεδύσατο κῦμα θαλάσσης, d. i. ἐδύσατο ἀνὰ, ſchwang ſich herauf über die Fluthen des Meeres. Daher die berühmte Ἀφροδίτη ἀναδυομένη. Eben ſo von der Sonne, die aus dem Meere heraufkommt, aufgeht, vom Quell, der hervorquillt, als Plut. in Pomp. ὅπου Ἰταλίας κρούσω ποδὶ τὴν γῆν, ἀναδύσονται καὶ ἱππικαὶ καὶ πεζικαὶ δυνάμεις, da ſollen gleich einer Quelle hervorgehn u. ſ. w. 2) unter etwas weggehn, ſich zurückziehn, mithin vermeiden, zurücknehmen, verweigern, als Pompejus ἀνεδύετο τὰς συνηγορίας Plut. vermied die Volksverſammlungen, kam nicht in dieſelben. Eben ſo mit dem infin. beym Ariſtoph. οὐκ ἀναδύομαι δάκνειν; beym Demoſth. τί ἀναδυόμεθα, d. i. τί ὀκνοῦμεν; denn es folgt, τί μέλλομεν; und zurücknehmen heiſst es beym Lucian, wie der Beyſatz ἀνακαλεῖν τὴν ὑπόσχεσιν zeigt; davon

Ἀνάδυσις, εως, ἡ, das Heraufkommen, Hervorkommen; das Zurücktreten, wenn man ſich zurückzieht, daher Vermeidung, Weigerung, Ausflucht; das Entfliehen, Flucht; Zurücknehmen, Nichthaltung, Untreuwerden. —δύω. S. ἀναδῦμι.

Ἀνάεδνος, ἡ, unbeſchenkt vom Bräutigam. Hom. Il. 9, 146. ſ. ἔδνον; unausgeſteuert, ohne Mitgift von den Eltern Il. 13, 366. von ἄεδνον ſt. ἔδνον u. α privat. —είρω, erheben, ἀείρω, aufheben, in die Höhe heben, Hom. Il. 23, 724. —έλπτος, ὁ, ἡ, ganz unverhofft, unerwartet, unerhört, mit der doppelten Negation, wie ἀνάπνευστος, ἀνάγνωστος. —ερτάζω, f. άσω, ſ. v. a. ἀναείρω wie ἀερτάζω ſt. ἀείρω.

Ἀναζάω, ῶ, f. ήσω, wieder aufleben. —ζείω, poet. ſt. ἀναζέω. —ζεμα, τος, τὸ, das Aufkochen, Aufbrauſen. —ζεύγνυμι, od. ἀναζευγνύω, f. εύξω, wieder anjochen, wieder anſpannen, und weil man dies bey der Rückkehr, beym Aufbruch thut, ſo iſt es ſ. v. a. aufbrechen, *caſtra moveo*, Xen. Cyr. 8, 5. 1 u. 28, was §. 1 iſt συσκευάζομαι. So auch mit νῆας Herodot. abſegeln; dav. —ζευξις, εως, ἡ, der Aufbruch, Ausmarſch, Feldzug; die Rückkehr. —ζέω, ῶ, f. έσω, aufkochen, aufbrauſen; act. aufkochen laſſen, warm, heiſs machen. Eben ſo von einem Quell, der hervorſprudelt, gleich kochendem Waſſer; ἀναζέουσα χόλον Apollon. den Zorn aufbrauſsen laſſen. —ζητέω, aufſuchen, unterſuchen; davon —ζήτησις, εως, ἡ, das Aufſuchen, die Unterſuchung. —ζυγή, ἡ, ſ. v. a. ἀνάζευξις. S. auch ἀναζυγόω. —ζυγόω, ῶ, f. ώσω, abjochen, abſpannen, ausſpannen; aufwiegeln, das ζυγὸν od. ζύγωθρον wegnehmen, den Riegel von auſsen zurückſchieben, mithin öffnen, von Thüren und Kaſten mit Riegeln; metaph. auch στόμα, den Mund öffnen; dah. ἀναζυγὴ das Oeffnen der Thüre; dagegen ἐπιζυγῶσαι τὴν θύραν, den Riegel vor die geſchloſſene Thüre thun, zuriegeln; daher ζύγωμα πυλῶν. —ζυμόω, ῶ, f. ώσω, durchſäuern. —ζωγραφέω, lebendige Geſchöpfe abbilden, abmahlen. S. ζωγραφέω. —ζωγρέω, ins Leben zurückrufen. Epigr. —ζωννύω, oder ἀναζώννυμι, f. ζώσω, angürten, umgürten. —ζωοποιέω, wieder lebendig machen. —ζωόω, ῶ, f. ώσω, wieder lebendig machen, wieder glücklich machen. —ζωπυρέω, (ζώπυρον), wieder anfachen; einen wieder anfachen o. anfeuern, d. i. einem neuen Muth machen. Eben ſo v. Sachen, die man von neuem belebt, raſcher fortgehen läſst, beſſert, als τὰ τῶν Θηβαίων ἀνεζωπυρεῖτο Xenoph. davon —ζωπύρησις, εως, ἡ, das Anfachen, Anfeuern, Stärkung des Muthes und der Kräfte. —ζωτικός, ἡ, ὀν, (ἀναζωόω), gut, geſchickt wieder zu beleben, zu ſtärken.

'Ἀναθαλέω, oder ἀναθάλλω, aufblühen, aufwachſen; oder wieder grünen, neue Zweige treiben; übergetragen auf Menſchen, neues Leben, neue Kräfte bekommen; act. b. den LXX Ez. 17, 24 wieder grünen laſſen. S. ἀναθηλέω. —θάλπω, f. ψω, wieder erwärmen, aufwärmen. —θαῤῥέω, wieder muthig werden. —θαῤῥύνω, f. υνῶ, wieder muthig machen. Xen. Cyr. 5, 4. 23. —θαρσέω, ſ. v. a. ἀναθαῤῥέω; denn θάρσος ſteht ſt. θάῤῥος. —θαρσύνω, f. υνῶ, ſ. v. a. ἀναθαῤῥύνω. Siehe das vorhergehende. —θεμα, ατος, τὸ, (ἀνατίθημι), das aufgeſtellte, alſo ſ. v. a. ἀνάθημα. vorzügl. bey den Kirchenvätern ein öffentlich zur Schau, Schande, Verſluchung, Verwunſchung aufgeſtellter Menſch; dav. —θεματίζω, f. ίσω, verfluchen, verwünſchen, zum ἀνάθεμα machen; dav. —θεματισμὸς, ὁ, Verfluchung, Verbannung. —θερμαίνω, wieder warm machen, erwärmen. —θεσις, εως, ἡ, (ἀνατίθημι), das Aufſetzen, Aufhängen, Widmen, wie ἀνάθημα, als ἡ τῶν στεφάνων ἀν. Athen. ἀν. τοῦ χρόνου Verzögerung, Aufſchub. Antonin. lib. 34. τριῶν ἡμερῶν Aufſchub von 3 Tagen, Herodian. 7, 4. Das Anſetzen, Feſtſetzen, Anordnen, als ἀνάθεσιν τῶν ὅλων πραγμάτων ἔχειν; das Anſetzen, d. i. das Beylegen, Zurechnen, Anrechnen, das Zurückführen auf einen, als den erſten Grund von Etwas. —θέω, ῶ, f. εύσομαι, in die Höhe laufen, herauflaufen; zurücklaufen; überhaupt laufen. —θεωρέω, ῶ, anſehen, betrachten bey Lichte, aufwärts gekehrt; dav. —θεώρησις, εως, ἡ, das genaue Anſehn, Betrachtung. —θεωρισμὸς, ὁ, das Wiederanſehn, von neuem angeſtellte Unterſuchung, von dem ungewöhnl. ἀναθεωρίζω. —θηλέω, die joniſche Form ſt. ἀναθαλέω. —θημα, ατος, τὸ, (ἀνατίθημι), das Aufſetzen, Aufhängen, u. überh. das Beyſetzen, Beylegen, von einem jeden einer Gottheit geweiheten Geſchenk, mag es im Tempel hangen, ſtehen od. liegen; daher ein Andenken von einem, ein Geſchenk, was ich zum Andenken beylege, aufhebe, Hom. Und weil dies denn ausgeſuchte Sachen waren, ſo iſt es daher Zierde, Schmuck, als ἀναθημάτων πολλῶν καὶ καλῶν ἐπλήρωσαν τὴν πόλιν Strabo. Und Hom. ſagt: μολπή τ' ὀρχηστύς τε — ἀναθήματα δαιτὸς Od. 1, 152 Geſang und Tanz — Zierden des Mahles.

'Ἀναθλίβω, f. ψω, zuſammendrücken, ausdrücken, eigentlich aufdrücken, herausdrücken. —θλος, ὁ, ἡ, (ἆθλος), ohne Kampf, nicht kämpfend, nicht geſchickt zum Kampfe. —θολόω, ῶ, f. ώσω, aufrühren, beyrühren, beymiſchen, daher trüben, wie *turbo*; v. θολὸς. dav. —θόλωσις, εως, ἡ, das Aufrühren, Vermiſchung. ἀναθολώσει ὀπῶν χρώμενος der Beymiſchung von Kräuterſäften. Plato. —θορέω, ῶ, und ἀναθορνύω, aufſpringen; davon aor. 2. ἀνέθορον. —θορυβέω, gleichſam auflärmen, ein lautes Geräuſch machen, d. i. im ſchlimmen Sinne, lauten Unwillen äuſsern, im guten, lauten Beyfall bezeigen Xen. An. 5, 1. 3. 6, 1. 30. —θρεμμα, ατος, τὸ, Aufgezogenes, Zögling. —θρεπτος, ὁ, ἡ, (ἀνα-τρέφω), aufgezogen, Zögling. —θρεψις, εως, ἡ, neue Nahrung, neues Wachsthum, πάλιν ἀνάθρεψιν λαμβάνει τὸ σῶμα Hipp. —θρέω, ῶ, (ἀνὰ, ἀθρέω), anſehen, betrachten. Thucyd. 4, 87 ſ. v. a. ἀναθεωρέω. —θρώσκω, f. θρώσω, aufſpringen, hinaufſpringen. —θυάω, ῶ, wieder ranzig, brünſtig werden, eigentl. von Säuen. S. θυάω. —θυμιάζω, f. άσω, od. ἀναθυμιάω, aufdampfen oder ausdampfen laſſen, räuchern; dav. —θυμίαμα, ατος, τὸ, das Auf- oder Ausdampfende, emporſteigender Rauch, Dampf, Räucherwerk. —θυμίασις, ἡ, das Ausdampfen, oder Räuchern. —θυμιάω, ſ. v. a. ἀναθυμιάζω. Bey Polyb. 15, 25 ἀνεθυμιᾶτο πάλιν τὸ προϋπαρχον μῖσος ſ. v. a. *referueſcat, recaleſcebat*, ward von neuem entzündet. Ariſtot. Problem. 23, 30 τὸν ἥλιον ἐκ τῆς θαλάττης ἀναθυμιᾶσθαι, erhalte aus dem Meere die aufſteigenden Dämpfe. ὥσπερ ὁ λιβανωτὸς ὑπὸ θερμότητος ἀναθυμιῶνται Plut. Q. S. 7, 14 werden in Dampf aufgelöſst. —θυρμα, ατος, τὸ, ſ. v. a. ἄθυρμα. zweif. bey Euſtath. —θυσις, εως, ἡ, das Aufopfern, die Aufopferung. —θύω, f. ύσω, aufſpringen, auf etwas zuſpringen, hervorſpringen; auch ſ. v. a. ἀναθυάω. —θωΰσσω, poet. ſ. v. a. ἀναβοάω.

'Ἀναίδεια, ἡ, (ἀναιδὴς), Schaamloſigkeit, Unverſchämtheit. —δεύομαι, (ἀναιδὴς), ich beweiſe, betrage mich als ein Unverſchämter. —δημόνως, Adv. unverſchämt, auf eine ſchaamloſe Art, v. dem Adject. ἀναιδήμων.

'Ἀναίδην, ſ. v. a. ἀναιδῶς zweif. gewöhnlich wird es für ἀνέδην falſch ſo geſchrieben. —δὴς, έος, ὁ, ἡ, (αἰδὼς), Adv. ἀναιδῶς, ohne Schaam, ſchaamlos, unverſchämt.

'Ἀναιθύσσω, (ἀνὰ, αἰθύσσω), anfachen, φλόγα; daher bewegen, aufregen, erregen, als ἀν. θόρυβον μέγαν Pindar.

ntr. ſich hervorbewegen, hervor- rmen.

αίθω, (αἴθω), anbrennen, anſtecken.

αιμακτὶ, Adv. unblutig, ohne Blut zu vergieſsen; von —μακτος, ὁ, ἡ, unblutig, nicht blutig, *incruentus*.

αιμία, ἡ, Mangel an Blut; v. —μος, ὁ, ἡ, (αἷμα), ohne Blut, blutlos, kein Blut habend. —μόσαρκος, ὁ, ἡ, (ἄνευ, αἵματος, σάρξ), der kein Blut im Körper hat, beym Anacreon von der Grille, wenn man nicht lieber in zwey Worten ἀναίμ', ἄσαρκε leſen will. —μόχροος, contr. ἀναιμόχρους, ὁ, ἡ, (χρέα), von nichtblutiger od. rother Haut od. Farbe, blaſs. S. αἱμόχροος. zw. —μων, ονος, ὁ, ἡ, ſ. v. a. ἄναιμος. —μωτὶ, od. ἀναιμωτὶ, Adv. (αἱμόω), ohne Blut, ohne ſich mit Blut zu beflecken, ohne Blut zu vergieſsen, ohne zu kämpfen. Hom. Od. 18, 148.

ναίνομαι, (αἶνος), ſein Jawort nicht geben, oder Nein ſagen, d. i. abſchlagen, verſagen, abſagen, oder nicht gewähren, nicht haben wollen, ſich etwas verbitten; läugnen, verläugnen; 2) ich ſchäme mich, bereue es, ἀναίνομαι εἰσορῶν Eurip. Bach. 247 ἃν δράσας οὐκ ἀναίνομαι, es reuet mich nicht. Herc. 1238.

ναίρεμα, τος, τὸ, das Weggenommene, Erbeutete, die Beute. v. ἀναιρέω. —ρεσις, εως, ἡ, (ἀναιρέω), das Erheben, das Wegnehmen, od. Stehlen; das gänzliche Wegnehmen, Zerſtören, z. B. einer Stadt; Vernichtung eines Menſchen, d. i. Ermordung. —ρέτης, ου, ὁ, wie das vorhergehende in der Folge der Bedeutung: Dieb; Zerſtörer; Mörder. —ρετικὸς, ἡ, ὸν, zerſtörend, verderbend, verderblich.

Ἀναιρέω, ῶ, (ἄνω, αἱρέω), in die Höhe heben, aufnehmen, als Steine, um damit zu ſchleudern, Todte, um ſie wegzutragen und zu begraben Xen. eben ſo med. ἀναιρέομαι πόλεμον, einen Krieg über ſich nehmen, anfangen, Xen. παῖδας, Kinder von der Erde aufnehmen, und ſo für die ſeinigen erkennen, wie *ſuſcipio*, *tollo liberos*. Daher wegnehmen, als σκηνὴν, τράπεζαν Xen. ein Zelt abbrechen, den Tiſch wegtragen, abtragen, abdecken: eben ſo abſchaffen, als eine Regierungsform, ὀλιγαρχίας Xen. ganz wegnehmen, d. i. zerſtören, zertrümmern, von Menſchen, ermorden, wie *tollo* (ſowohl in die Höhe heben, erheben, als auch wegnehmen, ermorden Cic. ad Div. 11, 20. 2), oder vom Richter gebraucht, verdammen; mit Ergänzung von φωνὴν, o. eines ähnlichen Worts, vom Orakel, ſeine Stimme aus der Höhle erheben, antworten, ein Orakel ertheilen.

Ἀναίρω, (ἄιρω), aufheben; wegnehmen.

Ἀναισθησία, ἡ, (αἴσθησις), Gefühlloſigkeit, Sinnloſigkeit, Mangel an Gefühl, Dummheit: auch Zuſtand, Betragen deſſen, welcher ſeine Sinne nicht beyſammen hat, Zerſtreuung, Theophr. char. 14. —σθητεύομαι, fut. εύσομαι, ich beweiſe, betrage, zeige mich als einen ἀναίσθητος, oder ſinnloſen, dummen Menſchen. —σθητέω, ich bin ein ἀναίσθητος, bin ſinnlos, gefühllos, fühle nicht; bin dumm. —σθητος, ὁ, ἡ, (αἰσθητὸς), gefühllos, unempfindlich, ſinnlos; dumm; paſſ. nicht empfindbar; nicht empfunden, Adv. ἀναισθήτως. Vergl. ἀναισθησία.

Ἀναισιμόω, ῶ, f. ώσω, wie das ſimplex αἰσιμόω, ein joniſches Wort bey Herodot. und Hippocr. verwenden, ausgeben. In der urſprünglichen Bedeut. braucht es noch Herodot. ἀναισιμώθη ἐκ τοῦ τάφου ἡ γῆ, die Erde wurde aus dem Grabe weggenommen, oder aufgeworfen; dav. —σίμωμα, ατος, τὸ, die Verwendung, δαπάνημα.

Ἀναίσσω, f. ξω, (αἴσσω), in die Höhe ſpringen, aufſpringen, auffahren, hervorſpringen; anfangen.

Ἀναισχυντέω, ich bin ein ἀναίσχυντος, bin unverſchämt, ſchaamlos, handle unverſchämt; dav. —σχύντημα, τος, τὸ, unverſchämte That. —σχυντία, ἡ, Unverſchämtheit, Schaamloſigkeit; von —σχυντος, ὁ, ἡ, Adv. ἀναισχύντως, unverſchämt, ſchaamlos; von Dingen, häſslich, verabſcheuungswürdig, wie es ein Schaamloſer macht.

Ἀναιτία, ἡ, (αἰτία), Schuldloſigkeit, Unſchuld. —τιολόγητος, ὁ, ἡ, (αἰτιολογέω), wovon man keinen Grund angeben kann. —τιος, ὁ, ἡ, (αἰτία), ohne Grund u. Urſache, grund-zwecklos; ohne Schuld, ſchuldlos, unſchuldig. Adv. ἀναιτίως.

Ἀνακαγχάζω, f. άσω, laut auflachen.

Ἀνακαθαίρω, nach oben, d. i. durch Brechen oder Brechmittel reinigen; aufräumen; παμμήκη λόγον ἀνακαθαιρόμενος Plato Leg. 1 p. 39 eine lange Rede führen, um etwas ins Reine zu bringen. Vergl. Leg. 3 p. 110. davon —κάθαρσις, εως, ἡ, Reinigung nach oben durch Brechen; Erklärung einer dunklen allegoriſchen Stelle. —καθαρτικὸς, ἡ, ὸν, nach oben o. durchs Brechen reinigend; gut, geſchickt zum reinigen.

Ἀνακάθημαι, aufrecht ſitzen; ſich wieder ſetzen, oder ſich niederſetzen. —καθίζω, ich ſetze auf, ἀνακαθίζομαι, ich setze mich auf, richte mich im Sitzen auf. Plato Phaed. 3.

'Ανακαινίζω, f. ίσω, wieder neu machen, erneuern, auffrischen; davon —καίνισις, εως, ἡ, Erneuerung, Wiederherstellung. Eben das die andere Form ἀνακαινισμός. —καινόω, ῶ, f. ώσω, s. v. a. ἀνακαινίζω; davon —καίνωσις, εως, ἡ, s. v. a. ἀνακαίνισις.

'Αναγκαῖον, ου, τὸ, nach andern ἀναγκαῖον, Zuchthaus, Gefängniſs.

'Ανακαίω, f. καύσω, anbrennen, anzünden: tropisch, wie unser anfeuern.

'Ανακαλέω, ῶ, f. έσω, aufschreyen, heraufrufen, aufrufen, anrufen, zurufen; zurückrufen, wiederrufen.

'Ανακαλινδέω, f. ήσω, s. v. a. ἀνακυλινδέω.

'Ανακαλυπτήρια, τὰ, das Fest der Enthüllung, an dem die Braut ohne jungfräulichen Schleyer sich ihrem Bräutigam zeigte und von ihm beschenkt wurde, v. ἀνακαλύπτω. —κάλυπτρα, τὰ, die Braut-Geschenke am Tage ἀνακαλυπτήρια. —καλύπτω, f. ψω, aufhüllen, enthüllen, aufdecken; davon —κάλυψις, εως, ἡ, Enthüllung.

'Ανακάμπτω, ψω, umwenden, umlenken; weglenken; neutr. wieder zurücklenken, d. i. zurückkehren, umkehren.

'Ανακάμψερως, έρωτος, ἡ, d. i. ἀνακάμψαν ἔρωτα, Liebe zurückbringend; ein Kraut, von dem man glaubte, daſs dessen Berührung verlorne Liebe wieder verschaffe. Plin. 24, 17. blüht auch außer der Erde. Plutarch. Fac. lunae p. 705.

'Ανακαμψίπνοος, ὁ, ἡ, d. i. ἀνακάμψαν πνοήν, in schiefer Richtung wehend, im Gegensatz von εὐθύπνοος. —καμψις, εως, ἡ, (ἀνακάμπτω), das Umlenken, das Zurückkehren.

'Ανάκανθος, ὁ, ἡ, ohne Gräten, Rückgrat, Stacheln, ἄκανθα.

'Ανακάπτω, f. ψω, verschlucken, hinterschlucken, aufessen, καταφάγω.

'Ανάκαρ, Adv. (ἀνὰ κάρα), Kopf an, aufwärts, wie ἐπίκαρ. das Gegentheil κατάκαρα.

'Ανακάρδιον, τὸ, oder ἀνάκαρδος, ein indianischer Baum und Frucht.

'Ανάκαυσις, εως, ἡ, (ἀνακαίω), das Anbrennen, Anzünden.

'Ανακαχλάζω, aufbrausen, vorz. im kochen, heraus hervorsprudeln. Oppian. Cyn. 1, 275. —κάχλασις, εως, ἡ, das Aufbrausen im kochen.

'Ανάκαψις, εως, ἡ, (ἀνακάπτω), das Verschlucken, Auffressen.

'Ανακεάζω, f. άσω, zerspalten, aufspalten.

'Ανάκεια, ων, τὰ, das Fest der Dioskuren, ἄνακες oder ἄνακτες.

'Ανάκειμαι, f. κείσομαι, v. Sachen, die aufgestellt u. hingestellt sind u. zwar zu Ehren, also gewidmet sind, sagt man ἀνατιθέναι aufstellen, u. ἀνακεῖσθαι, wenn sie aufgestellt, gewidmet sind; daher metaph. sich einem oder einer Sache widmen, ergeben, nachhangen, anhängen. τοῦτ' ἔστι σε ἀνάκειται dies schreibt man dir zu; selten steht es für κατάκειμαι, accumbo, bey Tische liegen. Athenäe 1, p. 23. u. ἀναπίπτειν, sich bey Tische legen. eben das.

'Ανάκειον, τὸ, Ort, oder Tempel für die Dioskuren, ἄνακες.

'Ανακείρω, abscheeren, abschneiden, zerschneiden.

'Ανακελαδέω, Geräusch, Lärm machen, beständig schwatzen. —κέλαδος, ὁ, s. v. a. κέλαδος, Lärm, Geräusch. Eur. Or. 185.

'Ανακεράννυμι, ἀνακεραννύω, ἀνακεράω, f. άσω, daran mischen, vermischen, durcheinander mischen.

'Άνακες, ων, οἱ, eigentl. die Könige von ἄναξ; vorzugsweise die beyden Söhne Jupiters, Kastor u. Pollux. M. s. auch Cic. nat. deor. 3, 21.

'Ανάκεστος, ὁ, ἡ, unheilbar, sonst auch ἀνήκεστος, v. ἀκέομαι.

'Ανακεφαλαιόω, ῶ, f. ώσω, der Hauptsache nach wiederholen, ἀνὰ, κεφαλή. Weil dies zuletzt geschieht, so ist es s. v. a. zu Ende reden, schlieſsen, und überh. vollenden, zu Ende bringen; zu einem Ganzen (κεφαλή) zusammenbringen, vereinigen; wieder ein Ganzes machen, erneuern; davon —κεφαλαίωσις, εως, ἡ, die summarische Wiederholung; Vollendung, Endigung, s. Quintil. instit. 6, 1. davon —κεφαλαιωτικός, ἡ, όν, was zur summarischen Wiederholung, oder Aufzählung der einzelnen Stücke gehört. —κηκίω, hervorbrechen, herausquellen, hervorsprudeln, beym Homer von Schweiſs, Blut, Il. 13, 705. 7, 262. 23, 507. —κήρυκτος, ὁ, ἡ, ausgerufen, öffentlich bekannt gemacht durch den Ausrufer, v. ἀνακηρύσσω. —κήρυξις, εως, ἡ, Ausruf, öffentl. Bekanntmachung; v. —κηρύσσω, ἀνακηρύττω, f. ξω, ausrufen, öffentlich bekannt machen; laut, öffentlich rühmen, laut anpreisen. —κινδυνεύω, f. εύσω, ich begebe mich von neuem in Gefahr, ich versuche es wieder. Herodot. 8, 100. —κινέω, (κινέω), suscito, ich bewege aufwärts, richte, wecke auf, bringe jemand auf die Beine. Neutr. mit verstandenen χεῖρας, concutere manus et brachia, wie die Klopffechter, wenn sie sich zum Kampfe rüsten. Cicero sagt concalefacere brachium. S. ἀνακίνησις.

—κίνημα, τὸ, f. v. a. —κίνησις, das Bewegen aufwärts, Aufrichten, Erheben; vorz. der Hände als Vorübung zum Fauſtkampfe; daher metaph. f. v. a. *praeludium*. λόγων πάντων προοίμιά τε ἐστὶ καὶ σχεδὸν οἷον τινες ἀνακινήσεις, bey jeder Rede muſs ein Eingang und gleichſam ein Vorſpiel, Vorübung ſeyn. Plato Leg. 4. —κίρνημι, ἀνακίρναμαι, (κιρνάω), ich miſche darunter, darzu. —κλάζω, ειν, aufſchreyn, anſchlagen, vom Hunde. S. κλάζω, klaffen. Cyrop. 1, 4, 15. —κλαίω, f. αύσω, weinen, beweinen, laut weinen; med. anfangen zu weinen, daſs andere mir nachweinen, wie ἄρχομαι. —κλασις, εως, ἡ, das Zerbrechen; das Umbrechen, Umbiegen, Herodian. v. ἀνακλάω, —κλασμὸς, ὁ, f. v. a. das vorherg. —κλαστος, ὁ, ἡ, (ἀνακλαω), biegſam; umgebogen. —κλαυθμὸς, ὁ, auch ἀνάκλαυσις, ἡ, u. ἀνακλαυσμὸς, ὁ, (ἀνακλαίω), das laute Beweinen, Bejammern. —κλάω, ῶ, f. ασω, zerbrechen; umbrechen, umbiegen. —κλέπτομαι, ſich heimlich wegſtehlen, davon machen, bey Heſych. —κλημα, ατος, τὸ, das Angerufene, Aufgerufene, auch f. v. a. d. f. —κλησις, εως, ἡ, (ἀνακαλέω, ἀνακλέω), das Anrufen, Zurufen, Anrufen um Hülfe, Zurufen oder Anrede; Wiederruf, Zurückberufung aus der Verweiſung. —κλητικὸν, τὸ, näml. σημεῖον oder ᾆσμα, das Zeichen mit der Trompete zum Rückzuge aus der Schlacht; v. —κλητικὸς, ἡ, ὸν, zurückrufend; heraufrufend, auffodernd. —κλητος, ὁ, ἡ, zurückberufen, von neuem aufgefodert zu dienen, denn Dio meint ſo das lat. *evocatus* überſetzen zu können. —κλιντήριον, τὸ, ein Ausruhbette, Lehnſtuhl, Ruhekiſſen; von —κλίνω, f. ινῶ, anlehnen, anlegen; auch zurücklehnen, u. daher wie eine Thüre öffnen; hinſtrecken, oder ſich hinſtrecken, ſich lagern laſſen; ausbreiten, hinlegen; davon —κλισις, εως, ἡ, das Anlehnen, Hinſtrecken; das Lagern. —κλισμὸς, f. v. a. das vorherg. auch das, worauf ich mich lege, mich lagre, Ruhebette. —κλιτικὸς, ἡ, ὀν, oder ἀνάκλιτος, gelagert, oder zum lagern, als θρόνος ἀνάκλιτος, ein Sitz, auf den man ſich hinlegen kann. Plut. —κλιτον, ſubſt. f. v. a. ἀνακλιντήριον. —κλύζω, f. ύσω, abſpülen, abwaſchen. —κλώθω, f. ωσω, den geſponnenen Faden ändern, um ihn anders zu ſpinnen, z. B. von den Parcen, die den Lebensfaden wieder aufſpinnen, d. i. das Schickſal ändern. —κναβάλλω. ἀνακναβάλλω. —κογχύζω. S. ἀποκογχύζω. —κογχυλιάζω, f. ασω, f. v. a. ἀναγαργαρίζω. Plato Symp. 11. Nicetas Annal. 10, 1 ἱερεῖον πρὸς ἀναίρεσιν ἀνακογχυλιαζόμενον ſcheint f. v. a. ἀπερριμμένον zu ſeyn. Bey Ariſtoph. Veſp. 609 auffiegeln und verfälſchen. S. κογχύλη. —κογχυλιασμὸς, ὁ, f. v. a. ἀναγαργαρισμὸς. —κογχυλιαστὸς, ἡ, ὸν, f. v. a. ἀναγαργαριστὸς. —κογχυλίζω, f. ίσω, f. v. a. ἀνακογχυλιάζω, zweif.

'Ανακοὶ, ῶν, οἱ, f. v. a. ἄνακες.

'Ανάκοιλος, ὁ, ἡ, ausgehohlt, hohl. —κοίλωμα, τὸ, Aushohlung, Hohlung. —κοιμάομαι, ῶμαι, ſich einſchlafern, ſich ſchlafen legen, liegen, ſchlafen. —κοινόω, ῶ, f. ώσω, τὶ (σὺν) τινὶ, etwas mit einem gemeinſchaftlich machen, es einem mittheilen, z. B. τῷ θεῷ, es dem Gotte (dem Apollo) mittheilen, und ihn deswegen um Rath fragen Xen. An. med. einem das Seinige, ſeinen Plan mittheilen, gemeinſchaftlich mit ihm es verabreden, *communico cum aliquo aliquid* Xen. Cyr. 5, 4. 15 davon —κοίνωσις, εως, ἡ, Mittheilung, gemeinſchaftliche Verabredung. —κοιρανέω, ῶ, beherrſchen, Hom. Il. 5, 824. —κολλάω, ῶ, f. ήσω, anleimen, zuſammenleimen; davon —κόλλημα, ατος, τὸ, der Leim, das Anleimen. —κόλλησις, εως, ἡ, das Anleimen. —κολουθία, ἡ, Mangel an Folge, wenn das letzte dem erſten nicht entſpricht, jenes dieſem nicht gehörig folgt; von —κόλουθον, τὸ, eben das, was d. vorberg. eigentlich das neutr. von —κόλουθος, ὁ, ἡ, (ἀκόλουθος), Adv. ἀνακολούθως, ohne Folge, nicht folgend, wenn dies jenem nicht gehörig folgt; mithin überh. nicht paſſend, nicht ſchicklich. —κολπάζω, oder ἀνακολπίζω beym Ariſtoph. Thesm. 1174. aufſchürzen. —κολυμβάω, ῶ, f. ήσω, herauf- od. hervortauchen, oben ſchwimmen; act. aus der Tiefe, in die man untergetaucht iſt, heraufbringen, Theophr. —κομάω, ῶ, wieder Haare bekommen, Lucian. meretr. dial 12. von Bäumen, wieder Laub gewinnen. S. κόμη. —κομιδὴ, ἡ, das Zurückbringen, Zurücktragen; das Wiedererhalten, Wiederbekommen; Wiederkommen; von —κομίζω, f. ίσω, herauftragen, z. B. in eine Feſtung, Xen. Cyr. 6, 1. 14. An. 4. 7. 1 u. 17. zuſammentragen, wie man es auch in den angeführten Stellen überſetzen kann; zurücktragen, zurückbringen, als ἀνακομίζομαι οἰκέτην, ich bringe meinen Sklaven, der mir entlaufen war, zurück, bekomme ihn wieder Xen. Mem. 2. 10. 1. —κοντίζω, f. ίσω, aufwerfen, aufſchleudern; neutr. auf- oder hervorſpringen, ſprützen, hervorſprudeln.

'Ανακοπή, ἡ, das Abſchneiden, Trennen; metaph. Hinderniſs, Schwächung, ἀνακοπαὶ τῆς προθυμίας Plutarch. τῆς μαιώτιδος λίμνης ἀνακοπὴν εἶναι Plut. Alex. 44. ſcheint einen abgeſchnittenen Theil zu bedeuten. —κόπτω, f. ψω, abſchneiden, d. i. ab- anfhalten, als τινὰ τῆς ὁρμῆς; auch eigentl. τοὺς ὀφθαλμοὺς, die Augen ausſtechen. —κουστος, ὁ, ἡ; l. v. a. ἐπάκουστος. —κουφίζω, f. ίσω, erleichtern, leicht machen, in die Hohe heben, und in med. ἀνακουφίζομαι, d. i. κεναῖς ἐλπίσι ἀναφέρομαι; davon —κούφισις, εως, ἡ, oder ἀνακούφισμα, Erleichterung, Erhebung, Bewegung in die Hohe. —κούω, l. v. a. ἐπακούω Sophoc. —κραδαίνω, od. ἀνακραδάω, aufſchwingen, ſchütteln, ſchleudern. —κράζω, f. άξω, anſchreyen, anrufen, zurufen, aufſchreyen od. laut rufen; laut ſagen, herausſagen, bekennen Hom. Od. 14, 467. —κρασις, εως, ἡ, Vermiſchung, v. ἀνακεράω, contr. κράω. —κρέκω, wovon das medium ἀνακρέκομαι in der Anthol. für tönen, ſprechen. —κρέμαμαι, oben anhängen, herabhängen. —κρεμάω, ῶ, ἀνακρεμάννυμι, ἀνακρεμαννύω, ἀνακρέμνημι und ἀνακρήμνημι, *ſuſpendo*, ich hebe oder halte in die Hohe. ὑπονόμοις τὸ τεῖχος ἀνεκρήμνη Appian. Mithr. 75. 84. S. κρήμνημι; auch tropiſch, wie *ſuſpendo, ſuſpenſus ſum ſpe*, ἀπὸ τῶν ἐλπίδων Aeſchin. —κρίνω, f. ινῶ, beurtheilen, d. i. befragen, unterſuchen, nachfragen, und ſo ſchätzen und entſcheiden, für oder gegen einen, d. i. entweder loben oder tadeln; davon ἀνακρίνειν τὴν δίκην zu Athen von den 9 Archonten u. ἀνακρίνεσθαι im Medio, vom Kläger, desgl. ἀνάκρισις genennt ward, wenn vor Anfange des Prozeſſes die Klage gehörig inſtruirt, die Exceptionen des Gegners gegen die Klage unterſucht und endlich an die Richter gebracht ward.

'Ανάκρισις, εως, ἡ, Beurtheilung, d. i. Befragung, angeſtellte Unterſuchung, Entſcheidung. S. ἀνακρίνω. —κριτικὸς, ἡ, ὸν, zur Unterſuchung gehörig. —κροταλίζω, zuklatſchen, ſo wie —κροτέω, ῶ, die Hande aufheben und zuſammenklatſchen τὰς χεῖρας bey Aeſchines; daher Beyfall zuklatſchen bey Ariſtoph. —κρουσις, εως, ἡ, das Aufhalten, Zurückſtoſsen, Zuruckſteuern; v. —κρουστὸς, ὁ, ἡ, bey Iſidor, Peluſ. Epiſt. ἀνακρουστὸν ὑφαινόμενον ἱμάτιον, wie *tunica recto*, welches nach alter Weiſe am ſenkrechten Weberſtuhle aufwärts gewebt war. —κρούω, f. ούσω, zurückſtoſsen. Eben ſo beym Xenoph. und Plutarch. vom Pferde, das man mit dem Zügel (τῷ χαλινῷ) aufhält, zügelt; med. ſchlagen, ein Inſtrument, als τύμπανον, und davon ἀνακρούεσθαι μέλος, ein Lied, eine Melodie anſchlagen, d. i. ein Inſtrument ſtimmen, präludiren, und ſo allgemein, anfangen Polyb., 2) das Schiff anhalten oder zurückführen; überh. zurückgehn. Plutar. Arat. 48.

'Ανακρωτηρίαστος, ον, unverſtümmelt, ungeſchwacht, ſ. ἀκρωτηριάζω.

'Ανακτάζω. (S. ἀκτάζω), ich ſpringe auf. —κτάομαι, ῶμαι, f. ήσομαι, Medium vom ungewöhnl. ἀνακτάω, ſich wieder erwerben, wieder bekommen; als τὴν ἀρχὴν, die Regierung ſich wieder erkampfen; τὴν δύναμιν τοῦ σώματος, ſeine korperlichen Kräfte wieder bekommen, oder ſich wieder ſtärken, wieder zu Kräften kommen; überh. ohne Ruckſicht des wieder (ἀνὰ) mit und ohne φίλον, ſich einen zum Freunde machen, einen gewinnen, Xen. Cyr. etlichemal. —κτέον, das Gerund. v. ἀνάγω. —κτησις, εως, ἡ, das Wiedererhalten; Gewinnen. S. ἀνακτάομαι. —κτητικὸς, ἡ, ὸν, geſchickt, gut wieder zu erhalten, zu gewinnen. S. ἀνακτάομαι. —κτίζω, f. ίσω, von neuem oder wieder bauen, ſchaffen; davon —κτισις, εως, ἡ, neuer Bau, neue Schöpfung.

'Ανακτίτης, ου, ὁ, ſonſt γαλακτίτης, Edelſtein.

'Ανακτορία, ἡ, (ἀνάκτωρ), Herrſchaft, Königswürde. —κτόριος, ὁ, ἡ, oder ἀνακτόριος, ία, ιον, (ἀνάκτωρ), herrſchaftlich, dem Herrn gehörig. Hom. Od. 15, 396. —κτορον, τὸ, (ἀνάκτωρ), Wohnung eines Herrſchers, königlicher Pallaſt; Wohnung der ἄνακες oder ἄνακτες, d. i. der Dioſkuren, des Kaſtor und Pollux, und überh. der Götter, Tempel. —κτοτελέσται, die Vorſteher von den Myſterien der Korybanten. Clemens Alex. v. ἄναξ u. τελέω. —κτωρ, ορος, ὁ, Herrſcher, Herr von Unterthanen und Sklaven.

'Ανακυΐσκω. S. κυΐσκω. —κυκάω, ῶ, f. ήσω, vermiſchen, durch einander miſchen. —κυκλέω, Eur. Oreſt. 231. ſ. v. a. ἀνορθόω, aufrichten. Philo. 2 p. 245. —κύκλησις, εως, ἡ, ſ. v. a. ἀνακύκλωσις, v. κυκλέω. —κυκλόω, ῶ, f. ώσω, umzingeln; im Kreiſe herumdrehen, herumwalzen. πρὸς ἐμαυτὸν τὰ εἰρημένα Lucian. Nigrin. 6. wie *revolvo mecum animo*, wiederholen u. betrachten. dav. —κύκλωσις, εως, ἡ, Umwalzung, das Herumdrehen im Kreiſe. —κυλισμὸς, ὁ, Umwälzung, Umdrehung; von —κυλίω, f. ίσω, umwalzen, umdrehen, fortwalzen, als Steine; umwickeln. —κυμβαλιάζω f. άσω, Iliad. π. 379. δίφροι δ' ἀνεκυμβαλίαζον d. i. uberwarfen ſich und machten dabey das Ge-

…ſch eines κύμβαλον. Luzian folgte dieſer Lesart und verglich damit die Stelle Iliad. λ. wo die Pferde den Wagen klirrend mit ſich fortreiſſen κεῖν' ὄχεα κροτάλιζον, u. anderswo κροτέοντα. Andere aber laſen ἀνεκυμβαχίαζον v. κύμβαχος, ſie ſtürzten, ſchlugen über, ἀνετρέποντο, *proni volvebantur in caput.* Nicetas Annal. 19, 3 πρὸς γένος ἕτερον τὰ Ῥωμαίων ἀνακυμβαλισθήσεται πράγματα.

'Ανακυπτόω, u. ἀνακυττόω, ῶ, f. ώσω, umkehren, auf den Rücken legen. Nicand. Ther. 705. wofür Heſych. ἀνακυττόω falſch hat. S. κυπτόω. —κύπτω, f. ψω, den Kopf in die Höhe richten; in die Höhe kommen, aus Waſſer und Schlamm, *emergo,* und daher, wie dies, tropiſch, ſich aufrichten, ſich erholen, ſich aus Angſt und Unglück herauswinden, Xen. Oec. 11, 5. S. κύπτω. —κυρίωσις, εως, ἡ, bey Hippocr. wofür einige ἀνακύρωσις d. i. *abrogatio,* andre beſſer ἀνάκρισις leſen. —κυρτός, ὁ, ἡ, gekrümmt, rückwartsgebogen. —κωκύω, f. ύσω, aufklagen, aufwinſeln, laut weinen, klagen. —κωλος, ὁ, ἡ, abgekürzt, ſehr kurz, als χιτωνίσκος Plut. κάμηλος Diodor. 2, 54. kurz geſtreckt oder kurzbeinicht. —κωλύω, f. ύσω, verhindern. zweif. —κωμῳδέω, in der Komoedie oder nach Art der Komödie verlachen, verſpotten. zweif.

'Ανακῶς, Adv. ἀνακῶς ἔχειν τινὸς, ſ. v. a. ἐπιμελεῖσθαι, ſorgen, beſorgen, in Acht nehmen. Kommt mit ἄναξ von einerley Stammworte.

'Ανακωφάω, ῶ, f. ήσω, oder ἀνακωφόω, taub machen, betäuben, bey Suidas zweif. Vergl. Ariſtoph. Eq. 312. —κωχεύω, ἀνακωχέω und ἀνακωχὴ. S. κωχεύω. Iſt ſ. v. a. ἀνέχω und ἀνοχὴ. Thucyd. 8, 87. ἀνακ. τὰς ναῦς Polyaen. 1, 3, 3 erklart den Sinn d. σαλεύοντα ἄνω τῆς θαλάσσης, alſo die Schiffe auf dem hohen Meere vor Anker legen. τὸν πόλεμον aufhalten, Dionyſ. Ant. 9, 16. ſo hat Herodian, 6, 7 ἀνακωχὴ für Hinderniſs, Abhaltung.

'Αναλάζομαι, f. άσομαι, anfallen, oben angreifen. —λακτίζω, f. ίσω, hinten ausſchlagen. —λαλάζω, fut. άξω, ſ. ἀλαλάζω. Es ſteht z. B. Xen. Anab. 3. 19. —λαμβάνω, f. λήψομαι, aufnehmen, zu ſich nehmen, aufnehmen; wieder nehmen, oder erneuern, verbeſſern, ſich erholen laſſen oder ſtarken, als τὸ σῶμα Appian. und mit und ohne ἑαυτὸν beym Thucyd. zurücknehmen, zurückhalten, von Pferden beym Plato und Xenoph. Und ſo von ſchlechten Handlungen, die man zurücknimmt, d. i. verbeſſert, gut macht, beym Demoſth. verbunden mit μεταγινώσκειν, und Sophocl. Phil. 1248. —λάμπω,

f. ψω, aufleuchten, erhellt werden, ſtrahlen, auflodern oder Feuer fangen, als Xen. Cyr. 5. 1. 15.

'Αναλγὴς, έος, ὁ, ἡ, (ἄλγος), ohne Schmerz, keinen Schmerz empfindend, keines Schmerzes fähig, unempfindlich, wie ἀπαθὴς. —γησία, ἡ, Charakter eines ἀναλγὴς, Unempfindlichkeit, Indolenz; auch metaphor. ἀναισθησία, Stupiditat. —άλγητος, ὁ, ἡ, ſ. v. a. ἀναλγὴς. Adv. ἀναλγήτως, unempfindlich, unbarmherzig. Sophocl. Aj. 1350, ſo wie das Adj. v. 959.

'Αναλδαίνω, erziehn, groſs ziehn, wachſen laſſen, v. ἀλδαίνω, ἀνὰ. —δὴς, (α, ἄλδω), was nicht wächſt; ebendaher ἀναλδία, ἡ, ſ. v. a. ἀτροφία. —δήσκω, ſ. v. a. ἀναλδέω, ich wachſe, nehme zu. Opp. Cyn. 2, 397 nachwachſen, von neuem entſtehen.

'Αναλεαίνω, zermalmen, v. λεαίνω. —λέγω, f. ξω, aufleſen, zuſammenleſen, ſammeln, als τὸν χρόνον Plut. die Zeit zuſammen nehmen, d. i. zuſammenrechnen, daher auch, wie διαλογίζομαι, uberlegen, wo man eines zum andern rechnet, eins mit dem andern vergleicht; leſen, vorleſen beym Galen. und Lucian.

'Ανάλειπτος, (ἀλείφω), nicht geſalbt. —λειφίη, das Nichtſalben, als Hippocr. ἡ ἀλουσίη καὶ ἡ ἀλειφίη ξηραίνει, wenn man ſich nicht badet, ſich nicht ſalbt, wird man hager. —λειφος, ὁ, ἡ, ſ. v. a. ἀνάλειπτος, Themiſt. Or. 20 pag. 235.

'Αναλείχω, f. ξω, auflecken, belecken. —λεκτὰ, ων, τὰ, das Aufgeleſene, die aufgeleſenen, geſammelten Brocken. —λεκτος, ὁ, ἡ, aufgeleſen, zuſammengeleſen, geſammelt, von ἀναλέγω.

'Αναλήθης, ες, (ἀληθὴς), nicht wahr, ungegründet. Adv. ἀναλήθως.

'Ανάλημμα, ατος, τὸ, (ἀναλαμβάνειν), die Erhöhung, Aufrichtung, Ausbeſſerung, *reſtauratio;* 2) die Hohe, und was in der Höhe iſt, wie Dächer, *faſtigia* und *ſolaria.* Vitruv. 9, 4. eine Art von Gnomon, womit die Aſtronomen den wachſenden und abnehmenden Schatten der Sonne maſsen, um daraus den Lauf der Sonne zu beſtimmen. ἀναλήμματα nennt Dionyſ. Antiq. 3. 69 und 4; 59 *ſubſtructiones,* was man in die Höhe baut und dann mit Schutt ausfüllt, um einen Platz zu planiren.

'Αναληπτὴρ, ῆρος, ὁ, ein Waſſereimer beym Joſeph. Antiq. 8 K. 3. vielleicht von ἀναλαμβάνω, weil man damit das Waſſer anfaſst oder trägt.

'Αναληπτικὸς, ἡ, ὸν, (ἀνὰ, λήβω, λαμβάνω). Adv. ἀναληπτικῶς, gut, geſchickt wieder zu nehmen, zu erfriſchen, zu ſtarken, als ἀγωγὴ ἀναληπτικὴ, ſtärkende Diät beym Galen. —ληψις, εως, ἡ, das Wiedernehmen, Wiederbekommen, z. B. τῆς ἀρχῆς Plut. daher Genesung, ἀνάῤῥωσις nach Suidas; das Annehmen, das Anerkennen, παιδὸς, eines Kindes für das seinige; das Begreifen, Erlernen, μαθημάτων.

'Αναλθὴς, έος, ὁ, ἡ, (ἀλθέω), nicht zu heilen, unheilbar.

'Αναλίγκιος, ὁ, ἡ, (ἀλίγκιος), ungleich, unähnlich.

'Ανακικμάω, lüften, ausschwingen. —λίσκω, f. ἀναλώσω, verthun, verwenden auf etwas, oder die Kosten zu etwas hergeben, verzehren, aufreiben, tödten, wie *consumo* und *conficio*. von ἁλίσκω und ἀνὰ, also eigentl. zu etwas nehmen, d. i. verwenden. —λιχμάομαι, s. v. a. ἀναλείχω.

'Ανάλκεια, ἡ, od. ἀναλκία, (ἀλκή). Mangel an Stärke, Kraftlosigkeit, Unvermögen, Feigheit. —κις, ιδος, ὁ, ἡ, (ἀλκή), ohne Stärke, kraftlos, ohnmächtig, unvermögend, feig.

'Ανάλλακτος, ον, (ἀλλάσσω), nicht zu verändern, unveränderlich, unversöhnlich.

'Αναλληγόρητος, ον, (ἀλληγορέω), ohne Allegorie zu erklären, nicht allegorisch.

'Αναλλοίωτος, ὁ, ἡ, (ἀλλοιόω), nicht zu verändern, schwer zu ändern.

'Ανάλλομαι, (ἄνω, ἅλλομαι), in die Höhe springen, hinanspringen.

"Αναλμος, ὁ, ἡ, (ἅλμη Salzwasser), ohne Salzigkeit, nicht salzig.

'Αναλογάδην, Adv. nach der Analogie. —λογεῖον τὸ, ein Ort für Rechnungen, Rechnungsarchiv. zw. —λογέω, ῶ, ich bin ἀνάλογος, bin gleich, entspreche einem, habe Verhältniss, Analogie zu einer Sache. —λογία, ἡ, Gleichheit, Verhältniss. Cic. übersetzt es *comparatio proportiove*, und Quintil. 5, 10 führt es als *species* von dem *genus*, *simile* an, mit dem Beyspiel: *ut unum ad decem, sic decem ad centum*, 1 : 10 — 10 : 100. von ἀνὰ und λόγος, und zunächst v. ἀνάλογος. —λογίζομαι, bey sich überrechnen, überlegen, Gleiches mit Gleichem vergleichen, schätzen, beurtheilen, einsehen. —λογικὸς, ἡ, ὸν, analogisch, nach der Analogie. —λόγισμα, ατος, τὸ, oder ἀναλογισμὸς, das Zusammenrechnen, Ueberrechnen, Zusammenziehn; übergetragen, Ueberlegung und der darnach genommene Entschluss, entworfener Plan, wie Cic. ad Div. 1, 9. 22: *rationibus subductis summam feci cogitationum mearum omnium*. —λογιστικῶς, Adv. (ἀναλογίζομαι), so weit man zusammenrechnen kann, nach wahrscheinlicher Berechnung, muthmasslich. —λογος, ὁ, ἡ, Adv. ἀναλόγως, nach dem λόγος, gleich, verhältnissmässig; entsprechend, gemäss, als beym Aristot. τὸ πρέπον ἕξει ἡ λέξις — τοῖς ὑποκειμένοις πράγμασιν ἀνάλογον.

'Αναλος, ὁ, ἡ, (ἅλς), ohne Salz, nicht salzig.

"Αναλτος, ὁ, ἡ, ungesalzen, als ἔτνος, τύρος beym Hippocr. ungesalzener Brey, Käse, wo man es von ἅλς ableiten muss; unersättlich, Hom. Od. 17, 228. 18, 113. ἀκόρεστος nach Eustath. von ἄλω, *alo*, oder ἄλδω.

'Αναλύζω, aufschluchzen und weinen. Quint. Smyrn. 14, 280 wo ἀνωλύζεσκε st. ἀναλ. steht. S. λύζω. —λυσις, εως, ἡ, Auflösung, einer Sache, d. i. Vernichtung, einer dunkeln Frage, d. i. Erklärung, einer Anordnung, eines Gesetzes, d. i. Abschaffung; auch Abreise, ohngefähr wie unser Aufbruch. Von ἀναλύω. —λυτὴρ, ῆρος, ὁ, Erlöser, Befreyer. —λυτικὸς, ἡ, ὸν, auflösend; der mir zeigt, wie ich etwas auflösen soll, oder auch blos, der etwas auflöst, als Analytiker, analytische Schriften. —λυτρόω, ῶ, f. ώσω, loslösen od. auslösen lassen, den Gefangenen loslassen für Lösegeld; med. ἀναλυτρώσασθαι, loskaufen, eigentlich einen für sich auslösen lassen. —λύω, f. ύσω, auflösen, einen Faden, ein Gespinnst, d. i. auftrennen, etwas, d. i. vernichten, zertheilen, zerstören; eine Frage, d. i. erklären, zerlegen und so durch die einzelnen Theile das Ganze deutlich machen, wie *dissolvo*, *explico*; eine Anordnung, Gesetz, Staat u. s. w. d. i. abschaffen; Regierungsart, Staatsverfassung ändern; auch wie *solvo* schlechtweg, oder mit *ancoram*, oder *navem*, *classem a litore*, sein Schiff losbinden, aufbrechen, absegeln, abreisen.

'Αναλφάβητος, ὁ, ἡ, nicht einmal im Alphabet unterrichtet, *qui ne sait ni a ni b*, dümmer als ein Abcschüler, beym Athen. verbunden mit εὐτελέστατος ἰδιώτης.

'Ανάλωμα, ατος, τὸ, oder ἀνάλωσις, (ἀνὰ, ἀλόω, ἀλίσκω), Verwendung, Ausgabe, Aufwand. —λωτὴς, οῦ, ὁ, Verwender, Verthuer; davon —λωτικὸς, ἡ, ον, verzehrend. —λωτος, ὁ, ἡ, (ἁλωτὸς, ἀλόω), nicht zu besiegen, unüberwindlich, uneroberlich. —λωφάω, f. ήσω, sich erholen, ausruhen. s. λωφάω. —μαιμάω, μῶ, Hom. Il. 20, 490 ἀναμαιμάει βαθέ᾽ ἄγκεα st. μαιμάει ἀνὰ β. ἄγκεα, wüthet durch die Schluchten. —μαλάσσω, ἀναμαλάττω, f. άξω, erweichen, μαλάσσω. —μανθάνω, f. θήσομαι, wieder lernen, von neuem lernen; ausforschen Philostr. Apol. 1, 11. —μαντεύομαι, ich wiederhole das *augurium*. Dio. Cass. —μάξευτος, ὁ, ἡ, unzugangbar für Wagen, v. ἁμαξεύω.

[illegible]μαρμαίρω. S. μαρμαίρω. —μαρ-τημα, ἡ, Charakter eines ἀναμάρτη-[illegible] Unfehlbarkeit im Moralischen, [illegible]schuld. —μάρτητος, ὁ, ἡ, (ἁμαρ-[illegible]) unfehlbar im Moralischen; nicht [illegible] nie fehlend, sich nicht verge-[illegible], oder der sich nie vergangen hat, [illegible] Xen. sehr häufig. Adv. ἀναμαρ-[illegible]ως, ohne Fehler, ohne zu fehlen, [illegible]. Mem. 4. 3. 13. u. 2, 8. 5 wo ἀναμ. [illegible]ποιεῖν s. v. ist a. d. vorherg. μηδὲν [illegible]. —μαρτοεπής, έος, ὁ, ἡ, [illegible] οὐχ ἁμαρτάνων ἔπεσι, in seinen [Re]den nicht fehlend, die Wahrheit [nic]ht verfehlend. Vergl. ἀφαμαρτοε-[πής]. —μασάομαι, ῶμαι, wiederkäu-[en]; tropisch, wieder überdenken, so [wie] auch *ruminari*. Auch findet man [illegible] mit einem doppelten σ.

[Ἀν]αμάσσω, ἀναμάττω, f. ξω, S. μάσ-σω, die Hände daran legen, berühren, [an]greifen; daher kneten, den Teig [ein]rühren, auch ἀναμάττομαι. 2) dah. [a]bdrucken, *exprimere*. ἐι δι' ὅλου ὁ κηρὸς [ἀνε]μάττετο τὴν σφραγῖδα; daher me-[ta]ph. nachahmen. 3) ich wische ab, rei-[ni]ge; S. περιμάσσω u. ἀμφιμάσσω. me-taph. ἔργον ὁ σῇ κεφαλῇ ἀναμάξεις, wo-für du mit deinem Kopf büssen u. gleichsam ein Reinigungsopfer brin-gen sollst, *capite lues*, *purgabis tuo*, welches Herodot. 1, 155 nachgeahmt hat. 4) durch Berührung beschmie-ren, besudeln, καὶ τῷ προσώπῳ τοῦ αἵματος ἀναματτομένη-ἐκάλει. Plutarch.

Ἀναμαστεύω, f. ευσω, aufsuchen, ge-nau untersuchen, wie *anquiro*. —μα-σχαλιστήρ, ῆρος, ὁ, (μασχάλη), was man auf der Achsel hat, Achsel-band, als Putz bey den Weibern.

Ἀνάματος, ὁ, ἡ, (νᾶμα), ohne Ge-wässer, wasserlos Epigr. im Gegens. v. εὔυδρον ἄστυ.

Ἀναμάττω. S. ἀναμάσσω. —μάχο-μαι, f. έσομαι o. ήσομαι, v. neuem strei-ten, wieder den Kampf beginnen, u. mit ἧτταν Plut. die erlittene Niederlage durch ein zweytes Treffen gut ma-chen, und daher überhaupt ersetzen: ἀναμάχεται ἡ φύσις τῷ πλήθει τὴν φθο-ρὰν Aristot. S. auch Xen. Cyr. 3, 1. 20.

Ἀνάμβατος, ὁ, ἡ, (ἄμβατος st. ἀναβ.), unersteiglich, vom Pferde, nicht be-stiegen, nicht geritten, nicht zum Reiten Xen. Cyr. 4, 5. 46.

Ἀναμέλγητος, ὁ, ἡ, oder ἀνάμελκ-τος, (ἀμέλγω), nicht zu melken; nicht gemolken. Die erste Form zw.

Ἀναμέλπω, f. ψω, besingen, preisen. —μεμιγμένως, Adv. vermischt, gemischt, durch einander, von par-tic. praet. pass. v. ἀναμίγνυμι. —μέ-νω, f. ενῶ, verbleiben, oder beständig bleiben; τινὰ oder τι, einen, etwas erwarten, oder auch verschieben, als Xen. Cyr. 1, 6. 10. —μέσος, ὁ, ἡ, in der Mitte, Zwischenmann. —μεσ-τος, ὁ, ἡ, angefüllt, voll; davon —μεστόω, ῶ, f. ώσω, anfüllen, voll machen. —μετρέω, ῶ, mes-sen, abmessen, vermessen, oder nach Vermessungen vertheilen. Einen Weg wieder messen, d. i. abschreiten, od. noch einmal machen, wodurch man das Maas oder die Länge des Weges erfährt: Handlungen, (πράξεις Plut.), Reden (wie beym Eurip. ἄῤῥητα), wieder messen, das ist zum zwey-tenmal etwas thun, sagen; davon —μέτρησις, εως, ἡ, das Ausmes-sen, Vermessen. —μηλόω, ich ho-le mit dem Werkzeuge μήλη herauf. S. καταμηλόω. —μηρυκάομαι, ῶμαι, f. ήσομαι, s. v. a. μηρυκάομαι. —μη-ρύομαι, f. ύσομαι, wie Wolle oder einen wollenen Faden zurückziehn, oder aufwickeln. —μηχανάομαι, ῶμαι, f. ήσομαι, wiederum, von neu-em μηχανᾶσθαι, Mittel anwenden, ver-suchen.

Ἀνάμιγα, ἀνάμιγδα u. ἀναμίγδην Adv. vermischt, durcheinander, von ἀναμί-γω, ἀναμιγνύω. Von der ersten Form kommt ἄμμιγα contr. —μίγνυμι, f. ίξω, anmischen, vermischen, durch einander mischen. Eben das ist die andere Form ἀναμιγνύω.

Ἀναμίλλητος, ὁ, ἡ. (ἁμιλλάομαι), worüber man nicht streitet.

Ἀναμιμνήσκω, erinnern, τινὰ τι, ei-nen an etwas; med. sich erinnern. —μίμνω, eine andere Form v. ἀνα-μένω. —μινυρίζω, f. ίσω, schmach-tend singen, beym Protagorid. in einer Stelle beym Athen. 4. τῷ ἥδεῖ μοναύλῳ τὰς ἡδίστας ἁρμονίας ἀναμινυ-ρίζει.

Ἀναμίξ, Adv. s. v. a. ἀνάμιγα. —μι-ξις, εως, ἡ, Vermischung; v. —μίσ-γω, f. ίξω, s. v. a. ἀναμίγνυμι. —μισ-θαρνέω, wiederum Lohn annehmen, um Sold dienen, ἀνὰ, μισθαρν.

Ἄναμμα, ατος, τὸ, das Angezündete, das Brennende, die Fackel, v. ἀνάπ-τω. —ματος, ὁ, ἡ, (ἅμμα), ohne Knoten; ohne Band.

Ἀναμνάω, ich erinnere, s. v. a. ἀνα-μιμνήσκω, das medium ἀναμνάομαι, ich erinnere mich.

Ἀνάμνησις, εως, ἡ, die Erinnerung, die ich einem andern gebe, *commo-nefactio*; pass. die Erinnerung, wenn ich mich selbst erinnere, *recordatio*. —μνηστικὸς, ἡ, ὸν, sich leicht an etwas erinnernd, von gutem Gedächt-nifs.

Ἀναμολύνω, beschmutzen, besudeln, wie μολύνω. —μονή, ἡ, (ἀναμένω), das Erwarten, Zurückbleiben; das Warten auf etwas, Harren, Langmuth; ſonſt ὑπομονὴ, nach Heſych. μακροθυμία.

'Αναμίργνυμι, f. ξομαι, anmiſchen, einmiſchen, einreiben; auch tropiſch τὰ τῶν πολλῶν πάθη ἀναμόρξασθαι Plut. ſich die Leidenſchaften des Volks einreiben, ſich dieſelben ganz eigen machen. —μορμυρω, aufbrauſen, aufkochen, ἀναζέω, beym Hom. Od. 12, 238 auch vom Meer, wie *aeſtuo* beym Virg. Aen. 6, 396. mit der beygeſetzten Vergleichung v. 237. λέβης ὡς ἐν πυρὶ πολλῷ, v. μορμύρω, *murmuro*. Vergl. ἀναβολάδην. — μορφόω, ῶ, f. ώσω, umbilden, umformen, eigentl. wieder bilden; davon —μόρφωσις, εως, ἡ, zweyte Bildung, Umbildung. —μοχθίζομαι. S. ἀναμυχθίζομαι. —μοχλευω, f. εύσω, aufbrechen mit dem Hebel, μοχλὸς.

'Αναμπέχονος, ὁ, ἡ, (ἀμπεχόνη), ohne Kleidung, ohne Oberkleidung oder Mantel. Denn Athen. ſagt: ἀναμπέχονος καὶ μονοχίτων ἦν, er gieng ohne Mantel blos in einem Unterkleide.

'Αναμπίσχω, ſ. v. a. ἀμπίσχω Ariſtoph. Veſp. 1189.

'Αναμπλάκητος, ὁ, ἡ, S. ἀπλάκητος. Bey Stobaeus Floril. Grot. p. 37 ſteht ἀναμπλακέως falſch ſt. ἀπ' ἀτρεκέως nach Valkenair.

'Ανάμπυξ, υκος, ὁ, ἡ, (ὄμπυξ), ohne Kopf-oder Haarbinde.

'Αναμυρίζω, f. ίσω, wieder einſalben; davon —μυρισμὸς, ὁ, wiederholtes Einſalben. —μυχθίζομαι, f. ίσομαι, verlachen, verſpotten; ſeufzen, den Seufzer heraufholen. S. μυχθ. bey Aeſchyl. Pr. 749 leſen andre dafür ἀναμοχθίζομαι, für jammern, ſeufzen. —μύω, f. ύσω, ſ. v. a. ἀναβλέπω, aufblicken, das Gegentheil von συμμύειν.

'Αναμφήριστος, ὁ, ἡ, Adv. ἀναμφηρίστως, nicht beſtritten, unbezweifelt, gewiſs. v. ἀμφήριστος, ἀμφὶ, ἐριστὸς, ſo wie die beyden folgenden, und ἀναμφίλογος. —φίβολος, ὁ, ἡ, Adv. ἀναμφιβόλως, (S. ἀμφίβολος), nicht ungewiſs, nicht zweydeutig, zuverläſſig, gewiſs. —φίδοξος, ὁ, ἡ, Adv. ἀναμφιδόξως, nicht zweifelhaft, nicht unentſchlüſsig. S. ἀμφίδοξος. — φιεστός, ὁ, ἡ, (ἀμφίεστος, v. ἀμφιέννυμι), Adv. ἀναμφιέστως, nicht angezogen, nicht angekleidet. —φίλεκτος, ὁ, ἡ, Adv. ἀναμφιλέκτως, unbeſtritten, dem nicht widerſprochen wird. S. ἀμφίλεκτος. —φίλογος, ὁ, ἡ, Adv. ἀναμφιλόγως, ſ. v. a. das vorhergehende, z. B. Adv. beym Xen. Cyr. 8, 1. 44. ohne Widerſpruch, ohne Widerrede, d. i. gern. S. ἀμφίλογος. —φισβητήσιμος, ὁ, ἡ, nicht zweifelhaft. S. ἀμφ. —φισβήτητος, ὁ, ἡ, Adv. ἀναμφισβητήτως, unbezweifelt. Im eigentl. Sinne (da es v. ἀμφὶ, βαίνω abſtammt. S. ἀμφισβητέω) ſteht es Xen. Cyr. 8, 5. 6, weil ſie die Gegend kannten, ἐς ἀναμφισβήτητον πάντες κατεχωρίζοντο, ſo vertheilten ſich alle, ohne ſich zu verirren. —μωκάομαι, ῶμαι, f. ήσομαι, verlachen.

'Ανανάγκαστος, ὁ, ἡ, (ἀναγκαστὸς), ungezwungen, freywillig.

'Ανανδρία, und ἀνανδρεια, ἡ, Charakter eines ἄνανδρος, Unmännlichkeit, Feigheit, niedriges, weibiſches, entehrendes Betragen, Unmannbarkeit, Lucian. Syr. 26. —δριεῖς, οἱ, Entmannte, Verſchnittene. Bey Hippocr. wo andre aus dem Herodot. ἐνάρτες leſen wollen. —δρος, ὁ, ἡ, (ἀνὴρ, ἀνδρὸς), Adv. ἀνάνδρως, nicht männlich, unmännlich, feige, furchtſam, weibiſch; dav. —δρόω, ῶ, f. ώσω, ich entmanne, entkräfte; davon —δρωτος, ἡ, entmannet, d. i. von einer Frau gebraucht, ihres Mannes beraubt, verwittwet.

'Ανανεάζω, f. άσω, wieder jung machen, verjüngen, erneuern. —νέμω, vertheilen. —νεόω, ῶ, f. ώσω, ſ. v. a. ἀνανεάζω.

'Ανάνετος, ὁ, ἡ, (ἄνετος), nicht nachgelaſſen, in beſtändiger Spannung, Anſtrengung.

'Ανάνευσις, εως, ἡ, Erholung, Ruhe, v. ἀνανέω.

'Ανάνευσις, εως, ἡ, das Kopfſchütteln; daher das Verneinen, abſchlägige Antwort; von —νεύω, f. εύσω, abſchütteln, oder den Kopf ſchütteln; daher verneinen, abſchlagen. Xen. Cyr. 1, 6. 13. kurz vorher ἀπόφημι; (ἄνω, νεύω), aufſchütteln, d. i. den Kopf in die Höhe werfen, aufblicken. Bey Polyb. 1, 23 in die Höhe gerichtet ſtehn. —νέω, f. εύσω, (ἄνω, νέω), oben ſchwimmen; daher wie *emergo*, ſich aus einem Unglück (im tropiſchen Sinne Tiefe, Schlund, Schlamm), herauswinden, ſich erholen. —νέωσις, εως, ἡ, Verjüngung, Erneuerung, v. ἀνανεόω. —νεωτικὸς, ἡ, ὸν, (ἀνανεόω), verjüngend, erneuend, beym Joſephus vom Opfer zur Erneuerung des Andenkens an alte Wohlthaten. —νηπιεύομαι, (νήπιος), ſich wieder zum Kinde machen, wieder ein Kind werden, *repueraſco*. —νήφω, f. ψω, wieder nüchtern werden; auch vom Verſtande wieder nüchternen Sinnes werden. act. wiederum nüchtern machen. Lucian. biſaccus. c. 17. —νήχομαι, f. ξομαι, ſ. v. a. ἀνανέω.

'Ανανθέω, (ἀνθέω u. ἀνὰ), wieder aufblühen. —θὴς, έος, ὁ, ἡ, (ἄνευ ἀνθος), ohne Blüthe, nicht blühend, nicht ſtark.

'Ανάνιος, ὁ, ἡ, (ἀνία), Adv. ἀνανίως, ohne Schmerz, frey von Schmerz; act. ohne Kränkung, nicht kränkend, nicht ſchadend. Auch dor. ſt. ἀνήνιος, ohne Zügel (ἡνία), zügellos, frech, ſtolz, wie δυσήνιος. —νομή, ἡ, Vertheilung von ἀνανέμω. —νοσέω, ῶ, wieder krank werden.

'Άναντα, τὰ, unzugangbare, ſteile Höhen; neutr. plur. v. ἀνάντης. —ταγώνιστος, ὁ, ἡ, (ἀνταγωνίζομαι), nicht bekämpſt, unbeſiegt. —ταπόδοτον, τὸ, (ἀντὶ, ἀπόδοτον), ohne Gegenſatz. —της, εος, ὁ, ἡ, (ἀντάω), nicht zugangbar, unerſteiglich, ſchwer zu erſteigen, ſteil. —τίβλεπτος, ὁ, ἡ, (ἀντιβλέπω), nicht anzublicken, den man nicht anzublicken wagt. —τίλεκτος, ὁ, ἡ, (ἀντιλέγω), Adv. ἀναντιλέκτως, nicht zu widerſprechen, dem keiner widerſprechen darf, dem keiner widerſpricht, ohne Widerſpruch, wie ἐπιθυμία beym Joſeph. Lüſte eines Regenten, die jeder befriedigt. —τίῤῥητος, ὁ, ἡ, (ἀντιῤῥέω), Adv. ἀναντιῤῥήτως, ohne Widerrede, ohne Widerſpruch. —τιφωνητία, ἡ, Mangel an Widerſpruch, wenn man nicht widerſpricht, nicht antwortet. —τιφώνητος, ὁ, ἡ, (ἀντιφωνέω), nicht widerſprochen, dem man nicht widerſpricht, dem man nicht widerſprechen kann; ohne Gegengeſang, ἀντιφωνία. —τλέω, herausſchöpfen. πόνους Dionyſ. Ant. 8, 51 mit Mühe vollbringen, wie *exantlare labores.*

'Άναξ, ακτος, ὁ, ἡ, König, Königin, Herr, Herrſcher, der Hausherr oder Herr vom Sklaven; die älteſte Bedeutung iſt ein Beſorger, Vorſteher. S. ἀνακῶς, daher ἄναξ κώπης Aeſchyl. Perſ. 378 der Ruderer. —ξαίνω, f. ανῶ, ich kratze auf, ſchabe auf, daher ἕλκος eine Wunde aufreiſsen. Themiſt. Orat. 7 metaph. διαφορᾶς ἀναξαινομένης Polyb. 27, 6 als der alte Zwiſt erneuert ward, wie *recrudeſcit inimicitia.* —ξεία, ἀναξία, ἡ, (ἄναξ), ſ. v. a. βασιλεία, bey Aeſchylus u. Pind. Nem. 8, 18. wo jetzt ἂν ἀξίαις ſteht.

'Άναξηραίνω, f. ανῶ, ſ. v. a. ξηραίνω; davon —ξήρανσις, εως, ἡ, das Abtrocknen, die Austrocknung.

'Άναξιδώρα, ἡ, d. i. ἡ ἀνάγουσα (fut. ἀνάξω) τα δῶρα ἐκ τῆς γῆς, die (Göttin, welche) Gaben aus der Erde hervorbringt, Geberin der Früchte, Ceres.

'Άναξιοπάθεια, ἡ, unverdientes Leiden, unwürdige, entehrende Behandlung. —ξιοπαθέω, unwürdig, unverdient dulden, ἀνάξια oder ἀναξίως πάθεῖν od. πάσχω; fühlen, daſs man unverdient duldet, und ſich darüber entrüſten.

'Ανάξιος, ὁ, ἡ, (ἄξιος), Adv. ἀναξίως, unwürdig, unwerth, nicht werth; nicht gewürdigt, nicht ſeiner Würde gemäſs behandelt, nicht geehrt.

'Αναξιφόρμιγξ, γγος, ὁ, ἡ, Zitterherrſcher, beym Pindar. ol. 2. ein Beywort eines Hymnos, den man auf der Zitter ſpielt.

'Αναξυνόω, ſ. v. a. ἀνακοινόω. —ξυρίς, ίδος, ἡ, eine Art langer, ſchleppender Beinkleider, v. ἀνασύρω, nachſchleppen, z. B. bey den Perſern Xen. Cyr. 8, 3. 18. An. 1, 5. 8. bey den Galliern *braca* oder *bracca* Ovid. Triſt. 5, 7. 49. —ξύω, f. ύσω, aufkratzen, abkratzen, als λίθον, einen Stein, d. i. poliren; abwiſchen, als τὰ ἐν τῇ γῇ ὄντα σημεῖα, die in der Erde ſichtbaren Zeichen (des Mordes, des Blutes) wegwiſchen, verwiſchen.

'Αναπαγγέλλω, f. ελῶ, ſ. v. a. ἀναγγέλλω, zweif. —παιδευτότροπος, ὁ, ἡ, von, mit den Sitten eines unwiſſenden Menſchen. Diodor. Excerpt. —παιδεύω, f. εύσω, wieder unterrichten, o. erziehen, d. i. entweder anders unterrichten, o. noch ſorgfältiger, als vorh. unterrichten. —παιστος, ὁ, in der Metrik ein pes | ∪ ∪ — | d. i. ἀναπαίων τὸν δάκτυλον, o. ein ἀντιδάκτυλος, ein umgekehrter dactylus | — ∪ ∪ |. Philoſtr. Soph. 2, 20, 3 nennt es ἀναπαίοντας ῥυθμοὺς ſt. ἀναπαίστους. —παιστρίδες, ων, αἱ, bey Heſych. ſ. v. a. oder ein Beywort v. σφῦρα, Hammer. —παίω, wieder ſchlagen. —παλαίω, f. αίσω, wieder kämpfen, den Kampf erneuern. —πάλειπτος, ὁ, ἡ, (ἀπαλείφω), unauslöſchlich, unvertilgbar. —πάλη, ἡ, erneuerter, gegenſeitiger Kampf, eine Art von Tanz bey den Alten, indem junge Leute alle fünf Arten des Kampfes durch Springen und Geſtikulationen nachahmten. —παλιν, Adv. im Gegentheil, gegenüber; umgekehrt, als περιφέρειν Xen. Cyr. 2, 2. 2. —παλινδρομέω, wieder zurücklaufen. —πάλλω, f. αλῶ, (ἄνω, πάλλω), aufſchwingen, ſchwingen, als ἔγχος; metaph. excitare Eur. Bach. 1179. med. od. paſſ. ſich in die Höhe werfen, in die Höhe ſpringen, Hom. Il. 20, 424. Und ſo braucht es Strabo vom Bäumen eines Pferdes; davon —πάλσις, εως, ἡ, das Schnellen, das Schleudern. —παριάζω, f. άσω, ich mach's wie ein Parier, und ändere nach veränderter Lage meine Meinung und Entſchluſs, wie es die Parier mit dem Miltiades machten Cornel. in Milt.

'Ανακάρτιστος, ον, (ἀπαρτίζω), nicht vollendet, nicht ganz.

'Ανάπας, ασα, αν, ganz, im Ganzen, ἀνὰ, πᾶς. zweif. —πάσσω, f. άσω, beſprengen. —πατάσσομαι, f. άξομαι, anſchlagen, ein Inſtrument, d. i. anſtimmen, praludiren. Heſych. Vergl. ἀνακρούομαι. —πατέω, herumgehen, herumgehen. —παύδητος, ὁ, ἡ, (ἀπαυδάω), unermüdlich, nicht zu ermüden. —παυλα, ης, ἡ, das Ausruhen, die Erholung; Ort der Erholung, Ruheplatz. —παυμα, ατος, τὸ, Ruheſtatte; Ruhe. —παυσις, εως, ἡ, Ruhe; das Aufhören o. Aufhörenmachen. —παυστήριον, τὸ, oder ἀναπαυτήριον, Ort zum Ausruhen, Ruheplatz, auch uberhaupt eine Sache, die mir Ruhe gewahrt, als die Nacht, in ſo fern ſie die Zeit zur Ruhe beſtimmt iſt Xen. Mem. 4, 3. 3. die Trompete, das Zeichen damit zur Ruhe, zum Aufhören gegeben, ſo wie ἀνακλητικὸν verſt. σημεῖον. —παύω, f. αύσω, ausruhen läſſen, zur Ruhe bringen, ſich erholen laſſen; niederlegen, ablegen, δάφνην Aelian. v. h. 2, 41. ἀνέπαυσε τὸ φασκώλιον Aelian. H. A. 7, 29 band, legte den Beutel ab; med. ſich erholen, ausruhen, ſich zur Ruhe begeben, oder ſich ſchlafen legen, Xen. Cyr. etlichemal. Und ſo auch in Ruhe bleiben, nicht beunruhigt werden, nicht beſtraft werden Xen. Cyr. 6, 1. 11. —πείθω, f. είσω, bereden, überreden, aufwiegeln, z. B. von einem Freudenmadchen, Xen. Mem. 3, 11. 10. von leckerhaften, den Appetit reizenden Speiſen 1, 3. 6. —πειρα, ἡ, Verſuch, angeſtellter Verſuch oder Uebung, z. B. in Seemanövern. S. d. folgende. —πειράω, ῶ, f. άσω, o. ήσω, einen zweyten Verſuch machen; überhaupt verſuchen, einen Verſuch machen; zur See, in die See gehn. ὅι τε Συρακόσιοι ναυτικὸν ἐπλήρουν καὶ ἀνεπειρῶντο Thucyd. 7. κατασπᾶν τὰς ναῦς, τὰς ὑπηρεσίας, ἐμβιβάζειν καὶ τῆς εἰρεσίας ἀνάπειραν λαμβάνειν bey Suidas. ἀνεπειρῶντο ἐμοῦ, πρότερον ἐπεπλήρωτό μοι καὶ πάντες ἑωρᾶθ' ὑμεῖς ἀναπειρωμένην τὴν ναῦν Demoſth. p. 1229. Vergl. Herodot. 6, 13. Polyb. 26, 7. S. πειράω. —πείρω, f. ερῶ, anſpieſſen, durchſpieſsen. —πεισμα, ατος, τὸ, Zutrauen, Zuverſicht, Zuverſichtlichkeit, v. ἀναπείθω. 2) Bey Pollux 4, 127 u. 132 ein Seil, etwas in die Höhe zu ziehn; doch liest man jetzt ἀναπιέσματα. —πειστήριος, ὁ, ἡ, (ἀναπείθω), überredend, verführeriſch. —πειστος, ὁ, ἡ, überredet, verleitet, aufgewiegelt. —πελέω. S. εὐηπελία. —πεμπάζω, f. άσω, (f. πεμπάζω), wieder zählen, noch einmal überzählen, überrechnen; daher übergetragen, wie ἀναλογίζομαι, noch einmal überdenken, überlegen, Lucian. —πέμπω, f. ψω, zurückſchicken; weg- od. heraufſchicken; und ſo von Speiſen, die einen üblen Geruch heraufſchicken, d. i. ausdunſten, aushauchen, als βόρβορος κινούμενος ἀναπέμπει δυσωδίαν. —πέπτω, f. ψω, oder ἀναπέττω. ἀναπέσσω, wieder kochen, aufwärmen. —πετάζω, f. άσω, ſ. v. a. das folgende. —πετάννυμι, eigentl. ἀναπετάω o. ἀναπετάζω, ἀναπετάννύω und ἀναπετάννυμι, ausbreiten, aus einander breiten, entfalten, enthüllen, aufdecken, eröffnen; davon —πετὴς, ὁ, ἡ, Hippocr. gland. 3. ausgebreitet, wie διαπετής. —πέτομαι, f. ἀνιπτήσομαι, auffliegen. —πηγάζω, f. άσω, (πηγὴ), aufquellen, aufſprudeln laſſen. —πήγνυμι, f. ήξω, anheften, aufhängen. —πηδάω, ῶ, f. ήσω, aufſpringen, in die Höhe hüpfen, hervorſpringen, auch von einer Quelle, die hervorſpringt, hervorſprudelt; zurückſpringen; davon —πήδησις, εως, ἡ, das Hervorſpringen, Hervorlaufen. —πηνίζομαι, bey Ariſtot. vom Kokon des Seidenwurms, die Fäden dav. aufwickeln, aufhaſpeln von πήνη. —πηρία, ἡ, Verſtümmelung; Verſtümmeltes, oder verſtümmeltes Glied; von —πηρος, ὁ, ἡ, verſtümmelt, an irgend einem Gliede verletzt; davon —πηρόω, ῶ, f. ώσω, verſtümmeln, an irgend einem Gliede verletzen. —πιδύω, f. ύσω, (πιδύω, πηδάω), herauf- oder hervorſpringen, hervorquellen. —πιέζω, zurück oder in die Höhe drücken. —πίεσμα, τὸ, S. ἀνάπεισμα. —πίμπλημι, f. ήσω, an- od. vollfüllen; von Krankheiten beym Thucyd. anſtecken. ἀναπ. κακὰ, das beſtimmte Maaſs von Unglück füllen, leiden, ertragen. τίνα δαιμόνων παραβάντες τάδε ἀναπίμπλαμεν Herodot. 6, 12. θυμὸν den Zorn ſattigen, ſtillen, erfüllen durch Rache. —πίμπρημι, bey Nicand. Ther. 179 ἀναπίμπραται αὐχὴν, der Hals wird aufgeblaſen von πιμπράω. Jetzt ſteht falſch daſelbſt ἀναπίμπλαται. —πίνω, herauftrinken, heraufſchlürfen. —πιπράσκω, f. άσω, wieder verkaufen.

'Αναπίπτω, wie *recumbo*, ich lege mich zurück, falle zurück, ich lege mich nieder, wie z. B. bey Tiſche, *accumbo*. S. ἀνάκειμαι. Die Ruderer legen ſich vorwarts (προνεύουσι) u. zurück (ἐν τάξει ἀναπίπτουσι Xenoph. Oecon. 8, 8) beym Rudern; daher auch metaph. den Muth fallen, ſinken laſſen, wie *concido animo*, oder die

Luft verlieren, nachläſſig werden; nachlaſſen, ſäumen, wie ſupinus. ἀναπεπτώκει τὰ τῆς ἐξόδου, es ward mit dem Vorſatze auszurücken nachgelaſſen u. gezaudert. Demoſth.

Ἀναπιστεύω, f. εύσω, wieder Zutrauen, neuen Muth bekommen. —πίτνημι, ſ. v. a. ἀναπετάω. —πλάκητος, ον. S. ἀπλάκητος. —πλασις, εως, ἡ, (ἀναπλάττω), Umbildung, neue Bildung. —πλασμα, ατος, τὸ, Erdichtetes, Erlogenes, Erdichtung, Lüge. —πλασμὸς, ὁ, wie das vorhergeh. v. ἀναπλάττω, Erdichtung, d. i. entweder das Erdichten, oder das Erdichtete, bloſs Eingebildete; Umbildung, neue Bildung, wie ἀνάπλασις. —πλάσσω, od. ἀναπλαττω, f. πλάσω, wieder bilden, d. i. umbilden; erbilden, d. i. erdichten. —πλέκω, f. ξω, umflechten, umbinden; einflechten, einknüpfen. —πλέω, f. εύσω, beſchiffen, befahren, nämlich einen Fluſs, Meer (eigentlich heraufſchiffen, aus dem niedern Hafen in die hochwogende See, wie *provehor in altum*). Eben ſo in paſſ. ein Fluſs ἀναπλεῖται, wird befahren. —πλεως, ω, ὁ, ἡ, angefüllt, voll. —πλήθω, f. ήσω, anfüllen, vollfüllen. —πλημμυρέω, ῶ, f. ήσω, überflieſsen. —πλημμύρω Quint. Smyrn. 14, 634 ἀνεπλήμμυρε θάλασσαν act. ſ. v. a. ἀναπλημμυρεῖν ἐποίησε. —πληρόω, ῶ, f. ώσω, anfüllen, vollfüllen; wieder vollfüllen; davon —πλήρωμα, ατος, τὸ, Anfüllung, Ausfüllung. —πληρωματικὸς, ἡ, ὸν, ausfüllend, gut zum ausfüllen. —πλήρωσις, εως, ἡ, ſ. v. a. ἀναπλήρωμα. —πληστικὸς, ἡ, ὸν, ſ. v. a. ανεπληρωματικὸς von ἀναπλήθω. —πλοκὴ, ἡ. S. in καταπλοκή. —πλοος, contr. ἀνάπλους, ὁ, das Ausſchiffen aus dem Hafen (ſ. ἀναπλέω). —πλόω, ῶ, f. ώσω, entfalten, einfach legen, ἀνὰ, ἁπλόω; davon —πλύνω, f. υνῶ, auswaſchen, ausſpülen; dav. —πλυσις, εως, ἡ, das Auswaſchen. Abwaſchen. —πλωσις, εως, ἡ, das Entfalten, die Entwickelung, und daher übergetragen wie *explicatio*, Erklärung. —πλωτάζω, ſ. v. a. ἀναπλέω. Clemens Paed. 2 p. 187. zw. —πλώω, f. ώσω, ſ. v. a. ἀναπλέω. —πνευσις, εως, ἡ, (ἀναπνέω), das Aufathmen, das Athemholen; daher das Verſchnauben, die Erholung Hom. Il. 16, 43. 18, 201. —πνευστικὸς, ἡ, ὸν, gut zur Erholung, erfriſchend, ſtärkend. —πνευστος, ὁ, ἡ, ſt. ἄπνευστος, ohne Athem. Heſiod. theog. 797. —πνέω, ich athme auf, aus; ich ſchnaube; daher ich erhole mich, komme zu Athem, verſchnaube, πόνοιο von Arbeit. αμπνεῖσαι καπνον ausdampfen. Pindar. ἀναπνεῖσαι τὸν ἵππον Heliodor. Aethiop. Actit. ſt. ἀναψυξαι ausruhen laſſen; auch metaph. nach etwas verlangen, mit Begierde ſtreben. —πνοὴ, ἡ, das Aufathmen, Ausathmen, der Athem; 2) das Erholen, zu Athem kommen, wie ἀνάπνευσις; 3) Luftloch, Loch überh. ἐπεὰν τῇσι θηλέεσιν αἱ παρὰ τοῖσι κροτάφοισιν ἀναπνοαὶ ἀνοιχθεῖσαι ἐκπνέωσι Arrian. Ind. p. 328.

Ἀναπόβλητος, ὁ, ἡ, (ἀποβάλλω, α), nicht wegzuwerfen, nicht zu verwerfen, verachten. —πόγραφος, ὁ, ἡ, nicht eingeſchrieben, nicht eingetragen in die Zollregiſter. —πόδεικτος, ὁ, ἡ, Adv. ἀναποδείκτως, nicht zu beweiſen, unerweislich. —πόδεκτος, ὁ, ἡ, nicht aufzunehmen. —ποδίζω, f. ίσω, (ἀνὰ, ποδίζω), zurücktreten, den Fuſs zurückſetzen, zurückgehn, auch mit εἰς τοὐπίσω; act. zurücktreten laſſen, z. B. τὸν γραμματέα Aeſchin. or. den Schreiber wiederholen, es noch einmal leſen laſſen. Eben ſo τὸν κήρυκα ἐπερωτάω καὶ ἀναποδίζω Herodot. 5, 92 den Herold noch einmal fragen und ihn noch einmal zurückkommen laſſen; daher eine Sache wiederholen, genauer unterſuchen. Philoſtr. jun. Icon. 5 ἀναποδίσασα τῆς εὐνῆς ſoll ἀναπηδήσασα heiſsen; dav. —πόδισις, ἡ, das Zurücktreten, Zurückgehen. —ποδισμὸς, ὁ, ſ. v. a. das vorhergeh.; Wiederholung, deutliche Auseinanderſetzung, wie beym Alex. Aphr. κατ' ἀνάλυσιν καὶ ἀναποδισμὸν εἰπεῖν. —πόδοτος, ὁ, ἡ, nicht wieder zu geben, nicht wieder zu erſtatten, mithin ohne Entgeld, *gratuitus*; nicht wieder gegeben. Im grammatiſchen Sinne ſ. v. a. ανανταπόδοτος, ohne Gegenſatz, wozu der Gegenſatz fehlt. —πόδραστος, ὁ, ἡ, (ἀποδράω), nicht zu vermeiden, dem man nicht entfliehen kann; act. beym Plut. δοῦλος ἀν. ein Sclave, der nicht entfliehen kann. —ποιέω wird zwar nur aus den LXX bemerkt; wie ἐν. ἐλαίῳ ἀναποιεῖν, mit Oel kneten und überh. zubereiten; ſcheint aber auch bey Xenocrates de Alim. Aquat. vorzukommen. —ποικίλλω, verzieren, bunt machen.

Ἀνάποινος, ὁ, ἡ. (ἄποινον), Adv. ἀναποίνως, ohne Lolegeld, ohne Entgeld, nicht losgekauſt, Hom. Il. 1, 99. vergl. 20. —πόκριτος, ὁ, ἡ, (ἀποκρίνομαι), nicht beantwortet, dem man nicht geantwortet hat, oder dem man nicht antwortet; act. nicht antwortend. —πόλαυστος, ὁ, ἡ, nicht zu genieſsen, nicht genieſsbar; act. nicht genieſsend, ἄγευστος nach Heſych. —πολεμέω, von neuem kriegen; ἀναπολεμόω aber in Krieg bringen, zum Kriege aufhetzen.

Ἀναπολέω, (ἀνὰ, πολέω), wiederkäuen, als τροφὴν Aelian.; daher tropiſch, wieder überdenken Plato. Eigentlich ist es wieder wenden, hin und herwenden, d. i. z. B. die Nahrung wieder umwenden, oder wiederkäuen, uneigentlich überdenken, völlig wie *verso* mit und ohne *animo*. Vergl. ἀναμασάομαι; davon

'Ἀναπόλησις, εως, ἡ, das Wiederkäuen; nochmaliges Ueberdenken. —πολητικός, ἡ, όν, gut zum umkehren, zum umwälzen. —πολίζω f. v. a. ἀναπολέω, bey Pind. Pyth. 6, 2 ἄρουραν ἀναπολίζομεν, das Feld bauen. —πολόγητος, ὁ, ἡ, (ἀπολογέομαι), nicht zu entschuldigen, der sich mit nichts entschuldigen kann; nicht entschuldigt, nicht vertheidigt. —πόλυτος, ὁ, ἡ, (ἀπολύω), nicht aufzulösen, unauflöslich; nicht aufgelöst, nicht befreyet, nicht entlassen.

'Ἀναπομπή, ἡ, (ἀναπέμπω), das Heraufschicken, Heraufwerfen, z. B. θησαυρῶν Lucian. der Schätze, d. i. Ausgraben von Schätzen, Schatzgraben; davon —πόμπιμος, ὁ, ἡ, zum Zurückschicken, der zurückgeschickt wird, als ἀναπέμπιμοι πάλιν εἰς τὸν βίον ἀφικνοῦνται Lucian; und —πομπός, ἡ, όν, d. i. ἀναπέμπων, der heraufbringt, zurückbringt. —πόνιπτος, ὁ, ἡ, (ἀπόνιπτος), nicht gewaschen, ungewaschen. —πορεύομαι, herauf- hervorgehen, ersteigen. —πόσβεστος, (ἀποσβεννύω), nicht ausgelöscht, stets fortbrennend. —πόστατος, ὁ, ἡ, (ἀφίσταμαι, eigentlich v. στάω, στήσω, στατός), nicht abzubringen, nicht abwendig zu machen; act. beym Plut. δοῦλος ἀν. ein Sclave, der sich nicht losmachen, nicht entfliehen kann. —ποτάομαι, f. v. a. ἀναπέτομαι. —ποτνιασμός, ὁ, Erflehung göttlicher Hülfe beym Leiden, v. ποτνιάω. —πότριπτος, ὁ, ἡ, nicht abzuwischen, aus- oder abzureiben, nicht zu vertilgen. ἀποτρίβω. —πραξις, εως, ἡ, (ἀναπράττω), die Eintreibung der Schulden. —πρασις, εως, ἡ, (ἀναπράω, ἀναπιπράσκω), ein zweyter Verkauf, wenn ich das mir verkaufte wieder verkaufe. —πράσσω od. ἀναπράττω, f. άξω, eintreiben, z. B. Geld, Schuld; med. für sich eintreiben, für sich vollenden, oder erlangen. —πράτης, ου, ὁ, Wiederverkäufer. S. ἀνάπρασις. —πρεσβεύω, versenden, einen Gesandten abschicken; neutr. wieder od. zum zweytenmale Gesandter seyn, eine Gesandtschaft übernehmen. —πρήθω, f. ήσω, verbrennen, anstecken, anzünden, wie πρήθω. Mit δάκρυ beym Hom. Od. 2, 81 erklärt es Hesych. durch ἀναφυσάω, aufblasen, in die Höhe treiben, also schluchzen, heisse Thränen vergiessen. —πρίζω, oder ἀναπρίω, aufspalten, zerspalten. — προοιμιάζομαι, anstimmen, den Anfang des Gesangs oder den Gesang d. προοίμιον.

'Ἀνάπταιστος, ὁ, ἡ, der nicht angestossen hat, keinen Schaden gelitten hat, st. ἄπταιστος. Vergl. ἀνάπνευστος st. ἄπνευστος.

'Ἀναπτερόω, (πτερόν), ich erhebe die Federn oder Flügel. Achill. Tatius 1, p. 53 ἀναπτερῶσαι τὸ κάλλος, vom Pfaue, der den Schwanz aufrichtet. Med. ἀναπτεροῦμαι, ich richte zum Fliegen die Flügel, auf. ἀναπτερούμενος δὲ προθυμῆται ἀναπτάσθαι Plato Phaedro. *gestit ac volitare cupit* Cicero Orat. 2; metaph. ἀναπτεροῦν τινα, einem grosse Lust, Verlangen, Hoffnung beybringen, in grosse Erwartung versetzen. ἀνεπτερωμένοι ἐθεῶντο Xen. Symp. 9, 5. —πτερυγίζω, Aelian. H. A. 4, 30 die Flügel heben und davon fliegen.

'Ἀνάπτημι, davon ἀνάπταμαι medium, auffliegen; davon ἀνέπτην aor. 1. activ. ἀνεπτόμην aor. 2. medii.

'Ἀνάπτης, ὁ, Gregor. Naz. Orat. 32 δήμου ἀνάπτης, Aufhetzer des Volks; v. ἀνάπτω anzünden.

'Ἀναπτοέομαι, οῦμαι, aufgescheucht, von einer Leidenschaft, Furcht, Hoffnung, in eine heftige Bewegung gesetzt werden. S. πτοέω.

'Ἄναπτος, ὁ, ἡ, unberührt (ἅπτομαι); aufgehangen, angehenkt (ἀνά, ἅπτω).

'Ἀνάπτυξις, εως, ἡ, das Entfalten; daher Erklärung, wie ἀνάπλωσις; von —πτύσσω, f. ξω, entfalten, entwickeln, ausbreiten, (z. B. eine Schlachtordnung Xen. Cyr. 7, 5. 3.), auseinanderlegen, von Kleidern und Bücherrollen. Und diese letztern äusser Falten legen, sie auseinanderlegen, heisst, wie *evolvo*, sie aufschlagen, sie nachlesen; übergetragen, wie das vorhergehende substant. auseinandersetzen, erklären. —πτυχή, ἡ, f. v. a. ἀνάπτυξις. —πτυχος, ὁ, ἡ, zum entfalten, was entfaltet werden kann; entfaltet, und daher erklärt.

'Ἀναπτύω, f. ύσω, ausspucken, ausspeyen; in die Höhe werfen, auswerfen, vom Meere; 2) neutr. ausgeworfen werden. Apollon. 11, 570.

'Ἀνάπτω, f. ψω, (ἄνω, ἅπτω), anbinden, anhängen, anlegen, herumlegen; einem etwas anhängen, wie wir auch im gemeinen Leben zu sagen pflegen, d. i. beylegen, zueignen. Med. ἀνάπτομαι, ich lege, ziehe mir an. τὰς νῆας ἀνήψαντο zogen die gefangenen Schiffe an den ihrigen gebunden fort. Philostr. braucht es m. d. Genit. vermöge der praepos. ἀνά, etwas woran hängen; auch sagt er Apoll. 6, 11 γραῖς ἀνημμέναι κόσκινα wie *suspensi* [illegible] *loculos tabulamque lacerto* bey [illegible].

[illegible]ω, f. ψω, anzünden, anstecken; [illegible] sich anfeuern, ermuntern.

[illegible]σις, εως, ἡ, das Niederfallen, [illegible]sinken; Niederlegen, Lager bey [illegible]; das Sinken des Muthes, ent[illegible] Muth, Muthlosigkeit, Schlaff[illegible] f. ἀναπίπτω, von dessen forma [illegible]πτέω diess abstammt.

[illegible]υνθάνομαι, erforschen, erfra[illegible], sich erkundigen. —πυρέω, ῶ, [illegible], anzünden, anstecken. —πυρ[illegible], anstecken, in die Höhe stecken, [illegible] die Fackel in die Höhe halten.

[illegible]υστος, ὁ, ἡ, (ἀναπυνθάνομαι), er[illegible]forscht, allgemein bekannt. Hom. Od. [illegible] 273. —πωλέω, wieder verkaufen.

[illegible]ωτις, εως, ἡ, s. v. a. d. gewöhn[illegible]lichere ἄμπωτις.

[illegible]αίζω, f. ίσω, sich bessern, oder [illegible]ntlich leichter werden, von ei[illegible] schweren Krankheit genesen, [illegible]. —ράομαι, ῶμαι, den Fluch [illegible]cknehmen, aufheben.

[illegible]ρβυλος, ον, (ἀρβύλη), ohne Schuhe, [illegible]beschuhet.

[illegible]ργυρος, ὁ, ἡ, (ἀργύριον), ohne Geld, [illegible] kein Geld hat, oder nimmt; der [illegible] nicht bezahlen läſst, oder beste[illegible]chen läſst.

[illegible]άρδευτος, ὁ, ἡ, (ἀρδεύω), nicht be[illegible]netzet oder begossen, trocken.

[illegible]άρθρος, ὁ, ἡ, (ἄρθρον), ohne Glie[illegible], Gelenke, oder mit schlechten Glie[illegible]dern, Gelenken, verb. mit ἀσύμμετρος; [illegible] Kraft oder Gelenkigkeit in den [illegible]Gliedern, bey Hippocr. ἀνάρθροι von [illegible] Menschen, wo man keine Ge[illegible]lenke bemerkt, wie magere dagegen [illegible] καὶ διηρθρημένοι heissen, wo man [illegible] Gelenke der Knochen sieht.

[illegible]ναριθμέω, hin- oder aufzählen; [illegible]eder zählen, rückwärts berechnen [illegible] Medio bey Pauſ. Arc. 3. oder wie[illegible]der bey sich überdenken, wie ἀναπεμ[illegible]πάζω, von ἀνὰ u. ἀριθμέω. —ρίθμη[illegible]τος, ὁ, ἡ, (ἀριθμέω), nicht zu zählen, unzählig, unermeſslich, als die Zeit, Sophocl. Aj. 655; act. der nicht Zah[illegible]len hat, nicht zählen gelernt hat. Bey Eur. Jon 837 Hel. 1695 der nicht ge[illegible]zählt, geachtet wird. —ριθμος, ὁ, ἡ, (ἀριθμός), ohne Zahl, unzählig; nicht mitgezählt, nicht mitgerechnet, nicht mit in Rechnung gemacht, nicht ge[illegible]achtet, wie *cujus nulla ratio habetur*, Sophocl. Aj. 608. im Gegens. v. ἐνα[illegible]ρίθμιος beym Hom. Il. 2. 202.

[illegible]ναριστάω, ῶ, (ἄριστον), nicht zu Abend essen, kein Abendbrod zu sich nehmen; davon —ριστησις, εως, ἡ, oder ἀναριστία (diess letzte v. ἀνάριστος), Mangel an Mittagbrod, wenn man kein Mittagbrod isst. —ριστητος, ὁ, ἡ, oder ἀνάριστος (das erste v. Ver. ἀναριστάω, das zweyte v. subst. ἄριστον), der kein Mittagbrod gegessen hat.

'Αναρίτης, ου, ὁ, s. v. a. νηρίτης, eine Meerschneckenart. —ριτοτρόφος, ὁ, ἡ, d. i. ἀναρίτας τρέφων, ein Beywort von einer Insel beym Aeschyl. Perſ.

'Αναρκτος, ὁ, ἡ, (ἄρχω), nicht beherrscht, ohne Oberherrn; sich nicht beherrschen lassend, oder keinem Oberherrn gehorchend.

'Αναρμόδιος, ὁ, ἡ, (ἁρμόζω), Adv. ἀναρμοδίως, nicht passend, unpassend. —μόζω, f. όσω, s. v. a. ἁρμόζω. —μοστέω, ῶ, ich bin ἀνάρμοστος, passe nicht, opp. ἁρμόττω. —μοστία, ἡ, das Unschickliche, das Nichtpassende; von —μοστος, ὁ, ἡ, (ἁρμοστὸς), Adv. ἀναρμόστως, nicht passend, nicht schicklich, unbequem. —μόττω; s. v. a. ἁρμόζω.

'Αναρπάγδην, Adv. (ἀναρπάζω), mit Reissen, mit Gewalt, stürmisch.

'Αναρπάζω, f. άσω, in die Höhe reissen, weg- oder fortreissen, wegschleppen, z. B. vor Gericht oder aus seinem Vaterlande, mithin plündern, zum Sclaven machen, und überh. gewaltthätig behandeln. —πάξανδρος, ὁ, ἡ, d. i. ἀναρπάζων ἄνδρας, Menschen fortreissend u. fressend. —παστος, ὁ, ἡ, weg- oder fortgerissen, weggeschleppt, aus dem Lande geführt; gewaltthätig behandelt, wie s. verb. ἀναρπάζω.

'Αναῤῥάπτω, f. ψω, aufflicken, aufwärtsflicken, zusammennähen; davon —ῤῥαφή, ἡ, Paul. Aegin. 6, 8. S. καταῤῥαφή. das Instrument, womit man den Einschnitt zuvor machte, scheint ἀναραφίσκον σμιλίον 6 c. 18 zu heissen.

'Αναῤῥαψῳδέω, absingen nach Art der Rhapsoden.

'Αναῤῥέω, f. εύσω, (ῥέω), zurückfliessen, bergan fliessen.

'Αναῤῥέω, ausrufen, bekannt machen, vorz. den gewählten, wie *renuntiare*.

'Αναῤῥήγνυμι, f. ξω, oder ἀναῤῥηγνύω, aufreissen, zerspalten, von einander spalten, zerreissen, durchbrechen, auch neutr. durch- oder hervorbrechen, welches es auch in pass. ist; hervorbrechen, losbrechen, d. i. einen anfallen. —ῤῥήκτως, Adv. st. ἀῤῥήκτως (vergl. ἀναπταιστος), ohne Bruch, ohne daſs man es durchbrechen kann.

'Ανάῤῥημα, ατος, τὸ, das Verkündigte, Ausgerufene, öffentlich bekanntgemachter Befehl. v. ἀναῤῥέω.

'Ανάῤῥηξις, εως, ἡ, (ἀναῤῥήγνυμι), das Aufspalten, Aufreissen, Zerspalten, Spalte, Bruch.

'Ανάῤῥησις, εως, ἡ, das Ausrufen; öffentliche Bekanntmachung eines Befehls, einer Wahl; *renuntiatio*; auch wie *praeconium* Lob, Preiſs.

'Αναῤῥήσσω, u. ἀναῤῥήττω, eine andere Form v. ἀναῤῥηγνύω.

'Ανάῤῥινον, ου, τὸ, ein zweif. Wort aus Hippokr.

'Αναῤῥιπίζω, f. ίσω, (ἀνὰ, ῥιπίζω, *ventilo*), wieder anfächeln, von neuem wieder anmachen, das Feuer; tropiſch beym Lucian. ἀν. τὴν ἰσχὺν, anfeuern.

'Αναῤῥιπτέω, (ἀνὰ, ῥιπτέω), aufwerfen, in die Höhe werfen. Odyſſ. 10, 130 οἱ δ' ἄμα πάντες ἀνέῤῥιψαν verſt. ἅλα πηδῷ ruderten alle zugleich aus aller Macht; denn ſo wird das Meerwaſſer in die Höhe geworfen; ἀν. κίνδυνον Thucyd. u. Herodian. ſich in eine Gefahr ſtürzen. Und eben ſo ἀν. μάχην Plut. völlig wie im lat. *aleam pugnae jacere*, alſo eigentl. ἀν. κύβον περὶ τῆς μάχης. Und ſo auch ſchlechtweg beym Pauſanias ἐπ' ἀλλοτρίοις ἀναῤῥίψαι, ſich wegen fremder Angelegenheiten in Gefahren ſtürzen. —ῤῥίπτω, f. ψω, ſ. v. a. das vorherg. wovon die Attiker d. Futur. nehmen ſtatt ἀναῤῥίψω.

'Αναῤῥιχάομαι, ῶμαι, f. χήσομαι, in die Höhe klettern mit Händen und Füſſen ſich anhaltend; ein joniſches Wort. Das einfache ἀριχῶμαι führt d. Etymol. aus Hipponax an; Heſych. hat ἀριχωτῶν, ἐκδύειν ζητῶν; auch ἀρίχεται γλίχεται u. ἐπιθυμεῖ, dafür hat er auch ἀρόχεται, u. ὀραχᾶται. S. ὀριγνάω.

'Ανάῤῥιψις, εως, ἡ, (ἀναῤῥίπτω), das Aufwerfen, Werfen in die Höhe.

'Ανάῤῥοια, ἡ, (ἀναῤῥέω), das Zurückflieſsen.

'Αναῤῥοιβδέω, ῶ, (ῥοιβδέω), zurückſchlingen, wieder verſchlucken, Hom. Od. 12, 236. davon —ῤῥοίβδησις, εως, ἡ, das Verſchlucken von neuem.

'Αναῤῥοπία, ἡ, Neigung, Richtung, Bewegung nach oben; von —ῤῥοπος, ὁ, ἡ, (ἀνὰ, ῥέπω), nach oben ſich neigend, bewegend, hinaufgehend; auch zurückweichend, gehend.

'Ανάῤῥους, ου, ὁ, ſ. v. a. ἀνάῤῥοια.

'Αναῤῥοφάω, od. ἀναῤῥοφέω, wieder verſchlucken, hinunterſchlucken; davon —ῤῥόφησις, εως, ἡ, das Wiederverſchlucken.

'Αναῤῥοχθέω, (ῥοχθέω), zurückrauſchen, mit Geräuſch zurückfallen.

'Ανάῤῥυσις, εως, ἡ, das Entreiſſen, die Befreyung; das Opfer; 2) der zweyte Tag vom Feſte ἀπατούρια Ariſtoph. Pac. 890. —ῤῥύω, f. ύσω, (ἀνὰ, ῥύω), zurückziehn; ein Opferthier in die Höhe ziehn, um es am Halſe zu ſtechen, d. i. ſchlachten, opfern; wie αὐ ἐρύειν bey Hom. 2) ἀναρύομαι, ich erlöſe, löſe aus. ἧτταν ἀναῤῥύσασθαι bey Dionyſ. Halic. eine Niederlage wieder gut machen.

'Αναῤῥώννυμι, od. ἀναῤῥωννύω, f. ώσω, (ῥώννυμι), wieder ſtärken, von neuem ſtärken; paſſ. von neuem geſtärkt werden, neue Kräfte (nach einer Krankheit) bekommen. Die tempora kommen vom erſten ῥώω, ἀναῤῥώω.

'Αναῤῥώομαι, (ἀνὰ, ῥώομαι), ich gehe zurück.

'Ανάῤῥωσις, εως, ἡ, neue Stärkung, Geneſung. S. ἀναῤῥώννυμι.

'Ανάρσιος, ὁ, ſ. ἄρσιος, nicht paſſend mit einem andern, nicht harmonirend, feindlich geſinnt, verbunden mit δυσμενὴς beym Hom. Il. 24, 365. Od. 10, 459. widrig, *incommodus*. οὐδέν οἱ μέγα ἀνάρσιον πρῆγμα συνενείχθη kein ſonderlicher Unfall, Unglück. Herodot. 3, 10.

'Αναρτάω, ῶ, ich hänge auf., metaph. ἐλπίσι τινα ἀναρτᾶν, wie *ſuſpendere ſpe aliquem*, ſonſt μετεωρίζειν, wie *erigere ſpe*. εἰς τὸ θεῖον ἀνηρτῆσθαι ταῖς ἐλπίσιν τὸν Νουμᾶν, habe ſeine Hoffnung auf Gott geſetzt. ἀνηρτῆσθαι τὰς ἐλπίδας τῆς σωτηρίας εἰς ἕτερον. wo es das Medium iſt. ἀνηρτημένοι ταῖς ὄψεσιν πρὸς αὐτὸν, ſie hiengen alle mit den Augen an ihm; εἰς τὸν δῆμον ἀναρτᾶν ἑαυτοὺς, dem Volke anhangen, ſich ergeben, zu Gefallen leben. ὅτῳ ἀνδρὶ εἰς ἑαυτὸν ἀνήρτηται πάντα Plato. *cui viro ex ſe ipſo apta ſunt omnia* nach Cicero. 2) Med. ἀναρτῶμαι τινα, ich mache mir jemand verbindlich, zum Freunde, gewinne ihn. 3) m. folgd. Infinitif., wie *ſuſcipio* ich nehme auf mich, unternehme, nehme mir vor, μαθὼν ἀναρτημένους ἔρδειν 'Αιγινήτας κακῶς Herodot. 6, 88. davon —τησις, εως, ἡ, das Anbinden, Aufhängen; Verbindlichkeit.

'Ανάρτιος, ὁ, ἡ, d. i. οὐκ ἄρτιος, ungerade; 2) ſ. v. a. ἀνάρσιος.

'Ανάρτυτος, ὁ, ἡ, (ἀρτύω), ungeordnet, unzubereitet, ungewürzt. —τύω, ſ. v. a. ἀρτύω zweif.

'Αναρυστὴρ, ῆρος, ὁ, Schöpfeimer, Gefäſs herauf zu ſchöpfen; von —ρύτω, ἀναρύω, f. ύσω, herauf- herausſchöpfen. S. ἀρύτω.

'Αναρχαΐζω, Anal. Brunk. 1, 501 ἀναρχαΐσας πατρίδα. wieder alt machen. v. ἀρχαῖος.

'Αναρχία, ἡ, (ἀρχὴ), Mangel an Herrſchaft, Anarchie, wo entweder kein Oberhaupt oder Oberhäupter ſind, od. man thut, als wäre keines da, d. i. Zügelloſigkeit. —χομαι, (ἄρχομαι), wieder anfangen, zweif. —χος, ὁ, ἡ, (ἀρχὴ), ohne Anfang; ohne Anführer (ἀρχῆς oder ἄρχων), Hom. Il. 2, 703.

'Αναςαλεύω, f. εύσω, (σαλεύω), aufſchütteln, hin- und herſchütteln, erſchüttern.

'Αναστειράζω, f. άσω, (σειρὰ), zurückziehn mit dem Seile, Zügel u. d. g. bey Eur. Hipp. 238 ſ. v. a. vom rechten Wege abbringen. —**σειρασμὸς**, ὁ, das Zurückziehn des angeſpannten Pferdes. Nicetas Annal. 21, 3.

'Ανασεισίφαλλος, ὁ, ἡ, (σείω, φαλλὸς). *concutiens, movens phallum.* —**σεισμὸς**, ὁ, das Schütteln, bewegen aufwärts; von —**σείω**, ειν. (ἀνὰ, σείω), ich ſchwinge in die Höhe, ſchüttele auf; 2) durch Erſchütterung, Schütteln in Bewegung ſetzen, antreiben, bewegen; 3) durch Bewegung der Hände, Vorhalten der Waffen drohen. τὴν κατὰ Δημοκλέους εἰσαγγελίαν ἀνασείσας μοι ἐτρέψεν Demoſth. 784 drohete mit der Klage gegen; auch aufrühriſch machen. ἀνασείσας τὰ ἱστία Philoſt. Apoll. 6, 12 geſchwind die Segel aufziehend.

'Ανασελγαίνω, beſchimpfen, hohnnecken, Ariſtoph. Vesp. 61. eigentl. wie ein ἀσελγὴς einen behandeln. —**σηκόω**, ῶ, f. ώσω, d. lat. *rependo*, durch ein zugeſetztes Gewicht oder ein Gegengewicht das Fehlende erſetzen, oder die Wirkung verändern, ſonſt auch ἀντισηκόω. —**σημαίνω**, f. ανῶ, bezeichnen. κ. W.

'Ανασθμαίνω, Oppian. Hal. 5, 212 ſchwer aufathmen.

'Ανασιλλάω, ἄομαι, ich trage die Haare über die Stirn im Halbkreis hängend oder gekämmt. —**σιλλος**, ὁ, auch ἀνάσιλλος; dafür findet man auch ἀνάσιμος u. ἀνάσυλος falſch geſchrieben. Ein Haarputz der Scythen und Parther, die nach Art der Löwen die Haare von der Stirn über die Scheitel in einem Halbzirkel emporſtehend wie einen Kranz trugen. Plutarch. Craſſ. 24. am deutlichſten iſt die Stelle Ariſtot. Phyſiog. 5 vom Löwen: ἄνωθεν τοῦ μετώπου κατὰ τὴν ῥῖνα τρίχας ἐκκλινεῖς οἷον ἀνάσιλλον; u. K. 6. οἱ ἐπὶ τῆς κεφαλῆς προσπεφυκυίας ἔχοντες τὰς τρίχας ἐπὶ τῷ μετώπου κατὰ τὴν ῥῖνα: dieſe werden jenen entgegengeſetzt; alſo auf der Stirne über die Naſe loſe herunterhangende Haare. Es wird auch durch ἀναφαλαντίας, mit platter Stirne erklärt; u. Heſych. hat σιλλαία, ῥίχωμα u. σιλλός, ἀναφάλαντος; davon das Wort

'Ανάσιμος, ὁ, ἡ, *reſimus*, eig. ein Menſch mit einer oben eingedruckten, unten aufgeworfnen Naſe; daher Sachen, die gebogen ſind, ſo heiſsen, aufwärtsgebogen. —**σιμόω**, ῶ, *reſimum facio*, S. σιμὸς. vorzügl. ἀνασιμοῦν, die Naſe rümpfen und ſchnüffeln, wie brünſtige Thiere, die dem Geruche der weiblichen Schaamglieder folgen. *naſum nidore ſupinor* drückt es völlig aus. —**σκαλεύω**, f. εύσω, aufhacken, aufgraben, aufſcharren, aufkratzen, auswühlen, hervorſuchen, und auch übergetragen ἔν τινι τοῦ πυρὸς αν. σπινθῆρες Dionyſ. Areop. —**σκάπτω**, f. ψω, auf- oder ausgraben, wieder aufgraben. Dionyſ. Antiq. 2. 40. von Pflanzen, mit der Wurzel ausreiſſen, und ſo übergetragen auf Städte, vom Grund aus zerſtören. —**σκέπτομαι**, f. ψομαι, beſehen, betrachten.

'Ανασκευάζω, f. άσω, und in med. ἀνασκευάζομαι, ſeine Sache aufnehmen, aufräumen, ſie weiter bringen, fortſchaffen und damit flüchten, Xen. An. 6, 2. 8 vergl. ἀναζεύγνυμι; insbeſondere von Geldwechslern beym Demoſth. die weiter ziehen; von einem Heere, welches aufbricht, Xen. Cyr. 8, 5. 2. 4; mithin niederreiſſen, zerſtören, wegnehmen, wegſtehlen, wegſchaffen, als von Lebensmitteln Xen. Cyr. 6, 2. 25. eben ſo von einer Krankheit beym Dioſc., die man wegſchafft, heilt; widerlegen; das Gegentheil κατασκευάζω beſtätigen, rechtfertigen: häufig bey den Rhetoren; daher Quintil. in der Rhetorik ἀνασκευὴ u. κατασκευὴ überſetzt, durch *opus deſtruendi et confirmandi narrationes*; wieder aufbauen, Thucyd. Strab. davon —**σκευαστικὸς**, ἡ, ὸν, gut, geſchickt zum zerſtören, zum widerlegen; zum wiederaufbauen. —**σκευὴ**, ἡ, das Niederreiſſen; von Gründen das Widerlegen. (ſ. vorher ἀνασκευάζω); das Wiederaufbauen, Wiederherſtellung, Erneuerung.

'Ανασκήπτω, f. ήψω, ſ. v. a. ἀποσκ. wird aus Herodot. angeführt. zweif. —**σκησία**, ἡ, (ἀσκησία), Mangel oder Unterlaſſung der Uebung. —**σκητος**, ὁ, ἡ, Adv. ἀνασκήτως, nicht geübt, einer, der ſich nicht geübt hat. —**σκίδνημι**, ich zerſtreue, ἀνασκίδναμαι, med. ich zerſtreue mich, ſ. v. a. ἀνασκεδάω. —**σκινδυλεύω**, auch ἀνασχινδυλεύω ſ. v. a. ἀνασκολοπίζω, aufhängen od. aufſpieſsen. —**σκιρτάω**, ῶ, f. ήσω, in die Höhe ſpringen, aufſpringen, aufhüpfen; zurückſpringen. —**σκολοπίζω**, f. ίσω, (σκόλοψ), anpfählen, aufſpieſsen, an einen Pfahl ſchlagen, aufhängen, kreuzigen; davon —**σκολόπισις**, εως, ἡ, die Kreuzigung, das Aufſpieſsen. —**σκυλύπτειν**, die Eichel der Schaam entblöſsen. S. σκυλύπτω. —**σκοπέω**, anſehen, betrachten. —**σμύχω**, f. ξω, verzehren, nach und nach verbrennen und aufdampfen laſſen. —**σοβέω**, ῶ, aufſcheuchen, aufſchrecken, erſchrecken. —**σπαράσσω**, zerreiſſen und dabey in die Höhe ziehn. —**σπασις**, εως, ἡ, das Auf- oder Zuſammenziehn; das Zerziehn, Verzerren, Zerſtören. v. ἀνασπάω; davon auch —**σπαστήριος**, ον, gut, geſchickt zum Aufziehn, in die Höhe ziehn. S. χαλαστήρια.

'Ανάσπαστος, ὁ, ἡ, weggezogen, abgerufen, zurückgerufen; verſchickt, verwieſen, aus ſeinem Lande gewieſen und verſetzt. Herodot. 7, 80. freywillig weg oder fortgehend, Polyb. 2, 53. Bey Aelian. V. H. 9. 11 verſt. ἱμάντες, Schuhriemen. —σπάω, ῶ, f. άσω, (ἀνὰ, σπάω), in die Höhe ziehn, z. B. τὰς ὀφρῦς od. τὸ πρόσωπον, Ariſtoph. Acharn. 1068. Xenoph. Sympoſ. 3, 10, ſeine Augenbraunen, ſein Geſicht zuſammenziehn, ſehr ernſthaft, ehrwürdig thun; wegziehen, wegreiſſen, abreiſſen, wegſchicken, verreiſen. —σπογγίζω, f. ίσω, aufwiſchen mit dem Schwamme; aufnehmen wie mit einem Schwamme z. B. mit Wolle, wofür Hippocr. auch ἀναλαμβάνειν. wie lat. *excipere* ſetzt.

'Ανασσα, ης, ἡ, Königin, v. ἄναξ.

'Ανάσσυτος, ον, aufwärts auch rückwärts fahrend, bewegt v. σύομαι, ἀνὰ.

'Ανάσσω, f. άξω, (ἄναξ), herrſchen, regieren, Herrſcher, Regent werden od. es ſeyn.

'Αναστάδον, Adv. (ἀνίστημι), aufſtehend, aufgerichtet. —σταλάω, in die Höhe heraus-hervortröpfeln, quellen laſſen. Oppian. Cyn. 4, 324. —σταλτικὸς, ἡ, ὸν, zurücktreibend, hemmend, anhaltend, als φάρμακον. —στὰς, άδος, ἡ, bey Apoll. 1. 789 ſ. v. a. παστὰς, zweif. —στάσιμος, ὁ, ἡ, die Auferweckung betreffend, dazu gehörig; von

'Ανάστασις, εως, ἡ, das Aufſtehn, vom Stuhl, Kiſſen, Bette, ἀνάστασιν στῆναι Soph. Phil. 276; vom Tode oder Auferſtehung, Auferweckung, aus dem Hinterhalte, oder das Hervorbrechen; gleichſ. das in die Höhe heben, oder Entwurzeln, Vertreiben, Zerſtören, als ἀν. τῆς πατρίδος Demoſth. ſo in einer ähnlichen Metapher, der Aufſtand, *inſurrectio*. Von ἀνίστημι; davon auch —στατὴρ, ῆρος, ὁ, Zerſtörer, Verwüſter. Aeſchyl. davon —στατήριος, ὁ, ἡ, (ἀνάστασις), zum Aufſtehen, od. zur Wiederherſtellung, für die Geneſung, als Beywort v. θυσία. —στάτης, ου, ὁ, ſ. v. a. ἀναστατήρ. —στατικὸς, ἡ, ὸν, Adv. ἀναστατικῶς, ſ. v. a. ἀναστάσιμος. —στατος, ὁ, ἡ, verſetzt, vertrieben, umgekehrt, verwüſtet, z. B. ἀνάστατοι γίγνονται αἱ πόλεις Xen. Mem. 4, 2. 29 die Städte werden verwüſtet, S. ἀνάστασις u. ἀνίστημι; davon —στατόω, ῶ, f. ώσω, d. i. ἀνάστατον ποιέω, in die Höhe heben, aufſtehn laſſen, d. i. zum Aufſtand erregen, od. aufſtehn heiſsen, d. i. weiter gehen heiſsen, vertreiben; vom Lande, Städten, verwüſten; davon —στάτωσις, εως, ἡ, Aufwiegelung, Zerrüttung. —σταυρόω, (σταυρόω), ans Kreuz ſchlagen, kreuzigen Xen. An. 3. 1. 17. davon —σταύρωσις, εως, ἡ, das Kreuzigen. —σταχύω, (σταχὺς), wie Getraidehalme in die Höhe ſchieſsen, treiben, aufwachſen. —στεγνόω, ῶ, f. ώσω, ſ. v. a. στεγνόω. —στειρος, ον, ναῦς bey Polyb. mit hohem Vordertheile u. Schnabel. S. στεῖρα. —στέλλω, f. ελῶ, zurückſchicken, zurücktreiben, hemmen, anhalten, z. B. einen Feind Xen. An. 5, 4. 23. in die Höhe ſchicken, oder in die Höhe heben, als ὀπωπὰς Epigr. Paſſ. zurückgetrieben werden, zurückgehn, ἀνακρούομαι, ἀναχωρέω, u. daher wie *tergiverſari*, thun als wollte man zurückgehen, ſich verſtellen, beym Polyb. ἀνεσταλμένος χιτὼν beym Plut. ein in die Höhe gehobener Rock, aufgeſchürztes, aufgebundenes Kleid. Med. verſagen, verweigern. ἀνεστέλλετο τροφὴν Aelian. H. A. 2. 14 nahm keine Nahrung. —στενάζω, f. άξω, oder ἀναστενάχω, ἀναστένω, aufſeufzen, erſeufzen, ſeufzen. —στέφω, f. ψω, bekränzen, umkränzen. —στηλόω, ῶ, f. ώσω, auf einen Pfahl ſetzen, errichten. —στημα, ατος, τὸ, die Errichtung, Erhöhung, z. B. τῆς γῆς; die Höhe, z. B. eines Berges, eines Menſchen, oder ſeine Gröſse, Statur. —στίζω, ſtechen, einen Stich einbrennen. —στοιβάζω, zurückdrängen. Nicetas Annal. 2, 6 wofür 4, 6 ὑπαναστ. ſteht. —στοιχειόω, ῶ, f. ώσω, (στοιχεῖα), nach Suidas ἀναπλάττω, umbilden, oder gleichſam zurückbilden, in ſeine Elemente wieder auflöſen; davon —στοιχείωσις, εως, ἡ, Umbildung, Auflöſung. —στομος, ὁ, ἡ, (στόμα), eröffnet, mit einer Oeffnung, zweif. —στομόω, ῶ, f. ώσω, eröffnen, offen machen, z. B. τάφρον Xen. Cyr. 7, 7. 15. eben ſo von Flüſſen, die ſich ins Meer ergieſsen (ἀναστομοῦνται). Und ſo v. einer jeden andern Oeffnung, Erweiterung; Ariſtot. de Mundo c. 3 braucht ἀνεστομωμένος im Gegenſatze von πλατυνόμενος, alſo für verengt, ins Enge gezogen. Auch bedeut. ἀναστομοῦν ſ. v. a. *acuere*, wie στόμωμα σιδήρου, *acies ferri*, Stahl oder Schneide des Eiſens. So ἡδύσματα ἀναστομοῖ τὰ αἰσθητήρια, reizen; ſo βρώματα εἰς ἀναστόμωσιν, um den Gaumen zu reizen, den Appetit zu erwecken; u. ἀναστομωτικὸς was dazu geſchickt iſt. —στόμωσις, εως, ἡ, die Eröffnung, Erweiterung; mithin die Ergieſsung, der Ausfluſs; das Zuſammenziehen; auch Schärfung des Gaumens, Geſchmacks. —στομωτήριος, ὁ, ἡ, oder —στομωτικὸς, ἡ, ὸν, eröffnend; ſchärfend, reizend. —στοναχέω, ῶ, ſ. v. a. ἀναστεναχω. —στραγαλίζω, f. ίσω, ſ. v. a. ἀστραγαλίζω. zw.

...αστράγαλος, ὁ, ἡ, (ἀστράγαλος u. ...) ohne Würfel. —στρατεύομαι, ...εύσομαι, wieder in den Krieg, zu Felde gehn. —στρατοπεδεία, ἡ, Verrückung des Lagers, Aufbruch; von —στρατοπεδεύω, f. εύσω, mit dem Lager zurückgehn. Dionyf. Ant. ... 55.

...στρέφω, f. ψω, umwenden, umkehren; auch als neutr. wie bey uns umkehren, *se convertere*, *reverti* Xen. An. 4, 3. 29. umkehren in dem Sinne, dafs das Oberfte unten kommt, da es vorher in dem Sinne war, dafs das Vorderfte hinten kam, z. B. Kräuter beym Umpflügen umkehren, umwenden, Xen. Oec. 16, 11. und dies auch auf andere Dinge übergetragen, als ἐμοὶ τοῦτ' ἀνέστραπται Xen. Hier. 4, 5. bey mir ift das umgekehrt, fteht bey mir im umgekehrten Falle. Med. fich umkehren, fich umwenden, z. B. von der Flucht und fich gegen den Feind kehren Xen. Cyr. 2, 1. 9. und fo ftehen bleiben, Halt machen. Xen. An. ... 10. 12) Auch in dem Sinne: ich wende, drehe mich in etwas herum (als die Sonne am Himmel Xen. Mem. ... 3. 8), befinde mich mitten unter etwas, als ἐν εὐφροσύναις Xen. Agef. 9, 4 mitten unter Ergötzlichkeiten. Und eben fo fich mit etwas befchäftigen, wie *verfari*, als ἐν τῇ γεωργίᾳ Xen. Oec. 5, 13.

...αστρολόγητος, ον, (ἀστρολογέω), nicht in der Aftrologie unterrichtet. —στροφάδην, Adv. umgekehrt, verkehrt, *praepoftere*, von ἀναστροφή. —στροφάω, ῶ, eine andere Form v. ἀναστρέφω, gemacht von —στροφή, ἡ, (ἀναστρέφω), das Umkehren, Umwenden, z. B. des Wagens, d. i. Umlenken Xen. Cyr. 5, 4. 8. Umkehren von der Flucht, Rückkehr ins Treffen Xen. Agef. 2, 3. das Umwenden bey einem oder einer Sache, wenn man fich bey einem öfters umkehrt, d. i. Umgang mit einem, Befchäftigung mit einem Dinge, Lebensart, und fo das öftere Umwenden od. Verzögerung. —στρωφάω, f. v. a. ἀναστρέφω. Hefiod. Scut. 121.

...ασύνταξις, εως, ἡ, eine Aenderung in der Anlage der Abgaben und Kriegsbeyträge nach dem Vermögen; davon —συντάσσω, ἀνασυντάττω, f. άξω, eine Aenderung in der Taxe und Anlage der Kriegssteuer nach dem Vermögen der Bürger machen. S. συντάσσω. —σύρμα, ατος, τό, der Komiker Eubulus nannte ein Jungfernkind παρθένου ἀνάσυρμα, die Entblöfsung der Jungfer; eigentlich etwas heraufgezogenes; von —συτόπολις, bey Suidas falfch ft. ἀνασυρτόπολις, ὁ, ἡ, eine unverfchämte Hure, die fich entblöfst, ἀνασύρεται τὸν πέπλον.

'Ανασύρω, (ἀνὼ, σύρω), aufdecken, die Kleider in die Höhe ziehen und fo die Schaam entblöfsen, von einem Manne, der es bey einer Frau thut Laert. in med. aber ἀνασύρασθαι oder ἀνασύρασθαι τοὺς χιτωνίσκους fich aufdecken, feine Kleider oder Röcke aufdecken, Laert. und Plut. und eben fo ἀνασεσυρμένη, eine Entblöfste, eine Frau, die fich entblöfst hat, und übergetragen κωμῳδία beym Synef. unverfchämte, die überkeine Obfcönität den Schleyer wirft. Theophr. char. 6, 1.

'Ανασφαδάζω, f. άσω, vor Unwillen oder Schmerz auffpringen. —σφάλλω, act. vom Falle fich aufrichten, u. neutr. fich aufrichten, von einer Krankheit auffstehen, fich erholen, genefen, συμπτώματος und ἐκ συμπτώματος ἀνασφῆλαι von einem Falle fich erholen. Auctor Axioch. davon εὐανάσφαλτος. 2) zurückfallen, auf die andere Seite fallen. —σφραγίζω, f. ίσω, auffiegeln, Siegel abreiffen, entfiegeln. —σχέθω, f. v. a. ἀνέχω. —σχεσις, εως, ἡ, das Erdulden, Ertragen, z. B. τῶν δεινῶν Plut. v. ἀνέχω, deffen med. ἀνασχέσθαι τι, fich gegen etwas halten, oder es erdulden, ertragen; der Aufgang, z. B. τοῦ ἡλίου Plut. S. ἀνασχέω. —σχετός, ἡ, ὸν, (ἀνὰ, ἔχω, σχέω, σχετὸς), zu dulden, zu tragen, erträglich. —σχέω, ῶ, neutr. entftehen, λυπηρόν τι σοι ἀνασχήσει Herodot. act. φλόγα, eine Flamme entftehen laffen, Eurip. von ἀνὰ und σχέω, d. i. ἔχω; oder wie aus ἕπομαι im Aor. σπόμην σπέσθαι wird. —σχίζω, f. ίσω, auffpalten, zerfpalten, zerfchlagen, zerfchneiden. —σχινδυλεύομαι, f. εύσομαι, f. oben ἀνασκινδυλεύομαι. —σώζω, f. ώσω, eine verlorne o. für verloren geachtete Sache oder Perfon retten, glücklich zurück bringen, oder reftituiren, v. Sachen Dionyf. Antiq. 4, 51. im Medio bey Paufan. auch erneuern, erhalten.

'Αναταράσσω, ἀναταράττω, f. άξω, zerrütten, verwirren, in Unordnung bringen, als ein Heer Xen. An. 1, 7. 19. —τασις, εως, ἡ, (ἀνατείνω), das Ausftrecken, Ausdehnung in die Länge, oder in die Höhe, d. i. Höhe; Ausftrecken der Hände gegen jemanden, d. i. Drohen, Bedrohung, als beym Polyb. καταπλαγέντες τὴν ἀνάτασιν τοῦ Φιλίππου ..., u. beym Plut. ἀνάτασιν καὶ ὄγκον τοῦ βασιλέως μὴ φοβηθείς. —τάσσω, ἀνατάττω, f. άξω, anordnen, auffteilen, nach der Ordnung ftellen, rangiren; wieder vornehmen, als μαθήματα ἀνατάξασθαι πρὸς σελήνην Plut. Aufgaben beym

Monde wieder vornehmen, die man am Tage getrieben hatte.

Ἀνατατικὸς, ἡ, ὸν, Adv. ἀνατατικῶς, gut auszuſtrecken; ausgeſtreckt, und daher angeſtrengt, ſtark, heftig, drohend. v. ἀνατείνομαί τινι.

Ἀνατεὶ, Adv. (ἄτη), ohne Schaden, ohne Strafe. —τείνω, fut. ενῶ, (ἀνὰ, d. i. ἄνω τείνω), in die Hohe ſtrecken, z. B. τὰς δεξιὰς Xen. Cyr. 4, 2. 17. oder τὰς χεῖρας An. 3, 2. 9: ausſtrecken, z. B. die Flugel einer Schlachtordnung ausdehnen Xenoph. Cyr. 7, 1. 6 und 16. ἀετὸς ἀνατεταμένος, Cyr. 7, 1. 4 ein ausgebreiteter Adler oder ein Adler mit ausgebreiteten Flugeln. Eben ſo hinſtrecken, hinhalten, als τὴν μάχαιραν Xen. oder das Schwerdt in die Hohe heben und drohen zu verwunden. med. ἀνατείνασθαι τινὶ drohen. Polyb. 5, 55 und 58. dav. ἀνατατικὸς. ſich gegen jemanden ausſtrecken, oder wie im lat. *intentare alicui aliquid*, einem etwas drohen, und in paſſ. bedrohet werden.

Ἀνατειχίζω, fut. ίσω, wieder oder eine neue Mauer auffuhren; davon —τειχισμὸς, ὁ, Auffuhrung einer neuen Mauer, Ausbeſſerung der alten. —τέλλω, f. ελῶ, act. aufgehen laſſen, als vom Weinſtock, der Knoſpen treibt, vom Menſchen, der eine Fackel in die Höhe halt; neutr. aufgehen, z. B. von der Sonne Xen. An. 2, 3. 1. da es Matth. 5, 45 act. ſteht; aufgehen laſſen. —τέμνω, f. εμῶ, zerſchneiden, zerhauen, abſchneiden, abhauen. —τεταμένως, Adv. ausgeſtreckt, mit angeſtrengter Kraft, v. partic. praet. paſſ. v. ἀνατείνω. —τήκω, f. ήξω, zerſchmelzen oder ſchmelzen laſſen, mithin erweichen, und ſo auflöſen, ſchlaff machen, als ἀνατήκουσιν αἱ ἡδοναὶ τὰ σώματα Plut. die Lüſte löſen den Korper auf, erſchlaffen ihn, wie in gleicher Metapher *liqueſcere voluptate* Cic. Tuſc. 2, 22. davon —τῆξις, εως, ἡ, das Zerſchmelzen, z. B. des Schnees.

Ἀνατὶ, Adv. ſ. v. a. ἀνατεὶ.

Ἀνατίθημι, f. ήσω, aufhängen, hinlegen, beylegen, mithin, wenn von einem Geſchenk die Rede iſt, das man in einem Tempel beylegt, widmen, als Xen. An. 5, 3. 5 und 6. daher das bekannte ἀνάθημα; auflegen, aufpacken, aufbürden, z. B. eine Laſt, u. wie dies im Deutſchen (einem was aufburden) ubergetragen, auch im guten Sinne beylegen, zueignen, zuſchreiben, τὶ τινὶ Xen. Apol. 13 und 30. Mem. 3, 14. 7. 2) wieder, d. i. anders ſetzen, z. B. von Steinen beym Spiel, oder etwas anders verſetzen, ihm eine andere Stelle geben, als οὓς ἐν τοῖς φίλοις ἔθεσαν, πάλιν τούτους ἀνατίθενται Xen. Mem. 2, 4. 4. daher etwas, als ſeine Meinung zurücknehmen, ſie ändern, Xen. Mem. 1, 2. 44. Auch aufſchieben, gleichſam zurückſetzen, wie *rejicio* ſt. *differo*.

Ἀνατίλλω, ausraufen, abrupfen. —τιμάω, ῶ, f. ήσω, den Preiſs, Werth vermehren, erhohen, heraufſchätzen u. ſo theurer machen, vertheuern. —τιναγμὸς, ὁ, das Erſchüttern, und daher Verſetzen von einem Ort in den andern. Vergl. ἀνάστασις; von —τινάσσω, fut. άξω, erſchüttern, ſchütteln. —τιταίνω, eine andere Form von ἀνατείνω. —τιτραίνω, f. ανῶ, oder ἀνατιτράω, und ἀνατίτρημι durchbohren, eigentlich aufbohren. —τλάω, f. ήσω, od. ἀνάτλημι, erdulden, ertragen; davon —τλημα, ατος, τὸ, das Erdulden. Duldung. —τλημι, ſo viel als ἀνατλάω. —τοιχέω, (τοῖχος), von einer Seite des Schiffs zur andern ſchwanken. S. τοιχίζω. —τοκίζω, f. ίσω, Zins auf Zins nehmen; davon —τοκισμὸς, ὁ, Zins auf Zins, ſ. Erneſti clav. Cic. in voc. anatocismus. —τολὴ, ἡ, Aufgang, z. B. der Sonne, daher der Morgen, als Gegend, wie *oriens* (*ſol*), v. ἀνατέλλω; davon —τολικὸς, ἡ, ὸν, zum Morgen gehörig, aus dem Morgenlande. —τολμάω, ῶ, f. ήσω, ſich erkuhnen, wagen. —τομὴ, ἡ, das Zerſchneiden, Zergliedern, z. B. des thieriſchen Körpers, v. ἀνατέμνω; davon —τομικὸς, ἡ, ὸν, zur Zergliederung gehörig, anatomiſch. —τονος, ὁ, ἡ, ſich in die Hohe ſtreckend. Vitruv. 10, 15 nennt *capitula altiora, quam eſt latitudo*, ἀνάτονα, alſo zu weit hervorragende. —τοπόω, das med. hat Philoſtr. Apoll. 1, 32 eintragen, einrücken, v. τόπος.

Ἄνατος, ὁ, ἡ, (ἄτη), ohne Verletzung, unverletzt; act. nicht verletzend, unſchadlich, z. B. beym Sophocl. κακῶν ἄνατος, nach dem Schol. ἀναίτιος. —τράω, f. ήσω, durchbohren. Die verlangerte Form iſt ἀνατιτραίνω. —τρεπτικὸς, ἡ, ὸν, umkehrend, umwerfend, zerſtörend, verwüſtend; von —τρέπω, f. ψω, umkehren, umwenden, wie ἀναστρέφω, mit dem es auch beym Xen. Cyr. 2, 2. 5 u. Joh. 2, 15 verwechſelt iſt; umwerfen, umſtoſsen, niederwerfen, als τῷ ἵππῳ, mit dem Pferde einen niederwerfen, oder niederreiten, umreiten. Daher wie *everto*, vernichten, zerſtören, als πόλεις Plato, verbunden mit ἀπόλλυμι, im Gegenſ. v. σώζω. So auch v. Gründen, mit Gründen niederſchlagen, widerlegen, als ἀνατρέψω ταῦτ' ἀντιλέγων. Ariſtoph.

[illegible]τρέφω, f. ψω, eigentlich durch [Er]nährung einen kranken, matten Kor[per] stärken, metaph. φρόνημα Cyrop. [...] 34. —τρέχω, ἀνέδραμον, zu[rück]laufen, oder in die Höhe laufen; [vo]m zurücklaufen leitet sich die Be[deu]tung des ändern des Laufes, des [Ge]setzes her und 2) des verbesserns. [...] τῆς φύσεως ἐλάττωσιν ἀναδραμεῖν, [de]n Mangel der Natur verbessern Plu[tar]ch. 3) von der Bedeut. des in die [H]öhe laufen, kommt die von wach[sen], zunehmen, sich vermehren.

[Ἀνα]τρησις, εως, ἡ, das Durchboh[ren], Durchgraben, v. ἀνατράω. —τρη[τ]ός, ὁ, ἡ, durchbohrt ἐμβάδας ἀνα[τρή]τους Synes. Ep. 52. —τριαίνω, [ἀν]ατριαινόω, (τρίαινα), mit dem Drey[za]ck erschüttern aus dem Grunde. —τρίβω, f. ψω, zerreiben, zersto[ß]en; abreiben, abkratzen; verreiben [o]der vernichten. —τριπτος, ὁ, ἡ, [ze]rrieben; abgerieben. —τριχος, ὁ, [ἡ], (θρὶξ), mit zurückgekehrtem Haa[r]. Porphyr. Euseb Praep. 3, 3. —τρι[ψ]ις, εως, ἡ, das Reiben, das Kratzen o. [Dr]ucken. —τροπεύς, έως, ὁ, Zerstö[re]r, Verwüster, v. ἀνατρέπω. —τρο[π]ή, ἡ, Zerstörung, Verwüstung, v. [ἀν]ατρέπω. —τροφὴ, ἡ, Ernährung, [E]rziehung, v. ἀνατρέφω. —τροχάω, [...], eine andere Form von ἀνατρέχω, [s]o wie die simplicia τρέχω u. τροχάω. —τυλίττω, f. ξω, zurück wickeln, [d.] i. wieder aufwickeln; tropisch, z. [B.] λόγους, Reden wieder überdenken, [w]ie *revolvo*. —τυπόω, ῶ, f. ώσω, wieder bilden, d. i. umbilden; erbil[d]en (nach der Analogie von erdich[te]n, erschaffen) oder einbilden, d. i. [si]ch ein Bild von etwas machen; da[v]on —τύπωμα, ατος, τὸ, gemach[t]es Bild, Vorstellung. —τύπωσις, [εω]ς, ἡ, Umbildung; Einbildung. —[τ]ορβάζω, f. άσω, in Unordnung [b]ringen, unter einander werfen. S. [τ]ύρβη.

[Ἀν]αύγητος, ὁ, ἡ, (αὐγὴ), ohne Strahl, [o]hne Glanz, dunkel.

[Ἀν]αυδής, έος, ὁ, ἡ, (αὐδὴ), ohne Spra[c]he, stumm; f. v. a. das folgende z. [B.] Sophocl. Aj. 961. ἀναυδον ἔργον *fa[ci]nus infandum*. —δητος, ὁ, ἡ, (αὐ[δά]ω), unaussprechlich, nicht gespro[ch]en, unerhört, mithin unerwartet, [z.] B. Sophocl. Aj. 720. in Verbindung [m]it ἀνέλπιστος, wo es der Schol. auch [du]rch dies erklärt. —δία, ἡ, Stumm[he]it, das Wesen eines ἀναυδής. —δως, [...] ἡ, Adv. ἀναύδως, f. v. a. ἀναυδής, [H]om. Od. 5, 456.

[Ἀν]αυλεὶ, Adv. (ναῦλον), ohne Fähr[ge]ld zu Wasser.

Ἄναυλος, ὁ, ἡ, (αὐλός), ohne Flöten, [w]ie θυσία ἄχορος καὶ ἄναυλος; Plut., ein Opfer ohne Chor und Flöten, oder ohne Tanz, Gesang und Spiel; 2) der nicht auf der Flote spielen kann. Luzian.

Ἀναυλόχητος, ὁ, ἡ, S. ναυλοχέω.

Ἀναυμάχιον, τὸ, ist blos im Genit. ἀναυμαχίου δίκη gebrauchlich, Klage, wegen Aussenbleiben beym Seetreffen, ναυμαχία, wie λειποταξίου, λειποστρατίου δίκη.

Ἀναυξής, έος, ὁ, ἡ, nicht vermehrend; pass. nicht zunehmend, nicht wachsend, v. αὔξω; davon —ξησία, ἡ, Mangel, Unterbleiben an Wachsthum. —ξητος, ὁ, ἡ, (ἄνευ, αὔξω), nicht wachsend, nicht zunehmend. —ξω, f. ξήσω, vermehren, v. ἀνὰ und αὔξω, mehren.

Ἄναυος, ὁ, ἡ. S. ἄνεως.

Ἄναυρος, ὁ, ἡ, (αὔρα), ohne Luft; ein Strom von Regengüssen entstanden, *torrens*, wie der Schol. beym Nicander Alex. 235 ἄναυροι erklärt durch ὄχθαι τῶν ποταμῶν, u. der Schol. des Apollon. Rhod. 1, 70 durch ὁ ἐξ ὑετῶν συνιστάμενος ποταμὸς, wiewohl man es dort in dem Vers: χειμερίοιο ῥέεθρα κιὼν διὰ ποσσὶν ἀναύρου, in welchem von Jason die Rede ist, auch als nom. propr. eines thessalischen Flusses erklaren kann, den Hesiod. Scut. 477 nennt.

Ἀναυτέω, aufschreyen, ausrufen. Opp. Cyn. 4. 301.

Ἀναύχην, εος, ὁ, ἡ, (αὐχὴν), ohne Nacken.

Ἀναύω, f. αὔσω, anzünden, anstecken.

Ἀναφαίνω, f. ανῶ, erscheinen lassen, sichtbar machen, zeigen, vor- oder darstellen, med. u. pass. sich sichtbar machen, sichtbar werden, erscheinen, sich zeigen.

Ἀναφαίρετος, ὁ, ἡ, (ἀφαιρέω), nicht wegzunehmen, was sich nicht wegnehmen läst.

Ἀναφαλαντίας, ὁ, f. v. a. ἀναφάλαντος. —φαλαντίασις, εως, ἡ, nach Aristoteles hist. an. 3. 11. ἡ κατὰ τὰς ὀφρύας λειότης, Mangel der Augenbraunen: uberh. Glatze; von —φάλαντος, ὁ, ἡ, kahl, mit einer Glatze, und zwar eigentl. ohne Augenbraunen, wie es bey den LXX Lev. 13, 41 heisst: ἐὰν κατὰ πρόσωπον μαδήσῃ ἡ κεφαλὴ, ἀναφάλαντός ἐστι. —φαλάντωμα, ατος, το, f. v. a. ἀναφαλαντίασις.

Ἀναφανδὰ, oder ἀναφανδὸν, Adv. sichtbar, offenbar; von ἀναφαίνω. —φαντάζω, f. άσω, f. v. a. ἀναφαίνω, wovon es nur eine andere Form ist, und ἀναφαντίζομαι beym Plato häufig einerley mit ἀναφαίνομαι.

Ἀναφέρω, ich erhebe, hebe auf; 2) nehme auf mich, erdulde, *sustineo*, *suffero*; 3) ich bringe herauf, ἀναφέρω αἷμα.

ich ſpeye Blut aus; 4) beziehen auf jemand, *referre*, λόγον εἴς τινα, jemandem die Rede zuſchreiben. αἰτίαν εἴς τινα, die Schuld auf jemand ſchieben. Auch ohne Kaſus: εἰς ἀξιόχρεων τὸν λέγοντα ἀνοίσω Plato, ich will mich auf die Ausſage eines glaubwürdigen Mannes berufen. Auch neutr. in die Höhe kommen, aufkommen, aufgehn, von Sternen.

'Αναφεύγω, f. εύξομαι, hinauffliehen, entfliehen.

'Αναφὴς, έος, ὁ, ἡ, (ἁφὴ), ohne Berührung, unberührt, unberührbar. — φθέγγομαι, fut. ξομαι, wieder ſchreyen, d. i. antworten; aufſchreyen, auf- oder ausrufen. — φθείρομαι, ſich aufreiben, ſich unglücklich machen, unglücklich werden. — φλασμὸς, ὁ, *maſturbatio*, von — φλάω, (φλάω, ich reibe) verſt. τὸ αἰδοῖον, das Schaamglied reiben, aufrichten; ἀναπεφλασμένος, dem das Glied aufgerichtet iſt. — φλεγμαίνω, f. ανῶ, von Entzündung aufſchwellen, auflaufen. — φλέγω, f. ξω, anzünden, anfeuern, auch im tropiſchen Sinne; dav. — φλογίζω, f. ίσω, anzünden, anſtecken. — φλύζω, f. ύσω, aufbrauſen, aufſprudeln, wie kochendes Waſſer. S. φλύω. — φλύω, f. ύσω, ſ. v. a. ἀναφλύζω. — φοβέω, ῶ, erſchrecken, aufſchrecken. — φοιβάζω, f. άσω, nach Heſych. ſ. v. a. ἀνακαθαίρω. S. Φοιβάζω. — φοιτάω, ῶ, f. ήσω, bey den ſpätern Griechen hinaufgehen, zurückgehen.

'Αναφορὰ, ἡ, (ἀναφέρω), das in die Höhe heben, das Aufrichten, in die Höhe kommen; das Zurückbringen, d. i. das Zurückſchieben z. B. einer Beſchuldigung auf einen andern; daher auch der Bezug, die Beziehung, wie *relatio*: und wie dies, das Ueberlaſſen, beym Ariſtot. ἡ ἀναφορὰ περὶ πάντων πραγμάτων πρὸς τὸν δῆμον ἐστι; das Hinbringen, Darbringen, Einbringen oder Einkünfte.

'Αναφορεὺς, έως, ὁ, der Riemen, Strick, Gurt, woran etwas aufgehängt, gehalten wird, wie τελαμὼν und ὀχεύς; vom ἀναφέρω, Heber, Träger Paralip. 5. Man erklärt es auch für das Holz, welches man über den Nacken und die beyden Schultern in die Queere legt, welches an beyden Enden über den Schultern ausgehöhlt iſt (ἀμφίκοιλον, ἀμφίκυρτον ξύλον), damit es beſſer auf den Schultern liege, und woran man die Waſſereymer und andere Laſten hängt, um ſie bequemer zu tragen; wie ἄσιλλα.

'Αναφορέω, ῶ, ſ. v. a. ἀναφέρω. — φορικὸς, ἡ, ὸν, Adv. ἀναφορικῶς, ſich beziehend, im Bezug, im grammatiſchen Sinne *relativus*; aber Hypſicles ἀναφο-

αν. Philostr. Icon 3, 1 die Haare sträuben. Dionys. Antiq. 5. οἱ ἵπποι αὐτῶν ἐμπλέξαντες τὰ στήθη τῇ ῥύμῃ τῆς φορᾶς ἐπὶ τοῖς ὀπισθίοις ἀνίστανται ποσὶ καὶ τοὺς ἐπιβάτας ἀναχαιτίσαντες ἀποσείουσι, für abwerfen, herunterwerfen Eur. Bacch. 1061. Hipp. 1243. μικρὸν πταῖσμα πάντα ἀνεχαίτισε καὶ διέλυσε Demosth. wirft, schmeisst alles um. ἀναχαιτίσαντα δῆμον nennt Plutarch das übermüthige, aufrührerische Volk; u. von Antonius ὡς πρῶτον ἀνεχαίτισε τῶν παργμάτων, sobald er sich von Geschäften befreyet hatte, Plutar. Anton. 21. 2) ich halte zurück, τὴν ναῦν τοῦ δρόμου Lucian. αὐτὰ τῆς ἀλόγου ὁρμῆς. *cohibeo.*

Ἀναχαίτισμα, τὸ, das Zurücklenken oder Biegen. Plut. 8 p. 412. —χαλασμὸς, ὁ, Auflösung, Nachlassung, Linderung; und —χαλαστικὸς, ἡ, ὸν, nachlassend, die Spannung hemmend, erleichternd, als ἀναχαλαστικὰ φάρμακα; von —χαλάω, ῶ, f. άσω, nachlassen, erleichtern. —χαράσσω od. ἀναχαράττω, f. άξω, wieder aufreissen, aufwühlen, wieder rauh oder spitzig machen. —χάσκω, s. v. a. ἀναχαίνω. —χειρίζομαι, bey Dio Cass. 38 B. verhindern. —χελύσσομαι, auswerfen, aushusten, v. χέλυς. —χέω, f. εύσω, auf- oder eingiessen, einmischen, durch einander giessen od. auflähmern. —χλαινόω, ῶ, f. ώσω, (χλαῖνα), einen Mantel anlegen einem andern, oder anziehen, ankleiden. —χλιαίνω, f. ανῶ, erwärmen, warm machen. —χνοαίνω, (χνόος), Aristophan. sagt vom jungen Schweine ἐὰν ἀναχνοανθῇ ἐν τριχὶ s. v. a. ἀναχνοᾶν, wenn es wird alle Haare, Borsten bekommen haben, ausgewachsen seyn; ein komischer Ausdruck. —χοὴ, ἡ, das Ergiessen, Ausgiessen, von ἀναχέω. —χορεύω, f. εύσω, s. v. a. ἀναβακχεύω active u. neutr. Eur. Or. 581. —χόω, ῶ, f. ώσω, s. v. a. ἀναχώννυμι. —χράομαι, s. v. a. διαχράομαι und καταχράομαι haben Suidas, Hesych. u. Pollux 9, 155 im Thucydid. 1, 126 gelesen. —χρέμπτω, ἀναχρέμπτομαι, ich werfe durch den Husten aus, spucke aus; davon ἀνάχρεμψις, ἡ, das Auswerfen, der Auswurf. S. χρέμπτω. —χριαίνω, f. ανῶ, hat man aus des Hesych. ἀγχριάνασθαι genommen; aber ἀγχρίω für zuschmieren, verstopfen hat Malela P. 2 p. 90. —χρώννυμι, f. ώσω, oder ἀναχρωννύω, (χρόα), eine Farbe anreiben, färben, ein Oel anreiben oder salben; daher auch beschmutzen; davon —χρωσις, εως, ἡ, das Färben, die Oelung; das Beschmutzen. —χυμα, τὸ, αἰθέριον bey Nicomach. music. p. 6. das Meer des Aether. —χύρωτος, ὁ, ἡ, von Spreu gereinigt, ohne Spreu, Hülsen, Kleyen; von ἀχυρόω. —χυσις, εως, ἡ, das Ergiessen, s. v. a. ἀναχοή: metaph. ἀσωτίας ἀνάχυσιν 1 Petr. 4, 4. nach Hesych. φυρμὸν, βλακείαν. Suidas hat βλακείαν ἔκλυσιν, u. derselbe hat ἀνακεχυμένη, ἀνειμένη, ἀνετὴ, κεχαυνωμένη wie lat. *diffluens animus mollitie, segnitie.* 2) s. v. a. ἀνάχυμα, das Ergossene, vorz. Stellen, worein das Meer bey der Fluth sich ergiesst, bey Strabo. lat. *aestuarium.* —χύω, f. ύσω, ergiessen, drauf giessen. —χωμα, ατος, τὸ, (ἀναχόω), der Aufwurf, das Aufgeworfene, ein aufgeworfener Graben, s. χόω. —χωματισμὸς, ὁ, das Aufwerfen der Erde eines Grabens. —χωνεύω, f. εύσω, umgiessen, umschmelzen. —χώννυμι, von ἀναχώω, das fut. ἀναχώσω, aufwerfen, aufhäufen. ἀνακεχωκότες τὴν ὁδὸν Demosth. 1279 den Weg höher machen, schütten. —χωρέω, ῶ, zurückgehen, zurücktreten; daher auch ἀνακεχωρηκὼς τόπος Theoph. ein zurückgetretener, d. i. entlegener Ort, *locus in secessu* beym Virgil. so muss es der Zusammenhang bestimmen, was für ein Abtreten jedesmal gemeint sey; z. B. ὑπὸ Βοιωτῶν ἀναχωρέουσι ἐς Ἀθήνας Herodot. 5, 61 werden von den Böotiern vertrieben und gehn; das Abgehen von einem Amte, oder dessen Niederlegen, wie *abeo magistratu,* od. sich zurückziehn aus dem Staat und von Staatsgeschäften, als Cic. ad Att. 9, 4 εἰ πολιτικὸν τὸ ἡσυχάζειν, ἀναχωρήσαντά ποι. so auch zurücktreten oder Abscheu haben, als τὸ ἀνακεχωρηκὸς τῆς φύσεως Chrys. davon —χώρημα, ατος, τὸ, das Zurücktreten, Abtreten; entlegener Ort. —χώρησις, εως, ἡ, das Zurücktreten, Abtreten; entlegener Ort, Zuflucht, Zufluchtsort, Rückzug, z. B. aus einem Treffen; die Zurückkunft. —χωρητὴς, ὁ, ein Zurück- oder Abgetretener, einer, der sich von Staatsgeschäften oder ganz aus der Gesellschaft zurückgezogen hat, Anachoret. —χωρίζω, fut. ίσω, (ἀναχωρέω), machen, dass einer zurückgeht, zurückgehen lassen, zurückrufen, zurückführen.

Ἀναψαθάλλω und ἀναψαλάττω. s. v. a. ψαθάλλω, u. ψαλάττω, doch mit dem Nebenbegriffe von aufwärts nach oben zu. —ψάω, ῶ, f. ήσω, (ψάω), ich streiche mit der Hand, streiche, wische ab; streichle, *mulceo.* —ψηλάφησις, εως, ἡ, die Berührung; daher die Bemühung etwas berühren zu wollen, Aufsuchung, Aufspürung. s. ψηλαφάω. —ψηφίζω, f. ίσω, wieder stimmen lassen, s. ἐπιψηφίζω; von Sachen, wieder oder von neuem vornehmen, und daher ändern. Thucyd. 6, 14. davon —ψήφισις, εως, ἡ, neue Stimmensammlung.

wiederholtes Vornehmen oder Debattiren einer Sache, und daher Abänderung.

'Ἀναψήχω, f. ήξω, s. v. a. ἀναψάω.

'Ἀναψις, εως, ἡ, das Anzünden, von ἀνάπτω.

'Ἀναψυκτὴρ, ῆρος, ὁ, der Erfrischer; u. —ψυκτικὸς, ἡ, ὸν, erfrischend, erquickend; desgl. —ψυξις, εως, ἡ, die Erfrischung, Erquickung, Erholung; auch —ψυχὴ, ἡ, eben so viel; von —ψύχω, f. ύξω, (ψύχος), ich kühle ab, erfrische, erquicke; 2) ich trockne an der Luft; ἀναψύχεσθαι, sich erholen, wieder zu sich kommen. Nicand. Ther. 312 ausruhen, schlafen.

'Ἀνδάνω, von ἅδω, wie λαμβάνω, μανθάνω, λανθάνω von λάβω, μάθω, λάθω, m. d. Dativ, bey Homer, auch mit d. Akk. οὐδὲ ὁ Ζεὺς ὕων πάντας ἁνδάνει, auch Jupiter erfreut nicht alle, wenn er regnen lässt; meist kann man es gefallen übersetzen.

'Ἄνδηρον, τὰ ἄνδηρα, heissen die Ufer der Flüsse; und die erhöheten Gartenbeete oder Rabatten; Graben, Kanal, Plutarch. Q. S. 3, 2 und 3. überh. Blumenbeete, oder Beete der Baumschule; scheint s. v. a. ἀνθηρὰ zu seyn, wie es auch bey Theophr. C. P. 3, 20 geschrieben steht. ἄνθηρα θαλάσσης bey Oppian. Hal. 4, 319 die Ufer.

'Ἀνδίκτης, ὁ, s. v. a. ῥόπτρον, das Stellholz in der Falle; von —δίκω, poet. R. ἀναδίκω, s. v. a. ἀναῤῥίπτω.

'Ἄνδιχα, st. ἀνάδιχα, abgesondert, besonders, zwischen.

'Ἀνδοκάδην st. ἀναδοκάδην, d. i. ἐκ διαδοχῆς. —δοκεὺς, st. ἀναδοκεὺς, d. i. ἀνάδοχος.

'Ἀνδραγαθέω, (ἐω ἀνὴρ ἀγαθὸς), ich bin ein braver, guter, biederer Mann, beweise, betrage mich so; dav. —γάθημα, ατος, τὸ, That eines guten, braven, biedern, muthigen Mannes. —γαθητὴς, οῦ, ὁ, d. i. ἀνδραγαθέων, oder kürzer ἀνὴρ ἀγαθὸς, der sich wie ein guter, biederer, muthiger Mann beträgt, ein biederer Mann ist. —γαθία, ἡ, Charakter eines biedern Mannes, Biederkeit, Biedersinn, That eines biedern, muthigen Mannes, verb. mit ἀρετὴ Xen. Cyr. 3, 3. 55. —γαθίζομαι, f. ίσομαι, ich mache mich zu einem biedern Manne, d. i. ich betrage mich als einen biedern, braven, muthigen Mann.

'Ἀνδράγρια, ων, τὰ, (ἀνὴρ, ἀνδρὸς, ἄγρα), dem erschlagenen Feinde abgenommene Beute, *spolium*. Il. 14, 509.

'Ἀνδραγχῖνος, ὁ, ἡ, oder ἀνδραγχος, b. Eusth. der gelindere Name für δήμιος, der Henker.

'Ἀνδράδελφος, ὁ, Mannes Bruder, ἀνδρὸς ἀδελφὸς.

'Ἀνδρακὰς, Adv. bey Homer u. Aeschyl. Mann für Mann κατ' ἄνδρα; doch lasen einige im Homer auch ἀνδραδὰς, von δάω, δαίω. Bey Nicand. Ther. 643 ist ἀνδρακὰς, ἡ, Theil, Portion. —ποδίζω, f. ίσω, (ἀνδράποδον), einen zum Sclaven machen, in die Sclaverey bringen, unterjochen, von einzelnen Menschen sowohl, als ganzen Städten Xen. Ages. 7, 6. Sympos. 4, 36. im Kriege, *sub corona vendere*, Xen. Mem. 2, 2. 2. oder auch durch List und Gewalt, Mem. 1, 2. 62. 4, 2, 14, also ein Seelenverkäufer seyn; davon —πόδισις, εως, ἡ, u. —ποδισμὸς, ὁ, Seelenverkäuferey, wenn man einen Menschen raubt und zum Sclaven macht und so verkauft, Xen. Apol. 25. vergl. Mem. 1, 2. 62. —ποδιστήριος, α, ον, od. ἀνδραποδιστικὸς, ein geschickter, ausgelernter Seelenverkäufer, od. zur Seelenverkäuferey dienlich, behülflich. —ποδιστὴς, οῦ, ὁ, Sclavenmacher, s. v. a. ἀνδραποδίζων, so nennt auch Sokrates Mem. 1, 2. 6 diejenigen ἀνδραποδιστὰς ἑαυτῶν, die sich u. ihren Unterricht, mithin ihre Freyheit verkaufen. —ποδοκάπηλος, ὁ, ἡ, Sclavenhändler, v. κάπηλος und —ποδον, ου, τὸ, Sclave, v. ἀνὴρ, u. πούς. eigentl. ἀνδράπους, wovon ἀνδραπόδεσσι Il. 7, 475. welchen Vers aber Aristophanes und Zenodotus für eingeschoben hielten, und meinten, das Wort sey später erst aufgekommen. Dort bedeutet es einen Gefangenen. —ποδώδης, εος, ὁ, ἡ, Adv. ἀνδραποδωδῶς, sclavisch, *servilis*, dem *liberalis* entgegengesetzt, sclavisch gesinnt, niedrig denkend, handelnd, niedrigen Lüsten, Leidenschaften fröhnend, Sclave seiner Lüste, Begierden, Leidenschaften. —ποδωδία, ἡ, Sclavensinn, sclavische Art zu denken u. handeln; sclavische Unterwerfung, sclavische Unterwürfigkeit.

'Ἀνδράριον, τὸ, (ἀνὴρ), ein Männchen, ein Menschchen.

'Ἀνδράφαξις, εως, ἡ, s. v. a. ἀνδράφαξυς u. ἀτράφαξις.

'Ἀνδραφυστέω, des Mordes beschuldigen.

'Ἀνδραχθὴς, έος, ὁ, ἡ, (ἀνὴρ, ἄχθος), Männer belastend; an dem ein Mann zu tragen hat, Hom. Od. 10, 121 als Beywort v. χερμάδιον.

'Ἀνδράχλη, ἡ, ἄνδραχλος, u. ἀνδράχνη, ἡ, *andrachne*, Portulak; 2) ἀνδράχλη, s. v. a. ἄνθρακες, Kohlbecken, Feuersorge; 3) der wilde Erdbeerbaum, *portulaca*. S. κόμαρος.

'Ἀνδρεία, ἡ, oder richtiger ἀνδρία mit einem blossen i, zur Unterscheidung des adject. fem. ἀνδρεία, Mannheit, männliches Alter, männliche Stärke, männlicher Muth (im Gegens. v. δειλία Xen. Mem. 1, 1. 16. vergl. 4, 6.

ιο), männliches Betragen, v. ἀνήρ, wie virtus von vir.

'Ανδρείκελον, τὸ, das Menschenähnliche, Aehnlichkeit, d. i. Abbildung, Bild, Statue eines Menschen; 2) eine Farbe, oder vielmehr Mischung von mehrern, um die natürliche Farbe des Menschen auszudrücken. Xen. Oec. 10, 5. Plato Cratyl. 35. Eigentl. das neutr. von —δρείκελος, ὁ, ἡ, menschenähnlich, wie Θεοείκελος, götterähnlich. —δρειόθυμος, ον, von männlichem Muthe. —δρεῖον, τὸ, das Männliche, männliche Kraft, Stärke, Muth; von —δρεῖος, εία, εῖον, Adv. ἀνδρείως, männlich, männlich-stark, männlich-muthig, männlich-gesetzt. —δρειφόντης, ου, ὁ, Menschenmörder, Hom. Il. 2, 651.

'Ανδρεράστρια, ἡ, (ἐράστρια), Männerliebende.

'Ανδρεύομαι, ich werde mannbar. S. ἀνδρόω.

'Ανδρεὼν, ῶνος, ὁ, s. v. a. ἀνδρών.

'Ανδρηλατέω, ῶ, d. i. ἄνδρα ἐλατέω od. ἐλαύνω, ich vertreibe, verjage einen Mann aus seinem Vaterlande. —λάτης, ου, ὁ, d. i. ἀνδρηλατέων.

'Ανδρια, ων, τὰ, Männermahle, Männerschmausereyen in Kreta, was zu Lacedaemon φιδίτια waren. Aristot. polit. 2, 8.

'Ανδρία, ἡ, s. oben ἀνδρεία.

'Ανδριαντίσκος, ὁ, ein kleiner ἀνδριάς, eine kleine Statue. —τογλύφος, ὁ, d. i. ἀνδριάντα γλύφων, ein Bildhauer, Bildschnitzer. —τοπλάστης, ου, ὁ, d. i. ἀνδριάντας πλάστης, der Bilder formt, aus Gips oder Wachs; davon —τοπλαστική, ἡ, näml. τέχνη, die Kunst des vorhergeh. —τοποιέω, d. i. ἀνδριάντα ποιέω, Statuen, Bilder machen. —τοποιητική, ἡ, näml. τέχνη, die Kunst eines ἀνδριαντοποιός, Bildhauerkunst. —τοποιΐα, ἡ, s. v. a. das vorhergehende, oder das Verfertigen von Statuen; von —τοποιός, ὁ, d. i. ἀνδριάντα ποιέων, der Statuen macht, Bildhauer. —τουργέω, v. ἔργον, also s. v. a. ἀνδριαντοποιέω.

'Ανδριὰς, άντος, ὁ, (ἀνήρ), Bild eines Mannes, also Gemälde, ἀνδριάντας γράφοντας Plato Rep. 4. vorz. Bildsäule.

'Ανδρίζω f. ίσω, zum Manne machen, stark machen, stärken, abhärten, Xen. Oec. 5, 4. Med. ἀνδρίζομαι, sich zum Mann, sich stark machen, sich stärken; ein Mann werden, ins männliche Alter treten, wie ἀνδρεύομαι; ein Mann seyn oder sich als einen muthigen, biedern Mann beweisen, Xen. An. 4, 3. 34. 5, 8. 13, in welcher letztern Stelle es s. v. ist als sich anstrengen, sich angreifen, im Gegens. v. βλακεύω.

'Ανδρικὸς, ἡ, όν, Adv. ἀνδρικῶς, männlich, d. i. entw. zu einem Manne gehörig, ihn betreffend, als Kleidung, Essen u. s. w. od. eines Mannes würdig, oder männlich-grofs, männlich-stark, männlich-muthig. Vergl. ἀνδρεῖος.

'Ανδρίον, τὸ, s. v. a. ἀνδράριον.

'Ανδριστὴς, ὁ, (ἀνδρίζομαι), der tapfer thut und ist; Nicetas Annal. 1, 9. wie ὠμηστής. —δριστὶ, Adv. männlich, muthig, entschlossen.

'Ανδρόφιλος, ὁ, ἡ, Männerfreund, ἀνδρὸς φίλος. —φόντης, ου, ὁ, Männer- oder Menschenmörder, ἄνδρα φένων od. φονεύων.

'Ανδροβαρὴς, ὲς, v. βάρος, s. v. a. ἀνδραχθής. —βατέω, ῶ, Männer besteigen, Männerliebe treiben. —βόρος, ὁ, ἡ, (βόρος), gefräfsig, Fresser, Menschenfresser. —βουλος, ὁ, ἡ, (βουλή), von männlicher Entschlossenheit, also klug, muthig. —βρὼς, od. ἀνδρόβρωτος, d. i. ἄνδρα βρόων oder βρώσκων, Menschenfresser; doch bed. die zweyte Form eigentl. von Menschen gefressen.

'Ανδρογένεια, ἡ, Fortpflanzung des männlichen Geschlechts, oder der Menschen überhaupt; die männliche Nachkommenschaft. —γίγας, αντος, ὁ, ein Gigante. —γόνος, ὁ, ἡ, (ἀνήρ, γόνος), Männer zeugend, in unserer Kalendersprache: gut für Knabengeburt. Denn es ist beym Hesiod. Εργ. 783 und 788 ein Beywort v. ἡμέρα, im Gegensatze: κούρῃ οὐ σύμφορές ἐστι γενέσθαι; für ein Mädchen ist ein solcher Tag nicht glücklich, an ihm geboren zu werden.

'Ανδρογύνης, οῦ, ὁ, und

'Ανδρόγυνος, ὁ, ein Zwitter, ein Androgyn, männlichen u. weiblichen Geschlechts zugleich, mit den Geburtstheilen beyder Geschlechter, *utriusque naturae*, wie Plin. sagt; sonst auch γύνανδρος, oder 'Ερμαφρόδιτος; 2) nach Pollux auch ein Verschnittener, Mann von Natur, Weib durch Verstümmelung, sonst auch ἡμίγυναιξ, ἡμίανδρος, Halbweib, Halbmann. Daher nach Art dieser Verschnittenen, weibisch, weichlich, entnervt; 3) λουτρὰ ἀνδρόγυνα Anthol. sind Bäder für Männer und Weiber zugleich.

'Ανδροδάϊκτος, ὁ, ἡ, d. i. ἄνδρα δαΐζων, Männer mordend. —δάμας, αντος, ὁ, d. i. ἄνδρα δαμάων, Männer bändigend. Auch ein Stein Plin. 36, 20. 37, 10. —δομος, ὁ, (δόμος), s. v. a. ἀνδρών.

'Ανδρόθεν, Adv. vom Manne. —θνὴς, νῆτος, ὁ, ἡ, von einem Manne gestorben, ὑπ' ἀνδρὸς θανών, d. i. ermordet.

'Ανδροκάπηλος, Menschenhändler, wie ἀνδραποδοκάπηλος. —κμὴς, ῆτος, ὁ, ἡ, von einem Manne ermordet, wie σιδηροκμὴς Sophocl. Aj. 325, v. κάμνω; act. Menschen tödtend Aeschyl. Choeph. 889

'Ἀνδρόκμητος, ὁ, ἡ, (καμέω, κάμνω), von Menſchen gemacht, gearbeitet, als τύμβος Hom. Il. 11, 371, wie θεόδμητος, von Gott erbaut. —**κτασία**, ἡ, (κτείνω), Helden- oder Menſchenmord. —**κτονέω**, ῶ, ich bin ein ἀνδροκτόνος, morde Menſchen. —**κτονία**, ἡ, ſ. v. a. ἀνδροκτασία; von —**κτόνος**, ὁ, ἡ, Helden- oder Menſchenmörder.

'Ἀνδρολέτειρα, ἡ, (ὀλέτειρα), Männer- oder Menſchenmörderin. —**λήμης**, (λῆμα), mit Männermuth begabt.

'Ἀνδροληψία, ἡ, od. ἀνδρολήψιον, (ἀνὴρ, λήβω, λαμβάνω), Menſchenfang, bey den Athenienſern ein Gebrauch, nach dem ſie, wenn einer ihrer Burger auſſerhalb des Attiſchen Gebiets war ermordet worden, wenn man den Mörder nicht ausgeliefert bekam, aus deſſen Staat drey Burger als Geiſſeln wegnahmen, oder um an dieſen Rache zu nehmen.

'Ἀνδρολογέω, Männer auswählen, naml. zum Kriegsdienſt, enrolliren; davon —**λογία**, ἡ, Mannerauswahl zum Kriegsdienſte. —**λογίζω**, f. ίσω, ſ. v. a. ἀνδρολογέω.

'Ἀνδρομανής, έος, ὁ, ἡ, (μαινομένη), manntoll, raſend aus Liebe zu Männern, im Gegenſ. v. γυναικομανής; davon —**μανία**, ἡ, Manntollheit, raſende Liebe zu Mannern. —**μάχος**, ὁ, ἡ, (μαχομένη), mit Männern kampfend. —**μεγέθης**, ὁ, ἡ, ſ. v. a. ἀνδρομήκης. Nicetas Annal. 8. 2. —**μεος**, έα, ον, männlich, menſchlich, Hom. Il. 11, 538. —**μήκης**, εος, ὁ, ἡ, mannslang, ἀνδρὸς μῆκος ἔχων. —**μηρὸν**, oder ἀνδρομητὸν ἐγχειρίδιον nach Heſych. ſonſt συσπαστὸν u. ἄηκτον, ein Meſſer, womit der Akteur im Ajax ſich zum Schein erſtach, beſchrieben v. Achilles Tatius 3 p. 203. von ἀναδρομή.

'Ἀνδρονομούμενοι, bey Antonin 10, 19. wird ſich bruſtend erklart.

'Ἀνδρόπαις, αιδος, ὁ, ein Jungling nahe am Manne; Jüngling von männlicher Denkungsart, Geſinnung. Sophocl. —**πλαστία**, ἡ, (πλάσσω), das Menſchenbilden. —**πλήθεια**, ἡ, (πλῆθος), Menſchenmenge. —**πορνος**, ὁ, ein Mann, der ſich zur Unzucht brauchen laſst. S. πόρνος. —**πρεπής**, έος, ὁ, ἡ, (πρέπει), Mannern geziemend. —**πρωρος**, ον, poet. ſ. v. a. ἀνδροπρόσωπος, ὁ, ἡ, mit Manner- oder Menſchengeſichte. S. πρώρα.

'Ἀνδροσάθης oder ἀνδροσάθων, (σάθη), Beyw. eines Knaben mit Mannesgliede. —**σαιμον**, τὸ, eigentl. Mannesblut, v. ἀνήρ u. αἷμα, iſt eine Art von Johanniskraut, *hypericum*, das gedruckt einen blutigen Saft giebt. —**σινις**, ιδος, ὁ, ἡ, (σίνις, σίνομαι), Menſchenpeſt, fur Menſchen verderblich. —**σύνη**, ἡ, ſ. v. a. ἀνδρεία Oenomaus Euſeb. 5, 28. —**σφιγξ**, γγος, ὁ, ein Androſphinx, eine Statue, die eine Sphinx und einen Menſchen vorſtellt.

'Ἀνδρότης, ητος, ἡ, Mannheit, Männlichkeit, v. ἀνήρ; männliches Alter, verb. mit ἥβη Hom. Il. 16, 857. —**τυχής**, ές, (τυχέω, τυγχάνω), die einen Mann bekommen hat, in der Ehe lebt.

'Ἀνδροφαγέω, ῶ, ich bin ein ἀνδροφάγος, freſſe Menſchenfleiſch. —**φάγος**, ὁ, ἡ, (φάγω), Menſchen freſſend, der Menſchenfleiſch friſst, Hom. Od. 10, 200. —**φθόρος**, ον, (φθορὰ, φθείρω), Menſchenverderber, Menſchen ſchädlich. —**φονέω**, ῶ, ich bin ein ἀνδροφόνος, morde Menſchen. —**φονία**, ἡ, Menſchenmord; von —**φόνος**, ὁ, Menſchenmorder, Bandit; in fem. ἡ ἀνδ. Mannesmörderin, eine, die ihren Mann mordet. —**φόντης**, ου, ὁ, ſ. v. a. ἀνδροφόνος. —**φωνος**, ὁ, ἡ, (φωνή), mit einer männlichen Stimme.

'Ἀνδρόω, ῶ, f. ώσω, davon ἀνδρόομαι, ἀνδροῦμαι Med. ich erreiche das männliche, mannbare Alter; daher ich werde ſtark, mannlich. τὸ σῶμα ἠνδρώθη; 2) beym Manne ſchlafen, bey Hippocr. u. Dio Caſſius.

'Ἀνδρύνω, f. ῶ, hielt ſchon Steph. für verdorben aus ἀδρύνω.

'Ἀνδρώδης, εος, ὁ, ἡ, Adv. ἀνδρωδῶς, männlich, ſ. v. a. ἀνδρικός.

'Ἀνδρὼν, ῶνος, ὁ, Xen. Symp. 1, 4 u. 13, oder ἀνδρωνῖτις, Oec. 9, 5 Wohnſtube, Speiſezimmer für Männer, im Gegenſ. v. γυναικεῖον u. γυναικωνῖτις, ebend. Wohnzimmer für die Frauen; 2) bey den Romern hieſs ſo ein Gang zwiſchen zweyen Höfen des Hauſes. Vitruv. 6. 10. Plinius junior. 2. 17.

'Ἀνδρῷος, ῴα, ῷον, männlich, von ἀνδρόïος ſt. ἀνδρεῖος.

'Ἀνεγγυάω, ῶ, f. ήσω, ſ. v. a. ἐγγυάω; zw. —**έγγυος**, ὁ, ἡ, unverbürgt, ἔγγυος; in fem. ἡ ἀν. nicht angetraut Plut. Cat. comp. nicht verlobte.

'Ἀνεγείρω, f. ερῶ, aufwecken, er- oder aufmuntern; von Gebauden, aufführen; med. ich wecke mich auf, ſtehe auf, wache auf; dav. —**γέρμων**, ὁ, ἡ, κοίτας ἀνεγέρμονες aus dem Schlafe erweckt. Anal. Brunk. 2, 297. —**γερσις**, εως, ἡ, das Aufrichten; die Aufführung, Errichtung. —**γερτος**, ὁ, ἡ, Adv. ἀνεγέρτως, nicht aufgeweckt, nicht erwacht, nicht aufgeſtanden, v. α u. ἐγείρω.

'Ἀνέγκλητος, ὁ, ἡ, (ἐγκαλέω), Adv. ἀνεγκλήτως, nicht anklagbar, unbeſcholten, ohne Vorwurfe.

'Ἀνέγκυος, ἡ, (ἔγκυος), nicht ſchwanger.

'Ἀνεγκωμίαστος, ὁ, ἡ, (ἐγκωμιάζω), nicht gelobt, nicht gerühmt.

'Ανέγρομαι, ft. ἀνεγείρομαι.

'Ανεγχώρητος, ὁ, ἡ, (ἐγχωρέω), unzulassbar; unzuläſsig; unmöglich.

'Ανεδάφιστος, ὁ, ἡ, (ἐδαφίζω), nicht zu Boden geworfen; nicht feſt getreten oder geebnet.

'Ανέδην, Adv. (ἀνίημι), ausgelaſſen, zügellos; gradezu, unverhindert, als av. ὑδρεύεσθαι, παριέναι, beym Arrian., unverhindert Waſſer holen, hinzukommen; beym Eſſen, Trinken iſt es, reichlich, ſo viel man will; ungeſcheut, gradezu; wird falſch auch ἀναίδην geſchrieben u. v. ἀναιδὴς abgeleitet.

'Ανέδραστος, ον, (ἕδρα), ohne feſten Sitz, unſtet.

'Ανέζω, f. έσω, (ἀνὰ, ἕζω), in die Höhe ſetzen, aufſetzen, Hom. Il. 13, 657. wo ἀνέσαντες ſteht.

'Ανεθελησία, ἡ, Zwang, Lage eines ἀνεθέλητος. —θέλητος, ὁ, ἡ, (ἐθέλω), gezwungen, nicht willig; nicht erwünſcht, traurig, niederſchlagend, als συμφορὰ beym Herodot. 7. 88 u. 133.

'Ανέθιστος, ον, (ἐθίζω), nicht gewöhnt.

'Ανείδεος, ὁ, ἡ, (εἶδος), ohne Geſtalt, noch nicht gebildet, roh, als ὕλη, roher Stoff, u. beym Themiſt. mit ἄμορφος.

'Ανείδω, (ἀνὰ, εἴδω), anſehen, bemerken.

'Ανειδωλοποιέω, ῶ, ſ. v. a. εἰδωλοποιέω. zweif. —δωλοποιΐα, ἡ, ſ. v. a. εἰδωλοποιΐα. zweif.

'Ανεικάζω, ſ. v. a. ἀνασκώπτω Eupolis. —καστος, ὁ, ἡ, (εἰκάζω), was ſich nicht bildlich vorſtellen oder errathen läſst. —κόνιστος, ον, (εἰκονίζω), nicht zu bilden, wovon ſich kein Bild, keine Abbildung machen läſst.

'Ανειλείθυια, ἀνειλήθυια, ἡ, ohne Eileithyia, die noch nicht die Hülfe dieſer Göttin nöthig gehabt, noch nicht geboren hat.

'Ανειλέω, ῶ, ich wickle auf; davon —λημα, τὸ, das Aufwickeln; auch tormina, στρόφος, Leibſchneiden. —λησις, εως, ἡ, das Aufwickeln.

'Ανειλίσσω, und ἀνίλλω, volvo, revolvo, ich wickle auf, βιβλίον, evolvo librum; S. εἰλέω u. ἴλλω.

'Ανειμένως, Adv. (ἀνίημι, part. praet. paſſ.) nachgelaſſen, nachläſsig, ohne Spannung, ohne Anſtrengung, ſorglos Xen. Mem. 2, 4. 7; zügellos, Cyr. 4, 4. 17.

'Ανειμι, (εἶμι), zurückgehen; heraufgehen Xen. Cyr. 2, 4. 17.

'Ανείμων, ονος, ὁ, ἡ, (εἷμα), ohne Kleider; ohne Decken. Odyſſ. 3. 348.

'Ανειπεῖν, ſ. v. a. ἀναρέω, von ἀνα, εἴπω.

'Ανείργω, f. ξω, (ἀνα, εἴργω), abhalten, abwehren; davon —είρξις, εως, ἡ, das Abhalten, Abwehren.

'Ανειρύω, (ἀνα, ἐρύω), zurück oder heraufziehn, wie ἀναρύω u. αὐερύω.

'Ανείρω, anknüpfen, zuſammenknüpfen, flechten, z. B. στεφάνους, Kränze.

'Ανείσοδος, ὁ, ἡ, unzugangbar, unzugänglich, α, εἴσοδος.

'Ανείσφορος, ὁ, ἡ, (εἰσφορὰ), ohne Tribut, frey von Tribut, nicht tributär, nicht zinsbar; davon —φορία, ἡ, Freyheit von Abgaben, Steuerfreyheit.

'Ανέκαθεν, Adv. von oben herab, ἄνωθεν. Eben ſo von der Geſchlechtsfolge, die man von einem zum andern herunter führt, ἡ ἀνέκαθεν ἀκολουθία; von —κὰς, Adv. in die Höhe, nach oben, ſ. v. a. ἄνω.

'Ανέκβατος, ὁ, ἡ, ohne Ausgang, v. ἐκβαίνω u. α privat. —βίαστος, ὁ, ἡ, (ἐκβιάζω), Adv. ἀνεκβιάστως, eigentl. den man nicht mit Gewalt herausbringen kann; nicht zu zwingen, nicht zu bezwingen.

'Ανεκδαρτὶ, Adv. ohne das Fell, die Haut abzuziehn; von —δαρτος, ον, (ἐκδέρω), nicht geſchunden, dem die Haut, das Fell nicht abgezogen, abgeſtreift iſt. —δήμητος, ὁ, ἡ, bey Plutar. ἡμέρα ἀνεκδήμητος καὶ ἀνέξοδος, an welchem man nicht auſser dem Lande geht, keinen Feldzug unternimmt. —διήγητος, ὁ, ἡ, (ἐκδιηγέομαι), Adv. ἀνεκδιηγήτως, unbeſchreiblich, auſserordentlich. —δίκητος, ὁ, ἡ, (ἐκδικέω), nicht gerächt, beſtraft. —δοτος, ὁ, ἡ, (ἔκδοτος), nicht ausgegeben, nicht bekannt gemacht; von einem Mädchen, nicht ausgeſtattet, unverheyrathet. —δρομος, ὁ, ἡ, (ἔκδρομος), ohne Ausflucht, ohne Entrinnen, dem man nicht entrinnt. —θέρμαντος, ὁ, ἡ, (ἐκθερμαίνω), nicht zu erwärmen, den man nicht warm machen kann. —θυτος, ὁ, ἡ, (ἐκθύομαι), nicht auszuſöhnen.

'Ανεκκλησίαστος, ον, (ἐκκλησιάζω), ohne Volksverſammlung beſchloſſen.

'Ανεκλάλητος, ὁ, ἡ, (ἐκλαλέω), unausſprechlich, auſserordentlich. Vergl. ἀνεκδιήγητος. —κλειπτος, ὁ, ἡ, (ἐκλείπω), Adv. ἀνεκλείπτως, unaufhörlich, nicht ausgehend, ſtets fortgehend, unerſchöpflich. —κλιπὴς, έος, ὁ, ἡ, ſ. v. a. das vorherg. v. ἐκλιπής. —κλόγιστος, ὁ, ἡ, nicht zur Rechenſchaft gezogen, z. B. in den Pandekten ein Vormund, dem man keine Rechnung abfodert; davon —κλογίστως, Adv. ohne Rechnung, ohne Ueberlegung, ohne Maaſs. —κνιπτος, ον, (ἐκνίπτω), nicht oder ſchwer auszuwaſchen.

'Ανεκπίμπλημι, (ἀνὰ, ἐκπιμπ.), wieder anfüllen, wieder ausfüllen. Xen. An. 3, 4. 22. —πληκτος, ὁ, ἡ, (ἐκπλήττω), Adv. ἀνεκπλήκτως, nicht erſchreckt, unerſchrocken; act. nicht erſchreckend, nicht erſchrecklich. λέξις, Plutar. Educ. die keinen Eindruck macht. —πλή-

'Ανεκπλήρωτος, ὁ, ἡ, (ἐκπληρόω), nicht auszufüllen, unausfüllbar. —πλυτος, ὁ, ἡ, (ἐκπλύνω), nicht auszuwaschen od. auszuwischen, unauslöschlich, unvertilgbar. —ποίητος, ὁ, ἡ, (ἐκποιέω), nicht wegzuschaffen, z. B. ὀδύνη Hipp. —πύητος, ὁ, ἡ, bey Aretaeus, ohne aufgebrochenes Geschwure, ἐκπύημα. —πυστος, ον, (ἔκπυστος), nicht erforscht, verhehlt; nicht zu erforschen, nicht auszuplaudern, zu verhehlen.

'Ανεκρίζωτος, ὁ, ἡ, (ἐκριζόω), nicht entwurzelt; nicht zu entwurzeln, nicht ganz auszurotten.

'Ανεκτικὸς, ἡ, ὸν, (ἀνέχομαι), duldsam; davon —κτὸς, ἡ, ὸν, Adv. ἀνεκτῶς, zu erdulden, zu ertragen. —κτριπτος, ον, (ἐκτρίβω), nicht aus- oder abzureiben, was sich nicht ausreiben oder abwischen läfst.

'Ανέκφευκτος, ὁ, ἡ, (ἐκφεύγω), nicht zu vermeiden, dem keiner entflieht; act. der nicht entfliehen kann, als δοῦλος beym Plut. —φοίτητος, ὁ, ἡ, (ἐκφοιτάω), nicht auskommend, sich nicht ausbreitend. —φορὸς, ὁ, ἡ, (ἐκφέρω), nicht herauszubringen, was man nicht herausbringen darf, sonst ἀνέξοιστος. —φραστος, ὁ, ἡ, (ἐκφράζω), unaussprechlich. —φώνητος, ὁ, ἡ, s. v. a. das vorhergehende, v. ἐκφωνέω.

'Ανέλαιος, ὁ, ἡ, (ἔλαιον), ohne Oel. —λεγκτος, ὁ, ἡ, (ἐλέγχω), Adv. ἀνελέγκτως, nicht zu widerlegen, nicht zu überführen. —λέγχω, s. v. a. ἐλέγχω. zw. —λεήμων, ονος, ὁ, ἡ, (ἐλεήμων), Adv. ἀνελεημόνως, unbarmherzig; davon —λεημοσύνη, ἡ, Unbarmherzigkeit. —λεὴς, ές, (ἔλεος), ohne Erbarmen, unbarmherzig. —λέητος, ὁ, ἡ, mit dem man kein Mitleid hat. Liban. —λελίζω Oppian. Cyn. 4, 302 erschüttern und nach oben bewegen. —λευθερία, ἡ, Charakter, Betragen eines ἀνελεύθερος, wie *illiberalitas*, tückisches, niedriges Betragen. —λευθεριότης, ητος, ἡ, der Charakter eines ἀνελεύθερος, auch s. v. a. das vorhergehende. —λεύθερος, ὁ, ἡ, (ἐλεύθερος), Adv. ἀνελευθέρως, nicht frey, d. i. nicht edel, wie *illiberalis*, einem freyen Menschen nicht anständig, seiner nicht würdig, besonders schmutzig, karg, filzig. S. auch ἀνδραποδώδης. —λευσις, εως, ἡ, das Wiederkommen, die Ruckkehr, die Zurückkunft, v. ἀνὰ u. ἔλευσις. —λεῶς, Adv. v. ἀνελεὴς, unbarmherzig. —λήμων, poet. st. ἀνελεήμων. —λιγμα, ατος, τὸ, (ἀνελίττω), das Zusammenwickeln, das Aufwickeln; das Aufgewickelte; das Gekräusel der Haarlocken.

'Ανελιννύω, s. v. a. ἐλινύω. —λιξις, εως, ἡ, (ἀνελίττω), das Aufwickeln, Einwickeln; Herumwickeln; daher wegen der Aehnlichkeit des Knauls, Umwälzung, als ἀν. τοῦ παντὸς beym Plato, die Umwälzung des Himmels. —λιπος, ὁ, ἡ, S. νήλιπος. —λίσσω, ἀνελίττω, f. ίξω, (ἀνὰ, ἑλίττω), aufwickeln, auseinanderwickeln, von Büchern, deren Rollen man auseinanderwikkelt, d. i. nach unserer Art aufschlägt, sie liest und erklärt, Xen. Mem. 1, 6. 14. auch herumwickeln. S. ἀνέλιξις.

'Ανελκτος, ὁ, ἡ, (ἑλκτὸς), nicht zu ziehen, was man nicht fortziehen kann. —ελκύω, f. ύσω, oder —έλκω, f. ξω, (ἀνὰ, ἕλκω); heraufziehen, in die Hohe ziehen, z. B. ἰχθὺν ἀγκίστρῳ; wieder, d. i. zurück, oder weg- oder herausziehen, z. B. ναῦς, Schiffe heraus, aus dem Wasser ans Land ziehen.

'Ανέλκωτος, ὁ, ἡ, ohne Wunde, Schwar, Schaden, v. ἑλκόω.

'Ανέλλην, ὁ, ἡ, nicht Grieche, ἕλλην. —λήνιστος, ὁ, ἡ, ungriechisch, v. ἑλληνίζω.

'Ανελλιπὴς, έος, ὁ, ἡ, (ἐλλιπὴς), nicht Mangel leidend; nicht unterbleibend, stets fortgehend, ἐλλείπω.

'Ανελπις, ὁ, ἡ, (ἐλπὶς), ohne Hoffnung. —πιστέω, ῶ, ich bin ἀνέλπιστος, ohne Hoffnung. —πιστία, ἡ, Lage eines ἀνέλπιστος, Verzweiflung; von —πιστος, ὁ, ἡ, (ἐλπίζω), Adv. ἀνελπίστως, nicht gehofft, unverhofft; act. nicht hoffend, verzweifelnd.

'Ανέλυτρος, ὁ, ἡ, (ἔλυτρον), ohne Hülle, ohne Decke.

'Ανέμβατος, ὁ, ἡ, (ἐμβαίνω), wohin, wozu man nicht kommen kann, unzugänglich.

'Ανεμέσητος, ὁ, ἡ, Adv. ἀνεμεσήτως, unbeneidet; ungetadelt; ungestraft von der Nemesis. S. νεμεσάω. auch ohne zu beneiden oder zu zürnen.

'Ανεμέω, ῶ, ausspeyen, ausbrechen, wie ἐμέω.

'Ανέμητος, ὁ, ἡ, nicht getheilt, nicht vertheilt, νέμω.

'Ανεμία, jonisch ἀνεμίη, ἡ, bey Hippocr. Epid. 2. s. v. a. ἐμπνευμάτωσις. S. ἀνεμόω. —μιαῖος, ὁ, ἡ, oder ἀνεμιαῖος, αία, αῖον, (ἄνεμος), windig, voller Wind; tropisch, wie bey uns ein windiger, d. i. unbeständiger Mensch, κατὰ νοῦν ἄστατος nach Eust. —μίδιον, τὸ, ein kleiner Wind, ein Lüftchen. —μίδιος, ία, ιον, s. v. a. ἀνεμιαῖος, zweif. —μίζω, f. ίσω, durch Winde bewegen, als κλύδων ἀνεμιζόμενος Jac. 1, 6. —μιος, ία, ιον, s. v. a. ἀνεμιαῖος. —μόδρομος, ὁ, schnell wie der Wind laufend, windschnell. —μόεις, όεσσα, όεν, windig, voller Wind, dem Winde ausgesetzt, luftig; von Winden bestürmt, von Gegenden.

'Ανεμοκοῖται, ῶν, οἱ, v. κοῖτος, d. i. nach Eust. ἀνέμους κοιμίζοντες, die Zauberer, welche Winde einschläfern, d. i. stillen. Bey den Corinthiern.

'Ανεμος, ὁ, st. ἄεμος, v. ἄημι, oder ἄω, also das Wehen, der Hauch, der Wind. Der Lat. spricht es *animus*, *anima* aus, wie ἐν, *in*. Und so braucht Horat. *anima* st. *ventus* Carm. 4, 12, 2. u. Cic. Tusc. 1, 19. *juncti ex anima tenui et ardore solis ignes.*

'Ανεμοσκέπης, εος, ὁ, ἡ, (σκέπω), gegen den Wind deckend, beschützend, Hom. Il. 16, 224. —στροφος, ον, (στρέφω), vom Winde umgekehrt. —σφάραγος, ὁ, ἡ, vom Winde tösend. S. σφάραγος. —τραφὴς, έος, ὁ, ἡ, oder ἀνεμοτρεφὴς, (τρέφω), vom Winde genährt, als κῦμα Hom. Il. 15, 625 eine vom Winde genährte Woge. Denn je stärker der Wind, desto grösser die Woge. Bey ἔγχος aber Il. 11, 256 erklärt man es mit Synesius Calvit. p. 76 eine Lanze von einem Baume, der an einem windigen Orte gewachsen ist, dessen Holz mithin fester und zäher geworden, als das in niedrigen und windstillen Gegenden zu seyn pflegt.

'Ανεμούριον, τὸ, (ἄνεμος, οὖρος), Windfahne, beym Hero p. 230, Windflügel.

'Ανεμοφθορία, ἡ, Windschaden, Windbruch, πληγὴ τῶν ἀνέμων nach Suidas; von —μόφθορος, ὁ, ἡ, (φθορὰ, φθείρω), vom Winde verdorben, zerstört. —μοφόρητος, ὁ, ἡ, (φορέω), vom Winde entrückt, zertragen, zerstreut. —μόω, ῶ, f. ώσω, lüften, dem Winde aussezzen, bey Hippocr. blähen, ἐμπνευματοῦν. S. auch ἐξανεμόω. ἠνεμωμένος τὴν τρίχα die Haare im Winde flatternd. Callistr. Statua 14. v. ἄνεμος.

'Ανεμπλήκτως, Adv. unerschüttert, unerschrocken. Vergl. ἀνέκπληκτος. —πληστος, ὁ, ἡ, Themist. or. 2 p. 40. θέαμα an dem man sich nicht sättigen, satt sehn kann. —πλοος, ὁ, ἡ, nichtschiffend, als ναῦς beym Nonnus, ein Schiff, worauf man nicht fährt. —πόδιστος, ὁ, ἡ, (ἐμποδίζω), Adv. ἀνεμποδίστως, nicht verhindert, unverhindert, frey. —πτωτος, ὁ, ἡ, (ἐμπίπτω), nicht verfallend, hineinfallend, εἰς πάθη, in Leidenschaften, ohne Leidenschaften.

'Ανεμφανὴς, έος, (ἐμφανὴς), nicht sichtbar, nicht glänzend, nicht bekannt, nicht berühmt. —φαντος, ὁ, ἡ, (ἐμφαίνω), nicht angezeigt; nicht dargethan, bewiesen. —φατος, ὁ, ἡ, Adv. ἀνεμφάτως, s. v. a. das vorhergehende, sich nicht deutlich zeigend, nicht stark wirkend, ohne ἔμφασις.

'Ανεμώδης, εος, ὁ, ἡ, windig, voller Wind; windigen Wesens, s. v. a. ἀνεμόεις. —μώκης, εος, ὁ, ἡ, (ὠκύς), windschnell, schnell wie der Wind. —μωλια, ἡ, beym Theophr. hist. pl. 7, 10 hält man für einerley mit ἀνεμώνη. —μώλιος, ὁ, ἡ, windig, auch tropisch, wie ἀνεμιαῖος, Hom. Il. 4, 355. 20, 123.

'Ανεμώνη, ἡ, gleichsam Windrose v. ἄνεμος, Anemone, eine Pflanze; metaph. ἀνεμῶναι λόγων windige, eitle Reden bey Lucian.

'Ανεμῶτις, ιδος, ἡ, die Stillerin, Besänftigerin der Winde, ἄνεμος; Beywort der Minerva.

'Ανενδεὴς, έος, ὁ, ἡ, (ἐνδεὴς), Adv. ἀνενδεῶς, nicht dürftig, also reichlich; nicht bedürfend. —δεκτος, ὁ, ἡ, unmöglich, wie ὃ οὐκ ἐνδέχεται γίνεσθαι wie ἀνεγχώρητος. —δοίαστος, ὁ, ἡ, (ἐνδοιάζω), Adv. ἀνενδοιάστως, nicht zu bezweifeln; unbezweifelt. —δοτος, ὁ, ἡ, (ἐνδίδωμι), Adv. ἀνενδότως, nicht nachgelassen, nicht nachgebend, d. i. stets gespannt, in steter Anstrengung, nicht nachgiebig, hart, rauh. —δυτος, ὁ, ἡ, nicht angezogen, ἔνδυτος.

'Ανενέγκω und ἀνενείκω, wovon ἀναφέρω die tempora ἀνήνεγκα, ἀνήνεγκον, ἀνενεικάμην u. s. w. borgt. S. ἐνέγκω, ἐνείκω.

'Ανενεργὴς, έος, ὁ, ἡ, nicht wirksam, ἐνεργὴς, unthätig, faul. —έργητος, ὁ, ἡ, nicht wirkend, ohne Wirkung, act. beym Gregor. verbunden mit ἄπρακτος, von ἐνεργέω.

'Ανενήνοθε und ἀνήνοθε, poet. st. ἀνῆλθε, dorisch ἀνῆνθα, ἀνήνοθε, ἀνενήνοθε, wie ἐπενήνοθε st. ἐπῆλθε.

'Ανενθουσίαστος, ὁ, ἡ, (ἐνθουσιάζω), nicht von einem Gotte angehaucht, nicht begeistert; und weil solche Leute raseten und tobten, so ist es auch s. v. a. rasend, unsinnig, als ἔρως, *amor furens, insanus*, beym Plut.

'Ανεννόητος, ὁ, ἡ, nicht verstanden, nicht begriffen; nicht verständlich, nicht begreiflich; act. der etwas nicht begriffen, nicht gehört hat, mithin es nicht weiss, als beym Polyb. οἱ μεθ' ἡμᾶς ἀεννόητοι τούτων ὑπάρχοντες, ἐκπλήττονται; von ἐννοέω.

'Ανενόχλητος, ὁ, ἡ, (ἐνοχλέω), nicht beunruhigt.

'Ανέντευκτος, ὁ, ἡ, (ἐντεύχω, ἐντυγχάνω), nicht zu sprechen, der sich nicht sprechen lässt, Menschen und ihren Umgang flieht. —τρεχὴς, ὲς, das Gegentheil v. ἐντρεχὴς, wird nicht schnell erklärt; zweif. —τροπος, ὁ, ἡ, (ἐντρέπομαι), der sich an etwas nicht kehrt, keine Hochachtung gegen einen hat.

'Ανεξάκουστος, ον, (ἐξάκουστος), nicht hörbar, nicht gehört. —ξάλειπτος, ὁ, ἡ, (ἐξαλείφω), unauslöschlich. —ξάλλακτος, ὁ, ἡ, (ἐξαλλάσσω), unveränderlich.

'Ανεξάντλητος, (ἐξαντλέω), unerſchöpflich. —ξαπάτητος, ὁ, ἡ, (ἐξαπατάω), untrüglich. —ξάρνητος, ον, nicht ableugnend, eingeſtehend, μὴ ἐξαρνούμενος. —ξέλεγκτος, ὁ, ἡ, (ἐξελέγχω), Adv. ἀνεξελέγκτως, nicht ausgeforſcht; überführt, widerlegt, bewieſen; nicht zu erforſchen, überweiſen, zu überführen, Xen. 10, 8. —ξέργαστος, nicht ausgearbeitet; auch ſ. v. a. ἀνέργαστος. —ξερεύνητος, ὁ, ἡ, nicht auszuforſchen, nicht zu finden, oder verborgen, von ἐξερευνάω. —ξετάζω, f. άσω, ausforſchen, ausfragen, von ἀνὰ, ἐξετάζω. —ξέταστος, ὁ, ἡ, Adv. ἀνεξετάστως, nicht ausgeforſcht, durchſucht, nicht erforſcht, geprüft, von ἐξετάζω. —ξεύρετος, ὁ, ἡ, (ἐξευρέω), nicht aufzufinden, nicht aufgefunden. —ξήγητος, ὁ, ἡ, (ἐξηγέομαι), nicht herzuzählen, unzählbar. Galen. nicht hergezahlt, nicht erklart. —ξικακέω, ῶ, ich bin ἀνεξίκακος, dulde böſe Leute, ertrage Unglück. —ξικακία, ἡ, Duldſamkeit, Geduld, Langmuth; von —ξίκακος, ὁ, ἡ, Boſe, Boſes, Ungluck duldend, v. fut. ἀνέξω ver. ἀνέχω und κακὸς. Adv. ἀνεξικάκως. —ξίκμαστος, ὁ, ἡ, (ἐξικμάζω), nicht auszutrocknen; nicht ausgetrocknet. —ξίλαστος, ὁ, ἡ, (ἐξιλάομαι), unverſöhnlich. —ξίτηλος, ον, nicht verganglich, nicht ausgehend, ἐξίτηλος von ἔξειμι. —ξίτητος, ὁ, ἡ, ohne Ausgang, was keinen Ausgang hát, wo man nicht heraus kann; von ἔξειμι, μὴ ἔχων ἔξοδον nach Heſych. —ξιχνίαστος, ὁ, ἡ, (ἐξιχνιάζω), nicht aufzuſpuren. —ξοδίαστος, ον, (ἐξοδιάζω), nicht ausgegeben, nicht zu veräuſsern. —ξοδος, ὁ, ἡ, (ἔξοδος), ohne Ausgang. S. ἀνεκδήμητος. —ξοιστος, ὁ, ἡ, ſ. v. a. ἀνέκφορος, Plut. Q. S. 8, 8. von ἐξοίω d. i. ἐκφέρω.

Ἄνεοι oder ἀνεοὶ. S. ἀνεώς.

'Ανεόρταστος, ον, nicht zu feyern, nicht gefeyert, nicht feyerlich, βίος ἀνεόρταστος μακρὸς ὁδὸς ἀπανδόκευτος, ein Leben ohne Feyertage iſt wie ein langer Weg ohne Wirthshaus. Democr. ap. Stob. von ἑορτάζω. —ορτος, ὁ, ἡ, (ἑορτὴ), ohne Feſt, nicht feſtlich, nicht feyerlich.

'Ανεοστασίη, ἡ, ſ. v. a. ἐνεοστασίη.

'Ανεπάγγελτος, ὁ, ἡ, (ἐπαγγέλλω), nicht angeſagt, nicht angekündigt, als πόλεμος Polyb. *bellum non denunciatum.* —παίσθητος, ὁ, ἡ, (αἰσθέω, αἰσθάνομαι), Adv. ἀνεπαισθήτως, nicht fuhlbar, nicht gefühlt; act. nicht fuhlend. —παιστὸς, ὁ, ἡ, (ἐπάιστος), nicht gehort, nicht zu hören. —παίσχυντος, ὁ, ἡ, Adv. ἀνεπαισχύντως, ſ. v. a. ἀναίσχυντος; von ἐπαισχύνω. —παιτίατος, ον, (ἐπαιτιάομαι), nicht zu beſchuldigen, ſchuldlos; nicht beſchuldigt, nicht angeklagt. —πάλλακτος, ὁ, ἡ, nicht abwechſelnd, μὴ ἐπαλλαττόμενος. ζῶα ἀνεπάλλακτα beym Ariſtot. ſind Thiere mit nicht abwechſelnden und wechſelsweiſe in einander greifenden, ſpitzigen, ſondern zuſammenhängenden platten Zähnen. —πανόρθωτος, ὁ, ἡ, (ἐπανορθέω), nicht zu verbeſſern, unverbeſſerlich. —παφος, ὁ, ἡ, (ἐφάπτομαι), nicht berührt, unberührt, d. i. unverletzt, als ὕβρεως Antonin. 3, 4 keiner Schmach ausgeſetzt. —παφρόδιτος, ὁ, ἡ, faſt ſ. v. a. ἀναφρόδιτος, unliebenswürdig. —παχθὴς, έος, ὁ, ἡ, (ἐπαχθὴς), Adv. ἀνεπαχθῶς, nicht beläſtigend, nicht laſtig; keinen Neid zuziehend. —πέλευστος, ον, nicht zurückkommend; von ἐπέρχομαι, zweif. —πηρέαστος, ὁ, ἡ, ohne ἐπήρεια erfahren zu haben; nicht beleidigt.

'Ανεπὴς, έος, ὁ, ἡ, (ἔπος), ohne Worte, ohne Rede, ſtumm. —πίβατος, ὁ, ἡ, (ἐπιβαίνω, βάω), nicht zu erſteigen, nicht zu betreten, unerſteiglich, unwegſam. Vergl. ἀνέμβατος. —πιβούλευτος, ὁ, ἡ, (ἐπιβουλεύω), dem man nicht nachſtellen kann, nicht nachſtellt. —πίγνωστος, ον, (ἐπιγνόω), Adv. ἀνεπιγνώστως, nicht wahrgenommen, nicht deutlich erkannt. —πίγραφος, ὁ, ἡ, (ἐπιγραφὴ), ohne Aufſchrift, Verfaſſer, Urheber; unverbürgt. —πιδεὴς, έος, ὁ, ἡ, ſ. v. a. ἀνενδεὴς. —πίδεικτος, ὁ, ἡ, d. i. μὴ ἐπιδεικνύμενος, ſich nicht zeigend, ſich nicht brüſtend; ohne zu prahlen. —πίδεκτος, ὁ, ἡ, (ἐπιδέχομαι), der nicht aufnimmt, annimmt; unmöglich, wie ἀνεγχώρητος. ἀνήμερος καὶ ἀν. λόγων, unfreundlich, und der gar keine Gründe annimmt, oder gar nicht mit ſich reden laſst, Gregor. und eben ſo mit κακίας Baſil. keiner Bosheit fahig. —πίδετος, ὁ, ἡ, (ἐπιδέω), nicht verbunden, z. B. ἕλκος Galen. —πίδηκτος, ὁ, ἡ, (ἐπιδήκω, δάκνω), nicht beiſsend, reizend. —πίδικος, ὁ, ἡ, das Gegentheil von ἐπίδικος, ὁ, ἡ, nicht ſtreitig, unbeſtritten. —πίδοτος, ὁ, ἡ, (ἐπιδίδωμι), nicht zunehmend, ohne Wachsthum, mit ἀναυξὴς Theophraſt. hiſt. pl. 4, 7. —πιείκεια, ἡ, Mangel an Nachgiebigkeit; Unbilligkeit, Starrſinn, Härte; von —πιεικὴς, έος, ὁ, ἡ, (ἐπιεικὴς), nicht nachgiebig, ſtarrſinnig, unbillig, hart. Adv. ἀνεπιεικῶς. —πιθύμητος, ὁ, ἡ, nicht begehrlich, ohne Begierde, von ἐπιθυμέω. —πικάλυπτος, ὁ, ἡ, (ἐπικαλύπτω), unbedeckt, offen, öffentlich. —πίκαυστος, ὁ, ἡ, oder ἀνεπίκαυτος, (ἐπικαίω), nicht angebrannt, nicht verbrannt. —πικηρύκευτος, ον, (ἐπικηρύττω), nicht durch den Herold angekündiget, verkündigt, ſ. v. a. ἀκήρυκτος.

'Ανεπίκλητος, ὁ, ἡ, (ἐπικλέω, καλέω), Adv. ἀνεπικλήτως, ungetadelt, untadelhaft. —πικοινώνητος, ον, (ἐπικοινωνέω), nicht mittheilbar, nicht mitzutheilen. —πικούρητος, ὁ, ἡ, (ἐπικουρέω), nicht unterſtützt, dem man nicht hilft. —πίκριτος, ὁ, ἡ, (ἐπικρίνω), nicht beurtheilt, nicht überlegt, unüberlegt. —πίκρυπτος, ον, (ἐπίκρυπτος), nicht verborgen. —πικώλυτος, ον, (ἐπικώλυτος), Adv. ἀνεπικωλύτως, nicht verhindert, nicht unterſagt. —πίληπτος, ὁ, ἡ, (ἐπιλήβω, λαμβάνω), Adv. ἀνεπιλήπτως, nicht anzufaſſen, dem man nirgends ankommen kann, untadelhaft. —πίληστος, ὁ, ἡ, (ἐπιλήθω, λανθάνω), nicht verhehlt, nicht verſteckt; nicht vergeſſend, eingedenk neutr. — —πιλόγιστος, ὁ, ἡ, Adv. ἀνεπιλογίστως, unüberlegt, v. ἐπιλογίζομαι. —πιμέλητος, ὁ, ἡ, (ἐπιμελέομαι), nicht beſorgt, wofür nicht geſorgt iſt; act. nicht beſorgend, ſorglos. —πίμικτος, ὁ, ἡ, (ἐπιμίγνυμι), Adv. ἀνεπιμίκτως, unvermiſcht, d. i. rein, z. B. φυταρίας Dioſc. oder, wobey das med. zum Grunde liegt, ſ. v. a. μὴ ἐπιμιγνύμενος, ſich nicht vermiſchend, z. B. ἀνθρώπων, nicht mit Menſchen umgehend, ungeſellig. — πιμιξία, ἡ, Mangel an Vermiſchung, Unterlaſſung, Unterbrechung der Gemeinſchaft, des Umgangs, des Handels. —πίμονος, ὁ, ἡ, (ἐπιμένω), nicht verbleibend, nicht ausdauernd, unbeſtändig. —πινόητος, ὁ, ἡ, (ἐπινοέω), nicht zu denken, unbegreiflich; nicht überdacht, nicht überlegt. —πίξεστος, ὁ, ἡ, (ἐπιξέω), nicht abgeſchabt, nicht geglättet; überhaupt nicht ausgeputzt, nicht ganz fertig, als ἀν. δόμον καταλείπειν Heſiod. —πίπλαστος, ὁ, ἡ, (ἐπίπλαστος), nicht geſchminkt, überſchmiert. —πίπλεκτος, ὁ, ἡ, ſich nicht anhängend, μὴ ἐπιπλεκόμενος; ohne Gemeinſchaft mit andern oder Handel. Strabo 2 p. 307. 8. —πίπληκτος, ὁ, ἡ, Adv. ἀνεπιπλήκτως, ungeſchlagen; metaph. ungeſtraft, ungetadelt; auch untadelhaft, oder ohne Beſſerung laſterhaft; von ἐπιπλήττω. —πιπληξία, ἡ, Ungeſtraftheit, auch Untadelhaftigkeit, in jenem Sinne Plato Leg. 3 p. 143. —πίῤῥεκτος, ὁ, ἡ, (ἐπιῤῥέζω, ſ. ῥέζω, wie *facio*), nicht vollendet, d. i. nicht geopfert, als χυτρόποδες ἀν. b. Heſiod. d. i. ἄθυτοι, aus welchen man vorher nicht das Opfer verrichtet hat. —πισήμαντος, ὁ, ἡ, (ἐπισημαίνω), nicht bezeichnet, nicht ausgezeichnet durch Lob oder Tadel, nicht vorzüglich bekannt. —πισημείωτος, ὁ, ἡ, (ἐπισημειόω), nicht bezeichnet, nicht gezeigt, nicht deutlich erklärt. —πίσκεπτος, ὁ, ἡ, (ἐπισκέπτομαι), nicht beſehen, worauf nicht geſehen worden iſt, verbunden mit ἀθεράπευτος Xen. Mem. 2, 4. 3. —πισκεύαστος, ὁ, ἡ, (ἐπισκευάζω), nicht zu erſetzen, unerſetzlich. —πιστάθμευτος, ὁ, ἡ, (ἐπισταθμεύω), nicht beſtallend, ohne Einquartierung, frey davon. —πίσταθμος, ſ. v. a. das vorige Wort. —πιστασία, ἡ, Gedankenloſigkeit, Unachtſamkeit, v. ἐφίστημι, ſonſt ἀπροσεξία. —πιστάτητος, ὁ, ἡ, (ἐπιστατέω), nicht beaufſichtet, ohne Aufſeher, ohne Aufſicht. —πίστατος, ὁ, ἡ, Adv. ἀνεπιστάτως, der nicht aufmerkt, Acht giebt; unüberlegt; der ſich nicht beſinnt, bedenkt v. ἐφιστάναι verſt. ψυχὴν, Polyb. 10, 40 u. 47. —πιστημοσύνη, ἡ, Unwiſſenheit, Unerfahrenheit; v. —πιστήμων, ὁ, ἡ, (ἐπιστήμων), nicht wiſſend, der nicht weiſs, als ἀν. καὶ ἄπειρος, ὅποι τράπηται Thucyd. Eben ſo Xen. Mem. 2, 3. 7 ἀν. ἵππῳ χρῆσθαι, der ein Pferd nicht zu gegebrauchen, damit nicht umzugehen weiſs, gleich darauf μὴ ἐπιστάμενος. —πιστρεπτεὶ, od. ἀνεπιστρεπτί, o. ἀνεπιστρέπτως, Adv. ohne ſich umzuwenden, ohne umzukehren, auch ohne ſich daran zu kehren, ſorglos; v. —πιστρεπτέω, ich bin ἀνεπίστρεπτος, ich kehre mich nicht um; nicht daran, d. i. ich bin ſorglos, nachläſſig. Diog. Laert. 6, 91. wo falſch ἀνεπιτρεπτέω ſteht; von —πίστρεπτος, ὁ, ἡ, (ἐπιστρέφομαι, ἀ), Adv. ἀνεπιστρέπτως ſo viel als ἀνεπιστρεφὴς, ὁ, ἡ, und ἀνεπίστροφος, ὁ, ἡ, der ſich nicht umkehrt; der ſich nicht daran kehrt; daher unbekümmert, ſorglos, nachläſſig; auch bisweilen unerbittlich. —πιστρέφω, ſ. ψω, (ἀνὰ, ἐπιστρέφω), ich kehre, wende zurück u. nach oben um. zweif. —πιστρεψία, ἡ, (ἀνεπίστρεπτος), Sorgloſigkeit, Nachläſſigkeit. —πίστροφος, ὁ, ἡ, Adv. ἀνεπιστρόφως ſ. v. a. ἀνεπίστρεπτος u. ἀνεπιστρεφής.

'Ανεπισφαλὴς, ὁ, ἡ, ſ. v. a. ἀσφαλὴς Themiſt. or. 15 p. 190.

'Ανεπίσχετος, ὁ, ἡ, (ἐπέχω), Adv. ἀνεπισχέτως, nicht aufzuhalten, unaufhaltbar, als ὁρμή; nicht aufgehalten.

'Ανεπίτακτος, ὁ, ἡ, (ἐπιτάττω), Adv. ἀνεπιτάκτως, nicht befehlicht, keinem unterworfen, unabhängig, als ἐξουσία, Thucyd. —πίτατος, ὁ, ἡ, (ἐπιτείνω), nicht anzuſpannen, unangeſpannt. —πίτευκτος, ον, (ἐπιτυγχάνω, τυγχάνω), der das Ziel nicht trifft, erreicht; ſeinen Zweck nicht erreicht, Bitte nicht erhält. —πιτέχνητος, ὁ, ἡ, ungekünſtelt, ohne neue Erfindung. S. ἐπιτεχνάω. —πιτήδειος, ὁ, ἡ, (ἐπιτήδειος), ungeſchickt, nicht geſchickt, unbequem.

nicht paſſend, nicht tauglich, nicht vortheilhaft; auch unfreundlich, verfeindet, feindſelig; davon

'Ἀνεπιτηδειότης, ητος, ἡ, Unbequemlichkeit, Untauglichkeit, Ungeſchicklichkeit. —πιτήδευτος, ὁ, ἡ, (ἐπιτηδεύω), Adv. ἀνεπιτηδεύτως, ohne Sorgfalt und Fleiſs gemacht. —πιτίμητος, ὁ, ἡ, untadelhaft; ungeſtraft, ἐπιτιμάω. —πιτρεπτέω S. ἀνεπιστρεπτέω —πίτροπος, ὁ, ἡ, (ἐπίτροπος), ohne Vormund; auch μὴ ἐπιτρεπόμενός τινος, ſich an nichts kehrend, ſorglos.

'Ἀνεπίφαντος, ον, Adv. ἀνεπιφάντως, ſ. v. a. ἀνεμφανής, nicht ſichtbar gemacht, nicht ausgeputzt, nicht ausgeſchmückt, kein Aufſehn machend. Antonin. 1, 9. S. auch ἀνεπίφατος. —πίφατος, ὁ, ἡ, bey Heſych. u. Suidas ſ. v. a. ἀπροσδόκητος, ἀμιγής, ἄφθονος und καταμονάς. Suidas hat ein Beyſpiel von ἀνεπιφάτως. Philo 2 p. 57. ἀμίσως καὶ ἀνεπιφάτως τὰ λεχθέντα ποιεῖν, wo die Handſch. ἀνεπάφως haben, wo es mehr untadelhaft heiſst v. ἐπίφατος. Vergl. p. 76; in der erſtern Bedeut. ſteht es p. 521 ἀνεπιφάτως καὶ ἀφωράτως κατάγεται, wo es aber vielmehr ἀνεπιφάντως heiſsen ſoll. —πίφθονος, ὁ, ἡ, (ἐπίφθονος), nicht beneidet, ohne Neid, nicht zu beneiden, nicht zu tadeln. Adv. ἀνεπιφθόνως, Xen. Hier. 7, 10. —πιχείρητος, ὁ, ἡ, (ἐπιχειρέω), den man nicht angreifen, nicht überwältigen kann.

'Ἀνεπόπτευτος, ὁ, ἡ, der nicht ἐπόπτης geworden iſt, nicht ganz in die Geheimniſſe der Ceres eingeweiht iſt. —επόψιος, ὁ, ἡ, den man nicht vor den Augen hat, nicht ſieht, ἐπόψιος.

'Ἀνέραμαι, wiederum lieben. Xen. Mem. 3, 5, 7. m. Anmerk.

'Ἀνεράομαι, ich liebe wieder, von neuem, was ich vorher liebte. Xen. Mem. 3, 5, 7. not. —ραστία, ἡ, Ungewohntheit, Ungeübtheit im Lieben. Themiſt. or. 13 p. 163. —ραστος, ὁ, ἡ, (ἐράω), nicht zu lieben, nicht lieblich; act. nicht liebend.

'Ἀνέργαστος, ὁ, ἡ, nicht gearbeitet, verarbeitet, bearbeitet; nicht vollendet, fertig, ἐργάζομαι. —εργος, ὁ, ἡ, ἔργα ἀνεργα Eur. Hel. 366. wie *facta infecta*, ungethane Thaten.

'Ἀνερεθίζω, f. ίσω, (ἐρεθίζω), wieder reizen. —ρεικτος, ὁ, ἡ, nicht zermalmet, geſchroten, gebrochen. —ρείπτω, bey Hom. im Med. ἀνερείπτομαι, ich führe in die Höhe, entführe, raube, davon ἀνηρείψαντο bey Apollon. ἀνερείψατο 1, 214. das Wort ὑπερέπτω bedeutet bey Homer unten wegnehmen. Scheint alſo von ἐρέπτω, ἐρείπω zu kommen. Nicand. Alex. 256. στόμαχον ἀνερεπτόμενον *ſurſum convulſum ſtomachum*, der ſich übergiebt. —ρίπτω. S. ἀνερείπτω. —ρεύγω, f. ξω, ausſpeyen, ἀνὰ ἐρεύγω. —ρευνάω, f. ήσω, aufſpüren, aufſuchen, ἀνὰ, ἐρευνάω; dav. —ρεύνησις, εως, ἡ, Aufſpürung, Aufſuchung. —ρεύνητος, ον, nicht aufzuſpüren, was ſich nicht aufſpüren läſst. —ρίθευτος, (ἀν, ἐριθεύομαι), ohne Kabale, ohne Streit. ἀστασίαστα καὶ ἀνερίθευτα desgl. ἡγεμονία ἀφιλόνεικος καὶ ἀνερίθευτος. Philo. auch heiſsen Schiedsrichter ἀνερίθευτοι. —ρίναστος, ὁ, ἡ, als σῦκα, Feigen nicht durch Kunſt zur Reife gebracht. ſ. ἐρινάζω. Theophr. hiſt. pl. 2, 13. —ριστος, ὁ, ἡ, (ἐρίζω), nicht beſtritten.

'Ἀνερκής, ὁ, ἡ, (ἕρκος), unbeſchirmt, durch keinen Zaun beſchützt. Quint. Smyrn. 3, 493. —μάτιστος, ὁ, ἡ, (ἐρματίζω), nicht belaſtet, ohne Ballaſt; alſo metaph. leicht, unbeſtändig. Philo 2 p. 175. wo die Handſchr. ἀτερμάτιστος wie bey Heſych. u. Suidas haben. —μήνευτος, ὁ, ἡ, (ἑρμηνεύω), Adv. ἀνερμηνεύτως, nicht zu erklaren, unerklärlich.

'Ἀνέρομαι, erfragen, erforſchen, ausfragen, ἀνὰ, ἔρομαι.

'Ἀνερπύζω, f. ύσω, oder ἀνέρπω, (ἀνὰ, ἕρπω), in die Höhe od. hinankriechen; dahin kriechen, gehen.

'Ἀνέῤῥω, wie εἰσέῤῥω, ἀπέῤῥω machen die futur. u. aor. 1. wie von ἐῤῥέω, bedeuten ein Gehn zum Schaden oder Unglücke des Gehenden; od. es drückt nur mit dem Gehn den Unwillen desjenigen aus, der redet; z. B. εἰσέῤῥε packe dich hinein, geh zum Henker hinein; u. ſ. w. So iſt aus Eupolis ὡς μόλις ἀνήῤῥησεν angeführt u. d. ἀνεφθάρη erklärt. Heſych. hat ἀνήῤῥηξα falſch ſt. ἀνήῤῥησα, ἀνελεξάμην ἐμαυτὸν ἐκ τόπου er packte ſich davon. komiſch.

'Ἀνερυθριάω, f. άσω, erröthen ἀνὰ, ἐρυθριάω.

'Ἀνερύω, f. ύσω, (ἀνὰ, ἐρύω), hinauf ziehen; wieder oder zurück ziehn; wird mit αὖ ἐρύω verwechſelt.

'Ἀνέρχομαι, f. ἀνελεύσομαι, (ἀνὰ, ἔρχ.), hinaufkommen, erſteigen, beſteigen; wieder- oder zurück kommen.

'Ἀνερωτάω, ῶ, f. ήσω, erfragen, wieder oder oft fragen, ἀνὰ, ἐρωτάω, wie ἀνέρομαι. —ρωτίζω, ſ. v. a. das vorige.

'Ἀνέσιμος, ον, abgeſpannt, ausruhend. —σις, εως, ἡ, (ἀνίημι), das Nachlaſſen, Freylaſſung, Loslaſſung; Abſpannung auch metaph. der Kräfte, Erholung; im Uebermaaſs iſt es Erſchlaffung; das Nachlaſſen oder Erlaſſen der Schuld; Ausgelaſſenheit, Frechheit, Zügelloſigkeit, in ſo fern man im verbo ſagt: den Zügel nachlaſſen, ſo wie im erſten Fall die Sehnen des Bogens nachlaſſen oder abſpannen.

'Ανέσπερος, ὁ, ἡ, (ἕσπερος), ohne Abend.

'Ανέστιος, ὁ, ἡ, (ἑστία), ohne Heerd, ohne eignen Heerd, Hom. Il. 9, 63. flüchtig, irrend, ohne Wohnung.

'Ανεστραμμένως, Adv. verkehrt, umgekehrt, part. praet. paſſ. v. ἀναστρέφω.

'Ανετάζω, f. άσω, erforſchen, prüfen, unterſuchen, wie ἐτάζω. —ταιρος, ὁ, ἡ, (ἑταῖρος), ohne Freunde, ohne Geſpielen. —τέος, τέα, τέον, (ἀνίημι), nachzulaſſen, abzuſpannen; nachzulaſſen, oder zu erlaſſen; gerundium latin. —τεροίωτος, ὁ, ἡ, (ἑτεροιόω), unveränderlich; unverwandelt, nicht verändert. —τικὸς, ἡ, ὀν, (v. ἀνετὸς), nachlaſſend, z. B. ῥῆμα, bey den Grammatikern, ein verbum, ein Wort, welches ein Nachlaſſen anzeigt, im Gegenſ. von ἐπιτατικὸς. —τοιμος, ὁ, ἡ, (ἕτοιμος), nicht bereit oder unwillig.

'Ανετος, ὁ, ἡ, Adv. ἀνέτως, nachgelaſſen, abgeſpannt, ſchlaff, vom Bogen u. den Kräften o. dem Muth der Menſchen; ausgelaſſen, frech, übermüthig, als ἐξουσία Herod.; überlaſſen, freygelaſſen oder geweiht, ſ. v. a. ἱερὸς. Von ἀνίημι. Vergl. ἄνεσις

'Ανευ, Adv. ohne, auch ἄνις poet. u. ἄνευθε. —ευάζω, f. άσω, (ἀνὰ, εὐάζω), aufjauchzen, ein lautes Evoe rufen.

'Ανευθε, und ἄνευθεν, vor einem vocal. Adv. ſ. v. a. ἄνευ. —θετος, ὁ, ἡ, (θετὸς), nicht gut geſetzt, nicht angeordnet, nicht angepaſst, nicht paſſend. —θυνία, ἡ, Zuſtand deſſen, der keine Prüfung auszuhalten hat, ungerichtet, ungeprüft, alſo das folgende —θυνος, ὁ, ἡ, der keine Prüfung, Unterſuchung auszuhalten hat; auch unſchuldig; auch uneingeſchränkt in ſeiner Macht, im Amte. Adv. ἀνευθύνως.

'Ανεύκτος, ὁ, ἡ, (εὔχομαι), nicht zu wünſchen; activ. nicht wünſchend. —λαβὴς, ἐος, ὁ, ἡ, nicht εὐλαβὴς, nicht vorſichtig, unvorſichtig; nicht fürchtend, nicht furchtſam, und daher die Götter nicht fürchtend, gottlos.

'Ανεύπορος, ὁ, ἡ, d. Gegenth. v. εὔπορος. zweiſ.

'Ανεύρεσις, εως, ἡ, das Auffinden, v. ἀνευρίσκω; davon auch —ρετος, ὁ, ἡ, nicht aufzufinden, nicht zu erfinden; nicht aufgefunden, nicht gefunden. —ρίσκω, f. ίσω, auffinden, erfinden; ἀνὰ, εὑρίσκω. —ρος, ὁ, ἡ, ohne Sehnen, ohne Spannkraft; ſchwach, matt. —ρύνω, f. υνῶ, erweitern, weit machen, ἀνὰ εὐρύνω; dav. —ρυσμα, τος, τὸ, oder ἀνευρυσμὸς, Erweiterung, bey Aerzten Geſchwulſt von erweiterten o. zerriſſenen Schlagadern.

'Ανευφημέω, ῶ, (εὐφημία), ich erhebe ein Freudengeſchrey; 2) ein Klagegeſchrey, ich jammere. Plato Phaed. 3. —φραντος, ον, (εὐφραίνω), nicht erfreuend, nicht erfreulich. —φωνέω, ῶ, ſ. v. a. ἀνευφημέω no. 1.

'Ανεύχομαι, wieder bitten, d. i. ſeine Bitten zurücknehmen, wie ἀναμάχομαι.

'Ανεφάλλομαι, wiederum oder darauf zuſpringen. ἀνὰ ἐφ' ἅλλομαι. —φαπτος, ὁ, ἡ, ſ. v. a. ἀνέπαφος. —φελος, ὁ, ἡ, (νεφέλη), ohne Gewölk, nicht wolkicht, nicht trübe. —φικτος, ὁ, ἡ, (ἐφικνέομαι), nicht zu erreichen, worzu man nicht kommen, gelangen kann, unerreichbar.

'Ανέχω, f. ἀνέξω, (ἀνὰ, ἔχω), in die Höhe halten, τὸ οὖς die Ohren recken Aeſchyl. anhalten, zurückhalten; med. ἀνέχομαι τι oder τινὸς, ſich gegen etwas zurückhalten, etwas ertragen, erdulden, auf ſich nehmen; und eben ſo ſich zurückhalten, ſeine Leidenſchaften mäſsigen. Eben dies iſt es auch mit dem partic. nomin. z. B. ἀνέχομαι πειρώμενος, σὲ ὁρῶν Xen. Hier. 11, 11. Cyr. 1, 2. 10. 2) als neutr. hervorkommen, herauskommen. ἀνέχει ὁ ἥλιος, die Sonne geht auf. ἐκ τοῦ σοί τε λυπηρὸν ἔμελλε ἀνασχήσειν, woraus für dich Unannehmlichkeit entſtehen würde Herodot. 5. 106. Soph. Oed. tyr. 174.

'Ανέψανος, ὁ, ἡ, ſchwer zu kochen, ſchwer kochend activ. wie hartes Waſſer, worinne Gemüſs ſchwer oder hart kocht, ἕψω. —ψητος, ὁ, ἡ, (ἑψητὸς), nicht gekocht. —ψιὰ, ἡ, Geſchwiſterkind, fem. v. ἀνεψιὸς. —ψιαδῆ, ἡ, Tochter eines Geſchwiſterkindes. —ψιαδοῦς, οῦ, ὁ, ein Vetter. —ψιὸς, ὁ, Geſchwiſterkind; dav. —ψιότης, ητος, ἡ, Verwandſchaft zwiſchen Geſchwiſterkindern, Vetterſchaft.

'Ανέω, (ἀνὰ, ἕω, ἕσω), in die Höhe werfen, in die Höhe bringen, z. B. εἰ κείνω εἰς εὐνὴν ἀνέσαιμι Hom. Il. 14, 209 wenn ich jene beyde nur ins Bette zuſammenbringen könnte, wo es Euſt. auch durch ἀναβιβάζω (erſteigen laſſen), und Heſych. durch παρορμάω (wohin treiben, wohin bringen) erklärt; wiewohl man dies eben ſo wie ἀνέσαντες Il. 13, 657 (wohin Heſych. Erklärung durch ἀναλαμβάνω, in die Höhe nehmen, heben, paſst) von ἀνίζω ableiten kann; 2) wie ἀνίημι, nachlaſſen, z. B. ἀνεσαν πύλας Il. 21, 537 lieſsen die Riegel der Thore nach, oder eröffneten ſie, vergl. das folgend. πεπταθεῖσαι. Und hiervon 3) ebenfalls wie ἀνίημι, und das lat. *remitto relaxo*, einen nachlassen, d. i. ihn sich erholen lassen. Bey Xen. Cyr. 5, 4. 17 ist ἀνεῖν eine aus dem folgd. verdorbene Lesart; 4) wieder lassen, wieder bringen, zurückbringen, Hom. Od. 18, 264. nach dem Schol. ἀναπέμπω.

'Ανεωγότως, Adv. v. ἀνεωγώς v. ἀνοίγω, offen.

'Ανεως, ὁ, davon ἄνεω oder ἄνεῳ, (ἄω, αὔω ich schreye), ohne Geschrey, still st. ἄναοι, wie λαὸς, λεώς. So auch ἄνεοι f. v. a. ἄνεω, Nomin. plural. 2) ἄνεως κακῶν bey Herodot. 5, 27 st. ἄνευ, zweifelh.

'Ανη, ἡ, f. v. a. ἄνυσις beym Callim.

'Ανηβάσκω, oder ἀνηβάω, (ἀνὰ, ἡβάω), wieder jung werden, sich verjüngen Xen. Cyr. 4, 6. 7. aufwachsen, zur ἥβη gelangen; davon —βητήριος, ὁ, ἡ, eigentl. zum wiederverjüngen gehörig, wieder verjüngend, als ῥώμη Eurip. —βος, ὁ, ἡ, ohne ἥβη, der noch nicht das männliche Alter erreicht, noch nicht die völlige Manneskraft hat.

'Ανηγεμόνευτος, ὁ, ἡ, (ἡγεμονεύω), nicht angeführt, ohne Anführer, Leiter; Regent. —γέομαι, f. v. a. διηγέομαι. Pindar. —γρετος, ὁ, ἡ, f. v. a. νήγρετος, bey Nonnus.

'Ανήδομαι bey Hermippus: ἀπὸ δ' ἥσθην ταῦτα νῦν ἀνήδομαι das Gegentheil von ἥδομαι, wie ἀνεύχομαι u. dergl. —δονος, ὁ, ἡ, (ἡδονή), ohne Vergnügen, nicht vergnügend, belästigend. —δυντος, ὁ, ἡ, oder ἀνήδυστος, (ἡδύνω), nicht gewürzt, versüfst, unschmackhaft.

'Ανηθίκευτος, f. v. a. ἀνηθοποίητος, v. ἠθικεύομαι. zweif. —θινος, ίνη, ινον, von Dille gemacht oder genommen; von —θον, τὸ, Dill, *anethum*.

'Ανηθοποίητος, ὁ, ἡ, (ἠθοποιέω), nicht charakterisirt, ohne gehörige Haltung der Charaktere; ohne Charakter, ohne Sitten, unsittlich.

'Ανήκεστος, ὁ, ἡ, (ἀκέομαι), Adv. ἀνηκέστως, nicht zu heilen, unheilbar. —κής, f. v. a. ἀνήκεστος. —κοΐα, ἡ, Mangel an Gehör, Taubheit; wenn man nicht hören will, oder Unfolgsamkeit; wenn man nichts gehört, nichts gelernt hat, Unwissenheit. Plut. 10 p. 503; von —κοος, ὁ, ἡ, (ἀκοή), ohne Gehör, nicht hörend, Xen. Mem. 2, 1. 31. Hier. 1, 14. der nichts gehört, nichts gelernt hat, Xen. Mem. 4, 7. 5. der nicht hören will, nicht folgsam. —κουστέω, ῶ, ich bin ἀνήκουστος, höre nicht; will nicht hören, oder folge nicht, Hom. Il. 15, 236, m. d. Dat. Herodot. 6. 14. —κουστία, ἡ, f. v. a. ἀνηκοΐα; von —κουστος, ὁ, ἡ, (ἀκούω), nicht zu hören, was man nicht hören kann, nicht hörbar; was man nicht hören muss; act. f. v. a. ἀνήκοος.

'Ανήκω, (ἀνὰ, ἥκω), hinkommen, hingelangen, hinreichen, oder sich erstrecken, hintreffen, betreffen, als τὰ εἰς ἀρετὴν ἀνήκοντα. Bey Diodor. 3. 10 u. 13 φάραγξι ταῖς τὸ μῆκος ἀνηκούσαις und ἀνήκων μέγιστον ἀνάστημα st. εἰς μῆκος, εἰς ἀνάστημα, sich erstrecken. S. in ἥκω.

'Ανηλάκατος, ὁ, ἡ, (ἠλακάτη), ohne Spinnrocken, nicht spinnend, oder nicht zu spinnen verstehend. —λατος, ὁ, (ἐλαύνω), nicht gebändiget, unfolgsam, wild, vom Zugvieh; ἀνήλατος ἄκμων wie *indomitum ferrum*, unbiegsam, hart u. dergl. —λεγέω, sorglos vernachlässigen. εἰ δ' ἂν ἀνηλεγέοντες ἐμὰς πατέοιτε θέμιστας, wie Herodianus statt des jetzt gewöhnlichen ἀπηλεγέοντες las. —λεγής, ὁ, ἡ, Adv. ἀνηλεγῶς poet. ἀνηλεγέως, unbekümmert, sorglos, v. ἀλέγω; scheint mit *negligens* übereinzukommen, wie *negligo* mit νηλεγέω.

'Ανηλεής, έος, ὁ, ἡ, (ἔλεος), ohne Mitleid, nicht mitleidig, unbarmherzig. —λέητος, ὁ, ἡ, (ἐλεέω), der kein Mitleiden erhält od. verdient. —λειπτος, ἀνήλειφος u. ἀνήλιφος, ὁ, ἡ, (ἀλείφω), unangestrichen, ungesalbt; daher auch im letztern Sinne ungewaschen. —λειψία, ἡ, das Nichtsalben, Unreinlichkeit oder Schmutz, den man nicht abgewischt hat; also *illuvies* Polyb. 3, 87. —λεῶς, Adv. von ἀνηλεής. —λης, poet. st. ἀνηλεής. —λιάζω, f. άσω, sonnen, der Sonne aussetzen, ἀνὰ, ἡλιάζω. —λικος, ὁ, noch nicht erwachsen, ἡλίκος; zweif. —λιος, ὁ, ἡ, (ἥλιος), ohne Sonne, schatticht, dunkel. —λιπος, ὁ, ἡ. S. νήλιπος. —λιφής, έος, ὁ, ἡ, f. v. a. ἀνήλειφος. —λυσις, εως, ἡ, (ἀνὰ, ἐλεύθω, ἔρχομαι), das Hinaufgehen, Zurückkommen, die Rückkehr.

'Ανήμελκτος, ὁ, ἡ, (ἀμέλγω), nicht gemolken. —μερος, ὁ, ἡ, (ἥμερος), Adv. ἀνημέρως, nicht zahm, ungezähmt, wild, grausam; davon —μερότης, ητος, ἡ, Ungezähmtheit, Wildheit, Grausamkeit. —μερόω, ῶ, f. ώσω, (ἀνὰ, ἡμερόω), bezähmen, zahm machen. —μιωβολιαῖος, u. ἀνημιωβόλιον, τὸ, ist aus der falschen Lesart u. Erklärung der Stelle d. Arist. Ran. 554 κρέα ἀνάβραστ' εἴκοσιν ἀν' ἡμιωβολιαῖα, entstanden, wo die jetzt aufgenommene Lesart bedeutet ἄξιον ἡμιωβόλου ἐν ἕκαστον. —μιωβόλιον, τὸ, f. v. a. ἡμιωβολός, ein halber Obol.

'Ανήνεμος, ὁ, ἡ, u. ἀνηνεμία, ἡ, f. v. a. νήνεμος u. νηνεμία, wie ἀνήγρετος für νήγρετος. Lucian. Pseudol. 29. tadelt es, so wie ἐκχύνω st. ἐκχέω. —νιος, ὁ, ἡ, (ἀνία), ohne Schmerz, wie δυσήνιος; 2) zügellos, f. v. a. ἀχαλίνωτος, ἀδούλωτος. v. ἡνία. —νοθε. S. ἀνενήνοθε.

[illegible]στος, ὁ, ἡ, u. ἀνήνυτος (ἀνύω), zu vollenden, was fich nicht [illegible] läfst; nicht vollendet Hom. Od. —νωρ, ορος, ὁ, (ἀνὴρ), nicht [illegible], nicht männlich, feig, fo wie [illegible] Od. 10, 301. 341. [illegible]λία. S. νηπελία. —πυστος, f. v. [illegible]πυστος. —πύω, f. ύσω, (ἠπύω), [illegible] fchreyen, rufen, fprechen u. f. w. [illegible], ἀνέρος, per Syncop. ἀνδρὸς, Mann, [illegible] Gegenfatz von Weib; ein Mann, [illegible] Ehemann, Gatte; ein Mann, d. i. [illegible], tapferer, entfchloffener Mann, [illegible]; ein Mann, kein Jüngling mehr, [illegible] vir im Lat. u. Mann im Deutfchen. [illegible]εικτος, ὁ, ἡ, f. v. a. ἀνέρεικτος. [illegible]εστος, ὁ, ἡ, ungefällig, auch ge[illegible], d. i. ἀρεστὸς. —ρεφής, έος, [illegible] (ἐρέφω), nicht gedeckt, ohne Dach. [illegible]ρης, ὁ, ἡ, (ἄρω), ungefchickt, ἀνάρ[illegible], unverheyrathet oder ἀνδρώδης, [illegible] aus Aefchyl., fo verfchieden er[illegible]. —ριθμος, ον, jon. f. v. a. ἀνά[illegible], Soph. El. 232 Θρήνων, die [illegible] mein Leiden nicht zählen kann. [illegible]ρίναστος, ὁ, ἡ, f. v. a. ἀνερίναστος. [illegible]ρὸς, Nicand. Ther. 701 wo die Codd. [illegible]tiger ἀνιγρὸς haben. —ροτος, ὁ, [illegible] (ἀρόω), nicht gepflügt, Hom. Od. 9, [illegible]23.

[illegible]δανος, ὁ, ἡ, von δάνος d. i. δῶρον, [illegible] v. a. d. folgende. —σίδωρος, ὥρα, [illegible]ρον, v. ἀνίημι, ἀνήσω u. δῶρον. Beyw. [illegible] Erde, die Früchte bringt, Gaben, Gefchenke giebt, wie ζείδωρος. [illegible]ήσσητος, ἀνήττητος, ὁ, ἡ, (ἡττάω), nicht zu beliegen, unüberwindlich; nicht befiegt. [illegible]ήστις, εως, ὁ, ἡ, f. v. a. νῆστις, ὁ, ἡ, [illegible]nüchtern. [illegible]ητον, τὸ, dorifch u. aeol. ft. ἄνηθον [illegible] davon ἀνήτινος ft. ἀνήθινος. — [illegible]αιστος, ον, ohne Hephäft, d. i. ohne Feuer. Eur. Or. —χέω, ῶ, (ἀνὰ, [illegible]χέω), auftönen, ertönen.

[illegible]νθαιρέομαι, οῦμαι, τὶ τινὸς, d. i. αἱ[illegible]ρέομαι τὶ ἀντὶ τινὸς, dies ftatt deffen wäh[illegible]len, dies jenem vorziehen. —θαλίσκομαι, (ἁλίσκομαι), dagegen oder fo wie ein anderer verdammt werden. —θάλωψ, ὁ, bey Euftath. Hexaem. ein hirfchartiges Thier, wovon An[illegible]tilope gemacht worden. —θαμιλλάομαι, ῶμαι, f. ήσομαι, (ἁμιλλάομαι), gegen einen kämpfen, wetteifern. —θάμιλλος, ὁ, ἡ, (ἅμιλλα), gegen einen kämpfend, wetteifernd, Neben[illegible]buhler. —θάπτομαι, Γ. ψομαι, be[illegible]rühren, angreifen, wie ἅπτομαι, als [illegible] ἔργου, τῶν πραγμάτων Plato u. Thu[illegible]cyd. capeffere od. aggredi rem, capeffere rempublicam. Auch im gewaltfamen Sinne einen angreifen, anpacken; mit Worten, tadeln. Bey Herodot. 7. 138 hat es die eigentl. Bedeutung mit anfal-fen, dargegen anfaffen, Antheil nehmen. —θεινὸς, ἡ, ὸν, f. v. a. ἀνθινὸς. —θεκτέον, (ἀντέχω), man mufs fich anhalten, fich anhängen, fefthalten, dagegen halten oder widerftehen, bekämpfen. —θελιγμὸς, ὁ, (ἀντὶ ἑλίσσω), Gegenwirbel, Gegenwindung. —θέλιξ, ικος, ἡ, der Theil am äuffern Ohre, worinne die Oeffnung, welche zur Schnecke ἕλιξ führt. —θελκόντως, Adv. (ἕλκω), fo dafs man an fich oder einem andern entgegen zieht; von —θέλκω, f. ξω, entgegen ziehen, an fich ziehen, an fich reiffen; u. daher hin- u. herzerren, aufhalten. —θεμίζομαι, f. ίσομαι, γοεδνὰ Aefchyl. Suppl. 76. τὸ ἄνθος τῶν γόων ἀποδρέπομαι fagt der Scholiaft; andre überfetzen es *depafcor*. vergl. Choeph. 148. —θέμιον, τὸ, f. v. a. ἄνθος, Blüthe, Blume. Χρυσοῦ Ecclefiaft. 12. 6. nach Hefych. auch die Schnecke an den Säulen, Schneckenlinie, *fpira*. Bey Xenoph. Anab. 5. 4. 32 ἐστιγμένους ἀνθέμιον, bunt gezeichnet. —θεμὶς, ίδος, ἡ, ein Kraut unferer Chamille ähnlich. —θεμοειδὴς, ές, oder ἀνθεμόεις, blühend, voller Blüthen, auch bunt, fchön von Farben, ἀνθέμον, εἶδος. —θεμον, τὸ, Blüthe, Blume, eigentl. das Blühende, neutr. von —θεμόῤῥυτος, ὁ, ἡ, (ῥύω), aus Blüthen fliefsend, daraus entftehend, als ἀνθεμόῤῥυτον γάνος. —θεμος, ὁ, ἡ, (ἄνθος), blühend; davon —θεμουργὸς, ὁ, ἡ, (ἔργον), Blüthen bearbeitend, aus Blüthen Honig fammelnd, die Biene. —θεμώδης, εος, ὁ, ἡ, blühend, blumenreich. —θεξις, εως, ἡ, (ἀντέχω), das Gegenhalten; das Fefthalten, die Umarmung, als beym Plato: ταῖς ἀνθέξεσιν ἀλλήλων εἰς μίαν ἀφικέσθαι φιλίας συμπλοκήν. —θέρινος, ὁ, Halm Hom. Il. 20, 227. der Stengel vom ἀσφοδελὸς. —θερικώδης, εος, ὁ, ἡ, von der Geftalt des Stengels vom ἀσφοδελὸς, oder was wie ein Halm vom Getraide ift, ἀνθέρικος. —θέριξ, ικος, ὁ, f. v. a. ἀνθέρικος, Stengel, Aehre, Hom, Il. 20, 227. —θερών, ῶνος, ὁ, das Kinn, v. ἄνθος, als der Theil mit der Blüthe, d. i. mit Haaren. Denn diefe werden mit der Blüthe verglichen Hom. Od. 11, 319. fo wie umgekehrt das Laub der Bäume Haar genannt wird. S. κόμη. —θεσίχρως, ὁ, ἡ, von Körper farbig, blumicht. —θεστήρια, ίων, τὰ, das Blumenfeft, die Bacchusfeyer, v. ἀνθέω, im Monat, der folgt. —θεστηριών, ῶνος, ὁ, der Monat, in welchem die Anthefteria gefeyert wurden, der römifche Februar und ein Theil vom März; davon einige Tage χόες hiefsen, weil man den Seelen der Todten χοὰς, wie zu Rom im Februar *inferias* brachte. S. μιαραὶ ἡμέραι.

'Ανθεστιάω, ῶ, f. άσω, (ἑστιάω), gegenseitig bewirthen, tractiren. —θεσφόρια, ων, τὰ, das Fest der Persephone, die Hades beym Blumensammeln raubte, ἄνθος, φέρω. —θεσφόρος, ον, (ἄνθος, φέρω), Blumen, oder Blumenkränze tragend. —θευτικὰ σπέρματα Clemens Strom. 1 c. 7 Saamen von Blumengewächsen, gleichs. von ἀνθεύω, als Blume ziehen. —θέω, ῶ, blühen; auch tropisch, wie unser blühen, in Flor stehen; daher prangen, glänzen, schimmern wie Blüthen Xen. Cyr. 6, 4. 1. Eben so beym Lucian. ὁ χῶρος ἀνθεῖ πολλαῖς ἐπιθυμίαις, blüht von vielen Lüsten, nährt, bringt sie in Menge hervor, im Gegensatz τῶν ἀρετῶν ἔρημος.

'Ανθη, ἡ, die Blüthe, das Blühen, wie ἄνθησις. —θηδών, όνος, ἡ, die Biene, Blüthenesser od. Blüthensauger, ἄνθη ἐδών. —θήλη, ἡ, der Büschel, die Blüthe an einigen Pflanzen. —θήλιον, τὸ, ein Blümchen. —θήλιος, ὁ, ἡ, (ἥλιος), gegen die Sonne gekehrt. —θημα, ατος, τὸ, das Blühen, die Blüthe, v. ἀνθέω; davon —θηματικὸς, ἡ, ὸν, schön oder vollblühend. —θήμων, ονος, ὁ, ἡ, blühend, wie ἀνθεμόεις. —θηρογραφέω, ῶ, blühend oder in einer blühenden Schreibart schreiben; von γράφω u. —θηρὸς, ρὰ, ρὸν, Adv. ἀνθηρῶς, blühend; daher reizend, gefallend wie Blumen durch Zartheit, Jugend und Schönheit, als Isocr. der es mit χαρίεις verbindet; frisch, jung, neu, wie Blumen, als Xen. Cyr. 1, 6. 38 vergl. Hom. Od. 1, 351. Und eben so setzt Pindar. ol. 8, 73 οἶνος παλαιὸς u. ἄνθεα ὕμνων sich entgegen.

'Ανθησίς, εως, ἡ, f. v. a. ἄνθημα. —θησσάομαι, ῶμαι, (ἡσσάομαι), gegenseitig unterliegen, so wie er mir vorher, so ich ihm jetzt unterliege; einem nachgeben Thucyd. 4. 19. —θητικὸς, ἡ, ὸν, (ἀνθέω), Blüthe treibend. —θηφόρος, ὁ, ἡ, f. v. a. ἀνθεσφόρος. —θίας, ὁ, *unthias*, ein Meerfisch. —θίζω, f. ίσω, gleichs. beblumen, mit Blumen schmücken, bunt ausputzen. —θινή, ἡ, f. v. a. ἄνθος bey Athenae. 2 p. 61. zweif. —θινὸς, ἡ, ὸν, blühend, von Blumen, als στέφανος, μέλι; blumig, bunt wie Blumen, als στρωμναὶ; daher auch ἀνθινὰ φορεῖν, bunte Kleider tragen. —θιππάζομαι, entgegen reiten, gegen einen anreiten. —θιππασία, ἡ, das Jagen mit einander zu Pferde, ein Pferderennen, ἀγὼν ἱππικὸς nach Suidas. —θιππεύω, f. εύσω, f. v. a. ἀνθιππάζομαι. —θίστημι, f. ἀντιστήσω, entgegenstellen; entgegenstehen, sich widersetzen, wie das med. ἀνθίσταμαι, z. B. εἰς ἀγῶνα πρός τινὰ, zum Kampf gegen einen aufstehen, Xen. Symp. 5. 1. —θοβαφεῖα, ἡ, Plut. Stobae. Serm. 226. das Buntfärben. —θοβαφὴς, έος, ὁ, ἡ, (ἄνθος, βάπτω), blühend gefärbt, von heller Farbe. —θοβολέω, ῶ, Blumen werfen; pass. ich werde mit Blumen beworfen, man streut mir zu Ehren Blumen, Plut. von —θοβόλος, ὁ, ἡ, (βόλος, βολέω, βάλλω), Blumen werfend oder ausstreuend; Blüthe werfend oder treibend, blühend und daher duftend, gleich Blumen, als θρὶξ Epigr. —θοδμον, τὸ, (ὀδμὴ), Blumenduft; duftende Blume. —θοκομέω, ῶ, ich bin ein ἀνθοκόμος, treibe Blüten, trage Blumen; von —θοκόμος, ὁ, ἡ, (κομέω), Blumen tragend. —θοκρατέω, ῶ, Blumen beherrschen, viel Blumen haben. S. in τροπομάσθλης. —θοκρόκος, ὁ, ἡ, safranfarbicht. Eurip. Hec. 471. —θολκὴ, ἡ, (ἕλκω), das gegenseitige Ziehen, das Zerren. —θολογέω, ῶ, ich bin ein ἀνθολόγος, sammle, pflücke Blumen. —θολογία, ἡ, Blumenlese, Blumensammlung; von —θολόγος, ὁ, ἡ, (λόγος, λέγω), Blumensammler, Blumen pflückend. —θομιλέω, ῶ, f. v. a. das simplex ὁμιλέω τινὶ. —θομολογέω, ῶ, έομαι, gegenseitig eingestehen, zugestehen, oder einen Vertrag, Bündniss mit einander machen; auch f. v. a. das simplex ὁμολογέω, gestehen; davon —θομολόγησις, εως, ἡ, gegenseitiger Vertrag, gegenseitiges Versprechen. —θομολογία, ἡ, f. v. a. das vorherg. —θονόμος, ὁ, ἡ, d. i. ἄνθη νεμόμενος, Blumen weidend oder fressend. —θοπλίζω, f. ίσω, dagegen bewaffnen, Xen. Oec. 8. 12. —θοπλίτης, ου, ὁ, bewaffneter Krieger. —θοποιὸς, ὁ, (ποιέω), Blumen machend oder tragend. —θοπωλέω, ῶ, Blumen verkaufen. —θορίζω, f. ίσω, gegen einen andern bestimmen, eine Definition gegen einen machen, ἀντὶ, ὁρίζω; davon —θορισμὸς, ὁ, Gegenbestimmung, eine entgegengestellte Definition, ὅρος ἀντιθέμενος τῷ ὅρῳ. —θορμέω, ῶ, f. ήσω, entgegenrudern, entgegensegeln, ἐναντίος εἰμὶ ἐπὶ τοῦ ὅρμου nach dem Schol. des Thucyd.

'Ανθος, εος, τὸ, Blüthe, Blume; daher volle Blüte, volle Kraft, als ἄνθος ἥβης beym Hom. blühendes Alter, welches er selbst durch den Zusatz erklärt, ὅτε κράτος ἐστὶ μέγιστον. Eben so bey ihm πυρὸς ἄνθος, Feuer in heller Flamme, stark loderndes Feuer. Ferner das Blühende, das Glänzende, das Zierende, Glanz, Schmuck, Ehre, z. B. von Kleidern mit heller Farbe. Und so nennt Aeschyl. Prom. 7. das Feuer τὸ ἄνθος des Hephäsis, was sonst, z. B. v. 38.

γέρας iſt. Als maſc. ὁ ἀνθ. ein kleiner, unbeſtimmter Vogel beym Ariſtot.

'Ανθοσμίας, ὁ, nach Blumen riechend, von ἄνθος, ὀσμή, überh. wohlriechend; οἶνος, ein alter, milder, wohlriechender Wein, der nicht rauſcht. Ariſtoph. Ran. 1174. —θοσύνη, ἡ, Blüthe, v. ἄνθος. —θοφορέω, ῶ, Blumen tragen. —θοφόρια, ων, τὰ, ſ. v. a. ἀνθεσφόρια. —θοφόρος, ὁ, ἡ, (φέρω), Blumen tragend. —θοφυής, έος, ὁ, ἡ, (φύω), Blumen hervorbringend. —θρακεύς, έως, ὁ, Köhler, Kohlenbrenner; dav. —θρακεύω, f. εύσω, ich bin ein ἀνθρακεύς, brenne Kohlen. —θρακιὰ, ἡ, Kohlenhaufe. —θρακίας, ου, ὁ, kohlſchwarz. —θρακίζω, f. ίσω, Kohlen machen, Kohlen brennen; neutr. wie eine Kohle oder ein Geſchwür ausſehen. —θράκιος, ὁ, ἡ, kohlſchwarz. —θρακὶς, ίδος, ἡ, Kohlenfeuer, Kohle. —θρακόεις, όεσσα, όεν, von Kohlen. —θρακοκαύστης, ου, ὁ, (καύω, καίω), Kohlenbrenner. —θρακοπώλης, ου, ὁ, Kohlenhändler. —θρακόω, f. ώσω, Kohlen machen, zu Kohlen brennen. —θρακώδης, εος, ὁ, ἡ, kohlenartig, wie Kohlen brennend.

'Ανθραξ, ακος, ὁ, Kohle; ein freſſendes Geſchwür mit Grind bedeckt, Brandbeule, *carbunculus.*

'Ανθρήνη, ἡ, eigentl. eine Art wilder Bienen, wie ἀνθηδὼν, wird aber bey den Dichtern für Biene u. ἀνθρήνιον, τὸ, für Bienenzelle u. Honig gebraucht. Μουσῶν ἀνθρήνιον, *muſarum fauus* Philoſtrat. Icon. 3, 13. —θρήνιον, τὸ, die Zelle der ἀνθρήνη, welches m. nachſehe.

'Ανθρωπαρέσκεια, ἡ, Charakter, Betragen eines ἀνθρωπάρεσκος, Bemühen, Sucht Menſchen zu gefallen. —πάρεσκος, ὁ, ἡ, (ἀρέσκω), Menſchen gefallend, Menſchen gefällig, der andern zu gefallen ſucht. —πάριον, τὸ, ſ. v. a. ἀνθρώπιον.

'Ανθρωπέη, contr. ἀνθρωπῆ, ἡ, Menſchenhaut wie ἀλωπεκῆ; bey Herodot. 5. 25 ἀνθρωπηΐη ſt. ἀνθρωπείη. —πειος, εία, ειον, Adv. ἀνθρωπείως, menſchlich, zum Menſchen gehörig, ihn betreffend, als Handlungen, Eigenſchaften, u. ſ. w. —πέομαι, οῦμαι, d. i. ἄνθρωπός εἰμι, im komiſchen Sinne beym Plut. —πεύομαι, eigentl. ich mache mich zu einem Menſchen, d. i. betrage mich wie ein Menſch, handle ſo. —πίζω, f. ίσω, einen Menſchen machen, paſſ. ein Menſch werden; neutr. wie ein Menſch ſeyn, wie ein Menſch handeln. —πικὸς, ἡ, ὸν, Adv. ἀνθρωπικῶς, menſchlich, Menſchen betreffend, als ἀνθρωπικὰ ἁμαρτεῖν Xen. Cyr. 3. 1. 40. menſchliche Fehler begehen, Fehler, die man einem verzeihen muſs, weil ſie menſchlich ſind. —πινος, ίνη, ινον, Adverb. ἀνθρωπίνως, menſchlich, der Menſchheit angemeſſen, von Menſchen herrührend.

'Ανθρώπιον, τὸ, oder ἀνθρωπίσκος, ein Menſchlein, ein kleiner Menſch. —πισμὸς, ὁ, (ἀνθρωπίζω), Menſchheit, wenn man ein Menſch wird, ſich zum Menſchen bildet. —ποβορέω, ῶ, ich bin ein ἀνθρωποβόρος, freſſe Menſchen; v. —ποβόρος, ὁ, ἡ, (βορὰ), Menſchenfreſſer. —πόγλωσσος, ἀνθρωπόγλωττος, ὁ, ἡ, mit einer menſchlichen Zunge oder Sprache, wie ein Menſch ſprechend. —πογναφεῖον, τὸ, Menſchenwalke, hieſs nach Clemens von Alexandrien bey den Alten das Bad, weil es den Körper auflöſst und erſchlafft. —πογονία, ἡ, Menſchenzeugung. —ποδαίμων, ονος, ὁ, ἡ, Gottmenſch, ein vergötterter Menſch, ſonſt ἥρως. Eur. Rheſ. 971. —πόδηκτος, ὁ, ἡ, (δήκω, δάκνω), von Menſchen gebiſſen. —ποδίδακτος, ὁ, ἡ, von Menſchen gelehrt. —ποειδὴς, έος, ὁ, ἡ, (εἶδος), Adv. ἀνθρωποειδῶς, von oder mit menſchlicher Bildung. —ποθηρία, ἡ, Menſchenjagd, Menſchenfang. —πόθυμος, ὁ, ἡ, (θυμὸς), von menſchlicher Geſinnung. —ποθυσία, ἡ, Menſchenopfer. —ποθυτέω, und —ποθύω, f. ύσω, Menſchen opfern. —ποκομικὸς, ἡ, ὸν, zur Wartung, Pflege der Menſchen gehörig. Themiſt. or. 15 p. 186. —ποκτονέω, ῶ, ich bin ein ἀνθρωποκτόνος, morde Menſchen. —ποκτόνος, ὁ, ἡ, (κτείνω), Menſchenmörder. —πολατρεία, ἡ, Menſchendienſt, Verehrung, die man Menſchen erzeigt. —πολατρέω, ῶ, ich bin ein ἀνθρωπολάτρης, diene, ehre Menſchen wie Götter. —πολάτρης, ου, ὁ, Menſchendiener, der Menſchen ehrt wie Götter. —πόλεθρος, ὁ, ἡ, Verderben, Peſt od. Mörder von Menſchen. —πολόγος, ὁ, ἡ, von Menſchen redend. —πομάγειρος, ὁ, Menſchenſchlächter oder Koch, der Menſchenfleiſch zubereitet. —πόμορφος, ὁ, ἡ, (μορφὴ), von menſchlicher Bildung. —πομορφόω, ῶ, f. ώσω, eine menſchliche Bildung geben, beylegen. —πονομικὸς, ἡ, ὸν, (νέμω), gut Menſchen zu weiden. —πόομαι, οῦμαι, ſ. v. a. ἀνθρωπεύομαι, oder ἀνθρωπέομαι. —ποπάθεια, ἡ, menſchliche Leidenſchaft; Empfindung, menſchliches, ſanftmüthiges Weſen Alciphr. Ep. 2, 1. —ποπαθέω, ῶ, ich bin ein ἀνθρωποπαθὴς, habe menſchliche Leidenſchaften. —ποπαθὴς, έος, ὁ, ἡ, (πάθος), mit menſchlichen Leidenſchaften. —ποποιΐα, ἡ, Abbildung der Menſchen, Kunſt eines ἀνθρωποποιὸς. —ποποιὸς, ὁ, ἡ, der Menſchen macht, ſie abbildet, wie Θεοποιὸς beym Lucian. —ποπρεπὴς, έος, ὁ, ἡ, Adv. ἀνθρωποπρεπῶς, für Menſchen ſchicklich.

'Ἄνθρωπος, ὁ, der Menſch, Mann; ἡ, die Frauensperſon. τὰς ἐξ ἀνθρώπων πληγὰς, alle möglichen Schläge. τῶν ἐν ἀνθρώποις ἁπάντων δεινότατον Demoſth. 1246 das ſchrecklichſte von allem menſchenmöglichen; davon —πότης, ητος, ἡ, Menſchheit. —πουργία, ἡ, ſ. v. a. ἀνθρωποποιΐα; von —πουργὸς, ὁ, ſ. v. a. ἀνθρωποποιός. —ποφαγέω, ῶ, Menſchen freſſen; von —ποφάγος, ὁ, ἡ, (φάγω), Menſchenfreſſer. —ποφυὴς, έος, ὁ, ἡ, (φυὴ), von menſchlicher Natur. —πώδης, εος, ὁ, ἡ, menſchlich.

'Ἀνθυβρίζω, f. ίσω, (ὑβρίζω), gegenſeitig beſchimpfen, frech beleidigen. —λακτέω, ῶ, (ὑλακτέω), anbellen.

'Ἀνθύλλιον, τὸ, eine Blume, Dioſcor. 3, 153. Plin. 26, 8. —θυλλὶς, ίδος, ἡ, ſ. v. a. das vorherg.

'Ἀνθυπάγω, f. άξω, (ὑπάγω), dagegen vorführen od. verklagen. —παλλαγὴ, ἡ, (ὑπαλλαγὴ), beyderſeitige Auswechſelung. —παλλάσσω, άττω, f. άξω, vertauſchen, verwechſeln. —πατεία, ἡ, Amt eines ἀνθύπατος, Proconſulat. —πατεύω, f. εύσω, ich bin ein ἀνθύπατος. —πατικὸς, ἡ, ὸν, einem Proconſul gehörig, von ihm herführend; v. —πατος, ὁ, d. i. ἀνθ' ὑπάτου, Proconſul. —πείκω, f. ξω, (ὑπείκω), gegenſeitig ausweichen, nachgeben; davon —πείξις, εως, ἡ, gegenſeitiges Nachgeben; überh. Nachgeben, Unterwerfung. —περβάλλω, f. βλήσω, (ὑπερβάλλω), dagegen wieder beſiegen. —πηρετέω, ῶ, (ὑπηρετέω), gegenſeitig dienen, gefällig ſeyn. —πισχνέομαι, οῦμαι, dagegen wieder verſprechen. —ποβάλλω, (ὑποβάλλω), gegen etwas unterlegen oder einwerfen. —ποκαθίστημι, erſetzen, an eines Stelle ſetzen. —ποκρίνομαι, ſich wieder ſtellen, als wäre man etwas, was man nicht iſt. —πόμνυμαι, (ὑπόμνυμι), dagegen (wie ein anderer vorher) ſchwören. —ποπτεύω, f. εύσω, gegenſeitigen Verdacht haben. —ποστρέφω, f. ψω, ſich wieder umwenden, umkehren. —πότακτος, bey den Grammatikern *modus ſubjunctivus.* —ποτιμάομαι, ῶμαι, gegen eine zweyte Schatzung eine dritte machen. ſ. ὑποτιμάω. —πουργέω, ῶ, gegenſeitig dienen. Vergl. ἀνθυπηρετέω; davon —πούργημα, ατος, τὸ, oder ἀνθυπούργησις, gegenſeitiger Dienſt, gegenſeitige Gefälligkeit. —ποφέρω, f. ἀνθυποίσω, dagegen vorbringen, einwenden; davon —ποφορὰ, ἡ, Einwendung gegen eine gemachte Einwendung. —ποχώρησις, εως, ἡ, (ὑποχωρέω), das Zurücktreten, Zurückgehen. —φαίρεσις, εως, ἡ, (ὑφαιρέω), gegenſeitige Entwendung, od. das gegenſeitige Entziehen, als Gegenſ. von πρόσληψις beym Gregor. —φαιρέω, entziehen. —φίσταμαι, dagegen (wie ein anderer vorher) ſich unter etwas hinſtellen, es unternehmen.

'Ἀνθώδης, εος, ὁ, ἡ, (ἄνθος), blumig, voll Blumen.

'Ἀνθωραΐζομαι, f. ίσομαι, (ὡραΐζω), ſich dagegen ſchön machen, ausputzen.

'Ἀνία, ἡ, Kränkung, Kummer, Niedergeſchlagenheit; davon —άζω, f. άσω, bekümmern, Kummer machen, kränken; med. ſich kränken, ſich betrüben, betrübt ſeyn. —άομαι, bey Herodot. 7. 237 ἀνιεῦνται, heilen, gut machen, v. ἀνὰ ἰάομαι. —αρὸς, ρὰ, ρὸν, Adv. ἀνιαρῶς, kränkend, bekümmernd, läſtig; 2) betrübt, traurig. Cyrop. 1, 4. 14. v. ἀνιάω. —ατος, ὁ, ἡ, (ἰάομαι), Adv. ἀνιάτως, nicht zu heilen, unheilbar. —άτρευτος, ὁ, ἡ, ſ. v. a. das vorhergehende v. ἰατρεύω; auch, nicht geheilt. —ατρολόγητος, ὁ, ἡ, nicht unterrichtet oder unwiſſend in der Arzneykunde, v. ἰατρολογέω. —αχος, ὁ, ἡ, töſend, rauſchend. Hom. Il. 13, 40. von —άχω, u έω, (ἀνὰ, ἰάχω), aufſchreyen, laut rufen, laut rühmen. —άω, ῶ, ſ. v. a. ἀνιάζω.

'Ἀνιγρὸς, ὁ, ſ. v. a. ἀνιαρὸς.

'Ἀνίδιος, ὁ, ἡ, (ἴδιος), der nichts eigenes hat, ſonſt ἀκτήμων, ſo wie ἄβιος. —δριτὶ, ἀνιδιτὶ, Adv. (ἱδρὼς ἰδίω), ohne Schweiſs, ohne zu ſchwitzen. —δρος, ον, (ἱδρὼς), ohne Schweiſs. —δρόω, ῶ, f. ώσω, wieder ſchwitzen.

'Ἀνίδρυτος, ὁ, ἡ, (ἱδρύω), b. Demoſth. pag. 786. ἄσπειστος, ἀνίδρυτος, ἄμικτος ἄνθρωπος, wo es Harpokr. ἀνεξίλαστος erklärt. Bey Ariſtoph. Lyſ. 809. hieſs der Miſanthrop Timon ἀνίδρυτος ἀβάτοισιν ἐν σκώλοισιν, wo andre ἀΐδρυτος leſen. Heſych. hat aus dem Kratinus ἀΐδρυτον κακὸν φεύγειν angemerkt. Clemens Alex. Protr. ἀστάτοις καὶ ἀϊδρύτοις ὁρμαῖς κεχρημένος. Erſtlich bedeutet es unſtät, an keiner Stelle bleibend; metaph. unbeſtändig; dann auch einen mürriſchen, menſchenſcheuen unfreundlichen Menſchen, Pollux 6. 130. —δρύω, (ἀνὰ ἱδρύω), anſtellen, feſtſtellen. —δρωσις, εως, ἡ, (ἱδρόω), das Schwitzen, der Schweiſs. —δρωτὶ, Adv. ſ. v. a. ἀνιδριτὶ, Xen. Cyr. 2, 2. 30. —δρωτὸς, ον, (ἱδρόω), der nicht geſchwitzt hat, oder durch ſtarke Arbeit ſich in Schweiſs verſetzt hat, Xen. Cyr. 2, 1. 29.

'Ἀνίεμαι, paſſ. von ἀνίημι.

'Ἀνίερος, ὁ, ἡ, Adv. ἀνιέρως, entweiht, entheiligt, v. ἱερὸς. —ερόω, ῶ, f. ώσω, (ἀνὰ ἱερόω), einweihen, weihen, widmen; davon

'Ανιέρωσις, εως, ἡ, Einweihung, Weihe.

'Ανίημι, f. ἀνήσω, (ἄνω, ἵημι), hinauf schicken, heraus lassen, als ἐς φάος Hesiod.: nachlassen, (als Gegens. v. ἐντείνω, anspannen, Xen. Mem. 3, 10. 7.) z. B. den Bogen, und dah. den Körper, d. i. ihn erschlaffen lassen; einem einen Fehler nachlassen, d. i. verzeihen; auch τινὶ τὶ, einem etwas nachsehen, es ihm erlauben, Xen. Cyr. 4. 6. 3; oder überlassen, so wie ἀν. τὸ σῶμα ἐπὶ ῥᾳδιουργίαν Xen. den Körper der Trägheit überlassen, ihn nicht üben; entlassen, od. wegschicken; verlassen; unterlassen, z. B. τὴν ἄσκησιν, die Uebung Xen. 2) Med. ἀνίεμαι, ich löse, entblößse, κόλπον ἀνιεμένη Il. ἀνεῖτο λαγόνας Eur. El. 826. αἶγας ἀνιεμένους st. ἐκδέροντας.

'Ανικεὶ, Adv. (νίκη), ohne Sieg. —κέτευτος, ὁ, ἡ, (ἱκετεύω), nicht erfleht, nicht gebeten; act. beym Eurip. nicht flehend. —κητὸς, ὁ, ἡ, (νικάω), nicht zu besiegen, unüberwindlich; nicht besiegt.

'Ανικμάζω, (ἀνὰ, ἰκμὰς), ich feuchte an; 2) ἀ. ἰκ. ich trockne. —κμάω, σῖτον, ich reinige das Getraide; sonst λικμάω, Plato. —κμος, (ἰκμὰς), trokken, ohne Feuchtigkeit.

'Ανίλαστος, ον, (ἱλάω, ἱλάσκω), nicht versöhnt. —λεως, ω, ὁ, ἡ, (ἵλεως att. st. ἵλαος), nicht barmherzig, unbarmherzig.

'Ανίμαστος, ὁ, ἡ, (ἱμάσσω), nicht gepeitscht, beym Nonnus. —μάω, ῶ, f. ήσω, (ἱμὰς), in die Höhe ziehen, wie an einem Riemen, Xen. Anab. 4. 2. 8. davon —μησις, εως, ἡ, das Hinaufziehen.

'Ανιος, ὁ, ἡ, (ἀνία), s. v. a. ἀνιαρὸς Aeschyl. Pr. 254.

'Ανίουλος, ὁ, ἡ, (ἴουλος), ohne Milchhaar, noch ein Kind.

'Ανιππεύω, f. εύσω, reiten, zureiten, beritten machen. —ιππος, ὁ, ἡ, ohne Pferd. —πταμαι, f. πτήσομαι, (ἀνὰ, d. i. ἄνω, ἵπταμαι), hinauffliegen, aufspringen, hüpfen, als περιχαρὴς ἀνεπτάμην Sophocl. Aj. 702 für Freude springe ich hoch auf. —πτόπους, οδος, ὁ, ἡ, mit ungewaschenen Füßsen, von ποῦς und —πτος, ὁ, ἡ, ungewaschen, von νίπτω.

'Ανις, Adv. bey den Böotiern s. v. a. ἄνευ.

'Ανισάζω, f. άσω, gleichen, gleich machen; ἀνὰ, ἰσάζω. —σάριθμος, ον, von ungleicher Zahl, ἄνισος, ἀριθμός. —σασμὸς, ὁ, Ausgleichung, Vergeltung, von ἀνισάζω. —σοειδὴς, ές, (εἶδος), von ungleicher Gestalt. —σόμετρος, v. ungleichem Maafs, ἄνισος, μέτρον.

'Ανισον, τὸ, Anis, Diosc. 3. 65. Plin. 20. 17. 19, 8. —σος, ὁ, ἡ, (ἴσος), nicht gleich, ungleich; davon —σότης, ητος, ἡ, Ungleichheit. —σότιμος, ὁ, ἡ, (τιμὴ), von ungleichem Werthe. —σοφυὴς, έος, ὁ, ἡ, (φυὴ), von ungleicher Natur. —σόω, ῶ, f. ώσω, s. v. a. ἀνισάζω.

'Ανίστημι, f. ήσω, (ἀνὰ, d. i. ἄνω, ἵστημι), in die Höhe stellen, hinaufstellen, aufstehen lassen, aufrichten, z. B. ein Gebäude, einen Menschen, d. i. ermuntern, beydes wie excito; wegbringen, z. B. ein Lager, oder es aufheben, u. daher von seiner Stelle rücken, verrücken, zerstören. Il. α. 191. dah. πόλις πᾶσα ἀνέστηκεν δορὶ Eur. Hec. 494. s. v. a. ἀνάστατος ἐγένετο. med. ἀνίσταμαι, sich in die Höhe stellen, sich in die Höhe richten, aufstehen. ἀναστήσασθαι μάρτυρα, *testem excitare*, einen Zeugen aufstellen. Plato.

'Ανιστορέω, ῶ, erforschen, ausfragen, ἀνὰ, ἱστορέω. —στορησία, ἡ, Unwissenheit in der Geschichte, von ἀ u. ἱστορέω. Cic. ad Att. 6, 1. —στόρητος, ὁ, ἡ, (ἱστορέω), Adv. ἀνιστορήτως, nicht erwähnt in der Geschichte, nicht erzählt; nicht unterrichtet in der Geschichte, unwissend darinn; act. der etwas nicht erfragt, nicht ausgeforscht hat.

'Ανίσχαλος, ὁ, ἡ, in Etymol. M. ἄτοκος, ἀνήμελκτος, ἡ ἀθήλαστος. Derselbe hat ἀνίψαλος und leitet es v. ἰάπτω, ἵπτω ab, und erklärt es ἀβλαβὴς, setzt aber hinzu: οἱ δὲ ἡλικίας τάξιν, woraus erhellet, daſs Hesychius dieselbe Stelle vor Augen hatte, wo er sagt: ἀνίψανον, οὐ βεβλαμμένην, οἱ δὲ ἡλικίας τάξιν. Derselbe hat ἰσχαλεῦσαι für θηλάσαι, auch σχαλίσαι für θηλάσαι. —σχιος, ὁ, ἡ, ohne ἴσχιον, Lende, das fleischichte der Lende. —σχυρος, ὁ, ἡ, (ἰσχυρὸς), nicht stark, schwach. —σχυς, υος, ὁ, ἡ, (ἰσχὺς), ohne Stärke, schwach. Esai. c. 40.

'Ανίσχω, s. v. a. ἀνέχω.

'Ανίσως, Adv. v. ἄνισος, ungleich. —σωσις, εως, ἡ, das Gleichmachen, Ausgleichen, von ἀνισόω.

'Ανιχθυς, υος, ὁ, ἡ, (ἰχθὺς), ohne Fische.

'Ανιχνευτος, oder ἀνιχνίαστος, ὁ, ἡ, (ἰχνεύω, ἰχνιάζω), nicht aufzuspüren. —χνεύω, f. εύσω, (ἀνὰ, ἰχνεύω), aufspüren, nachspüren, nachsetzen.

'Ανίψαλος. S. ἀνίσχαλος.

'Ανιώδης, εος, ὁ, ἡ, (ἀνία), kränkend, lästig. —ωτος, ὁ, ἡ, (ἰόω), nicht verrostet, dem Rost nicht ausgesetzt.

'Ανοδία, ἡ, (ὁδὸς), Nicht-Weg, unwegsamer Weg. ἀνοδίᾳ πορεύεσθαι, auf schweren, mühsamen Wegen reisend.

'Ανοδμος, ὁ, ἡ, (ὀδμὴ), ohne Geruch.

'Ανοδος, ὁ, ἡ; (ὁδὸς), ohne Weg, unwegsam.
'Ανοδος, ἡ, (ὁδὸς, ἀνὰ), der Weg hinauf, auch s. v. a. ἀνάβασις, der Feldzug; der Weg zurück, d. i. Rückkehr.
'Ανόδους, οντος, ὁ, ἡ, (ὀδοὺς), ohne Zähne, oder mit wenig Zähnen.
'Ανοδύρομαι, aufschreyen, laut winseln, ἀνὰ u. ὀδ. —δυρτος, ον, (ὀδυρ.), nicht beweint, nicht beklagt.
'Ανοζος, ὁ, ἡ, (ὄζος), ohne Knoten, nicht ästig.
'Ανοήμων, ονος, ὁ, ἡ, (νοήμων), nicht denkend, ohne Sinn u. Verstand (νοῦς), dumm, sinnlos. —ησία, ἡ, Sinnlosigkeit, Unverstand, v. νόησις. —ηταίνω, oder ἀνοητεύω, ich bin ἀνόητος, bin sinnlos, handle unverständig, die zweyte Form zweif. —ητος, ὁ, ἡ, Adv. ἀνοήτως, nicht einsehend, unverständig, ohne νοῦς; nicht νοητὸς, nicht verständlich, nicht einzusehen. —θευτος, ὁ, ἡ, (νοθεύω), nicht verfälscht, ächt.
'Ανοια, ἡ, Charakter, Betragen eines ἄνοος, Sinnlosigkeit, Unverstand.
'Ανοιγμα, ατος, τὸ, (ἀνοίγω), Eröffnung; Oeffnung, Loch, Thüre. —γνύω, oder ἀνοίγω, f. ξω, (ἀνὰ, οἴγω), eröffnen, aufmachen, ausbreiten, auseinander schlagen; pass. praet. eröffnet seyn, oder offen stehen.
'Ανοιδαίνω, als Activ aufschwellen, auch vom Zorn, der das Gesicht aufschwillt, als ὁ θυμὸς ἄχρηστα ἀκούσας ἀνοιδέει Herodot. wie *intumesco* Ovid. Met. 2, 508; als neutr. aufschwellen, auflaufen, aufbrausen, sich erheben, auch metaph. von Leidenschaften und Wachsthume. —δέω, ich schwelle auf, brause auf, erhebe mich. S. οἰδάω. Nikander Ther. 855 braucht ἀνοιδείοντες vom Wachsen der Feigen. —δησις, εως, ἡ, das Aufschwellen, die Geschwulst. —δίσκω, als Activ s. v. a. ἀνοιδαίνω.
'Ανοίκειος, εία, ειον, und ἀνοίκειος, ὁ, ἡ, nicht οἰκεῖος, mithin nicht häuslich, nicht vertraut, nicht passend; davon —κειότης, ητος, ἡ, Unfreundlichkeit, Mangel an Traulichkeit, Charakter eines ἀνοίκειος. —κητος, ὁ, ἡ, (οἰκέω), nicht zu bewohnen, unbewohnbar. —κίζω, f. ίσω, (ἀνὰ, οἰκ.), wieder aufbauen; verbauen, d. i. seine Wohnung versetzen, sich wo anders wohnhaft niederlassen; bey Thucyd. ἀνῳκισμένοι s. v. a. ἄνω οἰκοῦντες vom Meer entfernt wohnend. So braucht es Appian. Punic. 84, 88. aber auch für wegziehn. ἀνῴκισαν τοῦ φθόνου Philostr. Apoll. 7, 11. d. i. ἄνω τοῦ φθόνου. zerstören, Aristot. rhetor. Alex. c. 2. dem περιποιῆσαι retten, entgegenges. —κισις, ἡ, bey Appian. Pun. 84 das Wegziehn, verlegen des Wohnsitzes. S. ἀνοικίζω. —κισμὸς, ὁ, das Wiederaufbauen. —κοδομέω, ῶ, (ἀνὰ, οἰκ.), wiederbauen, ein Gebäude wieder herstellen, aufbauen. —κονόμητος, ὁ, ἡ, (οἰκονομέω), nicht gut angeordnet, *male dispositus*, wie es Quintil. 8, 3 übersetzt; act. nicht gut haushaltend, verschwenderisch.
'Ανοικος, ὁ, ἡ, (οἶκος), ohne Haus.
'Ανοικτίρμων, ονος, ὁ, ἡ, (οἰκτίρμων), nicht barmherzig, unbarmherzig. —κτὸς, ἡ, ὸν, (ἀνοίγω), zu öffnen, was sich öffnen läfst; eröffnet, offen. —κτος, ὁ, ἡ, (οἶκτος), Adv. ἀνοίκτως, ohne Barmherzigkeit, unbarmherzig. —κτρος, ὁ, ἡ, (οἰκτρὸς), nicht zu erbarmen, dess man sich nicht erbarmen muss.
'Ανοιμώζω, f. ξω, (ἀνὰ, οἰμ.), aufseufzen, Seufzer aus tiefer Brust holen. —μωκτεὶ, ἀνοιμωκτὶ, Adv. ohne zu winseln, zu klagen, zu weinen. ἀν. τὶ ποιεῖν, etwas thun oder verüben, ohne deswegen klagen zu dürfen, d. i. ungestraft Sophocl. Aj. 1244. v. —μωκτος, ον, (οἰμ.), nicht beweint, unbeweint.
'Ανοιξις, εως, ἡ, s. v. a. ἄνοιγμα.
'Ανοισις, εως, ἡ, (ἀνὰ, οἴω, d. i. φέρω), das Zurückbringen.
'Ανοιστέον, (ἀνὰ, οἴω), man muss zurückbringen.
'Ανοιστὸς, (ἀναφέρω), ἀνοιστοῦ γενομένου ἐς τὴν Πυθίην Herodot. 6. 66 als man die Sache der Pythia zum Ausspruche vortrug. —στρέω, ῶ, antreiben, jagen. s. οἰστρέω.
'Ανοκωχὴ, ἡ. S. ἀνακωχή.
'Ανολβία, ἡ, Mangel an Glück, Unglück, Elend; von —βιος, ὁ, ἡ, oder ἄνολβος, (ὄλβος), ohne Glück, unglücklich, unglückselig, Sophocl. Aj. 1175.
'Ανόλεθρος, ὁ, ἡ, ohne Verderben, ὄλεθρος, nicht verderbend, auch ἀνώλεθρος.
'Ανολκὴ, ἡ, (ἀνέλκω), das Hinaufziehn. —κητὸν, τὸ, nach Hesych. ἐφ' οὗ τὶ ἀνέλκεται.
'Ανολολύζω, f. ξω, laut aufschreyen, ein lautes ὀλολα rufen, sey es fur Schreck oder Freude. S. ὀλολύζω. 2) Activ. Eur. Bacch. 24. —λοφύρομαι, (ἀνὰ, ὀλοφ.), aufwinseln und in Klagen ausbrechen.
'Ανομβρέω, ῶ, regnen act. d. i. regnen lassen, im Regen oder gleich einem Regen ergiessen, ἀνὰ, ὀμβρέω; bey Philo und den LXX. —βρήεις, ήεσσα, ῆεν, Nicand. Alex. 288 s. v. a. πολύομβρος. —βρία, ἡ, (ὄμβρος), Mangel an Regen; von —βρος, ὁ, ἡ, (ὄμβρος), ohne Regen.
'Ανομέω, ῶ, ich bin ἄνομος, bin gesetzlos, handle gesetzlos; davon —μημα,

ατὸς, τὸ, eine wider die Geſetze begangene That, wie ἀδίκημα v. ἀδικέω.

'Ανομία, ἡ, Geſetzloſigkeit, Verachtung der Geſetze, Zügelloſigkeit, im Gegenſ. v. δικαιοσύνη Xen. Mem. 1, 2. 24. vergl. §. 44. —μιλέω, ῶ, ſ. v. a. ὁμιλέω zw. —μίλητος, ὁ, ἡ, nicht umgänglich, mit dem ſichs nicht, oder nicht gut umgehen laſst, ſonſt auch οὐχ ὁμιλητὸς. —μιμος, ὁ, ἡ, ungeſetzlich, widergeſetzlich; d. Gegenth. v. νόμιμος. —μιχλος, ὁ, ἡ, (ὁμίχλη), ohne Nebel, nicht bewölkt. —μματος, ὁ, ἡ, (ὄμμα), ohne Augen.

'Ανομοειδὴς, έος, ὁ, ἡ, ungleichartig, ὁμοειδὴς. —μοθέτητος, ὁ, ἡ, (νομοθετέω), ſchlecht geordnet, geſetzlos, regellos, unordentlich. —μοιογενὴς, von verſchiedener Gattung, Geſchlecht, ἀνόμοιος, γένος. —μοιομερὴς, έος, ὁ, ἡ, aus verſchiedenen Theilen, nicht ὁμοιομερὴς. —μοιόπτωτος, ον, verſchieden oder ungleich fallend, d. i. aufhörend, nicht ὁμοιόπτωτος. —μοιος, ὁ, ἡ, unähnlich. Adv. ἀνομοίως. S. ὅμοιος. —μοιόστροφος, ον, (στροφὴ), aus verſchiedenen Strophen beſtehend. —μοιότης, ητος, ἡ, Ungleichheit, Verſchiedenheit. —μοιόχρονος, ον, von ungleicher Zeit (Tempo), womit ich nämlich auf einer Sylbe verweile, oder von ungleicher Quantität, Sylbenlänge. —μοιόω, ῶ, f. ώσω, (ἀνόμοιος), unähnlich machen. —μοίωσις, εως, ἡ, (ἀνομοιόω), das unähnlich Machen, Unähnlichkeit. —μολογέω, ῶ, bey Plato Amat. p. 39 ἀνομολογήσασθαι τὰ εἰρημένα, über die geſprochenen Gegenſtände uns zu vereinigen, ein Einverſtändniſs zu treffen. —μολογία, ἡ, Einverſtändniſs, v. ἀνὰ, ὁμολ. Uebereinkunſt; Widerſpruch. Strabo 1 p. 69. S.

'Ανομος, ὁ, ἡ, (νόμος), Adv. ἀνόμως, ohne Geſetz, geſetzlos, geſetzwidrig, von Menſchen und Handlungen.

'Ανόνητος, ὁ, ἡ, (ὄνημι), nichts helfend, nichts nutzend, nichtswürdig, z. B. mit περισσοὺς verb. Sophocl. Aj. 769. 2) der keinen Nutzen genieſst: ὥστε ἀνόνητον ἐκεῖνον ἁπάντων εἶναι. Demosth. —νόμαστος, ον, (ὀνομαστὸς), nicht benannt, ohne Namen, ohne Ruf, unbekannt, unberühmt.

'Ανοος, contr. ἄνους, ὁ, ἡ, (νοῦς), ohne Verſtand, unverſtändig, ſinnlos.

'Ανόπαια Odyſſ. 1, 320 ὄρνις ὡς ἀνόπαια διέπτατο, andre laſen ἀν' ὀπαῖα, auch πανόπαια u. erklärten es verſchiedentlich; gewöhnlich wird ἀνόπαια für eine Adlerart ausgegeben, ſo wie πανόπαια von andern für die Schwalbe. Am beſten iſt es mit Empedokles, welcher vom Feuer ſagte: καρπαλίμως δ' ἀνόπαιον das Wort durch ἀνωφερὴς, nach oben, zu erklären.

'Ανόπιν, Adv. nach hinten zu, rückwärts. S. κατόπιν.

'Ανοπλος, ὁ, ἡ, (ὅπλον), Adv. ἀνόπλως, ohne Waffen, unbewaffnet, wehrlos.

'Ανοπτος, ὁ, ἡ, (ὄπτομαι), nicht zu ſehen, unſichtbar.

'Ανόρατος, ον, (ὁράω), nicht zu ſehen, unſichtbar.

'Ανοργάζω erklärt Heſych. d. ἀνακινεῖν; das übrige der Gloſſe gehört zu ἀνορταλίζω. In Hippocr. intern. affect. c. 22. ἵνα ἀνωργισμένον ᾖ τὸ σῶμα ᾖ πρὸς τὴν Φαρμακοποσίην, wo vorher ὠργισμένον ſtand. Galeni Gloſſ. erklärt ἀνωργισμένον d. ἀναμεμαλαγμένον, aber in dieſer Bedeut. muſs es ἀνωργασμένον heiſsen.

'Ανόργανος, ὁ, ἡ, ohne Organe, als βίος Plut. —γία, ἡ, ſ. v. a. ἀμυησία von ὄργια. —γίαστος, ὁ, ἡ, nicht eingeweiht in die Orgien.

'Ανοργίζω, S. ἀνοργάζω.

'Ανοργος, ὁ, ἡ, (ὀργὴ), ohne Zorn, nicht zürnend.

'Ανορέα, ἡ, Mannheit, Muth, v. ἀνὴρ, wie *virtus* v. *vir*, jon. ἠνορέη. —ρεκτέω, ῶ, ich bin ἀνόρεκτος, habe keinen Appetit, mag nichts eſſen. —ρεκτος, ὁ, (ὀρέγομαι), nicht Luſt habend, ohne Eſsluſt, Appetit. —ρεξία, ἡ, (ὄρεξις), Mangel an Eſsluſt, Appetit.

'Ανορθόω, ῶ, f. ώσω, (ἀνὰ, ὀρθόω), aufrichten, errichten, in die Höhe richten; wieder errichten, wieder aufbauen; wieder grade machen, was man vorher ſchief, d. i. ſchlecht gemacht hatte, alſo beſſern, verbeſſern.

'Ανορμάω, ῶ, f. ήσω, ſich in Bewegung ſetzen und zwar mit Heftigkeit, auffahren. —μίζω, ſ. v. a. ὁρμίζω u. ἐνορμίζω. zweif. —μος, ὁ, ἡ, (ὅρμος), ohne Standort für Schiffe, ohne Bucht, ohne Ankerplatz, oder nicht bequem einzulaufen.

'Ανόρνυμι, (ὄρνυμι, ἀνὰ), aufregen, erregen, ſ. v. a. ἀνέρω, davon ὄρνω.

'Ανορούω, f. ούσω, aufſpringen, hervorſpringen, ἀνὰ, ὀρ.

'Ανόροφος, ον, (ὄροφος), ohne Dach.

'Ανορροπύγιος, ὁ, ἡ, (ὀρροπύγιον), ohne Sterz, Schwanz, von Inſecten, die keinen Schwanz wie die Vögel zum Steuern haben.

'Ανορταλίζω, Ariſtoph. Eq. 1341 ſoll eigentl. von Hühnen gebraucht werden, wenn ſie nach einem Siege mit den Flügeln ſchlagen und ſich heben, πτερύσσονται; daher metaph. ſ. v. a. ſonſt ἀναπτεροῦσθαι, μετεωρίζεσθαι, ſich erheben, ſich brüſten. S. ὀρτάλιξ ὀρτάλιχος.

'Ανορύσσω, ἀνορύττω, f. ξω, (ἀνά, ὀρ.), aufgraben, ausgraben; daher ausrotten, zerſtören.

'Ανορχέομαι, οῦμαι, (ἀνὰ, ὀρχ.) aufspringen, herumspringen, tanzen.

'Ανορχος, ον, (ὄρχις), ohne Hoden, verschnitten.

'Ανόρω, aufregen, erregen, ἀνὰ, ὄρω.

'Ανόσητος, ὁ, ἡ, (νοσέω), nicht kränkelnd, ohne Krankheit. —**σιος**, ὁ, ἡ, nicht ὅσιος, unheilig, gottlos, frevelhaft. Adv. ἀνοσίως. —**σιότης**, ητος, ἡ, Gottlosigkeit. —**σιουργέω**, ῶ, d. i. ἀνόσια ἐργάζομαι, oder ich bin ἀνοσιουργὸς, handle gottlos, frevle. —**σιούργημα**, ατος, τὸ, ein begangener Frevel, v. ἀνοσιουργέω. —**σιουργία**, ἡ, Charakter, Betragen eines ἀνόσιουργὸς, Gottlosigkeit, Frevel. —**σιουργὸς**, ὁ, ἡ, d. i. ἀνόσια ἐργαζόμενος, frevelnd, gottlos.

'Ανοσμος, ὁ, ἡ, (ὀσμὴ), ohne Geruch, nicht riechend. Vergl. ἄνοδμος.

'Ανοσος, ὁ, ἡ, (νόσος), Adv. ἀνόσως, ohne Krankheit, gesund, auch von Ort und Zeit, gesunder Ort, gesunde Jahreszeit.

'Ανόστεος, ὁ, ἡ, oder ἄνοστος, (ὀστέον), ohne Knochen. —**στητὸς**, ὁ, ἡ, oder ἄνοστος, ἀνόστιμος, (νοστέω), nicht zurückkehrend, ohne Rückkehr, νόστος.

'Ανότιστος, ὁ, ἡ, (νοτίζω), nicht benetzt, trocken. —**τρύζω**, ein οτοῖ rufen, laut winseln, wimmern. Vergl. ἀνολολύζω.

'Ανουθέτητος, ὁ, ἡ, (νουθετέω), nicht zu ermahnen, sich nicht ermahnen lassend, alle Ermahnung verwerfend.

'Ανους, ὁ, ἡ, s. oben ἄνοος.

'Ανούσιος, ὁ, ἡ, (οὐσία), ohne Wesen, ohne Substanz.

'Ανούτατος, ὁ, ἡ, oder ἄνουτος, Adv. ἀνουτητὶ, nicht verwundet, von οὐτάω, οὔτημι, οὔταμαι.

'Ανοχεύομαι, (ἀνοχὴ), Waffenstillstand machen. Nicetas Annal. 19, 2. —**χευτος**, ὁ, ἡ, unberitten, unbesprungen, unbegattet, unbefruchtet, noch Jungfrau; v. ὀχεύω. —**χὴ**, ἡ, (ἀνέχω), das Aufhalten, Anhalten, das Unterlassen, als ἀν. ἀναπαύλης Herodian.; τὸ ἀνασχέσθαι, wenn man sich hält, zurückhält, d. i. Erduldung, Geduld, Nachsicht. Plur. ἀνοχαί, *induciae*, das Aufhalten der Waffen, Waffenstillstand.

'Ανοχλίζω, f. ίσω, (ἀνὰ, ὀχλίζω), aufheben, wegheben, wegbewegen. S. μοχλὸς. —**οχλος**, ὁ, ἡ, (ὄχλος), ohne Beunruhigung, nicht beunruhigt, nicht bestimmt, nicht belästigt, nicht überlaufen.

'Ανοχμάζω, f. άσω, (ἀνὰ, ὀχμ.), in die Höhe halten, s. v. a. ἀνέχω u. ἀνοχέω.

Ανοχος· bey Theophr. H. P. 3, 18. nach Plinius *praeceps alvi exinanitio*, ist schon dem Steph. verdächtig. —**χυρὸς**, ρὰ, ρὸν, (ὀχυρὸς), nicht fest, nicht befestigt.

'Ανοψία, ἡ, Mangel an Speisen, vorz. Fischen; von —**ψος**, ὁ, ἡ, ohne Speisen, ὄψον, vorz. Fische.

'Αντα, Adv. entgegen, gegenüber.

'Ανταγοράζω, dagegen einkaufen, für diess jenes kaufen. —**γορεύω**, (ἀντί, ἀγόρ.) gegen einen sprechen, besonders vor Gericht, in der Volksversammlung. —**γωνίζομαι**, f. ίσομαι, gegen jemand kämpfen, streiten, im Wettkampfe, im Kriege, vor Gerichte; davon —**γώνισμα**, ατος, τὸ, Widerstreit, Gegenkampf, Hinderniss. —**γωνιστὴς**, οῦ, ὁ, Widerstreiter, Gegenkämpfer oder Nebenbuhler; Widersacher oder Feind. —**γωνίστως**, Adv. nach Art der Widersacher.

'Αντάδελφος, ὁ, statt eines Bruders, des Bruders Stelle vertretend. —**δικέω**, ῶ, (ἀδικέω), dargegen beleidigen, angethanes Unrecht rächen.

'Ανταᾴδω, entgegensingen; im Gesange respondiren. —**αείρω**, s. v. a. ἀνταίρω, v. ἀείρω. —**αιδέομαι**, gegenseitig hochachten.

'Ανταῖος, αία, αῖον, (v. ἀντὶ od. ἄντα, ὁ ἄντα ὢν), entgegenstehend; daher widerstehend, Widersacher, wie *adversus*, *adversarius*.

'Ανταίρω, dargegen erheben, ἀντὶ, αἴρω, auch neutr. dass man χεῖρας oder ὅπλα dabey ergänzt; sich erheben, sich widersetzen, als πρὸς τὴν τινὸς δύναμιν ἀνταίρων Plut. und eben so von einem Felsen, der sich vor uns erhebt, *contra assurgit*, beym Strabo. Diess ist es gewöhnlich in med. sich erheben, sich widersetzen, widerstreiten, auch mit ὅπλα τινὶ Xen. Cyr.

'Ανταισχύνομαι, ich schäme mich dargegen. Achill. Tat.

'Ανταιτέω, für einen bitten. —**αιτιάομαι**, dargegen anklagen. —**ακολουθέω**, ῶ, dargegen folgen. —**ακολουθία**, ἡ, gegenseitige Folge oder Begleitung. —**ακοντίζω**, entgegenschleudern. —**ακούω**, f. ούσω, dargegen hören, gegenseitig oder wieder hören. —**ακροάομαι**, s. v. a. das vorherg. —**αλαλάζω**, f. άξω, dargegen schreyen, ein ἀλαλά! entgegen rufen.

'Ανταλλαγὴ, ἡ, das Vertauschen gegen etwas anders. —**άλλαγμα**, ατος, τὸ, Austauschung, Auslösung, und daher Aussöhnung; eigentlich was man gegen etwas anderes giebt, eintauscht. —**άλλαγος**, ὁ, ἡ, durch Tausch für einen andern gegeben, gestellt. Menander bey Suidas. Andre sagten dafür ἄνταλλος. —**αλλάσσω**, ἀνταλλάττω, f. άξω, austauschen, vertauschen.

'Ἀνταμείβω u. med. ἀνταμείβομαι ſ. v. a. d. ſimpl. ἀμείβω u. ἀμείβομαι mit dem Zuſatz von dargegen, gegenſeitig einem andern oder im med. ſich tauſchen, eintauſchen, vertauſchen, vergelten, erwiedern, verdanken, beſtrafen u. ſ. w. —μειψις, εως, ἡ oder ἀνταμοιβὴ, der Tauſch, das Austauſchen, von act.; von med. die Vergeltung, der Erſatz. —μοιβὸς, ὁ, ἡ, vergeltend, erwiedernd. —μύνομαι, gegenſeitig ſich vertheidigen, ſich helfen, ſich rächen, an jemanden, τινά. S. ἀμύνομαι.

'Ανταμφοδεύω, f. εύσω, ſich einander entgegen gehn und verirren. ἀντὶ, ἄμφοδος. zweif.

'Ανταναβιβάζω, f. άσω, dargegen aufſteigen laſſen. —ναγινώσκω, dargegen leſen, leſen; davon —ναγνώστης, 'ου, ὁ, Gegenleſer, oder der dargegen lieſet. —νάγω, ἀντανάγομαι, dargegen ſeine Flotte ausführen, entgegen ſegeln, gegen einen auslaufen. S. ἀνάγω. —ναδίδωμι, dargegen hinauf geben, nachlaſſen, u. ſ. w. S. ἀναδ. —ναιρέομαι, οῦμαι, dargegen nehmen, annehmen. S. ἀναιρ. —ναίρεσις, das dargegen nehmen, wegnehmen u. dergl. S. ἀναιρ. —ναίρω, dargegen heben, aufheben, erbeben. S. ἀναίρω. —νάκλασις, εως, ἡ, oder ἀντανακλασμὸς, das Zurückbrechen, Zurückbiegen, Zurückprallen, vom Lichte, der Stimme u. ſ. w.; bey den Rhetoren das Zurückſchieben eines Worts in einer andern Bedeutung, *contraria ſignificatio* beym Quintil. 9, 3. —νακλαστικὸς, ἡ, ὸν, zurückbiegend, werfend, *reciprocus*, als ἀντωνυμίαι ἀντανακλαστικαὶ, *pronomina reciproca*. —νακλάω, ῶ, f. άσω, dargegen zurückbrechen, zurückſtoſsen, von einem Laute, der zurückprallt und ein Echo giebt. —νακοπὴ, ἡ, das Zurückſchlagen oder prallen; von —νακόπτω, zurückſchlagen, zurückſtoſsen. —ναλίσκω, dargegen verzehren, aufwenden. —ναμένω, dargegen warten, erwarten. —ναπλήθω, ſ. v. a. das folgende. —ναπληρόω, ῶ, f. ώσω, dargegen, wieder füllen. —ναφέρω, dargegen zurückbringen. S. ἀναφέρω.

'Αντανδρος, ὁ, ἡ, (ἀνὴρ), ſtatt eines Mannes, gegen, für einen Mann.

'Αντάνειμι, dargegen ſich erheben, hinaufgehn. —νίστημι, dargegen auf oder errichten; an eines Stelle etwas anders errichten; med. ſich gegen einen erheben, ſich widerſetzen. —νίσχω, dargegen aufgehen. S. ἀνίσχω. —νίσωμα, ατος, τὸ, das Gleichgewicht, die Ausgleichung dargegen, oder auf der andern Seite, ἀντανισόω.

'Αντάξιος, ία, ιον, gleichvielwerth, am Werthe gleich m. d. Genitiv. davon —ξιόω, ῶ, f. ώσω, ſ. v. a. ἀξιόω m. d. Zuſatze von dargegen, wieder.

'Ανταπαιτέω, ῶ, dargegen fordern, zurückfordern. —παμείβομαι, ſ. v. a. ἀπαμείβομαι. —παστράπτω, f. ψω, entgegenblitzen. —πειλέω, dargegen drohen, Themiſt. or. 7 p. 95. —ποδείκνυμι, dargegen beweiſen. —ποδίδωμι, wieder zurückgeben, als die Berge das Echo beym Dio C. ἀντ. τὴν ἠχὴν. wieder geben, vergelten, als τιμὴν, und ſchlechtweg ohne Zuſatz: ἀνταποδοτέον εὐεργέτῃ, man muſs einem Wohlthäter vergelten, dankbar ſeyn Ariſt. davon —πόδομα, ατος, τὸ, Vergeltung; N. Teſtam. —πόδοσις, εως, ἡ, ſ. v. a. das vorherg. auch Genugthuung, Befriedigung des Gläubigers; Veränderung Polyb. —ποδοτικὸς, ἡ, ὸν, vergeltend. Adv. ἀνταποδοτικῶς. —ποδύομαι, (ἀποδύομαι), ſich gegenſeitig, oder ſich gegen einen rüſten. —ποκρίνομαι, gegenſeitig oder wieder antworten; gegen einen antworten oder hadern; davon —πόκρισις, εως, ἡ, Gegenantwort. —ποκτείνω, gegenſeitig tödten. —πολαμβάνω, gegenſeitig annehmen. —πόλλυμι, gegenſeitig verderben. —πολογοῦμαι, gegenſeitig vertheidigen. —πόπαλσις, ἡ, (ἀποπάλλω, ἀντὶ), das Ab- und Zurückprallen. Caſſius Probl. —ποπέμπω, gegenſeitig wegſchicken. —ποπέρδω, gegenſeitig farzen (*pedo*), wieder farzen. —ποστέλλω, gegenſeitig wegſchicken. —ποστροφὴ, ἡ, das gegenſeitige Weglaſſen, Trennung. —ποταφρεύω, gegenſeitig verſchanzen. —ποτειχίζω, gegenſeitig vermauern, befeſtigen. —ποτίω, f. ίσω, gegenſeitig abzahlen, vergelten. —ποφαίνω, gegenſeitig beweiſen. —ποφέρω, gegenſeitig wegtragen, wegbringen. —ποχὴ, ἡ, Obligation, Schein, den der Schuldner ausſtellt, daſs er etwas ſchuldig ſey, v. ἀποχὴ, Quittung, die der Gläubiger ausſtellt, daſs er ſein Ausgeliehenes erhalten habe. —πωθέω, ῶ, gegenſeitig oder wieder zurückſtoſsen; davon —πώθησις, εως, ἡ, das Zurückſtoſsen, der Widerſtand.

'Ανταριθμέω, ῶ, dargegen zählen, Zahl mit Zahl vergleichen.

'Ανταρκέω, ῶ, gegen einen hinreichen, ausreichen, einem gewachſen ſeyn, ihm widerſtehen.

'Ανταρκτικὸς, ἡ, ὸν, (ἄρκτος), dem Norden gegenüber ſtehend.

'Ανταρσία, ἡ, ἄνταρσις, ἡ, u. ἀντάρτης, ὁ, (ἀνταίρω), ſind bloſs bey den neuern Griechen gebräuchlich für Rebellion und Rebello, Empörer.

'Ἀντασπάζομαι, f. άσομαι, wieder grüſsen, ſich unter einander bewillkommen oder wieder freundſchaftlich aufnehmen; ſich umarmen, ſich gegenſeitig lieben. —στράπτω, ſ. oben ἀνταπαστράπτω.

'Ἀνταυγάζω, wieder glänzen, den Glanz, den Schein zurückwerfen, v. ἀνταυγὴς. —γασία, ἡ, das Gegenſtrahlen, Gegenſchein oder Glanz. —γεια, ἡ, ſ. v. a. das vorberg. von ἀνταυγὴς. —γέω, ῶ, ſ. v. a. ἀνταυγάζω. —γὴς, έος, ὁ, ἡ, zurück- oder wiederglänzend, den Glanz zurückwerfend. v. ἀντὶ u. αὐγὴ.

'Ἀνταυδάω, ῶ, dargegen reden, wieder reden oder antworten.

'Ἀνταφαιρέω, ῶ, dargegen wegnehmen. —φίημι, dargegen entlaſſen.

'Ἀντάω, ῶ, f. ήσω, ſ. v. a. ἀντιάω, ἀντιάζω.

'Ἀντεγγράφω, ſtatt eines andern einſchreiben.

'Ἀντεγείρω, dargegen oder ſtatt eines andern dies errichten.

'Ἀντεγκαλέω, ῶ, dargegen beſchuldigen; davon —κλημα, ατος, τὸ, Gegenbeſchuldigung. —κληματικὸς, ή, ὸν, zur Gegenbeſchuldigung gehörig.

'Ἀντεγχειρίζω, f. ίσω, dargegen einhändigen.

'Ἀντεικάζω, f. άσω, dargegen εἰκάζειν, vergleichen; rathen u. ſ. w.

'Ἀντείνω, ſ. v. a. ἀνατείνω aufheben. —ειπεῖν, dargegen reden, widerſprechen, ſich widerſetzen, abſchlagen, Xen. Ageſ. 2, 21. —είρομαι, dargegen fragen. —εισάγω, f. άξω, dargegen, dafür einführen; davon —εισαγωγὴ, ἡ, Einſetzung, Einführung dafür, dargegen, an eines Stelle. —εισβάλλω, dargegen hineinwerfen; neutr. einbrechen, einfallen. —εισέρχομαι, f. ελεύσομαι, dargegen oder an eines Stelle hereinkommen, an eines Stelle treten. —εισφέρω, dargegen oder an eines Stelle eintragen, abtragen.

'Ἀντεκθλίβω, dargegen, dafür ausdrücken, auspreſſen.

'Ἀντεκκλέπτω, f. ψω, dargegen herausſtehlen. —εκκομίζω, f. ίσω, dargegen heraus oder wegtragen. —εκκόπτω, f. ψω, dargegen aushauen, ausſchneiden, ausrotten. —εκπέμπω, f. ψω, dargegen heraus oder wegſchicken. —εκπλέω, f. εύσω, gegen einen ausſchiffen, ausſegeln. —έκτασις, εως, ἡ, das gegenſeitige Ausſtrecken; von —εκτείνω, dargegen ausſtrecken. —εκτίθημι, dargegen ausſetzen. —εκτίνω, dargegen, gegenſeitig auszahlen, bezahlen, büſsen, belohnen; davon —έκτισις, εως, ἡ, Buſse, Geldbuſse, Erſatz. —εκτίω, f. ίσω, ſ. v. a. ἀντεκτίνω. —εκτρέφω, dargegen aufziehen, erziehen. —εκτρέχω, gegen einen auslaufen, einen anfallen, angreifen. —εκφέρω, dargegen heraus- od. wegtragen. —ελαττοῦμαι, gegenſeitig beſiegt werden. —ελιγμὸς, ὁ, ſ. oben ἀνθελιγμὸς.

'Ἀντέλλω, ſ. v. a. ἀνατέλλω. —ελπίζω, f. ίσω, dargegen oder wieder hoffen.

'Ἀντεμβάλλω, dargegen hineinwerfen oder legen; auch ſ. v. a. ἀντεισβάλλω. —εμβιβάζω, (ἀνεμβαίνω), ich ſtelle, bringe an eines andern Stelle. —εμβολὴ, ἡ, das Einſetzen dargegen, dafür; v. ἀντεμβάλλω. —εμβριμάομαι, dargegen drohen Nicetas Annal. 9, 16. —εμπαίζω, dargegen verſpotten. —εμπήγνυμι davon ἀντεμπαγῶ σχοῖνος Ariſtoph. Acharn. 230 dargegen hineinſtoſsen. —εμπίμπρημι, dargegen anſtecken, verbrennen. —εμπλέκω, f. ξω, gegenſeitig in einander flechten, verwickeln; med. ſich gegenſeitig umarmen. —εμπλέω od. ἀντεμπίμπλημι Anab. 4, 5. 28 dargegen anfüllen. —εμπλοκὴ, ἡ, (ἀντεμπλέκω), das Einflechten dargegen, gegenſeitige Umarmung. —εμφαίνω, dargegen anzeigen; Polyb. 18, 11 widerſprechen. Heſych. hat auch ἀντεμφανίζω in demſelben Sinne; davon —έμφασις, εως, ἡ, Zeichen, Schein dargegen, entgegengeſetztes Zeichen.

'Ἀντεναγωγὴ, ἡ, gegenſeitige Vorführung vor Gericht oder Verklagung.

'Ἀντενδείκνυμαι, dargegen, darwider anzeigen; und nach den Zeichen abrathen; davon —δειξις, εως, ἡ, Anzeige dargegen, darwider; das Abrathen aus den Zeichen, die darwider ſind. —δύομαι, dargegen anziehen.

'Ἀντενέδραι, ῶν, αἱ, gegenſeitige Nachſtellungen. —νεδρεύω, f. εύσω, dargegen, gegenſeitig nachſtellen. —νεργέω, dargegen wirken, thätig ſeyn. —νεχυράζομαι, ein Gegenpfand nehmen. —νέχυρον, τὸ, Gegenpfand.

'Ἀντεξάγω, dargegen ausführen, z. B. ins Treffen; neutr. τοῖς πεπραγμένοις Polyb. widerſtreiten. —ξαιτέω, ῶ, dargegen herausverlangen. —ξαπατάω, dargegen, gegenſeitig betrügen. —ξειμι, dargegen ausgehen, z. B. ins Treffen, Xen. Cyr. —ξελαύνω, f. λάσω, ſ. v. a. das vorherg. verſt. ἵππον, ναῦν oder στρατὸν. —ξέρχομαι, dargegen ausgehen. —ξετάζω, f. άσω, dargegen, gegen einander prüfen, mit einander vergleichen; med. ſich mit einander prüfen, z. B. vor Gericht, mit einander hadern, ſtreiten, ſonſt ἀντιδικέω; davon —ξέτασις, εως, ἡ, od. ἀντεξετασμὸς, Prüfung, Vergleichung dargegen, damit. —ξορμάω, ῶ, f. ήσω, gegen einen aufbrechen, losbrechen; davon.

'Αντεξόρμησις, εως, ἡ, das Aufbrechen gegen einen.

'Αντεπάγω, gegen einen anführen, z. B. ins Treffen; neutr. wider einen gehen, auf einen losgehen; vergl. ἀντεξάγω. —πάδω, dargegen anſingen, oder bezaubern. —παινέω, ῶ, dagegen oder gegenſeitig loben. —πανάγω, ſ. v. a. ἀντεπάγω. —πανέρχομαι, dargegen, dafür zurückkommen. —πειμι, ſ. v. a. ἀντέξειμι. —πεισάγω, dargegen, noch dazu einführen. —πείσοδος, ἡ, das gegenſeitige Hineingehn, Eingang dagegen. —πεισφέρω, dargegen, noch dazu hineintragen. —πεξάγω, ſ. v. a. ἀντεξάγω. —πέξειμι, ſ. v. a. das vorherg. od. ἀντέξειμι Xen. Cyr. 3, 3. 30 vergl. 4, 1. 1. —πεξελαύνω, ſ. v. a. ἀντεξελαύνω. —πεξέρχομαι, ſ. v. a. ἀντεξέρχομαι. —πέξοδος, gegenſeitiger Angriff, ſo wie das dieſem entſprechende verbum ἀντεπέξειμι. —περείδομαι, ſich gegen etwas ſtemmen. —πέρχομαι, ſ. v. a. ἀντεξέρχομαι. —περώτησις, εως, ἡ, gegenſeitiges Fragen; von —περωτῶ, gegenſeitig fragen und ſich verſprechen laſſen. —πηχέω, ῶ, gegenſeitig wieder ſchallen. —πιβαίνω, dargegen darauf gehn, ſteigen oder losgehn. —πιβουλεύω, dargegen oder gegenſeitig nachſtellen. —πιγράφω, an eines Stelle einſchreiben, darauf ſchreiben. —πιδείκνυμι, dargegen oder gegenſeitig zeigen, aufzeigen. —πίθεσις, εως, ἡ, gegenſeitige Nachſtellung, von ἐπιτίθεμαι. —πιθυμέω, ῶ, dargegen oder gegenſeitig verlangen; paſſ. ἀντεπιθυμοῦμαι τῆς συνουσίας, Xen. Mem. 2, 6. 28 man verlangt dargegen meine Geſellſchaft. —πικηρύττω, dargegen od. gegenſeitig ankündigen, z. B. Krieg u. dergl. —πικουρέω, ῶ, dargegen od. gegenſeitig helfen. —πικρατέω, ῶ, gegenſeitig beſiegen; dargegen beherrſchen. —πιλαμβάνομαι, dargegen anfaſſen u. feſthalten. —πιμελέομαι, οῦμαι, dargegen, gegenſeitig ſorgen, beſorgen. —πιμέλλω, dargegen, gegenſeitig zögern bey einer Sache. —πιμετρέω, ῶ, dargegen, gegenſeitig zumeſſen. —πινοέω, ῶ, gegenſeitig oder dargegen ausſinnen. —πιπλέω, ῶ, dargegen, gegenſeitig darauf losſchiffen und zu Schiffe angreifen. —πιῤῥέω, dargegen, gegenſeitig zufließen.

'Αντεπίῤῥημα, τὸ, S. ἐπίῤῥημα. —πισκώπτω, gegenſeitig verſpotten. —πιστέλλω, wieder ſchreiben, ſchriftlich antworten. —πιστρατεύω, dargegen oder gegenſeitig wider einen zu Felde, in den Krieg gehn. —πιστρέφω, dargegen auf gegen einen wenden; davon —πιστροφή, ἡ, das gegenſeitige Umkehren oder d. Umk. dargegen. —πιτάττω, dargegen anordnen, befehlen. —πιτειχίζω, dargegen ein τεῖχος, Burg wider den Feind errichten. —πιτίθημι, dargegen darauf legen, ſtellen, den Auftrag geben. —πιτρέχω, dargegen auf wider einen laufen. —πιφέρω, dargegen vortragen, referiren, beziehn. —πιφιλοτιμοῦμαι, dargegen, od. gegenſeitig bey einer Sache ehrgeizig ſeyn, ſich beſtreben, um eine Sache ſich bewerben.

'Αντεπιχειρέω, ῶ, dargegen oder gegenſeitig Hand anlegen, angreifen, anfallen, unternehmen; den Beweis führen und dergl.; davon —χείρησις, εως, ἡ, Gegenangriff oder Gegenbeweis.

'Αντεραγίζω, f. ίσω, dargegen, gegenſeitig zuſammen tragen, beytragen. —ραστής, οῦ, ὁ, fem. ἀντεράστρια, ἡ, Gegenliebhaber, Nebenbuhler; fem. Nebenbuhlerin. —ράω, ῶ, dargegen oder gegenſeitig lieben, wieder lieben.

'Αντεργολαβέω, ῶ, gegen einen oder als Nebenbuhler eines andern eine Arbeit übernehmen, entrepreniren.

'Αντερείδω, entgegen ſtellen, um zu ſtützen; neutr. ſich entgegenſtellen, entgegenſtehn, von harten Körpern, die gegendrücken und nicht nachgeben Cyrop. 8, 8, 16. überh. widerſtreben, ſich widerſetzen; davon —έρεισις, ἡ, das entgegenſtellen um zu ſtützen, od. neutr. das Gegen - Widerſtreben. —έρεισμα, τὸ, das als Stütze entgegengeſtellte, Gegenſtütze. —ερίζω, u. ἀντεριδαίνω, dargegen, gegenſeitig zanken, ſtreiten. —ερις, ιδος, ἡ, Gegenkampf, von ἔρις. —έρομαι, gegenſeitig fragen, dargegen fragen. —ερύομαι, (ερύομαι), Theog. 77. πιστὸς ἀνὴρ χρυσοῦτε καὶ ἀργύρου ἀντερύσασθαι ἄξιος, gleich dem Golde bewahrt und geſchätzt zu werden Philoſtr. Apoll. 2, 26. —έρως, ωτος, ὁ, Gegenliebe. —ερωτάω, ῶ, f. ήσω, dargegen, gegenſeitig fragen; davon —ερώτησις, εως, ἡ, gegenſeitiges Fragen oder Fragen dargegen. —εστραμμένως, Adv. umgekehrt, entgegengekehrt. —ευεργετέω, ῶ, wieder wohlthun; davon —ευεργέτημα, ατος, τὸ, gegenſeitiges Wohlthun. —ευεργέτης, ου, ὁ, dargegen wohlthuend. —ευεργετικὸς, ἡ, ὸν, der zum Gegenwohlthun bereit, geſchickt iſt. —ευνοέω, ῶ, dargegen, gegenſeitig wohlwollen. —ευπασχω, dargegen, gegenſeitig Gutes, Wohlthaten erhalten. —ευποιέω, ῶ, dargegen, gegenſeitig wohlthun. —εφεστιάω, ῶ, dargegen bewirthen. —εφευρίσκω, dargegen ausfinden, erfinden, erſinnen. —εφορμέω, ῶ, dargegen die Schiffe im ὅρμος haben und zwar bereit gegen den Feind auszulaufen.

'Ἀντέχω, f. ἀνθέξω, gegen, dargegen halten, als χεῖρά τινος; τινὶ oder πρὸς τὶ, gegen etwas aushalten, ausdauern, etwas ertragen, widerſtreben, widerſtehen. Eben ſo mit folgendem infin. als ἀντέχω βαστάζειν, oder πρὸς τὸ φεύγειν, ich kann tragen, kann fliehen. Eben ſo neutr. ausdauern, ſich erhalten; med. ἀντέχεσθαι τινὸς, etwas feſthalten und nicht loslaſſen, etwas erhalten, einem feſt anhängen, ſowohl eigentlich (ἀντέχου θυγατρὸς Eurip.), als uneigentl. τῆς ἀρετῆς Xen. *adhaerere virtuti, amplecti virtutem*, τῆς εἰρήνης Iſocr. den Frieden feſthalten, ihn beſtändig zu erhalten ſuchen, τῆς θαλάσσης Thucyd. die Herrſchaft zur See zu behaupten ſuchen.

'Ἀντέω, joniſch ſt. ἀντάω.

'Ἀντήλιος, ὁ, ἡ, ſt. ἀνθήλιος, (ἀντὶ, ἥλιος), der Sonne gleich. Eur. Jon 1550. 2) δαίμων Aeſchyl. Ag. 530. *antelios daemonas oſtiorum praeſides* erklärt es Tertullian. wie θυραῖος, die auſser dem Hauſe auf der Straſse in freyer Sonne ſtehn.

'Ἀντημοιβὸς, ὁ, ἡ, ſ. v. a. ἀνταμοιβὸς.

'Ἄντην, Adv. gegen, entgegen, vor; v. ἀντάω; auch ſ. v. a. ἄντα oder ἀντικρυς in ἐναλίγκιος ἄντην und dergl.

'Ἀντήνωρ, ὁ, ἡ, (ἀντὶ, ἀνὴρ), Aeſchyl. Ag. 454. ſtatt, an der Stelle des Manns, Menſchen. —ηρετέω, dargegen oder gegenüber rudern, beym Etymol. M. —ήρης, εος ὁ, ἡ, (ἀντὶ, ἐρέσσω), entgegenrudernd; entgegenkämpfend, Gegner; von ἄρω. —ηρὶς, ἴδος, ἡ, Gegenhalter, Stütze; nach Suidas auch ſ. v. a. θυρὶς. Bey Eur. Rheſ. 785. zweif. viell. ἀρτηριῶν. Bey Thucyd. 7. ſ. v. a. bey Athenaeus ἄτλαντες oder τελαμῶνες Träger; von ἀντὶ, ἄρω, αἴρω.

'Ἄντησις, εως, ἡ, das Entgegenkommen; nach Heſych. auch ἱκετεῖαι. S. ἀντιάω und κατάντηστιν.

'Ἀντηχέω, ῶ, wieder oder entgegenſchallen.

'Ἀντὶ, anſtatt, ſtatt; entgegen, dargegen, gegenüber, στῆναι ἀντὶ τινὸς, d. i. κατέναντι, einem gegenüber, gegen einen ſtehen Xen. An. 4, 7. 6. Hom. Il. 8, 233. wechſelſeitig, wieder; drückt in den Compoſ. wie ἀντίθεος und dergl. Gleichheit oder Aehnlichkeit aus.

'Ἀντία, Adv. eigentl. das neutr. plur. von ἀντίος, wie πρῶτα und ähnliche, alſo ſ. v. a. ἄντην. —άζω, f. άσω, ſ. v. a. ἀντιάω. m. d. Akkuſ. Herodot. 4, 118 und 121. begegnen. —αμοιβὸς, ſ. v. a. ἀνταμοιβὸς. —άνειρα, ἡ, gleich einem Manne ein Mädchen, *instar viri virago* Hom. Il. 3, 189. 6, 186. —άξων, ονος, ὁ, ἡ. gegenüberſtehende Axe oder Pol der Weltkugel.

'Ἀντιὰς, άδος, ἡ, die Mandeln am Halſe, vorzüglich die in Krankheit geſchwollenen. —αχέω, ῶ, dargegen oder gegen einen ſchreyen, rufen.

'Ἀντιάω, ῶ, f. άσω, und ἀντιάομαι, mit d. Genit. begegnen, entgegen kommen; 2) bitten, flehen; 3) erhalten, bekommen, theilnehmen. ὄφρα πόνοιο μίνυνθα περ ἀντιάσαιτο. Il. 12. αἴκεν πῶς ἀρνῶν κνίσσης αἰγῶν τε τελείων βούλεται ἀντιάσας ἡμῖν ἀπὸ λοιγὸν ἀμῦναι, annehmen und dafür von uns abwenden. Mit d. Akk. ἐμὸν λέχος ἀντιόωσα ſ. v. a. εὐτρεπίζουσα; beym Herodot. auch dem Feinde entgegen gehn.

'Ἀντιβάδην, Adv. entgegengehend, tretend, ſtehend, widerſtehend; von —βαίνω, entgegengehen, treten, ſich ſtellen, widerſtehen. —βάλλω, entgegenwerfen; dies gegen jenes werfen od. halten, d. i. vergleichen, als zwey Exemplare Strabo, und ſo λόγους Luc. 21. 17. πρὸς ἀλλήλους, mit einander ſprechen. —βασιλεὺς, έως, ὁ, Vicekönig, Zwiſchenregent, *interrex*. —βασιλεύω, ich bin ein ἀντιβασιλεὺς. —βασις, εως, ἡ, das Entgegengehen; Widerſtand, Gegenkampf, Beſtreitung, v. ἀντιβαίνω. —βάτης, ου, ὁ, Widerhalter, d. i. Thürriegel. —βατικὸς, ἡ, ὸν, zum Widerſtehn geſchickt oder geneigt. —βία, Adv. näml. ὁδῷ, v. ἀντίβιος, alſo ſ. v. a. ἀντιβίην. —βιάζομαι, f. άσομαι, ich brauche Gewalt dagegen. —βιβρώσκω, dargegen oder gegenſeitig verzehren.

'Ἀντιβίην, Adv. oder ἀντίβιον ſ. v. a. ἄντην und ἀντιβία; v. —βιος, ία, ιον, u. ἀντίβιος, ὁ, ἡ, (ἀντὶ, βία), mit entgegengeſetzter Gewalt, entgegen kämpfend, widerſtreitend. ſ. wie ἀνταῖος. —βλάπτω, f. ψω, dargegen, gegenſeitig ſchaden. —βλέπω, f. ψω, entgegen ſehen, einen gerade anſehen, als τῷ φωτὶ, τῷ ἡλίῳ, τῷ πατρὶ, gerade ins Licht, gerade in die Sonne ſehen, dem Vater ins Angeſicht ſehen; davon —βλεψις, εως, ἡ, Anblick, gerades Anſehen Xen. Hier. 1, 35.

'Ἀντιβοάω, ῶ, wieder, entgegen rufen. —βοηθέω, ῶ, dargegen od. gegenſeitig helfen, beyſtehn. —βοιος, ὁ, ἡ, gleich einem Ochſen am Werthe, wie ἀντίθεος. —βολέω, ῶ, entgegenwerfen, ἀντιβάλλω; vorzügl. neutraliter, näml. ἑαυτὸν, wie ἐμβάλλω, προσβάλλω u. faſt alle compoſita von βάλλω, d. i. entgegenkommen, begegnen, mit dem dativ. bey Hom. Od. 24, 87; mit dem genit. aber völlig wie ἀντάω, zu etwas gelangen, es erhalten, Theil nehmen, als μάχης Hom. Il. 4, 342.; mit dem accuſ. wieder wie ἀντιάω, flehen, flehentlich bitten.

'Ἀντιβολή, ἡ, und ἀντιβόλησις, ἡ, auch ἀντιβολία, ἡ, (ἀντιβάλλω, ἀντιβολέω) das gegenwerfen, halten; alſo das vergleichen; auch das begegnen, von ἀντιβολέω, vorz. das Flehen, Bitten. —βουκολέω, dargegen od. wieder hintergehen. —βραδύνω, dargegen, gegenſeitig zögern. —βροντάω, ῶ, f. ήσω, entgegen donnern.

'Αντιγεγωνέω, ῶ, entgegen ſchreyen. —γενεαλογέω, ῶ, gegen einen, anders als der andere ein Geſchlechtsregiſter machen, ableiten, abſtammen laſſen. —γεννάω, dargegen, gegenſeitig zeugen. —γηροτροφέω, ῶ, dargegen, gegenſeitig im Alter nähren; pflegen. —γνωμονέω, ῶ, ich bin ἀντιγνώμων, d. i. anderer Meinung. —γνώμων, ονος, ὁ, ἡ, v. entgegengeſetzter oder anderer Meinung. —γραμμα, ατος, τὸ, Gegenſchrift. —γραφή, ἡ, Gegenſchrift, d. i. ſchriftliche Antwort Athen. und ſo nennt Plut. Caeſars Anticato eben ſo oder eine Antwort auf Ciceros Cato. Daher, wenn vom Gericht die Rede iſt, Gegenklage, wie γραφὴ Klage, und überh. Klage, Proceſs; das Abſchreiben, Dionyſ. Antiq. 4, 62. wie ἀντίγραφον, Abſchrift. —γραφον, ου, τὸ, eine Abſchrift, Exemplar. Neutr. von —γραφος, ὁ, ἡ, abgeſchrieben, kopirt. —γράφω, f. ψω, wieder ſchreiben, gegenſchreiben, ſchriftlich antworten.

'Αντιδάκνω, f. δήξομαι, wieder beiſsen. —δειπνος, ὁ, ἡ, ſtatt eines andern ſpeiſend. —δεξιόομαι, οῦμαι, f. ώσομαι, gegenſeitig ſich die Rechte geben, dargegen, gegenſeitig bewillkommen, umarmen, lieben. —δέρκομαι, ſ. v. a. ἀντιβλέπω. —δέχομαι, f. ξομαι, dargegen, gegenſeitig aufnehmen, annehmen. —δημαγωγέω, ῶ, als Gegner eines andern Volksredners handeln, reden; dargegen das Volk durch Reden und Rath leiten, lenken. —δημιουργέω, ῶ, dargegen erbauen, errichten, machen. —διαβαίνω, dargegen oder gegenſeitig hinübergehn. —διαβάλλω, dargegen, gegenſeitig verleumden. —διαίρεσις, εως, ἡ, Gegenabtheilung, Unterabtheilung, Gegenſatz. —διαιρέω, ῶ, verſchiedene Dinge abtheilen, einen Gegenſatz machen. —διάκονος, ὁ, ἡ, gegenſeitiger Diener, wieder bedienend. —διαλλάσσομαι, austauſchen, vertauſchen, als Gefangene auswechſeln. —διάμετρος, ον, gegenüberſtehend, entgegengeſetzt. zw. —διαπλέκω, ich flechte gegen; metaph. bey Aeſchin. ἀντιδιαπλέκει λέγων, dargegen ſagt er und braucht den Kunſtgriff, Kniff in ſeiner Rede. —διαστέλλω, dargegen zwey verſchiedene Dinge unterſcheiden; davon —διαστολή, ἡ, Gegenunterſcheidung, Unterſchied. —διαστροφή, ἡ, das Kehren gegen einander, Unterſcheidung. zweif. —διατάσσω, ἀντιδιατάττω, dargegen anordnen, feſtſetzen, ſtellen. —διατίθημι, dargegen anſtellen, feſtſetzen, oder in irgend eine Lage, Verhältniſs, Zuſtand bringen, verſetzen, ſich an einem rächen. —διδάσκω, anders oder dargegen lehren. —δίδωμι, f. ώσω, wieder, dargegen, dafür geben, vergelten; τὴν οὐσίαν, den Tauſch ſeines Vermögens anbieten. S. ἀντίδοσις.

'Αντιδιέξειμι, dargegen durchgehen oder aus einander ſetzen, erzählen. —διεξέρχομαι, ſ. v. a. das vorherg. —διΐστημι, dargegen aus einander ſetzen oder theilen, Gegenſätze machen. —δικάζω, f. άσω, gegen einen proceſſiren; davon —δικασία, ἡ, Proceſs gegen einen. —δικέω, ῶ, ich bin ἀντίδικος; proceſſire, hadre, ſtreite mit einem; widerſetze mich ihm; davon —δίκησις, εως, ἡ, Hader, Streit, Widerſetzung. —δικία, ἡ, Proceſs unter oder gegen einander; von —δικος, ὁ, ἡ, Widerſacher, Gegner vor Gericht, im Proceſſe, δίκη. —διορύττω, dargegen durchgraben, untergraben und unterminiren. —δογματίζω, f. ίσω, entgegengeſetzte oder andere Lehren vortragen und haben. —δοκέω, ῶ, gegenſeitige oder andere Meinung haben. —δοξάζω, f. άσω, ſ. v. a. das vorhergeh. oder activ. dargegen preiſen. —δοξέω, ῶ, ſ. v. a. ἀντιδοκέω; von —δοξος, ὁ, ἡ, entgegengeſetzter Meinung, δόξα. —δορος, ὁ, ἡ, (δορά), καὶ κάρυον χλωρῆς ἀντίδορον λεπίδος Epigr. Zonae 3. wo jetzt ἀρτίδορον λέπτης ſteht; daſſelbe drückt Philipp. Epigr. 20 aus durch χλωρῶν ἐκφανὲς ἐκ λεπίδων, alſo abgezogen, entblöſst.

'Αντίδοσις, εως, ἡ, (ἀντιδίδωμι) das Wiedergeben, Dargegengeben, Vergeltung, Vertauſchung, oder Anerbieten, ſein Vermögen gegen das eines andern zu vertauſchen, wenn dieſer bey auſserordentlichen Kriegsſteuern und Contributionen läugnet reicher zu ſeyn als ich, und ich dargegen zum Beweis meiner feſten Ueberzeugung vom Gegentheil einen gegenſeitigen Tauſch des Vermögens von uns beyden anbiete. M. ſ. Iſocrat. Rede περὶ ἀντιδόσεως, und Demoſth. adv. Mid. §. 17.

'Αντίδοτον, τὸ, näml. πόμα oder φάρμακον, ein gegen etwas eingegebener Trank, ein Gegenmittel, Gegenarzeney, Gegengift; das neutr. von —δοτος, ὁ, ἡ, dargegen, darwider gegeben. v. ἀντιδίδωμι. —δοτος, ἡ, nämlich πόσις, alſo eben ſ. v. a. ἀντίδοτον.

'Αντιδουλεύω, ich bin dargegen Sklave, diene dargegen. —δουλος, ὁ, ἡ, dargegen oder gegenſeitig dienend; ſtatt eines Dieners oder Sklaven, deſſen Stelle vertretend. —δουπος, ὁ, ἡ, gegenſchallend. —δράω, f. άσω, dargegen, gegenſeitig thun; vergelten. —δυσχεραίνω, dargegen, gegenſeitig zürnen, unwillig werden. —δωρεὰ, ἡ, Gegengeſchenk, Vergeltung. —δωρον, τὸ, ſ. v. a. ἀντιδωρεά. —δωροῦμαι, ein Gegengeſchenk machen, vergelten.

'Αντίζηλος, ὁ, ἡ, gegen einen oder mit einem wetteifernd, Nebenbuhler zweif. davon —ζηλοῦμαι, bin ein Nebenbuhler, zweif. —ζητέω, gegenſeitig oder wieder ſuchen. —ζυγος, ὁ, ἡ, die Wage haltend, von ζυγὸς, die Wage; gegengekehrt; dav. —ζυγόω, die Wage halten, ſich widerſetzen.

'Αντιθάλπω, dargegen, gegenſeitig wärmen. —θεός, ὁ, ἡ, gottgleich, göttlich groſs, göttlich ſchön Hom. gegen Gott, Gott entgegen. —θεραπεύω, f. εύσω, dargegen, gegenſeitig beſorgen, ſchätzen, ehren. —θερμαίνω, f. ανῶ, dargegen, gegenſeitig wärmen. —θεσις, εως, ἡ, Gegenſatz. —θετος, ὁ, ἡ, entgegengeſetzt, entgegenſtehend. —θέω, entgegenlaufen. —θλίβω, f. ψω, dargegen, gegenſeitig drücken, bedrücken; gegendrücken. —θρονος, ὁ, ἡ, gegenüberſitzend auf dem Stuhle, θρόνος. —θροος, ὁ, ἡ, gegen oder wieder tönend. —θύρετρος, ὁ, ἡ, (θύρετρον), ſtatt einer Thüre, die Stelle einer Thüre vertretend. —θυρος, ὁ, ἡ, der Thüre, θύρα, gegen über. ἀντίθυρον, τὸ, die Seite, der Platz der Thüre gegen über. Od. π. 159. Lucian. Lapith. 5 not. de domo p. 111.

'Αντικαθαιρέω, dargegen, gegenſeitig niederreiſſen, einreiſſen. —καθέζομαι und ἀντικάθημαι, gegenüber ſitzen; auch von zwey gegen einander gelagerten Kriegsheeren, gegen einander im Felde, im Lager ſtehen, gelagert ſeyn. —καθίζω, f. ίσω, gegen über ſetzen, hinſtellen; med. ſich gegenüber ſetzen, d. i. ſitzen, alſo ſ. v. a. die beyden vorhergehenden. —καθίστημι, dafür, dargegen niederſtellen, hinſtellen; einſetzen, machen; entgegenſtellen, u. in den temp. wo das ſimplex ἵστημι neutr. ſteht, entgegen ſtehen, ſich widerſetzen, einem widerſtehen, ihm gewachſen ſeyn.

'Αντικακουργέω, ῶ, dargegen, gegenſeitig böſes oder Schaden thun. —κακόω, dargegen böſe, ſchlimm machen, oder ſ. v. a. das vorhergehende. —καλέω, ῶ, dargegen, gegenſeitig rufen, einladen, Xen. ſymp. 1, 15. —κανονίζω, dargegen Regeln aufſtellen. —κάρδιον, τὸ, ſ. v. a. σφαγὴ, die Grube zwiſchen den Schlüſſelbeinen. —καρτερέω, dargegen ausharren, erdulden, ertragen. —καταλαμβάνω, gegenüber beſetzen, einnehmen. —καταλέγω, dafür aufſchreiben, anwerben. —καταλείπω, dargegen, gegenſeitig hinterlaſſen. —καταλλαγὴ, ἡ, Vertauſchung, Umtauſchung. —κατάλλαγμα, τος, τὸ, das dargegen Eingetauſchte oder Vertauſchte; Erſatz. —καταλλάσσω, ἀντικαταλλάττω, dafür, dargegen eintauſchen, vertauſchen; auch ausſöhnen, verſöhnen gegen einander. —καταμύω, dargegen, gegenſeitig die Augen zudrücken. —καταπλήττω, dargegen, gegenſeitig erſchrecken. —κατασκευάζω, dargegen, gegenſeitig zurecht machen, zurüſten, vorbereiten. —κατάστασις, εως, ἡ, Niederſtellen, Hinſtellen, Aufſtellen, Anſtellen für einen andern, an die Stelle; Wiederherſtellung, Erſatz; Stellung gegen einen, vom Kriege, Gericht, Diſputiren; v. ἀντικαθίστημι. —καταστρατοπεδεύω, ſich gegen einen lagern. —κατάσχεσις, εως, ἡ, das Zurückhalten, Anhalten des Athems, Urins u. ſ. w. mit Widerſtand gegen etwas. —κατατείνω, entgegenſpannen oder anſtrengen; entgegenſtreben, ſich einem widerſetzen, z. B. beym Diſputiren beym Plato: ἀντικατατείναντες λέγομεν αὐτῷ λόγον παρὰ λόγον. —κατατρέχω, dargegen, gegenſeitig Einfälle und Streifereyen machen, τινὸς in, wider. —καταφρονέω, dargegen, gegenſeitig verachten. —κατηγορέω, ῶ, dargegen gegenſeitig anklagen; dav. —κατηγορία, ἡ, Gegenanklage. —κειμαι, f. είσομαι, gegenüber liegen, entgegen ſtehen, entgegen ſeyn. —κέλευθος, ὁ, ἡ, auf dem entgegengeſetzten Wege, κέλευθος, entgegengehend, entgegenſtehend. Nonn. —κελεύω, f. ευσω, dargegen, oder gegen einen befehlen. —κεντρον, τὸ, was ſtatt eines Stachels dient. Aeſchyl. Eum. 136. —κηδεύω, dargegen, wieder ſorgen. —κήδομαι, gegenſeitig oder wieder ſchätzen. —κηρυττω, dargegen bekannt machen, Gegenbefehle geben und ausrufen laſſen. —κινέω, ῶ, Gegenbewegungen machen; med. ſich gegen einen in Bewegung ſetzen, gegen den Feind ausbrechen; wobey man στρατὸν verſtehen kann. —κιχράω, ῶ, ſ. v. a. ἀντιχράω. —κλάζω, ειν, wieder tönen. S. κλάζω. —κλαίω, dargegen, gegenſeitig weinen.

Ἀντικλάω, gegen, entgegen brechen. —κλεῖθρον, τὸ, u. ἀντίκλεις, ειδος, ἡ, Nachſchlüſſel, Gegenſchlüſſel. Pollux 10. 22. u. Clemens Strom. 7. p. 325. —κλίνω, dargegen neigen, gegen einander neigen oder beugen. —κνήμιον, τὸ, Schienbein, das der Wade, κνήμη, gegenüberſtehende, überhaupt Bein, Schenkel. Ariſtoph. Ach. 219. —κολάζω, dargegen, gegenſeitig ſtrafen; dafür ſtrafen. —κολακεύω, f. εύσω, dargegen, wieder ſchmeicheln. —κομίζομαι, f. ίσομαι, dargegen, dafür, davon tragen, wieder erhalten. —κομπάζω, dargegen, gegenſeitig prahlen. —κοντόω, ἀντικόντωσις, ἡ, (κοντὸς), ſ. v. a. ἀντερείδω und ἀντέρεισις, das Gegenſtemmen, Gegenhalten. —κοπὴ, ἡ, das Gegenſtoſsen, Zurückſtoſsen; v. —κόπτω, f. ψω, gegenſtoſsen, zurückſtoſſen; neutr. und act. ſich gegenſtemmen, ſich widerſetzen; zuwider ſeyn, entgegen ſeyn; eben ſo wird ἀντικρούω gebraucht. —κορύσσομαι, ἀντικορύττομαι, ſich gegen einen bewaffnen, rüſten. —κοσμέω, ῶ, dargegen, entgegen, gegenſeitig ordnen, ſchmücken, putzen, zurüſten; davon —κόσμησις, εως, ἡ, Gegenzurüſtung-ordnung. —κράζω, dargegen, entgegen ſchreyen. —κρίνω, vergleichen, dargegen halten. —κρουσις, εως, ἡ, das Gegenſtoſsen, Zurückſtoſsen; von —κρούω, f. ούσω, active u. neutraliter ſ. v. a. ἀντικόπτω.

Ἀντικρὺ, und ἀντικρὺς, Adv. will man gewöhnlich unterſcheiden wie εὐθὺ u. εὐθὺς, daſs jenes vom Orte, gegenüber, gegen, dieſes aber gerade zu, offenbar, ganz und gar, auch ſogleich bedeute; dieſer Unterſchied aber iſt ungegründet. Man ſchreibt auch ἄντικρυς. —κτάομαι, ῶμαι, f. κτήσομαι, dafür, dargegen anſchaffen, einkaufen. —κτερίζω, dargegen, gegenſeitig beerdigen. —κτόνος, ον, dargegen, gegenſeitig mordend, κτείνω. —κτυπέω, entgegen, dargegen raſſeln, tönen. —κτυπος, ὁ, ἡ, gegenrauſchend oder tönend. —κυμαίνομαι, entgegen mit den Wogen getrieben werden. zw. —κύρω, f. κύρσω, ſ. v. a. ἀντιάω u. ἀντιβολέω, antreffen, begegnen. —κωλύω, dargegen, gegenſeitig verhindern.

Ἀντιλαβεύς, έως, ὁ, ſ. v. a. πόρπαξ und das folgende.

Ἀντιλαβὴ, ἡ, Griff zum anhalten, feſthalten; eine Seite, wo man etwas angreifen kann, auch im tropiſchen Sinne. —λαγχάνω, dargegen, gegenſeitig looſen, und durchs Loos bekommen. δίκην, eine Gegenklage anſtellen. S. λαγχάνω. —λάζομαι und ἀντιλάζυμαι, ſ. v. a. ἀντιλαμβάνομαι. —λακτίζω, f. ίσω, wieder oder gegen ausſchlagen.

Ἀντιλαμβάνω, dafür, dargegen, gegenſeitig bekommen, nehmen; med. ἀντιλαμβάνομαι m. d. genit. ſich woran halten, faſſen, anfaſſen, ergreifen, feſthalten, anhalten; ſich anmaſsen, ſich bemeiſtern; auch mit den Sinnen faſſen, alſo hören, ſehn u. ſ. w. auch mit dem Verſtande faſſen, begreifen; auch wie *capeſſere*, πραγμάτων, an den öffentlichen Geſchäften Theil nehmen. Eine Pflanze ἀντιλαμβάνεται bekommt, bekleibt, wie *comprehendere*. Faſt daſſelbe bedeutet ἀντέχεσθαι; auch angreifen, tadeln.

Ἀντιλάμπω, f. ψω, entgegen, zurück- oder wieder leuchten. ἡ λέξις τῷ ἀκροατῇ ἀντ. πρὸς τὸ δηλούμενον, verblendet den Leſer gegen den Sinn. Plut. Audit. —λέγω, f. ξω, widerſprechen, ſich zanken; auch von der That, ſich widerſetzen; davon —λεκτος, ὁ, ἡ, widerſprochen, dem widerſprochen wird, ſtreitig. —λεξις, εως, ἡ, Widerſpruch; Gegenſpruch oder das Zuſammenſprechen, als Gegenſ. von μονῳδία. —λεσχαίνω, entgegen, dargegen ſchwatzen, reden. —λέων, ὁ, Löwen gleich; wie ἀντικύων bey Heſychius der Fuchs. —ληκτικὸς, eine Art Jamben beym Ariſtoph. —ληξις, εως, ἡ, Gegenklage von ἀντιλαγχάνω. —ληπτέος, έα, έον, anzugreifen, feſtzuhaltend, zu unternehmen. ἀντιλαμβάνω. —ληπτικὸς, ἡ, ὸν, gut anzugreifen, zu faſſen mit Händen, Sinnen und Verſtande, gut zu unternehmen. —λήπτωρ, ορος, ὁ, ſ. v. a. ὁ, ἀντιλαμβανόμενος oder auch ἀντιλαμβάνων in den verſchiedenen Bedeutungen. —ληψις, εως, ἡ, das Angreifen, das Ergreifen, das Faſſen; das Anfaſſen, die Hülfe; das Faſſen mit den Sinnen und mit dem Verſtande, alſo Empfindung und Verſtand; das Angreifen, der Tadel, Vorwurf, wie *reprehendo*; alle dieſe Bedeutungen ſind vom medio; dargegen vom activo ἀντιλαμβάνω das dargegen empfangen Thucyd. 1, 120.

Ἀντιλιτανεύω, dargegen, gegenſeitig flehen, bitten. —λόβιον, τὸ, o. ἀντιλοβὶς, der dem λοβὸς am Ohre entgegenſtehende Theil. —λογία, ἡ, Widerſpruch, Gegenrede, Widerſetzung, von ἀντίλεγος. —λογίζομαι, f. ίσομαι, dargegen, wieder überrechnen oder überlegen, wieder überdenken. —λογικὴ, ἡ, nämlich τέχνη, die Kunſt zu widerſprechen, Sophiſterey; von —λογικὸς, ἡ, ὸν, geſchickt zu widerſprechen, zu widerlegen; ſpitzfindig, ſophiſtiſch; von

'Αντίλογος, ον, widerſprechend, widerredend. —λοιδορέω, ῶ, dargegen, gegenſeitig oder wieder ſchimpfen od. ſchelten. —λυπέω, ῶ, dargegen, gegenſeitig kränken; betrüben; davon —λύπησις, εως, ἡ, gegenſeitige, dargegen gemachte Kränkung, Betrübniſs. —λυρος, ὁ, ἡ, zur Leyer ſtimmend, v. λύρα. —λυτρον, τὸ, was die Stelle des Löſegelds vertritt; davon —λυτρόω, ῶ, f. ώσω, durch ein ſtatt des Löſegeldes gegebenes Stück etwas losgeben, auslöſen; im med. ſich losgeben laſſen, loskaufen.

'Αντιμαίνομαι, entgegen raſen, gegen einen toben. —μανθάνω, dargegen, dafür, gegenſeitig lernen. —μαρτυρέω, ῶ, τινὸς, τινὶ u. πρὸς τὶ Plut. gegenzeugen, laut widerſprechen. —μάχησις, εως, ἡ, Gegenkampf, Beſtreitung, Bekämpfung. —μάχομαι, entgegenkämpfen, widerſtreiten. —μάχος, ὁ, ἡ, Widerſtreiter, Gegner; Feind im Kriege. —μεθέλκω, f. έλξω, auf die entgegengeſetzte Seite ziehen. —μεθίστημι, verſetzen, von dieſer auf die entgegengeſetzte Seite ſetzen; med. ſich an eines Stelle ſetzen, d. i. treten. —μειρακιεύομαι, f. εύσομαι, ſich dargegen, gegenſeitig wie Kinder oder Buben betragen, kindiſch aufführen. —μελίζω, f. ίσω, dargegen, gegenſeitig ſingen. —μέλλω, dargegen, gegenſeitig zögern. —μέμφομαι, f. ψομαι, dargegen, gegenſeitig ſich beſchweren, beſchuldigen, beklagen. —μένω, dargegen bleiben, ausharren. —μεσουρανέω, ῶ, auf der entgegengeſetzten Seite, oder als Antipode in der Mitte des Himmels ſeyn. —μεταβάλλω, ins Gegentheil, auf die andre Seite verändern; davon —μεταβολὴ, ἡ, Veränderung ins Gegentheil, auf eine andre Seite, Stelle. —μεταλαμβάνω, dargegen, dafür, gegenſeitig Theil nehmen. —μετάληψις, εως, ἡ, die gegenſeitige Theilnehmung od. die Theilnehmung dafür, dargegen. —μεταλλεύω, entgegen graben, gegen Minen machen. —μεταῤῥέω, dargegen, dafür, wieder zurückfließen, od. wegfließen. —μετασπάω, ſ. v. a. ἀντιμεθέλκω. —μετάστασις, εως, ἡ, (ἀντιμεθίστημι), die Verſetzung, Stellung oder das Treten auf die entgegengeſetzte Seite; Veränderung. —μετάταξις, εως, ἡ, Umſtellung oder Veränderung der Schlachtordnung gegen die Aenderung des Feindes. —μετατάσσω, ich ſtelle dargegen um, ändre dargegen die Ordnung. —μεταχωρέω, dargegen oder auf die entgegengeſetzte Seite weggehn. —μετέρχομαι, dargegen, gegenſeitig ſich bewerben um etwas, nach einem gehn. —μετρέω, ῶ, dargegen, wieder meſſen, zumeſſen; vergelten; dav. —μέτρησις, εως, ἡ, Gegenmeſſung, Gegenmaaſs, Vergeltung. —μέτωπος, ὁ, ἡ, mit entgegenſtehendem Geſichte, Stirne; überh. gegenüber ſtehend, gerade entgegen geſetzt, v. μέτωπον. —μηνίω, f. ίσω, gegenzürnen. —μηχανάομαι, ῶμαι, f. ήσομαι, Gegenanſtalten machen, Gegenliſt brauchen; davon —μηχάνημα, ατος, τὸ, Gegenanſtalten, Gegenmittel, Gegenliſt. —μίμησις, εως, ἡ, das Gegennachmachen, Gegennachahmung. —μιμος, ὁ, ἡ, dargegen nachahmend. —μισέω, ῶ, dargegen, wieder, gegenſeitig haſſen. —μισθία, ἡ, Lohn dafür, Belohnung. —μισθος, ον, belohnend dafür. —μισθωτὸς, ὁ, ἡ, die Stelle eines Löhners vertretend. —μοιρέω, dargegen theilen, nach einem andern ſich eben ſo viel nehmen. Pollux 4, 176 Demoſth. Phorm. —μολέω, ῶ, entgegengehn. —μολία. S. ἀντιμωλία. —μολπος, ὁ, ἡ, Eurip. in Medea: ἀντίμολπος ὀλολυγῆς κωκυτὸς ſt. κωκυτὸς ἀντὶ ὀλολυγῆς σὺν μολπῇ ἀφιέμενος. —μορφος, ὁ, ἡ, entgegen oder nachbildend. —μυκάομαι, entgegenbrüllen. —μυκτηρίζω, f. ίσω, dargegen, wieder, gegenſeitig verhöhnen. —μωλία, δίκη, Proceſs, wo beyde Gegner, ἑτερομωλία δ. wo nur ein Gegner, ſich ſtellen; wird auch ἀντιμολια, ἑτερομολία geſchrieben u. v. μολεῖν, ſo wie jenes v. μῶλος abgeleitet.

'Αντιναυπηγέω, ῶ, dargegen Schiffe bauen und eine Flotte ausrüſten. —νήχομαι, entgegen ſchwimmen. —νικάω, dargegen, gegenſeitig ſiegen, beſiegen. —νομία, ἡ, Widerſpruch des Geſetzes mit ſich ſelbſt, wenn Klager und Beklagter es für ſich deuten. —νομικὸς, ἡ, ὀν, den Widerſpruch der Geſetze betreffend. —νομοθετέω, ῶ, Geſetze gegen etwas geben. —νουθετέω, ῶ, dargegen, gegenſeitig warnen, ans Herz legen. —νωτοι, οἱ, αἱ, mit entgegengekehrtem Rücken.

'Αντιξοεῖν, ἀντίξοος ſeyn, entgegenſtehn, zuwider ſeyn, Pind. Olymp. 13, 47. —ξοος, contr. ἀντίξους, ὁ, ἡ, u. ἄντιξος, entgegengeſetzt bey den Joniern; im eigentl. Sinne von ξέω gegengehobelt, geglättet; bey Apollon. 2, 79 δοῦρα ἀντίξοα ſcheint es überh. entgegen liegend zu ſeyn; γνώμη entgegengeſetzte Meynung. Herodot. —ξύω, f. ύσω, dargegen, gegenſeitig ſchaben, kratzen, ξύω.

'Αντίον, Adv. eigentl. neutr. v. ἀντίος, gegenüber, entgegen, dargegen.

'Αντίον, ου, τὸ, bey den LXX. was bey Homer κανὼν heiſst. —τίος, entgegengeſetzt, entgegen ſtehend, entgegen gehend u. ſ. w.

'Αντιοστατέω, entgegenſtehen, ſeyn. Soph. Phil. 640. —ίφρων, ονος, ὁ, ἡ, (φρὴν), entgegengeſetzten Sinnes. —ϑωμαι entgegen ſeyn, ſich dargegen ſetzen.

'Αντιπαγὴς, έος, ὁ, ἡ, (πηγνύω), dargegen gebaut, gefugt, gemacht, gegenüber befeſtigt.

'Αντιπάϑεια, ἡ, entgegengeſetzte Eigenſchaft, Neigung, Leidenſchaft, alſo Abneigung; Gegenwirkung; von —παϑὴς, έος, ὁ, ἡ, (πάϑος), von entgegengeſetzter Leidenſchaft und Beſchaffenheit. τὸ ἀντιπαϑὲς, ſ. v. a. das vorhergeh. —παιδία, ἡ, Alter eines ἀντίπαις. zweif. —παίζω, dargegen, gegenſeitig ſpielen, ſcherzen, ſpotten, verſpotten. —παις, αιδος, ὁ, ἡ, erwachſener Knabe, ſonſt βούπαις. —παίω, f. αίσω, wieder ſchlagen; 2) ſ. v. a. ἀντιπίπτω Polyb. 18, 29. —παλαιστὴς, οῦ, ὁ, Gegenpart im Kampfe πάλη; von —παλαίω, f. αίσω, gegenkämpfen, gegenringen, widerſtehen. —παλαμάομαι, dargegen erſinnen, Mittel erfinden, ſ. v. a. ἀντιμηχανᾶσϑαι.

'Αντίπαλος, ὁ, ἡ, (πάλη) Adv. ἀντιπάλως, gegenkämpfend, ringend, ſtreitend, Gegner, Widerſacher, Feind. τὸ ἀντίπαλον, die Gegenpartheу; 2) gleich, ἴσος, daher μάχη ἀντίπαλος, unentſchiedenes, gleiches Treffen. Vergl. Eur. Bach. 274. ſonſt ἰσόπαλος.

'Αντιπανουργέω, Gegenliſt, Gegenbetrug brauchen. —παραβάλλω, dargegen halten, vergleichen; davon —παραβολὴ, ἡ, das Gegeneinanderhalten, die Vergleichung. —παραγγελία, ἡ, u. ἀντιπαραγγέλλω bedeutet im Gegentheile oder das Gegentheil thun, von παραγγελία u. παραγγέλλω, welche nachſiehe; alſo auch den Streit, Wetteifer zweyer Kandidaten, Werber, um eine Stelle.

'Αντιπαραγραφὴ, ἡ, Replik, Antwort auf Exception des Gegners vor Gerichte; von —παραγράφω, gebe eine Replik auf die Exception des Gegners ein. —παράγω, dargegen vorführen, anführen, verſt. στρατὸν, vorrücken; davon —παραγωγὴ, ἡ, das Ausrücken und Marſchiren mit der Armee neben dem Feinde, der im Marſche begriffen. —παραδίδωμι, dargegen wieder übergeben, überliefern. —παράϑεσις, εως, ἡ, das Gegeneinanderſetzen, die Vergleichung. —παραϑέω, f. εύσομαι, entgegen laufen, ſchnell marſchiren, bey Xen. An. 4, 8, 17 ſo daſs man neben und über die Flügel der feindl. Armee hinauskommt. —παραινέω, dargegen ermahnen. —παρακαλέω, ῶ, dargegen zureden, ermuntern, rathen, anrathen. —παράκειμαι, gegenüber liegen. —παρακελεύω, f. εύσω, ſ. v. a. ἀντιπαρακαλέω. —παραλυπέω, ῶ, dargegen, gegenſeitig betrüben, kränken; zw. —παραπλέω, dargegen, gegenſeitig vorbeyſchiffen, vorbeyſegeln, oder ausſegeln, auslaufen. —παραπορεύομαι, dargegen, gegen den Feind vorbeygehen, ſein Heer vorbeyführen. —παρασκευάζομαι, dargegen, gegenſeitig ſich rüſten. —παρασκευὴ, ἡ, gegenſeitige Zurüſtung, Gegenrüſtung. —παράστασις, εως, ἡ, das Entgegenſtellen oder ſtehn gegen einen; davon —παραστατικὸς, ἡ, ὸν, was zum Entgegenſtellen und Widerlegen mit Gegengründen gehört. —παραστρατοπεδεύω, ſich gegenüber lagern. —παράταξις, εως, ἡ, dargegen geſtellte Armee. —παράτασις, εως, ἡ, (ἀντιπαρατείνω) das Dargegenhalten oder Dargegenſtellen in langer Linie. —παρατάσσω, ἀντιπαρατάττω, dargegen aufſtellen, in Schlachtordnung oder zum Streite ſtellen. —παρατείνω, dargegen ausſtrecken, ausdehnen, eine lange Linie von Schlachtordnung aufſtellen; auch überh. mit einander vergleichen. —παρατίϑημι, dargegen, entgegen, gegen einander ſtellen, mit einander vergleichen. —παραχωρέω, ῶ, dargegen, gegenſeitig ausweichen, nachgeben, abtreten. —πάρειμι, entgegen gehen, oder auf der andern Seite parallel mit einem gehen, daſs beyde am Ende zuſammenſtoſsen, Xen. An. 4, 3. 17. —παρέκτασις, εως, ἡ, ſ. v. a. ἀντιπαράτασις. —παρεκτείνω, ſ. v. a. ἀντιπαρατείνω. —παρεξάγω, ſ. v. a. ἀντιπαράγω. —παρέξειμι, dargegen ausmarſchiren und zum Treffen ſich ſtellen; ſich gegenſeitig ausweichen. —παρεξέρχομαι, ſ. v. a. das vorherg. —παρεξετάζω, dargegen, gegenſeitig vergleichen und unterſuchen. —παρέρχομαι, ſ. v. a. ἀντιπάρειμι. —παρέχω, dargegen, dafür, wieder darreichen, wiedergeben, erſetzen. —παρηγορέω, ῶ, dargegen tröſten, zureden. —παρήκω, entgegen kommen, gehn, ſ. v. a. ἀντιπαρέρχομαι. —παριππεύω, dargegen neben dem Feinde mit der Reiterey marſchiren, oder überh. dargegen neben einem reiten. —παρίστημι, dargegen darſtellen, entgegenſtellen. —παρρησιάζομαι, f. άσομαι, dargegen, gegenſeitig freyſprechen, frey herausreden. —πάσχω, dargegen erhalten, Gutes od. Böſes; 2) von entgegengeſetzter Beſchaffenheit ſeyn. Diodor. 1, 40. —παταγέω, ῶ, entgegen lärmen, tönen, obſtrepere. —πατέω, ῶ, entgegen gegentreten; zertreten. —πελαργέω, ῶ, mit der Gegenliebe des Storchs πελαργὸς ſeine alten Eltern pflegen, ehren, alſo überhaupt Gegenliebe beweiſen durch Pflege und das übrige Betragen; dav.

'Αντιπελάργησις, εως, ἡ, oder ἀντιπελαργία, erwiederte Gegenliebe u. Pflege der alten Eltern. —πέμπω, f. ψω, dargegen, entgegen, wieder ſchicken, zurückſchicken. —πεπονθὸς, ότος, τὸ, Vergeltung; von ἀντιπάσχω perf. ἀντιπέπονθα, partic. neutr. ἀντιπεπονθὼς, von deſſen genitif. das folgende gemacht ist. —πεπονθότως, Adv. durch Wiedervergeltung. S. das vorhergehende. —πέρα. S. ἀντιπέραν. —περαίνω v. περαίνω, den Beyſchlaf üben. —περαῖος, αία, αῖον, gegenüber und jenſeit des Meeres liegend; von —πέραν, oder ἀντιπέρας, auch ἀντιπέρα Adv. welches andere auch ἀντίπερα, ἀντίπεραν, ἀντίπερας ſchrieben, mit dem Genit. gegen über, auf der entgegengeſetzten Seite; ſo wie ἀντιπέρηθεν, von der entgegengeſetzten Seite her; von πέρα, ἡ, ſ. v. a. περάτη.

'Αντιπέρηθεν, Adv. von der entgegengeſetzten Seite, Gegend her. Siehe ἀντιπέραν. —περιάγω, dargegen, gegen einen herumführen, herumdrehen, umwenden. —περιΐστημι, dargegen, gegen einen herumſtellen, verſt. στρατὸν, umringen, beſetzen, belagern; daher zurückdrängen, als ἀντιπεριΐστησι τὸ ψύχος εἴσω τὴν θερμότητα Ariſt.

'Αντιπεριλαμβάνω, dargegen, gegenſeitig umfaſſen. —περίσπασμα, ατος, τὸ, u. ἀντιπερισπασμὸς, ὁ, Siehe das folgende. —περισπάω τὸν ἐχθρὸν, τὰς ἐπιβολὰς, (ἀντιπερισπασμὸν ποιεῖν) den Feind von ſeinem Vorhaben ab und auf einen andern Gegenſtand ziehen, richten; ihm eine Diverſion machen, auch ſeine Abſichten vereiteln. —περίστασις, εως, ἡ, (ἀντιπεριΐστημι) das gegen einen Korper oder Menſchen geſchehene Herumſtellen oder Herumſtehn; τοῦ θερμοῦ, die Gegenwirkung und der Gegendruck der den Korper umgebenden Wärme. —περιστρέφω, dargegen oder auf die entgegengeſetzte Seite herum drehen oder wenden; davon —περιστροφὴ, ἡ, das Umdrehen od. wenden auf die entgegengeſetzte Seite. —περιχωρέω, dargegen umgehn, umringen, umzingeln. —περιψύχω, dargegen umkalten, abkühlen, anfriſchen. —περιωθέω, ῶ, dargegen herumdrangen od. auf die andere Seite ſtoſsen; dav. —περίωσις, εως, ἡ, das Zurückdrangen, Zurückſtoſsen eines ſich um etwas legenden, umgebenden Korpers. —πετρος, ον, (πέτρα) felſengleich, felſenhart. —πηδάω, ῶ, dargegen, entgegen, gegenſeitig ſpringen. —πηξ, γος, ἡ, (πήγνυμι), ein bretener Kaſten, ἀγγεῖον, Eurip. Jon, ſoll ein Wort der Mitylenäer ſeyn. So iſt ζύγαστρον daſſelbe v. ζυγάω oder ζυγόω ſ. v. a. πήγω πήγνυμι fugen, zuſammenfugen.

'Αντιπηρόω, ῶ, f. ώσω, dargegen, wieder verſtümmeln. —πιέζω, f. έσω, gegendrücken, binden. —πίμπλημι, dargegen, gegenſeitig anfüllen. —πίμπρημι, dargegen, gegenſeitig an- od. verbrennen. —πίπτω, entgegenfallen, anfallen; πρᾶγμα ἀντιπῖπτον, eine Sache, die anders fällt, als ich wünſchte, unglücklich abläuft. —πλαστος, ὁ, ἡ, ſ. v. a. ἰσόπλαστος, ὅμοιος entgegen oder nachgebildet, Sophocl. —πλέκω, dargegen, gegenflechten, winden. —πλευρος, ὁ, ἡ, mit entgegenſtehender Seite, πλευρὰ. —πλέω, entgegenſchiffen. —πληκτίζω, dargegen, gegenſchlagen. —πλὴξ, γος, ὁ, ἡ, gegenſchlagend od. gegengeſchlagen. —πληρόω, ῶ, f. ώσω, dargegen, wieder, gegenſeitig füllen; wieder vollzählig machen, ſuppleo. —πλήσσω; ἀντιπλήττω, f. ήξω, gegen, dargegen ſchlagen. —πλοια, ἡ, das Schiffen gegen den Wind; metaph. Polyb. 6, 10 κατὰ τὸν τῆς ἀντιπλοίας λόγον, vermoge der Kraft des Strebens und Gegenſtrebens. —πνέω, gegen- entgegenwehen. Auch metaph. entgegen ſeyn; davon —πνοὴ, ἡ, u. ἀντίπνοια, ἡ, entgegenwehender, widriger Wind. —πνοος, contr. ἀντίπνους, ὁ, ἡ, Adv. ἀντιπνόως, entgegenwehend; entgegenſtehend. —ποδες, ων, οἱ, Gegenfüſsler, ſing. ἀντίπους. —ποθέω, ῶ, dargegen, wieder, gegenſeitig verlangen, vermiſſen; lieben. —ποιέω, ῶ, dargegen, dafür, wieder thun. ἀγαθά τινα Xen. Oecon. 5, 12. med. ἀντιποιοῦμαι τινὸς, nach etwas ſtreben, ſich beſtreben wonach; ſich befleiſsigen einer Sache; ſich etwas eigen zu machen ſuchen, aus Wetteifer gegen einen andern, τινὶ, o. einem etwas, τινὸς, ſtreitig machen, Xen. An. 2, 3. 23. Eben ſo ἀλλήλοις περὶ τινὸς 5, 2. 11 ſich unter einander etwas ſtreitig zu machen ſuchen, unter einander über etwas wetteifern. Auch ſich widerſetzen Polyb. 22. 8. ſich anmaſsen; vindiziren; davon

'Αντιποίησις, εως, ἡ, das Streben nach etwas, das Streiten um etwas, die Vindikation, *vindiciae*. —ποίνον, τὸ, Vergeltung für etwas im guten und boſen Sinne; von ποινὴ. —πολεμέω, ῶ, oder ἀντιπολεμίζω, ein ἀντιπόλεμος ſeyn, dargegen, wieder, gegenſeitig kriegen, Krieg führen, ſtreiten.

'Αντιπολέμιος, ὁ, ἡ, od. ἀντιπόλεμος, gegen einen kriegend, Feind. —πολίζω, eine Stadt od. Feſtung dargegen errichten. zweif. —πολιορκέω, ῶ, dargegen, gegenſeitig belagern, einſchlieſsen. —πολις, εως, ἡ, Gegenſtadt oder Nebenbuhlerin von einer andern Stadt. Diodor. 11. 81. —πολιτεία, ἡ, Gegenparthey im Staat, Partheyſucht, o. entgegengeſetztes politiſches Betragen eines Staatsmannes. —πολιτεύομαι, f. εύσομαι, bey Verwaltung des Staats entgegengeſetzte politiſche Grundſätze äuſsern, befolgen und darnach handeln; gegen einen handeln, entgegen handeln; Gegenkunſt, Liſt dargegen brauchen.

'Αντίπονος, ὁ, ἡ, (πόνος), μισθὸν καὶ ἀντίπονον Jambl. Pyth. §. 22. wenn es nicht ἀντίποινον heiſsen ſoll.

'Αντιπορεύω, entgegen ſchicken, bringen; med. ἀντιπορεύομαι, entgegen gehen. —πορθέω, ῶ, dargegen, gegenſeitig verheeren, verwüſten. —πορθμος, ὁ, ἡ, jenſeit des engen Meeres gegen über gelegen Eur. Jon 1585. —πορος, ὁ, ἡ, entgegen gehend oder ſ. v. a. d. vorige.

'Αντίπους, οδος, ὁ, ἡ, Gegenfüſsler, plur. ἀντίποδες.

'Αντιπρακτικὸς, ἡ, ὸν, zuwider oder feindlich handelnd. —πραξις, εως, ἡ, das Zuwiderhandeln, Widerſetzung; feindliches Betragen; von —πράσσω, ἀντιπράττω, f. ξω, entgegen, zuwider handeln, entgegenarbeiten; widerſtehen. —πρεσβεύομαι, f. εύσομαι, Gegengeſandte ſchicken. —πρεσβευτὴς, οῦ, ὁ, Stellvertreter eines Geſandten. Vergl. ἀνθύπατος. —προβάλλομαι, dargegen vorſchlagen, vorſchützen, vorhalten; davon —προβολὴ, ἡ, das Gegenvorſchlagen oder Vorſch. an die Stelle eines andern. —πρόειμι, dargegen, gegen einen vortreten. —προθυμοῦμαι, dargegen, gegenſeitig willig, bereit und thätig ſeyn. —προικα, ων, τα, (προῖκα) ſo gut wie umſonſt, ſehr wohlfeile Waaren, Xen. Ageſ. 1, 18. Pollux 7, 10. —προκαλέομαι, οῦμαι, dargegen, gegenſeitig auffordern; gegenſeitig einen Vorſchlag thun, Bedingung machen; davon —πρόκλησις, εως, ἡ, gegenſeitige Aufforderung; gegenſeitiger Vorſchlag, Bedingung. —προπίνω, dargegen, gegenſeitig oder ſich unter einander zutrinken. —προσαγορεύω, dargegen, wieder, gegenſeitig anreden, grüſſen. —προσαμάομαι, ῶμαι, dargegen anhäufen, Xen. Oecon. 17, 13. —πρόσειμι, ſ. v. a. ἀντιπροσέρχομαι. —προσειπεῖν, ſ. v. a. ἀντιπροσαγορεύω. —προσελαύνω, dargegen od. gegenüber hinzureiten, heranmarſchiren. —προσέρχομαι, entgegen kommen, entgegen rucken. —προσκυνέω, dargegen, gegenſeitig fuſsfällig bitten, verehren, anbeten. —προσρέω, ſ. v. a. ἀντιπροσαγορεύω. —πρόσωπος, ὁ, ἡ, mit entgegen oder zugekehrtem Geſichte, Angeſichte, wie ἀντιμέτωπος, ἀντίπλευρος. —πρότασις, εως, ἡ, entgegengeſetzte Propoſition. —προτείνω, dargegen hinreichen, ausſtrecken. —προτίθημι, dargegen ausſetzen, vorſetzen, vorſchlagen. —πρωρος, ὁ, ἡ, (πρώρα) mit entgegengeſetztem, entgegenſtehendem Vordertheile; auch metaph. ſ. v. a. ἀντιπρόσωπος oder ἐναντίος überhaupt. —πτωμα, τος, τὸ, Einſturz; bey den LXX. eigentlich Gegenfall. —πυγος, ὁ, ἡ, (πυγὴ) mit entgegengeſetztem oder ſtehendem Hintern. —πυκτεύω, (πυγμὴ) ich bin der Gegner eines andern im Fauſtkampfe. —πυλος, ὁ, ἡ, (πύλη) der Pforte gegenüber ſtehend, liegend oder mit gegenüberſtehendem Thore. —πυνθάνομαι, dargegen fragen, ausfragen. —πυργος, ὁ, ἡ, d. i. ἰσόπυργος, thurm- oder burggleich. —πυργόω, dargegen aufthurmen, Thürme errichten, zw. —πυρσεύω, dargegen ein Zeichen, Gegenzeichen mit Feuer geben.

'Αντιρητορεύω, gegenreden, gegenrhetoriſiren.

'Αντιῤῥέπω, ſich auf die andere Seite neigen; oder das Gegengewicht halten. —ιῤῥέω, widerſprechen; davon —ιῤῥησις, εως, ἡ, Widerſpruch, Zwiſt, Hader, Streit; Widerlegung. —ιῤῥητικὸς, ἡ, ὸν, gerne widerſprechend, widerlegend oder zum Widerſpruch gehörig, geſchickt. —ιῤῥινον, ου, τὸ, (ῥὶν) wie eine Naſe, ein Kraut, deſſen Saame ausſieht, wie eine Kälberſchnauze, Gauchheil. —ιῤῥοπία, ἡ, jon. ἀντιῤῥοπίη, (ἀντιῤῥέπω) die Neigung auf die entgegengeſetzte Seite, Gegengewicht, Gleichgewicht; von —ιῤῥοπος, ὁ, ἡ, (ἀντὶ, ῥέπω), dargegen neigend auf der Wagſchale, das Gegengewicht haltend. γυνὴ πάνυ ἀντίῤῥοπος τῷ ἀνδρὶ ἐπὶ τὸ ἀγαθὸν Xen. Oec. 3, 15 die dem Manne das Gleichgewicht zum Gedeihen der Wirthſchaft in der Beſorgung ihrer Geſchäfte halt; 2) gegenüber liegend. Arrian. Alex. 4. 27.

'Αντισάζω, f. άσω, ſ. v. a. ἀντισόω. —σέβομαι, dargegen, gegenſeitig ehren, verehren. —σεμνύνομαι, f. νοῦμαι, dargegen mit Würde, Anſehn, Stolz antworten, oder den Stolz des Gegners erwiedern. —σηκόω, ῶ, f. ώσω, dargegen oder gleichviel abwägen, durch ein Gegengewicht etwas andern, gut machen, verbeſſern, erſetzen, wie auch ἀναστηκόω; davon

'Αντισήκωμα, τος, τὸ, das Gegengewicht; die Balance. —σήκωσις, εως, ἡ, das Balanciren; metaph. Vergeltung. —σημαίνω, f. ανῶ, dargegen, entgegen od. einem zuwider deuten, andeuten, vorbedeuten, anzeigen. —σιωπάω, ῶ, f. ήσω, dargegen schweigen. —σκευάζω, f. άσω, dargegen ausrüsten, bereiten, einrichten, Xen. Agel. 8, 6. —σκώπτω, f. ψω, dargegen verspotten. —σοφίζομαι, f. ίσομαι, Gegenlist, Gegenränke, Gegentäuschung oder Sophisterey dargegen brauchen; davon —σοφιστὴς, οῦ, ὁ, der Gegenlist od. Sophisterey dargegen braucht. —σόω, f. ώσω, dargegen gleich machen, ausgleichen. —σπασις, εως, ἡ, das Gegenziehn, Gegenzug, Gegenzerren, Ziehn an eine andre Stelle. —σπασμα, ατος, τὸ, s. v. a. ἀντιπερίσπασμα, metaph. Veruneinigung, Streit, Widerspruch. —σπασμὸς, ὁ, s. v. a. ἀντίσπασις. —σπαστικὸς, ἡ, ὸν, geschickt wo anders hin oder auf die andere Seite zu ziehn. —σπαστος, ὁ, ἡ, entgegen od. auf eine andere Seite gezogen oder ziehend; getrennt; veruneiniget. In der Metrik ist ein ποῦς ἀντίσπαστος |υ——υ|, als 'Αλέξανδρος, weil er von der kurzen Sylbe auf die langen, und von diesen wieder auf die kurze zurückgeht. μέλος ἀντίσπ. kontrastirende Melodie, Dio orat. 37 p. 121.

'Αντισπάω, f. άσω, dargegen, entgegen oder auf eine andere Stelle, Seite ziehn; zuwider seyn. Apollon. Rhod. sagt πέτρῃς χειρὶ ἀντέσπασε s. v. a. ἀντελαμβάνετο, fasste, hielt. —σπεύδω, f. εύσω, dargegen, entgegen eilen, sich bemühen, entgegenstreben. —σποδος, ὁ, ἡ, u. ἀντισπόδιον, τὸ, statt des metallischen Körpers, σποδὸς u. σπόδιον, zu gebrauchende Asche von mehrern Pflanzen u. Bäumen. —σπουδάζω, entgegenstreben mit seinem Eifer, Gewogenheit u. dergl.

'Αντισταθμέω, ῶ, oder ἀντισταθμίζω, dargegen wiegen, gleiches Gewicht dafür geben, kompensiren, vergelten. —σταθμος, ὁ, ἡ, aufwiegend, gleichvielwiegend, gleichvielgeltend. —στασιάζω, f. άσω, dargegen einen Aufstand, eine Gegenparthey machen; davon —στασιαστὴς, οῦ, ὁ, der dargegen einen Aufstand macht; einer von der Gegenparthey, wie ἀντιστασιώτης. —στάσιος, s. v. a. ἰσόσταθμος u. ἰσόῤῥοπος. zweif. —στασις, εως, ἡ, das Entgegenstellen, also auch Vergleichung; das Entgegenstehn, also Widerstand, Gegenparthey. —στασιώτης, ου, ὁ, s. v. a. ἀντιστασιαστής. —στατέω, ῶ, ich bin ein ἀντιστάτης, widerstehe, widersetze mich, bin von der Gegenparthey; s. v. a. ἀνθίστασθαι. —στάτης, ου, ὁ, widerstehend, entgegenstehend, Widersacher. —στατικὸς, ἡ, ὸν, gut, geschickt zum Widerstehen. —στερνον, τὸ, das Ende des Rückgrats, wo die Ribben aufhören. —στήριγμα, ατος, τὸ, Gegenstütze; von —στηρίζω, f. ίξω, gegenstützen, durch entgegengestellte Steife, Stütze festhalten, unterstützen. —στοιχέω, ῶ, (στοῖχος, στίχος), in der Reihe einem gegenüber stehen, tanzen, Xen. symp. 2, 21. An. 5, 4. 12. daher χοροὶ ἀντιστοιχοῦντες ἀλλήλοις. —στοιχία, ἀντιστοιχεία, ἡ, Gegeneinanderstellung oder das Gegeneinanderstehn; von —στοιχος, ὁ, ἡ, gegeneinander, gegenüber gestellt, parallel mit einem fortgehend, gleich; Adv. ἀντιστοίχως. —στομος, ὁ, ἡ, mit entgegengesetztem Munde, στόμα. —στρατεύω, f. εύσω, dargegen zu Felde ziehn. —στρατηγέω, ῶ, ich bin ein ἀντιστρατηγὸς, vertrete die Stelle eines Feldherrn, oder führe das Gegenheer an. —στράτηγος, ὁ, ἡ, Stellvertreter des Feldherrn, Generals, wie ἀντιβασιλεύς; Feldherr gegen den Feind. —στρατοπεδεία, ἡ, s. v. a. ἀντιστρατοπέδευσις. —στρατοπέδευσις, εως, ἡ, ein gegenüber aufgeschlagenes Lager. —στρατοπεδεύω, f. εύσω, gegenüber sich lagern, das Lager aufschlagen. —στρεπτον, τὸ, Diodor. 20. 91 eine Maschine oder Einrichtung eine Maschine zu drehen und wenden. —στρέφω, f. ψω, dargegen, entgegen, gegen kehren, wenden, drehen; zurückkehren, umwenden. Auch neutr. umkehren, anderswohin gehen, Xen. Agel. 1, 16. davon —στροφὴ, ἡ, das Entgegenkehren, wenden, drehen; Umdrehen; daher in dramatischen Stücken und in den Pindarischen Oden Antistrophe, im Gegensatz v. στροφὴ, eine zweyte der ersten respondirende, von einem zweyten antwortenden Chore gesungene Strophe. —στροφος, ὁ, ἡ, Adv. ἀντιστρόφως, gegeneinander, entgegengekehrt, sich einander entsprechend, (s. ἀντιστροφὴ), vorz. von zwey Dingen, die einander entgegen gesetzt und mit einander verglichen werden, also τὰς δίκας τε καὶ τιμωρίας τοιαύτας τινὰς εἶναι, καὶ αὖ τὰς εὐεργεσίας ταύταις ἀντιστρόφους; Plato Resp. 7 p. 326 n. so auf der andern Seite oder die ihnen entgegengesetzten Belohnungen und Wohlthaten.

'Αντισυγκρίνω, gegen einander vergleichen. —συλλογίζομαι, f. ίσομαι, einen Gegenschluss machen, dargegen schliessen; davon —συλλογισμὸς, ὁ, ein Gegenschluss oder Syllogismus.

'Αντισυμποσιάζω τὸν Πλάτωνα, ich ſchreibe ein Gaſtmal nach Art des Plato. Lucian. —συμφωνέω, dargegen, gegenſeitig ein- oder zuſtimmen. —σφαιρίζω, f. ίσω, gegen einen Ballſpielen; im Ballſpiele der Gegenpart ſeyn. —σφάττω, f. άξω, dargegen ſchlachten, tödten. —σφὴν, ὁ, Gegenkeil. Mathem. vet. —σχηματίζω, f. ίσω, dargegen Geberden machen, Figuren machen, brauchen, dargegen bilden, formen. —σχηματισμὸς, ὁ, Gegenbildung, Nachbildung, Gegengebrauch von Figuren und Schemen. —σχυρίζω, f. ίσω, dargegen beſtärken, befeſtigen, verſichern; med. πρὸς τὶ, ſich gegen etwas ſtark machen, waffnen; widerſtehn, Plato. —σχύω, f. ύσω, gegen einen ſeine Kräfte gebrauchen; widerſtehn; liegen.

'Αντίσχω, ſ. v. a. ἀντέχω. Soph. Phil. 830 ὄμμασιν ἀντίσχοις τάνδ' αἴγλαν, halt das Licht von dem Auge ab.

'Αντισώζω, f. ώσω, dargegen, gegenſeitig retten.

'Αντίταγμα, τος, τὸ, Gegenanſtalt; entgegengeſtellter Körper. v. ἀντιτάσσω. —τακτικὸς, ἡ, ὸν, zur Gegenanſtalt gehörig, geſchickt. —ταλαντεύω, f. εύσω, ſ. v. a. ἀντισταθμέω, ἀντισηκόω. —τάλαντος, ὁ, ἡ, ſ. v. a. ἰσοτάλαντος. —ταμίας, ου, ὁ, Proquaeſtor der Römer. —ταξις, εως, ἡ, Gegenſtellung der Armee im Felde; Widerſtand. —τάσις, εως, ἡ, das Gegenſpannen; neutr. das Widerſtreben; v. ἀντιτείνω. —τάσσω, ἀντιτάττω, f. άξω, entgegenſtellen im Felde vorz. die Armee; med. ſich widerſetzen, widerſtreben. —τείνω, f. ενῶ, gegenſeitig, gegen einander ſpannen, zielen; entgegen, gegenſpannen, ziehn; neutr. entgegen ſtreben, handeln, ſeyn; von Gegenden, gegen einander, gegenüber ſich erſtrecken, gegenüber liegen, als ἀντιτείνει 'Αρτεμισίῳ 'Ολίζων Plut.

'Αντιτειχίζω, f. ίσω, dargegen, oder gegenüber eine Burg, Veſte aufführen, errichten, davon; —τείχισμα, ατος, τὸ, entgegengeſetzte Burg, Veſte. —τέμνω, ein ἀντίτομον, oder ein Gegenmittel, eine Arzney geben, Eurip. eigentl. entgegenſchneiden, alſo eine Wurzel, Kraut als Gegenmittel abſchneiden. —τέρπω, f. ψω, dargegen wieder ergötzen. —τευχος, ὁ, ἡ, ſ. v. a. ἀντιπέλαμος, v. τεῦχος, die Rüſtung. —τεχνάζω, f. άσω, od. ἀντιτεχνάω, Gegenkunſt, Gegenliſt gebrauchen, gegenwirken. —τεχνέω, ῶ, ich bin ein ἀντίτεχνος, bin ein Nebenbuhler in einer Kunſt oder einem Gewerbe; ich brauche Kunſt, Liſt dargegen; davon —τέχνησις, εως, ἡ, Eiferſucht in einer Kunſt oder einem Gewerbe; Gegenliſt, Gegenwirkung. —τεχνος, ὁ, ἡ, Nebenbuhler in einer Kunſt oder einem Gewerbe; überh. entgegenwirkend. —τίθημι, entgegen ſetzen, ſtellen; vergleichen; eines ſtatt des andern ſetzen, oder entgegenſtellen, Xen. Mem. 3, 14. 1. bey Thucyd. 2, 85. 3, 56 ἀντιτιθέναι τινὰ τινὸς, ſt. τινὶ. —τιμάω, ῶ, f. ήσω, dargegen, gegenſeitig ehren, ſchätzen. —τίμημα, τὸ, od. ἀντιτίμησις der Preiſs, die Strafe, auf welche der Verklagte ſelbſt ſein Vergehn und ſeinen Proceſs ſchätzt, nachdem der Kläger ihn geſchätzt hat.

'Αντίτιμος, ὁ, ἡ, (τιμὴ) dargegen ſchätzend, vergeltend, ſtrafend; am Werthe gleich. ἀντίτιμον τῆς ἰδίας φύσιος Stobae. Serm. 249. Heſych. erklärt ἀντίτιμα d. ἀντίποινα. —τιμωρέω, ῶ, dargegen ſtrafen; med. m. d. Akk. ſich dargegen an einem rächen. —τινάσσω, dargegen ſchütteln, erſchüttern. —τίνω, dargegen zahlen, oder büſsen; davon —τισις, εως, ἡ, Gegenbezahlung, Vergeltung, Rache dafür. —τιτος, ὁ, ἡ, dafür beſtraft, gebüſst.

'Αντιτίω, f. ίσω, ſ. v. a. ἀντιτίνω. —τολμάω, ῶ, f. ήσω, dargegen wagen, ſich wagen, kühn ſeyn. —τολμος, ον, Gegner, der gegen einen ſich wagt. —τομος, ὁ, ἡ, als Gegenmittel zu brauchen, τὸ ἀντίτομον, das Gegenmittel. S. ἀντιτέμνω. —τονος, ὁ, ἡ, entgegen geſpannt, gerichtet; 2) als Subſt. Plut. Marc. 15 Gegenſehnen. S. τόνος; davon —τονοῦμαι, ich ſpanne, ſtrenge mich dargegen oder gegen einen an; bin zuwider. —τοξεύω, f. εύσω, dargegen, entgegen mit dem Bogen ſchieſsen. —τορέω, ῶ, durchbohren, m. d. Genit. Hom. Il. 5, 337. δόμον, zerſtören Il. 10, 267. durchbrechen m. d. Akkuſ. hymn. Merc. 178.

"Αντιτος, ον, contr. aus ἀνάτιτος; ſo ſind ἄντιτα ἔργα beym Hom. Il. 24, 213 Thaten, wodurch man ſich rächt, Rache.

'Αντιτρέφω, f. ψω, dargegen, wieder, gegenſeitig ernähren. —τρέχω, f. θρέξομαι, dargegen oder entgegen laufen. —τρυτανεύω, f. ευσω, ſ. v. a. ἀντιταλαντεύω, v. τρυτάνη. —τυγχάνω, f. τεύξομαι, dargegen, gegenſeitig erlangen, erzielen. —τυπέω, ῶ, zurückſtoſsen; widerſtehn, τινὶ; davon —τυπής, έος, ὁ, ἡ, zurückſtoſsend, zurückſchlagend, widerſtehend, z. B. ῥεῖθρον Herodian. feſt zugefrorner Fluſs, überh. feſt, hart; rauh; metaph. hart, unerbittlich. —τυπία, ἡ, das Zurückſtoſsen, der Widerſtand eines harten Körpers; auch metaph. —τυπὸν, τὸ, Gegenbild, Abbildung, Abſchrift, Kopie.

'Αντίτυπος, ὁ, ἡ, eigentlich von harten elaſtiſchen Körpern, die dem Schlage entgegen ſtreben; daher überhaupt hart, widerſtehend; 2) widerſpenſtig, feindſelig, widrig. μάχη ἀντιτυπός Xen. Ageſ. 6, 2 eine vollkommene Schlacht, dem Scharmützel entgegengeſetzt; bey Polyb. 6, 31 überh. entgegenſtehend; 3) von τύπος bedeutet es ſ. v. a. gegengebildet, nachgebildet, ähnlich; auch ὁ ἀντίτυπος u. τὸ ἀντίτυπον, Gegenbild, Abbildung, Abſchrift.

'Αντιτύπτω, wieder oder zurückſchlagen, zurückſtoſsen.

'Αντιφάνεια, ἡ, Heliodor Optic. der Gegenſchein im Spiegel, Waſſer, ſonſt ἔμφασις. —φάρμακον, τὸ, Gegenmittel, Gegengift. —φασις, εως, ἡ, Widerrede, Widerſpruch; Antwort, v. ἀντίφημι. —φατικὸς, ἡ, ὸν, zum Widerſpruche gehörig oder geneigt. —φάω, dargegen, dafür tödten. —φερίζω, f. ίσω, ſich einem entgegen ſtellen, ἀντίος φέρομαι, oder ἀντιφέρομαι, wie ἰσοφερίζω ſ. v. a. ἴσος φέρομαι, gleich ſeyn wollen, ſich mit einem vergleichen, meſſen. Pind. Pyth. 9, 88. ſo hat Heſych. das doriſche ἀυτοφαρίσαι ſt. ἀυτοματῆσαι. —φερνα, ων, τὰ, Gegengeſchenk, welches der Bräutigam der Braut giebt. S. φέρνα. —φέρω, entgegen tragen, entgegen ſtellen: med. ſich entgegenſtellen, ſich widerſetzen, ſ. v. a. ἐναντιοῦμαι, z. B. μάχῃ, Hom. Il. 5, 701. wie ἀντιφερίζω. —φεύγω, dargegen, dafür ins Exil gehn. —φημι, widerſprechen; antworten, davon ἀντίφασις. —φθέγγομαι, f. ξομαι, widerſprechen, dargegen ſprechen; wieder- oder zurücktönen, zurückſchallen; davon —φθεγμα, ατος, τὸ, Rückſchall, Echo. —φθογγος, ὁ, ἡ, zurückſchallend; widrig oder anders tönend. ψαλμὸς ἀντ. nannte Pindar die μαγάδις, ſ. v. a. ἀντίφωνος, weil die μαγ. zugleich die Octave ſpielte. S. in ἀντιφωνέω. —φιλέω, ῶ, dargegen, wieder, gegenſeitig lieben; davon —φίλησις, εως, ἡ, Gegenliebe. —φιλοδοξέω, ῶ, dargegen, wieder aus Ehrgeiz ſich bemühen, beſtreben. —φιλονεικέω, ῶ, f. ήσω, dargegen aus Eiferſucht ſich beſtreben; dargegen Wetteifer, Halsſtarrigkeit, Hartnäckigkeit beweiſen. —φιλοσοφέω, ich bin ein ἀντιφιλόσοφος. m. vergl. aber auch die andern Bedeut. v. φιλοσοφέω. —φιλοσοφία, ἡ, Gegenphiloſophie, oder Gegenparthey in der Philoſophie; von —φιλόσοφος, ὁ, ἡ, Gegenphiloſoph, Philoſoph von einer andern Secte. —φιλοτιμέομαι, οῦμαι, dargegen aus Ehrgeiz ſich beeifern, beſtreben, bemühen; dargegen Ehrgeiz, Ehrliebe zeigen, beweiſen.

—φιλοφρονέω, ῶ, dargegen freundlich, liebreich behandeln, empfangen, aufnehmen. —φλέγω, dargegen brennen, erhellen. —φονεύω, dafür dargegen morden. —φονος, ὁ, ἡ, für den Mord, den Mord erſetzend, z. B. δίκαι ἀντίφονοι Sophocl. Strafe, Rache für begangene Mordthat. θάνατος, Wechſelmord, ἀλληλοφόνος. Aeſchyl. S. 894. —φορὰ, relatio, Gegenſtellung, Gegenſatz. —φορτίζω, ich belade mit Gegenfracht; med. ich nehme mit und lade als Gegenfracht, φόρτος. S. ἀπογεμίζω. —φράζω, f. άσω, ſ. v. a. ἀντίφημι u. ἀντιφθέγγομαι. —φραξις, εως, ἡ, Befeſtigung durch Verſperrung; v. ἀντιφράσσω. —φρασις, εως, ἡ, Widerſpruch, Einwendung; bey den Grammatikern andere oder entgegengeſetzte Benennung, z. B. Eumeniden ſt Furien. —φράσσω, άττω, f. ξω, dargegen befeſtigen durch Verſperrung. —φρουρος, ὁ, ἡ, Gegenwächter; oder anſtatt des Wächters. —φρων, ὁ, ἡ, Feind, Gegner. Nicetas Annal. oft. —φυλακὴ, ἡ, Gegenwache, Gegenbewachung od. gegenſeitige Vorſicht; von —φυλάσσω, ἀντιφυλάττω, f. άξω, dargegen, wieder, gegenſeitig bewachen; med. ſich dargegen in Acht nehmen vor einem. —φυτεύω, f. εύσω, dargegen, dafür gegenſeitig pflanzen, zeugen. —φωνέω, ῶ, dargegen, entgegen tönen, ſprechen, widerſprechen; antworten; verſprechen; in der Muſik drückt es ſo wie ἀντίφωνος ein Concert von Stimmen oder Inſtrumenten aus, die einander antworten, oder daſſelbe Stück zum Theil im Einklange zum Theil in der Oktave ausführten. Nur in der Oktave accompagnirte man in den älteſten Zeiten. διὰ πέντε καὶ διὰ τεσσάρων ουκ ἄδουσιν ἀντίφωνα, d. i. in der Quinte und Quarte accompagnirt man nicht im Concert, ſagt Ariſtot. Probl. Daſſelbe heiſst auch μαγαδίζειν, weil die Saiten der μαγάδις doppelt u. in der Oktave zu einander geſtimmt waren, wie auf dem Clavier und der Laute. S. auch συμφωνία, Ariſtot. Problem. 19, 39. 9, 34. 9, 16. 9, 18. 9, 39. dav.

'Αντιφώνησις, εως, ἡ, Gegenſchallentönen; Antwort; Widerſpruch.

'Αντιφωνία, ἡ, ſ. v. a. das vorberg. von —φωνος, ὁ, ἡ, gegen, entgegen tönend, ſchallend, ſingend, redend; wieder oder zurücktönend, antwortend. —φωτισμὸς, ὁ, Gegenlicht, Gegenbeleuchtung.

'Αντιχαίρω, dargegen, wieder, gegenſeitig ſich freuen. —χαλεπαίνω, dargegen, wieder, gegenſeitig böſe ſeyn oder zürnen. —χαρίζομαι, f. ίσομαι, dargegen, wieder, gegenſeitig willfahren, ſich gefällig beweiſen.

'Αντίχαρις, ιτος, ἡ, Gegengefälligkeit. —χασμάομαι, ῶμαι, entgegen oder nachgähnen, τινὶ, einem.

'Αντίχειρ, ειρος, ὁ, der Daumen; weil er der übrigen Hand oder den 4 Fingern gegen über oder entgegen ſteht zum faſſen.

'Αντιχειροτονέω, ῶ, dargegen wählen oder beſchlieſsen; davon —χειροτονία, ἡ, Gegenſtimme, Gegenwahl, Gegenbeſchluſs.

'Αντίχθων, ονος, ἡ, Gegenland oder Land der Gegenfüſsler.

'Αντίχορδος, ὁ, ἡ, auf der Saite entgegen oder gleichtönend; entgegengeſetzt. Plutarch Q. S. 4, 1. S. πρόσχορδος. —χορηγέω, ῶ, dargegen die Koſten zum Chore geben, oder überh. dargegen ausrüſten, hergeben; von —χόρηγος, ὁ, ἡ, der gegen einen andern den Chor ausrüſtet und anführt. —χορία, ἡ, Gegenchor, Geſang des Gegenchors. —χράω bey Herodot. f. v. a. ἀποχράω, ich reiche zu. —χρῆσις, εως, ἡ, Gegengebrauch, Gegennutzung. —χρόνισμα, ατος, τὸ, oder ἀντιχρονισμὸς, Gebrauch des einen tempus ſtatt des andern, bey den Grammatikern.

'Αντιψάλλω, dargegen, entgegen ſpielen oder ſingen; davon —ψαλμος, ὁ, ἡ, nach Heſych. aus Eurip. Iphig. Taur. f. v. a. ἀντίστροφος. —ψέγω, dargegen, wieder, gegenſeitig tadeln. —ψηφίζομαι, f. ίσομαι, dargegen, gegen einen ſtimmen, oder beſchlieſsen. —ψηφος, ὁ, ἡ, (ψῆφος) gegenſtimmend, mit einer Gegenſtimme. —ψυχος, ὁ, ἡ, ſtatt des Lebens, für das Leben gegeben. —ψύχω, f. ξω, dargegen, gegenſeitig abkühlen, erfriſchen.

'Αντλέω, ῶ, ſchöpfen, eigentlich das eingelaufene Meerwaſſer aus dem Schiffsboden ſchöpfen; daher erſchöpfen, eine harte Arbeit thun, dulden, ertragen, als τὴν παροῦσαν τύχην, τὸν βίον; das lat. *exantlare* wird eben ſo gebraucht. —τλη, ἡ, f. v. a. ἄντλος metaph. παρέξει δ' ἔμμι πόνων πολλὴν ἄντλην Alcae. bey Heracl. Alleg. c. 5 *multos nobis labores exantlandos dabit.* —τλημα, τὸ, (ἀντλέω) das Geſchöpfte, Ausgeſchöpfte. —τλησις, ἡ, (ἀντλέω) das Schöpfen, ausſchöpfen. —τλητὴρ, ῆρος, ὁ, und ἀντλητής, ὁ, Schöpfgefäſs, Schöpfer, der ſchöpfende; ἀντλέω. —τλητήριον, τὸ, Schöpfeymer, von ἀντλητήριος das neutr. verſt. ἀγγεῖον. —τλία, ἡ, auch ἀντλεία, ἡ, das Ausſchöpfen des ſtinkenden Meerwaſſers auf dem Boden des Schiffs; bey Ariſtoph Pac. 17. 18. das Kneten der Ballen aus Eſelsmiſt für den Dreckkäfer. —τλιον, τὸ, Schöpfgefäſs.

—τλον, οὐ, τὸ, das auf dem Schiffsboden ſtehende, ſtinkende Waſſer, das eindringt.

'Αντλος, ὁ, eigentl. das Meer u. überhaupt Waſſer. Pind. Ol. 9, 79. Eurip. Hec. 1014 ἀλίμενος, Meer ohne Hafen; 2) das in den Schiffsboden eindringende Meerwaſſer, *ſentina*, daher ὑπέραντλος ναῦς, ein damit angefülltes Schiff; 3) bey Nikand. ther. 114. ein Haufen ausgedroſchener noch nicht gereinigter Kornfrüchte. Maneth. 5, 424 ἄντλοις ὕδωρ φορέοντες, Schöpfgefäſs, wovon ἀντλεῖν ſchöpfen.

'Αντοικοδομέω, dafür dargegen erbauen. —κοδομία, ἡ, Wiederaufbauung.

'Αντοικος, ὁ, ἡ, gegenüberwohnend.

'Αντοικτίζω, f. ίσω, und ἀντοικτείρω, dargegen bedauern, ſich erbarmen.

'Αντοίομαι, dargegen meynen, denken, οἴομαι.

'Αντολή, ἡ, oder ἀντολίη ſt. ἀνατολή.

'Αντομαι, f. v. a. ἀντάω, ἀντιάω.

'Αντομματέω, ῶ, von ὄμμα f. v. a. ἀντοφθαλμέω. —όμνυμι, f. ἀντομόσω, oder ἀντομνύω, dargegen, gegenſeitig ſchwören. —ομοσία, ἡ, S. ἀντωμοσία. —ομόω, ῶ, f. όσω, f. v. a. ἀντόμνυμι. —ονομάζω, f. άσω, anders benennen; bey Ariſtoph. Theſm. 55 ich brauche Antonomaſien. —ονομασία, ἡ, andere Benennung; in der Rhetorik und Grammatik, wenn z.B. ein nomen proprium für ein commune und umgekehrt geſetzt wird. —οργίζομαι, f. ίσομαι, dargegen, gegenſeitig zürnen. —ορέγω, ich reiche dargegen. Themiſt. —ορύσσω, ἀντορύττω, f. ξω, entgegengraben, gegenüber aufgraben. —ορχέομαι, οῦμαι, entgegen, dargegen, nachtanzen. —οφείλω, f. ὀφειλήσω, od. ὀφλήσω, dargegen ſchuldig ſeyn, ſollen, verbunden ſeyn. —οφθαλμέω, ῶ, ich ſehe einem ins Geſicht, gerade an; daher ich widerſpreche, widerſtehe, widerſetze mich einem, τινὶ u. πρὸς τινὰ Polyb. —όφθαλμος, ὁ, ἡ, (ἀντὶ) entgegen oder gerade ins Geſicht ſehend. —οχεύς, ὁ, (ἀντέχομαι) f. v. a. πόρπαξ. —οχή, ἡ, das Gegenhalten, das Anhalten, Zuſammenhang, von ἀντέχω u. ἀντέχομαι. —οχυρόω, ῶ, f. ώσω, dargegen befeſtigen.

'Αντραῖος, αία, αῖον, zur Höhle gehörig, wie ἀντρίτης.

'Αντρέπω poet. ſt. ἀνατρέπω.

'Αντριὰς, νύμφη, die in Höhlen wohnt, ἄντρον.

'Αντροδίαιτος, ὁ, ἡ, in Höhlen oder Grotten lebend, δίαιτα. —ειδής, ἐς, ὁ, ἡ, höhlen- oder grottenartig, εἶδος.

'Αντρόθι wie ἄντροθεν, aus der Höhle. Pindar.

'Αντρον, τὸ, Höhle, Höhlung, Grotte, *antrum*. —τροπαία Aeſchyl. Sept. 708 ſt. ἀνατροπὴ, Umänderung, Abwechſelung, wie τροπαία ſt. τροπὴ. —τροφυὴς, έος, ὁ, ἡ, (φύω) in Grotten geboren; πέτραι Oppian. Hal. 3, 210 die von Natur Hohlen, Grotten haben. —τροχαρὴς, οῦ, ὁ, ἡ, (χαρὰ, χαίρω) gern in Grotten lebend.

'Αντρώδης, εος, ὁ, ἡ, ſ. v. a. ἀντροειδὴς.

'Αντυγωτὸς, ὁ, ἡ, von Geſtalt der ἄντυξ oder wie dieſelbe gemacht oder befeſtiget,

"Αντυξ, υγος, ἡ, am Wagenſitze ein zur Seite hervorſtehender runder Theil, Knopf, (vergl. Theocr. 25, 247) woran man das Seil von den Wagenpferden band, wenn man ſtill hielt; daher für den Wagen ſelbſt; 2) jeder runde Korper, ἄντυγες μαστῶν, die runden Bruſte; das Rad, der Wagen ſelbſt; daher ἀντύγων χνοίαι bey Heſych. οἱ τροχοὶ τοῦ ἅρματος, wofür bey Suidas falſch ἀντιγοχνοίαι ſteht.

"Αντω, ἄντομαι in med. ſ. v. a. ἀντάω u. ἀντιάω.

'Αντῳδὴ, ἡ, Gegengeſang. —ῳδὸς, ὁ, gegenſingend. —ωθέω, ῶ, f. ήσω od. ώσω, gegenſtoſsen, zurückſtoſsen. —ωμοσία, ἡ, auch διωμοσία, (ἀντὶ, ὄμνυμι) eigentlich der Eyd des Klagers, daſs er keine Calumnie vorbringe, die Klageformel, Klageſchrift ſelbſt. Plato APol. 3. —ωνέομαι, οῦμαι, datur, dargegen, gegenkaufen, gegenbieten, Xen. Oec. 20, 26. —ωνυμία, ἡ, ein Wort gebraucht ſtatt des Namens, ἀντὶ, ὄνομα, *p. onomen*; was darzu gehort, heiſst ἀντωνυμικὸς. Adv. ἀντωνυμικῶς. —ωπέω, ῶ, (ἀντωπὸς) ſ. v. a. ἀντοφθαλμέω. —ώπιος, ὁ, ἡ, und ἀντωπὸς, ὁ, ἡ, mit entgegenſtehenden oder gekehrten Augen; alſo entgegenſehend, gerade anſehend, oder dem Auge gegenuber ſtehend; überhaupt gerade gegenüber ſtehend, liegend; daher ἄντωπον das neutr. wie ein Adv. ſ. v. a. ἀντὶ und ἄντικρυ.

"Αντωσις, εως, ἡ, das Gegenſtoſsen; Zurückſtoſsen, von ἀντωθέω. —ωφελέω, ῶ, dargegen, wieder, gegenſeitig nützen, helfen, τινά.

'Ανύβριστος, ὁ, ἡ, unbeſchimpft, act. nicht frech behandelnd.

'Ανυγίαστος, ον, (ὑγιάζω) unheilbar. —γραίνω, annaſſen, befeuchten; τὸ ἄκρατον καὶ θυμοειδὲς ἀνιέναι καὶ ἀνυγραίνειν Plutar. Pelop. 19 milchen. von ἀνὰ, ὑγραίνω. —δρευτος, ὁ, ἡ, (ὑδρεύω) nicht bewäſſert. —δρεύω ſ. v. a. ἀνυγραίνω; es wird auch im med. ἀνυδρεύομαι, für ſchopfen, heraufſchöpfen angeführt, aber ohne Beyſpiel. —δρία, ἡ, (ὕδωρ) Mangel an Waſſer, Dürre; von —δρος, ὁ, ἡ, (ὕδωρ) ohne Waſſer, dürre, trocken.

"Ανυλος, ὁ, ἡ, (ὕλη) ohne Wald, nicht waldicht; ohne Materie, unkörperlich.

'Ανυμέναιος, ἡ, (ὑμέναιος) ohne Hochzeitfeyer eigentl. Hochzeitgeſang. —μνέω, ῶ, (ἀνὰ, ὑμνέω) hochpreiſen, hochruhmen.

'Ανύμφευτος, ὁ, ἡ, (νυμφεύω) nicht vermählt. —φος, ὁ, ἡ, (νύμφη, νύμφος), ohne Braut, ohne Bräutigam, Eur. Hec. 416. überh. unvermahlt; auch ſchlecht, unglucklich vermahlt, als ἄνυμφα γάμων ἁμιλλήματα Sophocl. El. 492 d. i. κακόνυμφα.

'Ανυπαίτιος, ὁ, ἡ, (ὑπαίτιος) unſchuldig. —παρκτος, ὁ, ἡ, (ὑπάρχω) nicht ſeyend, nicht exiſtirend, blos in der Einbildung exiſtirend, idealiſch. —παρξία, ἡ, das Nichtſeyn, Nonexiſtenz. —πεικτος, ὁ, ἡ, (ὑπείκω) nicht nachgebend, ungebändigt, hart. —πεξαίρετος, (ὑπεξαιρέομαι) nicht ausgenommen, Adv. ἀνυπεξαιρέτως, ohne Ausnahme. —πέρβλητος, ὁ, ἡ, (ὑπερβάλλω) Adv. ἀνυπερβλήτως, unübertreflich, ausnehmend; unuberwindlich. Xen. Cyr. 8, 7. 15. —περήφανος, ὁ, ἡ, (ὑπερήφανος) nicht ſtolz. zweif. —περθεσία, ἡ, (ὑπερτίθημι) Jähzorn. zweif. —πέρθετος, ὁ, ἡ, (ὑπερτίθημι) Adv. ἀνυπερθέτως, unaufgeſchoben, d. i. plötzlich, als θάνατος. —πεύθυνος, ὁ, ἡ, (εὐθύναι) Adv. ἀνυπευθύνως, nicht verantwortlich, ohne Verantwortung, der keine Rechenſchaft abzulegen braucht; unumſchrankt; auch untadelhaft, ungetadelt. —πήκοος, ὁ, ἡ, (ὑπήκοος) nicht gehorchend, nicht folgend, folgſam, oder unterthan. —πηνος, ὁ, (ὑπήνη) ohne Bart, unbärtig. —πηρέτητος, ὁ, ἡ, (ὑπηρετέω) unbedient, ohne Bediente. —ποδησία, und ἀνυποδησία, ἡ, das Barfuſsgehn; v. —ποδητέω, ῶ, ich bin ein ἀνυπόδητος, gehe barfuſs, trage keine Fuſsſohlen. —πόδητος, ἀνυπόδετος, ὁ, ἡ, (ὑποδέω) nicht beſchuhet, barfuſs, ſ. ὑπόδημα. —πόθετος, ὁ, ἡ, (ὑποτίθημι) nicht untergeſchoben; ohne Subjekt, Gegenſtand; ohne Suppoſition oder Hypotheſe. —ποιστος, ὁ, ἡ, (ὑποίω, ὑποφέρω) Adv. ἀνυποίστως, nicht zu ertragen, unerträglich. —πόκριτος, ὁ, ἡ, (ὑποκρίνομαι) Adv. ἀνυποκρίτως, ohne Verſtellung, unverſtellt, unmaskirt. —πομένητος und ὑπομόνητος, ὁ, ἡ, (ὑπομένω und ὑπομονὴ) nicht zu erdulden, unerträglich. zw. —πονόητος, ὁ, ἡ, (ὑπονοέω) Adv. ἀνυπονοήτως, nicht geargwohnt, nicht verdachtig; auch unvermuthet; act. nicht vermuthend, als τοῦ μέλλοντος Polyb. —πόπτευτος, ὁ, ἡ, (ὑποπτεύω) unverdächtig.

'Ανύποπτος, ὁ, ἡ, Adv. ἀνυπόπτως, nicht verdächtig; act. nicht argwöhnisch. —ποσημείωτος, ον, (ὑποσημειόω) nicht bezeichnet, nicht mit einem Zeichen angemerkt. —πόστατος, ὁ, ἡ, nicht bestehend, ohne Subsistenz; passiv. nicht aufzuhalten, nicht zu besiegen, unbesiegt Xen. Cyr. 8, 1. 3. Mem. 4, 4. 15. Eben so ἀν. φρόνημα, Cyr. 5, 2. 33 unbesiegbarer Muth. neutr. ohne Grund, Unterlage, Subsistenz; v. ὑφίστημι. —πόστολος, ὁ, ἡ, (ὑποστέλλομαι) Adv. ἀνυποστόλως, unverhohlen, nichts versteckend, also dreist, frey sprechend und handelnd. —πόστρεπτος, ον, u. ἀνυπόστροφος, ὁ, ἡ, (ὑποστρέφω) unwiederkehrbar, nicht umzukehren, nicht zurückzubringen. zweif. —πότακτος, ὁ, ἡ, (ὑποτάσσω) ununtergeordnet, ununterworfen, unfolgsam, störrig. διήγησις bey Polyb. eine leere Erzählung; wobey man keinen Gegenstand sich denkt, oder nur dunkel denkt, die man keinem bekannten Begriffe unterordnen kann. —ποτίμητος, ὁ, ἡ, (ὑποτιμέω) Adv. ἀνυποτιμήτως, nicht geschätzt, von Censoren, *non census*, oder wie ἀνεπιτίμητος, von einem Processe, wobey die Strafe von dem Kläger nicht geschätzt ist; überh. unbestraft. —πουλος, ὁ, ἡ, nicht ὕπουλος, ohne Falsch. —ποφόρητος, ον, (ὑποφορέω) unerträglich. —σίεργος, ὁ, ἡ, das Werk fördernd, thätig, emsig, ἀνύω, ἔργον. —σιμος, ὁ, ἡ, Adv. ἀνυσίμως, fördernd, befördernd, thätig, wirksam. Cyro. 1, 6. 21. von ἀνύω.

'Ανυσις, εως, ἡ, Vollendung, Erreichung, Erlangung, Erfüllung; als οὐκ ἄνυσιν τινὰ δήομεν Hom. Od. 4 wir richten nichts aus, sonst οὔτις πρῆξις γόοιο. S. ἀνύω, —υστικός, ἡ, όν, (ἀνύω) gut od. schnell vollendend, fördernd. —υστός, ὁ, ἡ, thunlich, möglich. ὡς ἀνυστὸν πρὸς τὸ ἀληθέστατον προσηγμένοι Hippoc. *quam fieri potest ad verissimum*, der Wahrheit so nahe als möglich.

'Ανύτω, f. v. a. ἀνύω und ἄνω.

'Ανυφαίνω, (ὑφαίνω) das Gewebe wieder auftrennen. —φαμμος, ὁ, ἡ, nicht sandig, ὕφαμμος. —φαντος, ὁ, ἡ, ungewebt.

'Ανυψόω, ῶ, f. ώσω, (ἀνὰ, ὑψόω) erhöhen, errichten.

'Ανύω, f. ύσω, fördern, vollbringen, vollenden, zu Stande bringen, zurücklegen, zum Ziel bringen, als ἔργον, πορείαν, ὁδὸν, und eben so τὸ γῆρας, das Alter erreichen, τὸν ᾅδην, die Unterwelt, das Grab erreichen; 2) einen zu Ende bringen, das Garaus mit ihm machen, wie *conficio*, Hom. was sonst ἐξανύω Hom. Il. 11. Eben so vom Feuer verzehren Hom. Od. 24, 71. In besondern Zusammenhange heisst es auch wie unser fortmachen, eilen, geschwind machen, als οὐ μέλλειν χρῆν σ', ἀλλ' ἀνύτειν Aristoph. μὴ διάτριβε ἀλλ' ἄνυε πράττων. desf. besonders im partic. als ἀνύσας ἄνοιγε, τρέχε Aristoph. οὐκ ἀνύω φθονέουσα der Neid hilft mir doch nichts. Medium ἀνύεσθαι etwas erhalten, erlangen. S. ἄνυσις. von ἄνω; ἀνύω, ἀνύτω. S. αἴνυμαι.

'Ανω, f. v. a. ἀνύω und ἀνύτω. πέμπτῳ δ' ἔτει ἀνομένῳ *procedente quinto anno*, im fünften laufenden Jahre. Herodot. 7, 20.

"Ανω, Adv. oben, über, drüber. ὁ, ἡ, ἄνω, der, die obere. οἱ ἄνω τοῦ χρόνου die Vorfahren. S. κάτω.

'Ανώγαιον, τὸ, auch ἀνώγεον, ἀνώγεων, τὸ, von ἀνώγεως, ὁ, ἡ, st. ἀνώγαιος d. κατάγαιος unterirdischem entgegen gesetzt, also was über der Erde ist, also τὸ ἀνώγαιον, ein Gebäude, Magazin u. dergl. über der Erde, welches die Lat. *tabulatum* nennen, ein Stockwerk über der Erde, auch der obere Stock des Hauses.

'Ανωγέω f. v. a. ἀνώγω; hiervon auch ἀνώγημι. —γεως, ω, ὁ, ἡ. S. ἀνώγαιον.

'Ανωγή, ἡ, *jussio*, *suasio*, das Befehlen, Rathen, Beschliessen. —ώγω, ich befehle, rathe, beschliesse, treibe an; auch ἀνωγέω, davon ἀνώγημι, imp. ἀνώγηθι, ἀνωγέτω, ἀνώγετε, wofür ἄνωχθι, ἀνώχθω, ἄνωχθε gesagt wird. Hesych. hat ἄνωξις für βούλευσις, auch ἄνωχμον f. κελευστικὸν, viell. ἀνάχμων; und ἀνῶκται, κελεύεται von ἀνώγομαι.

'Ανωδινία, ἡ, u. ἀνώδινος, ὁ, ἡ, das erste ist der Zustand des ἀνώδινος, der, die ohne Geburtsschmerzen, ὠδὶς ist. zw.

'Ανῳδος, ον, (ᾠδή) ohne Gesang, nicht singend. —δυνής, οῦ, ὁ, ἡ, (ὀδύνη) ohne Schmerzen, unschmerzlich, unschmerzhaft, active u. passive. —δυνία, ἡ, Schmerzlosigkeit. —δυνος, ὁ, ἡ, Adv. ἀνωδύνως, f. v. a. ἀνωδυνής, auch schmerzstillend.

"Ανωθεν, Adv. von oben her, herab; vom Orte, nachher; v. der Zeit, von Alters her, aus vorigen Zeiten, οἱ ἄνωθεν (ὄντες, γεγεννημένοι), die Vorfahren. —θέω, ῶ, f. θήσω od. ώσω, hinauf fortstossen, in die Höhe treiben, drängen, stossen; v. ἀνὰ, ὠθ. —θησις, εως, ἡ, das Fortstossen, wegstossen nach oben, das Zurückstossen.

'Ανωϊστὶ, Adv. f. v. a. ἀνωΐστως; von

'Ανώϊστος, ὁ, ἡ, (οἴομαι) Adv. ἀνωΐστως, nicht gemeint, *inopinatus*, unvermuthet. —λεθρος, ὁ, ἡ, f. v. a. ἀνόλεθρος. —λόφυρτος, ον, (ὀλοφύρομαι) nicht beklagt, nicht beweint.

'Ανωμαλέω. S. ἀνωμάλωσις. —μαλής, έος, ὁ, ἡ, oder ἀνώμαλος, (ὁμαλός) Adv. ἀνωμάλως, nicht eben, ungleich, vom

Boden, Sachen, in der Grammatik von Wörtern; davon

'Ανωμαλία, ἡ, oder ἀνωμαλότης, Unebenheit, Ungleichheit.

'Ανώμαλος, ὁ, ἡ. S. ἀνωμαλής. —μάλωσις, εως, ἡ, das Ungleichmachen; von ὁμαλόω, z. B. ἡ τῶν οὐσιῶν ἀνωμ. die ungleiche Vertheilung des Vermögens, im Geg. v. κοινότης Aristot. Polit. 2. 10. wo es andre durch Ausgleichung erklären, wie Rhetor. 3. καὶ τὸ ἀνωμαλεῖσθαι τὰς πόλεις ἐν πολὺ διέχυσε.

'Ανωμος, ὁ, ἡ, (ὦμος) ohne Schultern. —μοτὶ, Adv. ohne zu schwören, ohne Schwur; von —μοτος, ὁ, ἡ, unbeeidigt, ungeschworen; v. ὀμόω, ὀμνύω.

'Ανωνόμαστος, ὁ, ἡ, (ὀνομάζω) unnennbar, unbenennt, ohne Namen. —νυμὶ, ἀνωνυμεὶ, Adv. oh. Namen; v. —νυμος, ὁ, ἡ, ohne Namen, Ruf, Ruhm; τὸν οἶκον τὸν αὐτοῦ ἀνώνυμον γενόμενον περιιδεῖν, seine Familie ohne Namenserben aussterben lassen. Isocrat.

'Ανωξις, εως, ἡ, s. v. a. ἀνωγή.

'Ανώπιον, τὸ, die Gegend über der Thüre hiess nach Pollux 2, 53 ἀνώπια wie προνώπια vor der Thüre; aber die Handschr. haben ἀνόπαια, wovon man in ἀνέπαια nachsehe.

'Ανωρία, ἡ, Unzeit. ἀνωρίην εἶναι τοῦ ἔτους Herodot. 8, 112 es sey nicht mehr die Jahreszeit. vom folgd. —ρος, ὁ, ἡ, unzeitig, zur ungelegener Zeit; frühzeitig, zu früh reif; v. ὥρα. —ροφος, ὁ, ἡ, (ὄροφος) ohne Dach, unbedeckt.

'Ανωρροθία, ἡ, das Emporrauschenschlagen der Wellen, Wogen, Fluthen; v. ἄνω, ῥόθος. —ρροπος, ὁ, ἡ, (ἄνω, ῥοπὴ) aufwärts stehend, liegend, in die Hohe gehend. —ρύομαι, (ἀνὰ, ὠρύομαι) aufheulen, laut klagen.

'Ανώτατος, η, ον, Adv. ἀνωτάτω, der oberste, der höchste, zu oberst; superl. v. ἄνω. —τερικὸς, ἡ, ὸν, zum obern gehörig. —τερος, α, ον, comp. v. ἄνω, der hohere. Adv. ἀνωτέρω, noch hoher.

'Ανωφελὴς, έος, ὁ, ἡ, Adv. ἀνωφελῶς, unnützlich, ohne Nutzen; schädlich; von ὠφελέω. —φέλητος, ὁ, ἡ, (ὠφελέω) nicht genutzt, nichts nutzend, z. B. ein Acker. Xen. Cyr. 1, 6. 11. —φέρεια, ἡ, die Richtung, Lage nach oben, Anschüssigkeit; wie κατωφέρεια Abschüssigkeit; von —φερὴς, έος, ὁ, ἡ, d. i. ἄνω φέρων, aufwärts gehend, anschüssig, wie κατωφερὴς, abschüssig. —φλιον, τὸ, (φλία) Oberschwelle b. Suidas. —φοιτος, ὁ, ἡ, aufwärts gehend, fliegend u. s. w. —φορέω, od. ἄνω φέρω, herauf, in die Hohe tragen, bringen. —φορος, ὁ, ἡ, s. v. a. ἀνωφερής.

'Ανωχθι, ἀνώχθω, ἄνωχθε. S. in ἀνώγω. —χυρος, ὁ, ἡ, s. v. a. ἀνέχυρος.

'Αξεναγώγητος, ὁ, ἡ, der als Fremder von keinem geführt, geleitet, unterrichtet worden ist, v. ξεναγωγέω. —νία, ἡ, Mangel an Gastfreundschaft, unfreundliches Betragen gegen Gastfreunde, Fremde. —νος, ὁ, ἡ, unwirthsam, nicht gastfreundschaftlich.

'Αξεστος, ὁ, ἡ, unpolirt; nicht abgeschabt oder geglattet, ξέω, roh, rauh.

'Αξία, ἡ, eigentl. τιμὴ verstanden von ἄξιος, der Werth, Preiss einer Sache; moralisch die Würde, Werth, Ehre; das Verdienst; das was einem gebührt. ὑποτελέειν ἀξίην βασιλέι Herodot. 4, 201 dem Könige zu geben, was ihm gebührt. τὴν μὲν ἀξίην οὐ λάμψεαι, was du verdienst, (Strafe) sollst du nicht empfangen 7, 39. —αγάπητος, ον, liebenswürdig, ἀγαπάω. —άγαστος, ὁ, ἡ, bewundernswürdig, merkwürdig, ἀγαστὸς. —άκουστος, ὁ, ἡ, (ἀκούω) werth, dass man es hort, merkwürdig. —ακρόατος, ὁ, ἡ, s. v. a. d. vorh. v. ἀκροάομαι. —αφήγητος, ὁ, ἡ, Jon. ἀξιαπήγ. (ἀφηγέομαι) werth, dass man es erzählt, erwähnt, merkwürdig.

'Αξιεπαίνετος, ὁ, ἡ, lobenswerth, v. ἐπαινέω. —επιθύμητος, ὁ, ἡ, wünschenswerth, werth, dass man darnach verlange, v. ἐπιθυμέω. —έραστος, ὁ, ἡ, liebenswürdig, ἐραστὸς.

'Αξινάριον, τὸ, Dimin. v. folgd.

'Αξίνη, ἡ, Axt, Beil. —νίδιον, ου, τὸ, s. v. a. ἀξινάριον. —νομαντεία, ἡ, das Weissagen aus Aexten Plin. 36, 19.

'Αξιοβίωτος, ὁ, ἡ, davon οὐκ ἀξιοβίωτον εἶναι Xenoph. s. v. a. βίον ἀβίωτον εἶναι, es sey ein unerträgliches Leben, welches den Namen nicht verdiene. —οδάκρυτος, ον, beweinens-beklagenswerth, v. δακρύω. —οεπιθύμητος, ον, s. oben ἀξιεπιθύμητος. —όεργος, ον, der Arbeit werth; der Arbeit gewachsen, Xen. Oec. 7, 34. —όζηλος, ὁ, ἡ, Adv. ἀξιοζήλως, beneidenswerth, v. ζῆλος. —οζήλωτος, ὁ, ἡ, s. v. a. das vorberg. v. ζηλόω. —οθάνατος, ον, des Todes werth. —οθαύμαστος, ὁ, ἡ, bewundernswürdig, θαυμαστὸς. —οθέατος, ὁ, ἡ, sehenswerth, θεάομαι. —όθρηνος, ὁ, ἡ, beklagenswerth, v. θρῆνος. —οκοινώνητος, ὁ, ἡ, des Umgangs werth, werth, dass man mit ihm umgeht. Plato. v. κοινωνέω. —όκτητος, ὁ, ἡ, (κτάομαι) werth, dass man es erwirbt, besitzt. —όλεκτος, ὁ, ἡ, (λέγω) werth, dass man davon spricht, lobenswerth. —όλογος, ὁ, ἡ, Adv. ἀξιολόγως, der Rede werth, ansehnlich, beträchtlich, lobenswürdig, schätzenswerth, tüchtig, gross.

'Αξιολογούμενα bey Dionys. Antiq. 1, 78 falsch st. ἀξιούμενα.

'Αξιομακάριστος, ὁ, ἡ, würdig, werth, dafs man ihn glücklich preifst. —όμαχος, ὁ, ἡ, gewachfen im Streite, Kriege, daher auch m. d. Dat. τῶν διαβεβηκότων οὐκ ἀξιομάχων ὄντων τοῖς πολεμίοις Diodor. 18, 35. v. μάχη. —ομιμέομαι, f. v. a. μιμέομαι. zweif. —ομισής, ὁ, ἡ, oder ἀξιομίσητος, haffenswerth, v. μῖσος u. μισέω. —ομνημόνευτος, ὁ, ἡ, (μνημονεύω) erwähnenswerth, merk- oder denkwürdig. —όνικος, ὁ, ἡ, des Sieges werth; tüchtig u. vorbereitet zum Siege. Xen. Cyr. 1, 5. 10. ἀξιονικώτεροι εἰμὲν ταύτην τὴν τάξιν ἔχειν Herodot. 9. 26 wir verdienen mehr diefen Platz zu haben und durch euern Ausfpruch zu fiegen. —οπιστία, ἡ, Glaubwürdigkeit; von —όπιστος, ὁ, ἡ, Adv. ἀξιοπίστως, glaubwürdig, zuverläffig, ἄξιος πίστεως. —όποινος, ὁ, ἡ, (ἄξιος ποινῆς) ftrafwürdig, verdiente Strafe duldend. —οπραγία, ἡ, würdige oder edle Handlungsart oder Handlungen. zw. —οπρέπεια, ἡ, Anfehn, Anftand, Würde; von —οπρεπής, έος, ὁ, ἡ, Adv. ἀξιοπρεπῶς, anftändig, fchicklich, feiner Würde, ἀξία, gemäfs, geziemend, fchön. —οπροστάτευτος, ον, (προστατεύω) werth ein Vorfteher zu feyn, oder des Vorftehers würdig.

'Αξιος, ία, ιον, Adv. ἀξίως, werth, würdig, was einen Werth, Würde, Schätzung hat. πολλοῦ, theuer, viel werth. ἄξιόν σοι μέγα φρονεῖν, es geziemt dir. Xenoph. —οσκεπτος, ὁ, ἡ, betrachtenswerth, v. σκέπτομαι. —οσπούδαστος, ὁ, ἡ, werth, dafs man es mit Eifer, Ernft verfolge, fuche, treibe; fchätze; σπουδάζω. —οστρατήγητος, ον, auch ἀξιοστρατηγικὸς u. ἀξιοστράτηγος, ὁ, ἡ, einem Feldherrn anftändig, zum Feldherrn gehörig, bey Dio Caff. Xen. Anab. 3, 1. —οτέκμαρτος, ὁ, ἡ, fattfam zeigend oder beweifend, τεκμαίρω, Memor. 4, 4. 10. —ότης, ητος, ἡ, Würde, Würdigkeit, v. ἄξιος. —οτίμητος, ὁ, ἡ, ehrwürdig, fchätzbar, v. τιμάω. —ότιμος, ον, f. v. a. ἀξιοτίμητος. —οφίλητος, ον, liebenswürdig, v. φιλητὸς, φιλέω.

'Αξιόχρεως, ὁ, ἡ, (ἄξιος, χρέος, χρῆμα) eigentl. der Sache werth, angemeffen, daher tüchtig, brauchbar, von Zeugen, Erzählern glaubwürdig, von Bürgen, ficher, ἐγγυητὴς ἀξιόχρεως; 2) beträchtlich, anfehnlich, μέγεθος ἀξιόχρεων, auch παρασκευή, hinlängliche Zurüftung, wie ἀξιόλογος; 3) f. v. a. ἄξιος, würdig, der es verdient. οἱ πολιτευόμενοι ἀξιόχρεῳ εἰσὶ ζημίην δοῦναι Demofth. 1427. m. d. Genit. ἀξιόχρεω ἀπηγήσιος Herodot. 5. 63 würdig der Erzählung.

'Αξιόω, ῶ, f. ώσω, würdigen, werth achten, fchätzen, τινὰ τινός; für werth, für verdient, für billig halten, mit folgendem infin. mithin als billig fordern, bitten, verlangen; als etwas werthes, würdiges wünfchen; fo und fo würdigen, d. i. dafür halten, glauben, annehmen, daher ἀξίωμα bey Philofophen.

"Αξιφος, ον, ohne Schwerdt, ξίφος. —φυλλος bey Aefchyl. falfch ft. ἀξιφ.

'Αξίωμα, ατος, τὸ, (ἀξιόω) Würdigung, Schätzung, Würde, Werth, Verdienft; Wunfch, Verlangen, Bitten; das Dafürhalten, angenommener Satz; f. ἀξιόω; davon —ματικὸς, ἡ, ὸν, Adv. ἀξιωματικῶς, zur Würde; zum Anfehn gehörig, mit W. oder Anftand gethan, ehrwürdig, geehrt, verbunden mit μεγαλοπρεπής bey Dion. Halic. u. Plut. befonders in einem Ehrenamte, mit einer Würde bekleidet.

'Αξίωσις, εως, ἡ, Würdigung, Schätzung, Ehre; Verlangen, Bitte, wie ἀξιόω. Dionyf. Antiq. 1, 58. ἀξιώσει μορφῆς βασιλικὸς, an Würde des Angefichts, Anfehns; f. v. a. ἀξίωμα.

'Αξόανος, ὁ, ἡ, ohne gefchnitzte Bilder; ξόανον.

'Αξονήλατος, ον, (ἄξων, ἐλάω) von der Axe bewegt, gerieben Aefchyl. Suppl. 189. —νιος, ία, ιον, zur Axe gehörig; v. ἄξων.

"Αξοος, ὁ, ἡ, f. v. a. ἄξεστος.

'Αξυγκρότητος, ὁ, ἡ, durch fchlagen, hämmern zufammengebracht und feftgemacht; πληρώματα ungeübte Schiffstruppen. S. συγκροτέω.

'Αξύλευτος, ὁ, ἡ, (ξυλεύω) nicht geholzt, worinnen nicht gehauen worden, wie *incaedua fylva* beym Ovid. —λία, ἡ, Mangel an Holz, v. ἄξυλος. —λιστος, ὁ, ἡ, f. v. a. ἀξύλευτος. —λος, ὁ, ἡ, (ξύλον) ohne Holz; nicht oder noch nicht gehölzt, wie ἀξύλευτος, mithin dickhölzig, dickbufchig, Hom. Il. 11, 155.

'Αξύμβατος, ὁ, ἡ, f. ἀσύμβατος. —βλητος, ὁ, ἡ, (συμβάλλω) nicht zufammengebracht oder vereiniget oder unverglichen; nicht zufammen zu bringen, nicht zufammen zu halten oder zu vergleichen; nicht zufammen zu reimen oder zu errathen, zu verftehen, mithin dunkel, unverftändlich.

'Αξύνετος, u. ἀξυνήμων, ὁ, ἡ, bey Aefchyl. Ag. 1068 f. v. a. ἀσύνετος, auch ἀξυνετέω m. d. Genit. ich verftehe nicht. S. ἀσυνετέω.

"Αξυρος, ὁ, ἡ, (ξύρω) nicht gefchoren, ungefchoren; eigentl. ohne Scheermeffer ξυρόν.

'Αξυστος, ὁ, ἡ, nicht gekrazt, gefchabt, geglattet, polirt, ξύω.

"Αξων, ονος, ὁ, Axe; auch der Pol.

"Αοδμος, ὁ, ἡ, ohne Geruch, ὀδμή.

'Αοζέω, f. d. folg.

Ἄοζος, ὁ, ἡ, s. v. a. ἄνοζος, ohne Knoten, Ast.

Ἄοζος, s. v. a. θεράπων, Diener, Aeschyl. Ag. 239. davon ἀοζέω s. v. a. θεραπεύω, διακονέω, ich bediene, diene, thue Dienste. Andere schreiben ἄζος; vorz. heisst so der Opferdiener.

Ἀοιδή, ἡ, (ἀείδω) Gesang, Lied, Gedicht; Sage, Ruf; dav. —διάω, ῶ, s. v. a. ἀείδω. —διμος, ὁ, ἡ, besungen, berühmt; auch im schlechten Sinne, berufen, berüchtiget. —δοθέτης, ου, ὁ, ein Sänger, Liederdichter, νομοθέτης, θεσμοθέτης. —δομάχος, ὁ, Wettkampfer im Gesange, in der Dichtkunst. —δοπόλος, ὁ, ein Sänger, Dichter; v. πολέω ἀοιδή.

Ἀοιδός, ὁ, Sänger, Dichter, v. ἀείδω. —δοσύνη, ἡ, Gesang, Lied.

Ἀοίκητος, ὁ, ἡ, unbewohnt, unbewohnbar, οἰκέω. —κος, ὁ, ἡ, (οἶκος) ohne Haus, Wohnung; ohne Vermögen, arm; ohne Familie: ohne Vaterland.

Ἄοιμος, ὁ, ἡ, (οἶμος) ohne Weg, unwegsam.

Ἀοινέω, ich bin ἄοινος, trinke keinen Wein; davon. —νία, ἡ, Enthaltsamkeit vom Weine.

Ἄοινος, ὁ, ἡ, (οἶνος) ohne Wein, keinen Wein trinkend, sich des Weins enthaltend, keinen Wein habend oder zeugend.

Ἀοκνία, ἡ, Charakter, Geschäftigkeit eines ἄοκνος. —κνος, ὁ, ἡ, Adv. ἀόκνως, unverdrossen, ämsig, thätig, unermüdet; auch ohne Furcht, ὄκνος, unerschrocken.

Ἀολλέω, ῶ, s. v. a. ἀολλίζω. —λλήδην, Adv. gehauft, haufenweise, zusammen; v. —λλής, έος, ὁ, ἡ, versammlet, zusammengebracht, s. v. a. ἀθρόος. S. d. folgd. —λίζω, versammlen, zusammenbringen od. rufen, s. v. a. ἀθροίζειν; scheint mit ἀελλής einerley Ursprung von ἔλω εἴλω, εἰλέω also ἀείλω st. ἅμα εἰλέω zu haben; also ἀελής, ἀελλής auch ἀολλής; man scheint auch für ἀελής contr. ἀλής gesagt zu haben, s. v. a. ἀθρόος; daher ist ἀελλίζω (ungebräuchlich) und ἀολλίζω s. v. a. ἀλίζω und ἀθροίζω. Von ἁλιὰ dem dorischen Worte st. Volksversammlung ἐκκλησία kommt ἁλιάζω d. i. ἐκκλησιάζω. Von ἀελλάζω machten die Lacedämonier mit eingeschobnem π ἀπελλάζειν u. ἀπελλαὶ für ἐκκλησιάζειν, ἐκκλησία.

Ἄοπλος, ὁ, ἡ, (ὅπλον) ohne Waffen, unbewaffnet. —πος, ὁ, ἡ, ohne Sprache, ohne Gesicht, oder unsichtbar; v. ὤψ. —πτος, ὁ, ἡ, (ὄπτομαι) unsichtbar.

Ἄορ, ἄορ, ορος, τὸ, Schwerdt. Hesych. hat auch ἄωρ, ὁ, angemerkt. —ρασία, ἡ, Blindheit; Unsichtbarkeit; von —ρατος, ὁ, ἡ, (ὁράω) Adv. ἀοράτως, nicht zu sehen, d. i. entw. den man nicht sehen kann, unsichtbar, oder den man nicht sehen darf; nicht gesehen, noch nicht gesehen, ungewohnlich; act. nicht sehend.

Ἀοργησία, ἡ, Charakter eines ἀόργητος, Zornlosigkeit. —γητος, ὁ, ἡ, (ὀργή) Adv. ἀοργήτως, nicht zürnend, zornlos, nicht zum Zorn geneigt, nicht hitzig.

Ἄορες, ων, αἱ, Dreyfüsse, Hom. Od. 17, 222. für ὄαρες. zweif. —ριστaίνω, s. v. a. d. folgende. —ριστέω, ῶ, ich bin ἀόριστος, unbestimmt, ungewiss. Aristot. Probl. 26, 14. —ριστία, ἡ, Unbestimmtheit, im Gegens. v. ὁρισμός. —ριστικός, ἡ, όν, unbestimmt, nichts gewisses bezeichnend, bey den Grammatikern. —ριστος, ὁ, ἡ, (ὁρίζω) unbegrenzt, unbestimmt, nicht zu bestimmen. Adv. ἀορίστως.

Ἄορνος, ὁ, ἡ, (ὄρνις) ohne Vögel; als nomen proprium der Sumpf *Avernus*.

Ἀορτέω, ἀορτηθεὶς, hängend, aufgehängt, v. ἄρω, αἴρω; ἀείρω, ich erhebe, hange auf; davon.

Ἀορτή, bey Hippokrates und Pollux heissen ἀορταὶ die zwey Enden der Luftröhre, wo sie in die Lunge gehn, welche gleichsam daran hangt (ἀείρεται), lat. *bronchia*; 2) bey Aristot. und den übrigen heisst ἀορτή, die Aorta oder grosse Schlagader, die aus dem linken Herzbeutel aufsteigt.

Ἀορτήρ, bey Hom. ἀορτὴρ τελαμὼν u. στρόφος, der Riemen, woran das Schwerdt von der Schulter hängt, Degengehenke, *baltheus*; auch woran der Schild, Tasche hängt von ἀείρω. Bey Dio Chrysost. Or. de Circo sind ἀορτῆρες ἵπποι den ζυγαῖοι entgegengesetzt s. v. a. sonst παράσειροι, παρήοροι, σειραῖοι, *funales equi*, die auf dem Seile gehn, nicht das Joch tragen. Die gemeine Lesart hat ἀκροτῆρες.

Ἄορτρον, τὸ, b. Hipp. sind ἄορτρα zwey Lappen (*lobi*) an den Seiten der Lunge; v. ἀείρεσθαι, schwebend hängen; vielleicht die lat. *ramices*.

Ἄορχης, ου, ὁ, (ὄρχις) ohne Hoden, entmannt, verschnitten.

Ἀοσμία, ἡ, Mangel an Geruch; Geruchlosigkeit; v. —σμος, ὁ, ἡ, (ὀσμή) ohne Geruch, geruchlos.

Ἀοσσέω, ich helfe, stehe bey. Man leitet es gewöhnlich von ὄσσα ab; viell. ist es einerley mit ἀοζέω. —σσητήρ, ὁ, (ἀοσσέω) Gehülfe, Beystand.

Ἄουτος, ὁ, ἡ, (οὖς) ohne Ohren, ohne Gehör; nicht verwundet οὐτάω, Hom. Il. 18.

Ἀοχλησία, ἡ, Ruhe, Ungestörtheit. von —λητος, ὁ, ἡ, (ὀχλέω) nicht beunruhigt, ungestört.

Ἄοψ, οπος, ὁ, ἡ, (ὤψ) ohne Gesicht, blind.

'Απαγγελία, ἡ, Bericht, Erzählung, Rede, Ausſpruch, auch Ausdruck, ἑρμηνεία bey den Rhetoren; v. —γέλλω, f. ελῶ, berichten, erzählen, reden, ernennen, ausdrücken oder ἑρμηνεύειν; davon —γελτήρ, ῆρος, ὁ, Bote, Erzähler, Anzeiger. —γελτικός, ή, όν, berichtend, erzählend, erklärend, zum Ausdrucke ἀπαγγελία gehörig; τὸ ἀπαγγ. f. v. a. *enunciatio* bey Seneca.

'Απαγε, Adv. näml. σεαυτὸν, trage dich fort, packe dich von hinnen, fort mit dir, der imper. von ἀπάγω.

'Απαγής, έος, ὁ, ἡ, (πηγνύω) nicht zuſammengefügt, oder geronnen oder gefroren; nicht ſtark, von keinem feſten Korperbau. Laert. 7, 1.

'Απαγίδευτος, ὁ, ἡ, (παγιδεύω), ungefangen. Nicetas Annal. 5, 5. —γινέω, ῶ, die jon. Form ſt. ἀπάγω, S. ἀγινέω.

'Απαγκαλίζω, f. ίσω, (ἀγκάλαι) auf den Armen tragen, zw. —γκυλόω, ῶ, f. ώσω, umkrümmen, biegen. zw. —γκωνίζομαι, bey Heſych. f. v. a. die Ellebogen ausſtrecken; bey Philoſtr. Apoll. 6, 11 mit den Ellebogen weg oder fortſtoſsen. ἀπηγκωνισμένη τῇ γλώττῃ καὶ γυμνῇ Philoſtr. Soph. 2, 1, 11. dreuſt und unverhohlen.

'Απαγλαΐζω, f. ίσω, entzieren, entſtellen, von ἀγλαΐζω.

'Απαγμα, τὸ, ein Beinbruch nahe an der Vergliederung. Chirurg. vet. von ἀπάγνυμι.

'Απαγνίζω, jon. ſt. ἀφαγνίζω.

'Απάγνυμι, ich breche ab.

'Απαγόρευμα, ατος, τὸ, Verbot; und —γόρευσις, εως, ἡ, Verbot; Verſagung meiner Kräfte, Ermattung; Bericht, ſ. ἀπαγορεύω. —γορευτικός, ή, όν, verbietend, verbieteriſch; v. —γορεύω, f. εύσω, verſagen, unterſagen, verbieten; entſagen, abdanken; daher ἀπ. τῷ πόνῳ oder πρὸς τὸν πόνον, der Arbeit entſagen, der Mühſeligkeit nicht mehr gewachſen ſeyn, ermatten, ermüden; auch von Sachen, die durch den Gebrauch abgenutzt, ſchadhaft, unbrauchbar werden, abgehn, eingehn. Cyropaed. 6, 2, 33.

'Απαγρεύω, f. εύσω, davon oder wegnehmen, abnehmen; v. ἀγρεύω. —γριόω, ῶ, f. ώσω, (ἄγριος) verwildern laſſen, wild, grauſam machen; dav. —γρίωσις, εως, ἡ, Verwilderung, Erbitterung. —γροικίζω, f. ίσω, ich mache zum ἄγροικος, Bauer; paſſiv. ich nehme bäueriſche Sitten und Betragen an.

'Απαγχονάω, ῶ, ἀπαγχονίζω u. ἀπάγχω, erdroſſeln, erhängen, aufhängen; die Kehle zuſchnüren, erſticken; med. ἀπάγχομαι, ich erhänge mich, hänge mich auf; S. ἄγχω.

'Απάγω, f. άξω, wegführen, fortführen; τὴν ἐπὶ θανάτῳ verſt. ὁδὸν, zum Tode, in den Tod führen; entrichten, abtragen, z. B. Tribut, wie ἀποφέρω, und oben ἀπαγινέω Xen. Cyr. 3, 2. 30. wieder- oder zurückführen, zurückbringen. Neutr. nämlich ἑαυτὸν, ſich wegführen, weggehen. Xen. Cyr. 7, 2. 3. wie der obige imp, ἄπαγε; dav. —γωγή, ἡ, das Wegführen, Fortführen, Wegbringen, Wegſchleppen; die Entrichtung, das Abtragen; das Zurückführen. —γωγὸς, ὁ, d. i. ἀπάγων, wegführend, wegſchleppend, vertreibend.

'Απάδις, αἱ, Pindar Pyth. 1, 161 ſ. v. a. πραπίδες, wenn nicht die Lesart ἐλπίδες richtiger iſt, o. ἀπίδες das Stammwort von πραπίδες iſt, denn Heſych. hat πραπίδων, φρενῶν, διανοιῶν.

'Απάδω, im Geſange abweichen, abgehn, anders ſingen, *abſono, abſonus*, überh. abweichen, verſchieden ſeyn.

'Απαείρω, ſ. ἀπαίρω.

'Απαθανατίζω, f. ίσω, (ἀθάνατος) vergöttern, unſterblich machen, unter die unſterblichen Götter verſetzen; davon —θανάτισις, εως, ἡ, Vergötterung.

'Απάθεια, ἡ, Zuſtand, Charakter eines ἀπαθής, Gelaſſenheit, Indolenz. —θής, έος, ὁ, ἡ, (πάθος) ohne Leidenſchaft, leidenſchaftlos, gelaſſen, ruhig; ohne Leiden, der nichts gelitten, geduldet hat, ὁ μηδὲν παθών, z. B. in einer Schlacht Xenoph. Cyr. 7, 1. 32. auch mit κακῶν, Anab. 7, 3. 33. Adv. ἀπαθῶς. —θητος, ὁ, ἡ, ſ. v. a. ἀπαθής, von παθέω.

'Απαί, praep. poët. ſ. v. a. ἀπὸ, wie ὑπαὶ ſt. ὑπὸ.

'Απαιγειρόω, in eine Pappel, αἴγειρος, verwandeln.

'Απαιδαγώγητος, ὁ, ἡ, (παιδαγωγέω) Adv. ἀπαιδαγωγήτως, nicht geführt, ohne Führer, ohne Unterricht, Leitung; unerzogen, ungebildet; daher wild, ungelehrig, unbändig, roh. —δάγωγος, ὁ, ἡ, (παιδαγωγός) ohne Führer, auch ſ. v. a. d. vorige. —δευσία, ἡ, Mangel an Unterricht, Unerfahrenheit, Unwiſſenheit. —δευτος, ὁ, ἡ, (παιδεύω) Adv. ἀπαιδεύτως, ununterrichtet, unwiſſend, unerzogen, unerfahren, unverſtändig, dumm. —δία, ἡ, Kinderloſigkeit, Zuſtand eines ἄπαις. —δοιόομαι, (αἰδοῖον) paſſive bey Pollux 2, 176 dem das Schaamglied ab oder beſchnitten iſt; bey Heſych. als medium ſ. v. a. ἀπαναισχυντέω unverſchämt handeln; v. αἰδώς. —δοτρίβητος, ὁ, ἡ, nicht vom παιδοτρίβης, nicht in der Fechtſchule geübt.

'Ἀπαιθαλόω, ῶ, f. ώσω, ich mache zu Kohle, v. αἰθαλόω. —θερόω, ich mache so rein wie Aether, Synes. Insomn. p. 139. —θριάζω, f. άσω, bey Aristoph. Av. 1502 τὰς νεφέλας, die Wolken zertheilen, dem συννεφεῖν entgegengesetzt, Antonin. 2, 4 metaph. —θύσσω, fortbewegen, schütteln. S. αἰθύσσω.

'Ἀπαίνυμαι, wegnehmen; αἴνυμαι.

'Ἀπαιολάω, bey Eur. Ion 549 ἀπαιολέω v. αἰόλος, listig, s. v. a. ἀποπλανάω ich täusche, mache verworren, zweifelhaft, und ἀποστερέω, ich betrüge um etwas, m. d. Genit. davon —όλη, ἡ, ἀπαιόλημα, τὸ, u. ἀπαιόλησις ἡ, der Betrug, wenn man einen um etwas bringt, s. v. a. ἀποστέρησις, Beraubung.

'Ἀπαίρω, wegtragen, forttragen; neutr. wie ἀπάγω u. andere weggehn, fortgehn, ausmarschiren, aufbrechen, zu Lande u. zu Schiffe.

"Ἀπαις, αιδος, ὁ, ἡ, (παῖς) ohne Kinder, kinderlos.

'Ἀπαίσιος, ὁ, ἡ, Adv. ἀπαισίως, nicht αἴσιος, von unglucklicher Vorbedeutung, *inauspicatus*.

'Ἀπαΐσσω, f. ξω, wegspringen, wegeilen.

'Ἀπαισχύνομαι, sich nicht mehr schämen, die Schaam verlieren.

'Ἀπαιτέω, ῶ, wieder, zurück- od. einfordern, fordern, verlangen, τινά τι, etwas von einem, Xen. An. davon —τησις, εως, ἡ, das Abfordern, Einfordern, Eintreiben. —τητικὸς, ἡ, ὸν, einfordernd, eintreibend, oder darzu gehorig, geschickt. —τίζω, f. ίσω, s. v. a. ἀπαιτέω.

'Ἀπαιωρέω, ῶ, ἀπαιωρεῖμαι, herabhängen, herablassen; daran knüpfen oder hangen lassen. passiv. od. med. daran, daruber hangen oder schweben.

'Ἀπακοντίζω, f. ίσω, wegschleudern, wegwerfen. —κριβόω, ῶ, f. ώσω, etwas mit Sorgfalt verrichten; vollbringen. —κταίνω, ich habe keine Kraft mich zu bewegen. —κτος, ὁ, ἡ, weg- oder fortgeführt, weggebracht; v. ἀπάγω.

'Ἀπάλαιστος, ὁ, ἡ, nicht zu bezwingen, eigentl. im Faustkampfe, παλαίω, hernach uberhaupt unuberwindlich. —λαιστρος, ὁ, ἡ, ohne Palastra, nicht in der Fechtschule (Fechtkunst) gebildet, (geübt.) —λάλκω, abwehren: v. ἀλάλκω.

'Ἀπάλαμος, u. ἀπάλαμνος, ὁ, ἡ, (παλάμη) unthätig, trage, unbehülflich, ungeschickt; auch dem nicht zu helfen, abzuhelfen ist, unabanderlich, ist fast ganz mit ἀμήχανος einerley. Bey Pind. Olymp. 2, 105 sind ἀπάλαμνοι φρένες, s. v. a. φρ. παλαμναίων. —λάομαι, ῶμαι, sich davon verirren, v. ἀλάομαι.

'Ἀπαλγέω, ῶ, (ἀλγέω) verschmerzen, nicht mehr über etwas Schmerz empfinden, τὶ Thucyd. 2, 61. Eben so Ephes. 4, 19.; gar keinen Schmerz mehr empfinden, nichts, was sonst einen schmerzt, mehr empfinden, also unempfindlich, gefühllos seyn, keinen Muth, keine Hoffnung mehr haben, als ἀπαλγοῦντα ἐς ταῖς ἐλπίσιν Polyb. 9, 40 ἀπαλγοῦντας ὑπὸ ῥίγους bey Dio Cass.

'Ἀπαλείφω, f. ψω, weg- abwischen. auslöschen; v. ἀλείφω. —λεξέω, s. v. a. ἀπαλέξω. —λέξησις, εως, ἡ, Abwehrung, Vertheidigung. —λεξίκακος, ὁ, ἡ, bey Hesych. s. v. a. ἀθεράπευτος. zw. —λέξω, s. v. a. ἀπαλάλκω abwehren, abhalten von; med. von sich abhalten, sich wehren, vertheidigen. S. ἀλέξω. —λεύομαι, entgehn. Nicand. Ther. 386 wo gewohnlich ἀπαλέξεται steht. v. ἀλεύομαι. Im Gegentheile haben vers. 829 statt ἀπαλέξασθαι die Handschr. ἀπαλύξασθαι, welches von ἀπαλύσκομαι im Grunde einerley ist m. ἀπαλεύομαι. S. ἀλεύω. —ληθεύω, f. εύσω, die Wahrheit heraus sagen, Xen. Oec. 3, 12. wahrmachen oder die Wahrheit erforschen. S. ἀληθεύω.

'Ἀπαλθέομαι, wie ἀποθεραπεύω, ganz heilen, v. ἀλθέομαι, Hom. Il. 8, 405. 419. ἀπαλθαίνω hat Quint. Smyrn. 4, 403.

'Ἀπάλιος, Diog. Laert. 8, 20 γαλαθηνοῖς τοῖς λεγομένοις ἀπαλίοις von Spanferkeln, daher Hesych. ἀπάλιον θῦμα, δελφάκιον. Porphyr. vit. Pyth. sagt dafür χοίρων τοῖς ἀπαλωτάτοις.

'Ἀπαλλαγὴ, ἡ, die Befreyung, Erlösung, z. B. κακῶν, πολέμου Demosth. Isocr.; daher, Veräusserung, Entlassung; und in so fern das med. zum Grunde liegt, das Weggehn, die Abreise, z. B. τοῦ βίου Xen. —λλακτιάω, ῶ, s. v. a. ἀπαλλαξείω. Antonin. 10, 36. —αλλακτικὸς, ἡ, ὸν, Adv. ἀπαλλακτικῶς befreyend, (ein Mittel,) welches befreyen kann, Plin. 28, 6. —αλλὰξ, Adv. Bey Xenoph. ἱππικ. 1, 7 ἀπαλλὰξ τὰ σκέλη φέρειν dem διὰ πολλοῦ weit auseinander setzen, entgegengesetzt, also gleichsam durchkreuzen. Pollux 1, 193 hat dafür ἐναλλάξ. —αλλαξείω, ich wünsche befreyt zu werden, Thucyd. 1, 95. weggehn zu können. von ἀπαλλάττειν. —άλλαξις, εως, ἡ, Entlassung, Befreyung, so wie ἀπαλλαγή. —αλλάσσω, ἀπαλλάττω, f. άξω, entlassen, befreyen, entfernen; med. oder auch das act. als neutr. gebraucht, wie ähnliche, ἀπάγω, εἰσβάλλω, sich entlassen, sich entfernen, oder weggehn, Xen. Mem. 1, 7. 3. 3, 13. 6. An. 5, 6. 32.

'Απαλλοτριόω, ῶ, f. ώσω, eigentlich zum fremden, also abwendig, abspenstig machen; veräussern, wie *abalieno*; davon —αλλοτρίωσις, εως, ἡ, die Abwendigmachung; Veräusserung, *abalienatio*.

'Απαλοάω, ἀπαλοιάω, abdreschen, ausdreschen. Demosth. p. 1040. zermalmen, zerreiben, vermahlen, Hom. Il. 4, 522. wie καταλοιάω.

'Απαλόθριξ, χος, ὁ, ἡ, mit zarten, weichen Haaren.

'Απαλοιφὴ, ἡ, das Weg- oder Auswischen, v. ἀπαλείφω.

'Απαλὸς, ἡ, ὸν, Adv. ἁπαλῶς, zart, weich anzufühlen, sanft, weichlich. —λόσαρκος, ὁ, ἡ, von zartem Fleische. —λότης, ητος, ἡ, Zartheit, Zärtlichkeit, Weichheit, v. ἁπαλὸς. —λοτρεφὴς, έος, ὁ, ἡ, zart, weichlich genährt, gemästet, beym Hom. Il. 21, 363. —λοφόρος, ον, sich weichlich tragend, sich weibisch kleidend. —λόφρων, ον, (φρὴν) weichlichen, zärtlichen Sinnes. —λόχροος, contr. ἁπαλόχρους, ὁ, ἡ, (χρόα) von weicher, zarter Haut. —λύνω, f. υνῶ, weich machen, weichlich, zärtlich machen, verzärteln.

'Απαλφιτόω u. ἀπαλφιτίζω. S. ἐπαλφιτόω.

'Απαλύσκω. S. ἀπαλεύομαι.

'Απαμαλδύνω, das verstärkte ἀμαλδύνω. —μαυρόω, ῶ, f. ώσω, das verstärkte ἀμαυρόω. —μάω, abmähen, abschneiden.

'Απαμβλύνω, abstumpfen, ganz stumpf machen. —αμβρότω, s. v. a. ἀποπλανάομαι, s. ἀμβρότω, ἀβροτέω.

'Απαμείβομαι, f. ψομαι, antworten; Hom. sonst ἀμείβομαι. —μείρω, s. v. a. ἀφαιρέομαι, davon nehmen, berauben; passiv. entbehren; m. d. Genit. bey Hesiod. ἔργ 578 soll es ἀπομείρεται nicht ἀπαμείρεται heissen, d. i. ἀπομερίζει, davon zu theilen; vergl. Theog. 801. —μελέω, das verstärkte ἀμελέω. —μέργομαι, davon nehmen Nicand. Alex. 306. S. ἀμέργω. —μέρδω, s. v. a. ἀπαμείρω.

'Απαμπίσχω, ausziehen, v. ἀμπίσχω, anziehen.

'Απαμύνω, ομαι, von ἀμύνω, abwehren, abhalten; Il. 13, 738 ᾗ ἀπαμυναίμεσθα, womit wir vertheidigen könnten.

'Απαμφιάζω, ἀπαμφιέννυμι, ἀπαμφιεννύω u. ἀπαμφίσκω s. v. a. ἀπαμπίσχω, entkleiden, ausziehen, entblössen; eben so ἐπαμφιάζω, ἐπαμφιέννυμι, ἐπαμφίσκω u. ἐπαμπίσχω, anziehn. Philo T. 1. p. 358.

'Απανάγω, ich gehe, ziehe weg, ab, neutr. doch eigentl. mit der Nebenbedeutung in die Höhe, ins Mittelland, auf die See u. s. w. —ναίνομαι, ganz, durchaus abschlagen, verneinen, ausschlagen, Hom. Il. 7, 185. —ναισχύνομαι, s. v. a. das folgd. —ναισχυντέω, ῶ, das verstärkte ἀναισχυντέω, ganz ohne alle Schaam handeln oder sprechen. —ναλίσκω, f. αλώσω, das verstärkte ἀναλίσκω, ganz verthun, verzehren, ausgeben; davon —νάλωσις, εως, ἡ, das gänzliche Verzehren, Verthun, Aufzehren. —νάστασις, εως, ἡ, das Versetzen von einem Orte an einen andern, oder neutr. das Aufstehn und Weggehn von einem Orte. v. ἀπανίστημι. —ναστομόω, bey Dionys. Antiq. 3, 40 haben die Handschr. richtiger ἀναστομόω.

'Απανδόκευτος, ὁ, ἡ, s. ἀνεόρταστος. —δρίζομαι, πρὸς τὸ φλογῶδες, Callistr. Statua 3 sich gegen die Hitze mit männlicher Stärke betragen u. sie nicht achten. —δρόω, ῶ, f. ώσω, vermännlichen, männlich machen; pass. männlich werden.

'Απανεμάω, davon ἀπηνεμήθη bey Hesych. ὑπ' ἀνέμου ἔπεσεν, vom Winde umgebrochen.

'Απάνευθε, Adv. getrennt, fern davon; v. ἀπὸ u. ἄνευθε.

'Απανθέω, ῶ, verblühen, verwelken; davon —θησις, εως, ἡ, das Verblühen. —θίζω, ich breche Blüthen, Blumen ab, ματαίαν γλῶσσαν μοι ἀπανθίσαι Aeschyl. Ag. 1673 vom schelten. ἀπανθίζομαι, ich sammle mir, lese mir aus, wie die Bienen aus den Blumen den Honig, τὴν ἱστορίαν Plutarch. ἐγχειρίδια τὴν ἀρχαίαν πολυμάθειαν ἀπηνθισμένα Philostr. Soph. 2, 1, 14. die aus der alten Gelehrsamkeit das Beste gesammlet enthalten. —θισμὸς, ὁ, das Abpflücken der Blüthen.

'Απανθρακίζω, f. ίσω, bey Aristoph. Av. 1546. auf Kohlen braten od. Bratfische, ἐπανθρακίδες, essen; s. ἀποπυρίζω. —θρακὶς, ίδος, ἡ, Bratfisch, auch ἐπανθρακίς. —θράκισμα, τος, τὸ, auf Kohlen Gebratenes. —θρακόω, ῶ, f. ώσω, das verstärkte ἀνθρακόω, ganz verkohlen. —θρωπεύομαι, u. ἀπανθρωπέομαι, ich handle ganz unmenschlich, wie ein Unmensch, ἀπάνθρωπος; dav. —θρωπία, ἡ, u. ἀπανθρωπεία, Unmenschlichkeit, Charakter oder Betragen eines ἀπάνθρωπος. —θρωπος, ὁ, ἡ, unmenschlich, grausam; ohne Menschen, oder von wenigen Menschen bewohnt, als ἐρήμη καὶ ἀπ. ἡ γῆ Lucian.

'Απανιστάω, ῶ, u. ἀπανίστημι davon aufstehen lassen, oder heissen wo anders hinsetzen; med. aufstehen u. weggehen; auswandern. —νούργος, ον, Adv. ἀπανούργως, nicht verschlagen, ohne List, Ränke.

'Απανταχῆ, Adv. überall. —ταχόθεν, Adv. von allen Seiten her.

'Απανταχόθι, Adv. überall. —ταχόσε, Adv. überall hin. —ταχοῦ, Adv. überall.

'Απαντάω, ῶ, f. ήσω, entgegen gehn oder kommen, begegnen; antreffen; hinkommen, hingelangen, als πρὸς τὸ τέλος; auch begegnen d. i. antworten; gelingen, gerathen, von Statten gehn. ἐπεὶ δ' αὐτοῖς οὐκ ἀπήντα ἡ ἐργασία Oenomaus Euseb. 5, 26.

'Απάντη, Adv. überall; an allen Orten; auf alle Weise.

'Απάντημα, ατος, τὸ, das Entgegen- od. Zusammenkommen; das Erwiedern oder die Antwort; v. ἀπαντάω. —τησις, εως, ἡ, s. v. a. das vorherg. —τικρύ, Adv. od. ἀπαντίον, gegenüber, s. v. a. ἄντικρυ u. ἀντίον. —τλέω, ῶ, aus- od. abschöpfen; daher verringern, vermindern, als τινὶ πόνους beym Aeschyl. u. βάρος ψυχῆς beym Eurip. —τομαι, s. v. a. ἀπαντάω.

"Απαξ, Adv. einmal; mit einem mal; einmal für allemal; überhaupt. —ξάπας, ασα, ἅπαν, alle zusammen, insgesammt. —ξαπλῶς, Adv. im Ganzen, überhaupt u. durchaus.

'Απαξία, ἡ, Entwürdigung, Unwürdigkeit; von —ξιος, ὁ, ἡ, entwürdigt, unwürdig. —ξιόω, ῶ, f. ώσω, unter seiner Würde einen oder etwas halten. τὴν ἀπολογίαν Dionys. Ant. 7, 34 sich zu keiner Vertheidigung herablassen; als unwürdig, unbillig verbitten, und verachten, *dedignari*; davon —ξίωσις, εως, ἡ, das Halten für unwürdig, die Entrüstung über eine unwürdige Behandlung, Begegnung, auch Verachtung eines Unwürdigen.

'Απάορος, s. ἀπήορος.

"Απαππος, ὁ, ἡ, Aeschyl. Ag. 321 φάος οὐκ ἄπαππον Ἰδαίου πυρὸς, Feuer, Fackel von der idaischen Fackel entsprungen; v. πάππος u. α priv.

'Απαράβατος, ὁ, ἡ, Adv. ἀπαραβάτως, nicht vorbeygehend, nicht vorübergehend, nicht zu einem andern übergehend, oder der zu einem andern nicht übergetragen wird, als ἱερωσύνη Ebr. 7, 27. oder beständig bey einem bleibend; nicht übertreten, auch unverletzlich; v. παραβαίνω.

'Απαράβλαστος, ὁ, ἡ, der keine Nebenschosse oder Nebensprossen aus der Wurzel schlagt, treibt. —βλητος, ὁ, ἡ, nicht gegen einander zu halten, unverglichen, unvergleichlich; παραβάλλω.

'Απαράγγελτος, ὁ, ἡ, Adv. ἀπαραγγέλτως, unangekündigt, unanbefohlen, von παραγγέλλω. —ράγραφος, ὁ, ἡ, von παραγράφω, unbegränzt, Polyb. 16, 12. wenn es nicht ἀπερίγρ. heissen soll; denn sonst würde es heissen ohne παραγραφὴ oder παράγραφος, welches zu ποσότης nicht passt. —ράγωγος, ὁ, ἡ, (παράγω) nicht abzubringen von seinem Wege oder seinem Vorsatz, mithin beharrlich, standhaft. —ράδεκτος, ὁ, ἡ, (παραδέχομαι) nicht aufzunehmen, unannehmlich; nicht aufgenommen, angenommen oder erhalten; act. nicht auf- oder annehmend. —ράθετος, ὁ, ἡ, nicht verglichen oder darneben gestellt; ohne beygesetzte Beyspiele o. Zeugnisse. Diogen. Laert. v. παρατίθεμαι. —ραίτητος, ὁ, ἡ, Adv. ἀπαραιτήτως, nicht zu verbitten oder zu entschuldigen; dah. nicht zu vermeiden, dem man nicht ausweichen kann, was man sich nicht verbitten darf, als πορεία Plut. ἱκέτευμα Plut. eine Bitte, die man nicht abschlagen darf. Eben so κακὸν, κίνδυνος, unvermeidliches Uebel, unvermeidliche Gefahr; nicht zu erbitten, unerbittlich, als δανειστὴς, δικαστής; von παραιτέομαι.

'Απαρακάλυπτος, ὁ, ἡ, Adv. ἀπαρακαλύπτως, nicht bedeckt, nicht verhüllt, nicht verhehlt, unverhehlt, unverhohlen. —ράκλητος, ὁ, ἡ, (παρακαλέω) nicht zuzurufen, nicht zuzureden, zu trösten, untröstlich; nicht dazu gerufen, nicht eingeladen. —ρακολούθητος, ον, Adv. ἀπαρακολουθήτως, dem man nicht folgen, den man nicht erreichen kann, unerreichbar, unbegreiflich. Bey Antonin. 2, 16 inkonsequent, ohne Bedacht. —ράλειπτος, ον, nicht unterlassen, nicht aufhörend, beständig. —ράλλακτος, ὁ, ἡ, Adv. ἀπαραλλάκτως, nicht zu verändern, unveränderlich. ἀπαραλλάκτους τοῖς τῶν καμήλων Diodor. 2. 50 nicht verschieden von den Augen der Kameele. —ραλλαξία, ἡ, Unveränderlichkeit, Standhaftigkeit. —ραλόγιστος, ὁ, ἡ, Adv. ἀπαραλογίστως, pass. nicht zu tauschen, den man nicht tauschen kann Aesop. 16, 5. act. der nicht täuscht oder Unwahrheit redet, bey Hesych. —ράλογος, ον, nicht wider Vernunft, nicht wider Vermuthung, nicht absurd. —ραμίλλητος, ὁ, ἡ, mit dem man sich in keinen Wettstreit einlassen kann; unvergleichlich, unerreichbar, von παρὰ, ἁμιλλάομαι. —ραμύθητος, ὁ, ἡ, Adv. ἀπαραμυθήτως, nicht zuzureden, nicht zu trösten, untröstlich; nicht zuzureden, nicht zu erbitten, unerbittlich Plato von παραμυθέομαι. —ράμυθος, ὁ, ἡ, s. v. a. das vorhergehende. —ράπειστος, ὁ, ἡ, S. ἀπαράσπειστος. —ραπόδιστος, ὁ, ἡ, Adv. ἀπαραποδίστως, unverhindert, ungehindert; nicht verwickelt, v. παραποδίζω. —ραποίητος, ὁ, ἡ, (παραποιέω) Adv. ἀπαραποιήτως, nicht nachgemacht, nicht verfälſcht.

'Απαρασάλευτος, ὁ, ἡ, (παρασαλεύω) nicht bewegt, erſchüttert, ſchwankend; feſtſtehend. Adv. ἀπαρασαλεύτως. —ρασήμαντος, ὁ, ἡ, (παρασημαίνω) nicht bezeichnet, nicht ausgezeichnet, unangemerkt, ohne Bemerkung, σημεῖον, nicht vor andern bekannt u. berühmt. —ρασημείωτος, ὁ, ἡ, v. παρασημειόω ſ. v. a. das vorige. —ράσημος, ὁ, ἡ, nicht bezeichnet, ohne Zeichen, Wahrzeichen, ohne Gepräge. —ρασκευασία, ἡ, Mangel oder Unterlaſſung der Vorbereitung, der Zurüſtung. —ρασκεύαστος, ὁ, ἡ, unvorbereitet, ungerüſtet. —ράσκευος, ὁ, ἡ, Adv. ἀπαρασκεύως, ſ. v. a. das vorhergehende; ohne groſse Zubereitung oder Aufwand, alſo einfach, nicht koſtbar. —ράσπειστος, ον, falſch bey Dionyſ. Hal. Antiq. 8, 61. ſt. ἀπαράπειστος nicht zu verführen. zu überreden, zu beſtechen; von παραπείθω. —ράσσω, ἀπαράττω, f. άξω, abreiſſen, abhauen, wegwerfen, z. B. aus dem Schiff werfen, Herodot. den abgehauenen Kopf auf die Erde werfen. Hom. —ρασχημάτιστος, ον, nicht in eine andere Geſtalt verändert od. zu verändern. —ρατήρητος, ὁ, ἡ, (παρατηρέω) Adv. ἀπαρατηρήτως, nicht beobachtet, nicht bemerkt oder angemerkt. —ράτιλτος, ὁ, ἡ, nicht gerupſt, dem die Haare nicht ausgerupft ſind, als δασὺς (κατὰ) τὰ σκέλη, ἀπαρ. τὸ γένειον Lucian. v. παρατίλλω. —ρατος, ὁ, ἡ, verflucht, verfluchungswerth, eigentl. weg o. fortgewünſcht; von ἀράω. —ράτρεπτος, ὁ, ἡ, Adv. ἀπαρατρέπτως, nicht abzuwenden, nicht zu vermeiden, dem man nicht ausweichen kann, unerbittlich, als κρίσις; von παρατρέπω. —ράτρυτος, ον, (παρά-τρύω), unerſchüttert, unverletzt. —ραφύλακτος, ὁ, ἡ, Adv. ἀπαραφυλάκτως von παραφυλάσσω, unbewacht, unbewahrt, u. vom medio unachtſam, unvorſichtig, der ſich nicht vorſieht, oder hütet. —ραχάρακτος, ὁ, ἡ, von παραχαράσσω einen falſchen Stempel aufdrücken, alſo unverfälſcht. —ράχυτος, ον, (παραχύω) unvermiſcht, als Wein. —ραχώρητος, ὁ, ἡ, Adv. ἀπαραχωρήτως, nicht ausweichend, nicht nachgebend, oder ſtandhaft, muthig, v. παραχωρέω.

'Απαργία, ἡ, ein Kraut mit den Blättern auf der Erde liegend. Theophr. Hiſt. pl. 7, 9.

'Απαργμα, τὸ, ſ. v. a. ἀπαρχή.

'Απαργυρίζω, f. ίσω, verſilbern, d. i. um baares Silber oder Geld verkaufen; davon —γυρισμὸς, ὁ, Verſilberung, Verkauf für Silber. —γυρόω, ῶ, f. ώσω, ſ. v. a. ἀπαργυρίζω.

'Απαρεγχείρητος, ὁ, ἡ, (παρεγχειρέω), nicht zu handhaben, nicht zu behandeln, der ſich nicht behandeln läſst; im feindlichen Sinne, an dem man nicht Hand anlegen darf, unverletzbar. Adv. ἀπαρεγχειρήτως ὡμοιωμένον Diodor. 4. 78 unübertreffbar ähnlich.

'Απαρέγχυτος, ον, zu dem man nichts darneben hineingegoſſen hat, um zu verfälſchen, auch ſ. v. a. ἀπαράχυτος. —ρεμπόδιστος, ὁ, ἡ, ſ. v. a. ἀπαραπόδιστος. —ρέμφατος, ὁ, ἡ, (παρεμφαίνω) Adv. ἀπαρεμφάτως, nicht deutlich bezeichnet, unbeſtimmt. —ρενθύμητος, ον, (παρενθυμέομαι) Adv. ἀπαρενθυμήτως, nicht überhin betrachtet, nicht obenhin beherzigt; genau überdenkend. Antonin. —ρενόχλητος, ὁ, ἡ, (παρενοχλέω) nicht beunruhigt, nicht geſtört.

'Απαρέσκω, f. ρέσω, miſsfallen; ἀπαρέσκομαί τινι Herodian. mit etwas unzufrieden ſeyn; Hom. Il. 19, 183 vergl. 179. wieder zu gewinnen, ſich wieder zum Freunde zu machen ſuchen. —ρεστος, ὁ, ἡ, miſsfällig, unangenehm.

'Απαρηγόρητος, ὁ, ἡ, Adv. ἀπαρηγορήτως, ſ. v. a. ἀπαραμύθητος, v. παρηγορέω. —ρήγω, f. ξω, abhelfen, abwehren, ἀπὸ, ἀρήγω.

'Απαρθένευτος, ὁ, ἡ, (παρθενεύω) bey Soph. ſ. v. a. rein, unbefleckt wie eine Jungfer; 2) bey Eur. Phoe. 1729 Iphig. Aul. 993 einer Jungfrau unanſtändig, unwürdig. —θενος, ὁ, ἡ, (παρθένος) nicht mehr Jungfrau. —θρόω, abgliedern, ein Glied von dem andern trennen, ἄρθρον.

'Απαριθμέω, ῶ, abzählen, hinzählen, aufzählen; wieder bezahlen; davon —ρίθμησις, εως, ἡ, die Abzählung, Aufzählung.

'Απαρίνη, ἡ, Theophr. hiſt. pl. 7, 14 Dioſcor. 3, 92. Plin. 27, 5. *aparina*, Klebkraut, von der Gattung des Labkrauts; davon —ρινής, ὁ, ἡ, χιλὸν ἀπαρινέα ſt. ἀπαρίνης, τῆς, Nicand. Ther. 953.

'Απαρκέω, ῶ, f. έσω, hinreichen, hinreichend ſeyn, ἀπὸ, ἀρκέω. —κής, έος, ὁ, ἡ, hinreichend, zureichend, ſ. v. a. ἀρκής.

'Απαρκτίας, ου, ὁ, (ἄρκτος) von Norden kommend.

'Απαρνέομαι, οῦμαι, abſchlagen, verſagen, ſich weigern; abſagen, ablaugnen; davon —νησις, εως, ἡ, das Abſchlagen, die Verweigerung. —νητής, οῦ, ὁ, abſchlagend, ἀπαρνούμενος. —νος, ὁ, ἡ, abſchlagend, verneinend. —νυμαι, davon oder wegnehmen, wegtragen.

'Απαρόδευτος, ον, zu dem oder neben dem kein Weg geht, kein Zugang offen ist. v. παροδεύω. —όρμητος, ὁ, ἡ, (παρορμάω) unangetrieben, unbewegt, der sich nicht antreiben, nicht in Bewegung setzen läst, träge, faul.

'Απαῤῥενόω, ῶ, f. ώσω, männlich machen, v. ἄῤῥην, wie ἀπανδρόω.

'Απαῤῥησίαστος, ὁ, ἡ, d. i. μὴ παῤῥησιαζόμενος, der nicht frey spricht.

'Απαρσις, εως, ἡ, die Abreise, das Weggehn, v. ἀπαίρω, eigentl. act. das Wegtragen.

'Απαρτάω, ῶ, f. ήσω, ich trenne etwas u. hänge es auf; 2) ich hänge etwas an einer Sache, Person auf, so dass es davon abhängt; überh. aufhängen, abhangig machen; 3) ich trenne, entferne. ἀπαρτήσαντες ἐς ἀλλοτρίαν Thucyd. 6, 21 wir entfernen uns und gehn in ein fremdes Land. —τησις, εως, ἡ, das Aufhängen, Dranhängen, Abhangigkeit.

'Απαρτὶ, Adv. s. v. a. ἀπαρτίως, vollkommen, ganz, genau, Aristoph. Plut. 388.

'Απάρτια, τὰ, s. v. a. ἔπιπλα Pollux. 10, 18. 19.

'Απαρτία, ἡ, s. v. a. ἀπαρτισμὸς, Vollendung; 2) bey den LXX s. v. a. ἀποσκευή. 3) zu der Zeit des Pollux 10. 18. 19 s. v. a. Verkaufung durch den Ausrufer, Auction. Dahin gehört bey Hesych. ἀπαρτύειν ἀποκηρύσσειν, Ταραντῖνοι.

'Απαρτιζόντως, Adv. s. v. a. ἀπαρτίως. Das partic. v. —τίζω, f. ίσω, (ἄρτιος) ich mache bereit, fertig, ganz, voll, vollkommen. ἀπαρτίζεται εἰς ἑπτὰ κεφαλὰς Joseph. Antiq. theilen, vertheilen; 2) neutr. geschickt seyn, wie ἁρμόζω. Aristot. H. A. 5, 8. passen. —τιλογέω, d. i. ἀπάρτια oder ἀπαρτίως λέγω. —τιλογία, ἡ, d. i. ἀπάρτιος λόγος, die gerade Rechnung, volle Summe Herodot. 7, 29. u. Dio Cass. —τισις, εως, ἡ, Vollendung, Vervollkommnung, v. ἀπαρτίζω. —τισμὸς, ὁ, s. v. a. d. vorh. Luc. 14, 28. Bey Dionys. Hal. Comp. 24. dem πλάτος entgegengesetzt, specielle Eigenschaft. —τιστικὸς, ἡ, ὸν, vollendend, zur Vollendung gehörend. —τίως, Adv. s. v. a. ἀπαρτὶ.

'Απαρύτω oder ἀπαρύω, f. ύσω, s. v. a. ἀπαντλέω.

'Απαρχαΐζω, f. αΐσω, alt machen, z. B. Athen. 1 durch eine alte Benennung ihm das Ansehn des Alterthums geben. —χαιόω, ῶ, f. ώσω, s. v. a. das vorhergehende, z. B. λέξις ἀπηρχαιωμένη Dion. Halic. eine veraltete Redensart.

'Απαρχὴ, ἡ, u. ἄπαργμα, τὸ, das Darbringen u. Opfern der Erstlinge, daher die Erstlinge selbst, insofern sie dargebracht, geopfert werden; beym Opfern selbst sind ἀπαρχαὶ die dem Opferthiere abgeschnittenen Haare, das von allen Theilen abgeschnittene Fleisch zum Opfer u. s. w. S. ἀπάρχομαι; daher ἀπαρχαὶ λόγων Proben und Beyspiele aus Reden; auch der Tribut, Thucyd. 6, 20. —χημα, ατος, τὸ, s. v. a. ἀπαρχὴ, zweif.

'Απάρχομαι, st. ἄρχομαι Aelian. v. h. 8 1. ich mache davon damit den Anfang; vorz. von Opfern gebräuchlich, die Erstlinge von etwas oder auch einen Theil vom Ganzen opfern; beym Blutopfer eigentl. einen Theil des Opferthiers, Haare davon, vorher abschneiden und dadurch das Thier weihen. Il. 19, 254 κάπρου ἀπὸ τρίχας ἀρξάμενος δίι χεῖρας ἀνασχὼν εὔχετο. oder wenn von allen Theilen Fleisch abgeschnitten und auf dem Altar verbrannt wird. ἀπάρχεσθαι τρίχας Odyss. ξ. 421 u. ἀπάρχεσθαι τῶν σπλάγχνων oder λαμβάνειν ἀπαρχὰς ἀπὸ τ. σπλ. Dionys. Hal. 7, 72 Odyss. l. c. diese Theile ins Feuer werfen, heisst bey Dionys. ἐμπύρων ἀπάρχεσθαι.

'Απαρχος, ὁ, beym Aeschyl. s. v. a. ἀρχὸς oder ἄρχων. —άρχω, bey Pind. Nem. 4, 76 s. v. a. ἄρχω oder besonders herrschen, beherrschen. S. ἀπάρχομαι. Dionys. Halic. nennt den Vortanzer τὸν ἀπάρχοντα τῶν ὀρχηστῶν.

'Απας, ασα, αν, alle zusammen, im Ganzen.

'Απασβολόω, λῶ, (ἀσβόλη) in Russ verwandeln, auflösen, Dioscor. 5, 87. u. a. a. St.

'Απασκαρίζω, f. ίσω, herabspringen; aufspringen, aufhüpfen. Suidas setzt das Beyspiel: ἀπασκαρίζειν ὡσπερεὶ πέρκην χαμαὶ aus Aristoph. u. ἀπασκαριῶ σ' ἐγὼ γέλωτι σήμερον aus Menander; auf die letztere Stelle scheint die Glosse des Suidas ἀποσκαρίζειν διακεχυμένως γελᾷν zu gehn. Hesych. hat ἀπασκ. für σπαίρειν.

'Απάσπαίρω, s. v. a. das simplex ἀσπαίρω, eigentl. pappelnd sich wegbegeben. zw.

'Απαστὶ, Adv. v. ἄπαστος, nüchtern. —στία, ἡ, Nüchternheit, das Nüchternseyn; von —στος, ὁ, ἡ, (πάομαι) nüchtern, einer, der noch nicht gegessen hat. —στράπτω, f. ψω, s. v. a. ἀστράπτω.

'Απασχολέω, ich halte durch Beschäftigung ab, zurück. τὰ βέλη abhalten. Herodian. 7, 2. —σχολία, ἡ, Beschaftigung, Abhaltung.

'Απαταγὶ, Adv. (πάταγος) ohne Geräusch, ohne Lärm.

'Απατάω, ῶ, f. ήσω, eigentlich auf die Seite führen, ἀπὸ τοῦ πάτου (ἀπάγω), vom Wege abführen, abbringen; daher verführen, vom rechten Wege abbringen, völlig, wie das lat. *seduco*, eigent. *forsum duco*, Cic. ad Div. 10, 28. 2. und davon wie dies, verführen, verleiten, betrügen, anführen. 2) wie *fallere tempus*, die Zeit hinbringen, um sich zu vergnügen, die Zeit zu vertreiben, so heisst auch ἀπατάω und ἀπάτη, ἀπάτημα ein Zeitvertreib, Vergnügung machen.

'Ἀπάτερθε, ἀπάτερθεν, Adv. getrennt, abgesondert, ἀπὸ, ἄτερ. —τεών, ῶνος, ὁ, Verführer, Betrüger.

'Ἀπάτη, ἡ, Verführung, Betrug, Täuschung; 2) Erquickung, Vergnügung, Zeitvertreib, wie ἀπάτημα. —τήλιος, ὁ, ἡ, oder ἀπατηλὸς, verführerisch, lockend, betrügerisch, Oppi. Cyn. 2, 324 hat ἀπατήλια st. ἀπατήματα. —τημα, ατος, τὸ, s. v. a. ἀπάτη. —τήνωρ, ορος, ὁ, ἡ, den Mann, Menschen verführend, betrügend, ἀπατῶν ἄνδρα. —τησις, ἡ, das Betrügen oder Vergnügen; v. ἀπατάω. —τητικὸς, ἡ, ὸν, betrügerisch, geschickt zu betrügen, oder zum vergnügen, amüsiren. —τητος, ὁ, ἡ, (πατέω) nicht betreten, nicht zertreten. —τιμάω od. ἀπατιμάζω, wie ἀτιμάω, entehren, schänden, Hom. Il. 13, 113. —τμίζω, f. ίσω, ausdampfen, ausduften.

'Ἀπατούρια, ων, τὰ, ein Volksfest zu Athen, drey Tage dauernd, an welchem die Bürger ihre Kinder einschreiben und aufnehmen liessen.

'Ἀπάτωρ, ορος, ὁ, ἡ, (πατὴρ) ohne Vater, d. i. dessen Vater man nicht weiss, *spurius*, oder der keinen Vater mehr hat, ein Waise.

'Ἀπαυαίνω, vertrocknen lassen. Quint. Smyr. 1, 65.

'Ἀπαυγάζω, f. άσω, abglänzen, einen Glanz von sich werfen; davon —γασμα, ατος, τὸ, Abglanz, Glanz. —γασμὸς, ὁ, das Abglänzen, Werfen eines Scheins. —γὴ, ἡ, Abglanz, s. v. a. ἀπαύγασμα.

'Ἀπαυδάω, ῶ, f. ήσω, s. v. a. ἀπαγορεύω; verstummen. Lucian. Philopatr. 18. v. αὐδάω.

'Ἀπαυθαδέω, Nicetas Annal. 13, 1. s. v. a. —θαδιάζομαι, auch ἀπαυθαδίζομαι, (Philostr. Icon. 1. 11.) von ἀπὸ αὐθαδία, aus oder mit Dreistigkeit etwas thun oder sprechen; etwas wagen; etwas gewagtes thun, sprechen. —θημερίζω, f. ίσω, (τῇ αὐτῇ ἡμέρᾳ) noch an dem nämlichen Tage zurückkommen, wie αὐθημερίζω, Xen. An. 5, 2. 1. ἐκ Πίσης εἰς Αἴγιναν Aelian. v. h. 9, 2. in einem Tage von P. nach A. gehn.

'Ἀπαύλια, ων, τὰ, (αὐλὴ) das Wegschlafen od. Alleinschlafen, die Nacht, die der Bräutigam beym Schwiegervater allein schlaft, oder wo die Braut ausser des Vaters Hause schlaft; andre schreiben ἐπαύλια, welches andre unterscheiden; davon —λίζομαι, f. ίσομαι, davon weg oder allein schlafen, allein wohnen. —λιστήριος, ία, ιον, χλανὶς ein Kleid am Tage ἀπαύλια geschickt. —λόσυνος, ὁ, ἡ, vom Stalle αὐλὴ, αὐλοσύνη, weg. Anthol.

'Ἀπαυράω, ἀπαυρίσκω u. ἀπαύρω s. v. a. ἀποιράω, ἀπούρω, ἀπουρίσκω, näml. s. v. a. ἀφαιρέομαι, ἀπολαμβάνω u. ἀπολαύω, ich nehme weg, entreisse, raube; 2) bekomme davon, habe Nutzen, oder Schaden davon. S. ἀπολαύω, ἀποῦρας und ἐπαυράω.

'Ἀπαυστὶ, Adv. unaufhörlich; von —στος, ὁ, ἡ, (παύω) nicht zur Ruhe zu bringen, nicht zu besänftigen, nicht zu stillen, als Durst; nicht aufhörend (παυόμενος), unaufhörlich.

'Ἀπαυτίκα, Adv. sogleich, gleich darauf. —τοματίζω, f. ίσω, von selbst thun, freywillig darbringen, wie αὐτοματίζω; bey Philo πόαν v. selbst Grass hervorbringen. —τομολέ laufen, übergehn von einem.

'Ἀπαυχενίζω, f. ίσω, abhälsen, den Hals, das Genick brechen; ταῦρον Philostr. einen Stier bändigen; sich gegen etwas strauben, wie ein Stier, der das Joch vom Halse wirft, am Nacken nicht duldet, Philo.

'Ἀπαφάω und ἀπαφίσκω, von ἀπάφω, ich täusche, betrüge. Hom. Od. 11, 216. Oppian. Hal. 3, 444 und 3, 94 hat eine Handschrift ἐξεπάφησαν st. ἐξαπάτησαν. Wahrscheinlich einerley mit ἀπατάω. —φρίζω, f. ίσω, abschäumen.

'Ἀπάφω, täuschen, betrügen, wie ἀπατάω.

'Ἀπαχλυόω, verdunkeln, verfinstern, von ἀχλύς. —χλύω, Quint. Smyrn. 1, 78 vom Nebel oder der Finsterniss befreyen. —χρειόω, unnütz, untauglich, ἀχρεῖος, unbrauchbar machen.

'Ἀπέγγονος, ὁ, Urenkel, *pronepos*.

'Ἀπεγγυαλίζω, f. ίσω, od. ίξω, s. v. a. ἀποκαθιστᾶν, wieder abliefern, bey Hesych.

'Ἀπεγνωκότως, (ἀπεγνωκὼς) Adv. auf eine verzweifelte Art, wie verzweifelt.

'Ἀπεδανὸς, ὁ, ἡ, st. ἠπεδανὸς. —δέω, s. v. a. ἀπεδόω, ebnen, abnagen. —δίζω, (ἄπεδος) ich ebne, mache gleich. —διλος, (ἀ, πέδιλον) ohne Sch —δος, (ἀ u. πέδον) *campestris*, *planus*, eben, bey Herodot. 4. 62 τὸ ἄπεδον, Ebene, Fläche. χωρία ἄπεδα Aelian. H. A 16, 12.

'Ἄπεζος, ον, (πέζα) ohne Fuss.

'Ἀπεθίζω, f. ίσω, abgewöhnen, entwöhnen.

'Απείδω, absehen, wegsehen; von etwas weg worauf hin sehen, übersehen.
'Απειθαρχία, ἡ, Ungehorsam, von πειθαρχέω.
'Απείθεια, ἡ, Ungehorsam; Betragen oder Charakter eines ἀπειθής. —θέω, ῶ, ich bin ein ἀπειθής, bin ungehorsam, unfolgsam; lasse mich nicht überreden, lasse mich nicht überzeugen oder glaube nicht. —θής, έος, ὁ, ἡ, Adv. ἀπειθῶς, ungehorsam, unfolgsam, sich nicht überzeugen lassend oder nicht glaubend, μὴ πειθόμενος; davon —θία, ἡ, Charakter, Betragen eines ἀπειθής, Ungehorsam, Unglaube, Mangel an Gehorsam, an Ueberzeugung.
'Απεικάζω, f. άσω, abbilden nachbilden. —κασία, ἡ, das Abbilden oder Vergleichen. —κασμα, τος, τὸ, Abbild, Bild, Abdruck; v. ἀπεικάζω. —κονίζω, f. ίσω, f. v. a. ἀπεικάζω; dav. —κόνισμα, ατος, τὸ, f. v. a. ἀπείκασμα. —κότως, Adv. v. folgd. —κώς, υῖα, ὸς, eigentl. particip. perfecti von ἀπείκω, nicht gleichend, nicht billig, passend, unschicklich, unrecht; unwahrscheinlich, *dissimilis veri*.
'Απειλέω, ῶ, drohen, drohend prahlen; 2) versichern und rühmen Odyss. 8, 383. versprechen, geloben Il. ψ. 184.
'Απειλὴ, ἡ, oder ἀπείλημα, von ἀπειλέω, Drohung, drohende Prahlerey. —λητήρ, ῆρος, ὁ, fem. ἀπειλήτειρα, Droher, einer der droht. —λητήριος, ία, ιον, zum Drohen gehörig oder geschickt, oder auf die Weise eines Drohenden. —λητικὸς, ἡ, ὸν, Adv. ἀπειλητικῶς, f. v. a. das vorige. —ληφόρος, ὸν, ἀπειλὰς φέρων, drohend. —λικρινέω, f. v. a. ἀποκαθαίρω Synes. Insomn. p. 138.
'Απείλλω f. v. a. ἀπείργω, ἀποκλείω.
'Απειμι, f. έσομαι, (ἀπὸ, εἰμὶ) davon weg oder entfernt seyn, nicht da seyn.
'Απειμι, (ἀπὸ, εἶμι) fort oder weggehen.
'Απειπεῖν, f. v. a. ἀπαγορεύω, untersagen, verbieten; 2) ermüden, so dass man nicht mehr kann thun; 3) ἀπειπεῖν τὴν στρατηγίαν, das Kommando aufgeben Anabas. 7, 1. 41. 4) ἀπείπασθαι, verabscheuen, bey Herodot. 5, 56 ἀπειπάμενος τὴν ὄψιν, den Traum durch ein Sühnopfer von sich abwenden; 5) versagen, verweigern, absagen. Il. 9, 510. 6) ἀπηλεγέως ἀποειπεῖν, gerade heraus sagen, wie ἀπόφημι. ἀπόειπε κελεύθους Il. 3, 406 meide. μῆνιν ἀποειπὼν Ἀγαμέμνονι Il. 19, 35 entsage dem Zorn gegen Agam.
'Απειραγαθέω Paul. Aeg. 6, 50 ich handle unwissend, ungeschickt, wie ein ἀπειράγαθος; wie ἀπειροκαλέω u. s. w. —ραγαθία, ἡ, unbegrenzte Gutthätigkeit; Unerfahrenheit; von —ράγαθος, ὁ, ἡ, Adv. ἀπειραγάθως, unbegrenzt-gutthätig; unerfahren, v. ἄπειρος und ἀγαθὸς S. ἀπειραγαθέω. —ράκις, Adv. unendlichemal, unendlich oft. —ραντος, ὁ, ἡ, f. v. a. ἀπέραντος. —ραστος, ὁ, ἡ, oder ἀπείρατος, (πειράζω) unversucht, nicht geprobt; der nicht erfahren hat, von πειράομαι. —ραχῶς Adv. auf unendlich verschiedene Arten und Weisen.
'Απείργω auch ἀπέργω, f. ξω und bey Homer ἀποέργω, ἀποεργάθω, ich halte ab, schliesse aus; entferne, trenne. ῥάκεα μεγαλῆς ἀποεργαθεν αὐλῆς d. i. entfernte. ἀπὸ δ' αὐχένος ὦμον ἐέργαθεν d. i. trennte. Bey Herodot. 7, 112 ἐκ δεξιῆς τὸ Πάγγαιον οὖρος ἀπέργων, liess zur rechten liegen und gieng vorbey.
'Απειρέσιος, ὁ, ἡ, und ἀπειρέσιος, ία, ιον, (ἄπειρος) unbegrenzt, unendlich. —ρηκέναι, und ἀπειρηκὼς perfect. von ἀπερέω. —ρητος, ὁ, ἡ, jonisch f. v. a. ἀπείρατος.
'Απειρία, ἡ, (πεῖρα) Mangel an Erfahrung oder Prüfung, Unerfahrenheit, Unwissenheit. —ρίδιος, ὁ, ἡ, bey Hesych. f. v. a. ἀπειρέσιος. zweif. —ριτος, ὁ, ἡ, f. v. a. ἄπειρος.
'Απειρξις, εως, ἡ, das Abhalten, Abwehren; von ἀπείργω.
'Απειρόβιος, ὁ, ἡ, des Lebens unerfahren. Hierocles. —ρόγαμος, ὁ, ἡ, d. i. ἄπειρος γάμου, unverheyrathet. —ρόγνωστος, ου, (ἀπείρου γνώμης) von unbegrenzter Kenntniss. —ρόδακρυς, υ, (δάκρυ) unbegrenzt, ohne Ende weinend. —ροθάλασσος, ἀπειροθάλαττος, ὁ, ἡ, d. i. ἄπειρος θαλάττης, unerfahren zur See, unkundig des Meers. —ροκακέω, ῶ, ich bin ἀπειρόκακος, bin unerfahren in der Bosheit, bin nicht boshaft. —ρόκακος, ὁ, ἡ, d. i. ἄπειρος κακοῦ oder κακῶν, unerfahren im moralischen Uebel, oder nicht böse, nicht schlechtdenkend; unerfahren im physischen Uebel, der noch kein Unglück erfahren, erduldet hat. —ροκαλέω, ich bin od. handle wie ein ἀπειρόκαλος, unedel, unanständig, niedrig. —ροκαλία, ἡ, Charakter, Betragen eines ἀπειρόκαλος, also unedles, unanständiges, niedriges Betragen. —ρόκαλος, ὁ, ἡ, der vom Schönen, Edeln, Anstande kein Gefühl oder Begriff hat, ἄπειρος καλῶν, also unedel, unanständig, niedrig denkt und handelt. —ρολεχής, έος, ὁ, ἡ, d. i, ἄπειρος λέχους, des Ehebettes untheilhaftig, unerfahren. —ρομάχης, εος, ὁ, ἡ, dorisch ἀπειρομάχας d. i. ἄπειρος μάχης, des Krieges unkundig. —ρομεγέθης, ες, von unendlicher Grösse, unendlich gross; v. ἄπειρος. —ροπάθεια, ἡ, Lage, Zustand oder Charakter eines ἀπειροπαθής, unendliche Leiden oder Frey-

heit von Leidenſchaften oder Leiden.

'Απειροπαθὴς, έος, ὁ, ἡ, d. i. entweder ἄπειρος παθῶν, frey von Leiden oder Leidenſchaften, od. ἄπειρα παθὼν, der unendlich viel gelitten hat. —ροπλάσιος, ὁ, ἡ, oder ἀπειροπλασίων, unendlichmal mehr, gleichſam unendlichfach, wie vielfach, dreyfach u. ſ. w. —ρόπλους, ὁ, ἡ, d. i. ἄπειρος πλόου. —ροπόλεμος, ὁ, ἡ, Adv. ἀπειροπολέμως, der den Krieg nicht erfahren hat, oder deſſelben unkundig.

'Απειρος, ὁ, ἡ, Adv. ἀπείρως, ohne Grenzen (πέρας), unbegrenzt, unendlich; ohne Erfahrung (πεῖρα), unerfahren, unwiſſend; davon —ροσύνη, ἡ, Unerfahrenheit, Unwiſſenheit. poetiſch. —ροτόκος, ὁ, ἡ, d. i. ἄπειρος τόκου, die noch nicht gebohren hat. —ρωδὶν, ῖνος, ἡ, d. i. ἄπειρος ὠδῖνος, die Geburtsſchmerzen noch nicht erfahren hat.

'Απείρων, ονος, ὁ, ἡ, ſ. v. a. ἄπειρος, unendlich.

'Απεισαγγελίας φεύγοντι δίκην bey Plutarch. de Diſcr. Adul. ſoll ἀπ' εἰσαγγ. heiſsen.

'Απειστέω, ῶ, ich bin ἄπειστος, bin ungehorſam, bin ungläubig, ſ. v. a. ἀπειθέω. —στος, ὁ, ἡ, ſ. v. a. ἀπειθὴς von πείθω.

'Απέκγονος, ὁ, Ururenkel, abnepos.

'Απεκδέχομαι, f. ἔξομαι, erwarten; abnehmen, d. i. daraus ſchlieſsen, daraus abnehmen. —δοχὴ, ἡ, Erwartung; daraus gezogener Schluſs. —δυσις, εως, ἡ, ſ. v. a. ἀπόδυσις. —δύω, δυμι, f. ύσω. ſ. v. a. ἀπεδύω.

'Απεκλανθάνω, od. ἀπεκλάθομαι, dav. ἀπεξελαθόμην od. ἀπεκλελαθόμην vergeſſen, Hom. Od. 24, 393. —κλέγομαι, beym Auswählen verwerfen, Dioſcór. 3, 25; davon —κλογὴ, ἡ, das Verwerfen beym Auswählen. —κλούω, f. ούσω, aus- und wegwaſchen, ausſpülen. —κλύω; f. ύσω, auflöſen; erlöſen oder befreyen; auflöſen oder ſchwächen. —κροφέω, ῶ, ausſaufen, ausſchlürfen. —κτασις, εως, ἡ, die Ausdehnung. das Ausſtrecken; von —κτείνω, ausdehnen, ausſtrecken, ausbreiten. —κτητος, ὁ, ἡ, oder ἄπεκτος, ὁ, ἡ, ungekämmt, v. πεκτέω und πέκω.

'Απελασία, ἡ, das Forttreiben, Wegtreiben; v. ἀπελαύνω. —λαστος, ὁ, ἡ, (πελάζω) dem man ſich nicht nähern kann oder darf. —λάτης, ου, ὁ, der weg oder forttreibt; von —λαύνω, f. άσω, fort oder wegtreiben, wegführen; neutr. weggehen, wegreiten, Xen. An. 1, 4. 5. 2, 3. 6. —λαφρύνω, davon erleichtern, unterſtützen. —λάω, ſ. v. a. ἀπελαύνω. —λεγμα, ατος, τὸ, oder ἀπελεγμὸς, —λεγ[illegible] ἀπελεγξις, Widerlegung, Ueberführung; von —λέγχω, f. ξω, überführen, widerlegen; das verſtärkte ἐλέγχω. —λεθρος, ὁ, ἡ, unermeſslich. ἴς, Kraft; ἀπελ. ἀνέδραμεν that einen weiten Sprung im Laufe; von πλέθρον. —λέκητος, ὁ, ἡ, (πελεκάω) nicht behauen mit der Axt. —λευθερία, ἡ, Freylaſſung eines Sklaven. —λευθεριάζω, ich bin frey, handle frey; ἀπελευθεριαζούσῃ κινήσει Philo Conf. Ling. —λευθερικὸς, od. ἀπελευθέριος, ὁ, ἡ, was zum Freygelaſſenen gehört oder von ihm kommt; wie libertinus von libertus; v. folgd. —λεύθερος, ὁ, ἡ, freygelaſſener Sklave oder Sklavin, libertus, liberta; davon —λευθερόω, ῶ, f. ώσω, zum Freygelaſſenen machen, freylaſſen; davon —λευθέρωσις, εως, ἡ, Freylaſſung. —λευθερωτὴς, οῦ, ὁ, (ἀπελευθερόω) der Freylaſſer. —λευσις, εως, ἡ, das Weggehen; v. ἀπέρχομαι.

'Απελλάζω, ein lakoniſches Wort, welches Plutarch Lycurg. 6 durch ἐκκλησιάζειν erklärt. Heſych. hat in demſelben Sinne ἀπελάζειν und anderswo ἀππαλλάζειν wo er den Gebrauch den Jonern beylegt. Derſelbe hat das Stammwort ἀπελλαὶ, σηκοὶ, ἐκκλησίαι, ἀρχαιρεσίαι Verſammlung vorz. des Volks bey Wahlen. Er hat noch ἀπέλλακες, ἱερῶν κοινωνοὶ die mit einander opfern. Scheint mit ἀελλὴς, ἀολλὴς ἀελλίζω, ἀολλίζω einerley zu ſeyn mit eingeſchobnem π, alſo ἀελλάζω, ἀελλίζω, ἀολλίζω.

'Απέλλω, ſ. v. a. ἀπίλλω.

'Απελος, τὸ, (α, u. πέλος, pellis) die Wunde, ulcus, vulnus. Kallimach.

'Απελπίζω, f. ίσω, ſeine Hoffnung aufgeben, nicht mehr hoffen, verzweifeln m. d. Genit.; ſ. v. a. ἐλπίζω ἀπό τινὸς, von einem etwas hoffen. Luc. 6, 35; act. verzweifelnd machen, zur Verzweifelung bringen; dav. —πισμὸς, ὁ, Verzweifelung.

'Απεμέω, ῶ f. έσω, ausſpeyen.

'Απεμπολάω, ῶ, oder ἀπεμπολέω, verkaufen, verhandeln; bey Eur. Phoen. 1238 ψυχὰς ἀπεμπολᾶν, ſein Leben weggeben, Preiſs geben. —πολὴ, ἡ, od. ἀπεμπόλησις, ἡ, (ἀπεμπολάω) das Verkaufen, der Verkauf. —πολητὴς, οῦ, ὁ, (ἀπεμπολέω) Verkäufer.

'Απεμφαίνω, unähnlich, unwahrſcheinlich; abſurd, widerſinnig ſeyn. —φασις, εως, ἡ, Erklärung, v. ἐμφαίνω, deutlich, ſichtbar machen, erklären, zweif. —φερὴς, έος, ὁ, ἡ, unähnlich; ſ. ἐμφερὴς.

'Απέναντι, oder ἀπεναντίον, ἀπεναντίως, Adv. gegen über.

'Απενεόω, ῶ, f. ώσω, (ἐνεὸς) ſtumm machen, verſtummen machen. —νέπω, oder ἀπεννέπω, verbieten, unterſagen, z. B. τινὰ θαλάμων Eurip. Iphig. Aul. 553. verbitten.

'Απευθήριστος bey Sextus Hypot. 1. 33 falſch ſt. ἀναμφήριστος. —θής, έος, ὁ, ἡ, (πένθος) ohne Trauer, nicht traurend. —θητος, ὁ, ἡ, (πενθέω) nicht betrauert, unbeweint.

'Απενιαυτίζω, f. ίσω, ein Jahr abweſend ſeyn; davon —νιαυτισμὸς, ὁ, Abweſenheit auf ein Jahr. —ξαμαρτάνω, ſ. v. a. ἁμαρτάνω. —ξεργάζομαι, ein Werk vollenden, zu Stande bringen.

'Απέοικα, ἀπεοικότως, ἀπεοικώς, von ἀπείκω das Perfect. wovon ἀπεοικὼς d. Partic. und davon ἀπεοικότως wie ein Adverb. ich gleiche nicht, bin unähnlich, paſſe nicht, bin unſchicklich, ungeſchickt; auch bedeutet es widerſinnig ſeyn, und ἀπεοικὼς ſ. v. a. d. l. *alienus, abſonus*. ἀπεοικὼς πρὸς τὰ καλὰ abgeneigt für das Schöne. Polyb. 6, 26.

'Απέπαντος, ὁ, ἡ, nicht gereift oder erweicht; v. πεπαίνω. —πειρος, ὁ, ἡ, unreif, unzeitig. —πλος, ὁ, ἡ, ohne Peplus, Oberkleid.

'Απεπτέω, ῶ, nicht verdauen, Unverdaulichkeit haben; von —πτος, ὁ, ἡ, Adv. ἀπέπτως, ungekocht; unverdaut, unverdaulich; v. πέπτω.

'Απέπω, ἀπέπομαι, ſ. oben ἀπειπεῖν.

'Απεραντολογία, ἡ, unbegrenztes weitſchweifiges Reden, Geſchwätzigkeit; von —ραντολόγος, ὁ, ἡ, unbegrentzter Sprecher, Schwatzer; von —ραντος, ὁ, ἡ, (περαίνω) Adv. ἀπεράντως, unbegrenzt. —ρασις, εως, ἡ, das Wegbrechen, ἀπὸ, ἐράω, welches bey Alciphr. 3 Ep. 7 ſteht. —ραστος, ὁ, ἡ, (περάω) undurchdringlich, ohne Ausgang, unwegſam; ohne Grenze, πέρας. —ράτωτος, ον, unbegrenzt; v. περατόω. —ράω, ſ. ἀπέρασις.

'Απεργάζομαι, f. άσομαι, vollenden; ſeine verdungene Arbeit abarbeiten, o. als Schuldigkeit verrichten, wie ἀποδιδόναι. Xen. Mem. 1, 6. 5. dav. —γασία, ἡ, Vollendung; Ausarbeitung. —γαστικὸς, ἡ, ὸν, zum vollenden, vollbringen geſchickt, bereit; wirkſam, wie ἐργαστικός.

'Απεργὸς, ἡ, ὸν, (ἔργον) ohne Arbeit, unthätig, müſsig, faul.

'Απέργω, ſ. v. a. ἀπείργω.

'Απερείδω, das geendigte ἐρείδω, weil dieſes feſtſtellen, feſtdrücken, feſtſetzen, feſtſtecken bedeutet, ἀπερείδω aber die geendigte vollkommene Handlung ausdrückt, wie *defigo* das geendigte *figo* iſt; medium ἀπηρεισάμην τὴν ὄψιν εἰς τὸ ἀτενὲς Luz. ich hielt den Blick ſteif und feſt gerichtet; gewöhnl. ſich auflehnen, ſtützen auf etwas, worauf beſtehn, oder ſich verlaſſen; auch m. d. Akkuſ. wie ein Activ. εἰς ὃν σῶμα ἀπερειδόμενοι πληγὰς τοσαύτας Plutar. richteten mit Zorn und Gewalt die Wunden. ὅποι τὸν θυμὸν ἀπερείσονται Plutar. wie und wohin ſie ihren Zorn auslaſſen ſollten. τὴν ἄγνοιαν ἐπὶ τοὺς αἰτίους τῆς ἁμαρτίας Polyb. 38, 1: ſchieben, übertragen; auch im guten Sinne ἀπερεισαμένη τὴν χάριν ἐπὶ τὸν Δημήτριον eignete den Dank dafür dem Dem. allein zu, 24. 3 u. πᾶσαν τὴν ἐξ αὐτῶν χάριν καὶ πίστιν εἰς τὸν Δημ. ἀπηρείδοντο 24, 7. τὴν λείαν ἀπερείσασθαι εἰς τόπον τοιοῦτον 3, 92 die Beute ſicher niederlegen; wie τὰς δυνάμεις εἰς ἀσφαλὲς ἀπηρεῖσθαι νομίζων 3, 66. auch neutr. τὸ τοῦ δακτύλου κακὸν εἰς τὸν βουβῶνα ἀπερείδεται das Uebel wirft ſich auf die Schaamgegend und äuſsert da alle ſeine Kraft, bricht daſelbſt mit aller Gewalt aus. Eben ſo wird ἀποσκήπτω und ἀποσκήπτομαι gebraucht.

'Απερείσιος, ὁ, ἡ, ſt. ἀπειρέσιος. —ρεισις, εως, ἡ, das Feſtdrücken oder das Stützen, von ἀπερείδω. —ρεύγω, f. εύξω, ausſpeyen, von Flüſſen ausgieſſen, ergieſsen; davon —ρευξις, εως, ἡ, das Ausſpeyen, Ausgieſsen.

'Απερέω, in praſ. ungebräuchl. wov. ἀπείρηκα; v. ῥέω, ῥῆμα. —ρημόω, ῶ, f. ώσω, verwüſten, veroden, einſam, öde machen. —ρητύω, f. ύσω, abhalten. —ρίβλεπτος, ὁ, ἡ, (περιβλέπω) nicht zu überſeben, nicht leicht zu verhüten; nicht von allen Seiten betrachtet, nicht überall bekannt; act. ſich nicht vorſehend, unvorſichtig. —ρίβλητος, ὁ, ἡ, (περιβάλλω) nicht umworfen, nicht bekleidet. —ριγένητος, ον, (περιγίνομαι) den man nicht überwältigen, nicht betrügen kann. —ρίγραπτος, ὁ, ἡ, Adv. ἀπεριγράπτως, u. ἀπερίγραφος, ὁ, ἡ, nicht umzeichnet oder nicht eingeſchloſſen, nicht eingeſchränkt, unumgrenzt, unbegrenzt, unendlich, immerwährend; περιγράφω und περιγραφή.

'Απεριέργαστος, ὁ, ἡ, nicht ſorgfältig gemacht. Hierocles. —ριεργία, ἡ, das Gegentheil von περιεργία. —ριεργος, der nicht περίεργος iſt, einfach, ſimpel. Adv. ἀπεριέργως. —ριήγητος, ον, nicht erklärt. —ριήχητος, ον, nicht umſchallt oder umtönt. —ρικάθαρτος, ὁ, ἡ, nicht gereinigt, ſchmutzig. —ρικάλυπτος, ὁ, ἡ, nicht umhüllt, nicht bedeckt; offen, frey. —ρικόπως, Adv. (κόπος) ohne Mühe; ohne äuſſeres Aufſehn zu machen, περικοπή, zw. —ρικτύπητος, ὁ, ἡ; ſ. v. a. ἀπεριήχητος, von περικτυπέω. —ριλάλητος, ὁ, ἡ, (περιλαλέω) unbeſchwatzbar oder nicht durch Schwatzen zu beſiegen. Ariſtoph. Ran.

Ἀπερίληπτος, ὁ, ἡ, (περιλαμβάνω) unumfaſst, unbegrenzt; unbeſtimmt. —ϱιμέϱιμνος, ὁ, ἡ, Adv. ἀπεριμερίμνως, unbeſorgt, unbekümmert, von μέριμνα. —ϱινόητος, ὁ, ἡ, (περινοέω) mit dem Verſtande nicht zu umfaſſen, unbegreiflich. Adv. ἀπερινοήτως, unverſehens Polyb. 4, 57. —ϱίοδος, ον, ohne Perioden, unperiodiſch. —ϱίοπτος, ον, (περιέπτομαι) Adv. ἀπεριόπτως, ſich nicht umſehend, ſich nicht bekümmernd, ſorglos, unvorſichtig. —ϱιόϱιστος, ὁ, ἡ, (περιορίζω) unbegrenzt, unbeſtimmt. —ϱίπτυκτος, ον, nicht umhüllt, nicht eingewickelt, nicht umarmt. —ϱίπτωτος, ὁ, ἡ. (περιπίπτω) nicht fallend, nicht fehlend, keinem Unglück ausgeſetzt, keines Irrthums fähig. —ϱισάλπιγκτος, ὁ, ἡ, (περισαλπίζομαι) nicht vom Trompetenklange umrauſcht. —ϱίσκεπτος, ὁ, ἡ, Adv. ἀπερισκέπτως, nicht von allen Seiten angeſehen, unüberlegt, unbeſonnen v. περισκέπτομαι; davon —ϱισκεψία, ἡ, Mangel an Ueberlegung, Unvorſichtigkeit, Unbeſonnenheit. —ϱισκόπητος, und ἀπερίσκοπος, ſ. v. a. ἀπερίσκεπτος. —ϱίσπαστος, ὁ, ἡ, Adv. ἀπερισπάστως, nicht verzerrt, nicht zerſtreut, wie *negotiis diſtractus*, ungehindert oder nicht beſchäftigt. πιθανὸν ἀπ. *probabilis viſio quae non impediatur* der Akademiker.

Ἀπερισσεία, ἡ, Mangel an überflüſſigen Säften. Theophr. C. Pl. 2, 12. —ϱισσόχϱονος, ὁ, ἡ, Theophr. C. P. 1, 22 κατὰ τὰς κυήσεις καὶ τὰς ἐκτροφὰς ἀπερισσότροφα nicht in der Zeit des Tragens und Gebärens verſchieden, ſo daſs eins vor ein anderes über die Zeit trägt und gebiert. —ϱίστατος, ὁ, ἡ, ohne Umſtände; vorz. ohne widrige; ῥαστώνη Polyb. 6, 44 ſichere ungeſtörte Ruhe; nicht umringt, nicht umgeben, von Freunden, d. i. unſicher, ohne Schutz, als σῶσον ἀπερίστατον ἄνδρα Phocyl. Adv. ἀπεριστάτως. —ϱίστρεπτος, ὁ, ἡ, (περιστρέφω) nicht umzukehren, nicht umzuwenden; ſich nicht umwendend, nicht umgekehrt. —ϱίτμητος, ὁ, ἡ, (περιτέμνω) unbeſchnitten. —ϱίτροπος, ὁ, ἡ, oder ἀπερίτροπος, ὁ, ἡ, (περιτρέπω) nicht umzukehren, nicht umzuwenden, ſich nicht umkehrend, als das Jahr, daher nicht wieder- oder zurückkehrend, Sophocl. Electr. 182. —ϱιττος oder ἀπέρισσος, Adv. ἀπερίττως, ohne Ueberfluſs, ohne überflüſsige Pracht, ohne Verſchwendung, ohne Putz, ſchlechtweg gemacht, einfach, ungeſchminkt, ungeziert. —ϱίττωτος, ὁ, ἡ, ohne περιττώματα, im Gegenſ. von περιττωματικὸς. —ϱιφεϱὴς, έος, ὁ, ἡ, nicht rund herum gehend, nicht gerundet.

Ἀπέϱϱω, fortgehn, vorz. zu ſeinem Unglücke weggehn; ἄπεϱϱε, packe dich fort, geh zum Henker. S. ἔϱϱω. —ϱυθϱιάω, ῶ, f. άσω, nicht mehr erröthen oder ſchaamroth werden, ſich unverſchämt betragen, ἐρυθριάω, ἀπὸ. —ϱύκω, f. ξω, abwehren, abhalten, abtreiben. —ϱυσιβόω, ῶ, durch Mehlthau verzehren, verderben. S. ἐρυσίβη. —ϱύω, f. ύσω, abziehen, wegziehen.

Ἀπέϱχομαι, f. ελεύσομαι, abgehen, weggehen, fortgehen; auch ſterben, aus der Welt gehn.

Ἀπεϱωεὺς, έως, ὁ, d. i. ἀπερωέων, der abhält, aufhält; von —ϱωέω, ῶ, abhalten, aufhalten; neutr. abgehen, abſtehen, als πολέμου Hom. Il. 16, 723. ſ. v. a. ἀφορμᾶν v. ἐρωὴ ſ. v. a. ὁρμή. —ϱωπος, S. ἀπέρωτος. Heſych. hat auch ἀπερώπως θαυμαστῶς, ἀδοκήτως. —ϱωτος, bey Aeſchyl. Coeph. 598 wird ἀπέρωτος durch στυγνὸς ὑπερήφανος erklärt; aber das Etymol. M. und Heſych. leſen ἀπέρωπος d. i. ἀπάνθρωπος, hart, grauſam, unfreundlich. Vielleicht iſt es mit ἀπέροπος und ἠπεροπεύω einerley.

Ἀπεσθίω, abeſſen, verzehren; nicht eſſen. Theopomp. com. ap. Athenae. 14 p. 649.

Ἀπέσσουα S. ἀπόσσουμι.

Ἀπεστὼ, οῦς, οῖ, ἡ, Abweſenheit, von ἄπειμι, wie εὐεστώ. Herod. 9, 84. auch ſ. v. a. ἀποδημία. Heſych. hat auch ἀπεστὺς für ἀποχώρησις.

Ἀπέτηλος, ὁ, ἡ, (πέταλον) ohne Blätter.

Ἀπευδιασμὸς, ὁ, das Helle- Heiter-werden oder machen; κυμάτων, Beſänftigung der Wellen. Jambl. Pyth. §. 29. von εὐδιάζω. —δοκέω, ῶ, keinen Gefallen haben, μὴ εὐδοκέω, verachten, verwerfen.

Ἀπευνέω und ἀπευύω. S. εὔω.

Ἀπευθανατίζω, f. ίσω, gut oder glücklich hin- oder wegſterben. 2 Maccab. 6, 28. nach Heſych, ſ. v. a. ἀποθνήσκω. —θὴς, έος, ὁ, ἡ, oder ἄπευθος, unerforſcht, nicht bekannt geworden; act. der es nicht erforſcht, nicht kennen gelernt hat, unerfahren, Hom. Od. 3, 184. von πύθομαι, πεύθομαι. —θύνω, wieder gerade oder eben machen, od. verbeſſern; daher züchtigen wie εὐθύνω; Sophocl. Aj. 72. χέρας ἀπ. δεσμοῖς die Hände gerade und feſte binden,

Ἀπευκος, ὁ, ἡ, (πεύκη) ohne Kien oder Fettigkeit, verbunden mit ἔνδαδος beym Theophr. hiſt. pl. 3, 10. —κταῖος, ὁ, ἡ, oder ἀπευκτος, ὁ, ἡ, (ἀπεύχομαι) verwünſchens- verabſcheuungswerth.

'Απευνάζω, f. άσω, zu Bette u. in Schlaf bringen, einschläfern; lindern. Sophocl.

'Άπευστος, ὁ, ἡ, f. v. a. ἀπευθής.

'Απευτακτέω, d. i. μὴ εὐτακτέω, oder f. v. a. εὐτακτέω. zweif.

'Απεύχετος, ου, f. v. a. ἄπευκτος. —χομαι, fut. ξομαι, verbitten, wegwünschen, verwünschen, verfluchen, verabscheuen.

'Απευωνίζω, f. ίσω, aus Lucian wird καθαιρεῖν καὶ ἀπευωνίζειν τὴν δυναστείαν angeführt für ἐξουθενίζειν ihre Macht geringfügig, verächtlich machen. S. ἐπευωνίζω.

'Άπεφθος, (ἀπὸ, ἕπτω) *aurum excoctum*, gereinigtes Gold.

'Απεχθαίρω, f. αρῶ, anfeinden, hassen, verhasst machen, Hom. Od. 4, 105. —χθάνομαι, f. χθήσομαι, ἀπεχθέομαι u. ἀπέχθομαι, verhasst seyn, m. d. Dat. verfeindet seyn; auch m. πρὸς u. d. Akk. λόγοι ἀπεχθανόμενοι, verfeindende Reden, den ἄγοντες εἰς φιλίαν entgegengesetzt bey Xenoph. Symp. 4. ἀπεχθάνεσθαί τινα für hassen, wird aus Xen. Hier. 8. angeführt, aber ἡμᾶς gehört zum folgenden. —χθεια, ἡ, Hass, Feindschaft; v. ἀπεχθής. —χθημα, ατος, τὸ, verhasste Sache, Person; von ἀπεχθέω. —χθήμων, ὁ, ἡ, und ἀπεχθής, ὁ, ἡ, (ἀπεχθέω) verhasst, verfeindet, gehässig, feindlich, Adv. ἀπεχθῶς. —χθητικὸς, ἡ, ὸν, sich oder andere verhasst machend. —χθομαι, f. θήσομαι, f. v. a. ἀπεχθάνομαι. —χυρόω, ῶ, f. ώσω, festgemacht darstellen; von ἐχυρόω.

'Απέχω, f. ἀφέξω, abhalten, als χεῖρας τινὸς Hom. Il. 1, 97. Eben so beym Plato Cratyl. 23. οὐδὲν ἀπέχει st. οὐδ. κωλύει, Hippocr. de arte c. 8 nichts hindert, steht im Wege; daher es ist wahrscheinlich, Plutarch: ἄπεχε τὸν μισθὸν, empfange den Lohn; neutr. abstehen, heraus, hervorstehn, bey Hippocr. nat. puer. p. 220. entfernt seyn. Die Entfernung steht im accusat. dabey. Xen. Cyr. und daher vom Ort übergetr. auf Dinge: von Verbrechen entfernt seyn, deren sich nicht schuldig machen Xen. Mem. 1, 2. 62.; davon haben, ἔχω ἀπὸ, davon bekommen, davon geniessen, als καρπὸν, μισθὸν Plut. und Matth. 6, 5.; med. ἀπέχομαι τινὸς, sich einer Sache enthalten, sich von ihr entfernt halten.

'Απεψία, ἡ, Unverdauung, Unverdaulichkeit; von πέψις.

'Απέψω, st. ἀφέψω, abkochen, einkochen.

'Απηγορέω ῶ, bey Aristot. Probl. ἀπηγορέομαι f. v. a. ἀπολογέομαι, sich verantworten; davon —γόρημα, ατος, τὸ, Verantwortung, Vertheidigung. Plat. Rep. 6. S. ἀπηγορέω.

'Απήδαλος, ὁ, ἡ, (πηδάλιον) ohne Steuerruder. zweif.

'Απηθέω, ῶ, von etwas durchseigen, durchschlagen, Aristoph. Ran. 970. — —θημα, τος, τὸ, das Durchgeschlagene, das Abgeseigte.

'Απηκριβωμένως, genau oder vollkommen, v. ἀπακριβόω, Adv. part. praet. pass.

'Άπηκτος, ὁ, ἡ, (πηγνύω) nicht befestigt, nicht zusammengefügt; nicht geronnen oder gefroren.

'Απηλεγέω, S. ἀνηλεγέω. —λεγέως S. das folgende —λεγὴς, έος, ὁ, ἡ, θάνατος bey Gregor Naz. der grausame unerbittliche Tod. Adv. ἀπηλεγῶς poet. ἀπηλεγέως bey Homer mit ἀποειπεῖν gerade heraus, unverholen sagen. Nicand. Ther. 495 verbindet es mit διαμπερέως genau. Davon scheint ἀνηλεγὴς, sorglos, ganz verschieden zu seyn.

'Απηλιαστὴς, οῦ, ὁ, d. i. ἀπελάζων. —λιθιόω, ῶ, f. ώσω, dumm, einfältig machen. —λιώτης, ου, ὁ, verst. ἄνεμος, *subsolanus*, der Windstrich, den wir Ost nennen.

'Απήμαντος, ὁ, ἡ, (πημαίνω) nicht verletzt, Hom. Od. 19, 282. unschädlich. —μελημένως, vernachlässigt, Adv. partic. praet. pass. v. ἀπαμελέω. —μοσύνη, ἡ, Zustand, Lage eines ἀπήμων.

'Απήμων, ονος, ὁ, ἡ, (πῆμα) ohne Schaden, unbeschädigt, unverletzt; act. unschädlich.

'Απήνεια, ἡ, Charakter, Betragen eines ἀπηνὴς, Härte, Unbiegsamkeit, Wildheit, u. s. w. —νεμος, ὁ, ἡ, (ἄνεμος) ohne Wind, windstill.

'Απήνη, ἡ, ein Wagen, eine Kutsche von Maulthieren gezogen, nach Pausan. 5, 9. Hom. Od. 6, 73 u. Il. 24, 324.

'Απηνὴς, έος, ὁ, ἡ, das Gegentheil von ἐνηὴς und προσηνὴς, und von einerley Ursprunge, unsanft, unmilde, hart, unfreundlich, wild, unbiegsam, *immitis*; b. Aristoph. Nub. μηδὲν ἀπηνὲς, nichts unschickliches. Adv. ἀπηνῶς. —νητεύομαι, Nicetas Annal. 8, 7. unverschämt behaupten, 'w[illegible] ἀπηνηδεύοντο steht. Suidas hat ἀπηνεώθη, ὠμὸς ἐγεγόνει. von ἀπηνής. zw. —νίκωται καὶ τανύπεπλοι γυναῖκες Nicetas Annal. 20, 5. von πηνίκη, πηνικόω? zw. Bed.

'Απηόριος und ἀπήορος, ὁ, ἡ, in der Höhe hangend, schwebend, herabhängend; erhaben, hoch; von ἀπὸ u. ἀείρω.

'Απηρὴς, έος, ὁ, ἡ, (πηρὸς) nicht verstümmelt, unverstümmelt, unversehrt, f. v. a. ἀπήμων Apollon. 1. 888.

'Άπηρος, ὁ, ἡ, ohne πήρα; auch f. v. a. ἀπηρὴς. —ρωτος, ὁ, ἡ, (πηρόω) unverstümmelt, ganz, unversehrt.

'Απηχέω, ῶ, wieder- oder zurücktönen; misstönen, wie ἀπᾴδω; davon —χημα, ατος, τὸ, das Wiedertonen, der Nachklang, Wiederhall; im Axioch. nachgesagte Lehren. Bey den Wundärzten eine Kopfwunde der Stelle gegenüber, wo der Schlag hin kam. —χὴς, ὁ, ἡ, Adv. ἀπηχῶς, misstönend, unharmonisch, unangenehm. —χησις, εως, ἡ, das Wiedertönen oder Misstönen.

'Απήωρος, ὁ, ἡ, s. v. a. ἀπηόριος u. ἀπήορος Hom. Od. 12, 435.

'Απιάλλω f. v. a. ἀποπέμπω ein lakon. oder dorisches Wort. Thucyd. 5, 77.

'Απίθανος, ὁ, ἡ, (πείθω) Adv. ἀπιθάνως, nicht überredend, überzeugend, nicht glaublich, unwahrscheinlich; dem man nicht gehorcht; davon —θανότης, ητος, ἡ, Unwahrscheinlichkeit; Mangel an Gabe der Ueberredung, Ueberzeugung. —θέω, ῶ, s. v. a. ἀπειθέω. —θύνω, s. v. a. ἀπευθύνω, gerade machen, richten, lenken, leiten.

'Απικρος, ὁ, ἡ, d. i. μὴ πικρὸς, unbitter. —κρόχολος, ὁ, ἡ, d. i. μὴ πικρῆς χολῆς, nicht von bittrer Galle, nicht gallsüchtig oder jähzornig.

'Απιλλαῖος, bey den Gazäern der Dezember.

'Απίλλω, (ἕλω, εἴλω, εἰλέω, ἴλλω, ἕλλω) auch ἀπέλλω u. ἀπείλλω, ich treibe ab, schliesse aus, sondre ab. Lysias. S. εἰλέω und ἴλλω.

'Απιμελὴς, έος, ὁ, ἡ, od. ἀπίμελος, ὁ, ἡ, (πιμελὴ) ohne Fett, nicht fett.

'Απινὴς, έος, ὁ, ἡ, (πῖνος) ohne Schmutz, nicht schmutzig. —νύσσω, unweise, unklug seyn, handeln. Od. 5, 342. 2) κῆρ ἀπιν. Il. 15, 10 ohne Besinnung.

'Απιον, τὸ, Birne; 2) d. i. *apium*, mit essbarer Wurzel.

'Απιος, ἡ, Birnbaum; 2) eine Art von Wolfsmilch, auch ἰσχὰς, *Euphorbia apios* Linn. von birnförmiger Wurzel.

'Απιος, ία, ιον, ferne, v. ἀπὸ. ἐξ ἀπίης γαίης Odyss. 16, 18.

'Απισόω, ῶ, f. ώσω, abgleichen; gleich, eben machen, wie ἰσόω.

'Απίσσωτος, ὁ, ἡ, (πισσόω) unverpicht.

'Απιστέω, ῶ, ich bin ἄπιστος, habe keinen Glauben, kein Zutrauen; glaube nicht, traue nicht, bin misstrauisch; folge, gehorche nicht Xen. An. 2, 6. 19. —στητικὸς, ἡ, ὀν, ungläubig. —στία, ἡ, (πίστις) Mangel an Glauben oder Misstrauen; Mangel an Treue, an Zuverlässigkeit, an Ehrlichkeit, od. Treulosigkeit, v. ἀπιστέω. —στος, ὁ, ἡ, (πίστις) Adv. ἀπίστως, ohne Glauben, nicht zu glauben, nicht glaublich; ohne Glauben, d. i. ohne Treue, treulos, oder dem nicht zu trauen; act. ohne Glauben, nicht glaubend, nicht trauend. —στοσύνη, ἡ, s. v. a. ἀπιστία.

'Απισχναίνω, oder ἀπισχνόω, ganz mager machen. S. ἰσχνὸς.

'Απισχυρίζομαι, ich weigere mich standhaft, setze mich entgegen, dargegen Plutar. Otho 16. πρός τινα. Thucyd. 1. 140. ὅπερ ἐπειδὰν λάβηται πέτρας, ἀπισχυρίζεται Synes. halt sich daran fest.

'Απίσχω, s. v. a. ἀπέχω.

'Απίσωσις, εως, ἡ, Gleichung, v. ἀπισόω.

'Απίτης, ου, ὁ, verst. οἶνος (ἄπιον) Birnwein, Cider.

'Απίττωτος, ὁ, ἡ, s. v. a. ἀπίσσωτος.

'Απιχθυς, υος, ὁ, ἡ, der keine Fische isset, wie ἀπόσιτος.

'Απίων, ὁ, ἡ, (πίων) nicht fett.

'Απλαῖ, αἱ, Demosth. p. 1267 eine Art von lakonischen Schuhen mit einfacher Sohle. von ἁπλοῦς, wie 'Ιφικρατίδες u. andre ähnl. Formen.

'Απλάκητος, ὁ, ἡ, der nicht irrt oder fehlt. Sophocl. Trach. 120 u. Oed. tyr. 472 wo vor Brunk ἀναμπλάκητοι oder ἀναπλάκητοι stand.

'Απλάνεια, ἡ, Lage, Charakter eines ἀπλανὴς, Stätigkeit, Beständigkeit, Untrüglichkeit.

'Απλανὴς, έος, ὁ, ἡ, (πλάνη) ohne Irrthum, nicht herumirrend, nicht herumschweifend. Adv. ἀπλανῶς. Eben das ist ἀπλάνητος, v. πλανάομαι, oder unverirrt, ungetäuscht, von πλανάω.

'Απλαστος, ὁ, ἡ, Adv. ἀπλάστως, nicht gebildet, ungeformt; übergetragen wirklich, nicht im Bilde; auch ungeschmückt, unverstellt.

'Απλατὴς, έος, ὁ, ἡ, (πλάτος) ohne Weite.

'Απλατος, ὁ, ἡ, st. ἀπέλατος, v. πελάω; s. v. a. d. jonische ἄπλητος, eigentl. dem man sich nicht nähern kann, darf, daher schrecklich, furchtbar, fürchterlich; auch scheint es bisweilen für ἄπλετος, unermesslich, sehr gross, zu stehn.

'Απλεονέκτητος, ου, (πλεονεκτέω) nicht be- oder übervortheilt.

'Απλετομεγέθης, ες, (μέγεθος) von unermesslicher Grösse, unermesslich gross.

'Απλετος, ὁ, ἡ, auch in Prosa gebr. unermesslich; sehr gross. Man leitet es von πλέω, πλῆμι füllen her, also unendlich weit, nicht auszufüllen, unermesslich gross und weit.

'Απλευρος, ὁ, ἡ, (πλευρὰ) ohne Seite, nach Hesych. auch der die Seiten unbedeckt hat.

'Απλευστος, ον, (πλέω) nicht zu beschiffen, nicht schiffbar.

'Απλήγιος, ὁ, ἡ, s. v. a. ἄπλοος. komisch bey m Eupolis von ἀπληγίς, einem engen einfachen Oberkleide.

'Απληγὶς, ίδος, ἡ, nämlich χλαῖνα, ein einfaches Kleid, der διπλῆγις entgegengeſetzt.

'Απληθὴς, έος, ὁ, ἡ, (πλῆθος) ohne Fülle, nicht voll; zw.

'Απληκτος, ὁ, ἡ, (πλήσσω) ungeſchlagen, unverwundet.

'Απλημμελὴς, ές, d. i. οὐ πλημμελὴς, ohne Fehler, untadelhaſt.

'Απλήμων, ονος, ὁ, ἡ, (πλέω, πλῆμι) nicht auszufüllen, unerſättlich. Heſych.

'Απλὴξ, ῆγος, ὁ, ἡ, ſ. v. a. ἄπληκτος.

'Απλήρωτος, ὁ, ἡ, (πληρόω) Adv. ἀπληρώτως, nicht auszufüllen, unerſättlich; nicht ausgefüllt.

'Απληστεύομαι, f. εύσομαι, ich bin ἄπληστος, unerſättlich, heiſshungrig. —στία, ἡ, Unerſättlichkeit, Heiſshunger. —στοινος, ον, unerſättlich im Weine; zw.

'Απληστος, ὁ, ἡ, (πλέω, πλῆμι) Adv. ἀπλήστως, nicht auszufüllen, unerſättlich; eben ſo vom Raume, unendlich groſs.

'Απλητος, ὁ, ἡ, ſ. v. a. ἄπλατος.

'Απλόη, ἡ, ſ. v. a. ἁπλότης.

'Απλόθριξ, χος, ὁ, ἡ, mit einfachem, geraden, ſchlichten Haare, dem krauſen entgegengeſetzt.

'Απλοια, ἡ, (πλόος) Mangel an Schiffahrt, Zeit, wo man nicht ſchiffen kann.

'Απλοΐζομαι, f. ίσομαι, ich betrage mich oder handle wie ein ἁπλοῦς, handle offen, frey. —ϊκὸς, ἡ, ὸν, Adv. ἁπλοϊκῶς, ſ. v. a. ἁπλοῦς. —ϊς, ίδος, ἡ, ſ. v. a. ἀπληγὶς, Hom. Il. 24. 230. —όκομος, ον, ſ. v. a. ἁπλόθριξ, ὁ, ἡ; aber für kahl zw.

'Απλόκος, ὁ, ἡ, (πλέκω) ungeflochten.

'Απλοκύων, ὁ, d. i. ἁπλοῦς κύων, heiſst Antiſthenes der Cyniker bey Diog. Laert. mit einfachem Kleide; weil er ἁπλοῖς nicht διπλοῖς trug.

'Απλόος, όη, όον, contr. ἁπλοῦς, ῆ, οῦν, einfach; daher übergetragen, ein Menſch ohne Falten, d. i. im guten Sinne, ohne Falſch, deſſen Herz nicht zwey Falten hat, offen, gerade; auch ungeſchmückt; auch im ſchlechten Sinne, einfältig, dumm, ſimpel. Eben ſo von Dingen, wahr, wahrhaftig, ausgemacht, offenbar.

'Απλοος, contr. ἄπλους, ὁ, ἡ, (πλόος) ohne Schiffahrt; nicht ſchiffbar; der nicht zu Schiffe geweſen iſt; der nicht fahren kann.

'Απλοσύνη, ἡ, ſ. v. a. ἁπλότης. —σχήμων, (σχῆμα) von einfacher Stellung, Geſtalt, Bildung, Gebärde.

'Απλότης, ητος, ἡ, Einfachheit, Offenheit, Geradheit, Ehrlichkeit, Charakter eines ἁπλοῦς. —τομέω und dav. ἁπλοτομία, ἡ, mit dem einfachen Schnitte operiren; die Operation durch den einfachen Schnitt. Chirurg. vet.

'Απλούστερος, v. ἁπλοῦς in compar.; auch hat Suidas aus Thucyd. ἁπλούστεραι νῆες wo jetzt ἁπλοώτεραι ſteht.

'Απλουτος, ὁ, ἡ, (πλοῦτος) ohne Reichthum, arm.

'Απλόω, ῶ, f. ώσω, entfalten, ausbreiten; ausdehnen, öffnen, u. ſ. w.

'Απλυσία, ἡ, Schmutz, der Zuſtand eines ἄπλυτος, wie ἀλουσία; v. πλύνω. —σίας, ὁ, σπόγγος eine Art von Schwamm Ariſtot. hiſt. an. 5, 16. Plin. 9, 45. von der Farbe.

'Απλυτος, ὁ, ἡ, ungebleuet, ungewaſchen, ſchmutzig; v. πλύνω.

'Απλωμα, τος, τὸ, das Entfalten, die Ausbreitung, Ausdehnung, v. ἁπλόω.

'Απλῶς, Adv. v. ἁπλοῦς, einfach; auf einerley Art, als τὰ ἁπλῶς ἢ τὰ πολλαχῶς λεγόμενα Plut.; überhaupt, im Allgemeinen, ſchlechthin, als διδάσκειν Xen. Cyr. 1, 6. 33.; ſchlechtweg, ungekünſtelt, z. B. bey λέγειν, im Gegenſ. von ἀκριβῶς Iſocr.

'Απλωτος, ὁ, ἡ, ſ. v. a. ἄπλοος, v. πλώω, unbeſchifft.

'Απνεὴς, έος, ὁ, ἡ, ſtark blaſend, als πῦρ Epigr. oder ſ. v. a. ἄπνοος, nicht blaſend, oder athmend.

'Απνεύματος, ὁ, ἡ, (πνεῦμα) nicht durchweht, ohne Wind.

'Απνευστὶ, Adv. ohne Athem zu holen, in einem Athemzuge, hinter einander fort; v. ἄπνευστος. —ευστία, ἡ, das Nichtathemholen, Anhalten des Athems; von ἄπνευστος. —ευστιάζω, f. άσω, ich halte den Athem zurück. —ευστος, ὁ, ἡ, Adv. ἀπνεύστως, der nicht athmen kann; der nicht mehr athmet, oder todt, beym Hom. mit ἄναυδος verbunden, Odyſſ. 5. 456. von πνέω.

'Απνοια, ἡ, Windſtille; von

'Απνοος, όου, contr. ἄπνους, ὁ, ἡ, (πνέω) ohne Wind, nicht wehend; ohne Athem, nicht mehr athmend, od. todt, wie ἄπνευστος.

'Απὸ, Praep. das lat. *ab, abs*, von, gebraucht von Menſchen, Ort und Zeit, alſo *a, de, ex*; wegen, vor, φόβος ἀπὸ τινὸς. In der compoſit. wieder, als ἀποδίδωμι, oder zer, ver. Oder es verſtärkt auch die Bedeutung des ſimpl. oder es endiget die angefangene Bedeut. und Handlung, wie ἐρείδω, *figo*, ἀπερείδω, *defigo*, u. ſ. w.

'Απο, Adv. davon, fern; eigentl. die praepoſ. ohne caſus od. mit zurückgezogenem Accent.

'Αποαίνυμαι, davon od. wegnehmen, abnehmen, Hom. Il. 13, 262.

'Αποαιρέομαι, οῦμαι, ſt. ἀφαιρέομαι. joniſch.

'Αποβαδίζω, f. ίσω, weggehen. —**βάθρα**, ἡ, Leiter vom herabsteigen, ἀπο**βαίνω**. S. ἀναβάθρα. —**βαίνω**, ἀπόβημι, (ἀποβάω) als Act. ich lasse absteigen, τὴν στρατιὴν ἀπέβησε Herodot. 5, 65 setzte sie aus den Schiffen ans Land; 2) als Neutrum ich steige, gehe herab; ich gehe fort; 3) vom Ausgange einer Sache, *euenire.* —**βάλλω**, wegwerfen, abwerfen, z. B. vom Throne stürzen Xen. Cyr. 3, 1. 30. verwerfen, nicht haben mögen; verschleudern, eine Sache wegwerfen, oder sie sehr wohlfeil verkaufen Xen. Oec. 20, 28; wegwerfen, ohne dass man es weiss, oder wenn man es thun muss, d. i. verlieren, einen Verlust erleiden.

'Αποβάπτω, f. ψω, eintauchen, untertauchen. —**βασις**, εως, ἡ, das Herabsteigen, Aussteigen aus dem Schiffe, *descente* franz.; das Weggehn; der Ausgang, von ἀποβαίνω. —**βαστάζω**, davon, herab- oder wegtragen, wegbringen. —**βάτης**, ου, ὁ, (ἀποβαίνω) der herabsteigt, herabspringt, z. B. beym Wagenrennen oder Pferderennen vom Wagen oder von einem Pferde aufs andere mitten im Rennen, wie *desultor.* Daher ἀποβάτην ἀγωνίσασθαι Plut. S. auch ἀναβάτης und Dionys. Hal. 7, 73. davon —**βατικὸς**, ἡ, ὸν, nämlich ἀγὼν und τρόχος, eine solche Uebung des ἀποβάτης. —**βηματίζω**, herunterwerfen, *de gradu dejicere* Plut. de nobilit —**βημι**, S. ἀποβαίνω. —**βήσσω**, ἀποβήττω, f. ξω, auf- od. weghusten, auswerfen. —**βιάζομαι**, f. άσομαι, mit Gewalt fortstossen, fortdrängen, fortbringen, mit Gewalt von sich geben oder herausbringen, wie *eniti*; selten wird es passive gebraucht. —**βιβάζω**, f. άσω, heraus und ans Land setzen, eigentl. das ἀποβάω, ἀποβαίνω active gebraucht, s. v. a. ἀποβαίνειν ποιῶ lasse aussteigen, von βάω, βάνω, βαίνω, βάζω, βιβάζω, βῆμι. —**βιόω**, ῶ, f. ώσω, ableben, sterben; davon —**βίωσις**, εως, ἡ, das Ableben, Tod. —**βλάπτω**, f. ψω, s. v. a. βλάπτω. ἀποβλάπτεσθαί τινος, Schaden an einem leiden, d. i. einen verlieren, z. B. φίλου Sophocl. Aj. 954. —**βλαστάνω**, auch ἀποβλαστάω und ἀποβλαστέω, auf- oder hervorsprossen; davon —**βλάστημα**, ατος, τὸ, das Hervorgekeimte, Keim, Sprössling; metaph. Abkömmling, Kind. —**βλάστησις**, εως, ἡ, das Hervor- oder Herauskeimen oder Sprossen. —**βλέμμα**, ατος, τὸ, der Hinblick, Anblick, Zurückblick. —**βλεπτος**, ὁ, ἡ, von weitem gesehn, oder sichtbar; hernach s. v. a. περίβλεπτος, ansehnlich, bewundert. S. ἀποβλέπω. —**βλέπω**, f. ψω, ich sehe auf einen, etwas; entweder um es zu betrachten, zu bewundern; daher 2) ich nehme darauf Rücksicht; 3) ich bewundere; oder 4) ich blicke mit wartenden Augen auf etwas, erwarte etwas; daher παρὰ σοῦ ὠφεληθησόμενοι ἀποβλέπουσι Xenoph. Oec. 2, 8. wie die gierigen Hunde, ἀποβλέπουσιν εἰς τὴν τράπεζαν, sehen immer auf den Tisch, *respectant mensam.*

'Απόβλημα, ατος, τὸ, (ἀποβάλλω) das Weggeworfene, was man wegwirft. —**βλητικὸς**, ἡ, ὸν, zum verlieren, verwerfen, wegwerfen eingerichtet oder geschickt; von —**βλητος**, ὁ, ἡ, weggeworfen, fortgeworfen, verworfen; wegzuwerfen, zu verwerfen, verwerflich, verachtlich; von ἀποβάλλω. —**βλίσσω**, ἀποβλίττω, ich nehme beym Zeideln der Bienenstöcke weg, metaph. ἀπέβλισεν, Aristoph. Av. 498. —**βλύζω**, f. ύσω, oder ἀποβλύω, aufsprudeln, heraussprudeln; daher wegen der Aehnlichkeit ausspeyen, als (τὶ) οἴνου Hom. Il. 9, 487. —**βλώσκω**, weggehen.

'Αποβοὴ, Thucyd. 8, 92. Xenoph. Hell. 2, 4, 31. ὅσον ἀποβοῆς ἕνεκα ὀργίζεσθαι, προσβάλλειν, wie καταβοῆς ἕνεκα, wo gewöhnlich ἀπὸ βοῆς ἕνεκα steht; nur zum Scheine, indem man bloss schreyt, als wenn man einen schrecken wollte.

'Αποβολεὺς, έως, ὁ, d. i. ἀποβάλλων, wegwerfend, als ὅπλων Plato. —**βολὴ**, ἡ, das Wegwerfen, Verwerfen, Verschleudern, oder der Verlust; v. ἀποβάλλω. —**βολιμαῖος**, ὁ, ἡ, der gewöhnlich oder gerne wegwirft, als ὅπλων Aristoph. der gewöhnlich weggeworfen wird. —**βόσκομαι**, abweiden, absressen. —**βουκολέω**, ich lasse als Hirte von der Heerde verirren und verliere Vieh. τῶν βοῶν ὀκτὼ τὰς ἀρίστας ἀπεβουκόλησεν. Longus. metaph. v. Menschen, verlieren, darum kommen Cyrop. 1, 4, 14. μὴ ἀπολειφθεὶς ἡμῶν ἀποβουκοληθῇ Lucian.; 2) täuschen, abführen; s. βουκολέω; davon

'Αποβουκόλημα, ατος, τὸ, das Anführen, Abführen, Tauschen. —**βουκολίζω**, f. ίσω, s. v. a. ἀποβουκολέω. Theophyl. Simoc. 3. 7.

'Αποβράζω, ἀποβράσσω u. ἀποβράττω, ich werfe aus, eigentl. von innerlich erschütterten Körpern, auch von kochendem Wasser, feuerspeyenden Bergen, auch vom Mehle, das beym Sieben abgesondert wird; daher ἀπόβρασμα, die Kleye, bey Kallimachus τῆς οὐδὲν ἀπέβρασε φαῦλον ἀλετρίς; auch abkochen oder zu kochen aufhören, wie *defervescere.* Alciphr. Ep. 1, 23. —**βρασμα**, ατος, τὸ, Auswurf, Schaum, Kleye; s. ἀποβράζω. —**βράσσω** u. ἀποβράττω s. v. a. ἀποβράζω. —**βρέγμα**, ατος, τὸ, der Aufguss, das Wasser oder die Feuchtigkeit, worinne etwas eingeweicht gewesen ist, und ihr seine Kräfte mitgetheilt hat; von

'Αποβρέχω, f. ξω, einweichen, aufweichen in einem Aufguſſe. —βρίζω, f. ίξω, einnicken, einschlummern, einschlafen. Hom. Od. 9, 151. 12, 7. S. βρίζω. —βρίθω, f. ίσω, durch seine Schwere niederdrücken, heraus oder davon drucken, f. v. a. d. ungewohnl. ἀποβαρύνω. —βροχὴ, ἡ, das Einweichen; v. ἀποβρέχω. —βροχθίζω, verschlucken, verschlingen; v. βρόχθος. —βροχίζω, ich knüpfe ab; λαιμὸν ἀπεβρόχισε Anal. Brunk. 2, 281 schnürte die Kehle zu; auch ein Glied durch angelegte Bandage abbinden. Chirurg. veter. erhenken. Polyaen. 8, 62 u. 63. —βρύκω, f. ύξω, abbeissen. —βρώσκω, abessen, verzehren. —βύω, f. ύσω, verstopfen; von βύω. —βώμιος, u. ἀπόβωμος, ὁ, ἡ, (βῶμος) vom Altare entfernt, ausser dem Altar; Eurip. Cycl. 364 f. v. a. δυσσεβὴς, gottlos, ohne Religion.

'Απόγαιον, ου, τὸ, ein Tau, womit man das Schiff auf dem Lande anbindet, auch ἐπίγειον verst. ὅπλον oder dergleich. von —γαιος, ὁ, ἡ, fern vom Lande, oder vom Lande herkommend, als ἄνεμος, f. v. a. ἀπόγειος; v. γέα, γαῖα, γεῖα, γῆ. —γαιόω, zur Erde machen, in Land, Erde verwandeln. —γαλακτίζω, f. ίσω, den Säugling entwohnen; davon —γαλακτισμὸς, ὁ, Entwohnung des Säuglings. —γεία, ἡ, naml. αὔρα, Landwind. —γειον, τὸ, f. v. a. ἀπόγαιον; beim Ptolemaeus die hochste Entfernung eines Planeten von der Erde, verst. διάστημα. —γειος, ὁ, ἡ, f. v. a. ἀπόγαιος. —γεισσόω, ῶ, f. ώσω, mit einem vorstehenden Dache, Wetterdache, γεῖσον, versehen. Xen. Mem. 1, 4. 6. —γεμίζω, u. ἀπογέμω od. ἀπογομέω entlasten, ταῖς ποταμηγοῖς ἀπογεμίζονταί τε καὶ ἀντιφορτίζονται σκάφαις αἱ μείζους νῆες Dionys. Antiq. 3, 44 entladen sich auf die kleinern Flusschiffe u. nehmen dargegen von diesen Gegenfracht ein; v. γέμω, γόμος.

'Απογεννάω, ῶ, erzeugen, hervorbringen; davon —γέννημα, ατος, τὸ, das davon Erzeugte, Sprofsling. —γέννησις, έως, ἡ, das Erzeugen daraus oder davon. —γεύομαι, f. εύσομαι, davon kosten; ubergetr. versuchen, einen Versuch damit machen. —γεφυρόω, ῶ, f. ώσω, mit einer Brücke versehen, m. einem Damme. f. γέφυρα no. 1. —γηράσκω, f. ράσω, veralten, alt werden. —γίγνομαι, od. ἀπογίνομαι, nicht da seyn, fern von etwas seyn, als τῆς μάχης Herodt. daher abgehen, fortgehen, drauf gehen, sterben; als πορευομένῳ αὐτῷ ἀπεγίγνετο οὐδὲν τοῦ στρατοῦ Thucyd. —γινώσκω, f. γνώσομαι, d. i. μὴ γινώσκω, nicht genehmigen, misbilligen, verwerfen; seine Stimme, seine Meinung (γνώμη) wider etwas geben, widerrathen; seine Meinung als Richter gegen die Anklage geben, d. i. lossprechen, im Gegens. v. καταγινώσκω. Eben so im Allgem. nach Grunden verwerfen, als τῆς ψευδοπαιδίας Ceb. 14. τῆς δίκης bey Demosth. einen Procefs aburteln, und auch zum Nachtheil des Klagers sprechen; auch aufgeben; verzweifeln, τινὸς, an etwas, auch τί; daher in pass. ἀπογινώσκομαι ἀπὸ τινὸς Ceb. 27 ich werde von einem aufgegeben, man verzweifelt an mir, und ἀπεγνωσμένος, ein Mensch, dessen Besserung man gänzlich aufgegeben hat, *perditus*.

'Απογκόω, (ὄγκος) χόρτῳ δορᾶν, mit Heu ausstopfen Theophrastus Porphyrii Abstin. 2, 30.

'Απογλαυκόω, (ἀπὸ, γλαυκὸς) ἡ ὄψις ἀπογλαυκοῦται, das Gesicht bekommt den Fehler γλαύκωμα genannt; davon —γλαύκωσις, ἡ, wenn das Auge ein Fell bekommt. —γλουτος, ὁ, ἡ, ohne starke Hinterbacken, *depygis*, γλουτὸς. —γλυκαίνω, versüfsen, absüfsen. Diodor. 1, 40. von der Form ἀπογλυκάζω ist ἀπεγλυκασμένος Athenae. 2 p. 55. —γλωττίζω, die Zunge herausschneiden; die Sprache benehmen, stumm machen; zweif. —γνοια, ἡ, Verzweifelung; v. ἀπογινώσκω. —γνώμων, ονος, ὁ, ἡ, der die Zahne, γνώμονες genannt, verloren hat. —γνωσις, εως, ἡ, f. v. a. ἀπόγνοια. —γνώστης, ου, ὁ, d. i. ἀπογινώσκων, verzweifelnd. —γομφόω ναῦς, Nicetas Annal. 11, 4. aus einander nehmen, auflösen. —γομῶ, f. v. a. ἀπογέμω. —γονὴ, ἡ, f. v. a. ἀπογέννημα, die Abstammung, Abkunft, Nachkommen. —γονος, ὁ, ἡ, Abkommling, Nachkomme, besonders Enkel, auch wie *proles*, Sohn. Die folgenden Stufen macht man mit τρίτος, τέταρτος ἀπόγονος. —γραφὴ, ἡ, das Abschreiben, Einschreiben, Aufschreiben, Eintragen in Bücher, z. B. in ein Inventarium, oder in Staatsregister, d. i. *census*. Liste. —γραφον, τὸ, Abschrift; eigentl. Repertorium; das neutr. von folgd. verst. βιβλίον. —γραφος, ὁ, ἡ, abgeschrieben, kopirt. —γράφω, f. ψω, abschreiben, aufschreiben, eintragen, z. B. in Rechnungsbucher; oder in Staatsregister; med. sich einschreiben, sich eintragen lassen, sich zur Censur stellen, sich enrolliren lassen. —γυιος, ὁ, ἡ, bey Hesych. mit εὐχὴ, f. v. a. σιωπώμενος, —γυιόω, f. ώσω, ganz lähmen, entkräften oder schwachen, matt machen, Hom. Il. 6, 265. f. γυιόω.

'Απογυμνάζομαι, das verſtärkte γυμνάζω, ſehr üben. —γυμνόω, ῶ, f. ώσω, entblöſsen; davon —γύμνωσις, εως, ἡ, Entblöſsung. —γυναίκωσις, εως, ἡ, das weibiſch machen; v. ἀπογυναικόω, zum Weibe oder weibiſch machen. —γωνιόω, winklicht machen; von γωνία.

'Αποδάζομαι, f. άσομαι, ich theile davon andern aus; ich nehme einen Theil davon; von δάω, δάζω, δαίω. —δάκνω, f. δήξω, ab- wegbeiſsen. —δακρύειν, als Neutr. abweinen, lange weinen; als Act. m. d. Akkuſ. etwas beweinen; weinend erzählen, ſagen; *delacrymare*. Bey Lucian und Ariſtotel. Probl. 31. 9 ἀποδακρύσαντι δὲ λύεται ἡ πυκνότης, bedeutet in Augenkrankheiten durch eine reizende Salbe das Auge zum Thränen bringen und ſo von den ſtockenden Säften und der dadurch verurſachten Blödigkeit befreyen; davon ἀποδακρυτικὸν κολλύριον, lat. *delacrimatorium collyrium*.

'Αποδάπτω, abnagen, abnehmen, b. Heſych. —δαρθάνω, Aelian. H. A. 3, 13 aufwachen. —δασμα, τὸ, Theil dav. Nicetas Annal. 15, 8. —δάσμιος, ὁ, ἡ, als Theil davon genommen; abgetheilt, abgeſondert. Θήρης ἀποδάσμιος αἶσα Oppian. Hal. 5, 444 Antheil von der Jagd. ἀποδάσμιοι Φωκέες Herodot. 5, 146 ein Theil, der ſich von den Phocenſern abſonderte, und eine Kolonie anbauete; von —δασμὸς, ὁ, ein Theil, Abtheilung davon; ἀπὸ, δάω, δαίω. —δαστος, ὁ, ἡ, und ἀπόδατος bey Heſych. welcher es durch μετοικισθεὶς abgetheilt, verſetzt, erklärt. Iſt ſ. v. a. ἀποδάσμιος. —δαστὺς, ἡ, joniſch ſt. ἀποδασμὸς. —δαυλίζω b. Eur. Suppl. 717 falſch ſtatt ἀποκαυλίζω. —δεδειλιακότως, Adv. v. ἀποδεδειλιακὼς, v. ἀποδειλιάω, furchtſamerweiſe. —δεὴς, έος, ὁ, ἡ, fehlend, mangelhaft, geringer; v. ἀποδέω,

'Αποδεῖ, es fehlt, es mangelt, imperſ. von ἀποδέω.

'Αποδείκνυμι, f. ξω, vorſtellen, hinſtellen, aufzeigen, vorzeigen etwas fertig gemachtes; daher fertig machen, bereiten, vollenden, machen, ausrichten, darſtellen; worzu machen oder ernennen, beſtimmen, vorz. durch Reden oder Worte etwas darſtellen, darthun, beweiſen, überführen, überzeugen. S. in ἀποφαίνω. —δεικτικὸς, ἡ, ὸν, Adv. ἀποδεικτικῶς, beweiſend, zum darſtellen, beweiſen gehörig oder geſchickt. —δεικτος, ὁ, ἡ, zu beweiſen, beweislich oder bewieſen. —δειλίασις, εως ἡ, das Unterlaſſen einer Sache aus Furcht; von —δειλιάω, ῶ, f. άσω, furchtſam, muthlos werden und deswegen eine Sache oder Unternehmen aufgeben oder unterlaſſen, überh. aus Furcht ausreiſsen; auch m. d. Akk. aus Furcht eine Sache meiden, fürchten. —δειξις, εως, ἡ, das Darthun; Darſtellen; Beweis; abgelegte Probe; von ἀποδείκνυμι. —δειπνέω, ῶ, abſpeiſen, mit Eſſen aufhören. Athenae. 14. —δειπνίδιος, ον, vom Eſſen übrig oder kommend. —δειπνος, ὁ, ἡ, vom Eſſen übrig oder kommend, auch ſ. v. a. ἄδειπνος. —δειροτομέω, ῶ, abhalſen, den Hals abſchneiden, Hom. Il. 23, 22. —δείρω, ſ. v. a. ἀποδέρω. —δεκάτευσις, εως, ἡ, das Ausheben und Beſtrafen des zehnten Mannes; v. —δεκατεύω, den zehnten Mann ausheben und beſtrafen; von δέκατος. — δεκατόω, ῶ, f. ώσω, den zehnten Theil, δέκατος, fordern oder heben, den Zehnt auflegen; davon —δεκάτωσις, εως, ἡ, das Fordern oder Eintreiben des Zehnten; für ἀποδεκάτευσις zweif. — —δεκτέος, έα, έον, (ἀποδέχομαι) auf- oder anzunehmen. —δεκτὴρ, ῆρος, ὁ, oder ἀποδέκτης, ὁ, (ἀποδέχομαι) Abnehmer, Einnehmer. —δεκτος, ὁ, ἡ, Adv. ἀποδέκτως, auf- oder anzunehmen, wie ἀποδεκτέος; wohl aufgenommen, angenehm, wie *acceptus*. —δενδρόω, zum Baume, δένδρον, machen. —δερμα, ατος, τὸ, abgezogenes Fell, ſ. v. a. δέρμα, Herodot. 4, 64 wo die Handſchriften ἀποδαρμάτων haben. —δερματόω, ῶ, f. ώσω, das Fell abziehen, von ἀπόδερμα; ἀποδερματοῦται ἡ ἀσπὶς Polyb. 6, 25 der Schild verliert ſein Fell, womit er überzogen iſt, das Fell fault ihm ab. —δέρω, f. ρῶ, abfellen, das Fell abziehen; abgerben, abprügeln, durchbläuen. —δεσις, εως, ἡ, das Abbinden oder Anbinden; von ἀποδέω. —δεσμεύω, f. εύσω, oder ἀποδεσμέω, abbinden, anbinden, feſtbinden. —δεσμος, ὁ, ein Bund, Bündel; ein Band, Binde; v. ἀποδέω; dav. —δεσμόω, ῶ, f. ώσω, ſ. v. a. ἀποδεσμέω, —δέχομαι, f. ξομαι, abnehmen; aufnehmen; annehmen; gerne annehmen oder es ſich gefallen laſſen; loben, rühmen. —δέω, ῶ, abbinden, anbinden, anknüpfen, ſ. v. a. ἀποδεσμεύω. —δηλόω, ῶ, f. ώσω, offenbar, bekannt machen, deutlich machen, beweiſen. —δημαγωγέω, das Volk ganz in ſeiner Gewalt haben, es leiten wohin und wie man will; es von etwas ableiten, abbringen, zweif. —δημέω, ῶ, ich bin ἀπόδημος, abweſend oder auf Reiſen; davon —δημητὴς, οῦ, ὁ, der auſserhalb verreiſt iſt, od. gern abweſend iſt. —δημητικὸς, ἡ, ὸν, gern oder gewöhnlich reiſend oder abweſend. —δημία, ἡ, das Verreiſen, Aufenthalt in der Fremde, Abweſenheit; von —δημος, ὁ, ἡ, (δῆμος) von ſeinem Volke, von ſeinem Vaterlande entfernt, auf Reisen, in der Fremde, abwesend.

'Αποδία, ἡ, (ποῦς) der Mangel an Füssen, Unbrauchbarkeit der Füsse, im Gegens. von εὐποδία. —διαιρέομαι, οῦμαι, von einander trennen, zertheilen. —διαιτάω, ῶ, f. ήσω, als Schiedsrichter lossprechen, von δίαιτα, im Gegens. καταδιαιτάω. —διασείω, f. είσω, verjagen, vertreiben und zerstreuen. —διαστέλλω, von einander absondern und trennen. —διατρίβω, f. ψω, durch Beschäftigung anderswo abhalten. Dio Cass. 54, 17. 44, 19. 77, 14. neutr. ἀποδιατρίβοντες 50, 32 wo Suidas es ἐγχρονίζοντες und χρονοτριβοῦντες erklärt. —διδάσκω, f. ξω, entlehren, *dedoceo*, verlernen lassen, entwöhnen, abgewöhnen. —διδράσκω, f. δράσω, weglaufen, heimlich davon laufen; activo z. B. τὸ αἰσχρὸν τοῦ λόγου, vermeiden, fliehen. —δίδωμι, f. ώσω, wiedergeben, zurückgeben, als Schuld geben oder abtragen; an einen abgeben oder zueignen, übergeben; zugeben, zugestehen; λόγον Plato, erzählen, aus einander setzen; vorstellen, darthun, bewirken, wie ἀποδείκνυμι. Med. τι, etwas von dem Seinen weggeben oder verkaufen Xen. Mem. 2, 5. 5. 3, 7. 6.

'Αποδιίστημι, f. στήσω, davon trennen; von einander stellen; med. sich von einander stellen, von einander stehn, sich trennen. —δικάζω, f. άσω, lossprechen; zusprechen, das Gegentheil v. καταδικάζω. —δικέω, ῶ, (δίκη) seine Sache oder sich vor Gerichte vertheidigen. Xenoph. Hell. 1, 7, 21 not. —δίκω, s. v. a. ἀποβάλλω, wegwerfen, wegtreiben. Aeschyl. Ag. 1421 Eurip. Herc. fur. 1204. S. δίκω. —δινέω, ῶ, durch herumdrehen fortbringen, ab- wegdrehen, abdrechseln; in Tabul. heracl. p. 208 ausdreschen v. δῖνος, die Tenne, *area*. —δίομαι, s. v. a. ἀποδιώκω.

'Αποδιοπομπέομαι, (ζεὺς, διὸς u. πομπή) durch ein dem Jupiter dargebrachtes Reinigungs- oder Suhnopfer ein Uebel, Unglück, böse Bedeutung, böses *omen*, die Schuld oder Strafe von einem eignen oder fremden Fehler od. Verbrechen abwenden, also fast wie ἐκθύω und *expio*; daher auch verabscheuen, von sich entfernen, durch ein Sühnopfer gut machen.

'Αποδιοπόμπησις, εώς, ἡ, die Handlung, welche im vorigen Worte erklärt worden ist. —διορίζω, abgrenzen, durch Grenzen absondern. —δισκεύω, den Diskus oder etwas anders wie den Diskus weg- oder fortwerfen. —διωθέω, davon weg- oder fortstossen, forttreiben. —διώκτρια, ἡ, Verfolgerin, Vertreiberin; vom masc. ἀποδιωκτὴρ oder ἀποδιώκτης, ὁ, von —διώκω, f. ώξω, fort- oder weg- oder vertreiben, verjagen, verfolgen; dav. —δίωξις, εως, ἡ, das Forttreiben, Wegjagen, Vertreibung, Verfolgung. —δοκέω, ῶ, davon ἀποδοκεῖ, imperson. s. v. a. μὴ δοκεῖ, es misfällt, es ist nicht mehr die Meinung. —δοκιμάζω, f. άσω, (δόκιμος) verwerfen, nicht billigen, nicht wählen, nicht für gut halten; davon —δοκιμασία, ἡ, das Verwerfen, die Missbilligung, Nichtzulassung, Zurücksetzung bey Ehrenstellen. —δόκιμος, ὁ, ἡ, verworfen; unächt, ungeschätzt. —δομα, ατος, τὸ, Abgabe, dargebrachtes Geschenk; zweif. —δόντωσις, εως, ἡ, das Reinigen der Zähne, Pollux. 2 sect. 48 v. ἀποδοντόω v. ὀδούς. —δόσιμος, ὁ, ἡ, zum wiedergeben, was man wiedergeben kann oder soll; v. ἀποδόω, ἀποδίδωμι. —δοσις, εως, ἡ, das Wiedergeben, Abzahlen, die Bezahlung; das Hingeben, das Darreichen oder Erzählen; Nachsatz. S. ἀποδίδωμι. —δοτήρ, ὁ, der Wiedergeber, Wiederbezahler. Epicharm. beym Etymol. in στατήρ. —δουλος, ὁ, ἡ, von einem Sclaven erzeugt. —δοχεῖον, τὸ, ein Ort, ein Haus zur Aufnahme; Einnahme. —δοχεύς, έος, ὁ, s. v. a. ἀποδεκτὴρ u. ἀποδεκτής. —δοχεύω, f. σω, ich bin ein ἀποδοχεύς, nehme ein; bey Joseph. wo andre ἀποδοχεὺς lesen. —δοχή, ἡ, Annahme, Aufnahme, Einnahme; ehrenvolle, liebevolle Aufnahme, oder Ehre, liebevolle Behandlung, Lob, Dank, Zufriedenheit. S. ἀποδέχομαι. —δοχμόω, ῶ, f. ώσω, krümmen, beugen. Hom. Od. 9, 372. —δραγμα, ατος, τὸ, der davon genommene Theil; v. ἀποδράττω. —δρασις, εως, ἡ, das Entlaufen, Entfliehen, v. ἀποδράω. —δράττω od. ἀποδράττομαι, davon nehmen. —δράω, ῶ, f. άσω, s. v. a. ἀποδιδράσκω. —δρέπω, f. ψω, abbrechen u. med. ἀποδρέπομαι, sich abpflücken. —δρόμη, ἡ, das Entfliehen; die Zuflucht. —δρομος, ὁ, ἡ, wieder- od. zurücklaufend, πάλινδρομος, od. im Laufe zurückbleibend, nicht mehr laufend, Hesych. aus Sophocl. —δρύπτω, f. ψω, od. ἀποδρύφω, abkratzen, zerkratzen, zerfleischen. Il. 23, 187. das Stammwort δρύπω, δρύπτω, δρύφω. —δυρμός, ὁ, das Beweinen, Beklagen; von —δύρομαι, f. δυροῦμαι, beklagen; beweinen, beheulen. —δυσις, εως, ἡ, (ἀποδύω) das Ausziehen, das Entkleiden. —δυσπετέω, (δυσπετέω) aus Ungeduld, Unwillen, Verzweiflung abstehn, den Muth sinken lassen. μηδὲ πρὸς τὸ μέγεθος τῶν ἐλπιζομένων ἀποδυσπετήσῃς. Lucian. überh. unwillig, misvergnügt seyn; dav.

'Αποδυσπέτησις, εως, ἡ, das Abſtehn, Ablaſſen vor Ungeduld, Unwillen, Verzweiflung. —δυτήριον, ου, τὸ, (ἀποδύω) Ort zum Aus- od. Entkleiden im Bade. —δυτρον, τὸ, ſ. v. a. das vorherg. Nicetas Annal. 5, 7. —δύω, f. ύσω, entkleiden, ausziehen; med. ſich entkleiden, ſich ausziehen, Xen. Symp. 2, 18; übergetragen, wie exuo, ablegen, z. B. φόβον Polyb.; mit πρὸς τὶ, ἐπὶ τὶ oder ἐπὶ τινὶ, ſich für etwas ausziehen, d. i. ſich zu etwas rüſten, gleichſam den Kampf, wie die nackten Fechter, beginnen. ἀποδύντι πρὸς τὸ λέγειν Plutarch. Demoſth. 6. ἀποδυόμενοι τὰς διαβολὰς Plut. Coriol. 17. von ſich entfernen. —δωροῦμαι, ſ. v. a. δωροῦμαι.

'Αποέννυμι, das poetiſche ἀποδύω, ausziehen, entkleiden.

'Αποεργάθω u. ἀποέργω, ich trenne, ſcheide, verſchlieſse. ἔνθα με κῦμ' ἀπόερσε Il. 6, 348 da riſs mich die Welle mit ſich fort. Eben ſo 21, 283 ὅν ῥά τ' ἔναυλος ἀποέρσῃ, wo andere es von ἀποέῤῥω ableiten u. ἀποφθείρω, ἀποπνίγω erklären; aber in der zweyten Stelle zeigt ἐρχθέντ' ἐν ποταμῷ deutlich die Ableit. v. ἔργω, εἴργω.

'Αποέῤῥω, f. σω, kommt bloſs bey Homer nach den Gramm. vor. S. d. vorige.

'Αποζάω, ῶ, f. ήσω, davon leben; kärglich, kümmerlich leben. Aelian. H. A. 16, 12. —ζεμα, ατος, τὸ, das Abgekochte, ein abgekochter Trank, ein Dekokt, v. ἀποζέω. —ζευγέω, ſ. v. a. d. folg. Hippocr. loc. in homin. c. 6. —ζεύγνυμι, oder ἀποζευγνύω und ἀποζεύγω, von einander trennen, abtheilen, abſondern. —ζέω, ῶ, f. έσω, abſieden, abkochen; 2) neutr. aufhören zu kochen, zu brauſen. —ζυγόω, ῶ, f. ώσω, abjochen, abſpannen, auch ſ. v. a. ἀποζεύγνυμι. —ζυμος, ὁ, ἡ. S. ζυμόω.

'Απόζω, (ὄζω) nach etwas riechen. —ζωγραφέω, ῶ, etwas lebendiges abbilden, nachbilden, wie das Simplex. —ζώννυμι, ἀποζωννύω, f. ζώσω, entgürten, losgürten, Rüſtung nehmen, entwafnen. Herodian. 2, 13 u. 14. und daher einen Soldaten ſeiner Dienſte entlaſſen. Bekommt die tempora vom ungewöhnl. ἀποζόω, ἀποζώω, ἀποζώννω, fut. ἀποζώσω.

'Αποθάλλω, abblühen, verblühen. —θαῤῥέω, ῶ, oder ἀποθαρσέω, groſses Zutrauen haben; auch m. d. Accuſ. etwas wagen u. unternehmen. —θαυμάζω, f. άσω, ſehr bewundern od. ſich verwundern. —θεάομαι, ῶμαι, herabſehen, von obenher betrachten. —θειάζω, in der Begeiſterung etwas ſagen. S. θειάζω. —θεμελιόω, ῶ, f. ώσω, vom Grund aus zerſtören; v. θεμέλιος.

'Αποθεν, Adv. fern, fern davon, in der Ferne; ὁ, ἡ, ἀπόθεν, der, die Entfernte.

'Απόθεος, ὁ, ἡ, auſser, von den Göttern; auch ſ. v. a. ἄθεος nach Heſych. —θεόω, ῶ, f. ώσω, vergöttern, unter die Götter verſetzen. —θεραπεία, ἡ, ſ. v. a. θεραπεία. θεῶν ἀποθεραπεία Ariſtot. Pol. 7. 2) bey den Aerzten die Mittel, die man braucht, um nach einer vorhergegangenen Ermattung den Körper zu ſtärken. —θεράπευσις, εως, ἡ, Abwartung, gänzliche Heilung. —θεραπεύω, f. εύσω, ſ. v. a. θεραπεύω, oder etwas mehr, alſo eifrig beſorgen, verſorgen, warten, abwarten, pflegen, heilen, ganz heilen. —θερίζω, fut. ίσω, abmähen; abſchneiden. —θερμος, ὁ, ἡ, d. i. μὴ θερμός. —θέσιμος, ὁ, ἡ, zum beylegen, aufbewahren; beygelegt, von ἀποτίθημι. Hiervon auch —θεσις, εως, ἡ, das Weglegen, Beylegen, Aufbewahren, Wegwerfen, Ausſetzen der Kinder. —θεσπίζω, f. ίσω, durch einen Orakelſpruch erklären, ſagen; davon —θέσπισις, εως, ἡ, ertheiltes Orakel. —θεστός, ὁ, ἡ, verachtet, ὁ μὴ εὐχῆς ἄξιος Od. 17, 296. von θέσσομαι wünſchen, πολύθεστος ſehnlich und viel gewünſcht; bey Lycophr. 540 οἱ δεινὰ κἀπίθητα πείσεσθαι μέλλοντες haben die Handſchr. richtiger κἀπόθεστα was man durch Bitten von ſich zu entfernen ſucht, verabſcheut. So hat Heſych. ἄθεστος ἐριννύς die unerbittliche.

'Αποθεταὶ, αἱ, Plutar. Lyc. 16 ein Ort bey Lacedaemon wohin man die verworfenen neugebornen Kinder ausſetzte; von ἀποτίθεμαι. —θετος, ὁ, ἡ, aufbewahrt, weg- o. beygeſetzt. —θέω, f. θεύσομαι, davon laufen, weglaufen. —θεωρέω, ῶ, ſ. v. a. ἀποθεάομαι. —θέωσις, εως, ἡ, Vergötterung, von ἀποθεόω. —θήκη, ἡ. (ἀποτίθημι) Niederlage, ein Ort, wohin man etwas abſetzt, wegſetzt, weglegt, beyſetzt, aufbewahrt, als Scheune, Magazin; bey Herodot. 8, 109 ſ. v. a. ἀποστροφὴ Ort der Zuflucht, wohin man ſich rettet. —θηλασμὸς, ὁ, das Saugen, Ausſaugen. —θηλύνω, ganz weibiſch, weichlich machen. —θηριόω, ῶ, f. ώσω, ganz verwildern; wild, grauſam wie ein Thier machen, wie effero; auch von Wunden, die ſchlimm werde, od. wo wildes Fleiſch überhand nimmt. —θησαυρίζω, f. ίσω, weglegen und aufbewahren; dav. —θησαυρισμὸς, ὁ, das Weglegen und Aufbewahren. —θητος, ὁ, ἡ, (ποθέω) den niemand verlangt, oder vermiſst. —θινόω, ῶ, f. ώσω, durch angelegten Sand verſtopfen, στόμα ποταμοῦ ἀποθινούμενον. Polyb. 1, 75. von θὶν oder θίς.

'Αποθλασμὸς, ὁ, das Zerdrücken, das Quetſchen; von —θλάω, zerdrücken, zerquetſchen. —θλίβω, f. ψω, ausdrücken, auspreſſen; durch drücken od. preſſen fort weg oder abtreiben; ſehr ſtark od. grauſam drücken. Lucian. Lapith. 15. davon —θλιμμα, ατος, τὸ, das Ausgedrückte, Ausgepreſste. —θλιψις, εως, ἡ, das Ab- od. Ausdrücken, Ab- od. Auspreſſen; die Bedrückung, Druck, Leiden. —θνήσκω, fort ab oder wegſterben, überhaupt ſterben. —θορέω, ῶ, und ἀποθόρω, herabſpringen. —θράζω Siehe ἀποθριάζω. —θρασύνω, f. υνοῦμαι, beherzt machen, Muth machen, wie θρασύνω, und in med. ſich Muth machen, beherzt werden, beherzt ſeyn. —θραυσις, εως, ἡ, das Abbrechen, Zerbrechen, Zerreiben, Zermalmen, v. ἀποθραύω. —θραυσμα, τος, τὸ, das Abgebrochene, ein Stück, ein Bruchſtück; v. —θραύω, f. αύσω, abbrechen, zerbrechen, zermalmen. —θρηνέω, ῶ, beweinen, beklagen, wie ἀποδύρομαι. —θριάζω, f. άσω, eigentlich ich ſchneide das Feigenblatt θρίον ab, überh. ich ſchneide ab. Ariſtoph. Ach. 158 ἀποτεθρίακε, wo andere ἀποτέθρακε leſen, mit einer Anſpielung auf θρᾶκες. —θρίζω, f. ίσω und ίξω, d. i. ἀποθερίζω, ich mähe, ſchneide ab; bey Procop. Anecd. ἀπεθρίξατο, er ſchnitt ſich die Haare, τρίχας, ab und nahm die Tonſur als Mönch an.

'Απόθριξ, τριχος, ὁ, ἡ, nach Heſych. ſo viel als ἄθριξ, ἄνηβος. —θρισμα, ατος, τὸ, das Abgeſchnittene, v. ἀποθρίζω. —θρονος, ὁ, ἡ, vom Throne kommend oder aufſtehend. —θρύπτω, f. ψω, davon zerdrücken, zerreiben; oder ganz zerdrücken, ganz weich machen, ganz weichlich machen od. verzärteln. —θρύω, b. Plato Reſp. 6 p. 473 laſen einige τὰς ψυχὸς συγκεκλασμένοι τε καὶ ἀποτεθρυωμένοι ſt. ἀποτεθρυμμένοι und erklärten es ἀπηγριωμένοι verwildert, v. θρύον. —θρώσκω, ab- herab- zurückſpringen, aufſteigen, z. B. vom Rauche Hom. Od. 1, 58. —θυμέω, ῶ, ſ. v. a. ἀθυμέω zweif. —θυμίασις, εως, ἡ, das Ausdampfen, der aufſteigende Dampf, Rauch; von —θυμιάω, ῶ, f. άσω, aus- aufdampfen; Dampf von ſich geben. —θύμιος, ὁ, ἡ, (θυμὸς) unangenehm, verhaſst; d. Gegenth. v. καταθύμιος. —θυμος, ον, bey Plutarch. Vol. 6 p. 326 wird abgeneigt, kalt, langſam, gleichgültig; muthlos erklärt. —θυννίζω, bey Lucian. Jup. trag. 8. τάμιν οὕτως ὑμῖν ἀποτεθύννισται. wo es verachten, verwerfen überſetzt wird. Suidas hat ἀποθυννίζω ἀποπέμπομαι παραλογίζομαι in θυννίζω. —θυρίζω, und ἀποθυρόω, aus- von der Thüre entfernen; von θύρα. —θυσάνιον, τὸ, eine Art Becher bey Athen. 11. —θύω, f. ύσω, davon als Opfer, zum Opfer darbringen. —θωρακίζομαι, ſich entpanzern, den Panzer ausziehen.

'Αποίδησις, εως, ἡ, (οἰδέω) das Aufſchwellen, die Geſchwulſt. zweif.

'Αποίητος, ὁ, ἡ, Adv. ἀποιήτως, nicht gemacht Athen. 4; ſchlecht, obenhin gemacht; ſimpel, ungekünſtelt, Dionyſ. Halic. ungeſchickt, unbequem. Geopon.

'Αποικεσία, ἡ, die Auswanderung. —κέω, ῶ, auswandern, z. B. als Koloniſt, ſich wo anders wohnhaft niederlaſſen; fern oder abwohnen, Xen. Oec. —κησις, ἡ. S. ἀποίκτισις. —κία, ἡ, Auswanderung; Kolonie. —κίζω, f. ίσω, auswandern laſſen, wo andershin verſetzen, als Koloniſt verpflanzen. —κιλος, ον, d. i. οὐ ποίκιλος. —κιλτος, ον, nicht bunt gemacht. S. ποικίλλω.

'Αποικίς, ίδος, ἡ, nämlich πόλις, Kolonie. —κισις, εως, ἡ, das Abbauen, Abpflanzen, Ausführen einer Kolonie, v. ἀποικίζω. —κισμὸς, ὁ, ſ. v. a. das vorherg. oder neutr. das Auswandern, wie ἀποικία. —κοδομέω, ῶ, abbauen oder niederreiſſen; verbauen od. einbauen. —κονομέω, ῶ, davon nehmen u. vertheilen. πᾶν πάθος καὶ νόσημα τῆς ψυχῆς ἀποικονομεῖσθαι Hierocles Stobae. Serm. 37 zu entfernen ſuchen; dav. —κονόμησις, ἡ, Caſſ. Probl. διαφόρησις καὶ ἀποικ. das allmählige Verbrauchen, Vertheilen, Verzehren. Bey Alexander Aphroſ. de anima ſteht ἀποικονομία καὶ ἔκκλισις τῶν τούτοις ἐναντίων ſt. Entfernung.

'Αποικος, ὁ, ἡ, fern vom Hauſe oder Vaterlande, d. i. in der Fremde, auf Reiſen, oder vertrieben aus ſeinem Vaterlande, oder ausgewandert, verſetzt, Koloniſt.

'Αποικτίζομαι, bedauern, beklagen.

'Αποίμαντος, ον, (ποιμαίνω) nicht geweidet, ohne Weide, ohne Hirten.

'Αποιμώζω, f. ώξω, beweinen, bejammern. Vergl. ἀποδύρομαι, ἀποθρηνέω. —οινάω, ῶ, f. ήσω, u. ἀποινόω, ῶ, f. ώσω, ſ. v. a. ἀπολυτρόω gegen ein Löſegeld, Blutgeld ἄποινα den Todtſchläger ſeiner Strafe entlaſſen; wird von den nächſten Verwandten des Erſchlagenen geſagt; daher ἀποινᾶσθαι med. zum Geſchenke, Belohnung erhalten. Eur. Rheſ. 177.

'Αποινεὶ, Adv. (ποινή) ungeſtraft. —οίνητος, ον, (ἀποινάω) ungeſtraft; zw. —οινίζω, (οἶνος) in der Stelle des Alexis Athenae. p. 38 vom gährenden Moſte, ἀφυβρίσαι κ' ἀπανθῆσαι hat Grotius Excerpt. p. 565 die Lesart des Jo. Stobae. ἀπαφρίσαντά τ' ἀποινίσαντά τε unrecht aufgenommen.

'Αποινόδικος, ον, Rächer, v. δίκη und dem folg. —οινον, τὸ, und in plur. ἄποινα, Strafgeld, Löſegeld für einen Erſchlagenen an die nächſten Verwandten bezahlet, um von der Strafe der Wiedervergeltung befreyt zu werden.

'Αποιος, ὁ, ἡ, ohne Qualität, Eigenſchaft, Beſchaffenheit, v. ποῖος. —οίχομαι, f. οἰχήσομαι, weg- fortgehen, entfliehen, ſchnell entkommen. —οιωνίζομαι, *abominor*, etwas als eine Sache von übler Vorbedeutung verabſcheuen, vermeiden u. abzuwenden ſuchen. S. οἰωνίζομαι.

'Αποκαθαίρω, reinigen, abputzen, abwaſchen, abwiſchen; davon —κάθαρμα, ατος, τὸ, das, was beym Reinigen aus- und weggeworfen wird, Auswurf; auch die Sachen, welche beym Reinigungs- oder Sühnopfer gebraucht und hernach fortgeworfen werden; metaph. untauglicher Menſch, Abſchaum u. ſ. w. —κάθαρσις, εως, ἡ, Reinigung, Ausſöhnung. —καθαρτικὸς, ἡ, ὸν, reinigend, ausſöhnend, zum Reinigen dienlich. —καθέζομαι, ſich niederſetzen, da ſitzen. S. auch ἀποκαθίζομαι. —καθεύδω, f. ϑευδήσω, abgeſondert oder auſserhalb ſchlafen. ἀπεκάϑευδε παρ' αὐτῷ ſchlief auſser ſeinem Hauſe bey dem Kranken. Philoſtr. Apoll. 8, 7, 14. dabey einſchlafen. —καθηλόω, ῶ, f. ώσω, entnageln, abnageln, losreiſſen; davon —καθήλωσις, εως, ἡ, das Abnageln, das Losreiſſen. —κάθημαι, abgeſondert ſitzen; müſsig, faul da ſitzen. S. auch ἄφεδρος. —καθίζομαι, ſ. v. a. das vorherg.; ſich wieder ſetzen. —καθιστάνω, ἀποκαθιστάω u. ἀποκαθίστημι, ich ſtelle wieder in den vorigen Stand, Zuſtand, Ort, Lage, Ordnung, ich ſtelle wieder her, ſetze wiederum ein. —καίνυμαι, übertreffen, beſiegen. Hom. Od. 8, 127. 219. —καίριος, ὁ, ἡ, unzeitig, nicht zur rechten Zeit, am unrechten Orte, unſchicklich, ungebührlich. —καίω, f. αύσω, abbrennen, verbrennen. Auch von heftiger Kälte Xen. An. 7, 4. 3 wie *uro, aduro frigore.* —κακέω, ῶ, dem Uebel, dem Unglück, der Feigheit unterliegen, ermüden, zu groſse Leiden dulden, ſich feige betragen, fliehen; davon —κάκησις, εως, ἡ, Feigheit, Zaghaftigkeit, Ermüdung, Verzweiflung, Tragſinn. —κακίζω, das verſtärkte κακίζω. —καλέω, ῶ, benennen; zurückrufen, bey Seite rufen, abrufen Xen. Cyr. 1, 4. 25. verbieten, Ariſtoph. —καλλωπίζω f. ίσω, entſchmücken; den Schmuck, Putz benehmen. —καλυπτικὸς, ἡ, ὸν, zum aufdecken, offenbaren geſchickt, gehörig. —καλύπτω, f. ψω, aufdecken, entdecken. Med. ἀποκαλύπτομαι πρὸς τὸν πόλεμον τὴν ἐπιβολὴν, τὴν τυραννίδα bey Diodor. ich offenbare meine Anſchläge auf einen Krieg, auf Oberherrſchaft; dav. —κάλυψις, εως, ἡ, die Aufdeckung, die Enthüllung; übergetragen, Erklärung. —κάμνω, f. αμῶ, ermuden, ermatten, müde werden, von ſtarker Arbeit, Anſtrengung; muthlos werden. —κάμπτω, f. ψω, ablenken, auf die Seite lenken; neutr. verb. mit ἀναστρέφομαι, Xen. vom Wege abgehn; ablenken; davon —καμψις, εως, ἡ, das Ablenken; neutr. Abgehn vom Wege. —καπνίζω, f. ισω, Rauch machen, räuchern; davon —καπνισμὸς, ὁ, das Berauchern, Einräuchern. —καπύω, ab- oder fortblaſen, Il. 22, 467 S. κάπος u. καπνὸς. —καραδοκέω, ῶ, ſehnlich erwarten, abwarten. S. καραδοκέω; davon —καραδοκία, ἡ, ſehnliche Erwartung, Harren. —καρατομέω, den Kopf abhauen, κάρα, ἀποτέμνω. —καρμα, ατος, τὸ, (ἀποκείρω) das Abgeſchorne, Abgeſchnittene. —καρπίζω, f. ίσω, die Früchte abnehmen; zw. —καρπόω, ῶ, Früchte treiben; φλέβας bey Hippocr. nat. oſſ. ſ. v. a. ἀποβλαστάνειν wie Nebenzweige und Aeſte treiben, von ſich geben. —καρσις, εως, ἡ, (ἀποκείρω) das Abſcheeren, die Schur. —καρτερέω, ῶ, d. i. μὴ καρτερέω, nicht aushalten, nicht länger erdulden; ſich durch Hunger tödten, Cic. Tuſc. 1, 35 wo er ἀποκαρτερῶν ſelbſt erklärt durch *per inediam diſcedens*; davon —καρτέρησις, εως, ἡ, Mangel an Geduld, beſiegte Geduld; Hungertod. —καρφολογέω, καρφολογέω. —καταβαίνω, ab herunterſteigen. Dionyſ. Ant. 9, 16 ſt. καταβ. zweif. —καταλλάσσω, ἀποκαταλλάττω, f. άξω, wieder verſöhnen, ausſöhnen. —κατάστασις, εως, ἡ, (ἀποκαθιστάνω) das Wiederzurückbringen, Setzen in den vorigen Zuſtand, Lage, Ort, Ordnung, Wiedereinſetzung, Herſtellung; ἀστέρων, wenn die Sterne in ihrem Kreislaufe auf die vorige Stelle zurückkehren.

'Αποκατάσχεσις, εως, ἡ, das Ab- und Zurückhalten, ἀποκατέσχω. —κατατίθημι, niederlegen, deponiren. —καταφαίνω, wieder ſcheinen laſſen, durch den Gegenſchein darſtellen. ἀποκαταφαίνομαι bey Ariſtaen. Ep. 1, 3 ὥστε ἅπαν ἡμῶν φανερῶς ἀποκαταφαίνεσθαι μέλος, daſs alle unſre Glieder genau im Waſſer wieder erſcheinen u. dargeſtellt werden, dem ἀποκαθίσταμαι nachgebildet. —κατέχω, ab- und zurückhalten. —κατορθόω, ſ. v. a. κατορθ. Ariſtot. Eudem. 7, 14. —καυλέω, ῶ, ich verliere den Stengel; wenn es nicht vielmehr heiſst, den Stengel ganz austreiben.

'Αποκαύλησις, εως, ἡ, das Verlieren des Stengels, Strunks. S. d. vorige. —καυλίζω, f. ίσω, den Stengel, Stiel, Strunk wegnehmen, abbrechen; metaph. ἢν μὲν μὴ ἀποκαυλισθῇ τὸ ὀστέον, wenn der Knochen nicht queer durch zerbricht. Hippocr. Dieſen Bruch nennte man καυληδὸν. S. ἀποδαυλίζω. Bey Thucyd. 2, 76 ἀπεκαύλιζε τὸ προέχον τῆς ἐμβολῆς brach die Spitze des Mauerbrechers vorn ab. —καύλισις, εως, ἡ, das Wegnehmen, Abbrechen des Stengels, Strunks, des männl. Gliedes; 2) das Zerbrechen in die Queere. —καυλος, ὁ, ἡ, was den Stengel, Strunk verloren hat. —καυσις, εως, ἡ, das Abbrennen, Verbrennen, v. ἀποκαίω. —κειμαι, f. κείσομαι, von weggelegten Sachen entweder um ſie zum Gebrauche, oder dem, der ſie mir gegeben hat, aufzubewahren, oder weil ſie unbrauchbar oder verachtet ſind. ἀποκεῖσθαι πόῤῥω für ἀτιμάζεσθαι führt Suidas aus Kratinus an; u. Plutarch. 6.p. 608 ſagt: ἰατρικὴ μετὰ ὀργάνων καὶ φαρμάκων ἀποκείσεται ἀκλεὴς καὶ ἀπόθετος: Aus der erſten Bedeut. flieſst ὅσα τοῖς κακούργοις ἀπόκειται παθεῖν Dionyſ. Halic. zu erwarten ſteht. Im Heſiod. 160 Verſ. laſs Philoſtr. Apoll. 6, 2. μέλα; δ' ἀπέκειτο σίδηρος, wo jetzt οὐκ ἔσκε ſteht: war verborgen, unbekannt; ῥητορικὴ ἀπέκειτο ἀμελουμένη derſelbe Apoll. 8, 21.

'Αποκείρω, abſcheeren, abſchneiden, beſcheeren, beſchneiden; daher berauben, wie *depaſcor*. ἀποκειραμένη πόλις ἀνδρῶν τοσούτων ἀρετὰς die ſo viel brave Männer eingebüſst hatte, Dionyſ. Ant. 9, 23.

'Αποκεκαλυμμένως, Adv. v. ἀποκαλύπτω partic. perf. paſſ. offenbar. —κεκινδυνευμένος, Adv. —νως, gewagt. Themiſt. —κεκληρωμένως, Adv. v. ἀποκληρόω part. perf. paſſ. durchs Loos abgeſondert u. zugetheilt. —κεκρυμμένως, Adv. v. ἀποκρύπτω, partic. perf. paſſ. verborgen, heimlich.

'Αποκέλλω, von der Fahrt abwenden u. neutr. abkommen (f. ὀκέλλω); überhaupt vom Wege abkommen.

'Απόκενος, ὁ, ἡ, leer; davon —κενόω, ῶ, f. ώσω, ausleeren, leer machen. —κεντέω, ῶ, durchſtechen, erſtechen; davon —κέντησις, εως, ἡ, das Durchſtechen, Erſtechen, Ermordung. —κένωσις, εως, ἡ, das Ausleeren, die Leere, v. ἀποκενόω. —κερδαίνω, daran gewinnen oder Vortheil haben. —κερματίζω, f. ίσω, zu Münze (kleinem Gelde) machen, eigentlich auswechſeln; aber komiſch, groſses Vermögen klein machen, verringern, verſchwenden. Anal. Brunk. 2, 438. —κεφαλίζω, f. ίσω, enthaupten, köpfen; davon —κεφάλισμα, ατος, τὸ, nach Pollux der Schmutz vom gereinigten Kopfe, wie ἀποδέντωσις.

'Αποκεφαλισμὸς, ὁ, das Enthaupten. Plutarch. —κηδέω, ῶ, f. ήσω, oder ἀποκηδεύω, ich höre auf zu trauern. Herodot. 9. 30. αἴκ' ἀποκηδήσαντε Il. 23, 413 fahrläſsig ſeyn. —κήρυγμα, ατος, τὸ, das öffentlich Ausgerufte und Verkaufte; oder ſ. v. a. ἀποκήρυξις. —κήρυκτος, ὁ, ἡ, vorz. vom Sohne, von dem der Vater ſich öffentlich losgeſagt und ihn enterbt hat; bey den Kirchenvätern, aus der Kirche, Gemeinde geſtoſſen, ausgeſchloſſen. —κήρυξις, εως, ἡ, öffentlicher Ausruf, entweder wegen od. ſ. v. a. Verkauf; Enterbung; Ausſchlieſsung aus der kirchlichen Gemeinſchaft; von —κηρύσσω, ἀποκηρύττω, f. ξω, ausrufen, ausrufen laſſen, um etwas feil zu bieten, zu verkaufen, oder zu enterben; für vogelfrey erklären und ins Exil verweiſen. —κιδαρόω τὴν κεφαλὴν Levit. 10, 6 das Haupt von der κίδαρις entblöſsen. Vergl. Cyropaed. 3, 1. 13. —κίδνημι, zerſtreuen, ſ. v. a. ἀποσκεδάω. —κικλήσκω, d. i. ἀποκαλέω. —κινδυνεύω, f. εύσω, verſuchen, einen Verſuch machen; iſt vom Felde die Rede, ein Treffen wagen; bey Philoſtr. Apoll. 7, 15 ἀποκ. τινὸς von einem ſich trennen in der Gefahr. —κινέω, ῶ, wegbewegen, wegbringen; davon —κίνησις, εως, ἡ, das Fortbewegen, Wegbringen. —κινος, ὁ, das Entſpringen, Entkommen, Entfliehen, ἀπὸ δεσπότου Ariſtoph. nach dem Schol. φυγὴ, ἀποχώρησις; 2) nach Pollux und Athen. eine Tanzart. —κισσόω, f. ώσω, (κισσὸς) in Epheu verwandeln.

'Αποκλάγγω, u. —κλάζω, ειν, tönen, eine Stimme von ſich geben, ſingen. S. κλάζω. —κλαίω, f. αύσω, beweinen, beklagen. Vergl. ἀποιμώζω. —κλάομαι, ich höre auf zu weinen. Lucian. Syr. 6. —κλασμα, ατος, τὸ, das Abgebrochene, ein Stück; von —κλάω, ῶ, f. άσω, abbrechen. —κλεισις, εως, ἡ, das Verſchlieſsen, Ausſchlieſsen. —κλεισμα, ατος, τὸ, abgeſchloſſener, verſchloſſener Ort od. Sache. —κλειστος, ὁ, ἡ, verſchloſſen, eingeſchloſſen; v. —κλείω, f. είσω, ausſchlieſsen, ausſperren, oder nicht herein laſſen; verſchlieſsen, einſchlieſsen, nicht herauslaſſen. —κλέπτω, f. ψω, wegſtehlen. —κληρονόμος, ὁ, nicht miterbend, enterbt. —κληρος, ὁ, ἡ, ohne Erbe, enterbt; ohne Loos, nicht mitlooſend, ohne Antheil. —κληρόω, ῶ, f. ώσω, auslooſen oder durchs Loos wählen Thucyd. durchs Loos vertheilen; des Looses oder seines Theiles berauben; davon

Ἀποκλήρωσις, εως, ἡ, Auslosung od. Wahl durchs Loos. —κλητος, ὁ, ἡ, abgerufen, weggerufen, v. ἀποκλέω, καλέω. —κλιμα, τος, τὸ, das Abschüssige, schiefe, geneigte Lage; von —κλίνω, abbeugen, herabbeugen, niederbeugen, einbeugen, ablenken vom Wege, von der Wahrheit usw. übergetragen, neutr. sich wohin neigen, Neigung wozu haben, wie *propendeo, pronus, proclivis sum*; davon —κλισις, εως, ἡ, Neigung herab, z. B. bey der Wage, Plut. in Verbindung mit ῥοπὴν ποιέω. —κλιτος, ὁ, ἡ, (ἀποκλίνω) ἡμέρα, der sich neigende Tag. Plutar. Vol. 7, 108. —κλύζω, f. ύσω, abspülen, ausspülen, auswaschen. —κλυσις, ἡ, das Abspülen. Themist. or. 13 p. 167.

Ἀπόκναισις, ἡ, ἀποκναίω u. ἀποκνάω v. κνάω, κναίω, κνῆμι, ich schabe ab, reibe ab, reibe auf, *contero*, daher metaph. wie lat. *obtundere aliquem loquacitate* und dergl. lästig fallen, beschweren, bedrücken, z. B. auch durch Auflagen drücken, auszehren, aufreiben. S. κναίω.

Ἀποκνέω, ῶ, (ὀκνέω) aus Furcht oder Trägheit, Unentschlossenheit eine Sache verzögern, verweigern, als neutr. mit πρὸς, träge, furchtsam zu etwas seyn, als act. mit accus. oder infin. davon —κνησις, εως, ἡ, Verzögerung, Verweigerung einer Handlung aus Furcht. —κνίζω, abbrechen, abrupfen, abreissen, abschaben, abhauen, ἀπὸ, κνίζω; davon —κνισις, εως, ἡ, das Abbrechen, Abschneiden, Abnehmen. —κνισμα, ατος, τὸ, das Abgebrochene, Abgeschnittene.

Ἀποκογχύζω (κόγχη, κόγχος, κογχύλιον) mit der *concha*, in einem muschelartigen Gefässe davon od. wegnehmen, *concha deplere*, wie ἀνακογχύζω hinein thun. Dioscor. 1, 33. die Schreibart mit dem ι ist falsch. —κοιμάομαι, ῶμαι, f. ήσομαι, abgesondert, allein, ausserhalb des Hauses schlafen; sich schlafen legen und etwas schlafen. Xen. Cyropaed. 2, 4. 22. —κοιμίζω, ich lege einen ins Bette, bringe ihn in den Schlaf, indem ich ihn von andern trenne. —κοιτέω, ich bin ἀπ.κοιτος, also s. v. a. d. vorherg. —κοιτος, ὁ, ἡ, ausserhalb des Hauses, besonders oder nicht bey der Frau schlafend. von ἀπὸ, κοίτη. —κολακεύω, sehr schmeicheln, verschmeicheln. zw. —κολάπτω, f. ψω, ab- oder losschlagen, durch hauen od. einschneiden vorz. in Stein davon nehmen. —κολοκυντώσις, ἡ, eine komische ἀποθέωσις des Kaiser Claudius von Seneka, gleichsam die Aufnahme unter die Kürbisse od. Schaafköpfe, κολοκύντη. —κολούω, f. ούσω, davon abnehmen u. verkürzen, u. metaph. mässigen. —κολπόω, ῶ, f. ώσω, einen Busen, zu einem Busen machen. —κολυμβάω, ῶ, f. ήσω, herausschwimmen, durch Schwimmen entkommen. —κομάω, ῶ, f. ήσω, das Haupthaar verlieren. Lucian. Lexiph. —κομιδὴ, ἡ, das Wegtragen, Wegbringen; das Zurückbringen; Zurückkunft, vom med. ἀποκομίζεσθαι. Thucyd. von —κομίζω, f. ίσω, wegtragen, wegbringen; med. ἀποκομίζομαι, ich trage davon und bekomme; davon oder zurückgehn; wieder bekommen. —κομμα, ατος, τὸ, (ἀποκόπτω) das Abgehauene, Abgeschnittene. —κομπάζω, f. άσω, sich rühmen, sehr prahlen; 2) λύρας ἀπεκόμπασε χορδὰ Epigr. die Saite platzte. —κοπὴ, ἡ, (ἀποκόπτω), das Abschneiden, Abhauen, Verkürzen, Abnehmen. —κοπος, ὁ, ἡ, abgeschnitten; beschnitten, entmannt, von —κόπτω, f. ψω, abschneiden, beschneiden, abkürzen, verstümmeln. —κορέννυμι, sättigen. —κορσόω, ῶ, f. ώσω, (κόρση) s. v. a. ἀποκείρω. Aeschyl. bey Hesych. —κορυφόω (κορυφὴ) spitzig machen, eigentl. in eine Spitze zusammenziehen, Polyb. 3, 49. ἀποκορυφοῦται ἡ Φλὸξ Theophr. die Flamme läuft spitzig zu. Vergl. Polyb. 3, 49. 2) kurz, sich kurzfassend antworten. Herodot. 5. 73. S. κορυφόω und συγκορυφόω.

Ἄποκος, ον, (πόκος) ohne Wolle, nicht wollicht. —κοσμέω, ich räume weg. Odyss. 7, 232. des Schmuckes berauben, der Zierde. med. ἀποκοσμοῦνται nehmen ihren Schmuck selbst ab. Pausan. 7, 26. —κόσμιος, ὁ, ἡ, fern von der Welt in der Einsamkeit lebend. Gregor. —κοτταβίζω, f. ίσω, den letzten Weintropfen aus dem Becher an die Erde schleudern, so dass es klatscht; *ejicio, ut resonet*, wie es Cic. Tusc. 1 aus Xenoph. Hellen. 2 übersetzt. S. κότταβος; davon —κοτταβισμὸς, ὁ, die Handlung beym trinken, welche im vorigen Worte erklärt ist. —κουρεύω, abscheeren, s. v. a. ἀποκείρω; davon —κουρὴ, ἡ, das Abscheeren, die Schur. —κούριμος, ον, zum abscheeren, abgeschoren. —κουφίζω, f. ίσω, davon erleichtern und befreyen. πολυπράγμονος ὄχλου τὴν πόλιν ἀποκουφίζων Plutar. Pericl. —κόψιμον, abzuschneiden, von ἀποκόπτω. —κραδίζω, beym Nicand. Alex. 319 von dem Feigenbaum κράδη nehmen. —κραιπαλάω, ῶ, und ἀποκραιπαλίζομαι, (κραιπάλη) den Rausch ausschlafen; vom letztern —κραιπαλισμὸς, ὁ, das Ausschlafen des Rausches, Erwachen vom Rausche.

'Αποκρανίζω, f. ίσω, s. v. a. ἀποκεφαλίζω, von κρᾶνον. —κρατέω, ῶ, ab und zurückhalten, von κρατέω. —κρεμάω, ῶ, f. άσω, auf- herabhängen. active. —κρεόω, zu Fleisch, κρέας, machen, in Fleisch verwandeln; zw. —κρῆθεν, vom Haupte herab. v. κράς. zw. —κρημνος, ὁ, ἡ, abschüssig, steil. —κριδὸν, Adv. abgesondert, getrennt, besonders, von ἀποκρίνω. —κριθύνω, f. υνῶ, s. v. a. ἀποκρίνω, zweif. bey Galen. ad Glauc. libr. 2. —κριμα, ατος, τὸ, das Lossprechen, überhaupt ψῆφος Spruch des Richters; und in so fern das med. des verb. drinn liegt, die Antwort. Vergl. Aelian H. A. 9, 15. —κρίνω, f. ινῶ, absondern, aussondern, auswählen, trennen. Vergl. κρίνω, διακρίνω, z. B. τὰ ἀξιολογότατα δ. Pausan. ἓν δ. δυοῖν κάκοῖν Sophocl. aus zweyen Uebeln eins wählen; daher verwerfen, im Gegens. von ἐγκρίνω Plat.; aburtheilen, d. i. durch sein Urtheil einen von etwas ausnehmen, o. es ihm absprechen, als τινὰ τῆς νίκης Aristot. pass. getrennt, von einander, aus einander gebracht werden, Hom. so ἀποκρίνεταί τι ἔς τινα Thucyd. es sondert sich alles bey einem ab, es fällt alles auf ihn, oder es neigt sich, erstreckt sich, kehrt sich alles dahin; med. antworten; davon

'Απόκρισις, εως, ἡ, das Absondern; die Antwort. —κριτικὸς, ἡ, ὸν, absondernd, gut, geschickt abzusondern. —κριτὸς, ὁ, ἡ, abgesondert, auserlesen. —κροτέω, ῶ, weg- fort schnellen u. mit den Fingern ein Schnippchen schlagen; dav. —κρότημα, ατος, τὸ, das Schnippchen mit den Fingern, Athen. 12, p. 530. —κροτος, ὁ, ἡ, hart, fest, rauh. —κρουνίζω, wie eine Quelle, od. aus einer Quelle strömen, springen. Plut. Vol. 8, 795. —κρουσις, εως, ἡ, das Zurückstossen, Ab- oder Zurückschlagen, Abwehren, von ἀποκρούω. —κρουστικὸς, ἡ, ὸν, gut, geschickt abzuwehren. —κρουστος, ὁ, ἡ, zurückgestossen, abgeschlagen. —κρούω, f. ούσω, abschlagen, zurückstossen, zurückschlagen. med. ἀποκρούομαι v. sich abwehren; vom Pferde, abschütteln, abwerfen. —κρύπτω, f. ύψω, verbergen, verhehlen, bedecken, verstecken; verdunkeln, als ἀυτοῦ αὕτη ἡ πλημμέλεια τὴν σοφίαν ἀυτοῦ ἀποκρύπτει Plato. med. ἀπεκρύψατο ταύτην τὴν ἐπιβολὴν πάντας Polyb. 10, 9 er hielt dieses Vorhaben vor allen verborgen, wie *celare aliquem aliquid*.

'Αποκρυσταλλόω, ganz zu Eis, κρύσταλλος machen. —κρυφὴ, ἡ, das Verborgenseyn, Schlupfwinkel; von ἀποκρύπτω. —κρυφος, ὁ, ἡ, verborgen, versteckt; heimlich wohin gelegt, untergeschoben. οὐδὲν [illegible]ούτων ἐστὶν ἀπόκρυφον πατρὸς Xenophon. Symp. 8, 11 nichts davon geschieht ohne Wissen des Vaters. κρυπτὸν ἀφ' ἧρας Eur. Bach. 98. —κρυψις, εως, ἡ, das Verbergen, Verborgenseyn. —κτάομαι, ῶμαι, aus seinem Besitz entlassen, veräussern, verlieren; bloss bey spätern Schriftstellern. —κτείνω, f. ενῶ, od. ἀποκτένω, κτεννύω, κτιννύω, κτεινύω, κτονέω, ermorden, tödten; vom Richter, das Todesurtheil sprechen. Xen. Mem. 1, 1. 18. —κτημι, v. ἀποκτάω, s. v. a. ἀποκτείνω davon νῶϊν ἀπέκτατο πιστὸς ἑταῖρος, uns ist getodtet worden. —κτητος, ὁ, ἡ, veräussert, verloren; von ἀποκτάομαι. —κτισις, εως, ἡ, (κτίζω) Verpflanzung, Kolonie, Abbauung; bey Dionys. Antiq. 1, 36. 50 u. 53 haben die Handschr. dafür ἀποίκησις. —κτονέω, s. ἀποκτείνω. —κτυπέω, ῶ, mit einem Tone losbrechen, in einen Ton ausbrechen, lostönen. —κυβευώ, aufs Spiel setzen, wagen. —κυβιστάω, über Hals u. Kopf sich herabstürzen. —κυδαίνω, ich verherrliche und rühme. Hierocles Stobae. Serm. 82. —κυέω, ῶ, gebähren, werfen, κύω; dav. —κύησις, εως, ἡ, das Gebähren, die Geburt. —κυίσκω, active gebären machen oder *abortum facio*; med. ἀποκυΐσκομαι s. v. a. ἀποκυέω oder ἀποκύω. S. κυΐσκω. —κυλίζω, f. ίσω, ἀποκυλινδέω, ἀποκυλίω, herab- fort- wegwälzen. —κυματίζω, f. ίσω, gleichs. m. d. Strome od. m. d. Welle forttreiben. Plutarch. Q. S. 8, 10. ἀποκυματίζουσα τὸν ἦχον ἁρμονία bey Dionys. Hal. was er hernach διασαλεύουσα nennt, ungleich machen, uneben, rauh. Plut. de facie lunae p. 719 verbindet es mit ἐξωθεῖν.

'Απόκυνον, τὸ, Hundetod; v. ἀπὸ, κύων, eine Pflanze Plin. 24, 12.

'Αποκυρετῶ, ich wähle und bestätige, inscr. dorica musei veron. p. 14.

'Αποκυρόω, ῶ, f. ώσω, (κῦρος) durch einen Schluss aufheben, abschaffen, *abrogare*; aus der Mitte einer Versammlung einen wählen und berechtigen, als τὸ κοινὸν ἀποκυρούτω ἄνδρα τὸν ἐγγραψοῦντα. —κυρτόω, ῶ, f. ώσω, höckerich machen. Hippocr. —κύρωσις, εως, ἡ, Abschaffung, Aufhebung. —κωκύω, beheulen, beklagen. —κύω, s. v. a. ἀποκυέω. —κώλυσις, εως, ἡ, Abhaltung, Verhinderung, Hinderniss. —κωλύω, f. ύσω, abhalten, verhindern, abwehren, verbieten. —κωφόω, ῶ, taub machen, vertösen.

'Απολαγχάνω, ich bekomme durchs Loos von einer Sache, τῶν κτημάτων τὸ ἐπιβάλλον, meinen Antheil. Herodt. 2) ich bekomme nicht durchs Loos, d. Gegenth. v. λαγχάνω. überh. ſt. ἀποτυγχάνω Eur. Jon 609.

'Ἀπολάζυμαι, davon oder wegnehmen; wieder nehmen. —λαιμίζω (λαιμὸς) ſ. v. a. d. folgd. Nicetas Annal. 14, 2. —λαιμοτομέω, ῶ, abkehlen, die Kehle abſchneiden. —λαιμότομος, ον, abgekehlt, dem die Kehle abgeſchnitten iſt. —λακέω, einen Ton, Geräuſch machen, δακτύλοις, mit den Fingern Schnippchen ſchlagen. —λακτίζω, f. ίσω, mit Füſsen oder mit ausſchlagen von ſich ſtoſsen, mit Gewalt fortſtoſsen. —λακτισμὸς, ὁ das Fortſtoſsen mit Gewalt; βίων gewaltſame Todesarten. Plutarch. —λαλέω, ῶ, ausſchwatzen, hinſchwatzen, hinreden. Lucian.

'Ἀπολαμβάνω, ἀπολήψομαι, ἀπείληφα, ἀπείλημμαι, ich nehme von, bekomme davon, ich bekomme etwas, was mir der andere ſchuldig iſt, was er zu thun ſchuldig iſt, χάριτας, Dank für Wohlthaten. ἀπολάβετε παρ' αὐτοῦ τὸν λόγον, laſst euch von ihm Rechenſchaft ablegen. Aeſchines; 2) etwas, was man verloren hatte, wieder bekommen, wieder erhalten; 3) ich nehme davon, trenne, nehme beſonders, führe auf die Seite; daher 4) *intercipere*, einen von andern trennen, abſchneiden, auffangen, aufhalten. διώξαντες ἀπολαμβάνουσιν τοὺς ἐν κοίλῳ χωρίῳ, verfolgten ſie und ſchnitten ſie in einem Thale von den übrigen ab Joſephus. ἀπολαβεῖν τὴν στρατιὰν αὐλῶσι στενοῖς, in enge Päſſe die Armee einſchlieſsen und abſchneiden. ἀναπνοὴν ἀπολαβεῖν αὐτοῦ, ihm den Odem verſchlieſsen. Plutarch. Oft kann man es durch *deprehendere*, ertappen, überfallen überſetzen; 5) im Laufe hindern, anhalten, aufhalten. ὑπὸ τοῦ πνεύματός ἐστιν ἀποληφθῆναι τὸ ὕδωρ ῥέον, vom Winde kann laufendes Waſſer, der Lauf des Waſſers, aufgehalten werden; Ariſtotel. ἤν που ὑπὸ ἀπλοίας ἀπολαμβανώμεθα, wenn wir durch widrigen Wind aufgehalten werden. Thucyd. ὅταν οἱ ἄνεμοι ἀπολαβόντες αὐτοὺς τύχωσιν, wenn der Wind ſie aufhält. Plato Phaed. 1. ἀπειλημμένος ἐν μέσῳ, der in der Mitte eingeſperrt und abgeſchnitten iſt.

'Ἀπολαμπρύνω, glänzend machen. —λάμπω, f. ψω, Glanz von ſich geben, glänzen, blitzen, Hom. Il. 6, 295. auch act. mit αὐγὴν abſtrahlen; daher paſſ. ἀπολάμπεται χάρις Hom. —λάπτω, f. ψω, auf oder ablecken, leckend verſchlucken, wie die Hunde, hinunterſchlürfen. S. ἀπολαύω. —λαυσις, εως, ἡ, der Genuſs, genoſſener Vortheil, Vergnügen. —λαυσμα, ατος, τὸ, Genuſs, was man genieſst oder genoſſen hat. —λαυστικὸς, ή, όν, zum Genuſſe gehörig, darzu beförderlich, dem Genuſſe ergeben, eigen. —λαυστὸς, ὁ, ἡ, genoſſen. —λαύω, (λάω, λαύω, λάβω, *capio*, ich nehme, bekomme) eigentlich ſ. v. a. μεταλαμβάνω, oder ἀπολαμβάνω, ich nehme, bekomme davon, habe Antheil an einer Sache, τινὸς, im Guten und Böſen; im Guten, ich genieſse, habe Vortheil davon; im Böſen, ich habe Schaden, Nachtheil davon, oder mit einem andern davon. Bey Plato Apol. 18 ſteht voll: εἰ μέντοι τι ἀπὸ τούτων ἀπέλαυον. Bey Ariſtoph. Nub. 873 iſt ἀπολάψεις ſt. ἀπολαύσεις obgleich es andere von ἀπολάπτω ableiten. Dionyſ. Antiq. 1, 58 οὐ γὰρ ἂν νῦν πρώτου οὐδὲ μεγίστου πολέμου τοῦδ' ἀπολαύσαιμεν, den wir auszuſtehn zu führen hätten.

'Ἀπολεαίνω, glattmachen, glätten. —λέγω, f. ξω, ableſen, abpflücken; ausleſen, auswählen; ich ſage nein, verbiete, λέγω, ἀπὸ, daher abſagen, verweigern; verwerfen, ausſchlagen, auch im medio Polyb.; laut oder ſtark ſagen, erklären, anzeigen, daſs ἀπὸ verſtärkt, wie in ἀποθαυμάζω u. andern. 2) ἀπολέγομαι ſ. v. a. ἀπαυδάω ich unterliege. Plutarch. Lyc. 22.

'Ἀπολείβω, f. ψω, herabträufeln laſſen, herabgieſsen. —λειμμα, τος, τὸ, das Uebriggelaſſene, Uebriggebliebene, der Rückſtand. —λειπὲς, τὸ, Hippocrat. nat. pueri c. 7 wo die Handſchr. ἐπιλειπὲς richtiger haben. —λείπω, f. ψω, übriglaſſen, zurücklaſſen; verlaſſen oder nicht helfen; hinter ſich zurücklaſſen, oder vorlaufen, beſiegen, übertreffen; ἀπολείπω ποιῶν, ich unterlaſſe zu thun, ich höre auf zu thun. ἀπολείπομαι τινὸς Xen. ſich von einem trennen; hinter einem zurückbleiben.

'Ἀπολειτουργέω, ῶ, ſeine Dienſte vollenden, Antonin 10, 22. wo es aber aus Ariſtoph. heiſsen muſs ἀπελιτάργισας. —λείχω, f. ξω, ablecken, weglecken. —λειψις, εως, ἡ, das Verlaſſen, Zurücklaſſen, oder paſſ. das Zurückbleiben, Dem. daher das Abnehmen τῆς σελήνης Ariſtot. —λεκτος, ὁ, ἡ, auserleſen, vorzüglich; v. ἀπολέγω. —λελεγμένως, Adv. nachläſſig; v. ἀπολέγω. zweif. —λελυμένως, Adv. aufgelöſst, frey, v. ἀπολύω. partic. perf. paſſ. —λέμητος, ὁ, ἡ, (πολεμέω) nicht bekriegt. —λεμμα, τος, τὸ, das abgezogene, abgeſchälte; v. ἀπολέπω. —λεμος, ὁ, ἡ, Adv. ἀπολέμως ohne Krieg, nicht kriegeriſch, friedlich; nicht zum Kriege geſchickt; nicht zu bekriegen, nicht zu bezwingen.

Ἀπολεοντόω, (λέων) Heraclit. Incred. 12 in Löwen verwandeln. —λεπίζω, f. ίσω, ſ. v. a. ἀπολέπω; davon —λέπισμα, τος, τὸ, das abgeſchälte. —λεπτύνω, f. υνῶ, verdünnen, dünn fein ſpitzig machen; verringern. —λέπω, ich ziehe die Haut, Schaale ab. μάστιγι τὸ νῶτον ἀπ. m. d. Peitſche den Rücken abziehn. Eur. Cykl. 236. —λέσκω, joniſch ſ. v. a. ἀπολλύω. —λευκαίνω, weiſsen, weiſsmachen, weiſsanſtreichen. —λήγω, f. ξω, ablaſſen, aufhören. —ληκέω, ῶ, ſ. ἀπολακέω Suidas in Σαρδαν. u. ὀχέυω Heſych. in ἀπελήκησε. —ληκυθίζω, f. ίσω, das ληκύθιον wegnehmen. S. λήκυθος. —ληξις, εως, ἡ, (ἀπολήγω) das Aufhören, der Schluſs. —ληρέω, v. ληρέω das lat. *deliro*, ich mache ein Verſehn. Demoſth. ἀπελήρησέ τι καὶ διήμαρτε. —ληψις, εως, ἡ, die Aufnahme, Annahme, das Erhalten; das Aufhalten, Anhalten, Auffangen. ſ. ἀπολαμβάνω. —λιβάζω, Ariſtoph. Av. 1467 οὐκ ἀπολιβάξεις, wirſt du dich nicht fortpacken? Man leitet es von λιβάζω her; Heſych. hat λιβάξει, ἀποῤῥυήσει, ἀποφθερεῖ, derſelbe ἀπολειβράξαι, ἀπολεῖψαι, ἐκνωτίσαι, ἄλλοι ποῤῥωτέρω ἀπελθεῖν. In eben dem Sinne braucht Ariſtoph. ἀπολιταργίζειν. Heſych. λιβάσεις, σοβήσεις, φθαρεῖς.

Ἀπολιγαίνω bey Ariſtoph. Ach. 967 ἢν δ' ἀπολιγαίνῃ nach den Schol. θορυβῇ oder ὀξέως βοᾷ. nach Heſych. ὀξέως ἀποτρέχειν, ἀποφθέγγεσθαι. Etymol. M. hat παραφθέγγεσθαι u. βιάζεσθαι aus dieſer Stelle erklärt; die Bed. ſich krauſse machen, Lärm machen, viel reden u. ſchreyen iſt die natürlichſte; vom Spielen auf der Flöte ἀπ. αὐλῷ Plut. Q. S. 7, 8. v. λιγὺς u. λιγαίνω.

Ἀπολιθόω, ῶ, f. ώσω, verſteinern, v. λίθος; davon —λίθωσις, εως, ἡ, Verſteinerung. —λιμπάνω, ſ. v. a. ἀπολείπω. joniſch. —λινόω, ῶ, f. ώσω, mit einem flächſnen Faden abbinden, unterbinden. dav. —λίνωσις, εώς, ἡ, das ab- oder unterbinden mit einem flächſnen Faden. —λιόρκητος, ον; (πολιορκέω) unbelagert, nicht zu belagern.

Ἀπολις, ιδος, ὁ, ἡ, (πόλις) ohne Stadt, der keine Stadt, keinen Staat, kein Vaterland hat. —λισθαίνω, u. ἀπολισθέω, abſchlüpfen, abglitſchen, ausglitſchen, nicht hangen bleiben. —λιταργίζω, ich mache mich fort, gehe fort. Ariſtoph. Nub. 1253. S. auch ἀπολειτουργέω. Heſych. u. Photius haben λιταργίζειν für ὀξύνειν, τροχάζειν, ταχύνειν. So ſteht es Ariſtoph. Pac. 561.

Ἀπολίτευτος, ὁ, ἡ, (πολιτεύομαι) der nicht an den öffentlichen Geſchäften Theil nimmt, kein Staatsmann; zur Führung der Staatsgeſchäfte ungeſchickt, untauglich; λέξις u. λόγος bey Plutarch. ἀπολίτευτα καὶ ἀκοινώνητα Dionyſ. Halic. der nicht populär iſt.

Ἀπολίτης Theopomp. ap. Polluc. 3 ſ. 58. ſ. v. a. ἄπολις. —λιτικὸς, ἡ, ὸν, zur Führung der Staatsgeſchäfte ungeſchickt, unbequem, zur Staatsverfaſſung vorz. der demokratiſchen nicht paſſend. —λιχμάω, ῶ, f. ήσω, ablecken, belecken.

Ἀπόλλυμι u. ἀπολλύω, verderben, verwüſten, zu Grunde richten, verlieren; paſſ. verdorben, zu Grunde gerichtet werden, unglücklich ſeyn, ermordet werden. Die tempora werden vom Stammworte ἀπόλω ἀπόλλω gebildet, davon ἀπολῶ fut. 2. ἀπολέω davon fut. 1. ἀπολέσω, ἀπώλεσα aor. 1. ἀπώλεκα oder attiſch ἀπολώλεκα perf. von ὄλημι ὄλεμαι iſt ἀπώλετο aor. 2. er kam um.

Ἀπολογέομαι, οῦμαι, (ἀπὸ λόγος), ſich entſchuldigen, ſich vertheidigen. —λόγημα, ατος, τὸ, Entſchuldigung, Vertheidigung; vorz. ein einzelner Punkt der Vertheidigung, eine Entſchuldigung; das ganze iſt ἀπολογία. —λογητικὸς, ἡ, ὸν, entſchuldigend, vertheidigend, gut, geſchickt, paſſend zur Vertheidigung. —λογία, ἡ, Entſchuldigung, Vertheidigung. —λογίζομαι, f. ίσομαι, Rechnung führen, Rechnungsbücher halten, Rechnung oder Rechenſchaft ablegen; 2) berechnen, ſchlieſsen; davon —λογισμὸς, ὁ, das Rechnungsführen, Buchhalten, abgelegte Rechenſchaft, Rechnungsbücher. Auch ſ. v. a. ἀπολογία, Vertheidigung, Auseinanderſetzung ſeiner Gründe, warum man ſo und nicht anders gehandelt habe. Cic. ad Att. 16, 7. —λογος, ὁ, eine Erzählung; 2) eine allegoriſche, od. Fabel; 3) Berechnung, Liſte, Regiſter. —λοιπος, ὁ, ἡ, davon übrig gelaſſen, übrig. —λολύζω, f. ύξω, aufſchreyen, laut jauchzen. S. ἀνολολύζω. —λουμα, ατος, τὸ, das Waſſer oder abgegangener Schmutz im Bade, und —λουσις, εως, ἡ, das Abwaſchen. —λουτριος, ὁ, ἡ, Aelian. H. A. 17, 11. τοῖς ἀπολουτρίοις verſt. ὕδασι, Waſſer, worinne ſich ſchon jemand gebadet hat. —λούω, f. ούσω, abwaſchen; med. ſich abwaſchen, ſich im Bade reinigen, ſich reinigen laſſen. —λοφύρομαι, beweinen, beklagen. Bey Thucyd. 2. ſo wie ἀπαλγέω, ich höre auf zu beklagen. —λοχμόομαι, οῦμαι, f. ώσομαι, ſtaudig, buſchig werden, *fruticor*, wie Plinius überſetzt. —λυμαίνομαι, ſich reinigen, wie ἀποκαθαίρομαι Hom. Il. 1, 313. 314. 2) das verſtärkte λυμαίνομαι beſchädigen, ſchaden, verderben; davon

'Ἀπολυμαντὴρ, ῆρος, ὁ, δαιτῶν Hom. Od. 17, 220. so wie Hor. Ep. 1, 15. 31 *pernicies et tempestas barathrumque macelli*, von einem Schmarotzer, das Verderben aller Mahlzeiten. —λυπραγμόνητος, ον, unbekümmert, unbesorgt um fremde Angelegenheiten; v. πολυπραγμονέω; das Adv. ἀπολυπραγμονήτως. —λύπραγμων, ὀν, s. v. a. d. vorh. —λύσιμος, ὁ, ἡ, der befreyen kann oder befreyet, frey gesprochen werden kann; von —λυσις, εως, ἡ, v. ἀπολύω, also Ablösung, Befreyung, Lossprechen, Entlassung u. med. Weggehen. —λυτικῶς, Adv. v. ἀπολυτικὸς, gerne befreyend, geneigt zu befreyen oder loszusprechen. Denn ἀπολυτικῶς ἔχω ist s. v. a. ἀπολυτικός εἰμι. —λυτος, ὁ, ἡ, Adv. ἀπολύτως, gelöst, losgelassen, befreyet, losgesprochen. —λυτρόω für Lösegeld, λῦτρον, losgeben, loslassen. med. ἀπολυτροῦμαι ich kaufe für Lösegeld los; davon —λύτρωσις, εως, ἡ, Loslassung, Loskaufung, Befreyung.

'Ἀπολύω, f. ύσω, auslösen, ablösen, erlösen, loslassen, von den Banden, oder von Diensten, aus der Ehe entlassen, von seiner Anklage, oder lossprechen. med. sich entlassen, oder weggehn, Polyb.; sich einen auslösen, oder machen, dass ein anderer uns unsern Freund, den er gefangen hält, loslasst, Hom. Il. 22, 50. sich von etwas losmachen, oder etwas zu seinem Vortheil auflösen, widerlegen, als αἰτίας καὶ ὑπονοίας Plut.

'Ἀπολωβάω, ῶ, f. ήσω, beschimpfen, misshandeln, Sophocl. Aj. 217 vergl. 182. —λώπίζω, f. ίσω, s. v. a. λωποδυτέω. S. ἐκλωπίζω. —λωτίζω, abreissen, abpflücken, s. v. a. ἀπανθίζω v. λωτὸς. Eurip. Suppl. 439. Iphig. Aul. 793. —λωφάω, ῶ, f. ήσω, s. v. a. ἀποπαύω, z. B. δίψαν den Durst stillen. S. λωφάω.

'Ἀπομαγδαλιὰ, ἡ, (ἀπομάσσω) ein Stück Brodgrume, woran man sich die fettigen Hände bey Tische abwischte, und dann den Hunden vorwarf, sonst κυνὰς; daher der Schmarotzer bey Aristoph. Eq. 414 ἀπομαγδαλιὰς σιτούμενος heisst, der wie der Hund solche Brodgrumen isst. τῶν χρημάτων ἀπ. Nicetas Annal. 4, 6 ein Theil des Vermögens, den man den Feinden, wie den Hunden einen Bissen vorwirft.

'Ἀπόμαγμα, τὸ, (ἀπομάσσω) s. v. a. κάθαρμα, was zur Reinigung dient oder gedient hat u. übrig bleibt; 2) Abdruck. —μαδαρόω, ο. ἀπομαδίζω ganz kahl machen. zweif. —μάθημα, ατος, τὸ, das Verlernte. ἐπίκαιρον τὸ ἀπ. es ist gut, wenn es verlernt, vergisst. Hippocr. —μάθησις, εως, ἡ, (ἀπομαθέω) das Verlernen. —μαίνομαι, f. νοῦμαι, ausrasen oder nicht mehr rasen; in Wuth gerathen, kommen. —μακρύνω, verlängern, in die Länge ziehen, weit ausdehnen. —μάκτης, ου, ὁ, (ἀπομάττω) der abwischt. —μακτρα, ἡ, Streichholz. S. ἀπομάσσω no. 3. —μακτρον, τὸ, s. v. a. ἀπόμαγμα. —μαλακίζομαι, f. ίσομαι, oder ἀπομαλθακίζομαι, oder ἀπομαλθακόομαι, aus Weichlichkeit, Bequemlichkeit, Muthlosigkeit etwas unterlassen, nicht thun; feige muthlos seyn und handeln. —μανθάνω, verlernen. —μαντεύομαι, prophetisch verkündigen. —μαξις, εως, ἡ, das Abwischen, von ἀπομάττω. —μαραίνω, austrocknen, aus- oder abzehren; entkräften, schwächen. —μαρτυρέω, ῶ, f. ήσω, bezeugen, Zeugniss geben. —μαρτύρομαι, betheuern wie *obtestor*,

'Ἀπομάσσω, ἀπομάττω f. ξω (S. μάσσω) ich wische streiche ab, reinige; auch metaph: καθαίρων τοὺς τελουμένους καὶ ἀπομάττων τῷ πηλῷ καὶ τοῖς πιτύροις Demosth. ἀπομάττομαι ἱδρῶτα, κονιορτὸν, τοῖς ψωμοῖς ich wische mir den Schweiss, Staub, oder wische mir die Hände mit Brodgrume ab; 2) ich drucke ab, τύπον, σχῆμα. Med. ἀπομάττομαι ich drücke mir ein, nehme etwas an, ahme nach, ziehe mir etwas zu. αἰσχύνην ziehe mir Schande zu. ἀπομάττονται παρ' ἀλλήλων sie nehmen von einander an. ὅθεν ἡ ἐμὴ φρὴν ἀπομαξαμένη πολλὰς ἀρετὰς ἐποίησεν Aristoph. τὸ σωκρατικὸν ἦθος ἀπομεμαγμένοι εἰσὶν sind ein Abdruck und Nachbildung der sokratischen Methode. Diog. Laert. 3) ich streiche ab, χοίνικα ἀπομεμαγμένην einen abgestrichenen Scheffel. dav. ἀπόμακτρα das Streichholz. Daher κενεὰν ἀπομάξαι als Sprüchwort bey Theocrit. ἀχιλλείων verst. κριθῶν, ἀπομάττεσθαι Aristoph. Eq. 819 wird durch essen erklärt.

'Ἀπομαστιγόω, ῶ, f. ώσω, abpeitschen, durchgeisseln. —ματαΐζω, f. ίσω, einen Wind streichen lassen. Herodot. 2. 162. S. ματαΐζω. —μάχομαι, m. d. Dat. sich widersetzen und im Kampfe abzuhalten suchen; 2) m. d. Akk. abwehren, abhalten; auch ablehnen. Herodot. 7. 136. —μαχος, der nicht beym Treffen ist; 2) der zum Kriege untauglich, darinn unerfahren ist. —μεθύσκομαι, wieder nüchtern werden, zweif. —μειλίσσομαι, ίττομαι, wieder gut machen, besänftigen. Dionys. Halic. —μείρομαι, f. ροῦμαι, davon vertheilen, austheilen. S. ἀπαμείρω. —μείωσις, εως, ἡ, (μειόω) Verringerung. —μελαίνω, ganz schwarz machen.

'Απόμελι, τὸ, nach Dioſcor. 5, 17 des Columella 12, 11 *mella*, ein mit Honig gegohrnes Waſſer, Honigwaſſer, die ſchlechteſte Art von *mulſa*. —*μέμφομαι*, f. *ψομαι*, tadeln, Vorwürfe machen, beſchuldigen. —*μένω*, f. *ενῶ*, bleiben, verbleiben, übrig bleiben, verharren, ausharren. —*μερίζω*, f. *ίσω*; davon austheilen, zutheilen, vertheilen, von einander theilen, trennen, einen Theil abgeben; dav. —*μερισμὸς*, ὁ, die Vertheilung, Austheilung, Eintheilung. —*μερμηρίζω*, f. *ίσω*, einnicken, einſchlummern, ſchlummern, ſchlafen. Ariſtoph. Veſp. 5. Dio Caſſ. 55, 14. —*μετρέω*, ῶ, abmeſſen, vermeſſen, zumeſſen; dav. —*μέτρημα*, *ατος*, τὸ, das abgemeſſene, zugemeſſene. —*μηκύνω*, f. *υνῶ*, verlängern, in die Länge, Ferne ziehn. —*μηνίω*, f. *ίσω*, fortzürnen, fortgrollen Hom. in Verbindung mit *οὐ μεθιέναι* (*χόλον*) Od. 16, 378 und Il. 2, 772. 7, 230. —*μίγνυμι*, f. *ίξω*, miſchen, vermiſchen; eigentl. ab oder davon miſchen. Iſt aber in beyderley Bed. zweif. Bey Nicand. Ther. 582 haben die Handſchr. für *ἀπομίξας* alle *ἐπιμ.* —*μιμέομαι*, *οῦμαι*, nachahmen, nachbilden; davon —*μίμημα*, *ατος*, τὸ, nachgemachtes Bild, Abbildung. —*μίμησις*, *εως*, ἡ, das nachahmen, nachbilden. —*μιμνήσκομαι*, f. *μνήσομαι*, ich erinnere mich. —*μιξις*, *εως*, ἡ, das miſchen davon; zw. S. *ἀπομίγνυμι*. —*μισέω* d. verſtärkte *μισέω* Themiſt. Or. 13 pag. 189. —*μισθος*, ὁ, ἡ, (*μισθὸς*) ohne Sold, nicht beſoldet, der den Sold nicht erhalten hat; auch ausgedient, *emeritus*. Plut. für Sold arbeitend. —*μισθόω*, ῶ, f. *ώσω*, um für Lohn, *μισθὸς*, verdingen, bedingen; dav. —*μίσθωμα*, *ατος*, τὸ, das für Lohn Verdungene, Bedungene. —*μνάομαι*, *ῶμαι*, f. *ήσομαι*, ſ. v. a. *ἀπομιμνήσκομαι*, ſich einer erhaltenen Wohlthat oder erlittenen Unrechts erinnern, oder ſich dankbar beweiſen, ſich rächen, wie wir ſagen: es einem gedenken. Vergl. *ἀπομνημονεύω*. —*μνημόνευμα*, *ατος*, τὸ, Erzahlung von denkwürdigen Reden und Handlungen, Denkwürdigkeit, denkwürdige Rede oder That; und —*μνημόνευσις*, *εως*, ἡ, Erwahnung, Erzahlung; von —*μνημονεύω*, ich ſage her, erzähle etwas aus der Erinnerung, dem Gedachtniſſe; ich erzahle; 2) ich gedenke einem etwas im guten und ſchlimmen Sinne. *ὅσοις πατρικὰς εὐεργεσίας ἀπεμνημονεύσατε* Demoſth. 3) *καὶ τοῦτο ὄνομα ἀπεμνημόνευε τῷ παιδὶ θέσθαι* Herodot. 5. 65 habe dem Kinde zum Andenken den Namen gegeben.

'Απομνησικακέω, ῶ, ſich des Böſen oder des erlittenen Unrechts erinnern, es einem gedenken und ſich dafür rächen, wie *μνησικακέω*.

'Απόμνυμι, *ἀπομνύω*, f. *ἀπομόσω*, hat die tempora von *ἀπομόω*, abſchwören, mit einem Eide ableugnen, Odyſſ. 2, 377. zuſchwören, eidlich zuſichern. Od. 15, 436.

'Απόμοιρα, ἡ, Theilnahme, Antheil; davon —*μοιράομαι*, Antheil nehmen laſſen, mittheilen, zweif. —*μονόω*, ῶ, f. *ώσω*, (*μόνος*) allein laſſen, verlaſſen; *τινὰ τινὸς*, einen von etwas ausſchlieſsen, nicht Theil nehmen laſſen. Thucyd. —*μοργμα*, *ατος*, τὸ, Abdruck, Abbildung, eigentl. das aus- oder abgewiſchte; v. —*μόργνυμι*, *ἀπομοργνύω*, fut. *ξω*, ausdrucken, auspreſſen, auswiſchen, abwiſchen, *ἀπομόρξασθαι δάκρυ* ſich die Thranen abwiſchen, verwiſchen, wegwiſchen. S. *ὀμόργνυμι*; dav. —*μορξις*, *εως*, ἡ, das Ausdrücken; das Aus-Ab-Wegwiſchen, Verwiſchen. —*μορφος*, ὁ, ἡ, ſ. v. a. *ξένος*. Soph. —*μοσις*, *εως*, ἡ, das Abſchwören, v. *ἀπόμνυμι*. —*μοτικὸς*, zum Abſchwören gehörig, geſchickt, bereit. Adv. *ἀπομοτικῶς*. —*μουσος*, ὁ, ἡ, Adv. *ἀπομούσως*, ungeſchickt, ungebildet, ungelehrt. S. *μοῦσα* u. *μουσόω*. —*μυγμα*, *τος*, τὸ, das Ausgeſchneutzte, der Rotz, v. *ἀπομύττω*. —*μυζάω*, ich ſauge aus. Themiſt. Or. 22 pag. 282. —*μύζουρις*, *ιδος*, ἡ, d. i. *μυζάουσα τὴν οὐρὰν*. *fellatrix*. —*μυθέομαι*, *οῦμαι*, ausreden, widerrathen, Hom. Il. 9, 109. —*μυιος*, ὁ, der Fliegenvertreiber, Beywort des Zeus. —*μυκάομαι*, *ῶμαι*, aufbrüllen, losbrüllen. —*μυκτηρίζω*, (*ἀπὸ*, *μυκτηρίζω*) ich verwerfe mit Verſpottung. —*μυκτίζω* oder *ἀπομυχθίζω*, bey Lucian. verſpotten, verachten, verhöhnen; ſpöttiſch abweiſen Lucian. meretr. dial. 7. S. *μυχθίζω*. —*μυκτισμὸς*, die Verſpottung, Verhohnung. —*μυλλαίνω*, von *μυλλαίνω*, ich verachte, verſpotte mit verzogenen Lippen. S. *μύλλω*, *μυλλαίνω* und *προμυλλαίνω*. —*μυξία*, ἡ, (*ἀπὸ*, *μύσσω*) Unreinigkeit, die man ausſchneuzt. —*μύσσω*, *ύττω*, (*ἀπὸ*, *μύσσω*) *emungo*, ich ſchneutze; 2) ich betrüge jemand um etwas, Geld u. d. wie das lat. *emungere*. med. ſich ausſchneutzen, ſich ausſchnauben. —*μυχθίζω* S. *ἀπομυκτίζω*. —*μύω*, f. *ύσω*, verſchlieſsen, die Augen.

'Απομφολύγωτος, ὁ, ἡ, (*πομφυλογόω*) keine Blaſen treibend, Dioſcor. 5, 116.

'Απομωρόω, ῶ, (*μωρὸς*) dumm machen.

'Απονaίω, ſ. v. a. *ἀποικέω*. S. *ἀπονάω*. —*ναμαι*, f. *ἀπονήσομαι*, das paſſivum v. *ἀπόνημι* von *ὀνέω*, ſ. v. a. *ἀπολαύω*, Nutzen von etwas (τινὸς) ziehen, es benutzen, dav. haben.

'Αποναρκάω, ganz erstarren; das verstärkte ναρκάω. —ναρκόω, ganz starr, steif, unempfindlich machen, d. verstärkte ναρκόω. —νάω, f. άσω, f. v. a. ἀποικίζω, μετοικίζω. im med. ἀπονάομαι f. v. a. ἀποικέω, μετοικέω. —νεκρόω, ganz todt machen, auch von Kälte und andern Ursachen, wodurch ein Glied oder Theil todt gemacht wird und abstirbt. —νέμησις, εως, ἡ, Vertheilung, Zutheilung; wobey νεμέω st. νέμω zum Grunde liegt. —νεμητής, ὁ, Vertheiler. —νεμητικὸς, ἡ, ὸν, zum vertheilen, zu theilen gemacht, gehörig; gerne vertheilend. Daher τὸ ἀπονεμητικὸν, näml. ἦθος, Charakter des Mannes, der gerne einem jeden das Seinige giebt. —νέμω, f. μῶ, davon vertheilen, austheilen, zutheilen, anweisen. —νενοημένως, Adv. auf eine verzweifelte Art; von ἀπονοέομαι. —νέομαι, f. νήσομαι u. νεύσομαι, (νέομαι) weggehen, wieder gehen oder zurückkommen. —νεοττεύω, f. εύσω, aufhören zu nisten, Aristot. H. A. 6, 4. —νευμα, ατος, τὸ, die Neigung herab, Abhang; von ἀπονεύω. —νευρόω, ῶ, f. ώσω, in ein νεῦρον Knochenband verwandeln; die Bed. die νεῦρα abschneiden bey Hesych. zweif. davon —νεύρωσις, εως, ἡ, das Ende der Muskeln, wo sie sich in die Natur der Knochenbänder νεῦρον verwandeln, u. das daraus gebildete, so ist das Darmfell ἀπον. der Quermuskeln. —νεύω, f. εύσω, durch Nicken oder Kopfschütteln etwas abschlagen, es verneinen; sich herab oder wohin neigen, z. B. πρὸς αἰθέρα, auch übergetragen wie *inclino*, als πρὸς τὴν γεωμετρίαν Plato. —νέω (νέω) f. v. a. ἀποσωρεύω. Eur. Jon 875 στέρνων ἀπονησαμένη ῥάων ἔσομαι, wenn ich meine Brust von der Bürde entladen haben werde. —νήμαι, f. ονήσομαι, f. v. a. ἀπόναμαι. —νηρευσία, ἡ, Aufrichtigkeit, Unschuld; von ἀπονηρεύομαι. zweif.

'Απόνηρος, ὁ, ἡ, ohne Bosheit, Falschheit, unschuldig. —νηστεύω u. ἀπονηστίζομαι ablassen vom Fasten, nicht mehr fasten, frühstücken. —νητὶ, Adv. (πονέω) ohne Mühe oder Arbeit. —νητος, ὁ, ἡ, (πονέω) nicht ge- od. bearbeitet; nicht zu bearbeiten; ohne Mühe oder Arbeit, oder leicht zu thun. —νήχομαι, f. νήξομαι, wegschwimmen, durch Schwimmen entkommen.

'Απονία, ἡ, Mangel an Arbeit, Muſse; Widerwille gegen Arbeit, Trägsinn, Faulheit, von πόνος, oder Charakter, Zustand eines ἄπονος. In der letzten Bedeutung verbindet es Xen. Cyr. 2. 2. 25 mit βλακεία. —νίζω, f. ίσω, abwaschen; von νίζω. —νικάω, f. ήσω, besiegen, durch Bitten besiegen oder erbitten. —νιμμα, ατος, τὸ, (ἀπονίπτω) Waschwasser, Wasser, worinn man sich Hände oder Füſse gewaschen hat. —νίπτρον, τὸ, f. v. a. das vorh. —νίπτω, f. ψω, f. v. a. ἀπονίζω. —νιτρόω, mit Nitrum abreiben od. auswaschen. —νοέομαι, (νοέω) die Besinnung verlieren, also wahnsinnig, verrückt werden und seyn; vorzüglich keine Rücksicht auf menschliche Verhältnisse, Pflichten oder sein Leben nehmen, sondern alles aufgeben, verzweifeln, wie ein Mann, der alles aufgegeben hat und für verloren hält, sich ohne Rettung glaubt, handeln oder reden; daher ἀπονενοημένος ein verzweifelter, verzweiflungsvoller oder tollkühner Mensch.

'Απόνοια, ἡ, Unsinn, Wahnsinn, v. ἀπονοέω, vorz. Verzweifelung, verzweifelte Handlung, Tollkühnheit, tollkühne Handlung oder Rede. —νομάζω, f. άσω, benennen, bey Namen rufen. —νομὴ, ἡ, f. v. a. ἀπονέμησις.

'Απονος, ὁ, ἡ, (πόνος) Adv. ἀπόνως, ohne Arbeit, nicht arbeitend, ohne Lust zur Arbeit, träge, unthätig; ohne mühselige Arbeit, oder leicht zu thun, leicht; ohne Kummer (in so fern πόνος der ἡδονὴ entgegen steht), ohne Schmerz, ohne schmerzhafte oder unangenehme Empfindung.

'Απονοστέω, zurückkommen; davon —νόστησις, εως, ἡ, Zurückkunft, das Zurückkommen. —νόσφι, Adv. abgesondert, fern davon; davon —νοσφίζω, absondern, trennen, berauben, Hom. hymn. 2, 559. S. νοσφίζω. —νουθετέω, bey Polyb. 15, 6 ich warne, rathe ab. —νυκτερεύω, f. εύσω, eine Nacht über weg oder ausbleiben, wie ἀπενιαυτίζω, auch mit d. genit. b. Plutarch. von etwas die Nacht über wegbleiben. —νύμφης, ὁ, oder ἀπόνυμφος, nach Pollux 3 sect. 46. der das weibliche Geschlecht überhaupt nicht leiden kann; v. νύμφη. —νυστάζω, f. άξω, einschlafen, dabey oder über etwas einschlummern, einnikken, und daher schläfrig, trägen Sinnes seyn. —νυχίζω, f. ίσω, (ὄνυξ) die Nägel abschneiden; bey Aristoph. Eq. 706 ἀπονυχιῶ σου, ich will dir mit den Nägeln entreiſsen; davon —νύχισμα, ατος, τὸ, die vom Nagel abgeschnittenen Schnitze oder Splitter. —νωτίζω, active ich schlage in die Flucht, φυγῇ Eur. Bach. 732. 2) ich fliehe, S. νωτίζω.

'Αποξενίζω, f. v. a. ἀποξενόω. zweif. —ξενιτεύω, ich bin als ξένος auswärts. zweif. —ξενος, ὁ, ἡ, nicht gastfreundschaftlich, unwirthbar, sonst ἄξενος; 2) γῆς Aeschyl. Ag. 1294 entfernt, abwesend, wie ἀπόδημος.

'Αποξενόω, ῶ, f. ώσω, aus dem Vaterlande entfernen, vertreiben, Plut. Philop. 13. fremd od. abwendig, feindlich gesinnt machen. Eben so von Dingen, als ἔπος τι τινὸς ἀποξενοῦν Athen. einem Schriftsteller ein Wort absprechen, behaupten, er könne es nicht gebraucht haben. ἀποξενόομαι, ausserhalb des Vaterlandes, in fremden Landen leben, und daher, sich als einen Fremden betragen, fremde Sitten annehmen, eigentlich sich zu einem Fremden machen oder fremd stellen, bey den LXX 2 Reg. 14, 15 eine wörtliche Uebersetzung des hebr. hiphil.

'Αποξένωσις, εως, ἡ, Entfernung aus dem Vaterlande, Reisen in fremde Länder, Aufenthalt daselbst, daher Annahme fremder Sitten.

'Αποξέω, f. έσω, abkratzen, abschaben, beschaben, behobeln, glatten; überh. durch reiben od. kratzen wegnehmen, abstreichen; durch schaben od. kratzen dünn glatt od. spitzig machen. —ξηραίνω, austrocknen, vertrocknen lassen; med. trocken werden, austrocknen. —ξηρος, ὁ, ἡ, s. v. a. ἀπόξυρος; von ξέω. bey Hippocr. —ξιφίζω. S. ξιφίζω, absäbeln, abhauen. —ξυλίζω, f. ίσω, abholzen, des Holzes, der holzigen Theile berauben. —ξύνω, f. υνῶ, sauer machen; spitzig oder scharf machen, schärfen; die tempora werden von der Form ἀποξύω gemacht. —ξυράω, ῶ, f. ήσω, od. ἀποξυρέω, abscheeren, rasiren. —ξυρος, ὁ, ἡ, abgeschoren; v. ξυρὸν. 2) abgeschabt und zugespitzt, wofür Hippocr. auch ἀπόξηρος von ἀποξέω sagt. —ξύρω, ich scheere ab mit dem Scheermesser, ξυρὸν; med. ich lasse mir die Haare oder den Bart abscheeren.

'Αποξυς, εος, ὁ, ἡ, gespitzt, zugespitzt; v. ὀξύς. —ξυσμα, ατος, τὸ, das Abgeschabte, Abgefeilte, Abgeraspelte, Feil-Raspelspäne. —ξυστρόω, ῶ, f. ώσω, Polyb. 2, 33. abstumpfen, stumpf machen; v. ξύστρα. —ξύω, f. ύσω, s. v. a. ἀποξέω, bey Homer γῆρας ἀποξύειν das Alter abstreifen, wie von den sich häutenden Schlangen es heisst τὸ γῆρας ἀποξύονται sie streifen ihre alte Haut ab.

'Αποπαίζω, f. ξω u. σω, nicht mehr spielen; im Scherze sagen. —παλαιόω, ῶ, f. ώσω, veraltern lassen, abkommen lassen, abschaffen, wie *antiquo*. —πάλλω, wegschleudern, abwerfen; ἀποπάλλεται ἡ σφαῖρα der Ball springt ab und zurück. —παππος, ὁ, Ururgrossvater, *abavus*. —παππόω, ῶ, f. ώσω, in einen πάππος Federkrone verwandeln. Theophr. hist. pl. 7, 11. —παπταίνω, (ἀπὸ, παπταίνω) zurücksehen, sich umsehen (um zu fliehen) Hom. Il. 14, 101. so lass Hesych. welcher ἀποπαπταίνουσι περιβλέπουσιν ὅπως φύγωσι daher hat. —παρδίζω, s. v. a. ἀποπέρδω zw. —παρθενεύω, f. εύσω, u. ἀποπαρθενόω, entjungfern; ἀποπαρθενεύονται bey Hippocr. sie hören auf Jungfern zu seyn, sie heyrathen. —παστος, ὁ, ἡ, s. v. a. ἄπαστος nüchtern. —πατέω, ῶ, vom Wege abgehen, auf die Seite gehen und seine Nothdurft verrichten; davon —πατημα, ατος, τὸ, der Auswurf, Koth. —πατος, ὁ, Menschenkoth, s. v. a. d. vorherg. und der Ort, wo man seine Nothdurft verrichtet, Abtritt. —παυσις, εως, ἡ, das Anhalten. Abhalten; pass. das Aufhören, Ende. —παυστωρ, ορος, ὁ, d. i. ἀποπαύων. —παύω, f. αύσω, aufhören lassen, anhalten, abhalten, τινὰ τινὸς; med. sich enthalten von, τινὸς, es nicht mehr thun, aufhören womit, abstehen von etwas; dav. —πειρα, ἡ, Versuch, Probe, von πεῖρα; davon —πειράζω, f. άσω, einen Versuch machen, eine Probe damit machen, versuchen, probiren. —πειράω, ῶ, f. άσω, gewöhnlicher ἀποπειράομαι s. v. a. d. vorherg. —πέκω, f. ξω, abscheeren. —πελεκάω, ῶ, f. ήσω, mit dem Beile πέλεκυς, abhauen, behauen. —πελιδνόω, ganz bleich, blass, πελιδνὸν, machen. —πεμπτος, ὁ, ἡ, (ἀποπέμπω) fort- weggeschickt, entlassen; zu entlassen, zu verwerfen. —πεμπτόω, ῶ, f. ώσω, (πέμπτος) den fünften Theil geben, Genes. c. 45. —πέμπω, f. ψω, fort oder wegschicken, entlassen, begleiten; wegjagen, verstossen, nicht annehmen; wiederschicken, zurückschicken. med. ἀποπέμπομαι ich entferne von mir, verstosse; ich verwerfe; ich verabscheue und suche durch Opfer zu entfernen, wie ἀποδιοπομπέομαι; davon

'Απόπεμψις, εως, ἡ, Entlassung; Verstossung, das Fortschicken. —πενθέω, ῶ, austrauern, oder aufhören zu trauern; betrauern. —περαίνω, f. ανῶ, od. ἀποπερατόω, zum Ende oder Ziel bringen, vollenden. —περάω, ῶ, herübersetzen. Plutarch. Pomp. 62. —πέρδω, losfarzen; f. 2 ἀποπαρδῶ. —περισπάω, ῶ, f. άσω, dav. weg u. herum od. anders wohinziehn, durch eine Diversion abzielн. —πέτομαι, wegfliegen; zurückfliegen. —πεφασμένως, Adv. (ἀποφαίνω) offenbar, deutlich, mit klaren Worten. —πήγνυμι, f. ξω, erfrieren oder zusammenfrieren oder gerinnen lassen; pass. erfrieren, oder gerinnen. —πηδάω, ῶ, f. ήσω, abspringen, aufspringen, zurück oder wegspringen, entspringen oder entwiſchen, ſchnell entkommen; abſpringen oder untreu werden.

'Αποπιέζω, f. έσω, ausdrücken, zuſammendrücken, abbinden. —πίεσμα, ατος, τὸ, ſ. v. a. ἐκπίεσμα, das Ausgedrückte, Ausgepreſste. —πιμπλάω u. ἀποπίμπλημι, auch ἀποπιπλάω, ἀποπίπλημι ich fülle aus; ſättige. τὸν θυμὸν ἀποπιμπλᾶν, ſeinen Zorn ſättigen, ausſchütten. Plato. —πινόω, ῶ, f. ώσω, (πῖνος) entſchmutzen, den Schmutz auswaſchen; beſchmutzen, beſudeln. —πίνω, davon oder austrinken. —πίπτω, herab- herunterfallen; durchfallen, od. nicht erreichen, wie *excido ſpe*; abkommen, ſich verirren. —πιστεύω, f. εύσω, völlig trauen, ſein Vertrauen ſetzen, ſich verlaſſen. —πλάζω, einige tempora werden von der Form ἀποπλάγχω entlehnt, irre führen, ableiten, abbringen, z. B. ἀοιδῆς Apollon. med. ſich verirren. —πλανάω, ῶ, f. ήσω, ſ. v. a. das vorhergehende; dav. —πλάνησις, εως, ἡ, das Irreführen, Verführen; Irregehen, Verirren. —πλανος, ὁ, ſ. v. a. πλάνος bey Heſych. —πλέω, f. εύσω, wegſchiffen, abſegeln. Fut. von ἀποπλεύω gemacht. —πλήθω, f. ήσω, ſ. v. a. ἀποπίμπλημι. —πληκτικὸς, ἡ, ὸν, zur Apoplexie gehörig, apoplektiſch; ſ. v. a. das folgende; beſtürzt, verduzt. —πληκτος, ὁ, ἡ, (ἀποπλήσσω) durch einen Schlag oder Schlagfluſs gelähmt; 2) durch einen Schlag, Donnerſchlag betäubt, beſtürzt, vom Verſtande gebracht, ohne Beſinnung, dumm, ſinnlos. Adv. ἀποπλήκτως. —πληρόω, ῶ, f. ώσω, ſ. v. a. ἀποπίμπλημι und ἀποπλήθω; davon —πλήρωσις, εως, ἡ, das Anfüllen, Vollfüllen, Ausfüllen, die Sättigung; Erfüllung, Vollendung. —πληρωτὴς, οῦ, ὁ, d. i. ἀποπληρόων. —πλήσσω, ἀποπλήττω, f. ξω, ſchlagen, niederſchlagen, zu Boden ſchlagen, durch einen Schlag lähmen, betäuben, erſchrecken, vom Verſtande bringen, auſſer Beſinnung ſetzen. —πλίσσομαι, ἀποπλίττομαι, f. ξομαι, entſpringen, entflieſſen. Ariſtoph. Ach. 218. S. πλίττω. —πλοος, contr. ἀπόπλους, ὁ, Abfahrt, Abreiſe, v. ἀποπλέω. 2) als adject. ſ. v. a. ἄπλοος, ἄπλους. —πλουτέω, ῶ, aufhören reich zu ſeyn, ſeinen Reichthum verlieren, verwenden, verſchwenden. Gregor. Naz. —πλυμα, ατος, τὸ, das Abgeſpülte; das Waſſer, worin man etwas abgeſpült hat, Spülicht; v. —πλύνω, f. υνῶ, abſpülen, abwaſchen, auswaſchen. —πλώω, ſ. v. a. ἀποπλέω. —πνευματίζω, einen Wind fahren laſſen; einen Geruch von ſich geben. zw. —πνευσις, εως, ἡ, das Aushauchen, Ausathmen, Ausdünſten, Ausduften; von ἀποπνεύω. —πνέω, f. εύσω, aushauchen; ausathmen, ausblaſen, ausſchnauben; als Feuer Hom. Il. 6, 182.; ausdünſten, als ἁλὸς ὀδμὴν Hom.; verhauchen, als θυμὸν Hom. Il. 4, 524. und ſo auch, ohne θυμὸν, ſein Leben verhauchen, ſterben Hom. batr. 98. auch ſ. v. a. ἀποπέρδω. Macht die meiſten tempora von ἀποπνεύω. —πνίγω, f. ξω, erſticken, einem die Kehle zuſchnüren; ängſtigen. —πνοὴ, ἡ, u. ἀπόπνοια, ἡ, ſ. v. a. ἀπόπνευσις. —ποιέομαι, οῦμαι, von ſich entfernen, verſtoſsen, verwerfen; davon —ποίησις, εως, ἡ, die Abſchaffung, Verſtoſsung, Verwerfung. —πομπαῖος, αία, αῖον, ſ. v. a. ἀποτρόπαιος u. ἀλεξίκακος; daher die LXX den Sündenbock ſo nennen; von —πομπέω, ῶ, ſ. v. a. ἀποπέμπομαι u. ἀποδιοπομπέομαι. —πομπὴ, ἡ, Entlaſſung, Entfernung, Verbannung; Entfernung der böſen Vorbedeutung, der Schuld, des Verbrechens, d. i. Ausſöhnung, als ἀποπομπὰς ποιεῖσθαι Iſocr. v. ἀποπέμπω u. ἀποπέμπεσθαι. —πονέω, ῶ, aufhören zu arbeiten oder müde werden; 2) ſ. v. a. ἀπαλγέω. —ποντόω, ins Meer werfen oder verſenken. —πορδὴ, ἡ, ſ. v. a. πορδὴ. —πορεία, ἡ, Weg-Abreiſe; Wieder- oder Zurückkunft. —πορεύομαι, f. εύσομαι, weg- abreiſen. —πράττομαι τὸν μισθὸν Themiſt. or. 21 p. 260 ich verlange den Lohn, ſ. v. a. ἀναπρ.: *exigo*. —πρεσβεία, ἡ, Geſandtſchaftsbericht. Polyb. 24, 10. —πρεσβεύω, f. εύσω, Geſandtſchaftsbericht abſtatten, oder ſeine Aufträge als Geſandter ausrichten. Plato Leg. 13. —πρίαμαι, abkaufen. —πρισμα, ατος, τὸ, das Abgeſagte; Sägeſpäne; von —πρίω, f. ίσω, abſägen.

'Αποπρὸ, Adv. fern davon, wie ἀπονόσφι poetiſch. —προαιρέω, wegnehmen, entziehen, z. B. τὶ σίτου Hom. Od. 17, 457 etwas Eſſen, und es einem andern geben. —προβάλλω, davon und hin oder weit wegwerfen. zw. —προηγμένα, τὰ, das Gegentheil v. προηγμένα in der Stoiſchen Philoſophie, nach Cicero *remota* u. *rejecta*. S. προηγμένα. —προθε, ἀπόπροθεν, von ferne her; auch ſ. v. a. ἀπόπροθι von ἀποπρὸ. —προθέω, davon und fort od. weit weglaufen. —προθι, Adv. in der Ferne, fern, entfernt, v. ἀποπρὸ. —προΐημι, davon fort- oder weit wegſchicken, fortwerfen, wegſchleudern. —προλείπω, weit davon zurücklaſſen. —προνοσφίζω, f. ίσω, trennen u. weit wegführen. —προσποιοῦμαι, nicht annehmen wollen als einem zugehörig. zweif. —προσωπίζομαι, f. ίσομαι, (ἀπὸ, πρόσωπον), ich wiſche mirs Geſicht ab. Pollux. 2, 48.

'Αποπροτέμνω, abſchneiden, Hom. Od. 8, 475.

'Αποπταίνω, Il. ξ. 101 ἀλλὰ ἀποπταίουσιν ἐρωήσουσι δὲ χάρμης, welches futur. man v. ἀπὸ, ὀπταίνω ableitet und erklärt: εἰς τὰς ναῦς ἀποβλέψουσι ἢ ἄλλαχόσε, ὅ ἐστι φεύξουσι ſich nach der Flucht umſehn. Heſych. hat ἀποπαττανεύουσι περιβλέπουσιν ὅπως φύγωσιν. Das Etymol. M. leitet es von einerley Urſprung mit ἀποπτάμενος wegfliegend ab; ich halte es mit πτάω, πτήσσω, πταίνω, πακταίνω, einerley. S. ἀποπαπτανέω.

'Απόπταμαι, ſonſt ἀφίπταμαι, wegfliegen, entflattern. Hom. Il. 2, 71.

'Αποπτερνίζω, f. ίσω, ſ. v. a. πτερνίζω mit der Ferſe fortſtoſsen, zertreten. —πτερύσσομαι, f. ξομαι, ich hebe die Flügel um fortzufliegen, ich fliege fort oder ſchüttele mit den Flügeln.

'Απόπτης, ου, ὁ, der von obenher beſieht; v. ἀπόπτω. —πτοέω, ῶ, davon wegſcheuchen. —πτολις, ιδος, ὁ, ἡ, ſ. v. a. ἄπολις.

'Απόπτομαι, f. ψομαι, von oben herab zuſehen. —οπτος, ὁ, ἡ, zu überſehen, von oben herab ſichtbar, daher τὸ ἄποπτον, die Warte; nicht ſichtbar, in ſo fern ἀπὸ verneint, Sophocl. Aj. 15.

'Αποπτύρω, wegſcheuchen, wird aus d. Gloſſar. angeführt; aber das act. πτύρω iſt nicht gebräuchlich. —πτυσμὸς, ὁ, das durch Ausſpucken bezeugte Verabſcheuen, Abſcheu. —πτυστὴρ, ῆρος, ὁ, d. i. ἀποπτύων. Oppian. Hal. 2, 11 χαλινῶν ein Pferd, das dem Gebiſſe widerſtrebt. —πτυστος, ὁ, ἡ, aus- oder weggeſpuckt oder ausgeſpien; metaph. verabſcheuet, abſcheuungswürdig, abſcheulich; von —πτύω, f. ύσω, ausſpeyen, ausſpucken Xen. Cyr. 1, 2. 16; wie vom Meer Hom. Il. 4, 426. verabſcheuen eigentl. indem man dabey ausſpuckt. —πτωμα, ατος, τὸ, Polyb. 11, 2 das Verfehlen, der unglückliche Ausgang; v. ἀποπίπτω.

'Αποπυδαρίζω. S. πυδαρίζω. —πυητικὸς, ἡ, ὸν, zum vereitern dienlich. —πυΐσω, vereitern, zur Eiterung bringen. —πυνθάνομαι, f. πεύσομαι, eigentl. aus einem fragen, ausfragen, erfragen, erforſchen. —πυργίζω, aufthürmen. —πυρίας, ου, ὁ, auf Kohlen zubereitet, gebraten, geröſtet, gebacken. —πυρίδες, ων, αἱ, ſ. v. a. ἀπανθρακίδες; von —πυρίζω, f. ίσω, ſ. v. a. ἀπανθρακίζω, nach Heſych. ἀπὸ πυρὸς ἐσθίω. S. ἀποτηγανίζω. —πυρόω, f. ώσω, feurig brennend machen, verbrennen. —πυτίζω, f. ίσω, ausſpucken nach dem koſten. S. πυτίζω. bey Ariſtoph. Lyſiſtr. 205 vom Weine ſelbſt: ἀποπυτίζει καλῶς. —ῥαφανίδωσις, εως, ἡ, die Beſtrafung des ertappten armen Ehebrechers durch das ῥαφανιδόω, welches man nachſehe; bloſs beym Scholiaſt. Ariſtoph.

'Απόργης, ἐος, ὁ, ἡ, ſ. v. a. ἀπηνὴς oder ἀστεργὴς bey Hippocr. —γίζω, f. ίσω, erzürnen, zum Zorn reizen; med. od. neutr. böſe, zornig werden.

'Απορρέγχω, f. γξω, ausſchnarchen.

'Απόρευτος, ὁ, ἡ, ungegangen, nicht zu gehen, nicht gangbar, unwegſam,

'Απορέω, (πόρος) ich bin ohne Hülfe, Mittel; bin verlegen; leide Mangel χρημάτων an Gelde; ich zweifle, bin ungewiſs. Herodot. 4, 179 hat auch ἀπορέοντι τὴν ἐξαγωγὴν ſind wegen der Ausfuhre verlegen. —ρημα, ατος, τὸ, Ungewiſsheit, Zweifel, Verlegenheit. —ρηματικὸς, ἡ, ὸν, Adv. ἀπορηματικῶς, zweifelhaft, zum Zweifeln gehörig. —ρητικὸς, ἡ, ὸν, gewöhnlich zweifelnd, Zweifler.

'Απόρθητος, ὁ, ἡ, unverwüſtet, unzerſtört, πορθέω; nicht zu zerſtören, unzerſtörbar. —θόω, f. ώσω, wieder gerade machen oder aufrichten; davon —θωσις, εως, ἡ, das wieder gerade machen oder aufrichten.

'Απορία, ἡ, Zuſtand, Lage eines ἀπόρος, Unentſchloſſenheit, Ungewiſsheit, Verlegenheit, Aengſtlichkeit; Mangel, Armuth. διὰ τὴν ἀπορίαν τοῦ ἀποκτείναντος, weil man den Mörder nicht weiſs. Antiphon.

'Απορνεόω, ῶ, f. ώσω, oder ἀπορνιθόω, zum Vogel machen, in einen Vogel verwandeln; von ὀρνέον u. ὄρνις; davon —νίθωσις, εως, ἡ, Verwandelung in einen Vogel.

'Απόρνυμι, poet. ſ. v. a. d. proſaiſche ἀφορμάω als activum u. ἀπόρνυμαι ſ. v. a. ἀφορμάω neutraliter gebraucht oder ἀφορμάομαι v. ὄρνυμι, ὀρνύω, von einem Orte an fortbewegen, in Bewegung ſetzen.

"Απορος, ὁ, ἡ, (πόρος) ohne Weg, unwegſam, als ὁδὸς, ποταμὸς, ὄρος Xen. Anab. dah. übergetragen, nicht leicht, ſchwierig, verwickelt, vom handeln und denken, oder zweifelhaft, ungewiſs, der ſich nicht zu helfen, nicht zu rathen weiſs, keinen Weg, keinen Ausweg weiſs, d. i. wenn von Berathſchlagen die Rede iſt, unentſchloſſen, von Vermögen, arm. neutr. ἄπορον oder ἄπορα ſt. ἀπορία, als εἶναι ἐν ἀπόροις ſt. ἀπορίᾳ Xen. Cyr, 1, 6. 3. ſ. v. a. εἶναι ἄπορον, ſich nicht zu helfen wiſſen, nicht wiſſen, wo aus, noch ein.

'Απορούω, f. ούσω, hervor- oder wegſpringen, entſpringen. S. ὀρούω.

'Απορραθυμέω, ῶ, ermuden, aus Muthigkeit oder Zaghaftigkeit etwas unterlaſſen, Plato Reſp. 5 p. 3. Xen. Mem. 3, 7. 9.

'Αποῤῥαίνω, fort- od. wegſprützen, beſprengen, anſprengen, benetzen, benäſſen. —οῤῥαίω, berauben, τινὰ τινὸς, Heſiod. Theog. 393. verwüſten, verderben Odyſſ. 1, 404. von ῥαίω. —οῤῥαντήριον, τὸ, ein Ort oder Gefäſs mit Waſſer zum beſprützen, um ſich damit wie mit Weihwaſſer zu reinigen oder heiligen. —οῤῥὰξ, ſo viel als ἀποῤῥὼξ. —ὀῤῥαξις, εως, ἡ, eine Art von Ballſpiel, wo man den von der Erde abſpringenden Ball mit der Hand auffieng und zugleich wieder auf die Erde zurückſtieſs; v. ἀπορήσσω. —οῤῥαπίζω, ich ſchicke mit Schlägen, Schmach fort. τῆς γλώττης ἄκρας ἀποῤῥαπιζούσης τὸ πνεῦμα Dionyſ. Compoſ. 14 indem die Spitze der Zunge den Odem durch eine zitternde Bewegung fortſtöſst.

'Αποῤῥάπτω, f. ψω, vernähen, zunähen, zuflicken. —οῤῥάσσω, ἀποῤῥάττω, f. ξω, giebt der Form ἀπορήσσω oder ἀποῤῥήγνυμι einige tempora, wie ἀπεῤῥάγην u. ſ. w. —οῤῥαψῳδέω, ῶ, wie die Rhapſoden herſagen oder deklamiren. —οῤῥέμβομαι, davon irrend weggehn und herumſtreifen. —οῤῥέω, f. εύσω, weg- ausflieſsen ῥέω, ῥεύσω; verflieſsen, ſich gleich dem Waſſer verlaufen, entlaufen, als οἱ λοιποὶ ἀπέῤῥεον ἀπ' αὐτοῦ, Polyb.

'Αποῤῥέω, f. ἀποῤῥήσω, verſagen, verbieten; abſagen, abdanken, verwerfen. —ὀῤῥηγμα, ατος, τὸ, das Abgeriſſene; von —οῤῥήγνυμι, ἀποῤῥηγνύω, f. ξω, abreiſſen, zerreiſſen, zerbrechen, durchbrechen, zerſprengen, zerplatzen u. ſ. w. —ὀῤῥημα, ατος, τὸ, das Verbotene, das Verbot. von ἀποῤῥέω. —ὀῤῥησις, εως, ἡ, das Unterſagen, Verbieten γάμου, wenn man die Frau entlöſst. παιδὸς die Losſagung vom Sohne, *abdicatio*. auch die Ermüdung. —οῤῥήσσω, ἀποῤῥήττω, f. ξω, eine andere Form von ἀποῤῥήγνυμι.

'Απόῤῥητος, ὁ, ἡ, (ἀποῤῥέω) Adv. ἀποῤῥήτως, unterſagt, verboten; nicht zu ſagen, nicht auszuſprechen, d. i. entweder was man nicht ausſprechen kann, unausſprechlich, od. nicht ausſprechen, ausplaudern darf, geheim. ἀπόῤῥητα ποιεῖσθαι im geheimen ſagen mit Bedingung, daſs man es nicht verrathe, Herod. 9. 45. Ariſtoph. Equ. 648. auch geheim halten. Dionyſ. Hal. Antiq. 1, 80 ἐν ἀποῤῥήτοις im Geheimen. ἄῤῥητα καὶ ἀπόῤῥητα λέγειν τινὰ dav. πλύνοντες ἑαυτοὺς τἀπόῤῥητα Demoſth. p. 1335 vom Schimpfen, wenn man einander die ſchändlichſten und unnachſagbaro Dinge ſagt.

'Αποῤῥιγέω, ῶ, aus Furcht nicht thun, ſich fürchten etwas zu thun. ἐς οἶκον ἀπεῤῥίγασι νέεσθαι fürchten ſich zurück zu kehren; v. ῥίγω, ῥιγέω. —οῤῥιζόω, ῶ, f. ώσω, entwurzeln; oder Wurzeln treiben. —οῤῥινάω, ῶ, f. ήσω, abfeilen, von ῥίνη; davon —οῤῥίνημα, ατος, τὸ, das Abgefeilte, Feilſpäne, wie ἀπόπρισμα.

'Αποῤῥιπίζω, durch fachen, fächern entfernen, wegfachen. —οῤῥίπτω, f. ψω, abwerfen, wegwerfen, verwerfen, von ſich werfen, ſchleudern, auch übergetragen, wie *jacio*, von beiſsenden Reden, Beſchimpfungen, die man auf einen wirft. Dav. ἀπεῤῥιμμένος, ein Verworfener, ein verächtlicher Menſch; dav. —ὀῤῥιψις, εως, ἡ, das Abwerfen; Wegwerfung, Verwerfung. —οῤῥοὴ, ἡ, od. ἀπόῤῥοια, (ῥέω) Abfluſs, Ausfluſs, das weg- oder fortflieſsen. Democritus nannte ἀποῤῥοιας von Körpern ausflieſsende Theile oder Bilder, gleichſam Ausflüſſe. —οῤῥοιβδέω, ῶ, οὐκ ὄρνις εὐσήμους ἀποῤῥοιβδεῖ βοὰς Sophocl. Antig. 1021 v. ῥοῖβδος heftige Bewegung und Geräuſch, alſo Geräuſch von ſich geben. Sonſt kann es auch ſ. v. a. ἀποῤῥοφάω heiſsen. —ὀῤῥοος, contract. ἀπόῤῥους, ὁ, ἡ, abflieſsend, ausflieſsend, wegflieſsend. —οῤῥοφάω, ῶ, oder ἀποῤῥοφέω, ausſchlürfen, oder davon ſchlürfen, trinken, koſten. Cyropaed. 1, 3, 10. verſchlingen, verſchlucken, hinterſchlürfen, trinken. —οῤῥύπτω, f. ψω, ab- auswaſchen, reinigen. —ὀῤῥυσις, εως, ἡ, ſ. v. a. ἀποῤῥοή. —ὀῤῥυτος, ὁ, ἡ, ab- wegflieſsend: σταθμὸν ἀπόῤῥυτον Stall mit abſchüſſigem Boden zum Abflieſsen des Waſſers. Xenoph. v. —οῤῥύω, f. ύσω, ſ. v. a. ἀποῤῥέω. —οῤῥωγὰς, άδος, ἡ, als πέτρα gleichſam das femin. v. ἀποῤῥὼξ. —οῤῥὼξ, ῶγος, ὁ, ἡ, abgeriſſen, abſchüſſig, ſteil; als ſubſt. verſt. πέτρα, πέτρος, oder μερὶς, ein ſteiler Fels; ein abgeriſſenes Stück, Theil, als von einem Fluſſe, d. i. Arm, Hom. Il. 2, 755. Od. 10, 514. von ἀποῤῥήγνυμι oder vielmehr ἀποῤῥώγω.

'Απορύσσω, ἀπορύττω, f. ξω, abgraben, vergraben. —ρυψις, εως, ἡ, das ab- oder auswaſchen, reinigen. v. ἀπορύπτω.

'Αποῤφανίζω, f. ίσω, verwaiſen, metaph. trennen von einander. —φυρος, ὁ, ἡ, (πορφύρα) ohne Purpur, ohne Purpurkleid oder Purpurſtreifen.

'Απορχέομαι, Herodot. 6, 129 ἀπωρχήσαο τὸν γάμον, du haſt dich um die Heyrath, Braut, getanzt, durchs Tanzen gebracht; v. ὀρχέομαι.

'Απος, εος, τὸ, Eur. Phoen. 858 ſ. v. a. κάματος Ermüdung nach dem Scholiaſt.

u. Eustath. aber Hesych. hat dafür αἶπος gelesen.

Ἀποσαλεύω, ειν, (ἀπὸ, σάλος) wenn ein Schiff außer dem Hafen im offenen Meere vor Anker liegt, heißt es ἡ ναῦς ἀποσαλεύει, auch mit zugesetzten ἐπ' ἀγκυρῶν; 2) sich sichern, schützen. —σαρκόω, ῶ, f. ώσω, gleichsam verfleischen, d. i. Fleisch daran, darüber wachsen lassen, in pass. ἀποσαρκοῦται σὰρξ Aristot. das Fleisch setzt sich an. —σάρωμα, τὸ, (σαρόω) das Auskehricht. Nicetas Annal. 10, 8. —σάττω, f. ξω, abfatteln, abpacken Gen. 24, 32. d. Gegenth. ἐπισάττω. —σαφέω, ῶ, (σαφὴς) deutlich machen, deutlich sagen, deutlich sich erklären. —σβέννυμι, ἀποσβεννύω, f. σβέσω, (die Formen ἀποσβέω ἀπόσβημι geben die meisten tempora) auslöschen, verlöschen lassen; neutr. verlöschen, ausgehen, eingehen. Xen. Cyr. 5, 4. 30. 8, 8. 13. Oec. 5, 17. —σεισις, ἡ, das Abschütteln, Fortstoßen; 2) ein Tanz, von der Bewegung dabey, genannt; von —σείω, ειν, (ἀπὸ, σείω) ich schüttle ab; ἀποσείεσθαι, von sich schütteln, abwerfen, (vom Pferde) abschütteln, von sich stoßen, zurückstoßen, entgehen, fortschaffen; mit d. Accusatif. ἀποσείεσθαι τοὺς ἐνοχλοῦντας Herodian. 6, 3 sich beunruhigende Menschen abwehren. —σεμνόω u. ἀποσεμνύνω ehrwürdig machen, ein Ansehn, Würde geben; auch preißen, loben; med. sich mit etwas viel wissen, großthun, prahlen. —σεύω, s. v. a. ἀποσείω fortjagen. —σήθω, (σήθω) ich siebe aus, ab. —σηκάζω, (σηκὸς) ich schließe aus. Nicetas Annal. 8, 5. —σηκόω, ῶ, f. ώσω, (σηκὸς) in einen Stall einsperren, verschließen. —σημαίνω, f. ανῶ, anzeigen, bekannt machen. Bey Philostr. Apoll. 2, 33 durch Zeichen abrathen; 2) ἀποσημαίνομαι ich versiegele u. confiscire, Herodian. 4, 12. 3) bey Herodot. 9, 71 ich brauche zum Beweise. ἀπεσήμαινεν ἐς Νικίαν Thucyd. 4, 27 zielte auf den Nicias. —σήπω, f. ψω, verfaulen lassen, wie σήπω. pass. abgefault haben, Xen. An. 4, 5. 12. davon —σηψις, εως, ἡ, das Ab- oder Verfaulen. —σίγησις, εως, ἡ, das Verschweigen, die Verschwiegenheit. —σιμόω, ich mache σιμὸς; im eigentl. Sinne sagt Lucian: ἀποσεσιμώμεθα τὴν ῥῖνα, wir haben eine oben eingedrückte unten aufgeworfene Nase; 2) krümmen, beugen ἀποσιμοῦν τὰς ναῦς, Thucyd. ἀποσιμοῦν τὴν στρατιὰν Xenoph. Gr. Gesch. 5, 4. 50. in der letzten Stelle heißt es was Polyaen sagt λοξώσας τὴν στρατιὰν, er führte die Armee durch einen krummen Umweg ab; so ἀπ. τ. ναῦς, das Schiff in einem Bogen von der Seite abwenden u. damit herumfahren; davon

Ἀποσίμωσις, ἡ, Appian. Civil. 4, 71. das Lenken, Beugen des Schiffs, um einen Stoß mit dem Schnabel beyzubringen.

Ἀποσιτέω, ῶ, aufhören zu essen, nicht mehr essen, fasten. —σιτία, ἡ, bey Hippocr. nach Galen. s. v. a. ἀσιτία oder ἀνορεξία, Ekel vor Speise, Mangel an Appetit; auch Nüchternheit. —σιτίζω, von Speise entwohnen, nicht essen lassen. —σιτικὸς, ἡ, ὸν, Ekel vor Speise erregend. —σιτος, (ἀπὸ, σῖτος) der sich des Essens enthält, nicht gegessen hat; 2) der keine Lust zum Essen hat. —σιωπάω, ῶ, f. ήσω, schweigen, verschweigen, stillschweigen, oder aufhören zu reden, in der Rede abbrechen; davon —σιώπησις, εως, ἡ, das Verschweigen oder Abbrechen der Rede. —σκάπτω, f. ψω, abgraben, vergraben, durch einen aufgeworfenen Graben versperren, Xen. Anab. 2, 4. 4. —σκαρίζω, f. ίσω, zappelnd versterben Jud. 4, 21. Anal. Brunk. 2. 325. S. ἀπασκαρίζω. —σκεδάζω oder ἀποσκεδάω, ἀποσκεδαννύω, ἀποσκεδάννυμι davon zerstreuen; davon wegnehmen, u. zertheilen. —σκεπάζω, abdecken, aufdecken, s. v. a. ἀποκαλύπτω. —σκεπαρνισμὸς, ὁ, das abhauen mit dem σκέπαρνον; auch eine Kopfwunde durch absplittern. —σκέπτομαι, f. ψομαι, von einer Warte oder einem hohen Orte herabsehen.

Ἀποσκέπω s. v. a. ἀποσκεπάζω. —σκευάζω, wegpacken, das Gepäck, die Geräthschaften von einem Orte zum andern bringen, aufpacken; wegschaffen, sich vom Halse schaffen, sich von etwas losmachen. med. ἀποσκευάζεσθαι wegräumen, fortschaffen. Herodian. 4, 13. —σκευὴ, ἡ, das Wegschaffen, Entfernung, Entlastung; das Gepäcke, Geräthschaften. —σκημμα, ατος, τὸ, s. v. a. ἀπέρεισμα bey Aeschylus; 2) S. ἀποσκήπτω. —σκήμπτω, f. ψω, s. v. a. ἀποσκήπτω. —σκηνος, ὁ, ἡ, (σκηνὴ) fern von einem wohnend, nicht mit ihm umgehend, nicht mit ihm zusammenlebend, als Gegens. v. σύσσιτος Cyrop. 8, 7. 14. davon —σκηνόω, ῶ, f. ώσω, fern von einem im Zelte, Lager, in der Wohnung seyn, also fern von einem im Lager stehn, liegen, fern wohnen: οὕτω μακρὰν ἀπεσκηνώκει τὰ ὦτα τῶν μουσῶν Plutar. Vol. 7. p. 319 seine Ohren waren so weit von den Musen der Gelehrsamkeit entfernt; 2) aus dem Zelte oder Lager aufbrechen. Genes. 13 wie διασκηνόω. —σκήπτω, ich stütze, setze etwas ab, vorz. ich schlage etwas mit Gewalt auf etwas, ὀργὴν εἴς τινα, seinen Zorn wider jemand auslaſſen, losbrechen laſſen. Dionyſ. Halic. daher ἀλλ' εἰς ἕνα ἀποσκήψατε bey Aeſchin. laſst euern Zorn an einem aus; 2) Neutr. ausbrechen, ausfallen, Ausgang haben. ἀπέσκηψε τὸ ἐνύπνιον ἐς Φαῦλον bey Herodot. der Traum fiel übel aus; vorz. von Dingen, Säften, welche von einer Stelle weggehn u. ſich auf eine andere werfen; daher ſolche plötzliche Verſetzungen der Krankheitsmaterie ἀποσκήψεις u. ἀποσκήμματα heiſsen.

'Απόσκηψις, ἡ, ſ. v. a. ἀπόσκημμα.

'Αποσκιάζω, abſchatten. σκιὰς ἀποσκιαζομένας Plato Reſp. 7 p. 163 von einem Körper gemachte Schatten; 2) in Schatten ſtellen; beſchatten; davon —σκίασμα, τὸ, das Abgeſchattete; 2) das Schattengebende. —σκιασμὸς, ὁ, das Abſchatten; das Beſchatten. —σκίδνημι ſ. v. a. ἀποσκεδάζω. —σκίμπτω zweif. Lesart ſt. ἀποσκήπτω. —σκιῤῥόω, ῶ, f. ώσω, in einen Scirrhus, verhärtete Geſchwulſt, Verhärtung verwandeln, ganz verhärten; davon —σκίῤῥωμα, ατος, τὸ, verhärtete Schwulſt; Verhärtung. —σκιρτάω, ῶ, f. ήσω, ab- zurückſpringen. —σκλῆμι, vertrocknen, verdorren, übergetr. dürre, mager werden. S. σκλέω σκλῆμι. —σκληρόω, ῶ, f. ώσω, u. ἀποσκληρύνω verhärten, abhärten. —σκνιφόω Empedokles bey Plut. de facie lunae p. 672 ἀπεσκνίφωσε δὲ γαίης τόσσον verfinſtern v. σκνίφος ἄκρα ἡμέρας καὶ ἑσπέρας Heſych. S. σκνίφος.

'Αποσκολύπτω, f. ψω, abſchälen, beſchneiden, z. B. τὰ αἰδοῖα Heſych. vergl. Athen. 3 p. 122. —σκοπεύω, f. εύσω, von oben herab oder in die Ferne hin beſchauen, beſehen, betrachten. —σκοπέω, ῶ, ſ. v. a. d. vorherg. —σκοπος, ὁ, von oben her oder in der Ferne ſehend, betrachtend. 2) ſich vom Ziele (σκόπος) verirrend; nicht dahin führend, zweckwidrig. —σκορακίζω, f. ίσω, d. i. εἰς κόρακας πέμπω, oder ich ſage zu einem: (ἄπιθι) ἐς κόρακας, geh an den Galgen, geh zum Teufel; abführen. Alciphr. 1 Ep. 38 verwerfen, verachten; davon —σκορακισμὸς, ὁ, das Fortſchicken im Zorne oder aus Verachtung; daher Verachtung, Verwerfung, Geringſchätzung. —σκορπίζω, f. ίσω, davon nehmen u. zerſtreuen; auseinander u. fortwerfen. —σκοτίζω, f. ίσω, ich verdecke mit Schatten, verdunkle; 2) ich nehme den Schatten weg, gehe aus dem Lichte. Plutarch. Exil. —σκοτόω, ῶ, f. ώσω, ſ. v. a. ἀποσκοτίζω, n. 1. 2) ich vertreibe die Farben u. ſchattire das Gemälde. Ariſtoph. —σκυβαλίζω, (σκύβαλον) eigentl. Syneſius Calvit. p. 70 τὰ περιττὰ ἀποσκυβαλίζειν, die unnütze Spreu davon thun, wegnehmen; daher metaph. als unnütz wegwerfen, verachten, verſchmähen. —σκυδμαίνω, erzürnen, böſe werden, Hom. Il. 24, 65. von σκύζω. —σκύζω, f. ύσω, Procop. Anecd. 10 u. ἀποσκύζομαι ſ. v. a. ἀποσκυδμαίνω v. σκύζω. —σκυθίζω, f. ίσω, die Haut des Kopfs ſamt dem Haare nach Scythiſcher Art abziehn. S. περισκυθίζω. —σκυλάω, ῶ, f. ήσω, oder ἀποσκυλεύω, berauben, plündern. ἀποσκύλαιο λάχνην Nicand. Ther. 690 die Haare wegnehmen; v. σκύλω, σκύλλω, σκυλάω. —σκωμμα, ατος, τὸ, Spottreden, Spötterey; von —σκώπτω, f. ψω, verſpotten; auch ἀπ. εἰς τινα eine Spötterey auf einen vorbringen. —σμάω, ῶ, f. ήσω, abwiſchen. —σμηγμα, ατος, τὸ, das Abgewiſchte, der Abgang beym Abwiſchen, wie ἀπότριμμα u. dergl. von —σμήχω, f. ξω, ſ. v. a. ἀποσμάω. —σμικρύνω, verkleinern, verringern. —σμίλευμα, ατος, τὸ, was beym Schnitzen abgeht, abfällt; von —σμιλεύω, f. εύσω, (σμίλη) abſchnitzeln, fein ſchnitzeln; daher metaph. fein, genau, ſorgfältig ausarbeiten und putzen. —σμύχω, f. ξω, langſam durch ein ſchmauchendes, dampfendes Feuer verzehren, aufreiben, durch Gram tödten. —σοβέω, ῶ, abtreiben, wegtreiben, fort- oder wegſcheuchen; eilig fortgehen εἰς τὸ ἄστυ Lucian. 8 p. 159. S. σοβέω. —σόβησις, εως, ἡ, das Fortſcheuchen; die Vertreibung. —σοβητήριος, ὁ, ἡ, zum Vertreiben dienlich; von —σοβητὴρ oder ἀποσοβητὴς, ὁ, der fortſcheucht, fortjagt, vertreibt.

'Αποσος, ὁ, ἡ, ohne Quantität, wie ἄποιος ohne Qualität.

'Απόσσυμι, lakoniſch ſt. ἀπόσυμι, oder ἀποσύω davon ἀπεσύην aor. 2. od. ἀπεσσύην, ης, η lakon. ἀπεσσούαν, ας, α. Μίνδαρος ἀπεσσούα Xenoph. Hellen. 1, 1, 23 not. ſ. v. a. ἀπώλετο iſt dahin, geſtorben, ſt. ἀπεσσύθη. —σπάδιος, ὁ, ἡ, (ἀποσπάω), abgeriſſen, abgezogen. —σπάδων, οντος, ὁ, für *ſpado*, u. ἀποσπὰς, άδος, ὁ, ἡ, ſ. v. a. ἀποσπασθεὶς wie λυκοσπὰς, άδος ἵπποι, blos bey Suidas. —σπαράσσω, abreiſſen, abrupfen. —σπαργανόω, ῶ, f. ώσω, entwindeln, die Windeln abnehmen. —σπαρθάζω, beym Hippocr. nach Galen. ſ. v. a. σπαίρω, σφύζω. andre laſen ἀποσπαράσσειν. —σπασμα, ατος, τὸ, davon ἀποσπασμάτιον, τὸ, d. Diminut. das Abgeriſſene, ein Stück, Zipfel u. dergl. —σπασμὸς, ὁ, das Abreiſſen. —σπάω, (σπάω) ich reiſſe ab; ich trenne davon; ἀποσπᾶσθαι, ſich trennen, abgehn, ſich entfernen, ſich vom Eiter fortführen laſſen; dafür ſagen die ſpätern Griechen auch ἀποσπᾶν verſt. ἑαυτὸν mit dem Genitif. ſich entfernen; auch fortgehn.

'Αποσπείρω, ausſäen, ausſtreuen. — σπένδω, f. σπείσω, ausgieſsen, den Opfertrank, Wein oder andere flüſsige Dinge opfern. ἐπεὶ ἀπέσπεισαν, als ſie mit der Libation fertig waren. Antiphon. — σπερμαίνω u. ἀποσπερματίζω, den männlichen Saamen von ſich geben, laſſen. — σπεύδω, f. εύσω, abhalten, abrathen, abſchrecken. Herodot. 6, 109. — σπογγίζω, f. ίσω, mit dem Schwamme abwiſchen. — σπόγγισμα, ατος, τὸ, der mit einem Schwamme abgewiſchte Schmutz. — σποδέω, ῶ. S. σποδέω. — σπονδος, ὁ, ἡ, ſ. v. a. ἄσπονδος mit dem man kein Bündniſs ſchlieſst, oder den man davon ausſchlieſst, unverſohnlicher Feind, verhaſst. — σπορος, ὁ, ἡ, (ἀποσπείρω) von einem geſaet, erzeugt, geboren. — σπουδάζω, f. άσω, aufhoren eifrig zu ſeyn, in ſeinem Eifer nachlaſſen, nicht achten, nicht betrüben, verachten. Philoſtr. Apollon. 1, 5. m. d. Genit. auch activ. abrathen ebend. 4, 2. vergl. Sophiſt. 1, 17. 2.

'Απόσσυτος, ὁ, ἡ, weggetrieben; fortgehend, entfernt, Oppian. Hal. 2, 560. v. ἀποσυώ.

'Απόσταγμα, ατος, τὸ, die herabtröpfelnde Feuchtigkeit, der Tropfen, von ἀποστάζω. — σταδὰ u. ἀπόσταδὸν, Adv. (ἀφίσταμαι) abſtehend, in der Ferne. — στάζω, f. ξω, abträufeln, abtriefen, abtröpfeln. — σταθμάω, ῶ, f. άσω, abwagen, zuwägen. — στάλαγμα, τος, τὸ, ſ. v. a. ἀπόσταγμα; von — σταλάζω u. ἀποσταλάω, ſ. v. a. ἀποστάζω. — σταξις, εως, ἡ, das Herabtropfeln; v. ἀποστάζω. — στασία, ἡ, die Trennung, das Voneinanderſtehen, Uneinigkeit; der Abfall der Unterthanen u. ſ. w. — στάσιον, τὸ, das Verlaſſen der Frau bey der Scheidung, ἀποστασίου βιβλίον Scheidebrief; δίκη ἀποστασίου Klage wider den Freygelaſſenen, daſs er ſeinen rechtmäſsigen Patron verlaſſen, oder wider einen Bürger, daſs er in Gefahr den Staat verlaſſen habe. — στασις, εως, ἡ, ſ. v. a. ἀποστασία; auch Entfernung, Abſtand, oder Zwiſchenraum, Xen. Mem. 4, 7. 5. — στατέω, ῶ, abſtehen, oder fern davon ſtehen; davon gehen; von einem (τινὸς) weggehen, einen verlaſſen, ihm untreu werden, von ihm abfallen; 2) abweſend ſeyn, Xenoph. Oec. 8. 15. — στατὴρ, ῆρος, ὁ, doriſch, der von einem etwas abgeht, abweicht, abfallt, in Grundſatzen, Meinung, Glauben, Votiren. von ἀπὸ, ἱστάω; auch einer der abwägt, richtet.

'Αποστάτης, ὁ, ſ. v. a. das vorige, abtrünnig. — στατικὸς, ἡ, ὸν, zum Abfalle geneigt, gehörig, oder auch zum ἀποστάτης gehörig. — στάτις, ιδος, ἡ, fem. v. ἀποστάτης. — σταυρόω, ῶ, f. ώσω, ſ. v. a. σταυρόω, verpfahlen, verſchanzen. Xen. An. 6, 5. 1. — σταφιδόω, ῶ, f. ώσω, in Roſinen verwandeln, trocken wie Roſinen machen; v. σταφὶς. — σταχυέω, ὅταν ὁ σῖτος ἀποσταχυῆ, wenn das Getraide Aehren, στάχυς, anſetzt. — στεγάζω, f. άσω, abdecken, das Dach abreiſſen; durch die Bedeckung abhalten, wie ἀποστέγω. — στέγασμα, ατος, τὸ, Decke, Bedeckung zum abhalten. Theophr. C. Pl. 5, 18. — στεγνόω, ῶ, f. ώσω, das verſt. στεγνόω. — στέγω, bedecken, u. durch die Bedeckung abhalten wie ἀποστεγάζω, als ὁ φλοιὸς τῆς ἐλαίας ἀποστέγει καὶ τηρεῖ τὴν ζωὴν Theophr. πληγὰς Polyb. 6, 23. — στείβω, wegtreten, weggehen. — στείχω, f. ξω, fort od. weggehen. — στέλλω, f. ελῶ, abſchicken, fortſchicken, ausſchicken, wegſchicken, ſey es in Güte, z. B. mit einem Auftrage, od. mit Gewalt, wegjagen, wegtreiben. — στενόω, ῶ, f. ώσω, verengen, enge machen. — στενωτικὸς, ἡ, ον, verengend, einen Gedanken ins Kurze zuſammenziehend. — στεπτικὸς, ἡ, ὸν, zum ab- oder entkränzen gehörig. — στέργω, f. ξω, aufhören zu lieben, nicht mehr lieben. πόθους Theocr. Epigr. 4 die Liebe aufgeben. ὁ δὲ τροφὴν οὐ προσιέμενος ἀλλ' ἀποστέρξας τὸν βίον κατέστρεψεν d. i. *aſpernatus cibum*, verſchmähte alle Nahrung, bey Suidas. Aeſchyl. Ag. 510. — στερέω, ῶ, berauben, τινὰ τινὸς, u. τινὰ τὶ, wie ἀφαιρέομαι. vorz. das Schuldige od. Gelehnte ableugnen und nicht wiedergeben, alſo betrügen um etwas. S. ἀποστερίζω; davon — στέρησις, εως, ἡ, Beraubung, Betrug. — στερητὴς, οῦ, ὁ, und ἀποστερητὶς, ἡ, femin. der, die beraubt, betrugt. — στερητικὸς, ἡ, ὸν, betrügeriſch, räuberiſch. — στερίζω u. ρίσκω, ſ. v. a. ἀποστερέω bey Hippocr. de gland. 6 wegnehmen, abführen. — στεφανόω, ῶ, f. ώσω, und ἀποστέφω, entkranzen, des Kranzes berauben. med. ſich des Kranzes berauben, oder ſeinen Kranz ablegen. — στηθίζω, b. Suid. in Σαλούστιος ſetzt Damaſcius dem γράφειν ἐς κάλλος ſchonſchreiben das ἀποστηθίζειν ἐς πλῆθος ſprechen vor dem groſsen Haufen und zwar, wie es ſcheint, aus dem Stegreife, entgegen.

'Απόστημα, ατος, τὸ, ſ. v. a. ἀπόστασις, Abſtand, Zwiſchenraum; Entfernung; Auswuchs, Abſonderung der Safte od. Anhäufung der Safte in ein Geſchwür, ein Abſceſs. — στηματίας, ου, ὁ, der ein innerliches Geſchwür oder Abſceſs hat. — στημάτιον, τὸ, Dimin. vom vorherg.

Ἀποστηματιος, ια, ιον, f. v. a. ἀποστηματίας. —στηματώδης, εος, ὁ, ἡ, von der Natur des ἀπόστημα, ihm ähnlich, abfcefsartig. —στήριγμα, ατος, τὸ, Stütze. —στηρίζω, f. ξω, ftützen, unterftützen, durch ftützen befeftigen. —στήριξις, εως, ἡ, das Unterftützen, Stützen. —στιλβόω, ῶ, das verftärkte στιλβόω. —στίλβω, f. ψω, abglänzen, einen Glanz oder Schein von fich geben, Hom. Od. 3, 408. davon —στιλψις, εως, ἡ, Abglanz, abprallender Schein, Licht. —στίχω f. v. a. ἀποστείχω. —στλεγγίζω, mit der στλεγγὶς, *ftrigilis*, Reibeifen, Streicheifen abftreichen; davon —στλέγγισμα, ατος, τὸ, das mit dem Streicheifen oder Holze abgeriebene, abgeftrichene, was bevm Abftreichen abfällt. —στολεύς, έως, ὁ, zu Athen beforgten ἀποστολεῖς die Ausrüftung und Abfendung der Flotten; vom folgd. —στολή, ἡ, Ab- Wegfendung, Entlaffung, auch von der See, die Abreife, od. das Abfegeln. —στολικός, ἡ, ὸν, einen ἀπόστολος betreffend, apoftolifch. —στολιμαῖος, αία, αῖον, abgefendet, ausgefchickt. Achill. Tatius 1 p. 81.

Ἀπόστολος, ὁ, f. v. a. στόλος, eine ausgerüftete Flotte; 2) eigentl. abgefendet, abgefchickt; davon ἀπόστολον, τὸ, b. Plato verft. πλοῖον, Transportfchiff; 3) nach Hefych. ift ἀπόστολος auch der Befehlshaber der Flotte. Bey Herodot. 5, 38 τριήρεϊ ἀπόστολος ἐγίνετο, reifete mit einem Dreyruder ab. bey Dionyf. Ant. 7, 13. fo wie ebendaf. στόλος, die Abfendung einer Landmacht oder von Bürgern zu einer Colonie.

Ἀποστοματίζω, f. ίσω, bey Plato Euthyd. p. 14 ὁπότε ἀποστοματίζοι ὑμῖν ὁ γραμματιστής, πότεροι ἐμάνθανον τῶν παίδων τὰ ἀποστοματιζόμενα; wo Pollux 2 fect. 108 und Suidas es durch fragen, ausfragen, auffagen laffen erklären, ohngefähr fo fteht es Lucae 11, 53.; aber bey Plato heifst es aus dem Gedächtniffe vorfagen, wie fonft es auch heifst, aus dem Gedächtniffe herfagen, ἀπὸ στόματος λέγειν, bey Athenaeus 8. vergl. Ariftot. Elench. 4. bey Plutar. Thef. 23. heifst es von der Sibylle ἀποστοματίσαι πρὸς τὴν πόλιν ἀναφθεγξαμένην: bedeutet es antworten.

Ἀποστομίζω wird bisweilen mit ἀποστοματίζω und ἐπιστοματίζω verwechfelt; bey Philoftr. Icon. 2, 17 πέλεκυν ἀπεστομισμένον ftumpf gewordenes; v. στόμα oder στόμωμα, wie ἀποστομόω. —στομόω, ῶ, f. ώσω, vermaulen, d. i. das Maul, die Oeffnung, den Graben verftopfen, ihn zu füllen, das Gegenth. v. ἀναστομόω öffnen; abftumpfen, ftumpf machen, τὰς ἀκμὰς bey Dionyf. Hal. S. auch ἀποστρομίζω; davon —στόμωσις, εως, ἡ, die Verfchliefsung, Verftopfung des Mundes, der Mündung. —στοργος, ὁ, ἡ, f. v. a, ἄστοργος. —στραγγαλίζω, aufknüpfen, erdroffeln. Diodor. 14, 12. —στρακίζω, f. ίσω, durch den Oftracismus verdammen, verweifen. —στρακόω, f. ώσω, hart wie einen Scherben machen, verhärten. —στρατεύω, f. εύσω, od. ἀποστρατεύομαι, aufhören zu dienen im Kriege, feiner Kriegsdienfte entlaffen werden. Appian. Civil. 5, 26. —στράτηγος, ὁ, ἡ, ehemaliger Feldherr, ausgedienter Feldherr. —στρατοπεδεύω, f. εύσω, τινὸς, mit feinem Lager von einem wegrücken, fern von ihm fich lagern oder gelagert feyn, Xen. Cyr. 6, 1. 23. —στρεβλόω, ῶ, f. ώσω, aus- oder zerpreffen, zermartern. —στρέφω, f. ψω, wegwenden, abwenden. ἀποστρέφομαι med. fich wegwenden, fich wegkehren, τινὰ, von einem fein Geficht abwenden; auch verabfcheuen. Cyrop. 5, 5. 36. davon

Ἀποστροφή, ἡ, die Abwendung, z. B. des Uebels; wenn man fich wegwendet, d. i. Abfcheu, zu einem hinwendet, Zuflucht, als ἀπ. τοῦ βίου, Zuflucht od. Rettung meines Lebens. M. f. Xen. Mem. 2, 9. 5. Cyr. 5, 2. 23.

Ἀποστροφία, ἡ, Beyw. der Venus, die abwendende. —στροφος, ὁ, ἡ, abgewendet, weggekehrt von diefem oder es verabfcheuend; von ihm abgekehrt; oder ihn fliehend. —στρώννυμι, f. στρώσω, ablatteln, das Gepäck abnehmen. —στυγέω, ῶ, und ἀποστύζω, davon ἀποστύξαντες Oppian. Hal. 4, 370. bitter haffen, verabfcheuen. —στυπάζω, (στύπος) mit dem Prügel wegjagen, Archiloch. im Etym. M. in στύπος, —στυφελίζω, mit Gewalt wegtreiben, abtreiben, vertreiben. Hom. Il. 18, 158. wie *deturbo*. —στύφω, f. ψω, οὖρα ἀπέστυπται, Nicand. Ther. 433 der Urin wird zurückgehalten, *adftringitur urina*, durch die adftringirende Kraft des Gifts.

Ἀποσυκάζω, f. άσω, Feigen abpflücken, und durch Drücken fehen, ob fie reif find; daher prüfen, unterfuchen, Ariftoph. Eq. mit Anfpielung auf συκοφαντέω. —συλάω, ῶ, f. ήσω, plündern, ausplündern und abnehmen, ausziehn die Rüftung, Kleidung u. f. w. —συμβολάω, (συμβολὴ) bey Hefych. entgegenlaufen, wofür bey Hippokr. ἀποσυμβαλλεῖν fteht, de locis in homin. p. 139 Mack. —συμβουλεύω, ich rathe ab. Phalar. Epift. S. d. vorig. —συνάγω, von einander trennen; bey den 70 Auslegern. —συνάγωγος, ὁ, ἡ, aus der Synagoge oder kirchlichen Gemeinschaft, gestoſsen Joh. 9. 22; von συναγωγή.

'Αποσύομαι, geschwind davon gehn, hervorgehn, hervorspringen, hervorbrechen. S. σύω und ἀπόσσουμι. —συριγγόω, ῶ, f. ώσω, in eine Höhle, Kanal, Fistel verwandeln; τὴν χολὴν Hippocr. natur. oſſ. die Galle in eine Blase oder Röhre absondern, absetzen. —συρίζω, von ἀποσυρίσσω oder ἀποσυρίττω fort- weg- anspfeifen; überh. pfeifen. im hym. Merc. 280 μακρ' ἀποσυρίζων zw. Bedeut. u. Lesart. —συρμα, ατὸς, τὸ, das Abgerissene, Abgeschälte, Abgeschabte; abgeschälte Stelle, die die Schuppen od. Eiterrinde verloren hat. —συρω, abziehen, wegziehen, wegreiſsen, zurückziehen. —συσσιτέω, ῶ, ich bin kein σύσσιτος, bleibe vom gemeinschaftlichen Mahle weg. —σύστασις, εως, ἡ, Zerstorung. zweif.

'Απόσφαγμα, ατος, τὸ, findet sich für ὑπόσφαγμα gebraucht. —σφάζω, ἀποσφάττω, f. ξω, abschlachten, todten, morden. —σφαιρίζω, f. ίσω, weg- fort- zurückschlagen wie einen Ball; davon —σφαίρισις, εως, ἡ, das Zurükschlagen, Fortwerfen wie eines Balles. —σφαιρόω, ab- oder zurunden wie eine Kugel. —σφακελίζω, f. ίσω, das verstarkte σφακελίζω, od. brandicht machen. —σφακέλισις, εως, ἡ, ſ. v. a. σφακελισμὸς, oder das verwandeln in den Brand, brandicht machen. —σφάλλω, ich verirre einen und leite bringe ihn vom rechten Wege ab; daher m. d. Genit. metaph. jemand von seinem Endzwecke, Absicht, Hoffnung durch List, Betrug abbringen, irreleiten; daher ἀποσφάλλομαί τινος ſ. v. a. ich verfehle, ἀποτυγχάνω. —σφαλμέω, ῶ, ſ. v. a. ἀποσφάλλομαι, das neutrum von dem vorigen act. niederfallen, stürzen. S. σφαλμέω. —σφὰξ, άγος, ὁ, ἡ, (σφάττω) ſ. v. a. ἀποῤῥὼξ, abgeschnitten, steil; Nicand. Ther. 521. wie διασφὰξ. —σφάττω, f. ξω, ſ. v. a. ἀποσφάζω. —σφενδονάω, ῶ, u. ἀποσφενδονέω, fort- oder wegschleudern; davon —σφενδόνητος, ὁ, ἡ, weg- oder fortgeschleudert. —σφενδονίζω, ſ. v. a. ἀποσφενδονάω. —σφηνόω, keilförmig machen od. verkeilen. —σφίγγω, f. ξω, drückt das lat. *adstringo* ganz aus, d. i. durch zusammendrucken etwas befestigen, enger, schlanker machen; ἀπεσφιγμένος wie *oratio adstricta*; auch von Kunstwerken, wo nichts löses, überflüſsiges ist und alles die beste Haltung und Gleichheit hat. davon —σφιγξις, εως, ἡ, das Festbinden, Anknüpfen, Abbinden. —σφραγίζω, f. ίσω, siegeln, versiegeln; aufsiegeln, oder das Siegel erbrechen. —σφράγισμα, ατος, τὸ, das aufgedrückte Siegel. —σφραγιστὴς, οῦ, ὁ, d. i. ἀποσφραγίζων. —σφραίνομαι, davon oder darnach riechen, den Geruch davon haben.

'Αποσχάζω, f. άσω, ſ. v. a. σχάζω, die Ader schlagen oder öffnen. —σχαλιδόω, ῶ, durch aufgerichtete Staugen, σχαλὶς, die Netze, Stellnetze stützen. —σχάω, ῶ, ſ. v. a. ἀποσχάζω. —σχεδιάζω, f. άσω, ſ. v. a. αὐτοσχεδιάζω, aus dem Stegreife etwas herſagen, ohne Vorbereitung oder flüchtig, obenhin etwas thun, machen. νόμος ἀπεσχεδιασμένος, Aristot. Eudem. 4, 1. Nicom. 5, 3. oppoſ. dem εὖ κείμενος: ein ohne Ueberlegung gemachtes Gesetz; ſo ἀποσ. ψήφον Theophylact. histor. 1, 13. —σχεσις, εως, ἡ, (ἀπέχομαι) Enthaltſamkeit. —σχίζω, f. ίσω, spalten, zerspalten, davon trennen, zertrennen. —σχισις, εως, ἡ, die Trennung, Spaltung, Riſs, v. ἀποσχίζω. —σχισμα, τὸ, das abgetrennte, abgerissene; von ἀποσχίζω. —σχιστὴς, οῦ, ὁ, d. i. ἀποσχίζων. —σχοινίζω, f. ίσω, ich trenne, sondre ab, durch einen herumgezognen Strick. S. περισχοινίζω ich sondre ab. Philo de nobilit. —σχολάζω, f. άσω, Aristot. Eth. 10, 6 ἐν τούτοις ἀποσχολάζειν, damit erholen sie sich von den Geschäften; 2) m. d. dat. sich einer Sache widmen, *vacare alicui rei*, wie das vorige *acquiescere in aliqua re*.

'Αποσώζω, f. ώσω, retten, erhalten, wieder herstellen; glücklich wohin bringen, durchbringen, Xen. An. 2, 3: 18. —σωρεύω, f. εύσω, aufhäufen bey Longus 2 p. 57. soll ὑποσωρεύσας heiſsen.

'Αποταγὴ, ἡ, Entſagung; von ἀποτάσσω. —ταγμα, τὸ, Verbot. Jambl. Pyth. §. 138. —τάδην, Adv. ausgedehnt, ausgestreckt, gerade; von ἀποτείνω. —τακτισταὶ, οἱ, (ἀποτάττομαι) Julian. or. 7 p. 224 die entſagen. —τακτος, ὁ, ἡ, abgeſondert, beygelegt, aufbewahrt; angeordnet, abgemessen, zugemessen; von ἀποτάττω. —ταμιευω, fut. εύσω, verschlieſsen, aufbewahren, beylegen, aufheben. —τάμνω, ſ. v. a. ἀποτέμνω, jonisch. —ταξις, εως, ἡ, ſ. v. a. ἀποταγή. —τασις, εως, ἡ, Ausdehnung, Verlangerung; von ἀποτείνω. —τάσσω, ἀποτάττω, f. άξω, davon od. von einander stellen, abſondern, besonders stellen, bestimmen, anordnen, vertheilen, anweisen; med. mit d. dativ. von einem Abschied nehmen; metaph. entſagen, aufgeben. Diese Bedeut. kommt in alten klaſſischen Schrift. nicht vor.

'Απόταυρος, ὁ, ἡ, ſ. v. a. ἄταυρος. —ταυρόω, ῶ, f. ώσω, zum Stier machen.

med. wild seyn, wild anblicken. S. ταυρόω.

'Απόταφος, ὁ, ἡ, unbegraben; besonders begraben, wie ἀπόμισθος statt ἄμισθος. —τάφρευσις, εως, ἡ, das Umgeben und Befestigen mit einem Graben und Wall, Verschanzung; von —ταφρεύω, f. εύσω, abgraben, vergraben, d. i. mit einem Graben verschliessen und befestigen; wie ἀποσκάπτω, und dergl. —τείνω, ich ziehe in die Länge, verlängere, verzögere. μαχόμενοι μέχρι μέσων νυκτῶν ἀπέτεινον, fuhren fort zu streiten. Plutarch. 2) ich spanne an, oder fest. ἀκριβῶς ἀποτεταμένα ταῖς γραμμαῖς von Kunstwerken, deren Umrisslinien genau und gleichsam abgemessen sind. Lucian. 3) verst. ὁδὸν, ich gehe, wie lat. contendo.

'Αποτειχίζω, f. ίσω, durch Mauern oder eine Burg befestigen, und dem Feinde versperren, verschliessen; auch d. Gegenth, v. περιτειχίζω, die Mauer, Burg, Festungswerke wegnehmen, öffnen, Polyaen. 1, 3, 5. welcher in demselb. Sinne auch ἀποτείχισις, ἡ, braucht. —τείχισις, εως, ἡ, Verschliessung o. Befestigung einer Stadt durch eine Mauer oder eine Burg, einen Thurm. —τείχισμα, ατος, τὸ, der Ort den man durch eine Mauer, Burg oder einen Thurm befestigt, vertheidigt, verschlossen hat. —τειχισμὸς, ὁ, das verschliessen oder befestigen durch eine Mauer, Burg, Thurm. —τεκμαίρομαι, daraus, davon ein Zeichen, einen Beweis nehmen oder daraus schliessen. —τεκνόω, entkindern, d. i. der Kinder berauben. —τέλειοι, οἱ, oder οἱ ἀπὸ τέλους Polyb. die Magistratspersonen in den Städten sonst οἱ ἐν τέλει. —τελειόω, ῶ, s. v. a. ἀποτελέω von τέλειος. —τέλεσμα, ατος, τὸ, das vollendete, vollbrachte. z. B. τέχνης Produkt der Kunst; die Vollendung, Vollbringung, Ausgang; Wirkung, bey den Astrologen Einfluss der Gestirne u. Konstellazionen. —τελεσματικὸς, ἡ, ὸν. Adv. ἀποτελεσματικῶς, zur Wirkung, zum Ausgange gehörig, geschickt; auch zu der Prophezeihung von dem Einflusse der Gestirne gehörig. —τελεστικὸς, ἡ, ὸν, wirksam, zum vollenden, vollbringen gehörig, geschickt. —τελευτάω, ῶ, f. ήσω, zu Ende bringen, endigen; neutr. sich endigen, aufhören. —τελεύτησις, εως, ἡ, Beendigung; Ende. —τελέω, ῶ, f. έσω, vollenden, zu Stande bringen; abzahlen, abtragen, entrichten, abführen, als Tribut. Xen. Cyr. 3. 2. 18 u. §. 19 u. 20. Opfererstlinge ἀπαρχὰς, Dank χαριστήρια; auch τὰ καθήκοντα oder τὰ μοι προσήκοντα seine Schuldigkeit abtragen, seine Pflicht thun. Xen. Cyr. 1. 2. 5. 5. 1. 14. —τελματίζω, Hipp. εὐσχημ. c. 2. von Schlamme reinigen oder zu Schlamme o. Sumpfe machen. —τέμνω, f. εμῶ, abschneiden, verschneiden, beschneiden. —τεξις, εως, ἡ, das Gebähren, die Geburt. —τερματίζω, f. ίσω, abgrenzen, begrenzen, beendigen; vergrenzen und ausschliessen, ausrotten; davon —τερματισμὸς, ὁ, Begrenzung, Bestimmung der Grenzen. —τερμίζω, f. ίσω, s. v. a. ἀποτερματίζω; zweifelh. —τευγμα, ατος, τὸ, (ἀποτυγχάνω) mislungene That, unglücklicher Ausgang des Unternehmens. —τευκτικὸς, ἡ, ὸν, verfehlend oder darzu führend oder gehörig. —τευξις, εως, ἡ, das Verfehlen, Nichterhalten, Fehlbitte, repulsa. —τεφρόω, ῶ, f. ώσω, ganz in Asche verwandeln. —τηγανίζω, (τήγανον) auf dem Roste braten; bey den Komikern geröstete Speisen essen, ἀπὸ τηγάνου ἐσθίειν wie ἀπανθρακίζω. u. ἀποπυρίζω. —τήκω, f. ξω, zerschmelzen, ausschmelzen einschmelzen; durch zerschmelzen verzehren, auszehren. —τῆλε, o. ἀποτηλόθι, Adv. fern, fern davon, in der Ferne; von τῆλε, τηλόθι u. ἀπό. —τηξις, εως, ἡ, das Zerschmelzen, Auflösung oder Verzehrung durch Zerschmelzen. —τηρέω, bey Diodor. 14, 21. abwarten. —τίθημι, meist im medio ἀποτίθεμαι, ablegen; beylegen oder aufheben, weglegen, oder auf die Seite legen, niederlegen, als τὰ ὅπλα, πόλεμον u. dergl. —τίκτω, gebähren; zeugen. —τίλλω, ausreissen, abreissen; davon —τιλμα, ατος, τὸ, das ausgerissene z. B. eine Feder.

'Αποτιμάω, ich ehre nicht mehr; ich verachte Hom. hymn. 2, 35. im attischen Rechte heisst es vom Manne, der ein Gut χωρίον nach der Schätzung zum Pfande setzt ἀποτιμᾶν, von denen welche das Pfand bekommen und annehmen ἀποτιμᾶσθαι; davon —τίμημα, ατος, τὸ, die geschätzte, durch Schätzung bestimmte Summe, auch als Pfand angenommenes oder gegebenes Gut, Land. —τίμησις, εως, ἡ, Schätzung, census; Verpfändung des geschätzten Gutes, Landes. S. ἀποτιμάω. —τιμητὴς, οῦ, ὁ, der das geschätzte Gut zum Pfande bekommt; von ἀποτιμάομαι. —τιμος, ὁ, ἡ, so viel als ἄτιμος, ungeehrt: so viel als ἀποτετιμημένος, verpfändet, zum Pfande gegeben. —τίναγμα, ατος, τὸ, das Abgeschüttelte, Abgeschlagene; von —τινάσσω, ἀποτινάττω, f. ξω, abschütteln, abschlagen. —τίνυμι, ἀποτινύνω, u. ἀποτίνω, s. v. a. ἀποτίω.

Ἀπότισις, εως, ἡ, das Abzahlen der Schuld; metaph. Büſsung, Strafe. — **τιτθος**, ὁ, ἡ, (τίτθὸς) von der Bruſt der Mutter abgeſetzt, vom Saugen entwöhnt. — **τίω**, auch ἀποτίνω, ἀποτινύω, ἀποτίνυμι welche man auch ἀποτίννυμι, ἀποτιννύω ſchreibt, abzahlen, bezahlen was man ſchuldig iſt. med. ἀποτίομαι ἀποτίνομαί τινα, ich mache mich an einem bezahlt, räche mich an ihm. Odyſſ. 1, 268. 2, 73. Cyrop. 5, 4, 35. — **τμηγμα**, ατος, τὸ, das Abgeſchnittene, Abſchnitt; v. — **τμήγω**, f. ξω, abſchneiden, von τμάω. — **τμηματίζειν**, abtheilen. Nicetas Annal. 7, 7. — **τμὴξ**, ῆγος, ὁ, ἡ, abgeſchnitten; v. ἀποτμήσσω. — **τμηξις**, εως, ἡ, das Abſchneiden; v. — **τμήσσω**, ſ. v. a. ἀποτμήγω.

Ἄποτμος, ὁ, ἡ, unglücklich, v. πότμος.

Ἀπότοκος, ὁ, ἡ, davon gebohren, gezeugt. — **τολμάω**, ῶ, f. ήσω; eine muthige, dreuſte, kühne Handlung, That oder Rede beginnen, anfangen, unternehmen; etwas wagen. — **τολμος**, ὁ, ἡ, ſ. v. a. ἄτολμος. — **τομὰς**, άδος, ἡ, d. i. ἀποτετμημένη; auch der Wurfſpieſs des πένταθλος nach Pollux 3 ſect. 151. Schol. Pind. Iſthm. 1, 35. — **τομεὺς**, έως, ὁ, d. i. ἀποτέμνων. — **τομὴ**, ἡ, das Abſchneiden, Beſchneiden, Einſchneiden, z. B. der Wege, d. i. Scheidung, Trennung. — **τομία**, ἡ, die Handlung oder Charakter eines ἀπότομος, Strenge, Härte. — **τομος**, ὁ, ἡ, Adv. ἀποτόμως, abgeſchnitten, abgeriſſen, ſteil, ſchroff, vorz. von Bergen u. Felſen; metaph. hart, rauh, ſtrenge; grauſam. Bey Demoſth. 1402 ἀποτόμως οὔτ' αἰσχρῶς οὔτε καλῶς d. i. abſolute, an und für ſich betrachtet. — **τοξεύω**, ich ſchieſse oben herab oder von einem Orte mit Pfeilen; ich ſchieſse einen Pfeil fort, ich ſchieſse wornach mit dem Pfeile *peto ſagitta*; ich ſchieſse wornach wie mit einem Pfeile; ich werfe ſchieſse etwas wie einen Pfeil, um damit zu treffen.

Ἀποτορνεύω, f. εύσω, drechſeln, ausdrechſeln, abrunden, glatten, ſorgfältig ausarbeiten.

Ἄποτος, ὁ, ἡ, ungetrunken, nicht zu trinken, nicht trinkbar; ohne Trank, nicht trinkend. Soph. Aj. 324. — **τράγημα**, ατος, τὸ, Ueberbleibſel vom Nachtiſche, τραγήματα. — **τραχηλίζω**, f. ίσω, einen mit σχοινίοις bey Eunapius, erdroſſeln; ſonſt nach der Analogie auch enthalſen, köpfen. — **τραχύνω**, rauh, hart machen, verharten, erbittern; med. ſich erbittern, ſich rauh, hart beweiſen. — **τρεπτικὸς**, ἡ, ὸν, zum abwenden, abkehren, abrathen gehörig, geſchickt. — **τρεπτος**, ὁ, ἡ, (ἀποτρέπομαι) The-

'Αποτυγχάνω, d. i. μὴ τυγχάνω τινὸς, verfehlen, nicht erhalten, nicht bekommen, verlieren; unglücklich ſeyn, kein Glück mit einer Sache haben. ἀποτυγχάνομαι active S. in ἐπιτυγχάνω. —τυκίζω. S. ἀποτυχίζω. —τυλόω, ῶ, f. ώσω, verhärten, eigentl. in einen τῦλος, harte ſchwielichte Haut. —τυμπανίζω, f. ίσω, fortprügeln, zerprügeln; auch hinrichten, tödten. S. τύμπανον. —τυπόω, ῶ, f. ώσω, abdrücken, Abdruck machen, abbilden. med. wie ἀπομάσσομαι ich ahme nach, bilde nach. —τύπτω, f. ψω, aufhören zu ſchlagen, Herodot. 2, 40. —τύπωμα, ατος, τὸ, Abdruck, Abbildung, Nachbild. —τυφλόω, ῶ, f. ώσω, verblinden, blind machen: übergetr. als πόρους, *obſtruo* verſtopfen; davon —τύφλωσις, εως, ἡ, das Verblinden, Blindmachen; Blindheit bey den LXX. —τύχημα, ατος, τὸ, ſ. v. a. ἀπότευγμα. —τυχία, ἡ, das Verfehlen, Nichterhalten; Verunglücken, Unglück. —τυχίζω, oder ἀποτυκίζω (τύκος) behauen vorz. einen Stein. —τυχόντως, Adv. verfehlend, wider den Wunſch; partic. aor. 2. v. ἀποτυγχάνω.

'Απουλόω, ῶ, f. ώσω, (οὐλὴ) vernarben eine zugeheilte Wunde; davon —λωσις, εως, ἡ, das Vernarben einer Wunde; davon —λωτικὸς, ἡ, ὸν, zum vernarben dienlich. —ραγέω, ῶ, den Zug des Heeres beſchlieſsen; auch den Zug des Heeres decken. τινὶ einem den Rücken decken. Polybius. —ρανόθεν, Adv. ſ. v. a. οὐρανόθεν oder ἀπ' οὐρανοῦ.

'Απουραι, ἀπούρας, ἀπουράμενος entziehn, der entzogen hat; der beraubt iſt, m. d. Accuſ. Hom. Heſiod. Pind. Pyth. 4. 265. S. ἀπουρίζω. —ρέω, ῶ, ausharnen, wegpiſſen. —ρίζω, bey Hom. Il. 22, 489. entziehn, rauben. Beyde ſind einerley mit ἀπαύρω, ἀπαυράω.

'Απουρος, ὁ, ἡ, fern von der Grenze, als πάτρας Sophocl. fern von des Vaterlandes Grenze, v. ὅρος. —ρόω, ῶ, f. ώσω, bey Polyb. 16, 15 erklärt Suidas ἀπουρώσαντας mit widrigem Winde ſegeln; man kann es aber auch erklären: mit günſtigem Winde fortſegeln, oder vom rechten Winde abkommen.

'Απους, οδος, ὁ, ἡ, ohne Füſse; nicht auf Füſsen gehend. —σία, ἡ, Abſeyn, Abweſenheit; 2) Abgang, Mangel, das Fehlende; 3) ſ. v. a. ἀποσπερματισμὸς Plutarch. Iſis; davon —σιάζω, ich gebe weg, verliere einen Theil meines Vermögens; 2) εἰς θυγατέρα Artemidor. 1, 81. ſ. v. a. ἀποσπερματίζω εἰς θυγ.

'Αποφάγω, abeſſen, abfreſſen; aufeſſen, verzehren.

'Αποφαίνω, ich decke auf, zeige auf oder vor, entdecke, bringe ans Licht; daher wie ἀποδεικνύω, machen, τὸν ἵππον περίβλεπτον ἀποφαίνει Xen. Equ. 10, 5. fertig machen und aufzeigen: ἔρια παραλαβοῦσα ἱμάτιον ἀποδεῖξαι ein Kleid daraus fertig machen und vorlegen. Xen. Oec. 7, 6. ὅσα μοι ἐστὶν ἅπαντα εἰς τὸ κοινὸν ἀποφαίνω. 7, 13 zeige ich vor, bringe es dar zur Gemeinſchaft, wofür gleich hernach ſteht: οὔτε ὅσα ἠνέγκω πάντα ἐς τὸ κοινὸν κατέθηκας. dah. darlegen darſtellen mit Worten und Beweiſen. τὸ ἰσχυρὸν μὴ ὄντα δοκεῖν, ἀλυσιτελὲς ἀπέφαινε Memor. 1, 7, 4. mit dem participio τούτῳ καὶ τὴν ἐπιμέλειαν μάλιστα προσήκουσαν ἀπέφαινεν den geht die Sorge dafür am meiſten an, wie er bewieſs. Oecon. 9, 17. bisweilen muſs man es überzeugen, überführen erklären: ἀπέφηνεν ἀποφεύγοντας Polyb. 1, 15. im medio ἀποφαίνομαι ich entdecke mich, erkläre mich, γνώμην ich entdecke erkläre meine Meinung, ſage meine Gedanken; fälle mein Urtheil, wie ἀποδείκνυσθαι γνώμην. So auch εὔνοιαν Anab. 7, 7 ich zeige beweiſe meine Gewogenheit. Oft wird γνώμην ausgelaſſen, und ἀποφαίνεσθαι bedeut. auch überhaupt reden, ſprechen, urtheilen. λογισμὸν ἀποφαίνεσθαι Rechnung ablegen Memor. 4, 2, 21. überh. ſich zeigen, ſeine Geſchicklichkeit zeigen: διὰ τὸ μὴ ἰέναι ὅπου ἂν ἀποφαινόμενοι εὐδοκιμοῖεν. Cyrop. 8, 8, 13.

'Αποφανόω, ſ. v. a. φανερόω. Sophocl.

'Απόφανσις, εως, ἡ, Erklärung, Ausſpruch, Satz, Meinung; Beweiſs; v. ἀποφαίνω. S. ἀπόφασις. —φαντικὸς, ἡ, ὸν, erklärend, behauptend, einen Satz aufſtellend. Adv. ἀποφαντικῶς; von —φαντὸς, ἡ, ὸν, behauptet, erklärt, als Satz aufgeſtellt; von ἀποφαίνομαι. —φασις, εως, ἡ, von ἀπόφημι, die Verneinung, das Verneinen, Abſchlagen; 2) von ἀποφαίνω das Verzeichniſs, Inventarium des Vermögens; 3) vom medio ἀποφαίνομαι oft mit beygeſetztem τῆς γνώμης die Erklärung der Meinung, kurz ſ. v. a. ἀπόφανσις, welches nur eine verſchiedene Schreibart iſt; bey Polyb. häufig für Antwort.

'Αποφάσκω, ſ. v. a. ἀπόφημι von ἀποφάω. —φατικὸς, ἡ, ὸν, Adv. ἀποφατικῶς, verneinend, negativ. —φαυλίζω, f. ίσω, gering machen mit Worten oder verkleinern, geringſchätzen, verwerfen, nicht achten, verachten. —φέρβω, ſ. v. a. ἀποτρέφω. —φέρω, wegtragen, wegbringen; überh. von einem Orte zum andern tragen, mithin herbeybringen, entrichten, abtragen oder abzahlen; zurückbringen; hervorbringen, daher ernennen, als ναύτας Demosth. medium ἀποφέρεσθαι, wie *ferre, auferre praemia*, davon tragen, bekommen.

'Αποφεύγω, f. ξομαι, entfliehen, entkommen; im Gerichte, losgesprochen werden; davon —φευκτικὸς, ἡ, ὸν, zum Fliehen, Entfliehen, Entkommen bereit oder behülflich. Xen. Apol. 8. —φευξις, εως, ἡ, das Entfliehen, Entkommen; das Entkommen vor Gerichte, δίκης Aristoph. Befreyung von einem Prozesse oder Lossprechung. —φηληκίζω, (φήληξ) unreife Feigen abpflücken und essen; metaph. s. v. a. βιάζομαι nach Suidas. —φημι, f. φήσω, wie ἀποφάσκω verneinen, nein sagen, versagen, absagen, läugnen, widersprechen; wieder sagen, berichten, Hom. Il. 9, 422 wo ἀπόφαμαι steht. In der Stelle ἀντικρὺ δ' ἀπόφημι erklären es viele durch gerade heraus sagen und erklären wie ἀποειπεῖν oder ἀποφαίνομαι.

'Αποφημος, ὁ, ἡ, (φήμη) von keiner guten Vorbedeutung. —φθαρμα, ατος, τὸ, Mittel zum Abtreiben der Leibesfrucht. S. ἀποφθείρω. —φθέγγομαι, f. ξομαι, seine Meinung heraus oder laut sagen, erklären, und besonders ein ἀπόφθεγμα sagen. —φθεγκτος, ὁ, ἡ, Eur. Iph. Taur. 951 mit dem man nicht spricht. —φθεγμα, ατος, τὸ, der Spruch des Orakels; eine kluge oder witzige Rede. —φθεγματικὸς, ἡ, ὸν, der gern, gewöhnlich in Apophthegmen spricht, spruchreich, sinnreich, zum Apophthegma gehörig. —φθείρω, verderben, vernichten, zerstören; eine Fehlgeburt machen, *abortum facere*. med. zu seinem Unglücke weggehn: οὐκ εἰς κόρακας ἀποφθαρεῖ μου willst du dich nicht von mir zum Henker packen? Aristoph. —φθιμι, ἀποφθινύθω, ἀποφθίνω und ἀποφθίω, vernichten, verderben, tödten; neutr. umkommen Hesiod. ἐργ. 243. Hom. Il. 5. 643. von der ersten Form kommt ἀπόφθιμαι passiv. u. ἀποφθίμενος, vernichtet, getödtet.

'Αποφθορὰ, ἡ, Fehlgeburt; vergl. ἀποφθείρω u. ἀπόφθαρμα. —φιμόω, ῶ, f. ώσω, durch angelegten Maulkorb φιμὸς versperren, verschliessen, hemmen. —φλαυρίζω, f. ίσω, s. v. a. ἀποφαυλίζω. —φλεγμαίνω, aufhören zu brennen u. aufzuschwellen. —φλεγματίζω, f. ίσω, (φλέγμα) den Schleim abführen, vom Schleime reinigen; davon —φλεγματισμὸς, ὁ, Abführung des Schleims, Reinigung vom Schleime. —φλοιόω, ῶ, f. ώσω, (φλοιὸς) der Rinde berauben, beschalen. —φλύζω, Apollon. 3, 583 ὕβριν ἀποφλύξωσιν ihren Uebermuth ausbrausen; Hesych. hat ἀποφλύειν, ἀπερευγεσθαι. S. φλύζω. —φοιβάζω, (φοῖβος) s. v. a. ἀποκαθαίρω u. ἀπομαντεύομαι. —φοιτάω, ῶ, f. ήσω, τινὸς, von einem weggehen, wegbleiben, nicht häufig besuchen, es aufgeben, darauf Verzicht thun; weggehen oder scheiden, d. i. sterben, wie *decedo*; davon —φοίτησις, εως, ἡ, das Weggehen, das Scheiden. —φονος, beym Eurip. zu φόνος u. αἷμα gesetzt, wo man es durch ungerechten Mord erklärt. —φορὰ, ἡ, (ἀποφέρω) das Wegbringen, Wegschaffen; das Darbringen, Abführen, Abtragen; das Dargebrachte; Abgabe, Tribut; daher Gewinn, Vortheil; der Dampf, Geruch, Rauch von einer Sache.

'Αποφόρησις, ἡ, (ἀποφορέω) das Wegnehmen, Wegtragen. —φόρητος, ον, fortgetragen; mitzunehmend. —φορος, ὁ, ἡ, nicht zu ertragend od. wegzubringend, als ἄγος u. μίασμα Phalar. Ep. 139; nicht tragend, δένδρον s. v. a. ἄφορον unfruchtbarer Baum. —φορτίζομαι, f. ίσομαι, sich entlasten, sich der Last entledigen; die Last ablegen, ausladen. —φράγνυμι, ἀποφραγνύω verzäunen, verriegeln, versperren, verstopfen. —φραξις, εως, ἡ, Verzäunung, Verstopfung, Versperrung. —φρὰς, άδος, ἡ, (φράζω) als ἡμέρα *dies nefastus*, ein unglücklicher Tag, an welchem kein Gericht gehalten wird; ἀποφράδες πύλαι, wodurch die Malefikanten zum Gerichte geführt werden; überh. von unglücklicher Bedeutung, *feralis, damnatus fastis*.

'Αποφράσσω, ἀποφράττω, f. άξω, eine andre Form von ἀποφραγνύω. —φρικτος, ὁ, ἡ, bey Aretaeus 3, 12 zweifelh. s. v. a. φρίσσων, starrend, zurückschaudernd. —φροντίζω, m. d. acc. die Sorge für einen aufgeben. Nicetas Annal. 9, 12. —φυὰς, αδος, ἡ, Schössling, Sprössling, Nebenschoss, u. s. v. a. ἀπόφυσις. —φυγγάνω, s. v. a. ἀποφεύγω. —φυγὴ, ἡ, Zuflucht, Ausflucht, u. s. v. a. ἀπόφευξις. —φύλιος, ὁ, ἡ, fremd, ὁ μὴ ἔχων φυλὴν; andre lasen ἀποφώλιος, welches man nachsehe. —φυλλίζω, (φύλλον) entblättern, abblättern. dav. —φύλλισις, εως, ἡ, das Abstreifen des Laubes. —φυμι, s. v. a. ἀποφύομαι. —φυξις, εως, ἡ, das Entfliehen, Fortlaufen; v. ἀποφεύγω. —φυσάω, ῶ, f. ήσω, wegblasen, fortblasen, verblasen, ausblasen, ausblasen, als ψυχὴν, *animam efflo*, Aristoph. —φυσις, εως, ἡ, ein Ansatz, an einem grössern Gliede angewachsener Theil. —φυτεία, ἡ, Verpflanzung, Abpflanzung; von —φυτεύω, f. εύσω, abpflanzen, einen abgerissenen Zweig in die Pflanzschule setzen, verpflanzen.

'Αποφύω, einen Sprössling treiben; med. auswachsen, daran als Sprössling, Nebenschoss wachsen; auch s. v. a. von verschiedener Natur seyn; auch sich trennen. ἀποφῦναι, διαστῆναι, bey Hesych.

'Αποφώλιος, ὁ, ἡ, bey Manetho 4. 317 steht ἀποφώλια γένεθλα. Bey Homer werden εἶναι ἀποφώλιοι durch ἄγονοι, ferner ἀποφώλια εἰδὼς durch ἀπαίδευτος erklärt. Auch verbindet Hom. es mit νόον auch mit φυγοπτόλεμος. Hier kommt man mit den von Hesych. angegebenen Begriffen μάταιος, ἀδόκιμος, εὐτελὴς od. dem lat. vanus aus; Euripides bey Plut. Thes. 15 nennt den Minotaurus σύμμικτον κἀποφώλιον τέρας; vergl. Curios. p. 63 wo Reiske ἀποφύλιον lesen wollte, wie wirklich in einer Stelle des Aeschylus die Lesart zwischen ἀποφύλιοι u. ἀποφώλιοι wechselte, dann heisst es s. v. a. ξένον fremd; die übrigen Bedeut. leitet man von φωλεὸς die Schule oder von φηλος, φηλόω ab.

'Αποχάζω, f. άσω, gewöhnlicher ἀποχάζομαι s. v. a. ἀποχωρέω. —χαλασμὸς, ὁ, das Nachlassen, Losmachen; v. —χαλάω, ῶ, f. άσω, nachlassen, loslassen. —χαλινόω, ῶ, f. ώσω, abzäumen. —χαλκεύω, f. εύσω, von Eisen oder Kupfer schmieden. ἀνάδοντας ἀποκεχαλκευμένους Xenoph. Cyneg. 10, 3 wofür Pollux 5 sect. 4 συγκεχαλκευμένους sagt. —χαλκίζω, f. ίσω, enterzen, des Erzes, Geldes berauben. Anal. Brunk. 2, 417. ein Wortspiel. —χαρακόω, ῶ, f. ώσω, verschanzen. —χάραξις, εως, ἡ, eingedrückte Fusstapfe; von —χαράσσω, ἀποχαράττω, f. ξω, durch Einschnitte oder durch Scarification abhalten oder heilen; durch Eindrücke, eingeschnittene oder eingedrückte Merkmale bezeichnen. —χαρίζομαι, f. ίσομαι, davon mittheilen, geben, schenken, verschenken. —χειμάζει, der Winter oder Sturm hört auf. —χειρίζω, f. ίσω, bey Suidas ἀποχειρίζειν τὴν δεξιὰν, die Hand abnehmen. —χειρόβιος, ὁ, ἡ, u. ἀποχειρόβιωτος, ὁ, ἡ, der von seiner Hände Arbeit lebt, ἀπὸ, χειρ, βίος. Herodot. 3, 42. Cyropaed. 8, 3, 37. —χειρος, ὁ, ἡ, unvorbereitet Polyb. 21, 14. —χειροτονέω, ῶ, durchs Stimmen mit Händeaufheben verwerfen, abschaffen; durch seine Stimme lossprechen, Demosth. davon —χειροτονία, ἡ, Verwerfung, Abschaffung. —χετεύω, f. εύσω, ableiten durch einen Kanal, abführen; daher übergetr. abwenden. —χέω, u. ἀποχεύω, ausgiessen, abgiessen.

'Αποχὴ, ἡ, (ἀπέχει neutr. distat.) Entfernung; 2) Enthaltsamkeit; v. ἀπέχομαι. 3, eine Quittung, apocha. Anal. Brunk. 2, 339. —χηρόω, davon berauben. S. χηρόω. —χναύω, abbeissen, abnagen; κνάω, χνάω, χναύω. —χορδος, ὁ, ἡ, (χορδὰ) nicht stimmend; misshellig, misstönend. —χόω, ῶ, f. ώσω, durch hineingeschüttete oder aufgeschüttete Erde und Schutt abdammen, verdammen, verschliessen; v. χόω. —χραίνω, ὑπὸ τῆς παρ' ἀλλήλας θέσεως ἀποχραινομένας Plato Rep. 9. die durch die Gegenstellung abgestuft und vorstechend gemacht werden. Ein Malerterminus. S. χραίνω u. συμφθείρω und ἀπόχρωσις. —χράω, ich reiche zu, Herodot. 7, 196 u. 42 ἀποχρᾷ, es ist genug. Medium ἀποχράομαι, verbrauchen, aufbrauchen, verzehren; daher von Menschen wie consumo, conficio, aufreiben, ermorden. 2) ἀποχρέεται σφι st. ἀποχρᾷ Herodot. 8, 14. —χρέμμα, ατος, τὸ, was man durch den Husten auswirft. —χρεμπτικὸς, ἡ, ὸν, den Auswurf durchs Speyen befördernd, oder der häufig auswirft. —χρέμπτομαι, f. ψομαι, ich werfe durch den Husten aus, spucke aus. —χρεμψις, εως, ἡ, das Ausspeyen, Auswerfen.

'Απόχρη, f. ήσει, s. v. a. ἀποχρᾷ jonisch.

'Αποχρήματος ζημία, Aesch. Choeph. 273. zweif. vielleicht αὐτοχρημάτοισι. —χρησις, εως, ἡ, das Verbrauchen, Verzehren, Aufzehren; Ermordung; das Bedürfniss Dionys. Antiq. 1, 58. S. ἀποχράομαι. —χρίω, f. ίσω, s. v. a. ἀποξύω. Hesych. hat von der Form ἀποχρίμπτω ἀποχριμφθέντα für ἀποχωρισθέντα, getrennt. —χρυσόω, ῶ, f. ώσω, vergolden. —χρώντως, Adv. v. ἀποχρῶν, dem partic. v. ἀποχρᾷ, hinreichend, genug. —χρωσις, εως, ἡ, das Abfärben; bey Plutarch. Glor. Athen. p. 363 φθορὰν καὶ ἀπόχρωσιν σκιᾶς das Verreiben der Farben und der dadurch bewirkte Schatten. S. ἀποχραίνω.

'Αποχυλίζω, f. ίσω, ganz in Saft durchs ausdrücken verwandeln. —χυμα, ατος, τὸ, das Ab- oder Ausgegossene, v. ἀποχύω. —χυρόω, ῶ, f. ώσω, durch Befestigung, ὀχυρόω, sichern. —χυσις, εως, ἡ, das Ausgiessen; vom Getraide, das Aufschiessen in die Aehre. —χύω, ausgiessen, weggiessen, wie ἀποχέω, auch vom Aufschiessen und Treiben der Aehren. —χωλεύω, f. εύσω, oder ἀποχωλόω, verlähmen, ganz lahm machen. —χωρέω, ῶ, fort-weggehen, weichen, nachgeben, abtreten; davon —χώρημα, ατος, τὸ, der Abgang, Auswurf, Stuhlgang, sonst ἀποχωρεῦντα, Xen. Mem. 1, 4, 6. —χωρη-

-σις, εως, ἡ, der Abgang, das Weggehn, das Scheiden.

'Αποχωρίζω, f. ίσω, absondern, aussondern, weggehen lassen, wegschicken, trennen; davon —χώρισις, ἡ, die Absonderung, Trennung; und —χωριστής, οῦ, ὁ, d. i. ἀποχωρίζων. —χωσις, εως, ἡ, (ἀποχόω) das Ab- oder Verdammen.

'Αποψαλίζω, (ψαλίζω) abschneiden mit der Scheere. —ψάλλω, τρίχας, βέλος, ich reisse die Haare aus, schiesse den Pfeil ab. Lycoph. 407. S. ψάλλω. — —ψαλμα, ατος, τὸ, bey Ptolem. Harmon. erklärt Porphyr. καθ' ὃ τοὺς ἤχους αἱ χορδαὶ ἀποδιδοῦσιν, ὅπου εἰσὶ δηλονότι δεδεμέναι, der Ort, wo die Saite gespannt ist u. einen Ton getroffen v. sich giebt. —ψάω, (ψάω) ich wische, streiche, nehme ab. ἀποψᾶσθαι τὰς χεῖρας, ἀρχὸν, sich die Hände, den Hintern abwischen. —ψεύδομαι, ich lüge, wie *ementior.* —ψηγμα, τὸ, (ἀποψήχω) *ramentum,* Abgang, was beym abkratzen, abfeilen, absägen abfällt. —ψῆμα, ατος, τὸ, was weggewischt, abgewischt wird. — ψηστος, ὁ, ἡ, (ἀποψάω) was abgestrichen, abgewischt wird, werden kann. —ψηφίζομαι, (ψηφίζομαι) in so fern ἀπὸ verneinet, so heisst es, wie ἀποχειροτονέω, wider etwas stimmen, anders stimmen, verwerfen, abschaffen; lossprechen; davon —ψήφισις, εως, ἡ, Verwerfung; Lossprechung. —ψήχω, f. ξω, abkratzen, abreiben, abstreiten. —ψιλόω, ῶ, f. ώσω, ganz kahl machen; davon —ψίλωσις, εως, ἡ, das Kahlmachen.

'Αποψις, εως, ἡ, eigentlich das Sehn von oben herab, Aussicht. καλὰς καὶ πολλὰς καὶ ἡδείας ἀπόψεις καὶ ἀποστροφὰς ἔχουσι Plutarch. auch der Anblick, das Ansehn bey Polyb. —ψοφέω, ῶ, einen Lärm machen, in einen Ton, auch von hinten einen Furz, ausbrechen. —ψυγμα, ατος, τὸ, (ἀποψύχω) Auswurf, Stuhlgang, bey Hesych. —ψυξις, εως, ἡ, das Abkühlen, das Auslöschen; von —ψύχω, f. ξω, eigentl. ausathmen, λεπτὸν ἀποψύχων b. Bion. abkühlen, kalt machen; med. sich abkühlen, ἱδρῶ Hom. Il. 11, 620 vom Schweisse, d. i. sich den Schweiss abtrocknen und so sich abkühlen, *se rafraichir;* das Leben oder den Athem (ψυχὴ) verlieren, (auch mit βίον Sophocl. Aj. 1050 sein Leben verhauchen, ohne βίον Alciphr. 3 Ep. 72.) in Ohnmacht fallen, Od. 24, 346. wie ἀποπνέω, im Gegensatz von ἀναψύχω, ἀναπνέω wieder Athem holen, sich erholen, wieder zu sich kommen: *alvum exonero* Hesiod. oper. 759 mit vorgesetzter praepos. ἐν. Aristot. Rhet. 2, 5 ἀπεψυγμένοι πρὸς τὸ μέλλον gleichgültig gegen die Zukunft.

'Αποψωλέω, ῶ, f. ήσω, ich mache einen ψωλὸς, ziehe ihm die Vorhaut von der Eichel. S. ψωλὸς. daher ἀπεψωλημένος, ein geiler Mensch mit stehendem Gliede.

'Αππαπαὶ, Adv. im Aristoph. wo andere ἀτταταὶ lasen; ein Ausruf des Beyfalls.

'Απραγέω, bin ein Müssiggänger, thue nichts; von πράττω, πραγέω; davon —αγία, ἡ, Müssiggang, Geschäftlosigkeit.

'Απραγμάτευτος, ὁ, ἡ, (πραγματεύομαι) ohne grosse Mühe, Fleiss, leicht behandelt, erhalten, bald ausgedacht; ἀπρ. γῆ, gleichsam, ein nicht behandeltes Land, d. i. worin kein Handel, keine Geschäfte getrieben werden; ἀπρ. πόλις, eine nicht zu überwältigende Stadt; act. nicht mühsam arbeitend, trägen Sinnes, nicht lange nachdenkend, sich nicht anstrengend. —αγμοσύνη, ἡ, Geschäftlosigkeit, Muse, Ruhe, besonders Freyheit von Staatsgeschäften (denn dies sind πράγματα, sie treiben ist τὰ πολιτικὰ oder τὰ τῆς πόλεως πράττειν); in schlimmerm Sinne ist es Müssiggang, Bequemlichkeitsliebe, Trägheit, Faulheit, od. Charakter eines ἀπράγμων, Xen. Mem. 3, 11. 16.

'Απράγμων, ονος, ὁ, ἡ, Adv. ἀπραγμόνως, ohne Geschäfte, πράγματα, besonders ohne Staatsgeschäfte, kein Geschäftsmann, kein Staatsmann; daher im Algemeinen, unbesorgt, unbekümmert, von keinem Geschäftsgeist geplagt und beunruhigt, entfernt von Staatsgeschäften, ein Feind davon; u. in so fern πράγματα παρέχειν τινὶ heisst, einem was zu thun machen, ihn in Prozesse verwickeln (Xen. Mem. 1, 3. 14. 2, 2. 8.) so ist ἀπράγμων ein Mann der keine Processe haben will, sich in keine Streitigkeiten einlassen will, und auch keinen andern damit belästigt; pass. ohne Mühe, was man ohne Mühe, ohne viele Weitläuftigkeiten haben kann, leicht zu haben, leicht anzuschaffen Xen. Mem. 2, 1. 33.

'Απραγόπολις, εως, ἡ, geschäftlose Stadt, wie Augustus die Stadt nannte, wo er sich von Staatsgeschäften erholte Sueton. in Aug. 98.

'Απρακτέω, ῶ, ich bin ein ἄπρακτος, thue nichts, bin müssig; bewirke, richte nichts aus, erlange es nicht Xen. Cyr. 1, 6. 6.

'Απρακτος, ὁ, ἡ, Adv. ἀπράκτως, nicht zu thun, unthunlich, nicht zu bewirken; was sich nicht bewirken, nicht behandeln lässt; ungethan, nicht vollendet; act. nichts thuend, müssig, in welchem Sinne auch ἡμέραι ἄπρακτοι müſſige Tage, d. i. an denen man müſſig iſt; nichts ausrichtend, unwirkſam, vergeblich; daher auch γῆ ἄπρακτος ein Land iſt, welches nichts einbringt, welches keine Pachtungen (πράγματα, *negotia*) hat.

Ἀπραξία, ἡ, Gegenſ. v. πρᾶξις, Unthätigkeit, Ruhe oder Muſse von Geſchäften, Geſchäftloſigkeit, Stillſtand in Geſchäften, Ferien im Gericht; im ſchlechten Sinne, Müſſiggang, Trägheit.

Ἀπρασία, ἡ, Mangel an Käufern, Unmöglichkeit zu verkaufen, πράω, πιπράω.

Ἄπρατος, ὁ, ἡ, (πράω, πράσκω, πιπράσκω) nicht feil; nicht oder noch nicht verkauft.

Ἀπράϋντος, ον, (πραΰνω) nicht zu beſänftigen, nicht zu verſöhnen, unverſöhnlich.

Ἀπρέπεια, ἡ, Unſchicklichkeit, Unanſtändigkeit; von —πής, έος, ὁ, ἡ, Adv. ἀπρεπῶς oder ἀπρεπέως, unſchicklich, unanſtändig; von πρέπει.

Ἀπρηκτος, ſ. v. a. ἄπρακτος, joniſch.

Ἀπριάτην, Adv. ohne zu verkaufen, ohne Geld zu nehmen, umſonſt, Hom.

Ἄπριγδος, ὁ, ἡ, bey Aeſchyl. Perſ. 1049 ἄπριγδα, μάλα γοεδνά, v. ungew. Bedeutung eines Uebels, wahrſch. von einerley Urſprung m. d. folgd. Choeph. 423 ſteht ἀπρίγκτοι.

Ἀπρίξ, Adv. von πρίω, πρὶξ wie τύψ, ὀκλάξ, ἐδάξ, feſthaltend, unabläſſig, ἀπρὶξ ἔχεσθαί τινος, feſthalten und nicht loslaſſen.

Ἀπροαιρεσία, ἡ, (προαιρέομαι) Unvorſätzlichkeit, Unüberlegtheit. —αίρετος, ὁ, ἡ, Adv. ἀπροαιρέτως unvorſätzlich, ohne es ſich vorgenommen zu haben, unbedachtſam, ſ. v. a. ἀπροβούλευτος nach Ariſtot. eth. 5, 8 nicht vorher überlegt. Dionyſ. Hal. Ant. 4, 72 νόμοι ἀπροβούλευτοι welche nicht vorher vom Senat die Genehmigung προβούλευμα erhalten haben.

Ἀπροβούλευτος, ὁ, ἡ, Adv. ἀπροβουλεύτως, od. ἀπροβούλητος, u. ἀπρόβουλος, ὁ, ἡ, unvorſätzlich; nicht vorher überlegt oder überdacht; act. unüberlegt handelnd, unbedachtſam, Ceb. tab. 8. —βουλία, ἡ, Unüberlegtheit, Unbeſonnenheit. —βουλος, ὁ, ἡ, ſ. v. a. ἀπροβούλευτος.

Ἀπροδιηγήτως, Adv. ohne vorhergegangene Erzählung, Erklärung. —διορίστως, Adv. nicht vorher beſtimmt, unterſchieden v. προδιορίζω.

Ἀπροθέτως, Adv. (προτίθεμαι) unvorſätzlich. —θυμος, ὁ, ἡ, Adv. ἀπροθύμως, unwillig, ungern.

Ἀπροϊδής, έος, ὁ, ἡ, (προείδω) der nicht vorher ſieht; paſſive unvorhergeſehn, unvermuthet.

Ἄπροικος, ὁ, ἡ, (προίξ) ohne Mitgift, Ausſteuer, unausgeſtattet.

Ἀπρόϊτος, ὁ, ἡ, (πρόειμι) Adv. ἀπροΐτως, nicht ausgehend.

Ἀπροκάλυπτος, (προκαλύπτω) Adv. ἀπροκαλύπτως unbedeckt, unverhehlt, als τινὶ γράφειν einem aufrichtig ſchreiben. —κατασκεύαστος, ον, unvorbereitet. —κοπος, ὁ, ἡ, (προκόπτω) bey Manetho was keinen Fortgang hat.

Ἀπρόληπτος, ὁ, ἡ, unvorher genommen, nicht vorgegriffen. Hierocles Pythag. —λογος, ον, ohne Prolog, Vorrede.

Ἀπρομήθεια, ἡ, Mangel an Ueberlegung, Unbeſonnenheit. zweif. —μύθητος, ον, nicht vorher geſagt.

Ἀπρονοησία, ἡ, Mangel an Vorſicht; von —νόητος, ὁ, ἡ, (προνοέω) Adv. ἀπρονοήτως nicht vorher geſehen, unüberlegt, nicht vorher überdacht; act. nicht vorh. überlegend, unbedachtſam. m. d. Genit. der nicht Sorge für etwas trägt. Lucian. biſacc. 2. —νόμευτος, ὁ, ἡ, (προνομεύω) nicht ausgeplündert durch feindliche Streifereyen u. Fouragirung.

Ἀπρόξενος, ον, ohne πρόξενος.

Ἀπροοιμίαστος, ον, (προοιμιάζομαι) ohne Eingang, Einleitung, Vorrede.

Ἀπρόοπτος, ὁ, ἡ, (προόπτω) Adv. ἀπροόπτως, unvorhergeſehen.

Ἀπροόρατος, ὁ, ἡ, (προοράω) ſ. v. a. d. vorh.

Ἀπροπτωσία, ἡ, Charakter des ἀπρόπτωτος. S. d. folgd. —πτωτος, ον, (προπίπτω) nicht geradezufallend, d. i. nicht geradezu Beyfall gebend. Laert. und Plutarch. Vol. 10 p. 298. wofür andre Ausgaben ἀπροσπτωσία u. ἀπρόσπτωτος haben.

Ἀπροσάντητος, ὁ, ἡ, unzugangbar, dem man ſich nicht nähern darf; von προσαντάω. bey Plutar. Vol. 9 p. 647 τὴν Στωϊκὴν δόξαν ἀπροσάντητον ὑπερβαίνοντες ohne ihr zu begegnen, ſie zu widerlegen. —αύδητος, ὁ, ἡ, (προσαυδάω) ſ. v. a. ἀπροσηγόρητος.

Ἀπρόσβατος, ὁ, ἡ, (προσβαίνω) unzugangbar. —βλητος, ὁ, ἡ, (προσβάλλω) dem man ſich nicht nähern kann, unbeſiegbar.

Ἀπροσδεής, έος, ὁ, ἡ, oder ἀπροσδέητος, der nichts dazu bedarf, alſo ſelbſtſtändig, der auſser ſich nichts nöthig hat. —δεκτος, ὁ, ἡ, od. ἀπροσδέκτος beym Aeſchylus, (προσδέχομαι) nicht zuzulaſſend, nicht anzunehmend. —διόνυσος, ὁ, ἡ, nicht paſſend, unſchicklich, eigentlich von Dingen, welche nicht zum Feſte des Bacchus gehören: man ſagte von ſolchen im Sprüchworte: οὐδὲν πρὸς Διόνυσον. Cic. Att. 16, 11. —διόριστος, ὁ, ἡ, Adv. ἀπροσδιορίστως, ohne eine Beſtimmung zuzuſetzen.

'Απροσδόκητος, ὁ, ἡ, Adv. ἀπροσδοκήτως, unerwartet, unvermuthet; v. προσδοκάω. Bey Thucyd. 6, 69. der etwas nicht erwartet, active.

'Απροσέγγιστος, ον, (ἐγγίζω) dem man ſich nicht nähern darf oder kann.

'Απρόσεκτος, ον, d. i. μὴ προσέχων, unachtſam, unaufmerkſam. —έλευστος, ὁ, ἡ, ſ. v. a. ἀπρόσιτος. —εξία, ἡ, Unaufmerkſamkeit, Unachtſamkeit, Sorgloſigkeit.

'Απροσηγόρητος, ὁ, ἡ, (προσηγορέω) unangeredet, ungegrüſst. —ηγορία, ἡ, Unterlaſſung des Gruſſes oder der Viſite, Aufwartung; das Nichtanreden, Stillſchweigen. —ήγορος, ὁ, ἡ, unſprechbar, der ſich nicht leicht nicht gern ſprechen läſst, unfreundlich; act. nicht anredend, nicht grüſſend.

'Απρόσθικτος, ον, (προσθιγγώ) unberuhrt.

'Απρόσικτος, ὁ, ἡ, unzugânglich, unerreichbar. Pindar. Nem. 2, 63. v. προσίκομαι. —σιτος, ὁ, ἡ, Adv. ἀπροσίτως, ſ. v. a. das vorherg. von πρόσειμι. —σκεπτος, ὁ, ἡ, (προσκέπτομαι) Adv. ἀπροσκέπτως, unvorhergeſehn, unvorſehend, unüberlegt, unbeſonnen.

'Απρόσκλητος, ὁ, ἡ, δίκη. S. κλητήρ. —κλινής, ες, Adv. ἀπροσκλινῶς, oder ἀπρόσκλιτος, ſich nicht hinneigend, keine Neigung darzu habend, ſeinen Beyfall nicht gebend. zweif.

'Απρόσκοπος, ὁ, ἡ, Adv. ἀπροσκόπως, nicht anſtoſsend. μὴ προσκόπτων, ſich nicht verletzend, unverletzt, unverſehrt, Act. 24, 16; bey keinem andern anſtoſsend, keinen beleidigend; ſich an nichts ſtoſsend oder ärgernd; v. πρόσκοπος abgeleitet, ſich nicht vorſehend, unvorſichtig.

'Απρόσλογος, ον, (πρὸς λόγον) nicht zur Rede, Sache, wovon man redet, paſſend oder gehörig. Adv. ἀπροσλόγως.

'Απρόσμαστος, ὁ, ἡ, od. vielmehr ἀπροστίμαστος. braucht Heſych. neben ἀπρόσθικτος, ἄψαυστος. unberührt, das homeriſche ἀπροτίμαστος zu erklären. —μαχος, ὁ, ἡ, (πρόσμαχος) unüberwindlich. —μηχάνητος ὁ, ἡ, gegen den nichts unternommen worden iſt oder ſ. v. a. das vorherg. zweif. —μήχανος, ὁ, ἡ, (μηχανὴ) gegen den man nichts unternehmen kann, gegen den kein Mittel hilft. —μικτος, ὁ, ἡ, (προσμίγνυμι) mit dem man ſich nicht vermiſchen kann, ungeſellig, wie δυσπρόσμικτος.

'Απροσόδευτος, ὁ, ἡ, (προσοδεύω) unzugänglich.

'Απρόσοιστος, ὁ, ἡ, (προσοίω d. i. προσφέρω) Adv. ἀπροσοίστως, Aeſchyl. Perſ. 91 στρατὸς ἀπρ. ſ. v. a. ἀνυπομόνητος oder nach den Schol. ἀκαταμάχητος. Das Gegentheil εὐπρόσοιστος Eur. Med. 729. ſ. v. a. εὐπροσήγορος, wie δυσπρόσοιστος Soph. Oed. Col. 1277. welches er v. 1270 ſelbſt erklärt: προσφορὰ δ' οὐκ ἔστι, alſo von προσφέρομαί τινι ich habe Umgang, ſpreche mit einem.

'Απροσόμιλος, ον, (προσόμιλος) nicht umgänglich, ungeſellig. —όπτος, ον, u. ἀπροσόρατος, ὁ, ἡ, (προσόπτω, προσοράω) den man nicht anſehen kann oder darf, wild, ſchrecklich, ſcheuſslich anzuſehn. —όρμιστος, ον, (προσορμίζω) nicht zum landen bequem oder ſicher.

'Απροσπαθής, έος, ὁ, ἡ, (προσπάσχω) Adv. ἀπροσπαθῶς, keine Leidenſchaft, keine Neigung bey od. für etw. habend. —πέλαστος, ὁ, ἡ, (προσπελάζω) ſ. v. a. ἀπροσέγγιστος. —πλοκος, όν, (προσπλέκω) was ſich nicht zuſammenflechten, nicht verbinden, nicht vereinigen läſst. —πόριστα, ων, τὰ, (προσπορίζω) nicht darzu erworben, erlangt, darzu geſchäft. —πταιστος, ον, (προσπταίω) an den, bey dem niemand anſtoſst. —πτωσία, ἡ, (προσπίπτω) Sicherheit vor feindlichem Anfall; zw. S. auch ἀπροπτωσία; v. —πτωτος, ὁ, ἡ, nicht anzufallend, ſicher vor feindlichem Anfalle. zweif. Aus Maccab. 3 B. wird συμμαχία ἀπρόσπτωτος ohne paſsliche Erklärung angeführt. S. auch ἀπρόπτωτος.

'Απρόσρητος, ὁ, ἡ, (προσρέω), ſ. v. a. ἀπροσήγορος u. ἀπροσηγόρητος. bey Pollux 5, 137 ἡμέρα wo man keine Viſiten oder Kour macht.

'Απροστάσιον, τὸ, davon ἀπροστασίου δίκη, die Klage wider einen fremden Einwohner, daſs er keinen προστάτης unter den Bürgern zu Athen ſich gewählt habe. —στάτευτος, ὁ, ἡ, u. ἀπροστάτητος, ὁ, ἡ, bey Antonin. 12, 14. (προστατέω) ohne προστάτης, ohne Anführer. Aelian. H. A. 15, 5. bey Heſych. auch activ. der v. niemand προστάτης iſt.

'Απροστίμαστος S. ἀπρόσμαστος. —στομος, ὁ, ἡ, vorne nicht ſpitzig.

'Απρόσφορος, ὁ, ἡ, unzuträglich, unſchicklich, nicht paſſend; nicht geſellig. S. πρόσφορος. —φυλος, ον, zu keiner φυλῇ, od. Volksklaſſe gezählt, fremd. zw. —φώνητος, ον, (προσφωνέω) nicht angeredet, nicht begrüſst; den man nicht anreden darf, unerbittlich.

'Απρόσψαυστος, ον, (προσψαύω) nicht zu berühren, unberührt. —σωπόληπτος, ὁ, ἡ, Adv. ἀπροσωπολήπτως, d. i. πρόσωπον μὴ λαμβάνων, 1 Petr. 1, 17. vergl. Act. 10, 34. ohne Rückſicht der Perſonen. —σωπος, ὁ, ἡ, (πρόσωπον) Adv. ἀπροσώπως, ohne Larve, ohne Bildung, nicht ſchön; im grammatiſchen Sinne *impersonalis*.

Ἀπροτίελπτος, ὁ, ἡ, unverhoft, ſt. ἀπρόελπτος Opp. Cyn. 3, 422. wo die Handſchr. ἀπροτίοπτος unvorhergeſehn hat. —τίμαστος, ὁ, ἡ, (προτιμάσσω) ſ. v. a. ἀπρέσμαστος Hom. Il. 19, 263. *intacta* bey Virgil. Aen. 1, 345. ſonſt ἀνύβριστος von μάσσω. —τίοπτος, ὁ, ἡ, ſ. v. a. ἀπρόσοπτος oder ἀπρόοπτος. S. ἀπροτίελπτος.

Ἀπροφανής, ές, (προφαίνομαι) unvorhergeſehn, unvermuthet. — Φάσιστος, ὁ, ἡ, Adv. ἀπροφασίστως, d. i. μὴ προφασιζόμενος, keinen Vorwand gebrauchend, nicht lange erſt Entſchuldigungen und Ausflüchte ſuchend, um ſich einem Dienſt zu entziehen, gleich dienſtfertig, dienſtwillig. — φατος, ὁ, ἡ, Adv. ἀπροφάτως, bey Apollon. Rhod. ſ. v. a. ἀπροφανής unvorhergeſehn, von προφάω ſ. v. a. προφαίνω. —φύλακτος, ὁ, ἡ, Adverb. ἀπροφυλάκτως, unbewacht, nicht beſchützt; nicht vorgeſehen, nicht verhütet, von dem med. προφυλάξασθαι.

Ἀπταισία, ἡ, das Nicht-Fallen, Unfehlbarkeit; v. —αιστος, ὁ, ἡ, (πταίω) Adv. ἀπταίστως, nicht anſtoſsend, nicht fallend, z. B. ἵππος Xen. und ſo übergetragen, keinen Fehler begehend, glücklich.

Ἀπτερέως, Adv. ſ. v. a. ἀπτέρως. —ερος, ὁ, ἡ, (πτερὸν) Adv. ἀπτέρως und poet. ἀπτερέως, ohne Flügel, unbeflügelt, mit dem α intenſ. beflügelt, geſchwind. —έρυγος, ὁ, ἡ, (πτέρυξ) ohne Flügel. —ερύομαι, ſ. v. a. πέτομαι fliegen oder πτερύσσομαι, Aratus Dioſ. 277. Heſych. hat die Form ἀπτερύσσομαι. —έρωτος, ὁ, ἡ, (πτερωτὸς) ſ. v. a. ἄπτερος.

Ἀπτήν, ῆνος, ὁ, ἡ, d. i. μὴ πτηνὸς, nicht flücke, noch nicht befiedert, noch nicht fliegen könnend, Hom. Il. 9, 323.

Ἀπτικὸς, ἡ, ὸν, zum berühren, angreifen geſchickt, gemacht.

Ἄπτιλος, ὁ, ἡ, (πτίλον) ohne Federn, noch nicht befiedert.

Ἀπτοεπής, έος, ὁ, ἡ, (ἀ, πτοέω, ἔπος) unerſchrocken im Reden, oder ἀπτ. d. i. angreifend (ἀπτόμενος) im Reden, κακολόγος nach Heſych. beym Hom. Il. 8, 209. nach andern auch ſ. v. a. ἀνόητος thöricht. —όητος, oder ἀπτοίητος, ὁ, ἡ, unerſchrocken; von πτοέω.

Ἀπτόλεμος, ὁ, ἡ, poet. ſt. ἀπόλεμος.

Ἅπτομαι, ſ. ψομαι, rühren, anrühren, berühren, z. B. Speiſen, d. i. eſſen; einen Feind, d. i. angreifen, ſo wie πόνοι ἅπτονται τοῦ σώματος Xen. Cyr. 1, 6. 25 Arbeiten greifen den Körper an. Eben ſo λόγων Xen. Symp. 3, 2 Geſpräche berühren, anfangen. S. ἅπτω.

Ἀπτὸς, ἡ, ὸν, was ſich berühren oder faſſen läſst.

Ἄπτυστος, ον, (πτύω) act. der nicht ausſpuckt; z. B. eine Krankheit, wobey man nichts auswirft; paſſive nicht ausgeſpuckt.

Ἅπτω, ſ. ψω, binden, anbinden, anknüpfen. med. ich knüpfe mich an etwas an, d. i. hänge ihm an, berühre es. S. oben ἅπτομαι.

Ἅπτω, ſ. ψω, anzünden, anſtecken; wahrſcheinl. daſſelbe Wort mit dem vorigen, weil man durch Berührung anzündet.

Ἀπτὼς, ῶτος, ὁ, ἡ, (πίπτω) nicht fallend, wankend oder irrend.

Ἄπτωτος, ὁ, ἡ, Adv. ἀπτώτως, nicht fallend, ſich nicht vergehend; bey den Grammatikern ohne πτῶσις, Fall, *caſus, indeclinabilis.*

Ἀπτωχευτῶς, Adv. (πτωχεύω) ohne zu betteln. zw.

Ἄπυγος, ὁ, ἡ, (πυγὴ) ohne Arſchbacken oder mit dünnen oder magern Hinterbacken.

Ἀπύθμενος, ὁ, ἡ, (πυθμὴν) ohne Boden, Stamm, Wurzel.

Ἄπυκνος, ὁ, ἡ, d. i. μὴ πυκνὸς, nicht dicht; in d. Muſik heiſsen gewiſſe Töne ἄπυκνοι. S. in πυκνὸς.

Ἀπύλωτος, ὁ, ἡ, nicht verthüret oder verthoret, durch keine Thür verſchloſſen, durch kein Thor befeſtigt, offen; στόμα ἀπ. beym Ariſtoph. ein zügelloſes Maul, verbunden mit ἀχάλινον.

Ἀπυνδάκωτος, ὁ, ἡ, (πύνδαξ, πυνδακόω) ſ. v. a. ἀπύθμενος.

Ἄπυος, ὁ, ἡ, (πύον) ohne Eiter, nicht eiternd.

Ἄπυργος, oder ἀπύργωτος, ὁ, ἡ, (πύργος) ohne Thürme, nicht verthürmt, πυργόω, nicht mit Thürmen verſehen, Hom. Od. 11, 263.

Ἀπύρεκτος, ὁ, ἡ, d. i. μὴ πυρέσσων, ohne Fieber. — ρεξία, ἡ, fieberfreyer Tag oder Zeit, wenn man kein Fieber hat. —ρετος, ὁ, ἡ, (πυρετὸς) ohne Fieber. —ρηνος, ὁ, ἡ, (πυρὴν) ohne Stein, von Steinfrüchten; auch die keinen harten Stein, ſondern einen weichen Stein oder Kern haben, *apyrenus* lat. —ρομήλη, ἡ, ſt. ἀπύρηνος μήλη, führt Galen. aus Hippocr. an, eine Sonde ohne rundes Knöpfchen, πυρὴν, vorn. —ρος, ὁ, ἡ, Adv. ἀπύρως, oder ἀπύρωτος, (πῦρ) ohne Feuer, nicht an Feuer gekocht, roh; τρίποος, λέβης, Hom. ein noch nicht am Feuer geſtandener, d. i. neuer Dreyfuſs, Keſſel; oder dem ἐμπυροβήτης entgegengeſetzt, der nicht ans Feuer kommt, ſondern zum Miſchen des Weins mit Waſſer oder zum Ausſpielen der Trinkgläſer dient.

Ἄπυστος, ὁ, ἡ, (πύθομαι, πυνθάνομαι) was man nicht gehört, nicht erfahren hat, Hom. Od. 1, 242. act. der nichts gehört, nichts erfahren hat, Od. 4, 675. 5, 127.

'Απύτης S. ἠπύτης.
'Απύω, dorisch, wofür jonisch ἠπύω, tönen, schreyen, rufen, reden, sprechen, sagen. Damit scheint das lakonische ἀπαυᾶν und ἀπάυειν d. i. καλεῖν bey Hesych. verwandt zu seyn. Man leitet dieses Wort von ἔπος, ἔπω ab.
'Απφὰ, ἡ, ἀπφαρίον, τὸ, ἀπφίον, τὸ, und ἀπφύς, ὁ, das letztere bey Theocr. 15, 14 der Name, den kleine Kinder dem Vater lallend geben; bey Athenae. 13, p. 569 nennen die Freudenmädchen schmeichelnd die jungen Liebhaber ἀπφάρια; überhaupt übten die Grammatiker an, dass ἄπφα ein schmeichelhafter Name sey, den Brüder und Schwestern einander geben, vorzügl. bey den Attikern, wie ἄττα, τέττα, πάππα.
'Απώγων, ωνος, ὁ, ἡ, (πώγων) unbärtig.
'Απῳδέω, ῶ, f. v. a. ἀπᾴδω. —ῳδὸς, ὁ, ἡ, misstönend, misklingend, nicht in den Ton des Gesangs einstimmend.
'Απωθεν, Adv. von fern, wie ἄποθεν,
'Απωθέω, ῶ, f. ώσω, ωθήσω, fort oder wegstossen, verstossen, wegjagen, vertreiben; med. von sich stossen, verstossen, verabscheuen; von ὠθέω. dav. —θητος, ον, verstossen, verworfen.
'Απώλεια, ἡ, (ἀπολλύω) das Verlieren, der Verlust; Verderben, Unglück, Untergang. —λευτος, ὁ, ἡ, (πωλεύω) noch nicht gebändigt, ungezähmt, unberitten, unerzogen.
'Απωμοσία, ἡ, oder ἀπώμοσις, (ἀπομνύω) das Abschwören. —μοτικὸς, ὁ, ἡ, Adv. ἀπωμοτικῶς, zum abschwören gehörig od. geschickt; abschwörend. —μοτος, ὁ, ἡ, bey Soph. Ant. 388 und 394 einer der etwas verschwört und, passive ἀπώμοτον, was man verschworen hat; v. ἀπόμνυμι. Plato Legg. 7 pag. 373 ὧν οὐδὲν ἀπώμοτον, wovon man nichts als unmoglich verschworen und verbürgen kann.
'Απώρυξ, υγος, ὁ, (ἀπορύσσω) ein abgegrabener Kanal, ὑδρηγὸς; ein abgesenkter Weinstock, ein Ableger, *mergus*, Ezech. 17. Geoponic. 5, 18. —ρωτος, ὁ, ἡ, noch nicht in einen πῶρος Kallus oder Stein verhärtet od. verwachsen.
'Απωσικύματος, ὁ, ἡ, κώπη, die Wellen fortstossend. Anthol.
'Απωσις, εως, ἡ, oder ἀπωσμὸς, ὁ, (ἀπώθω, ἀπωθέω) das Fort- oder Weg- oder Verstossen. —στικὸς, ἡ, ὸν, (ἀπώθω, ἀπωθέω) zum fort- weg- vertreiben geschickt gemacht gewohnt. —στὸς, ἡ, ὸν, fortgestossen, verstossen.
'Απώτερος, έρα, ερον, Adv. ἀπωτέρω, entfernter; ἀπώτατος, entferntester; von ἄπο, fern.
'Αρ S. d. folgd.
'Αρα, also, nun, ja; wirklich? so? denn? Wird sehr selten zu Anfange der Rede gesetzt; wie Herodot. 9, 9.
'Αρα, Adv. fragt wie *utrum*, *an*, u. steht voran, da das deutsche denn nachsteht.
'Αρὰ, ἡ, Bitte, Flehen, Hom. Il. 15, 598. Hesiod. Op. 726; Gebet, Wunsch, Fluch, Verwünschung; daher Fluch oder Unglück, als ἀρὰν ἀπὸ οἴκου ἀμῦναι Hom. Od. 17, 538 und er verbindet es auch mit λοιγὸς, in welcher letztern Bedeutung die erste Sylbe kurz ist.
'Αραβδος, ὁ, ἡ, (ῥάβδος) ohne Stab, Ruthe.
'Αραβέω, ῶ, (ἄραβος) klirren, rasseln, tosen. —βίζω, f. ίσω, ich spreche Arabisch, ich halte es mit den Arabern, von ἀραβία Arabien, wovon auch ἀραβικὸς arabisch, auch ἀράβιος.
'Αραβος, ὁ, das Klirren, Rasseln, Klappern, Knirschen der Zähne.
'Αράγδην, Adv. mit Geräusche, m. Rasseln zusammenschlagend; von ἀράσσω.
'Αραγμα, ατος, τὸ, oder ἀραγμὸς, (ἀράσσω) das Zusammenschlagen z. B. τῶν πτερῶν Sophocl. das Klatschen mit den Flügeln, τῶν δεσμῶν Eurip. das Geklirre der Ketten.
'Αραδέω S. ἄραδος.
'Αραδιούργητος, ον, d. i. οὐ ῥαδιουργητὸς v. ῥαδιουργέω oder s. v. a. ῥαδιουργός.
'Αραδος, ὁ, Unruhe, heftige Bewegung, welche Speisen im Magen verursachen, Beängstigung, Herzklopfen, wie es nach einer starken Bewegung zu seyn pflegt, v. ἀράσσω. Hesych. hat auch das Wort ἀραδέω für κινέω, ταράσσω, θορυβέω, συγχέω.
'Αράζω, Pollux 5, 86. Philo T. 1 pag. 694. von Hunden. S. ῥύζω.
'Αραιὰ, ἡ, verst. γαστήρ. S. ἀραιὸς. —όπορος, ὁ, ἡ, mit dünnen nicht dichtstehenden Poren, Oeffnungen.
'Αραιὸς, dünn, von einem Gewebe, Geflechte, wo die Faden nicht dicht sind, *rarus*, locker; *tenuis*; weich, schwach, klein; ἀραιὸν καὶ μαλακὸν πνεῦμα, *tenuis et mollis ventus*, schwacher, gelinder Wind. ἀραιὰ γαστὴρ der Unterleib mit den Eingeweiden und Darmen, auch ἀραιὰ allein; daher μεσάραιος s. v. a. μεσεντέριος; überhaupt schmal, eng, schwach.
'Αραῖος, α, ον, (ἀρὰ) Adv. ἀραίως, gebeten, gewünscht, geflucht. —όσαρκος, ὁ, ἡ, von lockerm, schwammichten, nicht dichten Fleische. —οστήμος, ον, (στήμων) von lockern Faden. —όστυλος, ὁ, ἡ, mit dünn nicht dicht stehenden Saulen. —οσύγκριτος, dem πυκνοσύγκριτος entgegengesetzt, eine Bildung des Korpers mit wohlgeoffneten Poren zur Transspiration, also s. v. a. εὐδιάπνευστος.

Ἀραιότης, ητος, ἡ, das dünne, lockere, schlaffe. enge Wesen; von ἀραιός. —**όφυλλος**, ον, (φύλλον) dünnblättricht, oder mit wenigen Blättern.

Ἀραιόω, ῶ, f. ώσω, dünne, schlaff, enge, locker machen; davon

Ἀραίωμα, ατος, τὸ, Ritze, Lücke, Zwischenraum. —**ωσις**, εως, ἡ, Verdünnung. —**ωτικὸς**, ἡ, ὸν, das dichte locker oder dünn, selten machend.

Ἀρακα st. ἄρακον Clemens Strom. 1 c. 7.

Ἀρακίδες, d. dimin. v. folgd.

Ἄρακος, ὁ, eine Art Hülsenfrucht, Theophr. hist. pl. 8, 8 die als Unkraut unter den Linsen wuchs u. späterhin auch ἄραχος geschrieben ward, wie Galen bezeugt; so findet man ἀράκιδνα u. ἀράχιδνα. Viele hielten sie für einerley mit λάθυρος.

Ἀραξίχειρος, ὁ, ἡ, τύμπανα ἀραξίχειρα die mit der Hand geschlagen werden. ἀράσσω. Anthol.

Ἀράομαι, ῶμαι, bitten, flehen, wünschen, verwünschen, verfluchen. s. ἀρά.

Ἀραρίσκω s. v. a. ἀράρω fügen, anfügen, anlegen, zusammenfügen. Aus ἀράρω ist durch Verlängerung ἀραρίσκω u. eben so ἀράρω aus dem perfect: med. ἦρα, ἤραρα, ἄραρα gemacht. Dieses ἀράρω hat wie ἄραρα u. das davon abgeleitete particip. ἀραρώς, ἀραρυῖα, ἀραρὸς, genit. ἀραρότος, wovon das Adv. ἀραρότως, bey Aeschyl. Suppl. 952 und Platon. Phaedr. ἀρηρότως Eur. Med. 1192. Hesiodus hat προσαρήρω προσαρήρομαι von ἀρήρω gebildet. Die Form ἀραρὸς für βέβαιος, πάγιος bey Hesych. ist zweif. Das perf. med. ἄραρα, ἄρηρα, ἀραρὼς ἀραρυῖα wird nicht allein active für befestigen, fest anfügen, fest zusammenfügen, festbinden gebraucht, sondern öfterer noch neutr. fest angefügt, zusammengefügt, festgebunden seyn; ἄραρε u. ἄρηρε es ist fest beschlossen. Eurip. Or. 1330. Andr. 254. Hippol. 1090.

Ἀραρὸς, ἀραρὼς u. ἀραρότως S. in ἀραρίσκω Hesych. allein hat die ersten beyden Formen.

Ἀράρω S. ἀραρίσκω.

Ἀράσιμος, ὁ, ἡ, (ἀράομαι) gewünscht, verwünscht, wünschend, verwünschend.

Ἀράσσω, attisch ἀράττω ich schlage, klopfe, stosse, schmeisse, θύρας an die Thüren klopfen, πρὸς τὸ ἔδαφος τὰς κεφαλὰς an die Erde schmeissen. ἄνεμοι πρὸς ἀλλήλους ἀρασσόμενοι Winde, die mit Geprassel gegen einander stossen. Alciphron; daher ἀραγμὸς δεσμῶν Gerassel der Fesseln, Ketten, auch das Prasseln vom Schlage. metaph. ὀνείδεσιν ἀράσσειν bey Sophocl. wie κακοῖς καὶ αἰσχροῖς ἐξαράττειν bey Aristoph. Nub. wie *concidere conviciis aliquem* ausschimpfen, ausschelten. Daher διαράσσω δορὶ mit dem Wurfspiesse durchbohren, durchstossen. ἀπαράσσειν mit dem Pfeile, Wurfspiesse od. Schwerdte herunter schlagen, stossen oder hauen.

Ἀρατροφέω, ich trage den Pflug.

Ἀράχιδνα, ἡ, eine Schotentragende Pflanze, Lathyrus Amphicarpus Lin.

Ἀραχναῖος, αία, αῖον, u. ἀράχνειος von der Spinne, od. ihr zu ihr gehörig; v.

Ἀράχνη, ἡ, Spinne; Spinngewebe, *aranea*. —**χνης**, ου, ὁ, Spinne, ein masc. wie *araneus* beym Plin. —**χνικὸς**, ἡ, ὸν, s. v. a. ἀράχνειος. —**χνιον**, τὸ, diminut. v. ἀράχνη; vorzüglich das Spinngewebe. —**χνιόω**, ἀραχνιόομαι, οῦμαι, voll von Spinnen oder Spinngewebe seyn Arist. activ. bey Hippocr. nat. oss. p. 309 ἠραχνίωκε τοῦ σπληνὸς φλεβίοις verbreitet sich mit Aederchen wie mit einem Spinngewebe über die Milz. —**χνιώδης**, ὁ, ἡ, u. ἀραχνοειδής, ὁ, ἡ, jenes v. ἀράχνιον u. εἶδος spinnewebenartig, der Spinnewebe ähnlich, diess v. ἀράχνη spinnenartig, der Spinne ähnlich.

Ἀραχνοϋφής, ές, (ὑφή) von Spinnen gewebt oder so dünn wie Spinnewebe.

Ἄρβηλος, ὁ, ein rundes Schustermesser, Kneif. Nicand. Ther. 423.

Ἀρβύλη, ἡ, u. ἀρβυλίς, ἡ, eine Art Schuhe für Landleute, Jäger, Reisende, πηλοπατίδες, Drecktreter, die um den ganzen Fuss bis an die Knöchel giengen; davon —**λόπτερος**, ὁ, ἡ, mit Flügeln an den Schuhen, v. πτερόν.

Ἀργαίνω weiss seyn, Opp. Cyn. 3, 299. weissen, v. ἀργός, ἀργάω.

Ἀργαλέος, έα, έον, Adv. ἀργαλέως, schwer, lästig, beschwerlich, verdrüsslich, was Mühe oder zu thun macht, oder nach andern, was Schmerz macht, schmerzlich.

Ἀργᾶς, ἀργᾶν, ὁ, τὸ, von ἀργήεις, ἀργῆεν dorisch ἀργάεις ἀργᾶεν contr. ἀργᾶς ἀργᾶν Genit. ἀργᾶντος s. v. a. ἀργήεις; 2) eine Schlangenart bey Demosth. ἀργῆς jonisch bey Hippocr. von welcher einige das Beywort ἀργηφόντης schrieben und ableiteten.

Ἀργείης, ου, ὁ, st. ἀργήεις bey Suidas zweif.

Ἀργεῖος, εία, εῖον, Argivisch. —**γειφόντης**, ου, ὁ, st. ἀργειφοντης, Argostödter, ein Beywort des Hermes.

Ἀργέλοφοι, οἱ, die Füsse am abgezogenen Schaaffelle; unnütze, unbrauchbare Sachen. Aristoph.

Ἄργεμα, ατος, τὸ, oder ἄργεμον, ἀργεμὸς, ein Schaden auf der Iris des Auges, sonst λεύκωμα *albugo*, von der Farbe; davon ἐπάργεμος.

Ἀργεννὸς, ἡ, ὸν, weiss, wie ἀργός.

'Αργεστὴρ, ῆρος, ὁ, und ἀργέστης, ὁ, weiſs, weiſslich.

'Αργέστης, ὁ, ein Wind, ſonſt Σκίρων, 'Ολυμπίας und 'Ιάπυξ, den wir Nord-Weſt nennen.

'Αργεύω, oder ἀργέω, ich bin ein ἀργὸς, bin müſſig, faul, feyere; auch act. träge betreiben, nicht thun, dah. in paſſ. οὐδὲν αὐτοῖς ἀργεῖται τῶν πράττεσθαι δεομένων Xen. Cyr. 2, 3. 3. u. Hier. 9. 9. οὐδ' αὕτη ἡ σκέψις ἀργοῖτο, auch dieſe Betrachtung muſs man nicht auſser Acht laſſen, verſäumen.

'Αργήεις, ήεσσα, ῆεν, contr. ἀργῆς, ῆντος (wie αἰγλήεις, contr. αἰγλῆς, αἰγλῆντος) auch ἀργής, ῆτος, ὁ, ἡ, (Nicand. Ther. 631) und ἀργής, έος, ὁ, ἡ, (Nicand. Alex. 305) u. ἀργήστης, οῦ, ὁ, ſ. v. a. das Stammwort ἀργὸς weiſs. Das homeriſche ἀργέτι δημῷ iſt ſt. ἀργῆτι, weiſs. κεραυνοὶ ἀργῆτες erklärt Ariſtot. de mundo: οἱ διάττοντες ταχέως die ſchnell durch die Luft fahren.

'Αργῆς S. ἀργὰς.

'Αργία, ἡ, Muſse, Trägheit, Feyer, v. ἀργέω.

'Αργιβόειος, ὁ, ἡ, mit weiſsen Ochſen, Kühen. Aelian. H. A. 12, 36. —κέραυνος, ὁ, ἡ, mit weiſsen Blitzen, blendende Blitze ſchleudernd, Hom. Il. 19, 121. S. ἀργῆτες κεραυνοὶ in ἀργήεις.

"Αργιλλος, oder ἄργιλος, ἡ, weiſſer Thon oder Töpfererde, Töpferthon, *argilla*; dav. —λώδης, ἀργιλλώδης, εος, ὁ, ἡ, dem weiſsen Töpferthone ähnlich, thonartig, thonicht. —γινόεις, όεσσα, όεν, ſ. v. a. ἀργήεις, Hom. Il. 2, 647. 656. —γιόδους, οντος, ὁ, ἡ, oder ἀργιόδων, οντος, ὁ, ἡ, mit weiſsen Zähnen. —γίπους, οδος, ὁ, ἡ, weiſsfüſsig, als κριὸς Sophocl. Aj. 237. ſchnellfüſsig, als κύων Hom. Il. 24, 211 u. Phocyl. 137. S. ἀργὸς.

"Αργμα, ατος, τὸ, ſt. ἄπαργμα Hom. Erſtlinge die man opfert, Od. 14, 446.

'Αργολίζω, ich halte es mit den Argivern, v. ἀργὸς. —λογέω, ῶ, unnütze überflüſſige Worte machen, v. ἀργὸς; davon —λογία, ἡ, unnütze überflüſſige Worte, Rede. —μέτωποι λίθοι Mathem. vet. p. 82. mit unbehauener Fronte, ἀργὸς. —ναύτης, ου, ὁ, Argonaut, Schiffer, Seefahrer auf dem Schiffe ἀργώ. —ποιὸς, ὁ, ἡ, träge oder faul machend.

"Αργος, εος, τὸ, eine Stadt im Peloponnes; als maſc. der Hirt Argos von Hermes ermordet.

'Αργὸς, ἡ, ὸν, weiſs; ſchnell, als κύνες ἀργοὶ πόδας Hom. Il. 18. 578 vergl. oben ἀργίπους u. 584 wo ſie κύνες ταχέες heiſsen; ſt. ἀεργὸς, ohne Arbeit, d. i. act. nicht arbeitend, faul, träge, müſſig; paſſ. nicht bearbeitet, als Land; oder nicht bebauet, Stein, oder roh, noch nicht bearbeitet, od. noch übrig. Eurip.

'Αργοτροφέομαι, d. i. ἀργὸς τρέφομαι, ich nähre, füttere mich im Müſſiggange; zweif. —φάγος, ου, ein müſſiger Freſſer; zweif.

'Αργυράγχη, ἡ, Geldbräune, wenn einem das Geld, womit man beſtochen iſt, die Kehle zuſchnürt, zu ſprechen verbietet. Gell. 11, 9. komiſch dem κυνάγχη nachgebildet. —ραμοιβικῶς, Adv. nach Art der Geldwechsler; von —ραμοιβὸς, ὁ, (ἀμείβω) Geldwechsler. —ρασπις, ιδος, ὁ, ἡ, (ἀσπὶς) mit ſilbernem Schilde. —ρεῖον, τὸ, ein Ort mit Silber, od. Silbergrube; Goldſchmidtswerkſtatte. —ρειος, ου, ὁ. ἀργυρεῖος, ſilbern, von Silber gemacht. —ρεος, έα, εον, ὁ. ἀργύρεος, contr. ἀργυροῦς ſilbern, ſubſt. Silbermünze. —ρεύω, ſ. εύω, Silber graben. Diodor. 5. 36 ἀργυρευόντων wo vorher ἀργυρευτῶν ſtand; Silbergrube bauen und Silber ausſchmelzen Strabo 3 p. 393. S. —ρηλάτης, ου, ὁ, d. i. ἄργυρον ἐλαύνων, der Silber treibt, durch hämmern aus Silber arbeitet, Goldſchmidt. —ρήλατος, ου, von Silber getrieben, durch hämmern aus Silber gemacht. —ρίδιον, ου, τὸ, Dimin. v. ἀργύριον.

'Αργυρίζω, ich mache zu Silber. ἀργυρίζομαι ich mache mir Silber, Geld, τινα ich erpreſſe von einem Geld. Joſeph. —ρικὸς, ἡ, ὸν, zum Gelde, Silber gehörig. —ριοθήκη, ἡ, Geldkaſten, oder Behältniſs Silber oder Silbergeld zu verwahren. —ριοκόπος, ὁ, (κόπτω) Silberſchläger, der in Silber arbeitet, Silber münzt. —ριον, τὸ, Silber, Silbermünze, beſonders kleine Silbermünze, in ſo fern es eigentl. das dimin. v. ἄργυρος iſt. 2) ſ. v. a. ἀργυρεῖον, Silbergrube Xen. Mem. 2, 5. 2. —ρὶς, ίδος, ἡ, Silbergeſchirr, vorz. ein Becher. —ρισμὸς, ὁ, (ἀργυρίζω) das Verſilbern, das Geldmachen. —ρίτης, ου, ὁ, fem. ἀργυρῖτις, z. B. γῆ Silbererde, ſilberreiche Erde. ἀγὼν ἀργυρίτης wie στεφανίτης, wo der Sieger Geld oder Silber bekommt. —ρόβιος, ὁ, ἡ, (βιὸς) mit ſilbernem Bogen. —ρογνώμων, ονος, ὁ, ἡ, oder ἀργύρου γνώμων, Geldprober, Goldwardein. —ροδίνης, ου, ὁ, (δίνη) mit ſilbernen, d. i. weiſsen Strudeln oder Wellen. —ροειδὴς, έος, ὁ, ἡ, (εἶδος) ſilberartig. —ρόηλος, ὁ, ἡ, (ἧλος) mit ſilbernen Nageln oder Buckeln, Hom. Il. 2, 45. —ροθήκη, ἡ, ſ. v. a. ἀργυριοθήκη. —ροκάπηλος, ὁ, ἡ, oder ἀργύρου κάπηλος, d. i. ἄργυρον καπηλεύων Geldmakler, der mit Geld wuchert.

Ἀργυροκοπεῖον, τὸ, Werkstätte eines Goldschlägers oder Münzers; von —ροκοπέω, ῶ, ich bin ein ἀργυροκόπος schlage Silber oder Münze. —ροκοπιστηρ, ῆρος, ὁ, s. v. a. d. folgende von ἀργυροκοπίζω. —ροκόπος, ὁ, ἡ, s. v. a. ἀργυριοκόπος. —ρολογέω, ῶ, (ἀργυρολόγος) treibe, fordere Geld ein, setze in Kontribution, m. d. Accus. wie χαλκολογέω, welches die ältesten Lateiner durch *aeruscare* ausdrücken. —ρολόγητος, ὁ, ἡ, als ἱερὸν 2 Maccab. 11 zum Geldeinsammeln angelegt, oder von beygetriebenem Gelde erbaut. —ρολογία, ἡ, Eintreibung, Einsammlung des Geldes, das Einfordern von Kontribution; v. —ρολόγος, ὁ, ἡ, d. i, ἄργυρον λέγων, Geldeinsammelnd, Geldeintreiber, Kontribution fordernd. —ρομιγής, έος, ὁ, ἡ, mit Silber vermischt. —ροπάροις ὅπλοις Polyaen. 4, 16, 1. soll wohl ἀργυροπάστοις mit Silber ausgelegt od. versilbert heissen. —ρόπεζα, ἡ, od. ἀργυρόπεζος, ὁ, ἡ, mit silbernen, auch metaph. mit weissen schönen Füssen. —ρόπους, οδος, ὁ, ἡ, prosaisch s. v. a. das vorherg. —ροπράκτης, ου, ὁ, Geldeintreiber, *coactor*, von πράττομαι; davon —ροπρακτικὸς, ἡ, ὸν, zu dem Geldbeytreiben gehörig. —ροπράτης, ου, ὁ, d. i. ἀργύρου πράτης, Geldwechsler. —ροπωλέω, ῶ, b. Polyb. 3, 13 wo jetzt richtiger ἀργυρολογέω steht. —ρόριζος, ον, (ῥίζα) mit silbernen Wurzeln, silbernen Ursprungs. —ρορρύτης, ὁ, (ῥύω) silberfliessend, silberführend; zw.

Ἄργυρος, ὁ, Silber; Silbergeld; vorz. ἄργυρος κοῖλος vom Silbergeschirre. χυτὸς, natürliches gediegenes Quecksilber. S. ὑδράργυρος. —ροστερὴς, ὲς, der um Silber oder Geld betrügt, es raubt, στέρω, στερέω. —ρότοιχος, ὁ, ἡ, mit silbernen oder silbergezierten Wänden. —ρότοξος, ὁ, ἡ, mit silbernem Bogen, τόξον. Hom. Il. 1, 37. —ροτράπεζα, ης, ἡ, silberner Tisch; Geld- oder Wechseltisch. zw. —ροφάλαρος, ὁ, ἡ, mit silbernem Pferdeschmucke, φάλαρα. —ροφαγὴς, έος, ὁ, ἡ, silbern glänzend, v. φαίνομαι. —ροφεγγὴς, έος, ὁ, ἡ, (φέγγω) von Silber, oder wie Silber glänzend. —ροφύλαξ, κος, ὁ, Silberwächter, Goldhüter. —ροχάλινος, ὁ, ἡ, mit silbernem Zaume. —ροχοέω, ῶ, (χοή) Silber giessen, schmelzen; davon —ροχόος, ὁ, ἡ, Silbergiesser, Silberschmelzer. —ρόω, f. ώσω, versilbern, silbern machen. —ρώδης, ες, s. v. a. ἀργυροειδής. —ρωμα, ατος, τὸ, Silbergeschirr wie χρύσωμα Goldgeschirr, von ἀργυρόω. —ρώνητος, ὁ, ἡ, für Silber oder Gold gekauft.

Ἀργύφεος, ὁ, ἡ, oder ἀργυφὸς, ἀργυφής, ὁ, ἡ, silbern, von silberner od. weisser Farbe, die letzte Form zweif.

Ἀργὼ, όος, ἡ, das Argoschiff, Schiff der Argonauten.

Ἄρδα, ἡ, Uneinigkeit, Schmutz; dav.

Ἀρδάλιον. S. ἀρδάνιον. —δαλος, ὁ, ἡ, vermischt, unrein, befleckt; v. ἄρδα; davon —δαλόω, ῶ, ich vermische, beflecke, μολύνω. Hippocr. εἰς ὀθόνιον auf ein leinen Tuch tragen, wie eine Medicin, Pflaster. —δάνιον, ου, τὸ, auch ἀρδάλιον, τὸ, Gefäss mit Wasser, das Vieh zu tränken, sich beym Begräbniss zu besprengen, ἄρδω u. dergl. —δεία, ἡ, oder ἄρδευσις, das Benetzen, Begiessen; das Tränken; von —δευω, f. εύσω, s. v. a. das Stammwort ἄρδω. —δηθμὸς, ὁ, s. v. a. ἀρδμὸς, von ἀρδέω. Nicand.

Ἄρδην, Adv. in die Höhe, als πηδῶ Sophocl. Aj. 1296; eben so bey φέρω Eurip. v. αἴρω in die Höhe heben; ganz weg, von Grund aus, v. αἴρω wegnehmen, zerstören, als ἄρδην τὴν πόλιν ἀνατρέπειν Aeschin. or.

Ἄρδις, εος, ἡ, Pfeilspitze, Pfeil.

Ἀρδμὸς, ὁ, (ἄρδω) s. v. a. ἄρδευσις, das Tränken des Viehes, die Tränke. Il. 18. 521.

Ἄρδω, f. σω, ich benetze, begiesse; tränke, ἵππους ἄρσασα (ἐκ) Μέλητος. Homer. Hymnus. Scheint mit ἄρω, ἀρύω, ἀρύτω einerley Urspr. zu haben, wie ἄλω, ἄλδω.

Ἀρεία, poet. ἀρειὴ, Drohungen, Schmähungen, v. ἀρά. S. ἐπήρεια.

Ἀρειθύσανος, ὁ, d. i. Ἄρεος θύσανος, ein schwülstiger Ausdr. des Aeschyl. für kriegerisch. —εικὸς, ἡ, ὸν, s. v. a. ἄρειος. zweif. —ειμανὴς, έος, ὁ, ἡ, oder ἀρειμάνιος, von Ares oder Kriegslust, Kriegswuth rasend, kriegerisch, tapfer. κριὸς Diog. Laert. 6, 61 streitbar.

Ἀρειοπαγίτης, ου, ὁ, ein Richter aus dem Gerichtshofe des Areopagus, Areopagit. —όπαγος, ὁ, ἡ, d. i. ἄρειος πάγος, der Hügel des Ares, der Areopag, der Kriminalgerichtshof für Todtschlag und andre Verbrechen zu Athen.

Ἄρειος, ὁ, ἡ, (ἄρης) kriegerisch, tapfer, martialisch, wie *martius*, *mavortius*. —ότολμος, ὁ, ἡ, (τόλμα) kriegerischkühn, von der Kühnheit des Ares.

Ἀρείφατος, ὁ, ἡ, oder jon. beym Hom. ἀρηΐφατος, von Ares oder im Kriege ermordet, φάω; so bey φόνος Eurip. aber auch überh. s. v. a. ἄρειος kriegerisch.

Ἀρείων, ονος, ὁ, ἡ, ἄρειον, τὸ, tauglicher, besser, stärker, tapferer u. so von allen Vorzügen des Körpers u. des Glücks, späterhin auch v. d. Vorz. des Geistes wie ἀρετὴ, mit welchem Worte es in der Abstammung verwandt ist, von ἄρω, ἀρέω, fut. ἀρέσω, ἀρετὸς, ἀρετή;

von dem ungewöhnl. ἀρέω komme ἄριος, ἄρειος, ἀρείων, ἄριστος eigentl. tauglich, bequem, wie von ἄρω fut. ἄρσω kommen ἄρσιος, ἀνάρσιος, ferner ἀρθμὸς, ἄρθμιος.

'Αρεκτος, sonst ἄῤῥεκτος, Hom. Il. 19, 150.

'Αρέμβαστος, ον, nicht wankend, von ῥέμβω, ῥεμβάζω. zw.

'Αρέσκεια, ἡ, (ἀρεσκεύω) gefällige Begegnung, Gefälligkeit, gefälliges Wesen, Verlangen zu gefallen, oder Charakter, Betragen eines ἄρεσκος. —κευμα, ατος, τὸ, schmeichelhafte Handlung, Begegnung, Rede. —κευτικὸς, ἡ, ὸν, (ἀρεσκεύω) zum gefallen, einnehmen, schmeicheln gehörig od. geschickt. —κεύω, s. v. a. ἀρέσκω vorz. im medio gebräuchlich, ich mache mir gefällig, hold, günstig, geneigt; daher ich sohne aus, versöhne, besänftige u. dergl. S. ἀρέω, u. ἄρω. Hesiod. Scut. 255 Φρένας ἀρέσαντο αἵματος fur sättigen, wie τέρπειν vergnügen u. sattigen. —κόντως, Adv. v. ἀρέσκων, gefällig. —κος, έσκη, εσκον, gefällig, einschmeichelnd, schmeichlerisch.

'Αρέσκω, f. έσω, act. gefällig machen, aussöhnen, geneigt machen; neutr. gefällig seyn, sich gefällig beweisen, schmeicheln; med. τινὰ einen sich geneigt machen, als ἱεροῖς θεοὺς Xen. Mem. 4, 3, 16. sich durch Opfer die Gotter geneigt machen; geneigt aufnehmen. Apollon. 1, 963 eben so mit dem dat. Oec. 5, 3 u. in gleicher Bedeutung das compos. ἐξαρέσκομαι §. 19. pass. οὐκ ἀρεσκόμενος τῇ κρίσει war nicht zufrieden, Herodot. 3, 34. 4, 78. Thucyd. 2, 68. 8, 84. von ἄρω, wie *facio*, *facesso*. S. ἀρεσκεύω u. ἀρέω.

'Αρεστὴρ, ῆρος, ὁ, ein Opferkuchen, v. ἀρέσκω. —στήριος, ὁ, ἡ, zum Versöhnen eingerichtet; also τὸ ἀρεστήριον ἱερὸν, ein Sühnopfer, ἀρεστήριοι θυσίαι Dionys. Antiq. 1, 67 wo die Handschr. ἱλαρεστήριοι haben. —στὸν, τὸ, Beschluss, Entschluss, Dekret, sonst τὸ ἀρέσαν, wie *placitum*, was beliebt worden ist. —στὸς, ἡ, ὸν, Adv. ἀρεστῶς, beliebt, gefällig, angenehm.

'Αρεταίνω. oder ἀρετάω, taugen, fruchten, mannhaft, glucklich seyn. S. ἀρετὴ.

'Αρεταλογία, η bey Manetho 4, 447. von ἀρεταλόγος bey Sueton. Aug. 74 u. Juvenalis 15, 16 eine Art Possenreisser. —ταλόγος, ὁ, S. d. vorh. u. ἠθολόγος.

'Αρετὴ, ἡ, nach der wahrscheinlichsten Abl. v. ἄρω, fut. ἄρσω, ἀρέω wovon ἀρέσκω, ἀρθμὸς, ἁρμὸς, ἁρμονία, eigentlich die Tauglichkeit, Geschicklichkeit einer Sache oder Person zu einer Bestimmung, Endzwecke, Gebrauche; gerade wie von taugen tauglich, tüchtig, Tucht u. Tugend kommen. Daher ἀρετὴ von Thieren, Menschen und Sachen gebraucht wird, um ihre Tauglichkeit, Güte, Brauchbarkeit zu bezeichnen. διαφέροντας ἀρετῇ ἵππους Xen. Hier. 2, 2. vergl. 6, 16. ἅρματος ἀρετῇ Kap. 11, 6 durch die Güte der Wagenpferde. Daher also von Menschen zuerst alle Vorzüge des Körpers als Stärke, Muth, Tapferkeit, Geschwindigkeit u. s. w. alsdann Vorzüge des Glücks also Reichthum, edle Geburt, Stand, Würde, Ansehn, Ehre, Ruhm, Lob, ἐς τοὺς πολλοὺς ἀρετὴν φέρουσα Thucyd. 1, 33. in so fern diese letzten Dinge den Vorzügen des Körpers u. des Glücks von selbst folgen. Später ist die Bedeut. von moralischen Vorzügen und Eigenschaften der Seele, die wir auch im deutschen vorzüglich Tugend nennen. Das lat. von *vir* abgeleitete *virtus* bezeichnet, eigentlich nur die männliche Tugend ἀνδρειότης, hat also einen viel engern Ideenbezirk, als ἀρετὴ. Bey Homer bedeutet es bloss Vorzüge des Körpers (bey Menschen und Thieren) oder des Glücks. Die Stellen, welche das Gegentheil dem ersten Ansehn nach bedeuten, müssen darnach erklärt werden; so wenn Penelope sagt: ἤτοι ἐμὴν ἀρετὴν εἶδός τε δέμας τε ὤλεσαν ἀθάνατοι. so auch: ὄφρ' ἀρετὴν παρέχωσι θεοὶ ist bloss von Kraft u. Stärke zu verstehn, wie das folgende καὶ γούνατ' ὀρώρῃ zeigt. Davon ἀρετάω taugen, fruchten: οὐκ ἀρετᾷ κακὰ ἔργα. In der Stelle: ἀρετῶσι δὲ λαοὶ ὑπ' αὐτῷ ist das Glück des Wohlstandes, Reichthums und der Ruhe zu verstehen; bey welcher Stelle die Grammatiker die Form ἀρεταίνειν brauchen, um ἀρετῶσι zu erklären. Procopius B. Goth. 4 letzte Kap. braucht es für tapfere Thaten thun wollen: ἀμφότεροι δὲ οἱ μὲν θανατῶντες οἱ δὲ ἀρετῶντες ἐπὶ τοὺς πέλας ἵεντο.

'Αρέω, wovon ἀρέσκω, u. ἀρεσκεύω gebräuchlicher sind; von jener Form muss man ἀρέσασθαι, ἀρεσσάσθω st. ἀρεσάσθω, ἀρέσσατο, ἀρεσσάμενος ableiten, welche in der Bedeut. mit ἀρέσκομαι u. ἀρεσκεύομαι übereinstimmen: Themist. Or. 6. verbindet ἀρέσκεσθαί καὶ ἱλάσκεσθαι τὸν θεὸν. Aeschyl. Suppl. 663 καθαροῖσι βωμοῖς θεοὺς ἀρέσονται.

'Αρήγω, f. ξω, helfen, beystehn, vorzüglich im Kriege; auch helfen und nutzlich seyn. Aeschyl. Eum. 574. S. ἀρκέω. —γὼν, όνος, ὁ, ἡ, s. v. a. ἀρωγός.

'Αρηΐθοος, ὁ, ἡ, kriegerischschnell, schnell wie Ares, kriegerisch. —ικτάμενος, Il. 22, 72 s. v. a. ἀρηΐφατος v. ἄρης, κτάω, κτείνω. —ϊος, ὁ, ἡ, jon. st. ἄρειος. —ΐφατος, ὁ, ἡ, jon. st. ἀρείφατος. Hom. Od. 11, 41. —ΐφιλος, ὁ, ἡ, oder Ἄρει, Ἄρηϊ φίλος pass. geliebt von

Ares, act. den Ares liebend, ein Freund des Ares, kriegriſch, Freund des Kriegs, Od. 14. 169.

*'Αρημαι, ſ. v. a. ἀράομαι, ich bitte, wünſche; davon ἀρήμενος u. ἀρήμεναι Od. 22, 322.

*'Αρην, ὁ, ἀρένος, ἀρένες contr. ἀρνὸς, ἄρνες, davon ἀρνίον, ἀρνειὸς. S. ῥὴν. eigentl. ein männliches Schaaf. Odyſſ. δ. 85 ἄρνες κεραοὶ, welche Stelle Ariſtotel. H. A. 8. 28 paraphraſirt durch κριοὶ. Auch ἀρνειὸς braucht Homer für den Bock: ἀρνειῷ πηγεσιμάλλῳ. So auch 'Ατρέος χρυσόμαλλον ἀρνίον iſt Atrei aureus aries bey Varro R. R. 2, 1, 6. Das lat. aries iſt davon gemacht.

*'Αρηξις, εως, ἡ, Hülfe, v. ἀρήγω.

*'Αρηρα, ἀρήρω u. ἀρηρότως. S. ἀραρίσκω.

*'Αρης, εος, ὁ, Ares, Mars, der Kriegsgott, daher ſt. Schlacht, Mord, Krieg.

*'Αρήτειρα, ἡ, fem. von dem folg. —τὴρ, ῆρος, ὁ, (ἀράομαι) der Betende, Bittende, Flehende, der Prieſter Hom. Il. 1, 11. 94. 5. 78. —τιὰς, άδος, ἡ, die kriegeriſche, gleichſam von ἀρης, ἄρητος. —τὸς, ἡ, ὸν, erwünſcht, erbeten; verflucht, verwünſcht; beſchädiget oder ſchädlich. v. ἀράω, ἀρά. —τύω, ſ. v. a. ἀρύω, ich ſchöpfe. ἄλλετε δ ὀξυτέρου τριβόλων ἀρητιμένου Alcaeus bey Athen p. 38. Heſych. hat ἀρηρυγμένου.

*'Αρϑμέω, ῶ, ich füge zuſammen, ἁρμόζω von ἁρμὸς. ἐν Φιλότητι ἀρϑμήσαντες Hom. Il. 7, 302. ſt. ἀρϑμηϑέντες, wie συνϑεῖναι καὶ ἀρϑμέσασϑαι bey Stobaeus. —μία, ἡ, Freundſchaft, Einigkeit, wie ἀρϑμὸς. —μιος, ὁ, Freund, Hom. Od. 16, 427. ſ. v. a. ἄρσιος; von —μὸς, ὁ, Freundſchaft, geknüpfter Bund ſ. v. a. ἁρμονία, v. ἄρω, fut. ἄρσω anbinden, anknüpfen, verknüpfen. Hom. Hymn. 2, 521.

*'Αρϑρέμβολος, ὁ, ἡ, (ἄρϑρον, ἐμβάλλω) in die Glieder, Gelenke gebrachte, ἀρϑρέμβολα verſt. ὄργανα, Maſchine zum Foltern; auch zum Einrenken, davon ἀρϑρεμβολέω, ich renke ein, ich füge ein. εἰς ἣν ἀρϑρεμβολεῖται ὁ ὁδηγὸς Mathem. vet. p. 10. —ϑρίδιον, τὸ, ein kleines Glied oder Gelenke; dimin. v. ἄρϑρον. —ϑρικὸς, ἡ, ὸν, oder ἀρϑριτικὸς, articularis; arthriticus, zu den Gliedern Gelenken gehörig; oder an den Gliedern, Gelenken krank, podagriſch. —ϑρίτης, fem. ἀρϑρῖτις, ἡ, zu den Gliedern oder Gelenken gehörig; vorz. ἀρϑρῖτις verſt. νόσος Gliederkrankheit, Gicht. —ϑροκήδης, ες, (κῆδος) Glieder verzehrend; Lucian. Tragop. 15. zweif.

*'Αρϑρον, ου, τὸ, das Glied, die Verbindung der Knochen mit einander, Vergliederung; 2) der Artikel bey den Grammatikern. —ϑρόω, ich verglieder; ich bilde aus, oder befeſtige; das lat. articulo; von der Sprache und Worten deutlich ausſprechen, ſo daſs man jeden Buchſtaben hört. 'Απόλλων ἀρϑρώσαι γλῶσσαν καὶ νόον ἡμέτερον, gebe meiner Zunge und Verſtande Kraſt und Stärke! bey Nicol. Damaſc. p. 458 ſtebts ſchlechtweg ſt. redend machen, die Sprache geben. —ϑρώδης, εος, ὁ, ἡ, gliederartig, gelenkartig.

*'Αρι, eine partic. oder Zuſatz, der in der compoſ. verſtärkt, ſ. v. a, ἄγαν, μεγάλως.

*'Αρία, ἡ, eine Eichenart beym Theophr. hiſt. pl. 3, 6 u. 17. wo die Ausg. auch ἀγρία haben.

*'Αριβάσκανος, ον, ſehr neidiſch. —γνωτος, ὁ, ἡ, oder ἀριγνὼς, ῶτος, ſehr bekannt, ſehr berühmt, Hom. Od. 4, 207; im ſchlechten Sinne, berüchtigt. Od. 17, 375. —δάκρυος, ὁ, ἡ, ἀρίδακρυς u. ἀριδάκρυτος, ὁ, ἡ, ſehr oder oft weinend. —δείκετος, ὁ, ἡ, deutlich bezeichnet, d. i. ſehr bekannt, berühmt, von δείκω, δεικνυμι. —δηλος, ὁ, ἡ, Adv. ἀριδήλως, ſehr deutlich, ſehr hell, ſehr bekannt. —ζηλος, ὁ, ἡ, Adv. ἀριζήλως ſehr zu beneidend, beneidenswürdig, glücklich, Hom. eigentl. kann es active auch heiſsen ſehr beneidend, oder eifernd, auch ſehr eiferſüchtig; Homer ſcheint es auch ſt. ἀρίδηλος geſezt zu haben, als Beywort v. αὐγαὶ u. Φωνὴ, und das Adv. bey εἰρημένος, Hom. Il. 18, 219. 221. Od. 12, 453. —ήκοος, ὁ, ἡ, bald, gerne hörend, folgſam, gehorſam.

*'Αριϑμέω, ῶ, zählen; ἀριϑμηϑήμεναι Il. 2, 124 ſtatt φιλιωϑῆναι Freundſchaft errichten. S. ἀριϑμὸς. —μημα, ατος, τὸ, das Gezählte, Zahl. —μησις, εως, ἡ, das Zählen, Aufzählen. —μητικὸς, ἡ, ὸν, Adv. ἀριϑμητικῶς, geſchickt im Zählen, geſchickter Rechner; zum Zählen, Rechnen gehörig. ἀριϑμητικὴ, verſt. τέχνη, Rechenkunſt, Arithmetik. —μητὸς, ἡ, ὸν, gezählt, zählbar, d. i. wenig, im Gegenſ. von ἀναρίϑμητος.

*'Αριϑμὸς, ὁ, Zahl, wie numerus von der Menge, einem Haufen; auch v. Werth, wie nullo eſt in numero; bey Xeno. Anab. 2, 2, 26. ὁδοῦ ἀριϑμὸς das Maaſs. Von ἄρω, ἁρμὸς, ἀρϑμὸς, ἀριϑμὸς, weil das Zählen mehrere Einheiten zuſammenfügt und verbindet; daher ἀρϑμὸς Verbindung, Freundſchaſt, dav. ἄρϑμιος, ſ. v. a. φίλιος; ἀνάρϑμιος und ἀναρίϑμιος, ſ. v. a. ἐχϑρὸς. πάντας τοὺς ἀρ. τῆς ἱκετείας, wie numeros alle Theile od. Arten des Flehens. Dionyſ. Hal. Rhetor. 9, 15.

*'Αρικύμων, ονες, ἡ, leicht ſchwanger werdend. Hippocr.

*'Αριν, ινος, ὁ, ἡ, oder ἄρις, genit. ἄρινος, oder im nom. auch ἄρινος, ὁ, ἡ, (ῥὶν od.

ῥὶς) ohne Naſe, ohne Spürnaſe, nicht gut ſpürend, im Gegenſ. von εὔριν.

'Αριπρέπεια, ἡ, groſse Würde, Anſtand, Glanz; von —πρεπὴς, έος, ὁ, ἡ, Adv. ἀριπρεπέως, vorzüglich ſchön, ſehr glänzend, als εἶδος Hom. Od. 8, 176. Eben ſo ἄστρα Hom. Il. 8, 552. daher ausgezeichnet, berühmt, als ἵππος und ἀνὴρ Hom. Il. 6, 477.

"Αρὶς, ινος, ὁ, ἡ, S. ἄριν.

'Αρὶς, ίδος, ἡ, ein Werkzeug der Zimmerleute; eine Art von Bohrer. γυρὰς ἀμφιδέτους ἀρίδας Philippus Epigr. d. i. krummgebogen und von beyden Seiten gebunden. Daſs es den Bogen u. Griff eines ſolchen Bohrers bedeute, zeigt eine Stelle des Chirurgus Heliodorus Nicet. Chirurg. S. 92. bey Procop. Aedif. 2. 3 eine Schleuſse mit Thüren. S, Φράκτης.

'Αρίσαρον, τὸ, Dioſcor. 1, 198 eine kleinere Art v. ἄρον, Natterwurz. —σημος, ὁ, ἡ, ſehr ausgezeichnet; v. σῆμα. —σθάρματος, ον, d. i. ἄριστος ἅρματι, der beſte im Wettlaufe zu Wagen. —σκυδὴς, ὁ, ἡ, (σκύζω) ſehr zornig. —στάζω, bey Hippocr. de Morb. 2, 13 haben die Ausg. u. Handſchr. ἀρισταζέσθω u. ἀρισταζέτω für ἀριστιζέσθω. —σταθλος, ὁ, (ἆθλος) der beſte oder Sieger im Kampfe. —σταρχεῖον, τὸ, Tempel der Artemis; zw. —σταρχέω, ῶ, d. i. ἀρίστως ἄρχω. —στάφυλος, ον, (σταφυλὴ) mit vielen Trauben; zweif. —στάω, ῶ, f. ήσω, frühſtücken. —στεία, ἡ, (ἀριστεύω) muthige That, Heldenthat, That des erſten Helden, Sophocl. Aj. 443. —στεῖον, τὸ, (ἀριστεία) der Preiſs, Belohnung des tapferſten, der welcher es am beſten gemacht hat. —στερὰ, ἡ, näml. χεὶρ, wie ſiniſtra verſt. manus. —στερεύω, f. εύσω, ich brauche die Linke, bin links. —στερὸς, ρὰ, ρὸν, zur linken, links; von einem Menſchen, der alles links anfangt, nichts recht macht, verkehrt; von Augurien, Unglück bedeutend, von böſer ſchlimmer Bedeutung. —στεροστάτης, ου, ὁ, (στατὸς) zur Linken ſtehend. —στερόχειρ, ρος, ὁ, ἡ, der bloſs die linke Hand braucht. —στευμα, τος, τὸ, ſ. v. a. ἀριστεία, v. ἀριστεύω. —στεὺς, έος, ὁ, (ἄριστα) der am beſten handelt, der ſich vor allen auszeichnet im Kriege oder im Frieden, durch Tapferkeit oder Bürgerſinn. —στευτικὸς, ἡ, ὸν, zum ἀριστεύειν brav thun und handeln gehörig, geneigt, geſchickt. —στεύω, f. εύσω, ich bin und handle als der beſte ἄριστος, oder handle am beſten, thue am braveſten im Kriege, oder im Frieden als Bürger oder Staatsmann; überhaupt der beſte vorzügliche von allen ſeyn, alle übertreffen. —στητὴς, οῦ, ὁ, d. i. ἀριστάων. —στίζω, f. ίσω, ich bewirthe mit einem ἄριστον, Mittagsbrode. Ariſtoph. Av. 659. Medium ἀριστίζομαι, ich eſſe Mittagsbröd, eſſe zum Mittagsbrode. —στίνδην, Adv. v. ἀριστίζω gemacht, nach der Güte des Herkommens (nach dem Adel der Familie) des Betragens, nach dem Grade des Vermögens, als wenn man lat. optimatim ſagen wollte, wie πλουτίνδην. —στόβουλος, ὁ, ἡ, (βουλὴ) von beſtem Rathe, der den beſten Rath und Anſchlag giebt. —στογένεθλος, ὁ, ἡ, (γενέθλη) der die beſten Kinder zeugt, oder Pflanzen als Beywort von χῶρος Epigr. auch ſ. v. a. d. folgd. —στογόνος, ὁ, ἡ, u. ἀριστόγονος, ὁ, ἡ, ſ. v. a. ἀριστοτόκος u. ἀριστότοκος. —στοεπέω, d. i. ἄριστα ἔπω, ich rede ſehr ſchön, treflich, weiſe; davon —στοεπὴς, ἐς, deſſen Reden treflich, weiſe ſind. —στοκράτεια, ἡ, (κρατέω) Regierung der Edelſten, der Vornehmſten, Ariſtokratie. —στοκρατέω, ῶ, vom Staate heiſst es ἀριστοκρατεῖται er wird von Ariſtokraten regiert, er hat eine ariſtokratiſche Verfaſſung; davon —στοκρατία, ἡ, ſ. v. a. ἀριστοκράτεια. —στοκρατικὸς, ἡ, ὸν, Adv. ἀριστοκρατικῶς, ariſtokratiſch, d. i. ein eifriger Ariſtokrat, oder zur Ariſtokratie gehörig. —στολοχία, ἡ, ein Kraut gut zur Beförderung der Geburt, ἄριστος, λοχεία Dioſcor. 3, 4. Plin. 25, 8 ariſtolochia, hat bey Linné noch denſelben Namen. —στόμαντις, εως, ὁ, ἡ, d. i. ἄριστος μάντις. —στόμαχος, ὁ, ἡ, (μάχη) ἄριστα μαχόμενος, ein treflicher Krieger.

"Αριστον, τὸ, Frühſtück. —στονομία, ἡ, d. i. nach Suidas ἡ διανομὴ τῶν ἀρίστων, nach Heſych. εὐνομία. —στόνοος, ὁ, ἡ, von der beſten, edelſten Geſinnung. —στοποιέω, ῶ, (ἄριστον) ein Frühſtück, ein Eſſen zubereiten. Xen. Cyr. 3, 2. 11. med. frühſtücken. Cyr. 4, 1. 9. —στοπόνος, ὁ, ἡ, d. i. ἄριστα πονέων, ſehr gut oder fleiſsig arbeitend.

"Αριστος, ίστη, ιστον, der beſte, treflichſte, tapferſte, ſtarkſte, edelſte; die älteſte Bedeut. gieng bloſs auf körperliche Vorzüge. Die Ableit. iſt ungewiſs. —στοσαλπιγκτὴς, οῦ, ὁ, ſehr guter Trompeter. —στοτέχνης, ου, ὁ, d. i. ἄριστος τεχνίτης. —στοτόκος, ὁ, ἡ, d. i. ἀρίστους τίκτουσα, Mutter von ſehr guten treflichen Kindern. —στοφυὴς, ὁ, ἡ, (φυὴ) von der beſten einer guten Natur. Ecphantus Stob. Ser. 146 von Natur ſehr gut oder der Beſte. —στόχειρ, der eine gute tapfere Hand hat, tapfer.

Ἀρισφαλής, έος, ὁ, ἡ, (σφάλλω) sehr schlüpfrig, trügrisch.

Ἀριφραδής, έος, ὁ, ἡ, (φραδέω) Adv. ἀριφραδῶς, sehr od. leicht kenntl. Hom. Il. 23, 326. Od. 23, 225. —φρων, ονος, ὁ, ἡ, (φρὴν) von großem Verstande, sehr klug.

Ἀριχάομαι, S. ἀναῤῥιχάομαι.

Ἀρκειον, τὸ, die Pflanze, sonst ἄρκτιον u. ἀρκτειον.

Ἀρκειος, εία, ειον, (ἄρκος) von Bär.

Ἀρκεσίγυιος, ον, (ἀρκέω, γυῖον) Gliederstärkend.

Ἄρκεσις, εως, ἡ, (ἀρκέω) Hülfe, Beystand, Nutzen.

Ἄρκεσμα, τὸ, s. v. a. ἄρκος bey Hesych.

Ἀρκετὸς, ἡ, ὸν, Adv. ἀρκετῶς hinreichend.

Ἀρκευθὶς, ίδος, ἡ, Wacholderbeere; von

Ἄρκευθος, ἡ, Wacholderbaum. Nicand. Ther. 584 κέδρου ἀρκευθος soll wahrsch. ἀρκευθὶς heissen.

Ἀρκέω, lateinisch *arceo* abhalten, abwehren, τι τινὶ, wie ἀμύνω, auch beystehn, helfen; s. ἐπαρκέω. Medium ἀρκέομαι, ich behelfe mich, begnüge mich, m. d. Dativ oder folgd. Partizip. ἀρκεῖ, es ist genug. καὶ οὐ μόνον ταῖς ἤρκει, ἀλλὰ καὶ, und diess war noch nicht genug, sondern auch Xenoph. Hell. 3, 2. 21. Cyrop. 8, 3, 16. 17. Bey Aeschyl. Eum. 213 ist ἠρκέσω st. ἐποίησας so wie bey Soph. Ajac. ἔργα χειρὸς μεῖω ἀρκέσας ἐμῆς ἰν δεῖξαι; ποιήσας, ich vermag; περιβάλλειν ἀρκέσεις Aelian. H. A. 5, 3. Sollte ἀρκέω nicht mit ἀρέγω, ἀρήγω, ἄργω, ἄρκω verwandt seyn?

Ἄρκηλος, ὁ, Aelian H. A. 7, 47. das Junge der πάρδαλις, oder nach andern ein eignes Thier.

Ἄρκιος, ὁ, ἡ, (ἀρκέω) hinreichend, sattsam, ziemlich, geziemend; genug. 2) v. ἄρκος, gegen den Bär, d. i. gegen Norden liegend. 3) οὐ οἱ ἔπειτα ἄρκιον ἐσσεῖται st. ἄρκος Hülfe. Eben so Nicand. Ther. 508 παντὶ γὰρ ἄρκιός ἐστι hilft, ist ein Mittel. So auch Hesiod. ἔργ. 351.

Ἄρκος, ὁ, ἡ, s. v. a. ἄρκτος.

Ἀρκούντως, Adv. von ἀρκέων hinreichend, genug, sattsam.

Ἀρκτεία, ἡ, S. ἀρκτὸς no. 3.

Ἀρκτειος, εία, ειον, s. v. a. ἀρκειος; v. ἄρκτος. —τέος, έα, έον, anzufangend; v. ἄρχω. —τεύω, s. εύσω, s. ἄρκτος no. 3. —τικὸς, ἡ, ὸν, gegen den Bär, d. i. gegen Norden gelegen, nördlich. —τόμυς, ὁ, Bärenmaus, eine noch unbestimmte Art von Mausen wie Hamster und Wiesel.

Ἄρκτος, ὁ, der Bär, ἡ, der weibliche Bär; 2) das Gestirn am Nordpole; daher der Nordpol, Gegend von Norden; 3) eine Ehrenjungfer zu Athen der Diana Brauronia oder Ἀρχηγέτις vom 10ten Jahre an geweihet, welche am Feste Βραυρώνια, τὰ, in einem safrangelben Kleide das Opfer brachte; wozu eine Jungfer bestimmen ἀρκτεύειν heisst, von der Jungfer in dieser Würde steht ἀρκτεύσασθαι, die Handlung heisst ἀρκτεία, ἡ.

Ἀρκτοῦρος, ὁ, (οὐρὰ) der Bärenschwanz, *Arcturus*, das Gestirn. —τοφύλαξ, ακος, ὁ, der Bärenwächter, das Gestirn *Bootes*. —τῷος, ῴα, ῷον, gegen den Bär, gegen Norden, nördlich.

Ἀρκύον, τὸ, dimin. v. ἄρκυς. zweif. —κυοστασία, ἡ, (στάσις) das Netzstellen, gestellte Netz.

Ἄρκυς, υος, ἡ, Netz, Jägergarn zum umstellen der Thiere, *cassis*, Stellnetz. —κυστάσιον, τὸ, oder ἀρκυστατον, τὸ, v. στάσις und στατὸς, ein Ort, wo Netze aufgestellt werden; das aufgestellte Netz, *cassis*. —κύστατος, ὁ, ἡ, Netze stellend, mit Netzen umstellt. —κυωρέω, ῶ, und ἀρκυωρέομαι, ich bin ein ἀρκυωρὸς. —κυωρὸς, ὁ, d. i. ἄρκυος οὖρος, Netzwächter, der am Ende des aufgestellten Netzes auf den Fang Achtung giebt.

Ἅρμα, ατος, τὸ, Wagen, Kutsche, Streitwagen, *currus*. 2) die Pferde vor dem Wagen, daher ἅρμα λευκὸν, ein Wagen mit weissen Pferden bespannt. So geht bey Herodot. 8. 115 voraus, worauf νεμομένας ἀπαχθῆναι folgt, verst. τὰς ἵππους. Bey Plato Leg. 8 p. 409 ἅρματος τροφεὺς der Wagenpferde hält zum Wettrennen. S. ἁρματοτροφέω.

Ἅρμα, ατος, τὸ, (αἴρω) was man hebt, nimmt, Last; Auflagen, Tribut; was man zu sich nimmt, Speise, Nahrung, προσφορὰ Hippocr.

Ἁρμαλιὰ, jon. ἁρμαλιὴ, Speise, Nahrung; v. αἴρω, ἅρμα, πρόσαρμα, ob es gleich die Alten von ἁρμόζω ableiten. Theocr. 16. 35. 2) für ein Werkzeug auf dem Schiffe führt man es aus Apollon. 1, 393 an.

Ἁρμάμαξα, ης, ἡ, ein bedeckter Reisewagen, Xen. Cyr. 6, 3. 30.

Ἁρμάτειος, εία, ειον, oder ἁρμάτιος, zum Wagen gehörig. —τεύω, s. εύσω, ich fahre, kutschire. —τηλασία, ἡ, das Fahren, das Fuhrwesen, Art zu fahren, Xenoph. Cyr. 6, 1. 27. von —τηλατέω, ῶ, ich bin ein ἁρματηλάτης ich fahre auf oder mit dem Wagen. —τηλάτης, ου, ὁ, d. i. ἅρμα ἐλαύνων, der auf oder mit dem Wagen fährt. —τιον, τὸ dimin. v. ἅρμα. —τῖται, ῶν, οἱ, zum Wagen gehörig, von ἅρμα. —τοδρομία, ἡ, der Wettlauf zu Wagen, Wagenkampf; von

'Αρματοδρόμος, ὁ, ἡ, auf oder zu Wagen rennend, laufend, kämpfend, ἅρματι τρέχων. —τόεις, όεσσα, όεν, ſ. v. a. ἁρμάτειος. —τόκτυπος, ον, wagenraſſelnd. —τομαχέω, ῶ, vom Wagen ſtreiten. —τοπηγέω, ῶ, ich baue einen Wagen von Holz; vom folgd. —τοπηγός, ὁ, ἡ, oder ἁρματοποιός, d. i. ἅρματα πηγνύων oder ποιῶν, Wagenmacher, Stellmacher, Hom. Il. 4, 485. der das Holz darzu bereitet. —τοτροφέω, ῶ, (τρέφω) Wagenpferde halten, wie ἅρμα χρυσοχάλινον für Wagenpferde. S. ἅρμα. —τοτροφία, ἡ, das Subſt. von dem vorhergeh. Xen. Hier. 11, 5. Ageſ. 9, 6. —τοτροχιά, ἡ, (τροχός) der Lauf des Rades, des Wagens, Wagengeleiſe. —τωλία, ἡ, beym Ariſtophanes, wenn er ἁρματηλασία ſagen will, aber ἁρματωλία mit einwebt.

'Αρμενίζω, ſegeln; von

'Αρμενον, τὸ, Segel, Hom. Od. 5, 234. überhaupt jedes Werkzeug oder Inſtrument; von

'Αρμενος, u. ἐπάρμενος, ὁ, ἡ, ſ. v. a. ἐπαρτής, gerüſtet, zubereitet, fertig. Heſiod. ἔργ. 407. geſchickt, bequem, eigentl. perfect. paſſiv. v. ἄρω, ἦρμαι, ἠρμένος, ἀρμένος, *aptatus, aptus.*

'Αρμή, ἡ, ſ. v. a. ἁρμονή.

'Αρμηλατέω, ῶ, ich bin ein ἁρμηλάτης. —λάτης, ου, ὁ, ſ. v. a. ἁρματηλάτης.

'Αρμίως, Adv. S. ἁρμοῖ.

'Αρμογή, ἡ, (ἁρμόζω) die Fuge, das Gelenke; die Zuſammenfügung, Ordnung; auch ſ. v. a. ἁρμονία. —μόδιος, ία, ιον, (ἁρμόζω) Adv. ἁρμοδίως, paſſend, bequem, ſchicklich.

'Αρμοζόντως, Adv. v. ἁρμόζων, ſ. v. a. ἁρμοδίως, paſſend. —μόζω, f. όσω, paſſen, anpaſſen, fügen, zuſammenfügen, mit einander verbinden; ἁρμόζεσθαι, mit ſich verbinden durch Verlobung, Ehe. Herodot. 5, 47. ἁρμόζειν τινὶ τὴν θυγατέρα, einem ſeine Tochter verloben, zur Ehe geben. S. ἁρμός. Aelian. H. A. 13, 21. ἁρμόζειν τὴν Ἑλλάδα ſt. ἁρμοστὴν εἶναι Ἑλλάδος, oder Proconſul von Achaja ſeyn.

'Αρμοῖ, Adv. jüngſt, eben, neulich, ſogleich. ſ. v. a. ἄρτι und ἀρτίως. Wird auch ἁρμοῖ und ἁρμίως auch ἁρμῷ gefunden; doch ſind dieſe Formen nicht ſo bewährt als die erſte.

'Αρμολογέω, ῶ, fügen, zuſammenfügen. οἰκοδομὴ ἁρμολογουμένη führt Stephan. an, u. dav. iſt συναρμολογεῖν im N. T. S. auch ἑρμολογέω. —λόγησις, εως, ἡ, Zuſammenfügung. zw. —λογία, ἡ, ſ. v. a. das vorherg. zw. —λόγος, ὁ, der zuſammenfügt; von ἁρμός und λέγω.

'Αρμονία, ἡ, ſ. v. a. ἁρμός, Zuſammenfügung, Verbindung, Vertrag Hom. Il. 22, 255. In der Muſik haben wir Harmonie beybehalten für Einklang; daher überh. Uebereinſtimmung; auch eine Miſchung von mehrern auf einander folgenden Tönen in der Muſik nach gewiſſen Proportionen und Regeln, die wir Arie, Lied oder Stück nennen. Die Alten nannten auch ἁρμονίας gewiſſe Arten des Geſangs od. der Modulation und gewiſſe Syſteme der Tonleiter, nach welcher man die Stücke komponirte, alſo ſ. v. a. νόμος, als ἁρμονία Λυδία, Φρυγία u. d. Plato Phileb. 7. S. in νόμος.

'Αρμονικός, ἡ, όν, die Harmonie betreffend; gut, geſchickt in der Harmonie oder der Muſik. —νιος, ὁ, ἡ, Adv. ἁρμονίως, paſſend, zuſammenhängend, übereinſtimmend, harmoniſch, und ſ. v. a. d. vorb.

'Αρμός, ὁ, die Fuge, Zuſammenfügung, Gelenke, Glied, bey Eurip. ἁρμὸς πονηρὸς ἐν ξύλῳ παγείς, ein Nagel ins Holz geſchlagen; ἁρμὸς θύρας Dionyſ. Antiq. 5, 7 Ritze; von ἄρω, auch beſonders der lat. *armus* Schulter, wo ſie mit dem Schulterblatte zuſammengefügt iſt. Hippiatr. p. 128. Veget. 5, 46. —σία, ἡ, das Steuern, Regieren, Leiten, Stimmen; von ἁρμόζω. —σις, εως, ἡ, (ἁρμόζω) das Anpaſſen, das Fügen, Zuſammenfügen.

'Αρμοσμα, τὸ, Eur. Hel. 418 das Zuſammengefügte.

'Αρμόσσω, ἁρμόττω, f. όσω, ſ. v. a. ἁρμόζω.

'Αρμοστήρ, ῆρος, ὁ, oder ἁρμοστής, ἁρμόστωρ, der fügt, zuſammenfügt, paſst, anpaſst, ordnet, lenkt, regiert, Regent, Gouverneur b. den Lacedämoniern.

'Αρμοστικός, ἡ, όν, zum Zuſammenfügen gehörig oder dienlich. —στός, ἡ, όν, gefügt, angefügt, gepaſst, angepaſst, geordnet, geleitet, regiert, verbunden, verlobt, verſprochen, verheyrathet. —στωρ, ſ. v. a. ἁρμοστήρ.

'Αρμόσυνοι, οἱ, ſ. v. a. ἁρμοσταί.

'Αρμοττόντως, Adv. ſ. v. a. ἁρμοζόντως.

'Αρνακίς, ίδος, ἡ, Schaafpelz, v. ἄρς od. ἀρήν.

'Αρνειος, εία, ειον, vom Lamme, Schaafe, Schöpſe.

'Αρνειός, ὁ, ein männliches Schaaf. S. ἀρήν. Odyſſ. 10, 527.

'Αρνεοθοίνης, ου, ὁ, (θοίνη) ſ. v. a. ἀρνοφάγος.

'Αρνέομαι. οῦμαι, f. ήσομαι, läugnen, verläugnen, nein ſagen, nicht zuſagen od. abſchlagen, verweigern, ſich weigern.

'Αρνευτήρ, ῆρος, ὁ, ein Taucher; davon —νευτηρία, ἡ, Taucherkunſt. —νεύω, f. εύσω, tauchen, untertauchen; auch ſ. v. a. κυβιστάω. Heſych. in ἤρνυεν hat auch die Form ἀρνύω.

'Αρνησίθεος, ὁ, ἡ, Gottesläugner; von —νησις, εως, ἡ, das Läugnen, Verläugnung, Weigerung. —νητικὸς, ἡ, ὸν, Adv. ἀρνητικῶς, verneinend.

'Αρνίον, τὸ, dimin. von ἀρὴν Lamm od. Bock. S. ἀρήν.

'Αρνόγλωσσον, τὸ, Schaafzunge, eine Pflanze. Dioscor. 2, 153. Plin. 25, 8 *plantago*. —νοφάγος, ὁ, ἡ, (φάγω) Lämmer oder Schaafe essend oder fressend.

'Αρνυμι, ἄρνυμαι, bey Homer s. v. a. ich verlange, wähle, suche; also αἱρέομαι; 2) gewöhnlich ich bekomme, erlange, erwerbe; von ἄρω, αἴρω, ἄρνω, ἀρνύω, also s. v. a. αἱρέομαι und φέρομαι, *fero*, *aufero*. Hesych erklart auch ἤρνυντο d. ἐποίουν, ferner ἤρνυθεν d. ἠγωνίζοντο, ἐνήργουν auch ἀρνύμενος d. φυλάσσων σώζων, welches mit αἱρέομαι ich wähle, ziehe vor zusammenhangt.

'Αρνῳδὸς, ὁ, Lammsänger, der für ein Lamm singt, ein Rhapsode, wie τραγῳδός.

'Αρνὼν, ῶνος, ὁ, Schaafstall. zw.

'Αρον, τὸ, Natterwurz, *arum*, b. Theophrast. hist. pl. 2, 20. Diosc. 2, 197. Plin. 24, 16.

'Αρος, ὁ, Nutzen beym Aeschyl. nach Hesych. und Eustath. ad Odyss. α. p. 1422.

'Αρόσιμος, ὁ, ἡ, ackerbar, pflugbar, γῆ. Ackerland, Saatland.

'Αροσις, εως. ἡ, das Ackern, der Ackerbau, Ackerland.

'Αροτὴρ, ῆρος, ὁ, od. ἀρότης, ου, ὁ, Pflüger. Ackerer, Ackersmann; bildl. bey Dichtern, Erzeuger, Vater. S. ἄροτος. —τήσιμος, ὁ, ἡ, s. v. a. ἀρόσιμος: von ungebr. ἀροτάω. —τήσιος, ὁ, ἡ, z. Ackern (ἀρότησι; von ἀροτάω) gehörig, als ὥρη, Ackerzeit, Pflügezeit.

'Αροτος, ὁ, das Pflügen, Ackern; u. d. drauf folgende Säen, Saat; 2) das Zeugen der Kinder. ἐπ' ἀρότῳ παίδων ἄγεσθαι γαμετὴν, um Kinder zu zeugen. τέκνων ὧν ἔτεκες ἄροτον st. τέκνα, Eurip. Med. 1281. 3) ἀροτὸς, die Zeit des Ackerns; bey Dichtern auch ein Jahr. 4) ἀροτὸς, Adject. pflugbar.

'Αροτρεὺς, und ἀροτρευτὴρ, ῆρος, ὁ, der Pflüger; von —τρεύω, s. εύσω, ich pflüge. —τρητὴς, οῦ, ὁ, der Pflüger, Landbauer. —τριάζω, ich pflüge dav. —τρίασις, ἡ, u. ἀροτριασμὸς, ὁ, das Pflügen, Ackern. —τριάω, ῶ, s. άσω, ich pflüge. —τριος, ὁ, ἡ, zum Landbau, Pflügen gehörig, geschickt. —τρίωμα, ατος, τὸ, gepflügtes Land. —τρίωσις, εως, ἡ, das Pflügen. —τροειδὴς, (εἶδος) pflugartig - ähnlich; v. —τρον, τὸ, (ἀρόω) *aratrum*, der Pflug. —τροπόνος, ὁ, ἡ, Pflugarbeiter. —τρόπους, οδος, ὁ, (πούς) Pflugschaar, eigentl. Fuss. —τροφορέω, ich trage den Pflug.

'Αρουρα, ας, jon. ης, ἡ, (ἀρόω, ἀρούω) geackertes, bestelltes Land, wie *arvum* von *aro*; Ackerland, Saatland; überh. Land, Erde; auch wie bey uns Acker, Hufe, Morgen, ein bestimmtes Maass von Land. —ραῖος, αία, αῖον, zum Ackerland gehörig. —ριον, ου, τὸ, dimin. von ἄρουρα. —ροπόνος, ὁ, ἡ, auf dem Acker arbeitend.

'Αρόω, ῶ, f. ώσω, ackern, pflügen, das lat. *aro*.

'Αρπάγδην, Adv. reissend, raubend, durch Raub, geraubt; von

'Αρπαγεὺς, ὁ, s. v. a. ἅρπαξ. Themist. or. 21 p. 247.

'Αρπαγὴ, ἡ, der Raub, das Rauben.

'Αρπάγη, ἡ, Haken, bey Eur. Cycl. 32 Harke.

'Αρπαγιμαῖος, α, ον, oder ἁρπάγιμος, ὁ, ἡ, Adv. ἁρπαγίμως, geraubt, geplündert.

'Αρπάγιον, τὸ, ein Gefäss mit engem Halse und durchlochertem Boden, wie die κλεψύδρα mit welcher es bey Aristotel. Physic. 4, 6 Simplicius und Philoponus vergleichen. Vergl. Alexand. Aphrodis. 1. Problem. 95.

'Αρπαγμα, ατος, τὸ, das Geraubte, der Raub. —γμὸς, ὁ, s. v. a. ἁρπαγὴ, das Rauben.

'Αρπάζω, rauben, plündern, fut. άσω, auch άξω, von ἁρπάω davon ἅρπημι, ἅρπαμαι. Antholog. ἁρπαμένης ἴχνια Περσεφόνης. med. ἁρπάζομαι s. v. a. ἁρπάζω Anton. Liber. 41.

'Αρπάκτειρα, ἡ, Räuberin; von —ακτὴρ, ῆρος, ὁ, oder ἁρπακτὴς, Räuber. —ακτικὸς, ἡ, ὸν, Adv. ἁρπακτικῶς, räuberisch. —ακτὸς, ἡ, ὸν, geraubt, entrissen. —ακτὺς, ύος, ἡ, s. v. a. ἁρπαγὴ, jonisch.

'Αρπαλαγος, ὁ, Oppian. Cyn. 1, 153 ein Werkzeug der Jager.

'Αρπαλέος, ἁρπάλιμος, ὁ, ἡ, u. ἁρπαλὸς von ἁρπάω ἁρπάζω reissend, reissend gierig; ἦσθε καὶ πῖνε ἁρπαλέως Odyss. κέρδη Odyss. 8, 164 lockende, an sich reissende oder begierig gesuchte Vortheile. κάματοι ἁρπαλέοι εἰρήνης Oppian. Hal. 1, 468 erwünscht, angenehm. Plutarch. Vol. 6 p. 481 sagt vom gesunden Appetite: ὑγιαίνοντι σώματι πᾶν ἡδὺ τοιεῖ καὶ ἁρπαλέον καὶ πρόσφορον; die zweyte Form ist bloss in καρπάλιμος gebräuchlich; die dritte hat Hesych. u. davon

'Αρπαλίζομαι, bey Aeschyl. Eum. 986 s. v. a. ἁρπάζω, Sept. 243 κωκυτοῖσιν ἁρπ. *excipere lamentationibus*, mit Klagen aufnehmen, empfangen, wie δαμαλίζω u. πυκταλίζω.

'Αρπαξ, ὁ, ἡ, auch als Substant. Räuber bey Hesiod. ἔργ. 356 ἅρπαξ κακὴ st. ἁρπαγή; v. ἁρπάζω.

'Αρπαξίβιος, ὁ, ἡ, vom Rauben lebend. Athenae 1 p. 4.

"Αρπασμα, ατος, τὸ, ſ. v. a. ἅρπαγμα.

"Αρπαστικὸς, ἡ, ὸν, ſ. v. a. ἁρπακτικὸς.

"Αρπαστον, τὸ, dimin. ἁρπάστιον, eine Art Ball. Martial nennt *pulverulenta harpaſta.* Arrian Epict. 2, 5. wo auch zugleich auf die Art damit zu ſpielen, angedeutet wird. Dieſe hieſs auch ἐφετίνδα und Φαινίνδα Athenae. 1. c. 12.

'Αρπαστὸς, ἡ, ὸν, geraubt, ſ. v. a. ἁρπακτὸς, oder zum rauben, was geraubt, geplündert werden kann.

'Αρπεδὴς, ὁ, ἡ, auch ἀρπεδόεις, eben, platt; davon Heſych. ἀρπεδίζειν für ebnen hat, von πέδον.

'Αρπεδονάπται, οἱ, bey Clemens Alex. Strom. 1. §. 15 nennt Demokritus die aegyptiſchen Feldmeſſer ſo v. ἀρπεδόνη, ἅπτω.

'Αρπεδόνη, ἡ, ein Strick, Seil, woran man einen aufhängt, oder Rehe fängt Xen. Cyr. 1, 6. 28. daher Heſych. ἀρπεδονίζειν, λωποδυτεῖν καὶ διὰ σπάρτων θηρᾶν. Bey Heſych. ſteht auch ἀρπεδόναι τῶν ἀμαυρῶν ἀστέρων σύγχυσις, welches ſich aus Vitruv 9, 7 erklärt, wo falſch ἑρμηδόνη ſteht. —δονίζω, f. ισώ, verſtricken, aufhängen, binden. S. d. vorhergeh. von —δὼν, όνος, ἡ, ſ. v. a. ἀρπεδόνη.

'Αρπέζα, ἡ, Nicand. Ther. 393 u. 647. auch ἅρπεζον Theriac. 284. wo andere ἑρπεζὸν leſen. Einige leiten es von ὄρος, πέζα ab, als wenn es ὀρόπεζα eigentl. hieſse; andere erklären es durch αἱμασιὰ, Dornhecke, Hecke. Heſych. hat auch ἅρπισσα dafür u. ἅρπιξ der Dornſtrauch.

"Αρπη, ἡ, Sichel; Adler Hom. Il. 19, 350. Oppian. Ixeut. 1, 2. Aelian. H. A. 2, 47 auch das Werkzeug, womit der Elephant regiert wird, Aelian. H. A. 33, 9 u. 22. Ariſtot. H. A. 9, 1 nennt es δρέπανον, Philoſtr. Apoll. 2, 11 καλαύροπα Heſych. ὅρπη.

"Αρπημι. S. ἁρπάζω.

'Αρπὶς, ἀρπὶς, ίδος, ἡ, ſ. v. a. κρηπὶς oder ὑπόδημα.

"Αρπυια, ἡ, (ἁρπάω, ἁρπύω) reiſſender Sturm, Hom. Od. 1, 241. auch von andern reiſſenden Geſchöpfen, wie die fabelhaften *Harpyiae.*

"Αρπυς, ὁ, ſ. v. a. ἔρως, die Liebe.

'Αῤῥάβαξ, u. ἀῤῥαβάσσω. S. ῥαβάσσω.

'Αῤῥάβδωτος, ὁ, ἡ, d. i. μὴ ῥαβδωτὸς, nicht geſtreift, wie *virgatus.*

'Αῤῥαβὼν, ὁ, das Angeld auf den Kauf oder ſonſt einen Handel gegeben, um ihn deſto ſicherer zu machen; daher —βωνίζω, durch gegebenes Angeld verſichern, überh. engagiren, verpflichten; auch προαῤῥαβωνίζω Euſeb. vit. Conſtant. 1, 3.

'Αῤῥαγὴς, έος, ὁ, ἡ, (ῥήσσω) zerriſſen, nicht zu zerreiſſen. ὄμμα ἀῤῥαγὲς, das nicht in Thränen ausbricht, Sophocl.

'Αῤῥαδιούργητος, ὁ, ἡ, d. i. μὴ ῥαδιούργητος.

'Αῤῥαιστος, ὁ, ἡ, (ῥαίω) unzerſtört, unverderbt.

'Αῤῥατος, erklärt Plato Cratyl. 23 durch σκληρὸν καὶ ἀμετάστροφον. zweif.

'Αῤῥαφος, ὁ, ἡ, oder ἀῤῥαφὴς, (ῥάπτω) nicht zuſammengenähet, aus einem Stücke.

'Αῤῥεκτος, ὁ, ἡ, (ῥέζω) ungemacht, unvollendet.

'Αῤῥενικὸν, τὸ. S. ἀρσενικόν.

'Αῤῥενικὸς, ἡ, ὸν, Adv. ἀῤῥενικῶς, männlich, v. ἄῤῥην. —νογενὴς, oder ἀρσενογενὴς, (γένος) männlichen Geſchlechts. —νογονία, ἡ, Zeugung männlicher Kinder; Gebären männlicher Kinder; von —νογόνος, ὁ, ἡ, männliche Kinder zeugend oder gebärend. —νόθηλυς, εος, ὁ, ἡ, männlich-weiblich, beyderley Geſchlechts. —νοκοίτης, ου, ὁ, (κοίτη) bey Männern oder Knaben ſchlafend, u. d. Beyſchlaf übend, *cinaedus.* —νοκυέω, männliche Kinder gebähren. —νόμορφος, ὁ, ἡ, von männlicher Geſtalt, μορφή. —νοπαις, ὁ, ἡ, der ein männliches Kind hat. —νοπληθὴς, ὁ, ἡ, voll Männer.

'Αῤῥενότης, ἡ, Mannheit. Hierocles. —νοτοκέω, ῶ, (ἀῤῥενοτόκος) männliche Kinder gebären. —νοτόκος, ὁ, ἡ, (τίκτω) einen Knaben gebahrend oder erzeugend. —νόω, ῶ, f. ώσω, männlich machen; paſſ. männlich werden. —νώδης, εος, ὁ, ἡ, Adv. ἀῤῥενωδῶς männlich. v. εἶδος, ἄῤῥην. —νωνυμέω, mit einem männlichen Namen belegen, v. ὄνομα, doriſch ὄνυμα. —νωπὸς, ὁ, ἡ, Adv. ἀῤῥενωπῶς, von männlichem Anſehn, Geſichte; ὤψ; männlich, muthig. τὸ ἀῤῥενωπὸν das männliche Anſehn.

'Αῤῥεπὴς, έος, ὁ, ἡ, Adv. ἀῤῥεπῶς, d. i. μὴ ῥέπων, ſich nirgends hinneigend, (von der Wage), weder ſteigend noch fallend; metaph. unwandelbar, ſtandhaft.

'Αῤῥεψία, ἡ, (ῥέπω) der Zuſtand, Eigenſchaft der Seele, die ſich nirgends hinneigt, um zu entſcheiden, eines Skeptikers beym Diog. Laert.

'Αῤῥηκτος, ὁ, ἡ, Adv. ἀῤῥήκτως, nicht durchzubrechen, nicht zu zerreiſſen, als νεφέλη Hom. mithin heftig, als φωνὴ Hom. Il. 2, 490. Eben ſo ἄῤῥηκτοι πέδαι unzerbrechliche Feſſeln.

'Αῤῥημοσύνη, ἡ, das Nichtreden, Schweigen; von —μων, ονος, ὁ, ἡ, (ῥῆμα) ohne Rede, ſchweigend, ſtille.

'Αῤῥην, ὁ, der Mann von Menſchen und Thieren; 2) Adj. ὁ, ἡ, männlich γένος ἄῤῥεν männliches Geſchlecht. Auch alles was ſtark iſt ἄῤῥην βοὴ Ariſtoph. Theſm. 125. κτύπος Sophocl. Philoct. vorz. nannte man die ſtarkern oder keinen Saamentragenden Pflanzen männlich, die andern weiblich, ohne Rückſicht auf das Pflanzengeſchlecht.

'Αῤῥηνὴς, ἐς, beym Theocr. 25, 3 ζάκοτον καὶ ἀῤῥηνὲς vom Hunde, böſe, wild; daher ἀῤῥηνεῖν bey Heſych. vom Zanke zwiſchen Mann und Frau. Scheint von ῥὴν, das Schaaf, zu kommen.

'Αῤῥησία, ἡ, ſ. v. a. ἀῤῥημοσύνη.

'Αῤῥητοποιία, ἡ, ſchandliches Thun; von —τοποιὸς, ὁ, ἡ, d. i. ἄῤῥητα ποιῶν, ſchändlich, abſcheulich handelnd.

'Αῤῥητος, ὁ, ἡ, (ῥέω) Adv. ἀῤῥήτως, nicht zu ſagen, was man nicht ſagen darf, weil es verboten iſt, mithin verboten, unterſagt, oder ſich zu ſagen ſchämt, mithin häſslich, ſcheuſslich, ſchändlich; was man nicht ſagen kann, oder unausſprechlich; nicht geſagt, nicht bekannt gemacht, nicht gelehrt Xen. Cyr. 1, 6. 14. — nicht geſagt, ungeſagt, verſchwiegen, Homer Odyſſ. 14, 466. —τουργία, ἡ, ſ. v. a. ἀῤῥητοποιία, v. ἔργον. —τουργικὸς, ἡ, ὸν, ſ. v. a. ἀῤῥητοποιὸς.

'Αῤῥηφορέω, ῶ, ich bin ἀῤῥηφόρος. —φορία, ἡ, Amt und Handlung eines ἀῤῥηφόρος, oder ein Feſt zu Athen im Monat σκιροφοριὼν der Minerva oder Ἕρση Kekrops Tochter zu Ehren, wo 2 Jungfern, die vom 7ten Jahre an darzu gewählt worden, in Prozeſſion den Peplus und die ἄῤῥητα Heiligthümer trugen. Ariſtoph. Lyſiſt. 642. Die Jungfer hieſs ἀῤῥηφόρος. Andere leiteten es von Ἕρση her und ſchrieben ἐρσηφόρος oder ἐῤῥηφόρος, ἐῤῥηφορέω, ἐῤῥηφορία. bey Dionyſ. Antiq. 2, 22 haben die Handſchr. ἀῤῥητοφόρος. —φόρος, ὁ, ἡ. S. das vorige Wort.

'Αῤῥηχος, ὁ, ἡ, S. εὔῤῥηχος.

'Αῤῥίγητος, ὁ, ἡ, (ῥιγέω) nicht erſtarrend, nicht ſchaudernd, nicht zaghaft.

'Αῤῥιγος, ὁ, ἡ, (ῥῖγος) Adv. ἀῤῥίγως, ohne Kälte, Froſt, dah. ohne Schauder.

'Αῤῥιζος, ὁ, ἡ, (ῥίζα) ohne Wurzel.

'Αῤῥίζωτος, ὁ, ἡ, (ῥιζόω) nicht eingewurzelt.

'Αῤῥιν, ινος, ὁ, ἡ, oder ἄῤῥις, ὁ, ἡ, ſ. v. a. ἄριν.

'Αῤῥιχος, ὁ, Korb, auch ἄρσιχος bey Diodor. 20, 41. wo andre Handſchr. μάρσιπος Beutel, Sack, haben.

'Αῤῥοια, ἡ, (ῥοὴ) das Unterbleiben od. Ausbleiben des Fluſſes, oder der monatlichen Reinigung.

'Αῤῥυθμία, Mangel an ῥυθμὸς Geſtalt, Takt, Wohlklang. —μοποτης, ου, ὁ, d. i. ἀῤῥύθμως πίνων, unmäſsiger Säufer.

'Αῤῥυθμος, ὁ, ἡ, (ῥυθμος) Adv. ἀῤῥύθμως, ohne Ebenmaaſs, ohne Takt, Ordnung, nicht paſſend, als θώραξ Xen. Mem. 3, 10. 11.

'Αῤῥύπαντος, ὁ, ἡ, u. ἀῤῥύπωτος, ὁ, ἡ, (ῥυπαίνω, ῥυπόω) nicht beſchmutzt, nicht befleckt. —παρος, ὁ, ἡ, oder ἄῤῥυπος, ὁ, ἡ, nicht ſchmutzig, ῥυπαρὸς, ohne Schmutz, ῥύπος.

'Αῤῥυπτος, ὁ, ἡ, (ῥύπτω) ſ. v. a. ἄπλυτος Nicand. Alex. 469. —πωτος, ὁ, ἡ, ſ. v. a. ἀῤῥύπαντος.

'Αῤῥυσίαστος, ὁ, ἡ, (ῥυσιάζω) Aeſchyl. Supp. 618 den man nicht fortführt als Beute, Pfand.

'Αῤῥυτίδωτος, ὁ, ἡ, (ῥυτιδόω) nicht gerunzelt.

'Αῤῥωδέω, jon. ſt. ὀῤῥωδέω.

'Αῤῥὼξ, ὦγος, ὁ, ἡ, (ῥὼξ) ohne Spalte, Riſs, Ritze, Bruch, ſ. v. a. ἀῤῥαγὴς u. ἄῤῥηκτος.

'Αῤῥωστέω, ῶ, (ἄῤῥωστος) ſchwach, ohne Kräfte, kränklich od. krank ſeyn; dav. —στημα, ατος, τὸ, Schwäche, Kränklichkeit, Krankheit. —στία, ἡ, das ſchwach-krank-ohne Kräfte ſeyn, Schwache, Ohnmacht. —στος, ὁ, ἡ, (ῥώννυμι) Adv. ἀῤῥώστως, ſchwach, kraftlos, matt, kränklich, krank.

'Αρς, ἀρνὸς, ὁ, ἡ, S. ἄρην.

'Αρσενικὸν, τὸ, lat. *auripigmentum* woraus das deutſche Operment, Arſenik gemacht iſt. —νικὸς, ἀρσενογενὴς, ἀρσενόθηλυς, ἀρσενοκοίτης, ἀρσενόμορφος, ἀρσενόπαις, ἀρσενοπληθής. ἄρσην ſ. v. a. ἄῤῥην u. ſ. w. mit zwey ρ geſchrieben.

'Αρσιος, ὁ, ἡ, bey Heſych. ſ. v. a. δίκαιος, im allgem. ſ. v. a. ἁρμόζων v. ἄρω; davon ἀνάρσιος gewöhnlicher iſt.

'Αρσίπους, ſ. v. a. ἀερσίπους.

'Αρσις, εως, ἡ, das Erheben, z. B. κυμάτων; das Wegnehmen, Wegheben, v. ἄρω, αἴρω. In der Muſik bezeichnet ἄρσις καὶ θέσις den Takt, wie Geopon. 2, 45. von Arbeitern die hacken: ὑπὸ μίαν ἄρσιν καὶ θέσιν ἀνατείνοντες καὶ κατατιθέμενοι. beym dreſchen ſagt man den Schlag halten, wenn alle auf einmal den Flögel heben u. niederlaſſen.

'Αρσιχος. S. ἄῤῥιχος.

'Αρτάβη, ἡ, *artaba*, ein perſiſches Maas, nach Herodot. drey *choenices* mehr als ein *medimnus*; nach Polyaen. 4, 3, 32 beträgt die mediſche ἀρ. einen attiſchen μέδιμνος.

'Αρταμέω, ῶ, (ἄρταμος) ich ſchlachte, zerſtückle, zerſchneide, zerlege.

'Αρταμος, ὁ, Schlächter, Koch.

'Αρτάνη, ἡ, (ἄρω) der Strick, woran einer aufgehängt wird.

'Αρτάω, ῶ, f. ήσω, aufhängen; hängen laſſen. Iſt mit ἀρτέω von ἄρω, αἴρω einerley, denn der jon. Dialekt braucht die Endung έω ſt. άω.

'Αρτεμέω, ῶ, ich bin ἀρτεμὴς friſch und geſund. Nonnus. —μὴς, έος, ὁ, ἡ, unverſehrt, beym Hom. Il. 5, 515 verbunden mit σῶος; dav.

'Αρτεμία, ἡ, Geneſung, Heilung, Geſundheit.

'Αρτεμις, ιος, ιδος, ἡ, Diana, Tochter der Lato, Schweſter des Apollo.

'Αρτεμισία, ἡ, *Artemiſia*, ein Kraut, Plin. 25, 7. wie der Beyfuſs u. Wermuth. —μίσιον, τὸ, ein Ort, als Tempel oder Stadt der Artemis geweiht.

'Αρτέμων, ονος, ὁ, Bramſegel, *ſupparum, artemon.*

'Αρτεπίβουλος, ὁ, ἡ, d. i. ἄρτῳ ἐπιβουλεύων in der batrachom.

'Αρτέω, ῶ, ſ. v. a. ἀρτάω, aber auch bereiten, zurüſten. πολεμεῖν ἀρτέοντο Herodot. 5, 120 rüſteten ſich zum Kriege; S. ἄρω.

'Αρτημα, ατος, τὸ, (ἀρτάω) das herabgehängte, herabhängende, als Ketten, Ohrringe, Armbänder, Gehenk, Ohrgehenk. Herodot. 2, 69.

'Αρτὴρ, ῆρος, ὁ, woran man etwas trägt, Nehem. 4. 2) eine Art Filzſchuh; wov. das neugriechiſche ἀρτάριον. Hemſterhuſ. ad Pollúc. p. 1204.

'Αρτηρία, ἡ, die Luftröhre, Schlag- o. Pulsader; dav. —ριάζω, in den Hippiatr. p. 135 falſch ſt. ἀγκτηριάζω S. ἀγκτήρ. —ριακὸς, ἡ, ὸν, zur Luftröhre gehörig, als ἀρτηριακὸν πάθος, Leiden an der Luftröhre, Heiſerkeit. —ριοτομία, ἡ, das Oefnen der Luftröhre durch einen Schnitt; τέμνω, ἀρτηρία. —ριώδης, εος, ὁ, ἡ, der ἀρτηρία der Luftröhre oder einer Pulsader ähnlich.

'Αρτι, Adv. jetzt, eben, ſogleich, zuerſt; ſo eben erſt, kurz vorher, vor kurzem, kürzlich, jüngſt; in der Zuſammenſ. erſt, jüngſt: ſo eben oder kurz; ſchon; oder ἀρτι iſt das abgekurzte ἄρτιος.

'Αρτιάζω, f. άσω, (ἄρτιος) *ludere par impar* Grade oder Ungrade ſpielen, wie ἄρτιος ἀριθμὸς, wo man rathen läſst, ob man in der Hand eine gerade oder ungerade Zahl halte. —άκις, Adv. das Gegentheil von περισσάκις, als gerade Zahl; bey Plutarch. —ασμὸς, ὁ, (ἀρτιάζω) das Gerade oder Ungrade Spielen.

'Αρτιβλαστὴς, έος, ὁ, ἡ, oder ἀρτίβλαστος, (βλαστέω; βλαστάνω) friſch auskeimend, friſch aufgeſchoſſen. —βρεφὴς, ὁ, ἡ, S. ἀρτιτρεφής. —βρεχὴς, έος, ὁ, ἡ, (βρέχω) friſch, eben benetzt, eingeweicht. —γαμος, ὁ, ἡ, (γάμος) erſt oder jüngſt vermählt. —γένεθλος, ὁ, ἡ, (γενέθλη) jüngſt oder neu-geboren. —γένειος, ὁ, ἡ, (γένειον) mit einem erſt hervorſproſſendem Barte, mit einem Milchbarte. —γενὴς, έος, ὁ, ἡ, oder ἀρτιγέννητος, (γένος, γεννάω) jüngſt erſt entſtanden oder geboren, neugeboren. —γονος, ὁ, ἡ, (γόνος) ſ. v. a. d. vorhergehende. —γραφὴς, ὲς, (γράφω) eben, erſt, friſch geſchrieben. —δαὴς, έος, ὁ, ἡ, (δαίω) erſt o. vor kurzem unterrichtet, oder der vor kurzem angefangen hat zu lernen; vor kurzem bekannt geworden o. begriffen. —δακρυς, υος ὁ, ἡ, (δάκρυ) der eben erſt noch geweint hat. Bey Heſych. zw. —δίδακτος, ὁ, ἡ, (διδάσκω) erſt kürzlich friſch gelehrt.

'Αρτίδιον, τὸ, dimin. von ἄρτος, ein Brödchen. —δομος, ὁ, ἡ, (δέμω) erſt, friſch, neugebaut. —δορος, ὁ, ἡ, S. ἀντίδορος. —έπεια, ἡ, wahre Rede; Wahrheitsliebe, Charakter eines ἀρτιεπής. —επὴς, έος, ὁ, ἡ, vollkommen redend; fertig; Pind. Iſthm. 5, 58. gerade redend, od. wahr redend, Pind. Ol. 6, 105. von ἄρτιος ἔπος. An die erſte Bedeutung ſchlieſst ſich die an, worin es Hom. mit ἐπίκλοπος μύθων verbindet, Il. 22, 281 gewandter u. hinterliſtiger Schwätzer. —ζυγία, ἡ, (ζυγὸς) neuliche Zuſammenziehung oder Verbindung, zw.

'Αρτίζω, f. ίσω, fertig machen, bereiten, vollenden, verrichten Theocr. 13, 43 im medio. —ζωος, ὁ, ἡ, (ζωὴ) von kurzem Leben. Hippocr. —θαλὴς, έος, ὁ, ἡ, (θάλλω) eben erſt aufblühend, aufgeblüht. —θανὴς, έος, ὁ, ἡ, (θανέω, θνήσκω) jüngſt, eben geſtorben. —κολλος, ὁ, ἡ, (κόλλα) entweder friſch ἄρτι oder genau ἀρτίως zuſammengepaſst, metaph. paſſend, übereinſtimmend. Aeſchyl. Choeph. 575. Theb. 379. —κροτεῖν τὸν γάμον d. i. συμφωνεῖν über eine Heyrath ſich vereinigen Menander bey Suidas. die Metaph. iſt nach Heſych. vom rudern genommen. —μαθὴς, έος, ὁ, ἡ, ſ. v. a. ἀρτιδαὴς v. μαθέω. —μελὴς, έος, ὁ, ἡ, (ἄρτιος, μέλος) von geraden, ganzen, geſunden, vollkommenen Gliedern. —νοος, ὁ, ἡ, von geradem, vollkommenen Verſtande; *integra mente.*

'Αρτιοπαγεῖς χορδαὶ (ἄρτιος, πήγνυμι) bey Nicomach. Muſic. aufgezogene Saiten von gleicher Zahl wie 8 gegen 7. —οπέριττος, ὁ, ἡ, (ἄρτιος u. περισσὸς) Gerade-Ungerade.

'Αρτιος, ου, ὁ, ἡ, gerade, als ἀριθμὸς; ganz, vollendet. vollkommen, unverſehrt, geſund; fertig, bereit. ἄρτιοι πείθεσθαι Herodot. dieſe Bedeut. iſt die erſte von ἄρω; daher beſtimmt, übereinſtimmend, paſſend, πρός τι, zu etwas. ὅτι οἱ φρεσὶν ἄρτια ᾔδη Il. 5, 326. ſ. v. a. ὅτι ἀρτίφρων ἦν.

'Αρτιπαγὴς, έος, ὁ, ἡ, (πηγνύω) erſt, friſch zuſammengefügt. —παις, αιδος, ὁ, (ἄρτιος) vollkommenes oder ſchon erwachſenes Kind.

Ἀρτίπλουτος, ον, erst od. vor kurzem bereichert. —πους, οδος, ὁ, ἡ, mit ganzen unversehrten Füssen. Vergl. ἀρτιμελής. Beym Hom. auch ἀρτίπος Il. 9. 501. Od. 8. 310. v. ἄρτιος, πούς. bey Soph. Tr. 58 ἀρτίπους θρώσκει δόμους st. ἄρτι τοῖς ποσὶ θρ. δ. eben kommt er.

Ἄρτισις, εως, ἡ, (ἀρτίζω) Zubereitung, Ausschmückung.

Ἀρτίσκαπτος, ὁ, ἡ, (σκάπτω) erst, frisch gegraben.

Ἀρτίσκος, ὁ, dimin. v. ἄρτος, wie ἀρτίδιον.

Ἀρτιστομέω, ῶ, ich rede bestimmt, vollkommen-deutlich, fertig; von —στομος, ὁ, ἡ, (ἄρτιος τὸ στόμα) der deutlich oder fertig spricht. κάτοινος καὶ οὐκ ἀρτίστομος ἔτι, der nicht mehr deutlich sprechen kann. —στράτευτος, ου, (στρατεύομαι) erst anfangend im Kriege zu dienen, junger Soldat, ein Rekrut. —συζυγία, ἡ, s. v. a. ἀρτιζυγία. zweif. —τελής, έος, ὁ, ἡ, (τελέω) jüngst erst eingeweiht; wird auch mit ἀυτοτελής verwechselt. Polyb. 6, 18. —τόκος, ὁ, ἡ, (τόκος) neugeboren; hingegen ἀρτιτόκος, ὁ, ἡ, die erst, eben, unlängst geboren hat. —τομος, ὁ, ἡ, (τέμνω) erst gehauen, gespalten; hingegen ἀρτιτόμος, ὁ, ἡ, der eben erst gespalten, gehauen hat, so eben noch spaltet. —τονος, ὁ, ἡ, s. v. a. εὔτονος, εὐάρμοστος bey Hesych. —τρεφής, ές, (τρέφω) was noch genährt wird. Aeschyl. S. 352 wo andre ἀρτιβρεφεῖς lesen. —τροπος, ον, beym Aeschyl. Sept. 335. s. v. a. νεόγαμος. [illegible] —τυπος, ὁ, ἡ, (τύπτω) eben erst geschlagen oder gebildet, von τύπος, als ἐπωπή beym Nonnus.

Ἀρτιύπωχρος, ον, sehr blass, ἄρτι (ἄρτιος), ὑπὸ, ὠχρός.

Ἀρτιφαής, έος, ὁ, ἡ, (φάος) eben erst wiedersehend. Nonnus. —φανής, έος, ὁ, ἡ, (φαίνομαι) jüngst, eben sichtbar gemacht. —φατος, ὁ, ἡ, (φάω) eben frisch kürzlich ermordet, getödtet. —φρών, ονος, ὁ, ἡ, s. v. a. ἀρτίνοος, Od. 24. 260. bey Verstande, verständig. Aeschyl. S. 780 ἐπεὶ ἀρτίφρων ἐγένετο γάμων, wie er seine Heyrath einsahe, bemerkte. von ἄρτιος φρήν. —φυής, έος, ὁ, ἡ, u. ἀρτίφυτος, ὁ, ἡ, s. v. a. ἀρτιγενής neu geboren, neu gewachsen, überh. neu. —φωνος, ὁ, ἡ, (φωνή) mit vollkommener, unversehrter Stimme oder Aussprache. Vergl. ἀρτίστομος. —χανής, έος, ὁ, ἡ, d. i. ἄρτι χαίνων. —χάρακτος, ὁ, ἡ, (χαράττω) jüngst eingehauen; auch scharf gemacht od. geschnitten.

Ἀρτίχνους, ὁ, ἡ, ἴουλος Philostr. Icon. 3, 6. d. i. ἄρτι χνοάζων eben so ἀρτίχνουν μῆλον Anthol.

Ἀρτίχειρ, ειρος, ὁ, ἡ, mit unversehrten Händen. Vergl. ἀρτίπους. —χόρευτος, ὁ, ἡ, (χορεύω) jüngst mit Tänzen gefeyert, betanzt, als ἑορτή beym Nonn. —χριστος, ον, jüngst gesalbt oder angestrichen. —χυτος, ὁ, ἡ, (χύω) jüngst gegossen, ausgegossen.

Ἀρτίως, Adv. vollkommen, ganz; passend, zusammenhängend, v. ἄρτιος; s. v. a. ἄρτι, erst, eben, kurz vorher, jüngst, kürzlich.

Ἀρτίωσις, ἡ, Zubereitung. Nicetas Annal. 3, 2.

Ἀρτόδειγμα, ατος τὸ, eine falsche Lesart bey Pollux 9 sect. 34. —δοτέω, ῶ, Brod vertheilen, geben. —θήκη, ἡ, Brodschrank oder Behältniss. —κοπεῖον, τὸ, ein Ort, wo Brod gebacken wird, auch ἀρτοκόπιον. —κοπέω, ῶ, ich bin ein ἀρτοκόπος, übe die Bäckerey. —κοπικός, ἡ, όν, zum Bäcker oder zur Bäckerey gehörig. —κόπιον, τὸ, s. v. a. ἀρτοκοπεῖον. S. das folgd. —κόπος, ὁ, ἡ, Bäcker, Bäckerin; wenn es von κόπτω herkommt; aber die Schreibart ἀρτοπόπος von πέπω, πέπτω kochen, scheint die richtigere zu seyn, auch in den Ableitungen ἀρτοποπέω, ἀρτοπόπιον. Doch findet sich in den Ausgaben von Juvenalis Satyr. 5, 72. u. Julius Firmic. Astrol. 8, 20 *artocopos vel pistores.*

Ἀρτόκρεας, ατος, τὸ, Brodfleisch, ein Gericht bey Persius Satyr. 6, 510. —λάγανον, τὸ, *artolaganus* beym Cic. ad Div. 9, 20. 6. Plin. 18, 11. Athen. 3, 29. eine Art wohlschmeckenden Kuchens. —λάγυνος πήρα, im epigr. ein Ränzel mit Brod u. Flasche, wie b. Plin. Ep. 1, 6 *panarium et laguncula.* —ποιεῖον, τὸ, s. v. a. ἀρτοκοπεῖον. —ποιέω, ῶ, ich bin ein ἀρτοποιός. —ποιΐα, ἡ, Bäckerey, Gewerbe eines ἀρτοποιός. —ποιϊκός, ἀρτοποιητικός, ἡ, όν, zum Bäcker od. zur Bäckerey gehörig. —ποιός, ὁ, ἡ, d. i. ἄρτον ποιῶν, Bäcker, adject. Brodmachend, zum Brodmachen gehörig oder erforderlich, als ζύμη. —πόπος, ὁ, ἡ, (ἄρτος πέπω πέπτω wovon πόπανον u. πέμμα) der Bäcker; wird häufig mit ἀρτοκόπος verwechselt. —πτεῖον, τὸ, (ὀπτάω) Ort oder Geschirre, wo oder worinne Brod gebacken wird.

Ἀρτόπτης, ου, ὁ, d. i. ἄρτον ὀπτάων, *artopta* Plinius 18 K. 11. ein Bäcker oder das Geschirr, worinne das Brod eingesetzt und gebacken wird. —πωλεῖον, ἀρτοπώλιον, τὸ, Ort, wo Brod verkauft wird, Laden eines ἀρτοπώλης, Bäckerladen. —πωλέω, ῶ, ich bin ein ἀρτοπώλης. —πώλης, ου, ὁ, fem. ἀρτοπῶλις, ἡ, d. i. ἄρτον πωλῶν, der, die Brod feil hat und verkauft.

'Αρτος, ὁ, waitzenes Brod, Waitzenbrod; denn μᾶζα ist Gerstenbrod.

'Αρτοσιτέω, ῶ, d. i. ἄρτον σιτέομαι, waitzenes Brod essen. —**τροφέω**, ῶ, mit waitzenem Brode ernähren. —**φαγέω**, ῶ, (φάγω) s. v. a. ἀρτοσιτέω. —**φάγος**, ὁ, ἡ. d. i. ἄρτον φάγων waitzenes Brod essend. —**φόρος**, ὁ, ἡ, (φέρω) Brod tragend; τὸ ἀρτοφόρον verst. σκεῦος Bret oder anderes Geräthe Brod zu tragen.

'Αρτυμα, τὸ, (ἀρτύω) eigentl. die Zubereitung einer Speise; und dann womit man etwas einmacht, ihm einen bessern Geschmack giebt, als Gewürz; davon —**ματικὸς**, was darzu gehört, beyträgt; u. —**ματώδης**, was darzu, darinne geschickt ist.

'Αρτύνας, ὁ, (ἀρτύω) bey Thucyd. 5, 47 u. Plut. Q. Graec. eine Magistratsperson zu Argos u. Epidaurus. Hesych. hat auch ἄρτυνος. —**τύνω**, s. v. a. ἀρτύω. —**τυσις**, ἡ, das Anrichten, Würzen, Einmachen von Gerichten. —**τυτὴρ**, ὁ, (ἀρτύω) eine Art von Obrigkeit. Inscript. doric. musei veron. p. 14. wie ἄρτυνος. —**τυτικὸς**, was eingemacht, zubereitet wird und werden kann. —**τυτὸς**, was eingemacht ist, oder darzu und zum würzen dient. —**τύω**, (ἄρω, ἄρσω, ἄρτω S. ἄρω) ich füge zusammen, bereite, bringe in Ordnung, ordne, regiere, verwalte, davon ἀρτὺς, ἡ, Verbindung, Freundschaft, ἄρτυνος, ἀρτύνας, ἀρτυτὴρ s. v. a. ἁρμοστὴς eine Magistratsstelle. 2) ich bereite, richte Speisen an; davon ὀψαρτύτης.

'Αρυβαλὶς, ἡ, ἀρυβαλὸς, ὁ, od. ἀρυβαλλὸς, ὁ, (ἀρύω u. βάλλω) eine Flasche, auch ein Beutel zum zuziehn.

'Αρύομαι, s. v. a. αἴρομαι. Aelian. v. h. 13, 23 μισθοὺς ἠρύσατο trug den Lohn davon.

'Αρυσάνη, ἡ, s. v. a. ἀρύταινα.

'Αρυστὴρ, ῆρος, ὁ, s. v. a. ἀρυτὴρ. —**στιχος**, ὁ, (ἀρύω) s. v. a. καδίσκος. Aristoph. Vesp. 887.

'Αρύταινα, ἡ, s. v. a. ἀρυσάνη, Gefäss zum Schöpfen, auch ein Maass der Flüssigkeiten; von ἀρύω.

'Αρυτὴρ, ῆρος, ὁ, s. v. a. ἀρυστὴρ; Kelle, Löffel, überhaupt ein Gefäss zum schöpfen, oder womit man herausgeschöpfte Feuchtigkeiten misst; v. ἀρύω.

'Αρυτήσιμος, ὁ, ἡ, (ἀρύτω) schöpfbar. Anal. Br. 2, 218.

'Αρύτω, und ἀρύω, man leitet es von ἐρύω her, ich ziehe aus der Tiefe, dem Brunnen, schöpfe. Das lat. *haurio* ist durch Versetzung daraus gemacht. S. auch ἀρητύω.

'Αρύω, s. v. a. αἴρω Arati Diosem. 14 ὠκεανοῦ ἀρύονται s. v. a. ἐξ ὠκ. αἴρονται.

'Αρχαὶ, ῶν, αἱ, das Erste, als erste Früchte u. s. w. Erstlinge; Anfang, plur. von ἀρχὴ; die Principien, Elemente; Anfangsgründe.

'Αρχαΐζω, f. ίσω, betrage mich nach Art der Alten, ahme sie in Sitten, schreiben od. sprechen nach. —**ικὸς**, ἡ, ὸν, Adv. ἀρχαϊκῶς, altväterisch, nach Art der Alten; daher einfach in seinen Sitten, seiner Tracht, nicht modisch.

'Αρχαιογονία, ἡ, altes Geschlecht, alter Adel; überh. erster Ursprung, Alterthum; von —**όγονος**, ὁ, ἡ, ursprünglich, als αἰτία Arist. erster Grund oder Ursache. —**ογράφος**, ὁ, d. i. ἀρχαῖα γράφων, alte Schriften, Dinge abschreibend, schreibend, *antiquarius*. —**οειδὴς**, ἐς, (εἶδος) nach alter Art. —**όθεν**, Adv. von Alters her; zweif. —**ολογέω**, ῶ, f. ήσω, ich handle die Alterthümer. die alte Geschichte ab; dav. —**ολογία**, ἡ, die Abhandlung der alten Geschichte oder der Alterthümer, Alterthumskunde. —**ολογικὸς**, ἡ, ὸν, zur Archaeologie gehörig, oder nach Art derselben oder zum ἀρχαιολόγος gehörig. —**ολόγος**, ὁ, ἡ, der die alte Geschichte oder die Alterthümer abhandelt, erklärt; von ἀρχαῖος, λέγω.

'Αρχαῖον, τὸ, das neutr. v. ἀρχαῖος, subst. verst. δάνειον, das Kapital, Isocr. τὸ ἀρχαῖον καὶ τοὺς τόκους ἀποδοῦναι; davon

'Αρχαιοπινὴς, ἐς, (πῖνος) mit dem Schmutze oder wie wir sagen dem Roste des Alterthums behaftet; was die Zeichen des Alterthums an sich hat. —**όπλουτος**, ὁ, ἡ, an alten oder ererbten Reichthümern reich. —**οπρεπὴς**, ἐς, von dem Ansehn des Alterthums.

'Αρχαῖος, αία, αῖον, alt; vor vielen Jahren, vor Alters gebräuchlich, altväterisch; einfältig. S. κρόνος.

'Αρχαιότης, ητος, ἡ, das Alter, Altseyn, Alterthum. —**οτροπία**, ἡ, alte Sitte, alte Lebensart. Plutarch. Phoc. von —**ότροπος**, ὁ, ἡ, (τρόπος) Adv. ἀρχαιοτρόπως, von alten, altfränkischen Sitten. —**ότυπος**, ον, (τύπος) von altem Schlage oder Gepräge.

'Αρχαιρεσία, ἡ, (ἀρχὴ, αἵρεσις) Obrigkeits-oder Magistratswahl; nach dem Zusammenhange auch die Zeit dazu; gewählte Obrigkeit. —**ρεσιάζω**, f. άσω, eigentl. wenn die Volksversammlung gehalten wird, um jährlich neue Magistrate zu wählen, also die Wahl und Wahlversammlung verrichten, halten; 2) nach einer Magistratsstelle trachten, darum anhalten und deswegen den Votanten schmeicheln; daher Hesych. es durch τὸ πρὸς χάριν τοῖς πολλοῖς ζῆν, u. Harpocration wie *ambire magistratum* erklärt; daher καταρχαιρεσιάζεσθαι bey Longin. durch den *ambitus* bey Wahlen einem andern nachgeſetzt werden.

'Αρχαιρεσιακὸς, ἡ, ὸν, zur Magiſtratswahl oder der deswegen gehaltenen Volksverſammlung gehörig. —ρέσιον, τὸ, ſ. v. a. ἀρχαιρεσία.

'Αρχαϊσμὸς, ὁ, (ἀρχαΐζω) altväteriſches Betragen, Nachahmung der Alten auch im Schreiben und Sprechen; bey den Grammatikern alte Redensart, veralteter Sprachgebrauch.

'Αρχεγόνος, ὁ, ἡ, (ἀρχὴ, γένος) erſter des Geſchlechts oder der Familie, d. i. entw. Stammvater, erſte oder erzeugende Urſache, od. Erſtgebohrner. —δίκης, ου, ὁ, erſter, rechtsmäſsiger Beſitzer. Pind. Pyth. 4, 196 wo andere ἀρχέδικαν leſen ſt. ἀρχεδικῶν.

'Αρχεῖον, τὸ, Ort für die Obrigkeit, als Rathhaus, Archiv, Wohnung der Häupter oder des Haupts eines Staats, Collegium bey Dionyſ. Antiq. 2, 26 u. 72. von

'Αρχεῖος, εία, εῖον, ſ. v. a. ἀρχαῖος.

'Αρχέκακος, ὁ, ἡ, (ἄρχω) Urſache des Uebels, Stifter des Unglücks. Hom. Il. 5, 63. —λαος, ὁ, ἡ, (ἄρχων λαοῦ) oder ἀρχέλειος, Volksherrſcher, Vornehmſter des Volks, auch ἀρχέλας Ariſtoph. Eq. 164. —νεως, ω, ὁ, ἡ, (ἀρχὴ, ναῦς) Schiffsherrſcher, Befehlshaber auf einem Schiffe. —πλουτος, ὁ, ἡ. Soph. El. 72 der den Grund zum Reichthum legt; von ἄρχω. —πολις, εως, ὁ, ἡ, d. i. ἄρχων πόλεως. —σίμολπος, ὁ, ἡ, (ἄρχω, μολπὴ) den Geſang anfangend, anführend.

'Αρχέσπερος, ὁ, ἡ, als νὺξ, die Nacht, die mit dem Abend anfängt, die Dämmerung, Ariſtotel. bey Athenae. wenn es nicht ἀκρέσπερος heiſsen ſoll.

'Αρχέτας, ὁ, ſ. v. a. ἄρχων, Eur. Heracl. 753. Electr. 1156. v. ἀρχέω. —τυπος, ὁ, ἡ, (τύπτω) ſ. v. a. πρωτότυπος, zuerſt geprägt, vorzüglich. πρωτότυπον, τὸ, das Muſter, wornach die übrigen geprägt, gebildet werden, Vorbild, Muſter, Original.

'Αρχεύω, f. εύσω, herrſchen, anführen. Hom. Il. 5, 200. von ἄρχω, ἀρχέω.

'Αρχέχορος, ὁ, ἡ, d. i. ἄρχων χοροῦ den Chor anführend, aufführend.

'Αρχὴ, ἡ, Anfang, Urſprung, Urſache; das Anfangmachen oder Anführung, Würde od. Stelle eines Anführers, Feldherrnwürde, Oberherrſchaft, Obrigkeit, objective ſowohl als ſubjective, wie *magiſtratus*, als τὰ παραγγελλόμενα ὑπὸ τῆς μεγίστης ἀρχῆς Xen. Cyr. 1, 2. 5 Befehle der höchſten Obrigkeit, und λαβεῖν τὴν ἀρχὴν Cyr. 1, 5. 2 die Oberherrſchaft übernehmen, König werden.

'Αρχηγενὴς, ὁ, ἡ, d. i. ἄρχων γένους. zw. —γετεύω, f. εύσω, oder ἀρχηγετέω, ich bin ein ἀρχηγέτης, bin der Anführer, mache den Anfang, bin der Erſte, bin das Oberhaupt. —γέτης, ου, ὁ, das femin. ἀρχηγέτις, ἡ, ſ. v. a. ἀρχηγὸς, ὁ, ἡ, Haupt und Anführer, Beginner, Veranlaſſer, Stammvater, u. ſ. w. von ἀρχηγὸς. Soph. El. 83. Xenoph. Hellen. 6, 3, 6. 6, 5, 47. 7, 3, 12 not. —γικὸς, ἡ, ὸν, einem ἀρχηγὸς gehörig, ihn betreffend, ihm eigen. —γὸς, ὁ, ἡ, (ἄγω joniſch ἥγω, ἡγέω) Anführer, Vorſteher, Urheber.

'Αρχῆθεν, Adv. vom Anfange, von Alters her.

'Αρχίατρος, ὁ, erſter Arzt, Oberarzt.

'Αρχιβούκολος, ὁ, ἡ, erſter Hirte, Oberhaupt unter den Hirten. —βουλος, ὁ, ἡ, erſter Rathgeber, der zuerſt einen Rath giebt. —γένεθλος, ὁ, ἡ, die Geburt oder Abkunft anhebend, anfangend, gebend, Urheber derſelben, oder Quell. —γραμματεὺς, έως, ὁ, erſter Schreiber oder Sekretär. —δεσμοφύλαξ, ακος, ὁ, oberſter Gefangenwächter. —δικαστὴς, οῦ, ὁ, oberſter Richter. —δικος, ὁ, ἡ, (δίκη) Vorſitzer im Gerichte, oder das Gericht anfangend.

'Αρχίδιον, τὸ, dimin. von ἀρχὴ.

'Αρχιεράομαι, ῶμαι, oder ἀρχιερατεύω, bin Oberprieſter. —ερατικὸς, ἡ, ὸν, dem Oberprieſter gehörig, ihn betreffend. —ερεία, ἡ, Oberprieſterwürde, Hohesprieſterthum. —ερεὺς, έος, ὁ, Oberprieſter, Hoherprieſter. —ερωσύνη, ἡ, ſ. v. a. ἀρχιερεία, —εταῖρος, ὁ, erſter od. vorzüglichſt. Geſell, Freund. —ευνοῦχος, ὁ, Oberſter unter den Verſchnittenen.

'Αρχίζωος, ὁ, ἡ, Urſprung, Anfang des Lebens. —θέωρος, ὁ, ἡ, Aufſeher über eine θεωρία, oder erſter Geſandter. —θιασίτης, ου, ὁ, Anführer eines θίασος oder Bachusfeſtes. —κέραυνος, ὁ, ἡ, Herr des Blitzes. —κυβερνήτης, ου, ὁ, erſter Steuermann oder Aufſeher.

'Αρχικὸς, ἡ, ὸν, im zum Herrſchen geſchickt, bequem, gehörig, zur Herrſchaft, ἀρχὴ, Magiſtratsſtelle gehörig. —κυνηγὸς, ὁ, Oberjägermeiſter. —λῃστὴς, οῦ, ὁ, Haupt einer Räuberbande. —μάγειρος, ὁ, erſter Koch, Oberküchenmeiſter. —μανδρίτης, ου, ὁ, (μάνδρα) fem. ἀρχιμανδρῖτις, Vorſteher eines Kloſters, Archimandrit, Abt. —μιμος, ὁ, ἡ, erſter Schauſpieler, vorz. erſter Mimen- oder Pantomimenſpieler. —οινοχοΐα, ἡ, Oberweinſchenkenamt oder Würde; von —οινοχόος, Obermundſchenk. —πατριῶται, οἱ, Erzväter. —πειρατὴς, οῦ, ὁ, Oberhaupt der Seeräuber.

Ἀρχιποιμὴν, ένος, ὁ, erster Hirt. —ποσία, ἡ, erster Platz od. Vorsitz bey einem Trinkgelage. —πρεσβευτὴς, οῦ, ὁ, erster Gesandter. —ῥαβδοῦχος, ὁ, erster Liktor. —σιτοποιὸς, ὁ, Oberbäcker. —στράτηγος, ὁ, Oberfeldherr. —συνάγωγος, ὁ, Vorsteher einer Synagoge. —σωματοφύλαξ, ακος, ὁ, Befehlshaber der Leibwache. —τεκτονέω, ῶ, f. ήσω, ich bin ein ἀρχιτέκτων, und baue wie ein ἀρχ. davon —τεκτόνημα, ατος, τὸ, ein architektonisches Werk, ein Bau; Gebäude. —τεκτονία, ἡ, Kunst eines ἀρχιτέκτων. —τεκτονικὴ, ἡ, näml. τέχνη, Architektur, Baukunst. —τεκτονικὸς, ἡ, ὸν, zur Baukunst oder zum Baumeister gehörig; von —τέκτων, ονος, ὁ, Architekt, Baumeister, Baudirektor, ἄρχων τεκτόνων. —τελώνης, ου, ὁ, Oberzöllner. Direktor der Generalpächter. —τρίκλινος, ὁ, der die oberste Aufsicht über die Tafel des Fürsten hat.

Ἀρχιϋπασπιστὴς, οῦ, ὁ, d. i. ἄρχων ὑπασπιστῶν.

Ἀρχίφυλοι, οἱ, Zunftmeister, Zunftvorsteher; v. φυλή. —φὼρ, ῶρος, ὁ, Haupt, Anführer der Diebe. —φωτος, ὁ, ἡ, (φῶς) Schenker, oder Urquell des Lichts.

Ἀρχοειδὴς, έος, ὁ, ἡ, von der Art einer ἀρχή, eines Princips, Elements u. dergl.

Ἄρχομαι, f. ξομαι, med. v. ἄρχω, anfangen, beginnen, näml. für sich, ohne Rücksicht auf einen andern, mit einem Genit. als λόγου, δρόμου, σίτου, anfangen zu reden, zu laufen, zu essen, oder mit einem partic. als διδάσκων, zu lehren. Völlig, wie das Gegentheil hiervon παύομαι.

Ἀρχοντιάω, ῶ, ich möchte gern ἄρχων werden; zweif. —τικὸς, ἡ, ὸν, zum ἄρχων gehörig.

Ἀρχὸς, ὁ, f. v. a. ἄρχων, Führer, Anführer; der Hintere, After.

Ἄρχω, f. ξω, anfangen, wenn mir nämlich ein anderer folgen soll, (f. ἄρχομαι), zuerst etwas thun, die erste Rolle nehmen; anführen, Anführer, Herrscher, Oberhaupt seyn, τινὸς, von Menschen u. Leidenschaften, über die man Herr ist, die man beherrscht, als γαστρὸς und dergl. aber pass. ἄρχομαι, ich werde beherrscht, mithin ἀρχόμενοι, Beherrschte; Unterthanen, Xen. Mem. 3, 4. 8. Cyr. 1, 6. 8.

Ἄρχων, οντος, ὁ, partic. des vorhergeh. verb. Herrscher, Oberhaupt, Anführer, in Athen die erste obrigkeitliche Würde nach Vertreibung der Könige. —χώνης, ὁ, (ἄρχω, ὠνή) bey Andocides p. 65 τῆς πεντηκοστῆς, der erste oder Hauptpächter des Zolls vom 50sten Theile.

Ἄρω, f. ἀρῶ, ein Hauptstammwort; die Bedeut. von passen, anpassen, anfügen, passend, schicklich machen, schicklich wählen Il. 1, 136. zubereiten, zurecht machen. ausrüsten, Odyss. 1 νῆα ἀρ. ἐρέταις ein Schiff mit Ruderern versehen, werden gewöhnlich angegeben. Perfect. med. ἦρα poet. ἤραρα, ἄρηρα u. ἄραρα. In der Stelle ἤραρε θυμὸν ἐδωδῇ bedeutet es stärken oder vergnügen, befriedigen, wie das abgeleitete ἀρέσκω v. ἄρω ἀρέω, daher θυμήρης angenehm. Auch ist ἄραρε als neutr. gewöhnlich st. es steht fest, ich bin fest entschlossen. S. in ἀραρίσκω. Außerdem ist ἄρω das Stammwort von αἴρω *tollo, fero*, heben od. tragen, daher αἴρομαι *auferre* davon tragen; von ἄρω ist ἀρομην, ἀρέσθαι aor. 2. und ἀροῦμαι futur. 2. gebräuchlich; und in eben dem Sinne die Form (ἄρω, ἄρνω, ἀρνύω) ἄρνυμι u. ἄρνυμαι, welche jedoch noch die Nebenbedeutung von der ebenfalls von ἄρω abgeleiteten Form αἴρω αἱρέω *capio* nehmen, αἱρέομαι wählen, vorziehn, hat. Von ἄρω ich knüpfe, füge, ist das abgeleitete (ἄρω, ἄρτω) ἀρτάω gewöhnlicher; für fertig bereit machen, ausrüsten ἀρτέω, ἀρτύω, ἀρτύνω. Von ἄρω fut. ἀρσῶ kommt bey Hom. ἄρθεν Il. π. 210 st. ἤρθησαν fügten, drängten sich zusammen.

Ἀρωγὴ, ἡ, Hülfe; v. ἀρήγω. —γοναύτης, ὁ, d. i. ἀρωγὴ oder ἀρωγὸς, ὁ, ἡ, ναυτῶν, Helfer der Schiffer. —γὸς, ὁ, ἡ, Helfer, Vertheidiger, Beschützer; v. ἀρήγω.

Ἄρωμα, ατος, τὸ, wohlriechende Kräuter, Wurzeln, Früchte, überh. Gewürz. —ματίζω, f. ίσω, mit Gewürzen einmachen. Dioscor. 2, 91. 2) nach Gewürzen schmecken, riechen. —ματικὸς, ἡ, ὸν, aromatisch, wohlriechend, gewürzhaft. —ματίτης, ου, ὁ, fem. ἀρωματῖτις, aromatisch, als οἶνος, πόσις, ein Wein, ein Trank, der mit Gewürzkräutern gemacht oder darüber gezogen worden ist. —ματοπώλης, ου, ὁ, (πωλέω) der Gewürz verkauft. —ματοφορέω, ῶ, Gewürzkräuter tragen. —ματοφόρος, ὁ, ἡ, Gewürzkräuter tragend.

Ἀσαγήνευτος, ὁ, ἡ, (σαγήνη) nicht gefangen, nicht zu fangen. —γὴς, ὁ, ἡ, (σάγη, σάγμα) das keinen Saumsattel zum tragen hat, oder gehabt hat.

Ἀσάζω, f. v. a. ἀσαίνω u. ἀσάω. Bey Paul. Aeg. 1, 1. kommt davon περισσαίνειν von den schwangern Weibern vor.

Ἆσαι, ἄσαιμι von ἄω oder ἄζω ich sättige, davon ἄση, Sättigung, Ekel, Ueberdruss. S. ἄδω. 2) ich verletze, schade, davon ἄτη. Man sagt auch ἀάσαι st. ἆσαι. S. ἀτάω.

Ἀσαίνω, s. v. a. ἀσάω u. ἀσάζω. S. ἀσάω.

Ἄσακτος, ὁ, ἡ, (σάττω), nicht festgetreten, nicht zertreten, als γῆ, Xen. Oec. 19. 11 lockrer Boden.

Ἀσαλαμίνιος, bey Aristoph. ein im Seekriege unerfahrner; von der Schlacht bey Salamis hergenommen; auch der daran nicht Antheil gehabt hat.

Ἀσάλεια, ἀσαλία, ἡ, *tranquillitas*, Sorglosigkeit, Ruhe, von ἀσαλεῖν, ohne Sorge seyn. —**λευτος**, (ἀ, σαλεύω) unerschüttert, ruhig. Adv. ἀσαλεύτως. —**λής**, unbekümmert, sorglos, von ἀ, u. σάλος n. 5. S. σαλαΐζειν. Aeschylus ἀσαλὴς μανία beym Etymol. und Sophron ἀσάλεια, st. ἀμεριμνία, ἀλογιστία. Hesych hat auch ἀσαλλεῖν st. ἀφροντιστεῖν.

Ἀσάλπιγκτος, ὁ, ἡ, nicht durch die Trompete aufgefodert, als ὥρα Sophocl. die Zeit (die Nacht), wo keine Trompete uns weckt.

Ἀσάμινθος, ὁ, Badewanne, Hom. Od. 4. 128. nach Lennep v. ἀσαμὶς wie σκωραμὶς Nachtstuhl, v. ἀμὶς u. ἄσις.

Ἀσάνδαλος, ὁ, ἡ, ohne Fussohlen.

Ἄσαντος, ὁ, ἡ, (σαίνω) dem nicht geschmeichelt wird, werden kann; hart, unfreundlich. Aesch. Choeph. 420.

Ἀσάομαι, (s. ἄση) ich empfinde Ekel aus Ueberſättigung, habe daher keinen Appetit u. mit Ekel vor Speisen verbundene Unruhe, Angst; metaph. auch ich bin einer Sache überdrüssig, habe Verdruss darüber, Missvergnügen, Traurigkeit. Beym Hippokr. u. Aretaeus de Sig. acut. 1. 9 findet man auch ἄσσεσθαι, so wie überhaupt auch ἀσσάομαι u. ἀσσώδης geschrieben. Eine andre Form ἀσάζω u. ἀσαίνω bedeutet s. v. a. ἀσάομαι.

Ἀσαπής, έος, ὁ, ἡ, (σήπω) nicht faulend, der Fäulniss nicht unterworfen.

Ἀσαρίτης, οἶνος, Wein über ἄσαρον gezogen. Diosc. 5. 60.

Ἀσαρκέω, ich bin ἄσαρκος, mager. —**κία**, ἡ, Mangel an Fleisch, Magerkeit; von —**κος**, ὁ, ἡ, (σὰρξ) nicht fleischig, mager. —**κώδης**, εος, ὁ, ἡ, s. v. a. d. vor. ἄσαρκος, εἶδος.

Ἄσαρον, ου, τὸ, *asarum* Haselwurzel, dessen Wurzel Brechen u. Durchfall erregt. *Asarum europ.* Lin.

Ἄσαρος, ὁ, ἡ, (σάρος) u. ἀσάρωτος, ὁ, ἡ, (σαρόω) ungefegt, ungereiniget. οἶκος bey Plinius 36 K. 25 hiess einen mit Steinen künstlich ausgelegten (mosaischen) Boden habendes Zimmer, weil darauf die Ueberbleibsel der Mahlzeit abgebildet waren.

Ἀσάφεια, ἡ, Undeutlichkeit, Dunkelheit, Ungewissheit; von —**φής**, έος, ὁ, ἡ, Adv. ἀσαφῶς, nicht sichtbar, undeutlich, dunkel, ungewiss.

Ἀσάω. S. ἀσάομαι.

Ἄσβεστος, ὁ, ἡ, (σβέω) unausgelöscht, ungelöscht. ἡ ἄσβ. verst. τίτανος, ungelöschter Kalk; auch unauslöschlich; unverlöschlich.

Ἀσβολαίνω, mit Russ schwärzen, berussen; von —**βόλη**, ἡ, Russ. —**βολόεις**, όεσσα, όεν, voll Russ; russicht. —**βολος**, ἡ, s. v. a. ἀσβόλη. —**βολόω**, ῶ, f. ώσω, s. v. a. ἀσβολαίνω. —**βολώδης**, εος, ὁ, ἡ, s. v. a. ἀσβολόεις.

Ἀσέβεια, ἡ, Unfrömmigkeit, Gottlosigkeit, Betragen, Charakter eines ἀσεβής. —**βέω**, ῶ, ich bin, handle, betrage mich gottlos, frech, wie ein ἀσεβής, mit εἰς, περὶ τινὰ, auch m. d. accus. daher auch in pass. τὰ περὶ ἐκείνους ἠσεβημένα σοι Aeschin. or. deine an ihnen, jenen begangenen Gottlosigkeiten; davon —**βημα**, ατος, τὸ, gottlose That, Gottlosigkeit. —**βής**, έος, ὁ, ἡ, Adv. ἀσεβῶς, unfromm, gottlos, frech, frevelhaft, v. σέβω. —**βησις**, εως, ἡ, das Gottloshandeln, ἀσεβέω.

Ἄσειρος, ὁ, ἡ, u. ἀσείρωτος, ὁ, ἡ, (σειρὰ) ὄχημα ἀσείρωτον ζυγοῖς Eur. Ion 1150 st. ἵπποι ἀσείρωτοι. das Gegenth. von σειραφόρος am Seile gehend, darneben gespannt.

Ἄσειστος, ὁ, ἡ, (σείω), unerschütterlich, unerschüttert.

Ἀσελγαίνω, ich bin, handle, betrage mich wie ein ἀσελγής. —**γεια**, ἡ, Betragen, Handlung eines ἀσελγής. —**γέω**, ῶ, s. v. a. ἀσελγαίνω. —**γής**, ὁ, ἡ, Adv. ἀσελγῶς poet. ἀσελγέως übermässig, unmässig, ἄνεμος, daher ἀσελγοκέρως ταῦρος, τράγος, grosser Wind, grosshörnichter Stier, Bock, doch andre erklaren es ὁ κυρίττων, der stössige. ἀσελγῶς πίονες Aristoph. Plut. 560. daher bedeutet es mit allen seinen Ableitungen Unmässigkeit in Begierden, Leidenschaften und in den daraus entstehenden Handlungen u. Worten, also auch übermüthig, frech, ausgelassen, ausschweifend, üppig, wollüstig, unzüchtig, geil, auch von der widernatürl. Liebe. Daher wird es mit folgend. Worten verbunden: δεσποτικῶς, προπετῶς, πολυτελῶς. Kommt mit ὑβριστής, ἀκόλαστος fast ganz überein. Die Ableit. von der Stadt Σέλγη in Pisidien klärt nichts auf. Hesych. hat ἀσάλγαν, ὕβριν, ἀμέλειαν, τὴν πενίαν, welches offenbar auf ἀσαλής u. ἀσαλεῖν, ἀφροντιστεῖν geht, wovon vielleicht ἀσελγής gemacht ist.

Ἀσελγόκερως, ωτος, ὁ, ἡ, d. i. ἀσελγὴς κέρασι. S. ἀσελγής. —**γομανέω**, ῶ, rasend ausschweifend seyn, ἀσελγῶς μαίνομαι. Lucian.

Ἀσέληνος, ὁ, ἡ, (σελήνη) ohne Mond, dunkel, finster.

Ἄσεμνος, ὁ, ἡ, Adv. ἀσέμνως, ungeehrt, unverehrt.

'Ασεπτέω, (ἄσεπτος) f. v. a. ἀσεβέω. Sophocl. Antig. 1350.

'Ασεπτος, ὁ, ἡ, f. v. a. ἀσεβὴς, v. σέβω; passiv. unverehrt.

'Ασή, ἡ, Ekel, der aus Sättigung, Ueberfättigung entsteht, (ἄδω ich sattige, davon ἀδέω, ἄδος) hernach Ueberdruss, Uebelkeit und Unruhe mit Ekel und Mangel an Appetit verbunden, Verdruss, Traurigkeit. Bey Hippokrates drückt es auch Angst, Unruhe des Kranken aus. S. ἀσάω u. ἀσάομαι. S. auch ἄσις.

'Ασήκαστος, (σηκάζω) ohne oder ausser dem Schaafstalle. Nicetas Annal. 10, 4. —κορία u. ἀσήκορος bey Hesych. ἀκηδία, ἀκηδιαστής. bey Suidas ἀσηκόρος, ὁ ἀκηδιαστής. Ist von ἄση u. κόρος, und daraus vertheidiget sich die Glosse des Hesych. ἀδήκορες, ἐκλελυμένοι, παρειμένοι. Es scheint also mit ἀψικορία und ἀψικόρος einerley, u. ἀδηκόρος von ἄδος, ἀδέω zu seyn.

'Ασήμαντος, ὁ, ἡ, (σημαίνω) nicht bezeichnet, nicht versiegelt; nicht bewacht, keinen Weiser (σημάντωρ) od. Führer habend, als μῆλα Hom. Il. 10, 485. —μείωτος, ὁ, ἡ, (σημειόω) unbezeichnet, nicht bezeichnet. —μόγραφος, ὀν; ohne Zeichen oder undeutlich geschrieben oder ἀσημογράφος undeutlich schreibend; v. γράφω u. d. folgd.

'Ασημος, ὁ, ἡ, (σῆμα) Adv. ἀσήμως, ohne Zeichen, ohne Merkmal; daher unbemerkt, unbekannt, unberühmt. —μότης, ητος, ἡ, Unbekanntheit. —μων, ονος, ὁ, ἡ, f. v. a. ἄσημος. Soph. Oed. Col. 1668.

'Ασηπτος, f. v. a. ἀσαπής.

'Ασηρὸς, ὁ, ἡ, Adv. ἀσηρῶς, ekelhaft, Ekel machend, v. ἄση.

'Ασθένεια, ἡ, (σθένος) Mangel an Kraft, Unvermögen, Schwäche, Schwachheit, Kränklichkeit, Mattigkeit, Trägheit. —νέω, ῶ, ich bin ἀσθενὴς, bin schwach, unvermögend, kränklich, kränkle. Xen. Cyr. 5, 1. 17. 8, 2. 25. —νημα, ατος, τὸ, Schwächung, Schwäche, v. ἀσθενέω, mithin f. v. a. ἀσθένεια. —νὴς, έος, ὁ, ἡ, (σθένος) Adv. ἀσθενῶς, ohne Kraft, Stärke, schwach, schwächlich, unvermögend, kränklich; davon —νικὸς, ἡ, ὸν, zum ἀσθενὴς gehörig, oder f. v. a. ἀσθενὴς. —νοποιὸς, ὸν, (ποιέω) schwach machend, schwächend.

'Ασθενόῤῥιζος, ὁ, ἡ (ῥίζα) von schwacher Wurzel.

'Ασθενόψυχος, ον, (ψυχὴ) von schwachem Leben, Sinn. —νόω, ῶ, f. ώσω, schwach machen, schwächen; von σθένος.

'Ασθμα, τὸ, das kurze und schwere Odeinholen; von ἄζω *halo*, also *anhelatio*. S. ἀάζω; davon —μάζω und ἀσθμαίνω kurzen Odem und schwer holen, schwer athmen. —ματικὸς, ἡ, ὸν, v. ἆσθμα, mithin zum kurzen Odem gehörig; schwer athmend, keichend.

'Ασιανογενὴς, ὲς, (γένος) von Asiatischem Geschlechte. —ανὸς, ὁ, Asiatisch. —άρχης, ου, ὁ, d. i. 'Ασίας ἄρχων, Proconsul von Asien.

'Ασιγησία, ἡ, (σιγάω) Unvermögen zu schweigen, das Nichtschweigen. —γητος, ὁ, ἡ, unverschwiegen; nicht schweigen könnend, nicht verschwiegen, plauderhaft.

'Ασιγμος, ὁ, ἡ, (σιγμὸς) ohne Zischen.

'Ασίδηρος, ὁ, ἡ, (σίδηρος) ohne Eisen, ohne Schwerdt.

'Ασικχος, ὁ, ἡ, (S. σικχὸς) dem nicht leicht vor Speisen ekelt, der nicht delikat ist, oder das nicht leicht Sättigung, Ekel und Ueberdruss verursacht; auch v. Menschen metaph. der nicht delikat, schwierig ist.

'Ασιλλα, ἡ, eigentlich das Holz, was man über die Schultern legt, um an beyden Enden hängend Lasten oder Wassereymer zu tragen. Simonides bey Aristotel. Rhetor. 1. πρόσθε μὲν ἀμφ' ὤμοισιν ἔχων τρηχεῖαν ἄσιλλαν ἰχθῦς ἔφερον u. Alciphr. 1 ep. 1 τὰς ἀσίλλας ἐπωμίους ἀνελόμενοι καὶ τὰς ἑκατέρωθεν σπυρίδας ἐξαρτήσαντες; daher auch für die aufgehängte σπυρὶς selbst; daher ἀσιλλοφορέω ich trage mit dem Tragholze oder im Fischkorbe, bey Hesych. S. ἀναφορεύς.

'Ασίνη, ἡ, beym Theophr. C. P. 2, 25 falsch st. ἀλσίνη.

'Ασινὴς, έος, ὁ, ἡ, (σίνομαι) Adv. ἀσινῶς, unverletzt, nicht verletzend, unschädlich. Xen. Cyr. 1, 4. 7. σωτὴρ bey Aeschyl. der unversehrt erhält.

'Ασιόγεια, ἡ, beym Schol. Iliad. Φ. 321 f. v. a. αἱμασιὰ, wo es von ἄσις abgeleitet wird; im Etymol. M. steht ἀσειόγεια.

'Ασιος, ία, ιον, schlammig, λειμὼν Il. 2, 461 wo andre ἄσκιος, schattig lesen.

'Ασίρακος, ὁ, eine Heuschreckenart. Diosc. 2, 57.

'Ασις, εως, ἡ, Schlamm, Hom. Il. 21, 321. den ein angeschwollener Fluss mit sich führt und absetzt. Man kann es bequem v. ἄση u. ἄδω ableiten; im Homer lesen einige ἄσην st. ἄσιν.

'Ασιτέω, ῶ, ich bin ἄσιτος, esse nicht, —τία, ἡ, Mangel an Essen, Fasten; Mangel an Zufuhr; von —τος, ὁ, ἡ, (σιτός) Adv. ἀσίτως, ohne Essen, nicht essend, fastend.

'Ασκάλαβος, ὁ, od. ἀσκαλαβώτης, *stellio*, bey Linné *Lacerta gecko*, die an der Wand lauft, und mit den unten blattrichten und klebrichten Zehen sich überall anhalten kann, Eidechsenart.

'Ασκάλαφος, ὁ, ein Nachtvogel. Aristot. H. A. 2, 17 Ovidius Metam. 5, 539 nennt *Ascalaphus*, den er durch *bubo* erklärt. Apollodorus 2 hat einen ἀσκάλαφος der in eine Horneule ὦτος verwandelt wird; denselben nennt Antonin. Liber. Metam. 14 'Ασκάλαβος ohne das Thier, in welches er verwandelt worden, genauer zu bestimmen, als daſs es bunt, verhaſst sey, und bey Kanälen wohne.

'Ασκάλευτος, ἄσκαλος u. ἄσκαλτος, ὁ, ἡ, (σκάλλω, σκαλεύω) nicht gegraben, aufgescharrt oder nicht behackt, *sarrire*, nicht von Unkraut gereiniget. Theocr. 10, 14.

'Ασκαλής, ὁ, ἡ, ſ. v. a. ἀσκελής. zweif.

'Ασκαλώπας, 'ου, ὁ. S. σκολόπαξ.

'Ασκαμωνία, ἡ. S. σκαμωνία.

'Ασκανδάλιστος, ον, ohne σκάνδαλον, Anstoſs, Aergerniſs.

'Ασκάντης, ου, ὁ, ſ. v. a. κράβατος, ein schlechtes Bette, Stuhl zum Ruhen; auch die Leichenbahre. Antholog.

'Ασκαρδαμυκτεὶ, ἀσκαρδαμυκτὶ, Adv. ohne zu blinzeln, mit unverwandtem Blicke. So auch von der Zeit, ehe man blinzelt, augenblicklich, Xen. Cyr. 1, 4. 28. —**δαμυκτέω**, ῶ, ich sehe starr mit unverwandtem Blicke an.

'Ασκαρδάμυκτος, ὁ, ἡ, bey Opp. Cyn. 1, 208 hat Bentley die Lesart ἀσκαρδαμύκτοισιν in ἀταρμύκτοισιν verändert, nicht blinzelnd, sondern offen und unverwendet. Vergl. 4, 134.

'Ασκαρής, έος, ὁ, ἡ, und ἄσκαρθμος, ὁ, ἡ, (σκαίρω, σκαρω) nicht hüpfend, nicht springend.

'Ασκαριδώδης, εος, ὁ, ἡ, (ἀσκαρὶς) voll Spulwürmer.

'Ασκαρίζω, f. ίσω, hüpfen, springen, schnell und gewaltsam sich bewegen, ſ. v. a. σκαίρειν wie σκαρίζω u. ἀσπαρίζω.

'Ασκαρὶς, ἡ, eine Art von langen und runden Eingeweidewürmern, wie Spulwürmer, Aristot. H. A. 5, 19. 2) die Larve von ἐμπὶς, *tipula* oder *culex* bey Linne, einer Wassermücke, weil sie die Gestalt eines langen und rothen Wurms hat. Arist. daselbst. —**ριστος**, ὁ, ἡ, ſ. v. a. ἀσκαρής, bloſs Suidas erklärt damit ἀσφάδαστος.

'Ασκαύλης. Dio Orat. 71 p. 381 umschreibt ihn: αὐλεῖν ταῖς μασχάλαις ἀσκὸν ὑποβάλλοντα.

'Ασκαφος, ὁ, ἡ, (σκάπτω) nicht gegraben.

'Ασκεθής, έος, ὁ, ἡ, ſ. v. a. ἀσκηθής.

'Ασκεῖα, ἡ, ſ. v. a. ἄσκησις.

'Ασκιον, τὸ, ſ. v. a. ἀσκιον.

'Ασκελες, ſ. v. a. ἀσκελέως, eigentlich das neutr. von ασκελὴς wie ἀσκελέως das Adverbium st. ἀσκελῶς. —**λής**, ὁ, ἡ, ohne Schenkel, σκέλος; 2) ſ. v. a. ἰσοσκελὴς, mit gleichen Schenkeln; alſo von der Wage, gleichwiegend. Nicand. Ther. 41. —**λής**, ὁ, ἡ, (σκέλλω und α intenſ.) sehr getrocknet, daher hart, wie das eben daher geleitete σκληρὸς, auch mager, dürr, wie das abgeleitete σκελετὸς; metaph. hart, unveränderlich, unabläſſig, beharrlich, unaufhörlich.

'Ασκέπαρνος, ὁ, ἡ, (σκέπαρνον) nicht behauen, nicht bearbeitet, als βάθρον Sophocl. nach dem Schol. ἀπελέκητος, ἄξυστος, ἄγλυφος. —**παστος**, ὁ, ἡ, (σκεπάζω) unbedeckt. —**παστρος**, ὁ, ἡ, oder ἀσκεπὴς, ἄσκεπος, ὁ, ἡ, (σκέπη, σκέπαστρον) ohne Decke, unbedeckt.

'Ασκεπτος, ὁ, ἡ, (σκέπτομαι) Adv. ἀσκέπτως, unüberlegt, unüberdacht.

'Ασκέρα, ἡ, beym Hipponax eine Art Winterschuh von rohem Leder, woran inwendig noch die Haare den Fuſs warm halten. Hemsterh. ad Polluc. p. 1204.

'Ασκευὴς, έος, u. ἄσκευος, ὁ, ἡ, (σκεῦος) ohne Zurüstung, unvorbereitet; ohne Rüstung, ungerüstet; ohne Kleidung, σκευὴ, ungeputzt, ungeschmückt; ohne Geräthschaft, Gepäcke, σκευὴ. —**ώρητος**, ὁ, ἡ, undurchsucht, bey Strabo. S. σκευωρέω.

'Ασκέω, ῶ, die erste Bedeutung bey Homer ist dem θεραπεύω und ἐπιμεληθῆναι nach dem Etym. M. gleich, sorgen, besorgen, pflegen, warten, vorzügl. sorgfältig machen, arbeiten, bearbeiten, ausarbeiten; daher vom arbeiten des goldnen Seſſels χρύσεον θρόνον τεύξει ἀσκήσας; vom Bildhauer Daedalus χορὸν ἤσκησεν, u. vom silbernen künstlich gearbeiteten Becher Σιδόνες εὖ ἤσκησαν; vom Vergolden der Ochsenhörner χρυσὸν περίχευε κέρασιν ἀσκήσας; von den künstlich gearbeiteten Bettfüſsen ἑρμῖν' ἀσκήσας; vom spinnen und bearbeiten der Wolle, Il. 3, 388 ἀσκεῖν ἔρια ſ. v. a. κομεῖν welches in εἰροκόμῳ daselbst liegt; vom weben des Kleides Il. 14, 179 ἔξυσ' ἀσκήσας, Oppian. Hal. 2, 22 ἀσκῆσαι φᾶρεα ἐρίῳ weben; vom auslegen od. zieren Il. 10, 438 ἅρμα χρυσῷ ἤσκηται. Odyſſ. 14, 743 heiſst zusammenlegen u. rein machen, putzen, πτύξασα καὶ ἀσκήσασα χιτῶνα; daher ſ. v. a. θεραπεύω *colo*, verehren, schätzen. δαίμονα Pind. Pyth. 3, 193 θέμιν verehren und üben die Themis als Gerechtigkeit. Olymp. 8, 29. Nem. 11, 9. eben so in Prosa ἀρετὴν τέχνην λόγους verehren und üben, treiben, ausüben; daher auch lehren, unterrichten. Polyb. sagt auch περὶ τὰς τέχνας ἀσκεῖν 9. 20. σῶμα τροφῇ ἀσκεῖν Cyrop. 2, 3, 8 wie *curare* pflegen; πρὸς ἰσχὺν 2, 1, 20 durch Uebung stärken, auch m. d. folg. Infin. ἀσκῶ ποιεῖν ich übe mich darinne zu thun, d. i. ich bemühe mich; von den körperlichen Uebungen der Athleten heiſst es ſ. v. a. ἀθλεύειν, daher ἀσκητὴς ſ. v. a. ἀθλητής. In der erſten Bedeut. hat Herodian ἀσκεῖν γένειον den Bart wachſen laſſen und κόμας ἠσκημένας, und Philo ἐσθήσεσιν ἤσκησεν αὐτούς; daher bey Homer ἀσκητὸν νῆμα, λέχος fleiſsig oder fein gearbeitet, geſponnen; ἀσκητῷ πέπλῳ, geſchmückt. Theocr. Eben ſo werden διασκέω, ἐξασκέω und ἐπασκέω für ſchmücken, putzen gebraucht. Od. 17, 266. ἐπήσκηται δέ οἱ αὐλὴ τοίχῳ καὶ θριγκοῖς die αὐλὴ iſt ſorgfaltig umgeben mit Mauern. S. ἀσκηθής.

'Ασκηθὴς, έος, ὁ, ἡ, unverletzt, unverſehrt, eigentl. gepflegt, gewartet, behütet; auch ἀσκεθής.

'Ασκημα, ατος, τὸ, Uebung, Geſchäft, Arbeit; von ἀσκέω.

'Ασκηνος, ὁ, ἡ, (σκηνὴ) Adv. ἀσκήνως, ohne Zelt, mithin unter freyem Himmel liegend; ohne Täuſchung, Blendwerk, wie auf der Scene, verb. mit ἄδολος bey ἀγαπᾶν. Syneſ.

'Ασκησις, εως, ἡ, Uebung, Ausübung, von ἀσκέω; beſonders die Lebensart der Athleten, Xen. Mem. 3, 14. 3. —τήριον, τὸ, Uebungsort, Uebungsplatz, Gymnaſium. —τὴς, οῦ, ὁ, (ἀσκέω) der etwas, eine Kunſt, Handwerk, Talent übt, ausübt, vorzügl. der das Athleten-Handwerk treibt. —τικὸς, ἡ, ὸν, zur ἄσκησις, oder zum ἀσκητὴς, zur Uebung, Fechtkunſt oder zum Fechter gehörig. —τὸς, ἡ, ὸν, mit Sorgfalt gearbeitet, gekleidet, geſchmückt, κόμαι, Aelian. Il. Λ. 16, 10. ausgerüſtet, geübt. S. ἀσκέω. —τρια, ἡ, fem. von ἀσκητὴς oder ἀσκητὴρ, eine Frau, die ſich übt, gottſeligen Betrachtungen nachhängt, Nonne.

'Ασκίαστος, ου, (σκιάζω) unbeſchattet, unbedeckt.

'Ασκίδιον, τὸ, oder ἀσκίον, ein kleiner ἀσκὸς, Schlauch.

'Ασκιος, ία, ιον, (σκιὰ) ohne Schatten, nicht ſchattig; ſehr (ἄγαν) ſchattig, dick mit Bäumen oder Laub beſchattet und Schatten gebend.

'Ασκίπων, ονος, ὁ, ἡ, ohne Stock und Stab, σκίμπων, (σκήπων, ſcipio) der keinen Stock braucht.

'Ασκίτης, ου, ὁ, als ὕδρωψ eine Art von Waſſerſucht, gleichſam Schlauch-Waſſerſucht; von ἀσκός.

'Ασκληπιάδαι, οἱ, Asklepios Nachkommen. —ηπιεῖον, τὸ, Tempel des Asklepios. —ηπιὸς, ὁ, Asklepios; *Aeſculapius.*

'Ασκοδέται, οἱ, Nicand. Ther. 928. am Schlauche, ledernen Sacke die Bander am Ende, ſonſt ποδεῶνες. —κήλης, ου, ὁ, mit einem Bruche, von ἀσκὸς u. κήλη. —λόπαξ S. σκολόπαξ. —πήρα, ἡ, (ἀσκὸς, πήρα) ein Ränzel, Mantelſack.

'Ασκοπος, ὁ, ἡ, Adv. ἀσκόπως, ohne Ueberlegung, unüberlegt, nicht vorher überdacht, nicht vorhergeſehen, nicht begriffen wie ἄσκεπτος, ohne Ziel, σκοπὸς, das Ziel nicht erreichend. —πυτίνη, ἡ, (ἀσκὸς, πυτίνη) ein ledernes Trinkgeſchirr, Pollux 10, 73. wird auch ἀσκοπιτύνη geſchr.

'Ασκορδίνωτος, ὁ, ἡ, (σκορδινάομαι) munter, alart, emſig; bey Heſych.

'Ασκὸς, ὁ, der lederne Schlauch oder Sack; ἀσκὸν δέρειν τινὰ, jemand ſchinden, um einen Schlauch aus der Haut zu machen; ἤθελε ἀσκὸς δεδάρθαι καὶ ἐπιτετρίφθαι γένος, er wollte ſich lebendig ſchinden und mit ſeinem ganzen Geſchlechte ausrotten laſſen. Solon.

'Ασκοτεινὸς, ὸν, unfinſter. —φόρος, ὁ, ἡ, (φέρω) Schlauchträger.

'Ασκύλευτος, ὁ, ἡ, (σκυλεύω) unberaubt, ungeplündert, unausgezogen.

'Ασκυλτος, ὁ, ἡ, Adv. ἀσκύλτως, unzerzauſst, unzerzupft, unzerfleiſcht; nicht geplagt, geängſtiget, ungequält; von σκύλλω. überh. ſ. v. a. ἀσπάρακτος.

'Ασκυρον, τὸ, ſonſt auch ἀνδρόσαιμον, eine Art v. Johanniskraut, *hypericum,* Dioſc. 3, 172.

'Ασκυφος, ου, (σκύφος) ohne Becher od. Weinglaſs.

'Ασκώλια, ων, τὰ, (ἀσκὸς) ein Feſt des Bacchus zu Athen, wo man auf geölten Schläuchen mit einem Beine tanzte. *unctos ſaliere per utres* Virg. dah. —λιάζω, ειν, ſo auf dem Schlauche am Feſte auf einem Beine tanzen; 2) überh. tanzen, ſpringen; 3) auf einem Beine ſtehn, wie der Kranich; davon —λιασμὸς, ὁ, das Tanzen, Springen auf die erwähnte Art. —λίζω, ſ. v. a. ἀσκωλιάζω. Die Ableitung von ἀσκὸς ſcheint wegen des doriſchen ἀγκωλιάζειν ἀγκωλιάδδειν, zweifelhaſt.

'Ασκωμα, ατος, τὸ, gleichſam v. ἀσκόω, mit Leder belegen, mithin das Leder, womit man etwas belegt, bedeckt, als die Ruder beym Ruderholz; 2) ein lederner Blaſebalg. κάλαμοι ἀσκώμασιν ἐμφυσώμενοι Mathem. vet. p. 20.

'Ασμα, ατος, τὸ, (ᾄδω) das Geſungene, der Geſang, das Lied. —μάτιον, τὸ, dimin. von dem vorhergeh. —ματοκάμπτης, ου, ὁ, der den Geſang und vorzüglich die begleitende Muſik auf mannichfältige Art beugt und von dem geraden Wege, von der Einfalt abbringt, und beyde weichlich macht; vorzügl. der dithyrambiſche und tragiſche Dichter; von κάμπτω.

'Ασμενέω, (ἄσμενος) Dinarch. ἀχθομένη τοῖς παροῦσι πράγμασιν ἠσμένει μεταβολήν τινα τῶν κακῶν, wünſchte, verlangte.

Ἀσμενίζω, mit dem dat. und accusativ. ich nehme willig, freudig auf, an; bin zufrieden. —νιστὸς, στὴ, στὸν, (ἀσμενίζω) beliebt, angenehm. Themist. Or. 16 p. 203. —νος, ἀσμένη, ενον, willig, frölich, zufrieden, Adv. ἀσμένως, gern, willig. ἐμοὶ δέ κεν ἀσμένῳ εἴη u. mir würde es auch recht, lieb seyn. wie sonst εἰ σοι βουλομένῳ ἐστὶ, lat. si volentibus vobis est. Von ἥδω, ἥδομαι, ἥσμαι, ἡσμένος, ἄσμενος.

Ἀσμηκτος, ὁ, ἡ, (σμήχω) Pollux 2 sect. 35 unabgerieben, rauch. Lycophr. Hesych. hat dafür ἄσμικτος so wie auch des Pollux Handschr. S. ἐπισμήχω.

Ἀισμὸς, ὁ, s. v. a. ἆσμα.

Ἀσολοικίστως, Adv. ohne soloecismus. S. σόλοικος. —λοικος, ὁ, ἡ, Adv. ἀσολοίκως, nicht σόλοικος.

Ἀσοφία, ἡ, Mangel an Weisheit, an Klugheit, oder Dummheit, Thorheit; von —φος, ὁ, ἡ, Adv. ἀσόφως, unweise, unklug, μὴ σοφὸς.

Ἀσπάζομαι, f. άσομαι, umfassen, umarmen, anfassen, als δεξιῇ, χερσὶν Hom. Il. 10, 542. Od. 3, 35; und so von jeder freundschaftlichen, herzlichen Bewillkommung und Behandlung, mithin grüssen, begrussen, küssen, als Xen. Cyr. 6, 1. 47. 6, 4. 10 überh. lieben, z. B. vom gegenseitigen guten Vernehmen junger Leute gegen einander Cyr. 1, 4. 1. der Bundesgenossen gegen einander Cyr. 4, 2. 42. Eben so auch von einem Hunde, der seinen Herrn schmeichelnd bewillkommt, Xen. Mem. 2, 3. 9. im Gegens. von χαλεπαίνω τινὶ, einen anbellen. Auch ἀσπ. ταῖς κώπαις Plutarch. Anton. 77. denn b. den Alten salutirten die Schiffe mit den Rudern, bey uns mit den Segeln. endl. grüssen, anreden und dabey nennen. ἀσπάσασθαι τινα βασιλέα nennen, ernennen.

Ἀσπαίρω, zappeln, palpitare s. v. a. σπαίρω. bey Herodt. 8, 5. sich sperren, widersetzen.

Ἀσπάλαθος, ὁ, aspalathus, ein dornichtes Gesträuch. Dioscor. 5, 19.

Ἀσπάλαξ, ακος, ὁ, Maulwurf.

Ἀσπαλιεία, ἡ, die Fischerey, Fischfang; von —λιεύομαι und ἀσπαλιεύω, ich fange Fische, ἀσπάλευς, wie von ἰχθὺς kommt ἰχθυάω, obgleich ἄσπαλος für Fisch nur bey Hesych. aus einer fremden Mundart vorkommt; davon —λιεὺς, ὁ, und ἀσπαλιευτής, ὁ, der Fischer; v. ἄσπαλος. —λιευτὴς ὁ, s. v. a. ἀσπαλιεὺς, —λος, ὁ, Fisch. S. ἀσπαλιεύομαι.

Ἀσπανιστεία, ἡ, (σπάνις) Hierax Stobaei Serm. 232. Ueberfluss.

Ἀσπαραγία, ἡ, die Spargel-Pflanze. Theophr. H. P. 6, 3. von —ραγος, ὁ, asparagus, wovon auch unser Spargel. —ραγωνία, ἡ, s. v. a. ἀσπαραγία. Plutarch. Praec. Conjug. p. 524. —ρίζω, f. ίσω, s. v. a. ἀσπαίρω und ἀσπαρίζω.

Ἄσπαρτος, ὁ, ἡ, (σπείρω) Adv. ἀσπάρτως, ungesäet, nicht gesäet, nicht besäet, vom Lande.

Ἀσπάσιος, ία, ιον, u. ὁ, ἡ, Adv. ἀσπασίως, willkommen, freundlich, angenehm, erwünscht, lieb, geliebt.

Ἄσπασμα, ατος, τὸ, das Umarmte, das Geschätzte. —σμὸς, ὁ, das Grüssen, die Umarmung, das Küssen. —στικὸν, τὸ, zum aufnehmen, begrüssen gehörig, geschickt; τὸ ἀσπ. verst. οἴκημα, Visiten- od. Besuchzimmer; liebreich, freundlich, vorz. in der Aufnahme, im Empfang. —στὸς, ἡ, ὸν, Adv. ἀσπαστῶς, s. v. a. ἀσπάσιος von ἀσπάζομαι. —στὺς, ύος, ἡ, Gruss, Begrüssung, jonisch bey Callim.

Ἄσπειστος, ὁ, ἡ, (σπένδω) durch kein Opfer zu versöhnen, unversöhnlich; unerbittlich, höchst erbittert.

Ἄσπερμος, ὁ, ἡ, (σπέρμα) ohne Saamen, oder Kinder. Hom. Il. 20, 303.

Ἀσπερχὲς, Adv. (ἄγαν, σπέρχω) sehr dringend, hitzig, heftig Hom. Od. 1, 20. vergl. 63. wo statt dessen ἀσκελὲς. Eben so Il. 4, 32.

Ἄσπετος, ὁ, ἡ, (ἔπω, ἕσπω) unsäglich, unermesslich, gross, reichlich. ἄσπετον, wie Adv. sehr. Hymn. Vener. 237. φωνὴ ἄσπετος ῥεῖ von vielen Reden.

Ἀσπιδαποβλὴς, ῆτος, ὁ, d. i. ἀσπίδ' ἀποβαλὼν, ein Schildwerfer, Ausreisser. —δῆς, έος, ὁ, ἡ, S. σπιδής. —δηστρόφος, ον, (στρέφω) Schildträger. —δηφόρος, ὁ, ἡ, (φέρω) Schildträger, beschildet. —διον, τὸ, ἀσπιδισκάριον, τὸ, von ἀσπιδίσκη, wovon auch ἀσπιδίσκιον, τὸ, diminutiv. von ἀσπὶς, kleiner runder Schild. —διώτης, ου, ὁ, s. v. a. ἀσπιδηφόρος. —δόδηκτος, ὁ, ἡ, (δάκνω) von einer Aspis gebissen. —δόδουπος, ον, schildrauschend. —δόεις, όεσσα, όεν, od. ἀσπιδοειδὴς, (εἶδος) schildartig, schildförmig.

Ἀσπιδοθρέμμων, ον, ἀσπίδι, d. i. πολέμῳ τρεφόμενος; vergl. ἀσπιδοφέρμων. —δοπηγεῖον, τὸ, oder ἀσπιδοπήγιον, Werkstätte eines ἀσπιδοπηγός. —δοπηγὸς, ὁ, (πηγνύω) Schildmacher, weil das Holz gefügt ward, worüber meist Leder gezogen ward. —δοποιΐα, ἡ, Vertertigung der Schilde; von —δοποιὸς, ὁ, (ποιέω) Schildmacher. —δότροφος, ὁ, ἡ, sich von der Aspis nährend; ἀσπιδοτρόφος, der solche Schlangen ernährt und hält. —δοῦχος, ὁ, ἡ, contr. aus ἀσπιδόεχος, (ἔχω) Schildhaltend, Schildträger. —δοφέρμων, ονος, ὁ, ἡ, s. v. a. ἀσπιδοθρέμμων, von φέρβω, der sich vom Schilde od. Kriege nährt, Krieger. —δοφόρος, ὁ, ἡ, s. v. a. ἀσπιδηφόρος.

'Ασπίζω, f. ίσω, befchilden, mit einem Schild decken, oder fechten. zw.

'Ασπιλος, ὁ, ἡ, oder ἀσπίλωτος, ohne Flecken (σπῖλος), unbefleckt (σπιλόω), fleckenlos.

'Ασπὶς, ίδος, ἡ, runder Schild; ein Heer gefchildeter Krieger, als ἀσπὶς ὀκτακισχιλίη Herodot. Weil man das Schild in der linken Hand hielt, fo heifst daher ἐξ ἀσπίδος, zur Linken, ἐπ' ἀσπίδα, παρ ἀσπίδα zur Linken, zur Linken hin; als Thier, die Afpis, viell. die Brillenfchlange.

'Ασπιστὴρ, ἀσπιστὴς u. ἀσπίστωρ, (ἀσπίζω) befchildet, Schildführer.

'Ασπλαγχνία, ἡ, Unbarmherzigkeit; von —αγχνος, ὁ, ἡ, (σπλάγχνα) ohne Eingeweide, d. i. ohne Gefühl od. Mitleiden; auch ohne Herz u. Muth, Sophocl. Aj. 472.

'Ασπληνον, τὸ, d. i. Milzkraut. Diofc. 3, 151. Plin. 27, 15. das neutrum von

'Ασπληνὸς, ὁ, ἡ, (σπλὴν) ohne Milz.

'Ασπονδεὶ, Adv. von ἄσπονδος, ohne Libation, ohne Ausföhnung, ohne Freundfchaftsbündnifs. —δέω, ῶ, ich mache kein Bündnifs, will kein Bündnifs, halte kein Bündnifs; von —δος, ὁ, ἡ, (σπονδὴ) ohne Libation; ohne Bündnifs, Verföhnung, ohne Vertrag, ohne Waffenftillftand; der dergl. nicht machen will, oder nicht hält, oder erbitterter, unverfohnlicher Feind.

'Ασπορος, ὁ, ἡ, (σπορὰ) ohne Saamen, nicht befäet, nicht ausgefaet.

'Ασπούδαστος, ὁ, ἡ, (σπουδάζω) nicht eifrig betrieben, vernachlafsigt. —δεὶ, Adv. ἀσπουδὴ u. ἀσπουδὶ, ohne Mühe, ohne Anftrengung, ohne Eile, Eifer, χωρὶς σπουδῆς.

'Ασπρος, ἡ, oder ἄσπρις eine Art Eichen beym Theophr. hift. pl. 3, 10. bey Hefychius findet fich ἄσκρα, δρῦς ἀκαρπος viell. diefelbe.

'Ασσάομαι, S. ἀσάομαι.

'Ασσάριον, τὸ, vom lat. *as* gemacht, ein kleines *as*, Matth. 10, 29. u. Plutarch. in Camill. rechnet 15000 affaria auf 1500 Drachmen, mithin 10 auf eine Drachme. 2) das lat. *affarium*, als eine Art von Ventil, von dem Charniere, *coaffatio*, fo genannt. Beym Hero Spiritual.

'Ασσον, Adv. näher, auch m. d. Genit. wie ἀγχοῦ wovon gleichfam ein Compar. ἄσσων neutr. ἄσσον; dav. ein neuer compar. ἀσσότερος, fuperl. ἀσσότατος, davon Adv. ἀσσοτέρω u. ἀσσοτάτω.

'Ασσω, ἄσσομαι. S. ἀάομαι.

'Ασσώδης, ῶδες, S. ἀσώδης.

'Ασταγὴς, έος, ὁ, ἡ, (στάζω) nicht tröpfelnd, fondern ftark fliefsend.

'Ασταθὴς, έος, ὁ, ἡ, (στάω) unftätig, unbeftändig.

'Ασταθμευτος, ὁ, ἡ, f. v. a. ἀνεπισταθμευτος. zweif. ohne Lager, σταθμὸς von σταθμεύω. —μητος, ὁ, ἡ, unftätig, nicht feft oder an einem Orte ftehend; als ἀστέρες, *ftellae errantes*; Xen. Mem. 4. 7. 5. metaph. unbeftändig, ungewifs. von σταθμάω.

'Αστακὸς, ὁ, eine Gattung Krebfe, wozu auch der Flufskrebs gehört.

'Αστακτὶ, Adv. nicht tröpfelnd, fondern ftrömend, als δακρύω Philoftr. wie ἀσταγής. —κτος, ὁ, ἡ, u. ἀστάλακτος, ὁ, ἡ, (στάζω, σταλάσσω) nicht träufelnd, nicht tropfelnd.

'Ασταλὴς, έος, ὁ, ἡ, (στέλλω) nicht ausgerüftet, zubereitet, angezogen.

'Αστάνδης, ὁ, bey Plutarch. Alex. 18 ein perfifches Wort f. v. a. ἄγγαρος u. ἡμεροδρόμος, ein Eilbote; wo vorher falfch ἀσγάνδης ftand.

'Αστασία, ἡ, (στάσις) Unftätigkeit, Unbeftändigkeit. —σίαστος ὁ, ἡ, nicht aufrührerifch od. in Aufruhr gebracht. στασιάζω.

'Αστατέω, ῶ, ich bin ἄστατος, unftätig oder unbeftandig. —τος, ὁ, ἡ, Adv. ἀστάτως, unftätig, unbeftändig; ungewogen. Nicand. Ther. 602. von στάω, ἵστημι.

'Ασταφὶς, ίδος, ἡ, und ἀσταφιδίτης, ὁ, ἀσταφιδῖτις, ἡ, f. v. a. σταφὶς u. σταφιδίτης.

'Ασταφύλινος, ὁ, f. v. a. σταφυλῖνος.

'Αστάφυλος, ον, (σταφυλὴ) ohne Trauben.

'Ασταχυς, υος, ὁ, f. v. a. σταχύς.

'Αστέγαστος, ὁ, ἡ, (στεγάζω) unbedeckt, unverhehlt. —γὴς, έος, ὁ, ἡ, (στέγη) ohne Dach, unbedeckt. —γος, ὁ, ἡ, ohne Dach, στέγη, unbedeckt; übergetr. Prov. 10 χείλεσι, deffen Lippen nicht bedeckt find, ausplaudernd. 2) active v. στέγω, nicht faffend, haltend, f. v. a. ἄστεκτος.

'Αστειεύομαι, oder ἀστεΐζομαι, rede, thue, handle, betrage, gebärde mich wie ein Städter, in der Stadt in Gefellfchaft gebildeter, artiger, feiner, fcherzhafter, witziger Menfch, ein ἀστεῖος.

'Αστειολόγος, ὁ, ἡ, fein, artig, fcherzhaft in Reden. —λογία, ἡ, feine, fcherzhafte Rede. —ρημονέω, (ἀστεῖος, ῥῆμα) ich rede fein, artig, fcherzhaft.

'Αστεῖος, ὁ, ἡ, u. ἀστεῖος, εία, εῖον, (ἄστυ) Adv. ἀστείως, ftädtifch; dah. gebildet, fein, artig, manierlich, witzig, finnreich, fcherzhaft, wie *urbanus*; dav. —οσύνη, ἡ, u. ἀστειότης, ἡ, Artigkeit, Scherzhaftigkeit, Witz. v. ἀστεῖος.

'Αστεϊσμὸς, ὁ, artige witzige Rede oder Handlung, v. ἀστεΐζομαι.

'Αστεκτος, ὁ, ἡ, Adv. ἀστέκτως, f. v. a. ἄστεγος, auch unaushaltbar, v. στέγω.

'Αστελέχης, εος, ὁ, ἡ, od. ἀστέλεχος, (στέλεχος) ohne Stamm.

'Αστέμβακτος, ὁ, ἡ, (στεμβάζω, d. i. ὑβρίζω) unbeſchimpft, S. auch ἀστεμβὴς.

'Αστεμβὴς, έος, ὁ, ἡ, oder ἀστεμφὴς, Adv. ἀστεμφῶς, unbewegt, unbeweglich, als σκῆπτρον ἔχειν Hom. Il. 3, 219 unbeweglich den Zepter halten, und übergetr. βουλὴ, unerſchütterlicher feſter Entſchluſs Hom. Il. 2, 344. von στέμβω ich bewege, ſchüttle, erſchüttere, daher auch unerbittlich; hart; feſt; tapfer. Daſſelbe ſcheint auch bisweilen ἀστέμβακτος zu ſeyn.

'Αστένακτος, ὁ, ἡ, Adv. ἀστενάκτως, ἀστενακτεὶ, ἀστενακτὶ, nicht ſeufzend, ohne zu ſeufzen.

'Αστεπτος, ον, (στέφω) nicht bekränzt, bey Eurip. von Göttern, deren Altäre man nicht kränzt, die man mithin nicht ehrt, vergl. Hom. Il, 1, 39.

'Αστεργάνωρ, ορος, ἡ, den Mann nicht liebend; zweif. —γὴς, έος, ὁ, ἡ, unhold, unfreundlich; feindſelig. Sophocl. Aj. 787.

'Αστέρειος, (ἀστὴρ) ſidereus, ſtellatus, geſtirnt, himmliſch. —ρίας, ſtellaris, mit Flecken geſtirnt, alſo eine Reiher-Falken, und Hayfiſchart. —ρίζω, f. ίσω, gewöhnlicher iſt καταστερίζω. —ριος, ὁ, ἡ, ſternenähnlich, dav. eine Art Φαλάγγιον bey Nicand. ἀστέριον heiſst. —ρίσκος, ὁ, ein Sternchen (*), womit der Kritiker ſchönere Stellen in den Handſchriften auszeichnet. —ρισμὸς, ὁ, Strahlenglanz des Haupts; bey Diodor. Sic. 19, 34. wo es wahrſch. ἀστερίσκος heiſsen ſoll. —ροειδὴς, ές, (εἶδος) ſternartig. —ρόεις, όεσσα, όεν, geſtirnt. —ρόμματος, ον, mit Sternenaugen, Sternen ſtatt der Augen; Beywort der Nacht. —ροπὴ, ἡ, Blitz, ſt. ἀστραπὴ. —ροπητὴς, οῦ, ὁ, Blitzer, Blitzſchleuderer, ſt. ἀστραπητὴς. —ροσκόπος, ὁ, ἡ, Sternſeher, Sternbetrachter. —ροφεγγὴς, ές, (φέγγος) mit Sternen glänzend. —ρωπὸς, ὁ, ἡ, (ὤψ) mit Sternenblick, Eurip. Phoe. 131 ſternartig, geſtirnt.

'Αστέφανος, od. ἀστεφάνωτος, ὁ, ἡ, ohne Kranz (στέφανος), unbekränzt (στεφανόω).

'Αστὴ, ἡ, eine Städterin, Bürgerin, v. ἀστός.

'Αστηλος, ὁ, ἡ, ohne στήλη Säule, vorzügl. auf dem Grabe.

'Αστὴν u. ἄστηνος, ὁ, ἡ, arm, elend, unglücklich, einerley mit δύστηνος welches gebräuchlicher ist. Heſych. hat davon ἀστηνέω ſt. ἀδυνατέω ich bin arm, elend, unvermögend. Die Ableitung iſt ungewiſs.

'Αστὴρ, έρος, ὁ, Stern; 2) Meerſtern; 3) ein Sangvogel mit rother Platte. Oppian. Ixeut. 3, 2. —ρικτος, ὁ, ἡ, (στηρίζω) nicht befeſtigt, geſtützt, gegründet.

'Αιστὴς, οῦ, ὁ, (ᾄδω) Sänger, zweif.

'Αστιβὴς, έος, ὁ, ἡ, (στείβω) nicht betreten, unwegſam.

'Αιστικὸς, ἡ, ὸν, (ἀϊστὴς) ein geſchickter Sänger. zweif.

'Αστικὸς, ἡ, ὸν, Adv. ἀστικῶς, Städter; ſtädtiſch, daher geſittet, fein, artig, gebildet, klug, wie *urbanus*. S. auch ἀστυκὸς.

'Αστικτὸς, ὁ, ἡ, (στίζω) nicht durch Stiche oder Punkte bezeichnet oder bunt gemacht.

'Αστίοχος, ὁ, nach Heſych. d. *malleolus incendiarius* bey Belagerungen zum Zünden gebraucht.

'Αστοιχειωτὸς, ον, (στοιχειόω) ohne Elemente; ohne die erſten Anfangsgründe, unwiſſend. —χος, ὁ, ἡ, (στοῖχος) ohne Reihe, ohne Abtheilung.

'Αστομος, ὁ, ἡ, (στόμα) ohne Mund, ohne Sprache, verb. mit ἀπεγλωττισμένος Lucian. mit einem kleinen Munde Xen. Cyr. mit unlenkbarem Munde, unbezähmbar, als ἵππος Aeſchyl. nicht gut oder unangenehm für den Mund oder den Gaumen Athen. verb. mit ἀπειθὴς τὴν γεῦσιν. —μωτος, ὁ, ἡ, (στομόω) nicht gehartet, geſtählt, geſchärft; eigentl. von Eiſen.

'Αστονος, ον, ohne Seufzer (στόνος); ſehr (ἄγαν) ſeufzend.

'Αστόξενος, ὁ, ἡ, deſſen Voreltern Bürger waren; nach andern denen man Ehrenhalber das Bürgerrecht gegeben hat.

'Αστοργία, ἡ, Mangel an Liebe; Liebloſigkeit; von —γος, ὁ, ἡ, (στοργὴ) ohne Liebe, ohne natürliche Zuneigung.

'Αστὸς, ὁ, Städter, Bürger, v. ἄστυ.

'Αστοχέω, ῶ, m. d. Genit. ich bin ἄστοχος, verfehle das Ziel, verirre mich von; irre mich in Anſehung; fehle in Anſehung u. ſ. w. —χημα, ατος, τὸ, das Verfehlen, Fehler, wie ἁμάρτημα. —χία, ἡ, das Verfehlen des Ziels; übergetr. Verſehen, auch Unachtſamkeit, Unvorſichtigkeit, Unbeſonnenheit bey Polyb. von —χος, ὁ, ἡ, (στοχάζομαι) Adv. ἀστόχως, nicht gut zielend, das Ziel verfehlend; daher ſich vergehend, nicht treffend, als διάνοια μὴ ἄστοχος, treffender, durchdringender Verſtand; überh. irrig, fehlend, unachtſam, unüberlegt und dergleichen.

'Αστράβη, ἡ, (ἀστραβὴς) hölzerner Sattel; anfänglich und vorzüglich wohl nur ein Saumſattel, worauf die Laſten gepackt und unverrückt erhalten wurden; geſattelter Mauleſel auch zum reiten; davon

Ἀστραβηλάτης, ου, ὁ, d. i. ἀστράβην ἐλαύνων, Maulefelführer. —βηλος, ὁ, f. v. a. στράβηλος. —βής, έος, ὁ, ἡ, f. v. a. ἀστραφής u. ἄστρεπτος. —βίζω (ἀστραβής) befeftigen, ebnen, gleichen, daher ἀστραβιστήρ bey Hefych. ein Feldmefferinftrument, wie des Vitruv. *chorobates*, Bey Aefchyl. Supp. 293. καμήλοις ἀστραβίζουσαι die auf Kameelen reiten, wie die Griechen auf den ἀστράβαις Mauleseln. Bey Pollux 7. 186 fcheint in demfelben Sinne ἀστραβεύειν zu ftehn.

Ἀστραγάλειος, ὁ, ἡ, *talaris*, v. ἀστράγαλος. —γαλίζω, f. ίσω, mit ἀστραγάλοις fpielen. S. ἀστράγαλος. —γαλῖνος, ὁ, der Vogel *carduelis*, fonft ποικιλίς, Diftelfink. Oppian. Ixeut. 3, 2. —γάλιον, τὸ, oder ἀστραγαλίσκος, dimin. von ἀστράγαλος. —γαλισμός, ὁ, Spiel mit ἀστράγαλος, welches fiehe. —γαλιστικός, ἀστραγαλιτικός, ή, όν, zum Spiele mit ἀστρ. gehörig. —γαλίτης, ου, ὁ, von der Art und Geftalt des ἀστρ. oder Sprungbeins.

Ἀστράγαλος, ὁ, bey Hom. Il. Ξ. 466. der Halswirbel; 2) gewöhnl. *talus*, das Sprungbein in der Ferfe, welches von Thieren genommen zum Spielen gebraucht ward; daher 3) eine Art v. Würfel, länglicht, *talus*. Scheint mit ἄστρις, ὁ, ἄστριξ, ἄστριχος einerley Urfprung zu haben. Die Geftalt diefer Knochen war gebogen und krumm fechseckigt. Damit fpielte man ein Spiel πενταλιθίζειν welches fiehe; das andere wo man die Knöchelknochen aus der flachen Hand warf und die Zahlen berechnete oder den Werth, welche jede Seite hat. Die Geftalt fehe man in Herkulan. Gemäld. 1 Tab. 1. 4) als Marterwerkzeug nennt Diodor ἀστραγάλους; 5) als Zierrath an der jonifchen Säule Vitruv. 6) eine Hülfentragende Pflanze, *aftragalus*. 7) als Maafs bey den Aerzten.

Ἀστραγαλώδης, ες, von der Geftalt des *talus*, ἀστράγαλος. —γαλωτός, ή, όν, f. v. a. ἀστραγάλειος, als μάστιξ, eine mit Knöcheln durchflochtene Peitfche.

Ἀστραπαῖος, αία, αῖον, voller Blitz, blitzend.

Ἀστραπή, ἡ, Blitz, Blitzglanz. —πηφορέω, ῶ, ich bin ein ἀστραπηφόρος. —πηφόρος, ὁ, ἡ, d. i. ἀστραπὴν φέρων, Blitze bringend, (den Zeus) mit Blitzen bedienend. —ποειδής, έος, ὁ, ἡ, (εἶδος) blitzförmig, fich fchlängelnd.

Ἀστραπτεύς, έος, Blitzer, Blitzfchleuderer. —πτικός, ή, όν, blitzend.

Ἀστράπτω, f. ψω, blitzen, Blitze fchleudern; glänzen, fchimmern wie der Blitz, Xenoph. Cyr. 6, 4. 1. S. στράπτω.

Ἀστράρχης, ου, ὁ, ἡ, d. i. ἄστρων ἄρχων.

Ἀστρατεία, ἡ, Freyheit vom Kriegsdienfte Ariftoph. das Verlaffen des Kriegsdienftes, Defertion, als ἀστρατείας ὑπόδικος Plato. τῆς ἀστρατείας ἑάλω Demofth. —τευτος, ὁ, ἡ, d. i. μὴ στρατευόμενος, der im Kriegsdienfte nicht ftehet oder nicht geftanden hat. —τηγησία, ἡ, Handlungsart eines ἀστρατήγητος, Ungefchicklichkeit eines Feldherrn. —τήγητος, ὁ, ἡ, (στρατηγέω) Adv. ἀστρατηγήτως, nicht vom Feldherrn geführt, ohne Feldherrn; ungefchikter Feldherr. —τηγικός, ή, όν, f. v. a. das vorherg. oder μὴ στρατηγικός.

Ἀστραφής, έος, ὁ, ἡ, und ἄστρεπτος, ὁ, ἡ, (στρέφω) nicht zu biegen, unlenkfam, hart. f. v. a. ἀστροφός und ἀστραβής.

Ἀστρικός, ή, όν, von den Sternen, zu ihnen gehörig.

Ἀστρις, ὁ, ἄστριχος, ὁ, bey Kallim. f. v. a. ἀστράγαλος; daher ἀστρίζω f. v. a. ἀστραγαλίζω.

Ἀστροβλής, ῆτος, ὁ, ἡ, von dem Sterne vorz. Sonne oder Hundsfterne getroffen βάλλω, *fideratus*; dav. —βλησία, ἡ, die Krankheit des vom Sterne, Hundsfterne, Sonne getroffenen Menfchen, Baums u. f. w. —βολέομαι, οῦμαι f. ήσομαι, od. ἀστροβολίζομαι, vom Hundsfterne oder der Sonne getroffen, *fideror*. —βόλητος, ὁ, ἡ, f. v. a. ἀστροβλής. —βολία, ἡ, oder ἀστροβολισμός, f. v. a. ἀστροβλησία. —γείτων, ονος, ὁ, ἡ, den Sternen nahe, fehr hoch. —δίαιτος, ον, (δίαιτα) unter den Sternen oder unter dem geftirnten Himmel lebend, bleibend. —ειδής, ές, (εἶδος) fternartig. —θεσία, ἡ, Stellung, Lage der Sterne, der Geftirne neben einander, Conftellazion; von θέσις, ἄστρον. —θετέω, ich ftelle, ordne Sterne; von ἀστροθέτης; dav. —θέτημα, ατος, τὸ, aufgeftelltes Geftirn. —θέτης, ου, ὁ, (τίθημι) Sternfteller, der die Geftirne ftellt, ordnet und benennet. —θετος, ὁ, ἡ, zum ordnen der Sterne gehörig. —θύτης, ου, ὁ, der Sternen opfert, fie göttl. verehrt. —λεσχέω, v. Geftirnen und Sterndeuterey fchwatzen; u. ἀστρολέσχης, ὁ, der von den Sternen fchwatzt, Sterndeuter. Nicetas Annal. 3, 7. 6, 2. —λογέω, ῶ, ich bin ein ἀστρολόγος; davon —λόγημα, ατος, τὸ, Sterndeutung. —λογία, ἡ, Sternkunde, Befchäftigung od. Kenntnifs eines ἀστρολόγος. —λογικός, ή, όν, z. Aftrologie od. zu einem Aftrologen gehörig. —λόγος, ὁ, fternkundig. Denn in ältern Zeiten ift es f. v. a. ἀστρονόμος, z. B. Xen. Mem. 4, 7. 4. Cic. off. 1, 6. Die fpätern nehmen es in der Bedeutung Sterndeuter.

ʼΑστρόμαντις, εως, ὁ, Sternseher, Sternprophet.

ʼΑστρον, τὸ, Stern, Gestirn, besonders das Hundsgestirn. Bey den Dichtern auch die Sonne. ἄστροις σημαίνεσθαι, τεκμαίρεσθαι von einem Wege, Lande, wo der Reisende sich nicht anders als nach den Sternen richten kann; metaph. also ein wüstes Land bereisen, darinne herumirren; oder auch sich sehr weit von einer Gegend entfernen. Aelian. H. A. 2, 7.

ʼΑστρονομέω, ῶ, ich bin ein ἀστρονόμος. —νομία, ἡ, Sternkunde, Beschäftigung oder Kenntniss eines ἀστρονόμος. —νομικὸς, ἡ, όν, s. v. a. ἀστρολογικὸς; von —νόμος, ὁ, (νέμω) die Sterne oder Gestirne vertheilend oder sie ordnend, sternkundig, Astronom. —πλὴξ, γος, ὁ, (πλήσσω) vom Gestirn (Hundsgestirn) getroffen od. vertrocknet. —πολέω, ῶ, (πολέω) sich mit den Gestirnen beschäftigen.

ʼΑστρούθιστος, ὁ, ἡ, (στρουθίον, στρουθίζω) nicht mit Seifenkraut, ausgewaschen. Dioscor. 2, 84.

ʼΑστροφέναξ, ακος, ὁ, ἡ, der mit den Sternen u. der Sterndeuterey die Menschen äfft. Nicetas-Annal. 8, 7. —φόρος, ὁ, d. i. ἄστρα φέρων, astrifer.

ʼΑστροφος, ον, (στρέφω) nicht um- od. weggewandt, unverwandt. s. v. a. ἀστρεφὴς und ἄστρεπτος.

ʼΑστροχίτων, ονος, ὁ, ἡ, (χιτὼν) in Sterne gekleidet.

ʼΑστρῷος, ὁ, ἡ, von den Sternen, als σώματα, ἀνάγκη; ἀστρῷος ἀετὸς, ein den Sternen zufliegender Adler.

ʼΑστρωτὸς, όν, s. oben ἀστρωτὸς.

ʼΑστρωσία, ἡ, das Liegen ohne Lager, Bette, Decke.

ʼΑστρωτος, ὁ, ἡ, (στρώννυμι) ohne Decke, Pferde-Decke statt Sattel, ohne Lager, Bette, Decke.

ʼΑστυ, εος, τὸ, Stadt, vorzugsweise Athen, wie *urbs* Rom, Xen. Mem. 2, 7. 2. Corn. Themist. 4, 2. —βοώτης, ου, ὁ, ἡ, d. i. κατ' ἄστυ βοῶν, ein Herold, der durch die Stadt schreyet. Il. 24, 701. —γειτονέω, ῶ, ich bin ein ἀστυγείτων. im Medio bey Aesch. Sup. 294. —γειτονικὸς, ἡ, όν, s. v. a. das folgende. —γείτων, ονος, ὁ, ἡ, der Stadt nahe, in der Nähe der Stadt wohnend, Vorstädter u. s. w. —δρομέω, bey Aeschyl. Sept. 223 die Burg belaufen, bestürmen.

ʼΑστικὸς, ἡ, όν, wie ἀστὸς, Städter, Stadtbewohner, Bürger; ein Städter im Betragen, im Umgange, fein, gebildet, artig.

ʼΑστυλὶς, ίδος, ἡ, S. στυλὶς.

ʼΑστυλος, ὁ, ἡ, (στύλος) ohne Säulen.

ʼΑστυνομέω, ich bin ἀστυνόμος, —νομία, ἡ, Amt oder Würde eines ἀστυνόμος. —νομικὸς, ἡ, όν, zu einem ἀστυνόμος und dessen Amt gehörig. —νόμιον, τὸ, Befehl, Anordnung eines ἀστυνόμος. —νόμος, ὁ, wie ἀγορανόμος, ὁ τὸ ἄστυ νέμων, der die Stadt verwaltet, der Polizeyverwalter oder Director vom ἀγορανόμος unterschieden, aber die Anzahl dieser Magistratspersonen war zu Athen sich gleich; die Griechen nennen auch so die *aediles* der Römer.

ʼΑστύοχος, ὁ, ἡ, (ἔχω) stadthaltend, d. i. die Stadt beschützend, als τεῖχος, μέριμνα.

ʼΑστυπολέω, ῶ, ich bin in der Stadt, halte mich da auf. vergl. ἀστροπολέω. —πολία, ἡ, Aufenthalt in der Stadt. Hierocles Stobae. Serm. 83.

ʼΑστυρον, ein kleines ἄστυ, ein Städtchen.

ʼΑστυτος, der nicht mehr στύειν, στύεσθαι kann; davon ἀστυτις, ἡ, *lactuca*, Salatkraut, das diese Wirkung hervorbringt.

ʼΑστυτριψ, ὁ, ἡ, wie οἰκότριψ, der sich immer in der Stadt aufhält, *urbanus*. Philostr. Icon. 2, 26.

ʼΑστυφέλικτος, ὁ, ἡ, (στυφελίζω) nicht erschüttert, nicht beunruhigt. —φελος, ὁ, ἡ, d. i. μὴ στυφελὸς.

ʼΑσυγγενὴς, έος, ὁ, ἡ, d. i. μὴ συγγενὴς. —γνώμων, ονος, ὁ, ἡ, nicht verzeihend, nicht gerne verzeihend, ungnädig, unbarmherzig, hart. —γνωστος, ὁ, ἡ, (συγγνόω, γινώσκω) Adv. ἀσυγγνώστως, nicht zu verzeihen, unverzeihlich, nicht werth, dass man ihm verzeihe. —γραφος, ον, (συγγραφὴ) ohne Handschrift. —γύμναστος, ὁ, ἡ, (συγγυμνάζω) ohne Uebung, ungeübt.

ʼΑσυγκέραστος, ὁ, ἡ, (συγκεράννυμι) nicht zu mischen, was sich nicht mischen lässt; nicht gemischt. —κλειστος, ὁ, ἡ, (συγκλείω) was nicht verschlossen oder mit andern zusammengeschlossen, zusammen in ein Gefängniss u. s. w. verschlossen ist. —κλωστος, ὁ, ἡ, (συγκλώθω) nicht zusammenzuspinnen oder zu weben, übergetr. nicht zu reimen, unreimbar. Synes. —κόμιστος, ὁ, ἡ, (συγκομίζω) nicht zusammengetragen, gesammlet, eingeärndtet. Xen. Cyr. 1, 5. 10. —κρατος, ὁ, ἡ, s. v. a. ἀσυγκέραστος. —κριτος, ὁ, ἡ, (συγκρίνω) Adv. ἀσυγκρίτως, nicht zu vergleichen, unvergleichlich, unähnlich; nicht gesellschaftlich, nicht vereinbar. —κρότητος, ὁ, ἡ, Adv. ἀσυγκροτήτως, s. oben ἀξυνκρότητος. —χυτος, ὁ, ἡ, Adv. ἀσυγχύτως, nicht zusammengegossen, nicht vermischt, nicht verwechselt. —χώρητος, ὁ, ἡ, (συγχωρέω) nicht zuzugeben, nicht zu erlauben, nicht zu vergeben, unverzeihlich, der Verzeihung unwürdig; act. nicht vergebend, nicht gerne, nicht leicht verzeihend, ungnädig, hart, Adv. ἀσυγχωρήτως, unverzeihlich.

'Ασύζευκτος, ον, (συζεύγνυμι) nicht zusammenzujochen, oder zu paaren, unvereinbar. —κοφάντητος, ὁ, ἡ, Adv. ἀσυκοφαντήτως, nicht von Sykophanten angeklagt, nicht verläumdet oder chikanirt. —λαῖος, αία, αῖον, zum Asyl gehörig, als θεός. Plut. —λάρχης, αυ., ὁ, d. i. ἄσυλος ἄρχων, unverletzliche Magistratsperson, als Volkstribun. falsche Lesart Dionys. Ant. 7, 45 statt ἀσύλου ἀρχῆς.

'Ασυλεί, Adv. unverletzlich. sicher vor Plünderung, vor Gefahr; wie Adverb. v. ἄσυλος. —λητος, ὁ, ἡ, s. v. a. ἄσυλος von συλάω. —λία, ἡ, Unverletzbarkeit, Heiligkeit des Orts und des dahin flüchtenden Menschen.

'Ασύλληπτος, ὁ, ἡ, (συλλαμβάνω) nicht zu fassen, ergreifen od. begreifen, unbegreiflich; act. nicht fassend, nicht concipirend, nicht schwanger werdend. Diosc. —ληψία, ἡ, Zustand eines ἀσύλληπτος; auch das nichtempfangen od. schwangerwerden. —λόγιστος, ὁ, ἡ, (συλλογίζομαι) Adv. ἀσυλλογίστως, nicht zusammengerechnet oder zu rechnen, nicht zu reimen, unbegreiflich, als πράγματα Plut. verbunden mit ἄδηλα; durch keine Schlussfolge herausgebracht oder zu bringen, συλλογισμοὶ u. λόγοι ἀσυλλ. falsche Schlüsse, unzusammenhängende ungereimte Reden, ohne Schlussfolge.

'Ασυλον, τὸ, verst. δῶμα, χωρίον, τέμενος, wie bey ἱερὸν, eine Freystätte, Zufluchtsort, Asyl.

'Ασυλος, ὁ, ἡ, oder ἀσύλωτος, ohne Plünderung oder Beraubung (σύλη), nicht geplündert (συλόω), unberaubt; nicht zu berauben, nicht zu verletzen, unverletzlich, sicher, gesichert; unversehrt.

'Ασύμβατος, ὁ, ἡ, (συμβαίνω) Adv. ἀσυμβάτως, nicht vereiniget, oder vereinigend; nicht zu vereinbaren, oder sich nicht vereinigend, nicht passend. κοινολογία ἀσ. bey Polyb. wobey man sich nicht über etwas vereinigen kann. —βλητος, ὁ, ἡ, (συμβάλλω) nicht zu vergleichen, ungleich; nicht zu errathen, unerreichbar, dunkel. Aelian. H. A. 6, 60. —βολέω, s. v. a. ἀσύμβολός εἰμι. Achill. Tat. 8 p. 525 ἵνα μὴ ἀσυμβολήσω μυθολογίας. damit ich meinen Antheil zur Erzählung beytrage. —βολος, ὁ, ἡ, (συμβολή) Adv. ἀσυμβόλως, ohne Beytrag zum Gastmahl, der keinen Beytrag dazu giebt, oder pass. ἀσύμβολον δεῖπνον, ein Gastmahl, wozu kein Beytrag gegeben wird; daher überhaupt, der nichts mitbringt, nichts fürs Ganze nützet, unnütz Plut. —βούλευτος, ὁ, ἡ, und ἀσύμβουλος, ὁ, ἡ, (συμβουλεύω) unberathen, den keiner mit einem Rath unterstützt, der keinen andern um Rath fragt.

'Ασυμμετρία, ἡ, Mangel an Ebenmaass; von —μετρος, ὁ, ἡ, Adv. ἀσυμμέτρως, d. i. μὴ σύμμετρος, ohne Ebenmaass, ungleich, nicht passend, unschicklich, uneben. —μιγής, ἐς, unvermischt, unvereinigt, unvereinbar, συμμίγνυμι. —μικτος, ον, s. v. a. das vorherg.

'Ασυμπαγής, ἐος, ὁ, ἡ, (συμπήγνυμι) nicht zusammengefügt. —πάθεια, ἡ, Mangel an Mitgefühl, oder Mitleid; von —παθής, ἐος, ὁ, ἡ, Adv. ἀσυμπαθῶς, der mit andern im Gefühl nicht stimmt, nicht mit andern leidet, nicht mitleidig, unbarmherzig; nicht sympathisirend. S. συμπαθής. —πλεκτος, ὁ, ἡ, (συμπλέκω) nicht zusammengeflochten, nicht verbunden oder vereiniget; oder nicht vereinbar. —πλήρωτος, ὁ, ἡ, nicht vollgefüllt, nicht vollendet, συμπληρόω. —πλοκος, ον, s. v. a. ἀσύμπλεκτος. —πώρωτος, ὁ, ἡ, (συμπωρόω) durch keinen Kallus verwachsen. —φανής, ἐος, ὁ, ἡ, Adv. ἀσυμφανῶς, nicht sichtbar, nicht deutlich. —φιλος, ον, von Freundschaft abgeneigt. zweif. —φορος, ὁ, ἡ, (συμφέρω) Adv. ἀσυμφόρως, nicht zuträglich, nicht nützlich, schädlich. —φυής, ἐος, ὁ, ἡ, nicht zusammenwachsend, nicht verwachsen; metaph. unvereinbar, ungeschickt, s. v. a. ἀνοίκειος. —φυλος, ὁ, ἡ, nicht verwandt, fremd. —φυρτος, ὁ, ἡ, nicht vermischt, oder gemengt. —φυτος, ον, s. v. a. ἀσυμφυής. —φωνία, ἡ, Mangel an Einklang, Dissonanz, Uneinigkeit; von —φωνος, ὁ, ἡ, Adv. ἀσυμφώνως, μὴ σύμφωνος, nicht einerley Sprache redend, Plato; übergetr. nicht mit einem stimmend, uneinig; von Schall oder Ton, nicht einstimmend, misstönend, misshellig.

'Ασυνάγωγος, ὁ, ἡ, der ausser der Vereinigung od. Synagoge ist. —ακτος, ὁ, ἡ, (συνάγω) nicht zusammenzubringen, nicht zu vereinigen, nicht zusammenhangend, als λόγοι ἀσύνακτοι Epictet. enchir. 44. dem Arrian. 1, 7 entgegengesetzt λόγοι συνάγοντες. —άλειπτος, ὁ, ἡ, (συναλείφω) Adv. ἀσυναλείπτως, ohne Elision. —άλλακτος, ὁ, ἡ, (συναλλάσσω) ungesellig, unumgänglich, unversöhnlich, wie ἀδιάλλακτος, ἀκατάλλακτος. —απτος, ὁ, ἡ, (συνάπτω) nicht zu verknüpfen, nicht zu vereinigen; nicht verknüpft oder vereiniget. —αρθρος, ὁ, ἡ, Adv. ἀσυνάρθρως durch keinen Artikel, ἄρθρον, verbunden. —αρίθμητος, ον, nicht darzu zu zählen. —άρτητος, ὁ, ἡ, (συναρτάω) Adv. ἀσυνἀρτήτως, nicht zu verknüpfen, unvereinbar, nicht paſſend, ἀσυνάρμοστος.

'Ασύνδετος, ὁ, ἡ, Adv. ἀσυνδέτως, unverbunden. —δηλος, ὁ, ἡ, ſ. v. a. ἄδηλος. —δύαστος, ὁ, ἡ, Adv. ἀσυνδυάστως, ungepaart, unvereiniget. συνδυάζω. —είδητος, ὁ, ἡ, (συνείδω) Adv. ἀσυνειδήτως, unbewuſst, nicht drum wiſſend. —είκαστος, ον, nicht zu errathen, dunkel, v. εἰκάζω.

'Ασυνεσία, ἡ, (σύνεσις) Mangel an Einſicht, Unverſtand, Unwiſſenheit, Dummheit. —νετέω, ῶ, ich bin ἀσύνετος, unverſtändig u. ſ. w. —νετοποιέω, d. i. ἀσύνετα ποιέω, ich handle unverſtändig; thöricht. zweif. —νετος, ὁ, ἡ, Adv. ἀσυνέτως, unverſtändig, dumm, kurzſichtig. —νηγόρητος, ὁ, ἡ, nicht vertheidigt, ohne Fürſprecher, συνηγορέω.

'Ασυνήθεια, ἡ, Ungewohnheit; von —ήθης, εος, ὁ, ἡ, Adv. ἀσυνήθως, ungewohnt, ungewöhnlich.

'Ασυνθεσία, ἡ, Uebertretung des Bündniſſes συνθεσία, σύνθεσις. —θετέω, ῶ, ich bin ἀσύνθετος, breche den Bund. —θετος, ὁ, ἡ, Adv. ἀσυνθέτως, nicht zuſammengeſetzt, einfach; nicht zuſammenzubringen, nicht zu vereinigen, unruhig, unbeſtändig Demoſth. der dem Verſprechen, Bündniſſe nicht treu bleibt.

'Ασυνίστωρ, ορος, ὁ, nicht drum wiſſend. zw.

'Ασύννους, unverſtändig. zw.

'Ασυνόδευτος, ον, nicht begleitet. zw. —οπτος, ον, nicht zu erblicken, erkennen; dunkel. —ουσίαστος, ὁ, ἡ, mit keinem Gemeinſchaft pflegend. —τακτος, ὁ, ἡ, (συντάττω) nicht zuſammengeordnet, ungeordnet, nicht abgeordnet, nicht vorbereitet; frey von öffentlichen Laſten Syneſ. der auch ſagt ἀπαλλαγῆναι τοῦ συντάχθαι τῇ πολιτείᾳ. —ταξία, ἡ, (σύνταξις) Mangel an Ordnung, Anordnung od. Vorbereitung, Unordnung, Verwirrung.

'Ασυντέλεστος, u. ἀσυντελής, ὁ, ἡ, (συντελέω) unvollendet, unvollkommen; die zweyte Form active nichts beytragend, helfend, alſo unnütz, oder der zu den Laſten des Staats nicht beyträgt, frey von Abgaben, alſo ſ. v. a. ἀτελής. Adv. ἀσυντελέστως u. ἀσυντελῶς. —τονος, ὁ, ἡ, (συντείνω) Adv. ἀσυντόνως, nicht geſpannt, ſchlaff, ſich nicht anſtrengend, nicht eilig. Xen. Cyr. 4, 2. 31. —τριπτος, ὁ, ἡ, (συντρίβω) nicht zerrieben, nicht zermalmt.

'Ασυνύπαρκτος, ὁ, ἡ, nicht zuſammen ſeyend, bey oder neben einander beſtehend.

'Ασυρής, έος, ὁ, ἡ, unrein, unflathig, häſslich, bey Polyb. v. σύρω, fegen, reinigen. —ρικτος, ὁ, ἡ, (συρίσσω) nicht ausgeziſcht.

'Ασυσκεύαστος, ὁ, ἡ, (συσκευάζω) nicht eingepackt, nicht zuſammengepackt, nicht an ſeinen Ort hingelegt, Xen. Oec. 8, 13. —στασία, ἡ, Mangel an Vereinigung, Uneinigkeit, Verwirrung; Unvereinbarkeit; von —στατος, ὁ, ἡ, nicht beſtehend, nicht da ſeyend, nicht möglich; nicht zuſammenhaltend, als ὕδωρ Plut. flüſſiges Waſſer; unzuſammenhängend oder ſich widerſprechend; unvereinbar u. ſ. w. v. συνίσταμαι.

'Ασύστολος, ὁ, ἡ, ohne Zuſammenziehung, συστολή. —στροφος, ον, ohne συστροφή. zw. —φηλος, ὁ, ἡ, weggeworfen, nichtswürdig, verächtlich Hom. Il. 9, 643 erklärt durch das darauf folgende ἀτίμητος, wie es auch Heſych. durch ἀδόκιμος, μηδενὸς ἄξιος, ἄτιμος erklärt. Eben ſo Il. 24, 767 als Beywort v. ἔπος, nichtswürdige, dumme Rede. Quint. Smyrn. 9, 519 verb. χαλεπὴν mit ἀσύφηλον fur zornig, böſe. λόγος οὐκ ἀσύφηλος μυθεῖται Dins Stobae. Ser. 159 keine unrechte Rede. M. findet auch ἀσύμφηλος u. αἰσύφηλος. Die Ableit. iſt zw.

'Ασφάδαστος, ὁ, ἡ, Adv. ἀσφαδάστως, nicht zappelnd wie ſchwer ſterbende. Aeſchyl. Ag. 1304. ohne Zuckungen. Sophocl. Aj. 844. —φακέλιστος, ὁ, ἡ, nicht vom σφάκελος angegriffen, ohne denſelben. —φακτος, ον, (σφάττω) ungeſchlachtet. —φάλεια, ἡ, (σφάλλω) das Feſtſtehn eines Körpers, der nicht umgeworfen werden kann; daher Sicherheit in den verſchiedenen Bedeutungen, wie bey uns, als Sicherheit vor Gefahr, *ſecuritas*; Sicherheit vor Betrug, Schein, Pfand; Sicherheit oder ſicheres Geleite: Sicherheit oder Zuverläſſigkeit, Beſtändigkeit, Genauigkeit; von

'Ασφαλής, έος, ὁ, ἡ, (σφάλλω) Adv. ἀσφαλέως u. ἀσφαλῶς, nicht zum Fall zu bringen, feſtſtehend, ſicher, nicht ſchlüpfrig; daher übergetr. feſt, gewiſs, zuverläſsig, geſichert; davon —φαλίζω, f. ίσω, ſicher oder feſtſtellen, ſicher machen, oder auſser Gefahr bringen; ſichern, verſichern, verbürgen. —φάλιος, ὁ, d. i. ἀσφαλίζων, der Sichernde, Erhaltende, ein Beywort Neptuns, wie γαιήοχος. Bey Pauſan. 7, 21 iſt ἀσφαλιαῖος ſo wie πελαγιαῖος eine falſche Lesart. —φάλισις, εως, ἡ, Sicherſtellung, Befeſtigung, Verſicherung. —φαλισμα, ατος, τὸ, ſ. v. a. das vorherg. oder das Sichergeſtellte, Gewährleiſtung, Verſicherung, Pfand. —φαλτίτης, ου, in fem. ἀσφαλτῖτις, ιδος, von Judenpech od. Erdharz; von

Ἄσφαλτος, ἡ, Judenpech, ein Erdharz; davon —**φαλτόω**, ῶ, f. ώσω, mit Erdharz beschmieren, anstreichen. —**φαλτώδης**, εος, ὁ, ἡ, dem Judenpech ähnlich. —**φάλτωσις**, εως, ἡ, das anstreichen, beschmieren mit Erdharz.

Ἀσφαραγέω, f. v. a. σφαραγέω, rauschen, tösen; bey Theocr. 17, 94 wo andere ἀμφαγέρονται lesen. —**φάραγος**, ὁ, Schlund Hom. Il. 22, 328. S. σφάραγος. —**φαραγωνιὰ** S. ἀσπαραγωνιὰ. —**φιγκτος**, ὁ, ἡ, (σφίγγω) nicht zu binden, nicht gebunden.

Ἀσφόδελος, ὁ, *asphondelus* oder *asphodilus* eine Pflanze einer Lilie gleichend. Hesiod. ἔργ. 41. Theophr. hist. pl. 7, 12. Plin. 21, 17. 22, 22. —**φοδελὸς**, ὁ, ἡ, das Adject. vom vorherg. Asphodill hervorbringend, als Beywort von λειμὼν Hom. Od. 11, 538. —**φοδελώδης**, εος, ὁ, ἡ, asphodillartig. —**φράγιστος**, ὁ, ἡ, (σφραγίζω) nicht bezeichnet, nicht besiegelt oder versiegelt.

Ἀσφυκτέω, ῶ, ich bin ohne Pulsschlag, ἄσφυκτος. —**φυκτος**, ὁ, ἡ, ohne Pulsschlag; von σφύζω. —**φυξία**, ἡ, (σφύξις) das Aufhören oder Mangel des Pulsschlages.

Ἀσχαλάω, ῶ, und ἀσχάλλω, ich bin ungeduldig, unwillig; böse, zornig, traurig, mit d. Dat. oder ἐπί τινι, wie ἀγανακτέω.

Ἄσχετος, ὁ, ἡ, (σχέω, ἔχω) Adv. ἀσχέτως, nicht zu halten, unaufhaltsam; nicht zu tragen, unerträglich.

Ἀσχηματίστος, ὁ, ἡ, (σχηματίζω) Adv. ἀσχηματίστως, nicht gebildet oder schlecht gebildet. —**ματος**, ὁ, ἡ, (σχῆμα) ohne Bildung, f. v. a. das vorherg. —**μονέω**, ῶ, (σχῆμα) ich bin ἀσχήμων, bin entstellt, schlecht gebildet; bin schlecht, gebärde oder betrage mich schlecht, häſslich, unanständig; spiele meine Rolle schlecht. —**μοσύνη**, ἡ, häſsliche Gestalt; unanständige, häſsliche Handlung oder Schande; von —**μων**, ονος, ὁ, ἡ, (σχῆμα) ohne Gestalt; ohne schöne Bildung, häſslich, wie *deformis*, unanständig, schändlich, schimpflich, wie *turpis*. Adv. ἀσχημόνως.

Ἀσχιδὴς, έος, ὁ, ἡ, oder ἄσχιστος (σχίζω) ungespalten, nicht getheilt. Die Form ἀσχιζὴς zweif.

Ἄσχιον, τὸ, f. v. a. ὕδνον.

Ἀσχολέω, ῶ, beschäftigen, aufhalten, hindern; Beschäftigung machen, zu thun geben; neutr. wie sonst das pass. beschäftigt seyn, zu thun haben; davon —**λημα**, ατος, τὸ, Beschäftigung, Geschäft, Verhinderung. —**λία**, ἡ, Beschäftigung; von —**λος**, ὁ, ἡ, (σχολή) Adv. ἀσχόλως, ohne Muſse, beschäftigt.

Ἀσώδης, εος, ὁ, ἡ, dem nach Ueberfüllung, ἄση, oder sonst ekelt; ekelhaft, oder Ekel erregend, von Speisen.

Ἀσώματος, ὁ, ἡ, (σῶμα) Adv. ἀσωμάτως, ohne Körper, unkörperlich; davon ἀσωματότης, ἡ, Unkörperlichkeit. —**μος**, ὁ, ἡ, f. v. a. das vorherg.

Ἄσωστος, ὁ, ἡ, f. v. a. ἄσωτος; eigentlich nicht zu retten.

Ἀσωτεία, ἡ, Schwelgerey, ausschweifende, wollüstige, liederliche Lebensart, Leben oder Charakter eines ἄσωτος. —**τεῖον**, τὸ, ein Ort, wo sich ἄσωτοι aufhalten und ihr Wesen treiben. —**τεύομαι**, f. εύσομαι, ich lebe und handle wie ein ἄσωτος, schwelge, prasse, lebe liederlich. —**τία**, ἡ, f. v. a. ἀσωτεία. —**τοδιδάσκαλος**, ὁ, d. i. ἀσωτείας διδάσκαλος. —**τοποσία**, ἡ, (πόσις) Trinken eines ἄσωτος, Saufen, Saufgelag; zw.

Ἄσωτος, ὁ, ἡ, (σώζω) Adv. ἀσώτως, nicht zu retten, verloren; daher äuſserst liederlich, ausschweifend in der Lebensart, dem Fressen, Saufen und Lüsten ergeben, *perditus*.

Ἀσωφρόνιστος, ὁ, ἡ, (σωφρονίζω) nicht nüchtern, klug, weiser gemacht, nicht gestraft oder gebessert; act. nicht bessernd beym Gregor.

Ἀταίομαι, im Etym. M. verm. st. ἀγαίομαι.

Ἀτακτέω, ῶ, (τάξις) ich bin ἄτακτος, bin unordentlich, halte keine Ordnung, übertrete meine Pflicht, betrage mich unordentlich; bleibe nicht in Reihe u. Glied u. d. gl. welches jedesmal leicht der Zusammenhang bestimmt; davon —**τημα**, ατος, τὸ, Unordnung, Ausschweifung.

Ἄτακτος, ὁ, ἡ, (τάττω) Adv. ἀτάκτως, nicht geordnet, ungeordnet; nicht in Schlachtordnung (τάξις) stehend; unordentlich, in seinem Betragen überhaupt, besonders in seinen Begierden oder unmäſsig, daher auch sich an keine Ordnung kehrend, unruhig, aufrührerisch.

Ἀταλαίπωρος, ὁ, ἡ, Adv. ἀταλαιπώρως, nicht duldend, sichs nicht sauer werden lassend, sich nicht anstrengend, daher sorglos, leichtsinnig, unbekümmert, als ἀταλαίπωρος ἡ ζήτησις τῆς ἀληθείας τοῖς πολλοῖς Thucyd. Eben so ἀτ. τῆς ἀληθείας ἀκοὴ Aelian. Aristoph. οὕτως ἀταλαιπώρως ἡ ποίησις διέκειτο. —**πώρητος**, ον, Adv. ἀταλαιπωρήτως, hart, unbarmherzig; von ταλαιπωρέω; zw.

Ἀτάλαντος, ὁ, ἡ, von gleichem Gewichte (ἀ, d. i. ὁμοῦ u. τάλαντον), gleichwiegend, gleich m. d. Dat.

'Αταλάφρων, ονος, ὁ, ἡ, richtiger ἀταλόφρων.

'Ατάλλω, ernähren, füttern, aufziehn, erziehn, von Menschen und Vieh; pflegen, warten; neutr. wachsen, als ἐτρέφετο ἀτάλλων νήπιος Hesiod. kindisch thun, hüpfen, springen, als ἄταλλε κήτε' ἐπ' αὐτῷ Hom. wovon Hesych. ἀτάλματα für ἅλματα hat. Im Homer erklärte es Apollodor σαίνειν καὶ σκιρτᾶν. einige leiteten es von ἄττω d. i. σκιρτᾶν ab und schrieben ἀττάλλω. bey Philostr. Icon. 2, 3 steht daher τὰ δὲ ἀττάλλει ὑπὸ ταῖς μητράσι hüpfen, springen. Das Stammwort ist das verlorne ἀτάω davon ἀτάλλω wie ἰάω, ἰάλλω; davon ἀτιτάλλω d. Verdoppelung; davon

'Αταλὸς, ή, όν, zart, kindisch, jugendlich, als παῖς ἀταλὰ φρονέων Hesiod. Hom. Il. 18, 567.

'Αταλόφρων, ονος, ὁ, ἡ, auch ἀταλάφρων, Hom. Il. 6, 400. vergl. 18, 567. kindisch gesinnt; jugendlich denkend und handelnd. —ψυχος, ὁ, ἡ, zart oder weichherzig, kleinmüthig.

'Αταμίευτος, ὁ, ἡ, Adv. ἀταμιεύτως, nicht gespart oder gehörig vertheilt, nicht beygelegt, nicht aufgehoben; act. nicht sparend, nichts beylegend, verschwenderisch; von ταμιεύω.

'Αταξία, ἡ, (τάξις) Mangel an Ordnung, Unordnung; Uebertretung der Ordnung oder Unordentlichkeit, bey Soldaten Desertion, im Allgemeinen Frechheit, Störung der Ordnung, im Gegens. von εὐταξία Xen. Anab. 3, 1. 38. Oec. 8, 9. —ξιος, ὁ, ἡ, (τάξις) ungeordnet, verwirrt, ohne Ordnung; zweif.

'Αταπείνωτος, ὁ, ἡ, (ταπεινόω) nicht erniedrigt, nicht gebeugt, erhaben.

'Ατὰρ, Conjunct. aber, doch, übrigens; ferner; nachher, s. v. a. αὐτὰρ, aber bloss poetisch.

'Αταρακτέω, ich bin ἀτάρακτος. —ρακτοποιησίη, ἡ, das Handeln mit Ueberlegung, ohne Leidenschaft. Hippocr. —ρακτος, ὁ, ἡ, (ταράττω) Adv. ἀταράκτως, nicht zu beunruhigen, unerschütterlich, ruhig, unerschrocken, von keiner Leidenschaft bestürmt, ungestört. —ραξία, ἡ, Charakter eines ἀτάρακτος; Leidenschaftlosigkeit, Ruhe, Stille der Seele. —ραχος, ὁ, ἡ, Adv. ἀταράχως, s. v. a. ἀτάρακτος.

'Αταρβὴς, ὁ, ἡ, (ταρβέω) auch ἀτάρβητος, Soph. Aj. 197 u. ἀτάρβακτος, Pind. Pyth. 4, 149 unerschrocken. Adv. ἀταρβῶς, ἀταρβήτως, ἀταρβάκτως.

'Αταρίχευτος, ὁ, ἡ, (ταριχεύω) nicht eingemacht, eingepöckelt, eingesalzen.

'Ατάρμυκτος, s. v. a. ἀτάρβητος, unerschrocken; v. τάρβος, ταρβύζω, ταρμύζω. S. ταρβύζω.

'Αταρπιτὸς, ἡ, oder ἀταρπὸς, statt und s. v. a. ἀτραπιτὸς und ἀτραπὸς.

'Αταρτηρὸς, ρά, ρὸν, u. ἀταρτηρος, ὁ, ἡ, s. v. a. ἀτηρὸς, von ἀταρτάω bey Hesych. s. v. a. ἀτάω schädlich, hart beschimpfend u. s. w.

'Ατάρχυτος, ὁ, ἡ, unbegraben, unbeerdigt; von ταρχύω.

'Ατασθαλία, ἡ, von ἀτάσθαλος, ὁ, ἡ, wovon ἀτασθάλλω und ἀτασθαλέω, welches man von ἄταις θάλλω ableitet: ἀτάσθαλος ist ein wilder, übermüthiger, boshafter, frevelhafter Mensch, daher ἀτασθαλία, Wildheit, Uebermuth, Bosheit, Frevel, und ἀτασθάλλω ich verübe Bosheit, Uebermuth, Frevel, bey Homer und Hesiodus. Arrian Indic. braucht es im jonischen Dialekte vom wilden Elephanten, der gefangen ist und sich wehrt: μηδέ τι ἄλλο ἀτάσθαλον ἐργάζεσθαι — εἰ γὰρ περιστρέφοιτο ὑπὸ ἀτασθαλίης; derselbe Alex. 7, 14 sagt ἀτασθαλία ἡ ἐς τὸ θεῖον, Gottlosigkeit. —σθάλλω und ἀτασθαλέω S. ἀτασθαλία. —σθαλος, ὁ, ἡ, S. ἀτασθαλία.

'Αταυρος, ὁ, ἡ, und ἀταύρωτος von ταῦρος und ταυρόω, vom Stiere unberührt; metaph. unverheyrathet.

'Αταφία, ἡ, Mangel oder Verlust des Begräbnisses; von —φος, ὁ, ἡ, (τάφος) ohne Begräbniss, unbegraben, unbeerdigt.

'Ατάω, ῶ, f. ήσω, (ἄτη) schaden, beschädigen, Schaden zufügen, wie ἄτω; vorz. von solchem Schaden, den Unbesonnenheit bringt. S. ἄτη.

'Ατε, eigentl. δι' ἅτε, *propter quae*, weswegen, sintemal, weil, als (*quippe, veluti*), Xen. Cyr. 1, 3. 3.

'Ατεγκτος, ὁ, ἡ, (τέγγω) Adv. ἀτέγκτως, unbenetzt, unerweicht; unerweichbar; nicht zu rühren, hart, unerbittlich; so wie hier von Bitten, so auch von Zureden und Trösten, untröstlich, mit παρηγορήμασι.

'Ατειρὴς, έος, ὁ, ἡ, (τείρω) ungebändigt, unbezwungen, zügellos, ungestüm; unermüdet.

'Ατείχιστος, ὁ, ἡ, ohne Mauern, auch ohne feste Mauern mit Schlössern, Burgen, Vesten, τεῖχος, τειχίζω, also unbefestiget.

'Ατέκμαρτος, ὁ, ἡ, (τεκμαίρομαι) Adv. ἀτεκμάρτως, nicht zu bezeichnen, nicht zu errathen, dessen Zeichen od. Merkmale sich nicht angeben lassen; act. der sich keine Merkmale nimmt, nicht überlegt, unüberlegt.

'Ατέκμων, ὁ, ἡ, s. v. a. ἄτεκνος Manetho 4, 584.

'Ατεκνέω, ῶ, ich bin ἄτεκνος, bin kinderlos, habe keine Kinder. —νία, ἡ, Kinderlosigkeit; von —νος, ὁ, ἡ, (τέκνον) ohne Kinder, kinderlos; davon

'Ατεκνόω, ῶ, f. ώσω, kinderlos machen, d. i. entweder unfruchtbar machen, oder der daseyenden Kinder berauben.

'Ατέλεια, ἡ, (τέλος) Mangel des Endes, das Unvollendete, die Unvollkommenheit; Freyheit v. gewissen Lasten u. Abgaben (τέλη), Xen. Anab. 3, 3. 18. —λείωτος, ὁ, ἡ, (τελειόω) nicht zu vollenden, unvollendet. —λεστα, Adv. ohne Ende; ohne den Zweck zu erreichen od. vergebens; eigentl. neutr. plur. von —λεστος, ὁ, ἡ, (τελέω) unvollendet, unvollkommen, nicht ganz fertig; ohne Ende oder unendlich; auch uneingeweihet. —λεσφόρητος, ὁ, ἡ, (τελεσφορέω) nicht gereift, oder vollendet bis zur Frucht u. dergl. —λεύτητος, ὁ, ἡ, (τελευταω) ungeendigt, unbegrenzt, ohne Grenze, ewig.

'Ατελής, έος, ὁ, ἡ, (τέλος) ohne Ende, d. i. entweder nicht geendigt, mangelhaft, oder was kein Ende hat, unendlich, immer fortgehend; act. nicht vollendend, nicht zu Stande bringend; ohne Lasten od. Abgaben (τέλη), frey von Abgaben; ohne viele Ausgaben, nicht verschwenderisch.

'Ατελώνητος, ὁ, ἡ, (τελωνέω) nicht verzollet, wovon kein Zoll entrichtet wird.

'Ατέμβω b. Hom. θυμὸν ἀτέμβει täuscht; 2) m. d. Genit. berauben, entziehn. 3) bey Apollon 2, 56 u. 1199. 3, 99. m. d. Datif. tadeln, verwerfen, μέμφεσθαι, nach Hesych. auch ὀδυνᾶσθαι im Medio. Derselbe hat auch τέμβομαι st. ἐπικαλέω, μεμψιμοιρέω, ῥήγνυμαι, ὀδυνάομαι. Auch hat das Etymol. M. ἀτέμβιος st. μεμψίμοιρος. Scheint also mit στέμβω, στέμφω einerley Ursprung zu haben. S. στόμφος. Hesych. hat auch τέλβω, τέλβομαι in derselben Bedeut.

'Ατενές. Adv. von dem folg. starr, mit unverwandtem Blicke; daher eifrig, hitzig.

'Ατενής, (α intens. τείνω, τένω, spanne) gespannt, *contentus*, angestrengt, im Gange; ἥκω ἀτενὴς ἀπ' οἴκων. *contento gradu venio.* mit gespannten, fest auf einen Gegenstand gerichteten Augen und Gedanken; 2) metaph. fest in seinem Entschlusse, beharrlich, standhaft, steif, streng, unerbittlich, halsstarrig, hart. 3) fest, hart. ἀτενὴς γῆ, ναῦς. Adv. ἀτενῶς s. v. a. ἀτενές; dav. —νίζω, ειν, mit steifen Blicken und gespannten Gedanken etwas ansehn, betrachten; davon —νισμός, ὁ, das Ansehn, Betrachten solcher Art.

'Ατερ, Adv. ohne, ausser, auch ἄτερθε, ἄτερθεν s. v. a. d. prosaische ἄνευ, (ἄνευθε) u. χωρὶς u. d. poet. ἄνις mit dem Genit.

'Ατεραμνίη, ἡ, jon. von dem folg. s. v. a. ἀτεραμνότης. —ραμνος, ὁ, ἡ, oder ἀτέρεμνος, d. i. μὴ τέραμνος, nicht zart, nicht weich, schwer zu erweichen, weich zu kochen; hart, eigentl. und uneigentl. wie *durus*, von Speisen unverdaulich, vom Herzen oder Gesinnungen, sonst σκληρὸς, im Gegensatze πραΰς; davon —ραμνότης, ητος, ἡ, die Eigenschaft eines ἀτέραμνος, Harte, Schwierigkeit zu erweichen. —ραμνώδης, εος, ὁ, ἡ, von der Art eines ἀτέραμνος. —ράμων, ονος, ὁ, ἡ, s. v. a. ἀτέραμνος. —ρεμνος, s. v. a. ἀτέραμνος. —ρηδόνιστος, ὁ, ἡ, (τερηδονίζομαι) von Holzwürmern nicht gefressen oder angerührt.

'Ατερθε, ἄτερθεν, s. v. a. ἄτερ.

'Ατερμάτιστος, ὁ, ἡ, (τερματίζω) unbegrenzt, unendlich. Diodor. 19, 1. S. ἀνερμάτιστος. —μων, ονος, ὁ, ἡ, (τέρμα) ohne Grenze, unendlich.

'Ατερπής, έος, ὁ, ἡ, oder ἄτερπος, ὁ, ἡ, (τέρπω) nicht ergotzend, unangenehm, unfreundlich.

'Ατερψία, ἡ, (τέρψις) Misvergnügen, Unannehmlichkeit.

'Ατευκτέω, ῶ, ich verfehle, erreiche, erlange nicht, s. v. a. οὐ τυγχάνω v. τύχω, τεύχω.

'Ατευκτος, ὁ, ἡ, der etwas nicht erreicht, erlangt hat, v. τύχω, τεύχω, τυγχάνω.

'Ατευχής, έος, ὁ, ἡ, (τεῦχος) ohne Rüstung, Waffen.

'Ατέχναστος, ὁ, ἡ, s. v. a. ἀτεχνίτευτος. Themist. or. p. 39.

'Ατεχνής, έος, ὁ, ἡ, (τέχνη) ohne Kunst, unerfahren, wie *iners*; ohne künstliche Mittel, ohne List und Ranke. —νία, ἡ, Kunstlosigkeit, *nulla ars*, wie es Quintil. 2, 20 übersetzt. —νίτευτος, ον, (τεχνιτεύω) nicht künstlich gearbeitet. —νος, ὁ, ἡ, (τέχνη) Adv. ἀτέχνως, ohne Kunst, nicht künstlich; act. ohne Kunst, keine Kunst verstehend, unerfahren; ohne künstliche Mittel, ohne List und Ranke, nicht listig, nicht rankevoll, wie ἀτεχνής.

'Ατέχνως oder Memorab. 3, 11, 7 ἀτεχνῶς Adv. von ἄτεχνος eigentl. ohne Kunst; dah. 2) natürlicherweise, leicht; wird auch für recht, ganz, gar, vollkommen gebraucht. ἀτεχνῶς ξένως ἔχω τῆς λέξεως *plane ignoro*, ich bin ganz unbekannt Plato. mit *plane omnino* kommt man am besten aus; in dem letztern Sinne wird gewöhnlich ἀτεχνῶς geschrieben.

'Ατέω, s. v. a. ἀτάω u. ἄτω; das partic. ἀτέων. Hom. Il. 20, 332 steht neutr. thöricht, verblendet; wo es andre aber ἀτιμάζοντα erklaren, wie ἀτίζω. Bey Herodot. 7, 223. παραχρεώμενοί τε καὶ ἀτέοντες von verzweifelten Menschen.

'Ατη, ἡ, Schaden, Nachtheil; Unvorſichtigkeit, Unbeſonnenheit u. daher entſtandener Fehler und Schaden; daher auch perſonifizirt Ate, das Weſen der Unbeſonnenheit, welches die Menſchen in Fehler und Unglück dadurch ſtürzt. Euripid. Or. nennt auch die Furien ἄτας.

'Ατηκτος, ὁ, ἡ, (τήκω) nicht flüſſig gemacht, geſchmolzen, nicht flieſsend.

'Ατημέλεια, ἡ, oder ἀτημελία, Nachläſſigkeit, Sorgloſigkeit; von —μελέω, ῶ, ich bin ein ἀτημελὴς, bin ſorglos, nachläſſig, vernachläſſige. —μελὴς, έος, ὁ, ἡ, Adv. ἀτημελῶς, ſorglos, nachläſſig. —μέλητος, ὁ, ἡ, (τημελέω) Adv. ἀτημελήτως, unbeſorgt, vernachläſſiget. —μελία, ἡ, ſ. v. a. ἀτημέλεια.

'Ατηρὴς, ὁ, ἡ, ſ. d. folgd.

'Ατήριος und ἀτηρὸς (ἄτη) ſchädlich, nachtheilig, beſchimpfend. Soph. Ant. 4. Aeſchyl. Eum. 1010. bey Hippocr. de aere et loc. cap. 11 iſt die Form ἀτηρὴς, ἀτηρέα γαστρὸς καὶ σπληνὸς ſchaden dem Magen und der Milz.

'Ατθὶς, ίδος, ἡ, Attiſche, als χώρα, γλῶττα, Attiſche Gegend, Sprache.

'Ατίζω, f. ίσω, (τίω) nicht ehren, gering ſchätzen, für gering halten, verachten, auf etwas nicht achten Hom. Il. 20, 166. ἀτίζων unbeſorgt.

'Ατιθάσσευτος, ὁ, ἡ, (τιθασσεύω) nicht zahm zu machen oder zu bezähmen; nicht gezähmt. —θασσος, ὁ, ἡ, oder ἀτίθασος, ὁ, ἡ, nicht zahm, wild, unbändig.

'Ατιμαγελέω, ῶ, ich bin ein ἀτιμαγέλης, verlaſſe die Heerde, verirre mich Ariſt. hiſt. an. 9, 31. Theocr. 25, 132. —μαγέλης, ου, ὁ, (ἀτιμάω, ἀγέλη) die Heerde verachtend, d. i. ſie verlaſſend, ſich davon verirrend, trennend. Philoſtr. Icon. 13, 1. ἀτιμάζοντας τὴν ἀγέλην ταύρους ſt. ἀτιμαγέλας. —μάζω, f. άσω, (τιμάω) nicht ehren, entehren, beſchimpfen, zum ἄτιμος machen, dafür erklären; auch überh. verachten; davon —μασμὸς, ὁ, Verachtung, Entehrung, Beſchimpfung. —μαστὴς, οῦ, ὁ, oder ἀτιμαστήρ, d. i. ἀτιμάζων. —μάω, ῶ, f. ήσω, ſ. v. a. ἀτιμαζω. —μητος, ὁ, ἡ, nicht geſchätzt, nicht geehrt, verachtet, nicht geachtet; nicht zu ſchätzen, unſchätzbar, als φίλος Phalar. Im ähnlichen Sinne δίκη Demoſth. und Aeſchin. or. ein Proceſs, der nicht erſt geſchätzt zu werden braucht, deſſen Strafe ſchon beſtimmt iſt. —μια, ἡ, Entehrung, Verachtung, Beſchimpfung. S. ἄτιμος. —μοπενθὴς, ές, d. i. ἀτιμίαν πενθέων; zweif.

'Ατίμιος, ὁ, ſ. v. a. ἄτιμος. —μοποιὸς, ὁ, d. i. ἄτιμον ποιέων, entehrend, beſchimpfend.

"Ατιμος, ὁ, ἡ, (τιμὴ) Adv. ἀτίμως, ohne Ehre, entehrt, verachtet, beſchimpft; als ἐὰν τις μὴ τρέφῃ τοὺς γονέας, ἄτιμος ἔστω, Laert. 1, 55. welches bey den Athenienſern die gröſste Strafe nächſt dem Tode und Exilium war, indem er von allen Vorzügen und Rechten eines Bürgers ausgeſchloſſen ward. Das Gegentheil iſt ἐπίτιμος. Bisweilen ſteht ἄτιμος von einer einzelnen Beraubung des Rechts, z. B. ἀτίμους τοῦ συμβουλεύειν ὑμῖν ποιεῖσθαι, ihnen das Recht, in eurer Verſamml. zu ſprechen und euch zu rathen, nehmen. Demoſth. p. 200. Davon ἀτιμία dieſe *imminutio capitis* Beraubung der bürgerlichen Würden und Entfernung aus dem *foro*; wovon das Gegentheil ἐπιτιμία. 2) einer der für vogelfrey erklärt iſt. Demoſth. p. 122.

'Ατιμόω, ῶ, f. ώσω, entehrt machen, entehren, verachten, beſchimpfen; wird eigentlich von der Strafe ἀτιμία gebraucht. —μωρησία, ἡ, das ungeſtraft bleiben, Ungeſtraftheit; von τιμωρέω. —μωρητεὶ u. ἀτιμωρητὶ, Adv. ungerächt, unbeſtraft; von —μώρητος, ὁ, ἡ, (τιμωρέω) Adv. ἀτιμωρήτως, ungerächt, nicht gerächt, d. i. entweder an dem man keine Rache genommen hat, an dem man ſich nicht gerächt hat, ungeſtraft, oder der nicht gerächt worden iſt, dem man keine Rache, Genugthuung verſchaft hat; dem man nicht hilft.

'Ατίμωσις, εως, ἡ, Entehrung, Beſchimpfung, das machen zum ἄτιμος; von ἀτιμόω. —μωτικὸς, ἡ, ὸν, (ἀτιμόω) Adv. ἀτιμωτικῶς, geneigt, geſchickt zu entehren, zu beſchimpfen.

'Ατίνακτος, ὁ, ἡ, (τινάσσω) nicht geſchüttelt, nicht erſchüttert.

'Ατισία, ἡ, (τίω) Unvermögen zu bezahlen; zweif.

'Ατιτάλλω, ſ. v. a. ἀτάλλω. —τέω, ſ. v. a. ἀτίω; davon ἀτίτηστος ſ. v. a. ἄτιτος. —της, ὁ, ſ. v. a. ἄτιτος, ungeehrt, ungerächt, Aeſchyl. Ag. 72. Eum. 257. —τος, ὁ, ἡ, ſ. v. a. ἀτίτης Dionyſ. Antiq. 1, 48. v. folgd.

'Ατίω, ſ. v. a. ἀτιμάζω, ich ehre nicht, achte nicht, räche nicht. S. τίω.

'Ατλαγενὴς, έος, ὁ, ἡ, (γένος) oder beſſer ἀτλαντογενὴς, vom Atlas erzeugt, abſtammend.

"Ατλας, αντος, ὁ, der bekannte Berg in Afrika trägt in der Dichterſprache den Himmel; daher jeder Träger ſo heiſst. Adject. nicht duldend, nicht wagend oder nicht kühn; von τλάω, τλῆμι.

'Ατλησία, ἡ, Ungeduld; v. τλῆμι. —ητέω, ῶ, ich finde ἄτλητος, unerträglich, kann nicht tragen, nicht dulden, bin ungeduldig, bin feige und niedergeschlagen. Soph. Oed. tyr. 515.

'Ατλητος, ὁ, ἡ, (τλάω, τλῆμι) nicht zu dulden, unerträglich.

'Ατμευία, ἡ, Sklaverey, Dienst; von ἀτμὴν Manetho 3, 659. —μένιος, ὁ, ἡ, mühsam, mühevoll bereitet Nicand. Alexiph. 178. 426. von —μενος, ὁ, oder ἀτμὴν, Sklave, Diener. —μεύω, ich bin ein ἀτμὴν im Etymol. M. soll wohl ἀτμενεύω heissen.

'Ατμή, ἡ, s. v. a. ἀτμὸς, Rauch, Dampf.

'Ατμήν, ὁ, Sklave, Diener. —μητος, ὁ, ἡ, (τμέω, τέμνω) nicht zu zerschneiden, nicht zu zertheilen, untheilbar; nicht zerhauen, nicht abgehauen, nicht gefällt; nicht beschnitten, nicht verschnitten.

'Ατμιάω, ῶ, rauchen, dampfen; von ἀτμὸς.

'Ατμιδοῦχος, ὁ, den Dampf haltend.

'Ατμιδώδης, ὁ, ἡ, s. v. a. ἀτμοειδὴς; v. ἀτμὸς, jenes von ἀτμὶς.

'Ατμίζω, f. ίσω, s. v. a. ἀτμιάω.

'Ατμὶς, ίδος, ἡ, s. v. a. ἀτμή.

'Ατμοειδὴς, έος, ὁ, ἡ, (εἶδος) Adv. ἀτμοειδῶς, dampfartig, rauchend, dampfend.

'Ατμὸς, ὁ, Rauch, Dampf, Dunst; v. ἄω, s. v. a. ἀτμὴ, ἀτμὶς, u. v. ἄω αὐτμή; und von ἀάζω, ἄζω ἆσθμα.

'Ατμώδης, εος, ὁ, ἡ, rauchig, dampfig, voll Rauch.

'Ατοιχος, ὁ, ἡ, (τοῖχος) ohne Wand.

'Ατοκεὶ, Adv. ohne Geburt, gebohren zu haben; ohne Zinsen, s. ἄτοκος.

'Ατόκιος, ὁ, ἡ, die Unfruchtbarkeit bewirkend; davon ἀτόκιον verst. φάρμακον ein darzu geschicktes Mittel; von

'Ατοκος, ὁ, ἡ, Adv. ἀτόκως, ohne τόκος d. i. a) ohne Geburt, und zwar entweder die noch nicht gebohren hat, oder überhaupt nicht gebiert, d. i. unfruchtbar; b) ohne Zinsen, s. τόκος.

'Ατολμέω, ῶ, ich bin ἄτολμος, bin feige, nicht muthig, wage nichts; davon —μητος, ον, nicht zu wagen. —μία, ἡ, Betragen, Charakter eines ἄτολμος, Feigheit, Trägheit, Muthlosigkeit. —μος, ὁ, ἡ, (τόλμα) Adv. ἀτόλμως, ohne Muth, nicht unternehmend, feige, feigherzig.

'Ατομος, ὁ, ἡ, unzerschneidbar, untheilbar; bey Demokritus ἡ ἄτομος, der Stoff, Atom, woraus er alle Körper bey der Schöpfung zusammensetze. 2) überhaupt alles kleine, oder individuelle μέχρι τῶν τελευταίων καὶ ἀτόμων διαφορῶν Plutarch. Phoc. 3 bis auf die letzten, kleinsten und individuellsten Verschiedenheiten; von τέμνω, τομή.

'Ατονέω, ῶ, ich bin ἄτονος, bin matt, schwach, träge. —νία, ἡ, Mattigkeit, Schwäche, Trägheit; von —νος, ὁ, ἡ, (τείνω) Adv. ἀτόνως, nicht angespannt, matt, schlaff, träge, schwach.

'Ατόξευτος, ὁ, ἡ, (τοξεύω) nicht zu treffen mit dem Pfeile, nicht getroffen. —ξος, ὁ, ἡ, (τόξον) ohne Bogen.

'Ατόπημα, ατος, τὸ, (ἀτοπέω) unschickliche, widersinnige Handlung oder Rede, verb. mit ληρημάτων beym Damasc. —πηματωποιὸς, ὁ, d. i. ἀτόπημά τι ποιῶν.

'Ατοπία, ἡ, das Unschickliche, Auffallende, der Widerspruch, mit ἀπιστία beym Isocr. das Ungewöhnliche, als τῶν τιμωριῶν Thucyd. ungewöhnliche Strafen, τὸ ἀηθες; von —πος, ὁ, ἡ, (τόπος) Adv. ἀτόπως, ohne Ort, oder nicht an seinem Orte, nicht an seiner Stelle, mithin unschicklich, uneben, unbillig, als πράγματα ἄτοπα καὶ ἀνόητα Isocr. ἄτοπος καὶ αἰσχρὰ νίκη Plato, schändlicher, schimpflicher Sieg; abgeschmackt, als ὑπόθεσις mit ἀλλόκοτος Plutarch. Eben so bey den Rhetoren ἡ εἰς ἄτοπον ἀπαγωγὴ, *abductio ad absurdum*. Im gleichen Sinne ist einer ἄτοπος, als ἄτοπόν τις ἄν εἶναι με φήσειε, ἐγὼ δὲ οὐδὲν ἄλογον ποιῶ Isocr. wo es deutlich durch ἄλογος erklärt wird. Es ist mithin das lat. *ineptus*, wie dies Cic. or. 2, 4 erklärt. Was nicht an seinem Orte oder zu seiner Zeit geschieht, ist ungewöhnlich, auffallend, neu, im Gegens. von εἰωθότα Thucyd.

'Ατόρευτος, ὁ, ἡ, nicht mit eingegrabner oder erhobner Schnitzarbeit oder Gravüre versehn. S. τορεύω.

'Ατόρνευτος, ὁ, ἡ, (τορνεύω) nicht rund gedreht, nicht gerundet.

'Ατος, ὁ, ἡ, statt ἄατος, unersättlich; v. ἄδω Hom. u. Hes.

'Ατραγῴδητος, ὁ, ἡ, nicht tragisch behandelt, nicht übertrieben, Lucian.

'Ατράκτιον, τὸ, dimin. von ἄτρακτος. —κτοειδὴς, έος, ὁ, ἡ, (εἶδος) spindelartig. —κτος, ὁ, ἡ, die Spindel zum spinnen; 2) der Pfeil, wie ἠλακάτη, der Rocken und Pfeil, weil wahrscheinlich beyde aus Rohr und derselben Materie waren; 3) ein Theil an der Segelstange. Pollux 1. 91. Eben so ist auch ἠλακάτη ein Theil davon. —κτυλὶς, ίδος, ἡ, ein distelartiges Gewächs, *carthamus lanatus* Lin. welches man auch zu Spindeln, ἄτρακτος, brauchte.

'Ατράνωτος, ὁ, ἡ, nicht verdeutlichet, dunkel; von τρανόω.

'Ατράπελος, ὁ, ἡ, s. v. a. δυστράπελος. —πίζω, ich gehe, bey Hesych. von ἀτραπὸς wie ὁδεύω. —πιτὸς, ὁ, oder ἀτραπὸς, ἡ, gerader Pfad, Fussteig, auf welchem man nicht irren, abkommen kann, τρέπω.

'Ατραυμάτιστος, ὁ, ἡ, (τραυματίζω) nicht zu verwunden, unverwundbar; nicht verwundet.

'Ατράφαξις, εως, ἡ, oder ἀτράφαξυς, ein Gartengewächs, wie Melde oder Spinat, Diosc. 2, 145. *atriplex.*

'Ατρέκεια, ἡ, od. ἀτρεκία, Wirklichkeit, Zuverläſſigkeit, Gewiſsheit, Wahrheit; von

'Ατρεκέω, ſ. v. a. ἀκριβόω Eurip. bey Heſych. v. ἀτρεκής. —κής, ὁ, ἡ, Adv. ἀτρεκῶς und ἀτρεκέως, genau, richtig, ſicher, gewiſs, wahr; recht, gerecht. Scheint von τρέχω zu kommen, ἀτρεχής, ſt. ὁμοτρεχής, wie ἐντρεχής.

'Ατρεκία, joniſch ἀτρεκίη, ἡ, ſ. v. a. ἀτρέκεια.

'Ατρέμα, od. ἀτρέμας, Adv. (τρέμω) ohne Zittern, ohne Bewegung, ohne ſich zu bewegen, ohne ſich zu rühren, ruhig, ſtill, geduldig; dav —μαῖος, αία, αῖον, ſich nicht bewegend, ſich nicht rührend, ruhig, ſtill.

'Ατρέμας, ſ. v. a. ἀτρέμα. —μεότης, ἡ, S. χειροτριβίη. —μέω, ῶ, ich bin ἀτρεμής, bin ruhig, bleibe ruhig, bewege mich nicht. —μής, ές, d. i. μὴ τρέμων, nicht zitternd, unerſchrocken; unbewegt, als ὄμμα Xen. ſymp. 8, 3. davon —μία, ἡ, Ruhe; ἀτρεμίαν ἔχω Xen. Cyr. 6, 3. 13 ſ. v. a. ἀτρεμέω, ich bin ruhig. Für Unerſchrockenheit führt man Pind. Nem. 2, 15 an, wo es aber ἀρτεμίαν heiſsen muſs. —μίζω, ſ. v. a. ἀτρεμέω.

'Ατρεπτος, ὁ, ἡ, (τρέπω) Adv. ἀτρέπτως, nicht zu bewegen, unbeweglich, feſt; unbewegt.

'Ατρεστος, ὁ, ἡ, Adv. ἀτρέστως, ſ. v. a. ἀτρεμής; v. τρέω, unerſchrocken; von demſelben Stamme kommen ἀτρεύς, u. ἀτρεστίδας welche aber nur als nom. propr. gebräuchlich ſind.

'Ατρητος, ὁ, ἡ, (τράω) Adv. ἀτρήτως, nicht durchbohrt, ohne Oefnung.

'Ατρήχυντος, ὁ, ἡ, nicht rauh, nicht hart gemacht; von τρηχύνω ſt. τραχύνω.

'Ατρίακτος, ὁ, ἡ, ſ. v. a. ἀνίκητος. S. τριάζω.

'Ατρίβαστος, ὁ, ἡ, (τριβάζω) ſ. v. a. ἀτριβής. —βής, έος, ὁ, ἡ, (τρίβω) nicht gerieben, abgerieben, nicht abgetragen, von Kleidern, und übergetragen von der Welt, unbeſchädigt, verb. mit ἀγήρατος, Xen. Cyr. 8. 7. 22. vergl. Mem. 4. 3. 13. ὁδὸς unbetretener Weg, wie τρίβος der Weg, die Bahn; nicht bewandert, ungeübt, m. d. Genit. —βί, Adv. ohne zu verweilen, τρίβειν terere tempus; auch als Adv. v. ἀτριβής. —βων, ωνος, ὁ, ἡ, ohne τρίβων Mantel.

'Ατριον, τὸ, dor. ſt. ἤτριον.

'Ατριπτος, ὁ, ἡ, ſ. v. a. ἀτριβής, nicht zu betreten, als ἄκανθαι Theocr. nicht gewirkt oder geknetet, als ἄρτοι Ariſtot. im Gegenſ. v. τετριμμένος, ungeübt, ungewohnt Hom. Od. 21, 151.

'Ατριχος, ὁ, ἡ, (θρίξ) ohne Haupthaar.

'Ατρίψ, βός, ὁ, ſ. v. a. ἀτριβής m. d. Genit. davon —ψία, ἡ, Ungeübtheit, Unerfahrenheit.

'Ατρομέω, ῶ, ich bin ἄτρομος. —μος, ὁ, ἡ, d. i. μὴ τρέμων, nicht zitternd, unerſchrocken, unverzagt.

'Ατροπία, ἡ, (τρέπω) Unbiegſamkeit, Unwendbarkeit; κρείσσων τοι σοφίη γίγνεται ἀτροπίης Theognis, Klugheit iſt beſſer als ſteifer, gerader, ungewandter Sinn. Daher Härte, Grauſamkeit. Apollon. 4, 1006 und 1047. —πος, (τρέπω) was ſich nicht wenden, abwenden, abbringen (Oppian. Hal. 2, 154) ändern läſst, unwandelbar, unabänderlich; ὕπνος, der ewige Schlaf; 2) eine von den drey Parzen, welche das vergangene, oder nach andern, das zukünftige Schickſal der Menſchen in Händen hat.

'Ατροφέω, ῶ, ich bin ἄτροφος, habe, bekomme keine Nahrung, als ἀτροφῆσαν τὸ πῦρ αὐτίκα σβέννυται Philo; habe die Auszehrung. —φία, ἡ, Mangel an Nahrung, Hunger; Auszehrung Celſ. 3, 22. von —φος, ὁ, ἡ, (τρέφω) nicht genährt, nicht gefüttert; an der Auszehrung kränkelnd, Plin. 28, 9. act. nicht ernährend, nicht nahrhaft.

'Ατρύγετος, ὁ, ἡ, als Beyw. vom Meere und der Luft, unermeſslich; die Ableitung iſt ungewiſs. —γής, έος, ὁ, ἡ, u. ἀτρύγητος, (τρύγη) nicht geerndtet, geſammlet.

'Ατρυγας, ὁ, ἡ, (τρύξ) ohne Hefen, abgeheſt, rein.

'Ατρύμων, ὁ, ἡ, κακῶν, Aeſchyl. S. 877 der immer, unabläſſig Unglück dulden muſs, wie ἄτρυτος von τρύω und α priv.

'Ατρύπητος, ὁ, ἡ, ſ. v. a. ἄτρητος, von τρυπάω.

'Ατρυτος, ὁ, ἡ, (τρύω) nicht zu zerreiben, zu zermalmen, unbezähmbar, unzerſtörbar, als δύναμις, und eben ſo κακὰ Sophocl. Aj. 799 unbeſiegbare, ſchwer drückende Leiden; nicht zerrieben, nicht beſchäftigt, ruhig, müſſig, in Verbindung mit σχολαστικὸς Ariſtot. eth. 10, 7. —τώνη, ἡ, die Ungebaudigte, die Kriegerin, als Beywort der Athene; von τρύω.

'Ατρύφερος, ὁ, ἡ, (τρυφάω) od. ἀτρύφητος, ἄτρυφος, d. i. μὴ τρυφερός, ohne τρυφή, nicht ausſchweifend, nicht verſchwenderiſch, ohne Verſchwendung.

nicht durch Ausſchweifungen verdorben.

'Ατρὼς, ῶτος, ὁ, ἡ, oder ἄτρωτος, Adv. ἀτρώτως, ſ. v. a. ἀτραυμάτιστος; v. τρώω, τιτρώσκω. —σία, ἡ, Unverletzbarkeit.

'Ατρωτος, ὁ, ἡ, ſ. v. a. ἀτρώς.

"Αττα, ἅττα, ſt. ἅτινα, und ἄττα ſt. τινὰ Xen. Cyr. 2, 2. 13. 3, 3. 8. ψιθυρίσας πρὸς τὴν ἀκοὴν ἄττα δὴ ποτοῦν Polyb. 15, 27 ziſchelte ihm irgend etwas ins Ohr.

'Αττα, ſo wie ſonſt ἄππα, πάππα, τέττα, lieber Vater, lieber Alter.

'Αττάγας, ἀτταγᾶς, und ἀτταγὴν, ὁ, *attagen*, ein auf Wieſen ſich aufhaltender Vogel, den man mit dem Frankolin vergleicht.

'Αττάκης, eine Art Heuſchrecken, Lev. 11. vielleicht ſ. v. a. das folgende ἀττέλαβος.

'Ατταλατταταὰ, ein frölicher Ausruf, wie unſer Hehdie! Heſah! Juchhe! Ariſtoph. Ach. 1198.

'Αττανον, τὸ, und ἀττανίτης, ὁ, verſt. πλακοῦς joniſch ſ. v. a. τήγανον, τηγανίτης.

'Ατταπατταταὰ, Ariſtoph. Ach. 1190. Ausruf, Laut im Schmerz, etwa wie If! jeh! jeh!

'Αττάραχος, ἀττάραγος, ὁ, Brodkrümchen, od. die harte Rinde vom Brode.

'Ατταταὶ, oder ἀτταταιὰξ ſ. v. a. ἰατταταὶ.

'Αττέλαβος, ὁ, oder ἀττέλεβος, eine Art Heuſchrecken ohne Flügel; bey Euſtath. ad Dionyſ. 210 auch ἀττέσλαβος. —λεβόφθαλμος, ον, mit Augen eines ἀττέλεβος; vorſtehend.

'Αττικὴ, ἡ, nämlich γῆ, Attiſches Land, Gebiet. —κίζω, f. ίσω, ich bin ein Attiker, betrage mich wie ein Attiker, im Sprechen, oder ich ſpreche Attiſch, im Betragen, ich halte es mit den Attikern; davon —κισμὸς, ὁ, Attiſcher Ausdruck, Attiſche Mundart. —κιστὶ, Adv. nach Attiſcher Mundart od. Sitte; v. ἀττικίζω.

'Αττικοπέρδιξ, das attiſche Rebhuhn. Athenae. 3 p. 115. —κὸς, ἡ, ὸν, Attiſch. —κουργὴς, ἐς, nach Attiſcher Art gearbeitet.

"Αττω, ειν, (ἀίσσω, ᾄσσω) mit Heftigkeit, Leichtigkeit, Schnelligkeit ſich bewegen, ſpringen, hüpfen, hervor-losbrechen, darauf losgehn, *ruere*, *irruere*. S. ἀίσσω.

'Ατυζηλὸς, ἡ, ὸν, erſchreckend, ſchreckend; von

'Ατύζω, f. ξω, erſchrecken, in Schrecken oder Erſtaunen ſetzen, med. erſchrecken, erſtaunen, zurückbeben. Hom. Il. 6, 468.

'Ατυκτος, ὁ, ἡ, (τεύχω) unvollendet, nicht gethan.

'Ατύμβευτος, ὁ, ἡ, (τυμβεύω) od. ἄτυμβος, unbegraben, ohne Begräbniſs (τύμβος).

'Ατυπος, ὁ, ἡ, ſ. v. a. ἀτύπωτος.

'Ατύπτητος, ὁ, ἡ, (τύπτω) ungeſchlagen. —πωτος, ὁ, ἡ, (τυπόω) ungeformt.

'Ατυράννευτος, ὁ, ἡ, (τυραννεύω) Adv. ἀτυραννεύτως, von keinem Tyrannen beherrſcht. —ρωτος, ὁ, ἡ, (τυρόω) nicht geronnen, nicht gekäſet, als γάλα ἀτύρωτον φυλάσσει, läſst die Milch nicht gerinnen. Dioſcor. 3, 41.

'Ατυφία, ἡ, Charakter, Betragen eines ἄτυφος, Beſcheidenheit. —φος, ὁ, ἡ, (τύφος) Adv. ἀτύφως, ohne Aufgeblaſenheit, ohne Stolz; beſcheiden.

'Ατυχέω, ῶ, ich bin unglücklich, oder verfehle, οὐ τυγχάνω, erreiche, erlange nicht, was ich wünſche; davon —χημα, ατος, τὸ, das Verfehlte; nicht Erlangte; das Unglück; die Schandthat. —χὴς, έος, ὁ, ἡ, (τύχη) Adv. ἀτυχῶς, ohne Glück, unglücklich; oder v. τυγχάνω, der verfehlt, nicht erhalten, erreicht hat, συνέσεως. Aelian. H. A. 11, 31 ohne Verſtand.

'Ατύχησις, ἡ, das verfehlen, nicht erreichen; oder ſ. v. a. ἀτύχημα. —χία, ἡ, Zuſtand, Lage eines ἀτυχὴς, Unglück, auch bey Polyb. Verbrechen, Schandthat.

"Ατω, ſ. v. a. ἀτάω, davon ἆσε, ἄσατο, ἄσθη, wovon ἀτάω, ἀτέω, ἀάτω, ἀάσκω in demſelben Sinne gebräuchlich ſind, ſchaden, verletzen; med. u. paſſ. ſich ſchaden, unglücklich ſeyn, fehlen Hom. Il. 9, 116. Od. 4, 503.

Αὖ, Adv. ſ. v. a. das erweiterte αὖθις, wieder, wiederum, als, wieder, d. i. zurückgehen; wieder thun, d. i. gegenſeitig thun oder vergelten, im Gegentheil, auf der andern Seite; rückwärts, αὖ ἐρύειν.

Αὐαίνω, u. ἀυαίνω, (αὔω) ich mache trocken. S. αὖος.

Αὐαλέος, (αὔω) trocken, durſtig, abgezehrt, von Hitze aufgeſprungen, verbrannt, rauh, wie das lat. *ſqualidus*.

Αὔανσις u. ἀύανσις, ἡ, das Austrocknen, Vertrocknen, von thieriſchen und Pflanzenkörpern. —αντικὸς, u. ἀυαντικὸς, trocknend, austrocknend. —ασμὸς, u. ἀυασμὸς, ὁ, das Trocknen, die Trockenheit.

Αὐάτα, ἡ, Pind. Pyth. 2, 52. ſt. ἄτα, ἄτη.

Αὐγάζω, f. άσω, (αὐγάζω) erhellen, erleuchten, einen Glanz verbreiten; ſehen (in ſo fern αὐγὴ auch das Auge iſt) Hom. Il. 23, 458. Eurip. Bacch. 596. Sophocl. Phil. 220. neutr. glänzen. 2 Cor. 4, 4. —γασμα, ατος, τὸ, oder αὐγασμὸς, Erleuchtung, Erhellung, Glanz, Schimmer. —γέω, ῶ, ſ. v. a. αὐγάζω neutr.

Αὐγὴ, ἡ, Glanz, Strahl; Auge (welches das nämliche Wort ist,) Eurip. Rhes. Sophocl. Aj. 69. Das Stammwort ist ἄω, davon αὼς, αὔρα, *aurora* u. αὔρον; davon —γήεις, ήεσσα, ῆεν, glänzend, strahlend; hellsehend. —γήτειρα, ἡ, erhellende, erleuchtende, v. masc. αὐγητὴρ, u. dies v. αὐγέω.

Αὐδάζομαι, reden, sprechen, Herodot. —δάω, ῶ, f. ήσω, reden, sprechen, Hom. Il. 1. 92.

Αὐδὴ, ἡ, Rede, Sprache Hom. Il. 1, 249. v. ἄω, ἄυω, ἀΰω, ἀϋτὴ. —δήεις, ήεσσα, ῆεν, sprechend, mit der Sprache versehen. Hom. Il. 19. 407.

Ἀυδρία, ἡ, Mangel an Wasser; von

Ἄυδρος, ὁ, ἡ, (ὕδωρ) ohne Wasser.

Αὐδυναῖος, bey den Gazäern der Januar.

Αὐερύω, eigentl. ἂν ἐρύω, zurückziehn, besonders das Opferthier, dessen Kehle gestochen werden soll; daher abschlachten, opfern. 2) saugen Oppian. Hal. 2, 603.

Ἀυηλὸς, s. v. a. αὐαλέος, trocken, dürre.

Αὐθάδεια, ἡ, oder αὐθαδία, Selbstgefälligkeit, Anmaſsung, Stolz, und andere daraus flieſsende Fehler und Laster. Denn Aristoteles läſst die σεμνότης, männliche Würde und Ernst das Mittel halten zwischen dieser αὐθάδεια, die aus sich alles macht, und ἀρέσκεια, nachgebender Schmeicheley, die allen in allem Recht giebt. τῶν συνθηκῶν Dionys. Ant. 9, 17 das eigenmächtige Verfahren beym Bündnisse; von —θάδης, εος, ὁ, ἡ, (αὐτὸς, ἀδέω) selbstgefällig, eigensinnig, selbstsüchtig, anmaſsend, stolz, frech, Adv. αὐθαδῶς Dionys. Antiquit. 2, 12 verbindet αὐθαδεῖς καὶ μονογνώμονες δυναστείαι τῶν βασιλέων d. i. willkührliche Macht. —θαδιάζω, f. άσω, stolz, hartnäckig machen; med. sich stolz, hartnäckig machen oder beweisen, nicht nachgeben. —θαδίζομαι, s. v. a. das vorherg. in med. —θαδικὸς, ἡ, ὸν, s. v. a. αὐθάδης, verstärkt. —θάδισμα, ατος, τὸ, hartnäckiges, stolzes Betragen und Reden, v. αὐθαδίζομαι. —θαδόστομος, ὁ, ἡ, (στόμα) trotzig, stolz im Reden.

Αὔθαιμος, ὁ, ἡ, d. i. τοῦ αὐτοῦ αἵματος (ὢν) von eben dem Blute, Bruder. Eben das ist αὐθαίμων.

Αὐθαίρετος, ὁ, ἡ, (αἱρέω) selbstgewählt, selbstzugezogen, freywillig, als θάνατος, πῆμα, δουλεία, κίνδυνος; frey, als αὐβουλία Thucyd. nach dem Sch. αὐτεξούσιος. Adv. αὐθαιρέτως, frey, freywillig.

Αὐθέκαστος, ὁ, ἡ, Adv. αὐθεκάστως s. v. a. αὐτὸς ἕκαστος, jeder selbst oder für sich. ἐς ὅσον ἂν μὴ αὐτὸς ἕκαστος οἴηται ἱκανὸς εἶναι δρᾶσαί τι. Demosth. Von dieser Bed. gehn die übrigen aus. 2) s. v. a. ἁπλοῦς einfach, simpel, gerade, wie die Sache ist, also αὐθέκαστα s. v. a. αὐτὰ τὰ γενόμενα. So verbindet Plutarch. Alcib. ἁπλοῦς καὶ αὐθέκαστος. So ist bey Aristot. Ethic. 4. αὐθέκαστος das Mittel zwischen dem Prahler und Heuchler, εἴρων; daher gerade, offen, wahr. Aelian. H. A. 11, 10 αὐτὰ ἕκαστα προλέγουσι s. v. a. ἀτρεκέστατα, sagen ganz die Sache wie sie ist, die Wahrheit. ὀρθίος καὶ αὐθέκαστος Plut. Cato. gerade offen und unverhohlen; daher strenge oder eigensinnig πατέρας αὐθεκάστους καὶ τὸν τρόπον ὀμφακίας Plutarch. Man findet auch λόγοι αὐθέκαστοι, welche man σαφεῖς καὶ σύντομοι erklärt.

Αὐθεντέω, ῶ, ich bin ein αὐθέντης, bin Herr, beherrsche, 1 Tim. 2, 12. davon —τημα, ατος, τὸ, Macht, Recht, wie *auctoritas*. —της, οῦ, ὁ, contr. s. v. a. αὐτοέντης Soph. Oed. tyr. 107 Selbsttödter, der mit eigner Hand mordet. 2) s. v. a. Herr, Eur. Suppl. 442. δήμος αὐθέντης χθονὸς. 3) daher s. v. a. *auctor*, der Macht, Gewalt hat und andern giebt, Urheber. —τία, ἡ, Macht, Ansehen, Würde, die Selbstherrschaft giebt. —τικὸς, ἡ, ὸν, Adv. αὐθεντικῶς authentisch, was einen Urheber oder seine Gründe für sich hat. Cic. ad Att. 10, 9 αὐθεντικῶς *nunciabatur* vergl. 9, 14 ein Gegensatz v. *rumores* ἀδέσποτοι ad Div. 15, 17.

Αὐθερμήνευτος, ον, sich selbst erklärend, leicht zu erklären.

Αὐθημερίζω, an dem nämlichen Tage thun oder wiederholen. —μερὸν, Adv. d. i. τῇ αὐτῇ ἡμέρᾳ, neutr. von —μερος, ὁ, ἡ, oder αὐθημερινὸς, an dem nämlichen Tage gemacht, täglich.

Αὖθι, Adv. st. αὐτόθι dort; hier, Il. 9, 412. von der Zeit, in diesem Augenblicke, sogleich. Auch st. αὖθις.

Αὐθιγενὴς, έος, ὁ, ἡ, eingeboren, an der Stelle (αὖθι, γένος); ποταμὸς, hier, nicht vom Regen, entstandener oder Quellfluſs.

Αὖθις, Adv. oder αὖθιν, wiederum, abermals; als, wieder, oder wiederum thun; wieder oder zurückgehen; wieder oder wechselseitig geben, v. αὖ; wieder, von der Zeit, ein andermal, künftighin.

Αὐθόμαιμος, ὁ, ἡ, s. v. a. αὔθαιμος u. ὅμαιμος wie αὐτάδελφος, u. αὐτοκασίγνητος. —μολογέομαι, οῦμαι, selbst od. freywillig gestehen.

Αὐθύπαρκτος, ὁ, ἡ, oder αὐθυπόστατος, (ὑπάρχω, ὑφίσταμαι) für sich bestehend.

Αὐθωρὸν, Adv. oder αὐθωρεὶ, αὐθωρὶ, d. i. τῇ αὐτῇ ὥρᾳ, in der nämlichen Stunde. Vergl. αὐθήμερον.

Αὐΐαχος, ὁ, ἡ, Il. 13, 41 d. i. ἄνευ ἰαχῆς. Eigentl. sollte es ἄϊαχος heiſsen, das υ oder *digamma aeolicum* ist wie das lat. *u* eingeschoben, wie in αὐάϋτεω, ἐυκήλως, εὐκηρέσιη bey Hesych. für schweigend hat auch Quint. Smyrn. 13, 70.

Αὐλαία, ἡ, nämlich τάπις, Vorhang, *aulaeum*, v. αὐλή.

Αὐλάκα, ἡ. S. εὐλάκα. —**κεργάτης**, ου, ὁ, (αὖλαξ, ἐργάτης) Furchen ziehend. —**κίζω**, f. ισω, furchen, Furchen ziehen; v. αὖλαξ. —**κισμὸς**, ὁ, (αὐλακίζω) das furchen, das Furchenziehen.

Αὐλακόεσσαν ἄρουραν Maximus vers. 506 das gefurchte geackerte Land.

Αὖλαξ, ακος, ἡ, Furche.

Αὐλεία, ἡ, verst. θύρα, die Thüre des Vorzimmers, Saals. S. αὔλειος.

Αὔλειον, τὸ, Vorzimmer, Saal; v. αὔλειος.

Αὔλειος, ὁ, ἡ, zur αὐλή gehörig. ἡ αὔλειος verst. θύρα, die Thüre, der Eingang zum Vorzimmer, *vestibulum*, aus der Strasse; οὐδοῦ ἐπ' αὐλείου, an der Schwelle des Vorzimmers.

Αὐλείτης, ὁ. S. αὐλητὴς no. 2.

Αὐλέω, ich blase, spiele auf der Flöte, αὐλός. Pass. αὐλέομαι, ich lasse mir vorspielen. S. καταυλέω.

Αὐλή, ἡ, (ἄω) ein freyer luftiger Ort bey Homer vor der Wohnung, wo zugleich der eigentliche Hof für das Vieh ist; daher auch s. v. a. *cors*, Hof; s. v. a. *villa*, Landsitz, Landgut Dionys. Ant. 6, 50. S. πρόδομος u. αἴθουσα; 2) auch das Vorzimmer, *vestibulum*, worein man von der Strasse zuerst kommt, der Saal; daher auch von königl. Pallästen, Wohnungen, Hofen; auch Hütten- oder Landwohnung Dionys. Antiq. 5, 26.

Αὐλήεις, αὐλῆεν contr. αὐλᾶν μέλος Pind. Pyth. 12, 34. wie αἰγλῆεν, αἰγλᾶν, ἀργᾶεν ἀργᾶν.

Αὔλημα, ατος, τὸ, das Geblasene auf der Flöte, das Lied.

Αὔλησις, ἡ, das Blasen, Spielen auf der Flöte. —**τὴρ**, ῆρος, ὁ, oder αὐλητὴς, Flötenspieler. 2) von αὐλὴ auch der *villicus* Meyer, der die Besorgung des Viehhofs unter sich hat. ἀνὴρ αὐλείτης Apollon. 4, 1486 wo die Handschr. αὐλήτης haben, wie Hesych. —**τικὴ**, ἡ, näml. τέχνη, Kunst eines Flötenspielers, das Flötenblasen. —**τικὸς**, ἡ, ὸν, Adv. αὐλητικῶς, einen Flötenspieler betreffend, ihm gehörig. —**τρίδιον**, τὸ, Dimin. v. αὐλητρὶς, ἡ, fem. v. αὐλητὴς, die Flötenspielerin.

Αὐλία, ἡ, Immaterialität; Hierocles Pyth.

Αὐλίδιον, τὸ, Dimin. v. αὐλή, ein kleiner Hof, Kampfplatz Theophr. char. 5, 4.

Αὐλίζομαι, f. ίσομαι, ich nehme oder schlage meine Wohnung, mein Lager auf, verweile, durchnachte, Xen. Cyr. 4, 6. 10.

Αὐλικὸς, ἡ, ὸν, ein geschickter Flötenspieler; zur Flöte gehörig, sie betreffend, v. αὐλός.

Αὔλιον, τὸ, dimin. v. αὐλή, Hürde, Hütte, Grotte, Wohnung.

Αὔλιος, ὁ, ἡ, (αὐλή) zum Stalle gehörig, führend, wie ἀστὴρ αὔλιος bey Apollon. Abendstern.

Αὖλις, ιδος, ἡ, Aufenthalt, Verweilung, als Zelt, Lager, Bette, Stall. So ist Hom. Il. 9, 232 αὖλιν θέσθαι, sein Lager aufschlagen, sich lagern, u. Od. 22, 470 αὖλιν εἰσιέναι ins Lager oder in die Ruhestatte gehen, fliegen von Vögeln. Es steht gleich dabey κοῖτος.

Αὐλίσκος, ὁ, eine kleine Röhre; 2) Flöte.

Αὐλισμὸς, von αὐλὸς, das Flöten; 2) das Wohnen, Uebernachten im Stalle (αὐλή).

Αὐλοθετέω, ῶ, (τίθημι) Flöten oder Pfeifen zusammensetzen. —**θήκη**, ἡ, Flötenfutteral. —**μανοῦντα** γυναικείαις θέαις bey Photius aus Diodor soll αὐλοῦντα heissen. —**ποιητικὸς**, zum αὐλοποιὸς gehörig, zum Flötenmachen geschickt, gehörig; αὐλοποιητικὴ verst. τέχνη, die Kunst des Flötenmachers, Adv. αὐλοποιητικῶς, nach Art der Flötenmacher. —**ποιία**, ἡ, und αὐλοποιικὴ, ἡ, s. v. a. αὐλοποιητικὴ, verst. τέχνη. —**ποιὸς**, ὁ, (αὐλὸς, ποιέω) Flötenmacher. —**πρεπὴς**, έος, ὁ, ἡ, d. i. αὐλῇ πρέπων, schicklich für einen Hof.

Αὐλὸς, ὁ, (ἄω, ἀύω ich wehe, blase) Flöte; 2) jedes Rohr, Röhre, hohler Körper, wie die Flöte; auch ein Rohr, um dadurch etwas deutlicher in der Ferne zu sehen, deren sich die alten Astronomen an ihren Sphaeren unter dem Namen διόπτρα bedienten. 3) ein Loch, Hölung um etwas, wie den Stiel u. s. w. hinein zu stecken. αὐλὸς αἵματος bey Homer der Strom des Bluts, wie aus einer Röhre.

Ἄυλος, ὁ, ἡ, (ὕλη) ohne Materie, Stof, unmateriell, ohne Korper, unkörperlich.

Αὐλοτρύπης, ὁ, (τρυπάω) Flötenbohrer, der die Löcher darein bohrt; Aristot. Probl. 19, 23. davon αὐλοτρυπητικὸς u. αὐλοτρυπητικῶς, was darzu gehort, und nach der Art geschieht.

Αὐλουρὸς, ὁ, d. i. αὐλοῦ οὖρος, Hofwachter.

Αὐλῳδία, ἡ, Spiel eines αὐλῳδός. —**λῳδικὸς**, ἡ, ὸν, zur αὐλῳδία gehörig. —**λῳδὸς**, ὁ, der zur Flote singt, wie κιθαρῳδὸς von κιθαριστὴς verschieden, also auch αὐλητὴς, v. ᾠδή, αὐλός.

Αὐλών, ῶνος, ὁ, jeder hohler tiefer Ort zwischen Bergen oder Ufern, also Thal; Kanal, Meerenge, Graben. Xenoph. Anab. 2, 3, 10 Diodor. Excerpt. wo es mit πόρος einerley.

Αὐλωνιὰς, άδος, ἡ, als νύμφη, Thalnymphe. —νίσκος, ὁ, dimin. v. αὐλών. —νοειδὴς, έος, ὁ, ἡ, von der Art oder Geſtalt eines αὐλὼν in den verſchiedenen Bedeut.

Αὐλῶπις, ιδος, ἡ, τρυφάλεια bey Homer, nach einigen ein Helm, der Viſirlöcher für die Augen hat, weil αὔλωψ, αὐλωπίας, und αὐλῶπις ſ. v. a. κοιλόφθαλμος, iſt; nach andern ſ. v. a. εἰς ὀξὺ λήγουσα zugeſpitzt; oder mit langem λόφος. So ſoll Sophocles eine lange Lanze αὐλῶπιν λόγχην, d. i. μακρὰν genennt haben.

Αὐλωπὸς, ὁ, ἡ, und αὐλωπίας, ὁ, b. Oppian ein Fiſch mit hohlen Augen; v. αὐλὸς ὤψ.

Αὐλωτοὶ φιμοὶ, bey Aeſchyl. eine Art von Gebiſs der Pferde mit daran hängenden Klingeln, αὐλὸς ſ. v. a. κώδων.

Αὐξάνω und αὐξάω auch αὐξέω, f. ξήσω, ſ. v. a. αὔξω das lat. augeo. Die beyden Formen αὐξάω, αὐξέω ſind zwar nicht ſehr gebräuchlich, aber von ihnen nimmt αὐξάνω die meiſten tempora her, oder vielmehr, ſie kommen bloſs in den temporibus vor, welche αὐξάνω gerade nicht hat.

Αὔξη, ἡ, Zuwachs, Vergröſserung; von αὔξω. —ξημα, ατος, τὸ, das vermehrte, vergroſserte, und ſ. v. a. das vorh. —ξησις, εως, ἡ, das Wachſen, Zunehmen; von αὐξέω, —ξητικὸς, ἡ, ὸν, Adv. αὐξητικῶς, vermehrend, gut zu vermehren, zu erweitern; paſſ. wachſend, gut zu wachſen. —ξιθαλὴς, ὲς, (αὔξω, θάλλω) das Blühen, Grünen, Wachsthum vermehrend. —ξιμος, ὁ, ἡ, vergröſsernd, groſs machend, od. darzu geſchickt, von αὔξη, wie βλάστιμος von βλάστη.

Αὔξις, εως, ἡ, ſ. v. a. αὔξη. —ξιτρόφος, ον, groſsziehend. αὐξίτροφος, paſſ. groſs wachſend, aufwachſend.

Αὔξω, f. ξήσω, davon αὐξέω, αὐξάνω, und eine andere Form ἀέξω, alle vom fut. des alten αὔγω, woraus augeo wie ἀλέκω ἀλέξω, nähren, mehren, vermehren, groſs ziehn, vergröſsern, verſtärken.

Αὐόνη, ἡ, und αὑόνη, (αὖος) die Trockenheit; 2) Geſchrey, Rede. ἄρρηκτον αὐόνην ἔχει Simonid. Fragm. 17.

Αὖος, attiſch αὗος, trocken; 2) durſtig; 3) vor Schrecken gleichſam ausgetrocknet, erſtarrt, erſtaunt; davon

Αὐότης, ἡ, attiſch αὑότης, die Trockenheit; von αὖος; mit dem Spiritus aſper kommt ἀφαύω, ἀφαυαίνω.

Ἀϋπνία, ἡ, Schlafloſigkeit; von

Ἄϋπνος, ὁ, ἡ, (ὕπνος) ohne Schlaf, ſchlaflos, wachend; davon —νοσύνη, ἡ, Schlafloſigkeit. Quint. Smyrn. 2, 154.

Αὔρα, ἡ, das lat. aura, Luft, Wind, Ausdünſtung, vorz. die kühle Luft von Waſſer, Flüſſen, Seen. Herodot. 2, 27. oder die kühle Morgenluft; von ἄω, αὔω.

Αὐρίζω, (αὔριον) auf Morgen verſchieben, procraſtinare, auch frieren, von αὔρα; wofür Heſych: αὐθρίζειν hat, wie αἰθρέω von αἴθρα.

Αὔριον, Adv. morgen; ἡ αὔριον, der morgende Tag. Hat mit αὔρα die Morgenluft, αὼς die Morgenröthe, und αὖρον das Gold einerley Urſprung von ἄω, αὔω. Das lat. aurora, welches Skaliger von aurum und ὥρα ableitete, iſt ganz das griech. αὔριος ὥρα die Morgenzeit; und eben ſo wie im Deutſchen aus dem Morgen das Adv. morgen in verſchiedener Bedeutung kommt, ſo aus αὔριος ὥρα das αὔριον als Adverb.

Αὖρον, τὸ, aurum, Gold. αὔρου πλίνθοις Doſiades.

Αὐρόσχη oder αὐροσχὰς, ἡ, eine Weinranke mit Trauben, von ὄσχη. Heſych. hat ἀρασχάδες, τὰ περυσινὰ κλήματα und ἀρέσχαι, κλήματα, βότρυς.

Αὐροφόρητος, ον, (αὔρα, φορέω) vom Winde getragen, fortgetrieben.

Αὐσταλέος, έα, έον, (αὔω, αὔσω, αὐστὸς) ſ. v. a. αὐαλέος, ſiccus, ſqualidus, Hom. Od. 19, 327. —στὴρ, ὁ, u. αὔστρα für hauſtrum, zweif. —στηρία, ἡ, auſteritas, zweif. —στηρὸς, (αὔω, αὐστὴρ) eigentlich was die Zunge trocken, rauh macht, wie ſaure, herbe, zuſammenziehende Säfte; auſterus, herbe, ſauer; 2) metaph. wie auſterus, tetricus, ein mürriſcher, ernſthafter, ſtrenger Mann; Adv. αὐστηρῶς. Die erſte Bedeut. zeigt die Antwort des Zeno auf die Frage, wie er, ſonſt ſo trocken, mürriſch, beym Trunke heiter würde, es gehe ihm wie den Lupinen, die von Natur bitter, eingeweicht aber ſüſs würden. —στηρότης, ἡ, auſteritas, ſeveritas, das ſaure, metaph. das mürriſche, ernſthafte, ſtrenge Weſen, Beſchaffenheit.

Αὐτάγγελος, ὁ, ἡ, Selbſtbote, freywilliger Bote. —γελτος, ὁ, ἡ, von ihm ſelbſt verkündigt.

Αὐτάγητος, ὁ, ἡ, (ἀγάω, ἄγαμαι) ſ. v. a. αὐτάρεσκος u. αὐθάδης. —γρετος, ὁ, ἡ, (ἀγρέω) der ſelbſt nimmt, wählt. αὐτάγρετοι λείπουσιν ἡλίου φάος, verlaſſen ſelbſtwählend, freywillig das Licht der Sonne, Simonides. paſſ. frey zu wählen, nach Wunſche gehend. Hom. Od. 16, 148. —δελφος, ὁ, leiblicher Bruder, wie αὐτοκασίγνητος.

Αὐτανδρὶ, Adv. ſammt den Menſchen oder der Mannſchaft; von —ανδρος, ὁ, ἡ, (ἀνὴρ) ſammt den Menſchen oder der Mannſchaft. —ανεψιὸς, ὁ, ſ. v. a. ἀνεψιός.

Αὐτὰρ, doch, jedennoch, aber; doch od. übrigens; ferner.

Αὐταρέσκεια, ἡ, Selbſtgefälligkeit, Selbſtgenügſamkeit; von —ρεστος, ὁ, ἡ, (αὐτὸς, ἀρέσκω) ſelbſtgefällig, ſelbſtgenügſam.

Αὐτάρκεια, ἡ, Selbſtgenügſamkeit, Genügſamkeit; das Hinreichende, hinreichendes Auskommen; von —κέω, ῶ, (ἀρκέω, αὐτὸς) ich gnüge mir ſelbſt, bin hinreichend, reiche oder daure aus, bin zufrieden oder genügſam; davon —κης, εος, ὁ, ἡ, ſelbſtgnügend, hinreichend, zureichend; gut-ſtark-genug; ſein Auskommen habend, zufrieden mit ſeinem Auskommen. Adv. αὐτάρκως. —κία, ἡ, ſ. v. a. αὐτάρκεια.

Αὐταρχέω, ῶ, ſ. v. a. αὐτοκρατορεύω. —χης, ου, ὁ, u. αὔταρχος. ſ. v. a. αὐτοκράτωρ. —χία, ἡ, ſ. v. a. αὐτοκρατορία.

Αὖτε, Adv. ſ. v. a. αὖ mit τε, auch hernach.

Αὐτενέργητος, ὁ, ἡ, für oder durch ſich ſelbſt bewirkt, bewegt. —νιαυτὸς κόπρος, dieſsjähriger Miſt. Geopon. v. αὐτὸς. ενιαυτὸς. —ξούσιος, ὁ, ἡ, (αὐτὸς ἐξουσία) Adv. αὐτεξουσίως, eigenmächtig, ſein eigner Herr. Herodian. verbindet es mit ἀδεής. τὸ αὐτεξούσιον wie Subſt. freye Macht; davon —ξουσιότης, ητος, ἡ, freye, unabhängige Macht, Herrſchaft. Joſeph. —παγγελτος, ὁ, ἡ, der ſich ſelbſt wozu erbietet, der von ſelbſt etwas verſpricht, über ſich nimmt; ἐπαγγέλλεσθαι. —πίσκοπος, ὁ, ſein eigener Aufſeher, keinen andern mehr zum Aufſeher habend. —πίσπαστος, ὁ, ἡ, (ἐπισπάω) den man ſich ſelbſt herbeygezogen, zugezogen hat. —πιτάκτης, ου, ὁ, (ἐπιτάσσω) für ſich, aus eigner Macht befehlend. —πιτακτικὴ, ἡ, verſt. τέχνη, Kunſt des αὐτεπιτάκτης. —πιτακτικὸς, ἡ, ὸν, Adv. αὐτεπιτακτικῶς, zur Selbſtherrſchaft, oder zum αὐτεπιτάκτης gehörig. —πίτακτος, ὁ, ἡ, von ſich ſelbſt befehliget, beherrſcht. —πώνυμος, ὁ, ἡ, (αὐτὸς, ἐπὶ, ὄνομα) gleichnahmig.

Αὐτερέτης, ου, ὁ, Selbſtruderer.

Αὐτέτης, ὁ, (αὐτὸς, ἔτος) *hornus*, v. dieſem Jahre.

Ἀϋτέω, von ἀϋτὴ, ſ. v. a. αὔω, rufen, ſchreyen.

Ἀϋτὴ, ἡ, Geſchrey; Schlachtgeſchrey, Schlachtgetümmel, wie βοὴ, Hom. Il. 14, 312. Od. 6, 122.

Αὐτήκοος, ὁ, ἡ, der ſelbſt gehört hat, Ohrenzeuge; der ſich allein gehorcht, keinem andern unterthänig; v. ἀκούω.

Αὐτῆμαρ, Adv. ſ. v. a. αὐθημερὸν, von ἦμαρ, Hom. Il. 1, 81.

Αὐτίκα, Adv. (v. αὐτὸς) ſogleich, bald; 2) jetzt; auch mit τὸ; ἅμα τ' αὐτίκα καὶ μετέπειτα Il. auch ἐν τῷ αὐτίκα φόβῳ in der gegenwärtigen, augenblicklichen Furcht; 3) zum Beyſpiel. ὥσπερ τὸν Οἰδίπουν αὐτίκα φασὶν εὔξασθαι, wie man vom Oedipus, um gleich eine Perſon zu nennen, ſagt; wie man zum Beyſpiele v. O. ſagt; mit dem Deutſchen: als gleich vom O. kommt man d. Gr. am nächſten.

Ἀὖτις, Adv. ſ. v. a. αὖθις.

Αὐτίτης, ου, ὁ, (αὐτὸς) οἶνος, ganz reiner, unvermiſchter Wein. Athenae. 1. p. 31. S. über Demetrius Phal. p. 156. 2) μονώτης καὶ αὐτίτης εἰμὶ, ich bin einſam und ſelbſtig, d. i. für mich lebend, Ariſtot.

Ἀϋτμὴ, ἡ, od. ἀϋτμὴν, ὁ, Hauch, Dunſt, Rauch, ſ. v. a. ἀτμὸς, von αω, αὔω.

Αὐτοάγαθος, ὁ, ἡ, ganz oder ſehr gut. Gregor. davon —αγαθότης, ητος, ἡ, ganz Güte, die Güte ſelbſt. —αγιότης, ητος, ἡ, die Heiligkeit ſelbſt. —αλήθεια, ἡ, die Wahrheit ſelbſt. —αληθῶς, Adv. ganz wahr. —άνθρωπος, ὁ, der Menſch an und für ſich ſelbſt betrachtet. Ariſtot. —απλότης, ἡ, die Simplicität ſelbſt.

Αὐτοβοάω, ῶ, ſich ſelbſt rufen, laut ſagen, ſich ſelbſt Zeugniſs geben. —βοεὶ, Adv. mit dem erſten Kriegsgeſchrey, beym erſten Angriffe und ohne Gewalt, oder eine Schlacht zu liefern. —βοηθὸς, ὁ, ſich ſelbſt helfend, rathend. —βόητος, ὁ, ἡ, von ſelbſt gerufen, ungerufen. —βορέας, ου, ὁ, der Boreas ſelbſt. —βουλὸς, ὁ, ἡ, (βουλὴ) aus eigenem od. freyem Entſchluſſe. —γένεθλος, ὁ, ἡ, αὐτογενὴς, ὁ, ἡ, αὐτογένητος, ὁ, ἡ, (γένεθλον, γένος, γενάω oder γεννάω) von oder aus ſich ſelbſt gezeugt, gebohren, geſchaffen. —γνωμονέω, ῶ, ich handle nach meiner Meinung, Urtheil, ohne Rückſicht auf anderer Urtheil oder Willen; v. —γνώμων, ονος, ὁ, ἡ, (αὐτὸς, γνώμη) einer, der nach ſeinem eignen Willen, Meinung, Ueberzeugung ſpricht und handelt. αὐτογνώμονα ἄρχειν, nach eignem Sinne regieren, entgegengeſetzt κατὰ γράμματα, nach einem geſchriebenen Geſetze. Adv. αὐτογνωμόνως. — —γνωτος, ὁ, ἡ, (γνώμη) nach eigner Meinung, oder eignem Entſchluſſe, als ὀργὰ Sophocl. Ant. 875. ſ. v. a. αὐτογνώμων. —γονος, ὁ, ἡ, ſ. v. a. αὐτογένεθλος, v. γόνος. —γραμμὴ, ἡ, die eigentliche oder mathematiſche Linie. —γραφος, ὁ, ἡ, mit eigner Hand geſchrieben. τὸ αὐτόγραφον verſt. βιβλίον, die Handſchrift, Original; von γράφω. —γυος, ὁ, ἡ, ἄροτρον αὐτόγυον, Pflug, deſſen γύης aus einem Stucke Holz m. dem ἔλυμα und ἱστοβοεὺς iſt, und nicht theilweiſe zuſammengeſetzt und in einander gefugt iſt, in welchem letztern Falle es ἄροτρον πηκτὸν iſt.

Αὐτοδαής, έος, ὁ, ἡ, ſ. v. a. αὐτομαθὴς v. δάω, δαέω, wovon δαήμων. —δάϊκτος, ὁ, ἡ, (δαΐζω) von ſich ſelbſt ermordet. —δαιτος, ſ. v. a. αὐτόδειπνος; v. δαίς. —δάξ, Adv. mit den Zähnen haltend, von ὀδάξ; übergetragen ὁ αὐτοδὰξ τρόπος Ariſtoph. feſthaltender, hartnäckiger Charakter, wie ein Hund, der nichts aus den Zähnen läſst. Eben ſo beym Ariſtoph. γυναῖκες αὐτοδὰξ ὠργισμέναι, böſe, gebiſſige Weiber.

Αὐτόδειπνος, ὁ, ἡ, ſ. v. a. αὐτόσιτος u. οἰκόσιτος. —δεκα ἐτῶν διελθόντων Thucyd. 5, 20 gerade nach 10 Jahren, wie lat. *ipſis decem annis elapſis*, andere leſen falſch αὐτοδεκαετῶν zuſammen. —δέσποτος, ὁ, Selbſtherrſcher. zweif.

Αὐτόδετος, ὁ, ἡ, (δέω) ſelbſtgebunden. Oppi. Cyn. 2, 376. —δηλος, ὁ, ἡ, durch ſich deutlich. —δημιούργητος, ον, von, durch ſich ſelbſt bereitet, gemacht. —διακονία, ἡ, Selbſtbedienung; v. —διάκονος, ὁ, ἡ, ſich ſelbſt bedienend. —δίδακτος, ὁ, ἡ, Adv. αὐτοδιδάκτως, ſelbſtgelehrt, der ſich ſelbſt gebildet, keines andern Unterricht genoſſen hat. —διήγητος, ὁ, ἡ, und αὐτοδιηγούμενος, (διηγέομαι) ſelbſt erzählt, ſelbſt erzählend, nicht von andern erzählt oder durch andere erzählend, im Gegenſ. von ἐν διαλόγου σχήματι Laert. wie αὐτοπρόσωπος. —δικαιοσύνη, ἡ, die Gerechtigkeit ſelbſt. —δικέω, ῶ, ich bin ein αὐτόδικος. —δίκη, ἡ, Selbſtgericht, Selbſtgerichtsbarkeit, bey Suidas. zweif. —δικος, ὁ, ἡ, der ſich ſelbſt und nach eignen Geſetzen richtet, nicht bey andern auſser dem Lande Recht nehmen muſs, wie alle die Bewohner der Attiſchen Inſeln zu Athen; von δίκη und αὐτὸς. —διος, ὁ, ἡ, (αὐτὸς, ὁδὸς) αὐτόδιον δ' ἄρα μιν Odyſſ. 8, 449 auf demſelben Wege, ſogleich. —δόξα, ἡ, der Ruf an und für ſich betrachtet, wie αὐτοάνθρωπος. zweif. —δοξαστὸς, ὸν, eigentlich gewähnt, gemeint. zweif.

Αὐτόδορος, ὁ, ἡ, (δορὰ) αὐτόδορον ὁλοκαυτοῦσιν Plutarch. Q. S. 6, 8. mit ſammt der Haut, Felle. —δρομος, ὁ, ἡ, von ſelbſt laufend oder bewegt. —δύναμος, ὁ, ἡ, von ſich, durch ſich ſelbſt mächtig. —δωρον, τὸ, das Geſchenk ſelbſt, das ganze Geſchenk. zweif.

Αὐτοειδής, ές, (εἶδος) das Geſicht ſelbſt, ganz ähnlich. zw. —εἶναι, τὸ, von Gott, das Selbſtſeyn. —ἕκαστος, ὁ, ein jeder für ſich. zweif. —έλικτος, ὁ, ἡ, von ſelbſt gewunden, gedreht, im Wirbel gedreht, v. ἑλίσσω. —εντεὶ, Adv. eigenhändig; von —έντης, ου, ὁ, ſo viel als αὐθέντης, Selbſtmörder, Mörder. —εξία, ἡ, bey Polyb. 31 K. 11 falſch ſt. εὐταξία. —ξουσία, ἡ, ſo viel als αὐτεξουσιότης zweifelh. —ετες, Adv. im nämlichen Jahre, in einem Jahre, in Jahresfriſt, Hom. Od. 3, 322. neutr. von —ετὴς, έος, ὁ, ἡ, (ἔτος) von dem nämlichen Jahre, jährig.

Αὐτοζήμιος, ον, (ζημία) ſich ſelbſt beſtrafend. —ζήτητος, ον, von ſelbſten geſucht, d. i. der ſich nicht erſt ſuchen läſst, ſich ſelbſt einſtellt. —ζωὴ, ἡ, Selbſtleben, von Gott gebraucht. —θαῒς, die leibhafte Thais. —θάνατος, ὁ, ἡ, von ſich ſelbſt ſterbend, Selbſtmörder. —θελὴς, έος, ὁ, ἡ, Adv. αὐτοθελεὶ, freywillig; v. θέλω. —θέμεθλος, ὁ, ἡ, durch ſich gegründet. von θέμεθλον.

Αὐτόθεν, Adv. von dort her; von der Zeit gebraucht, von da an, von der Zeit an; von dieſer Zeit an, alſobald, od. ſogleich, jetzt, bald. —θεος, ὁ, ἡ, Selbſt- oder wirklicher Gott.

Αὐτοθήριον, τὸ, ſelbſt od. ganz Thier.

Αὐτόθι, Adv. daſelbſt, dort; poetiſch ſt. αὐτοῦ. —θροος, ὁ, ἡ, von ihm ſelbſt geſprochen, getönt.

Αὐτοκάβδαλος, auch αὐτοκαύδαλος u. αὐτοκάνδαλος falſch geſchrieben. Ern. leitet es v. αὐτὸς u. κάβος, Mehl her, weil nach Suidas das Wort eigentlich von ſchlecht geknetetem Mehle ſoll gebraucht werden. Es iſt wie αὐτολήκυθος u. αὐτοσχέδιος zuſammengeſetzt, u. gleicht dem letztern faſt ganz in der Bedeutung; alles was leicht, ohne Mühe, Sorgfalt, aus dem Stegreif gemacht iſt; alſo ſchlecht, leicht, unanſehnlich; von Perſonen inſ. bedeutet es auch Poſſenreiſser, Komödianten, vorzüglich die Impromptus vorbringen, σκάφος αὐτ. ein leicht gebautes Schiff; περὶ εὐόγκων αὐτοκαβδάλως λέγειν, von groſsen wichtigen Dingen einen kleinen, ſchlechten Ausdruck gebrauchen. Ariſtot. Rhetoric. 3, 7.

Αὐτοκάθαρσις, εως, ἡ, ſo heiſst Chriſtus, die Reinigung ſelbſt. —κασιγνήτη, ἡ, leibliche Schweſter, αὐτοκασίγνητος, leiblicher Bruder. Hom. Od. 10, 137. Il. 2, 706. —κατάκριτος, ὁ, ἡ, von oder durch ſich ſelbſt verurtheilt. —κατασκεύαστος, ον, von ſelbſt oder von Natur gemacht, bereitet. —κέλευθος, ὁ, ἡ, für ſich gehend oder reiſend. Epigr. wo andre αὐτοκέλευστος leſen. —κέλευστος, o. αὐτοκελὴς, ὁ, ἡ, (κέλω, κελεύω) von keinem andern als ſich ſelbſt geheiſſen; ungeheiſſen, von ſelbſt. —κέρας, ατος, ὁ, ἡ, (κεράω) von ſelbſt gemiſcht, gemäſsigt, als Wein, der nicht zu ſtark iſt, den man mithin nicht erſt zu miſchen braucht. —κέφαλον, τὸ, d. i. αὐτὴ κεφαλή. —κινησία, ἡ, Selbſtbewegung. —κίνητος, ὁ, ἡ, (κινέω) durch ſich ſelbſt beweglich, ſich ſelbſt bewegend.

Αὐτόκλαδος, ὁ, ἡ, sammt den Zweigen. —κλητος, ὁ, ἡ, Adv. αὐτοκλήτως, von [illegible] selbst eingeladen, uneingeladen, ungerufen; v. καλέω. —κμης, ητος, u. αὐτόκμητος, ὁ, ἡ, (κάμω, κάμνω) s. v. a. αὐτοπόνητος. —κομος, ὁ, ἡ, (κόμη) von selbst, von Natur behaart od. belaubt, od. sammt den Haaren, Blättern. —κρὰής, έος, ὁ, ἡ, oder αὐτόκρας, ατος, ὁ, ἡ, s. v. a. αὐτοκέρας. —κράτειρα, ἡ, Selbstherrscherin. —κρατής, έος, ὁ, ἡ, (κράτος) selbstherrschend, selbstgebietend, nach eigener Macht handelnd; davon τὸ αὐτόκρατες, die Selbstherrschaft, freye Macht u. Gewalt. —κρατορεύω, ich bin ein αὐτοκράτωρ. —κρατορία, ἡ, Selbstherrschaft, Herrschaft od. Macht eines αὐτοκράτωρ. —κρατορικὸς, ἡ, ὸν, Adv. αὐτοκρατορικῶς, zu einem Selbstherrscher gehörend, ihn betreffend; von freyer Willkühr herrührend. —κρατορὶς, ίδος, ἡ, nämlich πόλις, Selbstherrscherin, od. Residenz eines Selbstherrschers. Joseph. —κρατος, ὁ, s. v. a. αὐτοκέρας, von selbst gemischt. —κράτωρ, ορος, ὁ, ἡ, sich selbst, nach eigenen Gesetzen beherrschend, sein eigner Herr Xenoph. Mem. 2, 1. 21. vergleiche Horat. art. poet. 161. mit Vollmacht versehen, Bevollmächtigter, als Gesandter, als Feldherr; daher Selbstherrscher, unumschränkter Herrscher, *imperator*. —κτητος, ὁ, ἡ, (κτάομαι) χωρίον eigenthümlich. Inscript. musei Veron. pag. 14. —κτιστος, ὁ, ἡ, od. αὐτόκτιτος, (κτίζω) von selbst, von Natur, nicht von Menschen gemacht. —κτονος, ὁ, ἡ, Adv. αὐτοκτόνως, von selbst, von sich ermordet; Selbstmörder. —κυβερνητὶ, αὐτοκυβερνητεὶ, Adv. (κυβερνάω) selbststeuernd. —κυκλος, ὁ, u. αὐτοτρίγωνον, τὸ, der Urzirkel u. Urdreyeck d. i. das Jdeal aller materiellen Zirkel und Dreyecke. Themist. or. 13 p. 165. —κύλιστος, ὁ, ἡ, (κυλιστὸς) von selbst sich fortrollend. —κύριος, ὁ, ἡ, Selbstherr, Herr für sich. —κωπος, ον, (κώπη) sammt dem Griffe, mit einem natürlichen Griffe. —λάλητος, ον, mit sich selbst sprechend. —λεξεὶ, Adv. (λέξις) mit den nämlichen Worten, Wort für Wort. —λετὴρ, ῆρος, ὁ, Selbstmörder, Mörder. —λήκυθος, ὁ, (αὐτὸς, λήκυθος) der sich aus Armuth od. Geitz die Oelbulle auf dem Ringeplatz selbst tragt; also ein armer, geitziger Mensch; auch ein Schmarotzer. —λίθινος, ὁ, ἡ, ganz wie Stein, steinern, hart, unerbittlich.

Αὐτόλογοι κύνες Oppian. Cyn. 4, 357. zweif. vielleicht αὐτόλυτοι von αὐτόλυσις bey Hesych. s. v. a. ῥυτὴρ, Seil, Strick, Riemen, womit man die Hunde auf die Jagd führt. —λόγος, ὁ, d. i. αὐτὸς λόγος. —λόχευτος, ὁ, ἡ, (λοχεύω) durch sich selbst gezeugt. —λυρίζω, f. ίσω, wird aus dem Sprüchworte ὄνος αὐτολυρίζων b. Lucian. dial. meretr. 14 angeführt: der wahre leibhafte Esel (αὐτὸς ὄνος λυρίζων) der die Leyer spielt. —μαθὴς, έος, ὁ, ἡ, (μαθέω) Adv. αὐτομαθῶς, der für sich, ohne Anweisung gelernt hat. —μαρτυρέω, ῶ, ich zeuge von mir selbst. —μάρτυς, υος, ὁ, ἡ, Selbstzeuge für sich. —ματεὶ, Adv. oder αὐτοματὶ, αὐτομάτην, freywillig, von freyen Stücken, von αὐτόματος. —ματία, *fors, fortuna*, das Glück, die Glücksgöttin. Plut. Timol. —ματίζω, ich thue, handle aus eigener Bewegung, von selbst, freywillig, o. ohne Befehl darzu; ich komme selbst u. s. w. v. αὐτόματος. dav. —ματισμὸς, ὁ, freywilliges Handeln, o. ohne Befehl. —ματος, ὁ, ἡ, (αὐτὸς, μάομαι) Adv. αὐτομάτως, freywillig, aus eigener Bewegung, von freyen Stücken etwas thuend, von Pflanzen, vor sich wachsend; pass. vor sich geschehend, sich zutragend. αὐτόματος θάνατος, der natürliche Tod; τὸ αὐτόματον, ταὐτόματον, der Zufall, ἀπὸ od. ἐκ τοῦ αὐτομάτου, durch Zufall, von ohngefähr. αὐτόματα, sich selbst bewegende Maschinen, Automaten.

Αὐτοματουργὸς, ὁ, d. i. ἐργαζόμενος αὐτόματον, der sich selbst bewegende künstliche Maschinen verfertigt. —μαχέω, ῶ, (μάχομαι) selbst (durch keinen andern) streiten; vom Gerichte, seine Sache vertheidigen, seinen Process führen, δι' ἐμαυτοῦ δικάζομαι. —μεγάνωρ, ορος, ὁ, ganz, sehr mächtig. zw. —μήτηρ, ηρὸς, ὁ, oder αὐτομήτωρ, ὁ, ἡ, d. i. αὐτὴ μήτηρ selbst, ganz Mutter, von derselben Mutter. zw. —μήτωρ, ορος, ὁ, ἡ, von eben der Mutter. —μολέω, ῶ, ich bin ein αὐτόμολος. —μολία, ἡ, das Ueberlaufen; von —μολος, ὁ, ἡ, (αὐτὸς μολέων) Adv. αὐτομόλως, freywillig, ohne Geheiss gehend; im Kriege, Ueberläufer.

Αὐτόνεκρος, ὁ, ἡ, leibhaft todt. Alciph. 3 Ep. 17. —νομέομαι, οῦμαι, ich regiere mich, lebe nach eigenen Gesetzen, gleichsam mache mich zu einem αὐτόνομος, oder bin ein αὐτόνομος. —νομία, ἡ, Zustand, Freyheit eines αὐτόνομος. —νόμος, ὁ, ἡ, Adv. αὐτονόμως, von freyen Städten nach eigenen Gesetzen lebend, Thucyd. u. Xen. Cyropaed. 1, 1. 4. von Menschen Soph. Ant. 821. nach eignem Willen handelnd. —νυκτὶ, Adv. oder αὐτονυχεὶ, αὐτονυχὶ, (νὺξ) in der nämlichen Nacht.

Αὐτόξυλος, ὁ, ἡ, von bloſsem Holze, ſ. v. a. μονόξυλος.

Αὐτοπαγής, ἐς, (πήγνυμι) von oder für ſich ſelbſt gemacht, gebaut, oder geronnen. —**πάθεια**, ἡ, eigne Empfindung, Erfahrung; Wahrheit, Ueberzeugung. Polyb. 12, 28. von —**παθής**, ὁ, ἡ, der ſelbſt empfindet, erfahren hat; der nach Wahrheit und Ueberzeugung ſpricht. Adv. αὐτοπαθῶς. Polyb. 3, 11, 8, 14. v. αὐτός, πάσχω. —**παις**, αιδος, ὁ, ἡ, wirklicher, leiblicher Sohn. Soph. Trach. 836 wie αὐτοπάρθενος achte Jungfer, bey Euſeb. Mart. Palaeſt. c. 5. —**πάμων**, ονος, ὁ, ἡ, d. i. αὐτὴ πασμένη, einzige, reiche Erbin; ſ. v. a. ἐπίκληρος. —**παράκλητος**, ὁ, von keinem als ſich ſelbſt ermuntert, παρακαλέω. —**πάρακτος**, ὁ, ἡ, von ſich ſelbſt vor oder aufgeführt, παράγω. —**πάτωρ**, ορος, ὁ, ſich ſelbſt Vater, ohne Vater gezeugt. —**πήμων**, ονος, ὁ, (πῆμα) ſich ſelbſt ſchadend. —**πιστος**, ὁ, ἡ, für, durch ſich ſelbſt glaubwürdig, beſtätigt oder wahrſcheinlich Oenomaus Euſeb. 5, 53. —**ποδὶ**, u. αὐτοποτηδὶ, Adv. (πούς) mit ſeinen eigenen Füſsen, zu Fuſse. —**ποδία**, ἡ, das Gehn, die Reiſe zu Fuſse. —**ποίητος**, ὁ, ἡ, von ſelbſt gemacht, ſchlecht. —**ποιὸς**, ὁ, v. ſelbſt freywillig etwas thuend. —**πόκιστος**, u. αὐτόποκος, (αὐτὸς, ποκίζω u. πόκος) ἱμάτιον αὐτο. ein Kleid von ungeſchornem Tuche, wollicht, flokkicht. Pollux 7, 61. —**πολις**, εως, ἡ, d. i. πόλις αὐτόνομος, eine Stadt vor ſich, nach ihren eigenen Geſetzen lebend. —**πόνητος**, ὁ, ἡ, von ſelbſt gearbeitet (nicht durch Menſchenhände), als ῥεῦμα μελίσσων Epigr. —**πους**, οδος, ὁ, ἡ, zu Fuſse reiſend, ſeine eigene Füſse gebrauchend.

Αὐτοπραγία, ἡ, freywillige, unbefohlne Handlung, das, was man von freyen Stücken thut; freye Handlung. Denn was nach Diog. Laert. 7, 121. ἐξουσία αὐτοπραγίας iſt, wie die Stoiker ἐλευθερία beſtimmten, das überſetzt Cic. parad. 5, 1. 4 *libertas vivendi, ut velis*. —**πραγματεύτως**, Adv. nicht künſtlich. —**πρεμνος**, ὁ, ἡ, (πρέμνον) ſamt der Wurzel, Sophocl. Antig. —**πρεπής**, ἐος, ὁ, ἡ, (πρέπει) was ſich für ihn ſelbſt ſchickt; gerüſtet, in Bereitſchaft Hom. hymn. 2, 86. zweif. —**προαίρετος**, ὁ, ἡ, Adv. αὐτοπροαιρέτως, von ſelbſt gewählt, freywillig übernommen; act. beym Philo, nach freyer Willkühr handelnd. —**πρόσωπον**, τὸ, näml. σύγγραμμα, ſonſt auch αὐτοϋφήγητον, eine Schrift, worin der Verfaſſer ſelbſt als Lehrer auftritt, im Gegenſ. von διαλογικὸν, worin er andere Perſonen redend eingführt. —**πρόσωπος**, ὁ, ἡ, Adv. αὐτοπροσώπως, in eigner Perſon, ohne Maske, als αὐτοπρόσωπον ὁρᾶν τὸ κάλλος Lucian. Eben ſo αὐτοπρόσωπος δέομαι Syneſ. im Geg. v. δι᾽ ἐπιστολῶν.

Αὐτοπτέω, ῶ, ich bin ein αὐτόπτης, ſehe mit eigenen Augen.

Αὐτόπτης, ου, ὁ, (ὄπτομαι) Augenzeuge, ſelbſt ſehend.

Αὐτοπτος, ὁ, ἡ, ſelbſt geſehen, ſelbſt dabey ertappt.

Αὐτοπυρίας, ſ. ἀποπυρίας. —**πυρίτης**, οὐ, ὁ, oder αὐτόπυρος, als ἄρτος, grobes waitzenes Brod, worzu das Mehl mit ſamt den Kleyen genommen worden; von αὐτὸς, πυρὸς. —**πώλης**, ου, ὁ, der ſeine eigene Erzeugniſſe verkauft; davon —**πωλική**, ἡ, näml. τέχνη, Gewerbe oder Handel deſſelben, im Gegenſatz von ἐμπορικὴ und καπηλική.

Αὐτορέγμων, ονος, ὁ, ἡ, (ῥέζω) ſelbſt thuend, oder ſ. v. a. αὐτόχειρ. —**ρεκτος**, ὁ, ἡ, von ſich ſelbſt gethan, ῥέζω, oder ermordet. —**ροφος**, ὁ, ἡ, (ὀροφὴ) ſich ſelbſt bedeckend.

Αὐτόῤῥιζος, ὁ, ἡ, (ῥίζα) mit der Wurzel. —**ῤῥιφής**, ἐς, (ῥίπτω) von ſelbſt geworfen, von ſelbſt fallend. —**ῤῥυτος**, ὁ, ἡ, (ῥύω) von ſelbſt flieſsend.

Αὐτὸς, ἡ, ὁ, ſelbſt; von ſelbſt, oder von freyen Stücken, in vielen compoſ. er, die Hauptperſon, von der die Rede iſt, im Gegenſatz der andern, als der Schüler, der Untergebenen, mithin, der Lehrer, der Herr, als αὐτὸς ἔφα, der Lehrer hats geſagt; ὁ αὐτὸς, der nämliche; blos er, allein. M. ſ. Xen. Cyr. 8, 4. 2.

Αὐτόσαρκες, οἱ, αἱ, (σάρξ) ganz Fleiſch, ganz ſeinen Körper pflegend, Lüſtling.

Αὐτόσε, Adv. dorthin; eben dorthin. —**σίδηρος**, ὁ, ἡ, ganz Eiſen, wie Eiſen, eiſern. —**σκαπανεύς**, ὁ, ein leibhafter Gräber. Alciphr. 3 Ep. 70. —**σκεύαστος**, ον, oder αὐτόσκευος, ſelbſt gemacht, nicht künſtlich, ſchlecht, beym Syneſ. in Verb. mit λιτὸς.

Αὐτόσσυτος, ὁ, ἡ, (σύομαι) von ſelbſt bewegt, gehend, kommend.

Αὐτοσταδίη, ἡ, beym Hom. Il. 13, 325 ἡ συσταδὴν μάχη, wenn es zum Handgemenge kommt, *cum cominus pugnatur*. —**στεγος**, ὁ, ἡ, von ſelbſt oder von Natur mit einem Dache verſehen; ſamt dem Dache. —**στοιχος**, ὁ, ἡ, bey Suidas αὐτόστοιχος ἰδίας εἶναι nicht wie dieſer erklärt ἑαυτῷ αὐτὸς προσέχων ſondern einzeln, getrennt, für ſich beſtehend, ohne mit den übrigen Elementen der Welt verbunden zu ſeyn. —**στολος**, ὁ, ἡ, (στέλλω) ſelbſt geſchickt oder ſelbſt zu Schiffe gehend.

Soph. Phil. 496 αὐτὸς ἐὼν ἐρέτης. αὐτόστολος, αὐτόματος νηῦς Muſaeus, wofür Ovid ſagt: *idem navigium, navita, vector ero.*

Αὐτοστόνος, ον, für ſich oder bey ſich ſeufzend. —**στράτηγος**, ὁ, ἡ, oberſter Feldherr; vergl. αὐτοκράτωρ. —**σφαγὴς**, έος, ὁ, ἡ, Selbſtmörder. —**σχεδὰ**, Adv. ſ. v. a. αὐτοσχεδὸν. —**σχεδιάζω**, (αὐτὸς, σχέδη) ich thue etwas ohne Vorbereitung, Nachdenken, Ueberlegung; alſo aus dem Stegreiſe ſprechen, handeln; leichtſinnig, ohne Ueberlegung ſprechen und handeln; ohne Sorgfalt und Genauigkeit etwas thun. ἵνα μὴ καὶ ἡμεῖς περί σου αὐτοσχεδιάζωμεν Plato, v. dir unrecht urtheilen; davon

Αὐτοσχεδίασμα, τος, τὸ, eine ohne Vorbereitung und Ueberlegung unternommene Arbeit, Handlung. —**σχεδιασμὸς**, ὁ, das Handeln ohne Vorbereitung, aus dem Stegreiſe. —**σχεδιαστὴς**, οῦ, ὁ, d. i. αὐτοσχεδιάζων. —**σχεδιαστὶ**, Adv. ohne lange Vorbereitung und Ueberlegung. —**σχεδιαστικὸς**, ἡ, ὸν, aus dem Stegreiſe. —**σχέδιος**, ία, ον, und αὐτοσχέδιος, ὁ, ἡ, Adv. αὐτοσχεδίως, ohne Vorbereitung und Ueberlegung; αὐτοσχεδία ſ. v. a. αὐτοσταδία, Hom. Il. 12, 192 ein Treffen, Mann gegen Mann; aber hym. Merc. 55 ἐξ αὐτοσχεδίας ſ. v. a. ἐξ αὐτοσχεδίου aus dem Stegreiſe. —**σχεδὸν**, Adv. ſ. v. a. αὐτοσχεδὰ, nahe, in der Nahe, m. d. Genitif. Arat. Dioſ. 169 nahe bey; 2) ſogleich darauf, alſobald.

Αὐτοτέλεια, ἡ, der Zuſtand, die Eigenſchaft eines αὐτοτελής. —**τέλεστος**, ὁ, ἡ, durch ſich vollendet; von —**τελὴς**, έος, ὁ, ἡ, (τελέω) ſelbſt ſich endigend, in ſich ſelbſt endigend; ſich ſelbſt vollendend, oder von, in ſich ſelbſt vollendet; ſelbſtſtändig; von keinem andern abhängig; für ſich hinreichend; mit voller Gewalt verſehn. αἴτια αὐτοτελῆ ſind Urſachen, die für ſich allein etwas bewirken, im Gegenſatz von συναίτια. Bey Lucian ſind ἱππεῖς αὐτοτελεῖς die ſich ſelbſt unterhalten.

Αὐτότεχνος, ὁ, ἡ, (τέχνη) durch ſich ſelbſt in einer Kunſt oder Wiſſenſchaft unterrichtet. —**τοκος**, ὁ, ἡ, mit der Geburt zugleich. Aeſchyl. Ag. 140. — —**τραγικὸς**, ἡ, ὸν, ganz tragiſch. Demoſth. —**τρίγωνον**, τὸ S. αὐτόκυκλος. —**τροφος**, ὁ, ἡ, ſich ſelbſt nahrend. —**τυπος**, ὁ, ἡ, ſelbſt geſchlagen; Oppian. Hal. 2, 358. ſelbſt ſich abdrückend.

Αὐτοῦ, Adv. (ἐπ' αὐτοῦ τόπου) hier, da.

Αὐτουργέω, ῶ, ich bin αὐτουργὸς, thue es ſelbſt; davon —**γημα**, ατος, τὸ, Selbſtgethan. —**γητος**, ὁ, ἡ, aus dem Stegreiſe, wie αὐτοσχέδιος. —**γία**, ἡ, That, Handlungsart eines αὐτουργὸς. —**γικὸς**, ὁ, gerne ſelbſt arbeitend und ſich ſo nährend. —**γὸς**, ὁ, ἡ, der ſelbſt etwas thut, dazu nicht andere braucht; für ſich arbeitet, od. durch eigener Hände Arbeit ſich ſein Brod verdient, Handarbeiter, Handwerksmann, Sklave; ſelbſt ſtreitend Herodian. Bey Thucyd. 1, 141 ſind αὐτουργοὶ Leute, die ſich an harte Landarbeit gewöhnt haben. —**γότευκτος**, ον, (αὐτουργὸς, τεύχομαι) aus dem Stegreiſe, obenhin gemacht; zweif.

Αὐτόφι, od. αὐτόφιν, Adv. wie αὐτοῦ, da, daſelbſt; bey den Dichtern ſ. v. a. αὐτοῖς. —**φιλανθρωπία**, ἡ, die Menſchenliebe ſelbſt. —**φίλαυτος**, ον, ſich ſelbſt ſehr liebend, ſelbſtſüchtig. —**φλοιος**, ὁ, ἡ, (φλοιὸς) mit der Rinde, was noch die Rinde hat. —**φονευτὴς**, ὁ, ἡ, oder αὐτοφόντης, αὐτοφόνος, Adv. αὐτοφόνως, Selbſtmörder; von φονεύω, φόνος. —**φορτος**, ὁ, ἡ, (φόρτος) mit der Laſt oder Fracht, als ναῦς ἀπόλωλε α. Plut. ein Schiff iſt mit ſamt der Laſt untergegangen. Bey Aeſchyl. Choeph. 673 αὐτόφορτος οἰκεία σάγῃ mit eigner Laſt ausgerüſtet, in eignen Angelegenheiten. —**φρούρητος**, ον, von ſich ſelbſt bewacht. —**φυὴς**, έος, ὁ, ἡ, (φύω) Adv. αὐτοφυῶς, ſelbſtwachſen, von ſelbſt wachſend, als καρπὸς Plut. Eben ſo λιμὴν, λουτρὸν Thucyd. ein von der Natur geſchaffener, nicht künſtlich angelegter Hafen, Bad; natürlich, wirklich, die Natur ſelbſt, als beym Syn. αὐτοφυεῖς Ὁμηρίδαι, die leibhaften, ächten Homeriden.

Αὐτόφυτος, ὁ, ἡ, von ſelbſt gewachſen, entſproſſen; ſo viel als das vorige. —**φωνία**, ἡ, die wahre Stimme, die Stimme ſelbſt. Julian. or. 7 p. 209. —**φωνος**, ὁ, ἡ, ſelbſtſprechend, nicht durch einen andern. —**φωρος**, ὁ, ἡ, bey Appian. auf dem Diebſtahle oder Verbrechen ertappt und alſo überführt; bey den Alten aber findet man allein ἐπ' αὐτοφώρῳ λαμβάνειν auf dem Diebſtahle ertappen, alſo von αὐτόφωρον, τὸ, der Diebſtahl ſelbſt, *in ipſo furto.* —**φως**, das Licht ſelbſt.

Αὐτοχάριτος, ὁ, ἡ, σκωμμάτων ἁλυκῶν καὶ αὐτοχαρίτων ἀττικῶν αἱμυλίας γέμοντα Alciphr. 3 Ep. 43 ſo anmuthig wie die Anmuth (χάρις) ſelbſt.

Αὐτόχειρ, ρος, ὁ, ἡ, Adv. αὐτοχειρὶ, αὐτόχειρος (αὐτοχείρως) ſ. v. a. αὐτουργὸς, der mit eigner Hand arbeitet, ſich ſein Brod verdient, ſich vertheidigt, einen (τινὸς) überwältigt und ihn gefangen bekommt, ihn mordet, ſich ſelbſt mordet, oder Selbſtmörder.

Αὐτοχειρία, ἡ, Selbſtmord; auch (ſ. das vorherg.) Mord anderer. —χειρίζω, f. ισω, ich mache es ſelbſt, bin ein αὐτόχειρ. —χειροτόνητος, ὁ, ἡ, (χειροτονέω) von ſich ſelbſt gewahlt.

Αὐτόχθονος, ὁ, ἡ, Aeſchyl. Ag. 547. πανώλεθρον αὐτόχθονον πατρῷον ἔθρισεν δόμον ſtatt σὺν αὐτῇ τῇ χθονὶ, mit ſamt dem Vaterlande. —χθων, ὁ, ἡ, eingebohren, αὐτόχθονες wie *aborigines*, die nicht aus einem fremden Lande als Koloniſten gekommen, ſondern in ihrem Wohnſitze vom Anfange an geblieben und darinne gebohren ſind, χθὼν, αὐτός. —χόλωτος, ὁ, ἡ, (χολόομαι) von ſelbſt oder auf ſich ſelbſt zürnend. —χορήγητος, ὁ, ἡ, (χορηγέω) von ſelbſt verſehn, verſorgt, ausgerüſtet, gegeben. —χόωνος, ὁ, ἡ, beym Hom. Il. 23, 820 als Beywort v. σόλος, ſchlecht gegoſſen, oder nach andern ſelbſt gegoſſen und ſolid, nicht hohl. —χρημα, Adv. in der That, wirklich, ſ. v. a. *plane*, *omnino*. ὡς αὐτόχρημα αἱ μυῖαι ganz wie die Fliegen. Aelian. H. A. 2, 44. —χροος, contr. ους, ὁ, ἡ, mit ſeiner eigenen, keiner künſtlichen, ſondern natürlichen Farbe. —χυμος, ὁ, ἡ Ariſtid. T. 1 p. 447 von eignem oder naturlichem Safte. —χυτος, ὁ, ἡ, von ſelbſt, von Natur ergoſſen oder verbreitet, als κέρατα Phocyl. —χώνευτος, ὁ, ἡ, und αὐτόχωνος, ὁ, ἡ, ſ. v. a. αὐτοχόωνος.

Αὐτοψεί, Adv. mit eignen Augen; v. —ψία, ἡ, (ὄψις) Augenſchein, das Sehen mit eigenen Augen.

Αὖτως, oder αὔτως wenn man es von αὐτὸς mit andern ableiten will, von οὗτος, αὕτη alſo ſ. v. a. οὕτως ſo, auch ὡσαύτως eben ſo. Nach dem Zuſammenhange muſs es auf verſchiedene Art erklart werden. ἀλλ' αὔτως ἐπὶ τάφρον ἰὼν Τρώεσσι φάνηθι Il. 18 d. i. οὕτως ὡς ἔχεις. bey Aratus vom goldnen Zeitalter: αὔτως ὅ'ζωον, die Menſchen lebten ſo, d. i. einfach, ſchuld- und harmlos. αὔτως γὰρ ῥ' ἐπέεσσ' ἐριδαίνομεν Il. 2, 342 wo man es vergebl., umſonſt, ohne Zweck und Nutzen erklärt; und in dieſem Sinne pflegt man es mit d. ſpir. lenis zu ſchreiben.

Αὐχενίας, ου, ὁ, (αὐχὴν) mit einem dicken Nacken. zw. —νίζω, f. ισω, abhalſen, den Hals abſchneiden, Sophocl. Aj. 298. den Hals mit einem Strick umſchlingen, Hippiatr. —νιος, ὁ, ἡ, zum Nacken gehorig. —νιστὴρ, ῆρος, ὁ, d. i. αὐχενίζων, v. einem Stricke, womit man ſich erhenkt.

Αὐχέω, ῶ, ſich rühmen, prahlen; überh. auch ſagen, meinen. Eur. Heracl. 832 πέσειν τιν' αὐχεῖ τάραγον ἀσπίδων βρέμειν. verſ. 931 οὐ γάρ ποτ' ηὔχει χεῖρας ἵξεσθαι σέθεν.

Αὐχὴ, ἡ, Prahlerey, Stolz. —χήεις, ήεσσα, ῆεν, prahleriſch; beym Non. mit gradem, ſteilem Nacken einhergehend. —χημα, ατος, τὸ, Prahlerey, Stolz.

Αὐχὴν, ένος, ὁ, Nacken; die Enge, wie *fauces*; nach Pollux ein Theil des Steuerruders, worauf der Steuermann ſich legt.

Αὐχητικὸς, ἡ, ὸν, ſo viel als αὐχήεις.

Αὐχμαλέος, *aridus*, *ſqualidus*, dürr, trocken, rauh, ſtaubicht, ſchmutzig, verwildert. —χμάω, (αὐχμὸς) *areo*, *ſqualeo*, ich bin trocken, dürr, habe ein raubes, wildes, verwildertes, ſchmutziges Anſehn. S. αὐχμός. —χμέω, ſ. v. a. αὐχμάω, Hom. Odyſſ. 24, 249.

Αὔχμη, ἡ, ſ. v. a. αὐχμὸς; dav. —χμήεις, ſ. v. a. αὐχμηρὸς, Hom. hymn. 18, 6. —χμηροκόμης, (κόμη) der verwilderte, rauhe, ungekammte Haare hat; von —χμηρὸς, trocken, dürr; metaph. von einer vertrockneten Erde, wie *ſqualidus*, was verwildert, rauh, ſtaubig, ſchmutzig iſt. βίος, das Leben armer Leute, das harte, rauhe; αὐχμηρὸς κόμην, mit ſtraubichten, verwilderten Haaren.

Αὐχμὸς, ὁ, (αὔω, αὐάω, ἀυαίνω, αὐάζω, αὐαχμὸς) die Trockenheit, Dürre, dürre Zeit; 2) das Anſehn der von Trockenheit aufgeborſtenen, rauhen, ſtaubigen Erde; latein. *ſqualor*; auch vom menſchlichen Korper das rauhe, ſchmutzige, verwilderte Anſehn, wie *ſqualor*; davon —χμώδης, der Trockenheit, Dürre ausgeſetzt, trocken, dürr, rauh, ſchmutzig, verwildert, *ſqualidus*, *ſquallosus*, *aeſtuoſus*.

Αὔω, attiſch αὔω, ich trockne, mache dürr, ſenge, zünde. S. αὖος und εὔω. wie λαὸς λεὼς attiſch und ἀὼς, attiſch ἕως Morgen.

Αὔω, ich ſchlafe, davon ἰαύω, von ἄω, wie ἀωτέω.

Αὔω, ſ. v. a. ψαύω. S. ἐπαύρω u. ψαύω. Heſych. u. Euſth. haben αὔω ſt. θιγγάνω.

Αὔω, ich ſchreye, rufe, αὖε δ' ἄρης ἑτέρωθεν; davon ἀΰω, ἀϋτὴ, ἀϋτέω, αὐδὴ, αὐδάω; von ἄω ich blaſe, athme, wovon ἄναος, ἄνεως.

Ἀφαγιστεύω, ſ. v. a. das folgende. —γνεύω Plut. de facie lunae p. 718. ſ. v. a. ἁγνεύω ἀπὸ, heiligen, heilig machen, weihen. —γνίζω, reinigen, und ſo heilig machen, heiligen. —γνισμὸς, ὁ, Reinigung, Weihung, Heiligung.

Ἀφάζω. S. ἀφάσσω.

Ἀφαίμαξις, εως, ἡ, das Blut- das Aderlaſſen: von —μάσσω, άττω, ſ. αξω, Blut, Ader laſſen, von αἱμάσσω.

Ἀφαίρεμα, ατος, τὸ, (ἀφαιρέω) das Weggenommene; dah. z. B. die weggenommene, abgepflückte Frucht; das

Weggenommene, Abgesonderte zum Opfer Exod. 35. das Wegnehmen, Wegtragen.

Ἀφαιρεματικὸς, ἡ, ὸν, wegnehmend, abstrahirend, bey den Gr. —ρεσις, εως, ἡ, das Wegnehmen, das Herausnehmen. —ρετικὸς, ἡ, ὸν, geschickt wegzunehmen. —ρέτις, ιδος, ἡ, wegnehmende, Räuberin. —ρετος, ὁ, ἡ, wegzunehmen, was man weg- oder ausnehmen kann. —ρέω, ῶ, wegnehmen, wegtragen, entziehen; daher ausnehmen; einen (aus der Sklaverey) in die Freyheit ausnehmen od. wegreissen, d. i. ihn in Freyheit setzen. Die construct. im ersten Falle ist ἀφαιρεῖν od. ἀφαιρεῖσθαι τὶ τινὶ, oder (ἀπὸ, welches im verbo liegt) τινὸς, auch τινὰ, einem etwas nehmen, es von ihm wegnehmen, einen berauben (κατὰ) τὶ, einer Sache.

Ἀφαίρημα, ατος, τὸ, s. v. a. ἀφαίρεμα. —ρητικὸς, ἡ, ὸν, s. v. a. ἀφαιρητικὸς.

Ἀφάκη, ἡ, Vogelwicken, eine Hülsenfrucht mit plattem Kerne, wie die Linsen, woraus man φακῆ kochte. Athenae. p. 406. Theophr. H. P. 7, 8. Diosc. 2, 178. Plin. 21, 17.

Ἀφάλλομαι, (ἄλλομαι) ab- weg- herunter- entspringen.

Ἄφαλος, ὁ, ἡ, ohne φάλος. S. in τετράφαλος.

Ἄφαλσις, εως, ἡ, das Herab- Zurückspringen.

Ἄφαλτος, ὁ, ἡ, ab- oder zurückspringend, ἀφαλλόμενος.

Ἀφαμαρτάνω, f. ήσω, verfehlen, das Ziel, oder sich verirren; den Zweck, od. nicht erreichen, verlieren. S. ἁμαρτάνω. —μαρτοεπὴς, έος, ὁ, ἡ, den Zweck seiner Rede verfehlend oder nicht bedenkend, ein Schwatzer Hom. Il. 3, 215.

Ἀφανδάνω, (ἁνδάνω) nicht gefallen, missfallen, Hom. Od. 16, 387.

Ἀφάνεια, ἡ, Unsichtbarkeit, Dunkelheit, Ungewissheit; von —νὴς, έος, ὁ, ἡ, unsichtbar, dunkel, nicht hell, nicht glänzend, nicht berühmt, unbekannt, ungewiss; nicht mehr sichtbar, verschwunden, entfernt, auf die Seite geschafft, v. φαίνω; dav. —νίζω, f. ίσω, einen unsichtbar machen, oder aus den Augen entfernen, wegbringen, mithin auch tödten, begraben; nicht glänzend oder schmutzig machen, beschmutzen, besudeln; dav. —νισις, εως, ἡ, oder ἀφανισμὸς, das Wegnehmen, Unsichtbarmachen, Verdunkeln, Vertilgen. —νιστὴς, οῦ, ὁ, d. i. ἀφανίζων; davon —νιστικὸς, ἡ, ὸν, zerstörerisch, verderblich. —νιστὸς, ἡ, ὸν, zu zerstören, zerstörbar.

Ἀφαντασίαστος, ὁ, ἡ, durch keine Erscheinungen beunruhigt. —τάστωτος, ὁ, ἡ, d. i. μὴ φαντασιῶν, der keine Phantasie hat, sich keine lebhafte Vorstellung von einer Sache machen kann. —τάστος, ὁ, ἡ, d. i. μὴ φανταζόμενος.

Ἄφαντος, ὁ, ἡ, unsichtbar gemacht, entfernt, auf die Seite geschafft oder weggegangen, ganz vergessen, v. φαίνω, wie ἀφανὴς.

Ἀφαντέω, s. v. a. ἀφανίζω. Nicetas Annal. häufig.

Ἀφανῶς, Adv. v. ἀφανὴς, unsichtbar, verborgen, heimlich.

Ἀφάπτω, f. ψω, aufhängen, von etwas hangen lassen.

Ἀφὰρ, Adv. bald, geschwind, sogleich; leicht; daher ἀφαρεὶ u. ἀφαρὶ bey den Joniern u. Alexandrinern bis auf Eustathius Zeiten s. v. a. αὐτίκα bedeutete. Davon leitet man ἀφάρτεροι Iliad. d. i. schneller, her, wo nach Hesych. andre ἀφέρτεροι lasen.

Ἀφαρεὶ u. ἀφαρὶ S. ἀφὰρ.

Ἀφαρεὺς, ὁ, eine besondere Flosse am After des weiblichen Thunfisches. Aristotel.

Ἀφαρὴς, ὁ, ἡ, nackend, ohne Kleid, φάρος, Euphorion bey Pollux 4, 95 Ὀρχεμενὸν Χαρίτεσσιν ἀφαρέσιν ὀρχηθέντα.

Ἀφάρκη, ἡ, ein immergrünender Baum, bey Theophrast. —μάκευτος, ὁ, ἡ, mit keinem φάρμακον, Gift; Farbe, Arzney gemischt. —μακος, ὁ, ἡ, (φάρμακον) ohne Gift, Arzney, Farbe und dergl. —μακτος, ὁ, ἡ, (φαρμάσσω) ungemischt mit φάρμακον, Gift, Arzney, Farbemittel u. dergl. —μόζω, f. όσω, oder ἀφαρμόττω, nicht passen, nicht harmoniren.

Ἄφαρος, ὁ, ἡ, γῆ, ungepflügtes, ungebautes Land, sonst ἀφάρωτος von φάρω, φαρόω. S. auch ἀφαρὴς. —ρωτος, ὁ, ἡ, s. v. a. ἄφαρος.

Ἀφαρπάζω, f. άσω, άξω, wegreissen, entreissen, plündern, rauben.

Ἀφάρτερος. S. ἀφὰρ.

Ἀφασία, ἡ, Sprachlosigkeit, Verstummung; Schreck, der einen stumm macht.

Ἀφάσσω, ἀφάσσω, ἀφάω, ἀφάζω v. ἅπτω, ἀφὴ, ich begreife, befühle. Hippocr.

Ἄφατος, ὁ, ἡ, Adv. ἀφάτως, nicht auszusprechen, μὴ φατὸς, was man nicht aussprechen kann, oder unaussprechlich; was man nicht aussprechen darf, oder hässlich, abscheulich; nicht besprochen, oder von dem nicht gesprochen wird, unberühmt.

Ἀφαυαίνω, ich trockne, mache trocken, trockne aus, s. v. a. ἀφαύω.

Ἀφαυρὸς, ρὰ, ρὸν, schwach, nicht stark, Hom. u. Hesiod. —ρόω, vermindern, verdunkeln, Nicetas Annal. 17, 4.

'Αφαύω, (ἀπὸ, ἄυω) ich trockne an der Hitze, ich ſenge, ich brenne. ἀφαύομαι, ich bin, werde trocken von Hunger, Durſt u. ſ. w.

'Αφάω, ῶ, ſ. v. a. ἀφάσσω, welches von dieſem gemacht iſt, Hom. Il. 6, 322.

'Αφεγγὴς, έος, ὁ, ἡ, (φέγγος) ohne Licht, dunkel; ohne Augenlicht, blind.

'Αφεδράζω, entſetzen, verſetzen. —δρεία, ἡ, ſ. v. a. ἄφεδρος v. ἀφεδρεύω. —δρεύω, ſ. εύσω, bey Heſych. ἀφεδρεῦσαι, ἐπὶ δίφρου καθίσαι, wo jetzt ἀφεδρῦσαι ſteht, eigentl. beſonders ſtellen oder ſitzen. —δρος, ὁ, ſollte nach der Analogie ſ. v. a. ἀφεδρὼν heiſsen, aber bey Dioſc. 2, 85 u. den LXX heiſst ἡ ἄφεδρος, die monatliche Reinigung, κάθαρσις, der Weiber, wie ἀφεδρεία bey Damaſcius; weil nehmlich bey den Juden ſolche Frauen beſonders und getrennt ſaſsen; daher ſie auch ἀποκαθήμεναι bey den LXX heiſsen.

'Αφεδρὼν, ῶνος, ὁ, Abführungsort der Unreinigkeit, Abtritt, Goſſe Matth. 15, 17.

'Αφειδέω, ῶ, ich bin ἀφειδὴς, ſchone, ſpare nicht. m. d. Genit. —δὴς, έος, ὁ, ἡ, (φείδομαι) Adv. ἀφειδῶς, ἀφειδέως, ἀφειδείως, nicht ſchonend, nicht ſparend als Geld, Leben u. dergl. anderer nicht ſchonend, oder ſtreng, rauh, hart; davon —δία, ἡ, Betragen, Charakter eines ἀφειδὴς, Verſchwendung; Strenge, Härte, Grauſamkeit.

'Αφεκτικὸς, ή, ὸν, der ſich enthalten kann.

'Αφέλεια, ἡ, die Ebne; moraliſch das Einfache, Naivität, Simplicität; von —λὴς, ohne Steine, (S. φελλεὺς u. πέλα) ohne Rauhigkeit, eben. πεδία ἀφελῆ, Ariſtoph. ebne, weite Felder, *plani campi*. metaphor. einfach, ſimpel, naiv; 2) gering, *tenuis*, von der Koſt und Lebensart, frugal, mäſsig, ſparſam.

'Αφελκόω, ῶ, ſ. ώσω, die Haut, Rinde oder Wunde aufreiſſen. *exulcero*. —κωσις, εως, ἡ, das Wegziehen; von —κύω, ſ. ύσω, wegziehen, zurückziehen, abbringen.

'Αφέλκω, entziehen, wegziehen, abziehen, wie das vorherg. —κωσις, εως, ἡ, (ἀφελκόω) das Aufreiſſen der Wunde, Aufritzen der Haut, Rinde u. dergl.

'Αφελῶς, Adv. v. ἀφελὴς, eben, daher einfach, gering, ſchmucklos.

'Αφεμα, ατος, τὸ, das Herabgelaſſene, v. ἀφίημι.

'Αφενος, ὁ, als maſc. u. neutr. ſt. ἄπενος, v. ἀπὸ u. ἔνος, Vorrath auf ein Jahr, mithin viel Vorrath, ein gutes Vermögen, Reichthum.

'Αφεξις, εως, ἡ, Enthaltſamkeit von dem med. des v. ἀπ-έχω, ἀφ-έξω.

'Αφερέπονος, ον, d. i. μὴ φέρων πόνον, *impar labori ferendo*.

'Αφερκτος, ὁ, ἡ, Aeſchyl. Choeph. 445 μυχοῦ, ausgeſchloſſen, v. ἀπὸ, ἔργω.

'Αφερμηνεύω, ſ. εύσω, erklären, erzählen. —πύζω, oder ἀφέρπω, wegkriechen, wegſchleichen, weggehen.

'Αφερτος, ὁ, ἡ, (φέρω) nicht zu ertragen, unerträglich.

'Αφέσιος, ὁ, Entlaſſer, Befreyer, v. ἀφίημι.

'Αφεσις, εως, ἡ, Entlaſſung, z. B. eines Sklaven, oder Freylaſſung, einer Frau, oder Scheidung, eines Pferdes, oder Eröfnung der Schranken; Erlaſſung, z. B. der Schuld, der Strafe, v. ἀφίημι; auch ein Bienenſchwarm. S. d. folgd.

'Αφεσμὸς, ὁ, bey Ariſtót. H. A. 9, 40 ſt. ἑσμὸς Bienenſchwarm, welches die Handſchr. auch dafür haben; ſonſt ſetzt Ariſt. immer ἄφεσις ſt. ἑσμὸς; zum Beweiſe der Ableitung des ἑσμὸς von ἵημι, eigentl. m. d. Spiritus aſper.

'Αφεστηκω, ſ. v. a. ἀφίσταμαι vom perfect. ἀφέστηκα gemacht. Xenoph. Anab. 2, 4, 5. —στὴς, ὁ, zu Knidus der, welcher die Stimmen den Votirenden abnimmt. Plutar. Q. Gr. —στιος, ὁ, ἡ, (ἑστία) fern vom Heerde oder vom Hauſe, abweſend, nicht zu Hauſe; nicht zum Hauſe gehörig, fremd.

'Αφετέος, έα, έον, (ἀφίημι) zu entlaſſend. —τὴρ, ῆρος, ὁ, ſ. v. a. ἀφέτης. —τηρία, (ἀφίημι) näml. γραμμὴ oder θύρα, die Oefnung zum Auslaſſen, Entlaſſen, die Schranken, als ἀπὸ τῆς ἀφετηρίας μέχρι τοῦ καμπτῆρος Ariſtoph. —τήριον, τὸ, ſ. v. a. das vorherg. z. B. ein Hafen, woraus die Schiffe ausgelaſſen, entlaſſen werden, oder ausſegeln; von —τήριος, ὁ, ἡ, z. B. ὄργανα, Schleudermaſchinen.

'Αφέτης, ου, ὁ, (ἀφίημι) der los oder herauslässt, entläſst, wegſchleudert, Schleuderer; paſſ. bey den Lacedaemoniern ein Freygelaſſener. —τικὸς, ἡ, ὸν, der entlaſſen kann, v. ἀφίημι. —τος, ὁ, ἡ, entlaſſen, befreyt, frey; frey oder losgeſprochen; überlaſſen; verlaſſen.

'Αφευκτος, ον, (φεύγω) Adv. ἀφεύκτως, nicht zu vermeiden, unvermeidlich.

'Αφεύω, ſ. εύσω, (ἀπὸ, εὔω) ich ſenge, zünde, brenne an, ſenge ab.

'Αφεψέω, ῶ, verdauen, v. ἕψω; davon —ψημα, ατος, τὸ, das Verdaute. —ψησις, εως, ἡ, oder ἄφεψις, die Verdauung.

'Αφέψω, ſ. v. a. ἀφεψέω.

'Αφὴ, ἡ, das Berühren; das Gefühl; das Berühren, oder das Schlagen, Verwunden, πληγὴ, v. ἅπτομαι. ἀφὴν προσφέρειν angreifen, widerlegen, Plut. Q. S. 8, 10. in ſo fern es aber v. ἅπτω abſtammt, das Anzünden, der Staub, womit die Ringer ſich vor dem Kampfe beſtreuten. Epict. 29. Martial. 7, 67. Dionyſ. Halic. in Lyſia 13 οὐδ' ἀφὰς ἔχει καὶ τόνους ἰσχυρούς. Aristotel. hat φθόγγων u. φωνῆς ἀφάς. Plutar. Anton. 27 ἀφὴν εἶχε ἡ συνδιαίτησις.

'Αφηβάω, ῶ, f. ήσω, ich bin oder werde ein ἄφηβος, komme oder bin über die Jahre des mannlichen Alters hinaus. —βος, ὁ, ἡ, der über die mannlichen Jahre, ἥβη, hinaus ist, alternd.

'Αφηγέομαι, οῦμαι, wie ἡγέομαι, anführen, anleiten, voran gehen; wieder oder zurück (ἀπὸ) führen Xen. Cyr. 2, 3. 22. erzählen, erklaren; davon —γημα, ατος, τὸ, das Erzählte, die Erzählung. —γηματικὸς, ἡ, ὸν, Adv. ἀφηγηματικῶς, erzählend, im erzählenden Tone. —γήμων, ονος, ὁ, ἡ, Anführer, ἀφηγούμενος. zw. —γησις, εως, ἡ, Erzahlung. —γητὴς, οῦ, ὁ, d. i. ἀφηγούμενος, Erzähler.

'Αφηδύνω, f. υνῶ, versüssen, süssmachen, wie ἡδύνω.

'Αφήκω, f. ήξω, gelangen, ankommen.

'Αφῆλιξ, ικος, ὁ, ἡ, alternd, über die mannlichen Jahre hinaus; ἡλικία; einige brauchten es fur zu jung, oder st. ἄνηβος. —λιώτης. S, ἀπηλιώτης.

'Αφήμενος, ὁ, d. i. ἀπὸ ἥμενος, entfernt oder abgesondert sitzend. —μερεύω, f. εύσω, auf einen Tag, oder den Tag überabwesend seyn, v. ἡμερεύω. —μος, ὁ, ἡ, (φήμη) Adv. ἀφήμως, oder ἀφήμων, ohne Ruf, ohne Ruhm, unbekannt, unberühmt.

'Αφηνιάζω, f. άσω, (ἡνία) den Zügel abstreifen, sich dem Zügel entziehn; übergetragen, nicht gehorsam, nicht folgsam seyn, das Joch abwerfen; davon —νιασμὸς, ὁ, das Abstreifen des Zügels; Ungehorsam, Auflagen des Gehorsams oder Emporung. —νιαστὴς, οῦ, ὁ, d. i. ἀφηνιάζων. —νιάω, ῶ, s. v. a. ἀφηνιάζω.

'Αφηρωΐζω, ἀφηρώζω Dor. ἀφηροΐζω zum ἥρως machen. zw.

'Αφησυχάζω, ruhig werden. zw.

'Αφήτωρ, Beyw. des Apollo, s. v. a. τοξότης v. ἀφίημι, oder besser st. ὁμοφήτωρ v. φαώ, φημὶ, s. v. a. προφητεύων, wie ὑποφήτωρ, συμφήτωρ. So hat Hesych auch ἀφητορεια st. μαντεία. Aelian. V. H. 6, 9 das. Perizon.

'Αφθαι, ῶν, αἱ, böser Ausschlag am Munde u. sonst; lat. *sacer ignis, pustula*; die Schwammchen im Munde; von ἅπτω ich zünde. —θαρσία, ἡ Unverganglichkeit, Unsterblichkeit, Zustand eines ἄφθαρτος. —θαρτίζω, f. ίσω, ich mache einen zum ἄφθαρτος. —θαρτος, ὁ, ἡ, (φθείρω) nicht zu verderben, unverganglich, unsterblich; unverdorben, unverletzt. —θάστως, Adv. (φθάνω) nicht einzuholen, sehr schnell.

'Αφθάω, ῶ, (ἄφθαι) den Ausschlag haben. —θεγκτος, ὁ, ἡ, nicht tonend, nicht auszusprechen, μὴ φθεγκτός.

'Αφθιτόμητις, ιος, ὁ, ἡ, (μῆτις) dessen Rath unverganglich ist; von —θιτος, ὁ, ἡ, (φθίω) nicht zu verderben, nicht zu vernichten.

'Αφθογγος, ὁ, ἡ, (φθόγγος) ohne Ton, ohne Laut.

'Αφθόνητος, ὁ, ἡ, Adv. ἀφθονήτως, s. v. a. ἄφθονος Pind. Olymp. 13, 35. —νία, ἡ, Charakter eines ἄφθονος; Ueberfluss, reichlicher Vorrath Xen. Cyr. 1, 4 17. Symp. 4, 56. —νος, ὁ, ἡ, (φθόνος) Adv. ἀφθόνως, act. ohne Neid, nicht neidisch, nicht beneidend; pass. ohne Neid, d. i. nicht kärglich, reichlich mitgetheilt, ergiebig.

'Αφθορία, ἡ, Unverdorbenheit, im physischen u. moralischen Sinne, Zustand, Charakter eines ἄφθορος. —ρος, ὁ, ἡ, unverdorben, v. φθείρω.

'Αφθώδης, εος, ὁ, ἡ, von der Art der ἄφθαι.

'Αφία, ἡ, eine Pflanze, viell. *caltha palustris* Lin. Theophr. hist. pl. 7, 8.

'Αφιδρόω, ῶ, f. ώσω, ausschwitzen, schwitzen, verschwitzen. —δρυμα, τὸ, u. ἀφίδρυσις, ἡ, ein Ebenbild, nach einem Original nachgebildete Statue, Bildsaule, Tempel. μάλιστα μεν τὸ βρέτας τοῦ Ποσειδῶνος, εἰδεμὴ, τοῦ γε ἱεροῦ τὴν ἀφίδρυσιν Strabo 8 p. 590 wo Diodor 15, 49 ἀφιδρύματα sagt. Eben so sagt Strabo 9, 618 Δήλιον τὸ ἱερὸν τοῦ Ἀπόλλωνος ἐκ Δήλου ἀφιδρυμένον, nach dem Tempel zu Delos geformt, übertragen. —δρύνω, oder ἀφιδρύω, ich stelle einen nach einem andern gebildeten Tempel, Bildsaule auf, richte nach einem Muster ein. S. ἀφίδρυμα. —δρυσις, εως, ἡ, die Aufstellung, Weihung eines Bildes oder Statue nach einem Muster. S. ἀφίδρυμα. —δρωσις, εως, ἡ, das Schwitzen, Ausschwitzen.

'Αφιερίζω, f. ίσω, bey Hesych. reinigen, v. ἱερὸς. —ερόω, ῶ, f. ώσω, s. v. a. d. vorherg. Aeschyl. Eum. 454 reinigen; davon —έρωμα, ατος, τὸ, das Geweihete, Gewidmete, ein der Gottheit geweihetes Geschenk. —έρωσις, εως, ἡ, Weihung, Einweihung, das Widmen.

'Αφιζάνω, f. ζήσω, oder ἀφίζω, von seinem Sitze aufstehen, v. ἵζω, ἱζάνω.

'Αφίημι, f. ήσω, p. εἶκα, (ἵημι) wegschicken, entlassen, z. B. einen Sklaven, d. i. frey lassen; einen Beklagten, d. i. los- freysprechen, ihm die Strafe erlassen; einen Gefangenen aus den Banden, aus dem Gefangnisse, d. i. befreyen; eine Frau, d. i. sich von ihr scheiden; wegwerfen, verwerfen, verstossen; unterlassen; zulassen.

'Αφικάνω u. ἀφικνέομαι, f. ἀφίξω, ἀφίξομαι (ἵκω) gelangen, hinkommen; zu einer Sache, πρὸς τὶ, gelangen, d. i. sie erreichen, erlangen.

'Αφίκτωρ, ορος, ὁ, ἡ, s. v. a. ἱκέτης, auch ζεὺς ἀφ. s. v. a. ἱκέσιος Aeschyl. Suppl. 1 u. 249. v. vorigen.

'Αφιλάγαθος, ὁ, ἡ, d. i. μὴ φιλάγαθος. —λάλληλος, ον, d. i. μὴ φιλάλληλος. —λανθρωπία, ἡ, Mangel an Philanthropie od. Menschenliebe, Charakter eines ἀφιλάνθρωπος. —λάνθρωπος, ὁ, ἡ, Adv. ἀφιλανθρώπως, d. i. μὴ φιλάνθρωπος. —λαργυρέω, d. i. μὴ φιλαργυρέω, ich bin ein ἀφιλ. —λαργυρία, ἡ, Charakter eines ἀφιλάργυρος. —λάργυρος, ὁ, ἡ, d. i. μὴ φιλάργυρος. —λαρύνω, (ἱλαρὸς) erheitern, heiter machen. —λαύτως, Adv. ohne Eigenliebe. —λεργέω, d. i. μὴ φιλεργέω, ich bin kein φιλεργός. —λεργία, ἡ, Mangel an φιλεργία. —λέταιρος, ὁ, ἡ d. i. μὴ φιλέταιρος. —λέχθρως, Adv. ohne Feindesliebe. —λήδονος, ον, d. i. μὴ φιλήδονος. —λητος, ὁ, ἡ, d. i. μὴ φιλητός. —λία, ἡ, Mangel an Freundschaft, oder Feindschaft, Hass; Mangel an Freunden. —λίωτος, ὁ, ἡ, (φιλιόω) nicht zum Freunde zu machen, nicht zu versöhnen. zw. —λοδοξία, ἡ, Mangel an φιλοδοξία. —λόδοξος, ὁ, ἡ, d. i. μὴ φιλόδοξος. —λοεργέω, ῶ, s. v. a. ἀφιλεργέω. —λοθεάμων, ονος, ὁ, ἡ, d. i. μὴ φιλοθεάμων. —λοικτίρμων, ονος, ὁ, ἡ, d. i. μὴ φιλοικτίρμων. —λοκαλία, ἡ, Mangel an φιλοκαλία, Charakter eines ἀφιλόκαλος. —λόκαλος, ὁ, ἡ, d. i. μὴ φιλόκαλος. —λόνεικος, ὁ, ἡ, Adv. ἀφιλονείκως, oder ἀφιλονείκητος, d. i. μὴ φιλόνεικος oder μὴ φιλονεικηθείς. —λοπόλεμος, ὁ, ἡ, d. i. μὴ φιλοπόλεμος. —λόπονος, ὁ, ἡ, d. i. μὴ φιλόπονος.

'Αφιλος, ὁ, ἡ, (φίλος) ohne Freund, ohne Freundschaft, der Freundschaft nicht fähig. —λοσόφητος, ὁ, ἡ, nicht in der Philosophie unterrichtet; nicht nach mit Philosophie gethan. —λόσοφος, ὁ, ἡ, d. i. μὴ φιλόσοφος, kein Philosoph, kein Denker, nicht genau in Auseinandersetzung der Begriffe; adj. nicht philosophisch. —λόστοργος, ὁ, ἡ, d. i. μὴ φιλόστοργος. —λοτεκνία, ἡ, Geringschätzung der Kinder, Mangel an φιλοτεκνία. —λοτιμία, ἡ, Mangel an φιλοτιμία, Charakter eines ἀφιλότιμος. —λότιμος, ὁ, ἡ, Adv. ἀφιλοτίμως, d. i. μὴ φιλότιμος. —λοχρηματία, ἡ, Charakter eines ἀφιλοχρήματος, oder Geringschätzung des Geldes.

'Αφιματόω, ῶ, f. ώσω, (ἱμάτιον) entkleiden, einem die Kleider ausziehen.

'Αφιξις, εως, ἡ, die Ankunft, das Hingelangen, v. ἀφίκω, ἱκάνω.

'Αφιππάζομαι, f. άσομαι, wegreiten, zu Pferde entfliehen; fort- zurückreiten. —πεία, ἀφιππία, ἡ, das Wegreiten, das Entfliehen zu Pferde; das Reiten eines ἄφιππος oder Unerfahrenheit im Reiten. —πεύω, f. εύσω, s. v. a. ἀφιππάζομαι. —πος, ὁ, ἡ, (ἱππεὺς) kein Reiter, nicht geschickt zur Reiterey. —ποτοξότης, ου, ὁ, falsch st. ἀμφιππ.

'Αφίπταμαι, wegfliegen, entfliegen.

'Αφιστάνω, ἀφιστάω u. ἀφίστημι futur. ἀποστήσω, (ἀπὸ, ἵστημι) davon oder wegstellen, weggehen lassen, entfernen, zurücktreiben, Thucyd. 1, 93. von einem andern, oder von ihm abwendig machen, zum Abfall verleiten; abwägen, zuwägen; neutr. u. ἀφίσταμαι, abstehen, weggehen, sich entfernen, abtrünnig werden; sich trennen; auch von Gliedern und Theilen derselben, welche durch Fäulniss sich trennen; davon ἀπόστημα ein Abscess. Med. ἀφίσταμαι ich wäge mir ab, um damit zu bezahlen, daher χρεῖος ἀποστήσωνται Il. 13, 745 s. v. a. ἀποδιδῶσιν.

'Αφλαστον, τὸ, lat. *aplustre*, d. krummgebogene Hintertheil des Schiffs, Apollon. 2, 628. woran auch allerhand Zierrathen angebracht waren.

'Αφλεβος, ὁ, ἡ, (φλὲψ) ohne Adern. —έγμαντος, ὁ, ἡ, (φλεγμαίνω) ohne Entzündung, nicht entzündet; wider Entzündung dienend. παντὸς τραύματος ἀφλέγμαντον Theophr. bewahrt alle Wunden vor Entzündung. —εκτος, ὁ, ἡ, (φλέγω) nicht gebrannt; nicht gekocht, als ἄφλεκτα ἔδω.

'Αφλόγιστος, ὁ, ἡ, (φλογίζω) nicht versengt, nicht angebrannt. —γος, ον, (φλὸξ) ohne Feuer.

'Αφλοιος, ὁ, ἡ, (φλοιὸς) ohne Rinde.

'Αφλοισμὸς, ὁ, Il. 15, 607 ἀφλοισμὸς περὶ στόμα γίγνετο, wo es einige durch ἀφρὸς Schaum, andre durch ψόφος erklären. Diese scheinen es mit φλοῖσβος verwechselt zu haben; man findet auch ἀφοισμὸς u. ἀφλυσμὸς geschrieben. Hesych. hat auch ἀφλοισβὸς, und Oppian. braucht wirklich φλοῖσβος für ἀφρὸς.

'Αφλύαρος, ον, d. i. μὴ φλύαρος. —υκταίνωτος, ὁ, ἡ, d. i. μὴ φλυκταινούμενος, ohne Brandblasen zu bekommen.

'Αφνειόομαι, ich mache mich zum reichen Mann, ich werde ein reicher Mann; von —νειος, und ἀφνεὸς, ὁ, ἡ, Soph. El. 457 reich; von ἄφενος, ἄφνος. —νέω, ῶ, ich bin ein ἀφνεὸς; davon —νήμων, ονος, ὁ, s. v. a. ἀφνεὸς. —νος, εος, τὸ, s. v. a. ἄφενος. —νύνω, bereichern, reich machen.

'Αφνω, und ἄφνως, Apollon. 4, 580 auch αἴφνως und αἴφνης Adv. statt ἀφανῶς contr. unversehens, unvermuthet, plötzlich; davon ἐξαίφνης und davon ἐξαπίνης.

'Αφόβητος, ὁ, ἡ, (φοβέω) nicht erschreckt, unerschrocken. —βία, ἡ, Unerschrockenheit, Charakter, Betragen eines ἄφοβος.

Ἄφοβος, ὁ, ἡ, (φόβος) ohne Furcht, ſich nicht fürchtend, unerſchrocken; act. μὴ φοβέων, nicht erſchreckend. Adverb. ἀφόβως. —βόσπλαγχνος, ον, (σπλάγχνα) mit unerſchrockenem Herzen. —δευμα, ατος, τὸ, Miſt; von —δεύω, f. εύσω, auf die Seite gehen, ſich entledigen. —δος, ἡ, das Weggehen; Zurückgehen, Zurückkommen; das Abtreten, um ſich zu entledigen, der Abtritt und der daſelbſt befindliche Miſt.

Ἄφοινον, τὸ, ſ. v. a. ἄποινον. zweif.

Ἀφοίτητος, ὁ, ἡ, (φοιτάω) nicht zugangbar, wohin man nicht kommen kann; act. nicht hinkommend, gewöhnlich nicht beſuchend.

Ἄφολκος, ὁ, ἡ, leicht. zweif.

Ἀφόμοιος, ὁ, ἡ, d. i. μὴ ὅμοιος, unähnlich; verähnlicht, ähnlich; davon —μοιόω, ῶ, f. ώσω, verähnlichen, ähnlich machen; vergleichen; davon —μοίωμα, ατος, τὸ, das Verähnlichte, Abbildung, Bild. —μοίωσις, εως, ἡ, Verähnlichung.

Ἀφοπλίζω, f. ίσω, entwafnen, der Waffen berauben; med. ſich entwafnen, die Rüſtung (ἔντεα) ablegen, Hom. Il. 23, 26.

Ἀφοράω, ῶ, f. άσω, ich ſehe in der Ferne, Herodot. 8, 37. 2) wegſehn und den Rucken zukehren. Cyrop. 7, 1. 36.

Ἀφόρβιον, τὸ, Nicand. Ther. 692. ſ. v. a. ἀφόδευμα.

Ἀφόρητος, ὁ, ἡ, Adv. ἀφορήτως, unerträglich. —ρητότης, ητος, ἡ, das Unerträgliche. —ρία, ἡ, Unfruchtbarkeit. —ρίζω, f. ίσω, abgrenzen, begrenzen, abſondern, ſcheiden, die Grenze abſtechen, bezeichnen, anweiſen; βίβλον, endigen, Polyb.; von der Grenze wegnehmen, oder Land rauben; von der Grenze oder aus ſeinem Lande vertreiben; übergetr. abſprechen; davon —ρισμα, ατος, τὸ, das Begrenzte, Abgeſtochene, Bezeichnete, Angewieſene. —ρισμὸς, ὁ, Begrenzung, Beſtimmung, *determinatio*; kurzer Satz, in welchem ich die Hauptbegriffe von einer Sache zu faſſen u. vorzutragen ſuche. —ριστικὸς, ἡ, ὸν, Adv. ἀφοριστικῶς, der begrenzen, bezeichnen kann.

Ἀφορμάω, ῶ, f. ήσω, ausgehn, weggehn, fortgehn aus von einem Orte. —μέω, ῶ, weg- oder abſegeln; von ὅρμος. —μὴ, ἡ, eigentl. der Ort, wovon man ausgehet; oder der Ausgang ſelbſt; daher die Gelegenheit, Veranlaſſung, wovon man anfängt; die Veranlaſſung wozu; der Stoff, die Materialien, Anlage, Vorſchuſs, womit man etwas anfangt, aus welchem man etwas bereitet, womit man ſich etwas verdient. Bey Plut. Stoic. Rep. p. 294 ſ. v. a. λόγος ἀπαγορευτικὸς, Abmahnung. —μιγκτος, ὁ, ἡ, (φορμίζω) ohne Geſang oder Zither. —μος, ον, ſ. v. a. ἀφορμάων.

Ἀφορολόγητος, ὁ, ἡ, (φορολογέω) unbeſteuert, nicht beſteuert. —ρος, ὁ, ἡ, (φέρω) nicht tragend, nichts eintragend, unfruchtbar.

Ἄφορτος, ὁ, ἡ, (φόρτος) Adv. ἀφόρτως, unbelaſtet. ἀφόρτως χρῆσθαι *non gravate*, ohne ſich beſchwert zu fühlen, Muſon. Stobaei Serm. 1.

Ἀφόρυκτος, ὁ, ἡ, (φορύσσω) unbefleckt, nicht befleckt.

Ἀφοσιόω, οῦμαι, (ἀπὸ, ὅσιον) ich bringe ein Opfer, um mich vor den Göttern von einem begangenen Fehler zu reinigen, oder eine bevorſtehende Gefahr abzuwenden; ἀφοσιοῦν τινὰ, *expiare aliquem*; ἀφοσιοῦσθαί τι, *expiare, procurare aliquid.* 2) ἀφοσιοῦσθαι τὰ πρός τινα, *iuſta alicui perſolvere*, τὰ ὅσια ποιεῖσθαι πρός τινα, jemand die letzte Ehre erzeigen, das Todtenopfer den Göttern b. dem Leichenbegangniſſe bringen; 3) daher ἀφοσιοῦμαι τὸν ὅρκον, ich leiſte meiner Pflicht und Gewiſſen nach den vorgeſchriebenen oder geſetzmäſsigen Eid; 4) ἀφοσιοῦσθαί τι, ſagt man auch, wenn man etwas gleichſam wegen einer religiöſen Ceremonie, Aberglaubens, *auſpicii, ominis cauſa*, alſo nicht mit Ernſt, Bedacht und Aufmerkſamkeit thut, *defungi aliqua re, perfunctorie aliquid tractare*; 5) von der erſten Bedeutung kommt es, daſs ἀφοσιοῦσθαί τι, etwas verabſcheuen, fürchten, meiden, ausſchlagen, verweigern, verbitten heiſst; 6) ἀφοσιοῦν τι, *conſecrare, dicare aliquid*, heiligen, weihen; daher ἀφοσιοῦσθαι τῇ θεῷ, der Gottin ein Opfer mit Weihung der Erſtlinge bringen, Herodotus.

Ἀφοσίωμα, τὸ, die Handlung von ἀφοσιοῦσθαι. —σίωσις, εως, ἡ, desgleichen. τιμῆς ἀφοσίωσις, *honor ex more, lege tributus*, nach ἀφοσιοῦσθαι no. 4. ἀφοσιώσεως ἕνεκα Plutarch. Eum. 12 *pro forma*, um des Wohlſtandes willen, zum Scheine.

Ἀφραδέω, ῶ, ich bin ἀφραδής, Hom. Il. 9, 32. —δὴς, έος, ὁ, ἡ, Adv. ἀφραδέως, d. i. μὴ φραζόμενος, nicht überlegend, unüberlegt, unbeſonnen; davon —δία, ἡ, Betragen, Handlungsart eines ἀφραδής, Unbeſonnenheit, Mangel an Ueberlegung.

Ἀφράδμων, ονος, ὁ, ἡ, d. i. μὴ φράδμων, oder ἀφραδής. Adv. ἀφραδμόνως.

Ἀφράζω, ἀφραίνω und ἀφράσσω, (die letztere Form b. Heſych. ſ. v. a. ἀφραδέω) thöricht ſeyn, handeln; v. φράω, φράζω, φράζομαι, wovon auch φρὴν, φρενὸς und φροντίς. S. φράω.

Ἄφρακτος, ὁ, ἡ, d. i. μὴ φρακτὸς, unverzäunt, überhaupt nicht beſeſtigt, verſchloſſen, verwahrt.

Ἀφράσμων, ονος, ὁ, ἡ, ſ. v. a. ἀφράδμων.

Ἄφραστος, ὁ, ἡ, (φράζω) Adverb. ἀφράστως, was man nicht ausſprechen kann oder darf, unausſprechlich; häſslich, abſcheulich, als φάτις Sophocl. nicht geſagt, unbekannt, unerwartet, ἀπροσδόκητος, ἄδηλος unſichtbar, von der Spur Hom. hymn. 2, 353. unbemerkbar überh. v. φράζομαι; ἄφραστοι γλῶσσαι Nicand. Ther. 776. d. i. ἀλόγιστοι wahnſinnig; dav. —στότης, ητος, ἡ, das Unausſprechliche. —στὺς, ύος, ἡ, ſ. v. a. ἀφραδία.

Ἀφρέω, ῶ, ich ſchäume; von ἀφρὸς, Hom. Il. 11, 282. davon —ρηστὴς, ὁ, der Schäumer, vom Delphin. Antholog. S. ἀφρῖτις.

Ἀφρήτωρ, ορος, ὁ, d. i. μὴ φρήτωρ jon. ſt. φράτωρ, ohne Zunft, nicht zunftmäſsig, beym Hom. Il. 9, 63. in Verbind. mit ἀθέμιστος, ἀνέστιος, ungeſellſchaftlich, ſine gente beym Hor. ſerm. 2, 5, 15.

Ἀφριάω und ἀφρίζω, f. ίσω, ſ. v. a. ἀφρέω. Die erſte Form bey Oppian. Halieut. 1, 772. —ικτὶ, Adv. (φρίσσω) ohne Schauder, ohne zu ſchaudern. —ισμὸς, ὁ, das Schäumen, d. Schaum.

Ἀφρῖτις, ἡ, ſ. v. a. ἀφύη, apua der Schaumfiſch. Oppian. Hal. 1, 776. wo vorher ἀφρήτιδες Rand.

Ἀφρόγαλα, ακτος, τὸ, d. i. ἀφρίζον γάλα, ſchäumende Milch, zu Schaum gerührte Milch, eine Art gelée. —γένεια, ἡ, (γένος) vom Schaum Gezeugte, aus dem Schaume des Meeres Geborne (Venus). —γενὴς, έος, ὁ, ἡ, aus Schaum erzeugt. —δίσια, ων, τὰ, zur Aphrodite gehorige Dinge, Liebe, Liebeshändel Liebesgenuſs; Aphroditens Feſt. —δισιάζω, ἀφροδισιάζομαι, lieben, Liebe genieſsen; von der Frau, und im medio Xen. Hier. 3, 4. —δισιακὸς, ἡ, ὸν, ſtärkend zum Genuſſe der Liebe. —δισιὰς, άδος, ἡ, Venuspflanze, eine zur Liebe reizende Frucht. —δισιασμὸς, ὁ, Liebesgenuſs, Beyſchlaf. —δισιαστικὸς, ἡ, ὸν, ſ. v. a. ἀφροδισιακός. —δίσιος, ία, ιον, u. ἀφροδίσιος, ὁ, ἡ, ſ. v. a. das vorherg. venereus. Bey Dionyſ. Antiq. 2, 24 ἀφροδισίμους, wo aber die Handſchr. ἀφροδισίους haben.

Ἀφροδίτη, ἡ, (ἀφρὸς) Aphrodite, aus dem Schaum geboren, ἀφρογένεια; daher ſt. Liebe, deren Göttin ſie iſt, Reiz, venuſtas.

Ἀφρόκομος, ὁ, ἡ, (κόμη) mit ſchäumenden Haaren. —λόγος, ὁ, ἡ, (λέγω) ſchaumſammelnd.

Ἀφρονέω, ῶ, ſ. v. a. ἀφραίνω v. ἄφρων, thöricht, wahnſinnig handeln; davon —νησις, εως, ἡ, Wahnſinn, Thorheit. —νιτρον, τὸ, Salpeterſchaum.

Ἀφροντις, ιδος, ὁ, ἡ, (φροντὶς) ohne Sorge, ſorgenlos; davon —τισία, ἡ, Sorgloſigkeit. —τιστέω, ῶ, ich bin ἀφρόντιστος. —τιστος, ὁ, ἡ, Adv. ἀφροντίστως, ἀφροντιστὶ, d. i. μὴ φροντίζων, ſorgenlos, unbekümmert, als Gegenſ. v. φροντιστὴς Xen. Symp. 6, 6. ſorgenvoll, ἄγαν φροντίζων, als ἔρως Theocr.

Ἀφρόνως, Adv. von ἄφρων, ſinnlos, unverſtändig.

Ἀφρὸς, ὁ, Schaum. —σέληνος, ὁ, d. i. ἀφρὸς σελήνης, ein Stein, auch σεληνίτης genannt, Selenit, Gypsſtein, Marienglas, der lat. lapis ſpecularis. —σκόροδον, τὸ, beym Colum. 11, 3 ulpicum, allium Punicum, eine Art Knoblauch, σκόροδον und ἀφρὸς africanus. —σύνη, ἡ, Sinnloſigkeit, Unverſtand, Charakter oder Handlungsart eines ἄφρων.

Ἀφρούρητος, ὁ, ἡ, (φρουρέω) unbewacht, nicht bewacht. —ρος, ὁ, ἡ, (φρουρὰ) ohne Wache, unbewacht; frey vom Kriegsdienſte. Ariſtot. Pol. 2, 7. Aelian. 6, 6. S. φρουρά.

Ἀφροφόρος, ὁ, ἡ, d. i. ἀφρὸν φέρων, ſchäumend. —φυὴς, έος, ὁ, ἡ, (φυὴ) beſchäumt von Natur.

Ἀφρὼ, οῦς, ἡ, beym Nicander. ſt. ἀφροδίτη.

Ἀφρώδης, εος, ὁ, ἡ, ſchäumend, voll Schaum.

Ἄφρων, ονος, ὁ, ἡ, (φρὴν) ohne Verſtand, ſinnloſs, unverſtändig, dumm, thöricht.

Ἀφυβρίζω, f. ίσω, aufhören muthwillig, keck, frech, geil zu ſeyn. —γιάζω, f. άσω, geſund machen; davon —γιασμὸς, ὁ, Heilung. —διον, τὸ, dimin. v. ἀφύη. —δραίνω, abwaſchen; von ὑδραίνω.

Ἀφύη, ἡ, eine Art von kleinen Heringen, wie Sardellen oder Anchovien; wegen ihres vermeinten Urſprungs ſo genannt von φύω und α privat. Aelian. H. A. 2, 22. —υὴς, έος, ὁ, ἡ, (φυὴ) ohne Anlage, ohne natürliches Geſchick, ungeſchickt. ἔκτισμα ἀφυὲς καὶ βαρὺ, übermäſsig, Dionyſ. 9, 27. zweif. davon —υΐα, ἡ, Mangel an natürlicher Anlage, Ungeſchicklichkeit. —υκος, ὁ, ἡ, (φῦκος) ohne Schminke. —υκτος, ὁ, ἡ, Adv. ἀφύκτως, ſ. v. a. ἄφευκτος.

Ἀφυλακτέω, ῶ, ich bin ἀφύλακτος, bin unbeſorgt, beſorge, bewache nicht, τινὸς Xenoph. Cyr. 1, 6. 5. —λακτος, ὁ, ἡ, Adv. ἀφυλάκτως, unbewacht, unbeobachtet; nicht zu beobachten, nicht zu verhüten; und in ſo fern das med. φυλάξασθαι ſich hüten, darin liegt, der ſich nicht hütet, ſich nicht in Acht nimmt, unvorſichtig, unbedachtſam, Xen. Cyr. 1, 6. 37. —λαξία, ἡ, Mangel an Wache; Mangel an Wächtern oder Sorgloſigkeit der Wächter; Unvorſichtigkeit: von φυλάσσω.

'Αφυλίζω, f. ίσω, abhefen, die Hefen abnehmen, durchſeihen, wie ὑλίζω; davon —λισμα, ατος, τὸ, abgenommene Hefen, Bodenſatz, das Dicke, Trübe von einer durchgeſeihten Flüſſigkeit.

'Αφυλλος, ὁ, ἡ, (φύλλον) ohne Blätter, entblättert. Hom. Il. 2, 425.

'Αφύξιμον οἴνην bey Nikander Theriac. 603 leiten einige v. ἀφύσσω her, andere von φύξιμος, alſo ſ. v. a. μόνιμος, der Scholiaſt erklärt es auch d. ἀπνευστὶ wie ἀμυστὶ.

'Αφυπνίζω, f. ίσω, vom Schlaf oder aus dem Schlaf erwecken; von —νος, ον, aufgeweckt, erwacht. —νόω, ῶ, f. ώσω, einſchlafen, einſchlummern Luc. 8, 23.

'Αφύρητος, ον, nicht durcheinander geknetet, nicht vermiſcht, v. φυράω. Bey Nicol. Damaſc. p. 423 ſteht ἀφύρτως καὶ ἐμμελῶς metaph. ſt. ordentlich von ἄφυρτος.

'Αφυσγετὸς, ὁ, bey Homer der Schlamm und andere Unreinigkeit, welche der Fluſs mit ſich führt, wo andre auch ἀφύσγετος ſchrieben. παμφυρτος ἀφυσγετὸς θαλάσσης Oppian. Hal. 779. wo es Aelian H. A. 2, 22 durch πηλὸς πάνυ ἰλυώδης giebt. 2) Bey Nicander Alexiph. 584 iſt ἀφυσγετὸν νέκταρ ſ. v. a. πολὺ. v. ἀφύω, ἀφύσσω. —σητος, ον, nicht aufgeblaſen, v. φυσάω. —σιολόγητος, ον, nicht in der Phyſiologie oder Naturlehre, unterrichtet; damit nicht übereinſtimmend, v. φυσιολογέω.

'Αφυσμὸς, ὁ, (ἀφύω) das Schöpfen, Herausſchöpfen. —σος, ὁ, ἡ, (φύσα) ohne Blähung, keine Blähung verurſachend, als δίαιτα beym Galen.

'Αφύσσω, f. ξω, u. ἀφύσσομαι, herausſchöpfen Hom. Il. 1, 598. wie ἀφύω; übergetr. κλέος, Ruhm ſchöpfen, erwerben Il. 1, 171. —στερέω, u. ἀφυστερίζω, ſ. v. a. ὑστερέω u. καθυστερέω, m. d. Genit. zu ſpät darzu kommen; daher verfehlen; hinter einem gehn, bleiben.

'Αφύτευτος, ὁ, ἡ, nicht gepflanzt; nicht bepflanzt, v. φυτεύω.

'Αφύω, wovon ἀφύσσω, ich ſchöpfe und gieſse, daher ὄμβρον ἀφύξῃ διὸς νόος Oppian. Hal. 1, 269 ergieſsen oder herabgieſsen. im Med. ἀφύομαι, davon ἠφυσάμην, ἀφυσσάμενος, metaph. ἀμφὶ δὲ φύλλα ἠφυσάμην, wie *circumfudi folia*, ſtreute Laub umher. διὰ ἔντερα χαλκὸς ἤφυσε, drang bis in die Eingeweide. S. διαφύω. Oppian. Hal. 2, 597 ἕλκος οἰδαλέον ἀφύσσειν, ein Geſchwür öffnen und zertheilen. 2) τὸ πρόσωπον ἀφύει das Geſicht wird weiſs. Hippocr. davon leitet man ἀφύη her, wovon ἀφυώδες χρῶμα, eine weiſse glänzende Farbe, wie die ἀφύη hat.

'Αφυώδης, εος, ὁ, ἡ, der ἀφυη ähnlich. χρῶμα ἀφυῶδες, weiſse Farbe. S. ἀφύω n. 2. —ῶς, Adv. (φυὴ) ohne gute natürliche Anlagen, als ἀφυῶς ἔχω, d. i. ἀφυής εἰμι. Eben ſo ἀφυῶς κεκραμένη χώρα Plut. u. ἀφυῶς διακείμενος Polyb. d. i. ſchlecht.

'Αφώνητος, ὁ, ἡ, ohne Sprache, nicht reden könnend, als χεὶρ beym Nonnus. —νία, ἡ, Mangel der Sprache, Sprachloſigkeit; Mangel des Sprechens, Stillſchweigen; von —νος, ὁ, ἡ, (φωνὴ) Adv. ἀφώνως, ohne Sprache, ſprachlos, ſtumm.

'Αφώρατος, ὁ, ἡ, (φωράω) nicht ertappt. —ρισμένως, Adv. v. part. praet. paſſ. v. ἀφορίζω, getrennt, beſonders. —τιστος, ὁ, ἡ, (φωτίζω) nicht erhellet, nicht erleuchtet.

'Αχαϊκὸς, 'Αχαιικὸς, Achäiſch.

'Αχαΐνη, ἡ, ſ. v. a. das folgd. —ΐς, ιδος, ἡ, 'Αχαιὶς, 'Αχαιιὰς, άδος, als γαῖα, γυνὴ, Achäiſches Land, Achäiſches Weib.

'Αχαΐνης, ὁ, auch ἀχαιινέης, ὁ, der Hirſch in einem gewiſſen Alter, den wir Spieſser nennen, ſonſt σπαθίνης, σπαθιναίης. Apollon. 4. 175. bey Opp. Cyn. 2, 426 iſt ἀχαιινέης überhaupt der Hirſch.

'Αχαιὸς, 'Αχαιοὶ, ein Achiver; dieſer Name war anfangs zu Homers Zeiten den Lacedaemoniern und Argivern gemein, Δαναοὶ aber den letztern eigen. Pauſan. 7, 1.

'Αχάλινος, ὁ, ἡ, oder ἀχαλίνωτος, ohne Zügel (χαλινὸς), nicht gezügelt (χαλινόω), zügellos.

'Αχάλκευτος, ὁ, ἡ, nicht geſchmiedet, v. χαλκεύω. —κέω, ῶ, ich bin ohne Geld, χαλκὸς, Anal. Br. 2. 327. —κὴς, έος, ὁ, ἡ, (χαλκὸς) ohne Erz; ohne Geld oder arm.

'Αχάνεια, ἡ, unermeſsliche Weite Antonin 12, 7. überh. Oeffnung, Hole. Chirurg. vet. p. 182.

'Αχάνη, ἡ, ein perſiſches Maaſs, auch ein boeotiſches, welches 45 μεδίμνους hielt. Ariſtoph. Ach. 108. Für eine Art von Kiſte, Kaſten, κίστη, wie der Scholiaſt des Ariſtoph. es erklärt, braucht es Plutar. Arat. 6. —νὴς, έος, ὁ, ἡ, (χαίνω) nicht gähnend oder den Mund nicht aufthuend, nicht ſprechend; ἄγαν oder λίαν χαίνων, den Mund weit aufſperrend Athen. 7. weitſchlundig, unermeſslich, als πέλαγος Philo. ἐς ἀχανὲς ins Weite, weit in die Ferne Ariſt. στράτευμα verb. mit μέγα Plut. Bey Theophr. ὅταν διὰ στενοῦ καὶ ἀχανοῦς πνέῃ ſt. geſchloſſen. κιβωτάριον πῶμα μὴ ἔχον ἀλλ ἀχανὲς Hero Autom. p. 272 wo es offen heiſst.

'Αχάρακτος, ὁ, ἡ, nicht eingeſchnitten, eingekerbt, nicht geſchnitten, ausgeſchnitten, eingedruckt, nicht ausgedruckt, als ὀπωπὴ beym Nonnus. —ράκωτος, ὁ, ἡ, (χαρακόω) nicht umwallet, nicht verſchanzt. Philoſtr. Apoll. 5, 35 verbindet es mit ἄφρακτος. —ριότης, ἡ, bey Polyb. 18, 38 mit Anſpielung auf den Namen χαριμόρτης, alſo Ungeſchicklichkeit, Dummheit. —ρις, ιτος, ὁ, ἡ, (χάρις) ohne Grazie, Reiz, Annehmlichkeit, Anmuth, Heiterkeit, Geſchmack, Dank, undankbar, ohne Liebreiz, ohne Liebe. —ριστέω, ῶ, ich bin ἀχάριστος, bin undankbar; undienſtfertig Plutarch. Phoc. 36. nicht wohlthätig. Auch in paſſ. nach der erſten Bedeutung, mit Undank belohnt werden, als ἀχαριστουμένη ἀρετὴ Plut. —ριστία, ἡ, Undankbarkeit; von —ριστος, ὁ, ἡ, (χάρις) Adv. ἀχαρίστως u. v. χάρις, ἀχαρίτως, ohne Grazie, unangenehm, nicht einnehmend, nicht gefallig; ohne Dank von meiner Seite, oder undankbar; ohne Dank von Seiten eines andern, oder ohne Belohnung, unbelohnt: wider Willen, ungern. Cyrop. 7, 4. 14. —ρίτωτος, ον, ſ. v. a. ἄχαρις v. χαριτέω, von den Charitinnen nicht gebildet, ohne Anmuth, nicht gefallig, nicht einnehmend.

'Αχάρνη u. ἄχαρνος, ein Fiſch. S. ἀκάρναξ.

'Αχάτης, ου, ὁ, der Aohat, ein Edelſtein.

'Αχειλος, ὁ, ἡ, ohne χεῖλος, ohne Lippen, ohne Rand.

'Αχείμαντος, ὁ, ἡ, od. ἀχείμαστος u. ἀχείματος, (χειμαίνω, χειμάζω) nicht beſtürmt, ruhig, ſtill, als ἀὴρ.

'Αχείμερος, ὁ, ἡ, Arat. Dioſ. 389 ohne Sturm, andre erkl. es d. πολυχείμερος.

'Αχειρ, ρος, ὁ, ἡ, oder ἄχειρος, ἀχειρὴς, ohne Hände. —ραγώγητος, ον, nicht gezähmt, wild, wie *manui aſſuetus* oder *manſuetus*. —ρία, ἡ, Mangel der Hände oder ſchlechter Gebrauch derſelben, Ungeſchicklichkeit, Langſamkeit. —ρίδωτος, ὁ, ἡ, (χειρὶς) mit bloſsen Aermen. Sextus Diſput. antiſcept. 2. —ρογεώργητος, ον, nicht von Händen gebauet. —ρόπλαστος, ον, nicht von Händen gebildet. —ροποίητος, ὁ, ἡ, (ποιέω) Adv. ἀχειροποιήτως, nicht von Händen gemacht. —ρότευκτος, ον, ſ. v. a. das vorherg. v. τεύχω. —ροτόνητος, ὁ, ἡ, (χειροτονέω) nicht durch Stimmen erwählt. —ρωτος, ὁ, ἡ, (χειρόω) nicht zu bändigen, nicht zu unterjochen; nicht von Händen (χεὶρ) gemacht. Sophocl.

'Αχερδος, ὁ u. ἡ, ein wilder dornichter Strauch, der ſaure herbe Früchte trägt; daher πνιγόεσσαν ἄχερδον, die ſtickende Acherdos; Antholog. wo ſie neben βάτος genennt wird. Homer Od. 13, 10.

'Αχερωῒς, ίδος, ἡ, die weiſse Pappel; eigentl. ein Beywort. —ρων, οντος, ὁ, Acheron, ein Fluſs der Unterwelt.

'Αχεύω, f. εύσω, oder ἀχέω, (ἄχος) ich bin betrübt, bin voll Kummers; τὶ Heſiod. bin über etwas betrübt, beklage es. Apollon. 4, 1061. S. ἄχω.

'Αχήλωτος, ὁ, ἡ, ohne Kerbe, χήλη, uneingekerbt.

'Αχὴν, ένος, ὁ, ἡ, oder ἄχης nach Suid. dürftig, arm; davon —νία, ἡ, Betteley, Armuth; überh. Mangel. ὀμμάτων ἀχηνία Aeſchyl. Ag. 429 Mangel der Augen.

'Αχηρὴς, ὁ, ἡ, (ἀχέω) ſchmerzlich, ſchmerzend, betrübend, bey Suidas und im Etymol. M. wofür aber Heſych. ἀχθηρὴς hat.

'Αχθεινὸς, ἡ, ὸν, Adv. ἀχθεινῶς, läſtig, beſchwerlich, von ἄχθος, wie *gravis*. —θηδὼν, όνος, ἡ, ſ. v. a. ἄχθος von ἀχθέω.

'Αχθηρὴς, ὁ, ἡ, S. ἀχηρὴς. —θομαι, f. θέσομαι, θήσομαι, belaſtet ſeyn, als ναῦς Homer, mit τινὸς (ἕνεκα) Plut. τινὶ Ariſtot. ἐπὶ τινὶ Xen. (κατὰ) τὶ Hom. mit etwas beſchwert ſeyn, etwas läſtig finden, fühlen, empfinden, ungern thun, Miſsbehagen empfinden, unzufrieden damit ſeyn, böſe darüber ſeyn, wie *gravor re*, *graviter rem fero*, von ἄχθος. NB. bey einigen temp. als ἀχθήσομαι, ἠχθέσθην liegt ἀχθέομαι zum Grunde, ſo wie bey αἰσθάνομαι, ἀπεχθάνομαι.

'Αχθος, εος, τὸ, Laſt; das Läſtige, Beſchwerliche, Kummer, Betrübniſs, Schmerz, von ἄγω, die Laſt, welche man fährt, führt, ἦγμαι, ἦχθη.

'Αχθοφορέω, ῶ, ich bin ein ἀχθοφόρος. —φορία, ἡ, Laſttragen; läſtiges oder mühſeliges Tragen, das Mühſelige beym tragen; von —φόρος, ὁ, ἡ, d. i. ἄχθος φέρων, Laſtträger.

'Αχίλλειος, ἀχιλληὶς, ἡ, verſt. κριθὴ eine vorzügliche Gerſtenart, weiſs u. ſchwarz mit gerader Aehre. Theophr. C. P. 3, 27.

'Αχιλος, ὁ, ἡ, (χιλὸς) Graſs, Heu, Futter; auch m. d. α inteuſ. von vielem Futter.

'Αχίτων, ονος, ὁ, ἡ, ohne Unterkleid.

'Αχλαινία, ἡ, Mangel an einem Ueberrock; v. —νος, ὁ, ἡ, (χλαῖνα) ohne Ueberrock.

'Αχλόητος, ον, v. χλοάω, ſ. v. a. d. folg. zw. —λοος, ἄχλους, ὁ, ἡ, (χλόος) nicht grünend, vertrocknet.

'Αχλύνω. S. ἀχλύω.

'Αχλυόεις, όεσσα, όεν, dunkel, finſter; von

'Αχλὺς, ύος, ἡ, Nebel, Wolke, Dunkelheit, Finſterniſs; davon

'Αχλύω, f. ύσω, dunkel, finſter ſeyn od. werden Hom. 2) act. verdunkeln. Quint. Smyrn. 2, 549 ἀχλυνθη γαῖα gleichſam von ἀχλύνω. —λυώδης, εος, ὁ, ἡ, ſ. v. a. ἀχλυόεις.

'Αχνα, od. ἄχνη, ἡ, eigentl. ſ. v. a. κνόος, χνόος χνοῦς v. κνάω, χνάω alle Theile, welche man von einem Körper od. deſſen Oberfläche abſchabt, abſtreicht, abnimmt, alſo bey Homer die Spreu, u. ἁλὸς ἄχνη Schaum des Meers; dah. nahm Eurip. Or. 115. οἰνωπὸν ἄχναν den ſchäumenden Wein; δακρύων ἄχναν χλωρὰν Soph. Trach. 858. weil man ſie vom Auge wiſcht, und die Thränen ſich auf dem Auge zeigen, wie der Schaum auf dem Waſſer; οὐρανία ἄχνη Oedip. Col. 681 der himmliſche Thau. ἄχνη πυρὸς bey Aeſchyl. Agam. 508 für Rauch, wo jetzt κατνὸς πυρὸς ſteht. λίνου, ὀθονίου ἄχνη bey Hipp. ſ. v. a. ξύσμα *lanugo*, *ramentum lini*, *linamentum*. Die Quitte heiſst λεπτῇ πεποκωμένον ἄχνῃ d. i. χνῷ; *lanugine*. χαλκίτιδος ἄχνη Plutar. was vom Kupfererzt abfliegt.

'Αχνάζω Heſych. hat ἀχνάζει, ἄχθεται, μισεῖ, ψέγει; aeoliſch ſteht aus Alcaeus beym Etymol. M. ἀχνάσδημι κακῶς ſt. ἀχνάζημι. Es ſcheint alſo, daſs man v. ἄχω ἀχέω nicht allein ἀχνύω ſondern auch ἀχνάω gemacht hat.

'Αχνοος, contr. ἄχνους, ὁ, ἡ, (χνόος) ohne Wolle, ohne Milchbart.

'Αχνυμι, ich betrübe, ἄχνυμαι, ich bin betrübt, v. ἀχῶ, ἀχέω, ἀχύω, ἀχύνω, ἄχνυμι v. ἄχος. —νύς, ύος, ἡ, Betrübniſs, Kummer, ſ. v. a. ἄχος im Etymol. M. ſteht der Vers: τῆς δ' ὀλοφυρομένης ἀμφ' ἀχνύι λείβεται αἰών; dav. ἀχνύω, ἄχνυμι, ἄχνυμαι.

'Αχολία, ἡ, Mangel an Galle, Charakter eines ἄχολος, Sanftmuth, verbunden mit πρᾳότης beym Plut. —λος, ὁ, ἡ, (χολὴ) ohne Galle, nicht gallſüchtig; act. φάρμακον ἄχολον Hom. Od. 4, 221 ein Mittel wider die Galle oder den Groll.

'Αχομαι, ſich betrüben, trauern, wie ἀχέω, Hom. Od. 18, 255. 19, 129. Eine andere Form iſt ἄχνυμαι.

'Αχορδος, ὁ, ἡ, (χορδὴ) ohne Saiten.

'Αχόρευτος, ὁ, ἡ, (χορεύω) nicht betanzt, durch keine Tänze gefeyert; der nicht getanzt hat. —ρήγητος, ὁ, ἡ, ohne Zufuhr, ohne Unterſtützung, z. B. τῶν ἀναγκαίων Ariſtot. —ρηγία, ἡ, oder ἀχορηγησία, Mangel an Zufuhr beym Polybius, was er ſonſt χορηγεῖσθαι τοῖς ἐπιτηδείοις nennt, v. χορηγέω. —ρος, ὁ, ἡ, ſ. v. a. ἀχόρευτος, v. χόρος.

'Αχος, εος, τὸ, Schmerz, Betrübniſs, Kummer; v. ἄχω.

'Αχραής, έος, ὁ, ἡ, od. ἀχρανής, ἄχραντος, unberührt, unbefleckt, v. χραίω, χραίνω. Die erſte Form Nicand. Ther. 846 die zweyte b. Heſych. allein. zw.

'Αχράς, άδος, ἡ, wilder Birnbaum, wilde Birne.

'Αχρειόγελως, ὁ, ἡ, ὅμιλος Hephaeſtio. p. 48 der Scherz treibt u. dabey lacht.

'Αχρεῖον, Adv. (χρεία) ohne Nutzen, ohne Zweck, am unrechten Orte, nicht paſſend, nicht ſchicklich Hom. Od. 18, 163 ἀχρεῖον ἰδών. Il. 2, 269 mit boshaftem Blicke, mit entſtelltem Geſichte. —οποιὸς, ὁ, d. i. ἀχρεῖα ποιῶν.

'Αχρεῖος, εία, εῖον, (χρεία) Adverb. ἀχρείως, ohne Nutzen, unnütz; ohne Zweck, zweckwidrig; dav. —όω, ῶ, f. ώσω, unnütz, unbrauchbar machen.

'Αχρήεις, ήεσσα, ῆεν, (χρεία) ohne Nutzen, unnütz.

'Αχρηματία, ἡ, Zuſtand eines ἀχρήματος Geldmangel. —ματος, ὁ, ἡ, (χρήματα) ohne Geld, ohne Vermögen. —μονέω, ῶ, ich bin ein ἀχρήμων. —μοσύνη, ἡ, ſ. v. a. ἀχρηματία; v. —μων, ονος, ὁ, ἡ, ſ. v. a. ἀχρήματος.

'Αχρησία, ἡ, ſ. v. a. ἀχρηστία. —σιμος, ον, (χρῆσις, wov. χρήσιμος) unnütz, ohne Nutzen. —στέω, ῶ, ich bin ἄχρηστος, bin unnütz, nutze nichts; bin nicht gebräuchlich bey den Gramm. —στία, ἡ, Untauglichkeit, Unbrauchbarkeit; der Nichtgebrauch, als τῶν ποδῶν Appian. —στος, ὁ, ἡ, Adv. ἀχρήστως, d. i. μὴ χρηστὸς, nicht nützlich, oder unnütz; nicht gut, oder boſe; nicht gebräuchlich, bey den Grammatikern.

'Αχρι, ἄχρις, Adv. ſ. v. a. μέχρι, bis; aber es heiſst auch ſ. v. a. ἄκρως wie ἄχρις ἀπηλοίησεν Il. δ. 522. ἀπὸ δ' ὀστέον ἄχρις ἄραξεν Il. π. 324. u. γράψεν δέ οἱ ὀστέον ἄχρις ρ. 599. was vorher hieſs, βλῆτο δουρὶ ἄκρον ὦμον ἐπιλίγδην alſo heiſst es am äuſserſten; an der Oberfläche; od. bis aufs äuſserſte, od. ganz. Doch braucht Hom. es auch als praepoſ. wie μέχρι m. d. Genitiv. Od. 18, 369.

'Αχριστος, ὁ, ἡ, nicht geſalbt; nicht beſchmiert.

'Αχροέω, ἀχροιέω, ich bin ἄχροος, ἄχροιος, bin ohne Farbe, bin blaſs.

'Αχροια, ἡ, Mangel an Farbe, Bläſſe. —οιος, ον, (χροία) ſ. v. a. ἄχροος.

'Αχρονος, ὁ, ἡ, Adv. ἀχρόνως, ohne Zeit, immerwährend. —νοτριβής, έος, ὁ, ἡ, d. i. μὴ χρόνον τρίβων, nicht lange verweilend. Heſych.

'Αχροος, contr. ἄχρους, ὁ, ἡ, (χρόα) ohne Farbe, entfärbt, blaſs.

'Αχρυσόπεπλος, ὁ, ἡ, ohne goldenes Kleid. —σος, ὁ, ἡ, (χρυσὸς) ohne Gold, arm.

'Αχρωμάτιστος, ὁ, ἡ, (χρωματίζω) ungefärbt. —μος, ὁ, ἡ, (χρῶμα) ohne Farbe. bey Artemidor. ἐργασία ἄχρωμος, garstiges, häſsliches Handwerk. πορνεία ἀχρωμος, Hippocr. unverſchämt.

Ἀχρωστος, ὁ, ἡ, (χρώζω) unberührt od. ungefärbt.

Ἀχυλὸς, ὁ, ἡ, (χυλὸς) ohne Saft.

Ἄχυμος, ὁ, ἡ, (χυμὸς) ohne Saft, Geschmack. —υμωτος, ὁ, ἡ, (χυμόω) ſ. v. a. das vorherg. zw. —υνετος, ὁ, ἡ, (χύνω) d. i. ἀγαν χυνετὸς, weit verbreitet, ſich weit ergieſsend, als ὕδωρ, Nicand.

Ἀχυρῆτις, S. ἀχυρὶς. —ρινος, η, ον, (ἄχυρον) von Spreu.

Ἀχυρμιὰ, ἡ, oder ἀχυρμιὰς, ein Haufen Spreu, Homer Il. 5, 502. —μιὸς ἀμητὸς Arat. Dioſ. 365 eine Erndte die nichts als Spreu bringt, ſ. v. a. ἀχύρινος.

Ἀχυροδόκη, ἡ, oder ἀχυροθήκη, ein Ort, wo die Spreu geſammelt wird; von δέκομαι, d. i. δέχομαι und θήκη.

Ἄχυρον, τὸ, Spreu, Hülſen, Kleyen, aus denen man die Körner gedroſchen od. gemahlen hat; woven das lat. *acus, aceris*. —ρος, ὁ, attiſch ſ. v. a. ἀχυρὼν, Ariſtoph. Veſp. 1301 wo der Scholiaſt ſo wie Suidas und Heſych. ἄχυρος ſt. ἀχυρὼν haben. —ροτριψ, βος, ὁ, ἡ, d. i. ἄχυρον τρίβων, die Hülſen abreibend. —ροφαγέω, ich eſſe Spreu. —ρόω, ῶ, ſ. ώσω, mit Spreu beſtreuen, Spreu drunter thun, das lat. *acerare*.

Ἀχυρίδες, αἱ, dimin. von ἄχυρον, in der Anthol. κάρφαι ἀχυρτίδες ſoll wohl ἀχυρητίδες heiſsen.

Ἀχυρώδης, εος, ὁ, ἡ, voll Spreu, ſpreuartig. —ρὼν, ῶνος, ὁ, ſ. v. a. ἀχυρμιὰ. S. ἄχυρος. —ρωσις, εως, ἡ, ſubſt. von ἀχυρόω, das Vermiſchen mit Spreu.

Ἄχω, ich betrübe, von ἄχος, davon ἄχομαι, Odyſſ. 18, 255 ich traure, bin betrübt, ſ. v. a. die abgeleiteten ἀχέω, ἀχεύω, ἀχύνω, ἄχνυμι, ἄχνυμαι, per reduplicat. ἀκάχω, ἀκαχέω, ἀκάχημι, ἀκαχίζω. Medium ἀκάχεμαι joniſch ἀκήχεμαι, davon joniſch ἀκηχέατο und ἀκηχέαται.

Ἀχώνευτος, ὁ, ἡ, (χωνεύω) nicht zu gieſsen, was nicht gegoſſen, geſchmolzen werden kann.

Ἀχὼρ, ῶρος, ὁ, böſer Grind, Schorf und Ausſchlag am Kopfe der Kinder; dieſer wird κηρίον Wachszelle genannt, wenn die Haut durchlöchert und hohl iſt. —ρητος, ὁ, ἡ, (χωρέω) nicht zu faſſen. —ριστος, ὁ, ἡ, (χωρίζω) Adv. ἀχωρίστως, nicht zu trennen, unzertrennlich. —ρος, ὁ, ἡ, (χῶρος) ohne einen feſten Ort, ohne Vaterland. Heſych.

Ἄψ, Adv. zurück; wieder; ſcheint von ἀπὸς, ἀπὸ, zuſammengezogen.

Ἀψάλακτος, ὁ, ἡ, (ψαλάσσω) nicht zu berühren, unberührbar; unbeweglich; unberührt. οὐκ ἀψ. Ariſtoph. Lyſiſtr. 275 nicht ungeſtraft.

Ἄψαλτος, ὁ, ἡ, (ψάλλω) vom Pfeile unabgeſchoſſen, vom Saiteninſtrumente unberührt, ungeſpielt, nicht zu ſpielen, ſingen.

Ἀψάμαθος, ὁ, ἡ, oder ἄψαμμος, ohne Sand, nicht ſandig.

Ἀψαυστέω, ῶ, ich bin ἄψαυστος, berühre nicht. —στος, ὁ, ἡ, (ψαύω) Adv. ἀψαυστὶ, nicht zu berühren, nicht berührt; act. der nicht berührt hat.

Ἀψεγὴς, έος, ὁ, ἡ, Adv. ἀψεγῶς, oder ἄψεκτος, ohne Tadel, untadelich; von ψέγω.

Ἀψεύδεια, ἡ, Trugloſigkeit, Wahrheit, Charakter eines ἀψευδής. —δέω, ῶ, ich bin ein ἀψευδής. —δὴς, έος, ὁ, ἡ, (ψεῦδος) Adv. ἀψευδῶς, ohne Lügen, ohne Trug, truglos, wahrhaftig, zuverläſſig, von Menſchen und Sachen.

Ἀψευστέω, ῶ, ich bin ἄψευστος, alſo ſ. v. a. ἀψευδέω. —στος, ὁ, ἡ, ſ. v. a. ἀψευδής.

Ἀψήφιστος, ὁ, ἡ, (ψηφίζω) nicht durch Stimmen gewählt. —φος, ὁ, ἡ, (ψῆφος) ohne Stimmen. —φοφόρητος, ὁ, ἡ, act. beym Polyb. der noch nicht geſtimmt, oder ſeine Stimme, ſein Votum gegeben hat.

Ἀψιδοειδὴς, έος, ὁ, ἡ, (εἶδος) nach Art einer ἀψίς.

Ἀψικάρδιος, ον. (ἅπτομαι) das Herz berührend, angreifend, rührend; vergl. Eurip. Hec. 242. —κορία, ἡ, die Eigenſchaft u. Betragen eines ἀψίκορος, der bald einer Speiſe, Sache überdrüſſig wird und andre verlangt, Ekel, Ueberdruſs, Veränderlichkeit im Geſchmack. —κορος, ὁ, ἡ, ein delikater, ekelhafter Menſch, der, ſo bald er eine Speiſe berührt u. gekoſtet hat, dav. ſatt wird, ἅπτω, κόρος; daher metaph. veränderlich, der bald einer Sache überdrüſſig wird. εὐμετάβολοι καὶ ἀψίκοροι πρὸς τὰς ἐπιθυμίας, daher τὸ φιλόκαινον mit ἀψίκορον verbunden wird. So findet man auch ἀσήκορος im ähnlichen Sinne.

Ἀψιμαχέω, ῶ, ich bin ein ἀψίμαχος, necke den Feind, reize ihn zum Treffen; mit dem dat. mit jemand ſtreiten, zanken. Polyaen. 1, 18, 1. —μαχία, ἡ, erſter, leichter Angriff; Zank, Streit. Dionyſ. Antiq. 1, 79. χειρῶν Dionyſ. Ant. 6, 22. Fauſtkampf, Schlägerey; v. —μαχος, ὁ, ἡ, d. i. ἅπτων μάχην, die Schlacht anzündend, dazu reizend, den Feind neckend. —μισία, ἡ, (ἅπτω, μῖσος) ein über eine Kleinigkeit oder auf kurze Zeit entſtehender Haſs.

Ἀψίνθιον, τὸ, Wermuth. —θίτης, ου, ὁ, Wein über Wermuth abgezogen.

Ἄψινθος, ἡ, ſ. v. a. ἀψίνθιον.

Ἀψὶς, ἁψὶς, ῖδος, ἡ, die Verbindung, Verknüpfung, Knoten, v. ἅπτω, als λίνου Hom. Il. 5, 487. der Umfang, Peripherie, die Rundung des Rades oder

der einzelnen krummgebogenen u. verbundenen Stücken Holzes am Rade; Bogen, als Triumphbogen; das Gewölbe, die Wölbung.

'Αψις, εως, ἡ, das Berühren, die Berührung, von ἅπτομαι; Φρενῶν bey Hippocr. das Angreifen, Verrücken des Verstandes.

'Αψίχολος, ὁ, ἡ, der leicht zornig wird, jähzornig, Hitzkopf, ἅπτων χολὴν, wie ἀψιμισία.

Ἄψογος, ον, (ψόγος) Adv. ἀψόγως, untadelich, ohne Tadel.

'Αψόῤῥοια, ἡ, bey Diodor. 2, 29 s. v. a. παλίῤῥοια, wo jetzt ἐνωρέα steht st. ἐν ἀψοῤῥοίᾳ.

'Αψοῤῥον, von ἀψοῤῥος, wie Adv. gebraucht, zurückgehend, zurück; wiederum, Hom. Il. 4, 152. Od. 9. 282. —όῤῥοος, contr. ἀψόῤῥους, ὁ, ἡ, zurückfliessend; v. ἀψ, ῥόος. —οῤῥος, ὁ, ἡ, zurück bewegt, zurückgehend, Hom. Il. 3, 313. von ὄρω, ἀψ.

Ἄψος, εος, τὸ, Verbindung, v. ἅπτω s. v. a. ἅμμα daher δεσμοῦ ἄψεα Oppian. Halieut, 3, 538. dah. das Glied, Artikulation, und Gliedmaass. ὀλίγος περὶ ἄψεα θυμὸς st. σῶμα.

'Αψόφητος, ὁ, ἡ, Adv. ἀψοφητὶ oder ἀψοφος, ohne Geräusch (ψόφος), kein Geräusch machend (ψοφέω).

'Αψυδρακίωτος, ὁ, ἡ, (ψύδρακες) ohne Hitzblasen, Brüstel beym Dioscor. 2, 81. gleichsam v. ψυδρακόω gemacht.

Ἄψυκτος, ὁ, ἡ, (ψύχω) nicht abzukühlen; nicht abgekühlt.

'Αψυχαγώγητος, ὁ, ἡ, d. i. in act. Bedeutung, da die Form pass. ist, μὴ ψυχαγωγέων, nicht erfreuend, nicht ergötzend. —χέω, ῶ, ich bin ἄψυχος, bin ohne Leben, leblos; falle in Ohnmacht. —χία, ἡ, Zustand eines ἀψυχος, Leblosigkeit; Ohnmacht; Charakter eines ἄψυχος oder Feigheit; von —χος, ὁ, ἡ, (ψυχὴ) ohne Leben, leblos; ohne Muth, muthlos, feig.

Ἄω, das Stammwort von ἄυω, ἰαύω, ich schlafe; davon ἄεσαν. Auch bedeutet ἄω blasen; leuchten; brennen. S. ἄυω u. ἰαύω. ἐυκραὴς ἄεν οὖρος Apollon. S. ἄημι.

'Αώδης, εος, ὁ, ἡ, (ὄζω) nicht riechend.

'Αωρέω, ῶ, ich bin ἄωρος, bin nicht sorgsam, nicht wachsam, bewache, besorge nicht. —ρὶ, Adv. unzeitig, zur Unzeit. —ρία, ἡ, Unzeit, unrechte Zeit. —ριος, s. v. a. ἄωρος.

'Αωρόλειος, ὁ, ἡ, der ausser der Zeit glatt ist, sich durch Kunst glatt am Leibe; ohne Haare macht. Aelian. H. A. 13, 27. —ρόνυκτος, ον, der etwas in ἀωρίᾳ τῆς νυκτὸς thut, oder was in Mitternacht geschieht.

Ἄωρος S. ὦρος der Schlaf. —ρος, ὁ, ἡ, (ὥρα) unzeitig; noch nicht zeitig, noch nicht reif; ohne Schmuck, Jugendschönheit Xen. Mem. 1, 3. 14. und πόδες ἄωροι, hässliche, unförmliche Füsse, Hom. Od. 12, 89. Andre lasen ἄουροι, andre ἄμωροι d. i. ἰχθυοφόροι davon im Etym. M. ἀμωρεύουσιν, ἰχθυοφοροῦσιν. ohne ὥρα, ohne Sorgfalt, unbekümmert, nachlässig. —ρότοκος, ὁ, ἡ, (τόκος) von zufrühzeitiger Geburt, zufrühzeitig geboren.

Ἄωρτο, Il. 19 hieng, s. v. a. ἠώρητο von ἄρω, αἴρω, ἀείρω, ὄρω, ἀόρω, αώρω. αἰωρω.

'Αώς, ἡ, s. v. a. ἠὼς und ἕως von ἄω, αὔω, leuchten, glänzen.

'Αωτεύω, f. εύσω, oder ἀωτέω, blasen, schnarchen, schlafen, Hom. Il. 10, 159. Od. 10, 548 mit ὕπνον, wie αὔω, ἰαύω v. ἄω, ich blase. Jedoch wenn es von ἄωτον herkömmt, so erklärten es einige ἀπανθίζεσθαι ὕπνον, wie *carpere somnum*, oder ὑφαίνειν ὕπνον, weil οἰὸς ἄωτον εὔστροφον bey Homer ein wollenes gewebtes Band heisst. Oppian. Cyn. 4, 154 nennt οἰὸς ἄωτα die Schaafpelze.

Ἄωτον, τὸ, v. ἄω, blasen, wehen, riechen, die Blume, wegen ihres Geruchs; übergetr. auf andere Dinge, die Blume, das treflichste, wie ἄνθος. Eben dies ist ἄωτος masc. M. s. z. B. Hom. Il. 9, 657. 13, 599. Od. 9, 434. 1, 443. οἰὸς ἄωτον nennt Homer die Blume des Schaafs, den Schaafpelz. S. κώδιον. etwas anders ist εὔστροφον οἰ. ἄω. Il. 13, 716. nämlich σφενδόνη die Schleuder, wie v. 599. —τος, ὁ, ἡ, ohne οὖς d. i. ohne Ohren, ohne Henkel, ohne Griff.

B

B, βῆτα, der zweyte B. des griech. Alphabets; daher beym Zählen 2; u. ͵β 2000.

Βαβάζω s. v. a. βάζω, ich spreche, rede, schwatze, schreye; davon βαβαξ und βαβάκτης ein Sprecher, Redner, Schreyer, Lycophr. 472. 2) s. v. a. βιβάζω und βῆμι ich gehe, tanze.

Βαβαὶ, lat. *papae*, ein Ausruf und Ausdruck der Verwunderung, des Erstaunens wie Potz u. dgl

Βάβαξ, κος, ὁ, und βαβάκτης, ὁ, der Redner, Sprecher, oder der spricht, schreyet, schwatzt. S. βαβάζω no. 1. 2) der Tänzer S. βαβάζω no. 2.

Βαβράζω, ὅταν ἠχέται βαβράζωσι Athenae. 7 p. 282 drückt das Zirpen, Geschwirr der Cicaden aus, welche davon βαβραδόνες daselbst p. 287 heissen. Dasselbe bedeutet βεβράζω und davon βεβραδὼν, auch βεβρὰς, βεμβρὰς, βεβραξ, μέμβραξ Aelian. H. A. 10, 44 not. —βραζὼν, ὁ, S. βαβράζω.

Βαβύκα Plut. Lyc. 6 μεταξὺ βαβύκας τε καὶ κνακίωνος. Ariſtoteles erklärte es d. γέφυρα, wie Heſych. βαβύκτα, γέφυρα. Vergl. Plutarch. Pelop.

Βάγμα, τὸ, und βάξις, ἡ, (βάζω) Gerede, Gerücht, Ausſpruch, bey Dichtern.

Βαγώας, ein aus dem Perſiſchen (nach Plin. 13, 4 aus Bagou) nach griech. Mundart gemodeltes Wort, das auch die Lat. *Bagoas* (Quintil. 5, 12. 21) u. *Bagous* (Ovid. Am. 2, 2. 1) beybehalten haben; ein Verſchnittner.

Βάδην, Adv. v. βάω, βάζω, Schritt für Schritt, daher dem δρόμῳ θέειν dem ſchnellen Laufen das βάδην ταχὺ ἐφέπεσθαι Xenoph. An. 4, 7. 25 entgegengeſetzt, d. i. im Schritte ſchnell folgen.

Βαδίζω (βάω, βάζω, βέβαδα perf. βάδος) Schritt für Schritt, d. i. langſam einhergehen, wo es dem τρέχειν entgegen ſteht, als Xen. Cyr. 2, 3. 10 u. 14. überhaupt auch gehen, reiſen; dav. —δισις, ἡ, u. βαδισμὸς, ὁ, das Gehn. —δισμα, τὸ, der Gang, Schritt. —δισματίας, ου, ὁ, ſ. v. a. βαδιστικὸς, zweif. —δισμὸς, ὁ, ſ. v. a. βάδισις. —διστὴς, ein Fuſsgänger, Laufer; davon —διστικὸς, ἡ, ὸν, der gut gehn kann, gut zu Fuſse iſt. —διστὸς, ἡ, ὸν, gangbar; zweif.

Βάδος, ὁ, Schritt, Gang, Weg.

Βάζω, reden, ſprechen; auch βάσκω, u. verdoppelt βαβάζω.

Βάζω, ſ. v. a, βῆμι. S. βιβάζω.

Βαθέως, Adv. v. βαθὺς, wie βαρέως von βαρὺς,

Βαθμηδὸν, Adv. ſtufenweiſe. —μὶς, ίδος, ἡ, dimin. vom folgd. —μὸς, ὁ, Stufe, Tritt, Schwelle, u. ſ. v. a. βάσις, βηλὸς und βαλβὶς, von βάω, ſ. v. a. βαίνω; übergetragen, wie *gradus*, Ehrenſtuſe.

Βάθος, εος, τὸ, Tiefe; auch nach dem verſchiedenen Standpunkte, den wir nehmen, Höhe, Gröſse, und dieſs auch im uneigentl. Sinne, wie aus βαθὺς erhellet.

Βάθρα, ἡ, Stufe, Tritt, Steige; gewöhnl. in ἀπόβαθρα, und ἐπίβαθρα; von βάω ſ. v. a. βαίνω. —θράδιον, dimin. von βάθρα. zw.

Βαθρεία, ἡ, Aeſchyl. Suppl. 866 ſt. βάσις, ἕδρα. —θρον, τὸ, Stufe, Leiter, Tritt, Treppe, Sitz; Baſis, Grund, Sophocl. Aj. 135; v. βάζω, ſ. v. a. βαίνω.

Βαθυαγκὴς, έος, ὁ, ἡ, (ἄγκος) mit tiefen Thälern. —θύβουλος, ὁ, ἡ, (βουλὴ) von tiefem Rathe, tiefer, durchdringender Einſicht.

Βαθύγειος, ὁ, ἡ, u. βαθύγεως, (γέα, γῆ) was tiefen Boden hat, mithin fruchtbar, dem ſteinichten, trocknen entgegengeſetzt. —γένειος, ὁ, ἡ, (γένειον) mit tiefem langem Barte, langbärtig.

Βαθυγέρων, ὁ, ἡ, Nicetae Annal. 9, 16 ſ. v. a. d. f. —γήρως, ω, ὁ, ἡ, (γῆρας) in hohem Alter, abgelebt. —γλωσσος, ὁ, ἡ, bey Suid. ſ. v. a. εὔγλωσσος, beredt. —γνώμων, ονος, ὁ, ἡ, ſ. oben βαθύβουλος; davon βαθυγνωμοσύνη, ἡ, Nicetae Annal. 3, 2. Ueberlegung, Verſtand, Klugheit, Tiefſinn. —δενδρος, ὁ, ἡ, (δένδρον) γῆ bey Plutar. 10, 545 dicht mit Bäumen bewachſen oder bepflanzt. —δινὴς, ὁ, ἡ, u. βαθυδινήεις, (δίνη) tiefwirbelnd. —δοξος, ὁ, ἡ, (δόξα) hochberühmt, hochgeprieſen. Eben das iſt βαθυκλεὴς. —εργεῖν τὴν γῆν, die Erde tief pflügen. —ζωνος, ὁ, ἡ, (ζώνη) hochaufgeſchürzt oder hochgegürtet, u. weil ſo nur angeſehene Frauen und Mädchen bey feyerlichen Aufzügen erſchienen, im allgemeinen ſ. v. a. edel, prächtig gekleidet. —θριξ, τριχος, ὁ, ἡ, (θρὶξ) mit tiefem, langem Haare; von Schaafen, mit dicker oder langer Wolle. —καμπὴς, έος, ὁ, ἡ, (καμπὴ) tief eingebeugt, ſehr gekrümmt. —κήτης, εος, ὁ, ἡ, (κῆτος) was eine groſse Höhlung, Vertiefung hat, tief; Beywort des Meers. —κλεὴς, ἐς, (κλέος) ſ. v. a. βαθύδοξος. —κληρος, ὁ, ἡ, von gröſſem Erbgut, ſchwerem Vermögen, vorzügl. an Landgütern. —κολπος, ὁ, ἡ, der Bedeut. nach ſ. v. a. βαθύζωνος, unten einen langen Buſen, Bauſch im Kleide machend, oder tiefe lange Falten ſchlagend; von Flüſsen oder dem Meere, tiefe Buſen habend. —κόμης, ου, ὁ, (κόμη) ſ. v. a. βαθύθριξ. —κρημνος, ὁ, ἡ, mit hohem oder ſteilem Ufer. —κρηπὶς, ίδος, ὁ, ἡ, tief oder feſtgegründet, oder mit tiefem Grunde. —κτέανος, ὁ, ἡ, (κτέανον) von vielem Vermögen. —κύμων, ονος, ὁ, ἡ, (κῦμα) tiefwogend, hohe oder tiefe Wogen ſchlagend. —λειμος, ὁ, ἡ, u. βαθυλείμων, ονος, ὁ, ἡ, mit hochbewachſenen fetten Auen oder Weiden. S. λειμὼν. —λήϊος, ὁ, ἡ, (λήϊον), mit hoher Saat, mit hohen Feldfrüchten, alſo fruchtbar. —μαλλος, ὁ, ἡ, (μαλλὸς) dickhaarig, langwollig. —μήτης, ὁ, oder βαθύμητις, ὁ, ἡ, (μῆτις) ſ. v. a. βαθύβουλος.

Βάθυνσις, ἡ, das aushöhlen oder vertiefen; von —θύνω, f. υνῶ, p. υγκα, vertiefen, aushöhlen. βαθ. τὴν φάλαγγα ſ. in βαθὺς.

Βαθύξυλος, ὁ, ἡ, (ξύλον) mit tiefem dichten Holze, Gehölze. —πέδιος, ὁ, ἡ, oder βαθυπέδιος, ία, ιον, von tiefer, weiter, langer Ebne, Flur. —πελμος, ὁ, ἡ, (πέλμα) S. εὐμαρὶς. —πικρος, ὁ, ἡ, ſehr bitter. Dioſcor. 3, 26. —πλεκὴς, έος, ὁ, ἡ, (πλέκω) tiefgeflochten, ſehr verſtrickt; zw. —πλόκαμος, ὁ, ἡ, mit langgelocktem Haare.

Βαθυπλούσιος, ὁ, ἡ, u. βαθύπλουτος, ὁ, ἡ, sehr reich; wie πλοῦτος βαθύς, grosser Reichthum. —πόλεμος, ὁ, ἡ, ἄρης, bey Pindar der Kriegliebende Mars, Ares. —πρωρος, ὁ, ἡ, (πρώρα) mit hohem od. tiefgehendem Vordertheile. —πώγων, ὁ, ἡ, mit langem Barte, wie βαθυγένειος.

Βαθυῤῥείτης, ου, ὁ, ἡ, u. βαθύῤῥοος, contr. βαθύῤῥους, ὁ, ἡ, (ῥέω) tieffliessend. —ῤῥιζία, ἡ, die tiefe Wurzel. —ῤῥιζος, ὁ, ἡ, (ῥίζα) mit tiefer Wurzel. —ῤῥοος. S. βαθυῤῥείτης.

Βαθύς, εῖα, ύ, Adv. βαθέως, tief, aber in mancherley Verbindung. So ist z. B. βαθεῖα φάλαγξ, βάθος τῆς φάλαγγος, eine tiefe Schlachtordnung, wenn 3—5 u. mehrere Mann hinter einander stehen; wo wir sagen: sie stehen 3—5 Mann hoch. Daher der Feldherr βαθύνει τὴν φάλαγγα, die Schl. so u. so hoch stellt; die Soldaten selbst βαθεῖαν ποιοῦνται τὴν φάλαγγ. stellen sich so u. so hoch. Eben so muss man sich βαθὺς τόπος erklären: eine sich in die Tiefe, d. i. in die Länge erstreckende Gegend. (vergl. βαθυπέδιος u. βαθύλειμος). So βαθὺ γῆρας oder τὸ βαθὺ τῆς ἡλικίας tiefes, d. i. hohes Alter. βαθεῖα εἰρήνη kann man sich mit unserm Ausdruck tiefe Stille deutl. machen, oder braucht nur βαθὺς ὕπνος zu denken, wovon wahrsch. der Uebergang zu jenem gemacht ist. So ferner tiefer Reichthum, tiefer Schatz (πλοῦτος, θησαυρὸς) d.i. hochaufgethurmte Schätze; und eben so ἐσθλὸν βαθὺ tiefgegründetes Glück; β. κλῆρος reiches Erbgut (vergl. βαθύκληρος). Das Gegentheil davon χρέος βαθὺ, wo wir auch sagen: er steckt tief in Schulden. Daher der Mann selbst βαθὺς (Xen. Oec. 11, 10.) ein M. von hohen Schätzen, d. i. ein reicher, vermögender Mann. β. ὕλη dickes Gehölz, (vergl. βαθύξυλος); β. πώγων ein starker Bart (vergl. βαθυγένειος). Ein dichterischer Ausdruck beym Pindar ist βαθὺ κλέος, tiefgegründeter, hoher Ruhm.

Βαθυσκαφής, έος, ὁ, ἡ, (σκάπτω) tiefgegraben. —σκιος, ὁ, ἡ, (σκιά) dick- stark-beschattet. —σκόπελος, ὁ, ἡ, hochfelsig, tiefklippigt.

Βάθυσμα, τὸ, (βαθύζω, βαθύνω) Vertiefung. —σμηριγξ, ιγγος, ὁ, ἡ, (σμήριγξ) ὑπήνη Nonnus Dionys. 6. p. 180. Bart mit langen Haaren. —σπορος, ὁ, ἡ, Euripid. Phoen. 657 u. 678 tiefgepflügt und besäet, fruchtbar; s. v. a. βαθυλήϊος. —στερνος, ὁ, ἡ, mit tiefer oder hoher Brust; λέων Pindar. mit langer Mähne an der Brust. —στήριγξ, γος, ὁ, ἡ, (στηρίζω) tiefgegründet oder tiefgründend. —στομος, ον, (στόμα) mit tiefem Munde, Maule, Schlunde, Oefnung. —στρωτος, ὁ, ἡ, (στρώννυμι) κοίτη, tiefgedecktes, tiefes, weiches Lager od. Bette. —σχοινος, ὁ, ἡ, dickbeschilft.

Βαθύτης, ητος, ἡ, s. v. a. βάθος. —τριχος, ὁ, ἡ, s. v. a. βαθύθριξ.

Βαθύυδρος, ὁ, ἡ, (ὕδωρ) von od. mit tiefem Wasser.

Βαθύφρων, ονος, ὁ, ἡ, der Bedeut. nach s. v. a. βαθύβουλος. —φυλλος, ὁ, ἡ, (φύλλον) dickbelaubt. —φωνος, ὁ, ἡ, (φωνή) mit tiefer, hohler Stimme. —χαῖος, (χαὸς, χαιὸς) von altem Adel, Aesch. Suppl. 865. —χαίτης, ου, ὁ, (χαίτη) von starkem Haupthaare oder Mähne. —χειλος, ὁ, ἡ, (χεῖλος) mit tiefen Lippen oder Rande. —χθων, ονος, ὁ, ἡ, v. tiefem Boden od. Erde s. v. a. βαθύγειος. —χρήμων, ονος, ὁ, ἡ, Manetho s. v. a. βαθύπλουτος, reich. —χροος, contr. βαθύχρους, ὁ, ἡ, (χρόα) von oder mit tiefer dunkler Farbe.

Βαΐνος, ὁ, ἡ, (βαΐς) von Palmzweigen oder Blättern gemacht od. geflochten. S. θαλός.

Βαίνω, f. βήσω od. βήσομαι, p. βέβηκα, s. v. a. βῆμι u. βάω, gehen, einhergehen, weggehen; 2) bespringen, βαίνεται, καθάπερ βοῦς Arrian. von der Begattung. N. βέβηκα, βεβηκώς, stehend, ruhend, gelegen, gegrundet, feststehend.

Βάϊον, τὸ, ein Palmzweig; auch βάϊς, gewöhnlicher θαλός.

Βαιός, ά, όν, klein, gering, nicht lang, nicht weit. Davon βαιὸν Adv. ein wenig; davon ἀβαιὸς, jonisch ἠβαιός.

Βαιοφόρος, ὁ, ἡ, od. βαϊφόρος, ὁ, ἡ, (βαΐς, βάϊον) einen Palmzweig tragend.

Βάϊς, ἡ, Palmzweig oder Blatt, s. v. a. βάϊον. S. θαλὸς no. 2. Horapollo 1, 3 u. 4.

Βαίτα, ἡ, ein Hirten oder Bauerkleid von Häuten gemacht, ein Pelz.

Βαϊφόρος, ὁ, ἡ, s. v. a. βαιοφόρος.

Βαιών, όνος, ὁ, ein verachteter Fisch, sonst βλέννος.

Βάκανον, τὸ, Kohl- oder Rettigsaamen; zw. —κηλος u. βάκηλος, lat. *bacelus*, *baceolus*, ein verschnittener Diener der Cybele, *Gallus*; Athenae. 4 p. 134. 2) geiler oder dummer Mensch. —κίζω, Aristoph. Pac. 1072. ich prophezeye wie Bacis.

Βακκαρίς, ἡ, *baccharis*, eine Pflanze, bey Linné *gnaphal. sanguin.* von wohlriechender Wurzel, mit welcher ein wohlriechendes Oel βακκάρινον μύρον zubereitet ward.

Βακτηρεύω. S. βακτρεύω. Nicetae Ann. 5, 2 σκίπωνι βακτηρευόμενος, sich stützend. —τηρία, ἡ, (βάζω, βακτήρ) Stab, Stock, Stutze. —τήριον, τὸ, u. βακτηρίδιον, τὸ, dimin. v. vorherg. —τρευμα τὸ, (βακτρεύω) s. v. a. βάκτρον, die Stutze. —τρεύω, (βακτήρ) stutzen auf dem Stabe; sich stützen.

Βάκτρον, τὸ, (βάζω, ſ. v. a. βαίνω) ſ. v. a. βακτηρία. —τροπροσαίτης, ου, ὁ, (προσαιτέω) Beyw. eines Cynikers mit dem Stocke einhergehend und bettelnd. zweif.

Βακχεία, ἡ, (βακχεύω) die Bacchusfeyer, das Betragen einer Bacchantin. —χεῖον, τὸ, Bacchustempel. —χεῖος, εία, εῖον, zum Bacchus oder zur Feyer des Bacchusfeſtes gehörig, oder dem Betragen, der Wuth der Bacchantinnen ähnlich; enthuſiaſtiſch. ποῦς β. *bacchicus pes*, beſteht aus 1 kurzen und 2 langen Sylben. —χειώδης, ὁ, ἡ, ſ. v. a. βακχεῖος u. βακχικὸς. zw. —χειώτης, ου, ὁ, ſ. v. a. βακχευτής. zw. —χευμα, τὸ, (βακχεύω) ein Bacchusfeſt oder eine bacchantiſche Handlung. —χεύσιμος, ὁ, ἡ, (βάκχευσις) bacchantiſch. Plutarch verbindet τὸ βακχεύσιμον καὶ τὸ μανιῶδες 7. p. 702 bey Calliſtrat. Stat. 8. bereit zu βακχεύειν. —χευτής, οῦ, ὁ, ſ. v. a. βακχεύων, ὁ. —χευτικὸς, ſ. v. a. βακχεῖος und βακχικὸς. —χεύτωρ, ορος, ſ. v. a. βακχευτής. —χεύω u. βακχέω, des Bacchus (βάκχος) Feſt feyern; dah. im Fanatismus, Enthuſiasmus, Wuth ſeyn u. darinne etwas thun, oder nach Art der Bacchanten handeln oder ſprechen, alſo enthuſiaſtiſch, fanatiſch oder raſend handeln oder ſprechen.

Βάκχη, ἡ, eine Bacchantin, wie βάκχος auch ein Bacchant, d. i. die, der das Bacchusfeſt feyert. —χία, ἡ, ſ. v. a. βακχεία; dav. —χιάζω ſ. v. a. βακχεύω. —χιακὸς, βακχικὸς u. βάκχιος, ὁ, ἡ, bacchiſch, bacchantiſch; dah. raſend, wüthend, enthuſiaſtiſch, fanatiſch. Eurip. ſetzt auch βάκχιος ὁ, ſt. βάκχος.

Βάκχος, ὁ, *bacchus*, Bachus, der Gott, dem man die Erfindung des Weins u. Weinbaues zuſchrieb; daher auch metonymiſch für Wein, wie *sine cerere et baccho*. In dieſer Rückſicht wurden die *bacchanalia* oder Feſte des Bacchus mit einer Art von fanatiſcher Raſerey vorz. von Frauen im Freyen gefeyert; als ein Bild der Zeugekraft in der Natur war ihm der *phallus* das Zeugeglied gewidmet und ward bey öffentlichen Feſten in Proceſſion unter darauf ſich beziehenden Geſängen umhergetragen. 2) der das Bacchusfeſt feyert, Bacchant, wie βάκχη Bacchantin. βάκχοι ἔρωτος Aelian. v. h. 3. 9 Diener oder Begeiſterte des Amor, ſonſt θιασῶται. —χων, ὁ, dimin. v. βάκχος.

Βαλανάγρα, ἡ, (ἄγρα) womit der βάλανος herausgezogen oder genommen wird, eine Art von Schlüſſel. Bey Polyb. auch das Schloſs. Der βάλανος war ein länglicht rundes Stück Eiſen, welches durch den vorgeſchobenen Riegel (μοχλὸς) in die Pfoſten der Thüre u. das daſelbſt befindliche Loch (βαλανοδόκη) geſchoben und dann bey Eröfnung der Thüre mit einem Haken od. Schlüſſel (βαλανάγρα) wieder herausgezogen ward. Vergl. Aeneas Tactic. 18. 19. 20. S. κλεὶς. Der alte Schlüſſel hatte einen, der lakoniſche 3 Zacken od. Bärte, βαλάνους. Ariſtoph. Thesm. 430. —λανεῖον, τὸ, d. lat. *balineum*, *balneum*, Bad, d. i. Ort zum Baden; auch das zubereitete Waſſer darzu. —λανεὺς, έως, ὁ, auch βαλανεώτης, b. Suidas, der Bader, *balneator*. —λανευτικὸς, zum Bade od. zum Bader gehörig. —λανεύτρια, ἡ, d. femin. v. βαλανευτὴρ od. βαλανευτὴς ſ. v. a. βαλανεύς. —λανεύω, beſorge das Bad, bediene beym Bade, bin Bader, βαλανεύς. —λανηρὰ, τὰ, was zur Gattung der Eicheln gehört, wie σιτηρὰ, σταχυηρὰ, καρυηρὰ. —λανηφαγέω, ich eſſe Eicheln, βάλανος; dav. —λανηφάγος, ὁ, ἡ, der, die Eicheln iſst od. friſst, von Thieren. —λανηφόρος, ὁ, ἡ, Eicheln tragend. —λανίζω δρῦν, ich ſchüttle die Eiche oder ſchlage von ihr die Eicheln ab; 2) τινὰ, einem ein *peſſarium*, wie man ſagt, ein Seifenzäpfchen ſetzen, in den Hintern ſtecken. Siehe βάλανος. —λάνινος, aus der βάλανος Eichel, Dattel od. *glans myrepſica* gemacht, bereitet. —λανὶς, ίδος, ἡ, und βαλάνισσα, ἡ, ſ. v. a. βαλανεύτρια, wie βασιλὶς, βασίλισσα zu βασιλεύς. —λανίτης, ου, ὁ, ῖτις, ἡ, eichelartig, eichelförmig, von Eicheln gemacht. —λανοδόκη, ἡ, (δέχομαι) das Loch im Riegel und Pfoſten für den βάλανος. S. in βαλανάγρα. —λανος, ἡ, die Eichel; jede eichelförmige Frucht oder Körper; dah. die Dattel; die *glans myrepſica*; auch ein Zapfen (*peſſus*, *peſſarium*), den man in den Hintern bey Verſtopfungen ſteckt; auch der Pflock, *peſſus*, *peſſulus*, womit man Thüren verſchlieſst. S. in βαλανάγρα; endlich auch der vordreTheil des männlichen Gliedes, Eichel. —λανόω, ich bringe in die Geſtalt einer βάλανος Eichel; 2) ich ſchlieſse zu od. verriegele mit eingeſteckter βάλανος, Zapfen, *peſſulus*.

Βαλαντίδιον, τὸ, dimin. d. folgend. —λάντιον, τὸ, Beutel, Sack, Geldbeutel; dav. —λαντιοτομέω, Beutelſchneiden; dav. —λαντιοτόμος, ὁ, ἡ, oder βαλαντητόμος, ὁ, ἡ, den Beutel abſchneidend; Beutelſchneider. —λανώδης, ὁ, ἡ, eichelartig. —λανωτὸς, (βαλανόω), wie eine βάλανος geſtaltet.

Βαλὴν, oder βαλλὴν, ὁ, König; davon βαλληναῖος od. βαλλιναῖος od. βαληναῖες königlich; ein fremdes Wort bey Aeschyl. Prom. 656.

Βαλαύστιον, τὸ, die Blüthe des wilden Granatbaums; die unreife Granatfrucht; *balaustium*.

Βαλβὶς, ίδος, ἡ, die Schranken, längs welcher die Wettläufer, Wettkämpfer in einer Linie standen, um nach einem gegebenen Zeichen zugleich aufzubrechen; die lat. *carceres*. Auch der Standort, auf welchem man steht, wenn man den Discus wirft. Philostr. Icon. 1, 24. Ueberh. bedeutet das Wort nach Hesych. s. v. a. βαθμὸς, ἔρεισμα, d. i. Basis, Stütze, Staffel; und Eustathius versichert, dass die Stufen, auf welchen man in einen Brunnen hinunter geht, βαλβῖδες hiessen. Also ist es s. v. a. βηλὸς von βάω, βῆλος, βηλὶς, βαλὶς; und Philostr. Ep. 13 setzt ἀπὸ τῆς τοῦ νεὼ βαλβῖδος st. βηλοῦ. Soph. 2, 3 sagt er βαλβῖδα τοῦ λόγου βάλλεσθαι, st. κρηπῖδα; Apoll. 5. K. 5 βαλβὶς ξεστὴ.

Βαλιὸς, ὰ, ὸν, u. βάλιος, ία, ιον, gefleckt, bunt; 2) schnell.

Βαλλήναδε βλέπειν, b. Aristoph. Acharn. 234 eine Anspielung auf βάλλειν und παλλήνη, ein Demus in Attika. —**λίζω**, f. ίσω; (βάλλω), ich werfe oft hin und her, näml. die Fusse od. Schenkel; dah. ich hüpfe, springe, tanze. —**λισμὸς**, ὁ, (βαλλίζω) das Hüpfen, Tanzen, vermuthlich machte davon der Italiener sein *ballare*, der Franzose sein *ballet*, wir unsern Ball. —**λίων**, S. ἰσοβαλλίων.

Βάλλω, f. βλήσω, perf. βέβληκα, (das alte Stammwort war βάλω, βαλέω, βλέω, βλῆμι, dav. βλήσω, βέβληκα, u. s. w. und die weichere Form βαλέω, dav. βαλήσω, βαλῶ u. s. w.) werfen, schleudern; mithin berühren, treffen. Geschieht diess mit der Schleuder, dem Wurfspiesse, Pfeilen, oder Steinen; so ist die Folge davon, niederwerfen, verwunden, erlegen. Eben so β. δακρὺ Thränen niederwerfen, fallen lassen, d. i. vergiessen. Im mildern Sinne ist es legen, niederlegen, anlegen (v. Kleidungsstücken, Waffen), hineinlegen, z. B. in die Hände, in den Helm, beym Homer. So spricht eben dieser βάλλειν τὶ τινὶ ἐνὶ θυμῷ Od. 1, 200. was er sonst Il. 1, 55 τιθέναι τινὶ ἐπὶ φρεσὶ nennt, einem etwas in das Herz legen, eingeben, anrathen; med. βαλέσθαι ἐνὶ φρεσὶ, Il. 4, 39. Hesiod. Ἐργ. 297. etwas zu Herzen nehmen, überlegen, nie vergessen; was Virgil. Aen. 3, 388. 250. *conditum mente tenere*, *animis figere*, ausgedrückt hat. βάλλ' (σεαυτὸν) εἰς κόρακας geh an den Galgen, lauf zum Henker, *abi in malam rem*. Bey Herod. kommt häufig vor ἐπ' ἐμεωυτοῦ βαλόμενος ἔπρηξα, ἔκτισαν πόλιν, und dergl. statt für sich allein, für seinen Kopf, aus eignem Antriebe; im Vertrauen auf sich selbst; viell. von βαλέσθαι ἄγκυραν.

Βαλλωτὴ, ἡ, eine Pflanze, lat. *ballota*.

Βαλσαμίνη, ἡ, eine Pflanze; v. —**σαμον**, τὸ, *Balsamum*, das wohlriechende Harz des Balsambaums; dav. —**σαμώδης**, dem Balsam am Geruche ähnlich.

Βάμβα, τὸ, dorisch st. βάμμα, ἔμβαμμα. —**βαίνω**, ich stammle, zittre vor Furcht oder Kälte, ich spreche undeutlich; von βάω, βάζω, βαβάζω, βαμβάω; davon auch βαμβαλὸς u. βαμβάλω, βαμβαλίζω. Man findet auch βαμβακύζω u. βαμβαλύζω geschrieben. Cicero Philipp. 3, 6 *Bambalio quidam, qui propter haesitantiam linguae stuporemque cordis cognomen ex contumelia traxerit*. —**βακεύω**, dav. b. Hesych. βαμβακεύτριαι, s. v. a. μαγγανεύτριαι, φαρμακίστριαι. οἱ δὲ, λαλοῦσαι. Ferner βαμβακία s. v. a. φαρμακία. Beym Athenäus 4 p. 143 παρατίθεται αὐτοῖς ἀβαμβάκευτα τῇ κράσει καθ' ἕκαστα τῶν νενομισμένων von den Gerichten, Essen. In der Anthol. kommt κοιτίδα βαμβακάδων vor, wo einige παμβακίδων lesen. Diese Stelle aber ist dunkler als die andern, aus welchen erhellet, dass βαμβακίζω s. v. a. φαρμακεύω durch allerhand Mittel, φάρμακα, Gewürz, Pigmente, eine Sache zurichten, farben u. s. w. vom dorischen βάμβα für βάμμα u. ἔμβαμμα.

Βάμμα, τὸ, (βάπτω) die Brühe, Tunke, Titsche, Farbe, worein man etwas taucht; also Farbe; auch Essig zur Tunke *embamma* gebräuchlich. Nicand. Ther. 87.

Βαναυσία, ἡ, die Lebensart und Handthierung der Handwerker. Bey Herodot. 2, 166 sind βαναυσίαι, χειρωναξίαι, und τέχνη einerley, so wie χειροτέχναι, βάναυσοι und χειρώνακτες Handwerker. Er bemerkt dabey, dass unter allen Griechen die Corinthier die Handwerker am meisten schätzten, weil sie grossen Handel trieben und Fabriken hatten. —**ναυσικὸς**, ἡ, ὸν, zum βάναυσος, Handwerker, Handwerksmann gehörig oder ihm gebührend, od. ähnlich; τέχνη βαναυσικὴ die Kunst eines Handwerksmannes, eine sitzende Kunst, Handwerk, *ars sellularia*. Xenoph. Oecon. 4, 2. Cicero offic. 1, 42. —**ναυσος**, ὁ, ἡ, (βαῦνος, u. αὔω) Adv. βαναύσως, st. βαύναυσος, eigentl. der bey einem Ofen oder Kamine arbeitet, hernach überhaupt, der eine jede sitzende, daher ungesunde und bey kriegerischen oder nomadischen Völkern verachtete Lebensart treibt. So βάναυσος τέχνη od. ἔργον βάναυσον, od. βάναυσος βίος, eine sitzende Lebensart, wo es, wie in dieſer Stelle des Ariſtoteles: βαναυσότατοι τέχναι, ἐν αἷς τὰ σώματα μάλιστα λωβῶνται, adjective ſteht, was ſonſt βαναυσικός. Von der Denkungsart ſolcher Leute kommt es, daſs man βάναυσος und βαναυσία (Ariſtotel. Ethic. 4.) auch v. der übertriebenen eiteln und läppiſchen Pracht und Aufwande brauchte; auch wird βάναυσος überhaupt ein illiberaler, neidiſcher, abgünſtiger Menſch genennet. Anal. Brunk. 2 p. 376.

Βαναυσοτεχνέω, (τέχνη) od. βαναυσουργέω, (ἔργον) ich treibe eine ſitzende Lebensart, ich bin ein βαναυσουργὸς Handwerksmann. —ναυσουργία, ἡ, Plut. Marc. 14. Handwerk, Handarbeit.

Βάξις, εως, ἡ, (βάζω) ſ. v. a. φάτις, φήμη, Sage, Rede, Ruf, Orakelſpruch.

Βαπτηρία, ἡ, bey Themiſtius or. 4 p. 61 wo βακτηρία ſteht, hat man βαπτηρία vermuthet, weil der Zuſammenhang eine Färberey erfordert.

Βαπτίζω, ſ. ίσω, v. βάπτω, ich tauche oft ein, unter; dah. metaph. οἱ βεβαπτισμένοι, Plat. Symp. 3. die zu viel getrunken haben. Euthyd. p. 17 ἐγὼ γνοὺς βαπτιζόμενον τὸ μειράκιον, daſs der Knabe durch die Fragen in Verwirrung gerieth und ſich nicht heraushelfen konnte, daher darauf folgt: οὐ γάρ ἐστί μοι ἀνάδυσις, *emergere enim hinc non poſſum.* ὀφλήμασι βεβαπτισμένος, m. Schulden überhäuft, Plutarch. Daher συνδιαβαπτίζεσθαί τινι bey Demoſt. p. 782. mit jemandem ſich einlaſſen, ihm gewachſen ſeyn, ſich gegen die Anklage und Verläumdung zu vertheidigen; 2) ich ſchöpfe, wie βάπτω, Plutarch. Alex. 67. —τισις, εως, ἡ, oder βαπτισμὸς, das Eintauchen, Untertauchen, Baden, Reinigen, Taufen. —τισμα, τὸ, das untergetauchte, getaufte; auch ſ. v. a. βαπτισμὸς. —τιστήριον, τὸ, Bad, Ort zum baden, taufen. —τιστὴς, οῦ, ὁ, Eintaucher, Untertaucher, Täufer. —τὸς, ἡ, ὸν, eingetaucht, gefärbt; auch geſchöpft, oder zu ſchöpfen. —τρια, ἡ, die eintaucht, färbt.

Βάπτω, ſ. ψω, tauchen, eintauchen (in Farbe, daher) färben, untertauchen; daher auch waſchen, ſchöpfen, füllen, (wobey ich das Gefäſs eintauchen muſs.) βάπτεται ἡ ναῦς, das Schiff wird untergetaucht, geht unter; βάπτοι ſt. βάπτοιτο, Arat. Dioſ. 126 taucht ſich unter. S. βαπτίζω.

Βάραγχος, βαράγχιον, τὸ, βαραγχιάω, ſ. v. a. βράγχος, βράγχιον, βραγχιάω.

Βάραθρον, τὸ, Schlund, tiefe Höhle, Abgrund; vorz. zu Athen der Ort, worein man die zum Tode verurtheilten ſtürzte; daher Verderben, Untergang; davon —θρόω, ῶ, ſ. ώσω, in den Abgrund ſtürzen. —θρώδης, εος, ὁ, ἡ, einem Abgrunde ähnlich oder gleich; v. εἶδος, βάραθρον.

Βαρβαρίζω, ſ. ίσω, ſich wie ein Ausländer betragen, ihm nachäffen, in fremder Sprache reden, oder wie ein Fremder die Sprache fehlerhaft ſprechen oder ſchreiben; von der Parthey der Barbaren, bey den Griechen und Athenienſern vorzüglich der Perſer ſeyn, es mit ihnen halten. —βαρικὸς, ἡ, ὸν, Adv. βαρβαρικῶς, fremd, ausländiſch, dem Charakter, der Art eines Ausländers gemäſs. —βαρισμὸς, ὁ, das Reden einer fremden Sprache, das Reden in einer Sprache nach Art eines Fremden, alſo fehlerhaftes Reden oder Sprechen. —βαριστὶ, Adv. (βαρβαρίζω) nach Art oder in der Sprache der Barbaren, vorz. der Meder oder Perſer. —βαρόγλωσσος, ὁ, ἡ, der eine fremde Sprache ſpricht. —βαρόκτονος, ὁ, ἡ, (κτείνω) von Fremden, Barbaren, vorzügl. von den Medern oder Perſern ermordet. —βαρος, ὁ, ἡ, ein jeder Nicht-Grieche, Fremde, Ausländer, ſo wie bey den Römern *barbarus* ein jeder Nicht-Römer. Daher ſo häufig ἕλληνες καὶ βάρβαροι. Mithin einer, der nicht die griechiſche ſondern eine fremde Sprache ſpricht. Denn was Herodot. (2, 158) von den Egyptiern ſagt, das gilt ganz eigentlich von den Griechen: βαρβάρους πάντας οἱ Αἰγύπτιοι καλέουσι τοὺς μὴ σφὶ ὁμογλώσσους, ſo wie Ovid (Triſt. 5, 10. 37.) in den Pontus verbannt, ſpricht: *barbarus hic ego ſum, quia non intelligor ulli.* Und weil nun die Griechen ſich allein für ein gebildetes, aufgeklärtes Volk hielten, ſo heiſst βάρβ. auch roh, ungebildet, ungeſchliffen, ungelehrt; dav. —βαροστομία, ἡ, (στόμα) fremdartige, fehlerhafte Ausſprache oder Rede. —βαρόστομος, ὁ, ἡ, der, die eine fremde Sprache redet, oder wie ein Fremder ſpricht. —βαρότης, ητος, ἡ, Betragen eines Ausländers, eines Feindes, mithin Wildheit, Grauſamkeit, Barbarey. —βαροφωνέω, ῶ, ſ. v. a. βαρβαρίζω, eine fremde Sprache ſprechen, od. d. griechiſche wie ein Fremder ſprechen, alſo fehlerhaft ſprechen. —βαρόφωνος, ὁ, ἡ, (φωνὴ) ſ. v. a. βαρβαρόγλωττος. —βαρόω, ῶ, fremd machen, alſo eines Fremden Gewalt unterwerfen, od. ihn zum βάρβαρος d. i. wild, grauſam machen, einen verwildern laſſen; ſo wie βαρβαροῦμαι, ſelbſt verwildern, weil man unter Ausländern lebt und ihre Sitten annimmt; vergl. ἐκβαρβαρόω.

Βάρβιλος, ἡ, der wilde Pfirſchenbaum. Geopon. 10, 13. vielleicht ſt. βράβιλος. —βιτίζω, auf der Barbitos oder der Leyer ſpielen. —βιτον, τὸ, u. βάρβιτος, ἡ, ein muſikaliſches Inſtrument, wie die Leyer, mit vielen Saiten bezogen; wird auch mit der Leyer, λύρα, ſelbſt verwechſelt.

Βαρβιτῳδὸς, ὁ, ἡ, (ᾠδὸς) der zur Leyer, zum βάρβιτος ſingt.

Βάρδιστος, η, ον, ſehr langſam, träge. S. in βραδύς.

Βαρέω, ῶ, ſ. v. a. βαρύνω. —ρέως, Adv. v. βαρύς. —ρηκοέω, f. Lesart ſt. βαρυηκοέω. —ρημα, ατος, τὸ, (βαρέω) ſ. v. a. βάρος. —ρις, ιος oder ιδος, ἡ, eigentl. eine Art von Kähnen in Egypten, die Herodot. 2, 96 beſchreibt; davon βαρίτης, der auf einem ſolchen Kahne fährt. Sophocl. Bey den ſpätern Griechen eine Art Thurm, auch πυργόβαρις.

Βάρμον, τὸ, S. βάρωμον. —ρος, εος, τὸ, Laſt, Gewicht, Schwere, Druck. Daher das, was einem läſtig wird, drückt und kümmert. Vom Menſchen, wie βαρὺς, Stärke, Vermögen, Macht oder Anſehn, Würde, *gravitas*; wie wir auch ſagen: dieſer Mann, dieſe Sache macht Eindruck, hat Nachdruck. —ροῦλκον, τὸ, (βαρύς, ἕλκω), bey Papp. Coll. Mathem. 8 prop. 10. eine Hebewinde, des Archimedes Erfindung. —ρυαὴς, ὁ, ἡ, (ἄω) ſ. v. a. βαρύοσμος, Nicand. Ther. 43.

Βαρυαλγὴς, έος, ὁ, ἡ, oder βαρυάλγητος, ὁ, ἡ, (ἀλγέω) ſchwer leidend; act. ſchwere Leiden verurſachend. —βόας, (βοὴ) ſtark ſchreyend. —βρεμέτης, ου, ὁ, (βρέμω) ſtark, fürchterlich donnernd; ſ. v. a. das folgd. —βρομός, ὁ, ἡ, ſtark ſchallend, tönend, raſſelnd, toſend, z. B. der Donner. —βρὼς, ῶτος, ὁ, ἡ, (βρόω) ſtark beiſſend, zw.

Βαρύγδουπος, ὁ, ἡ, od. βαρύδουπος, ὁ, ἡ, (δοῦπος) von ſchwerem Getöſe, ſtarktöſend. —γλωσσος und βαρύγλωττος, ὁ, ἡ, (γλῶττα) deſſen Zunge ſchwer, läſtig iſt. —γούνατος, und βαρυγούνος, ὁ, ἡ, (γόνυ, γοῦνυ) mit ſchwerem Knie, langſam. —γυιος, ὁ, ἡ, ſchwer von Gliedern, γυῖον, gliederlahm, langſam; act. gliederlahmend, ermüdend, ermattend.

Βαρυδαιμονέω, unglücklich ſeyn; dav. —δαιμονία, ἡ, ſchweres Geſchick, Unglück; von —δαίμων, ονος, ὁ, ἡ, deſſen Geſchick drückend, ſchwer iſt; unglücklich, elend. —δακρυς, υος, ὁ, ἡ, od. βαρυδάκρυος, ὁ, ἡ, (δάκρυ) bitterweinend. —δεσμος, ὁ, ἡ, feſt gebunden, ſchwer gefeſſelt. —δικος, ὁ, ἡ, (δίκη) ſchwere Rache nehmend, übend. —δότειρα, ἡ, Unglückgeberin; zw. —δουπος, ſ. v. a. βαρύγδουπος.

Βαρυεγκέφαλος, ὁ, Schwere des Gehirns, Kopfweh, Schnupfen; zw. bey Plut. 10. p. 470 iſt es ein Schimpfwort des Epikurus für Dummkopf od. das lat. *cerebroſus*. —εργειν, ſ. v. a. βαθυεργεῖν, welches ſ. —ζηλος, ὁ, ἡ, ſehr eiferſüchtig oder erzürnt.

Βαρυηκοέω, (ἀκοὴ) ſchwer hören; dav. —ηκοΐα, ἡ, das ſchwere Gehör. —ήκοος, ὁ, ἡ, (ἀκοὴ) ſchwerhörend.

Βαρυηχέω, einen ſchweren oder tiefen Ton geben. τὰ κύμβαλα ἐβαρυήχει Nicetas Annal. 6, 7. —ηχὴς, έος, u. βαρύηχος, ὁ, ἡ, ſchwer-ſtarktönend, lautbrauſend.

Βαρυθυμέω, miſsvergnügt, miſsmüthig, traurig, zornig ſeyn; dav. —θυμία, ἡ, Miſsvergnügen, Miſsmuth, Niedergeſchlagenheit, Traurigkeit, Zorn. —θυμος, ὁ, ἡ, Adv. βαρυθύμως, von od. mit ſchwerem Gemüthe, θυμὸς, miſsvergnügt, miſsmuthig, ſehr betrübt, aufgebracht, zornig.

Βαρύθω, f. ύσω, beſchwert, niedergedrückt werden, ſchwer oder langſam ſeyn; überh. ſ. v. a. βαρύνομαι u. βρίθω.

Βαρυκάρδιος, ὁ, ἡ, (καρδία) von ſchwerem, trägen, od. furchtſamen Herzen; auch von trägem Verſtande. —κέφαλος, ὁ, ἡ, (κεφαλὴ) mit ſchwerem Kopfe. —κομπος, ὁ, ἡ, ſtark-ſchwertönend, Pind. Pyth. 5, 76. —κοτος, ὁ, ἡ, ſchwerzürnend, anfeindend; auch paſſiv. angefeindet. —κτυπος, ὁ, ἡ, ſchwer oder fürchterlich toſend.

Βαρυλαίλαψ, πος, ὁ, ἡ, fürchterlich tobend. S. λαίλαψ. zw.

Βαρύλλιον, τὸ, ein kleines Gewicht, βάρος; bey Syneſ. Ep. 15 eine Art von Bierwage. —ρυλόγος, ὁ, ἡ, deſſen Rede ſchwer od. läſtig iſt. —ρυλυπος, ὁ, ἡ, (λυπὴ) ſchwer oder ſtark kränkend; ſehr od. ſtark gekränkt, od. traurig.

Βαρύμαστος, ὁ, ἡ, von ſtarken Brüſten. —μηνιάω, heftig zürnen, grollen. zweif. —μήνιος, ὁ, ἡ, oder βαρύμηνις, ιος, ὁ, ἡ, (μῆνις) von ſchwerem, unverſöhnlichen Zorne. —μοχθος, ὁ, ἡ, mühſelig; viele Arbeit erfordernd oder duldend.

Βαρύνοσος, ὁ, ἡ, ſchwere Krankheiten leidend oder verurſachend.

Βαρυντικὸς, ἡ, ὸν, was beſchweren oder beläſtigen kann oder darzu eingerichtet iſt; v. —ρύνω, f. υνῶ, (βαρὺς) beſchweren, beläſtigen. —ρύνωτος, ὁ, ἡ, mit ſchwerem Rücken.

Βαρύοδμος, ὁ, ἡ, (ὀδμὴ), von läſtigem, unangenehmen od. betäubenden Geruche, ſ. v. a. βαρύοσμος. —όπης, ου, ὁ, von ſchwerer Stimme, ſtarkem Getöſe, ὄψ. zw. —όργητος, ὁ, ἡ, (ὀργέω) ſ. v. a. βαρυμήνιος. —οσμος, ὁ, ἡ, ſ. v. a. βαρύοδμος.

Βαρυπαθέω, ſchwer leiden, ſehr unzufrieden mit etwas ſeyn; zweif. bey Plutarch. 6 p. 641. —πάλαμος, ὁ, ἡ, von ſchwerer ſtarker Fauſt, παλάμη; Beyw. eines Fechters; zw. —πειθὴς, έος, ὁ, ἡ, (πείθομαι) der ſchwer folgt oder ſich ſchwer überzeugen od. überreden läſst.

Βαρυπενθὴς, έος, ὁ, ἡ, oder βαρύπενθος, ὁ, ἡ, ſchwer oder tief trauernd; dav. —πενθία, u. βαρυπένθεια, ἡ, ſchwere, tiefe Betrübniſs oder Trauer. —πήμων, ονος, ὁ, ἡ, (πῆμα) ſchweren Schaden bringend. —πνοος, ὁ, ἡ, (πνοὴ) ſchwer athmend, oder ſ. v. a. βαρύοδμος. —ποτμος, ὁ, ἡ, den ein ſchwerer Fall, πότμος, ein groſses Unglück getroffen. —πρεπὴς, έος, ὁ, ἡ, (πρέπω) bey Suidas εὐωχία βαρ. eine koſtbare Mahlzeit oder Schmauſerey. —πυκνος, ὁ, ἡ. S. in πυκνὸς.

Βαρὺς, εῖα, ὺ, έος, είας, ſchwer, wichtig. Daher auch ſtark, als ein ſtarker Menſch, ſtarker Schall; beſonders in vielen folgenden compoſ. Steht es bey Menſchen; ſo heiſst es a) im guten Sinne ein Mann, der feſt ſteht, ſchwer von der Stelle zu bringen iſt, d. i. entweder im phyſiſchen Sinne ſtark, vielvermögend, mächtig, oder im moraliſchen, der ſchwer von ſeinen Grundſätzen abzubringen iſt, wie im lat. *vir gravis*, *gravitas*, ſtandhaft und deswegen ehrwürdig u. geſchätzt. b) im ſchlimmen Sinne läſtig, beſchwerlich fallend, ſchädlich; daher von einem Orte, deſſen Luſt mir ſchädlich wird, alſo ungeſund; auch plump u. grauſam. Adv. βαρέως, ſchwer, läſtig, ſehr; z. B. βαρέως φέρειν τὶ, *graviter ferre*, es wird mir etwas läſtig, ich dulte es ungern. βαρ. ἀκούειν, etwas nicht gerne hören. Daſſelbe iſt das poetiſche βριθὺς, v. βρίθω. S. βρίθω u. βαρύθω.

Βαρυσίδηρος, ὁ, ἡ, ſchwer von Eiſen od. Stahl. —σκίπων, ὁ, ἡ, mit ſchwerem Stabe. Callimach.

Βαρυσταθμέω, ῶ, od. βαρυσταθμίζω, ſchwer wiegen, ſehr ſchwer ſeyn. —σταθμος, ὁ, ἡ, ſchwer wiegend, ſchwer am Gewichte. —στονος, ὁ, ἡ, (στένω) tiefſeufzend, der tief zu ſeufzen Urſache hat, unglücklich. —σύμφορος, ὁ, ἡ, den ſchweres Unglück, συμφορὰ, getroffen, höchſt unglücklich. Davon hat Dio Caſſ. 78, 41 das Adv. βαρυσυμφορώτατα, zum gröſsten Unglücke. —σφάραγος, ὁ, ἡ, ſtark rauſchend. S. ἐρισφάραγος. —σωμος, ὁ, ἡ, (σῶμα) von oder mit ſtarkem Körper.

Βαρυτάλαντος, ὁ, ἡ, (τάλαντον) ſchwer wiegend. Nicetae Annal. 17, 10. —ταρβὴς, ὲς, (τάρβος) ſchweren Schrecken machend od. habend; zw.

Βαρύτης, ητος, ἡ, Schwere, Gewicht, Laſt, Beſchwerlichkeit, Läſtigkeit, ein läſtiges Betragen. —τιμος, ὁ, ἡ, (τιμὴ) von ſchwerem Werthe, koſtbar; μὴ βαρύτιμον εἶναι περὶ τὴν διάπρασιν Heliod. beym Verkaufe keinen zu groſsen Preiſs machen, ſetzen. —τλητος, ὁ, ἡ, (τλάω) ſchwer zu dulden, unerträglich, oder ſchwer duldend. —τονέω, u. βαρυτόνησις, ἡ. S. in βαρύτονος. —τονος, ὁ, ἡ, Adv. βαρυτόνως, was man mit einem ſtarken Tone ausſpricht, ſo daſs man darauf den Accent, Nachdruck ſetzt; davon βαρυτονέω, den Ton, den Accent auf ein Wort legen; davon βαρυτόνησις, ἡ, das Setzen des Tons oder Accents auf ein Wort. So ſagt Dionyſ. Antiq. 2, 58 man müſſe das Wort *Numa* griechiſch νομας geſchrieben ſo ausſprechen: τὴν δευτέραν συλλαβὴν ἐκτείνοντας βαρυτονεῖν, d. i. die zweyte Sylbe lang u. mit dem darauf geſetzten Accente.

Βαρύφθογγος, ὁ, ἡ, (φθογγὴ) ſchwer oder tief od. ſtark tönend, ſchallend, ſprechend. —φορτος, ὁ, ἡ, (φόρτος) ſchwer beladen oder belaſtet. —φρονέω, miſsmüthig, traurig ſeyn. —φροσύνη, ἡ, Miſsmuth, Betrübniſs; von —φρων, ονος, ὁ, ἡ, miſsmüthig, betrübt. —φωνία, ἡ, (βαρυφωνέω) eine ſtarke, ſchwere, grobe Stimme, Ausſprache. —φωνος, ὁ, ἡ, (φωνὴ) der eine ſchwere, grobe, ſtarke Stimme od. Ausſprache hat. —χειλος, ὁ, ἡ, mit od. von ſchwerer Lippe. —ψυχος, ὁ, ἡ, (ψυχὴ) deſſen Seele ſchwer iſt, träge; od. deſſen Gemüth niedergebeugt iſt, ſchwermüthig, traurig.

Βαρυώδης, ὁ, ἡ, (ὄζω u. ὄδω) ſ. v. a. βαρύοδμος. Nicand. Ther. 895. —ώδυνος, ὁ, ἡ, (ὀδύνη) ſchwere Schmerzen duldend oder act. heftig ſchmerzend. —ωπέω, ῶ, ſ. v. a. ἀμβλυωπέω bey den LXX.

Βάρωμον, τὸ, Athenae. 4 p. 182 und βάρμον 14 B. ein muſikaliſches Inſtrument von βάρβιτον verſchieden.

Βασανοστραγάλα, Beyw. des Podagra, Lucian. Tragopod. 198. weil es die Gelenke (ἀστράγαλος) foltert, βάσανος. —νηδὸν, Adv. von βάσανος, durch Marter, Folter, Manetho 4, 197. —νεύω, u. βασανίζω, an den Probierſtein, βάσανος, halten, daran reiben; daher proben, erproben, erforſchen, überführen, (Xenoph. Oec. 10, 8 ὑπὸ δακρύων βασανίζεσθαι, von den Thränen, die die Schminke abreiben, überführt werden, daſs man eine falſche Farbe hatte) foltern, foltermäſsig ängſtigen; dav. —νισμὸς, ὁ, Erprobung, Erforſchung, Foltern, foltermäſsiges Aengſtigen. —νιστήριον, τὸ, der Ort zum unterſuchen, foltern, ängſtigen; auch das Werkzeug dazu; von βασανιστήριος, zum foltern gehörig, von βασανιστὴρ, oder —νιστὴς, οῦ, ὁ, fem. βασανίστρια, ἡ, der, die foltert, quält, prüft, erforſcht.

Βάσανος, ἡ, Probierstein, *lapis Lydius*, *coticula*, Plin. 33, 8. Daher die Probe, die ich mache, ob etwas ächt oder wahr sey, also Untersuchung; und weil diese durch die Folter angestellt wurde, so heisst es auch Folter, (plur. βάσανοι; Folterwerkzeuge) und jedes foltermäſsige Aengstigen; die Probe, die ich gebe, dafs etwas ächt oder wahr sey, βάσανον διδόναι τῆς πίστεως, od. τοῦ πιστὸν εἶναι, eine Probe von seiner Treue, Ergebenheit geben.

Βασίλεια, ἡ, Konigin. —**σιλεία**, ἡ, Reich, Königreich, Regierung; auch wie βασίλειον, τὸ, das Diadem, Diodor. 1, 47. davon —**σιλειάω**, ῶ, ich strebe nach dem Reiche, der Regierung. —**σίλειον**, τὸ, königl. Wohnung. Ist diefs im Felde, so ist es das konigl. Zelt, auch Wohnung oder Zelt des oberften Befehlshabers; auch das Diadem; v. —**σίλειος**, ὁ, ἡ, königlich, dem Regenten oder Könige gehörig, von ihm bestellt. —**σιλεύς**, έως, ὁ, Herrscher, König, Regent; in den ältesten Zeiten überh. ein Anführer, Richter u. dgl. Comp. βασιλεύτερος, ein gröſserer, würdigerer König, ſuperl. βασιλεύτατος, der gröſste und würdigste, ehrwürdigste König. Hom. —**σιλευτὸς**, ἡ, ὸν, von Konigen regiert, von —**σιλεύω**, f. εύσω, ich werde Regent, bin Regent, regiere, τινὸς, über etwas; βασιλεύομαι, werde beherrscht, stehe unter einem Regenten oder Könige. —**σιληΐς**, ΐδος, ἡ, Adj. f. v. a. βασιλική. —**σιλήϊος**, jonisch statt βασίλειος. —**σιλίζομαι**, ich betrage mich königlich Appian. Mithr. 109. Civil. 3, 18. hingegen βασιλίζω, Plutarch. Flam. 16 ich bin von der Parthey, Gesinnung des Königs. —**σιλικὸς**, ἡ, ὸν, Adv. —κῶς, s. v. a. βασίλειος, königlich; βασιλικὴ (οἰκία) konigliche Wohnung; vorz. mit verstandenem στοὰ, lat. *basilica*, auch *regia*, Sueton. Aug. 31. Säulengänge, dergl. in den altesten Zeiten um die königlichen Wohnungen giengen. Ernesti über Sueton. a. a. O. —**σιλίνδα**, näml. παιδιὰ, ἡ, das Königsspiel der Kinder; wie ἀριστίνδα gemacht. —**σίλιννα**, ἡ, s. v. a. βασίλεια, βασιλὶς, βασίλισσα, βασιλίττα. —**σιλίσκος**, ὁ, (βασιλεὺς) der Zaunkönig, *regulus*, ein Vogel; 2) eine Eidechsen- od. Schlangenart, *basiliscus*, der Basilisk. —**σίλισσα**, ἡ, die Königin.

Βάσιμος, ὁ, ἡ, (βάω) zum Ersteigen, was man ersteigen kann, worauf man gehen, treten, fest stehen kann; fest, sicher; auch was man erstiegen hat.

Βάσις, εως, ἡ, (βάω, βαίνω) der Schritt, Tritt, Gang; das, womit ich gehe, Fuſs, Fuſsſohle; das, worauf ich gehe, stehe, Grund, Grundboden, Grundpfeiler, Grundlage, Fuſs, Piedestal, Basis.

Βασκαίνω. Man leitet es von φάεσι καίνειν, mit den Augen todten, her, u. nimmt a. d. erste Bedeut. an, was die Lat. *fascinare* und *fascinus* davon, gesagt haben, d. i. mit dem Blicke, mit dem Lobe, mit Worten einen Menschen beschreyen oder behexen, dafs er nicht gedeihen kann, vorzugl. ein Kind; daher βάσκανος ὀφθαλμὸς; davon die Bedeut. von beneiden und βάσκανος, neidisch. Man pflegte um dieses Beschreyen abzuwenden, dreymal auszuspucken. Theocr. 6. Aber aus dieser Etymol. kann man die andern Bedeut. nicht wohl ableiten. Die richtigere ist wohl von βάω, βάζω, βάσκω, ich rede, daher Hesych. βασκειν, λέγειν, κακολογεῖν; davon βασκιλλος, κίσσα, die geschwätzige Elster, *pica*. Davon heisst βάσκανος bey Hesych. συκοφάντης und βασκαίνει, λυπεῖ μέμφεται. Also ist βάσκανος, ein Schwätzer, der übels nachredet, verläumdet, lügt, οὐ ψεύδει τούτων γ' οὐδὲν, καίπερ σφόδρα βάσκανος οὖσα Aristoph. Plut. 571. ὁ δὲ σιγήσας ἡνίκ' ἔδει λέγειν, ἂν τι δύσκολον συμβῇ, τοῦτο βασκαίνει, das tadelt und verläumdet er. Demosth. Daher braucht Demosth. häufig βάσκανος für einen Verläumder, συκοφάντης. Für wehethun stehts in der Stelle des Pherekrates: ὁ λαγὼς με βασκαίνει καὶ λυπεῖ; bey Philostr. Apoll. 6, 12 σοὶ μὲν οὐδενὸς ἂν βασκάναιμι s. v. a. φθονήσαιμι; davon

Βασκανητικὸς, κὴ, κὸν, verlaumderisch, neidisch, und —**κανία**, ἡ, der Tadel, Verläumdung, Neid, Neidsucht. —**κανίζω**, s. v. a. βασκαίνω. —**κάνιον**, τὸ, Dimin. v. βάσκανος, s. v. a. προβασκάνιον Pollux. 7, 108. —**κανος**, ὁ, ἡ, Adv. —άνως, ein Tadler, Verläumder, neidischer Mensch; einer der beschreyet, behext. S. βασκαίνω. —**κοσύνη**, ἡ, s. v. a. βασκανία, poet. vet. de herb. vers. 51.

Βάσκω, s. v. a. βάζω, ich spreche. S. βασκαίνω.

Βάσκω, βάσκομαι s. v. a. βάω, βαίνω, ich gehe.

Βασμὸς, ὁ, s. v. a. βαθμὸς.

Βάσσαρα, ἡ, wahrscheinlich ein thracisches Wort 1) ein Fuchs; 2) nach Hesych. hiefsen die Kleider der thracischen Bacchantinnen βάσσαραι, wahrscheinlich, weil sie von Fuchsfellen waren. Daher denn 3) die Bacchantinnen selbst und 4) ein freches Weibsbild. Eben das ist βασσαρὶς. —**σάρειος**, ὁ, ἡ, zur βασσάρα, dem Fuchse, oder der Bacchantin gehorig. —**σαρεὺς**, ein Beywort des Bacchus.

Βασσαρέω, Anacr. 56, 6 f. v. a. βακχεύω. —**σαρικός**, f. v. a. βασσάρειος. —**σάριον**, τὸ, Dimin. v. βασσάρα. —**σαρίς**, ἡ, f. v. a. βασσάρα.

Βάσσων, Dor. ft. βαθύτερος, compar.

Βασταγή, ἡ, oder βάσταγμα, ατος, τὸ, das, was man trägt, βαστάζω, als Laft, Stock, Ring u. dgl.

Βαστάζω, von βάω, βάσις, eigentlich, ich ftütze, hebe, trage; 2) ich nehme in die Hand, verfuche und wäge. αὐτίκ' ἐπεὶ μέγα τόξον ἐβάστασε καὶ ἴδε πάντη Odyſs. φ. 405. ὃν ἂν δοκῇ μοι βαστάσας αἱρήσομαι τρόπον Eupolis bey Suidas. Daher πάντ' ἐβάστασας φρενὶ Ariftoph. Thesm. 437 haft alles erwogen. πᾶν ἐβάσταζε πρᾶγμα καὶ πᾶσαν ἐπίνοιαν ἐψηλάφει Polyb. 7, 13. 3) metaph. erheben, loben, preifen, wie *tollere laudibus*, bey Pindar. 4) wegtragen, wegnehmen, wie *ferre* ft. *auferre*. ὡς μηδέποτε αὐτοῦ περιαιρεθείη καί τι βασταχθείη τῶν ἀποκειμένων Diog. Laert. 4, 59. Von der letzten Bedeutung ift das lat. *vaſtare*; wie es fcheint, entftanden; davon —**στακτής**, οῦ, ὁ, ein Träger, Laftträger, Packknecht. —**στακτικός**, ὁ, ἡ, Adv. —κῶς, zum Tragen gemacht oder gefchickt. —**σταξ**, ὁ, der Träger, f. v. a. βαστακτής. Theophil. protosp. 4, 1. bey Hefych. u. Etym. M. f. v. a. πλούσιος u. εὐγενής.

Βαταλίζομαι, wie ein βάταλος leben. —**ταλος**, ὁ, f. v. a. κίναιδος und καταπύγων ein Jüngling od. Mann, der zur fchändlichen Liebe fich brauchen läfst, oder andere braucht; wahrfcheinlich von βάω, βατός, βαθέω, βατέυω, βατάω, βαταλός, vergl. Plutarch. Demofth. 4. —**τάνιον**, τὸ, dimin. v. βατάνη, ft. πατάνη, ein Schüffelchen.

Βατεύω, f. εύσω, oder βατέω, f. v. a. ὀχέυω. 2) f. v. a. βαίνω und βῆμι.

Βατήρ, ῆρος, ὁ, Einherfchreiter; auch die Schwelle, auf die man tritt und die Schranken, aus welchen man beym Wettrennen ausläuft, alfo f. v. a. βηλὸς und βαλβίς; auch f. v. a. βακτηρία; davon —**τήριος**, ὁ, ἡ, was zum βατὴρ gehöret. βατήριον λέχος, bey Phocylid. der Beyfchlaf od. f. v. a. ὀχεία, συνουσία.

Βατία, ἡ, Dornftrauch, Pind. Ol. 6, 90. v. βάτος. —**τιακή**, ἡ, Dimin. v. βατία, ἡ, auch βάτιον, τὸ, ein Trinkgefchirr, lat. *batiola*, auch βατιάκιον, τὸ. —**τιδοσκόπος**, ὁ, (σκοπέω) der immer nach Rochen (βατίς) fieht, darnach gierig ift. —**τινος**, vom Dornftrauche, *rubus*, βάτος. —**τιον**, τὸ. S. βατιακή. 2) beym Ariftoph. Pl. 1011. S. φάττιον.

Βατίς, ἡ, eine rauhe Rochenart, wie βάτος; 2) ein Vogel, der fich auf Dornbüfchen aufhält. Ariftotel. H. A. 8, 8. wo aber die Handfchr. βατίς, σάκιος u. σάτιος haben; 3) eine Pflanze, bey Plinius und Columella, *battis*.

Βατοδρόπος, ὁ, ἡ, (δρέπω) der von Dornhecken pflückt die Beeren; Hymn. Merc. 190 der Dornen ausfucht und ausrottet.

Βάτος, ὁ, der Dornftrauch, *rubus*.

Βατός, ἡ, ὸν (βάω) zum Gehen, Erfteigen; worauf man gehen, was man erfteigen kann.

Βατράχειος, ὁ, ἡ, dem Frofch gehörig; βατράχειον (χρῶμα) Frofchfarbe. —**τραχίζω**, f. ίσω, wie ein Frofch handeln, feyn. In den Hippiatr. ift ὅταν βατραχήσῃ, fich an den Theil des Hufs, der βάτραχος heifst, ftofsen. —**τράχιον**, τὸ, *ranunculus*, Ranunkel, eine Pflanze, gleichf. Frofchkraut. —**τραχίς**, ίδος, ἡ, ein frofchfarbiges, dunkelgrünes Kleid. —**τραχίτης**, ὁ, λίθος, eine grünlichte Steinart. —**τραχομυομαχία**, ἡ, (μῦς, μαχή) Frofchmauskrieg, ein bekanntes, dem Homer zugefchriebenes Gedicht. —**τραχος**, ὁ, Frofch; 2) der Meerfrofch, ein Fifch, *rana marina*; 3) eine Zungenkrankheit; 4) am Hufe der Pferde der hohle Theil, den Xenophon χελιδὼν nennt.

Βατταρίζω, f. ίσω, im Reden anftofsen, ftammeln, ftottern; Nicetas Annal. 15, 1. u. 17, 5. braucht es für murren. davon —**ταρισμός**, ὁ, das Stammeln, Stottern, Anftofsen im Sprechen. —**ταριστής**, οῦ, ὁ, ein Stammler, Stotterer. —**τολογέω**, ῶ, f. v. a. βατταρίζω; auch unnütze Dinge fchwatzen; davon —**τολογία**, ἡ, f. v. a. βατταρισμός, von

Βάττος, ὁ, Regent von Cyrene in Libyen, der nach Herodot, 4, 135 ἰσχνόφωνος καὶ τραυλὸς war, im Reden anftiefs, ftammelte und ftotterte.

Βατύλη, ἡ, eine Zwergin. —**τώδης**, ὁ, ἡ, (βάτος) dornartig, dornähnlich.

Βαυβάω, ῶ, einfchlummern; auch act. einfchläfern. S. βαυκαλάω.

Βαΰζω, f. ξω, bellen, bau, bau rufen.

Βαυκαλάω, ῶ, u. βαυκαλίζω, ich fchläfre, finge, wiege ein. Scheint mit βαυβάω verwandt zu feyn. —**κάλιον**, τὸ, ein Gefäfs, Flafche, auch καυκάλιον. —**καλις**, ιδος, ἡ, auch καύκαλις, f. v. a. μιλιάριον, eine Kohlenpfanne.

Βαυκίδες, eine Art von Frauenzimmerfchuhen. S. καυκίδες. —**κίζω**, f. ίσω, βαυκίζομαι, f. v. a. θρύπτεσθαι, zärtlich, fchön, fpröde thun, *delicias agere*. —**κισμα**, ατος, τὸ, u. βαυκισμός, ὁ, das zärtlich, fchön, fpröde thun. 2) ein weichlicher Tanz.

Βαυκοπανοῦργος, ὁ, einer der in fchlechten und offenbaren Sachen fpröde thut und fich verftellt.

Βαυκὸς, ἡ, ὸν, f. v. a. τρυφερὸς, delikat, zärtlich, angenehm, ein Mensch, der schön und spröde thut.

Βαῦνος, ὁ, Ofen, Kamin.

Βαφεῖον, τὸ, Werkstätte des Färbers; v. —**φεὺς**, έως, ὁ, (βάπτω) Färber. —**φή**, ἡ, das Eintauchen, in Farbe, also das Färben, od. das, worein getaucht wird, Farbe; 2) die Härtung des Eisens im Wasser, daher die Härte, Schneide, Schärfe. —**φικὸς**, ἡ, ὸν, was zum Eintauchen, Färben gehört; z. B. βαφικὴ (τέχνη) Färberey, Färbekunst.

Βάψιμος, ὁ, ἡ, (βάπτω) zu färbend. Jamblich. Pythag. 1, 17. —**ψις**, εως, ἡ, das Eintauchen; Färben.

Βάω das Stammwort von βῆμι, βαίνω, βάζω, βιβάζω, βάσκω, βάσθω, βιβάσθω eigentl. ich bewege, setze in Bewegung, wie ἐπίβημι, ich lege, setze darauf. Meist aber als neutr. ich gehe; auch ich stehe, liege. Von βήσω, βατὸς, βάτης kommt das alte lat. *beto, betere*, gehen, davon *rebito, praeterbito* und dergl.

Βδάλλω, f. αλῶ, saugen, melken; davon

Βδάλσις, εως, ἡ, das Saugen, Melken; und

Βδέλλα, ἡ, Saug-Blutigel; 2) f. v. a. d. folgd. βδέλλιον. —**λιον**, τὸ, eine Pflanze; das von ihr herkommende Harz *bdellion* in der Medizin. —**λολάρυγξ**, γος, ὁ, ἡ, komisch, ein Schmarotzer, dessen Gurgel (λάρυγξ) ein Saugigel (βδέλλα) ist. zw.

Βδέλυγμα, τὸ, verabscheute Sache. βδελυγμία, ἡ, βδελυγμὸς, ὁ, der Ekel, Abscheu, eigentl. vor einer stinkenden, metaph. häfslichen Sache, That, Rede, von βδελύσσω; wovon —**λυκτὸς**, was Ekel, Abscheu erweckt. verdient. —**λυρεύομαι**, ich handle wie ein βδελυρὸς; davon —**λυρία**, ἡ, die Handlung, der Charakter eines βδελυρὸς, unverschämten, schändlichen Menschen in Worten und Handlungen; Schaamlosigkeit. Theoph. Kap. 11. —**λυρὸς**, ρὰ, ρὸν, Adv. —**ρῶς**, ein Mensch, dessen Worte, Handlungen und Sitten Ekel und Abschen erwecken; ein schändlicher, unverschämter, abscheulicher, unflätiger Mensch; von —**λύσσω**, f. ύξω, (βδέω, βδέλω, βδελύω) ich verursache, mache einen Gestank u. dadurch Ekel, Abscheu; βδελύσσομαι, βδελύττομαι, ich bekomme, habe Ekel, Abscheu vor Gestank, vor widrigem Essen; vor schändlichen Handlungen; ich verabscheue, verwünsche, fürchte; m. d. Acc. davon —**λυχρὸς**, f. v. a. βδελυρὸς.

Βδέννυμαι, (βδέω, βδένω, βδεννύω) f. v. a. βδέω.

Βδέσμα, τὸ, der Gestank; Furz; von

Βδέω, ich gebe, mache einen Gestank; ich lasse einen Furz.

Βδόλος, ὁ, (βδέω, βδέλω) der Gestank, von einem Furze, von einer ausgelöschten Lampe; davon die Pflanze γαλεόβδολον, Diosc. 4, 95. Katzen- oder Iltisgestank.

Βδύλλω, (βδέω, βδύω) ich gebe einen Gestank; farze, auch vor Furcht; daher in Furcht gerathen oder seyn.

Βεβαιόπιστος, ὁ, ἡ, sicher in seiner Zusage (πίστις) der sein einmal gegebenes Wort hält. zw. —**βαιος**, ὁ, ἡ, (βάω, βαίνω) fest, feststehend, mithin, wie das lat. *stabilis, constans, firmus*, zuverlässig, standhaft, sicher. τὸ βέβαιον, die Sicherheit; βέβαιον od. βεβαίως, sicher, zuverlässig; dav. —**βαιότης**, ητος, ἡ, Festigkeit, Statigkeit, Standhaftigkeit, Zuverlässigkeit; u. —**βαιόω**, befestigen, bestätigen; versichern, gewiss zusagen; davon —**βαίωσις**, εως, ἡ, Befestigung, Gründung, Versicherung, gewisse Zusage; u. —**βαιωτὴς**, οῦ, ὁ, einer, der etwas bestätiget, versichert, gewiss zusaget; davon —**βαιωτικὸς**, ἡ, ὸν, was bestätigen, versichern kann, dazu geschickt ist und dazu gebraucht wird.

Βέβηλος, ὁ, ἡ, (βάω, βηλὸς, βέβηλος) ein Ort, zu welchem der Zugang frey, unverwehrt ist, βάσιμος, also dem heiligen entgegen gesetzt. Soph. Oed. Col. 10. Oppian Cyn. 2, 208. οὐδ' ἐν βεβήλῳ τῆς ἑλλάδος οἴκησις οὐδ' ἐν ἱερῷ ἱκετεία καὶ καταφεύξις Themistocl. Ep. 11. daher ἀβέβηλος, heilig, den man nicht betreten darf. ἔστι δούλῳ φεύξιμος βωμὸς, ἔστι καὶ λῃσταῖς ἀβέβηλα πολλὰ τῶν ἱερῶν Plutarch. d. Superst. Bey Calpurn. Eclog. 1, 15. sind *sacraria pervia*, βέβηλα. 2) von Personen heisst es, nicht geweiht, nicht eingeweiht, nicht heilig, also *profanus*; auch metaph. ein unreiner Mensch. βέβηλος τελετῆς καὶ ἡλίου Analect. 2 p. 170. davon —**βηλόω** ῶ, gemein machen, entweihen, besudeln; davon —**βήλωσις**, εως, ἡ, Entweihung. —**βιασμένως**, Adv. part. perf. pass. βιάζομαι, mit Gewalt, gezwungen. —**βουλευμένως**, Adv. partic. perfect. pass. βουλεύω, mit Ueberlegung.

Βεβράζω u. βεβρὰς. S. βαβράζω, u. μεμβρὰς. —**βρώθω**, f. ώσω, f. v. a. βρώσκω von βρέω wie κνάω, κνήθω.

Βέθρον, τὸ, f. v. a. βέρεθρον contr.

Βεινέω, -ῶ, ich treibe, übe den Beyschlaf; auch activ. beschlafen; gewöhnlicher —**νητιάω**, gewöhnlicher βινητιάω, ich habe Lust oder heftigen Trieb zum Beyschlafe.

Βείω, ομαι, statt βέω, und diess aus βῶ, od. βάω, also gehen, leben; davon ὄφρα βείω προτὶ st. βῶ bis ich gehe.

Il. ζ. 113. wie καταβείομεν, κ. 97. ſt. καταβῶμεν. Daher βείομαι, βείομαι-gehen, leben, handeln. Il. ο. 194. 10, 432. 10, 131. Eben ſo ſagt Heſych. θείομεν, τραπείομεν ſt. θῶμεν, τραπῶμεν.

Βεκκεσέληνος, ὁ, ἡ, u. βεκκεσεληνικὸς, ὁ, ἡ, bey Ariſtoph. Nub. 398 ſ. v. a. ἀρχαῖος, altfränkiſch, vor Alter kindiſch oder einfältig; überhaupt albern, einfältig, dumm; Plutarch ſagt: βεκκεσέληνος λῆρος, alberne Poſſen. Der Urſprung bezieht ſich auf ungewiſſe Geſchichten.

Βέλεκος auch βέλλεκυς, *ſecuridaca*, eine Pflanze, πελεκῖνος.

Βέλεμνον, τὸ, Pfeil, Geſchoſs, ſ. v. a. βέλος; davon —λεμνίτης, ὁ, eine Steinart, wie wir ſagen: Donnerkeil, einem Pfeile ähnlich. —λεσσιχαρὴς, έος, ὁ, ἡ, (χαίρω) der ſich der Pfeile freut, Pfeile oder Jagd liebt. —λίτης, ὁ, (βέλος) κάλαμος, Pfeilrohr, zu Pfeilen geſchickt. —λοθήκη, ἡ, Köcher oder Ort zum Aufbewahren der Pfeile. —λομαντία, ἡ, eine Art aus den im Köcher gemiſchten und gezogenen Pfeilen zu wahrſagen. —λόνη, ἡ, (βέλος) Pfeilſpitze, Spitze, Nadel; 2) der Hornhecht. S. ῥαμφηστής. bey Nicetas Annal. 5, 6 τῶν κλάδων βελόναι, die Fichtennadeln od. Tangeln. —λονὶς, ίδος, ἡ, kleine Nadel. —λονοειδὴς, έος, ὁ, ἡ, (εἶδος) nadelförmig, ſpitzig wie eine Nadel. —λονοποικίλτης, ου, ὁ, (ποικίλλω) der mit der Nadel bunt macht, ſtickt. —λονοπώλης, ου, ὁ, (πωλέω) Nadelhändler; davon femin. βελονόπωλις, ιδος, ἡ. —λοποιΐα, ἡ, das Pfeilmachen. —λοποιὸς, ὁ, ἡ, Pfeilmacher.

Βέλος, εος, τὸ, (βάλω, βέλω) Pfeil, Geſchoſs, wie jede Waffe, welche man wirft, womit man ſich in der Ferne gegen den Feind vertheidigt, als Wurfſpieſs, Steine, Schleuder, wie *telum*. Jupiters Pfeile ſind ſeine Blitze. Bey Homer Geburtsſchmerzen ὀξὺ βέλος, in ſo fern man dabey an das Geſchoſs der Artemis denken muſs, ſo wie Apollos Pfeile (Sonnenſtrahlen) Peſt erregen. Il. 1. —λόστασις, εως, ἡ, der Ort, wo, und eine Maſchine, womit man Pfeile oder anderes Geſchoſs auf den Feind ſchleudert; auch βελοστασία, ἡ, der Ort, wo die Maſchine aufgeſtellt wird. —λοσφενδόνη, ἡ, Pfeil, Geſchoſs; beſonders ein m. Werg umwundenes, mit Pech beſchmiertes, und ſo aus einer Wurfmaſchine auf den Feind geſchleudertes Geſchoſs, *falarica*, welches Liv. 21, 8. Sil. 1, 351. beſchrieben.

Βελουλκέω, ῶ, (βελεουλκέω) Pfeile herausziehen; davon —λουλκία, ἡ, das Herausziehen von Pfeilen. —λουλκικὸς, ἡ, ὸν, zum Pfeilausziehen gehörig oder geſchickt. —λουλκὸς, ἡ, ὸν, Pfeilausziehend.

Βέλτερος, έρα, ερον, oder βελτίων, beſſer; der unregelm. Comparat. zu ἀγαθὸς. Aeſchyl. Suppl. 1062 hat den Superl. βέλτατος; davon —τιόω, ῶ, ich beſſere, verbeſſere. —τιστα, wie Adv. neutr. plur. von —τιστος, η, ον, Superlat. zu ἀγαθὸς, der, die, das beſte. —τίων, ονος, ὁ, ἡ, comparat. zu ἀγαθὸς, der, die beſſere. —τίωσις, εως, ἡ, (βελτιόω) Verbeſſerung, Beſſerung, Beſſerwerden.

Βεμβηκιάω und βεμβικιάω, Ariſtoph. Av. 1465. ſich drehen, wie ein Kreiſel, βέμβιξ. —βηκίζω, oder βεμβικίζω, f. ίσω, ich treibe, bewege wie einen Kreiſel. Ariſtoph. Veſp. 1517. v. folgd. —βηξ, auch βέμβιξ, ἡ, *trochus*, *turbo*, der Kreiſel, den die Knaben mit der Peitſche im Kreiſe treiben. 2) Wirbel, Wirbelwind. Heſych. hat βεμβέω, βεμβεύω, βέμβριξ, βεμβρόω, βεμβρεύω, u. βεμβικίζω und βέμβιξ angemerkt. Die Kreiſe oder kreiſelnde Bewegung nennt Oppian. Hal. 5. 222. βέμβικες od. βέμβηκες. —βικώδης, ες, wirbel-kreiſelförmig.

Βεμβρὰς, ſ. v. a. βεβρὰς und μεμβράς.

Βενδίδειον, ου, τὸ, Tempel der Bendis u. βενδίδια, Feſt derſelben; von

Βένδις, ιδος, ἡ, und βένδεια, ἡ, Beywort der Artemis aus Thrazien nach Athen verſetzt.

Βένθος, εος, τὸ, Tiefe, Hölung; ſ. v. a. βάθος, wie πάθος, πένθος.

Βέομαι, ſ. βείω.

Βέρβερι, τὸ, die Perlenmuſchel; ein fremdes Wort.

Βέρεθρον, ſ. v. a. βάραθρον bey den Attikern, contr. βέθρον.

Βεῦδος, εος, τὸ, eine Art von Weiberkleidung.

Βῆ, ahmt die Stimme der Schaafe nach.

Βῆγμα, τὸ, (βήσσω) das durch den Huſten ausgeworfene.

Βηλὸς, ὁ, Schwelle die man betritt, v. βάω, davon ἐπίβαλοι, πτέρναι, bey Heſych. βηλὸν ἀστερόεντα Quint. Smyrn. 13, 483 den Himmel.

Βῆμα, ατος, τὸ, (βάω) Tritt, Schritt, Breite eines Schrittes, Fuſstritt worauf man tritt, auch ein erhabner Ort darauf zu treten, *ſuggeſtus*, Herodian. 2, 10. als Rednerbühne, Richterſtuhl. —ματέω, ῶ, einherſchreiten, betreten; zweifelh. —ματίζω, f. ίσω, (βῆμα) aus od. abſchreiten, ſchrittweiſe od. durch Schritte abmeſſen; davon —ματιστὴς, οῦ, ὁ, einer der etwas abſchreitet, ſchrittweiſe aus oder abmiſst.

Βῆμι. S. βαίνω.

Βὴξ, βηχὸς, ἡ, (βήσσω) Husten.
Βηρύλλιον, τὸ, Dimin. von βήρυλλος, ὁ, oder ἡ, ein meergrüner Edelstein, Beryll.
Βῆσσα, ἡ, Schlucht, κοίλη, τραχεῖα, Hym. Apoll. 284. auch Pindar. Isthm. 3, 17 nennt Ἰσθμοῦ βάσσας, wofür er hernach κοίλαν νάπαν setzt. 2) Heide, Wald, Waldung. Man leitet es von βῆμι, andere von βαθὺς ab; davon —σήεις; ήεσσα, ῆεν, waldicht.
Βήσσω oder βήττω, f. ξω, husten.
Βηταρμὸς, ὁ, (βάω, ἁρμὸς) Tanz nach Takt u. Gesang; dav. —τάρμων, ονος, ὁ, ἡ, Tänzer.
Βηχία, ἡ, oder βηχίας, ὁ, verst. Φθόγγος, S. κοκκυσμός. —χικὸς, ἡ, ὸν, zum Husten gehörig, für oder wider den Husten, als βηχικὸν φάρμακον, ein Mittel wider den Husten. —χιον, τὸ, *tussilago*, Huflattig, eine Pflanze für den Husten gut. —χώδης, εος, ὁ, ἡ, hustend; hustenartig, dem Husten gleich.
Βία, ἡ, Stärke, Gewalt, Gewaltthätigkeit, gewaltsame, gewaltthätige, unrechtmäſsige, gesetzwidrige Behandlung. βία (κατὰ) τινὸς, die Gewalt, die ich einem andern anthue. βία wie Adv. mit Gewalt; βία τινὸς, wider eines Willen. —άζω, f. άσω, gebräuchlicher, βιάζομαι, zwingen, erzwingen, überwältigen, unterdrücken, daher βεβιασμένοι, die von einem Tyrannen unterjochten oder gewaltsam zu Sklaven gemachten freyen Leute. Dieſs ist auch das Med. βιάσασθαι, mit Gewalt etwas thun, Gewalt gebrauchen, z. B. σκῆπτρον ἔχω βιασάμενος, ich habe mir den Zepter mit Gewalt angemaſst; δίκην οὐ δίδωμι βιαζόμενος, ich entziehe mich der Strafe mit Gewalt. β. παρθένον, ein Mädchen nothzüchtigen, βιήσατο μισθὸν Il. 21, 451. entzog uns mit Gewalt den Lohn.
Βιαιοθανατέω, ῶ, bey Plutarch 10 p. 737. eines gewaltsamen Todes sterben; zw. —οκλώψ, ῶπος, ὁ, mit Gewalt stehlend; zw. —ομάχας, ὁ, (μάχη) der mit Macht und Stärke, nicht durch List streitet. —ομαχέω, mit aller Leibesmacht, nicht durch List fechten.
Βίαιος, αία, αιον, und βίαιος, ὁ, ἡ, gewaltthätig, gewaltsam, gesetzwidrig handelnd; pass. gezwungen, erzwungen, was sonst βεβιασμένος. βιαίως, Adv. gewaltsam, mit Gewalt; davon —ότης, ητος, ἡ, Gewaltthätigkeit.
Βιαρκὴς, έος, ὁ, ἡ, (βίος, ἀρκέω) zum Leben, Lebensunterhalte hinreichend oder erforderlich. —αρχος, ὁ, (βίος, ἄρχω) über den Lebensunterhalt (einer Armee) gesetzt, ein Proviantkommissar. —ασμὸς, ὁ, gewaltsame Behandlung, Gewalt, Zwang. —αστὴς, οῦ, ὁ, der seine Stärke zeigt, also stark, muthig; (beym Pindar steht in diesem Sinne βιατάς); der Gewalt gebraucht, gewaltsam anfällt, ein Räuber; dav. —αστικὸς, ἡ, ὸν, zum Zwange durch Macht oder Gewalt gemacht oder geneigt.
Βιάω, ῶ, βιάομαι, βιῶμαι, die alte Form v. βιάζω, βιάζομαι.
Βιβάζω, f. άσω, u. βιβαίω, s. v. a. βάω, βάζω durch Verdoppelung, s. v. a. βῆμι, besonders aber wird es in dem Sinne, wie ὀχεύω gebraucht, bespringen, belegen lassen, davon βιβαστὴς, ὁ, das männliche Thier zum bespringen, u. βίβασις, ἡ, s. v. a. βάσις, der Gang; od. die Handlung, wenn man Zuchtthiere bespringen läſst; auch eine Art von Tanz; bey Arat. Dios. 342. lesen st. βιβάιόμεναι andre βιαιόμεναι. —βάσθω, βιβάω, βίβημι, durch Verdoppelung, so wie βιβάζω v. βάζω, und bedeuten alle s. v. a. βάω u. βῆμι, active u. neutr. gebraucht. Vom futur. βιβάσω kommt βιβάσθω. Von der ersten Form βάζω, f. βάξω kommen βακτὴρ, βάκτρον, βακτηρία, so wie das lat. *bacus*, *baculus*.
Βιβλάριον, τὸ, oder βιβλαρίδιον, τὸ, dimin. v. βίβλος; davon —βλιακὸς, ἡ, ὸν, zu den Büchern gehörig, auch in Büchern bewandert. Plut. Rom. 12, nennt den Varro βιβλιακώτατον, d. i. *litteratissimum* oder πολυγραφώτατον. —βλιαφόρος, ὁ, ἡ, s. v. a. βιβλοφόρος. —βλινος, ινη, ινον, was von Papier ist; gebräuchlicher βύβλινος. —βλιογραφία, ἡ, das Bücherschreiben. —βλιογράφος, ὁ, ἡ, (γράφω, βιβλίον) der Bücher schreibt. —βλιοθήκη, ἡ, ein Ort, wo Bücher hingestellt oder aufbewahrt werden, Bibliothek, Büchersaal, Büchersammlung. —βλιοκάπηλος, ὁ, ἡ, Bücherkramer, Buchhändler. —βλίον, τὸ, Buch, Brief; dim. v. βίβλος. —βλιοπώλης, ὁ, (πωλέω) der Bücher verkauft, Buchhändler. —βλιοτάφος, ὁ, ἡ, der Bücher vergräbt, sie nicht ans Licht kommen läſst. —βλιοφυλάκιον, τὸ, ein Aufbewahrungsort für Bücher.
Βίβλος, ἡ, Baumrinde, z. B. von Linden; weil die Alten auf Bast od. der weichern, innern Rinde von solchen und andern Bäumen zu schreiben pflegten, so heiſst es daher wie das lat. *liber*, Buch, Schrift, Verzeichniſs. —βλοφόρος, ὁ, ἡ, s. v. a. βιβλιοφόρος, einer der Bücher tragt.
Βιβρώσκω, f. βρώσω, p. βέβρωκα, das verdoppelte βρώσκω, βρόω.
Βιήμαχος, ὁ, ἡ, s. v. a. βιαιομάχας.
Βικίδιον u. βικίον, τὸ, dimin. v. folg. βίκος, auch s. v. a. *vicia* κύαμος. —κος,

ξ, ein irdenes Gefäſs zu Wein u. andern Flüſſigkeiten.

Βινέω, ῶ, u. βινητιάω, ſ. in βείνω.

Βιοδότης, ὁ, (δόω) Lebensgeber; oder der Unterhalt giebt. —όδωρος, ὁ, ἡ, (δῶρον) der Leben ſchenkt. —οδώτης, ου, ὁ, u. βιοδώτωρ, ορος, ὁ, ἡ, ſ. v. a. βιοδότης. —οθάλμιος, ὁ, ἡ, der lange lebt, von β. θάλλω, oder θάλπω der das Leben nährt, erhält, wie ζωθάλμιος, Hymn. Hom. 4, 190. —οθρέμμων, ονος, ὁ, ἡ, (τρέφω) lebennährend od. unterhaltend. —οθρέπτειρα, ἡ, Ernährerin, Pflegerin des Lebens v. βιοθρέπτηρ. —ομηχανία, ἡ, Sorgfalt und Emſigkeit im Ausfinden und Gebrauch der Mittel zur Unterhaltung des Lebens, Induſtrie; von —ομήχανος, ὁ, ἡ, (βίος, μηχανή) emſig, klug, verſchlagen, um ſich zu ernähren od. ſich den Unterhalt zu verſchaffen. —οπλανής, έος, ὁ, ἡ, (πλανάω) unſtät im Leben, der ſeinen Lebensunterhalt umherirrend ſucht, ein Bettler. —οπονητικός, κή, κόν, der ſein Leben und Unterhalt mit Arbeit zu verdienen pflegt; daſſelbe iſt βιωπόνος ὁ, ἡ, Hippodamus Stobaei Serm. 141. —οποριστικός, ή, όν, (πορίζω) was einem andern oder ſich Lebensunterhalt verſchaffen kann.

Βίος, ὁ, Leben, Lebensart, Gewerbe, wodurch ich mich nämlich nähre, daher Lebensunterhalt, Vermögen.

Βιός, ὁ, Bogen, die Sehne am Bogen. —οσσόος, ὁ, ἡ, (σόω, σώζω) das Leben rettend oder erhaltend. —οστερής, έος, ὁ, ἡ, (στέρω) des Lebens o. des Lebensunterhaltes beraubt o. beraubend. —οτεία, ἡ, Lebensart, Art ſich zu nähren; von βιοτεύω. —οτέρμων, ονος, ὁ, ἡ, ὥρα bey Manetho ſ. v. a. ἀροσκόπος v. βίος, τέρμα. —οτεύω, leben, eine Lebensart treiben u. davon ſich nähren; β. ἀπὸ τινὸς iſt eben das, was βίον ἔχειν iſt. —οτή, ἡ, u. βιότης, ἡ, (βίος, βιόω) Leben, Lebensart. 2) für βία ſtand es ehemals durch einen Fehler bey Andocides p. 113. —οτήσιος, ὁ, ἡ, βιοτικὸς u. βιωτικός, zum Leben gehörig, das Leben erhaltend, vergnügend. —ότιον, τὸ, ein geringer Lebensunterhalt, dürftiges Auskommen, Ariſtoph. Pl. 1166. kann aber auch Adject v. βιότιος ſeyn. —οτος, ὁ, das verlängerte βίος und eben ſo viel. —οφθορία, ἡ, Verderben des Lebens. —οφθόρος, ὁ, ἡ, (φθείρω) das Leben verzehrend, verderbend. —όχρηστος, ὁ, ἡ, nützlich fürs Leben, zum Leben nützend, brauchbar.

Βιόω u. βίωμι, ich lebe, auch belebe, davon ἐβίων, βιοὺς, βιῶναι, βεβίωται ἐμοί, ich habe gelebt. βιόμεσθαι Hymn. Apoll. 528. von βίομαι.

Βιώνης, ου, ὁ, (βίος, ὠνέομαι) der jemandes angeſchlagene Güter kauft. —ώσιμος, ὁ, ἡ, Adv. βιωσίμως, der Leben hat, der das Leben erhalten, behalten kann, zum Leben gehörig oder tauglich; von —ωσις, εως, ἡ, (βιόω) das Leben, ſ. v. a. βίος u. βιοτή. —ώσκω, aufleben laſſen, lebendig machen; paſſ. lebendig werden. —ωτικός, Adv. βιωτικῶς ſ. v. a. βιοτικός, u. βιώσιμος. —ωτός (βιόω) was zu leben iſt, βίος βιωτὸς, im Gegenſatze v. ἀβίωτος Leben, das nicht zu leben oder auszuhalten, für kein Leben zu rechnen iſt. —ωφελής, έος, ὁ, ἡ, (βίος, ὠφελέω) ſ. v. a. βιόχρηστος.

Βλαβερός, ρὰ, ρὸν, Adv. βλαβερῶς, ſchädlich, verderblich, nachtheilig; v.

Βλάβη, ἡ, (βλάπω, βλάπτω) Schaden, Nachtheil, Verderben, Verderbniſs. —βόεις, όεσσα, όεν, ſ. v. a. βλαβερός. —βος, τὸ, ſ. v. a. βλάβη.

Βλάβω davon βλάβεται bey Hom. ſ. v. a. βλάπτεται, das Stammwort v. βλάπω, βλάπτω; davon iſt ἐβλάβην, βλάβος, τὸ, βλάβη.

Βλαδαρὸς, ſ. in βλάζω.

Βλάζω, f. άσω, Heſychius erklärt es d. μωραίνω und auch Euſtath. leitet von βλάζω das Wort βλὰξ ab, jenes aber von βλῶ aus βάλλω zuſammengezogen. Er wollte alſo βάλω, βαλάω, βαλέω, βλάω, βλῶ, βλῆμι, als Stammw. annehmen; aber daraus kann man die übrigen Ableitungen nicht füglich erklären. Ich nehme alſo die Form βλάσσω, βλάττω zu Hülfe, wie πλάζω, πλάσσω, πλάττω oder joniſch πλήσσω, πλήττω, wovon πλὴξ, πλῆγος in den compoſitis nur gebräuchlich. Das Wort πλαττοῖ von πλαττέω hat Heſych. mit παιδαριεύεται erklärt. Damit ſtimmt Feſtus: *blaterare eſt ſtulte et percupide loqui, quod a Graeco βλὰξ originem ducit: ſed et camelos, cum voces edunt, blaterare dicimus.* Von *blatio, blatire* bey Plautus kommt als frequentativum, *blatero, blaterare.* Von der Form βλάζω, perf. βέβλακα kommt βλαδαρὸς d. i. ἐκλελυμένος, χαῦνος, ἄωρος, ὠμὸς, μωρὸς. Dieſs haben ſchon die Ausleger des Heſych. mit πλαδαρὸς verglichen, welches blos durch die harte Ausſprache, wie βλέννα v. πλέννα, ſich unterſcheidet. πλάδος v. πλάζω πέπλαδα iſt eine überflüſſige Feuchtigkeit im Körper, davon πλαδάω u. πλαδαρὸς, welches einen durch überflüſſige Feuchtigkeit erweichten, abgeſpannten, erſchlafften, aufgeſchwemmten, ſchwammichten Körper ausdrückt; dah. auch von Menſchen, träge, unthätig, ohne Kraft, Thätigkeit, Nachdruck, läſſig, ſaumſelig, einfältig, dumm u. dergl. Auch die Bedeut. ὠμὸς u. ἄωρος roh und unzeitig liegen in πλαδαρὸς, indem Früchte, die noch zu viel Feuchtigkeit haben, noch nicht reif, ſondern noch roh ſind. Die Formen βλαδὸς u. βλαδὴς hat Heſych. ebenfalls nur allein aufbehalten. Xenoph. Eq. 3, 12 ſetzt βλακεία dem ὑπέρθυμος Laced. resp. 2, 10 βλακεύειν dem τάχος, Equ. 9, 1 u. 12. βλὰξ u. βλακώδης v. Pferde dem θυμοειδὴς entgegen; Memor. 3, 13 kommt die Form βλακὸς dav. der Superlat. βλακώτατος od. wie andre leſen βλακίστατος vor, u. 4, 2, 40 βλακώτερος. Das von βλὰξ abgeleitete βλακεύω od. βλακεύεσθαι im medio, welches Euſtath. aus Xenophon anführt, bedeutet alſo nachläſſig, fahrläſſig, unthätig ſeyn u. handeln, ohne Muth, Kraſt, Nachdruck, Thätigkeit ſeyn; βλάκευμα eine ſolche Handlung. βλακώδης u. βλακικὸς, was einem βλὰξ zukömmt oder ähnlich iſt; καταβλακεύω u. καταβλακεύομαι aus Trägheit, Muthloſigkeit, Nachläſſigkeit etwas unterlaſſen, verderben od. verſäumen. Daſs βλὰξ für ἀλαζὼν u. τρυφῶν gebraucht werde, haben zwar einige alte Grammatiker angemerkt, aber es finden ſich keine Beyſpiele darzu. Wenn man noch das lat. *flacus*, *flacidus*, *flaceo*, *flaceſco* vergleicht, welche offenbar aus βλακὸς, βλακέω gemacht ſind, ſo wird man die urſprüngl. Bedeut. ganz deutlich erkennen mögen.

Βλαίσιος, bey Ariſtot. falſch ſtatt βλαισὸς, ή, όν, auswärts krumm gebogen, vorz. an den Füſsen, das Gegentheil von ῥαιβὸς einwärts gebogen. Wird aber auch von andern krummgebogenen auch gelähmten Gliedern gebraucht. Die Lateiner haben *blaeſus* vorzügl. von der gelähmten u. ſtotternden Zunge gebraucht, auch in Familiennamen, wie *Balbus*. κισσὸς βλαισὸς Anthol. heiſst der ſich krumm windende Epheu, Ariſtot. H. A. 9, 40 nennt τὰ βλαισὰ τῶν ὀπισθίων an den Bienen, den auswärts gebogenen und platten Theil der Hinterfüſse, woran ſie das geſammelte Wachs eintragen, wo jetzt falſch βλαισία ſteht; davon —σόπους, ὁ, ἡ, und βλαισοπόδης, ὁ, βάτραχος bey Suidas mit auswärts gebogenen krummen Füſsen. —σότης, ἡ, die Krümmung der Füſse nach auswärts; und —σόω, ῶ, ich krümme, biege nach auswärts, als Füſse, Hände und dergl. davon —σωσις, εως, ἡ, die Krümmung der Füſse nach auswärts. Bey Ariſtot. Rhet. 2, 23. 15. iſt βλαίσωσις ὅταν δυοῖν ἐναντίοιν ἑκατέρῳ ἀγαθὸν καὶ κακὸν ἕπηται ἐναντία ἑκάτερα ἑκατέροις, gleicht alſo der *praevaricatio* nach Cicero Partit. 36: *Praevaricator ſignificat eum, qui in contrariis cauſis quaſi vare eſſe poſitus videatur.*

Βλακεία, ἡ, das Betragen und Charakter eines βλὰξ, Nachläſſigkeit, Unthätigkeit, Trägheit, Muthloſigkeit, Einfalt u. dergl. S. in βλάζω. —κενόμιον, τὸ, bey Suidas in βλάκα ein Zoll, den in Alexandrien die Sterndeuter erlegten, viell. βλακονόμια. —κευμα, τὸ, die Handlung eines βλὰξ; auch ſ. v. a. βλακεία. —κεύω, auch med. βλακεύομαι, ich handle wie ein βλὰξ. ich bin träge, unthätig, nachläſſig, ſorglos, ohne Muth, Aufmerkſamkeit, Standhaftigkeit. S. in βλάζω. —κικὸς, Adv. —κῶς, u. βλακώδης, ὁ, ἡ, Adv. —δῶς, zum βλὰξ gehörig oder demſelben ähnlich, alſo träge, ſorglos, einfältig.

Βλάμμα, τὸ, ſ. v. a. βλάβη.

Βλὰξ. βλακὸς, ὁ, ἡ, nachläſſig, fahrläſſig, ſorglos, träge, unthätig, muthlos, einfältig, dumm. S. in βλάζω.

Βλαπτήριος, ὁ, ἡ, Oppian. H. 2, 45. ſ. v. a. das folgd. —πτικὸς, ή, όν, zu ſchaden gemacht, geſchickt, ſchadend, ſchädlich.

Βλάπτω, (βλάβω, βλάπω) bey Homer bedeutet es wie ἐμποδίζω u. σφάλλω im Laufe hindern, ſo daſs der laufende, gehende, rudernde anſtöſst, fällt oder zurückbleibt; ſo ſagt auch Aeſchyl. Ag. 123 βλαβέντα λοισθίων δρόμων. Mit einem Worte läſst ſich dieſe Idee nicht ausdrücken. Metaph. von der Seele, ſie vom rechten Wege in Irrthum, Thorheit führen. Die ſpätern brauchten es hernach für verletzen, ſchaden. βλάπτων λόγον Pindar. Pyth. 9, 167 wider die Regel, Rede handelnd.

Βλαστάνω u. βλαστέω, (βλάστη) ich keime, ſchlage aus; entſpringe; act. hervorbringen. ἣν τῇ διαίτῃ βλαστηθῇ ἡ δύναμις. S. auch ἐκβλαστέω u. βλώσκω. —στεῖον, τὸ, βλάστη, ἡ, βλάστημα, τὸ, u. βλάστημος, ὁ, bey Aeſchyl. der Trieb, Keim, Zweig, Aſt, Blatt, überhaupt Wachsthum. —στησις, εως, ἡ, das Hervorkeimen, Sproſſen, Keimen, Wachſen. —στητικὸς u. βλαστικὸς, ή, όν, (βλαστέω, βλαστὸς) zum keimen, hervorſproſſen gemacht, geſchickt, geneigt. —στοκοπέω, ῶ, (κόπτω) junge Triebe, Sproſſe beſchneiden. —στολογέω, ῶ, (λέγω) die jungen Keime od. Schoſſe leſen, abnehmen; dav. —στολογία, ἡ, das Leſen, Ableſen der jungen Keime od. Schoſſe.

Βλαστὸς, ὁ, der Keim der aufgehenden Pflanze; das aus der Knoſpe treibende Blatt; der Schöſsling, junge Zweig, *germen*.

Βλασφημέω, ῶ, ſo reden, daſs man dadurch eines andern Rufe φήμῃ und guten Namen ſchadet, βλάπτω, mithin ſchlecht, ehrenrührig, nachtheilig, läſterlich reden; beſonders auch etwas von übler Vorbedeutung ſprechen, wo, wie in den übrigen Bedeutungen der Gegenſatz εὐφημεῖν iſt; dav.

Βλασφημία, ἡ, läſterliche, ſchmähſüchtige, ehrenrührige od. gottesläſterliche Rede; überh. das Gegentheil v. εὐφημία. S. βλασφημέω. —φημος, ὁ, ἡ, läſternd, ſchmähend, tadelnd, Reden von unglücklicher Bedeutung führend. S. βλασφημέω. davon βλασφημοσύνη, ἡ, Syneſ. Epiſt. 57. ſ. v. a. βλασφημία.

Βλαῦται, ῶν, αἱ, βλαύτη, ἡ, dimin. βλαυτίον, τὸ, eine Art Schuhe, die blos die Fuſsſohlen bedeckten, und die Römer blos im Hauſe und bey Gaſtmählern zu tragen pflegten; alſo nach unſrer Art zu reden, Pantoffeln.

Βλαψιγονία, ἡ, (γόνος) Verletzung der Geburt, der Jungen; von

Βλάψις, ἡ, (βλάπτω) Verletzung, Beſchädigung. —ψίφρων, ονος, ὁ, ἡ, ſ. v. a. φρενοβλαβής.

Βλεμαίνω, σθένει, κάλλει bey Homer ſeine Stärke, Schönheit fühlen und darauf trotzen oder ſtolz ſeyn; davon ἀβλεμής, ſchwach, ohnmächtig, kraftlos, wahrſch. v. βλέω, φλέω.

Βλέμμα, ατος, τὸ, (βλέπω) Blick, Anblick, das, womit ich blicke, Auge.

Βλέννα, ἡ, βλένα, ἡ, u. βλένος, τὸ, Rotz, Schleim, ſ. v. a. ſonſt μύξα, κόρυζα u. φλέγμα, τὸ, wird auch πλένα, πλέννα, ἡ, geſchrieben, nach einer härtern Ausſprache, wie Galen. u. Heſych. anmerken; davon βλενὸς, βλεννὸς, βλενώδης, βλεννώδης, ὁ, ἡ. auch βλεννερὸς od. wie Galen. im Gloſſar. Hipp. hat πλεννερὸς, ſ. v. a. μυξώδης, κορυζῶν od. φλεγματίας, rotzig, ſchleimig, voll Rotz od. Schleim; auch metaph. wie (κορυζάω,) κορυζῶν, ein einfältiger, dummer oder an Leib und Seele träger Menſch. Bey Ariſtotel. H. A. 8, 2 iſt τὸ βλένος ſ. v. a. ἰλὺς; denn er ſagt: οἱ δὲ κέφαλοι νέμονται τὴν ἰλὺν, διὸ καὶ βαρεῖς καὶ βλενώδεις εἰσὶν-ὥια δὲ τὸ ἐν τῇ ἰλυῖ διατρίβειν, ἐξανακολυμβῶσι πολλάκις ἵνα περικλύνωνται τὸ βλένος. Daher *blennus* bey Plautus für Dummkopf. Im Etymol. M. wird ein Fiſch, dem κωβιὸς ähnlich, βλέννος auch βαίων genannt; Suidas hat βλίνος. Vergl. Athenae. 7 p. 288.

Βλέννος, Tropf, einfältiger Menſch. Oenomaus Euſeb. 6, 7.

Βλεννὸς, ἡ, ὸν, träge, faul. —νώδης, εος, ὁ, ἡ, rotzig.

Βλεπεδαίμων, ονος, ὁ, ἡ, bey Pollux I, 21. abergläubiſch; wo βλεπιδ. u. βλεποδ. Suidas u. Pauſanias bey Euſtath. erklären es für ſchielend od. mit einem ſtieren Blicke, *torvus viſu*, u. Pauſanias merkt an, daſs es ſpottweiſe von den Sokratiſchen Schülern gebraucht ward, wie vom Sokrates ſelbſt παραβλέψ. Heſych. erklärt es von der blaſſen Farbe des hagern Geſichts. —πησις, ἡ, u. βλέπος, εος, τὸ, (βλεπέω) das Anſehen, das Sehen. —πος, τὸ, ſ. v. a. βλέμμα. —πτικὸς, ἡ, ὸν, gut, geſchickt zum ſehen.

Βλέπω, f. ψω, ſehen; vom Verſtande, einſehen; anſehen, z. B. φιλοφρόνως καὶ ἐχθρῶς βλ. πρός τινα einander freundlich und wild anſehen; wohin ſehen, d. i. *a)* wohin geneigt ſeyn, wie im lat. *ſpecto*, ſt. *vergo*, z. B. οἰκία πρὸς μεσημβρίαν βλέπουσα, ein Haus, welches gegen Mitternacht die Ausſicht hat od. liegt; *b)* für etwas ſorgen, Rückſicht nehmen; *c)* ſich hüten, ſich in Acht nehmen; *d)* das Tageslicht ſehen, alſo leben. Die Form βλέπτω iſt bloſs in ἀβλεπτέω gebräuchlich od. angemerkt worden; βλεπάζω für βλέπω u. βλεπετύζω für blinzeln hat Heſychius angemerkt.

Βλεφαρίζω, f. ίσω, blinzeln. —φαρίς, ίδος, ἡ, Augenwimper; von —φαρον, τὸ, (βλέπω) Augenlieder; bey Soph. Antig. 104. Auge.

Βλήδην, Adv. (βάλλω) wurfsweiſe, werfend.

Βλῆμα, τὸ, (βάλλω) der Wurf; der Pfeil; die Wunde. Herodot. βλῆμα κοίτας χαμαὶ λεχέος, Antipatri Sid. Epigr. 82. ſcheint eine Decke zu ſeyn. —μάζω, richtiger βλιμάζω.

Βλῆμι, βλῆμαι od. βλέμαι, von βλέω aus βαλέω contr. davon βλῆτο, βλήμενος, ἔβλην, βλεὶς ſt. ἐβλήθην, βληθεὶς, optat. βλείμην, βλεῖο, βέβλειο, ſt. βληθείην, βληθείης u. ſ. w.

Βληστρίζω, f. ίσω, (βλητὸς) hin und herwerfen; davon —στρισμὸς, ὁ, das Hin- und Herwerfen, unruhiges Liegen, Unruhe.

Βλητέος, (βαλέω, βλέω) zum werfen. —τίζω, f. ίσω, niederwerfen, überwältigen; auch βλητεύω, bey Heſych. —τὸν, τὸ, verſt. ζῶον, Aelian. H. A. 3, 32. ein Thier, welches mit einer Waffe, wie etwan ein Stachel verwundet, wie δακετὸν, mit dem Zahne. —τὸς, ἡ, ὸν, (βλέω) geworfen, getroffen, (wie vom Blitze, alſo) betäubt, vom Schlage gerührt. —τρον, τὸ, od. βλητρὸς, ὁ, Il. 15, 678. βλήτροισι κολλητὸν, nach einigen, hölzerne Nägel; nach andern die Fuge; in der letztern Bedeut. ſagt Nicetas Annal. 3, 4 οἱ μὴ ἐξικνούμενοι τοῦ ὕψους ἱστοὶ, βλῆτρα ἐδέχοντο. u. 16, 4 ὡς σφῆνας καὶ βλῆτρα. bey Nicand. Ther. 39. eine Art Farrenkraut; daher —τρόω, ῶ, f. ώσω, einfügen, oder durch Nägel befeſtigen. Heſych.

Βληχάομαι, ῶμαι, f. ήσομαι, ſchreyen; eigentl. von Schaafen; wie μηκάζω, von Ziegen; auch von kleinen Kindern; davon —χὰς, ἡ, das blöckende Schaaf. Opp. Cyn. 1, 145. —χὴ, ἡ, βλήχημα, τὸ, u. βληχηθμὸς, ὁ, (Aelian. H. A. 5, 51.) das Schreyen, Blöcken der Schaafe. —χητὰ, τὰ, (βληχάομαι) die blöckenden Thiere, alſo Schaafe. Aelian. H. A. 2, 54.

Βλῆχνον, auch βλάχνον, desgl. βλῆχρον, τὸ, eine Art von Farrenkraut; (*filix*) 2) βλῆχρος, ἡ, bey Theophr. eine unbekannte Pflanze. —χρὸς, ρὰ, ρὸν, ſchwach; anderswo wird es, ſtark, überſetzt. —χώδης, εος, ὁ, ἡ, (βληχάω) blökend, oder einfältig, wie ein Schaaf. —χων, ωνος, ἡ, auch γλήχων, *pulegium*, Poley. —χωνίας, ου, ὁ, mit od. von Poley bereitet, wie κυκεὼν.

Βλιμάζω, andre ſchreiben βλημάζω, f. άσω, ich betaſte, befühle; drucke. τοῦτο ἐβλήμάσθη ἰσχυρῶς τῇσι χερσὶ σὺν ἐλάιῳ, Hippocr. Epid. 5. wo man es d. ἐμαλάχθη erklärt; m. d. Händen drücken, reiben und ſo erweichen; davon —μασις, εως, ἡ, das Betaſten.

Βλιτομάμας, ου, ὁ, ein fader, einfältiger Menſch, wie βλίτων u. βλιτὰς, *fatuus*; von

Βλίτον, τὸ, *blitum*, ein unſchmackhaftes Gemüſs.

Βλίττω, f. βλίσω, ich beſchneide, vorz. den Bau der Bienen; zeidle.

Βλιχανώδης oder βλιχώδης, ὁ, ἡ. In der Stelle des Hippocr. von Kopfwunden ſteht τὸ ἕλκος γλισχρῶδες γίνεται. wofür andre βλιχῶδες leſen, welches Erotian. Gloſſar. erklart: λελιπασμένον μετὰ γλοιώδους ὑγρασίας ἀκαθάρτου. Heſych. hat βληχῶδες, βλιχῶδες παρὰ Ἱπποκράτει τὸ λελιπασμένον καὶ καθαρὸν, wodurch die doppelte Lesart βληχῶδες und βλιχῶδες angedeutet wird. Bey Athenae. 4 p. 132 ſagt der Dichter Diphilus von den Byzantiern, ſie ſeyen wegen der vielen Fiſche: πάντες βλιχώδεις καὶ μεστοὶ λάπης wo βλιχανώδεις wider das Sylbenmaaſs gedruckt ſteht. Archigenes in den Chirurg. vet. Cochii p. 117: ſagt ἀτροφόν τε τὸ ἕλκος καὶ ἀνεκπίειτον καὶ βληχῶδες. Alſo nahm Archig. im Hippocr. das Wort mit Euphorion bey Erotian. für ausgedrückt und trocken. Nach einer Gloſſe bey dieſer Stelle ſchrieben andre βλιμῶδες d. i. τὸ ἄγριον καὶ ὑβριστικὸν. Heſych. hat βλίμη, προπηλακισμὸς, ὕβρις.

Βλοσυρονύχιος, α, ον, mit ſchrecklichen Nägeln oder Klauen. —συρὸς, ρὰ, ρὸν, wild, fürchterlich vom Anblick; im Theophraſtus überſetzt Plinius βλοσυρωτέρα durch *horridior*. C. P. 6, 18 u. 21. τροφὴ βλοσυρωτέρα, vermiſchte, unreine Nahrung. im guten Sinne Plato Theaet. c. 6 wo die Gloſſe σοβαρὸς hat. γενναίους καὶ βλοσυροὺς τὰ ἤθη Plato Resp. 7 p. 169 tapfer und muthig; bey Dio Caſſ. und andern, ehrwürdig von Anſehn. —συρόφρων, ονος, ὁ, ἡ, (φράω) von wilder Denkungsart. zw. —συρῶπις, ιδος, ἡ, (ὤψ) die wildblickende. —συρωπὸς, ὁ, ἡ, von wildem Blicke.

Βλύζω, βλύω, βλύσσω, βλύττω, ſ. v. a. φλύω, φλύζω, φλύσσω mit dem Spiritus aſper, alſo das lat. *fluo*, ich flieſse über, bin voll, ergieſse; auch als Actif. ich ergieſse. βλύζοντι φόνῳ Nicand. Ther. 497 blutende Wunde. Im Etymol. M. in βλιμάζειν wird aus Eupolis das Compoſ. βλυστοινέω angeführt: ἅμα βλυστοινῆσαι καὶ χλοῆσαι τὴν πόλιν, d.i. von Weine überflieſsend; davon —σμὸς, ὁ, das Ueberflieſsen, Hervorquellen. —στὴρ, ῆρος, ὁ, dav. βλυστηρὶς, ιδος, ἡ, hervorquellend, überflieſsend.

Βλύσσω; βλύττω u. βλύω ſ. v. a. βλύζω. Plato Resp. 8. p. 500 Steph.

Βλωθρὸς, ein Beyw. von hohen ſtarken Baumen od. Pflanzen; von βλώσκω, eigentl. in die Höhe aufſchieſsend. βλωθρῇ ἐπὶ ποίῃ, Saat, die im Schoſſen iſt. Arat. Dioſ. 357. S. βλώσκω. —μίδιον, τὸ, dimin. v. βλωμὸς, ὁ, ein Biſſen, vorz. Brod; od. vielmehr die Abtheilungen auf dem Brode, *quadra*, daher ὀκτώβλωμό; bey Heſiod. und ἄρτος βλωμαῖος bey Athenae. 3 p. 114. ὁ ἔχων ἐντομὰς, der Römer *quadratus panis*. —σις, ἡ, die Gegenwart od. Ankunft v. βλώσκω. beym Etym. M. δίφρου βλῶσις ſt. ἕδρα.

Βλώσκω, für gehn, Lycophr. 448. kriechen, Nicand. Ther. 451. davon καταβλώσκω, herab, einhergehen. Apollon. Rhod. 1, 322. von μόλω, μολέω, μολίσκω. S. μέμβλωκα; von der Form βλόω, βλῶ, hat Heſych. ἔβλω, ἐφάνη, ᾤχετο, ἔστη. 2) eine zweyte Bedeut. hat Heſych. βλώσκει, ἀνατέλλει. ferner: βέβλωκεν, ἠρεμεῖ, φύεται, u. ἐμβλωκυῖαν, ἐν τῷ ἀνδρὶ ἤδη οὖσαν. Vom alten Stammworte βλάω, βλαστὸς u. βλάστη, davon βλαστάω, βλαστάνω; auch βλόω, βλώσκω wie θόρω, θορίσκω, θρώσκω. Von dieſer Bedeutung ſcheint βλωθρὸς für χλωρὸς, ἁδρὸς zu kommen.

Βοάγριον, τὸ, ein Schild von Rindsfell. —γρος, ὁ, wilder Ochs. Philoſtr. Apoll. 6, 24.

Βόαξ, ακος, ὁ, auch βὼξ, *box*, ein Fiſch von ſeiner Stimme, βοή.

Βοαύλιον, τὸ, ein Ochſenſtall, αὐλή. —άω, ῶ, f. ήσω, p. ηκα, das lat. *boare*, rufen, ſchreyen; zu- anrufen, zuſchreyen; um Hülfe ſchreyen; laut reden, laut rühmen, laut blaſen.

Βοεία, ἡ, verst. δορά. S. βόειος; davon —ειακός, ἡ, όν, u. βοεικός, ἡ, όν, von Rindsfell gemacht. S. βόσιος. —ειος, εια, ειον, und βόεος, εα, ον, vom Rinde, ἡ βοεία, Rindsfell, Schild von Rindsfell, Riemen, *lorum*. Hymn. Apoll. 487. wie *boia* lat. —εύς, έος, ὁ, ein Riemen von Rindsleder.

Βοέη, ἡ, s. v. a. βοεία.

Βοή, ἡ, Geschrey, lautes Reden, laute Sprache. βοὴν ἀγαθὸς, beym Homer, ein trefflicher Schreyer, guter Kommandeur, guter Anführer. Bey Aeschyl. Suppl. 738. für Hülfe, Beystand.

Βοηγενής, έος, ὁ, ἡ, (γένω) vom Rinde entsprossen, entstanden. —δρομέω, ῶ, (δρόμος) im Laufen schreyen, τρέχων βοάω; auch ich laufe nach dem Geschrey und zu dem hin, der um Hülfe schreyt, mithin ich helfe, eile zu Hülfe, stehe bey, wie βοηθέω. —δρόμιος, und βοηδρόμος, ὁ, ἡ, Helfer, beystehend; Beystand. S. βοηδρομέω.

Βοήθαρχος, ὁ, Anführer der Hülfstruppen, βοήθεια. —θεια, ἡ, Hülfe, Beystand, Unterstützung, Hülfstruppen, Rettung; von —θέω, ῶ, wie βοηδρομέω, v. θέω u. βοή, im Laufen schreyen, beym Thucydides; od. dem Geschrey zulaufen, mithin zu Hülfe eilen, helfen, beystehen, retten; dav. —θημα, ατος, τὸ, Hülfe, Beystand; Mittel, Hülfsmittel; dav. —θηματικὸς, ἡ, όν, und βοηθητικὸς, zum helfen gehörig, was helfen kann, helfend. βοηθητικὴ δύναμις, Hülfsmacht. —θοος, ὁ, ἡ, und βοηθὸς, ὁ, ἡ, helfend, beystehend; als subst. Helfer, Beystand. S. βοηθέω. —λασία, ἡ, das Treiben od. Wegtreiben der Rinder; und weil dies die gewöhnlichste Art von Räuberey in den ältesten Zeiten war (Homer Il. 1, 154) so heisst es überhaupt auch Plünderung, und jede Beute; von —λατέω, ῶ, Ochsen treiben, d. i. wegtreiben oder stehlen; davon —λάτης, ου, ὁ, fem. —άτις, ἡ, (ἐλάτης), einer der Ochsen treibt, regiert oder wegtreibt; davon —λατικὸς, zum Ochsentreiber, Hirten oder Ochsendiebe gehörig, oder ihm eigen. —λάτις, s. βοηλάτης.

Βόημα, ατος, τὸ, (βοάω) s. v. a. βοή. —νόμος, ὁ, ἡ, und βοήνομος, ὁ, ἡ, s. v. a. βοινόμος und βούνομος.

Βόης, ου, ὁ, Lucian Lapith. 12 βόην ἀτεχνῶς ὄντα wo die Handschr. richtiger βοὴν (im Streite) ἀγαθὸν ὄντα haben. —σις, εως, ἡ, u. βοητὺς, υος, ἡ, (βοάω) das Schreyen, Rufen; auch s. v. a. βοή.

Βοθρεύω, βοθρίζω und βοθρόω (βόθρος) eine Grube machen, vertiefen, oder vergraben. Chirurg. vet. p. 113. 117. —θρίζω und βοθρίον, τὸ, s. βοθρεύω und βόθρος. —θροειδής, ές, grubenförmig, ausgehöhlt, vertieft. —θρος, ὁ, od. βόθυνος, ὁ, Grube, Hölung, Loch, Graben, gegrabener Brunnen. Beyde scheinen von βέθος herzukommen. —θρόω, s. βοθρεύω.

Βόθυνος, ὁ, s. βόθρος.

Βοιδάριον, oder βοΐδιον, τὸ, eine kleine junge Kuh, Ochse, Rind.

Βοϊκὸς, ἡ, όν, vom Rinde. —κλεψ, πος, ὁ, (κλέπτω) Ochsendieb.

Βοϊστὶ, nach Rinderart; zweif. βοϊστὶ λαλεῖν in der Ochsensprache reden. Porphyr. Pythag. 24.

Βοιωταρχέω, von βοιωτάρχης, ου, ὁ, ein Böotarch, einer von den ersten Magistratspersonen der Thebaner seyn. —τιάζω, und βοιωτίζω, ich mache es, wie die Böotier, mithin ich begünstige sie, oder ich spreche wie sie.

Βολαῖος, αία, αῖον, zur βολὴ gehörig, oder von der βολή, vom Wurfe, zum Wurfe gehörig; auch s. v. a. βάλλων od. βληθεὶς, als θύννος βόλαιος, ein gestochener Thunfisch. —αυγέω, Manetho 4, 272 s. v. a. αὐγὰς βάλλω scheinen, glanzen.

Βολβάριον, τὸ, und βόλβιον, τὸ, ein kleiner βολβὸς, Bolle, Zwiebel. Bey Epict. 7. s. v. a. d. folgd. —βίδιον, τὸ, in zwey Stellen des Hippokr. werden βολβίδια mit σηπίδια oder πολυπόδια zusammen genennt; wo Galen βολβίτια hat und durch das gemeinere βομβύλια, eine Art von kleinen *Polypis*, Blackfische erklärt. Es ist die Art, welche Aristotel. Thierg. 4. 1. βολίταινα und ὄζολις Athenaeus βολβοτίνη oder βολβιτίνη und Epicharm. Athen. 7 p. 318 δυσώδης βολβῖτις von ihrem Geruche nennt. —βίνη, ἡ, eine Art von βολβὸς, Theophr
Plin. 19, 5. Athenae. 2
von Farbe. —βιτον, τὸ
τος, ὁ, attisch, βόλιτον,
gentlich Rinder-Ochsen
den; daher bey Aristoph. im komischen statt der Ochsen; 2) jeder Mist, Koth; dav. *imbulbitare*. —βοειδής, έος, ὁ, ἡ, zwiebelförmig, zwiebelartig. —βὸς, ὁ, *bulbus*, eine essbare, nicht zu bestimmende Art von Zwiebel oder Bollengewächse, welches wild wuchs, aber auch gebaut und häufig von reichern und ärmern als eine starkende Nahrung genossen ward; daher jede runde zwiebel- oder bollenartige Wurzel, wie wir jetzt Bolle und Zwiebel von der Wurzel der Tulpen, Hyacinthen, Narzissen u. s. w. brauchen. Das lat. *volvus*, *volva*, *vulva*, *convolvulus* hat einerley Ursprung und bezeichnet die Beschaffenheit der über-

einander gewickelten Häute, woraus die Wurzel beſteht.

Βολβοφάκη, ἡ, mit Linſen gekochte βολβοὶ, *bulbi* Athenae. p. 584. —**βώδης**, εος, ὁ, ἡ, ſ. v. a. βολβοειδής.

Βολέω, ῶ, ſ. v. a. βάλλω; von βολὴ gemacht. —**λεὼν**, ὁ, (βολὴ) der Ort, wo man etwas aufbewahrt, alſo auch eine Miſtgrube; daher σιτοβολεὼν, ein Kornboden, Magazin. —**λὴ**, ἡ, (βάλλω, βέβολα) Wurf, das Treffen, Verwunden; vergl. βάλλω. Bey Oppian. Hal. 5, 401 βολὴ σιδηρείη ſt. βέλος; davon —**λίζω**, ein Senkbley werfen, mit dem Senkbley die Tiefe unterſuchen; ſ. das folgd. —**λὶς**, ίδος, ἡ, (βολὴ) das geworfene, als Pfeil, Wurfſpieſs; im Schiffe das ausgeworfene Senkbley, um die Tiefe zu unterſuchen; davon βολίζω: ἀστραπῶν βολίδες, das Schieſsen der Blitze. Vergl. Plin. 2, 12. —**λιστικὸς**, bey Plutarch. Sol. Anim. p. 69. τὰ βολιστικὰ καλούμενα verſt. γένη ſ. v. a. χυτοὶ ἰχθύεις. —**λίτινος**, ίνη, ινον, vom Miſte; v. —**λιτον**, τὸ, u. βόλιτος, ὁ. S. βόλβιτον und βόλβιτος.

Βολοκτυπία, ἡ, (βόλος, κτυπέω) der Schall vom Würfelwurf, der Würfelwurf ſelbſt; Schall von fallenden. —**λομαι**, ſtatt βούλομαι, Il. 11, 319. —**λος**, ὁ, Wurf, ſey's mit dem Würfel oder dem Netze; daher Fang, ſo auch das Zahnen. —**λωσία**, ἄρτεμις, bey Procop. bell. goth. 4, 22. ſo heiſst auch die εἰλείθυια oder *Lucina* nach dem Etymol. M. von βολαὶ d. i. ὠδῖνες.

Βομβάζω. S. in πύπαξ. —**βαίνω**, od. βομβέω, ſumſen, wie Bienen, überhaupt einen tiefen und dumpfen Ton von ſich geben. S. in βομβύω. —**βαξ**, S. in πύπαξ. —**βαύλιος**, ὁ, im komiſchen Sinne gleichſam αὐλήτης, mit Anſpielung auf βομβύλιος, die Hummel, Ariſtoph. Ach. 866. —**βέω**, ſ. βομβαίνω; dav. —**βηδὸν**, ſumſend. —**βήεις**, ήεσσα, ῆεν, ſ. v. a. βομβητικός. —**βησις**, ἡ, das Sumſen, der tiefe, dumpfe Ton, βόμβος. —**βητικὸς**, ή, όν, ſumſend, einen tiefen und dumpfen Ton gebend od. darzu eingerichtet. —**βος**, ὁ, das Sumſen (der Bienen und Hummeln); ein jedes ähnlich. Geräuſche od. ein tiefer und dumpfer Ton, lat. *bombus*. S. βομβύω. —**βύλη**, ἡ, ſ. βομβύω. —**βυλιάω**, βομβυλιὸς, ὁ, und βόμβυλος. S. in βομβύω, Ariſtot. H. A. 9, 40.

Βόμβυξ, υκός, ὁ, Seidenraupe; 2) ein Theil der Flöte, Pollux. 4, 20. auch eine Art von Flöte, derſ. 4, 82. daher βομβυκίας κάλαμος, Theophr. H. P. 4, 12. daher beym Ariſtotel. de audibil. die Luftröhre der Vögel; und βομβύκια, die Inſekten, welche ſonſt ἐγκέλαδοι heiſsen. Bey Nicomach. Muſic. p. 20 κατὰ τὸ βομβυκέστερον, d. i. in dem groben Tone, ſonſt βόμβος.

Βομβύω, dieſes Stammwort muſs man zu mehrern Ableitungen annehmen, obgleich nur die Formen βομβάω, βομβάζω, βομβαίνω und βομβέω von den alten Grammatikern angemerkt worden ſind. Die Hauptbedeutung zeigt ein dumpfes hohles Getöſe oder Ton an, dergl. die Bienen, Hummeln, Mükken von ſich geben; daher βομβοῦσα, βομβήεσσα μέλισσα; bey Ariſtoph. βομβοῦσαι κώνωπες. Auch den hohlen Bauchton der gurrenden (girrenden) Tauben bezeichnet es: βομβῆσαι ὡς περιστερὰ φωνῆσαι, bey Heſychius; ferner das Gemurmel des Donners, das Wiedertonen einer Höhle, des Ohres (das ſogenannte Sauſen *tinnire*) βομβεῦσιν ἀκοαί μοι Sappho; endlich auch den Ton, welchen Feuchtigkeiten geben, indem ſie tropfenweiſe aus dem engen Halſe einer Flaſche oder andern engen Gefäſses kommen; daher βομβύω, βόμβυλος, bey Suidas βόμβυλον, σκεῦος στρογγυλοειδές; bey Heſych. βομβυλην, λήκυθον als Adject. von Gefaſsen mit engen Halſen, welche einen βόμβον von ſich geben, wenn ſie ausgeleeret werden; daher βομβυλιὸς oder βομβύλιος, ὁ, eine Art von ſumſender Biene, die Hummel, auch andre Arten von Inſekten; ferner eine Art von Flaſchen oder Gefaſsen mit engem Halſe, woraus die Feuchtigkeit tropfenweiſe gluchſt; daher bey Heſych. βομβυλὶς, πομφόλυξ der gluchſende Tropfen. Von βομβύω iſt auch βέμβυξ lakon. βόμβυρ ſtatt βέμβυς, ein Inſekt, urſprunglich ein ſummendes, wie βομβύλιος, und eine Art von Flöte. Die Lateiner haben *bombus* auch vom Tone des *cornu*, einer Art von groſsem Waldhorn gebraucht. Das Wort βομβυλιάζω wird aus Ariſtot. Probl. angeführt vom Bauchgurren: διὸ καὶ βομβυλιάζουσιν οἱ δεινῶς δεδιότες. S. auch βόμβυξ.

Βόνασος, ὁ, lat. *bonaſus*, eine Art wilder Ochſen, wie der Auerochs.

Βονθυλευσις, βονθυλεύω. S. ὀνθυλεύω.

Βοοβοσκὸς, ὁ, (βόσκω) Ochſenhirt. —**γληνος**, ὁ, ἡ, ſ. v. a. βόωψ, v. γλήνη. —**δμητὴρ**, ρος, ὁ, od. βοοδμητὴς, οῦ, ὁ, Ochſenbändiger oder Wurger. Quint. Smyrn. —**ζύγιον**, τὸ, (ζυγὸς) ein Geſpann Ochſen. —**θύτης**, ſ. v. a. βουθύτης. —**κλόπος**, ὁ, ſ. v. a. βοϊκλεψ. —**κρανος**, ὁ, ἡ, ſ. v. a. βούκρανος. —**κτασία**, ἡ, (κτείνω) Ochſenſchlachten. —**νόμος**, βοοσφαγία, ἡ, βοοτρόφος, ſ. v. a. βουνόμος, βουσφαγία, u. βουτρόφος.

Βορά, ἡ, Fraſs, Weide, Speiſe; von βόω, βόσκω; davon —ράζω, ſ. v. a. τρέφω. —ρασσος. S. βούρασσος. —ρατὸν, τὸ, bey Diodor. 2, 49. wo vorher ἀγύραιον ſtand, ſ. v. a. βράθυ.

Βορβορίζω, (βόρβορος) wie Schlamm oder Miſt ſeyn; nach Schlamme oder Miſte riechen. —βορόθυμος, ὁ, ἡ, nach Schlamme oder Miſte riechend, ſtinkend, zweif. —βοροκοίτης, ὁ, (κοίτη) im Schlamme, Miſte, Schmutze liegend. —βορος, ὁ, Miſt, Koth, Schmutz, Schlamm, *coenum*, *lutum*. —βοροτάραξις, ὁ, ein komiſches Wort, einen Unruheſtifter (Wirbelkopf) zu bezeichnen, der das Waſſer trübe u. zu Schlamme macht und darinne rührt, *qui aquam conturbat in coenum et lutum*. v. ταράσσω u. βόρβορος. —βορόω, bemiſten, beſchmutzen, in Schlamm od. Koth verwandeln. —βορυγὴ, ἡ, od. βορβορυγμὸς, ὁ ſ. d. folgd. —βορύζω, drückt das hohle Getöſe im Bauche und in den Därmen aus, von Menſchen und Vieh; z. B. bey Suidas vom Kameele, welches dieſes Gepraſſel im Magen od. Bauche oft hören läſst: σύνθημα δ᾽ ἐστι ταῖς καμήλοις τοῦ καθέζεσθαι ὁ τοιοῦτος ἦχος. Er hatte nämlich das abgeleitete βορβορυγμὸς durch ἦχος ἐκ τοῦ στόματος erklärt. Es heiſst auch βορβορυγὴ, ἡ, das Kurren, Kunkſen im Leibe oder in den Gedärmen und wird auch κορκορυγέω, κορκορυγμὸς, ὁ, u. κορκορυγὴ geſchrieben. S. ἀναβορβορύζω.

Βορέας, ου, ὁ, auch βοῤῥᾶς, ὁ, der Wind, *aquilo*, den wir Nord-Nord-Oſt nennen. —ρεῆτις, u. βορεῶτις, ιδος, ἡ, fem. eben das, was βόρειος, ὁ, ἡ, nördlich. —ρεύς, ὁ, ſ. v. a. βορέας, Arat. διοσ. 351. —ρὸς, ρὰ, ρὸν, (βορὰ) gefräſsig.

Βόσις, εως, ἡ, (βόω) Weide, Speiſe.

Βοσκάδιος, ια, ιον, was weidet, gefüttert wird; von —κὰς, άδος, (βόσκω) eine Haushenne; 2) eine Entenart. 3) eine Sorte von trockenem Peche. —κέω, ſ. v. a. βόσκω. —κὴ, ἡ, das Futter, Geopon. —κημα, ατος, τὸ, (βοσκέω) Vieh auf der Trift, Vieh auf der Maſt, Maſtvieh; od. überh. Vieh; davon —κηματώδης, ες, viehartig, viehmäſsig. —κησις, εως, ἡ, (βοσκέω) das Weiden, Füttern, Trift. —κὸς, ὁ, Hirte, Anal. Brunk. 2 p. 107.

Βόσκω, weiden, weiden laſſen, auf die Weide treiben; das fut. und andre tempora werden von βοσκέω entlehnt.

Βόσμορος, verdorbner Name einer Frucht bey Strabo; auch βόσπορος. —πορος, ὁ, der Name einer Meerenge, *boſporus thracicus* u. *cimmerius*, vom Durchgange, πόρος, eines Rindes, βοῦς benennt.

Βόστρυξ, χος, ὁ, oder βόστρυχος, dim. βοστρύχιον, Locke, krauſes Haar; auch die *viticulae*, womit der Wein und Kürbiſſe ſich anhalten und ranken. Bey Oppian. Ixeut. 2, 7. eine Meerpflanze; ſcheint mit βόστρυξ, βόστρυς u. βότρυς einerley zu ſeyn. —στρυχηδὸν, Adv. wie gekräuſelt, lockenartig. —στρυχίζω, od. βοστρυχόω, (βόστρυξ) kräuſeln, in Locken legen. —στρύχιον, dimin. v. βόστρυχος. —στρυχόω, ſ. v. a. βοστρυχίζω. —στρυχώδης, εος, ὁ, ἡ, nach Art einer Locke oder βόστρυχος.

Βοτάμια, ων, τὰ, bey Thucyd. 5, 153. wird durch Weideplatze erklärt, iſt aber fehlerhaſt. —τάνη, ἡ, Kraut, Graſs, Pflanze, Futter, Unkraut: von βόω, βόσκω, βοτὸς, βοτέω, welches Heſych. hat und βοτάω, βοτανὸς, βοτάνη; davon —νίζω, jäten, Unkraut ausziehen. —νικὸς, ἡ, ὸν, botaniſch, zu den Kräutern gehörig; davon βοτανικὴ, (τέχνη) Krauterkunde. —νιον, τὸ, dimin. v. βοτάνη. —νισμὸς, ὁ, das Jäten, Ausziehen des Unkrauts. —νολογέω, ῶ, (λέγω) Kräuter ſammeln, Unkraut ausſuchen. —νώδης, εος, ὁ, ἡ, kräuterartig oder krauterreich.

Βότειρα, ἡ, βοτὴρ, ὁ, u. βοτὴς, ὁ, (βόω) die Hirtin, der Hirte. —τέω. S. in βοτάνη. —τηρικὸς, ἡ, ὸν, dem Hirten, βοτὴρ, gehorig.

Βοτὸν, τὸ, ſ. v. a. βόσκημα. —τὸς, ὁ, ſ. v. a. βοσκὴ u. τροφὴ bey Suidas.

Βοτρύδιον, τὸ, eine kleine Traube; 2) ein ihr ähnlicher Ohrſchmuck. —τρυδὸν, Adv. traubenartig. —τρυόδωρος, ὁ, ἡ, (δῶρον) traubengebend. —τρυόεις, όεσσα, όεν, traubenartig, traubig. —τρυόκοσμος, ὁ, ἡ, mit Trauben geſchmückt. —τρυον, τὸ, Lucian. Bacch. 2 βοτρύοις ſ. v. a. βότρυς in τροπομάσθλης. —τρυόπαις, αιδος, ὁ, ἡ, traubenzeugend, od. von Trauben gezeugt. —τρυοσταγὴς, έος, ὁ, ἡ, aus Trauben tröpfelnd, στάζω. —τρυοστέφανος, ὁ, ἡ, mit Weintrauben bekränzt. —τρυοχαίτης, ου, ὁ, das Haar mit Weinlaub od. Trauben durchflochten. —τρυόω, ἄμπελος βοτρυοῦται, ſetzt Trauben an Theophr. C. Pl. 1, 22.

Βότρυς, υος, ὁ, Traube, Traubenſtengel; ſcheint mit βόστρυχος einerley zu ſeyn, v. βόστρυξ βόστρυς, βότρυς od. eigentl. die *viticulas vitis*, womit der Weinſtock im Ranken ſich anhängt, zu bedeuten, aber auch die Trauben.

Βοτρυφόρος, ὁ, ἡ, traubentragend. —ώδης, εος, ὁ, ἡ, traubenartig.

Βούβαλις, ιδος, ἡ, u. βούβαλος, ὁ, bey den älteſten Schriftſtellern eine afrikaniſche Hirſch- oder Gazellenart, ſo wie βούβαλος; bey den ſpatern nennte man den Büffel βούβαλος.

Βουβόσιον, τὸ, (βόσκω) Ochſentrift, Aue, Wieſe. —βοσις, ἡ, (βόσκω) bey Heſych. ſ. v. a. βούβρωστις. —βότης, ου, ὁ, (βόσκω) Ochſenhirt. —βοτος, ὁ, ἡ, ſ. v. a. βούνομος, von Ochſen beweidet, reich an Weide für Rinder. —βρωστις, εως, ἡ, Heiſshunger; Armuth; auszehrender Kummer.

Βουβών, ὁ, *inguen*, die Theile u. Drüſen neben der Schaam; 2) eine Geſchwulſt derſelben. S. φύγεθλον. —νιάω, ῶ, ich habe eine Geſchwulſt der weichen Theile und Drüſen neben der Schaam. —νιον, τὸ, der attiſche Aſter, eine Pflanze gegen βουβὼν nützlich. —νοκήλη, ἡ, ein Bruch, wo die Därme in der Seite oder im Schooſse, βουβὼν, austreten; davon βουβωνοκηλικὸς, was dahin, dazu gehöret. Paulus Aegin. 6, 66.

Βουγάιος, ὁ, ἡ, ein Beywort des Helden beym Homer, über deſſen Auslegung ſchon die Alten uneinig waren; am beſten erklärt man es wohl dem Homeriſchen Begriffe gemäſs, der ſich ſeiner ungeheuern Stärke freut, ſich deren rühmt (γαίω), μεγάλαυχος wie es Plutarch erklärt. —γενής, έος, ὁ, ἡ, ſ. v. a. βοηγενής. —γλωσσον, τὸ, od. βούγλωσσος, ὁ, Ochſenzunge, ein Kraut; 2) eine Schollenart, beyde von der Geſtalt. —δόρος, ὁ, ἡ, (δέρω) die Ochſen abſtreifend, Heſiod. ἔργ. 540 tödtend; βούδορος, vom Ochſen abgezogen, abgeſtreift. —δρομέω, ῶ, ſchnell laufen; und βουδρομία, der ſchnelle Lauf werden aus dem Schol. Demoſth. angeführt, ſind aber wahrſcheinlich aus βοηδρομέω u. βοηδρομία verderbt. —δύτης, ὁ, (βοῦς, δύω) ein kleiner Vogel bey Oppian. Ixeut. 3. 2. wie unſre Kuhſtelze. —ζύγιος, ὁ, ἡ, was zum Anjochen der Ochſen oder zum Βυζύγης, einer in Athen verehrten Perſon, deſſen Abkömmlinge eben ſo hieſſen, gehöret.

Βουθερής, έος, ὁ, ἡ, (θέρω) die Rinder im Sommer weidend. λειμὼν Soph. Trach. 191. —θόρος, ὁ, (θόρω) der die Kühe beſpringt. —θυσία, ἡ, (θύω) das Rinderſchlachten, das Rinderopfern. —θυτέω, ῶ, Rinder ſchlachten, opfern; davon —θύτης, ου, ὁ, Rinderſchlachtend od. opfernd. —θυτος, ὁ, ἡ, zum Rinderopfer gehörig od. damit verbunden.

Βουκαῖος, ὁ, d. lat. *bubulcus*, der mit Ochſen pflügt. Theocr. 10. wo man es auf mancherley Art erklärt. —κανάω, Polyb. 6, 35. ſoll βυκανάω heiſsen. —κάπη, ἡ, Ochſenkrippe. —κάρδιος, ὁ, λίθος, das Ochſenherz, eine Steinart, von βοῦς, καρδία. —κεντρον, τὸ, Ochſenſtachel, ſtatt unſerer Peitſche. —κέρας, τὸ, *foenum graecum*, eine Pflanze von den gebogenen Schoten, Bockshorn. —κερως, ὁ, ἡ, mit Ochſenhörnern (κέρας); 2) die vorige Pflanze. —κέφαλος, ὁ, ἡ, (κεφαλὴ) mit einem Ochſenkopfe, ochſenköpfig. —κινίζω, d. lat. *buccino*, ich blaſe auf der Trompete. Sept. Emp. 6, 24.

Βουκολέω, ῶ, (βουκόλος) Ochſen weiden; überh. weiden; dav. wie im lat. *paſco* u. *lacto*, hinhalten, tröſten, täuſchen z. B. ἐλπίσι βουκολοῦμαι, ich laſſe mich durch Hoffnung hinhalten. Auch neutr. weiden, umherſchweifen, umherirren nach Art des weidenden Viehes, wie im lat. umgekehrt *errare* weiden heiſst; dav. —λημα, ατος, τὸ, Unterhaltung, Troſt, Erquickung. —λησις, ἡ, das Weiden der Ochſen; das Unterhalten, Täuſchen, Tröſten. S. βουκολέω. —λία, ἡ, eigentl. ſ. v. a. βουκόλησις, aber auch ſ. v. a. βουκόλιον, τὸ. —λιάζω, f. άσω, dav. άζω, ein Hirtenlied dichten, ſingen; davon —λιασμὸς, ὁ, das Singen eines Hirtenliedes, ein Hirtengeſang; und —λιαστὴς, οῦ, ὁ, ein Hirtenliedſänger. —λικὸς, ἡ, ὸν, dem Hirten od. Hirtenliede gehörig, ihm eigen. —λιον, τὸ, Ochſenheerde. —λὶς, ἡ, gut, geſchickt zur Weide, Fütterung der Ochſen, γῆ u. πόα bey Dionyſ. Halic. —λος, ὁ, ἡ, (κολέω, *colo*) einer der Rinder pflegt, füttert, ein Ochſenhirt, Hirt überhaupt, πτερόεις, Aeſchyl. Sup. 566 ſ. v. a. βουτύπος od. μύωψ, Bremſe.

Βουκόρυζα, ἡ, groſser Schleim in der Naſe; groſser Schnupfen; groſse Dummheit. —ρυζος, ὁ, ἡ, der viel Schleim, Rotz in der Naſe hat; ſehr dummer Menſch.

Βοῦκος, ὁ, dor. βῶκος, ſ. v. a. βουκαῖος.

Βουκράνιος, zum Ochſenkopfe gehörig od. ihm gleichend; von —κρανον, τὸ, Ochſenkopf, κράνον, ein von Ochſenfell gemachter Helm; dav. —κρανος, ον, mit einem Ochſenkopfe.

Βουλαῖος, αία, αῖον, (βουλὴ) zum Rathe, Rathhauſe gehörig; oder Rath gebend, ζεὺς, θέμις u. dergl. Urheber, Quell des Raths.

Βουλαρχέω, ῶ, (ἄρχων) der Erſte im Rathe ſeyn; von —αρχος, ὁ, Vorſteher, der Erſte im Rathe.

Βουλεία, ἡ, Rathswürde od. Amt eines Rathmannes. —λεῖον, τὸ, (βουλεύω) Rathhaus.

Βούλευμα, ατος, τὸ, (βουλεύω) Rath, Rathſchluſs, Entſchluſs, Beſchluſs. —λευσις, εως, ἡ, Berathſchlagung, Ueberlegung. —λευτήριον, τὸ, ſ. v. a. βουλεῖον; auch der Rath, die Rathsverſammlung; eigentl. das neutr. von βουλευτήριος, ὁ, ἡ. —λευτὴς, οῦ, ὁ, einer, der im Rathe ſitzt, Rathmann, Rathsherr. —λευτικὸς, ἡ, ὸν, was dem ganzen Rathe od. dem einzelnen Rathmanne zukommt, von ihm gefordert wird; z. B. β. ὅρκος, der Eid, den ein Rathmann schwören muss. τὸ β. subst. die Rathsversammlung.

Βουλευτὸς, ή, όν, zu überlegend, worüber berathschlagt werden muss.

Βουλεύω, im Rathe seyn, ein Rathmann seyn. Daher denn rathen, berathen, näml. für einen andern, als β. τινὶ καλὸν od. κακὸν Glück od. Unglück für jemand beschliessen, wohl od. übel jemanden berathen. βουλεύεσθαι med. sich entschliessen, sich berathen, für sich einen Entschluss fassen. —λή, ή, der Rath, den ich gebe od. bekomme, daher Vorhaben, Wille, Entschluss; der Rath als Person, die Rathsversammlung, z. B. ἡ ἐν Ἀρείῳ πάγῳ βουλή, *Senatus*, der Ort, wo Rath gehalten wird, d. i. Rathhaus. —λημα, ατος, τὸ, das Gewollte, der Wille, Befehl. —λητικὸς, ή, όν, zum Wollen gehörig; τὸ βουλητικὸν, der Wille. —λητὸς ή, όν, was man will, od. was man wollen, wünschen kann. τὸ βουλητὸν, der Wille. —ληφόρος, ὁ, ή, (φέρω) Rathgebend od. bringend.

Βουλιμία, ή, od. βουλιμίασις, ή, od. βούλιμος, ὁ, Heisshunger, vorzüglich eine Krankheit, wo man auf Reisen in der Kälte ohnmächtig hinfällt, und durch einen Bissen, den man verschluckt, wieder zu sich kommt; von βουλιμία kommt —μιάω, ῶ, od. βουλιμώττω, den Heisshunger haben, am Heisshunger leiden. —μος, ὁ. S. βουλιμία.

Βούλιος, ὁ, ή, (βουλή) Aeschyl. Choeph. 670. βουλιώτερόν τι, st. βουλευτικώτερον. —λομαι, wollen, wünschen. ὁ βουλόμενος seys, wer es wolle, ein jeder, der will; von der Form βουλέομαι ist das fut. βουλήσομαι u. andre tempora. —λόμαχος, ὁ, ή, (μάχη) streitsüchtig.

Βουλυσις, εως, ή, od. βουλυτὸς, ὁ, die Zeit, wenn man Ochsen ausspannt, λύω, Abend; wovon βουλύσιος ὥρα eben so viel bey Arat. Dios. 387. In der eigentl. Bedeut. hat Philostr. heroic. 20. τὰ ζευγάρια ἐκ βουλυτοῦ ἥκει kommen aus dem Joche, wovon sie befreyt worden sind, also eigentl. die Ablösung vom Joche.

Βούμασθος, od. βούμαστος, ὁ, ή, verst. ἄμπελος, eine Rebenart, mit grossen Beeren, *bumastus*. —μελία, ή, eine Eschenart, *bumelia*. —μολγὸς, ὁ, (ἀμέλγω) Kühemelkend, subst. Kuhmelker.

Βούμυκοι od. βούμυκαι, das Ochsengebrülle; eine Art von unterirdischem Getöse. Aristot. Probl.

Βούνεβρος, ὁ, ein grosses Kalb von einem Hirsche od. ein grosses Reh, νεβρὸς, wie βούπαις. —νιας, ή, eine Rübenart, lang, da γογγύλη, γογγυλὶς die runde Rübe *rapum*, βουνιὰς *napus* ist. —νίζω, (βουνὸς) aufhäufen. —νιον, τὸ, eine Pflanze Dioscor. 4. 124. welche Plinius falsch durch *napus* übersetzt und also mit der langen Rübe βουνιὰς verwechselt hat; denn βούνιον trägt eine Dolden-Blume. —νὶς, ίδος, ή, Dimin. von βουνὸς, od. auch s. v. a. βουνιάς. Bey Aeschyl. Suppl. 124. βοῦνις s. v. a. γῆ, Land.

Βουνοβατέω, ῶ, ich gehe, trete auf Hügeln. —νοειδὴς, ὁ, ή, was die Gestalt, εἶδος, eines Hügels hat, hügelich. —νομος, ὁ, ή, (νέμω) von Rindern behütet, abgeweidet; βουνόμος, ὁ, ή, Rinder hütend oder weidend. —νοπατέω, ῶ, s. v. a. βουνοβατέω.

Βουνὸς, ὁ, Hügel, Anhöhe, Anhäufung, Hause. —νώδης, εος, ὁ, ή, s. v. a. βουνοειδής.

Βούπαις, αιδος, ὁ, ein grosser Junge; auch s. v. a. γενής, ein Beywort der Bienen, die sich aus einem in Fäulniss übergegangenen Ochsen erzeugen sollten. —παλις, ή, βουπάλεως δῶρον ἀεθλοσύνης Anthol. v. πάλη u. βοῦς, welches die Bedeut. vermehrt, s. v. a. εὔπαλος. —παλος, der Name eines Mannes, den Hipponax in seinen Gedichten geschändet hatte; davon βουπάλειος. —πάμμων, ονος, ὁ, ή, (πάομαι) Ochsenreich, der viel Ochsen, Rinder besitzt. —πεινα, ή, Heisshunger, grosser Hunger. —πελάτης, ου, ὁ, (πελάζω) Ochsentreiber, Ochsenhirt. —πλάστης, ου, ὁ, (πλάττω) der Ochsen od. Kühe bildet, formt. —πλευρον, τὸ, *bupleurum*, eine doldentragende Pflanze. —πληκτρον, τὸ, s. v. a. βούκεντρον. —πλὴξ, ῆγος, ὁ, ή, den Ochsen, die Kuh schlagend, stechend. βουπλὴξ, ή, *stimulus*, Lucian. Philopatr. 4. —ποίμην, ενος, ὁ, Ochsenhirt. —πόλος, ὁ, (πολέω) Ochsenhirt. —πόρος, ὁ, ή, (πείρω) ochsendurchspiessend. ὀβελίσκος, Spiess, womit man einen Ochsen aufspiessen könnte. —πρηστις, εως, ή, (πρήθω) der Name eines giftigen Käfers, *buprestis*, dessen Gift die Kühe aufbläht; 2) eine Gemüssart, Pflanze. —πρωρος, ὁ, ή, mit dem Vordertheile od. dem Gesichte eines Ochsen. β. ἑκατόμβη Plutar. Symp. Q. 4, 4. ein Opfer von 100 Schaafen und einem Ochsen voran.

Βούρασσος, auch βόρασσος, ὁ, die in ihrer Decke eingeschlossene Frucht der Palme.

Βοῦς, βοὸς, ὁ, ή, Ochse oder Kuh, Rind; γέῤῥα λευκῶν βοῶν Schilde von weissen Rindern od. Rindsfellen.

Βουσκαφέω, ῶ, (βοῦς, σκάπτω) bey Lycophr. 434 untergraben, zerstören.

Βουστάδιον, τὸ, od. βούσταθμόν, τὸ, βουστασία, ἡ, βουστάσιον, τὸ, βούστασις, ἡ, Stelle für Ochſen, Ochſenſtall. —**στροφηδὸν**, Adv. (στρέφω) wenn man ſich nach Art der pflügenden Ochſen umwendet, von der Linken zur Rechten und dann von der Rechten zur Linken. Daher die Buſtrophedon-Schrift. —**στροφος**, ὁ, ἡ, (στρέφω) von Ochſen umgewendet, gepflügt.

Βουσφαγέω, ῶ, (σφαγὴ) Ochſen ſchlachten; davon —**σφαγία**, ἡ, das Ochſenſchlachten.

Βούτης, ου, ὁ, Ochſenhirt. —**τιμος**, ὁ, ἡ, (τιμὴ) was den Werth eines Ochſen hat, einen Ochſen werth. —**τινόν**, τὸ, auch βούτιον u. βοῦτις, ἡ, von βύτις; eine Art von Flaſchen. S. βυτίνη. lat. *buttis*. —**τομον**, τὸ, auch βούτομος, ὁ, (βοῦς, τέμνω) eine Sumpfpflanze. —**τορος**, ὁ, ἡ, (τείρω) ſ. v. a. βούπορος. —**τράγος**, ὁ, Stierbock. Philoſtr. Apol. 6, 24. —**τρόφος**, ὁ, ἡ, (τροφὴ) Ochſen haltend, fütternd. —**τύπος**, ὁ, ἡ, (βοῦς, τύπτω) der den Ochſen ſchlägt u. ſchlachtet. Apollon. 2, 91. 2) ſ. v. a. οἶστρος. —**τύρινος**, ίνη, ινον, von Butter. —**τυρον**, τὸ, Butter.

Βουφάγος, ὁ, ἡ, Ochſen freſſend, gefräſsig wie ein Ochſe. —**φθαλμον**, τὸ, (βοῦς, ὀφθαλμὸς) das Ochſenauge, eine Pflanze; *baphthalmum*. —**φονέω**, ῶ, Ochſen ſchlachten. —**φόνια**, τὰ, verſt. ἱερὰ, Feſt od. Opfer, wo Ochſen geſchlachtet werden; von —**φόνος**, ὁ, ἡ, der Ochſen ſchlachtet und opfert. —**φορβέω**, ῶ, (φορβὴ) Ochſen weiden; davon —**φόρβια**, τὰ, Ochſenweide; Ochſentrift. —**φορβὸς**, ὁ, ἡ, Ochſen nährend od. weidend.

Βουχανδὴς, έος, οῦς, ὁ, ἡ, (χάνδω) viel faſſend, eigentl. einen Ochſen faſſend. —**χιλὸς**, ὁ, ἡ, (χιλὸς) Ochſen oder Rinder nährend; futterreich.

Βοώνης, ου, ὁ, (ὦνος) Ochſenkäufer; zu Athen eine angeſehene Magiſtratsperſon, die für die Opfer die Thiere anſchaffte. —**ώνητος**, ὁ, ἡ, um einen Ochſen eingekauft. —**ώπης**, ου, ὁ, βοῶπις, ιδος, ἡ, farrenäugig, ſtieräugig, ochſenäugig, mit groſsen Augen; ein beſtändiges Beywort der majeſtätiſchen Here bey Homer.

Βοωτέω, ῶ, f. ήσω, pflügen, Heſiod. ἔργ. 391. davon —**ώτης**, ſ. v. a. βούτης, ου, ὁ, Ochſentreiber, Pflüger und —**ωτία**, ἡ, Cito in Geticis bey Suidas ſ. v. a. Ackerland, γεωργία.

Βραβεία, ἡ, das Amt eines βραβεύς, mithin die Anordnung bey Kampfſpielen und Austheilung der Preiſe. Daher auch bey andern Dingen Schiedsrichteramt, Entſcheidung, Feſtſetzung. —**βεῖον**, τὸ, Kampfpreiſs.

Βράβευμα, τὸ, (βραβεύω) der Kampfpreiſs. Nicetas Annal. 21, 3. —**βεύς**, έως, ὁ, od. βραβευτής, οῦ, ὁ, einer, der bey feyerlichen Kampfſpielen die Anordnungen macht und die Preiſe austheilet. Daher auch ein jeder andrer, der bey ähnlichen Fällen Belohnungen austheilet und Schiedsrichter iſt. —**βεύω**, ich bin ein βραβεύς, mithin ich ordne die Spiele an, theile die Preiſe aus; ordne, lenke eine jede andre ähnliche Sache u. theile dabey Belohnungen aus.

Βράβυλον, τὸ, auch βράβηλον, eine wilde Frucht, wie die Schlehen; der Strauch βράβυλος. Bey Aretaeus 4, 2. βράβυλα ἄγρια, wo man es Pflaumen giebt.

Βραγχαλέος, έα, έον, heiſer. —**χια**, τὰ, die Fiſchkiemen, *branchiae*, von βράγχος, τὸ, bey Oppian. H. 1, 160. welcher die Kiemen βράγχη στόματος πτύχας nennt. Man hat auch βαράγχη geſagt. —**χιάω**, od. βραγχάω, ῶ, Dio Caſſ. 63, 26. heiſer ſeyn. —**χιοειδής**, ές, nach Art der Fiſchkiemen. —**χιος**, ὁ, ἡ, θῆρες βράγχιοι, Aelian. H. A. 12, 45. die Thiere mit βράγχια, mit Kiemen, d. i. Fiſche.

Βράγχος, τὸ, ſ. v. a. βράγχιον. S. βράγχια.

Βράγχος, ὁ, Heiſerkeit; 2) βραγχὸς, heiſer, als Adject. —**χώδης**, ſ. v. a. βραγχιοειδής, od. nach Art der Heiſerkeit, βράγχος, wie heiſer.

Βράδος, τὸ, die Langſamkeit.

Βραδύγλωσσος, ωττος, ὁ, ἡ, von langſamer Zunge, Sprache. —**δυδινής**, έος, ὁ, ἡ, (δίνη) der ſich langſam, ſchwer umdreht oder bewegt. —**δύκαρπος**, ὁ, ἡ, von ſpäten Früchten. —**δυκίνητος**, ον, (κινέω) der ſich ſchwer, langſam bewegt, langſam geht. —**δύνοια**, ἡ, ſtumpfer Geiſt od. Verſtand. —**δύνοος**, contr. ους, ὁ, ἡ, mit oder von ſtumpfem Geiſte, Verſtande.

Βραδύνω, f. υνῶ, verweilen, verzögern: act. langſam machen, verzögern, aufſchieben. —**δυπειθής**, έος, ὁ, ἡ, (πείθω) langſam, ſpät zu überzeugen, zu überreden. —**δυπεπτέω**, ῶ, (πέπτω) langſam, ſchwer kochen od. verdauen; davon —**δυπεψία**, ἡ, langſame, ſchwere Verdauung, ſchwacher Magen. —**δύπλοέω**, ῶ, (πλόος) langſam ſchiffen. —**δύπνοος**, ὁ, ἡ, (πνοὴ) langſam oder ſchwer athmend. —**δυπορέω**, langſam gehen. —**δυπόρος**, ὁ, ἡ, langſam gehend, durch- od. übergehend. —**δύπους**, οδος, ὁ, ἡ, (πούς) mit langſamen Fuſse od. Schritte. —**δύς**, εῖα, ύ, Gen. έος, είας, έος, Adv. βραδέως, langſam, träge, vom Verſtande ſtumpf. Kompar. βραδύτερος auch βραδίων u. βράσσων, Superl. βραδύτατος βράδιστος u. βάρδιστος. Kommt von βάρος Schwere her; βαρὺς, βαρδὺς, βραδὺς.

Βραδυσκελὴς, έος, ὁ, ἡ, (σκέλος) von langſamen Schenkeln, Füſsen. Vergl. βραδύπους. —δυστομέω, ῶ, (στόμα) langſam, ſchwer ſprechen. —δύτης, ητος, ἡ, Langſamkeit, Trägheit, Stumpfſinn. —δυτόκος, ὁ, ἡ, langſam, ſchwer gebährend. —δυχρόνιος, ον, (χρόνος) ſpät an der Zeit, ſpat.

Βράζω, ſieden, aufbrauſen; daher ein aufbrauſender Geiſt βράζων νόος. 2) drückt auch die Stimme des Bären aus. Pollux 5, 58.

Βράθυ, τὸ, *herba ſabina*, der Sade-Sage-Sevenbaum.

Βράκαι, αἱ, *braccae*, Diodor. 5, 30. die Beinkleider der Gallier. —κανα, τὰ, eine unbeſtimmte Gemüſspflanze. Lucian. davon δυσβράκανος.

Βράσμα, ατος, τὸ, (βράζω) der herausbrauſende, herauskochende, od. durchs Brauſen, Sieden ausgeworfene Körper. —ματίας, ου, ὁ, ἄνεμος, ſ. v. a. βράστης. —ματώδης, εος, ὁ, ἡ, erſchütternd, gleichſam aufbrauſend, z. B. γέλως β. ein heftiges Gelächter.

Βράσσω, ich ſchwinge, ſiebe, fege, reinige Getraide. —σων, ὁ, ἡ, Il. 10, 226. ſt. βραχίων od. βραδύτερος; nach andern, wie γλύσσων ſt. γλυκύτερος.

Βράστης, ου, ὁ, eine Erderſchutterung, wo die Erde ſich ſo bewegt u. ſchwingt, wie das Sieb, worinne das Getraide geſiebt wird. (βράσσεται).

Βράχεα, oder βραχέα, τὰ. S. βράχος. —χιονιστὴρ, ὁ, (βραχίων) *torques*, Armband, Plut. Rom. 16. —χίων, ονος, ὁ, Arm; beym Vieh die Schulter; das lat. *brachium*. —χος, τὸ, wov. βράχεα u. βράχη, τὰ welches andere falſch βραχέα von βραχὺς ſchreiben; *brevia et ſyrtes* Virgil. faſt ſ. v. a. τένανος, ſeichte Stelle, wo das Waſſer flach iſt. Procop. b. Vand. 2, 1. βράχος ποιοῦσα εὐχ ἧσσεν. —χύβιος, ὁ, ἡ, von kurzem Leben. —χυβιότης, ητος, ἡ, das kurze Leben. —χυβλαβὴς, ὁ, ἡ, (βλάβη) von kurzem, geringen Schaden. —χυβωλος, ὁ, ἡ, von kurzer, kleiner Erdſcholle; Beyw. eines kleinen Stückchen Landes. —χυγνώμων, ονος, ὁ, ἡ, (γνώμη) von kurzem od. geringen Verſtande. —χύδρομος, ὁ, ἡ, von kurzem Laufe. —χυεπὴς, ὁ, ἡ, (ἔπος) von kurzer Rede, kurz im Sprechen. Adv. βραχυεπῶς. —χυκαταληκτέω, ῶ, (καταλήγω) kurz aufhören, d. i. ſich auf eine kurze Sylbe endigen oder zu kurz aufhören, d. i. um einen Fuſs zu kurz ſeyn. Von dem adject. gleicher Bedeutung βραχυκατάληκτος, ὁ, ἡ, auf eine kurze Sylbe ſich endigend. —χυκομέω, ῶ, (κόμη) kurzhaaricht ſeyn; das Haar kurz tragen. zweif. —χύκωλος, ὁ, ἡ, (κῶλον) kurzgliedrig. —χύλεκτος, ον, (λέγω) kurz in Reden, eigentlich kurz geſprochen. zw. —χυλογέω, ῶ, kurz reden, ſprechen; dav. —χυλογία, ἡ, die Kürze im ſprechen, reden. —χυλόγος, ὁ, ἡ, kurz im ſprechen, reden. —χυμέρεια, ἡ, die Eigenſchaft eines —χυμερὴς, ὁ, ἡ, (μέρος) der aus kurzen, kleinen Theilen beſteht. —χυμυθία, ἡ, ſ. v. a. βραχυλογία. —χύμυθος, ὁ, ἡ, ſ. v. a. βραχυλόγος. —χυντικὸς, ἡ, ὸν, zum verkürzen gut oder geſchickt.

Βραχύνω, f. υνῶ, verkürzen. —νωτος, ὁ, ἡ, (νῶτον) mit kurzem Rücken.

Βραχυόνειρος, ὁ, ἡ, der wenige o. kurze Träume hat. —παραληκτέω, ῶ, ich habe die vorletzte Sylbe kurz; v. —παράληκτος, ὁ, ἡ, deſſen vorletzte Sylbe kurz iſt. —πνοος, contr. πνους, ὁ, ἡ, (πνοὴ) kurz, mithin ſchwer athmend. Vergl. βραδύπνους. —πολις, εως, ἡ, kleine Stadt. zweif. —πορος, ὁ, ἡ, mit, von kleinen Wegen, Gängen, Poren. —πότης, ου, ὁ, der wenig trinkt. —ποτος, ὁ, ſ. v. a. das vorherg. —ῤῥιζία, ἡ, die Kürze der Wurzeln; von —ῤῥιζος, ὁ, ἡ, mit, von kurzer Wurzel.

Βραχὺς, εῖα, ὺ, Gen. έος, είας, έος, kurz von Zeit und Raum, klein, gering; z. B. βραχὺ παύεσθαι, ein wenig (auf eine kurze Zeit) ausruhen; βραχὺ τοξεύειν nicht weit ſchieſsen. Der Kompar. βραχύτερος, Superl. βραχύτατος, aber auch βραχίων, u. βράχιστος. —σίδηρος, ὁ, ἡ, von, mit kurzem oder wenigen Eiſen. —στελέχης, ου, ὁ, mit kurzem Stamme, στέλεχος. —στομία, ἡ, die Kürze oder Engigkeit des Mundes, der Oeffnung. —στομος, ὁ, ἡ, (στόμα) von, mit kurzem, engen Munde, Oeffnung. —συλλαβία, ἡ, Kürze der Sylben od. einer Rede. —σύλλαβος, ὁ, ἡ, als Beyw. von *pes* od. *numerus*, der wenig oder kurze Sylben hat. —σύμβολος, ὁ, ἡ, der einen kleinen Beytrag, σύμβολον, giebt. —τελὴς, έος, ὁ, ἡ, was kurz, bald zu Ende, τέλος, geht, kurz. —της, ητος, ἡ, Kürze. —τομέω, ῶ, (τομὴ) kurz ſchneiden od. abſchneiden. —τομος, ὁ, ἡ, kurz beſchnitten, geſchnitten; βραχυτόμος, ὁ, ἡ, kurz ſchneidend. —τονος, ὁ, ἡ, Plut. Marcel. 15. kurz geſpannt und nur in der Nähe treffend. —υπνος, ὁ, ἡ, von kurzem Schlafe, der wenig ſchläft. —φαγία, ἡ, das wenig eſſen, wenig od. geringe Koſt. —φεγγίτης, ὁ, (φέγγος) wenig, ſchlecht leuchtend. —φυλλος, ὁ, ἡ, mit kurzen Blättern, φύλλον. —χρόνιος, ὁ, ἡ, von kurzer Zeit oder Dauer.

Βραχύωτος, ὁ, ἡ, (οὖς) mit kurzen Ohren, Henkeln, Griffen.

Βράχω, davon ἔβραχε, Lärm, Getöse machen, rauschen, rasseln, brausen. Apollon. 2, 573. braucht es vom Schreyen des Menschen.

Βρέγμα, ατός, τὸ, od. βρεγμὸς, ὁ, auch βρέχμα u. βρεχμὸς, der Vorderkopf; der Schädel überhaupt.

Βρέμω, auch βρομέω, das lat. *fremo*; Hesych. hat auch βρέμομαι im medio; desgl. βρεμεαίνω, brummen, knirschen, tösen, Geräusch machen; vorz. vor Unwillen oder in Wuth und Zorn einen dumpfen Ton von sich geben.

Βρένθιον, od. βρένθειον, τὸ, eine Art von wohlriechender Salbe. —θος, ὁ, eine unbestimmte Art von Vogel, der am Wasser sich aufhält und stolze Gebärden macht, wie unser Kampfhuhn, *tringa pugnax*, dah. das Brüsten, stolze, übermüthige Gebarden, s. v. a. τύφος, davon den Namen hat; desgl. ist davon wie von σκώψ, σκώπτειν, abgeleitet —θύομαι od. βρενθύνομαι, welches die Gebarden eines stolzen, übermuthigen, eiteln Menschen ausdrückt.

Βρέξις, εως, ἡ, s. v. a. βροχή.

Βρέτας, αος, τὸ, ein hölzernes Bild der Gotter; daher βρετίεσσα ἄλκα Aeschyl. Sup. 893. st. βρετῶν.

Βρεφικὸς, ἡ, ὸν, Adv. βρεφικῶς, kindisch. —φοκτονία, ἡ, Kindermord; von —φοκτόνος, ὁ, ἡ, (κτείνω) kleine Kinder mordend; von —φος, εος, τὸ, (statt τρέφος od. φέρβος) ein neugebornes Kind; junges Thier; 2) Hom. braucht es auch für ein Kind im Mutterleibe, ἔμβρυον. —φοτροφεῖον, τὸ, (τρέφω) ein Ort, wo kleine Kinder erzogen werden. —φύλλιον, τὸ, dimin. v. βρέφος, Kindlein.

Βρέχμα, τὸ, und βρεχμὸς, ὁ, s. v. a. βρέγμα.

Βρέχω, f. ξω, benetzen, befeuchten, besprengen, das lat. *rigare*; wie βρύχω, *rugio*.

Βρὶ, partic. insep. ist bey Hesiod. u. in der Zusammensetzung das abgekürzte βριθὺ, schwer, stark, sehr.

Βριαρὴς, ὁ, ἡ, Nicand. Ther. 659. wo die Handschr. richtiger βριαρὴ haben. —αρὸς, ρὰ, ρὸν, stark. —αρόχειρ, ρος, ὁ, ἡ, von starker Faust, χείρ. —άω, ῶ, starken, erheben; neutr. stark seyn. Oppian. Hal. 5, 96.

Βρίγκος, ὁ, Athenae. p. 403. der Fisch, sonst ἀνωδόρκας, βρίγχος; u. οὐρανοσκόπος.

Βρίζα, ἡ, eine Getraideart, welche Galen Aliment. fac. 1 c. 13 in Thracien und Macedonien sah, in Ansehung der Halme und des ganzen Gewächses mit τίφη verglich, und woraus man dort ein übelriechendes schwarzes u. kleyiges Brod buck. Diese Art ist nach Moldenhauer *secale cereale* Linn. od. unser gemeine Roggen. Der Schwede Björnstähl in seinen Reisebriefen 6 B. 178 S. sah am Flusse Peneus diese Getraideart unter dem Namen Wrisa blühen, u. das Mehl davon mit dem waitzenen zum Brode mischen, weil man es allein für schädlich hält. Auch er erklärt es für *secale cereale* Lin.

Βρίζω, f. ίσω od. ξω, einnicken, nach andern von βορὰ, nach dem Essen einschlummern; überhaupt schlummern, schlafen. Wahrscheinlich von βρίθω; denn Hesych. hat auch βρισθεὶς, ὑπνώσας.

Βριήπυος, ὁ, ἡ, (ἀπύω) heftig, stark schreyend.

Βρίθος, εος, τὸ, od. βριθοσύνη, ἡ, s. v. a. βάρος u. βαρότης, Schwere, Gewicht, Wucht. —θὺς, εῖα, ὺ, Gen. έος, είας, έος, schwer, wichtig, s. v. a. βαρὺς, S. βρίθω. —θύκερως, ω, ὁ, ἡ, mit schweren, starken Hörnern, κέρας. —θύνοος, contr. βριθύνους, ου, ὁ, ἡ, von schwerem Sinne, dem leichten entgegen gesetzt; also überlegt, vorsichtig, klug.

Βρίθω, schwer, lastig seyn; durch seine Schwere sich niederbeugen; plump, heftig auf jemanden zufallen, ihn anfallen; das Uebergewicht, Ueberfluss haben; act. belästigen, beugen, drücken, niederdrücken. Es ist mit βαρύθω u. βαρύνω einerley, v. βάρω, βαρέω, βαρίω, βαρίθω contr. βρίθω.

Βριμάζω, βριμαίνω, βριμάομαι, βριμόομαι, kommen alle von dem Worte —μη, ἡ, Kraft, Macht, Stärke, Zorn, Drohung; wovon —μηδὸν, Adv. und —μημα, τὸ, s. v. a. βρίμη. Eigentl. bedeuten jene Verba, stark, machtig seyn; dann seine Macht, Kraft in Worten aussern, wenn man zornig, unwillig ist, schilt, drohet, schreckt, mit Schnauben, brausend u. knirschend spricht, wie das lat. *fremere*. Daher βριμοῦσθαι τινὶ, gegen jemand seinen Unwillen mit Schelten und Schnauben (*fremendo*) aussern. Daher βριμηδὸν, mit dem Zeichen des Unwillens, schnaubend, brausend. Daher stehet βριμάζω auch vom Löwen, wenn er brullt und dadurch seinen Zorn und Macht ankundiget; ferner von brünstigen Thieren, welche dabey die Macht des Zeugetriebs durch starkes Schreyen zeigen. Wenn man annimmt, dass βριμάω eben das ist, was φριμάω, φριμάσσομαι, mit dem Spiritus asper, so erkennt man die naturliche erste Bedeutung, von einem muthigen, ungeduldigen Thiere, das schnaubet, am ganzen Leibe sich beweget, zittert oder sich brustet.

Βρίμηνις, ἡ, (βρὶ, μῆνις) großer Zorn, wenn es nicht βρίμησις heißen soll. —μόθυμος, ὁ, ἡ, (βριμὴ) ἄρης Panyas. Clement. Protr. p. 30. die Zornige, Hitzige. —μόομαι, contr. βριμοῦμαι. S. in βριμάζω.

Βριμὼ, όος, contr. οῦς, ἡ, (βριμόω) Proserpina; od. Hekate, weil sie mit schreckenden Zeichen erscheint.

Βρισάρματος, ὁ, ἡ, (βρίθω) den Wagen, ἅρμα beschwerend.

Βρίσσος, ὁ, auch βρύσσος, eine Art Meerigel.

Βρίσχος, ὁ, s. v. a. ὕρισκος od. ὑρρίσκος.

Βρόγχια, τὰ, das Ende der Luftröhre, welches sich in der Lunge verbreitet; auch die schwammichten Beine oben in der Nasenhöhle. —χία, ἡ, die Luftröhre. zw. —χιάζω, f. άσω, bey Hesych. s. v. a. βροχθίζω, verschlucken. —χοκήλη, ἡ, der Kropf; βρόγχος, u. κήλη, Beutel. —χοπαράταξις, ἡ, kom. Wort v. βρ. παράταξις ein Kehltreffen. —χος, ὁ, Kehle, Schlund; auch die Luftröhre; von —χωτὴρ, ὁ, (βρόγχος) Joseph. Ant. 3, 7, 4 Halsöfnung am Kleide, den Kopf und Hals durchzustecken.

Βρόκω, wovon καταβρόξειε u. ἀναβρόξειε, wofür gewöhnlicher βρύκω, welches siehe.

Βρόμιος, ὁ, (βρόμος) ein Beywort des Bacchus, der Lärmende. Dav. βρομιάζω, nach Art der Bacchanten lärmen. —μος, ὁ, jedes starke Geräusch oder Getöse vom Feuer, Winde, Wasser; also Geprassel, Gemurmel; auch der Ton des Unwillens, der Wuth von Menschen und Thieren, wie βρέμω u. die von βρόμος abgeleiteten βρομέω u. βρομιάζω. —μώδης, εος, ὁ, ἡ, rauschend, tosend; zweif. für βρωμώδης, übelriechend.

Βρονταῖος, αία, αῖον, zum Donner gehörig, vom Donner. —τάω, und βροντάζω, (βροντὴ) donnern. —τεῖον, τὸ, eine Donnermaschine. —τὴ, ἡ, od. βρόντημα, τὸ, (βροντάω) der Donner; der Donnerschlag ist κεραυνὸς. Schon die alten Grammat. leiten es v. βρέμω, βρέμος her. —τησικέραυνος, ὁ, ἡ, νεφέλη, die Donner u. Schlag führt o. giebt. —τογενὴς, έος, ὁ, ἡ, u. βροντόπαις, αιδος, ὁ, ἡ, vom Donner erzeugt; Donnersohn; von βροντὴ, γένος u. παῖς. —τοποιὸς, ὁ, ἡ, (ποιέω) donnermachend. —τόφωνος, ὁ, ἡ, (φωνὴ) mit einer Donner- oder donnernden Stimme.

Βρότειος, ὁ, ἡ, βρότεος, έα, εον, o. βροτήσιος, ὁ, ἡ, sterblich, menschlich. —τοβήμων, ονος, ὁ, ἡ, der auf Menschen geht, tritt, βάω, zweif. —τόγηρυς, υος, ὁ, ἡ, mit menschlicher Stimme. —τοειδὴς, έος, ὁ, ἡ, menschenähnlich, menschenartig. —τόεις, όεσσα, όεν, (βρότος) mit Blut bespritzt, blutig. —τοκτονέω, (κτείνω) Menschen morden. —τοκτόνος, ὁ, ἡ, (κτείνω) u. βροτολοιγὸς, ὁ, ἡ, (λοιγὸς) Menschen mordend, verderbend, tödtend.

Βροτὸς, ὁ, der Sterbliche, der Mensch.

Βρότος, ὁ, geronnenes Blut. Lycophr. 992. davon βροτόεις. —τοσκόπος, ον, Menschen beobachtend. —τόσσοος, ον, (σόω, σώζω) Menschen rettend. —τοστυγὴς, ἐς, Menschen hassend oder den Menschen verhaßt. —τοφθόρος, ον, (φθείρω) Menschen verderbend. —τόω, ῶ, mit Blut, βρότος, bespritzen, besudeln.

Βροῦκος, auch βροῦχος, ὁ, eine Heuschreckenart ohne Flügel, od. die jungen Heuschrecken, so lange sie die Flügel noch nicht haben; von βρόκω, ich fresse, davon bey Hesych. βρόκοι, ἀττέλαβοι.

Βροχετὸς, ὁ, s. v. a. βρόχος od. βροχὶς.

Βροχὴ, ἡ, (βρέχω) Benetzung, Anfeuchtung.

Βροχθίζω, f. ίσω, (βρόχθος) schlucken, verschlucken, verschlingen, verprassen. —θος, ὁ, Gurgel; v. βρόκω. S. βρύκω. —θώδης, εος, ὁ, ἡ, λίμνη, Nikand. Ther. 366. trocken. zw.

Βροχὶς, ἡ, (βρόχος) kleine Schlinge; 2) (βρέχω) ein Gefäß zum benetzen, Dintenfaß. Anthol. —χος, ὁ, Schlinge, Schleife. —χωτὸς, ὁ, ἡ, verstrickt, eingeschlungen.

Βρόω, βρῶμι, statt dessen im praes. βρώσκω, ist in einigen temp. als βρώσω u. comp. noch sichtbar.

Βρυάζω von βρύω, hat auch dieselbe Bedeut. von Fülle, Ueberfluß, Trieb zur Zeugung, Blüthe, Fruchttragen; beym Menschen bedeutet es das mit dem Gefühle der Kraft verbundene Vergnügen, Fröhlichkeit, Uebermuth; dann ferner schmausen, sich wohlthun. Besonders brauchte Epikur das Wort statt ἥδομαι, so wie das davon abgeleitete βρυασμοὶ st. angenehme Empfindungen. Bey Aeschylus Sup. 885. st. φλίζω, φλιαρέω. S. auch ἀναβρυάζω u. φρυάσσω, φρυάττομαι.

Βρυγδὴν, Adv., knirschend von βρύκω, oder βρύχω.

Βρύγμα, τος, τὸ, der Biß. —μὸς, ὁ, Knirschen, Brüllen; od. das Beißen. v. βρύχω od. βρύκω Anal. Brunck. 2, 275.

Βρύκω, f. ξω, beißen, zerbeißen, verschlingen. Ist mit βρώσκω, βροχθίζω, βιβρώσκω einerley und kommt von βόρω das lat. voro essen, beißen, fressen her; wovon βοράω, βορέω, βερύω, davon βορώσκω, contr. βρώσκω, βορύκω, βρόκω, s. βρύχω, dav. βρόχθος; ferner βερύκω, contr. βρύκω, Jos. 16. wovon βρύχω bloſs durch den Hauch χ verſchieden iſt, und vorz. das Knirſchen der Zähne im Eſſen u. ſonſt bedeutet.

Βρύλλω, bey Ariſtoph. Equ. 1126. ἥδομαι βρύλλων τὸ καθ' ἡμέραν, wo die Scholia es m. Heſych. durch ὑποπίνων aber auch durch ἐξαπατώμενος erklären. Heſych. hat auch βρύλλαι, πιεῖν. Dieſe Bedeut. leitete Symmachus aus einer Nachahmung von dem Rufe der kleinen Kinder nach Trinken her; dergleichen Nub. 1382 ſteht: εἰ μέν γε βρῦν εἴποις, ἐγὼ γνοὺς ἂν πιεῖν ἐπέσχον. μαμμᾶν δ' ἂν αἰτήσαντος ἧκον σοι φέρων ἂν ἄρτον, wo ſchon Skaliger und nach ihm Stephanus de dial. Attica p. 224 βῦν leſen wollten, wegen der Stelle des Varro bey Nonius in Buas: *Cum cibum ac potionem (parvuli poſcunt) buas ac papas docent, et matrem mammam patrem tatam*. Feſtus in Imbutum: *infantibus an velint bibere, dicentes bu ſyllabam contenti Junius*. Das Wort μαμμᾶν hat auch Heſych. u. Photius bemerkt; es wäre alſo möglich, daſs bey Nonius das *papas* falſch ſey.

Βρῦν. S. in βρύλλω.

Βρύξ, χος. S. βρύχιος.

Βρυόεις, όεσσα, όεν. Gen. όεντος, οέσσης, ſ. v. a. βρυώδης, mooſsig, weich wie Moos. —ον, τὸ, Moos, und *alga*; 2) die traubenförmige Blüthe von mehrern Pflanzen, auch des Haſelſtrauchs, der Eiche; alſo die männliche; davon —οφόρος, ὁ, ἡ, δάφνη, der männliche Lorbeerbaum. —όω, ῶ, bemooſen; mit Moos belegen.

Βρύσις, εως, ἡ, (βρύω) das Hervorquellen.

Βρύτεα, τὰ, und βρυτία, die Treſter, Ueberbleibſel der ausgepreſsten Trauben; *briſſa* oder *bryſſa* des Kolumella. —τον, τὸ, oder βρύτος, ὁ, ein geiſtiges oder weinartiges Getränk, eigentl. aus Gerſte bereitet, wie unſer Bier; auch überh. aus andern Gewächſen oder Früchten.

Βρύττω, ſ. v. a. βρύκω.

Βρυχαλέος, έα, έον, brüllend, heulend. —χανάομαι, ῶμαι, oder βρυχάομαι, brüllen, heulen; das latein. *rugio*; auch vom Erdbeben mit Geheule. —χετὸς, ὁ, oder βρυκετὸς, ὁ, kaltes Fieber, von βρύκω knirſchen mit den Zähnen. —χὴ, ἡ, oder βρυχηθμὸς, ὁ, und βρύχημα, τὸ, knirſchen, brüllen, heulen, brauſen, davon βρυχάομαι und —χηδὸν, Adv. knirſchend, brüllend, heulend, brauſend. —χηθμὸς, ὁ, und βρύχημα, τὸ, ſ. v. a. βρυχή. —χητίας, ου, ὁ, (βρυχάω) der Brüller, Nicetae Annal. 18, 4 wie τολμητίας. —χητικὸς, ή, ὸν, geräuſchvoll; brüllend. τὸ βλ. das Geräuſch, Gebrülle. —χιος, ὁ, ἡ, untergetaucht, im, unter dem Waſſer; gebräuchlicher iſt ὑποβρύχιος, von βρύξ bey Oppian. Hal. 2, 588. βρύχα νέατην das unterſte Meer.

Βρυχμὴ, ἡ, ſ. v. a. βρυχηθμὸς. Quint. Smyrn. 4, 241. —μὸς, ὁ, das Beiſſen, Anbeiſſen; ſ. v. a. βρυγμὸς, das Knirſchen.

Βρύχω, f. ξω, ſ. v. a. βρύκω; doch vorzüglich die Zähne zuſammenbeiſsen, knirſchen vor Wuth, Ungeduld, Zorn; davon βρύχομαι ſ. v. a. βρυχάομαι. —χώδης, ες, wüthend, heulend.

Βρύω, f. ύσω, drückt den Ueberfluſs, Fülle, das Strotzen aus; daher das überflieſsen, ergieſsen einer Quelle, das hervorkeimen, aufblühen einer Pflanze; den Trieb der Erde im Frühjahre zum Fruchttragen, u. ſ. w. βρύοντα ἐκ τῆς ἀγορᾶς πλοῦτον Themiſt. or. 21 deſſen Quelle der Markt. —ώδης, ὁ, ἡ, (βρύον) moosartig. —ωνία, ἡ, oder βρυωνιὰς, *bryonia*, *vitis alba*, eine rankende wilde Pflanze, wie unſere Zaunrübe.

Βρῶμα, τος, τὸ, (βρώσκω) das gegeſſene, die Speiſe; das zerfreſſene. —μάομαι, ῶμαι, brüllen wie ein Eſel; auch von βρῶμος, ſtinken. —ματίζω, (βρῶμα) eſſen laſſen, ſpeiſen. —μάτιον, τὸ, Dimin. v. βρῶμα. —μέω, ῶ, (βρῶμος) ſtinken. —μη, ἡ, ſ. v. a. βρῶμα, Speiſe; auch Gebrüll des Eſels. —μήεις, ήεσσα, ῆεν, brüllend wie ein Eſel, *rudens*. —μησις, εως, ἡ, das Brüllen eines Eſels. —μητὴς, οῦ, ὁ, oder βρωμήτωρ, der Brüller, der Eſel. Nicand. Ther. 356. —μολόγος, ὁ, ἡ, ſtinkende Dinge redend. Lucian. —μος, ὁ, Geſtank; 2) Eſſen, Nahrung; von βρώω, βρώσκω, bey Arat. Dioſ. 289. ἐπειγόμενοι βρωμοῖο ſt. verlangend nach der Weide.

Βρωσείω, eſſen wollen, hungrig ſeyn, vom fut. βρώσω, wie von *abiturus abituriens*. —σιμος, ὁ, ἡ, (βρώσκω) eſsbar. —σις, εως, ἡ, (βρώσκω) das Eſſen, Freſſen; Zerfreſſen, Zernagen.

Βρώσκω, f. βρώσω, und verdoppelt βιβρώσκω (vergl. βάω, βιβάσκω) eſſen, aufeſſen, verzehren; von βορὰ, βορέω, βορόω, βορόσκω, βρώσκω, βρώθω, βεβρώθω, wovon auch βρώκω u. βρύκω.

Βρωστὴρ, ῆρος, ὁ, oder βρωτὴρ, der Freſſer, Zernager.

Βρωτικὸς, ὁ, ἡ, zum eſſen gehörig, oder geneigt, Adv. βρωτικῶς ἔχω, ich möchte gerne eſſen; ſ. v. a. βρωσείω.

Βρωτὸς, ὁ, ἡ, (βρώσκω) gegeſſen, verzehrt, zerfreſſen. —τὺς, ῦος, ἡ, ſ. v. a. βρῶμα oder βρῶσις.

Βύας, ου, ὁ, *bubo*, eine Eulenart.

Βυβλάριον, τὸ, dimin. von βύβλος. —βλινος, ίνη, ινον, von βύβλος gemacht.

Βύβλιον, oder βυβλίον, τὸ, Papier zum Schreiben oder etwas zu binden; auch s. v. a. βιβλίον. —βλος, ἡ, Papierstaude, und der Bast (*liber*) davon zum schreiben, binden.

Βυέω, ῶ, s. v. a. βύω, ich stopfe voll, zu, ἐβύουν τὸ στόμα χρυσίῳ Aristoph. Pac. 645. Im Etymol. M. findet man βύω, βύεις. Hesych. hat auch βυστὰ, βεβυσμένα v. βυάω. Von βύω, βύζω, wovon βύζην und βυζὸν. Bey Hesych. βύζοντες, πλήθοντες. Bey Aretaeus 2, 2. ἡ πτύσις βύζεται, kommt häufig das Spucken darauf. In der Stelle des Aristoph. lasen Suidas und Hesych. ἐβύνουν. Von βύω, βύζω ist βυλλὸς vollgepfropft; davon βυλλάω, *bullio*, bey Hesych. ἐβύλλων, ἔβρυον, ἐπλήθυον u. βεβυλλῶσθαι, βεβύσθαι. Auch βυτθὸν, πλῆθος bey Hesych.

Βύζην, Adv. dicht, gedrängt, voll; auch βυζὸν s. v. a. βύζην, s. auch ῥύτην; von

Βύζω, f. ύσω, od. βύσσω, s. v. a. βύω, vollfüllen, vollpfropfen; auch *bu*, *bu* rufen, wie von *bubo* im lat. *bubulo*. So steht βύας ἔβυξε beym Dio Cass. S. βυέω. Ueberh. drückt βύζειν den Ton aus, den ein hohler od. geblasener Korper giebt. Vom fut. βύξω ist βύκτης, Blaser, Trompeter; davon βυκάνη, *buccina*, Trompete; das lat. *buca*, *bucca*, aufgeblasener Backen. Dahin geh. auch b. Hesych. βωβύζειν, σαλπίζειν.

Βυθίζω, in die Tiefe werfen, taufen; s. v. a. βαπτίζω. —θιος, ία, ιον, Adv. —ίως, was in der Tiefe ist, oder untergetaucht, tief. τὰ βύθια (ζῶα), die Thiere in der Tiefe, im Wasser, Wasserthiere. —θὸς, ὁ, die Tiefe, das Wasser, das Meer, von βάθος, die Tiefe, aeolisch βυθὸς, auch βυσσὸς. —θοτρεφὴς, έος, ὁ, ἡ, (τρέφω) in der Tiefe, im Meere genährt, erzogen.

Βυκανάω, ῶ, oder βυκανίζω, s. v. a. trompeten, von βυκάνη, *buccina*; davon βυκανιστήριον, Trompete. —κάνη, ἡ, Trompete. S. βύζω. —νημα, τος, τὸ, (βυκανάω) Trompetenschall. —νίζω, s. v. a. βυκανάω; davon βυκανιστήριον, τὸ s. v. a. βυκάνη. —νισμὸς, ὁ, bey Nicomach. Music. p. 35. das Trompeten, Ton der Trompete. —νιστὴς, οῦ, ὁ, Trompeter.

Βύκτης, ὁ, blasend, tobend, ein Beyw. der Winde; s. βύζω.

Βυλλὸς, vollgestopft; davon βυλλόω, ich stopfe voll; von βύω, βύζω, βύσσω.

Βυνέω. S. βυέω. —νη, ἡ, das Malz von Gerste zum Bierbrauen.

Βύριον, τὸ, bey Hesych. οἴκημα, und βυριόθεν, οἴκοθεν; davon ἀπὸ κατ' εὐβύριον st. εὔοικον bey Euphorion Etym. M. wo auch βαύριον als das Stammwort angenommen, und davon βαυριόθεν aus dem Dichter Cleon angeführt wird. Scheint mit βάρις verwandt zu seyn.

Βύρσα, ἡ, abgezogene Haut, Fell. — —σεὺς, έως, ὁ, Fellbereiter, Gerber. —σεύω, gerben, das Leder bereiten. —σινος, ίνη, ινον, von Fellen gemacht. —σὶς, ἡ, dimin. v. βύρσα. —σοδεψέω, ῶ, (δέψω) die rohen Häute kneten, d. i. gerben; dav. —σοδέψης, ου, ὁ, Gerber. —σοδεψικὸς, ἡ, ὸν, zum Gerben oder zum Gerber gehorig. —σοπαγὴς, έος, ὁ, ἡ, (πήγνυμι) von Fellen gemacht, aus Fellen zusammengesetzt. —σοποιὸς, ὁ, s. v. a. βυρσεὺς. —σοπώλης, ου, ὁ, (πωλέω) Fellverkäufer, Lederhändler. —σοτενὴς, ἐς, od. βυρσότονος, (τείνω, βύρσα) mit Haut oder Fell überspannt, bezogen.

Βυρσόω, mit Fellen bedecken, überziehen.

Βυσαύχην, ὁ, ἡ, der einen kurzen Hals und zwischen den Schultern hat. βολβὸς, Athen. 2 S. 64.

Βύσμα, τος, τὸ, (βύω) was zum Zustopfen dient; der Pfropf, Spund.

Βύσσα, ἡ, st. βυσσὸς, βυθὸς bey Oppian. Hal. 1, 453. u. 5, 176. ein Meervogel Antonin. Liber. 15. —σινος, ίνη, ινον, aus βύσσος gemacht. —σοβαρὴς, έος, ὁ, ἡ, (βαρέω) was in die Tiefe drückt. —σοδομεύω, in der Tiefe, βυσσὸς, etwas aufbauen (δέμος); metaph. etwas heimlich vorhaben, beschliessen; βουλὴν, einen heimlichen Anschlag machen; ὀργὴν, heimlichen Groll nähren.

Βυσσὸς, ὁ, die Tiefe, Grund, Boden, s. v. a. βυθὸς.

Βύσσος, ἡ, eine Art von Flachs und daraus verfertigter Leinewand; 2) die Seide von *Pinna marina*, πίννη, Pausan. 5, 5. 3) die Baumwolle. —σόφρων, ονος, ὁ, ἡ, tiefdenkend, verschlagen. Vergl. βαθύφρων. —σωμα, τος, τὸ, (βυσσόω) Tiefe, Vertiefung.

Βύστρα, s. v. a. βύσμα.

Βυτίνη, ἡ, von βύτις, ἡ, lat. *buttis*, eine Art von Flaschen.

Βύω, f. ύσω, verstopfen, bedecken, vollfüllen. S. βύζω.

Βῶ, davon βῶσαι, βῶθην, βώσθην, βωσθῆναι st. βοάω, βοῆσαι, βοηθῆν, βοηθῆναι, jonisch.

Βώδιον, τὸ, st. βοΐδιον.

Βωκκαλὶς, ἡ, Aelian. H. A. 13, 25 ein indianischer Vogel; unbest.

Βῶκος, s. v. a. βουκαῖος, Theocrit. 10, 38.

Βωλάκιον, τὸ, von βῶλαξ, ὁ, ἡ, βωλάριον, τὸ, *gleba*, die Erdscholle, die beym Pflügen entsteht.

Βῶλαξ u. βωλάκιον das Dimin. überh. ein Stück gepflügtes Land; bey Pindar

Pyth. 4, 406 ἀναβωλακίας σχίζε νῶτον γᾶς, soll heiſsen ἀνὰ βωλακίας σχίζε, der in Schollen zerfallenden Erde.

Βωληδὸν, Adverb. nach Art eines Kloſses. —**λίον**, τὸ, ſ. v. a. βωλάριον und βωλάκιον. —**λίτης**, ου, ὁ, *boletus*, eine Art eſsbarer Pilze. —**λοκοπέω**, ῶ, (κόπτω) die Klöſse oder Erdſchollen zerſchlagen; davon —**λοκοπία**, ἡ, das Zerſchlagen der Erdklöſse od. Schollen; und —**λοκόπος**, ὁ, ἡ, der die Erdklöſse oder Schollen zerſchlägt. —**λοποιέω**, ῶ, Erdklöſse machen.

Βῶλος, ἡ, Erdſcholle, Erdkloſs; auch ein Stück Feld. —**λοστροφέω**, ῶ, (στρέφω), ich wende die Erdſchollen im pflügen; dav. —**λοστροφία**, ἡ, das Umwenden der Erdſchollen. —**λοτόμος**, ὁ, ἡ, (τέμνω) die Erdklöſse zerſchneidend, zertheilend. —**λώδης**, εος, ὁ, ἡ, einem Erdkloſse ähnlich.

Βωμάκευμα, τος, τὸ, das Betragen eines βῶμαξ, Narrenspoſſen. —**μαξ**, ακος, ὁ, ἡ, ſ. v. a. βωμολόχος, Agathias. Auch iſts dimin. von βωμός. —**μευσις**, εως, ἡ, das Errichten eines Altars. —**μιαῖος**, ον, oder βώμιος, was auf dem Altare liegt, oder zum Altare gehörig. —**μὶς**, ίδος, ἡ, dimin. von βωμός. —**μίσκος**, ὁ, dimin. von βωμός; bey Pollux 2, 93 die Baſis der Backenzähne, woran das Zahnfleiſch; vorher ſtand falſch μωμίσκος. —**μίστρια**, ἡ, Prieſterin, Dienerin des Altars. —**μοειδής**, έος, ὁ, ἡ, nach Art eines Altars, βωμός.

Βωμολόχευμα, τος, τὸ, das Betragen, die Reden eines βωμολόχος; von —**λοχέυω**, oder βωμολοχέω, ein βωμολόχος, Poſſenreiſſer oder Schmarotzer ſeyn; davon —**λοχία**, ἡ, Spaſsmacherey, Narrenspoſſen, niedriger Spaſs, Betragen eines βωμολόχος. —**λοχικὸς**, ἡ, ὸν, poſſenreiſſermäſsig, von der Art eines βωμολόχος. —**λόχος**, ὁ, ἡ, ein niedriger armer Menſch, der bey den Altären aufpaſst, um von dem Opfermale etwas zu erbetteln oder wegzuſchnappen; daher ein Schmarotzer od. Schmeichler, *paraſitus*, *ſcurra*, der um des Eſſens willen ſich niedrige Begegnung gefallen läſst, ſich niedrigen Spaſs und Poſſen erlaubt; daher Iſocr. Areop. p. 290 dem σεμνύεσθαι entgegenſetzt βωμολοχεύεσθαι. Im eigentl. Sinne ſagt Manetho 5, 119. βωμολόχους ἱερεῖς die ſich am Altare aufhalten und davon nähren.

Βωμονείκης, ὁ, (νεῖκος, βωμός) in Lacedämon ein Jüngling, der um den Altar der Diana läuft und ſich peitſchen läſst.

Βωμὸς, ὁ, ein erhabner Ort, Abſatz, Stufe, *ſuggeſtus*, *baſis*, worauf man etwas ſtellen, legen kann. ἅρματα δ' ἀμβωμοῖσι τίθει. Daher βωμίδες, αἱ bey Herodot. 2, 125 Stufen, Abſätze, ſonſt κρόσσαι. 2) gewöhnl. der Altar, worauf man das Opfer bringt. 3) Suidas hat es auch für στιβὰς im lacedäm. Dialekte. Es kommt von βάω, und iſt alſo ſ. v. a. βάσις, βαθμός.

Βωνίτης, ου, ὁ, ſ. v. a. βούτης, ein Ochſenhirt.

Βῶξ, κος, ὁ, eine Fiſchart, auch βόαξ.

Βωστρέω, ῶ, rufen, ſchreyen; von βοάω, wie καλέω, καλιστρέω, jon.

Βώτης, ου, ὁ, (βόω, βόσκω) ein Hirt, βῶτις, ἡ, Hirtin. —**τιάνειρος**, ὁ, ἡ, (βῶτις ἀνήρ) Männer oder Menſchen nährend.

Βῶτις, ιδος, ἡ, fem. von βώτης.

Βώτωρ, ορος, ſ. v. a. βώτης.

Γ.

Γ, der dritte Buchſtabe des griechiſchen Alphabets, γάμμα, joniſch, γέμμα; bezeichnet im Zählen 3, mit einem unterſtehenden Striche ͵γ 3000.

Γαγάτης, ὁ, *Gagates*, eine brennende und ſtinkende Steinart, Gagat.

Γαγγαλίζω, ſ. v. a. γαργαλίζω, zu lachen machen durch kitzeln; überh. wie γαργαλίζω, reizen und durch Reiz der Sinne ergötzen. Heſych hat auſſerdem γαγγαλιάω für γαργαλίζομαι, ἥδομαι; ferner γαγγαίνω, μετὰ γέλωτος προσπαίζω; noch γαγγαλίδες, γελαστινοὶ und γαγγίας ἢ γαγγαλίας, γελασινός. Das γάγγαλος, ὁ εὐμετάθετος, εὐμετάβολος, εὐρίπιστος τῇ γνώμῃ ſcheint der Bedeut. nach mit δυσγάργαλος und δυσγαργάλιστος einerley zu ſeyn. Auſserdem hat Heſych γελλίζειν, γαργαρίζειν. Den Urſprung dieſes Worts muſs man in γάω ebenfalls ſuchen; dav. γάζω, verdoppelt γαγάζω, γαγγάζω, καγγάζω, καγχάζω. Hom. hat καγχαλάω, ſich freuen, frohlocken; das gewöhnl. Wort iſt καγχάζω, davon das lat. *cachinnor*, *cachinnus*; Heſych hat aber auch καγχαλίζομαι für χαίρω, ἱλαρύνω; auch καγχᾶται für γελᾷ ἀτάκτως. Verwandt iſt κασκαλίζεται, γάγγαλίζεται. Man leitet καγχαλάω ganz unrecht von χαλάω ab; denn man hat offenbar γαγγάω, καγχάω, καγχάζω, γάγγαλος, κάγχαλος, καγχαλάω geſagt. Das γαγγαλιάω bey Heſych iſt wahrſcheinl. verderbt ſt. γαγγαλάω ſ. v. a. καγχαλάω; die Form καγχαίνω hat Heſych bloſs in γαγγαίνειν aufbewahrt. Die Form γάργαλος, γαργαλίζω ſcheint durch die Ausſprache oder eine Mundart entſtanden zu ſeyn, wie man στέμφυγος ſt. στέμφυλος u. ἀργαλέος ſt. ἀλγαλέος geſagt hat.

Γαγγαμεύς, έως, ὁ, oder γαγγαμουλκός, einer, der ein ausgeworfenes Netz zieht, ein Fischer. —γάμη, ἡ, γάγγαμον, τὸ und γαγγαμών, ὁ, ein rundes Fischernetz, wie die σαγήνη. Oppian. Hal. 3, 80. Pollux 10, 132. —γαμουλκός, ὁ, (ἕλκω) f. v. a. γαγγαμεύς. —γίτης, ου, ὁ, γαγγῖτις, ιδος, ἡ, aus dem Ganges, v. Flusse. —γλιον, τὸ, eine Geschwulst unter der Haut von einer übergeschlagenen Flechse am Gelenke; ein Ueberbein; die Bedeut. von Nervenknoten hat es im Griech. nicht. Die ächte Schreibart scheint γαγγάλιον u. γαγγαλιειδής bey Hesych zu seyn; davon —γλιώδης, εος, ὁ, ἡ, was ihm gleicht, gehört.

Γάγγραινα, ἡ; (γράω, γραίνω, γαγγραίνω) ein um sich fressendes Geschwür; der Brand. So lange die Entzündung nicht vertheilt noch zur Eiterung gebracht werden kann, doch aber die Theile, welche absterben, noch eine Empfindung haben, heisst es γάγγρ. hernach ab. σφάκελος. —γραινικός, ἡ, όν, was von der γάγγραινα kommt oder dazu gehört. —γραινόομαι, οῦμαι, ich werde von der Gangraena angegriffen oder brandig; davon —γραίνωσις, εως, ἡ, das Angreifen der Gangräne, das Brandhaftwerden.

Γάζα, ἡ, ein Wort, was die Griechen v. d. Persern entlehnt nach ihrer Art aussprechen, der Schatz in dem doppelten Sinne, worinne wir es zu nehmen pflegen, sowohl der Ort, wo der Regent seine Gelder liegen hat, als auch das Geld, die Reichthümer selbst; 2) bey Polyb. 22, 26. eine Summe Geldes. —ζαφυλάκιον, τὸ, (φυλάττω) Schatz, Ort, Behältnifs, Aufbewahrung des Schatzes, *aerarium*. —ζοφύλαξ, ακος, ὁ, Schatzwächter, Aufseher über den Schatz.

Γαῖα, ἡ, die Erde; im engern Verst. das Land, Gegend, Vaterland.

Γαιηγενής, ές, f. v. a. γηγενής. —ήϊος, ὁ, ἡ, irdisch, irden, von Erde, γαῖα, poet. —ήοχος, od. γαιοῦχος, ὁ, ἡ, f. v. a. γεοῦχος u. γηοῦχος. —ηφάγος, ὁ, ἡ, (φάγω) Erde fressend.

Γαιογράφος, ὁ, ἡ, f. v. a. γεωγράφος. —οδάτης, ὁ, (δάω, δαίω) der das Land abtheilt und misst; bey Kallimachus im Etymol. M. wo falsch γεωδότης steht. —οφάγος, ὁ, ἡ, Nicand. Ther. 784. wo falsch γυιοφάγος steht, f. v. a. γαιηφάγος.

Γαιόω, Synef. Insom. p. 139 παχύνεται καὶ γαιοῦται wird dick und erdigt.

Γαισός, ὁ, od. γαῖσον, τὸ, *gaesum*, eine Art von Spiess.

Γαίω, das Stammwort u. f. v. a. γαυριάω, von γάω, γαίω, γαύω, davon γαυρός, ἀγαυρός, γαυριάω; davon auch ἀγάω, ἄγαμαι, ἀγαίω, ἀγαύω. Bey Hesych wird es auch durch χαίρειν erklärt; er hat γάιεσκον, aber auch γαιᾶται κερτομεῖ, καταμωκᾶται. —ώδης, εος, ὁ, ἡ, erdartig, f. v. a. γεώδης. —ωτροφής, ὁ, ἡ, Synef. p. 340 erdenährend, von der Erde genährt.

Γάκινος, ὁ, γάκινα, γακίνας, γακινία werden von Hesych. Etym. M. und Eustath. für σεισμὸς γῆς, Erdbeben, angeführt.

Γάλα, τὸ, (der genit. γάλακτος ist vom alten γάλαξ. dimin. γαλάκτιον) Milch; von Pflanzen, Saft. S. γλάγος.

Γαλάδες, αἱ, oder γάλακες bey Aristot. H. A. 4, 4. eine glatte Muschelart, κόγχος. —λαθηνός, ἡ, όν, milchsaugend, jung, zart.

Γαλακτιάω, ῶ, viel Milch haben, viel Milch geben. —τίζω, wie Milch seyn, die Farbe, Weisse der Milch haben. —τικός, ἡ, όν, und γαλάκτινος, milchigt, milchartig, von Milch. —τίτης, ου, ὁ, eine Erdart, die einen milchigen Saft giebt. —τοδόχος, ον, (γάλα, δέχομαι) Milch fassend, aufnehmend, od. darzu geschickt. —τοειδής, έος, ὁ, ἡ, (εἶδος) milchartig. —τοθρέμμων, ὁ, ἡ, (τρέφω) mit Milch genährt oder nährend. Antiphanes Athenae. p. 449. —τοκόμος, ὁ, ἡ, (κομέω) bey Hesych Milchpfleger, Hirte. —τόομαι, οῦμαι, zu Milch gemacht, in Milch verwandelt werden. —τοποιητικός, ἡ, όν, gut Milch zu machen od. zu vermehren. —τοποιΐα, ἡ, das Milchmachen, Milchvermehrung. —τοποσία, ἡ, das Milchtrinken. —τοποτέω, ῶ, Milch trinken. —τοπότης, ου, ὁ, Milchtrinker. —τοτροφέω, ῶ, (τρέφω) mit Milch nähren od. erziehen; davon —τοτροφία, ἡ, das Ernähren mit Milch.

Γαλακτουργέω, ῶ, ich bereite Milchspeisen (γάλα, ἔργον); auch γαλουργέω. —τουργός, ὁ, ἡ, der Milchspeisen bereitet. —τουχέω, ῶ, Milch haben, säugen; auch γαλουχέω. bey Plutar. Q. S. 2, 6. steht γαλακτούσαις γυναιξὶ, die zu viel Milch haben; davon —τουχία, ἡ, das Säugen; auch γαλουχία. —τοῦχος, ὁ, ἡ, säugend, milchend. —τοφάγος, ὁ, ἡ, Milch essend, von Milch lebend. —τοφόριος, ον, (φορὴ) Milchbringend. zweif. —τόχροος, contr. χρους, ὁ, ἡ, (χρόα) milchfarbig.

Γαλακτώδης, εος, ὁ, ἡ, milchartig. —τωσις, εως, ἡ, (γαλακτόω) das Werden, Entstehen der Milch, Verwandlung in Milch; von Saamen und Gewächsen, die im Safte, im Keimen verderben. Theophr. C. P. 4, 6. davon ἐκγαλακτοῦσθαι.

Γαλαξίας κύκλος, Milchſtraſse, am Himmel, *circulus lacteus, via lactea.* —**λεάγρα**, ἡ, eine Falle, darinne γαλεὰς, Wieſel, Marder und dergl. zu fangen. Theophr. H. P. 5, 8. —**λέη**, ης, contr. γαλῆ, ῆς, ἡ, Wieſel, Marder, Katze. Daſs eigentl. γαλῆ das Wieſel ſey, erhellet aus dem Beyworte *flavus* bey Ovid. Metamorph. 9. 321. und aus dem χιτὼν κροκωτὸς, den Zenobius Proverb. 2, 93. der γαλῆ beylegt. γαλῆ βδέουσα, der Iltis oder Stinkmarder.

Γαλεοειδὴς, έος, ὁ, ἡ, od. γαλεώδης, (γαλῆ) wieſel-marderartig; dem Fiſche, γαλεὸς, ähnlich. —**λεομυομαχία**, ἡ, (μῦς, μαχὴ) der Krieg der Katzen und Mäuſe. —**λεὸς**, ὁ, eine Hayfiſchart, *galeus*; fleckicht, dem Wieſel ähnlich.

Γαλερὸς, ὰ, ὸν, ſ. v. a. γαληνὸς, auch γαληρὸς, heiter, vergnügt. πίνωμεν γαλερῶς, Anthol. davon —**λερωπὸς**, mit heiterm, fröhlichem Geſichte, (ὦψ). Heſych. hat γαληρὸς für γαλερὸς u. d. Etym. M. γαληρωπὸς. Wahrſcheinl. hat γαλερὸς mit γαλήνη einerley Urſprung. S. in γάνυμι. Heſych. hat γεγάλημαι, γεγαλύνισμαι, διακέχυσμαι. Alſo ſcheint γαλέω das Stammwort zu ſeyn, davon γαλερὸς, γαλενὸς, u. γαληρὸς, γαληνὸς; davon vielleicht mit verſetzten Buchſtaben γελάω, γελέω, davon γεληνὸς, γεληνὴς doriſch γελανὴς. Pindar. Olymp. 5, 5. Pyth. 4, 322. ſ. v. a. γαληνὸς. S. γελανὴς u. γελάω.

Γαλεώτης, ου, ὁ, eine Eidechſenart. S. ἀσκαλαβώτης. Bey Strabo auch der Schwerdfiſch, ξιφίας.

Γαλῆ, ἡ. S. γαλέη. —**ληναῖος**, αία, αῖον, ſ. v. a. γαλληνὸς; bey Dichtern γαληναία ſubſt. ſt. γαλήνη, wie σεληναίο, ſt. σελήνη.

Γαλήνη, ἡ, Ruhe, Stille, Heiterkeit, vorz. des Meeres. —**νὴς**, ὁ, ἡ, ſ. v. a. γαληνὸς. —**νιάω**, ῶ, u. γαληνιάζω, ſtille, ruhig, heiter ſeyn. —**νίζω**, ruhig, heiter machen, erheitern, beruhigen. —**νιος**, ſ. v. a. γαληνὸς. —**νισμὸς**, ὁ, das ruhig, heiter machen; Ruhe, Heiterkeit. —**νὸς**, ὁ, ἡ, ſ. v. a. γαλήνιος. Adv. —**νῶς**, ruhig, ſtill vorzügl. vom Meere; überh. ruhig, heiter. S. γαλερὸς. —**νότης**, ἡ, ſ. v. a. γαλήνη. —**νόω**, ich mache heiter, ruhig.

Γαληρωπὸς. S. γαλερὸς.

Γαλιάγκων, ωνος, ὁ, ἡ, ein Menſch mit einem kurzen Arme, von früher Verrenkung, wie γονυαγκὼν.

Γάλιον, τὸ, (γάλα) *galium*, Labkraut. —**λίοψις**, ἡ, *galiopſis*, ein Kraut der Neſſel ähnlich; Taubeneſſel.

Γάλλος, od. γαλλὸς, ὁ, ein Prieſter der Cybele, vom Fluſse Gallus in Phrygien, der begeiſtern ſollte, ſo benannt. Dieſe pflegten ſich zu entmannen; daher ein Entmannter, Verſchnittener.

Γαλουργέω, u. γαλουργὸς, ſ. v. a. γαλακτουργέω. u. ſ. w. —**λουχέω**, ſ. γαλουχία, ἡ, ſ. v. a, γαλακτουχέω.

Γάλοως, ἡ, τῆς γάλοω, u. γάλως, ἡ, τῆς γάλω, auch γάλωος Schwägerin, Mannes Schweſter, Bruders Frau. Die Lat. haben es abgekürzt, *glos* beybehalten. —**λωμὴ**, ἡ, eine Art von Kleid, bey den LXX.

Γαμβρεύω, (γαμβρὸς) verſchwägern; verſchwägert ſeyn. —**βριος**, α, ον, was dem γαμβρὸς gehört od. gegeben wird. —**βρὸς**, ὁ, (γάμος, γαμερὸς) Schwiegerſohn, Schwiegervater, Schwager; auch bey d. Doriern u. Aeoliern, Bräutigam.

Γαμετὴ, ἡ, (γαμέω) od. γαμέτις, Gattin; femin. von —**μέτης**, ου, ὁ, Gatte. —**μέω**, ῶ, zur Frau geben; γαμηθῆναι, zur Frau genommen werden, verheyrathet werden; γαμήσασθαι, m. d. dat. ſich zur Frau nehmen laſſen, heyrathen (v. d. Frau). Il. 9, 394 πηλεύς μοι γαμέσσεται αὐτὸς γυναῖκα, wird mir eine Frau freyen, wählen.

Γαμήλευμα, τὸ, ſ. v. a. γάμος, Aeſchyl. Choeph. 622. —**μήλιος**, ὁ, ἡ, was zur Heyrath, Hochzeit gehört, wobey mancherley Subſt. verſtanden werden, wornach die Bedeut. verſchieden iſt; z. B. γαμήλιον δῶρον, ἱερὸν, u. ſ. w. γαμηλίαν εἰσφέρειν τοῖς φράτορσι den Bürgern in der φρατριὰ bey der Heyrath Geld zum Schmauſe geben; verſt. θυσίαν. —**μηλίων**, ὁ, der Monat, worinne die meiſten Ehen geſchloſſen wurden, wie im Junius der Römer. —**μησείω**, ich habe Luſt eine Frau zu nehmen, von γαμήσω gemacht. Vergl. oben βρωσείω. Bey Athen. 6 p. 235. ſteht γαμηλιάω.

Γαμίζω, oder γαμίσκω, verheyrathen, (von Eltern, die ihre Tochter verheyrathen, heyrathen laſſen); γαμίσασθαι, ſich verheyrathen laſſen, heyrathen (von der Braut). —**μικὸς**, u. γάμιος, ὁ, ἡ, ſ. v. a. γαμήλιος. —**μίσκω**, ſ. v. a. γαμίζω.

Γαμόδαίσια, τὰ, verſt. ἱερὰ, Aelian. H. A. 12, 34. u. Nicetae Annal. 4, 5. Hochzeitfeyer v. δαὶς. —**μοκλοπέω**, ῶ, (κλέπτω) verſtohlen heyrathen, d. i. andrer Frauen ſuchen, buhlen; von —**μοκλόπος**, ὁ, ἡ, ein Buhler. —**μοποιία**, ἡ, Hochzeitmachen; Zurüſtung zum Hochzeitſchmauſe.

Γάμος, ὁ, Hochzeit, und der damit verbundne Hochzeitſchmaus; z. B. γάμον ἑστιᾶν, einen Hochzeitſchmaus geben; καλεῖν εἰς γάμους, zum Hochzeitſchmauſe einladen. Auch der Ort, das Haus, wo dieſer gegeben wird, wie wir ſagen: bey der Hochzeit ſeyn; auch die Ehe, oder Ehefrau, z. B. ὁποῖος γάμος ἐμοὶ συναρμόζει, was für eine Ehe, Ehefrau ſich für mich ſchickt.

Γαμοστολέω, ῶ, die Hochzeit ſchmücken, zubereiten; στέλλω; dav. —μοστόλος, ὁ, ἡ, die Hochzeit bereitend od. ſchmückend. —μοτελέω, ῶ, die Hochzeit machen od. vollenden oder feyern.

Γαμφαὶ od. γαμφηλαὶ, αἱ, die Kinnbacken, Lycophr. 152. —ψὸς, ἡ, ὸν, (γάμπτω, κάμπω, κάμπτω) eingekrummt, gebogen, krumm; davon —ψότης, ητος, ἡ, od. γαμψωλὴ, ἡ, Biegung, Bug, Krümmung. —ψώνυξ, υχος, ὁ, ἡ, od. γαμψώνυχος, ὁ, ἡ, (ὄνυξ, γαμψὸς) mit krummen Klauen.

Γανάω, davon γανόωντες. S. γάνυμι.

Γαννυσκομαι, ſ. v. a. γάννυμαι Themiſt. or. 21 p. 254.

Γάνος, εος, τὸ, Glanz, Schönheit und übergetragen, Heiterkeit, Fröhlichkeit. —νόω, ῶ, glänzend, daher heiter fröhlich machen; neutr. glänzen.

Γάνυμι, γάνυμαι, ſ. v. a. γανύω, γανύομαι, von γάνος, weiſs, glänzend machen, wie γανόω, vorzügl. heiter, fröhlich machen, ergötzen; med. ſich erheitern, fröhlich werden, ſich freuen od. ergötzen. Die Formen γανάω, γανάζω hat Heſych. γανάσσαι, σμῆξαι, ἡδῦναι; ferner γανδᾶν ἢ γανᾶν λάμπειν, davon γανόωντες, Il. 5, 265. λελαμπρυσμένοι, λάμποντες. Die Form γανέω hat Heſych. in γανεῖν, λευκαίνειν, und Etymol. M. in γεγανωμένος. Von γανύω hat Heſych. γανυρὸς, λευκὸς ἡδὺς, ἱλαρὸς; ferner von γανύρω hat er γανύρματα, ἀρτύματα. Die Form γαννύσκομαι hat Themiſt. or. 21 p. 254. Das Stammwort ſcheint γάω zu ſeyn, davon γαίω, γαίομαι und γάυω, γάυομαι, gaudeo, davon γαυρὸς am gebräuchlichſten; ferner γάω, γάνω, γάνος, γανάω, γανόω, γανύω. Von γάω, ἀγάω, ἀγαλὸς, ἀγάλω, ἀγάλλω. Endlich ſcheint von γάω noch γάλω, γαλέω zu kommen, davon γαλερὸς, γαληρὸς, γαλενὸς, γαληνὸς und vielleicht durch Verſetzung der erſten Vokale γελάω, γελανὸς, γελανὴς, γελαρὸς. Das Wort ἀγανὸς leitet ſelbſt Euſtathius von γάνος ab.

Γάνωμα, τος, τὸ, (γανόω) ſ. v. a. γάνος.

Γαπετὴς, u. γάπετος, ſ. v. a. γηπετὴς u. γήποτος, von der Erde getrunken.

Γὰρ, denn, nämlich; wird allemal nachgeſetzt u. ſteht nie zu Anfange. Meiſt hat es noch vor oder nach ſich andere Partikeln, welche ſeine Bedeut. modifiziren, als καὶ γὰρ, μὲν γὰρ, γὰρ δὴ, γὰρ δήπου, γὰρ που, γὰρ τοι. Das lat. etenim entſpricht dem καὶ γὰρ. Die Dichter brauchen γὰρ τε u. γὰρ νυ, γὰρ νύτοι für γὰρ δὴ oder γὰρ τοι od. γὰρ που. In der Frage ſteht es wie in quisnam ebenfalls nach, aber die Lat. ſagen auch nam quis? οὐ γὰρ, nicht alſo, nicht wahr? Die älteſte Bedeutung, auch vermöge der Ableitung von αρα, γε, zeigt ſich noch in γὰρ οὖν, καὶ γὰρ οὖν, τοιγαροῦν ſt. d. lat. igitur. σὺ μὲν γὰρ οὐ τὸ πλῆθος μόνον οἶσθα, du weiſst alſo. Cyropaed. 6, 3, 18. wo vorher σὺ μὲν ἄρα ſtand. Auch bejahet es: λέγω γὰρ οὖν allerdings wohl ſage ich dieſs Cyropaed. 1, 6, 25. Eben ſo wird γοῦν für γὰρ gebraucht; und oft muſs man vor γὰρ einen Satz in Gedanken einſchieben, wovon γὰρ die Urſache angiebt: z. B. Cyrop. 1, 6, 29 wenn ich Menſchen betrügen wollte u. man dergl. von mir nur vermuthete; ſo würde ich viel Schläge zu leiden haben, ſagt Cyrus; worauf man ihm antwortet: οὐδε γὰρ τοξεύειν οὐδ' ἀκοντίζειν ἄνθρωπον ἐπιτρέπομεν ὑμῖν: wo man vorher in Gedanken zuſetzen muſs: und das mit Recht; denn u.ſ.w.

Γαργαίρω, f. αρῶ, wimmeln, voll ſeyn. S. γάργαρα. —γαλίζω, kitzeln; auch vom Kitzel der Luſt; davon —γαλισμὸς, ὁ, od. γάργαλος, ὁ, bey Lucian. das Kitzeln, der Kitzel; das letztere hat auch Nicetas Annal. 6, 1. —γαρα, ων, τὰ, Haufen, Menge; davon γαργαίρω. —γαρεὼν, ῶνος, ὁ, Gurgel, Kehle; eigentl. der Zapfen im Munde, uvula. —γαρίζω, gurgeln. —γαρισμὸς, ὁ, das Gurgeln.

Γάρον, τὸ, od. γάρος, ὁ, garum, eine Sauce, Brühe, wie unſre Sardellenbrühe aus kleinen Fiſchen und Salz bereitet.

Γαστὴρ, έρος, contr. γαστρὸς, ἡ, dimin. γαστρίδιον, Magen, Bauch, Unterleib; und daher Eſs- Freſsbegierde, z. B. ἐγκρατὴς od. ἄρχων γαστρὸς, Herr über ſeinen Magen, der ſeine Eſsluſt beherrſchen kann; ἥττων γαστρὸς oder δουλεύων γαστρὶ, der ſich von ſeinem Magen, ſeiner Eſsluſt beſiegen läſst, deſſen Sklave iſt. χαρίσασθαι τῇ γαστρὶ, ſeinem Bauche, Magen fröhnen. Auch Schoos und Mutterleib (uterus), ἐκ γαστρὸς, von Mutterleibe an; Theogn.

Γάστρα, oder γάστρη, ἡ, der Bauch, Boden eines Gefäſses; 2) ein bauchichtes Gefäſs; davon γαστρίδιον, τὸ, ein Dimin. Beym Aeneas Tac. c. 4. kommt auch γαστρήνη ſt. γάστραινα vor.

Γαστραφέτης, ὁ, (γάστρα, ἀφέτης) eine Wurfmaſchine, davon eine Art auch ὀρινοβάτης hieſs, Bito Mechan. veter. p. 113. weil die Bogenſehne mit dem Drucke des Bauches geſpannt ward, wie Hero p. 126. ſagt. —στρίζω, einen Bauch machen, den Bauch füllen, mithin viel zu eſſen geben; auch auf den Bauch ſchlagen; γαστρίσασθαι, ſich den Bauch füllen, ſichs gut ſchmecken laſſen.

Γαστριμαργία, ἡ, Gefräſsigkeit, Gierigkeit im Freſſen; v. —**στρίμαργος**, ὁ, ἡ, (γαστὴρ, μάργος) gefräſsig, gierig.

Γάστρις, ιος, ὁ, ἡ, mit groſsem Bauche, πιθὸς, Aelian. h. a. 14, 26. daher Dickbauch, Freſſer; auch ein Kind mit dickem Bauche, welches Würmer hat. —**στρισμὸς**, ὁ, (γαστρίζω) das Anfüllen des Magens, Freſſerey.

Γαστροειδὴς, έος, ὁ, ἡ, (εἶδος) bauchförmig, bauchicht. —**κνημία**, ἡ, dim. γαστροκνήμιον, τὸ, Wade, das am Schienbeine, κνήμη, hervorſtehende dicke Fleiſch, wie der Bauch am Leibe; bey Nicetas Annal. 4, 5 γαστροκνημὶς, ἡ, das Schienbein. —**ολογία**, ἡ, die Rede oder ein Buch oder Gedicht vom Magen, d. i. von Schwelgerey. —**ολόγος**, ὁ, ἡ, ein Lehrer der Schwelgerey. —**ομαντεύομαι**, aus dem Bauche weiſſagen. —**ονομία**, ἡ, Ordnung u. Vorſchrift für den Magen u. Gaumen, —**οοίδης**, εος, ὁ, ἡ, (οἰδέω, γαστὴρ) der einen geſchwollenen Leib, Unterleib hat, Euſtath. —**οπίων**, ονος, ὁ, ἡ, Dio Caſſ. Fettbauch, Schmeerbauch. —**οῤῥαφία**, ἡ, (ῥάπτω) das Zuſammennähen des aufgeriſſenen und verwundeten Bauchs, Unterleibes. —**όφιλος**, ὁ, ἡ, Bauchfreund, Schlemmer. —**οφορέω**, (γαστὴρ) im Leibe; Mutterleibe tragen. —**όχειρ**, ρος, ὁ, ἡ, beſſer χειρογάστωρ.

Γαστρώδης, εος, ὁ, ἡ, bauchicht, ſ. v. a. γαστροειδής.

Γάστρων, ονος, ὁ, ſ. v. a. γάστρις.

Γαυλικὸς u. γαυλιτικὸς, ἡ, ὸν, b. Xen. Anab. 5, 8 ſind χρήματα γαυλικὰ od. γαυλιτικὰ die Waare, Ladung des γαῦλος.

Γαῦλος, ὁ, auch γαυλὸς, ὁ, in der erſten Schreibart bedeutet es ein phöniziſches Kauffartheyſchiff von runder Bauart; in der andern eine Gelte, Eymer zum Schöpfen, auch Milcheymer.

Γαῦραξ, auch γαύρηξ, ὁ, (γαυράω) ein Prahlhans. —**ρίαμα**, τος, τὸ, ſ. v. a. γαυρίστης. —**ριάω**, ῶ, ſich brüſten, ſtolz ſeyn und thun; ſich ausgelaſſen tieuen; med. γαυριᾶσθαι beym Xen. von einem ſich brüſtenden, bäumenden Pferde. —**ρικὸς**, ſ. v. a. γαῦρος, zweif. —**ρος**, ſ. v. a. ἀγαυρὸς, der ſich brüſtet vor Freude, Stolz, Uebermuth, wie *geſtiens*, ſtolz, fröhlich, auch von Thieren. —**ρόω**, ῶ, f. ώσω, ſtolz o. übermüthig machen; med. γαυροῦμαι, ſich ſtolz betragen, ſtolz einhergehen.

Γαύσαπος, ὁ, u. γαυσάπης, das latein. *gauſapa*, *gauſape*, ein wollener, zottichter Zeug.

Γαυσὸς, ἡ, ὸν, oder γαισὸς, η, ον, gekrümmt, gebogen. Vergl. γαμψὸς; davon γαυσάδας bey Heſych. ſ. v. a. ψευδὴς, falſch, liſtig; derſelbe hat auch ἔγγαυσον d. i. ἔνσκαμβον. —**σόω**, ῶ, krümmen, biegen, b. Heſych. In den Chirurg. vet. p. 50. ſagt Soranus: εἰς τούτους γὰρ τόπους φυσικῶς γεγαύσωται, iſt gebogen.

Γε, eine Partikel, die beſtimmt, unterſcheidet oder einſchränkt, mit dem lat. *quidem*, *certe*, und dem deutſchen wenigſtens u. andern bisweilen überſetzbar. Τοιούτων γε τῶν ὅπλων ὄντων, wenigſtens mit ſolchen Waffen; πλήθηγε οὐχ ὑπερβαλοίμεθ' ἂν an Menge wenigſtens, Cyrop. 2, 1. ἀλλ' ὅγε σὸς πατὴρ πέπονθε μὲν οὐδέπω οὐδὲν οὕτω κακὸν, φοβεῖται γε μέντοι, μὴ πάντα πάθῃ Cyropaed. 3, 1, 22 *tuus quidem pater*, was deinen Vater betrift, ſo iſt ihm bis jetzt noch nichts widerfahren, wohl aber fürchtet er u. ſ. w. νὴ δία, ἔφησαν οἱ ἄλλοι πάντες, καὶ ἡμᾶς γε, 4, 3, 21. im Gegenſatze von einem einzigen. So wenn einer fragt: Haſt du es gethan? und der andre bejahet es: ἔγωγε, ja, ich! So dient auch *quidem* im lat. mit *ego*, *tu*, u. ſ. w. bloſs zur Unterſcheidung der Perſonen, oder man kann ſagen, es dient zur Bejahung, wie πάνυ γε, ἔφη, καὶ θαυμάζω γε — καὶ ἀπό γε τῆς ἡμετέρας, 7, 1, 6. ναὶ μὰ δία, καὶ πολλοίγε, 2, 1. 3. καὶ δικαίως γε, und das (zwar) mit Rechte, 2, 2, 14. mit μὴν auch im Nachſatze ſtatt δὲ 1, 2, 2. 5, 2, 25. Bey den ſpätern Schriftſtellern wird dieſe Partickel nicht ſo häufig gebraucht, als bey den ältern, wo ſie ſich im lat. u. deutſchen nicht allemal ausdrücken läſst, weil beyde Sprachen an ſolchen Bindewörtern der Rede arm ſind.

Γέα, contr. γῆ, ῆς, ἡ, Erde, Land, Vaterland. Vergl. γαῖα.

Γεγαθέω, ſ. v. a. γηθέω. Epicharmus Athenaei 4 p. 183.

Γεγάκω, davon γεγάκειν, Pind. Ol. 6, 8. ſt. γεγενῆσθαι, ſonſt γεγάμεν.

Γέγειος, joniſch, ſ. v. a. ἀρχαῖος.

Γεγωνέω, ῶ, ich rufe, ſchreye laut, ſo daſs es der andre hört, daher Il. 12. οὕτως οἱ ἦεν βώσαντι γεγωνεῖν; davon —**νησις**, εως, ἡ, das laute ſchreyen od. rufen. —**νίσκω**, ſ. v. a. γεγωνέω. —**νοκώμη** γυνὴ, die in der κώμη ſchreyt; wird von einigen für Hure geſetzt. —**νὸς**, ὁ, ἡ, gewöhnlicher γεγωνὰς, ὸς, als particip. von γέγωνα, laut gerufen, geſprochen, vernehmlich.

Γεηπονία, ἡ, (πόνος) Ackerbau, Landbau; davon —**πονικὸς**, ὁ, ἡ, zum Landbau gehörig. —**πόνος**, ὁ, ἡ, Landbearbeiter, Ackersmann. —**ρὸς**, ὁ, ἡ, von Erde.

Γειαρότης, ὁ, (ἀρόω) Erdpflüger, Landmann.

Γείνω, dav. γείνατο γεινάμενος. S. γένω.

Γειωκόμας, ὁ, (κομέω) Landbebauer. —μόρος, ὁ, ἡ, ſ. v. a. γεωμόρος. —πόνος, ὁ, ἡ, ſ. v. a. γεηπόνος. —τόμος, ὁ, ἡ, (τέμνω) die Erde ſchneidend, ſpaltend.

Γείσιον, τὸ, dimin. v. γεῖσον.

Γεισιποδίζω, ein Wetterdach machen; davon —πόδισις, ἡ, das Machen, Anlegen eines Wetterdachs; das Wetterdach ſelbſt. —πόδισμα, τὸ, od. γεισίπους, die Stütze des Wetterdachs.

Γεῖσον, τὸ, das Wetterdach. —σόω, od. γεισσόω, ῶ, ein Wetterdach befeſtigen, nach Art eines Wetterdachs machen; davon

Γείσσωμα, τος, τὸ, ſ. v. a. γεῖσον und γείσσωσις, εως, ἡ, Bedeckung mit einem Wetterdache, od. nach Art eines Wetterdachs.

Γείταινα, ἡ, Nachbarin.

Γειτνία, ἡ, oder γειτονία, od. γειτόνημα, oder γειτόνησις, Nachbarſchaft. —νιάζω, od. γειτνιάω, γειτονέω, γειτονεύω, Nachbar ſeyn, angrenzen. —νίασις, εως, ἡ, Nachbarſchaft.

Γειτονόεις, εν, od. γειτόσυνος, ὁ, ἡ, Nachbar. —των, ονος, ὁ, ἡ, Nachbar, Grenznachbar; auch ähnlich, ſo wie wir ſagen: dieſe Bedeut. iſt nahe mit der andern verwandt, grenzt mit der andern.

Γελανής, ὁ, ἡ, lachend, heiter. Pind. Pyth. 4, 322. wird durch γαληνὸς erklärt, mit welchem es wahrſcheinlich einerley Urſprung hat. S. γαλερωπός. Heſych. hat auſser der gewöhnlichen Form γελάω auch γελεῖν, λάμπειν ἀνθεῖν, u. γελαρὴς für γαληνός. Von der Form γελέω iſt γελοῖος gemacht.

Γελασείω, ich will, habe Luſt zu lachen, von γελάσω, vergl. γαμησείω. —σιμος, u. νος, ὁ, ἡ, lächerlich, zum Lachen, —σῖνος, ὁ, (γελάω) γελασῖνοι οἱ, verſt. ὀδόντες, heiſsen die vorderſten Schneidezähne, die beym Lachen entblöſst werden. Pollux 2. die ſanfte Vertiefung, Furche, welche das Lächeln auf der Wange macht: *facies cui gelaſinus abeſt*. Alciphr. Ep. 39 brauchts auch von Hinterbacken.

Γέλασμα, τὸ, das Lachen.

Γελαστής, οῦ, ὁ, Lacher, Verlacher. —στικός, ἡ, όν, zum lachen gehörig oder geneigt; Adv. γελαστικῶς, lächerlich. —στός, ἡ, όν, belacht; zu belachen. —στύς, ύος, ἡ, joniſch ſt. γέλως.

Γελάω, ῶ, lachen; ſeinen Beyfall oder Verachtung durch Lachen zu erkennen geben, alſo Beyfall lachen, zulächeln, verlachen. Auch von lebloſen Dingen, heiter ausſehn, glänzen. Vergl. γανόω. S. in γελανής. Viell. iſt auch γλάνσσω, leuchten, damit verwandt, von λάω, λαύω, λαύσσω, mit zugeſetztem γ, alſo γλάω u. eingeſchobenem α od. ε, γαλάω, γελάω. Der Begrif von Licht liegt auch in φαιδρὸς zum Grunde.

Γέλγη, ἡ, ſoll ſ. v. a. ῥῶπος, allerhand Materialwaaren, alſo auch Farben u. Farbematerialien bedeuten. Γέλγος, τὸ, u. γέλγη, τὰ, bedeuten bey Athenaeus u. Lucian. offenbar eine Eſswaare, die auf dem Markte verkauft wird, vermuthlich Zwiebeln, Knoblauch u. dgl. —γηθεύω, ich führe an mit betrügeriſchen Reden, wie ein γελγοπώλης. —γιδόομαι, οῦμαι, vom Knoblauch, wenn er an der Wurzel Kerne (*nucleos*) anſetzt.

Γέλγις, ιδος, od. γελγὶς, ῖδος, ἡ, *allii ſpica, nucleus*, der Kern, deren mehrere den Kopf (Wurzel, Bolle) des Knoblauchs zuſammenſetzen, ausmachen; πότιμοι γελγίδες in der Anthol. ſcheinen ſüſse zu heiſsen. —γοπωλέω, ῶ, (γέλγη, πωλέω), ſ. v. a. ῥωποπωλέω. —γοπώλης, ου, ὁ, γελγόπωλις, ιδος, ἡ, der, die mit kleinen, kurzen Waaren handelt.

Γελοιάζω, f. άσω, ich ſage lächerliche Dinge (γέλοια), mache Spaſs, ſcherze: davon —ασμός, ὁ, das Spaſsmachen, Scherzen. —αστής, οῦ, ὁ, ein Spaſsmacher, Poſſenreiſſer, Geck; Spötter, Nicetas Annal. 10, 9. —άω, ῶ, ſt. γελάω, Hymn. in Ven. 49. ἡδὺ γελοιήσασα.

Γελοῖος, οία, οῖον, Adv. γελοίως, act. ſcherzhaft, Poſſenmacher; paſſ. lächerlich, zum Lachen. Nach Moeris und Etym. ſprachen die Attiker γέλοιος, die ſpätern Griechen γελοῖος. —ότης, ητος, ἡ, Lächerlichkeit, das Lächerliche.

Γελωμιλία, ἡ, Anal. Brunk. 2, 389. Umgang im Lachen.

Γέλως, ωτος, oder ω, ὁ, das Lachen; vom Meere gebraucht, Heiterkeit, Stille; 2) eine Sache zum Lachen, od. ſt. γελοῖον, lächerlich.

Γελωτοποιέω, ῶ, Lachen machen, ein Gelächter erregen, Spaſs machen. —τοποιία, ἡ, Spaſsmachen, Spaſsmacherey. —τοποιός, ὁ, ein Spaſsmacher, Poſſenreiſſer, Geck.

Γεμίζω, (γέμω) anfüllen, vollfüllen, vollpacken, belaſten. —μισμα, τος, τὸ, u. γέμος, ſ. v. a. γόμος, bey Aeſchyl. Ag. 1237 iſt γέμος von den Eingeweiden, die den Leib füllen.

Γέμω, voll, belaſtet, angefüllet ſeyn.

Γενάρχης, ου, ὁ, der Erſte, Anfänger (ἀρχων) eines Geſchlechts, der erſte, den man aus einer Familie kennt, Stammvater.

Γενεά, ᾶς, ἡ, Erzeugung, Geburt, Zeit der Geburt, z. B. μέχρι δέκα ἐτῶν ἀπὸ γενεᾶς, bis zum 10ten Jahre von der

Geburt an gerechnet. Daher das Geſchlecht, worinne ich geboren bin; z. B. τίς ἐστι γενεὰν, aus welchem Geſchlechte iſt er? Eben ſo das Menſchengeſchlecht, das Menſchenalter, daſs es die Menſchen ſowohl bezeichnet, die in dieſem Zeitraume (von etwa 25-30 Jahren) leben, als auch die Zeit ſelbſt, und in einem etwas weitern Sinne, die verſchiedenen Zeitalter des menſchl. Geſchlechts, das goldne, ſilberne, u. ſ. w. Ferner die Erzeugung, d. i. die Erzeugten, alſo Kinder.

Γενεαλογέω, ῶ, das Geſchlecht herrechnen, ein Geſchlechtsregiſter machen, aus dem Geſchlechte herleiten; davon —λόγημα, τος, τὸ, das Geſchlechtsregiſter, die Ableitung des Geſchlechts. —λογία, ἡ, das Verfertigen eines Geſchlechtsregiſters, die Ableitung eines Geſchlechts oder aus einem Geſchlechte. —λογικὸς, ἡ, ὸν, zur Genealogie gehörig. —λόγος, ὁ, der Verfertiger eines Geſchlechtsregiſters, der ein Geſchlecht od. aus einem Geſchlechte ableitet.

Γενέθλη, ἡ, Urſprung, Erzeugung, d. i. von Menſchen gebraucht, Geſchlecht, Stamm; von andern Dingen, als Metallen, Urſprung. —θλια, τὰ, ſ. in γενέθλιος; davon —θλιάζω, f. άσω, den Geburtstag feyern. —θλιακὸς, ἡ, ὸν, zum Geburtstag, Geburtstagsfeyer gehörig. —θλιαλογία, ἡ, eigentl. das Berechnen des Geburtstags, d. i. des Glücks od. Unglücks, welches man vermöge der Stellung der Planeten an ſeinem Geburtstage zu erwarten haben ſoll. —θλιαλογέω, ῶ, die Sterndeuterkunſt verſtehen, ſie treiben, od. ein Sterndeuter ſeyn. —θλιαλόγος, ὁ, od. γενεθλιολόγος, Sterndeuter. —θλιὰς, άδος, ἡ, ſ. v. a. γενεθλία oder γενεθλιακή. —θλίδιος, ὁ, ſ. v. a. γενέθλιος. —θλιολόγος, ſ. v. a. γενεθλιαλόγος, —θλιος, ὁ, ἡ, zur Geburt, zum Geſchlechte gehörig: z. B. γ. ἡμέρα, Geburtstag, auch ohne ἡμέρα, wie im lat. *natalis (dies)* τὸ γενέθλιον, der Geburtstag; τὰ γενέθλια, Feyer des Geburtstags. γ. δαίμων, der Schutzgeiſt meiner Geburt, mein mir angebornes und angeſtammtes Glück. γ. αἷμα, das Blut meines Geſchlechts, mein väterlicher und mütterlicher Stamm. γ. θεοὶ, Geſchlechtsgötter, Götter, von denen man ſein Geſchlecht ableitet oder Beſchützer des Geſchlechts. —θλίωμα, τος, τὸ, ſ. v. a. γενέθλη, zw. —θλον, τὸ, ſ. v. a. γενέθλη.

Γενειάζω, f. άσω, od. γενειάσκω, oder γενειάω, (γένειον) einen Bart bekommen, mannbar werden, dem Mannesalter entgegen reifen; γενειάω heiſst auch, einen Bart haben.

Γενειὰς, άδος, ἡ, Kinn, Bart, Barthaar. S. ἐθειρὰς. —άσκω u. γενειάω, ſ. v. a. γενειάζω; davon —ήτης, u. γενειάτης, ου, ὁ, ἡ, mit einem Barte.

Γένειον, τὸ, Kinn, Bart am Kinne.

Γενέσια, ων, τὰ, ſ. v. a. γενέθλια, Geburtstagsfeyer, beſonders von todten, von γενέσιος. —σιάρχης, ου, ὁ, ſ. v. a. γενάρχης. —σιος, ὁ, ἡ, zur Geburt gehörig; γενέσια, τὰ, ſ. v. a. γενέθλια, bey Aciphron. —σιουργὸς, ὁ, (ἔργον, γένεσις) der Schöpfer, Urheber des Geſchlechts; die Zeugung bewirkend παθήματα γενεσιουργὰ καὶ καταγωγὰ Jambl. Pyth. §. 228. —σις, εως, ἡ, Erzeugung, Schöpfung, Entſtehen, Urſprung, Geburt.

Γενέτειρα, ἡ, femin. v. γενετὴρ. —τὴ, ἡ, Urſprung, Geburt, Anfang. —τὴρ, ῆρος, ὁ, od. γενέτωρ, ορος, ὁ, od. γενέτης, ου, ὁ, Erzeuger, Vater; auch γενέτης, für Sohn, Eur. Jon 916. S. γεννήτης. Plato Leg. ſetzt 4. p. 188. προπάτορας u. γεννήτας entgegen. —τήριος, Syneſ. p. 317 zeugend.

Γενηὶς, γενῇδος πλῆγμα, Sophocl. Ant. 249. ſ. v. a. ἀξίνη, πέλεκυς, wie γένυς gebraucht wird. —νῆται, ῶν, οἱ, Geſchlechtsverwandte, davon die Söhne ὁμόγονοι heiſsen. Plato Leg. 9. Eigentl. ſind γενῆται auch γεννῆτοι die Mitglieder eines γένος. Denn jede Φυλὴ iſt in τριττῦς oder φρατριὰς, und jede Φατριὰ in 30 γένη getheilt, woraus die Prieſter durch's Loos gewählet wurden. Ein Mitglied des γένος heiſst alſo γεννήτης. Demoſth. p. 1319 nennt Ἀπόλλωνος πατρώου καὶ Διὸς ἑρκείου γεννηταὶ von den Göttern, den ſie opferten. —νητὸς, ἡ, ὸν, ſ. v. a. γεννητὸς. —νικὸς, ἡ, ὸν, Adv. —κῶς, (γένος) das Geſchlecht betreffend, generiſch.

Γέννα, ἡ, Geſchlecht, Geburt, ſ. v. a. γένος. —νάδας, ου, ὁ, edel, adlich, von Geburt, edeldenkend; brav. —ναιοπρεπὴς, ὁ, ἡ, Adv. —πρεπῶς, (πρέπω) was einem edeln, adlichen, braven Manne anſteht, geziemt. —ναῖος, αία, αῖον, Adv. —αίως, von Geburt, vom Geſchlechte, im Geſchlechte liegend, angeboren; vorzügl. von gutem Geſchlechte, guter Art, z. B. ζῶα γενναῖα, κύων γενναῖος; mithin edel, adlich von Geburt und edeldenkend, edelhandelnd, als groſsmüthig, tapfer, brav; entſchloſſen, ſtark; dav. —ναιότης, ητος, ἡ, die Eigenſchaft eines γενναῖος, alſo edle Geburt, edle Denkungs- und Handlungsart, Tapferkeit, Entſchloſſenheit, Bravheit; von der Erde gebraucht, natürliche Fruchtbarkeit. —νάω, ῶ, zeugen, hervorbringen; beſonders und gewöhnlich von Männern, erzeugen; von Weibern, gebären. S. γένω, davon γενάω, γενέω; davon

Γέννημα, τος, τὸ, das Erzeugte, Geborne, Frucht im Thier- u. Pflanzenreiche. —νησις, εως, ἡ, das Erzeugen, Hervorbringen. —νήτειρα, ἡ, das femin. v. γεννητὴρ, f. v. a. γεννητὴς u. γεννήτωρ, Zeuger, Erzeuger. S. auch γενῆται. —νητικὸς, ἡ, ὸν, zum zeugen gehörig oder bequem, geschickt; von γέννησις. —νητὸς, ἡ, ὸν, erzeugt, geboren; daher sterblich. —νήτωρ. S. γεννήτειρα. —νιδότειρα, ἡ, f. v. a. γενέτειρα, *genetrix*. zweif. —νικὸς ἡ, ὸν, Adv. —κῶς, f. v. a. γενναῖος u. γενναίως.

Γένος, εος, τὸ, Geschlecht, in allen denen Bedeutungen, worinnen wir dies Wort gebrauchen: männliches oder weibliches Geschlecht, Herkunft, Abstammung; edles Geschlecht, Adel; das Geschlecht des Volks, d. i. Volk, Nation. Bey Eintheilungen, Geschlechter oder Gattungen, *genera*, deren Unterabtheilungen, Arten od. *species* sind. —νούστης, ου, ὁ, Geschlechtsverwandter od. Stammvater. Plato Phil. 16. νοῦς ἐστι γενούστης τοῦ πάντων αἰτίου. f. v. a. γεννητικὸς.

Γέντα, τὰ, Fleisch. —τιανὴ, ἡ, *gentiana*, Enzian, eine Pflanze.

Γέντο, f. v. a. ἔλαβεν nahm.

Γένυς, υος, ἡ, Kinn, Bart, Kinnbacken; Kinnbart; Schärfe, Schneide des Beils, das Beil selbst bey Sophocl.

Γένω, oder γείνω, wofür gewöhnlicher γεννάω, zeugen. Gewöhnlich ist blos aor. 1. medii γεινάμην, ich hatte gezeugt; οἱ γεινάμενοι, die ihn gezeugt hatten, die Eltern. Das alte lat. *geno* für *gignere* ist davon gemacht. S. ἐγγείνω.

Γεοειδὴς, ὲς, erdig erdartig. —όομαι, οῦμαι, ich werde zu Erde. —οῦχος, ὁ, f. v. a. γηοῦχος.

Γεραιὸς, ὰ, ὸν, jon. γηραιὸς, alt; ὁ γεραιὸς, der alte und seines Alters oder Würde wegen verehrungswürdige Mann; ἡ γεραιὰ, contr. γραῖα, die alte und ihres Alters und Standes wegen verehrungswürdige Frau. Compar. γεραίτερος, älter, steht auch statt γεραιὸς, u. im plural. γεραίτεροι, die Greise von einem Volke, Senatoren, Gesandte, (sonst πρεσβύτεροι). —ραιραι, αἱ, die Priesterinnen des Bacchus zu Athen. Demosth. p. 1371 welche schwuren, wie in θεόγνια angeführt steht, γεραίρω τῷ Διονύσῳ τὰ θεόγνια καὶ ἰοβάκχεια. —ραίρω, (γέρα;) beehren, jemanden mit einem Ehrengeschenke belohnen; überhaupt auch ehren, verehren; z. B. die Unterthanen [illegible]ουσι τὸν ἄρχοντα καὶ λόγοις καὶ ἔρ-[illegible] Regent γεραίρει seine treuen Diener ἕδραις ἐντίμοις. —ραίω, davon Nicand. Alex. 396. γεραιόμενα nach dem Schol. κοσμούμενα v. γέρας; doch lasen andre anders. —ράνδρυον, u. γεράνδριον, τὸ, (γέρας. δρῦς) ein alter bejahrter Baum. —ράνιον, τὸ, eine Maschine; 2) *geranium*, Storchsschnabel, eine Pflanze. —ρανὶς, ίδος, ἡ, ἐπίδεσμις; eine Bandage bey Paul. Aeg. 6. —ρανίτης, ὁ, λίθος, Kranichstein. —ρανοβοτία, ἡ, auch γερανοβοσία, (βόσκω) das Halten von Kranichen. —ρανομαχία, ἡ, (μάχη) der Streit mit den Kranichen.

Γέρανος, ὁ, der Kranich; 2) eine Maschine zum Heben; 3) eine Art von Tanze. —ραος, ὁ, f. v. a. γεραιὸς u. γηραιὸς. —ραρὸς, ρὰ, ρὸν, ehrwürdig, γεραρὸς τὸ εἶδος Plutarch. Alex. 26. v. γεράω.

Γέρας, ατος, τὸ, Ehrenbelohnung, Ehrenpreiss; überhaupt Ehrenbezeugung; davon γῆρας, das ehrwürdig machende Alter.

Γεράσμιος, ὁ, ἡ, geehrt, verehrungswerth; ehrend. —φόρος, ὁ, ἡ, oder γερατοφόρος, ὁ, ἡ, Ehre bringend od. erhaltend.

Γεργέριμος, ὁ, ἡ, Beywort einer Art von Oliven, von unbestimmt. Bedeutung. Athen. p. 56. Suidas in ἐλάα hat γεγέριμος und erklärt es durch das neugriechische ῥουπάτα. —γηθες, οἱ, zu Miletus der Pobel, Suidas; bey Athenaeus p. 524 γεργίθες. —γίθιος, ὁ, Schmeichler, von einem dieses Namens. Athen. p. 255. —γινος, ὁ, in Cypern eine Art v. königl. Spion u. Schmeichler. Athenae. p. 255. dah. bey Hesych. γεργῖνος u. γεργέρινος, διάβολος.

Γέρδης, ὁ, u. γέρδιος, ὁ, der Weber, d. lat. *gerdius*.

Γερήνιος Νέστωρ, nicht der verehrte oder der alte, sondern aus Gerenum gebürtig.

Γερηφορία, ἡ, (γέρας, φέρω) Ehrenstelle. Dionys. Antiq. 2, 11.

Γεροντανωγέω, ῶ, einen Greis führen, unterrichten, bilden. —ταγωγὸς, ὁ, ein Führer, Lehrer v. Alten. —τειος, εία, ειον, od. γεροντιαῖος, od. γεροντικὸς, vom Alten od. Alter, zum Alten oder Alter gehörig, *senilis*. —τία, ἡ, Alter; auch Versammlung, Rath der Geronten, d. i. der Rath und Senat zu Sparta. —τιαῖος, αια, αῖον, f. v. a. γερόντειος. —τιάω, ῶ, altern, alt werden; οἱ λόγοι σοῦ γεροντιῶσι, deine Reden schmecken nach dem Alter; man sieht aus deinem Gewäsche, dass du ein alter geschwätziger Mann bist, der schon wieder anfängt kindisch zu werden.

Γεροντίζων οἶνος, alter Wein, Alexand. Trallian. 9 p. 524.

Γεροντικὸς, Adv. —κῶς, ſ. v. a. γερόντειος. —τιον, τὸ, dimin. v. γέρων. —τοδιδάσκαλος, ὁ, ἡ, die Alten, das Alter lehrend. —τοκομεῖον, τὸ, (κομέω) ein Ort, wo alte Leute verſorgt werden.

Γερουσία, ἡ, die Verſammlung, Rath der Alten, der Senat; dav. —σιάζω, im Rathe ſitzen, Rathsherr ſeyn, Nicetas Annal. 15, 8. davon —σιαστὴς, οῦ, ὁ, ein Senator. —σίος, ὁ, ἡ, was die Greiſe betrift, ſich für ſie ſchickt, ihnen gehört u. ſ. w. γερούσιον ὅρκον ἕλωμαι Τρωσὶ, Il. 22, 119 ich werde mir von den Aelteſten der Trojer einen Eid geben, ſchwören laſſen.

Γεῤῥάδια, τὰ, Decken von Flechtwerk; von

Γέῤῥον, τὸ, lat. *gerrae*, d. i. *crates vimineae*, alles, was v. Gerten u. Ruthen geflochten iſt, gewöhnlich 1) ein viereckigter Schild mit rohem Ochſenleder überzogen; 2) eine Verzäunung, Wand von dergleichen Flechtwerk; 3) eine Hütte, σκήνωμα, worunter man ſich aufhalten kann; 4) ein Wagenkorb; 5) bey den Komikern, die Schaamglieder. Von der erſten Bedeutung kommt γεῤῥοχελώνη, *teſtudo viminea* zur Bedeckung der Soldaten bey Belagerungen. S. κάννα. —ῤοφόρος, ein Schildträger, ein Soldat mit einem γέῤῥον. —ῤοχελώνη, ἡ. S. γέῤῥον.

Γέρων, οντος, ὁ, ein Greis; οἱ γέροντες, die Greiſe, Aelteſten von einer Nation, der Senat, die Senatoren. —ρωσία, ἡ, ſ. v. a. γερουσία, der Senat; Ariſtoph. Lyſ. 980. wo andre γερωχία leſen.

Γευθμὸς, ὁ, ſ. v. a. γεῦσις.

Γεῦμα, τος, τὸ, (γεύω) das gekoſtete, das Eſſen, oder der Trank; auch der Geſchmack. —ματίζω, koſten.

Γεῦσις, ἡ, das koſten laſſen oder zu koſten geben, oder das Koſten. —στήριον, τὸ, ein Werkzeug zum koſten; Becher. —στικὸς, ἡ, ὸν, zum koſten gehörig; γευστικὴ δύναμις, das Vermögen zu koſten. —στὸς, ἡ, ὸν, gekoſtet, zu koſten; von

Γεύω, ich laſſe koſten, gebe zu koſten oder zu eſſen; alſo ich beköſtige, ſpeiſe einen; γεύομαι, med. ich koſte; daher, wegen der Aehnlichkeit, ſehe zu wie etwas iſt, mache einen Verſuch, eine Probe, wie wir unſer koſten auch zu gebrauchen pflegen; z. B. ἀρχῆς, πένθους γ. Herrſchaft, Kummer koſten; ſehen, verſuchen, wie es einem Regenten, einem Bekümmerten zu Muthe iſt. γ. ἀλλήλων, von fechtenden, es gegen einander verſuchen, einen Gang zuſammen machen. γ. χειρῶν, ſeine Fäuſte verſuchen, ſehen, wie ſtark man iſt. Das lat. *guſto* iſt von dem ungew. γύω γύσω gemacht, wie von νύω, νεύω, *nuto*.

Γέφυρα, ἡ, die älteſte Bedeut. bey Homer iſt ein Damm; denn er ſagt von reiſsendem Strome: τὸν δ' οὔτ' ἄρ τε γέφυραι εἰργμέναι ἰσχανόωσιν; ferner γεφύρωσε κέλευθον, den Weg bahnen durch einen Damm. Dieſe Bedeut. hat es auch in γεφυρῶσαι τὴν διαβάσιν bey Polybius und ὁδοποιῶν τὰ ἄβατα καὶ γεφυρῶν τὰ δύσπορα vom Herkules bey Luzian im Demonax. Daher bey Herodot. 2, 99. τὸν Μῆνα ἀπογεφυρῶσαι τὴν Μέμφιν - τὸν πρὸς μεσημβρίης ἀγκῶνα προσχώσαντα, habe Memphis durch einen Damm vom Gange des Nils getrennt; welche Stelle man gemiſsdeutet hat, und verbeſſern wollte, weil man nicht auf die erſte Bedeutung, ſ. v. a. ἀποχῶσαι, achtete. Hiervon leitet man am ſchicklichſten ab γεφυροῦν τοὺς ποταμοὺς νεκροῖς, die Flüſſe mit Leichnamen dämmen, um darüber zu gehen. 2) bey Homer bedeutet es auch den Weg, Zwiſchenraum zwiſchen den Schlachtlinien, oder vielmehr Il. 4, 371. vergl. 366. die Wagenburg, 8, 553 den Damm, Wall. 3) gewöhnl. aber ſpäter iſt die Bedeut. Brücke; u. davon γεφυροῦν oder γεφύρᾳ ζευγνῦναι ποταμὸν, auch γέφυραν ζευγνῦναι, *ponte jungere fluvium*, eine Brücke über den Fluſs ſchlagen, bauen. Auf die erſte Bedeut. paſst die Ableit. von γῆ ἐφ' ὑγρᾷ.

Γεφυρίζω, von der Brücke herab, od. auf der Brücke ſitzend auf jemand ſpötteln. Dieſs thaten müſſige Leute zu Eleuſis bey den Weihen od. Myſterien; daher überhaupt ſpötteln. —ριον, τὸ, dimin. v. γέφυρα. —ρισμὸς, ὁ, das Spötteln, Verſpotten. —ριστὴς, οῦ, ὁ, ein Spöttler. —ροποιέω, ῶ, eine Brücke machen; überh. bahnen. —ροποιὸς, ὁ, ein Brückenmacher, Brückenbauer, auch das lat. *pontifex*. —ρόω, ῶ, ſ. γέφυρα. —ρωμα, τὸ, der mit einer Brücke belegte oder überh. gebahnte Ort. —ρωσις, εως, ἡ, (γεφυρόω) das Belegen mit einer Brücke oder Dammen. —ρωτὴς, οῦ, ὁ, der mit einer Brücke belegt, Brückenbauer.

Γεωγραφέω, ῶ, die Erde abzeichnen, γράφω, und ſie beſchreiben; davon —γραφία, ἡ, die Erdbeſchreibung; 2) ſ. v. a. πίναξ γεωγραφικὸς Erdkugel, Geminus Elem. Aſtron. K. 13. davon —γραφικὸς, ἡ, ὸν, in der Erdbeſchreibung geſchickt oder darzu gehörig. συγγράμματα, Schriften über die Erdbeſchreibung; Adv. —κῶς, auf geographiſche Art. —γράφος, ὁ, ἡ, die Erde beſchreibend, Erdbeſchreiber.

Γεωδαισία, ἡ, (δαίω) Land- oder Aeckertheilung, auch ſ. v. a. γεωμετρία. —λοφία, ἡ, Erdhügel, Hügel; von —λοφος, ὁ, ἡ, χωρίον γεώλοφον, hüglicht, ψάμμοι γεώλοφοι, Hügel von Sand; auch 2) ὁ γεώλοφος oder τὸ γεώλοφον der Erdhügel, Hügel, von γέα, γαῖα, λόφος.

Γεωμετρέω, ῶ, das Land meſſen, Landmeſskunſt treiben. —μέτρης, ου, ὁ, ein Landmeſſer. —μετρία, ἡ, Landmeſskunſt, Geometrie. —μετρικὸς, ἡ, ὸν, zum Landmeſſen oder zur Landmeſſerkunſt gehörig, geſchickt od. darinne geübt. —μιγὴς, έος, ὁ, ἡ, (μίγω) mit Erde vermiſcht. —μορία, ἡ, zugetheiltes Land, das man baut, von γεωμόρος; dav. —μορικὸς, ἡ, ὸν, was zum γεωμόρος od. zur γεωμορία gehört; νόμος Vertrag wegen Vertheilung von Ländereyen; bey Dionyſ. Hal. welcher dafür auch χωρονομικὸς ſagt. —μόριον, τὸ, dimin. von γεωμορία. —μόρος od. γήμορος, ὁ, ἡ, (γῆ, μείρω) einer, der bey Vertheilung der Aecker auch ein Stück Land bekommen hat, Koloniſt, Landeigenthümer. Dionyſ. Ant. 9, 52 nennt die *decemviros agris dividundis* ſo. —νόμος, ὁ, ἡ, (νέμω) ein Acker- Landvertheiler. —πείνης, ου, ὁ, (γέα, πένης) der wenig und ſchlecht Land hat. Herodot. 2, δ. 8, 111. —πονέω, ῶ, das Land bearbeiten, bauen; davon —πονία, ἡ, γεωπονικὸς u. γεωπόνος, ὁ, ἡ, ſ. v. a. γηπονία, γηπονικὸς, γηπόνος.

Γεωργέω, ῶ, (γέα, γῆ, ἔργον) Land bauen, Land beſitzen und es bauen laſſen, wie *arare*; daher metaphor. ἐκ τούτων γεωργεῖς καὶ σεμνὸς γέγονας Demoſth. 442. das iſt dein Erwerb, davon nährſt du dich; davon —γημα, τος, τὸ, bebautes, beſtelltes Land. —γήσιμος, ὁ, ἡ, gut zum Anbau, urbar. —γία, ἡ, Landbau; Land, das gebaut wird, das einer beſitzt und bauen läſst; auch die ganze Landwirthſchaft. —γικὸς, ἡ, ὸν, zum Landbau gehörig od. darinne erfahren. —γιον, τὸ, Acker; Ackerbau, auch die Frucht davon; v. γεωργία, wie κυνήγιον v. κυνηγία. —γιος, ὁ, ein Ackersmann, Landmann. —γος, ὁ, ἡ, Landbauer, Landwirth, Landmann. S. γεωργέω. —γώδης, εος, ὁ, ἡ, dem Landmanne oder der Landwirthſchaft ähnlich, od. nach Art eines Landwirths.

Γεωρυχέω, ῶ, (ὀρυχὴ) die Erde graben. —ρύχος, ὁ, ἡ, der die Erde gräbt. —τόμος, ὁ, ἡ, ſ. v. a. γειοτόμος. —τραγία, ἡ, die Nahrung aus Erdfrüchten, zweif. —φάνιον, τὸ, (γέα, φαίνω) Name der metallreichen Gegend in der Inſel Samus, wo medizin. Erdarten gegraben wurden. —φύλαξ, ακος, ὁ, Landbeſchützer, Wächter des Landes. —χαρὴς, ὲς, (χαίρω) der ſich des Landes freut, gern auf dem Lande lebt; niedrig, in der Erde. S. γογγύλη.

Γῆ, ἡ, ſ. v. a. γαῖα u. γέα.

Γηγενέτης, ου, ὁ, oder γηγενὴς, ein Erdenſohn, Sohn, Erzeugter der Tellus, d. i. ein Gigante; auch einer, der in dem Lande (worinne er lebt) geboren iſt, Eingeborner. —γενὴς, έος, ὁ, ἡ, aus oder von der Erde erzeugt, entſtanden.

Γήδιον, τὸ, dimin. v. γῆ.

Γῆθεν, wie Adv. aus der Erde, wie οἴκοθεν. —θέω, ῶ, von γήθω, froh ſeyn. —θος, τὸ, od. γηθοσύνη, froher Muth, Frohſinn, Freude. —θόσυνος, ύνη, υνον, Adv. —νως, (γῆθος) froh, freudig.

Γηθυλλὶς, ίδος, ἡ, ſ. v. a. γήθυον. —θυον, τὸ, eine Porrezwiebel; *gethyum*.

Γήθω, ſ. v. a. das abgeleitete γηθέω, davon γέγηθα, γεγηθὼς und γεγηθότως.

Γήινος od. γήϊος, ὁ, ἡ, irdiſch, von Erde. —ΐτης, ου, ὁ, ein Landmann. S. γήτης.

Γηλεχὴς, έος, ὁ, ἡ, (λέχος) auf der Erde gelagert. —λοφος, ὁ, ſ. v. a. γεωλόφος, Erdhügel. —μορος, ὁ, ſ. v. a. γεωμόρος.

Γηουχέω, ῶ, Land beſitzen; von —οῦχος, ὁ, ἡ, einer, der Land beſitzet, γὴν, ἔχων; auch der die Erde zuſammenhält, feſthält od. umfaſst, ſ. v. a. γεοῦχος.

Γηπάτταλος, ὁ, unbeſt. Name eines Erdgewächſes bey Lucian. —πεδον, τὸ, ein Grundſtück; Land. —πετὴς, έος, ὁ, ἡ, (πίπτω) auf die Erde gefallen. —πονέω, ῶ, ſ. v. a. γεωπονέω; davon —πονία, ἡ, γηπονικὸς, Adv. —κῶς, u. γηπόνος, ſ. v. a. γεωπονία, u. ſ. w.

Γηραιὸς, αιὰ, αιὸν, od. γηραλέος, od. γηράλιος, alt, bejahrt; v. γῆρας, wie γέραιος oben von γέρας. —ραμα, τὸ, ſ. v. a. γήρειον; beym Schol. Arati Dioſem. 159. wo auch γήραμος ſteht; Heſych hat γηράμων.

Γῆρας, ατος, τὸ, das Alter; die Form γῆρος, τὸ, Dat. γήρει haben bloſs die LXX Dolmetſcher. —ράσκω, od γηράω, altern, alt, ſchwach werden; Aeſchyl. Suppl. 901. μὴ ἐγήρασαν τροφῇ, als Activ bis zum Alter ernähren. —ρειον, τὸ, ἀκάνθης oder πάππου v. γῆρας, die Federkrone, *pappus*, auf dem reifenden Saamen einiger Pflanzen, welche der Wind wegbläſt. S. πάππος, no. 2.

Γηροβοσκέω, ῶ, im Alter oder einen alten Mann ernähren, pflegen; davon —βοσκία, ἡ, die Pflege, Verſorgung eines alten Mannes od. im Alter.

Γηροβοσκὸς, ὁ, ἡ, der, die im Alter od. einen alten Mann ernährt, pflegt.

Γηροκομεῖον, τὸ, ſ. v. a. γεροντοκομεῖον. —κομέω, ῶ, das Alter oder alte Leute verſorgen, pflegen; davon —κομία, ἡ, Verſorgung, Pflege des Alters, alter Leute; davon —κομικὸς, ἡ, ὸν, zur Pflege und Verſorgung alter Leute gehörig. —κόμος, ὁ, ἡ, Verſorger, Pfleger des Alters oder alter Leute.

Γῆρος, τὸ. S. γῆρας.

Γηροτροφεῖον, τὸ, (τρέφω) ein Ort, wo alte Leute geſpeiſet, ernähret werden; von —τροφέω, ῶ, das Alter, die Alten pflegen, ernähren, ſpeiſen; davon —τροφία, ἡ, das Ernähren, Verpflegen des Alters, alter Leute. —τρόφος, ὁ, ἡ, der das Alter nährt oder pflegt.

Γῆρυς, υος, ἡ, Stimme, Laut, Sprache. —ρυμα, τος, τὸ, das Geſprochene, der Laut, die Stimme; von —ρύω, f. ύσω, einen Laut von ſich geben, reden, ſprechen; doriſch γαρύω, das lat. *garrio*.

Γήτειον, τὸ, ſ. v. a. γήθυον, Lauch od. Porrezwiebel.

Γήτης, οὐ, ὁ, ſ. v. a. γηΐτης, Landbauer. Sophocl. Tr. 32.

Γητομέω, ῶ, die Erde ſpalten, ſchneiden, von —μος, ὁ, ἡ, (τέμνω) die Erde ſpaltend, ſchneidend.

Γηφάγος, ὁ, ἡ, ſ. v. a. γαιηφάγος.

Γιγανταῖος, αία, αῖον, od. γιγάντειος, Gigantiſch, von Giganten. —τιάω, ῶ, f. άσω, wie ein Gigante ſeyn, oder handeln. Piſides bey Suidas, wie γεροντιάω. —τολέτειρα, ἡ, od. γιγαντολέτις, das femin. v. —τολετὴρ, ῆρος, γιγαντολέτης, ου, ὁ, oder γιγαντολέτωρ, ορος, ὁ, Tödter, Verderber, der Giganten. —τομαχία, ἡ, Gigantenſchlacht, Streit der oder mit den Gig. —τοραίστης, ου, ὁ, u. γιγαντοφόνος, ὁ, ἡ, ſ. v. a. γιγαντολετὴρ; jenes von ῥαίω, dieſes von φόνος. —τώδης, εος, ὁ, ἡ, gigantiſch.

Γίγαρτον, τὸ, Weinbeerenkern; davon —γαρτώδης, εος, ὁ, ἡ, voll Kerne, od. gleich dem Weinbeerkerne.

Γίγας, αντος, ὁ ein Gigante, die Giganten waren Söhne der Gäa. Heſiod. Theogon. 185.

Γιγγίδιον, τὸ, *gingidium*, eine Pflanzenart. —γλισμὸς, ὁ, ſ. v. a. κιχλισμὸς. —γλυμοειδὴς, έος, οῦς, ὁ, ἡ, nach Art der Eingelenkung. —γλυμὸς, ὁ, eine Art der Vergliederung, Eingelenkung der Knochen, wo des einen Hervorragung in die Aushöhlung des andern paſst; wie das Gelenk am Knochen des Ellbogen und Oberarm, *ginglymus*; auch am Panzer die Fuge, das Gelenke. Xenoph. ἱππικ. 12, 6. —γλυμοῦσθαι, ſich vergliedern, in einander nach Art eines γιγγλυμὸς fügen. —γλυμώδης, ὁ, ἡ, ſ. v. a. γιγγλυμοειδὴς. —γλυμωτὸς, ὁ, ἡ, durch einen γιγγλυμὸς, Angel, Charnier zuſammengefügt. Hero mech.

Γιγγραίνω, f. ανῶ, ich ſpiele auf der Flöte, γίγγρας; dav. —γραντὸς, ἡ, ὸν, was auf derſelben geſpielet, oder dazu geſungen wird. —γρας, ου, ὁ, auch γίγγρα, ἡ, u. γίγγρος, ὁ, eine kurze Flöte der Phrygier von einem traurigen Tone. Die Lat. haben *gingrire* u. *gingritus* vom Gänſegeſchrey gebraucht; aber Feſtus leitet davon auch *gingrinas, genus quoddam tibiarum exiguarum* her, und hat *gingritor, tibicen.* Heſych. nennt γιγγρίαι, kleine Flöten, worauf man ſpielen lernte. γιγγραίνοις αὐλοῖς hat Athen. p. 174. Man ſagte auch χηνίζειν von einem gewiſſen Tone der Flöte. —γρασμὸς, ὁ, das Spielen auf der Flöte, γίγγρα, der Ton derſelben.

Γίγνομαι. S. γίνομαι. —νώσκω. S. γινώσκω.

Γίννος, ὁ, lat. *hinnus*, ein Maulthier, deſſen Mutter eine Eſelin, der Vater ein Pferd iſt; umgekehrt iſt es bey ὀρεὺς, *mulus*; ſo erklärten nämlich die Lateiner die Stelle Ariſtotel. H. A. 17, 24. Gener. Anim. 2, 8. nach welchen eigentlich γίννος od. ἴννος od. ὕννος; ein verkrüppeltes kleines Pferd oder auch ein vom Mauleſel gezeugtes Thier iſt.

Γίνομαι, od. γίγνομαι, werden, entſtehen, geboren werden, ſich zutragen, ſeyn, daſeyn. Vom Stammworte γένω, γένομαι kommt das fut. γενήσομαι, ἐγενόμην, γενέσθαι Aor. 2. γέγονα, perf. med. Von γένω kommen γενέω, γενάω, verdoppelt γεννέω, u. γεννάω u. γείνω, wie auch die Lat. *geno, gigno.* —νώσκω oder γιγνώσκω, f. γνώσομαι, p. ἔγνωκα, kennen, lernen, wiſſen, erfahren, einſehen, erkennen. Will man etwas kennen lernen, ſo muſs man es unterſuchen und dabey das Wahre vom Falſchen unterſcheiden. So beurtheile ich eine Sache, und entſcheide ſie; ſetze alſo etwas feſt, als meine Meinung od. auszuführenden Entſchluſs, weil ich etwas genehmige, gut finde. Das Stammwort iſt νόω, (davon νόος, νοῦς) νοέω, νοέσκω, νοίσκω, contr. νώσκω, *noſco, novi*, mit beygefügtem γ γνοέω, γνώσκω, u. verdoppelt γιγνώσκω, wie θέρω, θορέω, θορέσκω, θορισκω, θρώσκω. Alſo eigentl. ſ. v. a. νοέω, im Sinne, in den Gedanken haben, denken an etwas.

Γλαγερὸς, ὁ, oder γλαγόεις, (γλάγος) von Milch, milchig, milchfarbig. —γοπὴξ, ῆγος, ὁ, ἡ, (πήγνυω) was die Milch gerinnen macht; von —γος, εος, τὸ, Milch; poet. v. dem proſaiſchen γάλαξ, γάλακος, γάλακτος auch γάλαγος, contr. γλάκος, γλάγος, wovon die Lat. *lacte, lactis*, u. abgekürzt *lac, lactis*, eigentl. *glac, glactis*, wie γάλα ſt. γάλαξ, wie ἄλειφα ſt. ἄλειφαρ oder ἄλειφας.

Γλαγότροφος, ὁ, ἡ, (τρέφω) mit Milch genährt, od. γλαγοτρόφος, m. M. nährend. —γόων, οντος, ὁ, noch ſaugend, nicht erwachſen; milchend; eigentl. partic. v. γλαγάω. S. γλακάω.

Γλάζω, eine Stimme von ſich geben, ſchreyen; ſcheint mit κλάζω einerl. zu ſeyn.

Γλακάω, davon bey Heſych. γλακῶντες, μεστοὶ γάλακτος, wie von γλαγάω oben γλαγόων; derſelbe hat auch γλακκὸς für γαλαθηνὸς. S. γαλακτουχέω.

Γλαμάω, ῶ, f. ήσω, ich habe ſchlimme Augen, *lippio*, eigentl. wenn in den Winkeln der Augen eine geronnene Feuchtigkeit ſich ſetzt, welche —μη, ἡ, gewöhnlich λήμη, lat. *gramia, glama* heiſst. —μυξιάω, ῶ, ſo viel a. γλαμάω; von —μυξος, ὁ, ἡ, *gramioſus*, triefäugig, der ſchlimme Augen hat; von γλαμάω, γλαμύω, γλαμύζω. —μυρὸς ρὰ, ρὸν, oder γλαμώδης, oder γλάμων, ὁ, ἡ, *gramioſus*, ſ. v. a. γλάμυξος. S. λαμυρὸς.

Γλάνις, ὁ, ein Fiſch mit *Silurus* verwandt, wie der Wels.

Γλάνος, ὁ, *Hyaena*, die Hyaene.

Γλὰξ, τὸ, das Stammwort vom latein. *lac*, die Milch; davon doriſch γλακάω ſt. γαλακτιάω, *lacteo*; 2) eine Pflanze mit einem milchichten Safte.

Γλαρὶς, ίδος, ἡ, *caelum, ſcalprum*, ein Inſtrument der Maurer und Zimmerleute, womit ſie Stein und Holz aushölen, abbauen, behauen.

Γλαυκιάω, ῶ, (γλαυκὸς) davon γλαυκιόων, der blaue Augen hat und damit ſieht. —κίζω, f. ίσω, bläulicht ausſehen; 2) ſchwach ſehen, wegen eines γλαύκωμα. —κινος, von blauer Farbe, ἱμάτιον, u. dergl. Plutarch. —κιον, und γλαύκιον, τὸ, eine Pflanze von bläulichtem Anſehen; 2) ein Waſſervogel mit bläulichten Augen. —κίσκος, ὁ, ein Fiſch, *glauciſcus*, von der blauen Farbe. —κόμματος, ὁ, ἡ, blauäugig, von ὄμμα und —κὸς, ή, ὸν, eigentl. glänzend, hell, v. γλαύω, γλαύσσω, wie λευκὸς von λεύω, λεύσσω; vorzügl. aber hellblau, himmelblau; vermuthlich weil alles Licht vom blauen, hellen Himmel kommt; das lat. *caeſius* iſt daſſelbe; *caeruleus* hingegen dunkelblau. Solche Augen hat der Löwe, die Katze, die Nachteule, und der Minerva legen die Dichter dergleichen bey; Heſiod. Theog. 140 nennt γλαυκὴν ohne θάλασσαν, das Meer, wie *caerula verrunt*. So braucht er ἴδρις u. φερέοικος für Ameiſen und Schnecken; davon —κότης, ητος, ἡ, die bläulichte Farbe, das bläulichte Anſehen. —κόφθαλμος, ὁ, ἡ, blauäugig. —κοχαίτης, ου, ὁ, ἡ, (χαίτη) mit bläulichtem Haar, Mähne. —κόχροος, zſgz. γλαυκόχρους, ὁ, ἡ, (χρόα) blauſarbig. —κόω, ῶ, ich mache blaulicht; verurſache ein γλαύκωμα. —κώδης, εος, ὁ, ἡ, nach Art u. Farbe einer Eule, γλαὺξ. —κωμα, τος, τὸ, (γλαυκόω) Fehler und Verdunkelung der Augen durch eine bläulichte Haut oder Flecken; *glaucoma*. Die ſpätern Griechen nannten die Verdunkelung der Kryſtallinſe γλαύκωμα, d. i. der Staar; da bey den ältern dieſes und ὑπόχυμα eins bedeutet. Paul. Aegin. 3, 22. —κῶπις, ιδος, ἡ, Beywort der Minerva, blauäugig. —κωπὸς, ὁ, ἡ, auch γλαυκὼψ, ὁ, ἡ, blauäugig. —κωσις, εως, ἡ, (γλαυκόω) die Verdunkelung des Auges durch ein γλαύκωμα. —κὼψ, ῶπος, ὁ, ἡ, ſ. v. a. γλαυκωπὸς.

Γλαὺξ, κὸς, ἡ, *noctua*, die Eule; eigentl. die Art mit den blaulichten Augen.

Γλαύσσω, (λάω, λαύω, λαύσω, γλάω) ich leuchte, glänze; ſehe; daher διαγλαύσσουσιν ἀταρποὶ Apollon. Rhod. die Wege ſcheinen durch. Wie v. λάω kommt λαμπρὸς, ſo von γλαύω, γλαυσὸς, γλαυρὸς, glänzend; auch γλῆνος u. γλήνη, ein glänzendes Ding, das Auge. Dah. γλαυκὸς einige durch glänzend u. weiſs erklärten. S. γελάω.

Γλάφυ, τὸ, (γλάφω) Höle, Grotte. Heſiod. ἔργ. 533. —φυρία, ἡ, Glätte, Feinheit, Nettigkeit, Artigkeit, Eleganz, Zierlichkeit; v. —φυρὸς, ρὰ, ρὸν, Adv. —ρῶς, ausgehölt, hohl; geglättet, polirt, nett, fein, artig, zierlich, elegant. —φυρότης, ἡ, ſ. v. a. γλαφυρία; von

Γλάφω, f. ψω, Heſiod. Scut. 431. ich höle aus, grabe aus, bringe durch Ausgraben und Wegnehmen mit einem Werkzeuge von Stein und Holz eine Figur heraus, ich ſchnitze, haue aus; daher das lat. *ſcalpo*, wie aus dem verwandten γλύφω, *ſculpo*.

Γλευκαγωγὸς, ὁ, ἡ, (γλεῦκος) Moſt führend. —κινος, ίνη, ινον, von Moſt; von —κοπότης, ου, ὁ, ein Moſttrinker, der gern ſüſsen Wein trinket. —κος, εος, τὸ, (γλυκὺς) Moſt, ſüſser ungegorner oder eingekochter Wein.

Γλεῦξις. S. γλύξις.

Γλήμη, ſ. v. a. γλάμη.

Γλήνη, ἡ, ein Mädchen, Puppe, wie *pupa*; 2) der Augenſtern, die Sehe, wie *pupula, pupilla*, ſonſt κόρη; 3) eine Knochenvertiefung, um ein Gelenk aufzunehmen; 4) die Zelle in der Bienenarbeit. S. γλάυσσω.

Γλῆνος, εος, τὸ, f. v. a. ἄγαλμα, ein Stück, was zur Schau, Zierde dient; alfo auch Stern, Schmuck; auch von geftickter Arbeit, f. v. a. ποίκιλμα Apollon. 4, 428. Il. 24, 192.

Γλήχων, ἡ, pulegium, Poley, eine Pflanze; davon —χωνίτης, ου, ὁ, ein mit Poley zubereiteter Wein.

Γλία, ἡ, Leim; andre haben dafür γλοιά. S. γλοιὸς.

Γλῖνος, oder γλεῖνος, eine Art v. Rüfter; acer campeftre. Theophraftus h. pl. 3, 11.

Γλισχραίνω, f. ανῶ, leimig, klebrig, zähe machen. —σχραντιλογεξεπίτριπτος, ὁ, ἡ, ein verwünfchter und halsftarriger Kleinigkeitszänker u. Widerbelferer. Eine komifche Zufammenfetzung des Ariftoph. aus γλίσχρος, ἀντιλογία, ἐξεπίτριπτος. —σχρασμα, τὸ, (γλισχράζω) Zähigkeit. —σχρεύομαι, zähe, d. i. fparfam, genau feyn. —σχρία, ἡ, kümmerliches Leben; beym Schol. Ariftoph. Pac. 193. eigentl. f. v. a. γλισχρότης. —σχρολογία, ἡ. S. γλίσχρος am Ende; von —σχρολογοῦμαι. —σχρός, ρα, ρον, Adv. γλίσχρως, leimig; dah. theils zähe, theils fchlüpfrig. Wer zähe bey Ausgaben ift, ift fparfam, karg, wie im lat. tenax gluten, tenax homo; u. eben fo γ. δεῖπνον, ein karges Gaftmahl, d. i. wie es ein karger Menfch, ein Knaufer giebt; γ. τέχναι karge, d. i. karg nährende, dürftigen Unterhalt gewährende Handwerke; γ. χωρία, karge Felder. Vom klebrigen kommt die Bedeutung des anhaltenden, beharrlichen, wie in λιπαρὴς. Daher Ͽυμὲ, γεvoῦ γλίσχρος προσαιτῶν λιπαρῶντε, d. i. halte im Bitten und Flehen an, Ariftoph. Hiervon bedeutet es auch einen mühfamen und bis ins Kleinliche gehenden Forfcher, wie das lat. homo putidae diligentiae, χρυσίππος γλίσχρος ἐστὶν εὑρεσιλογῶν ἀπιϑάνως. Plutarch. τὰ γλίσχρα καὶ διακονικὰ. Ebenderfelbe. Daher γλισχρολογεῖσϑαι u. γλισχρολογία, f. v. a. λεπτολογεῖν u. λεπτολογία, wenn man fich mit kleinen Dingen, fpitzfindigen Fragen mühfam befchäftiget, beym Philo T. 1 p. 695. davon.

Γλισχρότης, ητος, Zähigkeit, Schlüpfrigkeit; daher Kargheit, fchmutziger Geiz; Genauigkeit, vorz. kleinliche in Ausgabe od. Unterfuchungen. —σχρόχολος, ον, mit Galle vermifcht und zäh. —σχρώδης, εος, ὁ, ἡ, wie od. gleichfam zähe oder klebrig. —σχρων, ονος, ὁ, ἡ, ein kümmerlich lebender Menfch, elender, unglücklicher. Ariftoph. Pac. 193.

Γλίχομαι, ich verlange, mit d. Genit. ich liebe, bemühe mich.

Γλοιάζω, ich blinzle mit d. Augen, und fehe einen von der Seite an, um feiner zu fpotten; f. v. a. ἰλλώπτειν, vielleicht ftatt γελοιάζειν gebraucht. —ὰς, άδος, ἡ, ἵππος, ein tückifches (vielleicht ftätifches) Pferd. —ης, ητος, ὁ, tückifch, vielleicht ftätifch, halsftarrig.

Γλοιὸς, ὁ, das klebrige, fchmutzige Oel, welches vom Leibe mit der ftrigil beym reinigen deffelben gebracht wird, ftrigmentum, od. welches auf dem Ringplatze abfliefst; fordes olei, picula Vegetii: daher eine klebrige Feuchtigkeit; 2) als Adjektiv wird es durch träge, unvermögend; bösartig tückifch; und klebrig, fchmutzig erklärt; Nicetas Annal. 10, 6. hat κατάπυγων καὶ γλοιὸς verbunden. Der Zufammenhang diefer Bedeutungen ift vielleicht diefer: erft klebrig, dann fchmutzig, filzig, geizig; vom klebrigen leitet fich die Bedeutung von beharrlich, anhaltend, halsftarrig, eigenfinnig ab, wie in γλίσχρος; ferner fchlüpfrig, fchlau, liftig, betrugerifch, boshaft. Scheint durch γλία d. i. κόλλα und γλίον, εὔτονον, ἰσχυρὸν mit γλίσχρος, und dem lat. glus, glutien, gluttus verwandt zu feyn.

Γλοιόω, ῶ, ich mache klebrig, fchlüpfrig, zahe.

Γλοιώδης, εος, ὁ, ἡ, was fchlüpfrig, zähe, wie γλοιὸς, ift. —ωδῶς, Adv. blinzelnd wie ein γλοιάζων; zweif.

Γλουτια, τὰ, die Hinterbacken; 2) zwey Erhabenheiten im Gehirne, lat. nates ebenfalls genannt; eigentl. dimin. von —τὸς, ὁ, nates, Hinterbacken, das Gefäfs; bey Theophilus Protosp. 1 c. 23, die erftere ἀπόφυσις am erhobnen Theile des Hüftknochenkopfs.

Γλυκάζω, f. άσω, oder γλυκαίνω, f. ανῶ, verfüfsen, füfs machen; auch neutr. füfs, fufslich machen oder werden; 2) einen füfsen Gefchmack beybringen; γλυκαζόμεϑα, wir empfinden einen füfsen Gefchmack. Bey Athenaeus 5 p. 200 πρὸς τὴν τοῦ γλυκισμοῦ χρείαν, das Mifchen mit füfsem Weine; daher eben das πάντες κοσμίως ἐγλυκάνϑησαν, tranken alle den mit füfsem Weine gemifchten Trank; v. γλυκὺς, vinum paffum. —κανσις, ἡ, Verfüfsung. —κασμα, τὸ, Süfsigkeit; das verfüfste. —κασμὸς, ὁ, (γλυκάζω) das Süfsmachen oder Süfsfeyn.

Γλυκερὸς, ρὰ, ρὸν, füfs, gleichfam von γλυκέω. —κερόχρως, ὁ, ἡ, von füfser, d. i. zarter, feiner Haut, zart, fchön. —κιος, bey Sophoc. Ph. 1461. γλυκίοντε ποτὸν fcheint ft. γλυκὺ zu ftehen, da man es ſonſt von γλυκίων ſt. γλυκύτερος ableiten könnte.

Γλυκισμὸς, ὁ, (γλυκίζω) Süſsigkeit. S. γλυκαίνω. —κόεις, όεσσα, όεν, ſüſslich, ſüſs. —κύδακρυς, υος, ὁ, ἡ, ſüſse Thränen verurſachend oder weinend. —κυδερκὴς, έος, ὁ, ἡ, (δέρκω) mit ſüſsem lieblichen Blicke. —κύδωρος, ὁ, ἡ, (δῶρον) der ſüſse, angenehme Geſchenke giebt. —κυηχὴς, έος, ὁ, ἡ, (ἠχέω) ſüſstönend. —κυθυμέω Hierocles Pyth. p. 216. Cantabr. τὰ γλυκυθυμοῦντα angenehme Speiſen. —κυθυμία, ἡ, ſanfte, heitere Gemüthsſtimmung; γλυκυθυμία ἡ πρὸς τὰς ἡδονάς, wenn man ſich der Wolluſt überläſst, ohne arges davon zu befürchten und die Folgen von dem Uebermaaſse zu kennen. Plato Leg. I p. 26. —κύθυμος, ὁ, ἡ, von ſanfter, weicher Gemüthsſtimmung; act. eine ſolche Stimmung bereitend, erheiternd. —κύκαρπος, ὁ, ἡ, mit oder von ſüſser Frucht. —κύκρεως, ὁ, ἡ, (κρέας) mit oder von ſüſsem Fleiſche. —κυμαρὶς, ἡ, eine Art von Gienmuſchel. Xenocrates 8 unterſcheidet ſie von τραχεῖαι, πελωρίδες. Plinius ſagt, ſie ſeyen gröſser, als die *pelorides* 32. ſ. 53. —κυμείλιχος, ὁ, ἡ, ſüſs u. ſanftmüthig. —κύμηλον, τὸ, ſüſser Apfel; auch eine beſondere Art Aepfel. —κυπάρθενος, ον, ſüſse Jungfrau; zweif. —κύπικρος, ὁ, ἡ, bitterſüſs. —κύῤῥιζα, ἡ, od. γλυκύῤῥιζον, τὸ, Süſswurzel, wovon der Liquiritienſaft gemacht wird, *glycirrhiza* bey Linné.

Γλυκὺς, εῖα, ὺ, ſüſs, angenehm vom Geſchmacke; übergetragen, ſüſs, angenehm vom Betragen, einnehmend, reizend, ſanft, zart. —κυσίδη, *glycyſide*, *paeonia*, eine Pflanze, die wir in unſern Gärten, mit gefüllten rothen Blumen, häufig haben und Paeonie und Gichtroſe nennen. —κύστρυφνος, ὁ, ἡ, ſüſs-herbe, oder ſauer. —κύτης, ητος, ἡ, Süſsigkeit. —κυτράχηλος, ὁ, ἡ, mit ſüſsem, ſanften (weichem) Halſe. —κύφθογγος, ον, ſüſs tönend oder ſprechend. —κυφωνία, ἡ, ſüſser Geſang, ſüſse Stimme oder Rede. —κύφωνος, ὁ, ἡ, (φωνὴ) mit oder von ſüſser angenehmer Stimme. —κύχυλος, ὁ, ἡ, von oder mit ſüſsem Safte.

Γλύκων, (γλυκὺς) ein Schmeichelwort, ὦ γλύκων, Ariſtoph. Eccleſ. 1030 mein ſüſser Freund.

Γλύμμα, τὸ, (γλύφω) das gegrabene, gravirte; die Gravüre, das eingegrabene Bild.

Γλύξις, εως, ἡ, auch γλεῦξις (γλυκὺς) ſüſser, gekochter Wein. Heſych. und Athenaeus 2 p. 31.

Γλυπτὴρ, ῆρος, ὁ, oder γλύπτης, ου, ὁ, der etwas in Metall oder Stein gräbt. —πτὸς, ἡ, ὸν, in Metall od. Stein geſtochen, gegraben.

Γλύφανον, τὸ, od. γλυφεῖον, τὸ, Grabſtichel, Meiſſel, Werkzeug zum γλύφειν, *ſculpere*, tief oder erhaben zu arbeiten in Stein, Erzt und dergl. Im hym. Mercur. 41 iſt γλύφανον, der Bohrer, wie auch das Wort ἀναδινήσας zeigt. —φανος, ſ. v. a. γλυπτὸς κάλαμος, geſchnittene Feder oder Rohr. Anthol. —φεῖον, τὸ, ſ. v. a. γλύφανον. —φεὺς, έως, ὁ, ſ. v. a. γλυπτὴρ. —φὴ, ἡ, ſ. v. a. γλύμμα; davon —φὶς, ίδος, ἡ, die Kerbe am Pfeile, womit er auf der Sehne liegt; 2) der Pfeil ſelbſt; von

Γλύφω, f. ψω, ich höle aus, ich ſteche, grabe in Stein, Metall, Holz, und bringe durchs Wegnehmen von der Oberfläche eine Figur heraus, ich ſchnitze aus; das lat. *ſculpo*, wie das verwandte γλάφω, *ſcalpo*, und γράφω, *ſcribo*, eigentl. *ſcrabo*.

Γλῶσσα, att. γλῶττα, ἡ, Zunge; daher Sprache, d. i. ſowohl das Vermögen durch die Zunge zu ſprechen, als auch verſchiedene Mundart verſchiedener Völker. Bey den Grammatikern iſt γλ. ein fremdes oder fremdartiges, und daher einer Erklärung bedürfendes Wort. Wegen der Aehnlichkeit iſt es auch das Mundſtück an der Flöte, und der Riemen am Schuhe, welches beydes die Lat. *lingula* od. *ligula* nennen.

Γλωσσαλγέω, ῶ, eigentlich Schmerzen an der Zunge haben; daher ſchwatzen, ausgelaſſen reden, daſs einem die Zunge gleichſam wehe thut, wenn man nicht reden darf; daher —σαλγία, ἡ, ſ. v. a. —σαργία, ἡ, Ausgelaſſenheit der Zunge, Geſchwätzigkeit, Frechheit im Reden. Eurip. Med. 528 στόμαργον γλωσσαλγίαν; v. —σαργος, ὁ, ἡ, geſchwätzig, frech im Reden; ἀηδὼν γλ. führt Dio Chr. Orat. 47 p. 229. aus Dichtern an, alſo die ſchön oder raſtlos ſingende. Die urſprüngliche Form ſcheint γλώσσαλγος nebſt den Ableit. und davon γλώσσαργος nur durch die Ausſprache verſchieden zu ſeyn. —σάριον, τὸ dimin. v. γλῶσσα. —σασπις, ιδος, ὁ, ἡ, gleichſam mit einem Zungenſchilde verſehen, wie ἀργύρασπις, einer, der ſich mit ſeiner Zunge, wie mit einem Schilde, vertheidiget. —σημα, τὸ, eine Gloſſe, altes ungebräuchliches Wort od. Ausdruck. Vergl. γλῶσσα; davon —σηματικὸς, ἡ, ὸν, ὄνομα, ſ. v. a. γλώσσημα. Adv. —κῶς, in alten ungewöhnlichen Ausdrücken.

Γλωσσογάστωρ, ορος, ὁ, ἡ, der mit ſeiner Zunge ſeinen Magen füllt, und ſich ernährt, wie χειρογάστωρ; ein Zungenkramer. Nicetas Annal. 9, 18.

Γλωσσογράφος, ὁ, ἡ, der über Gloſſen ſchreibt und ſie erklärt. —σοειδὴς, έος, ὁ, ἡ, zungenähnlich. —σοκάτοχος, ὁ, ἡ, (κατέχω) der die Zunge an oder zurückhält. —σοκομεῖον, τὸ, und γλωττόκομον, τὸ, (κομέω) eine Kiſte, Kaſten, Futteral; weil man anfangs das Mundſtück der Flöten (γλῶσσα) darinne aufbewahrte. —σοκρατέω, ῶ, ſeine Zunge beherrſchen, im Zaume halten, ſchweigen. —σομανία, ἡ, Zungenraſerey, Ausgelaſſenheit, Frechheit im Reden. —σοστροφέω, ῶ, ſeine Zunge drehen und ſchnell wenden, στρέφω, ſchwatzen, ein Zungendreſcher ſeyn. —σότμητος, ὁ, ἡ, dem die Zunge abgeſchnitten iſt; von —σοτομέω, ῶ, f. ήσω, (τομὴ, γλῶσσα) die Zunge abſchneiden. —σοχαριτέω, ῶ, od. umgekehrt, χαριτογλωσσέω, mit der Zunge willfahren, zu Gefallen reden, ſchmeicheln.

Γλωσσώδης, εος, ὁ, ἡ, zungenähnlich; mit einer Zunge oder einem Riemen; geſchwatzig.

Γλῶττα, ἡ, ſ. v. a. γλῶσσα; davon —τικὸς, ἡ, ὸν, zur Zunge gehörig; von der Zunge. —τισμα, τὸ, ein Kuſs mit ſchnabeln verbunden. —τισμὸς, ὁ, (γλωττίζω) das gegenſeitige Berühren mit der Zunge, das Schnabeln, wollüſtige Küſſen. S. in καταγλωττίζω; davon —τοδεψέω, ῶ, das lat. *fello*, ich treibe mit der Zunge Unzucht. —τοποιέω, ich bilde fremde, ungewöhnliche Worte.

Γλωχὶν und γλωχὶς, ῖνος und ίδος, ὁ, Spitze, Ecke, Winkel. Il. 24, 274 ζυγοῦ, Ecke des Jochs; θαλάσσης, Winkel, Bug, bey Agath. γλῶχες, für Hacheln an den Aehren, *ariſta*, bey Heſiod. Scut ſt. γλωχῖνες.

Γναθμὸς, ὁ, Kinnbacken; ſ. v. a. d. folgd.

Γνάθος, ἡ, Kinnbacken, Kinnbackzähne, Backen. von γνάω ſt. κνάω wie γνύθος von γνύω ſt. κνύω; das letztere hat auch die Bedeut. von Grube, Hole; bey Heſych. Anſtoſs im Gehn; derſelbe hat auch ὑπογνύθα Adv. mit der Hand unter dem Kinne; davon —θόω, ῶ, auf die Kinnbacken ſchlagen. —θων, ωνος, ὁ, (γνάθος) ein Schmarotzer; gleichſam Pauſsback.

Γναμπτὸς, ἡ, ὸν, gebogen, gekrümmt; von —πτω, f. ψω, biegen, krümmen.

Γνάπτω, iſt mit κνάπτω einerley u. nur in der Ausſprache verſchieden; die alten Attiker ſagten κνάπτω κναφεὺς, κνάφος. Das Stammwort iſt κνάω, κνάπω, κνάπτω, welches ſ. v. a. ξαίνω u. ξύω bedeutet, kratzen, aufkratzen, abkratzen und ſo walken. Dies zeigen die Stellen des Heſych. wo er κνάμπτει, καταξαίνει, hernach κνάμπτομαι, καταξύομαι, drittens κναμπτόμενοι, ξαινόμενοι, viertens γνάμψεν, ἔξεσεν, ἤμυξεν erklärt. Eben ſo Schol. Ariſtoph. Plut. 166. wo κνάφος, ὁ, erklärt wird für einen ſtachlichten Strauch, mit welchem die Walker das Tuch aufkratzen: ᾧ ξύουσι τὰ ἱμάτια. Dies beweiſet auch die Stelle bey Diog. Laert. wo Xenokrates einen unvorbereiteten Schüler zurückweiſet und ſagt: παρ' ἐμοὶ πόκος οὐ κνάπτεται, hier wird keine rohe Wolle kardetſcht und zurechte gemacht. Die Bedeut. v. ξαίνειν beweiſt die Stelle des Komiker Kratinus, b. Pollux 7, ſect. 37 τῇ μάστιγι, κνάψειν εὖ μάλα ἢ συμπατῆσαι, wo man ξαίνειν erwartet hätte; aber auch συμπατῆσαι iſt vom Walken und Stampfen des Tuchs mit den Füſſen hergenommen. Auch alte ſchmutzige Kleider brachte der γναφεὺς wieder in die Walke, reinigte ſie vom Schmutze mit λίτρον, κονία, γῆ σμηκτρὶς od. κιμωλία, brauchte auch zum weiſs machen, weiſse Erde, ſchwefelte ſie, u. gab ihnen ſo Farbe und Glanz wieder. Dies heiſst ἀναγνάψαι, ein Kleid reinigen, poliren und wie neu machen. So ein Kleid hieſs ἐπίγναφος u. δευτερουργὴς. Daher die Metapher bey Pollux 7 ſect. 41 ὁ δ' ἀναγνάψας καὶ θειώσας τὰς ἀλλοτρίας ἐπινοίας, Hippokr. de vict. ſan. 1, 8, beſchreibt die Arbeit des *fullo* vollkommen: οἱ γναφέες λακτίζουσι καίουσι, λυμαινόμενοι κόπτουσιν, ἕλκουσιν, πλυνόμενα ἰσχυρότερα ποιέουσι, κείροντες τὰ ὑπερέχοντα καὶ παραπλέκοντες καλλίω ποιέουσι. Das Wort κνάμπτω ſcheint zwar daſſelbe Wort mit κνάπτω zu ſeyn, man hat es aber ſo wie γνάμπτω für beugen faſt nur allein gebraucht.

Γνάπτωρ, ὁ, ſ. v. a. γναφεὺς, Manetho 4, 421.

Γναφάλιον, τὸ, *gnaphalium*, ein wollichtes Kraut, womit man auch Kiſſen ſtopfte; von —φαλον, τὸ, (γνάπτω) Wolle, Flocken, womit man Kiſſen und dergl. ausſtopft; eigentl. die vom Walker u. Tuchſcheerer beym Appretiren der Tücher abgekratzte Wolle. —φεῖον, τὸ, (γνάπτω) Walkerswerkſtätte. —φεὺς, έως, ὁ, Walker und Tuchſcheerer zugleich bey den Alten. S. in γνάπτω. —φευτικὸς, ἡ, ὸν, zum Walken gehörig; daher γναφευτικὴ, verſt. τέχνη, die Walkerkunſt. —φεύω, walken, Walkerey treiben. —φικὸς, ἡ, ὸν, was zum Walken gehört. —φος, ὁ, (γνάπω, γνάπτω) die Karden od. Kardetſchen der Walker, beſtebend aus lauter Spitzen und Stacheln.

Γνάψις, εως, ἡ, das Poliren und Aufputzen durch den Walker u. Tuchscheerer. S. in γνάπτω.

Γνήσιος, ία, ιον, Adv. —σίως, v. γενέσιος contr. γνήσιος, wie *genus*, *genuinus*, eigentl. zum Geschlechte gehörig, ächt, recht, gesetzmäfsig, γυναῖκες, αἱ μὲν γνησίαι, αἱ δὲ παλλακίδες wirkliche Gattinnen sowohl, als blofse Beyschläferinnen; γνήσιος παῖς, ein von seiner rechtmäfsigen Frau erzeugter Sohn, ächtes, eheliches Kind; daher auch γνήσιος ἀετὸς, ein ächter Adler; γνήσιοι Γαλάται, eigentliche Gallier. Ueberhaupt ächt, wirklich; davon —σιότης, ητος, ἡ, Aechtheit, ächte, eigentliche Abstammung.

Γνίφων καὶ κίμβιξ Nicetas Annal. 2, 3 für Geizhals; daher die komische Person Gniphon vermuthlich einen alten Geizigen vorstellte.

Γνοφερὸς, ρὰ, ρὸν, od. γνοφώδης, finster, dunkel, stürmisch. θέρος γνοφῶδες, stürmischer Sommer, Geopon. —**Φέω**, ῶ, f. ήσω, s. v. a. γνοφόω. —**φος**, ὁ, Finsternifs, das Dunkel; 2) eine Art Wirbelwind, Sturm. Hat mit νέφος einerley Ursprung; davon —**φόω**, ῶ, verfinstern, verdunkeln; und —**φώδης**, εος, ὁ, ἡ, s. v. a. γνοφερὸς.

Γνύθος, τὸ, Lycophr. 485. Grube, Höle. Hesych. hat γνάθος u. γνύθος, ὁ, in diesem Sinne angemerkt. S. γνάθος.

Γνὺξ, Adv. mit gebogenem Knie.

Γνυπετὸς, für schwach, ohnmächtig, krank, v. γόνυ πεσεῖν. S. γόνυ. Davon γνυπτεῖν, schwach, krank seyn. Dafür hat man auch γνυπόω, γνυποῦσθαι gesagt; dav. γνυπῶν, traurig, schwach, krank; und bey Menander κατεγνυπωμένως, s. v. a. νώθρως, ἀνάνδρως.

Γνῶμα, τος, τὸ, s. v. a. γνώμων, Beweis, Probe, Meinung, Aeschyl. Ag. 1363. Herodot. 7, 52. —**ματεύω**, (γνῶμα) eigentl. σκιὰς γνωματεύειν, Plato Resp. 7 p. 132. den Schatten beurtheilen im Gnomon; überh. beurtheilen; 2) eine Sentenz sagen, in Sentenzen sprechen; davon —**μάτευμα**, τὸ, Ausspruch, Sentenz.

Γνώμη, ἡ, vermöge seiner Abstammung von γνόω (siehe γιγνώσκω) ist es Einsicht, Kenntnifs. Denk ich mir diese in dem Menschen als wirkliche Kraft, so ist es die Seele, in so ferne sie Einsicht hat, eine Richtung nimmt und einen Entschlufs fafst; ἀνθρωπίνη γ. menschlicher Verstand; der Bau des menschlichen Körpers οὐ τύχης, ἀλλα γνώμης ἔργον ἐστὶ ist ein Werk nicht irgend eines Ohngefährs, sondern von einem Verstande, verständigen Wesen; τοῦτο ἀνθρώπου γνώμῃ αἱρετέον, dies mufs man nach menschlicher Einsicht wählen. Daher Gesinnung, Meinung, Gutachten, Wille, Willensmeinung, Entschlufs, Rath; γνώμην ἀποφαίνεσθαι περὶ οὐδενὸς, von keinem Dinge seine Meinung deutlich und bestimmt heraussagen; τίνα γνώμην ἔχεις περὶ τούτου was meinst du davon? So sind γνῶμαι, Meinungen eines weisen u. sinnreichen Mannes, wodurch er andern einen guten Rath geben will, ἄνευ γνώμης τοῦ στρατηγοῦ ἀπιέναι, ohne Wissen und Willen des Feldherrn weggehn; die Sklaven dürfen nichts thun, ἄνευ τῆς τῶν κυρίων γνώμης, ohne Wissen und Willen ihrer Herren; ἀπὸ γνώμης, aus freyem Entschlusse; παρὰ γνώμην, wider Willen, gezwungen. Hierher gehoren auch die Bedeutungen: Vorschlag, Antrag, *rogatio*, *relatio ad senatum*. Endlich findet man auch γνώμη statt Kennzeichen, Richtschnur. οὔτε κακῶν γνώμας εἰδότες οὔτ' ἀγαθῶν. Theognis. χρή με παρὰ στάθμην καὶ γνώμην τήνδε δικάσσαι δίκην. ebendas. wo andre γνώμονα lesen.

Γνωμηδὸν, Adv. Stimme für Stimme. Dionys. Ant. 8, 43. —**μίδιον**, τὸ, dimin. v. γνώμη. —**μικὸς**, ἡ, ὸν, von oder in Sprüchen, Sentenzen. —**μοδοτέω**, ῶ, bey Suidas, γνώμην διδόναι, unbestimmt stimmen lassen oder seine Stimme geben. —**μολογέω**, ῶ, (γνώμη, λέγος) in Sprüchen, Sentenzen reden; davon —**μολογία**, ἡ, das Reden in Sprüchen od. Sentenzen, od. die Sammlung von Sprüchen, Sentenzen; davon —**μολογικὸς**, ἡ, ὸν, Adv. —**κῶς**, zum sprechen, reden in Sentenzen gehörig od. der gern in Sprüchen, Sentenzen redet. —**μολόγος**, ὁ, ἡ, in Sprüchen oder Sentenzen redend. —**μονικὸς**, ἡ, ὸν, Adv. —**κῶς**, zum γνώμων gehörig oder geschickt im Beurtheilen; überhaupt einsichtsvoll. Memorab. 4, 2. 2) was zum γνώμων Sonnenuhr gehört; γνωμονικὴ (τέχνη) die Kunst, Sonnenuhren zu verfertigen. —**μοσύνη**, ἡ, (γνώμων) Einsicht, Beurtheilungskraft, Kenntnifs. —**μοτυπέω**, ῶ, (τύπτω) s. v. a. γνωμολογέω, doch mehr komisch oder spöttisch; davon —**μοτυπικὸς**, ἡ, ὸν, s. v. a. γνωμολογικὸς. —**μοτύπος**, ὁ, ἡ, s. v. a. γνωμολόγος.

Γνώμων, ονος, ὁ, ἡ, (γνοέω) ein Kenner, Untersucher, Schiedsrichter, Beurtheiler Thucyd. 1, 138. Richter; Anzeiger, Zeiger an der Sonnenuhr; daher auch Richtschnur; und der Zahn, an dem man das Alter der Pferde erkennt. Auch ein Winkelmaafs, *norma*; und daher γνώμονες; bey den Pythagoräern, die ungleichen Zahlen 3, 5, 7, 9, weil sie in eine Figur wie ein gleicharmiges Winkelmaafs gestellet werden können.

Γνωρίζω, f. ίσω, bekannt machen, anzeigen, kenntlich machen; Aefchyl. Prom. 487. fich etwas bekannt zu machen fuchen, d. i. prüfen, unterfuchen, und daher kennen lernen, erkennen, einfehen. —ριμος, ὁ, ἡ. Adv. —ίμως, Bekannter, Vertrauter, Freund; überh. bekannt; berühmt; γνώριμοι, find auch *optimates*, die vornehmern und reichern Familien. Xen. Hellen. 2, 2, 6. —ρισμα, τὸ, (γνωρίζω) das, woran man eine Sache kennen lernt oder lehrt; Kennzeichen, Merkmal. —ρισμὸς, ὁ, (γνωρίζω) das wieder erkennen, das erkennen od. kenntlich machen. —ριστικὸς, ἡ, ὸν, was ein Kennzeichen, Merkmal, Anzeige geben kann.

Γνωσιμαχέω, ῶ, (μάχη, γνῶσις) f. v. a. μετανοέω, ich ändere meine Gefinnung, Meinung, Vorfatz. Herodot. u. Ariftoph. daher feinen Irrthum einfehen und geftehen. γνωσιμαχεῖν πρὸς verfchiedener Meinung feyn und alfo ftreiten mit einem Dionyf. Ant. 9, 1. γνωσιμαχέετε, μὴ εἶναι ὁμοῖοι ἡμῖν, Herodot. 8, 29. ihr fehet ein, dafs ihr uns nicht gleich feyd. γνωσιμαχέοντες καὶ τἄλλα καὶ ὅτι χώρην ἄρα εἶχον ἐναίρετον Herodot. 7, 130. wo es diefelbe Bedeutung hat, und der Theffalier Sinnesänderung bezeichnet, weil fie allein dem Xerxes anhiengen und von den übrigen Griechen abwichen. Vergl. Eurip. Heracl. 706. bey Philo ftreiten und andrer Meinung feyn.

Γνῶσις, ἡ, Einficht, Kenntnifs, vorzügl. im höhern Sinne, erhabne Einficht, hohe Weisheit; Einficht, d. i. Unterfuchung des Richters; Bekanntfchaft, Ruf, Ruhm, bey Dionyf. Halic. —στὴρ, u. γνώστης, ὁ, (γνοέω) Kenner einer Sache: eine Art von Bürge Xen. Cyrop. 6, 2, 39. lat. *cognitor*; Plutarch Flam. 4. γνώστην. —στικὸς, ἡ, ὸν, (γνῶσις) Adv. —κῶς, gehörig oder gefchickt zum kennen, einfehen; γνωστικοί, Leute von eingebildeter höhern Einficht. —στὸς, ἡ, ὸν, Adv. —στῶς, bekannt; Bekannter, Freund, wie γνώριμος.

Γνωτὸς, ὁ, bekannt; bey Dichtern auch Bruder, Blutsverwandter, f. v. a. γνωστὸς; davon —τοφόντις, ιδος, ἡ, (φένω, φόντης) Brudermörderin.

Γοάω, ῶ, γοάομαι, klagen, weinen, trauern; beweinen, betrauern f. v. a. γοέω.

Γογγροειδὴς, ές, einem Conger, Meeraale oder Knorren ähnlich. —γροκτόνος, ὁ, ἡ; der Meeraale tödtet. —γρος, ὁ, Conger, eine Art von Meeraalen; 2) ein Auswuchs, Knorren an den Bäumen. —γρώνη, ἡ, Auswuchs, Kropf am Halfe; γόγγρος n. 2. auch γόγγρων, ωνος, ὁ.

Γογγύζω, f. ύσω, murmeln, brummen, unwillig feyn. —γύλευμα, τὸ, ein zugerundeter Körper; von —γυλεύω, u. γογγυλέω, oder γογγυλίζω, ründen, rund machen. —γύλη, ἡ, od. γογγυλὶς, ίδος, ἡ, dimin. γογγύλιον od. γογγυλίδιον, eine runde Rübe, *rapum*. γογγυλίδος τὸ γεωχαρὲς καὶ τὸ ἀναδυόμενον ἄνω καὶ εἰς ὕψος αἰρόμενον Julianus or. 5 p. 175 bezeichnet den Kohlrabi und Kohlrüben. —γυλίζω, f. ίσω, f. v. a. γογγυλεύω. —γύλιον, f. v. a. γογγυλίδιον. —γύλιος, ὁ, ἡ, f. v. a. γογγύλος. —γυλὶς, ἡ, f. v. a. γογγύλη, —γύλος, η, ον, od. γογγύλιος, rund; fonft στρογγύλος. —γυλόσκηνος, ὁ, ἡ, mit rundem Körper σκῆνος oder Zelte σκηνή. —γυλωπὸς, ἡ, ὸν, (ὤψ) mit rundem Gefichte.

Γογγυσὶς, εως, ἡ, und γογγυσμὸς, ὁ, (γογγύζω) das Gemurmel, Brummen, der Unwille. —γυστὴς, οῦ, ὁ, der brummt, Unwillen äufsert. —γυστικὸς, ἡ, ὸν, der gern und oft brummt.

Γοεδνὸς, ὸν, f. v. a. γοερὸς. Aefchyl. Perf. 1040. wie μακεδανος, μακεδνὸς. —ερὸς, ρὰ, ρὸν, Adv. —ρῶς, (γοέω) winfelnd, klagend; kläglich; z. B. γ. μέλος. —έω, ῶ, und γόημι, davon γοερὸς und γοείμενοι bey Homer f. v. a. γοάω. S. auch γόω.

Γόη, bey Herodot. 7, 191. γόησι, zw. viell. χοῆσι. —ήμων, ονος, ὁ, ἡ, (γόημι) winfelnd, klagend, weinend, jammernd. —ηπλανὴς, έος, ὁ, ἡ, ein herumftreichender Gaukler, Marcktfchreyer; zweif.

Γόης, ητος, ὁ, Zauberer, Gaukler, Tafchenfpieler, jedweder Betrüger. —ητεία, ἡ, oder γοήτευμα, τὸ, Zauberey, Gaukeley, Betrugerey. —ητευτικὸς, Adv. —κῶς, f. v. a. γοητικὸς. —ητεύω, (γόης) bezaubern, betrügen, täufchen; an fich zaubern, locken. —ητικὸς, ἡ, ὸν, Adv. —κῶς, zur Zauberey, Gaukeley gehörig oder darinne gefchickt. —ητὶς, ίδος, ἡ, μορφὴ, Anal. Brunk. 2, 367. d. fem. v. γοήτης, bezaubernd, täufchend.

Γόμος, ὁ, (γέμω) Schifsladung; Waare; davon —μοφόρος, ὁ, ἡ, (φέρω) lafttragend. —μόω, ῶ, (γόμος) beladen, belaften, voll laden.

Γομφάριον, τὸ, dimin. von γόμφος. —φιάζω, f. άσω Ezech. 13, 2. οἱ ὀδόντες τῶν τέκνων ἐγομφίασαν, drückt das Jucken und Schmerzen der hervorbrechenden Zähne, Backzähne aus; davon —φίασις, εως, ἡ, und γομφιασμὸς, ὁ, Schmerzen der Zähne. Diofcor. 2, 63 παρηγορεῖν τὰς γομφιάσεις. In andern Sinne fteht es bey den 70 Dollmetfchern. —φίος, ὁ, (γόμφος) verft. ὀδοὺς, Backenzahn. —φόδετος, ὁ, ἡ, (δέω, γόμφος) feft angenagelt. —φοπαγὴς, ὁ, ἡ, (πήγνυμι) mit Nägeln überall befeftiget. Im komifchen Sinne nennt Ariſtoph. ῥήματα γομφοπαγῆ, niedliche, durch einen künſtlichen Periodenbau, wie mit Nägeln, verbundene Reden.

Γόμφος, ὁ, Nagel; in Platon. Timaeus hat Cicero es *cuneolus* überſetzt. —φότομος, ὁ, (τέμνω) vom Nagel durchſchnitten. —φόω, ῶ, f. ώσω, (γόμφος) annageln, befeſtigen mit Nägeln. —φωμα, τὸ, (γομφόω) das an- oder feſtgenagelte; oder das feſt zuſammengefügte. —φωσις, εως, ἡ, (γομφόω) das Annageln, Feſtnageln, Befeſtigen durch Nägel. —φωτὴρ, ῆρος, ὁ, (γομφόω) der mit Nageln befeſtiget; davon —φωτήριος, zum Befeſtigen mit Nägeln gehörig; τὸ γομφωτήριον, der Nagel. —φωτικὸς, ἡ, ὸν, ſ. v. a. das vorberg. —φωτὸς, ἡ, ὸν, angenagelt, befeſtiget.

Γονατίζω, f. ίσω, knieen laſſen; neutr. knieen. —τιον, τὸ, dimin. v. γόνυ. —τόδεσμος, ὁ, Knieband. —τόομαι, οῦμαι, f. ώσομαι, ich bekomme ein Knie, d. i. einen Abſatz und Knoten, wie das ſchoſſende Getraide. —τώδης, εος, ὁ, ἡ, was Knie, d. i. Abſätze und Knoten, wie Rohr und dergl. hat.

Γονεία, ἡ, (γονεύω) Zeugung,. Erzeugung. —νεὺς, έως, ὁ, (γονέω) Erzeuger, Vater; von —νέυω und γονέω, Plutarch. Solert. p. 79. Brut legen, zeugen.

Γονὴ, ἡ, das Erzeugende, der Saame, die Gebärmutter, Erzeugung; das Erzeugte, das Junge, das Kind, Frucht der Erde und Bäume. —νικὸς, ἡ, ὸν, ſ. v. a. γόνιμος wie προγ. die Vorfahren betreffend, oder von ihnen herrührend; zweif. —νιμος, ὁ, ἡ, fruchtbar, geſchickt zum Erzeugen, ſchöpferiſch; γονίμη ἡμέρα, bey den Aerzten ein ungerader Tag, ſ. v. a. περιττή; dav. —νιμότης, ητος, ἡ, Fruchtbarkeit. —νιμώδης, ῶδες, fruchtbar.

Γόνιος, ὁ, ſ. v. a. γόνιμος. Aeſchyl. Choeph. 1067. πνεούσης γονίας χειμὼν ἐτελέσθη verſt. αὔρας. wo der Schol. γονίας ἄνεμος für einen gewaltſamen auf eine ſtille Luft erfolgenden Sturmwind erklärt.

Γονοειδὴς, ές, (γονὴ, εἶδος) Saamenähnlich. —νόεις, όεσσα, όεν, (γόνος) fruchtbar, zeugend. —νοκτονέω, (γόνος) ſeinen Sohn oder Kind morden, Plutarch. —νοποιέω, ῶ, (γόνος) befruchten, zeugen; davon —νοποιΐα, ἡ, Befruchtung, Zeugung. —νόῤῥοια, ἡ, (ῥέω) Saamenfluſs. —νόῤῥοιος, ὁ, ἡ, oder γονοῤῥυὴς, der oder die den Saamenfluſs hat. —νοῤῥυέω, ῶ, den Saamenfluſs haben.

Γόνος, ὁ, ſ. v. a. γονή.

Γονὸς, ὁ, gebräuchlicher γοῦνος, vom Boden. —νόω, (γόνος) zeugen. Syneſ. p. 317.

Γόνυ, υος, und γόνατος, und poët. γοῦνος, τὸ, d. lat. *genu*, das Knie; wegen der Aehnlichkeit, Abſatz, Knoten an den Halmen; z. B. κάλαμοι κρίθινοι γόνατα οὐκ ἔχοντες, Gerſtenſtengel ohne Knoten. Eben ſo im lat. *geniculum*. Metaphor. εἰς γόνυ βάλλειν, κλίνειν, ῥίπτειν ſagt Herodot. und Appian von Städten, Völkern und Ländern, die in Verfall gebracht werden; ſo auch ἐς γόνυ πεσεῖν. S. πρόχνυ und γνυπετὸς.

Γονυαγκὼν, bey Heſych. γονυαγμὼν, der hervorſtehende Kniebug; wie γαλιαγκὼν. —νυαλγὸς, ὁ, ἡ, mit Knieſchmerzen behaftet; zw. —νυκαμψεπίκυρτος und γονυκλασάγρυπνα Lucian. Tragopod. 202. u. 200. Beyw. des Podagra von γόνυ, κάμπτω, ἐπίκυρτος, κλάζω, ἀγρυπνος. —νυκλινέω, ῶ, (κλίνω) die Kniee beugen, davon —νυκλινὴς, έος, ὁ, ἡ, die Kniee beugend, mit gebogenen Knieen. —νυκλισία, ἡ, (κλίνω, κλίσις) das Kniebeugen, fuſsfälliges Bitten. —νύκροτος, ὁ, ἡ, (κρότος) mit zitternden, wankenden Knieen; dies kann ſeyn, entwed. weil einer krumme Kniee hat, und dann iſt es eben ſo viel, als βλαῖσος; oder weil er furchtſam iſt; auch ſ. v. a. κίναιδος. —νυπετέω, ῶ, (πέτω d. i. πίπτω) auf die Kniee fallen auch mit dem Dativ. oder Akkuſ. jemand fuſsfällig bitten; davon —νυπετὴς, έος, ὁ, ἡ, fuſsfällig, knieend.

Γονώδης, ες, ſ. v. a. γονοειδής.

Γόος, ὁ, das Winſeln, Klagen, der Kummer.

Γόργειος, ſ. v. a. γοργόνειος. —γεύω, f. εύσω, (γοργὸς) nach Heſych. ταχύνω, σπεύδω; Symmach. Eccleſ. 10, 10. —γιάζω, f. άσω, es machen, reden, wie der Sophiſt Gorgias zur Zeit des Sokrates, der die Redekunſt lehrte, und noch viele poetiſche Worte brauchte; daher in Theſſalien γοργιάζειν hieſs, die Redekunſt üben, ein Redner ſeyn. —γίειος, vom Gorgias, od. nach Art deſſelben. —γολόφα, ἡ, das maſc. γοργολόφας, ὁ, mit der Gorgo auf dem Helme, λόφος. —γόνειος, von der Gorgo od. der Gorgo gehörig ſ. v. a. γοργίειος. Bey Plutarch. Themiſt. u. Suidas τὸ γοργόνειον verſt. προσωπεῖον, das Geſicht der Gorgo. —γονώδης, ὁ, ἡ, (γοργὼν) der Gorgo ähnlich. —γόνωτος, ὁ, ἡ, mit der Gorgo auf dem Rücken, Ariſtoph. —γόομαι, οῦμαι, f. ώσομαι, ſich muthig, wild machen, ſich raſch, muthig, wild betragen: bey Xenoph. von einem ſich bäumenden Hengſte.

Γοργὸς, ἡ, ὸν, lebhaft, munter, rauh, heftig, hitzig, beſonders vom Blicke; z. B. γοργὸς ἰδεῖν Xenoph. Cyrop. 4, 4. von lebhaftem, ſcharfen Blicke. Dah. dann deſſen Anblick uns ſchon Schrecken u. Grauſen einjagt, fürchterlich. γοργὸς ὁρᾶν oder ὁρᾶσθαι, fürchterlich anzuſehen, von furchtbarem Anblicke; γοργὸν ὁρᾶν (nicht ὁρᾶσθαι) fürchterlich blicken, einen fürchterlichen Blick auf jemanden werfen; davon —γότης, ητος, ἡ, Lebhaftigkeit im Blicke, im Kriege, im Reden, alſo ein lebhafter, muntrer, rauher, wilder, fürchterlicher Anblick; Muth oder Tapferkeit; Heftigkeit, Hitze. —γόφθαλμος, ὁ, ἡ, ſ. v. a. γοργωπὸς. —γοφόνη, ἡ, fem. von —γοφόνος, ὁ, ἡ, die Gorgo tödtend.

Γοργύρα, ἡ, bey Herodot. 3, 145. ein unterirdiſches Gefängniſs. Bey Heſych. findet ſich γέργυρα, αὐλὴ, δεσμωτήριον und γοργύρα für einen Waſſerkanal. Die Lazedam. ſagten γεργύρα.

Γοργὼ, όος, contr. οῦς; ἡ, von den 3 Töchtern des Phorcys, welche γοργόνες heiſsen, ward vorzügl. die eine, *Meduſa* ſo genannt, u. ihr mit Schlangen ſtatt der Haare umgebener Kopf als ein Siegeszeichen oder Schreckenbild auf der Aegis und dem Helme der Minerva, auch ſonſt auf den Schilden und Helmen abgebildet; von γοργὸς, wild; ſchrecklich. —γώδης, ες, der Gorgo ähnlich. —γὼν, όνος, ἡ, ſ. v. a. γοργὼ. —γῶπις, ιδος, ἡ, (γοργὸς ὢψ) von fürchterlichem, wilden Anſehen; das femin. v. γοργώπης, ſ. v. a. —γωπὸς, ὁ, ἡ, od. γοργὼψ, ὁ, ἡ, mit od. von wildem, fürchterlichen, grimmigen Blicke.

Γοῦν, oder eigentlich γε οὖν nun, alſo, doch, wenigſtens. —νάζομαι, f. άσομαι, knieend, jemandes Kniee umfaſſen, ihn flehentlich bitten. —ναλγὴς, ἐς, (γόνυ) im Knie Schmerzen leidend od. verurſachend. —νασμα, τὸ, (γουνάζομαι) flehentliches Bitten. —νόομαι, contr. γονοῦμαι, ſ. v. a. γουνάζομαι. —νοπαχὴς, έος, ὁ, ἡ, (γόνυ) mit dicken (παχὺς) geſchwollenen Knieen.

Γοῦνος, ὁ, joniſch ſt. γόνος, Saamen, Aretaeus 4, 5. Fruchtbarkeit, ἀρούρης, wie *uber arvi*, fruchtbarer Acker; 2) als Adject. ſt. γόνὸς, fruchtbar.

Γοώδης, εος, ὁ, ἡ, (γοάω) klagend, kläglich.

Γόω, davon Il. 6, 500. γόον ſt. ἐγόον, ſ. v. a. γοάω u. γοέω.

Γράβδην, Adv. (γράφω) ſtreichend, ritzend, leicht verwundend.

Γράβιον, τὸ, eine Pechfackel.

Γραῖα, ἡ, eine alte Frau, ein altes Weib, von γεράια zuſammengezogen. γραῖαι waren auch zwo Schweſtern, die von ihrer Geburt an graue Haare hatten. Heſiod. Theog. 270.

Γραΐδιον, τὸ, dimin. v. γραῖς. —ϊκὸς, ἡ, ὸν, (γραῖα) einer alten Frau ähnlich, geziemend oder gehörig.

Γραίνω, ſ. v. a. γράω. —όομαι, οῦμαι, (γραῖα) zur alten Frau werden, altern.

Γραῖς, ίδος, ἡ, ſ. v. a. γραῖα u. γραῦς.

Γράμμα, τὸ, (γράφω) das geſchriebene; der Buchſtabe; 2) eine aus mehrern Buchſtaben beſtehende Schrift, Inſchrift, Buch. Eben ſo im plur. Buchſtaben, Schriftzüge, Schriften, Staatsſchriften, geſchriebene Briefe, Bücher; daher 2) die in Büchern enthaltenen Wiſſenſchaften und Gelehrſamkeit; z. B. φέρειν γράμματα, einen Brief überbringen. Vorzügl. ſind γράμματα die Wiſſenſchaften, *litterae*, *litteratura*, die junge Leute in den gewöhnlichen Schulen lernten, z. B. οἱ παρ' ἡμῶν παῖδες εἰς τὰ διδασκαλεῖα φριτῶσι τὰ γράμματα μαθησόμενοι. Dieſe waren das Leſen der alten Dichter, verbunden mit Wort und Sacherklärung, Deklamation und Geſchichte (Cic. or. 1, 42). Die höhern Wiſſenſchaften (μαθήματα) trieben Erwachſene in den Hörſälen der Philoſophen. Jenes hieſs γράμματα διδάσκειν; die ſich damit beſchäftigten, (*litteras tractare*, Cic. or. 3, 33) hieſsen γραμματικοὶ, u. die, welche Knaben darinne unterrichteten; γραμματισταὶ, Schulmeiſter.

Γραμμάριον, τὸ, der vier und zwanzigſte Theil einer Unze, ein Skrupel, *ſcrupulus*, eigentl. *ſcriptulus*, *ſcripulus*. —ματεία, ἡ, das Schreiben, die Litteratur; das Amt eines γραμματεύς. —ματεῖον, τὸ, der Ort, wo die γράμματα gelehret wurden od. Schule; auch das, worauf geſchrieben wird, od. eine Schreibtafel, und daher eine Schrift, ein Briefchen, eine Handſchrift, Teſtament, u. ſ. w. —ματεὺς, έως, ὁ, der Schreiber. Staatsſchreiber waren nach den verſchiedenen Staaten auch von verſchiedenem Range; bey Aeſchyl. Plutarchi Q. S. 1, 8 einer der lieſet. —ματεύω, f. εύσω, ein Schreiber ſeyn, das Amt eines Schreibers haben. —ματίδιον, τὸ, oder γραμμάτιον, τὸ, ein kleines γράμμα, ein Schriftchen, Briefchen, Liebesbrieſchen, Zettelchen, Täfelchen. —ματίζω, f. ίσω, die γράμματα lehren, d. i. leſen, ſchreiben, auch rechnen. —ματικεύομαι, ich bin ein Grammatiker, thue das, was ein Grammatiker thut, erkläre Dichter, übe im Deklamiren und lehre Geſchichte. —ματικὴ, ἡ, verſt. τέχνη, die Grammatik, die Kunſt u. Wiſſenſchaft eines Grammatikers. —ματικὸς, ἡ, ὸν, Adv. —κῶς, einer der die Buchſtaben richtig lieſt und ſchreibt, Xenoph. Mem.

4, 2, 20. Aeschin. dial. 2, 18, und 20. 2) einer, der sich mit Poëtik, Deklamation und Geschichte beschäftiget. S. γράμματα. 3) grammatisch, nach den Regeln der Grammatik; nach Art der Grammatiker.

Γραμμάτιον, τὸ, s. v. a. γραμματίδιον. —**ματιστής**, οῦ, ὁ, Schulmeister, Lehrer der γράμματα; dav. γραμματιστική, ἡ, die Kunst desselben. —**ματοδιδασκαλεῖον**, τὸ, ein Ort, wo die γράμματα gelehrt werden, Schule; von —**ματοδιδάσκαλος**, ὁ, s. v. a. γραμματιστής. —**ματοεισαγωγεύς**, έως, ὁ, der mich in die Wissenschaft einführt, εἰσάγω, sie mich lehrt. zw. —**ματοκύφων**, ωνος, ὁ, ein schimpflicher Name, statt Sekretair γραμματεύς, von κύπτω, Actengucker. —**ματοφορέω**, ῶ, Briefe tragen, bestellen. —**ματοφόρος**, ὁ, ἡ, Briefe tragend, Briefträger.

Γραμματοφυλάκιον, τὸ, (φυλακή) ein Ort, wo die Schriften, Acten, γράμματα, aufbewahret werden.

Γραμμή, ἡ, (γράφω) eine Linie, ein Strich, einzelne Züge beym Schreiben, z. B. beym Plato γραμματισταὶ ὑπογράφουσι γραμμὰς τῇ γραφίδι, um so die Kinder schreiben zu lehren. Daher 2) der mit einer Linie, oder einem Seile bezeichnete Eingang bey der Rennbahn. S. βαλβίς. Plur. γραμμαί, das mit Strichen und Linien bezeichnete Brett, worauf die Alten mit Steinchen spielten, Schachbrett. διὰ γραμμῆς παίζειν bey Plato Theaet. bezeichnet das Spiel sonst διελκυστίνδα genannt.

Γραμμίζω, f. ίσω, ich spiele im Brette; s. γραμμή. —**μικός**, ἡ, ὀν, zu den Linien gehörig, von den Linien, mit Linien gemacht, z. B. γραμμικαὶ ἀποδείξεις, geometrische Beweise Quintilian, 1, 10. 38. 5, 10. 7. —**μισμός**, ὁ, ein Spiel mit Steinen, die auf Linien gesetzt werden. S. διαγραμμισμός. —**μοποίκιλος**, ον, (γραμμή) von Linien bunt. —**μώδης**, εος, ὁ, ἡ, linienartig.

Γραολογία, ἡ, (γραῦς, λόγος) Altweibermährchen. —**οπρεπής**, ές, schicklich, passend für alte Weiber. —**οσυλλέκτρια**, ἡ, hiess nach Suidas der Geschichtschreiber Timaeus, das alte Weib, das sammelt. —**οσόβης**, ου, ὁ, (γραῦς, σοβέω) der die alten Weiber fortjagt, scheucht. —**όφιλος**, ὁ, ἡ, alter Weiber Freund.

Γραπτις, ιδος, ἡ, die abgezogene Haut der Schlangen, Insekten u. s. w. exuviae; 2) ein Vogel. S. ὑραπτίς.

Γραπτήρ, ῆρος, ὁ, oder γράπτης, ου, ὁ, (γράφω) der Schreiber. —**τός**, ἡ, ὀν, geschrieben, geritzt. —**τύς**, ύος, ἡ, das Ritzen, Verwunden der Haut; 2) bey Apollon. 4, 279. das geschriebene, s. v. a. γράμμα.

Γράσος, ὁ, der Gestank der Böcke und wie hircus, der Schweissgeruch unter den Aermen; auch der Schmutz und Gestank, der sich bey den Schaafen in der Wolle ansetzt; davon γράσων ἄνθρωπος, ein Mensch, der unter den Aermen einen üblen Geruch hat, *hircum olens*.

Γράστις, εως, ἡ, Gras; grünes Futter; davon γραστίζειν τοὺς ἵππους, den Pferden grünes Futter geben. S. κράστις.

Γράσων, ὁ, ἡ. S. γράσος.

Γραῦς, αὸς, ἡ, (γεραὸς) die alte Frau, Jungfer; 2) die Haut auf dem kochenden oder sich abkühlenden Topfe, der Milch und dergl.

Γραφείδιον, γραφίδιον od. γραφεῖον, τὸ, das, womit man schreibt, zeichnet, mahlt, γράφει, also Griffel und Pinsel. —**φεύς**, έως, ὁ, ein Schreiber, ein Mahler. —**φή**, ἡ, Schrift, Gemälde; die gegen jemanden als einen Staatsverbrecher (denn bey Privatsachen war es δίκη) eingereichte Klageschrift, Klage. —**φικός**, ἡ, ὀν, zum schreiben oder zeichnen gehörig oder darinne geschickt: mahlerisch; γραφικὴ (τέχνη) Mahlerkunst. —**φίς**, ίδος, ἡ, s. v. a. γραφεῖον.

Γράφω, f. ψω, zeichnen, einen Zug, eine Linie ziehen, sey es mit dem Griffel, dem Bleystifte, Feder oder Pinsel; also Schrift- Pinsel- Federzüge machen, d. i. schreiben, einschreiben (εἰς κατάλογον), zeichnen, mahlen, ritzen; med. γράφεσθαι sich etwas aufschreiben; einschreiben; γρ. τινά, sich oder seinen Namen gegen jemanden einschreiben, d. i. eine Klageschrift gegen jemanden eingeben, einen verklagen. Daher γραφή, die Anklage; γράφεσθαι τὸ ψήφισμα, τὴν δωρεὰν und ähnliche Phrasen sollen eigentl. γρ. παρανόμων heissen, einen Beschluss des Volks ein Geschenk als widergesetzlich anklagen, damit es zurück genommen werde. Auch γράψασθαι τι, sich etwas schreiben lassen; z. B. αἱ πόλεις νόμους ἐγράψαντο, die Städte haben sich Gesetze schreiben od. geben lassen; aber γράφειν νόμον, ein Gesetz für andere niederschreiben, vom Gesetzgeber. Das lat. *scribo* ist v. γράφω, gemacht, gleichsam *scrabo*, wie γλάφω, *scalpo*.

Γραψείω, (γράφω, fut. γράψω) ich will schreiben, habe Lust zu schreiben.

Γράω, ῶ, f. άσω, nagen, essen. Vergl. γραίνω; davon γρῶνις. —**ώδης**, εος, ὁ, ἡ, s. v. a. γραϊκός.

Γρηγορέω, ῶ, s. v. a. ἐγρηγορέω; davon —**γόρησις**, εως, ἡ, das Nachtwachen, s. v. a. ἐγρηγόρησις. —γερικός, ή, όν, wachſam, ſ. v. a. ἐγρηγορικός.

Γρήιος, ὁ, ἡ, alt, v. folgd.

Γρηυς, ἡ, jon. ſt. γραῦς.

Γριπεύς, έως, ὁ, Fiſcher. —πεύω, od. γριπίζω, fiſchen. —πηΐς, τέχνη, Epigr. Kunſt des Fiſchers γριπέως. —πισμα, τὸ, das Gefangene, der Fang. —πος, ὁ, Fiſchernetz. Oppian. Hal. 3, 80. —πων, ὁ, ſ. v. a. γριπεύς.

Γριφεύω, (γρίφος) in Räthſeln ſprechen; Heſych. —φολογέω, Räthſel in Räthſeln ſprechen; Nicetas Annal. 3, 3. —φος, ὁ, Netz; ſ. v. a. γρίπος, ὁ, ohne Aſpiration; daher eine dunkle Rede, Räthſel, womit man jemanden zu fangen ſuchte, dergleichen man ſich beſonders bey Gaſtmählern aufzugeben pflegte; davon —φώδης, ὁ, ἡ, (εἶδος) einem Griphus, Räthſel ähnlich, räthſelhaft.

Γρόμφος, ὁ, auch γρομφάς, ὁ, od. γρομφίς, ἡ, das lat. *ſcropha*, ein Mutterſchwein, die Saue.

Γρόνθων, die Anfangsgründe im Flötenſpielen, wo man den Anſatz der Lippen und Finger verſucht und lernt; denn γρόνθος hieſs auch ſ. v. a. κόνδυλος, *pugnus*, die geballte Fauſt der Klopffechter; γρόνθοι ξύλινοι ſind vorſtehende Enden, worauf man treten kann; Mathem. vet. p. 46. auch ſ. v. a. χελώνιον S. 34. wo γρονθάριον ſteht, wovon das lat. *grunda* kommt.

Γροσφομάχος, ὁ, od. γροσφοφόρος, ein Soldat, der mit einem γρόσφος ſtreitet, ihn trägt, ein leicht bewafneter Soldat. —φος, ὁ, eine Art von Spieſs od. Lanze, wie *pilum*; die Lat. haben davon den Zunamen mancher Familien *Grosphus* genommen.

Γρῦ od. γρὺ, der Laut der Schweine, daher γρύζω, *grunnio*, grunzen; überhaupt jeder Laut, auch des Menſchen; z. B. οὐδὲ γρῦ ἀπεκρίνατο, wofür man auch ſagt: οὐδ' ἔγρυξε, er hat nicht einmal gemuchſt, nicht einen Laut von ſich gegeben; 2) das Geringſte; z. B. ἐμοὶ οὔτε γρὺ μετέδωκεν αὐτῆς, mir hat er auch nicht ſo viel davon mitgetheilt, keinen Pfifferling und dergl.

Γρύζω, f. ύξω, von Schweinen grunzen; von Menſchen überh. einen Laut von ſich geben. S. γρῦ od. γρὺ. Nicetas Annal. 7, 4. ὑπ' ὀδόντα γρύφων in den Bart, in die Zähne murmeln, brummen, *mutire*.

Γρυλλή, ἡ, ſ. v. a. γρυλλισμός. —λίζω, f. ίσω, (γρύλλος) grunzen. —λισμός, ὁ, das Grunzen. —λίων, ωνος, ὁ, dimin. v. γρύλλος. —λος, ὁ, Ferkel, Schwein.

Γρυμαία, ἡ, Beutel, Taſche; 2) ſ. v. a. γρύτη; Sotades Athenaei 7. nennt die übrigen kleinen Fiſche τὴν λοιπὴν γρυμέαν. Themiſtius or. 21 p. 257 τὰ λαισήια καὶ ἰκτιδέας καὶ τὴν γρυμαίαν u. die übrige Geräthſchaft; Themiſt. or. 23 p. 293 nennt einen Haufen ſchlechter Menſchen συρφετὸς καὶ γρυμαία. —μαιοπώλης, ſ. v. a. γρυτοπώλης.

Γρυνός, auch γροῖνος, ſ. v. a. δαλός, *titio*; oder ein Stück trocknes Holz.

Γρυπαίετος, ein Greifadler, fabelh. Vogel. —παίνω, krümmen. —παλώπηξ, ηκος, ὁ, eine Art Satyr, gleichſ. Greiffuchs. —πάνιος, (γρυπαίνω) gekrümmt, u. daher alt.

Γρυπός, ή, όν, gekrümmt, eingebogen; ὁ γρυπὸς, der eine krumme oder Habichtnaſe hat; die Grammatiker erklären es ſo wie auch γρυπνὸς für traurig, στυγνός; davon —πότης, ητος, ἡ, die Eingebogenheit, die Krümmung, vorzügl. der gebogenen Habichtsnaſe. —πόω, ῶ, (γρυπὸς) ſ. v. a. γρυπαίνω; Heſych. hat auch γρύπτω, als neutr. ſich krümmen.

Γρυτάριον, τὸ, Diminut. v.

Γρύτη, ἡ, das lat. *ſcruta*; Gerümpel, Rumpeley, Trödelwaare; davon ἐκγρυτεύειν. *ſcrutari*. —τοπωλεῖον, τὸ, (πωλέω) eine Trödelbude, von —τοπώλης, ὁ, *ſcrutarius*, ein Trödler.

Γρώνη. S. d. folgd.

Γρῶνος, ausgefreſſen, ausgehölt, hohl, vertieft; daher γρώνη, verſt. πέτρα, ein hohler Felſen; von γράω; doch hat Nicand. Ther. 794. γρώνη μυοδόκος ſt. φωλεός.

Γύα od. γυία, ἡ, gepflügter Acker, Acker, Land; überh. auch ein gewiſſes Maaſs von Acker. S. γύης, ὁ.

Γύκια, τὰ, Seile, womit man den Hintertheil des Schiffs am Lande befeſtiget.

Γύαλον, τὸ bey Homer θώρηκος γύαλον erklärt man gewöhnlich durch κύτος, aber die Stelle: θώρηκα γυάλοισιν ἀρηρότα zeigt, daſs ein gewiſſer Theil ſo hieſs. Pollux 1, 134 erklärt es τὸ μέσον, andere τὸ ἔμπροσθεν, den Vordertheil, wie Pauſan. Phocic. wo er den γυαλοθώραξ beſchreibt. Davon heiſsen θώρηκες κραταιγύαλοι. 2) Hölung; alſo κρατήρων Euripid. πέτρας κοίλας Sophocl. παρνησοῖο Heſiod. Für περίβολος od. Mauer erklärt man χώρας γύαλα bey Ariſtoph. Thesmoph. 115. αἰθέρος γύαλα, in den Orphiſchen Hymnen u. Oppiani Cyneg. *cavum coelum*. Man erklärt es auch für die hohle Hand, und daher γύαλον λίθον ἀγκάσασθαι bey Euſtath. ſt. χερμάδιον; nach Etymol. M. aber λίθος τετράγωνος. Von dieſer Bedeut. leitet man ἐγγυαλίζω ab. Nach Athenae. 11. p. 467 heiſsen bey den Megarenſern die Becher γύαλαι von γυάλης.

Γυαρκής, έος, ὁ, ἡ, (ἀρκέω) act. gliederſtärkend; paſſ. ſtark, munter.

Γύης, ου, ὁ, am Pfluge lat. *buris* das Krummholz, der Krümmel, woran unten der Scherbaum mit dem Pflugschaar sitzt; 2) s. v. a. γύη, Ackerland, Eur. Heracl. 849.

Γυιαλθής, ὁ, ἡ, Nicand. Ther. 529. die Glieder γυῖα heilend, ἀλθέω; andre Handschr. haben γυιαλκής.

Γυιοβαρής, ές, (βαρέω) Glieder beschwerend. —βόρος, ὁ, ἡ, Glieder fressend, zehrend. —δάμας, ὁ, (δαμάω) Glieder bändigend, abrichtend, ermüdend; zw. —κολλος, ὁ, ἡ, (κολλάω) Glieder leimend, bindend. —κόρος, ὁ, ἡ, (κορέω) μελεδῶνες γυιοκόροι Hesiod. ἔργ. 66 Sorgen auf den Schmuck der Glieder, des Körpers, verwendet; andre lesen γυιοβόροι.

Γυῖον, τὸ, Glied, *artus*, vorzügl. Hand, Fuss, Knie. —παγής, ές, (πήγνυμι) Glieder bindend, steif oder starr machend. —πέδη, ἡ, Fussfessel, Fussschlinge. —ός, ή, όν, lahm, gelähmt. —τακής, έος, ὁ, ἡ, (τήκω) Glieder auszehrend. —τόρος, ὁ, ἡ, (τείρω) Glieder durchbohrend. —φάγος, ὁ, ἡ, (φάγω) Glieder verzehrend.

Γυιόω, ῶ, (γυιός) ich lähme die Glieder; daher ich entmanne, entkräfte, mache unthätig. Il. 8, 402. Hippocrat. braucht dies u. καταγυιόω häufig für entkräften, schwächen, matt machen. Nicand. Ther. 731. für verwunden, beissen.

Γυλιαύχην, ενός, ὁ, ἡ, Langhals; von —λιός, ὁ, der Ränzel der Soldaten im Kriege; geflochten, lang und schmal.

Γυμνάζω, f. άσω, (γυμνός) nackt auf dem Fechtplatze üben; üben, abrichten, geschickt machen, von jedweder andern mühsamen, anstrengenden Uebung, wie *exercere*; z.B. ἑαυτόν τε καὶ τοὺς ἵππους γυμνάσαι med. γυμνάσασθαι, sich üben. —νάς, άδος, ἡ, s. v. a. γυμνάζουσα oder γυμναζομένη. 2) s. v. a. γυμνή. —νασία, ἡ, od. γύμνασις, Uebung, Abrichtung, Anstrengung. —νασιαρχέω, ῶ, Gymnasiarch seyn; dies war in den griechischen Republicken eine Funktion, *munus*, der Reichen, welche von jeder φυλή auf eine gewisse Zeit gewählet wurden u. die jungen Leute zu den Festchören auf ihre Kosten in den nöthigen Leibesübungen unterrichten liessen. —σιάρχης, ου, ὁ, und γυμνασίαρχος, ὁ, ein von seiner φυλή gewählter Aufseher über die Leibesübungen und Ringplätze, welcher zu den Uebungen die Kosten giebt. S. das vorh. —σιαρχία, ἡ, das Amt eines γυμνασίαρχος. S. d. vorherg.

Γυμνάσιον, τὸ, Ort, wo man nackt Leibesübungen treibt oder sonst eine andere Uebung anstellt; die Uebung selbst. —νασις, εως, ἡ, die Uebung. —νασιώδης, εος, ὁ, ἡ, einem Uebungsplatze ähnlich oder darzu geschickt. —νασμα, τὸ, das geübte, die Uebung. —ναστήριον, τὸ, s. v. a. γυμνάσιον Aristaen. 2 ep. 3. —ναστής, οῦ, ὁ, (γυμνάζω) Fechtmeister, der die Athleten unterrichtete und übte, von παιδοτρίβης in so weit verschieden, weil dieser nur die Knaben übte, ohne Rücksicht darauf, ob sie dereinst Ringer von Profession werden wollten. —ναστικός, ή, όν, Adv. —κῶς, zum γυμναστής gehörig; zum üben geneigt, geübt oder der sich gern übt; γυμναστική verst. τέχνη die Kunst des γυμναστής od. der Leibesübungen.

Γυμνηλός, ὁ, ἡ, (γυμνάω) s. v. a. γυμνός, entblösst. Hesych. —νής, ῆτος, ὁ, ein nackter, d. i. leicht gerüsteter Soldat. —νήσιαι, und γυμνήτιδες, νῆσοι, (γυμνήτης) die Balearischen Inseln, deren Bewohner sich im Bogenschiessen übten. —νητεία, und γυμνητία, ἡ, (γυμνής) die Soldaten von leichter Rüstung. S. das folgd. —νητεύω, nackt od. schlecht bekleidet seyn; von Soldaten, leicht gerüstet seyn: παντὸς ὅπλου Nicetae Annal. 10, 3. entblösst, ohne alle Waffen seyn; derselbe 10, 9 hat γυμνιτεία für Blösse, Nacktheit. —νήτης, fem. —ῆτις, ἡ, s. v. a. γυμνής, leicht bewafneter Soldat. —νητικός, ή, όν, zum γυμνής gehörig; τὸ γυμνητικόν, s. v. a. οἱ γυμνῆτες.

Γυμνικός, ή, όν, ἀγών, Spiel, Kampf, worinn man nackend den Körper übte, dem μουσικός entgegengesetzt, wo man den Geist übte.

Γυμνοδερκέομαι, οῦμαι, sich nackt sehen lassen; zw. —νοδερκῆ b. Lucian Cyn. 1. soll wahrscheinlich γυμνοδερμῆ heissen, gehst mit nackter Haut, δέρμα, einher. —νόκαρπος, ὁ, ἡ, mit nackter, unbedeckter Frucht. —νοπαιδία, ἡ, ein jährliches Fest zu Sparta, an welchem die Knaben nackt tanzten u. andere Uebungen anzustellen pflegten; Xen. Mem. 1, 2. 61. —νοποδεία, s. v. a. γυμνοποδία; v. —νοποδέω, ῶ, barfuss gehn; dav. —νοπόδης, s. v. a. γυμνόπους. —νοποδία, ἡ, das Barfussgehen. —νόπους, οδος, ὁ, ἡ, barfuss, mit nackten Füssen. —νορρύπαρος, ὁ, ἡ, schlecht (γυμνός) und schmutzig (ῥυπαρός) gekleidet, in Lumpen; zw.

Γυμνός, ή, όν, nackt; gewöhnl. einer im blossen Kleide, ohne Mantel oder Ueberrock; daher auch bey den Römern von Knaben, die die *praetexta* trugen und noch nicht die *toga* angelegt hatten. Uebergetragen auf andere Dinge heisst es dürftig, arm. Ist von Soldaten die Rede, so ist es unbewaffnet; von Städten, ohne Vertheidigung od. Vestungswerke; von Dingen, die nackt, d. i. sichtbar, offenbar sind; τὰ γυμνὰ, die Blöſse, die Schaam.

Γυμνοσοφισταὶ, οἱ, Gymnosophisten, oder nackte Weisen, eine Art Indischer Philosophen oder Asceten. —νόσπερμος, u. γυμνοσπέρματος, ὁ, ἡ, (σπέρμα) mit bloſsem, unbedeckten Saamen. —νότης, ητος, ἡ, Bloſse, Nacktheit, Dürftigkeit. —νόω, ῶ, (γυμνὸς) entblöſsen; von Dingen, enthüllen, aufdecken; nackt, das ist dürftig, arm machen, berauben. —νωσις, εως, ἡ, Entblöſsung; Blöſse.

Γυναικάδελφος, ὁ, Frauen Bruder. —ναικάνηρ, ein weibischer, weichlicher Mann. —ναικάριον, τὸ, ein Weibchen; dimin. von γυναὶξ, γυνή. —ναικεῖον, τὸ, Weiberstube, verst. οἴκημα; von —ναικεῖος, εία, εῖον, Adv. —είως, weibisch, Weibern gehörig, ihnen zukommend oder eigen, als γυναικεῖα, τὰ, monatl. Reinigung. ἡ γυναικηΐη. Herodot. 5, 20. s. v. a. γυναικεῖον. —ναικίας, ου, ὁ, weibisch, weichlich. s. v. a. γύνις: —ναικίζω, f. ίσω, weibisch u. weichlich machen, z. B. γυναικίζειν τὸν τράχηλον, den Hals weibisch werfen oder drehen. Auch neutr. was sonst das med. γυναικίσασθαι ist, weibisch seyn, sich weibisch tragen od. kleiden, sich weibisch betragen, sich als Weib gebrauchen lassen, im schändlichen Sinne. —ναικικὸς, ἡ, ὸν, weibisch, weichlich. —ναίκισις, (γυναικίζω) weibische Tracht, weibisches Betragen, Nachahmung der Weiber. —ναικισμὸς, ὁ, weibisches Betragen aus übertriebenen Begierden und Leidenschaften, Furcht, Liebe, Schmeicheley. Bey Polyb. 30, 16. γυναικιασμὸς eine falsche Lesart. —ναικιστὶ, (γυναικίζω) auf eine weibische Art, durch ein weibisches Betragen.

Γυναικόβουλος, ὁ, ἡ, (βουλὴ) weibisch rathend; pass. von einem Weibe gerathen, ausgedacht; zweif. —κοειδὴς, ές, (εἶδος) von weiblicher oder weibischer Bildung, Ansehn. —κόθυμος, ὁ, ἡ, Adv. —ύμως mit weibischem Herzen, von weibischem Muthe. —κοίεραξ, κος, ὁ, Weiberhabicht, Frauen - Weiberjäger. —κοκήρυκτος, ον, (κηρύσσω) von Weibern geprieſen. —κόκλωψ, Weiberdieb, Ehebrecher. —κοκόσμοι, οἱ, zu Athen, s. v. a. γυναικονόμοι, Pollux 8, 112. —κοκρατεία, ἡ, s. v. a. γυναικοκρατία; v. —κοκρατέομαι, οῦμαι, von Weibern beherrscht, regiert werden. —κοκρατία, ἡ, Weiberherrschaft. —κομανέω, ῶ, weibertoll seyn. —κομανὴς, έος, ὁ, ἡ, weibertoll. —κομανία, ἡ, tolle, rasende Liebe zu Weibern. —κόμασθος, ὁ, ein Mensch mit geschwollenen Weiberbrüsten. Paul. Aegin. 6, 36. —κόμιμος, Weiber nachahmend, nachäffend. —κόμορφος, ὁ, ἡ, (μορφὴ) von weiblicher Bildung, Gestalt. —κονομία, ἡ, und γυναικονόμοι, οἱ, (γυνὴ νέμω) die Aufsicht über die Sitten der Weiber, welche zu Athen und sonst die Magistratspersonen γυναικονόμοι führten, wie παιδονόμοι über die Sitten und Erziehung der Knaben, wovon παιδονομία die Aufsicht der Magistrate darüber. —κοπαθέω, ῶ, weibische Leidenschaft, πάθος, haben, und sich daher weibisch tragen und betragen. —κοπίπης, ὁ, (ὀπίπω) Weiberjäger, der nach Mädchen oder Weibern stets schauet. —κοπληθὴς, έος, ὁ, ἡ, voll von Weibern. —κόποινος, ον, (ποινὴ) weiberrächend. —κοπρεπὴς, έος, ὁ, ἡ, Adv. —πῶς, schicklich für Weiber, dem weiblichen Geschlechte od. Stande geziemend. —κοπρόσωπος, ον, (πρόσωπον) mit oder von weiblichem Ansehen, Gesichte. —κοφίλας, ου, ὁ, ein Weiberfreund; weibisch. —κόφρων, ὁ, ἡ, von weibischer Gesinnung. —κόφωνος, ὁ, ἡ, (φωνὴ) mit einer weibischen Stimme. —κόω, weiblich, weibisch machen. —κώδης, εος, ὁ, ἡ, s. v. a. γυναικοειδὴς. —κὼν, ῶνος, ὁ, oder γυναικωνίτης, ου, ὁ, verst. οἶκος, oder γυναικωνῖτις ιδος, ἡ, Weibergemach, Zimmer, Stube der Frau.

Γυναιμανὴς, έος, ὁ, ἡ, s. v. a. γυναικομανὴς; bey Quint. Smyrn. 1, 733 steht auch γυναιμανέουσι st. γυναικομανέουσι.

Γύναιον, τὸ, dimin. von γυνὴ, Weibchen.

Γύνανδρος, ὁ, ἡ, männlichen und weiblichen Geschlechts zugleich, ein Hermaphrodit, Zwitter.

Γυνὴ, genit. γυναικὸς, u. s. w. vom alten γυναὶξ; vocat. γύναι, Frau, d. i. Weib; Frau, d. i. Gattin.

Γύνις und γύννις, ιδος, ὁ, ein weibischer Mensch. Weichling.

Γυπαίετος, ὁ, (γὺψ, αἰετὸς) der Geyeradler. —πάριον, τὸ, dimin. von —πὴ, od. γύπη, ἡ, das Nest eines Geyers; Höle, Hütte. —πιὰς πέτρα Aeschyl. Suppl. 803. Felsen, worauf Geyer wohnen: —πινος, ίνη, ον, vom Geyer.

Γυραλέος, έα, έον, gekrümmt, gebogen, s. v. a. γυρὸς.

Γυργαθος, ὁ, ein von Weiden geflochtener Korb; auch eine Fischreuſse. S. λινεύω.

Γυρεία, ἡ, das Graben im Kreise herum, lat. *ablaqueatio*; v. —ρεύω, (γῦρος) ich bringe etwas in einen Kreis; ich grabe im Kreise um einen Baum, Pflanze, herum; *ablaqueo*, od. *obla-*

queo, ich lege, senke, setze in eine runde Grube. S. γυρόω.

Γυρήτομος, ὁ, ἡ, (τέμνω), im Kreise γῦρος gespalten, oder γυρητόμος, ὁ, ἡ, spaltend. —ρίνος, ὁ, die Froschbrut, welche erst ausgeschliffen ist und wie eine geschwänzte Kugel aussieht, von γῦρος der Kreis; Kulkrotte, Kaularsch, Kulpatte, Moorkolbe u. dgl. —ριος, ια, ιον, im Kreise gehend, od. gebogen, rund.

Γῦρις, εος, ἡ, das feinste Waitzenmehl, *pollen*; daher —ρίτης, ἄρτος, ein daraus gemachtes Brod. —ρόδρομος, ὁ, ἡ, im Kreise herumlaufend. —ρόθεν, Adv. (γῦρος) im Kreise; zweif. hingegen γύρωθεν m. d. genit. ringsherum; Theophil. protosp. 3, 19. —ρὸς, ὰ, ὸν, gerundet, rund; daher gebogen, eingebogen, wovon d. lat. *curvus*; subst. γ. ὁ, das runde Loch, Grube.

Γῦρος, ὁ, Kreis, Rundung. —ρόω, ῶ, (γυρὸς) ründen, im Kreise herum drehen, kreiseln; einbeugen, krümmen, in einem runden Loche, einer Grube verbergen; umgraben, *ablaqueare, oblaqueare*.

Γύρωθεν. S. γύροθεν. —ρωμα, τὸ, (γυρόω) das rundgedrehte od. das in einem Kreise herum bewegte. Bey Theophrast. h. pl. 5, 6 scheinen γυρώματα rundgedrehtes Holz zu seyn.

Γὺψ, υπὸς, ὁ, der Geyer.

Γύψος, ἡ, der Gyps; davon —ψόω, ῶ, gypsen, mit Gyps bestreichen, überstreichen.

Γωλεὸς, ὁ, γωλεοὶ, οἱ, und γωλεὰ, τὰ, Höle, Schlupfwinkel der Thiere; Lager.

Γωνία, ἡ, dimin. γωνίδιον, τὸ, Winkel, Ecke. Bey Diodor. 2, 8. ein eckigter Pfeiler. Plato Phil. 31 ein Winkelmaass. —νιαῖος, αία, αῖον, eckig, winkelich. —νιασμὸς, ὁ, ἐπῶν, Aristoph. Ran. 956. das Richten nach den Winkeln, abpassen, künsteln. S. γωνία. —νίδιον, τὸ, dimin. v. γωνία. —νιειδὴς, έος, ὁ, ἡ, und γωνιώδης, ὁ, ἡ. Adv. —δῶς, (εἶδος) winkelförmig. —νιόφυλλος, ὁ, ἡ, (φύλλον) mit eckigten Blättern. —νιόω, ῶ, winklicht machen. —νισμὸς, ὁ, statt γωνιασμὸς. zweif. —νιώδης, ὁ, ἡ, s. v. a. γωνιοειδής.

Γωρυτὸς, ὁ, der Köcher, lat. *corytus*.

Δ.

Δ, der vierte Buchstabe des griech. Alphab. bedeutet als Zahlzeichen 4, mit untergesetztem Striche ͵δ 4000.

Δα, soll als unzertrennliches Vorwort verstärken, z. B. δάσκιος, sehr schattig, wiewohl dies andere aus δασύσκιος, dickschattig, zusammenziehen; vergl. δάφοινος.

Δαγκάνω, das aus einander gezogene δάκνω. Etymol. M.

Δαγὺς, υδος, ἡ, andere lesen δατὺς eine wächserne Puppe der Zauberer. Theokrit.

Δάδιξ, ικος, ἡ, ein Maass, das 6 Choenikes hält; andere lesen ἄδδιξ.

Δαδίον, τὸ, (δαῒς) eine kleine Fackel, δὰς. —δοκοπέω, ῶ, f. ήσω, (κόπτω, δαῒς) s. v. a. δαδουργέω. —δόομαι, (δαῒς) kienig werden. —δουργέω, ῶ, πεύκη δαδουργουμένη, ein Kienbaum, den man anhauet, um daraus Kienharz zu sammeln; von —δουργὸς, ὁ, ἡ, (δαῒς, ἔργον) der Kien oder Fackeln macht. —δουχέω, ῶ, Fackeln halten, und damit vorleuchten; erleuchten; λαμπάσι δ. beleuchten; Athenaeus 4 p. 148. davon —δουχία, ἡ, das Fackelhalten, Vortragen; Erleuchtung. —δοῦχος, ὁ, ἡ, (δαῒς, ἔχω) der Fackeln hält, sie vorträgt; Leuchter. —δοφορέω, ῶ, (φέρω) Fackeln tragen; auch von Fichten, die Kienholz haben. —δοφόρος, ὁ, ἡ, Fackelträger. —δώδης, εος, ὁ, ἡ, kienigt. —δωσις, εως, ἡ, (δαδόω) das Kienigwerden.

Δαείω, oder δαέω, lernen, erfahren, wissen. S. δάω u. δάημι.

Δάζομαι, f. σομαι, als activ. theilen, vertheilen, austheilen, zutheilen, bestimmen; als med. unter sich theilen; 2) zertheilen, zerreissen.

Δάη, ἡ, s. v. a. δαῒς, Schlacht; Hesych.

Δάημι, s. v. a. δάω, dav. δαεὶς, δαῆναι, δαῶμεν, wissen. S. δάω, δαίω, διδάσκω. —μοσύνη, ἡ, Kenntniss, Wissenschaft, Erfahrung; von —μων, ονος, ὁ, ἡ, (δαίω) wissend, kundig, erfahren.

Δαὴρ, έρος, ὁ, Mannes Bruder. —ητὸς, ὁ, ἡ, Orph. Argo 974. wofür andere φατειὸς lesen.

Δαὶ, nun? so? τὶ δαὶ, was denn, was denn anders? attisch st. δὴ.

Δαιδαλέοδμος, ὁ, ἡ, (ὀδμὴ) künstlich oder schön riechend; zweif. δαιδαλεόδμοις μύροις Empedocl. Porphyr. Abst. 2, 21 Salben von künstlich bereitetem oder mannichfaltigen Geruche. —δάλεος, έα, εον, od. δαιδάλειος, künstlich; schön, bunt verziert. —δαλεύτρια, ἡ, eine Künstlerin, femin. v. δαιδαλευτὴρ od. δαιδαλευτὴς, ὁ, von δαιδαλεύω. —δάλλω, f. αλῶ, od. δαιδαλόω, künstlich, schön machen, bunt verzieren. —δαλμα, τὸ, das schön od. bunt gearbeitete, das Kunstwerk. —δαλον, τὸ, Odyss. 19, 227. s. v. a. δαίδαλμα. —δαλος, ὁ, ein berühmter Bildhauer zur Zeit des Königs Minos auf Kreta. 2) adject. s. v. a. δαιδάλεος. —δαλόφωνος, ὁ, ἡ, (φωνὴ) mit künstlicher, kunstreicher Stimme.

Δαιδαλόχειρ, ὁ, ἡ, mit künſtlichen Händen, geſchickt. —δαλόω, ῶ, ſ. v. a. δαιδάλλω.

Δαΐζω, f. ίσω, od. ίξω, theilen, zertheilen, zerſpalten; mithin zerreiſſen, zerfleiſchen, tödten. ἐδαΐζετο θυμὸς Il. 9, 8. erklärt Heſych. κατεκόπτετο von heftiger Unruhe und Furcht. Vergl. 14, 20.

Δαιθμὸς, ὁ, und δαϊθμὸς, Zertheilung, Theilung.

Δαϊκταμένων, Il. 21, 146. ſt. δαϊζομένων ſ. v. a. κατακοπτομένων; von δαϊκταω, δαΐκτημι, paſſ. δαΐκταμαι.

Δαϊκτὴρ od. δαϊκτὼρ, (δαΐζω) der im Kriege tödtet.

Δαιμονάω, ῶ, f. ήσω, od. δαιμονιάω, od. δαιμονιάζω, dämoniſch ſeyn, d. i. begeiſtert ſeyn od. toll und raſend ſeyn. Denn von wirkl. raſenden glaubte man, ein Dämon beunruhige ſie; und die ſich raſend ſtellten, gaben auch vor, eine Gottheit fahre in ſie. M. ſ. z. B. Virg. Aen. 6, 46 ff. Horat. Carm. 2, 19 ff. davon —νιακὸς, ἡ, ὸν, von einem Dämon beſeſſen; von Dingen gebr. von einem Dämon eingegeben; z. B. δ. φθόνος Plutarch. —νιάω, ſ. v. a. δαιμονάω. —νιζόμενοι, ſ. v. a. δαιμονιῶντες. Plutarch. Q. S. 7, 5. —νικὸς, ſ. v. a. δαιμονιακὸς. —νιόληπτος, ὁ, ἡ, (λαμβάνω) von einem Dämonion ergriffen, begeiſtert, wie νυμφόληπτος. —νιον, τὸ, dimin. von u. ſ. v. a. δαίμων. —νιος, ὁ, ἡ, Adv. —ίως 1) von einem Dämon, d. i. von einem Gott od. der Gottheit herrührend, ihr eigen, in den Geſetzen der Gottheit od. der Vorſehung u. der Natur gegründet; dah. wie *divinus*, göttlich-groſs, göttlich-ſchön; 2) von einem Dämon, d. i. einem guten oder böſen Schutzgeiſte herrührend, mithin glücklich oder unglücklich: δαιμόνιε iſt beym Homer Il. 2, 190. 200. eine allgemeine Anrede an den guten und ſchlechten. δαιμόνιον ſubſt. gebr. iſt nach Ariſtot. rhet. 2, 23. θεὸς ἢ θεοῦ ἔργον und zwar 1) die Gottheit, οὐχ ὑπερορῶ τὸ δ. ich verachte die Gottheit, die göttliche Vorſehung nicht; καινὰ δαιμόνια εἰσφέρειν, neue Gottheiten od. Götter einführen; 2) beſondere Schutzgottheit, Schutzgeiſt, ſ. v. a. δαίμων, ſo wie Xenoph. den warnenden Schutzgeiſt des Sokrates δαιμόνιον nennt.

Δαιμονιώδης, εος, ὁ, ἡ, der Gottheit od. einem δαίμων ähnlich; daher göttlich od. auſſerordentlich-groſs; von einem Dämon, guten od. böſen Schutzgeiſte herrührend. —δίως, Adverb. durch göttliche Fügung; auf eine göttliche, göttlich-groſse Art; ſehr. —νοβλάβεια, ἡ, (βλάπτω) göttliche Straf, Schaden; Thorheit, Unſinn, den einem die Gottheit zufügt. Polyb. 28. 9. von δαιμονοβλαβὴς ſ. v. a. θεοβλαβής. —νοφόρητος, ὁ, ἡ, (φορέω) von einem Dämon, guten oder böſen Genius getrieben.

Δαίμων, ονος, ὁ, ἡ, 1) ein Genius, d. i. entweder ein guter Schutzgeiſt od. böſer Plagegeiſt; mit einem Worte, das Geſchick, Schickſal eines Menſchen, weil man beydes, Glück u. Unglück, von jenen herleitete. Nach Heſiod. ἔργ. 252. waren der menſchlichen Schutzgeiſter, die in der Luft ſchwebend auf die Handlungen der Menſchen Acht gaben, 30000, welches die Seelen der Menſchen aus dem goldnen Zeitalter waren 5, 122. Daher gebrauchten denn auch einige ſpätere Philoſophen δαίμων als Geiſt, Seele des Menſchen; 2) überh. im weitern Sinne, Gott, Gottheit, b. Hom. u. denen, die ihm folgen, ſehr häufig; wiewohl andere es von θεὸς unterſcheiden, als ὦ θεοὶ καὶ δαίμονες. Die erſte Bedeut. iſt ſ. v. a. δαήμων *ſciens*, der weiſs, v. δάω, δαίω; daher δαίμονες εἰσὶ μάχης Archiloch. Plutarch. Theſ. 5.

Δαίνυμι, (δαίω) eigentl. austheilen, vertheilen; einem jeden ſeine Portion geben, d. i. zu eſſen, oder ein Gaſtmal geben. med. δαίνυμαι, zu eſſen bekommen, eſſen, ſchmauſen.

Δάινω. S. δάνος.

Δάιος, ία, ιον, ſo fern es von δαίω, verbrennen, abſtammt, heiſst es ſengend und brennend, d. i. feindlich; δαΐαι μάχαι, feindliche Schlachten; δάιοι, ſubſt. Feinde, wie πολέμιοι; auch unglücklich, Soph. Aj. 784. In ſo fern es aber von δάω, δάημι, δαίω abſtammt, heiſst es kundig, erfahren.

Δαίρω, für δέρω bey Suidas, Ariſtoph. Nub. 442. Av. 365.

Δαΐς, ΐδος, ἡ, (δαίω) Brand; brennende Fackel; ſ. δὰς; Krieg, Schlacht; was Homer ſonſt μάχη καυστειρὰ nennt. Im dativ. δαΐ ſt. δαΐδι.

Δαὶς, τὸς, ἡ, ein Mahl, Gaſtmahl; auch Fraſs von Thieren gebraucht, als Il. 24, 44. —σιμος, ὁ, ἡ, eſsbar, zum eſſen. —σιος, ὁ, ein Monat der Sicyonier mit dem ἀνθεστηριὼν der Athenienſer ſtimmend.

Δαιταλεὺς, έως, ὁ, der bewirthende u. bewirthete, oder der Wirth u. Gaſt; bey Nicetas Annal. 10, 1 ſteht δαιταλευθεὶς εἰς θοίνην geſpeiſst, u. 10, 10. δαιταλευτὴς, der Eſſer. —ταλουργία, ἡ, (ἔργον) Kocharbeit, Kochkunſt, Lycophr. 199. —ταλόω, ῶ, eſſen, ſchmauſen. Lycophr.

Δαίτη, ἡ, Schmaus, Gaſtmahl; δαίτηθεν, wie Adv. vom Schmauſe, wie οἴκοθεν.

Δαΐτις, ιδος, ἡ, richtiger δετὶς, ſ. v. a. δετὴ, eine Fackel; die Bolle am Knoblauch; Erotian.

Δαιτρεύω, f. εύσω, theilen, zertheilen, vertheilen, vorz. Fleisch, Opferthiere. von δαιτρὸς: Nicetas Annal. 5, 6. verstand es vom bereiten der Speisen und hat dav. gemacht: δαίτρευσις κρεῖον περίεργος. —τροπόνος, ὁ, ἡ, erklärt Hesych. durch σιτοπόνος, σιτοποιὸς.

Δαιτρὸς, getheilt in Portionen u. nach Maafs. Il. δ. 262. —τρὸς, ὁ, (δαίω) Zertheiler, Vertheiler, Zerleger, Koch. —τροσύνη, ἡ, die Kunst des Zertheilens, Vorlegens bey Tische. —τυμὼν, όνος, ὁ, der ein Gastmahl zubereitet; Odyss. 4, 621. s. v. a. μάγειρος. 2) ein Schmauser; 3) ein gebetener Gast. —τὺς, ύος, ἡ, s. v. a. δαὶς.

Δαΐφρων, ονος, ὁ, ἡ, entw. δάϊον φρονῶν, feindlich gesinnt, kriegerischen Muthes, kriegerisch; od. δάϊος (κατὰ) φρένας, klug, einsichtsvoll. Vergl. δάϊος.

Δαίω, f. αίσω, theilen, vertheilen, einem jeden seine Portion austheilen, d. i. ein Gastmahl, einen Schmaus geben; als Odyss. 15, 140. κρέα δαίετο καὶ νέμε μοίρας. Daher bey Herodot. δαίειν τινὰ τραπέζῃ ἀνόμῳ, vom Astyages, der dem Harpagus seinen eignen Sohn vorgesetzt hatte; med. δαίεσθαι essen, schmausen. Vergl. δαίνυμι, welches blofs eine andere Form hiervon ist. 2) s. v. a. κάιω, s. δάω, anstecken, verbrennen; 3) s. v. a. διδάσκω von δάω, δάσκω.

Δάκαρ, αρος, auch δάρκα, eine Art von Kassiarinde; a. d. arabischen.

Δακέθυμος, ὁ, ἡ, (δάκνω) herzbeifsend, herzfressend. Vergl. θυμοδακὴς u. δηξίθυμος. —κετὸν, τὸ, (δάκνω) ein beifsiges, durch den Bifs giftiges Thier, Schlange, Eidechse u. s. w; poet. jedes wildes oder schädliches Thier.

Δάκνω, f. δήξω, oder δακνάζω, vergl. δαγκάνω, δήκω, beifsen. Uebergetragen, angreifen, empfindlich seyn, Schmerz, Aergernifs, Unwillen, Zorn verursachen. —νώδης, ὁ, ἡ, beifsend; angreifend oder empfindlich.

Δάκος, εος, τὸ, (δάκνω) ein durch den Bifs giftiges Thier, wie Schlangen u. s. w. auch jedes schädliches u. gefährliches Thier, wie δάκετον.

Δάκρυ, υος, τὸ, od. δάκρυον, τὸ, d. lat. *lacryma*, Thräne; von Pflanzen gebraucht, Gummi, Harz, Pech; überh. ausschwitzende Feuchtigkeit, Nässe, od. ein sich von aufsen zeigender Saft, ßer und dergl. —κρύγελως, ωτος, ὁ, s. v. a. κλαυσίγελως. —κρύδιον, τὸ, dimin. von δάκρυ. —κρυμα, τὸ, (δακρύω) das geweinte; die Thräne. —κρυντὸς, ἡ, ὸν, (δακρύνω) beweinet od. zu beweinen. —κρυόεις, όεσσα, όεν, weinend, weinerlich, kläglich. neutr. δακρυόεν, als Adv. mit Thränen. —κρυον, τὸ, s. v. a. δάκρυ. —κρυοποιὸς, ἡ, ὸν, Thränen machend, Thränen hervorlockend. —κρυος, s. v. a. δακρυόεις, davon Hesych. δακρυώτατον hat; ist mehr in den Compos. ἀριδάκρυος, πολυδάκρυος gebräuchlich. —κρυόστακτος, ὁ, ἡ, von Thränen triefend. —κρυπλώω, (πλώω, d. i. πλέω) in Thränen überfliefsen, Odyss. 19, 122. eigentl. von den Augen, die vom Trunke übergehen, Aristot. Probl. 29, 1. führt den Vers so an: καὶ μέθῃ δάκρυ πλύνειν βεβαρυμένον οἴνῳ: vergl. in ἐπαναπλώω.

Δακρυῤῥοέω, ῶ, (ῥέω) von oder in Thränen fliefsen, weinen. —κρύῤῥοος, ὁ, ἡ, von oder in Thränen fliefsend, weinend. —κρυσίστακτος, s. v. a. δακρυόστακτος. —κρυχέω, Thränen vergiefsen, weinen. —κρύω, f. ύσω, thränen, weinen, beweinen, das perf. passiv. δεδακρυμένος, als neutr. weinend, beweinend. —κρυώδης, εὸς, ὁ, ἡ, (εἶδος) thränenartig.

Δακτυλήθρα, ἡ, Fingerhandschuh, Cyropaed. 8, 8, 17. 2) bey Synes. Ep. 58. ein Marterwerkzeug. 3) bey Themistius or. 21 p. 253 ist δακτύληθρον, τὸ, s. v. a. δακτύλιος, Fingerring. —λιαῖος, αία, αῖον, fingerdick, fingerlang. —λίδιον, τὸ, dimin. v. δακτύλιος. —λικὸς, ἡ, ὸν, Adv. —κῶς, *digitalis*, z. B. ὄργανον δ. ein Instrument, das mit den Fingern gespielt wird; ψῆφος δ. ein Stein für die Finger od. zum Ringe. In der Metrik aus Daktylen bestehend. —λιογλυφία, ἡ, die Kunst des —λιογλύφος, ὁ, ἡ, (γλύφω, δακτύλιος) der Graveur, der Steine im Finger- od. Siegelringe schneidet, gräbt, sticht. —λιοθήκη, ἡ, eine Sammlung von Siegelringen. —λιος, ὁ, Ring, Fingerring, Siegelring; Ringel, oder Ringelchen, od. was die Rundung eines Fingerrings hat od. rings um etwas herumgeht; wie auch der After, wie *anus*, dav. *anulus*. —λιουργὸς, ὁ, der Ringe, Siegelringe macht. —λὶς, ίδος, ἡ, fingerdick, fingergrofs, z. B. σταφυλὴ. —λίτις, ιδος, ἡ, *Dactylitis*, eine Pflanzenart. —λιώτης, ου, ὁ, der Ringfinger. —λοδεικτέω, ῶ, (δείκνυμι) mit dem Finger weisen, oder etwas bezeichnen. —λοδείκτης, ου, ὁ, einer, der etwas mit dem Finger bezeichnet. —λόδεικτος, ὁ, ἡ, auf den man mit dem Finger zeigt, d. m. bewundert; vornehm, reich. Aeschylus Ag. 1343. in der Stelle des Aeschyl. Strabo 10 p. 720. mufs es nach Jakobs δακτυλόθικτον μέλος, das durch die Berührung mit den Fingern erregte Getöse der βόμβηκες erklärt werden. —λοδειξία, ἡ, das Zeigen mit dem Finger. —λοδόχμη, ἡ, (δόχμη) s. v. a. παλαστὴ u. δῶρον. Pollux 2, 157.

Δακτυλοειδής, ές, (εἶδος) fingerartig. —λος, ὁ, Finger; die Dattel; ein Sylbenmaaſs aus einer langen u. zwo kurzen Sylben beſtehend; der Name einer Grasart; einer Muſchel; der Prieſter der Cybele, *Dactylus Idaeus*. —λότριπτος, ον, (τρίβω) mit den Fingern gerieben oder zerrieben. —λωτὸς, ἡ, ὸν, (δακτυλόω) wie ein Finger geſtaltet, gefingert.

Δαλερὸς, ρὰ, ρὸν, brennend, heiſs; Plutarch. 8 p. 632. zw. —λίον, τὸ, dimin. von δαλὸς, Ariſtoph. Pac. 959. wo andere δᾳδίον leſen.

Δαλματικὴ, ἡ, ein Prieſter-Meſsgewand. Neugriechiſch.

Δαλὸς, ὁ, (δαίω) ein Brand, *titio*, Fackel.

Δαμάζω, f. άσω, ſ. v. a. δαμάω u. δάμνημι. —μάλη, ἡ, od. δάμαλις junge Kuh, Kalb, Kälbchen. —μαλήβοτος, ὁ, ἡ, (βόω) von Rindern abgeweidet. —μάλης, ὁ, ἔρως, bey Anacr. ſ. v. a. δαμασίβροτος. —ληφάγος, ὁ, ἡ, Rinderfreſſer. —λίζω, u. δαμαλίζομαι Eur. Hipp. 232. ſ. v. a. δαμάζω. Die Form δαμάλλω hat Heſych. und erklärt es δαμάπτω, von δαμάω, δαμαλὸς, δαμάλη, δάμαλις, δαμάλώ, δαμάλλω, δαμαλίζω; von der Form δαμαλάω kommt δαμάλης, ὁ, ſ. v. a. δάμνων. —λις, ἡ, ſ. v. a. δαμάλη, bey Dionyſ. Antiq. 1, 25. δάμαλος, ὁ, das Kalb, *vitulus*. —λοπόδια, τὰ, Alexand. Trall. 7 p. 362. Kälberfüſse, von ποῦς, δάμαλις.

Δάμαρ, αρτος, ἡ, (δαμάω) Gattin, Frau, gleichſam die ins Joch geſpannte, wie *conjux, conjugata*; dagegen die Jungfrau, ἀδμὴς, heiſst.

Δαμασίβροτος, ὁ, ἡ, Menſchenbändiger, Mörder, Sieger. —σις, εως, ἡ, das Bändigen, Abrichten, Bezwingen, Beſiegen. —σίφρων, ονος, ὁ, ἡ, Pindar. Ol. 13, 111. der das Herz erobert, einnimmt. —σίφως, ωτος, ὁ, ἡ, (φὼς) ſ. v. a. —σίβροτος. —στήριος, ὁ, ἡ, (δαμαστὴρ) zum bändigen od. zwingen eingerichtet. —σώνιον, τὸ, die Pflanze, ſonſt ἄλισμα genannt.

Δαμάτειρα, ἡ, fem. v. δαματὴρ, ſ. v. a. δμήτειρα u. δμητὴρ. —μάτωρ, ορος, ὁ, ſ. v. a. δμητὴρ. —μάω, δαμνάω, δάμνημι, ſ. v. a. δαμάζω und δαμάλω, δαμάλλω, δαμαλίζω und zuſammengezogen δμάω, δμῆμι, wie τάμω, τάμνω, ταμάω, τμάω, τμῆμι bändigen, ein Thier zur Zucht oder Arbeit abrichten; vorz. von Jochthieren, Ochſen, welche man zum Joche oder Pfluge abrichtet, und wirklich ins Joch ſpannet; daher bändigen, bezwingen, beſiegen, unterjochen, von Feinden; vorzüglich von Mädchen, die ins Ehejoch geſpannt werden, alſo ein Mädchen bändigen, d. i. heyrathen; auch überh. beſchlafen; daher δάμαρ die Ehefrau, und παρθένος ἀδμὴς das unverheyrathete Mädchen; auch bedeutet es jedes einnehmen, beherrſchen, bewegen und dergleichen. Die Form δμόω iſt nur noch in δμῶς, δμωὸς, δμωὴ, δμωΐς, der unterjochte, zum Sklaven gemachte, Diener, Bediente, gebräuchlich. Die Lat. haben *domo, domare* gemacht, od. aus einer jetzt unbekannten Form δομάω, genommen.

Δαμνήτης, ὁ, fem. δαμνῆτις ἡ, bey Heſych. ἡ δαμάζουσα, τιμωρὸς. —νιον, τὸ, laſen einige Odyſſ. 3, 444. ſt. δ' ἄμνιον und erklärten es d. θῦμα, σφάγιον. —νιππος, ὁ, ἡ, Roſsbändiger, ein Reiter, beritten.

Δαμοῦμαι, ſt. δημοῦμαι.

Δαναΐδαι, ῶν, οἱ, eigentl. Söhne, d. i. Nachkommen des Danaus, der ohngefähr 1500 Jahre vor Chr. Geb. mit einer Egyptiſchen Kolonie nach Argos kam; gewöhnlicher Δαναοὶ, Argiver, Einwohner von Argos, Unterthanen des Argiviſchen Reichs. —νάκη, ἡ, eine kleine perſiſche Münze, wenig über einen griechiſchen Obolus; auch der Reiſepfennig den, man den Todten für den Charon mitgab. —ναοὶ, οἱ. S. Ἀχαιοὶ.

Δανδαίνω, nach Heſych. ſ. v. a. ἀντενίζω, φροντίζω, μεριμνῶ, ἀντέχειν, mit ſtarren Blicken im Nachdenken ſeyn, ſorgen, nachdenken; daher ἐνδανδαίνειν ſ. v. a. ἐνατενίζειν, κατατολμᾷν ſtarr, dreuſte einem entgegen oder anſehen. —δάνω. S. δῆνος.

Δανειακὸς, ἡ, ὸν, zum Darlehn oder Lehnen gehörig. —νείζω, f. είσω, auch δανίζω, Geld auf Zinſen geben; δανείζομαι, Geld auf Zinſen ſich geben laſſen, nehmen oder borgen; von δάνος. —νειον, τὸ, eigentl. adject. neutr. von δάνειος, verſt. ἀργύριον; v. δάνος, das auf Zinſen ausgeliehene oder genommene Geld. —νεισμα, ατος, τὸ, (δανείζω) das auf Zinſen oder Wucher gegebene oder genommene Geld. —νεισμὸς, ὁ, (δανείζω) das Leihen des Geldes auf Zinſen; das Wuchern mit Gelde. —νειστὴς, οῦ, ὁ, Wucherer, Verleiher von Geld auf Zinſen. —νειστικὸς, ἡ, ὸν, zum auslehnen, verborgen, leihen gehörig oder geneigt.

Δάνος, εος, τὸ, eine Gabe; vorzügl. das auf Wucher gegebene Geld, Wucher; davon iſt das alte lat. *dano* ſtatt *do*. Bey den Macedoniern hieſs nach Plutarch. de leg. poet. δάνος der Tod; daher Heſych. δαίνω, κακοποιῶ, κτείνω.

Δανὸς, ἡ, ὸν, (δαίω) trocken, ausgedörrt, ausgebrannt.

Δάος od. δαὸς, ὁ, von δάω, δαίω, ſ. v. a. δᾴς, Licht, Fackel, Odyſſ. 4, 300; 2) Davus, ein Sclavenname.

Δαπανάω, ῶ, f. ήσω, (δάπτω) verwenden; etwas auf etwas τὶ εἰς τὶ od. ἀμφὶ τὶ; daher auch im ſchlimmern Sinne, zu viel verwenden, Aufwand machen, und die Folge davon, erſchöpfen, z. B. τὴν πόλιν δ. —**πάνη**, ἡ, od. δαπάνημα, ατος, Ausgabe; im ſchlimmern Sinne zu groſse Ausgabe, Verſchwendung, Aufwand. ἡ ἐν τῇ φύσει δαπάνη, ſein natürlicher Hang zum Aufwande, Aeſchines. —**πανηρὸς**, ρὰ, ρὸν, act. vom Menſchen, der viel oder zu viel ausgiebt; paſſ. von Sachen, bey denen zu viel ausgegeben, auf die zu viel verwendet wird, alſo verſchwenderiſch, koſtbar. Eben ſo *ſumtuoſus homo, ſumtuoſa res*. Adv. δαπανηρῶς. —**πανητικὸς**, ἡ, ὸν, oder δάπανος, ὁ, ἡ, geſchickt zum Verſchwenden; verſchwenderiſch.

Δάπεδον, τὸ, Boden, Fuſsboden. S. ταπεινὸς. —**πίδιον**, τὸ, dimin. von folgd.

Δάπις, ιδος, ἡ, Fuſsboden, Decke, Fuſsteppich.

Δάπτης, ου, ὁ, Lycophr. 1403 δάπται die Fliegen. —**τριος**, ὁ, ἡ, freſſend, verzehrend. Anthol.

Δάπτω, verdoppelt δαρδάπτω, zerreiſſen, zerfleiſchen und freſſen, von Raubthieren; auch vom Feuer verzehren, aufzehren, und von der ritzenden oder zerreiſſenden Lanze, bey Homer. Das Stammwort iſt δάω, δαίω, theilen; wovon auch δάπω, δάπτω, daher zertheilen, zerreiſſen, zerfleiſchen, zerſtören, verzehren; davon das lat. *daps, dapes*, ferner δαπάνη von δάπω, δαπάω, δαπανὸς, δαπανὴ, davon δαπανάω, noch δάπτω, fut. δάψω, δαψιλὴς. Eben ſo iſt von δάω, δαΐω, δαῒς δαιτὸς, ἡ, die Mahlzeit, wobey die Portionen zugetheilt wurden; davon hat man in der Bedeut. von ſpeiſen, nähren und eſſen δαίνω, δαινύω, δαίνυμι und δαίνυμαι, und von δαίτη, ἡ, δαιτέω, δαιτάω, (davon δαιταλὸς, und δαιταλόω bey Lycophr.) δαιτύω (davon δαιτὺς, ἡ, und δαιτυμὼν) gewöhnlicher gebraucht. Von δάπω, δάπτω perfect. paſſ. δέδαμμαι, δέδασαι, δέδαται kommt δατὸς, δατέω, δατέομαι theilen; dav. δατητὴς, der Theiler. Von den mit gemeſſenen Schritten gehenden Mauleſeln ſagt Homer Il. 23, 121 ταὶ δὲ χθόνα ποσσὶ δατεῦντο. So hat man bey Nicand. Alex. 343 ὁππότε θῆρα νομαζόμενοι δατέονται erklärt: τὸν τῶν θηρῶν τόπον τὸ ὄρος μερίζουσι; andere richtiger durch τὸν θῆρα κατατρώγουσι. Bey Herodot 2, 66 u. 37 haben die Handſchr. ſt. δατέονται ſie eſſen, auch πατέονται. Heſych hat die Form δατυσσειν, λαφύσσειν, ἐσθίειν, wovon ſich ſonſt kein Beyſpiel findet, wohl aber von δαιτη, δαιτύω, δαίτυμι kommt δαιτὺς und δαιτυμὼν. Von δάω kommt noch die Form δάζω und δάσκω theilen, wie auch δαΐζω, welches bey den Dichtern (wie δάω, δάπτω) von gewaltſamer Theilung gebraucht wird ſt. zerreiſſen χιτῶνα, κόμην; m. χαλκῷ, ἔγχει und einem andern Werkzeuge oder auch allein, ſ. v. a. zerhauen, zerſtechen, todt hauen, todt ſtechen; tödten, morden.

Δαρεικὸς, ὁ, eine Perſiſche Goldmünze, die 20 Attiſche Silberdrachmen hielt, deren mithin 5 auf eine Mine und 300 auf ein Talent giengen.

Δαρθάνω und δαρθέω, ich ſchlafe; davon im compoſ. καταδεδαρθηκὼς Plato Symp. 34 von δέρθω aor. 2. ἔδαρθον ἔδραθον; davon δράθω u. δρήθω im Etymol. M. ſ. v. a. δέρθω, wie πέρθω, ἔπαρθον, πράθω, δέρκω, ἔδρακον, δράκω, πέρδω, ἔπαρδον, ἔπραδον, πράδω. Alſo iſt das Stammwort δέρδω Perf. δέδορδα, δέδορμαι, wovon *dormio*.

Δαρόβιος, ὁ, ἡ, (δαρὸς ſt. δηρὸς) von langem Leben.

Δάρσις, εως, ἡ, (δέρω) das Abhäuten, Fellabziehen. —**τὸς**, ἡ, ὸν, (δέρω) abgehäutet oder abzuhäutend; 2) δαρτὰ τὰ, eine Klaſſe von Fiſchen, die in der Küche gehäutet werden, wie die Rochen. Athen. p. 357.

Δᾳς, δᾳδὸς, ἡ, ſ. v. a. δαῒς, der Kien- oder Fichtenbaum, der am meiſten harziges oder brennbares Holz hat; daher auch daraus gehauene Scheite und Fackeln; auch eine Krankheit der Bäume, woran ſie ſterben, wenn der Kien ſich zu häufig an einer Stelle im Baume ſammlet und die andern Gefäſse verſtopft. Plinius hat dieſe Krankheit aus Theophraſt auch *taeda* überſetzt, woraus der Name *tié* in der Provence gemacht iſt. S. ἔνδᾳδος. Luzian vom Scheiterhaufen des Peregrinus δᾳδες ἦσαν τὰ πολλὰ καὶ παρεβέβυστο τῶν φρυγάνων, er beſtand meiſt aus Scheiten von Kienholz, und war mit Reiſig ausgeſtopft.

Δάσκιος, ὁ, ἡ, (δα- od. δασὺ-σκιὰ) dickbeſchattet.

Δάσμα, ατος, τὸ, (δάζω) Theil, Antheil. —**μευσις**, εως, ἡ, (δασμεύω) Vertheilung, Xen. Anab. 7, 1. 137. —**μολογέω**, ῶ, (λέγω, δασμὸς) den Tribut einſammeln, eintreiben, einnehmen, m. d. acc. δ. τινὰ jemanden mit Tribut belegen, Tribut von ihm eintreiben; davon —**μολογία**, ἡ, das Eintreiben, Einſammeln, Einnehmen des Tributs. —**μολόγος**, ὁ, ἡ, der Einnehmer des Tributs. —**μὸς**, ὁ, Theilung, Vertheilung; der dadurch erhaltene Antheil oder aufgelegte Zins, Abgabe, Tribut. —**μοφορέω**, ῶ, Tribut, Auflagen bezahlen. —**μοφόρος**, ὁ.

ἡ, der die Auflage, den Tribut abträgt, tributär, zinsbar, *stipendiarius*.

Δάσος, εος, τὸ, dickes Gesträuch, Busch. αὐτοφυὲς Synes. Ep. 51.

Δασπλῆς, ῆτος, ὁ, ἡ, das femin. δασπλῆτις, εως, ἡ, (πελάζω) s. v. a. δυσπροσπέλαστος, dem man sich schwer oder mit Furcht und Schrecken nähert; daher furchtbar, schrecklich, grausam.

Δασυγένειος, ὁ, ἡ, (γένειον) mit dichtem, rauhen, starken Barte. —σύθριξ, ιχος, ὁ, ἡ, mit rauchem, dichten, starken Haupthaare. —σύκερκος, ὁ, ἡ, mit rauchem, haarichten Schwanze. —σύκνημος, ὁ, ἡ, und δασυκνήμων, ονος, ὁ, ἡ, (κνήμη) mit rauchen, haarichten Schenkeln, Füſsen. —συκυκνόθριξ, ιχος, ὁ, ἡ, Aristoph. Av. 389 rauch von dichten Haaren. —σύμαλλος, ὁ, ἡ, (μαλλὸς) mit dichter Wolle, dickwollig. —συμέτωπος, ὁ, ἡ, mit raucher, haarichter Stirne. Geopon.

Δασύνω, f. υνῶ, rauch oder haaricht machen; pass. haaricht werden; 2) ἄνεμος δασύνει τὸν οὐρανὸν verstanden νέφεσι, der Wind bewolkt den Himmel; 3) mit dem Spiritus asper aussprechen.

Δασυπόδειος, ὁ, ἡ, von Haasen; von —σύπους, οδος, ὁ, (δασὺς, ποῦς) der Haase, von den auch unterwärts rauchen Füſsen; einige übersetzen es auch Kaninchen. —σύπυγος, ὁ, ἡ, oder δασύπρωκτος (πυγὴ, πρωκτὸς) s. v. a. δασύτρωγλος, Rauchärsch. —συπώγων, ωνος, ὁ, ἡ, (πώγιον) mit rauchem, dichten Barte.

Δασὺς, εῖα, ὺ, gen. έος, είας, dicht bewachsen, besonders mit Haaren, haaricht, rauch. So γέῤῥα βοῶν δασέων ὠμοβόινα, Schilde von rauchen, rohen Ochsenfellen beym Xenoph. Anab. 4, 7. 22, die er 5, 4. 12 kürzer γέῤῥα βοῶν δασέα nennt. Eben so ὄρος δασὺ, ein dichtbewachsener Berg, wie der sonstige Zusatz δένδρων od. δένδροις zeigt. —σύσκιος, ὁ, ἡ, (σκιὰ) dichtschattig, dichtbeschattend. —συσμὸς, ὁ, (δασύνω) das rauchmachen, das aussprechen mit dem Spiritus asper. —σύστερνος, ὁ, ἡ, (στέρνον) mit raucher, haarichter Brust. —σύτης, ητος, ἡ, (δασὺς) das rauche Wesen; das rauch- oder haarichtseyn, auch der Spiritus asper vor einem Worte. —σύτονος, mit dem τόνος oder Spiritus asper geschrieben u. ausgesprochen. —σύτριχος, ὁ, ἡ, s. v. a. δασύθριξ. —σύτρωγλος, ὁ, (τρώγλη) bey Meleager s. v. a. δασύπυγος. —σύφλοιος, ὁ, ἡ, mit rauher Schaale, Rinde. Nicand. Alex. 269. not. —συχαίτης, ὁ, (χαίτη) mit dichtem, starken Haare oder Mähne.

Δατέομαι, οῦμαι, theilen, austheilen, vertheilen; neutr. seine Portion verzehren, essen. S. in δάπτω. —τήριος, α, ον, vertheilend, von δατὴρ, der Theiler; von δατέω. —τησις, εως, ἡ, (δατέω) Theilung, Austheilung, Vertheilung. —τητὴς, οῦ, ὁ, (δατέω) Theiler, Vertheiler, Austheiler. —τισμὸς, ὁ, Aussprache und fehlerhafte Sprache des Datis, eines Persischen Satrapen in Griechenland, der, so viel man aus Aristoph. Pac. sieht, tautologisch und fehlerhaft sprach, z. B. ὡς ἥδομαι καὶ τέρπομαι καὶ χαίρομαι, (st. χαίρω.)

Δαυκεῖον, τὸ, s. v. a. δαῦκος, Nicand. Ther. 939. und anderswo. —κίτης, ου, ὁ, οἶνος, Wein mit der Wurzel des Daukus zubereitet.

Δαῦκος, ὁ, eine Pflanzenart wie der Pasternak, deren Wurzel und Saame in der Arzeneykunde gebraucht ward.

Δαῦλος, haaricht, rauch, wahrscheinl. m. δασὺς verwandt.

Δαυλὸς, ὁ, s. v. a. δαλὸς, von δάω, δαίω, δαύω. S. in δάω, δαίω.

Δαφνέλαιον, τὸ, Lorbeeröl; von

Δάφνη, ἡ, Lorbeer, Lorbeerbaum, in welchen Daphne, die Geliebte des Apollo, verwandelt worden seyn soll, daher der Lorbeerbaum dem Apollo geheiligt war. —νήεις, ήεσσα, ῆεν, von Lorbeerbaume, oder dem Lorbeerbaume ähnlich. —νηφάγος, ὁ, ἡ, Lorbeeresser, wie die Pythia und andre Wahrsager thaten. —νηφορέω, ῶ, Lorbeerbäume tragen, einen Lorbeerzweig, oder Lorbeerkranz tragen. —νηφόρος, ὁ, ἡ, Lorbeerbäume od. einen Lorbeerkranz tragend. —νιακὸς, ἡ, ὸν, od. δαφνικὸς, zur Daphne od. zum Lorbeer gehörig. —νινος, ίνη, ινον, von Lorbeerholze oder Lorbeeren gemacht. —νὶς, ιδος, ἡ, Lorbeere, Frucht der δάφνη, Lorbeerkranz. —νίτης, ου, ὁ, der Belorbeerte, mit Lorbeeren Bekränzte, ein Beywort des Apollo, sonst auch δαφναῖος; 2) dem Lorbeerbaume ähnlich; femin. δαφνῖτις. —νογηθὴς, έος, ὁ, ἡ, (γήθω) der sich des Lorbeers freut, und gern mit Lorbeern bekränzt. —νοειδὴς, έος, ὁ, ἡ, (εἶδος) dem Lorbeerbaume ähnlich. —νόκομος, ὁ, ἡ, (κόμη) das Haar mit Lorbeern bekranzt. —νοπώλης, ου, ὁ, heiſst komisch Apollo, der Lorbeerhändler. —νόσκιος, ὁ, ἡ, (σκιὰ) mit Lorbeerbäumen beschattet, oder mit einem Lorbeerkranze. —νοφορέω, und δαφνοφόρος, ὁ, ἡ, s. v. a. δαφνηφορέω und δαφνηφ. —νώδης, ὁ, ἡ, mit Lorbeerbäumen bepflanzt; lorbeerartig. —νὼν, ῶνος, ὁ, Lorbeerbaumgarten-Hayn. —νωτὸς, κινάραι δαφνωτοὶ, Artischocken nach Lorbeern schmeckend. Geopon.

Δαφοινεὸς und δαφοινὸς, ὁ, ἡ, (Φοινὸς, δα d. i. λίαν) blutig. εἷμα δαφοίνεον αἵματι Hefiod. fcut. 159. blutroth oder braunroth, πυῤῥὸς bey Homer, δράκων bey Aefchyl. Prom. 1021 αἰετὸς.

Δαψίλεια, ἡ, Ueberflufs, überflüffiger, reichlicher Aufwand, Vorrath; von —λεύομαι, f. εύσομαι, reichlich aufwenden, aufgehn laffen, freygebig, ergiebig feyn.

Δαψιλὴς, έος, ὁ, ἡ, (δάπτω) viel aufwendend, verzehrend; freygebig; reichlich; überflüffig; eigentl. vom Gaftmale und Schmaufe. Die alten Lateiner behielten *dapfilis*, wie *daps* und *dapes*. Adv. δαψιλῶς, poet. δαψιλέως.

Δὲ eine der häufigften Verbindungsartikel, welche den Vorderfatz, durch μὲν unterfchieden, ohne weitere Bedeutung verbindet; aufserdem aber im Nachfatze oder im Gegenfatze mit aber, doch, nun überfetzt wird.

Δέδια, δεδιὼς, davon δεδιότως, Adv. Dio Caff. 42, 17. ich fürchte, fürchtend, furchtfamerweife; perf. von δείω oder δίω, welche man nachfehe.

Δεδίσκομαι. S. διδίσκομαι. —δίσσομαι, δειδίττομαι, δειδίσσομαι, δειδίζομαι, δειδίσκομαι, erfchrecken, furchtfam machen, neutr. fich fürchten. S. δείω und δίω.

Δέδοικα, δεδοικὼς f. v. a. δέδια δεδιώς. S. δείω und δίω.

Δέελος, ὁ, ἡ, f. v. a. δῆλος Il. 10, 466. woraus erhellet, dafs η aus dem doppelt gefprochenen und gefchriebenen ε entftanden ift.

Δέημα, ατος, τὸ, (δέω) Bedürfnifs, Bitte. —ησις, ἡ, (δέω) das Bedürfen oder Bitten. —ητικὸς, ἡ, ὸν, bittend, zur Bitte gehörig oder gefchickt.

Δεῖ, f. δεήσει, abr. 1. ἐδέησε, das latein. *oportet, decet*, es ift nöthig, fchicklich, man mufs; mit folgend. infin. und acc. Aber δεῖ μοι τινὸς, *opus eft mihi aliqua re*, ich bedarf eine Sache. Auch τοῦτο δεῖ ἀνδρὸς γνωμονικοῦ, dies erfordert einen Mann von Einficht.

Δεῖγμα, ατος, τὸ, (δείκω) eine Probe, die ich vorzeige, z. B. von zu verkaufenden Waaren, od. meiner Gefchicklichkeit; im Hafen zu Athen, wo die Kaufleute ihre Waaren zur Schau ftellten. —ματίζω, f. ίσω, im N. T. f. v. a. παραδειγματίζω.

Δείδεκτο, δειδέχαται ft. δέδεκτο, δεδέχαται eigentl. von δέκομαι, δέχομαι, δεδέκομαι fut. δεδέξομαι, ἐδεδέκετο aor. 2. δεδέχαμαι jon. ft. δέδεγμαι perfect. —δήμων, ονος, ὁ, ἡ, furchtfam, feig; v. δειδέω. —δίσκομαι f. v. a. δείκνυμαι no. 2. δεικανάομαι u. δεξιοῦμαι von demfelb. Stammworte. —δίσσομαι, δειδίττομαι. S. δεδίσσομαι. —δω, f. δείσω, fich fürchten, etwas fürchten; v. δέω, δείω.

Δειελιήσας, der Vefperbrod gegeffen hat. S. δείελος. —ελινὸς, f. v. a. δείλινος; von —ελος, und δίελος, ὁ, ἡ. In der Odyff. wird δείελον ἦμαρ durch die Abendzeit, Nachmittage, u. δείελος ὀψὲ δύων durch ἕσπερος erklärt; fo auch δείελος ὥρη und ὑπὸ δείελον bey Apollon. dav. δείελον (τὸ) αἰτίζουσι bey Kallim. das Vefperbrod. Von δειέλη verft. ὥρα kommt das gewöhnliche δείλη, auch δείλη, welches dem Etym. M. die Etymologie v. εἰδεῖν, ἕλη, nachlaffen der Hitze an die Hand giebt. Wie von δείλη kommt δείλινος, fo von δείελος auch δειελινος, δειελινὸν κλίνοντος ὑπὸ ζόφον ἠελίοιο d. i. Finfternifs des Abends; davon kommt δειελιάω. Odyff. ρ. δειελιήσας nachdem du dein Vefperbrod gegeffen haft.

Δεικανάομαι f. v. a. δείκνυμαι no. 2. und δειδίσκομαι und δεξιοῦμαι, ich bewillkomme, heifse willkommen mit ausgeftreckter Rechte.

Δεικελίζω davon δεικελίκτης, ου, ὁ, δεικελιστὴς, οῦ, ὁ, δείκελον, τὸ, und δείκελος, ὁ, ἡ, auch δεικηλίζω, δεικηλίκτης, δεικηλιστὴς, δείκηλον, τὸ, und δείκηλος, ὁ, ἡ, auch δίκηλον, τὸ, δικηλίκτης, oder δικηλιστὴς, von δείκω, δεικέω zeigen, darftellen durch Abbildung oder Nachahmung; daher δείκελος oder δείκηλος, darftellend, nachahmend; δείκελον, δείκηλον, δίκηλον, τὸ, Darftellung, Bild, Bildfäule; δεικελίζω oder δεικηλίζω, nachahmen, darftellen; davon δεικελίκτης oder δεικελιστὴς, δεικηλίκτης, δεικηλιστὴς, ὁ, bey den Lacedämoniern f. v. a. ὑποκριτὴς Schaufpieler, wie *mimus*.

Δείκνυμι und δεικνύω, fut. und Aor. 1. vom Stammworte δείκω, ich zeige, weife. Diefes δείκω ift f. v. a. δέκω, wie vorzügl. der jonifche Dialect zeigt, wo ἀπέδεξε u. dergl. ft. ἀπέδειξε fteht; davon alfo δείκω, δείκνω, δεικνύω wie δέκω, δέκνω, δεκνύω; δέκνυμι, wofür man δέχνυμι gefagt hat. Die Bedeut. d. activ. ift alfo zeigen, weifen, das med. δέκομαι, welches die Dorer und Joner behalten haben für das gemeine δέχομαι, ich nehme das, was man mir zeigt, an; auch ich nehme auf, bewillkomme, in welchem Sinne auch δεικανάομαι und δεδίσκω, δειδίσκω, διδίσκω, obgleich Suidas allein διδίσκω für δεικνύω hat; gewöhnlicher ift das Medium δεδίσκομαι, δειδίσκομαι, διδίσκομαι für δέχομαι oder δεξιοῦμαι; davon auch δεξιά. δείκνυμαι, ich bewillkomme, empfange, δεξιοῦμαι Il. δ, 59. 2, 196. Hymn. Apoll. 11.

Δεικτηριάς, άδος, ἡ, bey Athenäus 13, 5. wahrfcheinlich eine *mima*, Mufikantin, Komödiantin, die herum fpielen zieht, wie δεικελιστής und προδείκτης f. v. a. *mimus*, Komödiant; dav. das lat. *dicterium* von mimischen Scherzen.

Δεικτήριος, ὁ, ἡ, zum Zeigen geschickt; von δεικτὴρ f. v. a. das folgd. —της, ου, ὁ, einer, der etwas zeigt. —τικός, ἡ, όν, Adv. —κῶς, zum zeigen, zum beweisen.

Δείκω, das Stammwort von δείκνυμι, δεικνύω.

Δειλαίνω, furchtsam handeln; wird aus Plutarch. 10 p. 328 angeführt. Aristot. Eudem. 4, 7. Hesych. hat δειλανθεὶς für κλεφθεὶς, ἀπατηθεὶς. In Lucian. Ocyp. v. 153. steht δειλαίνομαι st. ich furchte. So auch Nicetae Annal. 13, 1. und davon 12, 9 δείλανσις, ἡ, die Furcht. — λαιος, αία, αιον, furchtsam, feige, auch f. v. a. δειλὸς, elend, unglücklich; davon —λαιότης, ητος, ἡ, Furchtsamkeit, Elend; zweif.

Δειλακρίων, ονος, ὁ, von δείλακρος, δειλάκρα bey Aristoph. Pac. 192. Plut. 974. von ἄκρος und δειλὸς, sehr furchtsam; wird auch wie δειλὸς und δείλαιος in der Anrede gebraucht. Im Etym. M. steht auch δειλακρίνας.

Δειλανδρέω, ῶ, (ἀνὴρ, δειλὸς) ein feiger Mann seyn; dav. —λανδρία, ἡ, Feigheit.

Δεῖλαρ, τὸ, f. v. a. δέλεαρ; davon ἐν δ' ἐτίθει παγίδεσσιν ὀλέθρια δείλατα δοιαῖς bey Etymol. M. war εἶδαρ von ἔδω.

Δείλη, ἡ, das contr. δειέλη, näml. ὥρα ist theils δείλη πρωΐα, d. i. ἡ μετ' ἄριστον ὥρα die Nachmittagszeit, theils δ. ὀψία, d. i. ἡ περὶ δύσιν ἡλίου der Abend. δείλης ἕως ὀψίας, Nachmittage bis an den Abend. Geoponika. S. δείελος. —λήμων, ονος, ὁ, ἡ, furchtsam; Hesych. welcher auch δείλημι für φοβέομαι von δειλάω hat. —λία, ἡ, Furchtsamkeit. —λιάζω, f. άσω, oder δειλιάω, furchtsam seyn, aus Furcht oder Feigheit etwas vermeiden. —λιαίνω, f. ανῶ, furchtsam machen, Deuteron. 20. —λίασις, εως, ἡ, Furchtsamkeit, Aengstlichkeit; von —λιάω, f. v. a. δειλιάζω. —λινὸς, ἡ, όν, f. v. a. δειελινός. δειλινὸν subst. das Abendbrod oder Vesperbrod; auch Adv. od. vielmehr ellipt. (κατ' ἦμαρ) δειλινὸν, Abends. —λόομαι, οῦμαι, f. ώσομαι, furchtsam gemacht werden, fürchten, erschrecken, bey den LXX. —λὸς, ἡ, όν, furchtsam, feige; daher überh. schlecht, sonst κακὸς als Gegens. v. ἀγαθὸς, so wie dies von ἐσθλὸς; davon arm, elend, bedauernswerth; als δειλοὶ βροτοὶ arme Sterbliche! von δέω, δείω, δείδω, also nur in der Form von δεινὸς verschieden. —λότης, ητος, ἡ, Furchtsamkeit u. f. v. a. δειλία. —λόψυχος, ὁ, ἡ, (ψυχὴ) furchtsamen Muthes, furchtsam.

Δεῖμα, ατος, τὸ, Furcht, Schrecken; Schreckbild. —μαίνω, f. ανῶ, (δεῖμα) erschrecken, in Furcht und Schrecken seyn; von δειμάω hat Hesych. δειμάομαι, φοβοῦμαι. —μαλέος, έα, έον, furchtsam; act. furchtsam machend, erschrecklich. —ματόεις, όεσσα, όεν, erschrocken, furchtsam. —ματόω, ῶ, f. ώσω, (δεῖμα) erschrecken, furchtsam machen; med. erschrecken, fürchten. — ματώδης, εος, ὁ, ἡ, erschrecklich, fürchterlich. —μὸς, ὁ, Schrecken, Furcht, vorzügl. personifizirt. —μώδης, εος, ὁ, ἡ, f. v. a. δειματώδης. zw. bey Erotian.

Δεῖνα, ὁ, ἡ, τὸ, gen. δεῖνος, dat. δεῖνι, acc. δεῖνα, auch οἱ δεῖνες Aristides 1 p. 312 braucht man, wenn man einen nicht nennt, und spricht: der und der, ein gewisser u. f. w. Bey Aristoph. ist τὸ δεῖνα ein Ausruf eines Menschen, der sich auf etwas besinnt, was er vergessen hatte. Lys. 921. und sonst f. v. a. Ach Gotts! —νάζω, f. άσω, f. v. a. δεινοπαθέω oder δεννάζω von δεινὸς, wird aus Maccab. 2, 13 angeführt. —νεύω u. δεινέω. f. v. a. δινεύω, wel. f. 2). Hesych hat δεινεύειν βουλεύεσθαι κακὰ wahrsch. st. δηνεύειν, wovon δηνεύματα, Tücken bey Xenoph. S. δῆνος; obgleich im Fragm. Hesiodi ap. Galen. Placit. Hipp. et Plat.. 3 p. 273 steht ἐξαπατῶν Μῆτιν καὶ περ πολὺ δινεύουσαν, wo es wahrscheinl. δηνεύουσαν heissen soll. —νοβίης, ου, ὁ, gewaltig, stark, tapfer; von δεινὸς, βία. zweif. —νοθέτης, ου, ὁ, (τίθημι) der schreckliche Dinge thut, ein Bösewicht. zw. —νοκάθεκτος, ὁ, ἡ, (κατέχω) mit Macht zusammenhaltend. zw. —νολεχής, ὁ, ἡ, (λέχος) unglücklich in der Ehe. zw. —νόλινος, ὁ, ἡ, (λίνον) von unglücklichem Faden, Lebensfaden, dem die Parzen Unglück spinnen, unglücklich. —νολογέω, meist med. δεινολογέομαι, (δεινὰ, λέγω) ich beschwere, beklage mich heftig; davon —νολογία, ἡ, die Beschwerde, Klage, die vergrössernde Rede, um eine Sache desto gefährlicher, rührender vorzustellen. —νοπάθεια, ἡ, Beschwerde oder Klage über grosse Leiden, uber sein Schicksal; von —νοπαθέω, ῶ, (δεινὰ, πάσχω) leiden, dulden, und vorzüglich sich über seine Leiden und Schicksal beklagen, beschweren; davon —νοπαθής, έος, ὁ, ἡ, viel leidend, und darüber klagend, jammernd. —νοποιέω, ῶ, gross und fürchterlich machen; δεινοποιέομαι f. v. a. δεινὰ, ποιέομαι. Synonym mit δεινολογέομαι. —νόπους, ὁ, ἡ, mit geschwindem, schrecklichen Fusse. —νοπροσωπέω, ῶ, (πρόσωπον) furchtbaren Blick haben.

Δεινὸς, ἡ, ὸν, (δέος, δέω, δείω, δειδῶ) furchtbar, fürchterlich; daher δεινὰ, fürchterliche, unangenehme Dinge, Unglück, Gefahren, Beleidigungen. Auch im guten Sinne, was uns in Furcht oder in Erſtaunen ſetzt, ſtark, kräftig, nachdrücklich, z. B. ein Redner; ſehr gut, treflich. δ. (κατὰ) τὴν τέχνην, groſs in der Kunſt, eben ſo wie δ. οἰκονόμος, ein erfahrner, geſchickter Hauswirth; δ. περὶ σοφίαν, ein groſser Weiſe; beſonders m. folgend. infin. als δ. φάγειν, λαλεῖν, λέγειν, διδάσκειν, ein ſtarker Eſſer, Schwätzer, Redner, Lehrer. Im moraliſchen Sinne iſt δεινὸς im guten, was πανοῦργος im böſen. Ariſtotel. Eudem. 5, 12. Den Uebergang von der erſten zur zweyten Bedeutung macht die, daſs es ſonderbar heiſst, z. B. δεινὸν ἂν εἴη, es würde ſonderbar ſeyn, oder, wie wir auch da zu ſagen pflegen: es müſste nicht gut ſeyn, und andere dergleichen Verbindungen, wo das Gute und Böſe gleichſam auf der Grenze ſtehen, als δ. πόθος, heftiges Verlangen, ſtarke Sehnſucht, wobey das Miſsbehagen über den gegenwärtigen Mangel mit der Hofnung des künftigen Genuſſes, oder der Freude des dagewesenen Genuſſes ſich miſchet. τὸ δεινὸν die Gefahr. οὐδὲν δεινὸν, μὴ ἐν ἐμοὶ στῇ, es iſt nicht zu fürchten, daſs es bey mir ſtehen bleiben werde. Plato. Von demſelben Urſprunge iſt δειλὸς, hat aber mehr eine leidende Bedeutung, furchtſam und dergl.

Δεῖνος, ὁ, gewöhnlicher δῖνος. —**νότης**, ητος, ἡ, das Fürchterliche, Abſchreckende, Unangenehme in einer Sache. Im guten Sinne die Stärke, Vermögen in einer Sache, Geſchicklichkeit; vergl. δεινὸς. —**νόω**, ῶ, f. ώσω, (δεινὸς) groſs machen, vergröſsern. S. auch δινέω.

Δεινωπὸς, ὁ, ἡ, oder δεινὼψ, von fürchterlichem Blicke, Anblicke. —**νώσις**, εως, ἡ, (δεινόω) Vergröſserung durch die Rede, Uebertreibung; davon —**νωτικὸς**, Adv. —**κῶς**, eine Sache groſs oder fürchterlich zu machen geſchickt. —**νωτὸς**, ἡ, ὸν. S. δινωτὸς.

Δεῖξις, εως, ἡ, (δείκω) das Zeigen; Anzeige oder Inhalt, Anzeige meiner Gedanken, oder Urtheil, Ausſpruch.

Δεῖος, τὸ, ſ. v. a. δέος.

Δειπνάριον, τὸ, dimin. von δεῖπνον. —**νέω**, ῶ, oder δείπνημι, zu Abend eſſen, oder, wie auch der Römer that, die ordentliche Mahlzeit halten. —**νηστὸς**, ὁ, od. δείπνηστος, δειπνιστὸς, δειπνηστύς, δείπνητος, die Zeit des Abendeſſens. —**νητήριον**, τὸ, Speiſeort, Speiſezimmer. —**νήτης**, ὁ, ein Gaſt. —**νητικὸς**, ἡ, ὸν, geſchickt ein Gaſtmahl zuzubereiten; zum Abendeſſen oder Gaſtmahl gehörig. Adv. δειπνητικῶς. —**νίδιον**, τὸ, dimin. von δεῖπνον. —**νίζω**, f. ίσω, (δεῖπνον) τινὰ, jemanden mit einem Abendeſſen oder Gaſtmahle bewirthen, überhaupt einen ſpeiſen. —**νίτης**, ου, ὁ, femin. δειπνῖτις, ἡ, zur Abendmahlzeit oder Gaſtmahle gehörig. —**νοκλητόριον**, τὸ, Gaſtmahl. κ. w. —**νοκλήτωρ**, ορος, ὁ, (καλέω) der zum Gaſtmahle einladet. —**νολογία**, ἡ, Geſpräch, Rede vom Gaſtmahle. —**νολόγος**, ὁ, ἡ, der, die vom Gaſtmahle ſpricht. —**νολόχος**, ὁ, ἡ, (λόχος) der auf Gaſtmähler lauert, ihnen nachgeht, wie βωμολόχος; bey Heſiod. ἔργ. 704 δειπνολόχης γυναικὸς ſt. δειπνολόχου. —**νομανὴς**, έος, ὁ, ἡ, raſend, d. i. heftig verlangend nach Gaſtmählern, Schmauſereyen. —**νον**, τὸ, Abendeſſen, *coena*, welches die rechte Mahlzeit war; Gaſtmahl; das Eſſen überhaupt. —**νοποιέω**, ῶ, ein Abendeſſen, eine Mahlzeit zubereiten, δειπνοποιεῖσθαι med. die Mahlzeit genieſsen. —**νοποιΐα**, ἡ, die Zubereitung des Abendeſſens oder der Mahlzeit. —**νοποιὸς**, ὁ, ἡ, der, die das Abendeſſen oder die Mahlzeit zubereitet. —**νοσοφιστὴς**, οῦ, ὁ, einer der beym Eſſen gelehrte Geſpräche führt. —**νοσύνη**, ἡ, komiſch ſt. δεῖπνον. —**νοφορία**, ἡ, das Tragen oder Auftragen der Mahlzeit. —**νοφόρος**, ὁ, ἡ, der, die die Mahlzeit trägt oder aufträgt.

Δειρὰς, άδος, ἡ, ſ. v. a. δέρις, δέρη und δειρή. —**ραχθὴς**, έος, ὁ, ἡ, (ἄχθος, δειρὴ) den Hals belaſtend, drückend; ἅμμα πετηνῶν δειραχθὲς. Anthol. vielleicht δειραγχὲς, den Hals zuſchlingend.

Δειρὴ, ἡ, Hals, Nacken, ſ. v. a. δέρη, δειρὰς. —**ροκύπελλον**, τὸ, ein langhalſigter Becher, Lucian. Lexiph. —**ροπέδη**, ἡ, Halskette, Halsband, Halsſchlinge. —**ροτομέω**, ῶ, (τέμνω) Hals abſchneiden, köpfen.

Δεῖσα, ἡ, bey Suidas ὑγρασία und κόπρος; davon δεισαλέος, κοπρώδης. Heſych. hat δισαλία, ἀκαθαρσία und δισαλέος, ῥυπαρός. Im Jeſai. 28, 13 hat Theodotion δεισαλία εἰς δεισαλίαν, wo die LXX ſetzen θλῖψις ἐπὶ θλῖψιν. Im Etym. M. bedeutet es auch ὑγρώδης καὶ βοτανώδης τόπος, ingleichen δυσωδία, dort wird es wie vom Euſtathius von δεύω od. δίω, διαίνω abgeleitet. Clemens Alex. hat εἴδωλα δεισαλέα und τρυφαὶ δεισαλέαι ſchmutzig.

Δεισήνωρ, ὁ, ἡ, (δείω, ἀνὴρ) Menſchen ſchreckend oder fürchtend. Aeſchyl. Agam. 158.

Δεισιδαιμονέω, ῶ, ich bin ein δεισιδαίμων, habe eine abergläubiſche Furcht vor den Göttern oder ſonſt vor einer göttlich gehaltenen, oder von den Göttern abgeleiteten Sache.

Δεισιδαιμονία, ἡ, Furcht vor den Göttern; Gottesfurcht; ängstl. Furcht vor den Göttern oder Aberglaube. —σιδαίμων, ονος, ὁ, ἡ, und δεισίθεος, ὁ, ἡ, (δείω, δείδω) der die Götter fürchtet, sich vor den Göttern fürchtet, überall die Götter und ihren Zorn zu bemerken glaubt oder fürchtet, daher gottesfürchtig oder abergläubisch. Aristot. sagt polit. 5. δεισιδαίμων ἄρχων-ἄνευ ἀβελτηρίας, ein gottesfürchtiger Regent ohne Einfalt und Thorheit. Im letzten Sinne schildert ihn Theophr. Char. 16. Adv. δεισιδαιμόνως.

Δείω, s. v. a. δέω, von δέος, ich fürchte; wovon δέδοικα st. δέδεικα, wie πέποιθα, οἶδα, von δέδοικα ist das dor. δεδοίκω, wie πέφυκα, πεφύκω. Ferner sagte man δίω, davon perf. δέδια, davon δίσσω, δίττω, δίσκω, δίζω, mit Verdopp. δεδίσσω, δεδίττω, δεδίσκω, δεδίζω, δειδίσσομαι, δειδίττομαι, δειδίζομαι; noch δείδω, wovon man gewöhnlich δέδοικα ableitet, δειδήμων; noch δέδιμι, δείδιμι, davon δείδιθι.

Δέκα, οἱ, αἱ, τὰ, zehn, *decem*. —κάβοιος, ὁ, ἡ, so wie ἑκατόμβοιος, eigentlich 10 und 100 Ochsen werth. —καγονία, ἡ, die Zeugung, Fortpflanzung bis ins zehnte Glied. —καγράμματος, ὁ, ἡ, von zehn Linien oder Buchstaben. —καδάκτυλος, ὁ, ἡ, von zehn Fingern. —καδάρχης, ου, ὁ, oder δεκάδαρχος, ein *decurio*, der zehn Mann unter sich hat, sie anführt; od. als Amt im Staate, ein *decemvir*. —καδαρχία, ἡ, die Stelle eines *decurio*; das Amt eines *decemvir*. —κάδαρχος, ὁ, s. v. a. δεκαδάρχης. —κάδελτος, ὁ, ἡ, von zehn Tafeln. —καδεὺς, έως, ὁ, zu einer *decuria* gehörig, Cyrop. 2, 2. 30. —καδικὸς, ή, ὸν, z. B. ἀριθμὸς, *numerus denarius*, die Zahl zehn, die zehnte Zahl. —καδοῦχος, ὁ, d. i. δεκάδα ἔχων, ein *Decemvir*. —καδύω, gewöhnlicher δυώδεκα. —κάδωρος, ὁ, ἡ, zehn δῶρα, d. i. παλαισταὶ lang oder breit. —καεννέα, neunzehn. —καὲξ, οἱ, αἱ, τὰ, sechszehn. —καεπτὰ, οἱ, αἱ, τὰ, siebenzehn. —καετηρὶς, ίδος, ἡ, ein Jahrzehend. Adj. ἡ πανήγυρις ἡ δ. die zehnjährige Feyerlichkeit, Spiele, die alle zehn Jahre gefeyert werden. —καέτηρος, ὁ, ἡ, oder δεκαετὴς, ὁ, ἡ, (ἔτος) zehnjährig. —καετια, ἡ, Zeit oder Alter von zehn Jahren. —κάζω, f. άσω, bestechen, vorzüglich die Richter; man leitet es gewöhnlich von δέχεσθαι ab, aber das römische *decuriare* vom Bestechen der *tribus* bey Wahlen zeigt, dass es von δέκα herkommt. S. Clavis Ciceron. —κάκις, Adv. zehnmal, zehnfach; v. δέκα. —κάκλινος, ὁ, ἡ, von oder zu zehn Betten oder Tischlagern. —κακότυλος, ὁ, ἡ, zehn κοτύλας haltend. —κακυμία, ἡ, der Bedeut. nach s. v. a. τρικυμία. —κάκωλος, ὁ, ἡ, von zehn Gliedern, Reihen od. Zeilen; v. κῶλον. —κάλιτρος, ὁ, ἡ, (λίτρα) von zehn Pfunden. —κάλογος, ὁ, die zehn Reden oder Gebote Gottes. —κάμετρος, ὁ, ἡ, von zehn Maassen, Metris. —καμηνιαῖος, αία, αῖον, oder δεκάμηνος, ὁ, ἡ, (μὴν) zehnmonatlich, von zehn Monaten. —καμναῖος, αία, αῖον, oder δεκάμνους, ου, (μνᾶ) zehn Minen schwer oder geltend. —κάμφορος, ὁ, ἡ, zehn ἀμφορέας, *amphoras*, haltend. —καναία, ἡ, (ναῦς, δέκα) Flotte von zehn Schiffen. Polyb. 23, 7. 25, 7. —κανία, ἡ, s. v. a. δεκάς. —καοκτῶ, οἱ, αἱ, τὰ, achtzehn. —κάπαλαι, Adv. (πάλαι) schon vor langer Zeit. —καπέντε, fünfzehn. —καπηχυαῖος u. δεκάπηχυς, ὁ, ἡ, von zehn Ellen. —καπλασιάζω, f. άσω, verzehnfachen, zehnfach machen. —καπλάσιος, ὁ, ἡ, od. δεκαπλοῦς, zehnfach. —κάπλεθρος, ὁ, ἡ, von zehn πλέθρα, Hufen od. Morgen. —καπλοῦς, ὁ, s. v. a. δεκαπλάσιος. —κάπολις, εως, ἡ, mit oder von zehn Städten. —κάπους, οδος, ὁ, ἡ, von zehn Füssen; zehn Fuss lang oder breit. —καπρωτεία, ἡ, das Amt, die Würde der δεκάπρωτοι, oder der *decemprimi*, wie sie beym Cicero (Rosc. Am. 9. und Verr. 2, 67) heissen, welches in Municipien und andern Freystaaten die ersten zehn Rathsherren waren.

Δεκάρχης, ου, ὁ, und dessen Amt δεκαρχία, s. v. a. δεκαδάρχης; davon δεκαδαρχικὸς, was zum δεκάρχης oder zur δεκαρχία gehört. —κὰς, άδος, ἡ, die Zahl zehn, der Zehner, die Decade; eine Anzahl von zehn, *decuria*. —κάσκαλμος, ὁ, ἡ, mit zehn Ruderlagern. —κασμὸς, ὁ, (δεκάζω) die Bestechung. —κάσπορος, ὁ, ἡ, χρόνος, Zeit von 10 Jahren u. Saaten. Eur. —καστάτηρος, ὁ, ἡ, zehn στατῆρας werth. —κάστεγος, ὁ, ἡ, von oder mit zehn Stockwerken. —κάστυλος, ὁ, ἡ, mit zehn Säulen. —κάσχοινος, ὁ, ἡ, von zehn σχοῖνοι.

Δεκαταῖος, αία, αῖον, zehntägig. —καταλαντία, ἡ, die Summe von zehn Talenten. —κατάλαντος, ὁ, ἡ, von zehn Talenten an Gewichte oder Werthe. —κατεία, ἡ, oder δεκάτευσις, das Zehendnehmen oder fordern, der Zehend. —κατέσσαρες, οἱ, αἱ, vierzehn. —κάτευσις, εως, ἡ, s. v. a. δεκατεία. —κατευτήριον, τὸ, s. v. a. δεκατηλόγιον von δεκατευτὴρ s. v. a. das folgend. —κατευτὴς, οῦ, ὁ, der Zehendeinnehmer oder Zehendpächter, wie *decumanus*. —κατεύω, f. εύσω, (δεκάτη) ich nehme, fordere den zehnten Theil, den Zehenden als Abgabe oder Zoll; oder ich ſondere den zehnten Theil der Beute ab, um ihn einer Gottheit zu widmen; auch wie *decimare milites*, von den Soldaten oder Verbrechern durchs Loos den zehnten Mann ausheben und tödten.

Δεκάτη, ἡ, verſt. μερὶς von δέκατος, der zehnte Theil, der Zehend; 2) das Feſt am zehnten Tage nach der Geburt eines Kindes, wo man ihm den Namen gab. τὴν δεκάτην ἐμοὶ ποιῶν τοὔνομα τοῦτο ἔθετο Demoſth. p. 1001. auch τὴν δεκ. ἑστιᾶσαι ὑπὲρ τοῦ υἱοῦ p. 1016. den Namenstag feyern. S. ἐνδεκατεύω. Ariſtoph. Av. 494. 922. —τηλογία, ἡ, das Einſammeln des Zehnden; von δεκατηλογέω; davon auch —τηλόγιον, τὸ, der Ort, wo der Zehend od. Zoll eingenommen, eingeſammelt wird, Zollamt. —τηλόγος, ὁ, ἡ, der Einnehmer, Eintreiber des Zehnden. —τημόριον, τὸ, der zehnte Theil.

Δεκατισμὸς, ὁ, Beſtechung. Themiſt. or. 5 p. 95. —τος, ὁ, δεκάτη, ἡ, δέκατον, τὸ, (δέκα) der, die, das zehnte. —τόω, ῶ, f. ώσω, (δέκατος) im N. T. active von einem den Zehnden nehmen, fordern. —τώνης, ου, ὁ, (ὠνέομαι, δεκάτη) der Zehendpächter.

Δεκάφυλος, ὁ, ἡ, (φυλὴ) von zehn *tribus*, Zünften, in zehn φυλὰς getheilt. —κάχαλκον, τὸ, der *denarius* aus zehn *nummis aereis*, kupfernen Pfennigen beſtehend. —καχῆ, in zehn Theile. —κάχιλοι, αι, α, zehntauſend. Hom. —κάχορδος, ὁ, ἡ, (χορδὴ) mit zehn Saiten. —κέμβολος, ὁ, ἡ, (ἔμβολον od. ἔμβολος) mit zehn Schnäbeln. —κετηρὶς, ίδος, ἡ, (δεκέτηρος u. δεκέτης) ſ. v. a. δεκαετηρὶς, u. ſ. w. —κήρης, εος, ὁ, ἡ, nämlich ναῦς, wie τριήρης, ein zehnruderiges Schiff, *deceris*, mit zehn Reihen Ruderer.

Δεκτὴρ, ῆρος, ὁ, und δέκτης, ου, ὁ, einer der bekommt (Bettler), annimmt, aufnimmt, über ſich nimmt. —τικὸς, ἡ, ὸν gut, geſchickt zum Annehmen. —τὸς, ἡ, ὸν, angenommen, anzunehmen, angenehm, wie *acceptus*.

Δέκτρια, ἡ, femin. v. δεκτήρ.

Δέκτωρ, ορος, ὁ, ſ. v. a. δεκτήρ.

Δελαστρεὺς, ὁ, ſ. v. a. δελεαστρεὺς, b. Nicand. Ther. 793.

Δελεάζω, mit Speiſe kirren, kirre machen, ködern, locken, anlocken und auch fangen; daher anlocken und betrügen, oder fangen, überliſten. Iſt vom alten δέλω, welches im Etymol. M. und Euſtath. ſt. δελεάζω vorkommt; dav. δελόω, δελεάω, δελεάζω u. δέλεαρ, τὸ. Von δέλω δέδολα, leiten ſchon die alten Grammatiker richtig δόλος Lockſpeiſe, Liſt her. Heſychius hat auch δέλλει für κηλεῖ, und das Etymol. δεῖλαρ, δείλατα für δελέατα. —λέαμα, τὸ, ſ. v. a. δελέασμα. Suidas in ἐγκεῖται. —λεαρ, ατος, τὸ, Lockſpeiſe, Köder; daher Reizung, Täuſchung, Verführung. —λεάρπαξ, γος, ὁ, ἡ, die Lockſpeiſe verſchlingend.

Δελέασμα, ατος, τὸ, (δελεάζω) ſ. v. a. δέλεαρ; davon —ασμάτιον, τὸ, dimin. des vorherg. —ασμὸς, ὁ, (δελεάζω) das locken, kirren, fangen, mit Lockſpeiſe; Betrug, Täuſchung. —αστρα, ἡ, die Schlinge, Falle, worin man mit Lockſpeiſe Thiere fängt. —αστρεὺς, έως, ὁ, der mit Lockſpeiſe, Köder, Thiere fängt.

Δέλετρον, τὸ, Laterne, Leuchte oder Fackel. —λευρον, τὸ, bey Athenä. falſch ſt. δέλετρον, der Köder. —λητήριον, τὸ, bey Suidas, ſ. v. a. δέλεαρ, δελέατος, δελέατι, wofür man auch δέλητι ſagte; dav. δελήτιον, τὸ, dimin. von δέλεαρ. Siehe δεῖλαρ.

Δέλλις, ἡ, (bey Heſych. auch ἔλληθις falſch) eine Art von Weſpe; dav. δελλίθιον, τὸ, ihr Neſt, Gebäude.

Δέλδος, τὸ, ſ. v. a. δέλεαρ. Geopon. liber 20.

Δέλτα, τὸ, heiſst der vierte Buchſtabe des griech. Alphabets, und von ſeiner Geſtalt Δ auch der Untertheil von Aegypten. —τάριον, τὸ, und δελτίον, τὸ, dimin. von δέλτος. —τογράφος, ὁ, der etwas aufſchreibt, auf oder in die Tafel trägt. —τος, ἡ, Schreibtafel; Tafel; dah. z. B. δεκάδελτος νόμος, ein Geſetz von den zehn Geſetztafeln; jede Schrift; von δέλτα, wegen deren Form Δ, wie im lat. *pugillares* (*codicilli* od. *libelli*). —τόω, ῶ, f. ώσω, wie ein *delta*; in die Form des Δ legen. Bey Aeſchyl. Suppl. 187. δελτοῦσθαι mit d. acc. aufſchreiben, bemerken. —τωτὸς, ἡ, ὸν, in die Form des Δ gelegt; δελτωτὸν, ein Triangel.

Δελφάκειος, ον, oder δελφάκινος, (δέλφαξ) vom Schweine, Ferkel, od. dazu gehörig. —φάκιον, τὸ, ein Ferkelchen. —φακοῦμαι, bey Ariſtoph. Ach. 786 vom Ferkel, welches wächſt und Saue wird. —φαξ, ακος, ὁ, ἡ, ein Schwein; bey den Spätern ein Ferkel, ſonſt χοῖρος; man leitet es von δελφὺς die Mutter, *matrix*, ab. —φὶν, ῖνος, ὁ, auch δελφὶς, *delphin*, Delphin, Meerſchwein; eine kleine Wallfiſchart, die krumme Sprünge macht; 2) eine Kriegsmaſchine auf den Schiffen, die feindlichen in den Grund zu ſenken, hatte die Geſtalt eines Delphin, war von Bley od. Eiſen, und ward an der Segelſtange aufgezogen und ſo heruntergelaſſen. Auch ein Zeichen vorn am Schiffe. —φινίζω, es machen wie ein Delphin.

Δελφίνιον, τὸ, ein Tempel des Apollo zu Athen, und dabey ein Gerichtshof ἐπὶ δελφινίῳ; 2) eine Pflanze, die man für Ritterſporn hält. —**φινίσκος**, ὁ, ein kleiner Delphin. —**φινοειδὴς**, ὁ, ἡ, (εἶδος) delphinartig. —**φινόσημος**, ὁ, ἡ, (σῆμα) mit dem Zeichen eines Delphin. —**φινοφόρος**, κεραῖα, die Segelſtange mit dem Inſtrumente δελφὶς. —**φὶς**, ῖνος, ὁ, ſ. v. a. δελφὶν. —**φὺς**, ύος, ἡ, die Bärmutter, davon ἀδελφὸς, gleichſ. ὁμόδελφος.

Δέλω, das Stammwort von δόλος aus δέδολα, und von δελεάζω. Davon ſcheint auch bey Heſych. δειλανθεὶς, κλεφθεὶς, ἀπατηθεὶς zu ſeyn. Vielleicht kommt davon auch das joniſche δηλέομαι, bey Homer Il. γ. 107. ὅρκια δηλήσηται ſt. ψεύσηται, betrügen und dadurch Schaden zufügen; daher verletzen, beſchädigen, ſchaden.

Δέμα, ατος, τὸ, (δέω) ein Band, Bündel. —**μας**, τὸ, (indeclin.) der Leib, überh. die körperliche Geſtalt. δέμας πυρὸς αἰθομένοιο bey Homer, erklären einige τρόπον πυρὸς, andere ſetzen ὡς hinzu. ὡς δε. π. ſ. v. a. ὡς πῦρ. —**μάτιον**, τὸ, dimin. von δέμα.

Δέμνιον, τὸ, (δέμω) Lager, Bette. —**νιοτήρης**, ου, ὁ, der das Bette hütet, Aeſchyl.

Δέμω, auch med. δέμομαι, bauen, verfertigen, *ſtruo*; davon ἐδειμάμην, ἔδειμα, perf. med. δέδομα, dav. δομὴ, δόμος, *domus*; davon δομέω, δεδόμηκα, contr. δέδμηκα; δεδομημένος contr. δεδμημένος u. δομητὸς contr. δμητὸς.

Δενδίλλω, man leitet es von δινεῖν, ἰλλὸς, Erneſti von δένω δόνος, δένδω, δένδιλος ab; es bedeutet, mit ſcharfem Blicke umherſehen, umſchauen. Auch ſoll es einen höhniſchen, ſpöttiſchen Blick bedeuten. Heſych. hat. auch ἐνδενδίλλειν für ἐμβλέπειν. Bey Homer Il. 9. 180 und Apoll. Rhod. 3. 281 bedeutet es von der Seite hinblicken.

Δένδρεον, τὸ, der Baum. —**δρήεις**, ήεσσα, ῆεν, voll von Bäumen. —**δρίζω**, f. ίσω, ein Baum werden, wie ein Baum ſeyn. —**δρικὸς**, ή, όν, was zum Baume gehört, oder vom Baume kommt. —**δριον**, τὸ, dimin. v. δένδρον. —**δρίτης**, ὁ, fem. δενδρῖτις, ἡ, zum Baume, δένδρον, gehörig, γῆ δενδρῖτις Dionyſ. Antiq. 1, 37 Land zur Baumzucht geſchickt od. benutzt; ἄμπελος ſonſt ἀναδενδρὰς an Bäumen hochgezogener Weinſtock, νύμφη, Anthol. —**δροβατέω**, ῶ, ich erſteige, erklettere die Bäume, ſteige auf Bäume. —**δροειδὴς**, έος, ὁ, ἡ, (εἶδος) baumartig. —**δροκολάπτης**, ου, ὁ, Baumhacker, Specht; wie δρυοκολ. —**δρόκομος**, ὁ, ἡ, mit Bäumen geſchmückt od. beſchattet; von κόμη oder κομέω und δένδρον. —**δροκοπέω**, ῶ, (κόπτω) Bäume abhauen. —**δρολάχανα**, τὰ, hochſchieſsende Küchen-Gemüſsgewächſe. —**δρολίβανος**, ἡ, der Baum, der den Weyhrauch (*thus*) giebt. —**δρομαλάχη**, ἡ, die hochſchieſſende Malve, *hibiſcus*. —**δρον**, τὸ, Baum; Stamm. —**δροπήμων**, ονος, ὁ, ἡ, (πῆμα) den Bäumen ſchädlich, verderblich. —**δρος**, εος, τὸ, ſ. v. a. δένδρον. —**δρότης**, ἡ, ſ. δενδρόω. —**δροτομέω**, ῶ, (τέμνω) Bäume beſchneiden, oder ſ. v. a. δενδροκοπέω. —**δροτόμος**, ὁ, ἡ, der Bäume beſchneidet oder umhauet. —**δροφορία**, ἡ, Fruchtbarkeit an Bäumen. —**δροφόρος**, ὁ, ἡ, baumtragend, baumreich; 2) eine Art von Prieſtern. Joan. Lydus de menſib. p. 85. —**δρόφυτος**, ὁ, ἡ, (φύω) mit Bäumen bepflanzt. —**δρόω**, δενδροῦται, wird, wächſt zum Baume; davon δένδρωσις, ἡ, das erwachſen zu einem Baume. Theophr. Suidas hat δενδρότης, ἡ, τῶν δένδρων αὔξησις; in Küſters Ausg. ſteht δενδρώτης; ſoll vielleicht δένδρωσις heiſſen.

Δενδρυάζω, f. άσω, ſich unter Bäumen, in Büſchen verbergen; nach dem Etym. M. auch καθ' ὕδατος δύειν ſich unter dem Waſſer verbergen. Heſych. hat auch δρυάσαι für κατακολυμβῆσαι. Damit ſtimmen Suidas und Euſtath. ad Il. γ. p. 369 ed. Rom. überein; der letztere merkt noch aus dem Aelius Dionyſ. an, daſs eine gewiſſe Stimme bey den *phonaſcis* δενδρυάζουσα heiſse. An einer andern Stelle hat er die Worte: ὁ τότε κατὰ τοὺς δενδρυάζοντας βίος καὶ βαλανηφαγοῦντας, d. i. unter den Eichen leben. —**δρύδιον**, τὸ, u. δενδρύφιον, τὸ dimin. v. δένδρον; die erſtere Form zw. —**δρώδης**, ὁ, ἡ, ſ. v. a. δενδροειδής. —**δρώεις**, ώεσσα, ῶεν, ſ. v. a. δενδρήεις. Nonnus. —**δρὼν**, ῶνος, ὁ, Baumſchule, Baumgarten. —**δρωσις**, ἡ, ſ. δενδρόω.

Δεννάζω, f. άσω, (δέννος) beſchimpfen, ſpotten, verſpotten; dav. —**ναστὸς**, ή, όν, zu beſchimpfend, beſchimpft. —**νος**, ὁ, Beſchimpfung, Schande; v. δεινὸς, δέννος joniſch und poet. nach Schol. Sophocl. Aj. 243.

Δεξαμενὴ, ἡ, (δεξάμενος part. v. δέχομαι) ein Behältniſs, Waſſerbehältniſs oder Ciſterne, Fiſchteich u. ſ. w. auch die Materie im philoſophiſchen Sinne, welche eine Form annimmt.

Δεξιὰ, ἡ, verſt. χεὶρ, die Rechte (Hand); und weil man beym Verſprechen, Zuſagen einem die Hand giebt, ſo iſt es, wie faſt in allen Sprachen, die Verſicherung, das Verſprechen, Zuſage, Vertrag. παρασπονδεῖν δεξιὰς Dionyſ. Halic. Vom Vertheidiger und Krieger gebraucht, Muth, Stärke, Hülfe; von δέκω, δείκω, δέχομαι, weil man mit der Rechten zeigt und nimmt.

Δεξιάδηνν, Il. 7, 15. erklärten einige wie Adv. für ἐκ δεξιῶν von der Rechten. —ιάζω, δεξιάομαι und δεξιόομαι, einen bey der Rechten fassen, mithin ihn bewillkommen, freundlich aufnehmen, begrüſsen. Aeſchyl. Ag. 860. verbindet es m. d. Dativ. die erſte Form iſt zw.

Δεξίδωρος, ὁ, ἡ, ſ. v. a. δωροδόκος. —μηλος, ὁ, ἡ, (δέχομαι, μῆλον) Schaafe auf- oder annehmend, auch als Opfer.

Δεξιοβόλος, ὁ, ἡ, (βάλλω, δεξιά) der mit der Rechten wirft. zw. —όγυιος, ὁ, ἡ, (γυῖον) mit geſchickten, gewandten Gliedern, Pind. Olymp. 9, 165. —ολάβος, ὁ, ein Trabant. Act. 23, 23. —όομαι. S. δεξιάομαι.

Δεξιός, ά, όν, rechts; daher theils von körperlicher Geſchicklichkeit, behend, gewandt, geſchickt; fein, anſtändig in ſeinem Betragen; theils von Geiſtesgeſchicklichkeit, geſchickt, der ſich zu helfen weiſs. Bey den Auſpicien ſind die *omina* zur Rechten bey den Griechen glücklich. Adv. δεξιῶς. —όσειρος, ὁ, (δεξιός, σειρά, das Seil) ἵππος, ein Pferd, das zur Rechten am Seile geht und zieht; ἄρης, der zur Rechten ſtreitende Mars. Sophocl. Ant. 140. wo andere δεξιόχειρος laſen. —οστάτης, ου, ὁ, der zur Rechten ſteht. —οστροφέω, ῶ, geſchickt drehen oder werfen, δοράτια τριχόρδον, Nicetas Annal. 1. 9. 11, 12. —ότης, ητος, ἡ, Geſchicktheit, Gewandtheit, Geſchicklichkeit. S. δεξιός. Bey Pauſan. 7, 7. πίνειν ἐπὶ δεξιότητι καὶ φιλίᾳ κύλικας ſcheint für δεξίωσις d. i. φιλοφροσύνη zu ſtehn. —ότοιχος, ὁ, ἡ, der Ruderer auf der rechten Schiffsſeite. —οφανής, ὁ, ἡ, ſ. ὀπισθοφανής. —όω, δεξιόομαι, δεξιοῦμαι. S. δεξιάομαι.

Δεξίπυρος, ὁ, ἡ, (πῦρ) Feuer faugend, auf- oder annehmend.

Δέξις, εως, ἡ, (δέχομαι) Aufnahme, Behandlungsart, Eur. Iph. Aul. 1182.

Δεξιτερός, ρά, ρόν, rechts, von oder zur rechten Seite; von δεξιός.

Δεξίωμα, ατος, τὸ, (δεξιάομαι) was man gerne u. willig aufnimmt; gute, freundſchaftliche Aufnahme. —ώνυμος, ον, (ὄνομα) mit einem Namen von glücklicher Vorbedeutung. —ωσις, εως, ἡ, das Darreichen der Rechte, Bewillkommen, freundſchaftliche Aufnahme und Behandlung.

Δέομαι, fut. δεήσομαι, wobey die alte Form δέω, δεέω, δεέομαι zum Grunde liegt, τινός, etwas bedürfen, nöthig haben; daher nach etwas ſtreben, etwas wünſchen; mithin bey Perſonen bitten; δεῖσθαι (κατά) τι τινός, einen in einer Sache nöthig haben, ihn um etwas bitten wollen; eben das, was ſonſt δ. τινὸς παρά τινος. δεόμενοι, die Bittenden, Supplicanten.

Δέον, οντος, τὸ, part. neutr. von δεῖ, w. ſ. alſo entweder das, was ſeyn muſs, das nothwendige od. nöthige, pflichtmäſsige, billige, oder Nothwendigkeit, Pflicht, Billigkeit; oder das, was ſich ſchickt, das Schickliche. εἰς τὸ δέον zu nöthigen Dingen; auch ſteht es als ein acc. abſolutus ſt. da ich (du, er, wir, ihr, ſie) ſoll, ſollte, hätte ſollen im praeſ. imperf. u. plusquamperf.

Δεόντως, Adv. auf die nöthige, ſchuldige, ſchickliche, bequeme Art.

Δεόνυσος, ὁ, ſ. Διόνυσος.

Δέος, δέους, τὸ, Furcht, mit δέω, δείω, δείδω verwandt.

Δέπας, αος, τὸ, und δέπαστρον, Becher, Opferſchaale. —στραῖος, α, ον, zum, in den Becher gehörig, zum trinken. Lycophr. 489.

Δεραγχής, έος, ὁ, ἡ, (δέρη, ἄγχω) den Hals, die Kehle zuſchnürend, erſtickend.

Δέραιον, τὸ, (δέρη) das Halsband; eigentl. neutr. von δέραιος, zum Halſe gehörig; davon —οπέδη, ἡ, Halsſchlinge, ſonſt auch λαιμοπέδη.

Δέρας, ατος, τὸ, (δέρω) Haut, Fell, poet. ſ. v. a. δέρμα.

Δέργμα, ατος, τὸ, (δέρκω) Blick. —γμός, ὁ, (δέρκω) das Blicken, der Blick.

Δερδω. S. δαρθέω.

Δέρη, ἡ, δέρις, ἡ, (δέρω) ſ. v. a. δειρή, δειράς, der Hals, eigentl. der Vordertheil, der entblöſst iſt; metaph. auch der höchſte Theil eines Berges, oder eine Erhabenheit, Hügel, Anhöhe, wie *collum*.

Δερκευνής, έος, ὁ, ἡ, (δέρκω, εὐνή) mit offnen Augen ſchlafend. Nicand. Alexiph. 67. —κιάομαι, δέρκομαι u. δέρκω, mehr poet. als proſ. ſehn, blicken. f. δέρξω, f. 2. δρακῶ, aor. 2. ἔδρακον, perf. med. δέδορκα ſ. v. a. das präſens; davon δεδορκέτω bey Lucian. und δεδορκώς, davon δεδορκὸς βλέπουσα, welches Gellius 2, 4 *luminibus oculorum acribus* überſetzt, d. i. mit ſcharſem Blicke. Von δέρκω iſt δρέκω, δράκω, δρακέω, δράκημι eine andere Form, wovon ἔδρακον, δρακείς, δράκων, ὁ, u. δράκος, τὸ, gebräuchlich.

Δέρμα, ατος, τὸ, (δέρω) Fell, Haut, Leder. —μάτινος, ίνη, ινον, vom Felle, ledern. —μάτιον, τὸ, dimin. von δέρμα. —ματουργικός, ή, όν, zum δερματοῦργος (Lederbereiter v. ἔργον δέρμα) od. δερματουργία, ἡ, dem Bereiten des Leders gehörig. —ματοφαγέω, ῶ, Leder eſſen, zw. —ματοφορέω, ῶ, eine Haut, ein Fell tragen, ſich in Felle kleiden. —ματώδης, εος, ὁ, ἡ, wie Fell, wie Haut, lederartig.

Δερμηστής, οῦ, ὁ, (δέρμα, ἔδω, ἐσθίω) ein Pelzwurm, Pelzmotte, welche das Leder- und Pelzwerk zerstört; dav. σακοδερμηστής oder σακοδερμιστής bey Sophocles und Troilus, welches einige eine Schlange mit eherner Haut (wie die σάκη Schilder haben) andere für einen Wurm erklärten.

Δερμόπτερος, ὁ, ἡ, (πτερὸν) mit ledernen, häutigen Flügeln, wie die Fledermäuse. —μύλλω, bey Hesychius Suid. und Etym. M. αἱμοποτεῖν oder ἐκδέρειν; eine andere Lesart davon war δερκύλλω. Beym Schol. Aristoph. Nub. 732 steht δερμύλλοντα ἑαυτὸν von der Masturbation.

Δέρξις, εως, ἡ, (δέρκω) das Sehen.

Δέρος, εος, τὸ, (δέρω) s. v. a. δέρμα, poet.

Δέῤῥις, εως, ἡ, davon δέῤῥιον, τὸ, und δεῤῥίδιον, τὸ, von δέρος, eigentl. eine lederne Decke, Oberkleid, vorzüglich aber auf Kriegsschiffen und bey Belagerungen die *plutei* und *cilicia*, ledernen o. härnen ö. leinenen Decken, um damit das Geschütz abzuhalten. δέῤῥεις λιναῖ καὶ τρίχιναι Mathem. vet. p. 16.

Δέρτρον, τὸ, das Darmfell, oder Netz, s. v. a. δαρτὸν; 2) der Schnabel der Raubvögel, womit sie zerreissen; von δέρω.

Δέρω, jon. δείρω, f. δερῶ, das Fell abziehen; auch das Fell durchgerben, d. i. abprügeln, auch ausschelten, wie wir herunterreissen sagen.

Δέσις, εως, ἡ, (δέω) das Binden, Zusammenbinden; Verbindung, Knoten.

Δέσμα, ατός, τὸ, poet. s. v. a. δεσμὸς, Band. —μευτικὸς, ἡ, ὸν, gut, passend zum Binden. —μεύω, f. εύσω od. δεσμέω, binden, zusammenbinden, anbinden; von —μη, ἡ, oder δεσμὶς, ein Bündel. —μιος, ὁ, ἡ, (δεσμὸς) gebunden, gefesselt, gefangen. —μὶς, ἡ, s. v. a. δεσμή. —μὸς, ὁ, (δέω) Band, Fessel, Strick. —μοφύλαξ, ακος, ὁ, ἡ, Hüter, Wächter der gefangenen, gebundenen, oder des Gefängnisses. —μόχειρ, ρος, ὁ, ἡ, mit gebundenen Händen. Nicetae Annal. 12, 7. —μόω, ῶ, f. ώσω, binden, fesseln; gebunden ins Gefängniss werfen; dav. δέσμωμα, τὸ, das Gebundene; auch s. v. a. δεσμὸς. —μωτήριον, τὸ, Gefängniss, Ort für die δεσμῶται. —μώτης, ὁ, (δεσμόω) Gefangener, Gefesselter.

Δεσπόζω, f. όσω, (δεσπότης) beherrschen als unumschränkter Herr; δεσπόζομαι, beherrscht werden, sich beherrschen lassen, gehorchen als Sklave. —ποινα, ἡ, Herrscherin, Gebieterin, Frau vom Hause, wo sie eine unumschränkte Herrschaft über ihre Sclavinnen hat; Königin, wo ihre Unterthanen Sklaven sind. —ποσιοναύτης, ὁ, nach Eustath. ein Theil der Heloten, womit die Spartaner ihre Flotten bemannten. —πόσιος, ὁ, ἡ, dem Herrn, Hausherrn gehörig. —ποσύνη, ἡ, unumschränkte Herrschaft, Befehl eines unumschränkten Herrschers. —πόσυνος, ὁ, ἡ, s. v. a. δεσπόσιος. Daher ὁ δ. (υἱὸς) der junge Herr vom Hause; δεσποσύνη, Tochter vom Hause; τὰ δεσπόσυνα, Dinge, die dem Herrn vom Hause gehören. —ποτεία, ἡ, unumschränkte Herrschaft. —πότειος, α, ον, dem Herrn, Herrscher gehörig. —πότειρα, ἡ, Gebieterin, Herrscherin; fem. von δεσποτήρ. —ποτεύω, f. εύσω, oder δεσποτέω, unumschränkt herrschen, gebieten, s. v. a. δεσπόζω. —πότης, ου, ὁ, unumschränkter Herr, z. B. vom Hause und Sclaven, d. i. Hausherr, Hausbesitzer, wie *dominus servorum et domus*; von Unterthanen, über die er unumschränkt wie über Sclaven herrscht. —ποτίδιον, τὸ, dimin. v. δεσπότης. Aristaen. 1 Ep. 24. —ποτικὸς, ἡ, ὸν, zur Herrschaft oder dem Herrn gehörig, zur Herrschaft geschickt. Adv. δεσποτικῶς, nach Art eines Herrn oder Gebieters. —πότις, ιδος, ἡ, s. v. a. δεσπότειρα u. δέσποινα. —ποτίσκος, ὁ, ein Herrchen, spottweise oder im Scherze. —ποτὸς, ἡ, ὸν, beherrscht, oder zu beherrschen, beherrschbar; von δεσπόζω.

Δετὴ, ἡ, verst. λαμπὰς von δετὸς, eigentlich eine gebundene Fackel, aus einem Bündel trockner Hölzer, Ruthen bestehend, die man zusammenband; daher λαμπάδας δεσμεύειν Polyb. 3, 93. Il. καιόμεναι δεταὶ brennende Fackeln. Hesych. hat es auch durch τέδη und δράγμα, so wie δέτις durch παλάθη erklärt. Galeni Gloss. Hippocr. erklärt δέτις durch μικρὰ λαμπὰς und einen Knoblauchkopf aus lauter *spicis* zusammengesetzt.

Δετὸς, ἡ, ὸν, (δέω) gebunden, zusammengebunden.

Δεύημι und δευέω. S. δεύω.

Δεῦκος, τὸ, s. v. a. γλεῦκος.

Δεῦμα, ατος, τὸ, (δεύω) das Benetzen oder Anfeuchten; oder das Angefeuchtete.

Δεύνυσος, ὁ, jonisch. st. Δεόνυσος und dies für Διόνυσος.

Δεῦρο, Adv. näml. ἴθι, hierher (komm)! δεῦρ' ἀεὶ bis hierher. S. δεῦτε.

Δευσοποιέω, εῖν, (δεύω, ποιέω) schön färben, überh. färben; davon —σοποιΐα, ἡ, die Schönfärberey, Färberey; von —σοποιὸς, ὁ, ἡ, der schön, d. i. acht färbt; χρόα, βαφὴ, ächte, dauerhafte Farbe, Färberey; davon metaph. 2) unauslöschlich, unvergesslich, dauerhaft. —τατος, ατη, ατον, der letzte. S. δεύτερος.

Δεῦτε, Adv. hierher (kommt), wenn ich zwey oder mehrere anrede, also δεῦτ' ἄγετε, so wie bey einem δεῦρ' ἄγε. —**τεραγωνιστέω**, ῶ, ich bin ein δευτεραγωνιστής, oder ich habe τὰ δευτερεῖα ἐν ἀγῶνι, d. i. bey einer Vertheidigung im Gerichte, oder bey Vorstellung eines Stücks auf dem Theater, die zweyte Stelle oder Rolle, ich bin der zweyte Advokat oder Akteur. —**τεραγωνιστής**, οῦ, ὁ, der zweyte Advokat, Akteur. S. d. v. —**τεραῖος**, αία, αῖον, am zweyten Tage, ἦλθε kam er u. s. w. —**τερεῖα**, τὰ, der zweyte Rang, Platz; vorzügl. die zweyte Prämie. —**τερέσχατος**, ὁ, ἡ, *penultimus*, vorletzte. Soranus Chirurg. vet. p. 94. —**τερεύω**, f. εύσω, (δεύτερος) ich bin der zweyte in Absicht der Ordnung, des Ranges oder der Beschaffenheit; δ. τινος, ich bin einem unähnlich, ungleich, schlechter als er; und ist vom Kriege, einer Schlacht die Rede, ich bin ihm nicht gewachsen, werde von ihm besiegt. δευτερεύειν τινὶ Plutar. Eum. 13. die zweyte Rolle nach einem spielen als Unterakteur, wie *secundarum fuit Crasso* Cicero Brut. 69. Dafür sagt Plut. Pomp. 76 Ῥωμαίῳ ἀνδρὶ τὰ δεύτερα λέγοντα (s. v. a. δευτεραγωνιστοῦντα) πρῶτον εἶναι τῶν ἄλλων.

Δευτεριάζω, f. άσω, ich habe die δευτερεῖα, spiele die zweyte Rolle. —**τερίας** verst. οἶνος, der Nachwein, Lauer, *lora*. —**τέριον**, τὸ, Nachgeburt, *secundinae*. —**τέριος**, ία, ιον, zum zweyten, δεύτερος, gehörig. —**τεροβόλος**, ὁ, ἡ, (βόλος) der zum zweytenmale die Zähne fallen läfst und wechfelt. —**τερογαμέω**, ῶ, zum zweytenmale heyrathen; dav. —**τερογαμία**, ἡ, die zweyte Heyrath. —**τερόγαμος**, ὁ, ἡ, zum zweytenmale heyrathend, oder verheyrathet. —**τεροδεκάτη**, ἡ, der zweyte Zehend. Hieronym. ad Ez. c. 45. —**τεροκοιτέω**, ῶ, (κοίτη) ich schlafe zum zweyten oder mit einem andern zusammen. —**τερολογέω**, ῶ, ich bin der zweyte Sprecher, spiele die zweyte Rolle, wie δευτεραγωνιστέω; davon —**τερολογία**, ἡ, die Rede des zweyten Sprechers, die Rolle des zweyten Schauspielers. S. δευτερεύω. —**τερολόγος**, ὁ, der zweyte Sprecher, Redner, der Schauspieler, der die zweyte Rolle spielt; ὑστερολόγος der die letzte, πρωτολόγος der die erste spielt, sonst δευτεραγωνιστής, πρωταγωνιστής und ὑστεραγωνιστής. Teles Stobae. Serm. 37. —**τερονόμιον**, τὸ, das zweyte Gesetz, heifst das fünfte Buch Mosis. —**τερόποτμος**, ὁ, ἡ, (δ. πότμος) einer den man für todt hielt und wiederkömmt, oder aus Feindes Gefangenschaft zurückkehrt. —**τερος**, έρα, ερον, der zweyte in Absicht der Stelle oder des Ranges, z. B. δευτέρων πρωτεύειν, den ersten Rang unter Völkern vom zweyten Range haben; eben so οὐδενὸς δεύτερος, wie *nulli secundus*, steht keinem nach; δευτέρου τινὸς τινὰ ἄγειν, ποιεῖν τιθέναι, einen einem andern nachsetzen; τὰ δεύτερα, die zweyte Stelle, Belohnung; ἐκ δευτέρου, zum zweytenmale; δεύτερον und Adv. δευτέρως. zum zweyten. Ist eigentl. s. v. a. ὕστερος, der einem nachsteht und gleichsam ein Komparat. vom alten δευτὸς, der Superl. δεύτατος, von δέω, δεύω, δέομαι, δεύομαι ich bleibe zurück, es fehlt mir. S. δευτερεύω.

Δευτεροστάτης wie πρωτοστάτης, der im zweyten Gliede oder nach dem ersten steht. Themistius p. 175. —**ρόσχετος**, ὁ, ἡ, s. v. a. δευτερούχος, zw. —**ροτόκος**, ὁ, ἡ, (τίκτω) die zum zweytenmale gebiert, δευτερότοκος, ὁ, ἡ, zum zweytenmale geboren. —**ρουργής**. S. d. folgd. —**ρουργὸς**, ὁ, ἡ, den zweyten Platz, beym handeln behauptend, z. B. αἱ τοῦ σώματος κινήσεις δ. Als Beywort von τέχνη, eine schlechtere, geringfügige Handthierung, verächtliches Handwerk; 2) der schmutzige Kleider wieder reinigt, daher so ein aufgekratztes und gereinigtes Kleid δευτερουργής heifst. Pollux 7, 77. sonst ἐπίγναφος, dergleichen Handlung δευτερουργεῖν bey Pollux. —**ροῦχος**, ὁ, ἡ, s. v. a. ἔχων τὰ δευτερεῖα, zw. —**ρόω**, ῶ, f. ώσω, ich mache es zum zweytenmale, ich wiederhole. δευτεροῦν τὸν ἀγρὸν *iterare agrum*, zum zweytenmale das Land pflügen; wie τριτοῦν *tertiare*; davon —**ρωμα**, τὸ, das wiederholte. —**ρωσις**, ἡ, das Wiederholen, Wiederholung. δευτερώσεις hiefsen auch die Traditionen und darnach bestimmten Zeremonien der Juden; davon —**ρωτής**, οῦ, ὁ, ein Lehrer und Erklärer von dergleichen Traditionen, wie jetzt ein Rabbiner der Juden.

Δευτήρ, ῆρος, ὁ, (δεύω) ein Werkzeug der Bäcker und Köche zum einrühren. Pollux 10 s. 105.

Δεύω, δεύομαι, s. v. a. δέομαι, ich bedarf. τυτθὸν ἐδεύησε es fehlte wenig. Odyss. 9, 483.

Δεύω, f. δεύσω, ich benetze, befeuchte; daher ich vermische, rühre ein, wie Teig, Mehl, auch färben; davon δευσοποιός. Bey Sophocl. Aj. 376. αἷμ' ἔδευσα, habe Blut vergossen. S. διαίνω. Quint. Smyr. 4, 510 hat δεῦσαν ἀφρῷ von δευέω, δεύημι.

Δέφω, s. v. a. δέψω und δεψέω, von δέω, δεύω, s. v. a. διαίνω, also eigentlich anfeuchten und erweichen, oder mit den Händen kneten und erweichen; daher δέφεσθαι med. bey Aristoph. und

Artemidor. 1, 80 von der Onanie. Von δέω, δεύω auch δέω, δέπω, δέπτω, perf. δέδεφα, δέφω, fut. δέψω, davon δεψέω.

Δεχάμμαιος, ὁ, ἡ, (ἅμμα) mit zehn Knoten oder Maſchen.

Δεχήμερος, ὁ, ἡ, (ἡμέρα) von zehn Tagen.

Δέχνυμαι, ſ. v. a. das folgend. δέχομαι und δείκνυμαι.

Δέχομαι, f. δέξομαι, nehmen, annehmen; gern annehmen, ſich etwas gefallen laſſen; τὸν πολέμιον, τὸν ἐναντίον, den Feind, den Gegner erwarten, es mit ihm aufnehmen; δέχομαί τινι ſt. ὑπό τινος Il. 15, 87. Sophocl. El. Pindar. Pyth. 4, 37. S. δείκνυμι.

Δεψέω, ῶ, *depſo*, gerben, mit den Händen oder Füſsen kneten, treten und etwas weich, gar machen. Herodot. 4, 64 hat δέψει τῇσι Χερσὶ und darauf ſetzt er dafür ὀργήσας. S. δέφω.

Δέω, f. έσω, od. ήσω, binden, anbinden, zuſammenbinden, in Bande oder ins Gefängniſs werfen. Med. δέομαι Il. 18, 553 binden.

Δέω, f. δεήσω, ich ermangele, bedarf einer Sache m. d. genit. daher fehlen; ἔτη δυοῖν δέοντα εἴκοσι zwanzig Jahre weniger 2; daher ὀλίγου δέω δακρῦσαι, es fehlt nicht viel daran, ſo weinte ich; πολλοῦ δέω ταῦτα ποιεῖν, es fehlt nicht viel daran, daſs ich dies thun ſollte. Dieſes Wort wird auch verſtanden in ὀλίγου ἐδάκρυσα und dergl. für beynahe, ὀλίγου δεῖν, ſo daſs wenig fehlte. Davon das imperf. δεῖ, *oportet*. Man ſagt δεῖ μοί τινος, δ. μ. τι, ſeltner δεῖ μέ τινος. Eur. Herc. 1170 εἴτι δεῖ ἢ χειρὸς ὑμᾶς τῆς ἐμῆς ἢ συμμάχων, *ſi quid vobis opus fuerit mea manu*, wenn ihr meine Hand bedürft.

Δή, nun, ja, wirklich, alſo, auch ironiſch wie *ſcilicet*, *videlicet*, nämlich und dergl.

Δῆγμα, ατος, τὸ, (δήκω) der Biſs. —**μός**, ὁ, das Beiſsen, der Biſs.

Δηθά, wie Adv. und ſ. v. a. δηθάκις u. δηθάκι, lange Zeit, häufig, oft. οὐ μετὰ δηθὰ Apoll. Rhod. nicht lange hernach: eigentl. neutr. plur. v. δηθὸς ſ. v. a. δηρός. S. in δήν; davon —**θαγόρος**, ὁ, ἡ, und δηθαίων, ονος, ὁ, ἡ, (ἀγορὰ, αἰὼν) bey Heſych. ſ. v. a. geſchwätzig und von langem Leben. —**θάκι** und δηθάκις, Adv. ſ. v. a. δηθὰ und δήν. S. in δήν.

Δῆθεν, Adv. (δή) ſ. v. a. δηλαδή, vorzüglich im ironiſchen Sinne *videlicet*, *ſcilicet*, nämlich. —**θύνω**, f. υνῶ, lange machen, verweilen, verzögern, zaudern. S. δήν.

Δηϊάλωτος, ὁ, ἡ, (ἁλόω) vom Feinde gefangen. Eur. Andr. 105. —**ϊάω**, ῶ, und verlängert δηϊάσκω, befeinden, feindlich behandeln, verwüſten; überhaupt ſtreiten, ἔγχει δηϊόων περὶ θανόντος Il. 18, 195. —**ϊος**, ϊα, ϊον, joniſch ſ. v. a. δάϊος, feindlich; davon —**ϊοτής**, ῆτος, ἡ, oder δηῒς, ΐδος, ἡ, Schlacht, Mordgewühl, Krieg; joniſch ſt. δαΐς, ΐδος, welches man nachſehe. —**ϊόω**, ῶ, f. ώσω, ſ. v. a. δηϊάω. —**ΐς**, ΐδος, ἡ, ſ. v. a. δηϊοτὴς und δαΐς.

Δηκτήριος, ὁ, ἡ, (δηκτὴρ, δηκτὴς) beiſſend, beiſsig. —**της**, ου, ὁ, (δήκω) Beiſſer; davon —**τικός**, ἡ, ὀν, beiſsend, zum Beiſsen gehörig oder geſchickt. Adv. δηκτικῶς.

Δήκω, f. δήξω, joniſch ſtatt δάκω, wovon δάκνω und fut. δήξω, ἔδηξα u. ſ. w.

Δηλαδή, Adv. (δῆλα, δή) wirklich, wahrhaftig, allerdings, nämlich. —**λαίνω**, eine andere Form vom folgd. —**λέω**, (S. δέλω) ich beſchädige, ſchade, verletze, verwüſte; vorzügl. iſt das med. δηλέομαι gebräuchlich; doch kommt δεδηλῆσθαι beym Herodot. 8, 100. und Eur. Hippol. 175. als Paſſivum vor. —**λημα**, ατος, τὸ, Schaden. —**λήμων**, ονος, ὁ, ἡ, ſchädlich. —**λησις**, εως, ἡ, Schaden, Beſchädigung, Verletzung. —**λητὴρ**, ῆρος, ὁ, der ſchadet, beſchädiget; dav. —**λητήριος**, ὁ, ἡ, ſchädlich, ſ. v. a. δηλήμων. δηλητήριον verſt. φάρμακον, ſchädliche Arzeney d. i. Gift. —**λητηριώδης**, εος, ὁ, ἡ, ſt. δηλητηριοειδὴς, giftartig und eben ſo ſchädlich.

Δήλια, τὰ, nämlich ἱερὰ, die Deliſchen Feyerlichkeiten auf der Inſel Delos, dem Apollo alle 5 Jahre von den Athenienſern gefeyert. Xen. Mem. 4, 8, 2. —**λιάς**, άδος, ἡ, das Athenienſiſche Schiff, auf dem die Abgeſandten nach Delos fuhren, ſonſt θεωρὶς. —**λίφρων**, ονος, ὁ, ἡ, (δηλέω, φρὴν) mit verletztem Verſtande, dumm. —**λομαι**, doriſch ſ. v. a. βούλομαι. —**λονότι**, Adv. (δῆλον, ὅτι) eben das, was δηλαδή. —**λοποιέω**, ῶ, ſichtbar, offenbar machen. —**λος**, η, ον, Adv. δήλως, ſichtbar, offenbar, δῆλός ἐστι ποιήσων löſet man nach unſerer Sprache auf in δῆλόν ἐστιν ὅτι ποιήσει, es iſt deutlich, daſs er es thun wird. Eben ſo φανερὸς. —**λοφανής**, ὁ, ἡ, (φαίνω, δῆλος) Pol. Stob. Serm. 51. —**λόω**, ῶ, f. ώσω, offenbar, ſichtbar machen, deutlich zeigen, erklären; 2) δηλοῖς ὡς σημανῶν τι νέον Soph. Ant. 242. ſt. δῆλος εἶ σημανῶν. 471 δηλοῖ τὸ γέννημα ὠμὸν ἐξ ὠμοῦ πατρὸς ſt. δῆλον ὅτι ἐστι. Aj. 878 ὡνὴρ οὐδαμοῦ δηλοῖ φανεὶς. Auch wird es imperſonal. gebraucht, αὐτίκα ἐδήλωσε es zeigte ſich ſogleich; davon

Δήλωμα, ατος, τὸ, das angedeutete. Plato Soph. 45. Anzeige, Erklärung, Kennzeichen.

Δήλωσις, ἡ, das Anzeigen, Erklären, Offenbaren. —**λωτικὸς**, ἡ, ὸν, zum erklären gehörig oder geſchickt.

Δημαγωγέω, ῶ, ich bin δημαγωγὸς, führe, lenke, leite das Volk durch meinen Rath und Reden in den Volksverſammlungen; wird meiſt im ſchlimmen Sinne gebraucht, weil in den griechiſchen Demokratien das Volk meiſt durch die Reden derer, die ſich zu ſeinen Rathgebern aufwarfen, verführt ward; überhaupt jemand durch ſchmeichelhafte Reden zu gewinnen und einzunehmen ſuchen. —**γωγία**, ἡ, die Handlungsart eines δημαγωγὸς, die Kunſt, Reden und Handlungen, die er gebraucht, das Volk zu gewinnen. —**γωγικὸς**, Adv. —γικῶς, zur δημαγωγία gehörig, in der Art und Weiſe der Demagogen. —**γωγὸς**, ὁ, ein Führer, Leiter, Rathgeber des Volks in den griech. Demokratien: überhaupt, der das Volk zu gewinnen ſucht; von ἄγωγος und δῆμος.

Δημαίτητος, ὁ, ἡ, (αἰτέω) vom Volke verlangt. Syneſ. p. 174.

Δημακίδιον, τὸ, (δῆμαξ) ſ. v. a. δημίδιον. Ariſtoph. —**άρατος**, ὁ, ἡ, (ἀράομαι) vom Volke erfleht, erwünſcht.

Δημαρχέω, ῶ, ich bin ein δήμαρχος; davon —**χία**, ἡ, das Amt, die Würde des δήμαρχος. —**χικὸς**, zum δήμαρχος oder zur δημαρχία gehörig. —**χος**, ὁ, zu Athen, der in dem Diſtrikte eines jeden δῆμος die politiſchen Angelegenheiten verrichtete, vorher ναύκραροι genannt; wenn vom römiſchen Staate die Rede iſt, ſo iſt es der *tribunus plebis*.

Δημεῖον, τὸ, νεκροὺς παρὰ τῷ δημείῳ κειμένους Plato Resp. 4 p. 568 auf dem Richtplatze, wie δήμιος, ὁ, der Scharfrichter.

Δημεραστὴς, οῦ, ὁ, ein Volksfreund. —**ραστία**, ἡ, Liebe zum Volke, Betragen eines δημεραστής.

Δήμευσις, εως, ἡ, die Achterklärung und Konfiſcirung der Güter. zw. von

Δημεύω, f. εύσω, (δῆμος) in die Acht erklären und mit Einziehung der Güter beſtrafen.

Δημεχθὴς, ὁ, ἡ, dem Volke verhaſst. Phrynichi Appar. p. 466.

Δημηγορέω, ῶ, (δῆμος, ἀγορέω) ich bin ein δημηγόρος, Volksredner, der zum Volke vorzüglich in den Volksverſammlungen ſpricht: davon —**γορία**, ἡ, das Sprechen oder die Rede zum Volke in den Verſammlungen; dav. —**γορικὸς**, ἡ, ὸν, zum Volksredner oder zum Reden mit dem Volke gehörig oder dienlich. —**γόρος**, ὁ, ἡ, (ἀγορέω, δῆμος) Volksredner, der zum Volke in den öffentlichen Verſammlungen ſpricht.

Δημηλάσιος, ὁ, ἡ, aus dem Volke vertreibend, ψήφῳ δημηλασίᾳ Aeſchyl. Suppl. 7. —**λατος**, ὁ, ἡ, (δῆμος, ἐλάω) aus dem Volke vertrieben.

Δημήτηρ, τερος, τρος, ἡ, und δήμητρα, wahrſch. ſt. γημήτηρ, Mutter Erde, Ceres. Cic. Nat. deor. 2, 26; davon δημητριακὸς, zur Demeter gehörig, wie καρποὶ δημητριακοὶ, Erd- oder Feldfrüchte; auch δημήτριος, ὁ, ἡ, in demſelben Sinne.

Δημίδιον, τὸ, dimin. von δῆμος, wie δημακίδιον im Schmeicheln gebraucht. —**μίζω**, f. ίσω, Ariſtoph. Vesp. 690 ich betrüge das Volk; eigentl. ich halte es mit dem Volke, wie βαρβαρίζω.

Δημιοεργὸς. S. δημιουργὸς. —**οπληθὴς**, ὁ, ἡ, (πλῆθος) was das Volk in Menge hat. zw. —**οπρασία**, ἡ, (πιπράσκω) öffentliche Verſteigerung, Konfiſcirung. —**όπρατα**, τὰ, (πιπράσκω) was öffentlich verſteigert oder verkauft wird, konfiſcirte Güter. —**ος**, ία, ιον, zum Volke, zum Staate gehörig. ὁ δήμιος oder δημόσιος (δοῦλος) der vom Staate beſtellte Scharfrichter. τὸ δήμιον ſt. ὁ δῆμος od. τὸ κοινὸν Aeſchyl. Suppl. 707. —**ουργεῖον**, τὸ, eine Werkſtätte. —**ουργέω**, ῶ, ich bin δημιουργὸς, treibe ein Handwerk; überh. ich arbeite, verfertige, mache, ſchaffe. S. δημιουργὸς. —**ούργημα**, τὸ, die Arbeit eines Handwerkers oder Künſtlers; überh. jede Arbeit, jedes Werk. —**ουργία**, ἡ, das Arbeiten, Verfertigen; 2) die Verwaltung der öffentlichen Angelegenheiten; überh. das Hervorbringen, Walten, Regieren. —**ουργικὸς**, ἡ, ὸν, zum Handwerke oder dem Handwerker gehörig, eigen, oder in der δημιουργία geſchickt. —**ουργὸς**, ὁ, ἡ, von δήμιος, ἔργον; bey Homer Odyſſ. 17, 383 heiſsen δημιοεργοὶ, die öffentliche, gemeinnützige Arbeiten, Geſchäfte treiben; Aerzte, Wahrſager, Zimmerleute und Sänger; daher überh. jeder, der etwas arbeitet, thut, verrichtet; alſo Arbeiter, Handwerksmann, Künſtler; auch in den doriſchen Republiken δημιουργοὶ die oberſten Magiſtratsperſonen, daher Artemidor. 2, 22 στρατηγεῖν καὶ δημιουργεῖν ἐπιχειροῦντι verbindet. ὄρθρος δημιοεργὸς, Hymn. Merc. 98 der alle zur Arbeit weckt.

Δημοβόρος, ὁ, ἡ, (βορὰ) Volksfreſſer, d. i. der die Güter des Volks oder Staats verzehrt. —**γέρων**, οντος, ὁ, ein Alter im Volke, d. i. Senator, oder ein wegen ſeines Alters vom Volke geehrter Mann. Eur. Andr. 300. —**διδάσκαλος**, ὁ, Volkslehrer.

Δημόθεν, Adv. aus dem Volke, auf Koſten des Volks, *publice*, wie οἴκοθεν.

Δημοθοινία, ἡ, (θοινέω) ein Volksschmaufs. —**θρους**, ὁ, ἡ, (θροῦς) von dem das Gerede, Gerücht unter dem Volke geht, öffentlich, allgemein bekannt.

Δημοκατάρατος, ὁ, ἡ, vom Volke oder öffentlich verflucht. —**κηδής**, έος, ὁ, ἡ, (κήδομαι) Volksfreund, *poplicola*, Dionyf. Ant. 5, 19. —**κῆρυξ**, ὁ, Staatsherold, *fetialis*. Aeschines. —**κοινος**, ὁ, der Folterer, (der die Sklaven durch die Tortur zum Geständnisse nöthigt) und im weitern Sinne s. v. a. δήμιος. —**κόλαξ**, ακος, ὁ, ἡ, ein Volksschmeichler. —**κόπος**, ὁ, s. v. a. das folgd. zweif. —**κοπέω**, ῶ, suche die Gunst des Volks durch allerley Mittel zu gewinnen; von —**κοπία**, ἡ, die Handlungsart, Kunst, Schmeicheley eines δημοκόπος; davon —**κοπικός**, ἡ, όν, zum Volksschmeichler gehörig, ihm eigen; populär. Aristides 1 p. 564. —**κόπος**, ὁ, ἡ, (κόπτω wie δοξοκόπος) ein Volksschmeichler, der des Volks Gunst durch allerley Mittel zu gewinnen sucht. —**κρατέομαι**, οῦμαι, vom Volke beherrscht werden, oder eine Volksregierung haben; auch als med. sich vom Volke beherrschen lassen, dem Volke dienen; dav. —**κρατία** und δημοκράτεια, ἡ, Volksregierung, Demokratie. —**κρατίζω**, f. ίσω, ich halte es mit der Volksregierung, bin ein guter Demokrat. —**κρατικός**, ἡ, όν, Adv. —τικῶς, zur Demokratie oder Volksregierung gehörig, ihr eigen; demokratisch, oder *popularis*, dem Volke ergeben, gegen das Volk schmeichelhaft, und dergl. —**κρατος**, ὁ, ἡ, Aeschyl. Ag. 468 ἀρά, der Fluch des Volks.

Δημολάλητος, ὁ, ἡ, (λαλέω) vom Volke gesprochen oder beredet. —**λευστος**, ὁ, ἡ, (λεύω) vom Volke gesteinigt. —**λογέω**, ῶ, ich rede vor dem Volke; 2) s. v. a. δημοῦμαι, ich spiele, spaße. Anthol. —**λογικός**, ὁ, zum Volksredner, oder zu einer Volksrede gehörig oder geschickt. —**λόγος**, ὁ, der mit oder zum Volke spricht. Synes. p. 55.

Δημόομαι, μοῦσθαι, dem Volke zu gefallen handeln, sprechen, *populariter agere*, *loqui*; 2) spaßen, spielen, wie δῆμια λαβράζειν Nicander. —**πίθηκος**, ὁ, ein Volksaffe, bey Aristoph. schmeichelnd und hinterlistig gegen das Volk. —**ποίητος**, ὁ, ἡ, (ποιέω) zum Bürger angenommen oder gemacht. —**πρακτος**, ὁ, ἡ, (πράττω) vom Volke gethan oder gemacht. —**πρόβλητος**, ὁ, ἡ, (προβάλλω) Nicetas Annal. 18, 5 vom Volke vorgeschlagen od. gewählt. —**ῥῥιφής**, ὁ, ἡ, (ῥίπτω) vom Volke verworfen oder ausgebreitet.

Δῆμος, ὁ, das Volk, der große Haufen, *populus* und *plebs*; auch Volksregierung, z. B. τὸν δῆμον καταλύειν die Volksregierung aufheben, vernichten; 2) einzelne Theile des Volks, Volksstämme, auf dem Lande um die Stadt herum wohnbar. δῆμοι in Athen, was in Rom *tribus*; 3) das versammelte Volk, Volksversammlung; z. B. ἐς δ. παριέναι oder εἰσιέναι.

Δημός, ὁ, Fett, Schmeer, eigentl. das Fett des Darmfells, *omentum*. —**σία**, Adv. entspricht ganz dem lat. *publice*, von Seiten oder im Namen, auf Kosten des Volks od. des ganzen Staats; eigentl. dativ. von δημόσιος. —**σιακός**, ἡ, όν, st. δημόσιος falsch bey Herodian 2, 7 ehemals. —**σίευσις**, εως, ἡ, allgemeine Bekanntmachung, Bekanntwerden; öffentliche Versteigerung; von —**σιεύω**, f. εύσω, ich mache offentlich oder allgemein, eigne dem Volke zu, gebe, schenke dem Staate oder dem Volke; neutr. dem Staate, dem Allgemeinen gehören, allgemein seyn, den Staat betreffen. ταῖς φροντίσι δημοσιεύων ἀεὶ Plutar. dessen Sorgen immer auf den Staat gerichtet sind; ἐν στολῇ δ. in einem Kleide öffentlich erscheinen, Dio Caff. 59, 26. διδάσκαλοι δημοσιεύοντες, öffentliche, d. i. vom Staate besoldete und alle unterrichtende Lehrer, Aerzte und dergl. dem ἰδιωτεύειν entgegen gesetzt, bey Plato Apolog. 19. —**σιος**, ία, ιον, was dem Volke, dem Staate gehört, eigen ist, das ganze Volk, den ganzen Staat betrift, *publicus*; daher οἱ δημόσιοι, im Solde des Staats stehende Diener; ὁ δ. (δοῦλος) s. v. a. δήμιος; τὸ δ. was den Staat betrift, oder der Staat, gewöhnlicher τὰ δημόσια; πρὸς τὸ δημόσιον προσιέναι wie *ad rempublicam accedere*, Staatsgeschäfte übernehmen, Demosth. p. 766; auch τὸ δημόσιον, die Kasse, der Schatz des Staats; auch das öffentliche Gefängniß. —**σιόω**, ῶ, f. ώσω, von Sachen, etwas dem öffentlichen Gebrauche widmen, dem Staate schenken; einziehen, *publicare*; von Reden, öffentlich, allgemein bekannt machen. —**σιώνης**, ου, ὁ, (δημόσια, ὠνέομαι) einer, der die Staatszölle und Einkünfte kauft d. i. pachtet, Generalpächter, *publicanus*; davon —**σιωνία**, ἡ, die Verpachtung der öffentlichen Einkünfte. Memnon ap. Phot. —**σιώνιον**, τό, die Staatszölle oder der Ort, wo sie verpachtet werden. Plutar. Praec. polit. p. 264. —**στροφέω**, ῶ, ich bin in oder unter dem Volke. zw.

Δημοτελέω, ῶ, wird aus Demosth. Midiana angeführt, wo es aber richtiger δημοτελῆ ἱερὰ heisst. —τελής, ὁ, ἡ, Adv. —τελῶς, auf gemeine Kosten, des Volks, öffentlich; ἱερὰ δημοτελῆ, verschieden von δημοτικὰ no. 3. —τερος, Komparat. von δῆμος, gemeiner, geringer, Apollon. 1, 783. —τερπής, έος, οῦς, ὁ, ἡ, (τέρπω) das Volk ergötzend, dem Volke angenehm. —τεύομαι, f. εύσομαι, ich gehöre oder halte mich zu einem δῆμος, Demosth. p. 1314. δημοτευόμενος μετ' ἐμοῦ. —της, ου, ὁ, *unus de populo, plebe*; 2) ein Bürger aus einer gewissen Gegend (δῆμος, *tribus*); davon —τικὸς, ἡ, ὸν, Adv. —κῶς, der zum Volke gehört, *plebejus*; 2) ein Freund des Volks, menschenfreundlich, *popularis, civilis*; 3) was den Bewohnern einer Gegend, δῆμος, eigen ist, z. B. δημοτικὰ ἱερὰ, worzu alle δημόται geben.

Δημοῦχος, ὁ, ἡ, (ἔχω) ein Volksregierer, Vorsteher. zw.

Δημοφάγος, ὁ, ἡ, s. v. a. δημοβόρος. —φθόρος, ὁ, ἡ, (φθείρω) das Volk verderbend, bestechend. —χαριστής, οῦ, ὁ, (χαρίζομαι) der dem Volke zu gefallen lebt.

Δημόω, οῦν, *publicare*, zum Gebrauche des Volks bestimmen, konfisciren. —μώδης, εος, ὁ, ἡ, gemein, vom Volke, ein gemeiner Mensch; τὸ δημῶδες πλῆθος, der gemeine Haufe; von Sachen, gemein, allgemein bekannt. Aelian. v. h. 3, 45. —μώματα, τὰ, (δημοῦσθαι) Spass, Spiele. —μωφελέω, ῶ, dem Volke oder Staate nützlich seyn. —μωφελής, έος, ὁ, ἡ, Adv. —λῶς, dem Volke oder Staate nützlich.

Δήν, Adv. s. v. a. δηθὰ und δηθάκις, lange Zeit, vor langer Zeit; häufig, oft. Das Stammwort ist δάω oder δέω, wie von ἀδάω oder ἀδέω, ἄδην. Von δάω δαερὸς jonisch δηρὸς und dorisch δαρὸς und δηνὸς; wovon δήναιος, lange dauernd, lange lebend, von langem Alter, alt; ingleichen δηθὸς, wovon δηθάκι und δηθάκις. Von der Form δηθὸς, ist auch δηθύνω s. v. a. zaudern, verweilen, gleichsam von δηθὸς gemacht. Noch hat Hesych. δαὸν πολυχρόνιον.

Δήναιος, α, ον, poet. s. v. a. χρόνιος, daurend, anhaltend, alt, vor langer Zeit geschehn. Apollon. 3. 54 τίς δεῦρο χρειὼ κομίζει δηναιὰς st. χρονίας, nach so langer Zeit. S. δὴν. —νάριον, τὸ, ein Denar, etwa 4-5 Groschen. bey den Griechen betrug eine Drachme etwa eben so viel.

Δῆνος, εος, τὸ, Rath, Entschluss, Vorschlag, ausgesonnenes Mittel, List. Bey Suidas steht δήνεον, βούλευμα ohne Beyspiel. Bey Xen. ἱππ. 3, 11 sind δηνεύματα die Tücken des Pferdes. S. δεινεύω. Davon ἀδηνὴς bey Hesych. und ἀδηνέως, ἀδόλως, ἁπλῶς, χωρὶς βουλῆς; auch ἀδηνῆ, ἄκακον. Ferner ἀδανὲς, ἀπρονόητον. So auch Etym. M. aber Suidas hat ἀδηνέως, ἁπλῶς, καὶ ἀταλαιπώρως, κατὰ στέρησιν τῶν δηνέων καὶ μεριμνῶν. Also sind δήνεα auch Sorgen. Hesych hat noch ἀδηνείη, ἀπειρία. Galeni Glossar. Hipp. erklärt ἀδηνέως durch ἀφροντίστως. In Simonidis fragm. 17 von den Weibern: ἐυνῆς ἀδηνὴς ἐστὶν ἀφροδισίης st. ἄπειρος. Scheint von δάω, δάσκω, διδάσκω auch δάνω, δαίω, δαίνω, δαδαίνω zu kommen. Hesych hat δαδαίνειν, ἀντέχειν, ἀτενίζειν, μεριμνᾶν, φροντίζειν; auch δανδαίνειν mit derselben Erklärung und ἐνδανδαίνει, ἀτενίζει, κατατολμᾷ.

Δήξ, δηκὸς, ἡ, der Holzwurm, wird bey Erklärung des Hesiodischen ἀδηκτοτάτη blos von d. Scholiasten angeführt. —ξίθυμος, ὁ, ἡ, (δῆξις) herzbeissend, herznagend. —ξις, εως, ἡ, (δήκω) das Beissen, der Biss.

Δηόω, ῶ, f. ώσω, (δήϊος) feindlich verwüsten.

Δήπη, s. v. a. δήπου. —ποθεν, Adv. irgend woher, *undecunque*. —ποκα, dorisch s. v. a. δήποτε. —ποτε, Adv. irgend jemals, irgend einmal. ὅσον τις καὶ ἄλλος πλεῖστον δήποτε ἔδωκε, Cyrop. 3, 2, 26. ἢ τί δήποτε οὕτως ἐπήνεσε, Memor. 2, 2. oder was ist denn sonst irgend für eine Ursache, warum er so gelebt hat? auch mit angehängtem οὖν wie im lat. *cunque*, δηποτοῦν.

Δήπου, Adv. aus δὴ und που, das lat. *nempe, scilicet*, wirklich, gewiss, ohne Zweifel; auch *numquid, annon*, οὐ δήπου διανοεῖ, hast du etwa im Sinne, oder du hast wohl auch im Sinne, hast du nicht auch im Sinne? —πουθεν, Adv. v. δήπου gemacht, s. v. a. das vorige, scheint bloss vor einem Vokale oder um des Metri willen gesetzt zu werden.

Δήρη, ἡ, st. δῆρις; zweif. bey Hesych. —ριάω, δηριάομαι, δηρίζω, δηρίσσω, δηρίττω, δηρίζομαι, δηρίνω, δηρίνομαι, (davon δηρινθῆναι) δηρίω von δῆρις, streiten, kämpfen, zanken; wetten.

Δῆρις, εως, ἡ, Streit, Schlacht, Krieg. —ρίω, f. ίσω, s. v. a. δηρίζω. —ρὸς, ρὰ, ρὸν, lange dauernd, lange lebend, s. v. a. δήναιος. S. in δὴν. Auch δηρὸν verst. χρόνον, wie Adv. lange Zeit.

Δῆτα, Adv. meist s. v. a. δὴ, also, nun, doch, wirklich.

Δήω, jonisch st. δάω, δαίω, δάημι, wissen, lernen, finden; das praesens wird meist wie ein futur. gebraucht. Hesych. erklärt δήεις daher durch εὑρήσεις, ὄψει, μαθήσῃ.

Δηὼ, όος, contr. οῦς, ἡ, ſ. v. a. δημήτηρ.

Διὰ, Praep. 1) mit dem genit. durch, von, aus, von Perſonen, Sachen, Zeit; διὰ τινὸς, δι' αὐτοῦ πράττειν τι, durch einen andern, durch ſich d. i. ſelbſt etwas thun; δι' ὑποζυγίων, auf mit Zugvieh. Aelian. v. h. 9, 3. διὰ βασιλέων πεφυκέναι, durch oder von Konigen gezeugt ſeyn; διὰ παντὸς τοῦ αἰῶνος od. χρόνου, die ganze Zeit hindurch, immerfort; 2) wegen, διὰ πίστεως, wegen eines gegebenen Worts; 3) ſeit, nach, διὰ χρόνου ἰδεῖν τινὰ, einen nach langer Zeit ſehen; διὰ μακροῦ, nach langer Zeit; αἱ διὰ χρόνου πράξεις, Handlungen, die nach langer Zeit immer einmal wieder vorgenommen werden, d. i. ſeltene; 4) in δι' ἀθυμίας, δι' ἀσφαλείας, δι' ἀπεχθείας, διὰ χαρίτων γίγνεσθαι od. εἶναι, in Traurigkeit, Sicherheit, Feindſchaft, Gunſt ſeyn oder kommen; διὰ στόματος, διὰ μνήμης ἔχειν, im Munde führen, im Gedächtniſſe behalten; διὰ μνήμης τίθεσθαι, Aelian. v. h. 2, 38 erwähnen. Aus oder in kann man auch in den Umſchreibungen zum Grunde legen, wo es bey einem Verbo ſtehend durch ein Adverb. und bey einem Subſt. durch ein Adject. überſetzt werden kann; δι' ἀφροσύνης ἐπιχειρεῖν τι, in der Unbeſonnenheit, unbeſonnen etwas wagen; πᾶσα μὲν ἡ ὁδὸς διὰ σκότους, πᾶς δὲ ποταμὸς δύσπορος, ein jeder Weg iſt finſter, ein jeder Fluſs unüberſetzbar; ſo τοῦτο διὰ χαρίτων ἐστὶ oder γίγνεται, das iſt angenehm und erwirbt Dank, im Gegenſatze von δι' ἀπεχθείας γίγνεται, od. ἄγει πρὸς ἔχθραν, iſt verhaſst, macht verhaſst, führt zur Feindſchaft; αἱ διὰ τοῦ σώματος ἡδοναὶ, die durch oder mit dem Korper genoſſene d. i. körperliche Vergnügungen; αἱ διὰ καρτερίας ἐπιμέλειαι, mit Anhalten, Ausdauern angeſtellte, d. i. anhaltende Bemühungen; δένδρα δι' ἴσου πεφυτευμένα, in gleicher Entfernung oder gleich weit von einander gepflanzte Baume. 2) mit dem Accuſ. durch, wegen; διὰ τοῦτο, ταῦτα, wo es aber häufiger wegbleibt. In dieſer Bedeut. ſteht es häufig beym Infin. 3) In der Compoſ. ſtimmt es mit dem lat. *dis* und *trans* oder *tra*, und nimmt bald dieſe, bald jene Bedeutung an, beſonders aber mit, zwiſchen, unter einander, zer- ſ. v. a. δίχα, ent- durch oder über.

Διαβαδίζω, f. ίσω, durch- oder vorübergehen; bey Luci. Demoſth. encom. 1. ſpazieren gehn, hin und hergehn. —**βάθρα**, ἡ, eine Leiter, über welche ich ſteige, durch welche ich etwas erſteige, Leiter, Schiffsleiter, Brücke. —**βάθρον**, τὸ, eine Art niedriger Schuhe, bey Feſtus *diabathra*. —**βαίνω**, f. βήσομαι, durch- oder vorübergehen, überſetzen, überſteigen; von einander (mit von einander ſtehenden Beinen) gehen, ſtehen, *divaricor*, ſchreiten, einen Schritt thun. —**βάλλω**, f. βαλῶ, p. βέβληκα, ich werfe, bringe hindurch oder hinüber, daher ich ſetze, fahre über, *traduco*, *trajicio*; auch ich ziehe durch: ῥίζα λίνῳ διαβληθεῖσα, eine Wurzel durch die man einen leinenen Faden gezogen; 2) διαβάλλειν τινα, jemand bereden, verläumden, wie *differre aliquem ſermonibus*; πρὸς τοὺς πολλοὺς διαβ. beym gemeinen Haufen verläumden; daher anklagen, verhaſst machen. Bey Herodot häufig für überreden, durch Reden täuſchen.

Διαβαπτίζομαι πρός τινα, Polyaen. 4, 2, 6. ſich mit einem um die Wette untertauchen u. beſpritzen. —**βασανίζω**, durch und durch, d. i. genau unterſuchen, ausforſchen. —**βασείω**, ſ. v. a. διαβησείω. Dio Caſſ. 40, 32. —**βασιλίζομαι**, f. ίσομαι, ſ. v. a. βασιλίζομαι. —**βασις**, εως, ἡ, das Durch- und Vorübergehen, u. ſ. w. wie deſſen verbum διαβαίνω. —**βάσκω**, ſ. v. a. διαβαίνω. —**βαστάζω**, f. άσω, durch- oder herübertragen, ſ. v. a. *pertractare*. Luc. Ep. Saturn. 33 mit der Hand wägen. —**βατέος**, έα, έον, uber durch welchen man gehn muſs. —**βατήριος**, ὁ, ἡ, der einen glücklich herübergehen laſst, überſetzt, (ein Beywort des Jupiters); dah. διαβατήρια θύεσθαι, ein Opfer bringen fur den glücklichen Uebergang über einen Fluſs o. für eine Reiſe, die man zurückgelegt hat oder noch zurücklegen will. Auch ſind τὰ διαβ. ſubſt. beym Dio C. 14, 18 ſ. v. a. διάβασις, der Uebergang über einen Fluſs. —**βάτης**, ου, ὁ, einer, der herüberſetzt, überfährt; 2) ſ. v. a. διαβήτης. —**βατὸς**, ἡ, ὸν, worüber man gehn oder ſetzen kann. —**βεβαιόω**, ῶ, recht feſt machen, med. διαβεβαιόομαι, οῦμαι, gewiſs verſichern od. verſprechen. —**βεβαίωσις**, εως, ἡ, Beſtatigung; Verſicherung. —**βημα**, ατος, τὸ, (διαβαίνω) der Uebergang; das Schreiten oder der Schritt. —**βησείω**, ich will herübergehen, überſetzen, vom fut. διαβήσω. —**βήτης**, ὁ, der Zirkel, von den auseinander ſtehenden Schenkeln des Inſtruments; 2) die Bleywage (*libella*) der Zimmerleute nach Heſychius in σταφυλή; nach Plato Phil. §. 34. wird διαβήτης neben κανὼν u. στάθμη unter den Werkzeugen der Zimmerleute genannt, es kann alſo Winkelmaaſs und Lothwage od. Senkbley bedeuten; 3) eine Krankheit der N[illegible], wo durch den Urin alle

Feuchtigkeit aus dem Körper fortgeht; von der Aehnlichkeit mit 4) dem Doppelheber oder geraden Heber, *diabetes* bey Columella 3, 10. Bey Hero Spirit. p. 156 wird der μέσος πνικτικὸς διαβήτης beschrieben und abgebildet.

Διαβιβάζω, f. άσω, und διαβιβάσκω, ich trage, führe, bringe, fahre über, hinüber, hindurch. —βιβρώσκω, f. ώσω, durchfressen, auffressen, zernagen. —βιόω, ῶ, f. ώσω, durchleben, sein ganzes Leben verleben. —βλαστάνω, f. στήσω, ausschlagen; auskeimen. —βλάστησις, εως, ἡ, das Ausschlagen, Auskeimen. —βλέπω, f. ψω, durchsehen; scharf ansehen; auch ohne Kasus. διαβλεψάμενος σὺν καὶ μειδιάσας ἔφη, Plato Phaedo 37 er sah starr und steif mit den Augen, lachte und sprach. —βοάω, ῶ, f. ήσω, durchschreyen, durch einander schreyen, als μεταξὺ ἀναγινώσκοντος αὐτοῦ διεβόων, während dass er vorlas, schrieen sie durch einander. Daher ausschreyen, bekannt, berüchtigt machen; auch im guten Sinne, bekannt, berühmt machen; dav. —βόησις, ἡ, das heftige Schreyen, Plut. 7 p. 785. —βόητος, ὁ, ἡ, ausgeschrieen, verschrieen, berüchtigt; auch im guten Sinne, bekannt, berühmt; vergl. περιβόητος. —βολή, ἡ, (διαβάλλω) die Beschuldigung, Verläumdung, das Angeben. —βολία, ἡ, Verläumdung. —βολικός, ἡ, όν, verläumderisch, der gern beschuldigt, angiebt. —βόλιμον, hat Thom. M. aus der Stelle Thucyd. 8, 91 wo richtiger διαβολὴ μένον steht. —βολος, ὁ, ἡ, Beschuldiger, Verläumder, Angeber. Adv. διαβόλως, auf eine verläumderische Art. —βομβέω, ῶ, durchsummsen. —βορβορύζω und διαβορβορίζω, s. v. a. διακορκορυγέω. —βόρειος, ὁ, ἡ, gegen den Boreas- oder Norden zu sich erstreckend. zw. —βορος, ὁ, ἡ, (βορὰ) durchgefressen oder durchfressend. —βοστρυχόω, durchkräuseln, ganz in Locken legen. zw. —βουκολέω, ῶ, einsingen, einwiegen, täuschen, Lucian. διαβουκολεῖται Ἀριστοτέλει καὶ Θεοφράστῳ Themistius Or. 21. p. 255. ergötzt sich an dem Lesen des Ar. —βουλεύομαι, überlegen, berathschlagen, deliberiren. —βουλία, ἡ, das Ueberlegen; Unentschlüssigkeit. —βούλιον, τὸ, der Rath; der Rathschluss; die Berathschlagung. —βουλος, ὁ, ἡ, bey Hesych. s. v. a. δίβουλος und διπλοῦς. —βραχής, έος, ὁ, ἡ, durchnässt. Luc. Tragop. 303. —βρέχω, f. ξω, durchnetzen, durchnässen. —βριθής, έος, ὁ, ἡ, u. διαβρίθω bey Hesych. s. v. a. βριθύς, ἰσχυρὸς und βρίθω oder βαρύνω. —βριμάομαι, s. v. a. βριμάομαι. Themistius p. 261. —βροχή, ἡ, das Durchnässen, Durchweichen; davon —βροχος, ὁ, ἡ, (διαβρέχω) durchnässt, durch und durch nass, feucht oder erweicht. —βρωμα, ατος, τὸ, das durchgefressene. —βρωσις, εως, ἡ, das Durchfressen, Aufzehren. —βρώσκω, s. v. a. διαβιβρώσκω. —βρωτικός, ἡ, όν, zum durchfressen gehörig oder geschickt. —βυνέομαι, durchstecken, bey Herodot. von διὰ, βύω; Hesych. hat auch διαβύσσω in diesem Sinne, wie προβύσσω. —βύω, darzwischen einstossen, einpfropfen.

Διαγαληνίζω, f. ίσω, stillen, heiter machen. —γανακτέω, ῶ, das verstärkte ἀγανακτέω. —γανόω, ῶ, aufheitern, ganz heiter oder glänzend machen.

Διαγγελία, ἡ, Joseph. B. Jud. 3, 8, 5. die einem Boten aufgetragene Botschaft und Verkündigung. —γέλλω, f. ελῶ, durch einen Boten berichten, Bericht abstatten; überall ausbreiten, verbreiten u. verkündigen. —γελμα, ατος, τὸ, die durch einen Boten überbrachte Nachricht. —γελος, ὁ, Unterhändler; der Botschaften hin u. her bringt, *internuncius;* von διαγγέλλω.

Διαγείρω, f. ερῶ, s. v. a. ἀγείρω, zw. —γελάω, f. άσω, aus-verlachen, lächeln; und übergetr. sich aufheitern, als διαγελῶν ὁ ἀὴρ, διαγελῶσα ἡ ὥρα, heitere Luft, heitere Jahreszeit bey Theophr. und so bey Plutarch. τὰ τῆς θαλάσσης διαγελῶντα, die Stille und Ruhe des Meers. —γεύομαι u. διάγευσις, ἡ, s. v. a. γεύομαι, γεῦσις, Geoponic. 7, 7. —γίγνομαι, s. v. a. διαγίνομαι. —γιγνώσκω s. v. a. διαγινώσκω. —γίνομαι, f. γενήσομαι, od. διαγίγνομαι, die ganze Zeit hindurch, oder beständig seyn, besonders mit dem partic. wie διατελῶ, so ist beym Xenoph. Mem. 4, 8. 4 οὐδὲν ἄλλο ποιῶν διαγεγένηται, ἢ διασκοπῶν, eben das, was kurz vorher τοῦτο μελετῶν διαβεβίωκε; dah. ausdauern, durchkommen, zu Ende gehen. Auch dazwischen seyn, von der Zeit, als ἔτη διακόσια διαγεγονότα, 200 dazwischen gewesene, oder auch verflossene Jahre; τετρακοσίων ἐτῶν διαγενομένων, Dionys. Hal. τούτῳ τῷ λόγῳ πιστευομένῳ πλέον ἢ χίλια ἔτη διαγέγονε Plut. seit mehr als 1000 Jahren wird diese Erzählung geglaubt. —γινώσκω, f. γνώσομαι, oder διαγιγνώσκω, unterscheiden, genau überlegen; unterscheiden, deutlich kennen lernen; sich entschliessen, beschliessen, entscheiden; b. Polyb. zweymal st. διαναγινώσκω.

Διαγκυλέω, ῶ, od. διαγκυλόω od. διαγκυλίζω, (ἀγκύλη) den Wurfspiess beym ledernen Riemen mit der einen Hand angreifen, und so zum werfen bereit halten, aber nur im medio. διηγκυλισμένους τοὺς ἀκοντιστὰς καὶ ἐπιβεβλημένους τοὺς τοξότας Xen. Anab. 4, 3, 28. vergl. 5, 2, 12 mit den Spieſsen zum werfen bereit gehalten und mit den Pfeilen auf der Sehne liegend, wo die Handſchr. διηγκυλωμένους und διηγκυλημένους haben; ἀνδριάντα τόξον διηγκυλημένον Herodian. und κεραυνὸν διηγκ. Lucian. uneigentl. Nicetas Annal. 17, 1. 21, 3. braucht dafür διαγκωνίζεσθαι oder διαγκοινήσασθαι τὸ δόρυ. Das Simplex ἀγκοινισάμενος ſteht 1, 10. und ἀγκοίνησις 4, 3 hingegen ἀγκωνίζεσθαι 12, 8 und ἀγκώνισις 21, 2. einmal 19, 1. ἀγκυλιζόμενος τὸ ξίφος.

Διαγκωνίζομαι, f. ίσομαι, (ἀγκὼν) ſich auf den Ellbogen ſtutzen od. lehnen. S. in διαγκυλέω. —κωνισμὸς, ὁ, das Auſlehnen auf den oder das Fortſtoſsen mit dem Ellebogen.

Διαγλαύσω, oder διαγλαύσσω, ſ. v. a. διαφαίνομαι, Apol. Rhod. S. in γλαύσω. —γλάφω, Odyſſ. 4, 438. εὐνὰς ἐν ψαμάθησι διαγλάψασα, Lager in dem aufgegrabenen und zertheilten Sande bereiten.

Διάγλυμμα, ατος, τὸ, ſ. v. a. γλύμμα. zw. —γλύφω, f. ψω, ich ſchneide durch, ſchneide, ſchnitze aus. —γνοια, ἡ, ſ. v. a. διαγνώμη, Ueberlegung, Unentſchloſſenheit. Joſeph. Antiq. 17, 9, 5. zw. —γνώμη, ἡ, Ueberlegung, Entſchluſs, Beſchluſs; ſ. v. a. διάγνωσις Thucyd. 1, 87. —γνώμων, ονος, ὁ, ἡ, der unterſcheidet oder entſcheidet. —γνωρίζω, f. ίσω, ſ. v. a. διαγινώσκω; im N. T. ſ. v. a. γνώριμον ποιῶ oder διαφημίζω. —γνωσις, εως, ἡ, die Unterſuchung, Unterſcheidung, Entſcheidung. —γνώστης, ου, ὁ, ſ. v. a. διαγνώμων. —γνωστικὸς, ἡ, ὸν, zum unterſcheiden gehörig oder geſchickt. —γογγύζω, f. ύσω, ſ. v. a. γογγύζω N. T. —γονὴ, ἡ, bey Athenä. 2 p. 51. verderbt. —γορεύω, deutlich und beſtimmt ſagen, reden; feſtſetzen und beſtimmen. ὡς δ' αἱ πλείους γνῶμαι διηγορεύθησαν, als die meiſten Stimmen nach der Reihe durch abgegeben worden waren. Dionyſ. Antiq. 11, 19. —γραμμα, ατος, τὸ, (διαγραφὴ) jede mit Linien od. Schrift gemachte Zeichnung, Vorſchrift, Riſs, Figur, Schema, Rolle, Eintheilung heiſst ſo; daher auch Vorſchrift, Befehl, Dekret; vorzüglich heiſsen mathematiſche, maleriſche und muſikaliſche Figuren und Schemata, ſo wie auch die darinne enthaltenen Aufgaben oder Vorſchriften διαγράμματα. Von mathemat. Aufgaben Xen. Memor. 4, 7. ὑπὸ Δαιδάλου ἢ τινος ἄλλου δημιουργοῦ ἢ γραφέως διαφερόντως γεγραμμένοις καὶ ἐκπεπονημένοις διαγράμμασιν Plato Resp. 7 p. 158. von muſikaliſchen: ἀφ' ἑνὸς διαγράμματος ἀεὶ τὸ ἦθος εἰωθὼς ὑποκρέκειν Plutarch. 6 p. 203. nach einerley Melodie.

Διαγραμμισμὸς, ὁ, das Spiel auf abgezeichneten Linien, *ludus ſcriptorum duodecim.* S. Erneſti Clav. Cic. in *ſcriptor. lud.* Das verbum, wovon es gemacht iſt, iſt διαγραμμίζω, in Linien abtheilen, abzeichnen, in kleine Felder, wie auf dem Schachbrete ſind, abtheilen. —γραπτος, ὁ, ἡ, durchgeſtrichen, ausgeſtrichen, als δίκη, ein vernichteter Proceſs. —γραφεὺς, έως, ὁ, einer, der das διάγραμμα oder die διαγραφὴ macht, in den verſchiedenen Bedeutungen dieſer Wörter, vorz. der das Schema zur Kriegsſteuer und andern Steuern zu Athen entwarf. —γραφὴ, ἡ, das Abzeichnen, Bezeichnen durch Linien, ein Schema, eine Figur, ein Riſs; daher Rechnungsbücher; auch ein Befehl für alle, Dekret. vergl. διάγραμμα. Durchſtreichen, Vernichten eines Prozeſſes. vergl. διάγραπτος. S. διαγράφω.

Διαγράφω, f. ψω, 1) abzeichnen, mit hin und hergezogenen Linien eine Zeichnung, Riſs, Figur, Schema (mathematiſches, muſikaliſches oder mahleriſches) machen, entwerfen; daher beſchreiben, auch wie *deſcribere* vertheilen; 2) vorzeichnen, einen Befehl für alle geben; 3) auszeichnen, auswählen, werben, anwerben, στρατιώτας Polyb. 6, 12. wie *deſcribere milites.* daher κατάλογος die Rolle der Soldaten; 4) durchſtreichen, ausſtreichen, vernichten; vergl. διαγραφὴ, z. B. ἀναλώματα δ. Ausgaben aufheben, dieſe und jene Ausgaben gar nicht mehr machen; δ. ἐκ τοῦ βουλευτικοῦ, aus dem Verzeichniſſe der Senatoren ausſtreichen, aus dem Senate ſtoſsen. vergl. Ariſt. Lyſiſtr. 676. auch bedeutet es durch Anweiſung Geld zahlen, daher διαγραφὴ Polyb. 31, 13. dergleichen Zahlung beym Banquier; wie *perſcribere* und *perſcriptio.* S. in διάγραμμα.

Διαγρηγορέω, ῶ, durchwachen. —γριαίνω, f. ανῶ, das verſtärkte ἀγριαίνω. —γρυπνέω, ῶ, ſ. v. a. διαγρηγορέω; davon —γρυπνητὴς, οῦ, ὁ, der die Nacht ſchlaflos oder wachend durchbringt. —γυμνάζω, f. άσω, durchaus die Leibesbewegung üben, oder durchaus bewegen.

Διάγχω, f. ξω, erſticken, erhängen.

Διάγω, f. ξω, hinüber oder herüberführen, überſetzen, überbringen, daher allgem. führen, leiten, regieren, ἀνθρώπους und πράγματα (Geſchäfte verwalten); 2) wegführen, von einander führen, von einander ſetzen (die Füſse),

d. i. gehen; daher 3) verst. *βίον*, wie *agere vitam*, s. v. a. διαβιόω, leben, sein Leben zubringen; auch verst. χρόνον, seine Zeit zubringen und s. v. a. διαγίγνομαι.

Διαγωγή, ἡ, (διάγω) hinüber, über- oder durchführen, übersetzen, überbringen; daher Leitung, Regierung, als διαγωγὴ τῶν πραγμάτων; 2) verst. βίον, Leben, Lebensart; Leben mit jemandem oder Umgang, Belustigung, Hinbringung des Lebens, Aufenthaltsort; 3) verst. χρόνου, Zeitvertreib, Polyb. 5, 75 u. 3, 57, 9. —γώγιον, τὸ, Zoll für die Durchfahrt. Polyb. 4, 52. —γωνιάω, ῶ, f. άσω, sehr beängstigt, in grosser Furcht seyn, auch mit dem acc. Polyb. 3, 102. fürchten. —γωνίζομαι, f. ίσομαι, τινί, mit jemandem kämpfen, in jeder Kampfart sich üben, sich heftig anstrengen. —γώνιος, ὁ, ἡ, (γωνία) von einer Ecke, einem Winkel zum andern, diagonal. —γωνοθετέω, zwey Partheyen in Streit gegen einander bringen. Polyb. 26, 7.

Διαδάζομαι, f. άσομαι, vertheilen, zertheilen. —δάκνω, zerbeissen. τῷ κερβέρῳ διαδάκνεσθαι bey Plutarch. sich mit dem Cerberus herumbeissen. —δακρύω, beweinen. —δάπτω, f. ψω, zerreissen, zerfleischen. —δατέομαι, οῦμαι, s. v. a. διαδάζομαι. —δείκνυμι, f. δείξω, dadurchsehn, oder durchscheinen lassen, wie διαφαίνω. —δέκτωρ, ὁ, der durch Erbschaft empfängt, oder empfangen wird. —δέξιος, ὁ, ἡ, sehr geschickt, oder von glücklicher Vorbedeutung. Herodot. 7, 180. διαδεξίον ποιεύμενοι τὸν εἶλον τ. ἐ. πρῶτον, d. i. οἰωνὸν δεξιὸν ποιεύμ. *laetum omen captantes*. —δεξις, εως, ἡ, (διαδέχομαι) die Folge auf einander, Nachfolge, Succession, s. v. a. διαδοχή. —δέρκω, f. ξω, und διαδέρκομαι, durchblicken, durchschauen. —δεσμος, ὁ, (δέω) ein Band, das durchgeht. διαδέσμους ἐς ἀλλήλους ἔχουσα, Hippocr. nat. puer. 2 mit Bändern, die in einander gehn; davon —δεσμέω, ῶ, f. ώσω, durchweg binden, festbinden. —δετος, ὁ, ἡ, durchweg gebunden. —δέχομαι, f. ξομαι, an- auf- übernehmen; 2) sich unter einander aufnehmen, auf einander folgen, wie *excipio*. τῷ ἡμερινῷ ἀγγέλῳ τὸν νυκτερινὸν διαδέχεσθαι, Cyropaed. 8, 6, 15. ablösen. —δέω, ῶ, ich umbinde. διαδεδέσθαι μίτρᾳ τὴν κεφαλήν. Diodor. 4, 4 eine Mitra um den Kopf gebunden haben; daher διάδημα; 2) verbinden, anbinden, festbinden. —δηλέομαι, Odyss. 14, 37 ὀλίγου σε κύνες διαδηλήσαντο, bald hätten dich die Hunde von allen Seiten angefallen und dich beschädiget. —δηλος, ὁ, ἡ, ganz deutlich, offenbar. —δηλόω, ῶ, ganz deutlich, offenbar machen, zeigen. —δημα, ατος, τὸ, (διαδέω) Binde, Band; ganz besonders das blauweisse Band (Curt. 3, 3. 19.) um die königliche *tiara*. Xenoph. Cyr. 8, 3. 13; mithin s. v. a. **Krone**, als königliches Insigne; davon —δηματίζομαι, f. ίσομαι, mit dem Diadem umgeben, einem das Diadem umbinden; umbinden, umzingeln, einschliessen, die zweyte Bedeutung zw. —δηματοφόρος, ὁ, ἡ, ein Diadem tragender, ein gekrönter, König. —διδάσκω, f. ξω, durchaus lehren. —διδράσκω, f. άσω, entlaufen, entfliehen, überlaufen. —δίδωμι, f. ώσω, von Hand zu Hand geben; daher vertheilen, mittheilen, auch vom Unterricht; den Saamen (σπέρμα) eine Rede (λόγον) ein Gerücht vertheilen, d. i. ausstreuen, aussprengen, ausbreiten; ἡ κοιλία διαδίδωσι σκληρά, Hippocr. Coac. c. 17 giebt durch den After od. Stuhlgang harten Unrath von sich. —δικάζω, f. άσω, ich bin in einem Prozesse Richter, ich richte, entscheide, med. διαδικάζομαι τινὶ oder πρός τινα, mit jemandem einen Prozess anfangen, haben, führen, mit Jemandem streiten über eine Sache. —δικαιόω, ῶ, f. ώσω, etwas als Recht vertheidigen und durchfechten; τὰ τινός, oder ὑπέρ τινος eines Sache, Dio Cass. —δικασία, ἡ, der Streit, Zwist, Hader, Prozess zwischen zwey Partheyen, vom medio διαδικάζομαι; auch vom streiten, disputiren im Stimmen, Dionys. Antiq. 11, 21. entscheidendes Urtheil, Urtheilsspruch, z. B. ἀναβάλλεσθαι τὴν δ. seinen Ausspruch aufschieben, vom activo διαδικάζω. —δίκασμα, ατος, τὸ, (διαδικάζω) die streitige, im Prozesse begriffene Sache, Lysias p. 597. —δικασμός, ὁ, der Prozess über eine streitige Sache. —δικέω, ῶ, (δίκη) streiten, einen Process haben; 2) bey Dio Cass. 58, 16. so viel als ἀδικέω. —δικος, ὁ, ein Process führender. Pandect. —διπλοος, ὁ, ἡ, (διπλόος) Diosur. 3, 105 ἀσπιδίσκια διαδίπλα, doppelt zusammengefügte kleine Schilder. —δοιδυκίζω, s. in δοιδυξ. —δοκιμάζω, f. άσω, nach angestellter Prüfung oder Probe unterscheiden, entscheiden. —δοκιμαστικός, ή, όν, zum erproben, unterscheiden und entscheiden gehörig oder geschickt. —δοκίς, ίδος, ἡ, (δόκος) Querbalken. —δονέω, ῶ, (δονέω) durch oder aus einander werfen. —δοξάζω, s. v. a. δοξάζω Plato Phileb. c. 23. —δορατίζομαι f. ίσομαι, (δόρυ) mit einem oder gegen einen mit dem Spiesse fechten, wie διακοντίζομαι.

Διαδόσιμος, ὁ, ἡ, (διαδίδωμι) was von Hand zu Hand geht oder gegeben wird, was überliefert oder fortgepflanzt wird. —δοσις, εως, ἡ, (διαδίδωμι) Vertheilung, Austheilung; Ueberlieferung, Tradition. —δοχή, ἡ, (διαδέχομαι) die Folge, Nachfolge, z. B. ablösende Schildwache, Erbschaft oder Erbe, und daher auch Kinder, Nachkommen. —δοχος, ὁ, ἡ, Nachfolger, der meine Stelle übernimmt, Ablöser, Stellvertreter. διάδοχα (ἔργα) pass. Arbeiten, die wechselsweise gethan werden. —δραίνω, wovon διαδράναι, s. v. a. διαδιδράσκω. —δραματίζω, f. ίσω, (δρᾶμα) ein Stück durchspielen, endigen, Antonin. 3, 8. ein Stück verfertigen, vollenden. —δρασιπολῖται, (διαδιδράσκω) Aristoph. Ran. 1014. von Bürgern, die sich den Pflichten und Lasten der Bürger zu entziehen und durchzuschlupfen suchen, Phrynichi Appar. p. 466. —δρασις, εως, ἡ, (δράσκω) das Entlaufen, Ueberlaufen. —δράσσομαι, f. ξομαι, (δράσσω) ἀλλήλων, Polyb. 1, 58. einander greifen, fassen. —δράω und διάδρημι, s. v. a. διαδιδράσκω. —δρηστεύω, bey Herodot 4, 79 διετρήστευσε τῶν τις Βορυσθενειτέων, wo gewöhnl. διεπρήστευσε steht: lief über; von δρήστης bey Hesych. δραπέτης, *fugitivus* ein Ueberläufer, fliehender Sklave. —δρομέω, ῶ, s. v. a. διατρέχω. —δρομή, ἡ, das durchlaufen, das hin- und herlaufen. —δρομος, ὁ, der Durchgang. —δρυφής, έος, ὁ, ἡ, Nic. Ther. 709 s. v. a. διατριβής v. δρύπτω. —δύνω, oder διαδύω, διαδύομαι, διάδυμι, mitten durch etwas hindurchgehen, hindurchkommen, mithin entkommen, entwischen, sich verstecken, Ausflüchte brauchen, Winkelzüge machen. S. διάδυσις. —δυσις, εως, ἡ, das Durchkommen, Entkommen; das Vermeiden, z. B. einer Schlacht; Ausflucht, Winkelzüge. Demosth. verbindet διαδύσεις καὶ κακουργίας p. 730. so wie ἀδικημάτων διαδύσεις p. 744. —δύω, f. ύσω, s. v. a. διαδύνω.

Διάδω, f. διάσω, misstönen, s. v. a. ἀπάδω, so steht διᾷδον beym Aristot. dem συνᾷδον, wie διαφερόμενον dem συμφερόμενον entgegen.

Διαδωρέομαι, οῦμαι, (δῶρον) schenkend vertheilen.

Διαείδω s. v. a. διείδω, ich durchsehe, erkenne deutlich, versuche, prüfe. ἣν ἀρετὴν διαείσεται Il. 8, 535. ἔνθα μάλιστ' ἀρετὴ διαείδεται Il. 5, 277. S. διειδέναι.

Διαείδω s. v. a. διᾴδω. Theocr. 5, 22 τοι διαείσομαι, ich will mit dir um die Wette singen. —έριος, ὁ, ἡ, in der Luft, durch die Luft. —ερόω, ῶ, f. ώσω, der Luft aussetzen, Plutarch. Q. Symp. 6, 7. wo falsch διεωρωμένου πολλάκις ἐξανθεῖ καὶ ἀποπνεῖ steht st. διηερωμένου.

Διαζάω, ῶ, f. ήσω, durchleben, sein ganzes Leben zubringen; mit u. ohne τὸν βίον. —ζευγμός, ὁ, (ζεύγω) das Trennen, die Trennung. Polyb. 10, 7. —ζεύγνυμι u. διαζευγνύω, f. εύξω, auseinander spannen, trennen, auch von der Ehe; davon —ζευκτικός, ή, όν, zum trennen gehörig od. geschickt. —ζευξις, εως, ἡ, s. v. a. διαζευγμός. —ζηλεύομαι, mit einem oder mit einander wetteifern. Hippocr. Praecept. c. 5. —ζηλοτυπέομαι, οῦμαι, eifersüchtig seyn, Polyb. τινὶ mit oder gegen einen andern eifersüchtig seyn. Athenae. 13 p. 588. —ζομαι, σθαι, die Fäden auf dem Weberstuhle aufziehen, den Anfang eines Gewebes mit dem Aufzuge machen, indem man die Fäden kreuzt und so das Gewebe anlegt. Die Fäden des Aufzuges werden an die ἀρκάνη befestigt; davon διασμα. sonst στῆσαι τὸν στήμονα, auch προφορεῖσθαι. Suidas in ἄσμα leitet es von ἅπτεσθαι für διάζεσθαι und ἄσμα für διασμα her. —ζυγία, ἡ, s. v. a. διάζευξις. —ζύγιον, τὸ, das Trennen der Ehe, Ehescheidung; zweif. —ζωγραφέω, ῶ, ausmalen. —ζωμα und διάζωσμα, τὸ, die Gegend des Leibes über den Hüften, wo man sich gürtet; 2) φρενῶν διάζωσμα, hiess das Zwergfell *diaphragma*, welches Herz und Lunge von den andern Eingeweiden trennt. Beyde Bedeutungen sind gewissermassen einerley; denn der Theil, wo man sich gürtet, wird dadurch schmaler, enger und dadurch gleichsam von den andern getheilt; daher εἰς βραχὺ διάζωμα τῆς νήσου σφιγγομένης, wird in einen schmalen Strich Landes zusammengeschnürt, Plutarch. Weil der Gürtel gleichsam die Lenden stärkt, so verbindet Plutarch ὑπέρεισμα καὶ διάζωσμα τῆς τροφῆς; 3) bey Vitruv. 5, 17. ein Theil des Theaters, bey Athenäus 5 p. 205. ein Theil der Säule, der Fries; vergl. Plutarch Pericl. Bey Thucyd. ein Schaamgürtel. —ζωμεύω, (ζωμός) gut kochen und in Brühe auflösen, Hippocr. intern. affect. 1 c. 9 wo die Handschr. ἐκδιαζ. und ἐκζωμ. haben. —ζώννυμι, f. ζώσω, und διαζωννύω, ich umgürte. διαζώννυμαι, ich umgürte mich; daher ich rüste mich, m. d. Akk. διαζώννυσθαι τριβώνιον, ἀκινάκην, sich den Mantel, den Säbel umgürten; 2) ich trenne durchs Gürten, sondere ab. S. διάζωμα; 3) ich bessere aus σκάφη. S. ὑποζώννυμι.

Διάημι, f. ήσω, durchwehen, durchblasen.

Διαθαλασσεύω, f. εύσω, durch ein Meer trennen. Alciphr. 2 Ep. 3. — θάλπω, f. ψω, durchwärmen, ganz erwärmen. — θάπτω, wird aus Liban. 1 p. 125 angeführt. — θαύμαστος, η, ον, das verftärkte θαυμαστὸς; zweif. — θεάομαι, ῶμαι, f. άσομαι, durchfchauen, durchaus betrachten. — θειόω, ῶ, f. ώσω, (θεῖον) durchfchwefeln. — θερμαίνω, f. ανῶ, durchwärmen, erwärmen; von der ungewöhnl. Form διαθερμάζω kommt — θερμασία, ἡ, das Durchwärmen; die Erwärmung. — θερμος, ὁ, ἡ, durchwärmt, fehr warm. — θερμάω, ῶ, f. v. a. διαθερμαίνω; zweif. — θεσις, εως, ἡ, (διατίθημι) das Auseinanderftellen, Ordnen, Anordnen, *difpofitio*, z. B. durchs Teftament; daher 2) Vertheilung; Verkaufen; in fo fern es aber aus dem paff. gebildet ift, heifst es der Zuftand, Lage, Stimmung der Seele, Charakter, Neigung, Gefinnung, Zuftand einer Sache, Befchaffenheit, Zufall, Krankheit, περὶ τὴν ἕδραν δ. Artemidor 5 p. 268. διαθέσεις find auch *argumenta*, Süjet eines Gedichtes vorzügl. eines Gemäldes Athenae. 5 c. 6. daher διαθέσεις μουσικαὶ Plutarch. leg. poet. daher f. v. a. *amplificatio*, Vergröfserung durch fichtbare Darftellung. Polyb. 2, 61. 10, 7. 34. 4. not. Plutarch. Q. S. 7, 6.

Διαθεσμοθετέω, ῶ, (θεσμοθέτης) πάντα διαθ. alles durch Gefetze beftimmen u. anordnen. Plutarch. 8 p. 266. — θετήρ, ῆρος, ὁ, und διαθέτης, ου, ὁ, (διατίθημι) der etwas ordnet, auseinander ftellt, anordnet, in Ordnung bringt, auch überh. f. v. a. διοικητής. — θετικός, ή, όν, gefchickt zum ordnen, anordnen, ftellen; od. einen in die Lage, Gefinnung od. Stimmung zu verfetzen. — θέω, f. εύσομαι, durchlaufen, durchgehen (in einer Rede); hin und her laufen, herum laufen; mit jemandem in die Wette laufen; διαθέων πρὸς Ἀλέξανδρον Plutarch. — θήκη, ἡ, Vertrag, Bündnifs, Teftament. ἢν μὴ διαθῶνται γ' οἵδε διαθήκην ἐμοὶ Ariftoph. Av. 439 wenn fie nicht mit mir einen Vergleich, Vertrag machen; v. διατίθημι. — θηλύνω, f. υνῶ, ganz weibifch machen, *effemino*. — θηράω, ῶ, ausfpüren und jagen. — θηριόω, ῶ, f. ώσω, ganz wild machen, fehr erzürnen, wie ἐξαγριαίνω und *effero*. — θλάω, f. άσω, f. v. a. θλάω, mit der Bedeut. durch, oder der geendigten Handlung, wie die folgenden Worte mit διὰ alle. — θλέω, ῶ, durchkämpfen, πρὸς τινὰ gegen einen kämpfen, auch τινὶ δ. Aelian. v. h. 3, 6. — θλίβω, f. ψω, durchdrücken. — θολόω, ῶ, f. ώσω, durchaus trüben. — θορυβέω, ῶ, unruhig od. verwirrt machen; auch f. v. a. θορυβέω. — θραύω, f. αύσω, zerbrechen. — θρέω, ῶ, ich durchfchaue und kenne. Ariftoph. Equ. 543. v. ἀθρέω. — θροέω, ῶ, ausfprengen und unter die Leute bringen. Xen. Hellen. 1, 6, 4. Thucyd. 6, 46. 8, 91 f. v. a. διαπαβέω in Nicetae Annal. — θρυλλέω, ῶ, durch das Gerücht verbreiten; ἀπορῶ μέντοι; διατεθρυλλημένος τὰ ὦτα ἀκούων Θρασυμάχου. Plato Resp. 2 p. 208 da ich die Ohren noch fo voll habe. Suidas erklärt es d. κατατηδολεσχημένος, man kann *obtundere alicui aures* oft u. viel v. derfelben Sache reden, vergleichen. — θρύπτω, f. ψω, zerbrechen, zerftofsen, und wie *frangere* entkräften; auch διαθρύπτεσθαι τινὶ, Theocr. 6, 15 mit einem im fpröde thun wetteifern. Bey Theocr. 15, 99 ἤδη διαθρύπτεται, von der Sängerin, die durch ihre Gebärden anzeigt, dafs fie zu fingen anfangen will; fich zieren und allerley Gebärden machen. — θρυψις, εως, ἡ, (θρύπτω) das zerbrechen, zerftofsen; entkräften, das weichlich machen, werden od. feyn; Weichlichkeit, Zärtlichkeit, Schwelgerey. — θυρον, τὸ, ein Riegel durch die Thüre; zweif.

Διαΐγδην, Adv. (διαΐσσω) ftürmifch durchbrechend.

Διαιθριάζω, f. άσω, ἐδόκει διαιθριάζειν Xen. Anab. 4. 4, 10 es fchien fich aufzuheitern, wie ἀπαιθριάζω. — θρος, ὁ, ἡ, (αἴθρα) heiter, hell. S. δίεδρος. — θρόω, aufheitern, aufhellen. S. ἐπαχλύω. — θύσσω, f. v. a. αἰθύσσω, mit dem Zufatze von durch. Pind. Olymp. 7, 175. durchftreichen, einherftreichen.

Διαιμος, ὁ, ἡ, (αἷμα) blutig. Erotian. zweif.

Διαίνω, f. ανῶ, benetzen, befeuchten, bewäffern. δίαινε πῆμα Aefchyl. Perf. 1032, benetze mit Thränen, beweine, wie v. 1040 διαίνομαι γοεδνὸς ich weine; von δίω, davon διερὸς, und δίω, davon δεύω. Unter den Alten leiteten es einige von αἴνω ab. Hefych. hat αἴνων πτίσσων. Ein anderer Grammat. fagt αἰνεῖν τὸ ἀναβράττειν τὸν ἀλληλεσμένον σῖτον ὅ ἐστιν ἀναδεύειν καὶ ἀνακινεῖν τὰς κριθὰς ὕδατι φυρῶν. Hefych. αἰνεῖν ἀνακαθαίρειν ἀναπαύειν, οἱ δὲ ἀναπλεῖν κριθὰς βεβρεγμένας; derfelbe ἄναντα — τὰ μὴ βεβρεγμένα. Σοφοκλῆς τὰ μὴ κεκαλλημένα παρὰ τὸ αἰνεῖν ὅ ἐστι καταχέοντα πτίσσειν, wo man κεκομμένα verbeffert u. dahin zieht: ἦνας, κόψας u. ἀήνηνα, ἄκοψα, ἀψῆναι, τὸ τὰς πτισμένας κριθὰς ταῖς χερσὶ τρῖψαι; auch Galeni Gloff. hat ἦναι κόψαι καὶ ἦνίας τῶν κεκομμένων. Man hat auch noch hieher πτισάνη gezogen und von πτίσσω, ἄνω falfch abgeleitet. In allen diefen Stellen fcheint die Bedeutung nicht πτίσσειν, enthülſen, ſondern anfeuchten und kneten zu ſeyn; wie in διαίνω u. δεύω.

Διαιολάω, bey Heſych. ſ. v. a. ποικίλλω und ἐξαπατάω. —ρεσις, εως, ἡ, Theilung, Trennung, Eintheilung, Unterſcheidung, Beſtimmung, Unterſchied; daher auch theils Vertheilung, theils Zerſtörung. —ρέτης, ου, ὁ, der theilt, trennt, vertheilt, eintheilt, unterſcheidet. —ρετικὸς, ἡ, ὸν, zum theilen, trennen, eintheilen, austheilen, unterſcheiden gehörig od. geſchickt. —ρετικῶς, Adv. auf eine zum Vertheilen bequeme Art; theilweiſe. —ρετος, η, ον, getheilt, theilbar; getrennt, trennbar; unterſchieden, zu unterſcheiden. —ρέω, ῶ, und διαιρέομαι, (διὰ αἱρέω) von einander nehmen; daher theilen, ſpalten; vertheilen, eintheilen; aus einander ſetzen oder erklären, unterſcheiden, beſtimmen, als χρόνος ὁ ἐν τοῖς νόμοις διῃρημένος, die in den Geſetzen beſtimmte Zeit; οἱ τὰ δίκαια διαιροῦντες Dionyſ. Antiq. 10, 1. die das Recht erklären und ſprechen; τὸ σημεῖον διαιρεῖσθαι 9, 6. τέρας, 4, 60 deuten, erklären; τοὺς σταυροὺς διαιρεῖν, die Palliſaden ausreiſſen. Xen. Anab. 5, 2, 21. med διελέσθαι, unter ſich vertheilen. Für ſagen, erzählen, beſtimmt angeben διαιρέομαι. Herodot. 7, 47. 50 und 103.

Διαίρω, f. αρῶ, (αἴρω) ich erhebe, erhöhe; διαίρομαι ich erhebe mich. βακτηρίαν διαράμενος ſ. v. a. διάρας hob den Stock auf, Plutarch. Lyſ. τὸ στόμα διᾶραι, den Mund öfnen; τὴν θάλασσαν τὸν πόρον. δ. über das Meer oder die Meerenge ſetzen, Polyb. εἰς Συρίαν und dergl. nach Syrien übergehn, wie auch αἴρω für aufbrechen, fortgehn gebraucht wird.

Διαισθάνομαι, f. σθήσομαι, deutlich empfinden, und durch die Empfindung unterſcheiden, mit dem acc.

Διαίσσω, f. ίξω. S. διάττω. —ϊστόω, ῶ, f. ώσω, das verſtärkte ἀϊστόω, ganz vertilgen.

Διαισχύνομαι, f. οῦμαι, das verſtärkte αἰσχύνομαι.

Δίαιτα, ἡ, Leben, Lebensart im vierfachen Sinne, worin wir dies Wort gebrauchen; 1) Lebensart im bürgerlichen Sinne (ſo *vita ruſtica*); 2) *vitae inſtitutum*, *ratio*, Lebensart im moraliſchen Sinne, wo wir auch bloſs Leben ſagen; 3) im häuslichen Sinne, *cultus victusque*, als δ. μετρία, εὐτελὴς; 4) im mediciniſchen Sinne. Auch der Ort, Haus, Stube, worin man lebt, Aufenthalt, Wohnung. Von no. 4 iſt nach H. Steph. Vermuthung der Uebergang zu der 5) Schiedsrichteramt und Beylegung einer Streitigkeit durch den διαιτητής.

Διαιτάω, ῶ, f. ήσω, ich erhalte oder ernähre; vom Arzte, ich laſſe gewiſſe Speiſen eſſen, ſchreibe Speiſen und Lebensart vor; 2) ich bin Schiedsrichter, *arbiter*, u. entſcheide als dergleichen eine Streitigkeit; med. διαιτάομαι, ich eſſe, trinke, wohne, führe eine Lebensart, z. B. μετρίως, ἐν πόλει δ. mäſsig leben, in der Stadt ſich aufhalten. —τημα, ατος, τὸ, (διαιτάω) ſ. v. a. δίαιτα n. 1. 2. u. 3. auch Lebensunterhalt. —τήσιμος, ὁ, ἡ, (διαίτησις) vor den Schiedsrichter gehörig oder von ihm entſchieden. —τητήριον, τὸ, Wohnort, Wohnſtube. Xenoph. Oec. 9, 4. von διαιτητήριος das neutr. von διαιτητὴρ, ſ. v. a. das folgend. —τητὴς, οῦ, ὁ, Schiedsrichter. —τητικὸς, κὴ, κὸν, zum Amt oder Spruch eines διαιτητὴς Schiedsrichters oder zur Lebensart oder zur Vorſchrift der Lebensart (διαίτησις) gehörig oder geſchickt; daher διαιτητικὴ, verſt. τέχνη, die Diätetik, Wiſſenſchaft, welche das Verhalten im Eſſen, Trinken, Kleidung, Wohnung, u. ſ. w. beurtheilt und vorſchreibt.

Διαιωνίζω, f. ίσω, immer fortdauern. —ώνιος, ὁ, ἡ, fortdauernd, immerwährend.

Διακαὴς, έος, ὁ, ἡ, (διακαίω) ganz heiſs oder brennend heiſs. —καθαίρω, f. αρῶ, oder διακαθαρίζω, durch und durch oder ganz reinigen, in allen Bedeut. von καθαίρω; davon —κάθαρσις, εως, ἡ, gänzliche, völlige Reinigung. —καθέζομαι, f. 2. εδοῦμαι, ich ſitze abgeſondert, od. an meinem Platze beſonders; wie das folgend. —καθίζω, f. ίσω, ich laſſe einen abgeſondert ſitzen, auch ich laſſe mehrere, einen jeden an ſeiner Stelle ſich ſetzen, Xen. Oec. 6, 6. wie das vorherg. —καίω, f. αύσω, durchbrennen, anbrennen; anfeuern, überh. in heftige Leidenſchaft ſetzen oder bringen. —καλλωπίζω, ſehr oder durchaus ſchmücken. —καλοκαγαθίζομαι, ich ſtreite mit andern um den Vorzug in der Rechtſchaffenheit. Stobaeus Serm. 32. von καλοκαγαθὸς. —καλύπτω, f. ψω, ſ. v. a. ἀνακαλύπτω. Dionyſ. Antiq. 5, 54. zweif. —κάμπτω, f. ψω, einbiegen, krümmen. —κάμψις, εως, ἡ, das Einbiegen, Krümmung. —κανάξαι, ſ. κανάζω. —κάρδιος, ὁ, ἡ, (καρδία) was durchs Herz geht, ὀδύνη Joſeph. Ant. 19, 8. —καρπέω, ῶ, von Bäumen und Pflanzen, die nach dem erſten und rechten Tragen im ſpäten und gelinden Herbſte noch einmal Früchte tragen; welches man durchſchieſsen nennt. Theophr. C. Pl. 1, 15.

Διακαρπόομαι, οῦμαι, die Früchte abnehmen. zw. —**καρτερέω**, ῶ, ausdauern, aushalten; auch m. d. partic. wie καρτ. Xen. Hellen. 7, 4, 8. —**καταβάλλω**, f. v. a. διαβάλλω. zw. —**καταδαρθέω**, f. v. a. καταδαρθάνω. Plutarch. 8 p. 739. wo die Basler Ausg. richtiger ἐπικαταδαρθέω hat. —**κατάσχεσις**, ἡ, f. v. a. διακατοχὴ. —**καταχράομαι**, ermorden. Dio C. 61, 14 wo aber die Handfchr. das gewöhnlichere διαχρῶμαι haben. —**κατελέγχω**, immer mehr und mehr überführen. zw. —**κατέχω**, f. θέξω, aufhalten, zurückhalten, festhalten, behalten, besitzen, erhalten. —**κατοχὴ**, ἡ, das Aufhalten, Zurückhalten, Festhalten, Besitz. —**κάτοχος**, ὁ, ἡ, der etwas auf- zurückhält od. behält; der etwas besitzt. —**καυλίζω**, f. ίσω, *decaulefcere*, in den Stengel fchiefsen, wie Kohl. —**καυμα**, ατος, τὸ, (διακαίω) brennende Hitze. —**καυνιάζω**, ich streite im Loofen mit jemand, Aristoph. Pac. 1081. v. καῖνος, Loos. —**καυσις**, εως, ἡ, das Durchbrennen; durchdringende Hitze. —**κειμαι**, f. κείσομαι, ich bin in einer Lage entweder in Ansehung des Körpers oder der Seele oder des Glücks, der Zeit oder anderer äufserer Umstände; alfo ich bin befchaffen, gefinnt, gestimmt, f. v. a. διατίθεμαι; 2) von verabredeten Sachen; daher ἐπὶ διακειμένοισι Herodot. 9, 26 auf gewisse Bedingungen. ὡς γάρ οἱ διέκειτο, fo hatte er es verabredet. Hefiod. Scut. 20 νέμῳ ὡς διάκειται, wie es durch Gefetze bestimmt ist.

Διακείρω, f. ερῶ, p. αρκα, zerfchneiden, trennen; Il. 8. διακέρσαι ἔπος wie μάχης μήδεα ἐπικείρειν bey Homer, welches Hefych. d. ἐπικόπτειν, vernichten, vereiteln, vergeblich machen, erklärt. τὰ σκευάρια διακεκαρμένος Aristoph. Vefp. 1313. der feine Kleidung oder Rüstung verloren oder verkauft hat. —**κεκριμένως**, Adv. befonders; deutlich. —**κελεύομαι**, f. εύσομαι, m. d. Dat. zureden; empfehlen; einen Rath geben, Vorfchlag thun. διακελευσαμένη δὲ γυνὴ γυναικὶ Herodot. 9, 5. fie ermunterten einander gegenfeitig, ein Weib das andre. —**κέλευσμα**, τὸ, der Rath, Befehl, Ermunterung. —**κελευσμὸς**, ὁ, das Zureden, Ermuntern. —**κενῆς**, Adv. verst. πράξεως, vergebens, vergeblich, ohne Nutzen, ohne was auszurichten. —**κενος**, ὁ, ἡ, ganz leer, nichtig, überflüffig; umfonst, vergeblich. —**κενόω**, ῶ, f. ώσω, ganz ausleeren. —**κεντέω**, ῶ, durchstechen, durchbohren; anstechen, anheften; stechen; dav. —**κέντησις**, εως, ἡ, das Durchbohren, Niederstechen. —**κένωσις**, εως, ἡ, das Ausleeren, Leermachen. —**κέομαι**, das verstärkte ἀκέομαι Themistius or. 11 p. 150. —**κεράννυμι**, f. ράσω und διακεραννύω, durcheinander mifchen. —**κερματίζω**, in kleines Geld verwandeln, auswechfeln. Aristoph. Vefp. 821. S. κέρμα. —**κερτομέω**, ῶ, verfpotten, durchziehen. Dio C. 43, 20. —**κεχυμένως**, Adv. überflüffig; von διαχύω. —**κεχωρισμένως**, Adv. getrennt, befonders. —**κηπεύω**, verpflanzen. Nicetae Annal. 4, 3. —**κηρυκεύομαι**, f. εύσομαι, (κήρυξ) einen Herold abfchicken und durch ihn mit dem Feinde unterhandeln wegen Frieden oder eines einzugehenden Bundes, τινὶ oder πρὸς τινὰ. —**κιγκλίζω**, f. ίσω, ich bewege; erfchüttere. S. κιγκλίζω; 2) ich trenne durch einen Einfchlufs, κιγκλὶς. —**κινδυνεύω**, f. εύσω, eine Gefahr bestehen, vorz. ein Treffen wagen. ψιλαῖς ταῖς κεφαλαῖς ἐν τῷ πολέμῳ διακινδυνεύειν Xen. Anab. 1, 8, 6. im Treffen fechten. —**κινέω**, ῶ, heftig bewegen, erfchüttern, antreiben; durch Bewegung in Unordnung bringen. —**κινησία**, ἡ, Alexand. Trall. 9 p. 550 foll nach der Handfchr. ἀκινησία heifsen. —**κιρνάω**, f. v. a. διακεράννυμι. —**κλαυστικὸς**, ἡ, ὸν, (διακλαίω) weinerlich. zw. —**κλάω**, ῶ, f. άσω, zerknicken, zerbrechen; klein machen. —**κλεισις**, εως, ἡ, das Abfchneiden durch Verfchliefsung der Thüre oder des Wegs; von —**κλείω**, f. είσω, d. lat. *difcludo*, durch abfchliefsen oder verfchliefsen trennen, abfchneiden; τῆς ἐπανόδου τινὰ, einem den Rückzug, Rückkehr abfchneiden od. verfperren. —**κλέπτω**, f. ψω, durchstehlen, weg- oder fortstehlen, heimlich durch- oder wegbringen. —**κληδονίζομαι**, f. ίσομαι, f. v. a. κληδονίζομαι; zw. —**κληρόω**, ῶ, f. ώσω, verloofen, durchs Loos vertheilen, loofen laffen; daher med. loofen; durchs Loos bekommen, erhalten. —**κλήρωσις**, εως, ἡ, Verloofung, Wahl durchs Loos. —**κλίνω**, ausweichen, vermeiden. Plutarch. Alex. 54. —**κλονέω**, ῶ, stark fchütteln, erfchüttern, verwirren. —**κλύζω**, f. ύσω, abfpülen, ausfpülen, abwafchen; davon —**κλυσμα**, ατος, τὸ, (διακλύζω) das Waffer od. andre Feuchtigkeit, womit etwas ab- oder ausgefpült worden ist od. ausgefpült wird. —**κλυσμὸς**, ὁ, das Abfpülen, Ausfpülen. —**κναίω**, f. αίσω, eigentl. einen weichen Körper, z. B. Käfe, zerfchneiden, zerhacken, zerfchaben, zerreiben; metaph. vermindern, erfchöpfen, ermüden, ängstigen; vernichten; daher διακναίεσθαι τῇ ψυχῇ πρὸ τοῦ σώματος, eigentl. eher im Geiste, als am Körper getödtet werden, Dio C. 47, 4. Eben ſo iſt διακναισθήσεται Synon. mit ἀπόλλυσθαι bey Ariſtoph. τὸ χρῶμα διακεκναισμένος, Nub. 120. mit ſo verderbter Farbe, ſo blaſs; πόθος μ' ἔχει διακναίσας, Ran. 1228. das Verlangen verzehrt mich, ich habe ein heftiges Verlangen; Pac. 251. ſpielt Ariſtoph. zugleich auf die Bedeutung an, wo es den Käſe zerreiben heiſst.

Διακνίζω, f. ίσω, zerrupfen, zerkratzen, zerſchneiden; mit συκοφαντέω verbunden bey Dionyſ. Halic. durchziehn, rodere. —κοιλος, ὁ, ἡ, ιοιλ, ſ. v. a. κοῖλος. —κοινοποιέω, ῶ, ſ. v. a. κοινοποιέω. zw. —κοιρανέω, (κοίρανος) als Herſcher durchgehn und ordnen. Il. 4, 230. —κολακεύω, διακολακεύομαι Iſocr. αἱ μέγισται τῶν πόλεων οὐκ αἰσχύνονται διακολακευόμεναι πρὸς τὸν ἐκείνου πλοῦτον, mit einander um die Wette ſeinem Reichthume zu ſchmeicheln. —κολλάω, ῶ, f. ήσω, verleimen, anleimen, verbinden. διάδρομος λίθῳ Νομάδι διακεκολλημένος Luci. ausgelegt. —κολλητικὸς, ἡ, ὸν, gut zum anleimen, darzu gehörig. —κολυμβάω, ῶ, f. ήσω, durchſchwimmen, herüberſchwimmen. —κομιδὴ, ἡ, das durch- o. herüberführen od. tragen; das hinüberbringen. —κομίζω, f. ίσω, durch- hinuber oder herüberfahren, herüberſetzen; uberbringen. —κομιστὴς, οῦ, ὁ, der etwas durch- hindurch- hinüber oder herüberfährt, herüberſetzt; Ueberbringer. —κομπέω, ῶ, das verſtarkte κομπέω. —κονάω, ῶ, f. ήσω, ſ. v. a. ἀκονάω. —κονεῖον, τὸ, Ort oder Aufenthalt für den Diakonus. —κονέω, ῶ, (κόνις) eigentl. vom eiligen Boten, der im Staube lauft, laufen für jemand, ihn bedienen, überh. ihm aufwarten; auch mit dem Acc. einen Dienſt leiſten, ausrichten, verwalten. Die eigentl. Bedeutung zeigt Ariſtoph. Av. 1323. ὡς βλακικῶς διακονεῖς. οὐ θᾶττον ἐγκονήσεις; dav. —κόνημα, ατος, τὸ, Dienſt, Aufwartung, Bedienung; Dienſtleiſtung; 2) Gerathſchaft zur Bedienung.. διακονήματα κεραμέα καὶ χαλκᾶ Athenae. 6 p. 274. —κονητὴς, οῦ, ὁ, ſ. v. a. διάκονος. —κονία, , der Dienſt oder das Amt eines διάκονος; alſo Bedienung, Aufwartung; auch Hausgeräth, wie διακόνημα. —κονίζω, f. ίσω, ſ. v. a. διακονέω Pollux 8 ſ. 138 u. Lucian. zw. —κονικὸς, ἡ, ὸν, zum Dienſte, zur Bedienung gehörig oder geſchickt, bequem. Adv. διακονικῶς. —κόνιον, τὸ, Art eines Kuchens. Athenae. 14 p. 644. —κονὶς, ίδος, ἡ, bey Heſych. ein Ausdruck von einem ungleich oder nicht dicht gewebten Kleide oder Zeuge; metaph. ἄνθρωπος ὁ μὴ πυκνὸς, wie auch σπάθημα φρενῶν für πυκνότης φρ. Klugheit ſteht. Heſych. nennt dieſe Art zu weben κονίζειν. Damit ſtimmt ἀδιακόνιστος nach ihm ſ. v. a. ἀναίσθητος ἄτρωτος; wenn man aber bey Aelian. v. h. 13' 15 δέρμα ἀδιακόνιστον vergleicht, ſo ſieht man, daſs es eigentl. ein dichtes Fell bedeutet, alſo πυκνὸς, denſus. Wahrſcheinlich ſoll es διακονιστὸς heiſsen. —κονίω, f. ίσω, (κόνις) beſtauben, mit Staub (auch mit Pech, κονία) beſtreichen; med. ſich mit Staub beſtreichen, nach Art der Athleten ſich zum Kampfe rüſten. —κονος, ὁ, ἡ, Diener, Bediente, Bote, Geſandte. S. διακονέω. —κοντίζω, mit dem Wurfſpieſse durchbohren; med. διακοντίζομαι auch mit dem Dat. mit dem Wurfſpieſse wider od. mit einander ſtreiten; Joſeph. B. J. 4, 3. 12. in die Wette werfen m. d. W. Syneſ. p. 29. dav. bey Nicetas Annal. 10, 10 διακόντισις, ἡ, zu ſeyn ſcheint; es ſoll aber wohl διακέντησις, ἡ, heiſsen, weil es das Hineinſtoſsen mit Stangen, contus, bedeutet.

Διακοπὴ, ἡ, das zerſchneiden, trennen, die Trennung; Durchbrechung. —κόπτω, f. ψω, zerſchneiden; theilen, zertheilen, trennen; abhauen, durchbrechen; unterbrechen, verhindern, abſchneiden (von Bäumen, die man abhaut, Brücken, die man abbricht, Wänden, Mauern, die man durchbricht, niederreiſst u. ſ. w.) 2) Neutr. durchbrechen, ſich durchhauen. Cyrop. 3, 3, 66. —κόρευσις, εως, ἡ, die Entjungferung, Schändung eines Mädchens; desgl. —κορευτὴς, οῦ, ὁ, der Schänder eines Mädchens; v. —κορεύω, f. εύσω, u. διακορέω, (κόρη, das Mädchen) ich entjungfere, ſchände ein Mädchen. —κορὴς, έος, ὁ, ἡ, (κόρος) durchaus geſättiget, voll; überdrüſſig. —κόρησις, εως, ἡ, ſ. v. a. διακόρευσις. —κορίζω, f. ίσω, ſ. v. a. διακορεύω, wie διαπαρθενεύω. Heſych. hat auch διακορίζομαι für ſcharf, genau anſehen; aber im Etymol. M. u. Suid. ſteht richtiger διακοράζομαι u. διακουράζομαι von κόρη, der Augapfel. —κορκοριγέω, ῶ, mit Geräuſch durchfahren od. in Lärmen bringen. Ariſtoph. Nub. —κορος, ὁ, ἡ, ſ. v. a. διακορής. —κοσιάκις, zweyhundertmal; von —κόσιοι, ίαι, ια, οἱ, αἱ, τὰ, 200. bey Thucyd. findet ſich auch ἵππος διακοσία im ſingul. 200 Reuter. Wie τριήκοντα 30 macht τριακόσιοι, 300; ſo ſollte auch δυήκοντα, 20 gemacht werden, wofür aber εἴκοσι doriſch εἴκατι geſagt worden iſt. Der Lateiner hat hingegen viginti geſagt, wie triginta, τριήκοντα: denn vi iſt ſt. bi, alſo biginta wofür biginti gebräuchlich. In den Zahlwörtern bedeutet ακοντα (wofür in den Compoſ. immer ήκοντα gesetzt wird) das lat. *acinta* od. *aginta*, (in *triaginta*, *quinquaginta*) od. zehnmal die vorgesetzte Zahl: also auch *biginta* zweymal zehn oder zwanzig: hingegen bedeutet das angehängte ἀκόσιοι die vorgesetzte Zahl hundertmal, also δὶς ἀκόσιοι, τρὶς ἀκόσιοι, contr. διακ. τριακ. und nach derselben Form hat Aristophanes ψαμμακόσιοι gemacht. Wenn der Lateiner v. *triginta*, *quinquaginta* macht, *trigesimus quinquagesimus* oder *tricesʃ. quinquac.* so sagt der Grieche τριηκοστὸς, τετρηκοστὸς. Die Sylbe τα; *ta* bedeutet unser mal, als τριήκοντα, *triginta*, drey zehnmal, wie in ἑκατοντακεφάλας. Sonach bleibt ακον oder ακος für zehn übrig. Dasselbe Wort anders geendiget ακοσιος bedeutet zehnmal zehn also hundert, διακόσιοι τριακόσιοι u. s. w. u. davon. διακοσιοστὸς, τριακοσιοστὸς, der zwey- und dreyhundertste. Der Lateiner hat *ducenti*, *ducentesimus* gesagt, aber in andern *quadringenti*, *septingenti* und mehrere andre: so dass auch hier *c* u. *g.* verwechselt werden, und *centi genti* dasselbe ist, was im griechischen ἀκόσιοι und zu *ginta*, *acinta*, *acenta* sich verhält, wie ακοσιοι zu ακοντα. Das εἴκοσι, dor. εἴκατι, welches man statt des regelmässigen δυήκοντά gebraucht hat, scheint für εἰκόσιοι zu stehn, davon εἰκοστὸς st. εἰκοσιοστὸς, wie τριακοστὸς v. τριάκοντα, ganz unregelmässig gemacht worden ist. εἰκὰς, die Zahl zwanzig, ist wie τριακὰς gemacht.

Διακοσιοντάχους, ουν, zweyhundertfach; von χέος, χέω; wie ἑκατοντάχους; zw. —κοσιοστὸς, ή, όν, Zweyhundertster. —κοσμέω, ῶ, anordnen, in Ordnung bringen, stellen; zurechte machen; davon —κόσμησις, εως, ή, Anordnung, Stellung, Vertheilung; Verwaltung. —κοσμος, ό, gute Ordnung; s. v. a. d. vorherg. —κουράζομαι, f. άσομαι. S. διακορίζω. —κούω, f. ούσω, hören, anhören, aushören; m. d. G. —κοψις, εως, ή, s. v. a. διακοπή. —κραδαίνω, f. ανῶ, zerwerfen, auseinander durch Erschütterung werfen. —κράζω τινι Aristoph. Equ. 1403. mit einem um die Wette schreyen. —κρατέω, ῶ, festhalten; zurückhalten; erhalten. —κράτησις, εως, ή, das Festhalten; die Erhaltung. —κραυγή, ή, das Geschrey; zweif. —κρέκω, f. ξω, durch schlagen und schlagend spielen. S. κρέκω. —κρημνίζω, von einem Felsen herabstürzen; Joseph. B. J. 1, 2, 3. —κρηνόω, dor. διακρανόω, (κρήνη) ergiessen. Bey Theocr. 7, 154 διεκρανώσατε, wo andere es durch ἀνεώξατε von κάρα erklären, andere durch διεκεράσατε von κεραννύω st. κεραννύω. —κριβολογέομαι, οῦμαι, etwas zu genau nehmen, zu genau untersuchen. Dio Cass. 44, 32. —κριβόω, ῶ, fut. ώσω, genau, sorgfältig machen; sorgfältig erforschen; genau kennen. —κριδὸν, Adverb. (διακρίνω) getrennt, getheilt, Nicand. Ther. 955 abgesondert, unterschieden; mit Unterschied, bestimmt, deutlich; ausgenommen, vorzüglich. —κρίνω, f. ινῶ, trennen, absondern; unterscheiden; untersuchen; entscheiden; διακρίνεσθαι med. sich trennen, veruneinigen, in Streit gerathen oder den Streit durch den Kampf entscheiden; auch durch den richterlichen Ausspruch; Polyb. 18, 35. 22, 27. überh. kämpfen, fechten, streiten. —κρισις, εως, ή, Absonderung; Trennung; Streit, Zank. Arat. Phaen. 109. Unterscheidung, Beurtheilung; Entscheidung. —κριτικὸς, ή, όν, zum absondern, unterscheiden, entscheiden gehörig oder geschickt. —κροβολίζομαι, f. ίσομαι, mit d. Dat. mit jemand ἀκροβολίζεσθαι, streiten. Joseph. b. j. 4, 7, 1. S. ἀκροβ. davon —κροβολισμὸς, ό, das Streiten mit jemand; das Scharmützeln. Strabo 3 p. 414. —κροτέω, durchschlagen, durchbohren, durcharbeiten; Plato Cratyl. 33. auch in obscoenem Sinne, wie διαστοδέω und *pertundo*. Eur. Cycl. 179. —κρουσις, εως, ή, das Durchschlagen; Entfernung, Abwendung; 2) Aufhalt; Verzögerung, S. διακρούω. —κρουστικὸς, ή, όν, zum διακρούειν (in den versch. Bedeut.) od. zur διάκρουσις gehörig od. geschickt; Adv. διακρουστικῶς. —κρούω, f. ούσω, ich schlage durch, σφῆνα, einen Keil; 2) διακρούομαι ich halte, lehne, wende von mir ab; vermeide, entgehe. τὸν παρόντα, τὸν ἔμπροσθεν χρόνον, auch allein διακρούεσθαι, aufschieben, und durch Aufschub einer Sache auszuweichen, zu entgehen suchen. ὡς δ' ᾐσθόμην αὐτὸν διακρουόμενόν με, Demosth. 911 als ich merkte, dass er durch Zögerung mir entgehen wollte. 3) πρύμναν διακρούσασθαι s. v. a. ἀνακρούσασθαι, *inhibere remis.* 4) ἑαυτὸν διέκρουεν ἐν τοῖς πράγμασιν Plutarch. s. v. a. διέκοπτεν unterbrach; hinderte sich. M. d. Genit. bey Demosth. διακρουσθῆναι τῆς τιμωρίας, an der Bestrafung gehindert werden. Ueberh. heisst bey ihm διακρούεσθαι s. v. a. διαδύεσθαι.

Διακτενίζω, f. ίσω, ich durchkämme. —κτενισμὸς, ό, das Kämmen und Putzen der Haare. —κτορία, ή, Botschaft, Dienst des Boten; von —κτορος oder διάκτωρ, ορος, ό, (διάγω) Bote, der Botschaften oder Befehle überbringt.

Διακτυπέω, durchknallen, mit einem Knalle oder Getöſe durchfahren. —κυβερνάω, ῶ, f. ήσω, durchſteuern, lenken. —κυβεύω, f. εύσω, mit andern oder gegen andere Würfel ſpielen; aufs Spiel ſetzen, d. i. wagen. Plutarch. Diſcrim. wo die Gloſſe διακινδυνεύω hat. —κυκάω, ῶ, f. ήσω, durch einander miſchen oder rühren, vermiſchen; verwirren, in Unordnung bringen. —κυκλόω, ῶ, f. ώσω, ſ. v. a. κυκλόω; zweif. —κυλινδέω, ῶ, fort- hin und her- oder auseinander wälzen. —κυμαίνω, in Fluthen od. Wellen ſetzen; unruhig oder ſtürmiſch machen. —κυνοφθαλμίζομαι, f. ίσομαι, mit Hundsaugen, d. i. unverſchämt einander anſehen. Heſych. welcher auch κυνοφθαλμίζομαι allein hat. —κύπτω, f. ψω, durch eine Oefnung, Thüre, Fenſter heraus-hervorgucken. —κυρίττεσθαι, ſich unter einander ſtoſsen, wie Böcke, Stiere und dergl. Syneſ. Calv. 77 διακυρίττεται κριῷ, er wetteifert mit einem B. im Stoſsen. Vergl. Epiſt. 57. —κωδωνίζω, ſ. v. a. κωδωνίζω, welches ſiehe; 2) verbreiten, διαφημίζω nach dem Etymol. M. bey Strabo 2 p. 264. —κώλυμα, ατος, τὸ, Verhinderung, Hinderniſs. —κωλυτὴς, οῦ, ὁ, Verhinderer, Abhalter. —κωλυτικὸς, ή, όν, verhinderlich. —κωλύω, f. ύσω, verhindern abhalten. —κωμῳδέω, ῶ, in einem Luſtſpiele durchziehn; überh. verſpotten. —κωπηλατέω, ῶ, ſ. v. a. κωπηλατέω, oder mit einander um die Wette rudern; zw. —κωχὴ, ἡ, das Aufhören, Stilleſtand, beſonders Waffenſtilleſtand, ſ. v. a. διοχὴ von διέχω. S. κατακωχή.

Διαλαγχάνω, verlooſen, durchs Loos vertheilen; neutr. τὴν τάξιν διελάγχανε τὰ τάγματα. Plutarch. Otho 2. wie *ſortiri*, theilten ſich, looſten um die Plätze. —λακέω, ῶ, zerplatzen. —λακίζω στέφανον, in Stücken zerreiſſen, zertheilen; Plutarch. Q. Symp. 3, 2. wo die Ausg. διαλακτίζω haben. S. λακίζω. —λακτίζω, f. ίσω, durch ausſchlagen mit dem Fuſse zerſtreuen. —λαλέω, ῶ, τινὶ oder πρὸς τινὰ mit einem reden, ſich unterreden; ins Gerede bringen, ausreden, ausplaudern, ausſprengen; davon —λάλησις, εως, ἡ, das reden oder plaudern mit einem; das ausplaudern.

Διαλαμβάνω, ειν, (διὰ, λαμβάνω) von mehrern, die ſich in eine Sache theilen, empfangen; διαλ. τοὺς ἄρτους, ſich in die Brode theilen, ausgetheilt bekommen. Θώρακες —διειλημμένοι τὸ βάρος, Harniſche, die gut anliegen und die Laſt unter alle Glieder vertheilen, worauf ſie liegen. Xenoph. Mem. 3, 10, 13. Vergl. Aelian. v. h. 9, 3 u. 16. 2) trennen, darzwiſchen ſeyn, *dirimere, diſtinguere*; 3) mit beyden Händen anfaſſen, halten, *complecti*. τὸ ξυστὸν, μάχαιραν, den Spieſs, Säbel mit beyden Händen anfaſſen, halten, zum Stoſsen; dav. ἐκ διαλήψεως χρῆσθαι τῇ μαχαίρᾳ. Polyb. daher 4) umfaſſen, umgeben; 5) metaph. *in animum inducere*, ſich einbilden, meinen, glauben, berathſchlagen, urtheilen, beurtheilen, beſtimmen, feſtſetzen; gleich in vielen dem lat. *diſceptare* von *diſcipere* abgeleitet. Plato ſagt Leg. 6 p. 301 vollſtandig διαλαβόντες τοῖς διανοήμασι. 6) In der Fechterkunſt ſcheint es ſo viel zu heiſſen als am Leibe umfaſſen. διαλαμβάνων τοὺς νεανίσκους ἐτραχήλιζεν Plutarch Anton. K. 33. S. τραχηλίζω. 7) διειλημμένως ἐκρίθην ὅτι χρὴ παθεῖν ἢ ἀποτίσαι. Xen. Oec. 11, 24 ſcheint die Alternative auszudrücken; ſonſt heiſst διειλημμένον κρίνεσθαι ſ. v. a. beſonders (ἕκαστον δίχα κρ.) gerichtet werden Xenoph. G. G. 1, 7. 37.

Διαλάμπω, f. ψω, durchleuchten oder ſcheinen; helle werden; dah. berühmt werden; dav. —λαμψις, εως, ἡ, das durchleuchten oder ſcheinen; das hellewerden; der Glanz. —λανθάνω, τινὰ, immer verborgen oder unbekannt ſeyn; entgehen, entkommen.

Διαλγέω, ῶ, das verſt. ἀλγέω; davon —αλγὴς, έος, ὁ, ἡ, der heftige Schmerzen hat.

Διαλεγδὸν, Adv. (διαλέγω) auserleſen, vorzüglich. Heſych. —λέγω, f. ξω, ausleſen, abſondern; med. m. d. Dat. mit einem ſich unterreden, eigentlich um gewiſſe Dinge zu unterſcheiden, abzumachen und aufs Reine zu bringen; überhaupt mit jemanden reden, ſprechen. So erklärte es ſchon Sokrates Xenoph. Mem. 4, 5, 12 τὸ διαλέγεσθαι ὠνομάσθη ἐκ τοῦ συνιόντας κοινῇ βουλεύεσθαι, διαλέγοντας κατὰ γένη τὰ πράγματα. Bey Ariſtoph. Lyſ. 720 wird διαλέγουσαν τὴν ὀπὴν durch διορύττουσαν und ſo auch διαλέγου. d. διορύττου aus Thucyd. von Suidas erklärt: ſich ein Loch ſuchen um durchzuſchlüpfen. —λείβομαι, ich zerflieſse, zergehe. —λειμμα, ατος, τὸ, (διαλείπω) Zwiſchenraum, Zwiſchenzeit. —λείπω, f. ψω, einen Zwiſchenraum oder eine Zwiſchenzeit laſſen; dah. unterlaſſen, unterbrechen; entfernt, aus einander ſeyn; daher τὸ διαλεῖπον ſ. v. a. διάλειμμα, der Zwiſchenraum. Mit einem Partic. (wie παύομαι u. a.) z. B. δ. ποιῶν, ich laſſe eine Zwiſchenzeit im Thun, d. i. ich unterlaſſe, höre auf. —λείφω, f. λείψω, beſalben, beſchmieren; 2) ſ. v. a. ἐξαλείφω, durchſtreichen, auswiſchen, auslöſchen, z. B.

beym Athen. βρέξας τὸν δάκτυλον ἐκ τοῦ στόματος διήλειψε τὴν δίκην.

Διαλείχω, f. λείξω, durchlecken, belecken. —λειψις, εως, ἡ, (διαλείπω) Unterlassung, Unterbrechung. —λεκτικεύομαι, ein διαλεκτικὸς seyn, raisonniren, Schlüsse machen. Galen. Comp. medic. sec. gen. 2. —λεκτικὸς, ἡ, ὸν, zum sprechen, zur Unterredung, zum raisonniren od. zum disputiren oder zur Logik gehörig od. geschickt. ἡ διαλεκτικὴ verst. τέχνη, die Logik od. Dialektik. —λεκτος, ἡ, Rede, Ausdruck, Unterredung. Plato Symp. 23. Sprache; vorzüglich die einem Volke eigenthümliche Sprache. —λελυμένως, Adv. part. perf. pass. v. διαλύω. —λεξις, εως, ἡ, Unterredung, Gespräch; auch s. v. a. διάλεκτος. Dio C. 60, 17. —λεπτολογέομαι, οῦμαι, s. v. a. λεπτολογ. oder mit jemand Spitzfindigkeiten treiben, reden. —λεπτος, ὁ, ἡ, sehr dünn, sehr geringfügig. —λευκαίνω, ich mache weiss; 2) ich mache deutlich, erkläre. S. λευκὸς no. 2. —λευκος, ὁ, ἡ, mit weiss darzwischen untermischt. —ληξις, εως, ἡ, (διαλαγχάνω) Verloosung, Vertheilung durchs Loos. —ληπτικὸς, ἡ, ὸν, (διαλαμβάνω no. 2. 3. vergl. 5.) einer der gut unterscheidet, eine jede Sache von beyden Seiten erst ansieht, ehe er sie thut, d. i. genau, sorgfältig, wie *diligens*; zw. —ληψις, εως, ἡ, das Trennen, Theilen, die Theilung, Trennung; der Zwischenraum; 2) das Umfassen und Halten mit beyden Händen. S. διαλαμβάνω no. 3. ferner 3) Betrachtung, Meinung, Glaube, Beurtheilung, (*disceptatio*) Entschluss, Beschluss. —λιθος, ὁ, ἡ, mit edlen Steinen besetzt, ausgelegt. —λιμπάνω, eine a. Form v. διαλείπω. —λινάω, διαλινέω. S. λινέω. —λιος ἱερεὺς, *dialis flamen*, ein Priester Jupiters. —λιχμάζω, f. άσω, e. a. Form v. διαλείχω.

Διαλλαγὴ, ἡ, (διαλλάσσω) Veränderung; Vertauschung, Umtauschung; veränderte Gesinnung, d. i. Aussöhnung zwischen zwey Leuten od. zwey Partheyen, also im letzten Falle Friedensschluss, Bündniss. —λαγμα, τος, τὸ, Tausch, vertauschter Körper, auch s. v. a. διαλλαγή. —λακτὴρ, ῆρος, ὁ, Aussöhner, Friedensstifter; dav. —λακτήριος, ὁ, ἡ, geschickt, gut zum Aussöhnen. —λακτὴς, s. v. a. διαλλακτήρ. —λάσσω, διαλλάττω, f. ξω, verändern, oben so vertauschen, tauschen; δ. τινὰ πρὸς τινὰ, einen od. eines Gesinnung gegen den andern verändern, umändern, d. i. beyde mit einander aussöhnen, und in med. διαλλάξασθαι πρὸς τινά, sich selbst mit einem aussöhnen. Neutr. braucht es Dio C. etlichemal in der Bed. verschieden seyn, wofür er aber selbst 47, 41 das pass. setzt: es ist verändert, d. i. es ist verschieden, ein verschiedener Fall. Herodot. 7, 20. διαλλάσσοντες εἶδος μὲν οὐδὲν τοῖσι ἑτέροισι in nichts von den andern unterschieden, st. τῶν ἑτέρων, wie bey Horat. *differre, discrepare alicui* st. *ab aliquo*. Dionys. Hal. 6 p. 941 ἵνα διαλλάξῃ τοὺς ἄλλους: da er sonst in derselben Bed. τῶν ἄλλων sagt.

Διάλλομαι, durch- drüber springen, entspringen. —αλμα, τος, τὸ, Sprung hindurch od. darüber.

Διαλογὴ, ἡ, (διαλέγω) Auswahl, Absonderung, Abzählung; st. διάλογος oder διάλεξις. zw. —λογίζομαι, f. ίσομαι, πρὸς τινὰ, mit einem zusammen rechnen, abrechnen, Demosth. p. 962; daher überlegen, berathschlagen, u. πρὸς ἑαυτὸν, nachdenken; mit einander untersuchen, mit einander über philosophische Gegenstände reden. —λογικὸς, ἡ, ὸν, zur Unterredung, zum Gespräche gehörig od. geschickt; gesprächweise abgefasst, dialogisch. —λογισμὸς, ὁ, (διαλογίζομαι) Ueberlegung; Unterredung; 2) Abrechnung. Demosth. p. 951. —λογιστικὸς, ἡ, ὸν, zur Abrechnung, Ueberlegung gehörig oder geschickt. —λογος, ὁ, (διαλέγομαι) Unterredung, Gespräch. —λοιδορέω u. διαλοιδορέομαι, οῦμαι, mit andern oder unter einander zanken u. schimpfen; dav. —λοιδόρησις, εως, ἡ, das Zanken und Schimpfen gegen andre oder mit einander. —λυγίζω, f. ίσω, um oder durchbiegen, sehr biegen; dav. —λύγισμα, ατος, τὸ, das sehr gebogene; umgebogene; Umbiegung. —λυμαίνομαι, das verstärkte λυμαίνομαι. —λυσις, εως, ἡ, Auflösung, Zertrennung; metaph. Befreyung; Bezahlung; Beylegung der Streitigkeiten, Friedensstiftung. —λυτὴς, οῦ, ὁ, Auflöser, Zerstörer. —λυτικὸς, ἡ, ὸν, zum auflösen, trennen, zertheilen gehörig od. geschickt. —λυτος, ὁ, ἡ, getrennt, lose; aufgelöst, zerstört. —λυτὸς, ἡ, ὸν, trennbar, auflösbar, zerstörbar. —λύτρωσις, εως, ἡ, (λυτρόω) gegenseitige Auflösung. —λύω, f. ύσω, auflösen, trennen, aufheben, z. B. Schuld bezahlen, auch von Pers. auszahlen. διαλύει τὸν ὀρφανὸν Isaeus. Streitigkeiten beylegen, Armee auseinander gehen lassen, entlassen, (u. im med. διαλύσασθαι, sich selbst entlassen, d. i. von einem weggehn). Und so wie man sagt. δ. ἔχθραν, πόλεμον, Feindschaft, einen Krieg beylegen, so sagt man auch διαλύειν τινὰ πρὸς τινά, einen mit einem andern aus einander bringen, d. i. aussöhnen; aber διαλύσασθαι πόλεμον, unter sich oder gegenseitig den Krieg beylegen, endigen, und διαλύσασθαι πρὸς τινὰ, sich selbst mit einem aus einander bringen, oder sich aussöhnen.

Διαλφιτόω, ῶ, f. ώσω, durchaus mit Polenta (ἄλφιτον) füllen. Aristoph.

Διαλωβάω, ῶ, u. άομαι, d. verstärkte λωβάομαι.

Διαμαθύνω, d. verstärkte ἀμαθύνω. —μαλάττω, f. ξω, durchaus oder durch und durch weichen, erweichen, μαλ. —μαντεύομαι, f. εύσομαι, s. v. a. μαντεύομαι. —μαρτάνω, f. αρτήσω, d. verstärkte ἁμαρτάνω. —μάρτημα, τὸ, s. v. a. ἁμάρτημα. —μαρτία, ἡ, das Verfehlen, Verirren; der Fehler. —μαρτυρέω, ῶ, eigentl. Gott oder Menschen als Zeugen aurufen, eines Betrugs, Ungerechtigkeit; 2) ich brauche die Exception vor Gerichte, welche διαμαρτυρία hiess. —μαρτυρία, ἡ, das Anrufen von Zeugen bey der Beschwerde über Unrecht; 2) im attischen Gerichte, eine Art von Exception, womit man der Klage auszuweichen suchte, und wobey man Zeugen brauchte. —μαρτύρομαι, ich rufe Gott oder Menschen zum Zeugen an, indem ich mich über Unrecht beschwere; gegen falsche Anklage vertheidige; von jemand etwas dringend verlange; jemandem etwas dringend sage, oder gebiete. —μασάομαι, u. διαμασσάομαι, ῶμαι, f. ήσομαι, zerkauen; bey Philostr. Sophist. 1. Prooem. ἐστώθαζε τὴν σπουδὴν τοῦ Γοργίου διαμασώμενος wie er anderswo μασώμενος braucht. —μάσημα od. διαμάσσημα, ατος, τὸ, das Zerkaute. —μάσησις, εως, ἡ, das Durch - Zerkauen. —μασητὸς, ἡ, ὸν, od. διαμασσητὸς, durch od. zerkauet. —μάσσω, άττω, f. άξω, durchkneten, zerkneten. S. μάσσω. —μαστιγόω, ῶ, durchpeitschen, abgeisseln; davon —μαστίγωσις, εως, ἡ, das Durchpeitschen, Geisselung. —μαστροπεύω, f. εύσω, verkuppeln; τὴν ἡγεμονίαν γάμοις δ. durch Heyrathen die Oberherrschaft verkuppeln und vertheilen. Plutar. Caes. —μασχαλίζω, (μάσχάλη) bey Athenaeus 2 p. 57. διαμασχαλίσας αὐτὸν σχελίσι καὶ φύσκαις καὶ ῥαφανίσι, der sich unter den Aermen bepackt hat mit- und trägt. —μάχη, ἡ, Streit, Kampf mit andern od. unter einander. —μάχομαι, f. ήσομαι, έσομαι und οῦμαι od. διαμαχίζομαι, τινὶ, mit jemand streiten, einem widerstreiten, widerstreben; gleichsam ausstreiten, d. i. ein entscheidendes Treffen wagen, *depugno*. —μάω, ῶ, f. ήσω, (ἀμάω) zerschneiden, zerhauen. Il, 3, 359. διάμησε. Bey Thucyd. διαμᾶσθαι τὴν κάχληκα den Kiesel am Ufer auseinander od. aufscharren, wie bey Joseph. Antiq. 3, 1 διαμωμένοις τὴν ψάμμον; aber 2, 24 ist διαμᾶσθαι st. schöpfen gesetzt, wo jedoch die ältern Ausg. richtiger διανιμωμένους haben, v. ἀνιμάομαι. Vergl. Polyb. 3, 55.

Διαμεθίημι, entlassen, fahren lassen. —μείβω, f. ψω, verwechseln, vertauschen. med. τὰς ἀγορὰς διαμείβεσθαι Dionys. Antiq. 7, 20 mit Getraide handeln; vergelten, belohnen Dio C. 56, 6. —μειδιάω, ῶ, f. άσω, anlächeln, zulächeln. Dio C. 71, 32. —μειρακιεύομαι, διαμειρακιεύομαι, f. εύσομαι, gegen andre od. unter einander wie Knaben sich betragen; also leichtsinnig, muthwillig und dergl. Plutar. Cicero comp. m. d. Dat. wie Kinder, Knaben oder über kindische Gegenstände mit einander streiten. —μειψις, εως, ἡ, (διαμείβω) Auswechselung, Verwechselung, Austauschung. —μελαίνω, f. ανῶ, ganz schwärzen; ganz schwarz seyn. Plutarch. —μελεϊστὶ, Adv. zergliedert, zertheilt, Glieder- od. Theilweise u. dergl. v. διαμελεΐζω st. διαμελίζω. —μελετάω, ῶ, f. ήσω, d. verstärkte μελετάω, sehr oder immer üben, treiben. —μελίζω, f. ίσω, (μέλος) zergliedern, zerstückeln; 2) singen; Plutarch. 8 p. 53. R. —μελισμὸς, ὁ, das Zergliedern; die Zerstückelung. —μέλλησις, εως, ἡ, das Verweilen, Zaudern, die Verzögerung; von μελλέω kommt auch —μελλητὴς, οῦ, ὁ, Zauderer; Verzögerer, Verweiler. —μέλλω, f. ήσω, d. verstärkte μέλλω, thun wollen, im Begriffe seyn zu thun; dah. zögern, zaudern. —μέμφομαι, d. verstärkte μέμφομαι, sehr tadeln, beschuldigen, Vorwürfe machen. —μένω, f. ενῶ, p. μεμένηκα verbleiben, aus od. fortdauern. —μερίζω, f. ίσω, zertheilen, vertheilen, zerstückeln. —μερισμὸς, ὁ, Zertheilung, Vertheilung, Trennung. —μεσος, ὁ, ἡ, der mittlere zwischen andern. —μεστος, ὁ, ἡ, das verstärkte μεστὸς, ganz voll. —μεστόω, ῶ, f. ώσω, d. verstärkte μεστόω, ganz voll machen. —μετρέω, ausmessen, vermessen, nach dem Maasse vertheilen, verkaufen; διεμετρήσαμεν ὑμῖν τῆς καθεστηκυίας τιμῆς τὸν μέδιμνον. Demosth. p. 918. davon διαμετροῦμαι ich kaufe und lasse mir zu- oder einmessen; οἱ μὲν διεμετροῦντο τὰ ἄλφιτα ἐν τῷ ᾠδείῳ. Demosth. ebend. wofür er hernach διελάμβανον sagt. Bey Xenoph. Anab. 7, 1, 41 ὁ δὲ κελεύει διαμετρεῖσθαι, bedeutet es bloss sich Fourage od. Getraide zumessen lassen u. abholen; denn es geht vorher: δώσει τὰ ἐπιτήδεια. S. διάμετρος. 2) neutr. gerade entgegenstehn, wie ἐκ διαμέτρου ἀντικεῖσθαι, m. d. Dat. Sextus Empir. dav.

Διαμέτρησις, εως, ἡ, das Vermeſſen, Zumeſſen; und —μετρητὸς, ἡ, ὸν, vermeſſen, zugemeſſen. —μετρος, ἡ, (μέτρον, διὰ) Durchmeſſer; die durch den Mittelpunkt gehende Linie, wie die Achſe (ἄξων) an einer Kugel; daher ἐκ διαμέτρου ἀντικεῖσθαι, gerade gegenüber liegen, ſeyn, ſtehn gerade entgegen geſetzt ſeyn. 2) In Plutarch. Demetr. c. 40 διάμετρον ὀφείλεις τοῖς ἀποθνήσκουσιν iſt es *dimenſum* der Sold und Koſt der Soldaten. Sonſt wird auch διάμετρον für die Zugabe im Meſſen erklärt, wie *diametrum* im Codex Theodoſ. ſteht, lege ult. de navicul. 3) das Werkzeug den Durchmeſſer zu ziehn: Ariſtoph. Ran. 801. Heſych. u. Suidas. Letzterer führt aus Eunapius an: ὡς κατά τινας διαμέτρους κεράιας κεχιῶσθαι τὴν γλῶτταν ταῖς ἀντιτύποις συμβολαῖς τῶν ἀκίδων; hier heiſst es offenbar das Durchkreuzen, wie in κινεῖσθαι κατὰ διάμετρον vom Gange der vierfüſsigen Thiere, (Ariſtot. inceſſ. anim. 1 u. 14) welche die Füſse übers Kreuz, erſt den vordern rechten, dann den linken hintern u. ſ. w. ſetzen. Hieraus erklärt ſich die Stelle Plato Polit. 9 ἡ φύσις τῶν ἀνθρώπων μῶν ἄλλως πως εἰς τὴν πορείαν πέφυκεν ἢ καθάπερ ἡ διάμετρος ἡ δυνάμει δίπους.

Διαμεύστας, ὁ, Gaukler, Taſchenſpieler, Betrüger; von διαμεύω ſt. διαμείβω. Heſych. in διαμέσταν. —μηρίζω, f. ίσω, (μηρὸς) mit auseinander gezogenen oder in einander gefügten Lenden den Beyſchlaf üben; m. d. accuſ. γυναῖκα, wie *inire junctis feminibus*, beſchlafen; davon —μηρισμὸς, ὁ, Zuſammenfügung der Lenden, Beyſchlaf: Zeno Plutarchi Q.S. 3.6. —μηχανάομαι, ῶμαι, f. ήσομαι, das verſtärkte μηχανάομαι. —μίγνυμι, vermiſchen. —μικρολογέομαι, οῦμαι, das verſtärkte μικρολογέομαι, ſehr geizig ſeyn und handeln. —μιλλάομαι, ῶμαι, f. ήσομαι, mit einem ſtreiten, wetteifern, m. d. Dat. —μινυρίζω, f. ίσω, durch winſeln oder mit klagender Stimme ſingen. —μίσγω, eine andere Form von διαμίγνυμι. —μισέω, ῶ, d. verſtärkte μισέω. —μιστύλλω, Herodot. 1, 132 διαμιστύλας κατὰ μέρεα τὸ ἱρήϊον, zerlegen, zerſchneiden. S. μιστύλλω.

Διαμμοιρηδὰ, Adv. (διαμοιράω) getheilt, theilweiſe; zw.

Δίαμμος, ὁ, ἡ, ſandig.

Διαμνάομαι, davon perf. διαμέμνημαι, ich habe im Andenken behalten, erinnere mich noch. —μνημονεύω, f. εύσω, τὶ, τινὰ, ſich etwas, einen ins Gedächtniſs zurückrufen, ſich eines erinnern oder gedenken; einen, etwas erwähnen. Eben ſo in paſſ. Xen. Cyr. 1, 2. 2. διαμνημονεύεται ἔχων, *commemoratur habuiſſe*. —μοιράω, ῶ, f. ήσω, (μοῖρα) ich zertheile, vertheile; 2) mit dem Schwerdte zertheilen. Eur. Hec. 1063 Hipp. 386. διαμοιράομαι, ich theile mit einem etwas. —μολέω, *diſcedo*, ich entferne mich, gehe weg. Eur. Herc. 1031. —μολύνω, beſudeln. Plutar. 8 p. 9. —μονὴ, ἡ, (διαμένω) das Verbleiben, die Beſtändigkeit, Dauer, Fortdauer. —μονομαχέω, ῶ, ich ſtreite mit jemand im Zweykampfe, m. d. Dat. od. πρός τινα. —μορφοσκοπέω, ῶ, διαμορφοσκοπεῖσθαι τινὶ Athenaeus 5 p. 188 ſich mit jemand in einen Wettſtreit wegen der Geſtalt u. Schönheit einlaſſen; was Xen. Symp. 4, 20 περὶ κάλλους διακρίνεσθαι ſagt. —μορφόω, ῶ, f. ώσω, ausbilden, abbilden, ausdrücken; davon —μόρφωσις, εως, ἡ, Ausbildung, Ausdruck. —μοτόω, ῶ, f. ώσω, eine Wunde mit Charpie, μοτὸς, füllen und offen halten. —μοχλίζω, f. ίσω, mit dem Hebel, überh. mit Gewalt zerſprengen.

Διαμπὰξ, Adv. durch u. durch; durchaus; durchgängig, ganz und gar, völlig. —πειρέω und διαμπείρω (ἀμπείρω ſt. ἀναπείρω) durch u. durch anſpieſsen, durchbohren; die erſtere Form bey Quint. Smyr. 1, 672. —περὲς, Adv. oder διαμπερέως, ſ. v. a. διαμπὰξ, von διαμπέρω od. διαμπείρω.

Διαμυδάω, von Näſſe und Feuchtigkeit weich werden, zerfallen od. verfaulen. —μυθέομαι, οῦμαι, mit dem Dat. mit jemand hadern; Heſych. erklärt es auch für bereden, verführen; daher διαμύθησις, Verführung im Reden. —μυθολογέω, ῶ, u. διαμυθολογέομαι, οῦμαι, mit einander ſchwatzen od. reden. —μυθολογικὸς, ἡ, ὸν, Adv. —κῶς, fabelhaft, zw. —μυλλαίνω, f. ανῶ, von μύλλω, μυλλαίνω, ich verachte, verſpotte mit verzerrten Lippen. Ariſtoph. Weſpen 1315. —μυστίλλω, falſch, ſt. διαμιστύλλω.

Διαμφίδιος, ὁ, ἡ, abgeſondert; daher verſchieden. Aeſchyl. Prom. 556. wo andre es durch δισσὸν erklärten, auch διαμφάδιον laſen, wie Heſychius; von —φὶς, Adv. beſonders, abgeſondert, beyderſeits. —φισβητέω, ῶ, mit einem od. unter einander ſtreiten; dav. —φισβήτησις, εως, ἡ, Streit, Ungewiſsheit, Zweifel mit einem od. unter einander. —φοδέω, ῶ, auf dem Scheidewege, ἄμφοδος, ſich trennen u. verirren: Euſtath.

Διαμωκάομαι, ῶμαι, f. ήσομαι, verlachen, verſpotten; davon —μώκησις, εως, ἡ, Verſpottung, Verhöhnung.

Διαναβάλλω, immer aufſchieben; überh. aufſchieben, wie ἀναβάλλομαι. —ναγινώσκω, durchleſen.

Διαναγκάζω, f. άσω, zwingen; zwängen. S. καταναγκάζω. —ναγκασμὸς, ὁ, der Zwang; das Zurückzwingen eines verdrehten, verrenkten Gliedes in seine vorige Lage, z. B. des Rückgrats; auch das Werkzeug dazu, bey Hippocr. wo andere dafür διαναγκαζόμενον lesen. —νακαθίζω, s. v. a. ἀνακ. Hippocr. —νακλάω, ῶ, f. άσω, durch u. zurückbrechen o. beugen, durch einen andern Korper zurückwerfen, wie Licht. —ναπαύω, f. αύσω, darzwischen ausruhen lassen. τὴν ταὐτότητα Dionysius Comp. 12. die Einförmigkeit unterbrechen; wo die Handschr. διαπαύειν haben. Aelian. v. h. 12, 15. —νάσσω, darzwischen stopfen, ausstopfen; kalfatern: τὰ ἀραιώματα βρύοις διανάττουσι Strabo 4 p. 298. —νάστασις, εως, ἡ, der Aufbruch, das Aufstehn u. Weggehn; von mehrern gebr. —ναυμαχέω, ῶ, m. d. Dat. einem ein Seetreffen liefern; unter einander ein Seetreffen haben. —νάω, durchfliessen, zusammenfliessen, Plut. Aemil. 14.

Διάνδιχα, Adv. s. v. a. simpl. ἄνδιχα.

Διανέμησις, εως, ἡ, Vertheilung, Austheilung. —νεμητικὸς, ή, όν, zum vertheilen gehörig, geschickt, geneigt. —νεμόω, ῶ, f. ώσω, lüften, vom Winde durchwehen lassen, schwingen. S. ἀνεμόω. —νέμω, vertheilen, austheilen; med. unter sich theilen, vertheilen. —νευμα, ατος, τὸ, das Zuwinken. —νευρόω, ῶ, f. ώσω, s. v. a. νευρόω; zw. —νεύω, f. εύσω, unter einander oder einem zuwinken; act. meiden, vermeiden, ausweichen m. d. acc. Polyb. davon —νέω, f. εύσω, durchschwimmen, durch Schwimmen entkommen. —νήθω, f. ήσω, spinnen, durchspinnen. —νημα, τὸ, das Gespinnst, der Faden. S. κροκώδης. —νηστεύω, f. εύσω, u. διανηστίζω, nüchtern bleiben, fasten. —νηστισμὸς, ὁ, das Frühstücken, das Frühstück. Athenae. v. —νήχομαι, f. ξομαι, s. v. a. διανέω. —νηψις, εως, ἡ, (διανήφω) das Nüchternwerden, Ausschlafen des Rausches. διάνηψις χυμῶν, Aretaeus 6, 2 verdampfen, verrauchen.

Διανθέω, ῶ, durch oder sehr blühen. zw. —θὴς, έος, ὁ, ἡ, (ἀνθέω) der zweymal blüht, oder zwey Blumen hat, oder sehr blüht. —θίζω, f. ίσω, mit Blumen mahlen, sticken, bestreuen, überh. bunt machen oder verzieren, bey Clemens Paed. 2, 8. ist διανθιζομένους τὴν χλόην. s. v. a. ἀπανθιζ. zw.

Διανιάω und άομαι, sehr ängstigen, zw. —νιμάομαι, S. in διαμάω. —νίπτω, f. ψω, oder διανίζω, aus- abwaschen. —νίσσομαι, durch- oder vorübergehen. —νίστημι, f. στήσω, aufstellen, aufrichten; aufstehn heissen od. lassen; aufhetzen, antreiben. med. διανίσταμαι, und im aor. διανέστην, aufstehn sich aufrichten, vorz. um weg- oder fortzugehn; hervorspringen um einen anzufallen und dergl. —νιψις, εως, ἡ, (διανίπτω) das Abwaschen, Auswaschen, zweif. —νοέομαι, οῦμαι, ich habe im Sinne, in Gedanken; ich denke durch, denke nach; gedenke; denke; davon —νόημα, ατος, τὸ, der Gedanke; die Meinung; der Sinn; der Entschluss. —νόησις, εως, ἡ, das Nachdenken, Denken. —νοητικὸς, ή, όν, zum Nachdenken gehörig, geschickt, aufgelegt, fähig, scharf nachdenkend. —νοήτως, Adv. beym Nachdenken, durchs Nachdenken. —νοια, ἡ, 1) das Durchdenken, Nachdenken, Bedenken; 2) die Denkkraft, die Seele, z. B. λήθη καὶ ἀθυμία εἰς τὴν διάνοιαν ἐμπίπτουσιν. Xenoph. daher auch Einsicht; 3) Willensmeinung, Entschluss. —νοίγω, f. ξω, öfnen, eröfnen, eigentlich darzwischen öfnen, erklaren; davon —νοιξις, εως, ἡ, das Oefnen, Eröfnung. —νομεὺς, έως, ὁ, (διανέμω) Vertheiler, Austheiler. —νομὴ, ἡ, Vertheilung, Austheilung. —νομοθετέω, ῶ, durch Gesetze ordnen, s. v. a. νομοθ. einen Vorschlag zum Gesetze durchsetzen, *legem perfero*, Dio Cass. —νοσέω, ῶ, lange krank seyn oder liegen. —νοσφίζω, f. ίσω, davon trennen.

Διανταῖος, αία, αῖον, gerade gegenüber stehend, gerade durchgehend, z. B. διὰ τῶν πλευρῶν διανταία πληγή; bey Hippocr. sind τόνοι διάνταιοι, gleich lange, sehr lange doppelte Sehnen. —τλέω, ῶ, ausschöpfen, dah. auch aushalten, erdulden. Plut. Arat. 52. die Form διαντλίζομαι Hippocr. Praecept. c. 3. von zweif. Lesart u. Bedeutung.

Διανυκτερεύω, f. εύσω, durchnachten. —νυσις, εως, ἡ, Vollendung, z. B. eines Weges, eines Geschaftes. —νυσμα, ατος, τὸ, das Vollendete; Vollendung; Reise, Polyb. 9, 15. —νύττω, das verstärkte νύττω, Nicetae Annal. 9, 4. —νύω u. διανύτω, f. ύσω, (ἀνύω) vollenden, vollbringen, endigen; erreichen, erlangen; δ. πέλαγος, πόντον beym Palaeph. 16, 2. Hesiod. Op. 635 übers Meer setzen, διανύσας εἰς Βαβυλῶνα verst. τὴν ὁδὸν, als er nach Babylon gelangt war. Diodor.

Διαξαίνω, durchkrämpeln, durchschlagen. S. ξαίνω. —ξηραίνω, f. ανῶ, austrocknen. —ξηρος, ὁ, ἡ, ganz oder sehr trocken. Geopon. 6, 2. —ξιφίζομαι, mit einem oder unter einander mit dem Degen fechten; vergl. διαδορατίζομαι. —ξυσμα, ατος, τὸ, der ausgeholte Theil, der Rief (*stria*) an der Saule. Diodor. Sic. S. in περίτηγμα.

Διαξύω, f. ύσω, (ξύω) ich mache durch einen Einschnitt einen Strich, Vertiefung; ich schneide, grabe hinein.

Διαπαγκρατιάζω, f. άσω, im παγκράτιον mit einem oder unter einander streiten. —**παιδαγωγέω**, ῶ, Kinder od. junge Leute führen, begleiten u. sie behüten, uberh. leiten, führen; unterhalten, amüsiren, vergnügen; also διαπ. τὸν πότον ἐλπίσιν; τὸν καιρὸν; ἡδονῇ καὶ χάριτι. τινὰ δ. in Vergnugen zubringen, verbringen, vertreiben. —**παιδεύω**, f. εύσω, durchaus unterrichten, Cyropaed, 1, 2, 15. —**παίζω**, f. ξω und σω, verlachen, verspotten. —**παλαίω**, f. αίσω, kämpfen mit einem. —**πάλη**, ἡ, das gegenseitige Kämpfen, der Kampf. Plutarch. discr. —**πάλλω**, schütteln, erschüttern; 2) durchs Loos zutheilen. Aeschyl. S. 733. —**παλύνω**, bey Eurip. Phoen. 1170. κρᾶτα διεπάλυνε s. v. a. εἰς λεπτὰ διέχεε, zerschmetterte; von παλύνω. —**παννυχίζω**, f. ίσω, (πᾶς, νύξ) die ganze Nacht wachend durchbringen. —**παννυχισμὸς**, ὁ, *pervigilium*, das Uebernachten, die nächtliche Feyer. —**παντὸς**, Adv. durchaus, durchgängig, immer. —**παπταίνω**, umhersehen. Plutar. Fab. —**παρακυπτόμεναι** θυρίδες 3 Reg. 6 s. v. a. δικτυωταί. zweif. —**παρατηρέομαι**, s. v. a. παρατηρέομαι. zw. —**παρατριβὴ**, ἡ, falsche Lesart, st. παραδιατρ. ep. 1 Timoth. 6. —**παρθενεύω**, f. εύσω, (παρθένος) s. v. a. διακορεύω. —**παρθένια** nüml. δῶρα, Pollux 3, 36. Geschenk an die Braut für die geraubte Jungferschaft, für den Kranz. —**παροξύνω**, das verstärkte παρ. —**παρσις**, εως, ἡ, (διαπείρω) das Durchbohren, Durchspiessen.

Διάπασμα, ατος, τὸ, (διαπάσσω) ein Pulver, was auf etwas gestreuet wird; hauptſ. um einen Geruch zu geben, *pastilli* Martialis 1. Epigr. 88. Plutarch. Q. S. 1, 6. welcher dergl. den Weibern zuschreibt. —**πασσαλεύω** und διαπατταλεύω, (πάσσαλος) ausgebreitet annageln; überh. annageln, wie ausgespanntes Leder. Aristoph. Equit. 371. —**πάσσω**, διαπάττω, f. άσω, hin u. herstreuen, bestreuen. —**πασῶν**, ἡ, eigentl. διὰ πασῶν χορδῶν, durch alle (8) Saiten, der Akkord, den wir die Oktave nennen, ἡ διὰ τεσσάρων die Quarte, ἡ διὰ πέντε die Quinte, welche auch δι ὀξειῶν hiess. —**πατάω**, ῶ, das verstärkte πατάω. —**πατέω**, ῶ, durchtreten. Polyb. 3, 55. —**παυμα**, ατος, τὸ, eine Erholung darzwischen. —**παυσις**, εως, ἡ, das Ausruhen, Abbrechen einer Arbeit, πόνων, um auszuruhen. —**παύω**, f. αύσω. S. διαναπαύω. —**πεζος**, ὁ, ἡ, (πέζα) χιτὼν Athen. 5 p. 198. bis auf die Füsse gehend, nach Steph. Hesych. erkl. πέζα ἱματίου durch ὤα der Saum: u. wirklich nennt Apoll. Rhod. 4, 46 ἄκρην πέζαν χιτῶνος, den aussersten Saum oder Rand; bey Aeschyl. erklären die Grammat. πεζοφόρα ζώματα durch πέζαν ἔχοντα mit einem Saume, andere durch ποδήρη, bis auf den Fuss gehend. Nach Pollux 7, 62 heisst, was am Saume (ὤα) angewebt ist πέζα, πεζὶς und τὰ περίπεζα. Er erklärt πεζοφόρον χιτῶνα eben so zweydeutig wie Hesych. Diese Kante scheint man besonders gewebt und dann an die Frauenskleider angesetzt zu haben; wenigstens weihen im epigr. Antipatri Sidon. 23 drey Frauen eine πέζα der Artemis, welche sie gemeinschaftlich gewebt haben. Sonach würde διάπεζος χιτὼν ein Unterkleid (*tunica*) seyn, welches durchaus so eine Kante hätte.

Διαπειλέω, ῶ, sich einander drohen. —**πεινάω**, ῶ, Aristoph. Vesp. 751. um die Wette oder mit einander hungern, dem διαπίνω nachgebildet. —**πεῖρα**, ἡ, ein Versuch, angestellte Probe, ἐπὶ δ. zur Probe; dav. —**πειράζω**, f. άσω, od. διαπειράω, versuchen, einen Versuch machen, τινὸς mit etwas oder mit einem; einen versuchen, einen auf die Probe stellen, ob er treu sey, also zu verführen, zu bestechen suchen. —**πείρω**, f. ερῶ, durchbohren. —**πελεκίζω**, f. ίσω, mit der Axt zer- oder abhauen; zweif. —**πέμπω**, f. ψω, durch- drüberbringen, gehn lassen; herüberschicken; ver- oder wegschicken, entlassen. med. s. v. a. μεταπέμπομαι, zu sich kommen lassen. — —**πενθέω**, ῶ, durchtrauern; austrauern. —**πεντε**, ἡ. S. διαπασῶν. —**πεπονημένως**, Adv. part. perf. passiv. v. διαπονέω, mühsam, genau. —**πέπτω**, διαπέττω, f. ψω, durchkochen, verdauen; zweif. —**περαίνω**, f. ανῶ, zum Ziele bringen, vollenden, endigen. —**περαιόω**, ῶ, f. ώσω, übersetzen, überfahren; dav. —**περαίωσις**, εως, ἡ, das Ueberfahren; die Ueberfahrt. —**πέραμα**, ατος, τὸ, s. v. a. πορθμὸς bey Hesych. —**περάσιμος**, ον, (διαπεράω) zum Ueberfahren, wodurch man kommen, gehn kann. —**περάω**, ῶ, f. άσω, durch od. drüber gehn; act. s. v. a. διαπεραιόω. —**πέρθω**, f. ἐρσω, verwüsten, verheeren. —**περιπατέω**, ῶ, herumgehen; zw. —**περονάω**, ῶ, f. ήσω, mit der περόνη durchstechen und befestigen. —**πετάζω**, f. άσω, und —**τάννυμι**, —**ννύω**, —**τάω**, entfalten, aus einander, von einander breiten, öfnen. —**πέταμαι** und **ομαι** f. πτήσομαι, durchfliegen, aus- von einander fliegen. —**πετάννυμι**, s. v. a. διαπετάζω.

Διαπίτεια, ἡ, πόρων, die Oefnung der Poren führt Euſtath. an; von —πετὴς, ὁ, ἡ, (διαπετάω) Hippocr. de corde ὁκοῖον ἀράχναι διαπετέες, wie ausgebreitete Spinneweben. —πεττεύω, f. εύσω, mit einem oder mit einander ſpielen, durch oder ausſpielen; auch einen Stein beym Spielen zurücknehmen und anders ſetzen. Heſych. bey Nicetas Annal. 16, 2. τὰ κοινὰ, wie ein Spiel regieren, verwalten. —πεψις, εως, ἡ, ſ. v. a. πέψις, Verdauung; zweif. —πηγά, τὰ, (πηγνύω) kleinere Säulen zwiſchen den groſsen. 3 Regum 7. —πῆγμα, τὸ, (πηγνύω) ein Queerholz, welches die geraden zuſammenhält. Mathem. veter. p. 74. von —πήγνυμι, fut. ξω, darzwiſchen befeſtigen oder ſetzen. —πηδάω, ῶ, fut. ήσω, durch oder drüber ſpringen. S. διαπιδύω; davon —πήδησις, εως, ἡ, das Durch- oder Drüberſpringen. S. διαπιδύω. —πηδύω, wahrſcheinlich falſche Lesart bey Heſych. ſt. —πιδύω, welcher es d. διαπηδάω erklärt. —πηνικίζω, (πηνίκη) τοῦτον μὲν καλῶς διεπηνίκισας τὸν λόγον, Cratinus Etymol. M. die Rede haſt du recht künſtlich zum täuſchen, überliſten eingerichtet, wo es andre durch διαποικίλλειν erklärten. —πήρωμα, ατος, τὸ, verſtümmeltes Glied; zweif. —πιαίνω, f. ανῶ, durchaus fett machen. —πιδύω, durchſprudeln von Quellen, durchſchlagen durchſeigern, Ariſtot. Gener. anim. 2. διὰ τῶν φλεβῶν καὶ τῶν ἐν ἑκάστοις πόρων διαπιδύουσα ἡ τροφὴ καθάπερ ἐν κεραμίοις ὠμοῖς τὸ ὕδωρ; ſonach muſs alſo διαπήδησις das Durchſeigern des Bluts aus dem Zahnfleiſche und andern Theilen bey Schwindſüchtigen, Galen. *ſudatio* bey Caelius Aurel. Tard. 2, 10. und bey Hippocr. humor. c. 41 ὑδρήιον νέον διαπηδᾷ heiſsen διαπίδυσις und διαπιδύει. S. πιδύω. —πιέζω, f. σω, zuſammendrücken. —πιθηκίζω, f. ίσω, (πίθηκος) mit einander wie Affen ſpielen. —πικραίνω, das verſt. πικραίνω, Plutarch 7 p. 792. —πικρος, ὁ; ἡ, ſehr bitter. —πίμπλημι, anfüllen, vollfüllen. —πίμπρημι, fut. πρήσω, durchbrennen, durchaus erhitzen. —πίνω, m. d. dat. mit einem um die Wette trinken, zuſammen ſo trinken. —πιπράσκω, f. άσω, (πράω) verkaufen. —πίπτω, fut. πεσοῦμαι, durchfallen, entfallen; daher auskommen, unter die Leute kommen, als λόγος διέπεσεν εἰς τὸ στράτευμα, ein Gerücht verbreitete ſich unter dem Heere; **entkommen**, entwiſchen; fehlen, durchfallen, verfehlen, fehlſchlagen, διέπεσεν αὐτῶν τὸ βούλευμα Dionyſ. Antiq. 3, 28. durchbrechen, mit Gewalt durchgehn, auch zerfallen, aus einander fallen, wie morſche, verfaulte Sachen. —πιστεύω, f. εύσω, das verſtärkte πιστεύω, anvertrauen; im paſſ. ſagt man διαπιστεύομαι τοῦτο ſt. διαπιστεύεταί μοι τοῦτο. —πιστέω, ῶ, das verſt. ἀπιστέω nicht trauen. δ. ἀλλήλοις ein gegenſeitiges Miſstrauen und Verdacht haben. —πλασις, εως, ἡ, oder διαπλασμὸς, die Bildung, Ausbildung, das Bilden. —πλασμα, τὸ, der gebildete, ausgebildete Körper, zweif. v. —πλάσσω, διαπλάττω, f. πλάσω, bilden, ausbilden. —πλαστικὸς, ἡ, ὸν, zum bilden gehörig oder geſchickt. —πλατύνω, erweitern. —πλέκω, f. ξω, verflechten, einflechten, zuſammenflechten; auch auseinander flechten, aus einander ziehen, z. B. στρατὸν Plut. eine Armee aus einander ziehen, d. i. wie er gleich darauf ſagt: διασπᾶν τὴν τάξιν. Metaph. βίον διαπλέκειν bey Plato und Herodot. wie καταπλέκειν *pertexere vitam*, das Leben endigen; bey Ariſtoph. Av. 754 βούλεται διαπλέκειν ζῶν ἡδέως τὸ λοιπὸν ſtatt τὸν βίον. Plutarch. Ant. c. 46. διαπλέξαι τὸν στρατὸν durchbrechen; zw. —πλεος, ὁ, ἡ, attiſch διάπλεως, ſehr voll. —πλέω, ῶ, f. εύσω, durch oder hinüberſchiffen, überſetzen, τὸν βίον, den Lauf des Lebens endigen, beſchlieſsen. —πλήθω, f. ήσω, ganz ausfüllen, vollfüllen. —πληκτίζομαι, f. ίσομαι, mit dem Dat. ich ſtreite bis zu den Schlägen mit jemand; überhaupt ſtreiten, ſcharmützeln, auch τοῖς σκώμμασι Plutarch. 2) von geilen wollüſtigen Menſchen, ein Frauenzimmer mit geilen Blicken anſehen, ihm zunicken; διαπληκτιζόμενον τοῖς ἀφ' ὥρας ἐργαζομένοις γυναίοις, Plutarch. Timol. 14. welches er anderswo ausdrückt: διαπληκτιζόμενον ἀπὸ νευμάτων πρὸς τὸ γύναιον. S. πληκτίζομαι no. 3. bey Syneſius de Regno p. 28 mit andern im Fauſtkampfe um die Wette ſtreiten; davon —πληκτισμὸς, ὁ, Streit, Zank, Gefecht mit einem oder unter einander. —πλήσσω, f. ξω, durchſchlagen, durchſchmeiſſen. Il. ψ. laſen andere διαῤῥήσσοντες, andere aber erkl. διαπρ. durch ſpalten, klein machen: einige laſen auch διαπρήσσοντες. —πλίσσω, bey Heſych. διέλκω, διαπλέκω: auch neutr. und med. διαπλίττεσθαι, bey Heſych. διαπέπλιχε, διαβέβηκε; πλίγματα γὰρ τὰ βήματα. Eben ſo διαπεπλιχὼς, διεστὼς, κεχηνὼς und διαπεπλίχθαι, διηλλάχθαι τὰ σκέλη καὶ ἀντιβαίνειν. S. in πλίσσω. —πλοκὴ, ἡ, (διαπλέκω) das Durch-Verflechten, Verſtricken; dah. Verwirrung, Verfeindung. —πλόκινος, ὁ, ἡ, durchflochten, bey Strabo; von διαπλέκω; auch geflochten.

Διάπλοκος, ὁ, ἡ, durch- od. verflochten, verſtrickt. —πλοος, contr. διάπλους, ὁ, (διαπλέω) das durch od. herüberſchiffen, herüberſetzen. —πλώω, f. ώσω, ſ. v. a. διαπλέω, bey Nicetas Annal. kommt häufig dafür διαπλωΐζω und davon 10, 6 διαπλώϊσις, ἡ, das durch- oder hinüberſchiffen, vor. —πνευμα, ατος, τὸ, (διαπνέω) der Hauch, Dampf. zw. —πνευσις, εως, ἡ, ſ. v. a. διαπνοή. —πνευστικὸς, ὁ, ἡ, was das Aushauchen, Verrauchen, Ausdünſten befördert, dazu gehört. —πνέω, f. εύσω, durchwehen, verwehen; auch ſ. v. a. ἀναπνέω, wieder zu Athem kommen, ſich erholen, z. B. τοῦ δρόμου vom laufen; διαπνεῖται ὁ οἶνος τὰ ἄνθη, verriechen, verlieren den Geruch, auch ſ. v. a. ἀποψοφεῖν. Suid. —πνοή, ἡ, und διάπνοια Geopon. das Durchwehen, das Ausathmen, Ausdampfen; bey Plutar. Q. S. 6, 7 πυροῦ διαπνόησις wo andre διαπόνησις leſen. —ποδίζω, f. ίσω, ſ. v. a. ἀναποδίζω, genau unterſuchen bey Heſych. u. Etym. M. von ἀν. τὸν γραμματέα, den Sekretair, Vorleſer noch einmal leſen laſſen, um genauer etwas zu hören, Pollux 2, 196. eigentl. hin- und herſpringen; davon bey Heſych. διαποδισμὸς, ὁ, eine Art Tanz o. Sprung. —ποιέω, ῶ, vollenden, endigen; zw. —ποικίλλω, durchaus od. hin und her bunt machen. —ποίκιλος, ὁ, ἡ, ganz bunt, darzwiſchen gefleckt oder bunt. —πολεμέω, ῶ, den Krieg fortführen oder endigen, δ. τινὶ mit einem kriegen, unter einander kriegen; davon —πολέμησις, εως, ἡ, das Fortführen oder Endigen des Kriegs. —πολιορκέω, ῶ, immerfort belagern. —πολιτεία, ἡ, Partheygeiſt, Rangſtreit u. ſ. w. gegen einander in Verwaltung des Staats. Plutarch de Garrulit. p. 30. von —πολιτεύομαι, f. εύσομαι, ich ſtreite bey Verwaltung des Staats mit einem um den Vorzug und bin daher ſein Gegner, ſ. v. a. ἀντιπολιτεύομαι. Aeſchines p. 583: οὐ μόνον οἱ διαπολιτευόμενοι ἀλλὰ καὶ οἱ Φίλοι. —πολιτης, ὁ, Appian. Hiſp. 8. ein politiſcher Gegner. zweif. —πόλλυμι, f. ολέσω, p. ολώλεκα, ſ. v. a. ἀπόλλυμι. —πομπή, ἡ, (διαπέμπω) das Herüberſchicken, Wegſchicken, Entlaſſung. —πέμπησις, ἡ, ſ. v. a. das vorherg. S. auch διαπόμπησις. —πέμπιμος, ὁ, ἡ, (διαπέμπω) übers Meer, Flüſſe gebracht, geſchickt, oder zum überſetzen geſchickt. —πονέω, ῶ, mit Mühe, mit Anſtrengung etwas ausarbeiten, arbeiten, vollenden, *elaboro*; τὴν χώραν, das Land bearbeiten, Polyb. 4. 45. mühſam etwas erwerben, als τροφήν; 2) durch Arbeit oder Anſtrengung üben, bilden, abhärten. med. διαπονεῖσθαι; ſich bemühen, anſtrengen, Memorab. 2, 1, 33. mühſam, fleiſsig thun. Oecon. 7, 32. Ageſ. 11, 7. —πόνημα, τὸ, das durchgearbeitete, mit Fleiſs gearbeitete. —πονηρεύομαι, ſich durchaus od. immer ſchlecht, niederträchtig betragen; od. mit einem um die Wette ſchlecht oder ſchelmiſch handeln. —πόνησις, ἡ, das Durcharbeiten, die Uebung. —πονος, ὁ, ἡ, Adv. διαπόνως, Plutarch. Mar. durch Arbeit geübt u. abgehärtet, Audit. durch Arbeit ermüdet; derſelbe verb. βραδέως καὶ διαπόνως δέχεσθαι mit Mühe; κύνες bey Pollux 5, 41 ſehr mühſam und ausdauernd. —πόντιος, ὁ, ἡ, (πόντος) übers Meer; z. B. πέταμαι, ich fliege übers Meer, oder jenſeit des Meeres, z. B. πόλεμος, στρατεία, überh. von jenſeit des Meeres her, *transmarinus*. —πορεία, ἡ, ſ. v. a. διαπόρευσις. —πόρευμα, ατος, τὸ, Durchgang. zweif. —πόρευσις, εως, ἡ, das Durchreiſen. —πορεύω, f. εύσω, durch- oder darüber bringen oder führen, durch- od. darüber gehn laſſen. med. durchgehen, durchreiſen. —πορέω, ῶ, das verſtärkte ἀπορέω, in Mangel, Zweifel, Ungewiſsheit, Verlegenheit ſeyn; dav. —πόρημα, ατος, τὸ, Verlegenheit, Angſt, Unruhe. Hip. u. —πόρησις, εως, ἡ, Zweifel; Verlegenheit. —πορητικὸς, ἡ, ὸν, gewöhnl. zweifelhaft, ungewiſs, verlegen. —πορθέω, ῶ, ſ. v. a. διαπήθω u. διαπραθέω, verwüſten. —πορθμευτικὸς, Adverb. —κῶς, zum überfahren gehörig oder geſchickt; von —πορθμεύω, f. εύσω, überſetzen, überfahren; von einem Orte zum andern übers Waſſer bringen; überbringen. neutr. überfahren. Jambl. Pyth. ſect. 12. —πορριπτέω, ῶ, (ἀπορριπτέω) verſt. ἑαυτὸν, ſich eilig zerſtreuen. —πόρφυρος, ὁ, ἡ, mit Purpur gemiſcht od. bunt, wie διάλευκος. —ποστέλλω, f. ελῶ, verſchicken, ausſchicken, in verſchiedene Gegenden; oder einander zuſchicken; dav. —ποστολή, ἡ, das abſchicken in verſchiedene Gegenden, verſchicken. Dionyſ. Antiq. 7, 12. das gegenſeitige Schicken. Polyb. —ποφεύγω, wird aus Syneſius p. 30 angeführt, durch und davon fliehen. —πραγματεύομαι, vorhaben, unternehmen. Dionyſ. Antiq. 593. —πραξις, εως, ἡ, Vollbringung, Vollendung, Erlangung. —πρασις, εως, ἡ, der Verkauf. —πράσσω oder διαπράττω, f. ξω, vollenden, vollbringen, thun; τι τινὶ, auswirken, erlangen für einen andern; med. ſich erwerben; erhalten, erlangen, Φιλίαν παρὰ ſich die Freundſchaft von einem erwerben; daher τὰ αὐτὰ διεπράττετο περὶ τοῦ στρατεύματος πρὸς Ἀρίσταρχον, ſuchte wegen der Armee daſſelbe bey dem Ariſt. zu bewirken. Xen. Anab. 7, 2, 7. πρὸς τὸν Σεύθην περὶ ὁμήρων καὶ σπονδῶν διεπράττοντο, Anab. 7, 4, 12. unterhandelten m. d. S. wegen: ἃ διεπράττοντο, ὅτε ἐσπένδοντο, μὴ κάειν 3, 5, 5. was ſie ſich ausmachten, ausbedungen, nicht zu verheeren; 2) ſ. v. a. διεργάζομαι tödten; ἱερεῖον διαπεπραγμένον Plut. 6 p. 523.

Διαπρέπεια, ἡ, Vorzüglichkeit, Auszeichnung. zw. von —πρεπὴς, έος, ὁ, ἡ, Adv. —πῶς, hervorſtechend, glänzend, vorzüglich ſchön, prächtig; v. —πρέπω, hervorſtechen; durchſcheinen u. glänzen, ſich auszeichnen. —πρεσβεία, ἡ, gegenſeitige Geſandtſchaft; v. —πρεσβεύω, f. ευσω, gegenſeitig od. an verſchiedene Orte Geſandten abſchicken. —πρήθω, f. ήσω, durchbrennen, verbrennen. —πρήσσω, u. med. διαπρήσσομαι bey Hippocr. jon. ſ. v. a. διαπράσσω. Il. β. 785. πεδίοιο διεπρ. verſt. ὁδὸν giengen durch. — —πρηστεύω, bey Herod. 4, 79. τῶν τις Βορυσθενεϊτέων διεπρήστευσε, ſoll wohl διεδρήστευσε heiſsen. —πρίω, f. ίσω, zerſägen; 2) διαπρίομαι Actor. 7, 54. heftig zürnen, eigentl. vor Zorn mit den Zähnen knirſchen. —πριωτὸς, ἡ, ὸν, zerſägt. zw.

Διαπρὸ, Adv. durch und durch, ganz und gar. —προστατεύω, f. εύσω, ſ. v. a. προστατεύω. Polyb. 4, 13. —πρύσιος, ὁ, ἡ. u. διαπρύσιος, ία, ιον, durchgehend, ſich durch und durch erſtreckend; durchdringend (vom Laute). Pindar. Nem. 4, 83 nennt das weite Epirus διαπρυσίαν; von διὰ, περάω. Il. 17, 748. πρὼν ὑλήεις διαπρύσιον πεδίοιο τετυχηκὼς, ein waldichter Hügel, der weit durchs ebne Feld ſich erſtreckt. —πρυσίως, Adv. mit durchdringender Stimme, laut, vernehmlich. —πταίω, f. αίσω; das verſtärkte πταίω, anſtoſsen, ſtraucheln, fehlen, irren. ταῦτα διαπταίουσα καὶ βαρβαρίζουσα ſtammelnd und fehlerhaft ſprach ſie. Luc. Somn. 12. —πτάω. S. διάπτημι. —πτερνιστὴς, οῦ, ὁ, ſo viel als πτερνιστὴς Clemens Alex. —πτερόω, ῶ, f. ώσω, beflügeln, mit Flügeln verſehen; die Flügel entfalten, breiten; mit einer Feder räumen, reinigen, kitzeln. —πτερύσσομαι, ſ. v. a. das ſimpl. πτερ. Plut. Arch. 10 p. 732. —πτέρωσις, εως, ἡ, (διαπτερόω) das Ausbreiten der Flügel; 2) das Reinigen den Ohren mit einer Feder. —πτημι, durchfliegen, davon διαπτάντος τὸν ἀέρα Sapient. 5, 11 wo die Handſchr. διιπτάντος hat. —πτίσσω, f. ίσω, enthülſen und zerſtoſsen, zermalmen. —πτοέω, ῶ, oder poet. διαπτοιέω, auseinander od. verſcheuchen, erſchrecken u. verjagen, beſtürzt machen; dav. —πτόησις u. διαπτοίησις, εως, ἡ, Vertreibung, durch Schreck, Beſtürzung; ἀφροδισίων δ. aus Plato Leg. ſt. heftiger Trieb nach Beyſchlaf. —πτυίζω, (πτύον) ich reinige das Getraide mit der Wurfſchaufel. zw. —πτυξις, εως, ἡ, Entwickelung, Auflöſung; von —πτύσσω, f. ξω, entfalten, entwickeln, ausbreiten. —πτυστος, ὁ, ἡ, beſpuckt; anzuſpucken; verabſcheut, abſcheuungswürdig; v. —πτύω, f. ύσω, beſpucken, begeifern, τὸν χαλινὸν, Philoſtr. Icon. 2, 5. dah. verachten, verabſcheuen. Plutarch. —πτωμα, ατος, τὸ, (διαπίπτω) Fall; Irrthum, Fehler; davon auch —πτωσις, εως, ἡ, das Fallen, Irren, Fehlen. —πυέω, ῶ, (πύος) eitern, ſchwären. —πύημα, ατος, τὸ, ſ. v. a. ἐμπύημα. —πύησις, εως, ἡ, das Eitern. —πυητικὸς, ἡ, ὸν, Eiter erregend, die Eiterung befördernd. —πύθω, f. ύσω, das verſtärkte πύθω. —πυΐσκω, f. πυήσω, Eiter erregen, in Eiterung ſetzen, bringen. —πυκτεύω, f. εύσω, m. d. Dat. oder πρός τινι mit jemand fechten, unter einander fechten. —πύλιος, ὁ, ἡ, (πύλη) durch das Thor; τὸ διαπύλιον verſt. τέλος, zu Athen ein Zoll, Thorgeld. Ariſtot. Oecon. 2. und Heſych. —πυνθάνομαι, f. πεύσομαι, durchfragen, durchforſchen; unter einander ſich fragen, forſchen. —πυος, ὁ, ἡ, (πύον) geſchworen, eiternd. —πυρίζω, f. ίσω, (διάπυρος) glühend machen, erhitzen, anfeuern. —πυρος, ὁ, ἡ, Adv. διαπύρως, (πῦρ) vom Feuer durchdrungen, glühend, heiſs; daher hitzig, heftig, z. B. διάπυρος ἐχθρὸς, διάπυρον ἔργον, ein hitziger Feind, hitzige That. Eben ſo δ. πρὸς ὀργὴν, hitzig und bald in Zorn gerathend. —πυρόω, ῶ, f. ώσω, ſ. v. a. διαπυρίζω. —πυρσαίνω und διαπυρσεύω, (πυρσὸς) mit der Fackel das Zeichen durch einen Ort geben; mit der Fackel leuchten, τοῦ οὐρανοῦ durch den Himmel. Philoſtr. Apoll. 2, 22. —πυστος, ὁ, ἡ, durch das Gerücht bekannt gemacht, verbreitet, Herodian. 2, 12. von διαπύθομαι. —πυτίζω, bey Athen. p. 294 διαπυτιοῦσιν οἶνον τοιοῦτον χάμαι, ſolchen Wein werden ſie an die Erde ſpucken, ſpritzen. bey Clemens Paed. 2, 2 ὥσπερ τοὺς ἀμφορεῖς διαπυτίζοντας ἀλλήλοις τὸν ἄκρατον φιλοτησίας ὀνόματι, wo es zutrinken und ausſchlürfen zu heiſsen ſcheint. —πύω, zum ſchwären, eitern bringen, ausſchwären laſſen. —πωλέω, ῶ, verkaufen.

Διαραίνω, oder διαῤῥαίνω, f. ανῶ, (ῥαίνω) beſprengen, benetzen, verſprengen. —ράσσω oder διαράττω, f. άξω, (ἀράσσω) durchſchlagen, ſtoſsen, brechen.

Διάργεμος, ὁ, ἡ, (ἄργεμος) weiſslicht, Babrius Suidae. —αρδω, f. άρσω, das verſtärkte ἄρδω.

Διαρετίζομαι, ich wetteifre mit andern in der Tugend, Synesius. p. 28.

Διαρθρόω, ῶ, f. ώσω, zergliedern, gliederweiſe zerlegen; gliederweiſe verbinden, Glied mit oder durch Glied verbinden; deutlich auseinander ſetzen und wieder ſchicklich zuſammenſetzen oder erklären, als Gegenſ. von συγχύω: bey Plato διαρθροῦντες φράζειν, deutlich, beſtimmt ſagen. —θρωσις, εως, ἡ, Verbindung der Glieder, Vergliederung; das Verdeutlichen. —θρωτικός, ἡ, ὀν, zum vergliedern oder deutlichmachen gehörig oder geſchickt.

Διαριθμέω, ῶ, wie dinumero, aus einander zählen, herzählen, herrechnen; davon —ρίθμησις, εως, ἡ, das herrechnen, oder zählen. —ριστεύομαι, mit einem des Vorzugs wegen ſtreiten, wetteifern, ſtreiten, wer von beyden ἀριστεύων ſeyn ſoll. Longin. 13 πρὸς Ὅμηρον διηριστεύετο.

Διάρκεια, ἡ, die Hinlänglichkeit, Theophr. c. pl. 1, 12. Dauer, das Ausdauern, Anhalten; von —κέω, ῶ, f. έσω, (διαρκής) zu- oder hinreichen, hinlänglich ſeyn; groſs, ſtark, viel, genung oder gewachſen ſeyn, ausdauern; ausdauern können, oder hinreichend zu leben haben, z. B. Dio Caſſ. 38, 19. was kurz vorher war ἐπιτήδεια αὐτάρκη κεκτῆσθαι. act. hinreichend geben. ὅσοις ἐγὼ μεδίμνοις ἐμαυτὸν διαρκεῖν ἂν δυναίμην, Aeſchin. Ep. 5. auch beyſtehn. —κής, έος, ὁ, ἡ, Adv. —κῶς, hinreichend, ausdauernd, u. daher lange dauernd, ſtark, z. B. σῶμα, und eben ſo ὠφέλεια, πρόσοδος, ausdauernder oder beſtändiger Nutzen, fortwährende Einkünfte.

Δίαρμα, ατος, τὸ, (διαίρω) das Hinüberſetzen; Ueberfahrt, πελάγιον, Reiſe über Meer, Polyb. 10, 8. 2) Erhebung, daher elatio orationis. —μένιος, ὁ, ἡ, (ἄρμενον) ὁλκὰς bey Syneſ. Epiſt. 4. mit zwey Maſten, wie τριάρμενος. —μόζω, f. όσω, oder διαρμόττω, (ἁρμόζω) zertheilen, trennen; 2) ſ. v. a. ἁρμόζω, Plutar. de utilit. ex inimic. p. 326.

Διαρόγχαι. S. in διαῤῥωγή.

Διαρπαγή, ἡ, das Zerreiſsen, Plündern, direptio; von —πάζω, f. άσω od. άξω, zerreiſsen, auseinander zerren, plündern, diripio.

Διαῤῥαγή, ἡ, (διαῤῥήγνυμι) das Durchreiſsen, Durchbruch; Riſs wodurch. —αῤῥαίνω. S. διαραίνω. —αῤῥαίω, f. αίσω, das verſtärkte ῥαίω. —αῤῥαντίζω, f. ίσω, ſ. v. a. διαῤῥαίνω. —αῤῥάπτω, ich nähe durch oder zu. Chirurg. vet. und Plutarch. 10 p. 70. wo auch διάῤῥαμμα, τὸ, das darzu oder daran, dazwiſchen genähte, ſieht. —αῤῥέπω, (ῥέπω) ich neige mich hin und her, ſchwanke wie eine Wagſchaale. —αῤῥέω, f. εύσω, durchflieſsen; zerflieſsen; τῷ βίῳ Aelian. v. h. 9, 24 wie diffluere luxuria, ein lockeres Leben führen. —αῤῥήγνυμι, f. ήξω, oder διαῤῥηγνύω, durchbrechen, zerbrechen. paſſ. zerbrochen werden od. platzen, berſten, z. B. vor Neid. —αῤῥήδην, Adv. ausdrücklich, mit deutlichen Worten, beſtimmt, deutlich. S. in διείρηκα. —αῤῥηξις, εως, ἡ, das Zerreiſsen, Durchbrechen, der Durchbruch; von —αῤῥήσσω, f. ξω, eine andere Form von διαῤῥήγνυμι. —άῤῥιμμα, ατος, τὸ (διαῤῥίπτω) bey Xen. Ven. 4. das hin und herwerfen oder bewegen des Körpers. —αῤῥιπίζω, f. ίσω, durchfachen, durchfächern, durchlüften; bey Heſych. auch ſ. v. a. zerſtreuen. —αῤῥιπτέω und διαῤῥίπτω, f. ψω, aus einander werfen, unter mehrere werfen, Xenoph. Anab. 7, 3, 22. hin und herwerfen; zerſtreuen; verwerfen. dav. —άῤῥιψις, εως, ἡ, das hin- und her- oder auseinander werfen, zerſtreuen. —άῤῥοδος, ὁ, ἡ, (ῥόδον) dav. διάῤῥοδον verſt. κολούριον, κολλύριον), wovon das Hauptingredienz Roſen ſind; doch aber iſt dieſe Form weder ſo gewöhnlich noch ſo richtig, als κολούριον τὸ διὰ ῥόδων u. dergl. mehr. —αῤῥοή, ἡ, das Durchflieſsen, der Durch- oder Abfluſs, zw. daher iſt beym Dio C. 39, 41 ἡ ἄνω τε καὶ κάτω τοῦ ὠκεανοῦ διαῤῥοὴ der Zu- und Abfluſs des Ozeans, d. i. Ebbe u. Fluth, fluxus et refluxus. —αῤῥοθέω, (ῥόθιον) mit Heftigkeit oder ſchnell durchgehn; bey Heſych. διασοβεῖν. —άῤῥοια, ἡ, (διαῤῥέω) das Durchflieſsen, der Durchfluſs; δ. (τῆς γαστρὸς) Durchfall. —αῤῥοιζέω, (ῥοῖζος) act. Soph. Tr. 568 στέρνων διεῤῥοίζησεν ἰόν, ſchoſs ſchnell mit Geräuſche den Pfeil durch die Bruſt; auch neutr. ſchnell und mit Geräuſch durchgehn. —αῤῥοιζομαι, f. ίσομαι, (διαῤῥοια) den Durchfall haben. Alexand. Aphrod. —αῤῥυέω und διαῤῥύημι, davon διαῤῥυεὶς, διαῤῥυῆναι, ſ. v. a. διαῤῥέω, zerflieſsen, z. B. ὑπὸ μαλακίας, mollitie diffluo; τὰ ὑπὸ τοῦ χρόνου διεῤῥυηκός, Dio C. 76, 7 das durch die Zeit verdorbene. Budäus hat aus Arethas διαῤῥυίσκομαι ſt. διαῤῥέω angemerkt; alle von διαῤῥύω. —αῤῥύπτω, f. ψω, das verſtärkte ῥύπτω. Galen. —άῤῥυτος, ὁ, ἡ, (διαῤῥύω) durchfloſſen, bewäſſert. —αῤῥωγή, ἡ, und nach einer falſchen Lesart auch διαῤῥωγή eigentl. Riſs, Spalte; aber Hippocr. de artic. nennt ἐπιδεσίων διαῤῥωγὰς den Zwiſchenraum, welchen die umgewundene Leinewand einer chirurgiſchen Bandago am Gliede lässt; Hesych. hat aus derselben Stelle διαρωχμίας, διαστάσεις, soll vielleicht διαρωχμὰς heissen; andere lasen διαρόγχας, welche Lesart Erotian. in διαροχὰς hat und wie Hesych. erklärt.

Διαῤῥὼξ, ῶγος, ὁ, ἡ, durchgerissen, durchbrochen, wie ἀπόῤῥωξ.

Διαρσις, εως, ἡ, (διαίρω) das Aufheben, Erhebung. —αρτάω, ῶ, f. ήσω, (ἀρτάω) s. v. a. διαίρω, ich trenne, scheide; 2) s. v. a. ἀρτάω, ich hänge auf, *suspendo;* 3) metaphor. wie *suspendo, suspensus*, der in Zweifel über eine Sache geräth, oder getäuscht wird; für betrügen führt Suidas es aus Menander an. —αρτία, ἡ, τὴν διαρτίαν τοῦ σώματος εὐφυής, Nicetas Annal. 4, 6. und 21, 3. Bildung des Korpers; von —αρτίζω, f. ίσω, ich mache zurecht, bereite, bilde. Hesych. S. ἀρτίζω.

Διαρυθμίζω, f. ίσω, ich bilde aus, gestalte, ich fuge zusammen. —ρυμβονάω, s. v. a. διαφορέω, zerstreuen. Hesych. —ρύτω, s. v. a. ἀναντλέω bey Hesych. und Etym. M. —ρύω oder διαῤῥύω, f. ύσω, (ῥύω, ἐρύω) durchziehen, Herodot.

Διάρχοι, οἱ, bey Hesych. die zwey ἄρχοντες vorzüglich die zwey Hellanodiken. —άρχω, ein Amt, Magistratur bis zu Ende verwalten oder endigen. Dio Cass.

Διασαίνω, s. v. a. σαίνω. zw. —σαίρω, davon διασεσηρὼς, Plutarch. Mar. 12. sarkastisch lachen. —σαλακωνίζω, f. ίσω, Aristoph. Vesp. 1169. τρυφερόν τι διασαλακώνισον, nimm einen weichlichen, vornehmen Gang an; welcher hernach d. σαυλοπρωκτιᾶν angedeutet wird: wo andre διαλυκώνισον u. διαλακώνισον lasen. S. σαλακωνίζω. —σαλεύω, ειν, (διὰ, σάλος) ich setze durchaus in Bewegung, bewege, erschuttere, setze in Unruhe. —σαλπίζω, f. ίσω, austrompeten, ausschreyen, ausbreiten. zw. —σαρδωνίζω. S. in σαρδωνίζω. —σάττω, das verstärkte σάττω. Geoponic. 19, 9. mit dem genit. vollstopfen. —σαυλόομαι, οῦμαι. S. in σαυλόω. —σαφέω, ῶ, und διασαφηνίζω, (σαφὴς, σαφηνὸς) deutlich, offenbar, verstandlich machen oder sagen; davon —σάφησις, εως, ἡ, deutliche Erklärung; davon —σαφητικὸς, ἡ, ὸν, zum deutlich machen, erklaren gehorig oder geschickt darinne oder darzu. Adv. —κῶς. —σεισμὸς, ὁ, das durchschütteln, erschüttern, erschrecken; 2) von einer Magistratsperson das, was die Lateiner *concussio*, so wie die Franzosen *concussion* nennen, wenn sie ihre Macht missbraucht zu Drohungen, Bestechungen und Chikanen, die Plackereyen der Magistrate. —σειστος, ὁ, ἡ, durchschüttelt, erschüttert. —σείω, f. είσω, durchschütteln, erschüttern; 2) erschrecken, drohen; 3) durch androhen von Anklage, seines Ansehens und Macht als Magistratsperson, jemand erschrecken, zu Geschenken zwingen, chikaniren, ängstigen, placken, (*concutere*). S. ἀνασείω u. ἐπανασείω. —σήθω, (σήθω) ich siebe durch. —σηκάω, ῶ, f. ώσω, (σηκόω) abwägen; durchbrechen und sich zeigen, ὁκόσοισι διαπυόν τι ἐὸν ἐν τῷ σώματι μὴ διασημαίνει —διὰ παχύτητα τοῦ πύου ἢ τοῦ τόπου οὐκ ἀποσημαίνει, Hippocr. Aphor. 41. sect. 6. —σημαίνω, f. ανῶ, (σῆμα) bezeichnen; anzeigen, neutr. —σήμος, ὁ, ἡ, bezeichnet, ausgezeichnet, glänzend, berühmt. —σήπω, f. ψω, durchfaulen machen, durchaus in Fäulung bringen. —σια, τὰ, Jupiters (Dis) m. d. Beyn. μειλίχιος, Fest zu Athen. —σιγάομαι, schweigen, verschweigen, Pindar. Ol. 13, 130. wo andre διασωπάσομαι lasen. —σίζω, Aristot. Reth. 3, 16 διασίζων καὶ ταῖν χεροῖν wird übersetzt zischen. —σιλλαίνω oder διασιλλέω, verlachen, verspotten. —σιμόω, bey Hesych. verspotten, *simo, adunco naso suspendere.* S. σιμὸς. —σιωπάω, ῶ, f. ήσω, schweigen. S. διασιγάομαι. —σκαίρω, (σκαίρω) durchschwimmen, durchspringen, Apollon. 1, 574. —σκαλιδεύω, f. εύσω, (σκαλὶς) u. διασκαλεύω, und διασκάλλω, durchhacken: die erste Form zw. die zweyte und dritte bey Plutar. 18. p. 80. 82. R. —σκανδικίζω, ein vom Aristoph. gemachtes Wort, welches auf Euripides Mutter, die Kerbel und andre Krauter verkaufte, zielt; st. in Euripides Sprache reden. Sonst kommt das Wort beym Athen. 2 S. 56. in der natürlichen Bedeut. Kerbel essen, vor. —σκάπτω, f. ψω, durchgraben. —σκαριφῆσαι, aufkratzen, zerkratzen, (von Hunern, die die Erde aufkratzen); daher, auflösen, zerstoren, z. B. beym Isocr. διασκαριφήσασθαι καὶ διαλύσασθαι τὰς εὐτυχίας. S. σκαριφάω. —σκατάω, davon διασκαταμένη bey Clemens Alex. die Philosophie der Epicuräer hiess, d. i. beschissen, schmutzig; v. σκῶρ, σκατὸς. —σκεδάζω, f. άσω, διασκεδάννυμι u. διασκεδάω, zerstreuen; aus einander werfen, ausstreuen; davon —σκεδασμὸς, ὁ, Zerstreuung; zw. —σκεδάω, ῶ, f. άσω, oder διασκεδάννυμι s. v. a. διασκεδάζω. —σκελίζω, dav. διεσκελισμένον καθῆσθαι, im Etym. M. in κελητίζει, mit auseinander gesperrten Schenkeln sitzen. —σκεπάζω, f. άσω, αὐγὴν, bedecken und abhalten. Dio Cass. —σκέπτομαι, f. ψομαι, durchsehn, betrachten, überlegen. —σκευάζω, f. άσω, zubereiten, anordnen, zurechte legen, kleiden, zieren. med. διασκευάσασθαι sich rüsten; 2) umarbeiten, ein theatralisches Stück u. dgl. von διασκευή, ἡ, s. v. a. σκευή, Zubereitung, Anordnung, Ankleidung, Anzug; das Ueberarbeiten, Umarbeiten; verbesserte Ausgabe. —σκευωρέω, ῶ, bey Plato Ep. s. v. a. διασκευωρέομαι, Republ. 7 p. 180 διασκευωρεῖσθαι τὴν πόλιν, besorgen, verwalten. —σκεψις, εως, ἡ, (διασκέπτομαι) Durchsicht; Betrachtung, Ueberlegung. —σκέω, ῶ, schmücken, z. B. τὰς κόμας χρυσῷ. S. ἀσκέω. —σκηνάω, διασκηνέω, und διασκηνόω, (σκήνη, Zelt, Lager, Quartier) als neutr. sich in die Quartiere vertheilen, kantoniren. Xenoph. Anab. 4, 4. 8. und 10. und Kap. 5, 29. 2) auseinander, von einander gehn, Cyrop. 3. 1. 38. Hist. Gr. 4, 8, 18. 3) προτέταξε τὰ καπηλεῖα ἐπὶ τῶν τειχῶν διασκηνωθῆναι, Aelian. v. h. 3, 14 dass Weinhäuser auf der Stadtmauer in gewissen Entfernungen von einander errichtet würden. —σκηνίπτω u. διασκνίπτω. S. σκνίπτω. —σκηρίπτω, f. ψω, stützen, eigentlich m. d. Nebenbegr. v. auseinander halten. —σκιάζω, bey Suidas s. v. a. ἀποκρύπτω. —σκίδνημι, eine andre Form von διασκεδάω. —σκιρτάω, ῶ, f. ήσω, durch- auseinander- umherspringen, hüpfen. —σκοπέω, ῶ, s. v. a. διασκέπτομαι und *dispicio*, durchsehn, betrachten, überlegen. —σκοπιάομαι, ῶμαι, ich sehe von der Höhe nach allen Seiten, beobachte als Spion. —σκορπίζω, f. ίσω, ich zerstreue, werfe aus einander. —σκορπισμὸς, ὁ, das Zerstreuen. —σκώπτω, f. ώψω, mit od. unter einander scherzen. Xen. Cyr. 8, 4. 23.

Δίασμα, τὸ, (διάζομαι) der Aufzug, Anfang eines Gewebes, sobald die Fäden gekreuzt oder Geleie gemacht sind. —σμάω, ῶ, und διασμέω, ich wische aus. —σμινίζω, das verstärkte ἀσμινίζω, Synesius p. 307. —σμήχω, s. v. a. das vorige. —σμιλεύω, f. εύσω, ich schneide, putze mit dem Messer. σμίλη, aus. —σμύχω, f. ξω, ich durchschmauche. —σοβέω, ῶ, ich durchschüttele, zerstreue, verjage auseinander. διασοβεῖσθαι καὶ ἐπαιρεσθαι τοῖς ἐπαίνοις Plutarch. aud. poet. wie *excitare* erwecken, aufscheuchen. —σοφίζομαι, f. ίσομαι, Aristoph. Av. 1619 διασοφίζηται λόγων, immer auf eine arglistige und verfängliche Art spricht. —σπαθάω, ῶ, f. ήσω, s. v. a. κατασπαθάω, verschwenden, durchbringen. S. σπαθάω. —σπαρακτὸς, ἡ, ὸν, zerrissen, zerfleischt; von —σπαράσσω, άττω, f. ξω, ich zerreisse, zerfleische. —σπάσιμος, ὁ, ἡ, was aus od. von einander gezogen od. getrennt, abgerissen werden kann; von —σπασις, εως, ἡ, oder διασπασμὸς, das Zertrennen, Zerreissen, Zerstören. —σπασμα, τὸ, (διασπάω) das abgerissene, getrennte; die Trennung, Abhaltung. Plutarch. —σπάω, ῶ, trennen, zertrennen, zerreissen, zerstören, νόμους aufheben, τὸν χάρακα, τὰ ὀχυρώματα, προτειχίσματα, sich aus dem Lager, Verschanzung herausbegeben. Xenoph. und Polyb. —σπείρω, f. ερῶ, (σπείρω) eigentl. den Saamen ausstreuen, überh. zerstreuen. —σπεύδω, f. εύσω, antreiben, ermuntern, bey Polyb. neutr. s. v. a. σπεύδω, eifrig etwas betreiben, sich bemühen, mit oder unter einander; eben so braucht Dio Cass. das medium. —σπλεκοῦν, (πλεκόω, σπλεκόω) ein Wort wie διαμηρίζειν vom Beyschlafe, m. d. Acc. Aristoph. —σποδέω, mit dem Acc. den Beyschlaf treiben mit einer Frauensperson; komisch. —σπορὰ, ἡ, (διασπείρω) Ausstreuung, Zerstreuung. —σπορεὺς, έως, ὁ, ein Ausstreuer, Verbreiter. —σπουδάζω, f. άσω, s. v. a. σπουδάζω verstärkt. Dionys. Hal. Lysias c. 14. bey Dio Cass. im act. u. med. mit einander in der Bewerbung um ein Amt streiten und alle Mittel des *ambitus* anwenden. —σταδὸν, Adv. (διΐστημι) aus einander stehend, so dass ein Zwischenraum zwischen beyden ist, von ferne, in einer gewissen Entfernung von einander. —σταθμάομαι, ῶμαι, fut. ήσομαι, abmessen, zumessen; abtheilen. —σταλμα, ατος, τὸ, (διαστέλλω) ῥήματος bey Clemens Strom. 5 p. 677. wird *verbi distributio* übers. —σταλσις, ἡ, (διαστέλλω) die Trennung, Unterscheidung; 2) Bund, Vertrag Maccab. 2. davon —σταλτικὸς, ἡ, ὸν, zum absondern, trennen, unterscheiden gehörig oder geschickt. Adverb. —κῶς. —στασιάζω, f. άσω, (στάσις) unter einander, gegen einander in Aufruhr bringen; 2) neutr. δ. τινὶ mit einem in Uneinigkeit leben. Dio Cass. 54, 17. —στασις, εως, ἡ (διΐστημι) das Auseinanderstehen, Entfernung, Zwischenraum, Entfernung der Gemüther von einander, d. i. Uneinigkeit wie *distantia*, *dissidium*, Thucyd. 6, 18. Auch braucht es Theophr. de caus. plant. 4, 6 als Ausartung, von Pflanzen, die ἐξίστησιν τοῦ γένους; die Ausdehnung eines Körpers in die Länge und Breite. —στατέω, ῶ, aus einander stehen, getrennt oder entfernt seyn, uneinig seyn; davon —στατικὸς, ἡ, ὸν, geschickt zum trennen, uneinig machen, wie λόγος Plutarch. —στατὸς, ἡ, ὸν, von einander stehend, getrennt; in die Länge und Breite ausgedehnt.

Διασταυρόω, ῶ, f. ώσω, durch darzwiſchen gezogenen Wall mit Pallisaden, σταυρὸς, ſichern, ſchützen, ſalt ſ. v. a. ἀποστ. Dio Caſſ. 41, 50. —στείχω, durchgehn, weg- oder fortgehn. —στέλλω, f. ελῶ, aus einander ziehn, von einander trennen; theilen; entfernen; ofnen; unterſcheiden; deutlich beſtimmen; anordnen; beſtimmt und deutlich ſagen; vorz. im medio bey Polybius Τίτου πρὸς τὸ συνέδριον διαστείλαντος, wird aus Livius *diſſentiente* überſetzt und erklärt Polyb. 18, 31. aber die Les. iſt ohne Zweifel falſch. S. auch διαστολή. —στενος, ὁ, ἡ, ſ. v. a. στενὸς; zw. —στερος, ὁ, ἡ, (ἀστὴρ) λίθοις ἰνδικαῖς, mit Edelſteinen wie mit Sternen beſetzt. Lucian. wie διάλιθος. —στημα, ατος, τὸ, (διΐστημι) Zwiſchenraum; Abſtand; Entfernung; davon —στηματίζω, f. ίσω, einen Zwiſchenraum oder Abſatz machen oder laſſen, wie *intervallare*; alſo auch nachlaſſen, unterlaſſen, unterbrechen; zweif. —στηματικὸς, ἡ, ὸν, zum Zwiſchenraume, Abſatze gehörig; mit Abſatzen, Zwiſchenräumen, dem συνεχὴς oppon. —στηρίζω, f. ξω, ſ. v. a. στηρίζω. —στὶ S. θεαστί. —στίζω, f. ξω, durch Punkte od. Flecke bezeichnen, interpungiren, bunt machen. —στίλβω, durchſchimmern, durchglänzen. —στιξις, εως, ἡ, (διαστίζω) Unterſcheidung durch Punkte oder Zeichen; Interpungiren. —στοιβάζω, f. άσω. S. στοιβάζω. —στοιχίζομαι, in eine Reihe ſtellen, ordnen, Heſych. überh. ordnen, Aeſch. Prom. 230. —στολεὺς, έως, ὁ, (διαστέλλω) ein chirurgiſches Werkzeug, geſchloſſene Theile zu ofnen, auch δίοπτρα genannt, deſſen Einrichtung man aus Paul. Aegin. 6, 77 abnehmen kann. —στολὴ, ῆς, ἡ, (διαστέλλω) Trennung, Scheidung, Unterſcheidung; daher bey Polyb. deutliche Auseinanderſetzung und genaue Erzählung; 2) das Auseinanderziehn, Ausdehnen: der συστολὴ dem Zuſammenziehn, vorzügl. des Herzens entgegengeſetzt, daher auch bey den Grammatikern die gedehnte Ausſprache einer von Natur kurzen Sylbe, *prolongatio*, dagegen συστολὴ Verkürzung, kurze Ausſprache einer von Natur langen Sylbe iſt, *correptio*. —στόλιον, τὸ, ſ. v. a. διαστολεύς. —στομαλίζομαι, bey Heſych. ſ. v. a. λοιδορεῖν, κακῶς εἰπεῖν von στόμα, στομαλὸς, wahrſch. mit dem dat. und ſ. v. a. διαστωμύλλομαί τινι, mit jemanden ſich ausreden. —στομόω, ῶ, f. ώσω, (στόμα) ich ofne einen geſchloſſenen Theil; davon —στόμωσις, εως, ἡ, die Oefnung eines geſchloſſenen Theils: davon —στομωτρὶς, naml. μήλη, eine Sonde, od.

Διασύρω, aus einanderziehen; verzerren; zerreiſſen; metaph. wie *lacero*, läſtern, ſchmähen, durchziehn, tadeln. —σύστασις, ἡ, u. διασιστατικὸς, bey Clemens Alex. ſ. v. a. das ſimpl. συστ. —σφαγὴ, ἡ, od. διάσφαγμα, ατος, τὸ, eine mit Gewalt gemachte Oeffnung, Spalt, Riſs. S. διασφάξ. —σφάζω, διασφάττω, ich zerſchneide, ich ſpalte, trenne; ich ſchlachte ab. —σφαιρίζω, f. ίσω, den Ball hin und herwerfen, unter einander Ball ſpielen. —σφακτὴρ, ῆρος, ὁ, z. B. σίδηρον ſ. v. a. σφαγεὺς, zerſchneidend, ſchlachtend. —σφαλίζω, f. ίσω, auch im med. ſ. v. a. ἀσφαλίζω. —σφάλλω, ſ. v. a. σφάλλω. —σφάξ, γὸς, ἡ, (διασφάζω) verſt. πέτρα, ein mit Gewalt geſpaltener Felſen, eine gewaltſam gemachte Oefnung, Spalte, Ritze, Höhle in einem Felſen; eine jede Spalte, Oefnung, Höhle. Oppian. Hal. 1, 744. — σφενδονάω, auch διασφενδονίζω, (σφενδόνη) zerſchleudern, mit der Schleuder wegwerfen; überhaupt mit Gewalt auseinander werfen, zerſtreuen; zerreiſſen. Plutar. Alex. c. 43. — σφετερίζομαι, ſ. v. a. das ſimplex σφετερίζομαι. Philo. —σφηκόω, ῶ, f. ώσω, ich gebe Weſpengeſtalt, Ariſtoph. Veſp. 1067. 2) ich füge zuſammen, binde und befeſtige; ich binde zu. —σφηνόω, ῶ, (σφὴν) aus einander keilen, zerkeilen, gewaltſam ſpalten, trennen. —σφίγγω, f. ξω, durchbinden, feſtbinden; dav. —σφίγξις, εως, ἡ, das Feſtbinden. —σφύξις, εως, ἡ, (σφύζω) φλεβῶν, der Pulsſchlag der Adern, Hippocr. —σχάω, ſ. v. a. σχάζω; zw. —σχηματίζω, f. ίσω, ſ. v. a. das ſimplex σχημ. —σχιδὴς, ὁ, ἡ, getrennt, geſpalten, zerſchnitten; von —σχίζω, f. ίσω, zertrennen, zerſpalten, zerſchneiden, zerſtreuen; davon —σχὶς, ίδος, ἡ, ſ. v. a. das folgd. Hippocr. —σχισις, ἡ, (διασχίζω) die Spaltung, Trennung. Themiſtius or. 1 p. 236. —σχισμα, ατος, τὸ, ein durch- und abgeſchnittenes Stück; 2) die Hälfte der δίεσις in der Tonkunſt. —σχολέω, das verſtärkte ſimplex ἀσχολέω. —σώζω, f. ώσω, eigentl. durchretten, durch den Feind, eine Krankheit u. dergl. retten, oder glücklich durchbringen; daher διεσώζετο πρὸς, er kam, rettete ſich glücklich durch; er entkam, entfloh. —σωστὴς, οῦ, ὁ, d. i. ὁ διασώζων, einer, der einen glücklich und unbeſchädigt wohin bringt, durchbringt. —σωστικὸς, ἡ, ὸν, zum durchbringen, retten gehörig oder geſchickt. —σωφρονίζομαι, Syneſius p. 28. mit einander in σωφροσύνη wetteifern.

Διαταγεύω, f. εύσω, anordnen, anführen, Xenoph. Cyropaed. 8, 3, 33. διαταγεῦσαι, wo vorher διατάξαι vielleicht richtiger ſtand. S. ταγεύω. —ταγὴ, ἡ, ſ. v. a. διάταξις. —ταγμα, ατος, τὸ, gemachte Anordnung, Verordnung, Befehl. —τάκτης, οῦ, ὁ, oder διατάκτωρ, Anordner, Verordner. zweif. —ταλαιπωρέω, ῶ, bey Mühſeligkeit, mühſeliger Arbeit aushalten. —ταμιεύω, f. εύσω, aufbewahren, aus Plato Legg. —τάμνω, joniſch ſt. διατέμνω. —ταξις, εως, ἡ, (διατάσσω) Anordnung, Stellung; Verordnung; Befehl; letzte Anordnung, Teſtament. —ταράσσω, διαταράττω, f. ξω, das verſtärkte ταράσσω, wie *turbo* u. *perturbo*. —τασις, εως, ἡ, (διατείνω) Ausſpannung, Anſpannung; Anſtrengung; überh. Heftigkeit im Tone, der Stimme, Sprache, Leidenſchaften, Handlungen u. dergl. —τάσσω, διατάττω, f. άξω, ordnen, anordnen, verordnen, befehlen; anſtellen, in Ordnung, in Schlachtordnung ſtellen; jedes an ſeinen Ort ſtellen. Xen. Oecon. 3, 3. vergl. 9, 1. feſtſetzen, Anweiſung geben u. dergl. —τατικὸς, von διάτασις, nachdrücklich, wirkſam, hat Suid. aus Polyb. angeführt —ταφρεύω, f. εύσω, (τάφρος) durch einen dazwiſchen gezogenen Graben trennen, verwahren, beſchützen; faſt ſ. v. a. ἀποταφ. —ταχέων, und διατόχους, eigentlich getrennt, in kurzer Zeit, ſchnell, ſogleich. —τέγγω, f. ξω, das verſt. τέγγω. zw. —τεθρυμμένως, Adv. vom part. perf. v. διαθρύπτω. —τείνω, aus einander ſtrecken und halten, ausſtrecken, ausſpannen, erſtrecken, in die Länge ſpannen; anſpannen, anſtrengen, daher im med. διατείνομαι, ſich anſpannen, anſtrengen, ausrecken. διατεινάμενοι οἱ μὲν τὰ παλτὰ οἱ δὲ τὰ τόξα εἱστήκεσαν Cyrop. 1, 4, 23 mit geſpanntem Bogen und die andern hielten mit beyden Händen die Spieſſe zum Wurfe bereit; daher διατεινάμενος εὐστόχως βάλλει daſ. 1, 4, 8. im med. διατεινάμενος φεύγειν, Memor. 4, 2, 22. aus allen Kräften fliehn; διατεινάμενος φθάσαι Cyrop. 4, 3, 16. mit aller Anſtrengung zuvorkommen; μὴ οὖν ἀποῤῥαθύμει τούτου ἀλλὰ διατείνου μᾶλλον πρὸς τὸ σαυτῷ προσέχειν, ſondern beeifere dich deſto mehr. Memor. 3, 7, 9. überhaupt jede Anſtrengung, z. B. ἠγανάκτησε καὶ διατείνατο πρὸς αὐτοὺς, Plut. 2) m. verb. ἰέναι wie *contendere*, εἰς, πρὸς, anlangen, hingelangen, ankommen, ταῖς μετρίαις διατείνοντες μέχρι τοῦ ὠκεανοῦ Diod. Sicul. 3) als neutr. ſich erſtrecken, reichen wie *pertinere*; auch metaph. wie *pertinere*, angehn, angehören, gehören.

Διατειχίζω, f. ίσω, (τεῖχος) durch eine Mauer od. Burg trennen, ſchützen; vermauern. Aelian. H. A. 6, 43. —τειχίον, τὸ, bey Diodor. 16, 12. ἐν σταδιαίῳ γὰρ ὀλίγῳ τε διαστήματι τοῦ διατειχίου ἔσω μάχης οὔσης ſt. διατειχίσματος. —τείχισμα, τὸ, (διατειχίζω) eine Mauer o. Gebäude, wodurch zwey Plätze getrennt und geſchieden werden. —τεκμαίρομαι, aor. 1. διετεκμηράμην, bezeichnen, beſtimmen. Heſiod. ἔργ. 398. S. τεκμαίρομαι. —τελέω, ῶ, f. έσω, endigen, vollenden, vollbringen; mit verſt. ὁδὸν dahin gelangen, kommen, πρὸς, εἰς und dergl. 2) mit folgd. partic. drückt es die Dauer einer Handlung oder eines Zuſtandes aus; auch die Beharrlichkeit, Anſtrengung, als διατελῶ φεύγων, χρώμενος, ich vermeide, brauche ſtets, immer, gewöhnlich. —τελής, ὁ, ἡ, Adv. —λῶς, fortwährend, beſtändig, ὕδωρ Quellwaſſer Aelian. v.h.3, 1. —τέμνω, f. εμῶ, zerſchneiden, theilen, trennen. —τενής, έος, ὁ, ἡ, (διατείνω) ſich erſtreckend, gehörig, πρὸς τελείωσιν, Theophr. c. pl. 2, 20. —τερσαίνω, das verſtärkte τερσαίνω. —τεσσάρων, ἡ. S. διαπασῶν. —τεταμένως, Adv. vom part. perf. paſſ. von διατείνω. —τήκω, f. ήξω, zerſchmelzen, durch Schmelzen auflöſen. —τηρέω, ῶ, bewachen; erhalten (διατετήρηκα τὴν ἡγεμονίαν ſpricht Cicero beym Plut. in Cic. 23. was er ſelbſt Piſon. 3 ausdrückt: *resp. mea unius opera eſt ſalva*); auf etwas halten, od. genau auf etwas achten. —τήρησις, εως. ἡ, das Bewachen; die Erhaltung; die Beobachtung. —τηρητικὸς, ἡ, ὸν, zum erhalten, beobachten gehörig od. geſchickt. —τίθημι, f. θήσω, wie *diſpono*, aus einander ſtellen, ordnen, anordnen, anſtellen, hier und dahin ſtellen; anordnen und verwalten, wie πανήγυριν ἀγῶνας Xen. Hellen. 6, 4, 30. τοὺς μὲν ὀλίγα τοὺς δὲ πολλὰ κακῶς διατιθέναι, Ageſ. 11, 6. ſchlecht machen, ſtellen; ſonſt heiſst εὖ κακῶς τινα διατιθέναι, gut, ſchlimm behandeln; überh. διατιθέναι τινὰ οὕτω einen in ſolche phyſiſche oder moraliſche Verfaſſung, Lage, Stimmung, Geſinnung durch Behandlung, Worte, Reden od. Handlungen ſetzen, verſetzen; ſolche Geſinnungen beybringen, dahin ſtimmen und dergleichen. Das medium διατίθεμαί τι, drückt das ſchalten u. walten mit einer Sache als Eigenthum aus; dah. vorzügl. verkaufen, veräuſsern; ein Teſtament machen, welches dah. διαθήκη heiſst; dah. τὴν θυγατέρα διαθέσθαι ὅπως ἂν σὺ βούλῃ Cyr. 5, 2,7. mit ihr zu machen, was du willſt; τὴν ἔριν ἀλύπως καὶ συμφερόντως διατίθεσθαι, Mem, 2, 6. 23. beylegen. Bey Polyb. hieſs λόγους διατίθεσθαι u. ohne λόγους ſ. v. a. Redens machen, reden, ſprechen; ὀργὴν διατίθεσθαι εἴς τινα auslaſſen; τὰς οὐσίας εἰς εὐωχίας, anwenden, verbrauchen.

Διατιλάω, ῶ, f. ήσω, den Durchfall haben. Hippiatr. —τίλλω, durchrupfen, ausrupfen. —τιλμα, ατος, τὸ, das Ausrupfen. Anthol. —τιμάω, ῶ, f. ήσω, ſ. v. a. das ſimplex τιμάω u. τιμᾶσθαι, Diodor. Sic. ſ. v. a. δοκιμάζω nach Suid. welcher auch —τιμητικὸς d. δοκιμαστικὸς erklärt. —τίμησις, εως, ἡ, ſ. v. a. τίμησις, die Schätzung. —τιμητὴς, οῦ, ὁ, ein Schätzer, Taxirer ſ. v. a. das ſimplex. —τιμητικὸς, ἡ, ὸν, zum ſchätzen gehörig od. geſchickt. S. —τιμάω. —τινάσσω, f. άξω, durchſchütteln, hin und her ſchütteln, τὰ στρώματα Hierocl. Stob. Serm. 65 die Decken aufſchütteln; erſchüttern. —τινθαλέος, έα, έον, ſ. v. a. τινθ. Ariſtoph. Veſp. 329. wenn es nicht heiſsen ſoll διασπόδισον τινθ. —τιτραίνω, —τράω, u. —τρημι, durchbohren; durchſtechen. —τιτρώσκω, durchbohren, niederbohren. Dio. Caſſ. 63, 3. —τλάω, —τλημι, f. ήσω, erdulden, erleiden. —τμάω, jon. διατμέω, διατμήγω u. διατμήσσω; ſ. v. a. διατέμνω, zerſchneiden, trennen. —τμίζω, f. ίσω, (ἀτμὸς) verrauchen laſſen, ausdünſten, ausdampfen. —τοιχέω, ῶ, ſ. v. a. ἀνατοιχέω. —τοιχος, ὁ, ἡ, von einer Seite od. Wand zur andern gehend, reichend. —τομὴ, ἡ, Einſchnitt, Durchſchnitt. —τομος, ὁ, ἡ, zerſchnitten, getheilt. —τονθορύζω, ſ. v. a. das ſimplex τονθορύζω. Dio Caſſ. 73, 8. —τόνια, τὰ, (διατείνω) nach Heſych. Ringe, bey Athenä. 5 p. 215 will man διατόναια τοξοειδῆ eben dahin ziehen, viell. διαταγεῖα lange, gebogene Stangen. S. ταγεῖαι. —τονος, ὁ, ἡ, (τείνω, τόνος) ausgeſtreckt, ausgeſpannt; angeſtrengt; durchausgehend. Vitruv. 2, 8. In der alten Muſik hieſs eine Art Melodie γένος oder μέλος διάτονον od. διατονικὸν (Jambl. Pythag. c. 15) die natürlichſte u. leichteſte, wegen der einfachen Intervallen der Töne. Sie iſt auch bey uns allein noch üblich, mit dem Unterſchiede, daſs bey den Alten dieſe Melodie nur aus 8 ganzen Tönen beſtand, worzu wir 5 Halbtöne geſetzt haben. Unter jenen 8 Tönen waren 3 Akkorde oder Konſonanzen, nämlich die Quarte, Quinte u. Oktave, und 4 Diſſonanzen, nämlich die Sekunde, Terzie, Sexte, Septime. In dem Zwiſchenraume von 2 Oktachorden kannten die Alten 13 verſchiedene Töne, welche ſo auf einander folgten, daſs die zwey erſten Intervallen ¼ Ton, die zwey nächſten

$\frac{1}{2}$ Ton, das fünfte einen ganzen Ton, das 6te u. 7te jedes $\frac{1}{4}$ Ton, das 8te u. 9te $\frac{1}{2}$ Ton, das 10te einen ganzen Ton, u. die 2 letzten jede $\frac{1}{4}$ Ton (δίεσις) betrugen. Von allen diesen Tönen waren 1, 3, 5, 6, 8, 11, 13 den drey Arten von Melodie, dem μέλος διατονικὸν, ἐναρμονικὸν u. χρωματικὸν gemein, hingegen brauchte die zweyte Art allein die Töne 2, 7, 12. die dritte aber nur 4 u. 9, die erste, oder διατ. allein den Ton 10. Also bestand διατ. aus 8 Tönen, χρωμ. aus 9, u. ἐναρ. aus 10. In diesem letztern gieng die Modulation dreymal hinter einander durch zwey auf einander folgende $\frac{1}{4}$ Töne, hernach durch eine grosse Terzie oder 2 Töne. Das μέλος χρωμ. hob ebenfalls dreymal hinter einander mit 2 auf einander folgenden Halbtönen an, hernach kam eine kleine Terzie, oder $1\frac{1}{2}$ Ton; das μέλος διατ. stieg ebenfalls dreymal hintereinander um einen halben Ton, hernach um 2 Töne, einen nach dem andern. Wir haben blos das μέλος διατονικὸν beybehalten, doch so, dass wir aus dem χρωμ. die Töne 4 u. 9 hinzugesetzt haben, u. ausserdem noch die beyden den Alten unbekannten Halbtöne, zwischen 7 u. 8. so wie zwischen 10 u. 11.

Διατοξεύσιμος χώρα, Plut. Lucull. c. 28. der Raum, innerhalb dessen man mit Pfeilen schiessen und den Feind erreichen kann; vergl. Nicetas Annal. 10, 1. —τοξεύω, f. εύσω, (τόξον) mit einem Pfeile durchschiessen. διατοξευόμενος Φιλοκτήτῃ Ἀλέξανδρος Dio Chrysost. Or. 10. im Bogenschiessen wetteifernd. —τορέω, ῶ, durchbohren, durchdringen; bey Plutarch. 10 p. 459 ἐν σησάμῳ διατορνεύειν soll wohl διατορεύειν eingraben, heissen. —τορία, ἡ, die helle Stimme, Theophr. H. P. 4, 12. von διάτορος. —τορος, ὁ, ἡ, durchbohrend, durchdringend vom Schalle und der Stimme im Schreyn und Reden. —τραγέω, ῶ, s. v. a. διατρώγω. Dio C. 72, 21. —τρανόω, ῶ, f. ώσω, verdeutlichen, deutlich machen od. sagen. —τραχηλίζω, f. ίσω, bey Plutarch. 7 p. 953. s. v. a. ἐκτρ. über Hals und Kopf werfen, stürzen. —τράω, ῶ, s. v. a. διατιτραίνω, durchbohren; διατρήσειεν Oppian. Cyn. 2, 334 wo andre Handschr. διατρήνειεν v. διατραίνω haben; richtiger ist dort die Lesart διατετρήνειεν. —τρεπτικὸς, ἡ, ὸν, geschickt zum abrathen, beschämen, verlegen zu machen. —τρέπω, f. έψω, ich wende, kehre; von Personen, ich mache, dass einer seinen Vorsatz, auch sein Gesicht ändert, also ablenkt und sich schämt, od. auch in Verlegenheit geräth; also διατρέπεσθαι, in sich gehn, seinen Vorsatz ändern, sich schämen, in Verlegenheit kommen, bestürzt werden; μηδὲ πώποθ' ὑπεῖξε μηδὲ διετράπη Demosth. p. 799. kehrte sich nicht daran. —τρέφω, f. θρέψω, ernähren, in Kost erhalten. —τρέχω, f. ξομαι, perf. δεδράμηκα, durchlaufen; hin und her laufen, *discurro*, daher auch entlaufen, entkommen, um die Wette laufen. —τρέω, ῶ, f. έσω, aus Furcht fortlaufen, oder aus einander fliehen, sich zerstreuen. S. auch διατράω. —τρήματα, τὰ, bey Procop. Aedif. 6, 1 aegyptische Kähne zum verfahren des Getraides auf den Kanälen. —τρησις, εως, ἡ, (διατρέω) das Durchbohren; die Oefnung. διάτρησιν τῆς ψυχῆς καὶ ὀξυδορκίαν verbindet Eunap. in Maximo. —τρητος, ὁ, ἡ, (διατρέω) durchbohrt, durchlöchert. —τριβὴ, ἡ, (διατρίβω) das zerreiben, verbringen von Zeit, daher Verweilung, Verzögerung, Zeitverlust, Zaudern; Aufenthalt; 2) das Verkürzen der Zeit, also Vergnügung, Zeitvertreib, Vergnügen, Amüsement; 3) Beschäftigung mit einer Sache, Eifer, Studium; daher auch eine Unterhaltung, Vorlesung, philosophischer Vortrag; auch Handthierung, Handwerk; bey Dionys. Antiq. 10, 15 διατριβαὶ πολιτικαὶ Zwist, Zänkereyen; wie παρατριβὴ bey Polyb. doch zweif. —τρίβω, f. ψω, eigentl. ich reibe darzwischen; überh. ich zerreibe; metaph. ich übe; ἐπ' οὐδενὶ τὴν ψυχὴν διατρίβει Demosth. p. 785. beschäftiget sich; βίον, *terere vitam*, ich bringe mein Leben zu; χρόνον *conterere tempus*, die Zeit hinbringen, dah. διατρίβω μελετῶν wie διατελῶ, ich übe mich immer; verst. τὸν χρόνον; auch δ. ich verweile mich, halte mich auf, bin wo: διατρίβειν τινὰ, einen aufhalten, verzögern; auch aufreiben, verzehren, verwüsten. Bey Homer aufhalten, zurückhalten, verzögern, Odyss. 2, 404 μὴ δηθὰ διατρίβωμεν ὁδοῖο, wofür Apollon. 2, 883 μή τι διατριβώμεθα πείρης, d. i. aufschieben, zögern. —τριμμα, ατος, τὸ, μηρῶν, *intertrigo*, ein Schaden zwischen den Hüften vom Reiben an einander im Gehn oder Reiten. —τριπτικὸς, ἡ, ὸν, zum zerreiben gehörig oder geschickt; zerreibend. —τριτος, ὁ, ἡ, πυρετὸς, παροξυσμὸς, ἀποσιτία, am dritten Tage wiederkehrend; daher Galen. die Methodiker ἰατροὺς διατριταρίους wegen ihres Cyklus von 3 Tagen, wo sie den Kranken allemal am dritten Tage speisten, nennt; eigentl. ὁ διὰ τῆς τρίτης ἡμέρας. —τριχα, Adv. dreyfach. Hym. Cer. 86. —τροπὴ, ἡ, (διατρέπω) Abwendung, Abrathung, und die dadurch bewirkte Abneigung, Sinnesänderung; v.

med. διατρέπομαι, Beſtürzung, Polyb. 3, 53. Rührung, Mitleiden, Schaam, Schande, Cic. Att. 9, 13.

Διάτροπος, ὁ, ἡ, bey Eur. Iph. Aul. 559. ſ. v. a. μετάτροπος, veränderlich, verſchieden. —τροφή, ἡ, ſ. v. a. τροφή im N. T. u. Plutarch. —τροχάζω, f. άσω, ſ. v. a. διατρέχω, ich laufe, eile; laufe herum; auch ich fahre: von τροχὸς. —τρύγιος, ὁ, ἡ, (τρύγη) bey Hom., ὄρχος διατρ. eine Reihe Weinſtöcke, ein Weinberg, wo zwiſchen die Stücke Getraide geſäet wird. —τρυπάω, ῶ, f. ήσω, durchbohren; durchſpieſsen; durchdringen; durchlöchern, aushöhlen. —τρύπημα, ατος, τὸ, das durchbohrte, das Loch. —τρύπησις, ἡ, das Durchbohren, Aushöhlen. —τρυπητὸς, ἡ, ὸν, durchbohrt; ausgehöhlt. —τρυφάω, ῶ, f. ήσω, das verſtärkte τρυφάω. Dio Or. 4. —τρώγω, f. τρώξομαι, durchkauen; zernagen, zerbeiſſen; auch —τράγω, —τραγέω.

Διαττάω, ᾶν, (διὰ, σάω, σήθω) attiſch ſt. διασσᾶν, ich ſiebe durch; dav. —τησις, ἡ, Plutarch. Q. S. 6, 7. wo falſch διαιτήσεις ſteht, das Durchſieben. —τω, ſ. v. a. διαίσσω, ich fahre, ſpringe, bewege mich ſchnell, hüpfe durch, zu, hin und her, wie ἀστράπη διάττουσα, ein ſchnell durch den Himmel fahrender Blitz; ἀστέρες διάττοντες, fliegende Sterne, Sternſchnuppen, *trajectiones ſtellarum*. ἐξιόντι μοι διῆξε φωνὴ βοῶντος, als ich ausgieng, kam mir plötzlich die Stimme eines, der mich rufte, zu Ohren; eigentl. ſoll das Jota untergeſchrieben werden, von ἀΐσσω.

Διατυπόω, ῶ, f. ώσω, (τύπος) ausbilden, formen, geſtalten; ernennen; λογισμῷ oder ohne λ. Herodian. in Gedanken, im Sinne haben; ſich einbilden, vorſtellen; davon —τύπωσις, εως, ἡ, Ausbildung, Geſtaltung; Abbildung, Vorſtellung.

Διαυαίνω, das verſtärkte αὐαίνω. —αυγάζω, f. άσω, (αὐγὴ) durchglänzen, durchleuchten, einen Glanz durchwerfen; daher helle werden, z. B. ἅμα τῷ διαυγάζειν Polyb. 3, 104. mit anbrechendem Tage; davon —αύγασμα, ατος, τὸ, das durchbrechende Tageslicht; Anbruch des Tages. —αυγασμὸς, ὁ, der durchbrechende Glanz, Plutarch. vom Blitze τὸν δ. ἀποτελεῖ παρὰ τὴν μελανίαν τοῦ νέφους. —αυγάω, f. άσω, ſ. v. a. διαυγάζω. —αύγεια, ἡ, od. διαυγία, das durchſcheinen, durchleuchten. —αυγὴ, ἡ, Ariſtaen. 1. Ep. 4. der Blick; zw. —αυγὴς, έος, ὁ, ἡ, durchglänzend, durchleuchtend, durchſichtig. —αύγιον, τὸ, ſ. v. a. τρύπημα, eine Oeffnung, bey Hero Spirit. —αυλακίζω, f. ίσω, durchfurchen, durchſchneiden. zw. —αύλειον, τὸ, od. διαύλιον, wenn zwiſchen dem Chor die Flöte allein ſpielt. —αυλέω. S. παρεξαυλέω. —αυλίζω, (δίαυλος) ſ. v. a. βαθύνω, μηκύνω, verlängern. Suidas. —αυλισνος, ὁ, bey Polyb. 10, 46. falſch ſt. δυο αὐλίσκους. S. διόπτρα. —αυλοδρομέω, ῶ, ich laufe den oder im δίαυλος. —αυλοδρόμης, ου, ὁ, oder διαυλοδρόμος, ὁ, ἡ, einer, der den oder im δίαυλος läuft. —αυλος, ὁ, (αὐλὸς) ein enger Paſs. Eur. Troad. 435 nennt die Siciliſche Meerenge στενὸν διαύλον; 2) ein doppeltes Stadium, welches der Wettläufer, διαυλοδρόμος, durchlief, indem er zurück eben ſo einen langen Weg zurücklegte, als hin; daher Dio Caſſ. den Wettlauf zu Pferde auf dem Circus διαύλους nennt; daher ein langer oder doppelter Weg, bey Eur. Hecub. 29 κυμάτων διαυλοι die hin und her kehrenden Wellen, *reciproci fluctus*. —αυλωνία, ἡ, (αὐλών) ein enger Ort zwiſchen Bergen. —αυλωνίζω, f. ίσω, durch einen engen Paſs gehn. —αυλωνισμὸς, ὁ, der Weg durch einen engen Paſs. —αυχενίζομαι, f. ίσομαι, den Hals oder Nacken emporheben oder werfen, von muthigen oder ſtolzen Pferden und Menſchen. Eunap. Suid. —αυχένιος, ὁ, ἡ, durch den Hals gehend. —αυχέω, ῶ, ſ. v. a. αὐχέω. Clem. Strom. 6 p. 757. zw.

Διαφαγεῖν, verzehren, aufzehren; auch kauen, Dio Caſſ. 72, 21. ſo wie zernagen, durchfreſſen. Theophr. char. 16, 2. —φαίνω, f. ανῶ, durchſehn, durchſcheinen laſſen, Plutar. Mar. 41. neutr. durchſcheinen, ſichtbar werden, z. B. Xen. Mem. 3, 10. 5. der ganze Charakter eines Menſchen διαφαίνει διὰ τοῦ προσώπου καὶ διὰ τῶν σχημάτων, Eben das iſt med. διαφαίνομαι, durchſcheinen, ſichtbar werden; Xen. An. 7, 8. 14. daher erſcheinen, ſich zeigen; 2) act. ὄστρακον διαφήνας d. i. διαφανὲς ποιήσας Hippocr. —φάνεια, ἡ, und διαφανία, das Durchſcheinen, Durchſichtigkeit, ſ. v. a. διάφασις. —φανὴς, έος, ὁ, ἡ, Adv. —φανῶς, ſuperl. διαφανέστατα durchſichtig, durchſcheinend; glänzend; deutlich; berühmt; glühend. —φανσις, ἡ, ſ. v. a. διάφασις. —φαρμακεύω, f. εύσω, ich reinige durch Arzeney. Plutar. 6 p. 598. zw. —φασις, εως, ἡ, das durchſcheinen; auch ſ. v. a. διαφάνεια. —φαυλίζω; das verſtärkte φαυλίζω. —φαύω, διαφαύσκω, f. αύσω, und διαφώσκω, (φάος, φῶς) durchleuchten, licht oder helle werden.

Διαφεγγὴς, ὁ, ἡ, (φέγγος) durchleuchtend, durchſichtig; glänzend. —φενάκισις, εως, ἡ, ſ. v. a. φενακισμὸς. zweif.

—φερόντως, Adv. v. genit. partic. praes. διαφέρω, auf eine verschiedene, andere Art, m. folgd. ἤ; 2) auf eine ausgezeichnete, vorzügliche Art, vorzüglich, besonders. —φέρω, f. διοίσω, aor. 1. διήνεγκα, *differo*, von einem zum andern tragen, bringen. z. B. beym Arist. ἤλεκτρον, συλλεγόμενον ὑπὸ τῶν ἐγχωρίων διαφέρεται εἰς τοὺς Ἕλληνας. Eben so δ. ἀγγελίας, Botschaften, Nachrichten überbringen; auch übersetzen, über einen Fluss od. Meer setzen, Appian. dah. 2) vertragen, d. i. eins hier das andre dorthin tragen, wie beym Horat. ep. 5, 99. *differunt lupi membra insepulta*. u. Virgil. Georg. 3, 197 *aquilo differt nubila*; διαφέρεσθαι ὑπὸ τῶν ὀρνίθων, zerrissen werden, Herodot. also zerstreuen, ausstreuen, auch im tropischen Sinne, als διαφέρεται ὁ λόγος, das Gerücht wird ausgestreuet, ausgebreitet, Plut. in Galba: τὰς ψυχὰς δ. μετὰ δεῖπνον μήτε πράγμασι, μήτε φροντίσι, *animum distrahere rerum publicarum cura*, Plut. hieran knüpft sich 3) die Bedeut. aufschieben, verschieben, in die Länge ziehn, z. B. αἰῶνα, πόλεμον, Herodot. wie διατρίβω. Ist dies lästig, was ich lange trage, so ist es 4) ertragen, erdulden, Xen. Mem. 2, 2. 5. δ. ῥᾶστα und χαλεπῶς, *ferre facillime, graviter*. Neutr. verschieden seyn, wie *differo*; οὐ διαφέρει, es ist nicht verschieden, es ist gleichviel. ἐμοὶ εἰ μηδὲν διέφερε τῆς πόλεως, wenn mir nichts an der Stadt gelegen wäre, Antiph. δ. (κατὰ) τι, in etwas verschieden seyn; so δ. τινὸς τινὶ von einem in einer Sache verschieden seyn. Ist dies im guten Sinne, so ist 2) δ. τινὸς τινὶ od. ἐν, auch ἐπὶ τινὶ, vor einem in einem Stücke einen Vorzug haben, sich vorzüglich zeigen, glänzen; davon 3) vorzuglich gut zu etwas seyn, s. v. a. συμφέρω, wie τὰ τῷ κοινῷ διαφέροντα Dio Cass. 44, 24. wie im lat. *interest* in dieser doppelten Bedeut. med. πρὸς τινὰ od. τινὶ, auch μετὰ τινὸς, περὶ τινὸς, von einander abgehn, uneinig seyn, streiten, hadern; οὐδὲν διαφέρει τὰ ἀργύρια ἃ οἱ πρόγονοι ἐμπεπωλημένοι ὄντα αὐτὰ Xen. Vect. 4, 25. und nicht von denen verschieden wie sie u. s. w. Bey Diodor. findet man auch διαφέρειν τοῖς ἄλλοις ἀρετῇ übertreffen, verst. παρὰ, ferner διοίσεται u. οἰσέται verst. τὸν βίον, wie διάγω, *peragere vitam*, sein Leben zubringen, Soph. Ajac. 512. Eur. Rhes. 600 und 982 οὐ διαφέρομαι, *mea non refert*, es gilt mir gleich. Arrian. Epict. 4. 13.

—φεύγω, f. εύξομαι, durchfliehn, entfliehen, entkommen. —φευξις, εως, ἡ, das Entfliehen, Entkommen, Flucht, Dio Cass. —φημίζω, f. ίσω, (φήμη) aus od. durch das Gerücht verbreiten.

Dionys. Antiq. 11, 46. —φθείρω, f. ερῶ, das verstärkte φθείρω, verschlimmern, verderben, verändern; die Art und den Grad muss der Zusammenhang bestimmen. Als so jener beym Xen. Symp. 4, 53 gesagt, er wäre seines Kindes wegen in Furcht, es möchten es ihm einige διαφθεῖραι, so nahm es Sokrates im Spasse für ἀποκτεῖναι, da es der Vater von verführen, zur Liebe verleiten, verstand; so verdirbt, d. i. besticht (wie *corrumpit*, macht sie schlimmer, ungerecht) das Geld die Richter, ein Feind den andern, d. i. verführt ihn, zu ihm überzugehn. So auch völlig verderben, zerreissen (von Thieren), ermorden (von Menschen), Xen. Cyr. 1, 4. 7. Hier. 3, 8. Eben so δ. ψυχὴν o. γνώμην τινὸς, jemandes Herz, Gesinnung, Verstand verschlimmern, verderben; δ. βίον, sein Vermogen verlieren, durchbringen. —φθονοῦμαι, beneidet und so ins Unglück gebracht werden; wird aus Joseph. angeführt; bey Chrysost. u. Suid. steht das med. fur beneiden; bey Dionys. Antiq. 2, 45 steht διεφθόνηται falsch st. διαπεφώνηται. —φθορὰ, ἡ, (διαφθείρω) Verschlimmerung, Verderbniss; eines jungen Menschen od. Mädchens, d. i. Verführung, Schändung; einer Armee, d. i. Niederlage; eines Menschen, d. i. Tod; dav. —φθορεὺς, έως, ὁ, Verderber, Bestecher, Schänder. —φθορέω, (διαφθορά) s. v. a. διαφθείρω. —φίημι, f. ήσω, durch und fortlassen, entlassen, gehn lassen. —φιλονεικέω, ῶ, mit einem oder unter einander zanken, streiten, wetteifern. —φιλοτιμέομαι, οῦμαι, f. ήσομαι, πρὸς τινὰ, oder δ. τινὶ, mit einem um die Wette sich beeifern u. eine Ehre worinne suchen. Aelian. v. h. 7, 2. —φλέγω, f. ξω, durch- od. verbrennen. zw. —φλυξις, εως, ἡ, erkl. Galeni Gloss. d. ὑπέρβλυσις, so wie διαφλυχθεῖσα, διαχυθεῖσα, ὑγρανθεῖσα; und διαφλύοντα, ὑγραίνοντα, also von διαφλύω ergiessen, mit Feuchtigkeit erfüllen. —φοβέω, ῶ, das verstärkte φοβέω, verscheuchen. —φόβημα, ατος, τὸ, Schrecken. zw. —φοιβάζω, f. άσω, Soph. Aj. 332 ich setze in Wuth. S. φοῖβος. —φοινίσσω, das verstärkte φοινίσσω. Hippocr. —φοιτάω, ῶ, f. ήσω, aus einander gehn, sich zerstreuen, verbreiten; durchstreifen; sich durchaus verbreiten, m. d. genit. —φορὰ, ἡ, Unterschied, Verschiedenheit; Uneinigkeit, Zwist, Streit, Feindschaft; s. v. a. διάφορον, τὸ, Streitfrage, Interesse, Nutzen, Vortheil. S. διαφέρω u. διάφορος. —φορέω, ῶ, s. v. a. διαφέρω, zertheilen; zerstreuen; verdauen, bey Plut. Q. S. 1, 9 περὶ τινὸς δ. verlegen seyn wegen.

Διαφόρημα, ατος, τὸ, das ver-zertheilte, zerstreute, bey den LXX s. v. a. παίγνιον, wie διαφορεῖν τινὰ st. παίζειν τ. b. dens. —φόρησις, εως, ἡ, das Ver-Zertheilen, Zerstreuen; Auflösung. —φορητικὸς, ἡ, ὸν, zum vertheilen, zertheilen, zerstreuen durch Schweiſs oder andere Wege gehörig oder geschickt. —φορογενὴς, έος, ὁ, ἡ, von verschiedenem Geschlechte. Nic. Ann. 9, 10. —φορος, ὁ, ἡ, (διαφέρω) verschieden, unterschieden; ausgezeichnet, sich auszeichnend, unterscheidend, dah. vorzüglich, vortreflich; 2) entgegengesetzt, feindlich, Feind, Gegner, m. d. dat. wie διαφέρεσθαί τινι, 3) *quod interest* was einen od. den Unterschied macht, dah. was Nutzen od. Vortheil bringt, dah. τὸ διαφ. nicht allein s. v. a. διαφορὰ, sondern auch das Interesse, der Vortheil, Gewinnst, Nutzen, Geld; ferner Feindschaft, Haſs, Uneinigkeit; die Streitfage, streitige Sache. —φορότης, ητος, ἡ, Unterschied, Verschiedenheit, s. v. a. διαφορά. —φόρως, Adv. verschieden, mit Verschiedenheit, mit Unterschied; vorzüglich; vergl. διαφερόντως. —φραγμα, ατος, τὸ, Scheide-Zwischenwand, 2) Zwergfell, welches Herz u. Lunge von den andern Eingeweiden scheidet; v. —φράγνυμι, u. διαφράσσω, durch einen Zaun od. Scheidewand trennen, beschützen, befestigen; verzäunen. —φραδὴς, ὁ, ἡ, Adv. διαφραδέως, (διαφράζω) deutlich. Hipp. —φράσσω, διαφράττω, f. άξω, eine andere Form von διαφράγνυμι. —φρίττω, das verst. φρίττω. zw. —φροντίζω, f. ίσω, besorgen. zw. —φρος, ον, s. v. a. ἀφρίζων. Galeni Gloss. —φρουρέω, aus Aeschyli Phryges wird διαπεφρούρηται βίος angeführt: der Posten des Lebens ist nun geendiget; andere lasen διαπεφρούδηται, d. i. φροῦδός ἐστιν. Hesych. —φρυκτόω, s. v. a. διαψηφίζω, ich stimme, von φρυκτὸς verst. κύαμος, weil man mit gerosteten Bohnen stimmte. —φυὰς, άδος, ἡ, s. v. a. διαφυή. Diod. Sic. —φυγγάνω, eine andere Form v. διαφεύγω. —φυγὴ, ἡ, Ausflucht, Zufluchtsort. —φυὴ, ἡ, (διαφύω) so heiſsen die Knoten und Kniee am Rohrstengel und andern dergl. Pflanzen, auch Ritze, Spalt, z. B. κάρυα, οὐκ ἔχοντα διαφυὴν οὐδεμίαν, Xen. An. 5, 4. 29. Zwischenraum; Scheidewand; Erdzunge, u. alles, was darzwischen gewachsen ist. Plut. Cic. 1. verb. διαφυὴν ἐρεβίνθου mit ῥινὸς διαστολὴν, *incisura*. —φυλακτικὸς, ἡ, ὸν, bewahrend, erhaltend. Plutarch. 7 p. 116. —φυλάσσω, διαφυλάττω, futur. άξω, bewachen, bewahren, erhälten, erretten. —φυμι, s. v. a. διαφύω. —φυράω, ῶ, f. άσω, das verstärkte φυράω, durchkneten. —φυσάω, ῶ, f. ήσω, durchblasen; durchwehen; zerblasen, wegblasen, zerstreuen. —φύσησις, εως, ἡ, das durchblasen, wegblasen; Zerstreuung. —φυσις, εως, ἡ, s. v. a. διαφυή. —φύσσω und διαφύω, von ἀφύω, ich schöpfe; διά τ' ἔντερα χαλκὸς ἤφυσ', d. i. διέκοψε, διεῖλε, durchschnitt, durchdrang; πολλὸν δὲ διήφυσε σαρκὸς ὀδόντι, Odyss. zerriſs, riſs ab. Nicand. Ther. 682. διήφυσε ποσσὶ χίμετλα. —φυτεύω, f. εύσω, verpflanzen; zweif. —φύω, f. ύσω, dazwischen oder in die Queere wachsen, Theophr. c. pl. 3. χρόνος διέφυ *intercessit*, vergieng darzwischen, Herodot. διαπέφυκεν ἀλλήλων, Philostr. Icon. 2, 33 von einander verschieden seyn der Natur nach; Dio Cass. braucht διαπέφυκα als neutr. st. kundig seyn, verstehn, m. d. genit. —φωνέω, ῶ, im Tone, in der Stimme, Rede, Meinung und sonst nicht stimmen τινὶ mit einem; also verschieden seyn, abweichen, daher s. v. a. διαφέρω; davon διαφωνεῖται von einer Sache, worüber man streitig, uneinig ist: 2) bey den spätern auch sterben, umkommen; 3) ἐὰν δέ τι διαφωνήσῃ τῶν χρημάτων, Polyb. 22, 26 wenn etwas fehlen sollte. —φώνησις, εως, ἡ, Miſston, Miſslaut, Verschiedenheit, Abweichung im Tone, Stimme, Rede, Meinung und sonst überh. —φωνητικὸς, ἡ, ὸν, zur Abweichung, Verschiedenheit, Uneinigkeit gehörig, führend oder geneigt. —φωνία, ἡ, s. v. a. διαφώνησις. —φωνος, ὁ, ἡ, Adv. διαφώνως, (φωνὴ) abweichend, verschieden im Tone, Stimme, Meinung u. überh. verschieden; miſshellig, uneinig. —φώσκω, s. v. a. διαφαύσκω. —φωτίζω, f. ίσω, beleuchten, erleuchten, erhellen; βίᾳ διαφωτίσας τὸν τόπον Plut. Cato 20 machte sich mit Gewalt Licht und Platz an dem Orte. —χαίνω, den Mund oder die Lippen öfnen, *hiare*. —χάλασμα, ατος, τὸ, ein Zwischenraum, wo etwas nachläſst, nachgiebt; v. —χαλάω, ῶ, f. άσω, τὰς ἁρμονίας, die Fugen nachlassen, und auseinander gehn lassen; 2) in eine sanfte Bewegung bringen. Xenoph. Eqn. 7, 11. —χαράττω, f. ξω, zerschneiden, trennen. Dionys. Halic. 6 p. 1092. —χαρίζομαι, unter mehrere verschenken. Diodor. Sic. —χάσκω, s. v. a. διαχαίνω. —χειμάζω, f. άσω, überwintern, durchwintern, den Winter wo zubringen. —χειραγωγέω, ῶ, durch- od. vorüberführen, leiten; zw. —χειρία, ἡ, Handhabung, Verwaltung, Führung, Besorgung; v. —χειρίζω, f. ίσω, handhaben, in od. unter Händen haben, besorgen, verwalten;

Med. heifst eben das; aber auch e r-, m o r d e n, (m. d. Hand od. Fauft eilegen) Dionyf. Antiq. 7, 10. Plut. Herodian; davon

Διαχείρισις, εως, ἡ, od. διαχειρισμὸς, ὁ, f. v. a. διαχειρία. —χειροτονέω, ῶ, durchftimmen, durchvotiren, und eine Frage, Unterfuchung durch Stimmen entfcheiden, u. zwar indem mit aufgehobenen Händen votirt wird; daffelbe ift διαψηφίζομαι mit dem Steine od. der Bohne durch oder nach der Reihe votiren, ftimmen bey Dio Caff. und andern f. v. a. das fimplex χειροτ. wählen, erwählen; dav. —χειροτονία, ἡ, das Stimmen und Votiren, und das Beftimmen einer Frage, eines Zweifels, Vortrags durch das Stimmen mit aufgehobenen Händen. —χειρόω, ῶ, f. ώσω, für *deprehendo*, ertappen, ergreifen; zweif. —χέω, f. εύσω, f. v. a. διαχύω, durchgiefsen, ergiefsen, ausgiefsen, vergiefsen; zergiefsen, zerfchmelzen; dah. erweichen; erheitern, aufheitern, vergnügen, erfreuen; von zergiefsen oder vergiefsen die Bedeut. zerftreuen; ὑγραίνοντα διαχεῖ, Xenoph. Venat. 5, 3. und 8, 1. Plutarch verbindet es mit ἐξαμαυροῦν: f. v. a. συγχέω, z. B. τὰ βεβουλευμένα vernichten, vereiteln. Derfelbe und Herodot. 8, 57 mäfsigen, mildern ἐκπραΰνειν καὶ δ. Plutar. τὸ σφοδρὸν δ. Dio Caff. ἀνδρὸς διακεχυμένου τρυφῇ ft. τρυφῶντος, Plutarch. Audit. p. 167. R. zertheilen, Il. η. 316. Apoll. Rhod. 3, 320. —χλευάζω, f. άσω, das verftärkte χλευάζω. —χλιδάω, ῶ, f. ήσω, das verftärkte χλιδάω. Bey Plutarch. Alcib. 1. fagt ein Dichter βαδίζει διακεχλιδὼς, welches Hefych. διαρρέων ὑπὸ τρυφῆς fo wie διακεχλιδέναι d. θρύπτεσθαι erklärt; von διαχλίζω. S. χλίω. —χόω, ῶ, f. ώσω, τὸ χῶμα, bey Herod. den Damm vollenden, durchführen; durch einen Damm trennen oder fchützen. —χράομαι, ῶμαι, f. ήσομαι, unter od. von einander borgen; dah. gebrauchen, f. v. a. χρῶμαι, verbrauchen, tödten. τοῖς ἐναντίοις τὸ ἴδιον δέμας διαχρησάμενος, behandelft deinen Korper auf die entgegengefetzte Art, Lucian. Cynic. 1. —χρισμα, ατος, τὸ, die Salbe, od. Mittel zum ausfchmieren, befchmieren, beftreichen; v. —χρίω, f. ίσω, darzwifchen fchmieren, aus- od. überfchmieren od. ftreichen. —χρόω, ῶ, f. ώσω, das verftärkte χρόω, bemahlen; befchmieren oder befudeln; zw. —χρυσος, ὁ, ἡ, wie διάλιθος, *auro distinctus*, mit Gold ausgelegt, vergoldet. Aelian. v. h. 9, 3. —χρώννυμι od. διαχρωννύω, f. v. a. διαχρόω. —χυσις, εως, ἡ, (διαχύω) das Zergiefsen, Zerfchmelzen, Ergiefsen, λιμνώδης, Plutarch. Marius 37 Verbreitung in einen Sumpf; daher metaph. Aufheiterung, Beluftigung, Freude, Vergnügen; davon —χυτικὸς, ἡ, ὸν, zum aufheitern, vergnügen gehörig od. gefchickt. —χύω, f. ύσω, ergiefsen; dah. ausbreiten, verbreiten; zergiefsen, zerfchmelzen; dah. metaph. aufheitern, vergnügen, erfreuen; überh. f. v. a. διαχέω. —χώννυμι oder διαχωννύω, andere Form von διαχόω. —χωρέω, ῶ, durchgehen. κάτω διαχωρεῖ τινὶ, Xen. An. 4, 8. 20. es geht einem unten durch, d. i. er hat den Durchfall, die Sache geht leicht durch (ῥᾷον διαχωρεῖ Dio 52, 33.) d. i. fie geht glücklich von ftatten, eine Münze geht durch, d. i. fie curfirt, ift gültig; aus einander gehn, Plutarch Q. S. 5, 6 verbindet es mit πλατύνεσθαι; davon —χώρημα, ατος, τὸ, (διαχωρέω) Auswurf, Unrath, Stuhlgang; 2) Zwifchenraum. —χώρησις, εως, ἡ, f. v. a. das vorhergehende. —χωρητικὸς, ἡ, ὸν, zum Durchgange führend, geneigt: von Speifen, die leicht verdaut werden und durch den Auswurf fortgehn. —χωρίζω, f. ίσω, trennen, abfondern, von einander bringen; befonders ftellen, Xen. Oec. 14, 6. dav. —χώρισις, εως, ἡ, oder διαχωρισμὸς, ὁ, Trennung, Abfonderung. —χωριστικὸς, ἡ, ὸν, zum trennen, abfondern gehörig oder gefchickt. —χωρος, ὁ, bey Suidas ein Zwifchenraum, διαχώρημα. —χωσις, εως, ἡ, (διαχόω) das Trennen oder Befeftigen oder Sichern durch einen Damm. Diodor. —ψαθάλλω. S. ψαθάλλω. —ψαίρω, (ψαίρω) durchreiben, durchftreichen, durchs Reiben reinigen, abreiben, abwifchen; αὖραι διαψαίρουσι τὸ ἱστίον, die Winde durchftreichen den Segel und bewegen ihn; alfo durchwehen, bewegen. λάχνην διαψαίρουσι πόδεσσι, durchfcharren, durchfuchen die Haare (des Fuchfes) mit den Füfsen. Oppian. Hal. 2, 115. —ψαλάττω. S. ψαλάττω. —ψάλλω, f. αλῶ, f. v. a. ψάλλω; das davon abgeleitete διάψαλμα, τὸ, brauchen die LXX ftatt des hebräifchen S e l a. —ψαύω, f. v. a. das fimplex ψαύω. Plutarch. 10 p. 449. —ψάω, ῶ, fut. ήσω, durchkratzen, durchfcharren, aufkratzen; τὴν ἄμμον, Suidas. —ψέγω, f. ξω, das verftärkte ψέγω. —ψεύδω, täufchen, betrügen; paff. getäufcht werden, fich irren, τῆς ἐλπίδος in feiner Hofnung. med. vorzüglich wie ψεύδομαι, lugen, durch Lugen täufchen. —ψηλαφάω, f. ήσω, *pertento*, durchtaften, durchfühlen; verfuchen. —ψηφίζομαι, f. ίσομαι, durchftimmen m. dem ψῆφος nach der Reihe; vergl. Xen. Hellen. 1, 7, 14 u. 24. im Activo würde es heifsen durchftimmen laffen; davon

Διαψήφισις, ιως, ἡ, Durchstimmen, Durchvotiren mit dem ψῆφος nach der Reihe und Ordnung; bey Dio Cass. das Stimmenfragen oder Stimmenlassen. —ψηφισμός, ὁ, s. v. a. ψήφισμα; zweif. —ψιθυρίζω, f. ίσω, durchsäuseln, durchzischeln oder zischeln, säuseln; unter einander zischeln. Polyb. 15, 26. —ψυκτικός, ή, όν, auslüftend, abkühlend, erfrischend. —ψύχω, f. ξω, auslüften, daher trocknen, abkühlen; erfrischen, erquicken.

Διάω, s. v. a. διάημι, durchblasen, durchwehen.

Δίβαμος, ὁ, ἡ, oder vielmehr διβάμων, ονος, ὁ, ἡ, (δὶς, βάω) zweyfüssig. Eurip. —βαφής, ὁ, ἡ, (βαφή) zweymal eingetunkt oder gefärbt, vorzüglich mit Purpur; daher ἡ δ. verst. ἐσθής, ein Purpurkleid; Cic. ad Div. 2, 16. 19. vergl. Horat. Carm. 2, 16. 35. drückt ächten und kostbaren Purpur aus. Plinius 9 c. 39. —βολία, ἡ, bey Plutar. Amator. p. 24 mit χλαμὺς verbunden, scheint ein Kleid zu seyn. Steph. erklärt es durch δίβολος χλαῖνα und διπλησις. S. das folgd. —βόλιον, τὸ, Plutar. Mar. 25. dient statt des Spiesses, wird *bipenne telum* übersetzt; bey Herodian 2, 13, 4 τὰς διβολίας καὶ τὰ δόρατα ἐπισείειν. —βολος, ὁ, ἡ, (βάλλω) zweymal geworfen; δίβολος χλαῖνα, *duplex paenula*, die man zweymal um den Leib legt, wie *duplex pallium*. —βροχος, ὁ, ἡ, (βροχὴ) zweymal benetzt, angefeuchtet. —γαμέω, ῶ, heyrathen zum zweytenmale, nehme die zweyte Frau. S. γαμέω; davon —γαμία, ἡ, das zweymal heyrathen, die zweyte Heyrath. —γαμμα, ein doppeltes Gamma, so genannt wegen seiner Figur, da es eigentl. ein doppeltes über einander stehendes Γ, also ein lateinisches F vorstellte; welches letztere auch die Lat. von den Aeoliern entlehnt, die es statt Φ gebrauchten, als Φήμη, dorisch Φάμα, lat. *fama*. Nach Sueton Claud. 41. Quinctil. 1, 4. 7 u. 1, 7. 26 ist es ein Buchstabe od. Tonzeichen, womit man das bezeichnen wollte, was man hernach mit dem lat. *Vau* in *servus*, *cervus*, auch zu Anfange des Worts *vulgus* bezeichnet hat; nach Kaiser Klaudius Vorschrift schrieb man *serFos*, *cerFos*. Dionys. Halic. Antiq. 1, 20 beschreibt das Digamma eben so, und sagt die alten Griechen hätten allen Worten, welche mit einem Vokal anfangen, ein F vorgesetzt, wie Fελια statt ἕλια, Fελένη statt ἑλένη; Fαναξ st. ἄναξ, Fοῖκος und Fανήρ st. οἶκος, ἀνήρ. Sonach ist es hier blos ein Zeichen des harten oder gelinden Hauchs, womit ein Wort ausgesprochen wird; Dionys. nennt es nicht Digamma, sondern vergleicht es mit dem latein. *Vau* und beschreibt es so: ὥσπερ γάμμα διτταῖς ἐπὶ μίαν ὀρθὴν ἐπιζευγνύμενον ταῖς πλαγίαις.

Δίγαμος, ὁ, ἡ, zweymal oder zum zweytenmale verheyrathet. —γένειος, ὁ, ἡ, (γένειον) mit getheiltem Kinne. —γενής, έος, ὁ, ἡ, (s. γένος) von zweyerley Geschlechte d. i. Abkunft; oder von männlichem und weiblichem Geschlechte, d. i. ἡμιάνδριος. —γλήνος, ὁ, ἡ, (γλήνη) mit doppeltem Augapfel, Auge. —γλυφος, ὁ, ἡ, zweyfach ausgegraben, geschnitzt. S. τρίγλυφος. —γλωσσος, oder δίγλωττος, ὁ, ἡ, mit oder von zwey Zungen od. Sprachen; zweyzüngig, d. i. falsch, hinterlistig. —γνωμος, ὁ, ἡ, (γνώμη) zweifelhaft, unentschlossen. Suidas. —γόνατος, ὁ, ἡ, (γόνυ) mit zweyen Knieen oder Knoten, Gelenken. —γονία, ἡ, zweyte Geburt; zwiefaches Gebären od. Geburt. —γονος, ὁ, ἡ, zweymal geboren; doppelt; διγόνος, zweymal oder zwiefach gebärend. —γυιος, od. δίγυος, ὁ, ἡ, (γύα) von zwey Hufen. —δαγμα, ατος, τὸ, (διδάσκω) Lehre, Vorschrift; Unterricht. —δακτήριος, s. v. a. διδακτικὸς, τὸ, διδ. bey Hippocr. Beweis. —δακτικός, ή, όν, zum Unterrichte gehörig, geschickt; unterrichtend, didaktisch. —δακτός, ή, όν, gelehrt; erlernt; zu lehren, zu erlernen, Adv. —τῶς. —δακτρον, τὸ, (διδάσκω) Lehrgeld, Schulgeld, Lohn des Lehrers. —δάκτυλος, ὁ, ἡ, mit oder von zwey Fingern oder Zehen; auch als Maass. —δαξις, εως, ἡ, (διδάσκω) das Lehren; der Unterricht, die Unterweisung. —δασκαλεῖον, τὸ, (διδάσκαλος) der Ort, wo der Unterricht gegeben wird, eine Schule. —δασκαλία, ἡ, Lehre; Unterweisung, Anweisung: so sagen die Attiker, nicht δίδαξις od. διδαχὴ, v. διδάσκαλος; 2) das Geben eines theatralischen Stücks v. Seiten des Dichters zum Aufführen; dah. 3) hiessen διδασκαλίαι od. περὶ διδασκαλιῶν, Schriften, wo die Zeit und das Glück aufgezeichnet und untersucht war, wo und mit welchem ein Stuck auf dem Theater war aufgeführt worden. —δασκαλικός, ή, όν, zum Unterrichte gehörig, geschickt oder darinne geübt. —δασκάλιον, τὸ, s. v. a. δίδακτρον, Plutarch. auch s. v. a. μάθημα, Herodot. 5, 58. —δάσκαλος, ὁ, Lehrer. δ. χοροῦ ist der den Chor unterrichter, besonders der Dichter selbst, der den Akteurs Anweisung gab und auch wohl selbst mitspielte. S. διδάσκω. —δάσκω, f. ξω, lehren, belehren; eine Lehre od. Vorschrift geben; beweisen, erweisen; zeigen; der Dichter lehrt, d. i. giebt ein Stuck, wie im Lateinischen *fabu-*

lam doceo; s. vorher διδάσκαλος; in pass. belehrt, von einer Sache unterrichtet werden, sie kennen lernen, sie erfahren; in med. v. sich selbst gesagt: sich unterrichten lassen, od. lernen, Aristoph. Nub. 127; von einem andern: einen etwas lehren lassen, unterrichten lassen, z. B. Xen. Mem. 4. 4. 5. βούλεταί τις ἢ αὐτὸς μαθεῖν τὸ δίκαιον, ἢ υἱὸν διδάξασθαι; von δάω. δάσκω, διδάσκω; davon auch δαέω, δάημι, Odyss. 16, 313 γυναῖκας δεδάασθαι, kennen lernen; δάημι bedeudet lernen.

Διδαχὴ, ἡ, (διδάσκω) Unterricht; Lehre. —δέω, oder δίδημι, das verdoppelte δέω, wie βίβημι von βῆμι, ich binde; δίδη Il. 11 st. ἐδίδη. —δίσκομαι und διδίσσομαι, S. δειδίσκομαι und δειδίσσομαι. —δράσκω, (δράω, δράσκω) fliehen, entfliehen, davon laufen. —δραχμος, ὁ, ἡ, von zwey Drachmen, zwey Drachmen werth; τὸ διδρ. eine doppelte Drachme, eine Münze, so viel werth. —δύμαιον, τὸ, Hippocr. intern. affect. c. 32. hat für ἡδυόσμου, eine Handschr. διδυμαίου, und so hat Galeni Glossar. διδύμη, Hesych. aber διδύμιον von der Pflanze, welche sonst ὄρχις heisst. —δυμάνορα κακὰ Aeschyl. S. 851. st. διδύμων ἀνδρῶν κακὰ v. διδυμάνωρ. —δυματόκος, ἡ, und διδυμοτόκος, (διδύμους τίκτουσα) Zwillinge gebährend, werfend. —δυμάων, άονος, ὁ, ἡ, poet. s. v. a. δίδυμος, —δυμεύω, f. εύσω, Zwillinge haben. Cantic. Cant. 4. —δύμη und διδύμιον. S. διδύμαιον. —δυμογενὴς, ὁ, ἡ, aus Zwillingsgeburt erzeugt. —δυμόθροος, ὁ, ἡ, zweyfach-doppelttönend, ἠχὼ Nonn. —δυμος, ὁ, ἡ, doppelt, zwiefach; δίδυμοι, Zwillinge; 2) die zwey Hoden. —δυμότης, ητος, ἡ, das doppelt seyn; die doppelte Natur; Verzwiefachung. —δυμοτοκέω, ῶ, Zwillinge gebähren; davon —δυμοτοκία, ἡ, das Gebähren von Zwillingen. —δυμοτόκος, s. v. a. διδυματ. und διδυμητ. —δυμόχροος, contr. διδυμόχρους, ὁ, ἡ, zweyfarbig. —δωμι, f. δώσω, perf. δέδωκα, u. s. w. (δόω, δῶ, δῶμι, redupl. δίδωμι) geben; δ. τινὰ τινὶ, einen einem schenken, heisst, wenn vom Strafen die Rede ist, einen einem andern zu gefallen begnadigen, z. B. Xenoph. An. 6, 6. 31 wie *Romulum Marti redonare*, Hor. Carm. 3. 3. 33. übergeben, überliefern, z. B. ἑαυτὸν τινὶ, eben so seine Tochter einem (zur Frau) geben; zugeben, lassen, m. flg. infinit. eingeben, z. B. εἰς τὴν ψυχὴν τινί τι, einem etwas in sein Wesen eingeben, einflössen, bey Philostr. neutr. nach dem lat. *dedere se*, sich ergeben, oder widmen. —δωρος, ὁ, ἡ, (δῶρον) von zwey Spannen.

Διεγγυὰ, ἡ, (ἐγγύη) Bürgschaft. —γυάω, ῶ, f. ήσω, verbürgen, verpfänden; χρημάτων, gegen mit Geld. Dionys. Ant. 7, 112. med. sich verbürgen, versprechen; davon —γύησις, εως, ἡ, Verbürgung; Bürgschaft.

Διεγείρω, f. ερῶ, das verstärkte ἐγείρω, erwecken, ermuntern; dav. —γερσις, εως, ἡ, das verstärkte ἔγερσις; davon —γερτικὸς, ἡ, όν, zum erwecken, ermuntern gehörig oder dienlich. —γρηγορέω, ῶ, durchwaschen.

Διεδρία, ἡ, *diffidium*, *diffidentia*, die Uneinigkeit, Feindschaft, Aristot. h. anim. 9. 2. wie δίεδρος und σύνεδρος. —έδριον, τὸ, u. δίεδρον, τὸ (ἕδρα) *bisellium*, ein Sitz für zwey Personen, s. v. a. δίφρος. —εδρος, ὁ, ἡ, von einander sitzend, entgegenges. σύνεδρος, entzweyt, feindlich gesinnt, wie *diffideus*; auch δίεδρος, ὁ, Athenaeus 5 c. 6. Gestell zu zwey Kesseln. —εζευγμένως, Adv. vom partic. perf. pass. διαζεύγω. —εθίζω, f. ίσω, das verstärkte ἐθίζω. —ειδέναι, unterscheiden, *dignoscere*, Eur. Med. 521. von διειδω. S. διαειδω. —ειδὴς, έος, ὁ, ἡ, (εἴδω) durchsichtig, hell, glänzend. —ειλέω, s. v. a. διελίσσω, aus einander wickeln, *evolvo*, βιβλία Plut. 10 p. 301. R. dav. —ειλημμένως. S. διαλαμβάνω. —είλησις, εως, ἡ, Wirbelwind, πνεύματα παντοῖα καὶ διειλήσεις, Plato Leg. 5 p. 246. sonst braucht er εἰλήσεις für Hitze. —ειλύω, διειλύσσω, s. v. a. διειλέω, durchwickeln, entwickeln; durchwinden. —ειμι, (εἶμι) durch- oder vorübergehn, mithin auch weggehn; sonst ἄπειμι; τὶ, etwas durchgehn, durch etwas hindurch gehn, d. i. durchdringen; durchgehn (in einer Rede), d. i. erzählen, erklären.

Δίειμι (εἰμὶ) fortseyn, fortdauern. —εῖπον, διειπεῖν, bestimmen unterscheiden, Plato Politic. 17. wofür hernach διορίζω steht; καὶ διειπομένων, u. nachdem sie mit einander oder unter sich verabredet haben, Jamblich. Pythag. 1 c. 27. sect. 124. —είργω, f. ξω, (εἴργω) trennen, abhalten, zurückhalten. —είρηκα, perf. v. διαρέω, ich sage deutlich, bestimme, διαῤῥήδην λέγω. —είρομαι st. διέρομαι, ich frage durch, aus. S. ἔρω. —είρω, durchstecken; 2) auch s. v. a. εἴρω. So nennt Dionys. Halic. λόγος διειρόμενος d. i. in einer Reihe ohne Einschnitt und Unterschied fortlaufend, Philostr. Apoll. 8, 12 διείρων ἀπὸ τῆς προῤῥήσεως, *orationem nectens*, d. i. anhebend zu sprechen, wie ἤρειν λόγους; derselbe 4. 28 nennt δάκτυλοι διείροντες, ausgestreckte und lang neben einander liegende Finger. —ειρωνόξενος, ὁ, ἡ, d. i. κατειρωνευόμενος τῶν ξένων, einer der die Fremden unter dem Scheine der Gaſtfreundſchaft betrügt. Ariſtoph.

Διεισδύνω, f. δύσω, unter etwas durch und hineingehn.

Διεκβαίνω, durch etwas hindurch herausgehn. —βάλλω, mittendurch herauswerfen; durchwerfen, durch oder überſetzen; durchgehn, Polyb. davon. —βολὴ, ἡ, das Durchwerfen; Ueberſetzen; Uebergang, Durchgang. Polyb. —βόλιον, τὸ, ein Mittel, die Leibesfrucht abzutreiben, wie ἐκβ. —δικέω, ῶ, vertheidigen, beſchützen. —δρομὴ, ἡ, Streiferey durch eine Gegend; Ausbruch. —δυμι u. διεκδύω, durch und herausgehen; durchbrechen; durchſchlüpfen. —δύσις, εως, ἡ, Ausbruch, Durchbruch; Ausweg; Schlupfwinkel. —θέω, f. θεύσομαι, heraus u. durchlaufen. —θρώσκω, heraus und durchſpringen. —λύω, aus einander oder auflöſen; auslöſen.

Διεκπαίω, ſ. v. a. διεκπίπτω, durchbrechen, ſich mit Gewalt durchſchlagen, durcharbeiten; τοὺς πολεμίους Plutarch. Vol. 3 p. 549. διεκπαισάμενος τὰς πύλας Dionyſ. Ant. 11, 37. διεξεπαίσαντο Jambl. Pythag. §. 249. —πατέω, ῶ, (πάτος) hat Suidas aus Laertius in Epimenides, wo dort ἐκπατέω ſteht, ſ. v. a. von dem Wege oder von der menſchlichen Geſellſchaft ſich entfernen. —περαίνω, f. ανῶ, (πέρας) zu Ende bringen, endigen, vollenden. —περάω, ῶ, f. ήσω od. άσω, darüber durchgehn; durchſetzen; durchbohren; eigentl. ſ. v. a. das vorherg. —περδικίζω, f. ίσω. S. ἐκπερδικίζω. —πίπτω, ſ. v. a. διεκπαίω, mitten durchfallen, Dio Caſſ. 50, 34. ſich durchſchlagen; entkommen. —πλέω, ῶ, f. εύσω, mitten durch die feindlichen Schiffe oder Flotten mit aller Macht und Geſchwindigkeit fahren oder ſegeln, und ſo dem Feinde an den Schiffen Schaden thun, und darauf zurückkehren; dieſes Manövre im Seetreffen heiſst διέκπλους. —πλοος, contr. διέκπλους, ὁ. S. das vorherg. —πλώω, f. ώσω, aus- und durchſchiffen oder ſegeln. —πνέω, f. εύσω, aus- und durchathmen, ausathmen, aushauchen, ausdunſten; dav. —πνοὴ, ἡ, das Durch- und Ausathmen, Ausdünſten, Durchblaſen. —πορεύομαι, f. εύσομαι, heraus- und durchgehn. —προαλὴς, ὁ, ἡ, falſche Lesart bey Apollon. Rhod. 3, 73 ſt. δι' ἐκ πρ. —πτωσις, εως, ἡ, (διεκπίπτω) das Durchfallen; Durchbrechen; Ausflucht.

Διεκρέω, f. ρεύσω, durch- und herausflieſsen; davon —ροος, contr. διέκρους, ὁ, Durch- und Ausfluſs. —τασις, εως, ἡ, das durch- oder ausſtrecken-recken- dehnen. —τελὴς, ὁ, ἡ, bey Heſych. ſ. v. a. ἀκριβής. —τέμνω, f. εμῶ, durch und ausſchneiden. —τρέχω, durch und herauslaufen. —φανὴς, έος, ὁ, ἡ, ſ. v. a. διαφανής. zweif. —φέρω, durch- und heraustragen. Ariſtides 1. p. 166. —φεύγω, durch- und entfliehen. —χέω, durch- und herausgieſsen.

Διελασία, ἡ, oder διέλασις, (διελαύνω) *decurſio equitum*, das Einherreiten der Kavallerie bey den Uebungen nach einer Linie. —λαύνω, f. άσω, verſt. ἵππον, ὄχον od. dergl. durchreiten, durchjagen, ſich durchſchlagen, (von der Reiterey); durchreiſen (vom Perſiſchen König, der durch ſeine Länder reiſet, Xen. Occ. 4, 8. durchbohren, mit Waffen. —λέγχω, f. ξω, das verſtärkte ἐλέγχω. —λιννύω, das verſtärkte ἐλιννύω. —λίττω, (διὰ ἐλίττω) auseinander wickeln, entfalten, z. B. eine Rolle oder Buch, ſ. v. a. ἐλίττω, Dio Caſſ. 74, 5.

Διελκυσμὸς, ὁ, (διελκύω) das durchweg- fortziehn. —κυστινδα, ἡ, naml. παιδιὰ, das Zieh- oder Zerrſpiel der Knaben, wo ein Theil den andern einzeln über die Linie zu ſich zu ziehn ſucht, auch διὰ γραμμῆς παίζειν. —κύω u. διέλκω, (διὰ, ἕλκω) von- auseinander- oder fortziehen, durchziehn, βιον, fortſchleppen. Plutarch. 10 p. 277. R.

Δίελος. S. δείελος.

Δίεμαι, benetzen; 2) verfolgen. S. im doppelten δίημι. —εμβάλλω, durch- und hineinwerfen, ſtecken, legen. —εμμένω, f. ενῶ, immer dabey, oder darinne verbleiben. —εμπιμπλάω, διεμπίμπλημι, διεμπιπλάω, f. ήσω, das verſtärkte ἐμπίμπλημι. Heſych. —εμπίπτω, ſ. v. a. ἐμπίπτω. Polyb. 38, 1. —εμπολάω, Eur. Bach. 504. wie *divendo*, ich verkaufe an mehrere, von ἐμπολάω, διὰ. —εμφαίνω, f. ανῶ, dadurch zeigen oder ſehn laſſen. Lucian.

Διενέγκω, ſ. v. a. διαφέρω. —ενθυμέομαι, οῦμαι, durchdenken, anhaltend über etwas nachdenken. zw. —ενιαυτίζω, f. ίσω, das verſtärkte ἐνιαυτίζω. Pollux 1, 58. —ενίσταμαι, f. ενστήσομαι, ſ. v. a. ἐνίσταμαι, mit dem Nebenbegriffe einer dem andern, oder unter einander.

Δίενος, ὁ, ἡ, (δὶς, ἔνος) zweyjährig, *biennis*. —ενοχλέω, ῶ, m. d. Dat. ſ. v. a. ἐνοχλέω; man findet oft dafür ῥιοχλέω, aber falſch. Philo 2 p. 590. —εντέρευμα, ατος, τὸ, (ἔντερον) ein komiſches Wort bey Ariſtoph. Nub. als wenn man Darmſichtigkeit ſtatt Scharfſichtigkeit ſagte.

Διεξάγω, f. άξω, hinaus und durchführen, durchbringen, z. B. das Leben; leiten, regieren; zu Ende bringen, endigen, z. B. einen Proceſs; dav.

Διεξαγωγὴ, ἡ, das Durchführen, Durchbringen, die Vollendung, Endigung. —άνθημα, ατος, τὸ, s. v. a. ἐξάνθημα. zweif. —ατμίζω, f. ίσω, durch- und ausdampfen, rauchen. —άττω, f. άξω, durch- und herausfahren.

Διέξειμι, durch- und herausgehn; hindurchgehn; durchgehn, u. s. v. a. δίειμι und διέρχομαι. —είργω, f. ξω, fall. s. v. a. διείργω, ausschliessen, mit dem Nebenbegriffe zwischen andere, oder durch einen andern. —ελαύνω, f. άσω, durchreiten oder fahren, verst. ἵππον, ὄχον, auch στρατὸν, durchmarschiren. —ελέγχω, überführen, widerlegen. —έλευσις, (διεξέρχομαι) s. v. a. διέξοδος. —ελίσσω, von einander wickeln. —ερέομαι, οῦμαι, f. ήσομαι, s. v. a. διερωτάω. Il. κ. 432. —ερευνάω, ῶ, f. ήσω, ausforschen, aussuchen, ausfragen; davon —ερευνητὴς, οῦ, ὁ, der alles durchsucht, ausfragt. —ερπύζω, f. ύσω, oder διεξέρπω, durch- und herauskriechen oder schleichen. —έρχομαι, f. ελεύσομαι, durch- oder vorübergehn, überh. s. v. a. διέξειμι. —ετάζω, f. άσω, das verstärkte ἐξετάζω.

Διεξηγέομαι, οῦμαι, das verstärkte ἐξηγέομαι. —ίημι, durch- und heraus- oder fortlassen. —ικνέομαι, οῦμαι, das verstärkte ἐξικνέομαι. —ιππάζομαι, u. διεξιππεύομαι, Polyaen. durchreiten.

Διεξοδεύω, durch und heraus, oder vorbey und herausgehn. Bey den Akademikern. πιθανὸν διεξωδευμένον, *probabile ex circumspectione aliqua et accurata consideratione*, nach Cicero; auch περιωδευμένον. —οδικὸς, ἡ, ὸν, Adv. —κῶς, zum Aus- oder Durchgange gehörig; vorzügl. ausführlich, weitläufig. Bey Joseph. Clem. Al. u. dergl. Schr. —οδος, ἡ, Durchgang, Ausgang, Ende, Beendigung; τοῦ λόγου, der Fortgang, Verfolg der Rede oder Erzählung; bey Dionys. Halicarn. eine kriegerische Unternehmung, Expedition, Ausmarsch. —ουρέω, s. v. a. ἐξουρέω, ausharnen. zw.

Διεορτάζω, f. άσω, feyern, feyerlich begehn.

Διεπιφράζω, erklären, erinnern. zw. —πιφώσκω, Dionys. 9. 63. helle werden, s. v. a. διαφώσκω und ἐπιφώσκω im N. T.

Διέπω, ich besorge, ordne an, verwalte; davon δίοπος, ὁ.

Διέραμα, τὸ, (διεράω durch oder übergiessen) Trichter. Plutarch. 10 p. 478. —εργάζομαι, f. άσομαι, vollenden, vollbringen; umbringen, tödten, wie *conficio*. —ερεθίζω, f. ίσω, das verstärkte ἐρεθίζω; davon —ερέθισμα, ατος, τὸ, s. v. a. ἐρέθισμα. zw. —ερείδω, f. εισω, ich stosse hindurch oder dazwischen, ich steife, stütze; med. διερείδομαι, ich stütze mich. διερεισμένης τὸ σχῆμα τῇ βακτηρίᾳ Aristoph. Eccl. 150. bey Polyb. 5. 84 διερειδόμενα περὶ τῆς χώρας streitend mit einander um den Platz. S. ἐρείδω. —ερέσσω, διερέττω, f. σω, durchrudern, hin- und her rudern, wie im Rudern hin und her bewegen. φλογέας δαλοῖσι χέρας διερέσσοντας Eurip. Troad. 1528 die in den Händen Feuerbrände schwingen, *agitare, concutere*. —ερευνάω, ῶ, f. ήσω, durchspüren, durchforschen, durchsuchen; unter sich, unter einander oder gegenseitig forschen; davon —ερευνητὴς, οῦ, ὁ, s. v. a. διεξερευνητής. —ερίζω, f. ίσω, mit einem oder mit einander streiten. —ερμήνευσις, εως, ἡ, διερμηνευτὴς, ὁ, und διερμηνεύω, s. v. a. das simplex ἑρμήνευσις u. s. w. —έρομαι, durchfragen u. s. v. a. ἔρομαι. —ερὸς, ρὰ, ρὸν, (S. διαίνω,) feucht, benetzt; daher grün, frisch, munter, stark; daher einige διερῷ ποδὶ durch ταχεῖ erklaren; besser zu Schilfe. διερὸς βροτὸς Il. erklärt man durch lebend.

Διερπύζω, f. ύσω, oder διέρπω, durchkriechen, durchschleichen. —εῤῥιμμένως, Adv. vom partic. perf. pass. διαῤῥίπτω, zerstreut; nachlässig. —ερυθρος, ὁ, ἡ, mit unter roth, wie διάλευκος. —ερύκω, f. ύξω, *dirimo*, ἀψιμαχίαν Plutarch. Lyc. 2. streitende aus einander bringen. —έρχομαι, f. ελεύσομαι, durchgehn; vorüber-, vorbeygehn; weggehn; in den Gedanken, mit Worten, in der Rede oder Erzählung durchgehn; daher von etwas reden, sprechen, erzählen, etwas uberlegen, uberdenken. —έρω, auch poet. διείρω, ich frage durch, aus; 2) διείρηκεν ὁ νόμος, Demosth. Lept. 24 das Gesetz bestimmt ausdrücklich. —ερωτάω, ῶ, f. ήσω, durchfragen, ausfragen.

Διεσθίω, f. ίσω, durchfressen, zerfressen, zernagen. —σις, εως, ἡ, (διΐημι) das Durchlassen z. B. des Wassers; 2) das Zerlassen; Auflösen, Anfeuchten. S. διίημι; 3) ein Viertelton in der alten Musik, dergl. wir nicht haben, sondern nur halbe Töne. —σκεμμένως, Adv. vom perf. pass. part. διασκέπτομαι, vorsichtig. —σπασμένως, Adv. vom part. perf. pass. διασπάω, zerstreut, zerrissen. —σπουδασμένως, Adv. vom part. perf. pass. διασπουδάζω, mit Fleiss und Sorgfalt. —στραμμένως, Adv. vom part. perf. pass. διαστρέφω, verdreht, verkehrt. —σφαλμένως, Adv. vom part. perf. pass. διασφάλλω, verderbt, fehlerhaft.

Διετηρὶς, ίδος, ἡ, Zeit von zwey Jahren; von —ετής, έος, ὁ, ἡ, (ἔτος) von zwey Jahren; zweyjährig.

Διετήσιος, ὁ, ἡ, das ganze Jahr hindurch (διʼ ἔτους) dauernd. —**ετία**, ἡ, f. v. a. διετηρίς. —**ετίζω**, f. ίσω, das ganze Jahr durchleben, alfo auch den Winter; alfo überwintern.

Διευεργετέω, durchaus immer fort wohlthun. —**ευθετέω**, ῶ, gut ftellen, ordnen, fetzen; f. v. a. εὐθετ. davon —**ευθέτησις**, εως, ἡ, gute Ordnung, Stellung, Einrichtung, Verwaltung. —**ευθετίζομαι**, κόμας, Nicet. Annal. 3, 1 f. v. a. διευθετέω, die Haare putzen. —**ευθυμέω**, ῶ, f. v. a. εὐθυμέω. —**ευθυντὴρ**, ὁ, und διευθυντὴς, ὁ, f. v. a. εὐθυντὴρ, der regieret, richtet, lenkt. —**ευθυντήριος**, zum richten gefchickt, οἴακες διευθυντηρίαι, Eur. Iph. Taur. 1356; v. —**ευθύνω**, f. υνῶ, f. v. a. εὐθύνω. davon —**ευκρινέω**, ῶ, wohl ordnen, unterfcheiden, ins Reine bringen, beurtheilen, wie das fimplex. —**ευκρίνησις**, εως, ἡ, Unterfcheidung, Unterfuchung, Entfcheidung. —**ευλαβέομαι**, οῦμαι, f. ήσομαι, das verftärkte fimplex εὐλ. oder fich unter einander fcheuen, fürchten, und beobachten. —**ευνάζω**, f. άσω, in Schlaf, Ruhe bringen. Eur. Hipp. 1386. —**ευπραγέω**, durchaus oder immer glücklich in feinem Unternehmen feyn. —**ευριπίζω**, f. ίσω, nach Art des Stroms im Euripus hin und her fich bewegen, wie Ebbe und Fluth. —**ευρύνω**, f. υνῶ, weit machen, erweitern. —**ευστοχέω**, ῶ, durchaus oder bis dahin treffen. —**ευσχημονέω**, durchaus εὐσχημονεῖν. —**ευτελίζω**, f. ίσω, durchaus ganz verachten. —**ευτονέω**, ῶ, durchaus, bis dahin die Kraft behalten. Polyb. 4, 43. —**ευτυχέω**, ῶ, durchaus, immerfort glücklich feyn.

Δίεφθος, ὁ, ἡ, (διὰ) durchkocht, gar gekocht. —**εχὴς**, έος, ὁ, ἡ, getrennt, zerftreut. entgegeng. συνεχής. —**εχθρεύω**, εύσω, ich bin gegen einen feindfelig gefinnt, Alciphr. Ep. 2, 3. Dionyf. Antiq. 4, 70. —**έχω**, (διὰ, ἔχω) von einander halten, trennen; 2) neutr. von einander ftehen, entfernt feyn, mithin fich erftrecken. —**εψευσμένως**, Adv. von part. perf. διαψεύδομαι, fälfchlich. —**έψω**, durchkochen, gar kochen.

Διζέω, auch διζέομαι med. u. δίζημι, f. v. a. δίζω, fuchen; davon —**ζήμων**, ονος, ὁ, ἡ, der fucht, auffucht. —**ζυγία**, ἡ, wenn zwey Joche Ochfen o. vier Ochfen oder Pferde vorgefpannt werden. —**ζυγος**, ὁ, ἡ, oder δίζυξ, υγος, ὁ, ἡ, zweyfpannig, od. doppelt.

Δίζω, δίζομαι, auch διζέω, διζέομαι, δίζημι u. δίζημαι, ein jonifches Wort, ich fuche, forfche, frage, fuche, beftrebe mich, verlange; bin zweifelhaft, ungewifs; forfche u. unterfuche: Herodot. 7, 142 διζημένων τὸ μαντήϊον, die den Sinn des Orakels ausforfchten; σὲ δέ γε δίζημαι εἴκοσιν εἶναι ἀντάξιον, 7, 103. fo urtheile ich, dafs, fo mufst du nach meiner Meinung zwanzig andre Männer gelten. Il. 16, 713 δίζε, er war unentfchloffen. S. διώκω u. διφάω. —**ζωος**, ὁ, ἡ, f. v. a. ἀμφίβιος.

Διηβολία, f. v. a. διαβολία. —**ηγέομαι**, οῦμαι, f. ήσομαι, aus einander fetzen; erzählen; erklären. —**ήγημα**, ατος, τὸ, Erzählung, Erklärung; dav. —**ηγηματικὸς**, ἡ, ὸν, zur Erzählung gehörig oder bequem, gefchickt; der gern erzählt; Adverb. —κῶς. —**ηγημάτιον**, τὸ, dimin. von διήγημα. —**ήγησις**, εως, ἡ, das Erzählen; die Erzählung. —**ηέριος**, ὁ, ἡ, f. v. a. διαέριος. —**ηθέω**, ῶ, (ἠθέω) durchfeihen, durch ein Seihetuch od. einen Durchfchlag gehn laffen; tropifch wie *percolo*, durch kleine Oefnungen durchlaffen; οἶνον πυρέττοντι διηθεῖν, eintröpfeln. Plutar. 6 p. 384. dav. —**ήθησις**, εως, ἡ, das Durchfeihen, Durchfchlagen. —**ηκριβωμένως**, Adv. von partic. perf. paff. διακριβόω, fehr genau. —**ήκω**, f. ήξω, (ἥκω) durchkommen, durchdringen, durchreichen, durchaus fich erftrecken. —**ηλιόω**, ῶ, f. ώσω, (ἡλιόω) durchfonnen, durch die Sonne verbrennen. —**ηλόω**, ῶ, f. ώσω, (ἧλος) durchnageln, annageln. —**ήλυσις**, εως, ἡ, Durchgang, Ausgang; f. v. a. δίοδος u. ἔξοδος, von διὰ, ἐλύω u. ἐλεύθω. —**ημερεύω**, f. εύσω, (ἡμερεύω) durchtagen, den ganzen Tag zubringen. —**ημερόω**, ῶ, f. ώσω, ganz zahm, weich, mürbe, fanft machen. S. ἥμερος.

Δίημι, f. v. a. διαίνω, (von δίω, διέω, wov. διερὸς, feucht) anfeuchten, in einer Feuchtigkeit zerlaffen, aufweichen od. auflöfen, wie *diluo*; dav. διεὶς paff. διεθεὶς und διειμένος οἴνῳ ὄξει ἐλαίῳ, mit Wein, Effig, Oel zerlaffen oder aufgelöft; dav. δίεσις, ἡ, das zerlaffen o. auflöfen. med. διέμενος ὄξει, in Effig auflöfend. Ariftoph. Plut. 720.

Δίημι, wov. blofs das med. gebr. δίεμαι f. v. a. δίω u. διώκω; eigentl. von διέω gemacht. —**ηνεκὴς**, έος, ὁ, ἡ, (S. ἠνεκής) von einer ununterbrochenen Oberfläche, Reihe, Folge der Körper, auch der Zeit, wie *perpetuus* u. *continuus*, alfo lang, breit, weit; fortdauernd, beftändig; dav. διηνεκὲς, wie die Adv. διηνεκῶς und διηνεκέως ἀγορεῦσαι, nach der Reihe, im Zufammenhange, ganz, durchaus erzählen. —**ήνεμος**, ὁ, ἡ, dem Winde ausgefetzt, luftig. zw. —**ηπειρόω**, ῶ, f. ώσω, (ἠπειρόω) ganz zu feftem Lande machen. —**ηρημένως**, Adv. vom part. perf. paff. διαιρέω, getheilt, befonders.

Διήρης, εος, ὁ, ἡ, (δὶς, ἐρέσσω) zweyrudericht; 2) διῆρες, τὸ, (αἴρω) μελάθρων Eur. Phoen. 87. ſ. v. a. ὑπερῷον, Zimmer im Oberſtocke. S. τριήρης. —**ηχέω**, ῶ, (ἠχέω) perſono, ich ertöne; ἡ Ἑλλὰς διηχεῖ τὸ μέγεθος τοῦ κατορθώματος, Plut. Tim. 21. viell. ſoll es τῷ μεγέθει heiſsen. —**ηχή**, ἡ, das Durchſchallen, das Durchdringen des Tons zum Gehirne. —**ηχήματα**, τὰ, Dionyſ. Lyſiae c. 11. ſ. v. a. διαστήματα die Intervallen in der Muſik, als Quarten, Octaven u. dergl. zweif. —**ηχής**, έος, ὁ, ἡ, durchſchallend, den Schall durchlaſſend, wie διαφανής u. δίοσμος.

Διθάλασσος, διθάλαττος, ὁ, ἡ, zwiſchen zwey Meeren, von zwey Meeren beſpült, *bimaris*. —**θαλος**, ὁ, ἡ, bey Ariſtot. Thierg. 9, 17. zweif. —**θεία**, ἡ, zwey Götter, wie διναΐα, zwey Schiffe; dav. —**θεῖται**, οἱ, die zwey Götter annehmen. —**θηκτος**, ὁ, ἡ, (θήγω) mit doppelter Schärfe, Schneide. —**θυμία**, ἡ, bey Heſych. wie und ſ. v. a. *diſcordia*; von —**θυμος**, ὁ, ἡ, wie u. ſ. v. a. *diſcors*, uneinig. Prov. 26, 20.

Διθυραμβικός, ἡ, όν, Adv. —κῶς, zum Dithyramben gehörig, das iſt dithyrambiſch. —**ραμβογενής**, Beywort des Bacchus, ſo viel als διθύραμβος. —**ραμβοδιδάσκαλος**, ὁ, ein Dithyramben-Dichter. S. in διδάσκω. —**ραμβοποιέω**, ῶ, Dithyramben machen, dichten, ſchreiben; dav. —**ραμβοποιΐα**, ἡ, das Machen o. Dichten von Dithyramben. —**ραμβοποιός**, ὁ, Dithyramben-Dichter. —**ραμβος**, ὁ, ein Beywort und Name des Bacchus, von ungewiſſer Ableitung u. Bedeutung; 2) ein Geſang, Loblied auf den Bacchus; hernach eine Art v. Ode, Lied in einer hohen Begeiſterung gedichtet und vorzügl. in ſchwülſtigen, zuſammengeſetzten Worten und einer eignen Melodie. —**ραμβώδης**, εος, ὁ, ἡ, von der Art des Dithyramben, dithyrambiſch, ſchwülſtig, übertrieben. —**ραμμα**, τὸ, αἱ νύμφαι τὸ δ. προσεπᾴδουσαι κύοντι τῷ Διΐ, Julian. or. 7 p. 220. nach dem Etymol. M. p. 274. muſs es wahrſcheinl. λῦθι ῥάμμα heiſsen, eine alte Etymologie von διθύραμβος als Beyname des Bacchus.

Δίθυρος, ὁ, ἡ, (θύρα) mit zwey Thüren, bey Polyb. 27, 1. Tribunal, Rednerbühne. —**θυρσος**, ὁ, ἡ, mit zwey Thyrſis. τὸ δίθ. im Epigr. Agath. eine Bacchanten Waffe.

Διιαύω, (ἰαύω) fort- od. durchſchlafen.

Δΐιδρος, ὁ, ἡ, (ἱδρώς) durchſchwitzend, durchgeſchwitzt; feucht, naſs. S. δίυδρος. —**ιδρόω**, ῶ, f. ώσω, (ἱδρόω) durchſchwitzen, durch den Schweiſs von ſich geben. —**ΐημι**, durch-hinüber-vorbeyſchicken; durch- oder vorbey laſſen; entlaſſen; aus einander breiten; zerlaſſen, erweichen, ὄξει u. ſ. w. —**ϊθυντής**, οῦ, ὁ, Lenker, Leiter, Regierer; von —**ϊθύνω**, (ἰθύνω) durch oder zwiſchen andern lenken, leiten, regieren. —**ικμάζω**, f. άσω, durchnetzen. —**ϊκνέομαι**, οῦμαι, f. διΐξομαι, (ἱκνέομαι) durchkommen, durchgehen; durchdringen; dahin durchgelangen; durchgehn.

Δῖιος, ὁ, ἡ, vom Dis od. Zeus. —**ϊπετής**, έος, ὁ, ἡ, (ζεύς, πίπτω) vom Zeus, vom Himmel gefallen, z. B. διϊπετὲς ἄγαλμα; auch giebt Hom. den Strömen dieſes Beywort, in ſo fern ſie vom Regen entſtehen. Bey Hippocr. γονή, bey Eurip. ἀὴρ διϊπετής erklären einige durch klar, hell, andre durch ſchnellfallend, reiſsend. οἰωνοὶ διιπετεῖς Hymn. Ven. 4 in der Luft fliegend; Eur. Bach. 1257 verbindet λαμπρότερος καὶ διϊπετέστερος. —**ϊπόλια**, oder εια, ein dem Zeus Polieus zu Ehren gefeyertes Feſt zu Athen. —**ϊπολιώδης**, εος, ους, ὁ, ἡ, alt, altfränkiſch, von der Zeit der διϊπόλια her. —**ιππασία**, ἡ, ſ. v. a. ἀνθιππασία. Suid. —**ιππεύω**, durch- od. darüber reiten. —**ΐπταμαι**, f. διαπτήσομαι, med. von διΐπτημι, durchfliegen: dav. διέπτην u. διεπτάμην, ich flog durch, wie ἵσταμαι, ἔστην. —**ισθμέω**, ῶ, über den Iſthmus, die Meerenge bringen, ſetzen; die Form διισθμονίζω findet ſich bey Suidas zweymal, aber iſt zw. —**ϊστάνω**, ſ. v. a. διΐστημι, bey Ariſtoph. Veſp. 40. διιστάνειν, wo andere richtiger διιστάναι leſen, doch hat Diodor. 19, 46. διιστάνουσι und ſonſt. aus einander ſtellen, trennen, metaph. verunreinigen. —**ΐστημι**, f. στήσω, aus- von einander ſtellen; trennen. med. διΐσταμαι, ſich trennen, das iſt weggehn u. ſo entfernt ſeyn, o. ſich mit einem verunreinigen. S. auch ἱστὸς. —**ισχναίνω**, ſ. v. a. ἰσχναίνω. —**ισχυρίζω** S. ἰσχυρίζω. —**ισχυρίζομαι**, f. ίσομαι, verſichern, ſteif und feſt behaupten. —**ισχύω**, f. ύσω, bey Suidas ſ. v. a. κρατῶ, ἄρχω. aw. —**ΐσχω**, ſ. v. a. διέχω. —**ιχνεύω**, f. εύσω, durchſpüren, aufſpüren. S. auch διιχνεύω.

Δικάζω, f. άσω, (δίκη) Recht ſprechen, jemandes Recht, Sache, Proceſs führen, ausführen, verfechten, vertheidigen; med. δικάζομαι, ſich ſein Recht ſprechen laſſen, ſich vor Gericht ſtellen, um ſich zu vertheidigen und ſein Urtheil zu hören, Herodot. 1, 96. mithin mit einem proceſſiren, ἀλλήλοις, unter einander, und überh. hadern, ſtreiten; paſſ. vor Gericht gefordert werden, verklagt werden, Xen. Mem. 1, 2, 31. auch ſt. καταδικάζω verdammen, Dio Caſſ. 39, 55.

Δικαία, ἡ, ſt. δίκη, wie σεληναίη ſt. σελήνη. —**καιαρχία**, ἡ, gerechte, geſetzmäſsige Regierung. Heſych.

Δικαιοδοσία, ἡ, (δόσις) Verwaltung des Rechts, Rechtſprechung; 2) ſ. v. a. ἡ ἀπὸ συμβόλων κοινωνία. S. σύμβολον nr. 3. —**οδοτέω**, ῶ, Recht ſprechen. —**οδότης**, ου, ὁ, der Recht ſprechende; Richter. —**οκρισία**, ἡ, ein gerechtes Gericht, gerechter Urtheilsſpruch. N.T. —**οκρίτης**, ου, ὁ, ein gerechter Richter. N.T. —**ολογέω**, ῶ, auch im medio m. dem dat. und ohne caſus, rechten, ſeine Rechte, Gerechtſame, Gründe anführen, ausführen, vertheidigen; dav. —**ολογία**, ἡ, Anführen, Ausführen und Vertheidigen ſeiner Rechte, Gerechtſame, ſeiner Sache, ſeines Prozeſſes. —**ολογίζομαι**, falſche Lesart bey Lucian ſt. δικαιολογέομαι. —**ολογικὸς**, ἡ, ὸν, zum Ausführen und Vertheidigen der Rechte gehörig oder darinne geübt, geſchickt. —**ολόγος**, ὁ, der ſeine oder eines andern Rechte, Sache, Proceſs anführt, ausführt, verficht, vertheidigt. —**ονόμος**, ὁ, ἡ, (νέμω) Richter, Gerichtshalter, Dio Caſſ. 78, 22. —**όπολις**, ὁ, ἡ, Gerechtigkeit in ſeinen Städten handhabend. Pindar. —**οπραγέω**, ῶ, gerecht handeln, thun; dav. —**οπράγημα**, ατος, τὸ, eine gerechte Handlung. —**οπραγία**, ἡ, das Rechtthun, Rechthandeln.

Δίκαιος, αία, αιον, (δίκη) die beyden Hauptbed. ſind nach Ariſtot. Nicom. 5, 2: νόμιμος geſetzmäſsig, rechtlich, u. ἴσος gleich, eben, gerecht. Nach der von Ar. l. c. angegebenen wahrſcheinlichen Ableitung von δίχα, διχάζω iſt δίκαιος eigentl. in zwey gleiche Theile getheilt; alſo die erſte älteſte und phyſiſche Bedeutung wäre gleich, gerade, eben; die ſpätere moraliſche, politiſche, gleich, gerecht, billig, geſetzmäſsig; rechtmäſsig. Die älteſte Bedeutung verdient Erläuterung. Xen. Cyrop. 2, 2, 26. ἅρμα οὐ δίκαιον ἀδίκων ἵππων συνεζευγμένων, einen nicht gleichgehenden Wagen, wegen der vorgeſpannten ungleichen Pferde. Equeſtr. 3, 5 nennt er ἄδικον γνάθον, was er vorher am Pferde ἑτερόγναθος genannt hatte, ungleiche Kinnladen, wenn eine hart, die andere weich iſt; wenn beyde gleich ſind, heiſst das Pferd δίκαιος τὴν γνάθον bey Pollux 1, 196. In der verdächtigen Stelle Memor. 4, 4. ἵππον καὶ βοῦν τῷ βουλομένῳ δικαίους ποιήσασθαι: d. i. abrichten u. zur Erfüllung ihrer Pflichten u. Beſtimmung geſchickt machen. Venat. 7, 4. die πλησμονὴ Ueberladung mit Speiſen verdirbt junge Hunde, indem ſie die Schenkel verdreht, Krankheiten erzeugt, u. die innern Theile durch das aufgehobene Gleichgewicht verletzt: καὶ τὰ ἐντὸς ἄδικα γίγνεται. Eben ſo ſind αἱ ἑκατὸν ὀργυιαὶ δίκαιαι gerade 100 Orgyen bey Herodot 2, 149 u. δικ. συνήγορος bey Aeſchines adv. Cteſ. wie συγγραφεὺς δίκαιος bey Lucian hiſtor. conſor. wie *juſtus triumphus*, ein rechter vollkommener Schriftſteller u. ſ. w. Hippocrates nennt σῶμα δίκαιον, einen Körper der auf der rechten und linken Seite gleich iſt: κατάτασιν δικαίαν καὶ ὁμαλὴν eine gleiche und ebene Ausſtreckung. δικαιόταται ἀντιῤῥοπαὶ, δίκαιος ἰητρὸς πρὸς πᾶσαν ὁμιλίην u. ſ. w. Daher διανέμειν τὸ δίκαιον ἑκάστῃ einer jeden das ihrige gehörig zutheilen: τὰ δίκαια das Recht; die Gerechtſame; Rechtsgründe; auch die Gebühr: τὰ δίκ. τοῖς στρατιώταις ποιεῖν, τ. δ. λαμβάνειν vom Lohne, Solde, wie *juſta praebere, reddere*. τὰ δικ. πράττεσθαί τινα einen zur Strafe ziehn. Aeſchyl. Agam. 821. τὰ δ. τάττειν προστάττειν τινὶ Dionyſ. hal. *jura reddere alicui*, befehlen, herrſchen. δίκαιός εἰμι ich habe Recht, ich verdiene, ich bin würdig zu, m. ſ. infin. λέγειν, ποιεῖν, bey Ariſtoph. Av. 1599 ſind δίκαια die Bedingungen des Friedens.

Δικαιοσύνη, ἡ, Gerechtigkeit, Geſetzmäſsigkeit: als Eigenſchaft, Charakter und Tugend des δίκαιος, gerechten, rechtlichen Mannes: und als Handlung deſſelben, Uebung der Gerechtigkeit, δίκη. —**όσυνος**, ζεὺς, der Beſchützer der Gerechtigkeit, wie φίλιος, Phrynichus Apparat. p. 466. —**ότης**, ητος, ἡ, ſ. v. a. das vorherg. zw. —**όω**, ῶ, f. ώσω, eigentl. gerecht oder recht machen; richten; verurtheilen, beſtrafen, rächen; für recht oder billig halten, und ſo billigen oder wünſchen, wie ἀξιόω. Soph. Tr. 1244.

Δικαίωμα, ατος, τὸ, eigentl. das Recht oder gerecht gemachte; das Gerichtete; Rechtsſpruch; gerichtliche Beſtrafung, Strafe; Rache; gerechte Handlung. Ariſtot. Nicom. 5, 10. auch ſ. v. a. τὸ δίκαιον, Recht und Geſetz; auch Rechtsgrund, Grund überh. Iſocr. Archid. p. 236. —**ωσις**, εως, ἡ, (δικαιόω) eigentlich das Gerechtmachen; daher Vertheidigung vor Gerichte, Verdammung und Beſtrafung im Gerichte; gerechte Forderung; überh. Forderung, Verlangen, Prätenſion. —**ωτήριον**, τὸ, (δικαιόω) ſ. v. a. δικαστήριον. Plato Phaedr. —**ωτής**, οῦ, ὁ, Plutarch. 8 p. 172. Rächer, Strafer.

Δικᾶν, ſt. δικάσειν bey Herodotus, wie ἐλᾶν ſt. ἐλάσειν. —**κανικὸς**, ἡ, ὸν, erfahren in den Rechten und geſchickt die Gerechtigkeit zu handhaben und zu vertheidigen, Xen. Mem. 1, 2, 48.

zu den Rechten und Gerichten gehörig, z. B. δικανικὸς ἀγὼν, Dio C. 61, 10. Das Stammwort δικανὸς hat Hesych. durch ὁ περὶ τὰς δίκας διατρίβων erklärt; bey Plato Apol. 20 werden δικανικὰ mit φορτικὰ verbunden. zweif.

Δικάρηνος, ὁ, ἡ, (κάρηνον) zweyköpfig. — καρπέω, ῶ, zweymal Frucht bringen, tragen; von — καρπος, ὁ, ἡ, zweymal Frucht bringend, tragend.

Δικάσιμος, ὁ, ἡ, zum Rechten, für das Gericht bestimmt, z. B. δ. ἡμέρα, *dies fastus*; δ. ὥρα, *tempus judicio praestitutum*; 2) was bestritten wird, werden kann. — κασκοπολέω, ich bin Richter und spreche Recht. Stobaei. Serm. 147. davon — κασπολια, das Recht sprechen, Richten. — κασπόλος, ὁ, ἡ, (πολέω) Richter, Rechtspfleger. — καστήριον, τὸ, (dimin. δικαστηρίδιον) Gerichtsort, Gerichtsstelle; eigentl. neutr. von δικαστήριος von δικαστήρ. — καστὴς, οῦ, ὁ, (δικάζω) Richter. — καστικὸς, ἡ, ὸν, zum Gerichte, Rechte oder Richter gehörig, im Rechte oder in Führung der Processe geübt, erfahren. Memor. 2, 6, 38. τὸ δικ. der Lohn des Richters, Gerichtssportel. — κάστρια, ἡ, Richterin, femin. von δικαστὴς.

Δικατάληκτος, ὁ, ἡ, d. i. δὶς καταλήγων.

Δίκελλα, ης, ἡ, eine zweyzinkigte Hacke, *bidens*, von δίχα oder δίκω, werfen. — κελλίτης, ου, ὁ, von der Hacke; ein Hacker, Gräber. — κέραιος, ὁ, ἡ, (κεραια) oder δικέραος, δίκερος, δικέρως, (δὶς, κέρας) mit zwey Hörnern, Zacken, Spitzen. — κέφαλος, ὁ, ἡ, (κεφαλὴ) zweyköpfig.

Δίκη, ἡ, die personifizirte Gerechtigkeit, die Göttin Dike; daher das Recht, Gerechtigkeit, gerechte Sache; und weil dies in alten Zeiten gröſstentheils stillschweigend angenommene Gebräuche waren; so ist es auch Sitte, Gebrauch, u. (κατὰ) δίκην, nach Art m. d. genit. bey Hippocr. aber hiess κατὰ δίκην s. v. a. εἰκότως, der Natur, der Billigkeit gemäss. Speciell ist es die Gerechtigkeit im Gerichte, das Recht, gerechte Sache, die daselbst vertheidigt wird, also Privatprocess oder Klage, und dafern gegen einen andern erkannt wird, gerichtliche Strafe, Rache, z. B. δίκην δίδωμι τινὶ, ich gebe, bezahle einem, leide die Rache, Strafe für die ihm zugefügte Beleidigung, wie *poenam do*; eben so δίκην ἔχω, ich habe Rache, Genugthuung; δίκην διώκω, ich verfolge mein Recht, verklage, dagegen δ. φεύγω, ich fliehe die Klage, werde verklagt. S. in δίκαιος. — κηλον, τὸ, s. v. a. δείκελον. S. δεικελίζω. — κησις, εως, ἡ, (δικέω) s. v. a. ἐκδίκησις, das Richten, Strafen, Rächen. — κηφόρος, ὁ, ἡ, (φέρω) Recht oder Rache bringend, richtend, rächend, strafend; Richter; adj. z. B. δ. ἡμέρα, Gerichtstag. — κίδιον, τὸ, dimin. v. δίκη, Processchen. — κλὶς, ιδὸς, verst. θύρα, eine Doppelthüre von δὶς, κλίνω; andere nehmen δίκλεις von δὶς und κλεὶς an, die doppelt verschlossen wird.

Δικογραφία, ἡ, schriftlicher Aufsatz zu einer Anklage oder Vertheidigung. — κογράφος, ὁ, der andern die Schrift zu einer Klage, Anklage oder Vertheidigung aufsetzt und macht. — κοδίφης, ου, ὁ, (διφάω) Processsüchtiger. — κοδοσία, ἡ, falsche Lesart Polyb. 4, 16 st. δικαιοδ. — κοκκος, ὁ, ἡ, mit einem doppelten Kerne. — κολέκτης, ου, ὁ, (δίκη, λέγω) der für fremdes Recht spricht, anderer Processe führt, das Recht vor Gericht ausführt. — κολογέω, ῶ, (δίκη) rechten, processen, für sein Recht sprechen, seinen Process vertheidigen; davon — κολογία, ἡ, das Rechten, Processen, Vertheidigung seiner Sache, Führung seines Processes. — κολόγος, ὁ, s. v. a. δικολέκτης. — κολπος, ὁ, ἡ, mit doppeltem κόλπος. S. κόλπος. — κόνδυλος, ὁ, ἡ, mit zwey Gelenken oder Gliedern. — κοῤῥαφέω, ῶ, Processe anzeddeln. — κοῤῥαφία, ἡ, das Anzeddeln von Processen. — κόῤῥαφος, ὁ, ein Anzeddler von Processen, Rabulist. — κορσος, ὁ, ἡ, (κόρση) s. v. a. δικέφαλος. — κόρυμβος, ὁ, ἡ, mit zwey Gipfeln oder Spitzen. — κόρυφος, ὁ, ἡ, mit doppeltem Gipfel oder Scheitel. — κότυλος, ὁ, ἡ, was zwey κοτύλας fasst; 2) was zwey Reihen Saugwarzen hat, ein Meerpolyp. — κόω, ῶ, f. ώσω, aus Cic. Verr. 5, 57 ἐδικώθησαν, f. Lesart st. ἐδικαιώθησαν. — κρανὴς, έος, ὁ, ἡ, (κράας) s. v. a. δικέφαλος, Suidas und Eustath. — κραιος, ὁ, ἡ, (κεραία) zwiespaltig, gespalten; davon — κραιότης, ητος, ἡ, Zwiespaltigkeit, Zwiespalt, Trennung. — κραιόω, spalten, in zwey theilen. — κραιρος, ὁ, ἡ, (κραῖρα) zweyspaltig, zweygablicht, mit zwey Spitzen oder Hörnern. — κρανος, ὁ, ἡ, (κράνον) s. v. a. δίκροος; daher δικράνοις ἐξωθεῖν bey Lucian. Tim. was Aristoph. Pac. 636 δικροῖς ὠθεῖν sagt, *furca expellere*, mit der Gabel austreiben. — κρανόω, ῶ, f. ώσω, zweyspitzig machen, gabeln, wie eine Gabel machen. — κρατὴς, έος, ὁ, ἡ, mit getheilter oder halber Herrschaft. Sophocl. Aj. 252. — κροος, contr. δίκρους, und δικρόας contr. δικροῦς, s. v. a. δίκρανος. — κροσσος, ὁ, ἡ, doppelt gesäumt, mit doppeltem Saume, gefranztem Besatze; bey Arrian Peripl.

Eryth. p. 4 ſtehn δικρόσσια für gewiſſe Zeuge.

Δίκροτος, ὁ, ἡ, zweyrudrig, bey Xenoph. H. G. 2, 1, 28 ναῦς δίκροτος eigentl. τριήρης, welches nur zwey Reihen Ruderer hat auf jeder Seite, ſo wie μονήκροτος mit einer Reihe. —κρουνος, ὁ, ἡ, mit zwey Quellen.

Δίκταμον, δίκταμνον, δίκταμνος, das Kraut Diptam. Dioſcor. 3, 37. *Origanum Dictamnus* Linn. —τής, ου, ὁ, (δίζομαι) Auſſucher, Auſſeher. zw. —τυαγωγὸς, (δίκτυον, ἄγω) der ein Netz zieht, Fiſcher. —τυάλωτος, ὁ, ἡ, (ἁλίσκω) im Netze gefangen. —τυβόλος, ὁ, ἡ, S. δικτυοβ. —τύδιον τὸ, dimin. von δίκτυον. —τυεὺς, έως, ὁ, ein Fiſcher; von dem ungew. δικτυέω. —τυνα, ein Beywort der Diana, Artemis, auch δίκτυννα geſchrieben. —τυοβόλος, ὁ, ἡ, (βάλλω) ein Netzwerfer, Fiſcher. —τυόθετος, ὁ, ἡ, (τίθημι) netzförmig, *reticulatus* beym Plin. 36, 22. —τυόκλωστος, ὁ, ἡ, (κλώθω) δικτυόκλωστοι σπεῖραι, die Windungen des geſponnenen oder geſtrickten Netzes. Sophocl. Antig. —τυον, τὸ, (δίκω ich werfe) das Netz der Fiſcher; 2) der Jäger; 3) der durchlocherte Boden des Siebs. —τυοπλόκος, ὁ, ἡ, (πλέκω) ein Netzſtricker. —τυοποιὸς, ὁ, ἡ, (ποιέω) ein Netzmacher. —τυουλκὸς, ὁ, ἡ, (ἕλκω) ein Netzzieher, Fiſcher. —τυόω, ῶ, f. ώσω, (δίκτυον) nach Art eines Netzes arbeiten od. machen; netzformig machen, *reticulo*. —τυώδης, ὁ, ἡ, netzförmig. —τυωτὸς, nach Art eines Netzes gemacht. θύραι, *clathrae*, Gitterthüren. Polyb. 15, 30.

Δίκυκλος, ὁ, ἡ, mit zwey Zirkeln, Tellern oder Rädern, dah. τὸ δίκυκλον veiſt. ἅρμα, ein zweyrädeiiger Wagen. Dio C. 76, 7. —κυμα πρόβατα, (κῦμα) bey Suidas ſ. v. a. διδυμοτόκα.

Δίκω, werfen. Lycophr. 531 πήδημα λαιψηρὸν δικών; davon δίκτυον: wird auch κίκω geſchrieben. —κωλος, ὁ, ἡ, (κῶλον) zweygliedrig, mit oder von zwey Gliedern oder Kolis. —κωπέω, ῶ, zwey Ruder führen, oder zwey zugleich rudern. Ariſtoph. Eccl. 1136. —κωπία, ἡ, (κώπη) ein Kahn mit zwey Rudeiern; ἐγὼ πρεσβύτης ὢν, τὴν δικωπίαν ἕλκων, ἐρέττω μόνος, Lucian. der Schol. des Thucyd. 4, 67 ſagt ἀμφηρικὸν πλοιάριον ἑκατέρωθεν ἐρεσσόμενον ἐν ᾧ ἕκαστος τῶν ἐλαυνόντων δικωπίας ἐρέττει; alſo bedeut. es auch das Führen v. zwey Rudern. —κωπος, ὁ, ἡ, m. zwey Rudern. —λήκυθον, τὸ, zwey λήκυθοι. —λημμα, ατος, τὸ, *dilemma*, in der Logik eine Schluſsart, womit ich den Gegner v. beyden Seiten faſſe, einſchlieſse u. widerlege: er heiſst ſo, weil er aus zwey verbundenen Propoſitionen folgert; daher —λήμματος, ον, aus zwey Sätzen beſtehend: τὸ δ. ſ. v. a. d. vorh. —λογέω, ῶ, zweymal ſagen; zweydeutig ſprechen. —λογία, ἡ, das Zweymalſagen, oder Wiederholung; Zweydeutigkeit eines Worts, d. i. doppelte Bedeutung, die es haben kann; daraus entſteht Zweydeutigkeit oder Doppelſinn in einer Rede. —λογος, ὁ, ἡ, zweymal ſprechend; zweyerley oder zweydeutig ſprechend, trügeriſch. —λογχος, ὁ, ἡ, (λόγχη) mit zwey Lanzen bewafnet; oder ſ. v. a. von zwey Lanzen, bey Heſych. —λοφος, ον, (λόφος) mit zwey Kämmen, Federbüſcheln, Hügeln. —λοχία, ἡ, eine Doppelcohorte oder λόχος. —μάχαιρος, ον, (μάχαιρα) mit zwey Schwerdtern bewafnet. —μάχης, ὁ, der zweyfach, zu Pferde und zu Fuſse ſtreitet. Diodor. 5, 33. —μέδιμνον, τὸ, (μέδιμνος) zwey Medimnen. —μερὴς, έος, ὁ, ἡ, Adverb. —ρῶς, (μέρος) zweytheilig, in 2 Theile getheilt. —μέτρητος, ον, was zwey μετρητὴς hält. —μετρος, ὁ, ἡ, (μέτρον) von zwey Maaſsen; στίχος, ein Vers, der zwey metra od. 4 Füſse hat. —μέτωπος, ὁ, ἡ, (μέτωπον) mit doppelter Stirne. —μηνος, ὁ, ἡ, (μὴν) zweymonatlich. —μήτωρ, ὁ, ἡ, (μήτηρ) von zwey Müttern geboren, *Bacchus bimatris* beym Ovid. Met. 4, 12. —μιτρος, ὁ, (μίτρα) mit doppeltem Leibgürtel, oder Kopfbinde. —μναῖος, αία, αῖον, (μνᾶ) von zwey Minen. —μοιρὴς, έος, ὁ, ἡ, ſ. v. a. δίμοιρος; zweif. —μοιρία, ἡ, (μοῖρα) zwey Theile; doppelte Portion; auch ſ. v. a. ἡμιλοχία. —μοιρίτης, ου, ὁ, der eine doppelte Portion bekommt; der Commandeur von einer halben Cohorte od. διμοιρία. —μοιρος, ὁ, ἡ, von zwey Theilen oder Portionen; daher τὸ διμ. ſ. v. a. διμοιρία. —μορφος, ὁ, ἡ, (μορφὴ) von doppelter Geſtalt, mit einer doppelten Bildung, Geſichte, als *Janus biformis* beym Ovid. Faſt. 1, 89. —μυξος, ὁ, ἡ, (μύξα) mit zwey Dochten. —νάζω, ſ. v. a. δινέω; zw. —νευμα, τὸ, das im Kreiſe herumgetriebene, gekreiſelte, gedrehte; von —νεύω, f. εύσω, oder δινέω, kreiſeln, wirbeln, im Kreiſe oder im Wirbel herumdrehn; 2) neutr. ſich im Kreiſe herumdrehen, herumſpringen, tanzen; 3) ausdreſchen auf der Tenne. δῖνος. —νη, ἡ, der Kreiſs, der Wirbel im Waſſer, oder Strudel; der Wirbel in der Luft, oder Wirbelwind; überh kreisformige Bewegung. —νήεις, εσσα, εν, gen. εντος, έσσης, εντος, wirbelnd, oder voller Wirbel oder Strudel; wirbelnd, kreiſelnd. —νηθμὸς, ὁ, oder δίνησις, ἡ, (δινέω) das kreiſeln, wirbeln, herumdrehen im Kreiſe, im Strudel.

Δινοβία, ἡ, (δῖνος, βία) ein Sturm mit Platzregen. Libanius im Argumento Demoſth. p. 1271. —νος, ὁ, ſ. v. a. δίνη; 2) das Tanzen im Kreiſe; der Schwindel, wo alles mit einem herumzugehen ſcheint; die Tenne, worauf das Getraide ausgedroſchen wird. Aelian. H. A. 2, 25. —νόω, ῶ, f. ώσω, ſ. v. a. δινέω, kreiſeln, herumdrehen, vorzügl. auf der Drehebank, daher rund drechſeln. —νω, ſ. v. a. δινέω; ferner ausdreſchen. —νώδης, εος, ὁ, ἡ, ſ. v. a. δινήεις. —νωτὸς, ἡ, ὸν, (δινόω) rund gedreht, gedrechſelt, überhaupt rund. —ξοος, ὁ, ἡ, (ξέω) zweyſpaltig. S. τετράξοος. —ξὸς, ἡ, ὸν, joniſch ſt. δισσὸς.

Διὸ, Conjunct. eigentl. δι' ὅ, *propter quod, propterea*, weswegen; deswegen; daher; eben das iſt διόπερ mit angehängter partic. encl. περ. —οβλὴς, ῆτος, ὁ, ἡ, oder διόβλητος, oder διόβολος, (βάλλω) von Dis oder Zeus, d. i. vom Blitze getroffen. —ογενέτωρ; ορος, ὁ, Erzeuger od. Vater des Dis od. Zeus; zweif. —ογενὴς, έος, ὁ, ἡ, oder διογένητος contr. διόγνητος, ὁ, ἡ, (γίνομαι) von Dis oder Zeus erzeugt; Sohn des Dis, ein gewöhnliches Beywort der Könige beym Homer; denn ἐκ Διὸς βασιλῆες, ſagt Callimach. hymn. in Jov. 79. u. *in reges imperium eſt Jovis* ſagt Horat. Carm. 3, 1. 6. —ογκόω, ῶ, f. ώσω, (ὄγκος) im Umfange gröſser machen, alſo auch aufblähen; med. aufſchwellen; bey Eunap. Chryſanth. ſteht auch οἰδοῦντος καὶ διωγκυλωμένου von διογκυλάω; zweif. davon —όγκωσις, εως, ἡ, das Vergröſsern, Aufblaſen; Aufſchwellen, Geſchwulſt. —όγνητος u. διόγονος, ſ. v. a. διογενής.

Διοδεία, ἡ, oder διόδευσις, das Durchgehen, Durchreiſen. —δεύσιμος, ὁ, ἡ, durchzugehen, durchzureiſen. —δευσις, εως, ἡ, ſ. v. a. διοδεία. —δεύω, f. εύσω, oder διοδοιπορέω, durchgehen, durchreiſen. —δος, ἡ, Durchgang. —ζος, ὁ, ἡ, (ὄζος) zweyäſtig, zweyzackig. —ζόω, Hippocr. nat. puer. 4. in Aeſte vertheilen; von ὄζος. —θεν, Adv. ſ. v. a. πρὸς διὸς vom Zeus oder Jupiter.

Διοιγμος, ὁ, Oefnung; Aeſchyl. —οίγνυμι, f. ξω, oder διοίγω, öfnen, eröfnen. —οιδαίνω, oder διοιδέω, das verſtärkte οἰδαίνω und οἰδέω. —οιδὴς, έος, ὁ, ἡ, aufgeſchwollen; zw. —οικέω, ῶ, ich bewirthſchafte, verwalte die Haushaltung, und überhaupt ein Geſchäfte, regiere, ordne, richte ein; beſorge. τὰ ὑποτίτθια γάλακτι διοικεῖται, Kinder an der Bruſt werden mit Milch verſehn, genährt. Athenae. τὸ ὑγρὸν μὴ διοικούμενον, Alexand. Aphrod. *humor, qui non digeritur*, vertheilt, verdauet. διοικεῖσθαι πρὸς ἀλλήλους, πρός τινά, Dinarch. c. Theocr. 1327. 1328 ſich mit jemand vergleichen, ſetzen. In Dionyſ. halic. rhetor. wird διοικεῖσθαι, προδιοικεῖσθαι und davon διοίκησις, ἡ, häufig von dem ſtellen, künſtlich und figürlich einrichten der Rede, Gedanken und des Ausdruckes, überh. auch für σχηματίζω, auch für vorbereiten, einleiten gebraucht. προδιοίκησις τοῦ παντὸς ἀγῶνος heiſst daſelbſt K. 13 die τέχνη τοῦ προοιμίου, Einleitung, Zubereitung zur ganzen Verhandlung, Proceſſe. 2) beſonders wohnen. διωκηκὸς οἰκήσεις ἰδίας, Plato Tim. εἰ μὴ καὶ διοικοῖντο κατὰ κώμας, Xenoph. Hell. 5, 2. 5. 3) von Perſonen; τὴν ἀδελφὴν κακῶς διῴκηκεν, Demoſth. 763 iſt ſchlecht mit ſeiner Schweſter umgegangen, die er verhandelt hatte.

Διοίκημα, τὸ, Verwaltung, Staatsverwaltung, obrigkeitliches Amt. —κησις, εως, ἡ, Verwaltung, Staatsverwaltung; 2) Provinz, Gerichtsbezirk, Dioeces. —κητὴς, οῦ, ὁ, Verwalter, Staatsverwalter, obrigkeitliche Perſon, beſonders der Verwalter des öffentlichen Schatzes, da auch διοίκησις als Verwaltung des öffentlichen Schatzes beym Dio C. häufig vorkommt. —κήτρια, ἡ, Verwalterin, Wirthſchaftsfrau. —κίζω, f. ίσω, ich trenne u. gebe verſchiedene Wohnungen, quartiere beſonders ein. ἐκ Κολυττοῦ διῳκίζετο εἰς τὴν Φαίδρου οἰκίαν Lyſ. p. 902. zog aus dem K. in das Haus des Phädrus; dav. —κισις, εως, ἡ, das Ziehn aus einem Hauſe ins andere; ebend. —κοδομέω, ῶ, im bauen trennen; überh. abſondern; abbauen; 2) verbauen, zubauen. Diodor. 13, 56. verſperren. —κονομέω, ῶ, das verſt. οἰκον:

Διοινοχοέω, ῶ, durch den Mundſchenken austheilen. Athen. 4 p. 153. —νόω, ῶ, f. ώσω, das verſt. οἰνόω. Pollux 6, 21.

Διοιξις, εως, ἡ, ſ. v. a. διοιγμος, Oefnung. —οϊστεύω, f. εύσω, mit dem Pfeile durchſchieſsen. —οιστρέω, ῶ, das verſt. οἰστρέω. —οιχνεύω u. διοιχνέω, ich gehe durch; von οἴχω, οἰχνω, οἰχνέω; wird oft mit διϊχνεύω verwechſelt. —οίχομαι, f. οιχήσομαι, αἴας διοίχεται, Soph. ſ. v. a. οἴχεται iſt dahin, d. i. todt.

Διόκτυπος, ὁ, ἡ, (κτύπος) ſ. v. a. διοβλής. zweif.

Διοκωχὴ, ἡ, ſ. v. a. διακωχή. Waffenſtillſtand; Ruhe.

Διολισθαίνω, und διολισθέω, durchſchlüpfen; ausglitſchen. —ολκὴ, ἡ, (διέλκω) das Durchziehen, das Verziehen, Verzerren; Auseinanderzerren, δογμάτων Namen. Euſeb. 14, 6. —ολκος, ὁ, der Durchzug od. die Strecke in der Korinthischen Meerenge, wo die Schiffe aus dem Jonischen Meere ins Aegeische gezogen werden.

Διόλλυμι, od. ύω, f. λέσω, perf. λώλεκα, zerstören. Die temp. werden meist von διολέω gemacht. —ολος, ὁ, ἡ, durchausgehend; zweif. dahingegen διόλου od. δι' ὅλου durchaus gewöhnl. ist.

Δίομαι f. v. a. σεύομαι, ich laufe, eile, gehe geschwind, laufe nach, verfolge. —μαλίζω, f. σω, oder διομαλύνω, durchaus eben oder gleichförmig machen, halten, τὸ πνεῦμα plut. gleichförmig fortdauern oder handeln. Plut. C. c. 4. —μανής, ὁ, ἡ, vom Jupiter rasend gemacht oder wider Jupiter rasend. Hesych.

Διόμβρος, ὁ, ἡ, vom Regen durchnässt; überh. feucht. —ομηνία, ἡ, (μῆνις, ζεύς), Gotteszorn. Orpheus. —όμνυμι, f. ομόσω, oder ομοῦμαι, oder διομνύω, nur im med. διόμνυμαι gebräuchlich, schwören, eidlich versichern od. angeben; vorzügl. vom gerichtlichen oder öffentlichen Eide; bekommt die tempora v. διομέω. —ομολογέομαι, οῦμαι, f. ήσομαι, mit einem sich verständigen, mit einander, unter einander etwas verabreden, sich gegenseitig zusagen, versprechen, zu- oder eingestehn; dav. —ομολόγησις, εως, ἡ, die gegenseitige Verabredung, Zusage, Versprechen. —ονομάζω, f. άσω, dah. διωνομασμένος, berühmt, weit u. breit bekannt. Dionys. halic.

Διονύσια, τὰ, das Fest des Dionysos; zu Athen dreyerley, τὰ κατ' ἄστυ od. ἀστικὰ im Monat Elaphebolion gefeyert; ferner τὰ κατ' ἀγροὺς im Monat Poseideon; und τὰ λήναια im Monat Anthesterion oder Ληναιών. Die Διονύσια ἐν Πειραεῖ, u. die ἐν Βραυρῶνι sind davon verschieden. S. Λίμναι und Λήναιος. Die städtischen o. grossen werden meist schlechtweg διονύσια genannt, u. fielen im Fruhjahre. —νυσιάζω, f. άσω, das Fest des Dionysos feyern. —νυσιακός, ἡ, όν, zum Bacchus od. Bacchusfeste gehörig. —νυσιάς, άδος, ἡ, f. v. a. διονυσιακή, auch die Pflanze sonst ἀνδρόσαιμον. —νύσιον, τὸ, ein Ort u. Tempel des Dionysos. —νύσιος, ία, ιον, f. v. a. διονυσιακός. —νυσίσκος, ὁ, beym Auctor Definit. medic. eine knocherne Hervorragung hinter den Ohren, wie ein Horn; von —νυσος, ὁ, Dionysos od. Bacchus; davon διονυσομανέω, Philostr. Apoll. 5, 32. *bacchico furore insanire*; der den Bacchus vorstellt und diese Leidenschaft bis zur Raserey treibt. —νυχος, ὁ, ἡ, mit zwey Klauen oder Krallen; opp. μονώνυχος und μώνυξ.

Διοξιῶν, ἡ. S. διαπασῶν.

Διόπαι, αἱ. S. δίοπος. —παις, αιδος, ὁ, (παῖς Διὸς) vom Jupiter gezeugt. —πεμπτος, ὁ, ἡ, vom Dis oder Zeus gesandt, zugeschickt. —περ, Conj., (περ, διὸ) deswegen; daher; also. —πετής, έος, ὁ, ἡ, (πίπτω), von Dis od. von Himmel fallend, kommend; also auch fliegend. Dionys. Ant. 11, 27. ποταμὸς, ein von Gussregen entstandener Strom. —πομπέομαι, οῦμαι, f. v. a. ἀποδιοπομπέομαι, welches gewöhnlicher; dav. —πόμπησις, εως, ἡ, Clemens Strom. 7 p. 850. ἐπὶ τῇ διοπομπήσει τῶν κακῶν zur Abwendung des Unglücks, wo jetzt falsch διαπομπ. steht.

Δίοπος, ὁ, (διέπω) ein Aufseher, Verwalter, Regent; 2) eine Stelle als Aufseher auf dem Schiffe.

Δίοπος, ὁ, ἡ, (ὀπή) mit zwey Löchern. διόπαι αἱ, Aristoph. bey Pollux 7. 96. u. Clemens Paed. 2 p. 243. nach Hesych. eine Art von Ohrgehenke, wie ἐνόται.

Διοπτεύω, f. εύσω, (διά, ὄπτομαι) besehen, genau betrachten, mithin die Aufsicht über etwas führen, besorgen; u. genau alles besehen, d. i. spioniren; dah. beym Dio C. 55, 18 διοπτεύοντες καὶ ὠτακουστοῦντες, Spione und Horcher; 2) ὁ διοπτεύων τὴν ναῦν, Demosth. p. 929 der δίοπος auf dem Schiffe ist. —πτήρ, ῆρος, ὁ, und διόπτης, ου, ὁ, (διόπτομαι) Aufseher; Spion; bey Plut. Galb. sind διάγγελοι καὶ διοπτῆρες die lat. *optiones* u. *tesserarii*: auch f. v. a. Spion; oder *speculator*, die leichten Truppen in der Armee zum recognosciren; 2) f. v. a. δίοπτρα; 3) ein chirurgisches Instrument, womit man verschlossene Theile öfnet, wie διαστολεύς. —οπτικά, τὰ, γράφοντα Εὐκλείδην Plut. 10 p. 500. wo Xyland. διοπτρικὰ lesen wollte. —όπτομαι, f. όψομαι, durchsehen, genau besehen. —οπτρα, ἡ, auch δίοπτρον, τὸ, ein Instrument, etwas dadurch zu sehen, zu erkennen. οἶνος ἀνθρώποις δίοπτρον, durch den Wein erkennt man die Gesinnung der Menschen, Alcaeus; 2) ein optisches Rohr od. Werkzeug, durch welches man sieht, wenn man Höhen messen oder nivelliren, d. i. die Wasserrechte Linie und Oberfläche einer Sache untersuchen will. Bey Polyb. 10, 46. scheint δίοπτρα δύο αὐλίσκους ἔχουσα von einem Platze zu verstehen zu seyn; 3) f. v. a. διαστολεύς, verschlossene Theile zu öfnen, ein Instrument. S. διαστολεύς; davon διοπτρίζω u. διοπτρισμός, ὁ, das Oefnen damit. Paul Aegin. das dimin. διόπτριον, τὸ. —οπτρικός, ἡ, όν, zur δίοπτρα gehörig od. mit einer δ. versehen; διοπτρικὴ verst. τέχνη, die Dioptrik, welche Proclus ad Euclid. p. 12 erkl. τὰς ἀποχὰς ἡλίου καὶ σελήνης καὶ τῶν ἄλλων ἄστρων καταμανθάνουσα.

Διοπτρισμὸς, ὁ. S. διόπτρα. no. 3.

Διορατικὸς, ή, ὸν, zum durchsehn geschickt oder gehörig; scharfsichtig, wie *perspicax*; von —ράω, ῶ, durchsehen; dah. deutlich einsehen, wie *perspicio*, Xen. Oec. 6, 1. u. unterscheiden.

Διοργανόω, ῶ, f. ώσω, (ὄργανον) ausbilden, organisiren: dah. geschickt machen durch Ausbildung; davon διοργάνωσις, ή, die Ausbildung, Zubereitung, Organisirung; ἀδιοργάνωτος, ὁ, ἡ, unausgebildet, schlecht organisirt. Jamblich. Pyth. 1 sect. 66. vergl. 73. Porphyr. Pyth. 31. dav. —γάνωσις, εως, ἡ, Ausbildung, Organisirung. S. das vorherg. —γίζω, f. ίσω, das verst. ὀργίζω, Plut. Ages. 6. —γυιος, ὁ, ἡ, (ὀργυιὰ) zwey Orgyen lang. —θεύω, f. εύσω, s. v. a. d. folgd. zw. —θόω, ῶ, f. ώσω, gerade machen, aufrichten; bessern, verbessern, wieder gut machen; richtig oder glücklich vollenden; davon, —θωμα, ατος, τὸ, verbesserte, besser gemachte Handlung; Verbesserung und —θωσις, εως, ἡ Besserung, Verbesserung. —θωτὴς, οῦ, ὁ, Besserer, Verbesserer. —θωτικὸς, ή, ὸν, Adv. —κῶς, zum bessern, verbessern, gehörig, geschickt, geneigt.

Διορία, ἡ. S. in διωρία. —ρίζω, f. ίσω, begrenzen, durch die Grenze trennen u. unterscheiden; dah. überh. eins von dem andern unterscheiden, z. B. Sokr. σοφίαν καὶ σωφροσύνην οὐ διορίζει, Xen. Mem. 3, 9, 4. διορίζειν, ἅ τε πρὸς τοὺς φίλους ποιητέον ἐστὶ καὶ ἃ πρὸς τοὺς ἐχθρούς. Med. wie das lat. *definio*, bestimmen, (den Begriff von einer Sache oder einem Worte festsetzen), festsetzen, annehmen; bey Polyb. Diod. Sic. Dionys. Hal. u. Dio Cass. versichern, behaupten; 2) ἕως τὸν ἐνθένδε πόλεμον εἰς τὴν ἤπειρον διοριοῦμεν, Isocr. Paneg. 46 über die Grenze von Europa nach Asien übertragen. Eur. Hel. 401. 834. Neutr. übergehn, Polyb. 4, 43. —ρισμα, ατος, τὸ, od. διορισμὸς, ὁ, Begrenzung, Unterscheidung, Bestimmung.

Διορκέω, ῶ, beschwören. zw. Josu. 5, 6 haben die LXX διώρισε oder διώρκησε u. διώρκισε. —ορκισμος, ὁ, Versicherung mit einem Eide. Polyb. 16, 26. —ορμίζω, Hierocl. Stob. Serm. 65. s. v. a. ὁρμίζω. —όρνυμι, (ὄρνυμι) durchtreiben: διόρνυμαι, durchgehn. —ορος, ὁ, (ὅρος) der scheidet. —όροφος, ὁ, ἡ, (ὄροφος) mit zwey Dächern oder Decken d. i. Stockwerken, also s. v. a. δίστεγος. —ορόω oder διοῤῥόω, f. ώσω, (ὀρὸς oder ὀῤῥὸς) zu Molken machen; in Molken verwandeln; davon —όῤῥωσις, εως, ἡ, Verwandlung in Molken. —ορυγὴ, ἡ, (διορύσσω) das Durchgraben, auch s. v. a. das folgende. —όρυγμα, ατος, τὸ, das durchgegrabene; der Graben. —ορύσσω, διορύττω, fut. ξω, durchgraben. διορύξαι πράγματα καὶ κακουργῆσαι Demosth. p. 1111. wie τοιχωρυχεῖν metaph. διορωρύγμεθα κατὰ πόλεις, man untergräbt unsere Freyheit Staat für Staat. Ders. bey Diodor. 9, 43 διωρυγμένοι, eingegraben, vergraben. Plutarch. τὰ βουλευόμενα διορύττων καὶ διερευνώμενος, de util. ex inim. p. 271. durchgräbt und spähet aus. —ορχέομαι, οῦμαι, durchspringen, durchtanzen, τινὶ, mit einem im Tanzen wetteifern. Aristophanes. —όρωσις, εως, ἡ, s. v. a. διόῤῥωσις. —ος, ια, ιον, von Dis oder Zeus; im allgem. göttlich, göttlich-gross, göttlich-schön. —ίσδοτος, ὁ, ἡ, (δίδωμι) von Dis od. Zeus gegeben. —οσημεία, διοσημία, ἡ, und διοσημεῖον, τὸ, Polyaen. ein Zeichen von Dis, oder vom Himmel, in der Luft. Das Gedicht des Aratus Διοσημεῖα, τὰ, erzählt die Merkmale der bevorstehenden Witterung, die man von den Erscheinungen an Sonne, Mond, wie auch von den Lufterscheinungen und von Thieren hernimmt. So können auch alle *prodigia* u. *ostenta*, als Zeichen vom Jupiter geschickt heissen, besonders der Donner und Blitz; ἀλεξιφάρμακον πρὸς τὰς διοσημείας Geoponika 14 K. 11. διοσημία Aristoph. Ach. 171. —όσθιος, der Name eines Monates bey Callimachus im Etymol. M. und in einer Inschrift Musei Veron. p. 15. —όσκοροι, οἱ, oder διόσκουροι, (κόρος) Kinder oder Söhne des Dis, heissen vorzugsweise Castor und Pollux, die er mit der Leda gezeugt hatte; davon διοσκούρειον, ein Tempel dieser Heroen; 2) gewisse Sterne *gemini*, deren Erscheinung über dem Schiffe im Sturme den Schiffern Rettung verkündigt. —οσμος, ὁ, das Dringen der Geruche zum Geruchwerkzeuge; 2) διόσμος, ὁ, ἡ, διὰ τὴν δίοσμον τοῦ ἀέρος δύναμιν, durchriechende Kraft, Philoponus, wie διηχὴς und διαφανής. —όστεος, ὁ, ἡ, (ὀστέον) mit, aus zwey Knochen. —οσφραίνω, (οσφραίνω) einem Dinge einen Geruch geben; zweif. —ότι, Conjunct. eigentl. διὰ τοῦτο ὅτι, deswegen, weil; deshalb, weshalb. —οτρεφὴς, έος, ὁ, ἡ, (τρέφω) von Dis oder Zeus genährt, erzogen, gewöhnliches Beywort der Könige beym Homer, wie oben διογενής.

Διουρέω, ῶ, weg- durch- auspissen: davon —ρητικὸς, ή, ὸν, zum wegpissen gehörig, geschickt; geneigt; Urintreibend. —ρίζω, f. ίσω, st. διορίζω, jon. Herodot.

Διοχέτεια, ἡ, Wasserleitung; von —χετεύω, f. εύσω, (ὀχετὸς) durch Kanäle oder Gräben leiten und vertheilen. χώραν Strabo 5 p. 325 durch Kanäle bewässern oder abtheilen. —χής, έος, ὁ, ἡ, (ὀχέω) zweysitzig; Pollux 7, 116 und 10, 47. wo jetzt richtiger διωχὴς steht; Eustath. über Il. λ. führt aus Pausanias διόχην als Synonym. von δίφρος und δίεδρος an.

Διοχλέω, richtiger διενοχλέω. —οχλίζω, das verstärkte ὀχλίζω. —οχυρόω, ῶ, f. ώσω, das verstärkte ὀχυρόω. —οψ, οπος, ὁ, s. v. a. δίοπος, Hesych. —οψις, εως, ἡ, (διόπτομαι) das Durchsehn; Durchsicht; das Erkennen dadurch. —παις, δος, ὁ, ἡ, von oder mit zwey Kindern; Vater oder Mutter von zwey Kindern; 2) s. v. a. δὶς παῖς, zum zweytenmal ein Kind, z. B. δίπαιδες οἱ γέροντες. —πάλαιστος, ὁ, ἡ, (παλαιστὴ) zwey Palmen od. Hände breit. —παλτος, ὁ, ἡ, στρατὸς δ. χειρὶ φονεύοι, Sophocl. Aj. 408 wird verschiedentlich erklärt: ξίφη δ. Eurip. viell. die mit zwey Händen regiert oder geworfen werden; vergl. Nicetae Annal. 9, 12. —πηχυς, εος, ὁ, ἡ, von zwey Ellebogen, Ellen. —πλάζω, f. άσω, doppelt seyn od. auch doppelt machen. —πλαξ, ακος, ἡ, was aus zwey Lagen besteht; 2) v. διπλάζω, *duplex laena*; ein Doppelmantel; doppeltes Oberkleid; bey Aeschyl. Pr. 275 Breter, Balken eines Schiffs. —πλασιάζω, f. άσω, verdoppeln. ἡ ὁλκὰς ἐδιπλασίασεν, das Kauffartheyschiff hat das Kapital verdoppelt, durch den Gewinnst. Lysias p. 908. —πλασιασμὸς, ὁ, Verdoppelung. —πλασιολογία, ἡ, ein rhetorischer Ausdruck des Polus bey Plato Phaedr. p. 365. das doppeltsagen, wiederholen. —πλάσιος, ία, ιον, u. διπλασίων, ὁ, ἡ, Adv. —σίως, doppelt, doppelt so groſs od. doppelt so lang. διπλάσιον, das doppelte, d. doppelte Preis; auch m. d. Genit. wie ein Comparat. —πλεθρος, ον, wie zwey πλέθρα lang, breit oder tief; τὸ διπ. zwey πλέθρα, jedes von 100 Schritten. —πληγὶς, ίδος, ἡ, s. v. a. διπλοΐς. —πληθὴς, έος, ὁ, ἡ, doppelt voll; zw. —πλοείματος, ον, (εἷμα) mit doppeltem, oder doppelt umgeschlagenem Kleide. —πλόη, ἡ, Verdoppelung; ein verdoppelter, doppelt gelegter, umgelegter, umgebogener, doppelt zusammengelegter Körper. Z. B. eine Stelle im Eisen und Stahle wo die Schneide sich umgelegt hat, heiſst διπλόη Scharte, u. διπλοῦσθαι eine Scharte, falsche Stelle bekommen; daher metaph. Falschheit; oder eine falsche unächte Stelle; Fehler. Auch heiſst in der Anatomie von Knochen διπλόη die Holung zwischen zwey Knochenblättern, welche daher in Chirurg. vet. p. 93 auch durch σήραγξ χαύνη erklärt wird. —πλόθριξ, ὁ, ἡ. S. in πίτυς. —πλοΐζω, f. ίσω, s. v. a. διπλασιάζω. Aeschyl. Ag. 844. — —πλοΐς, ΐδος, ἡ, s. v. a. διπλῆ, verst. ἐσθὴς, ein doppelt um den Leib geschlagenes oder zu schlagendes Kleid, Mantel, Ueberrock, Reitrock. —πλόος, οῦς, f. διπλόη, ῆ, n. διπλόον, οῦν, zwiefach, doppelt; doppelter Gesinnung, d. i. falsch. S. ἁπλοῦς. —πλοσήμαντος, ὁ, ἡ, (σημαίνω) von doppelter Bedeutung. —πλόω, ῶ, f. ώσω, (διπλόος) doppelt machen, verdoppeln; davon —πλωμα, ατος, τὸ, ein ofner Brief, ein Reisepaſs; ein jedes Beglaubigungsschreiben; von der Gestalt, worein es doppelt gelegt wird. 2) ein Gefäſs, darinne etwas zu kochen, wenn nämlich ein kleineres Gefäſs in einem groſsern mit kochendem Wasser steht und kocht; s. v. a. διπλοῦν σκεῦος, διπλοῦς λέβης, wie das sogenannte Marienbad. —πλωσις, εως, ἡ, (διπλόω) Verdoppelung. —πνοος, ον, (πνοὴ) mit zwey Luftlochern. —πόδης, ὁ, ἡ, oder διποδιαῖος, zwey Fuſs lang, tief oder breit. —ποδία, ἡ, ein Tanz. S. das folgd. 2) das Ausmessen und Lesen der Verse nach 2 Füſsen, so daſs der Hexameter und *senarius jambicus* nach dieser Art zu messen und lesen *trimeter* ist. —ποδιάζω, bezeichnet einen lakonischen Tanz bey Aristoph. Lysistr. 1245. welchen Hesych. διποδία und διποδισμὸς nennt; soll wohl διποδιασμὸς heiſsen; vergl. Pollux 4, 101. —πολος, ὁ, ἡ, (πολέω) zweymal gewendet oder gepflügt; s. v. a. διπλοῦς. Aeschyl. —πορος, ὁ, ἡ, mit einem doppelten Wege; m. zwey Oefnungen. —πόταμος, ὁ, ἡ, an zwey Flüssen gelegen. Vergl. βιθάλασσος und *bimaris*. —πους, οδος, ὁ, ἡ, zweyfüſsig. —πρόσωπος, ὁ, ἡ, mit doppeltem Gesichte. —πρυμνος, ὁ, ἡ, (πρύμνα) desgleichen —πρωρος, ὁ, ἡ, (πρῶρα) ναῦς, ein Schiff das ein zweyfaches Vorder- und Hinterende, *puppis*, πρύμνα, und *prora*, hat, d. i. das vorn und hinten ein Steuerruder hat, und wo also beyde Enden die Stelle eines des andern vertreten kann, nachdem gerudert wird; heiſst auch ἀμφίπρυμνος. —πτερος, ὁ, ἡ, od. διπτέρυξ, υγος, ὁ, ἡ, (πτερον πτερὺξ) mit zwey Flügeln. —πτυξ, υχος, od. δίπτυχος, ὁ, ἡ, (πτύσσω) doppelt gefaltet, gelegt; davon δίπτυχα neutr. plur. wie ein Adverb. —πτω. S. διφάω. —πυλος, ον, (πύλη) mit doppeltem Thore. —πυρηνος, ὁ, ἡ, (πυρὴν) mit zwey Kernen; 2) διπύρηνον, τὸ ein chirurgisches Werkzeug, Sonde, mit einem Knöpfchen an jedem Ende. —πυρίτῆς, ου, ὁ, od. δίπυρος, ὁ, ἡ, (πῦρ) ἄρτος zweymal gebacknes Brod, Zwieback.

Δίραβδος, ὁ, ἡ, mit zwey Linien, ῥάβδος, Streifen. — ῥυθμος, ὁ, ἡ, aus zwey Takten, Rhythmis bestehend. — ῥυμος, ὁ, ἡ, (ῥυμὸς) mit zwey Deichseln.

Δὶς, Adv. vor einem Vokal δι in den compos. zweymal; in den comp. gewöhnl. doppelt; auch, in so fern es aus δίχα zusammengezogen ist, getrennt, halb. 2) s. v. a. δε in οἴκαδις. S. δε.

Δὶς, διὸς, ὁ, der lat. *Jupiter*, in nomin. aber findet man Ζεὺς, so wie im lat. das neuere *Jupiter*, dagegen in den übrigen Fällen das ältere *Jovis*, *Jovi* etc. — σαλὴς, ἐς, u. δισαλία. S. δεῖσα.

Δισεγγόνη, ἡ, von δὶς, ἐγγόνη, wie *atneptis*, Ururenkelin. — έγγονος, ὁ, ἡ, *atnepos*; der Enkel im zweyten Gliede. — εκτος, ὁ, ἡ, *bis sextus*, der 24te Februar, den man im Schaltjahre doppelt zählte, *bis sextus (dies ante Kal. Mart.)* — εξάδελφος, ὁ, Geschwisterkind. — ευνος, ὁ, (εὐνὴ) von oder mit zwey Ehebetten, d. i. mit zwey Ehefrauen. — εφθος, ὁ, ἡ, zweymal gebacken oder gekocht.

Δίσημος, ον, (σῆμα) von doppelter Deutung, Bedeutung.

Δισθανὴς, έος, ὁ, ἡ, (θνήσκω) zweymal gestorben.

Δισκάλαμος, ὁ, ἡ, Syn. p. 167. mit zweyfachem Rohre. — κεὺς, έως, ὁ, eine sternenartige Lufterscheinung v. d. Gestalt d. δισκος Plinius 2 c. 25. — κεύω, f. εύσω, od. δισκέω, den Discus werfen; überh. werfen, wie das Stammwort δίκω; davon — κημα, ατος, τὸ, das geworfene, wie der Discus. — κηπτρός, ὁ, ἡ, der 2 Zepter oder Reiche hat. — κιος, ον, mit doppeltem Schatten. zweif. — κοβολία, ἡ, (δισκοβολέω) das Diskuswerfen. δισκοβόλος ὁ, ἡ, der den od. m. dem Discus wirft. — κόραξ, Lucian. Pseudol. 30 heisst Τισίας ὁ δισκόραξ, weil er seinen Lehrer κόραξ Corax betrogen hatte, und also selbst ein zweyfacher Corax d. i. Dieb, war. — κος, ὁ, die runde flache steinerne od. bleyerne Scheibe, mit deren Werfen sich die Jugend übte, vermöge eines Riemens, der, wie J. Voss meint, durch ein Loch in der Mitte gieng. M. s. Lucian. de gymn. daher auch wie im lat. *discus*, eine runde Schüssel od. Teller, Sonnenscheibe, runder Spiegel; von δίκω ich werfe. — κουρα. S. ἐπίουρον. — κοφόρος, (φέρω) Discusträger.

Δισμόριοι, ίαι, ια, 20, 100.

Δίσπαππος, ὁ, *atavus*; der Grossvater im zweyten Gliede. — σπιθαμαῖος, αία, αῖον, od. δισπίθαμος, ὁ, ἡ, (σπιθαμὴ) von zwey Spannen. — σπόνδειος, ὁ, ein doppelter Spondeus.

Δισσάκις u. δισσάκι, Adv. (δισσὸς) zweymal. Hesych. hat auch διτταχῶς zwief. wie διχῶς. — σάρχης, ὁ, ἡ, Soph. Aj. 389 τοὺς δισσάρχας βασιλεῖς st. δισσοὺς β. ἄρχοντας. — σεύω, f. εύσω, (δισσὸς) doppelt seyn. Eustath. — σολογέω, διττολογέω, ῶ, doppelt, auf eine doppelte Art sagen oder ein Wort bilden, aussprechen; wiederholen. — σολόγιστος, ον, was auf eine zwiefache oder doppelte Art geschrieben od. ausgesprochen wird; Galen. Comment. κατ' ἰητρ. zw. — σὸς, διττὸς, ἡ, ὸν, (δὶς, *bis*) zwiefach, doppelt. Adv. δισσῶς. — συλλαβία, ἡ, zwey Sylben; Zweysylbigkeit. — σύλλαβος, ὁ, ἡ, Adv. δισσυλλάβως, zweysylbig, mit oder von 2 Sylben. — συμφωνεῖν, δισσύμφωνος, ὁ, ἡ, seyn, od. mit zwey Consonanten ausgesprochen oder geschrieben werden.

Διστάγμὸς, ὁ, (διστάζω) Ungewissheit, das Zweifeln, Anstehen. — στάδιος, ὁ, ἡ, von zwey Stadien od. 250 Schritten. — στάζω, f. άσω, (δὶς) zweifeln, anstehn, sich bedenken, ungewiss seyn. S. δοιάζω. — στακτικὸς, ἡ, ὸν, zum zweifeln gehörig, beym zw. gebräuchlich. — στάσιος, ὁ, ἡ, (στάσις) von doppeltem Gewichte oder Werthe. — στασις, εως, ἡ, (διστάζω) Anstand, Zweifel; davon — στατικὸς, ἡ, ὸν, s. v. a. διστακτικὸς. — σταφὴς, έος, ὁ, ἡ, (ταφὴ) zweymal begraben. — στεγία, ἡ, ein Haus mit 2 Stockwerken, Pollux 4. 129. — στεγὸς, ὁ, ἡ, (στέγη) mit doppeltem Stockwerke. — στιχίασις, εως, ἡ, v. διστιχιάω (στίχος, δὶς) bey Paul. Aeg. 6 c. 7. wenn widernatürlich Haare in den Augenbraunen ausser der Linie wachsen und dem Sehn schaden. — στιχος, ὁ, ἡ, von zwey Zeilen, Reihen, Versen. — στοιχία, ἡ, (στοῖχος) eine doppelte Reihe. — στοιχος, ὁ, ἡ, von mit oder in doppelter Reihe. — στοκος, ὁ, ἡ, (τίκτω) die zweymal geboren hat. — στολος, ον, (στέλλω) zweyfach; wie μονόστολος, einfach, allein. — στομέω, ῶ, mit doppeltem Munde oder 2 Sprachen reden; zw. von — στομος, ὁ, ἡ, mit oder von einem doppelten Munde, Maule, Mündung, Oefnung; vom Schwerte, mit einer doppelten Schneide, zweyschneidig.

Δισύλλαβος, ὁ, ἡ, Adv. δισυλλάβως, subst. δισυλλαβία s. v. a. δισσύλλαβος u. s. w. — σχιδὴς, έος, ὁ, ἡ, zwiespaltig, getheilt; von διχίζω; davon — σχιδὸν, Adv. zweyspaltig. Callistr. Stat. 7. — σχωλος, ὁ, ἡ, (χωλὸς) an beyden Füssen hinkend. — σώματος, ὁ, ἡ, od. δίσωμος ὁ, ἡ, mit zwey Körpern, Leibern, oder zweyerley Leibe.

Διτάλαντος, ὁ, ἡ, von zwey Talenten oder Zentnern. S. τάλαντον. —**τοκέω**, ῶ, Zwillinge oder zweymal gebären. —**τόκος**, ὁ, ἡ, Zwillinge oder zweymal gebährend. —**τονίζω**, f. ίσω, (τόνος) mit zwey verschiedenen Tönen aussprechen.

Δίτονος, ὁ, ἡ, von zwey Tönen; in der alten Musik eine Dissonanz, die wir grosse Terzie nennen.

Διτταχῶς, Adv. S. διστάκις. —**τογλωττία**, ἡ, der Gebrauch oder das Reden von zwey Sprachen. —**τόγλωττος**, ὁ, ἡ, z. B. παίδευσις, Unterricht in zwey Sprachen. —**τογονέω**, ῶ, f. v. a. διτοκέω. —**τολογέω**, und διττὸς. S. διστολογέω, δισσός.

Δίτυλος, ὁ, ἡ, (τύλος) mit zwey Buckeln.

Διυγιαίνω, ganz heilen. Jambl. Pyth. §. 102. —**υγραίνω**, das verstärkte ὑγραίνω. —**υγρος**, ὁ, ἡ, das verstärkte ὑγρὸς, durchnässt, verfault. —**ύδρος**, ὁ, ἡ, Hippocr. affect. intern. c. 28. von der Wassersucht, ἡ δὲ γαστὴρ δίυδρος καὶ μεγάλη ὥσπερ λάμπτηρ. Auf diese Stelle beziehn sich die Glossen im Galenus: δίαιθρος (wo ξίεδρος steht) διαφανής: ferner δίυδρος ὑστέρα καὶ διυδροῦσα. Auch Hesych. hat δίαιθρον, διαφανες, καθαρὸν, δίυγρον; δίαιτρον, δίαπτρον, διαφανές. Der Zusammenhang erfordert die Bedeutung eines vom Wasser erweiterten und durchsichtigen Körpers. —**υλάζω**, τὰ τῶν αἰτίων γένη διυλασμένα, die Principien, Grundursachen, die mit der Materie verbunden, darinne verbreitet sind. Plato. —**υλίζω**, f. ίσω, (ὕλη) durchseihen, und also reinigen, abklären; τὰς ῥῖνας, die Nase ausschnauben; davon —**ύλισις**, εως, ἡ, oder διυλισμὸς, ὁ, das Durchseihen, Durchschlagen, Abklären, die Reinigung, und —**υλιστήρ**, ῆρος, ὁ, Durchschlag, Seihetuch. —**υπνίζω**, f. ίσω, (ὕπνος) aufwecken. —**υφαίνω**, durchweben.

Διφαλαγγάρχης, ὁ, oder διφαλάγγαρχος ὁ, (ἀρχων) der Commandeur einer διφαλαγγία; davon —**λαγγαρχία**, ἡ, Würde; Amt des vorherg. —**λαγγία**, ἡ, (φάλαγξ) doppelter Phalanx.

Διφασία, ἡ, (φάω, φημὶ) f. v. a. διλογία und Zweydeutigkeit. Hesych. —**φάσιος**, ια, ιον, zwiefach, doppelt, Herodot, wie τριφάσιος, dreyfach; woraus die Lat. *bifarius* und *trifarius* gemacht haben. —**φατος**, ὁ, ἡ, (φάω, φημὶ) bey Hesych. f. v. a. das vorherg. und δισσῶς λεγόμενον. —**φάω**, f. διφήσω, ich suche auf, erforsche, spüre auf; von δίω, (διέω, δίεμαι, δίζω, διζέω, δίζημι) δίπτω, (wie δύω, δύπτω) fut. δίψω, perf. δέδιφα, davon διφὴ, das Suchen, Forschen, f. v. a. δίψα vorzügl. vom Durste gebraucht, und von διφὴ, διφάω; davon —**φήτωρ**, ορος, ὁ, der aufsucht, aufspürt.

Διφθέρα, ἡ, (δέφω) abgezogene und zubereitete Thierhaut, Fell; daher Kleider von Fellen, Zelte, Ranzen oder Ränzel, Pergament zum schreiben; dav. —**θεράλοιφος**, ὁ, (ἀλοιφὴ) bey den Cypriern ein Schulmeister, der auf Pergamenttafeln schreiben lehrt. Hesych. —**θερίας**, ου, ὁ, oder διφθερίτης, ὁ, fem. διφθερίτις, mit Fellen bekleidet, Kleider von Fellen tragend; bey Cicero Attic. 13, 24 διφθερίαι st. διφθέραι falsche Lesart. —**θέριον**, τὸ, ein Geschwür unter der Haut. Hippiatr. wo διαφθέριον steht. —**θερίτης**, ὁ. —**ίτις**, ἡ. S. διφθερίας. —**θεροπώλης**, ου, ὁ, Lederhändler, oder der mit Fellen handelt. —**θερόω**, ῶ, f. ώσω, mit Haut oder Fell überziehn, oder bedecken.

Διφθογγίζω, f. ίσω, mit einem Doppellauter aussprechen od. schreiben. —**θογγογραφέω**, mit einem Doppellauter, Diphtong schreiben. —**θογγος**, ὁ, ἡ, (φθόγγος) doppellautend, ἡ, Doppellauter.

Διφορέω, ω, zweymal tragen, vorzügl. Frucht; διφορεῖται ἡ λέξις, wird doppelt geschrieben oder ausgesprochen. Grammatik. —**φόρησις**, εως, ἡ, Unterschied. zweif. —**φορος**, ὁ, ἡ, zweymal-tragend, vorzügl. Frucht tragend.

Δίφραξ, ακος, ἡ, oder διφρὰς, άδος, ἡ, f. v. a. δίφρος, Theocr. 14, 41 ein Sitz, Stuhl. —**φρεία**, ἡ, (διφρεύω) das Fahren, die Art zu fahren, z. B. δ. Τρωικὴ, trojanisches Fuhrwerk. Xenoph. —**φρελάτειρα**, ἡ, femin. von διφρηλάτης. zw. —**φρευτὴς**, οῦ, ὁ, (διφρεύω) f. v. a. διφρηλάτης. —**φρεύω**, f. εύσω, (δίφρος) fahren, act. und neutr. —**φρηλασία**, ἡ, das Regieren des Wagens, das Fahren. —**φρηλάτης**, ου, ὁ, der den Wagen regiert, der fährt. —**φρηφόρος**, ὁ, ἡ, f. v. a. διφροφ. —**φρίσκος**, ὁ, Dimin. von δίφρος. —**φροντίς**, ὁ, ἡ, ungewiss, zweifelhaft. —**φροπηγία**, ἡ, (πηγνύω) das Zusammenfügen und Verfertigen des Wagensitzes oder Streitwagens, δίφρος; so wie διφροπηγος, ὁ, der Verfertiger. S. in ἄντυξ.

Δίφρος, ὁ, wahrscheinl. st. δίφορος, ein doppelter Sitz auf einem Streitwagen für den Kutscher und Streiter; dieser Sitz heisst ευπλεκὴς, Il. 23, 436. f. ἄντυξ, und daher im allgem. ein Sitz, z. B. Xen. An. 7. 3. 29. 4 eine Sanfte, wie es Dio Cass. häufig so gebraucht; auch überh. ein Wagen, Streitwagen. —**φρουλκέω**, ῶ, (ἕλκω) den Wagen ziehen.

Διφρουργία, ἡ, (ἔργον) f. v. a. διφροπηγία. —φροφορέω, ῶ, auf dem Stuhle oder in der Sänfte tragen, Herodot. 3, 146. fahren; den Stuhl tragen; davon —φροφόρος, ὁ, ἡ, den Stuhl tragend, Aristoph. Eccle. 734. Aelian. v. h. 4, 32 auf dem Stuhle, in der Sänfte tragend, fahrend. —φρυγής, έος, ὁ, ἡ, (φρύγω) zweymal gedörret, geröstet. —φυής, έος, ὁ, ἡ, (φυή) von doppelter Natur, Geschlechte, z. B. heisst Cecrops so, der oben Mann u. unten Frau war, u. die Centauren beym Soph. die halb Mensch, halb Pferd waren; dah. allgem. zwiefach; dav. —φυΐα, ἡ, Theilung, Spaltung, z. B. τῶν νώλων; zwiefache Natur, Beschaffenheit u. s. w. —φυλλος, ὁ, ἡ, (φύλλον) zweyblättrig. —φωνος, ὁ, ἡ, (φωνή) zweystimmig; zwey Sprachen sprechend.

Δίχα, Adv. getrennt, getheilt, abgesondert; als Praep. m. d. genit. ohne; davon. —χάζω, f. άσω, od. διχαίω, od. διχάω, zertheilen, trennen; daher 2) vernneinigen; neutr. sich trennen, theilen, Xen. An. 4, 8. 18. wie διχάζομαι, Cyr. 7, 1. 31. —χάς, άδος, ἡ, die Hälfte, adject. getheilt. —χασμός, ὁ, die Theilung. —χαστήρ, ῆρος, ὁ, (διχάζω ich trenne) der Schneidezahn. —χάω, f. v. a. διχάζω, theilen; 2) getheilt, halb seyn. Arati Dios. 67.

Διχῆ, Adv. (δίχα) getheilt, zwiefach. —χηλεύω, f. εύσω, oder διχηλέω, ὁπλην, verst. κατὰ, gespaltene Klauen haben, bey den LXX. von —χηλος, ὁ, ἡ, (χηλή) mit gespaltenen Klauen. —χήρης, ες, (δίχα u. ἄρω) Zertheiler; pass. zertheilt.

Διχθὰ, Adv. f. v. a. δίχα; dav. —θάδιος, ία, ιον, getheilt, doppelt. —θάς, άδος, ἡ, διχθάσι χέρσω bey Musaeus 298. wahrscheinl. διψάσι nach Brunks Verbesserung.

Διχίτων, ὁ, ἡ, mit doppeltem Unterkleide, oder überh. Kleide. —χόβουλος, ὁ, ἡ, (βουλή) uneinig, verschieden in den Entschlüssen, Beschlüssen. —χογνωμέω, ῶ, (γνώμη) od. διχογνωμονέω, von verschiedener Meinung, uneinig oder zweifelhaft seyn; die erstere Form zweif. die andere von —χογνώμων, ονος, ὁ, ἡ, (γνώμη, δίχα) von verschiedener Meinung, uneinig, zweifelhaft. —χόθεν, Adv. von zwey Seiten oder Theilen. —χόθυμος, ὁ, ἡ, mit getrennter Seele, zweifelhaft, unentschlossen. —χοίνικος, ὁ, ἡ, zwey χοίνιξ haltend, von zwey χ. —χολος, ὁ, ἡ, (χολή) mit zwey Gallen, Gallenblasen. —χόλωτος, ὁ, ἡ, zweyzornig, sehr zornig.

Διχόμην, ηνος, ὁ, ἡ, auch διχόμηνις u. διχόμηνος, ὁ, ἡ, (μήν) im halben oder vollen Monde, zum halben oder vollen Monde, zum halben Monate gehörig. —μηνία, ἡ, Vollmond (die Mitte des Monats). —μηνιαία, ἡ, näml. ἡμέρα, der mittelste Tag des Monats: Idus: v. διχομηνιαῖος in der Mitte des Monats. —μηνις, ιδος, ὁ, ἡ, u. διχόμηνος, ὁ, ἡ, f. v. a. διχόμην. —μητις, ιος, ὁ, ἡ, (μῆτις) unentschlüssig, zweifelhaft. —μυθος, ὁ, ἡ, der zwiefach spricht; Zweyzüngler; Betrüger. Ant. Lib. 23.

Διχονοέω, ῶ, f. v. a. διχογνωμέω; dav. —χόνοια, ἡ, Unentschlossenheit; Uneinigkeit; Verschiedenheit der Meinung, *dissensus*. —χορδος, ὁ, ἡ, von o. mit 2 Saiten o. Sehnen, χορδή. —χορία, ἡ, ein doppelter Chor. —χορίζω, f. ίσω; in- oder mit zwey Choren singen. Hesych. —χορραγής, έος, ὁ, ἡ, (ῥήγνυμι) in zwey gerissen, doppelt gespalten. —χορρόπως, ὁ, ἡ, Adv. διχορρόπως, (ῥοπή) auf zwey Seiten, auf beyde Seiten sich neigend, also schwankend.

Διχοστασία, ἡ, die Trennung; Veruneinigung, wie *seditio* (*seorsim itio*); v. —στατέω, ῶ, (δίχα, στάτης) sich trennen, abgesondert stehn od. sich stellen; sich veruneinigen. Auch mit sich selbst uneins seyn, d. i. ungewiss, unentschlossen, zweifelhaft seyn. —τομέω, ῶ, (δίχα τομή) zerschneiden, in zwey Theile theilen; trennen; davon —τόμημα, ατος, τὸ, die Hälfte; überh. abgeschnittener, getrennter Theil od. Stück; u. —τομία, ἡ, das Zerschneiden oder Zertheilen in zwey Hälften. —τόμος, ὁ, ἡ, (δίχα τέμνω) in zwey Theile theilend, schneidend. 2) passiv. entzwey geschnitten, getheilt. σελήνη διχότομος heisst der zunehmende u. abnehmende Mond am achten zu Anfange und dritten des zu Ende gehenden Mondmonats. Arat. Diosem. 68. m. d. Schol.

Δίχους, ὁ, ἡ, von zwey χοῦς, zwey χ. fassend.

Διχοφρονέω, ῶ, (διχόφρων) uneinig oder unentschlüssig oder falsch seyn. —φροσύνη, ἡ, Uneinigkeit, Veruneinigung; Unentschlossenheit; Falschheit. —φρων, ονος, ὁ, ἡ, (δίχα, φρήν) wie *discors*, uneinig, unentschlossen; falsch, zweydeutig. —φωνία, ἡ, Jamblich. Pythag. §. 34. Misshelligkeit, Uneinigkeit; v. διχόφωνος abstimmig, misshellig, uneinig.

Διχόω, ῶ, f. ώσω, f. v. a. διχάζω; zw. —χροια, ἡ, zwey Farben; Doppelfarbe. —χρονέω ich bin δίχρονος, ὁ, ἡ, d. i. von zwey Zeiten od. Zeitmaassen, als vom Vocal, der kurz u. lang ist. Plutarch. 8 p. 942. H. —χρονοκατάληκτος, ὁ, ἡ, (καταλήγω) sich endigend auf einen Vokal, der kurz u. lang ist. S. δίχρονος.

Δίχροος, contr. δίχρους, ὁ, ἡ, (χρόα) u. δίχρωμος, ὁ, ἡ, (χρῶμα) *bicolor*, zweyfarbig. —χῶς, Adv. (διχὸς) doppelt, zwiefach.

Δίψα, ης, ἡ, (δίπτω) Durst; metaph. heftiges Streben, Verlangen. S. in διψάω. —ψακὸς, ὁ, die Durstkrankheit, sonst διαβήτης genannt, διψάω; 2) eine Pflanze Kartendistel oder Weberkarten, die Wolle zu karten od. kartatschen. Diosc. 3, 13. *dipsacus, labrum veneris.* —ψαλέος, έα, έον, durstig. —ψὰς, άδος, ἡ, durstig, z. B. γαῖα, σποδιὰ durstiges, d. i. trocknes Land, Staub. 2) eine giftige Schlange, deren Biss grossen Durst verursacht. —ψάω, ῶ, f. ήσω, dursten: τινὸς od. m. d. infin. nach etwas dursten, d. i. sich stark nach etwas sehnen, wie *sitio.* —ψηρὸς, ρὰ, ρὸν, s. v. a. διψαλέος. —ψησις, εως, ἡ, (διψάω) das dursten; das verlangen. —ψητικὸς, ἡ, ὸν, durstig machend, Durst erweckend; auch durstig. —ψιος, ὁ, ἡ, (δίψα) durstig; dürr, trocken. Ἄργος bey Hom. erklärte Aristarch. d. πολυπόθητον oder ὑπὸ διὸς βεβλαμμένον, (διψάω u. ἴπτω) u. ihm folgt Strabo 8 p. 569. weil Argus nicht arm an Wasser ist. —ψος, εος, τὸ, s. v. a. δίψα.

Διψυχέω, ῶ, (δίχα, ψυχὴ) ich bin δίψυχος, getheilten Sinnes od. Willens, ungewiss, unbeständig. —ψυχία, ἡ, Ungewissheit, Zweifel. —ψώδης, εος, ὁ, ἡ, durstmachend oder durstig, eigentl. διψοειδής.

Διώ 1) als eine andere Form von δέω, δείω, δείδω, fürchten. S. δείω. 2) als Stammwort v. διώκω, vertreiben, verfolgen, beym Hom. in med. 3) Hom. Il. 22, 251, schnell laufen. S. διώκω. —ωβόλιον, τὸ, od. διώβολον, τὸ, ein doppelter Obolus. —ωγμα, ατος, τὸ, (διώκω) s. v. a. δίωξις Plato Polit. 47. das Verfolgen. 2) das, was man verfolgt, z. B. das Wild, welches die Hunde verfolgen. —ωγμὸς, ὁ, Verfolgung, Beunruhigung. —ώδυνος, ὁ, ἡ, (ὀδύνη) sehr schmerzhaft; zweif. —ωθέω, ῶ, f. ώσω, od. διωθήσω, o. διωθίζω, (ὠθέω) aus einander stossen od. treiben, z. B. τὸν ὄχλον, *summovere turbam;* durchstossen, durchtreiben, z. B. φάλαγγας, Balken, Athen. διώσασθαι, wegstossen, von sich stossen, von sich entfernen, z. B. κινδύνους, Polyb. mithin nicht annehmen, z. B. τὴν ἀρχὴν, die Regierung Plut. so beym Diogen. Laert. τὰ βλάπτοντα διωθεῖται, τὰ οἰκεῖα προσίεται. Eben so δ. ψευδῆ λόγον Demost. Lügen von sich entfernen, oder sie widerlegen. —ωθισμὸς, ὁ, das durch- oder fortstossen, wegstossen. —ωκάθω, attische Form st. διώκω. —ώκτης, ου, ὁ, ein Verfolger. —ωκτὸς, ἡ, ὸν, (διώκω) verfolgt, gesucht. —ώκτρια, ἡ, femin. v. διώκτης oder vielmehr von διωκτὴρ, Verfolgerin. —ωκτὺς, ύος, ἡ, jon. s. v. a. δίωξις; zw. —ώκω, f. ξω, u. ξομαι, (von δίω, δίομαι, δίεμαι, διόω, perf. δεδίωκα dav. διώκω) vor sich her treiben, stossen, auftreiben, z. B. das Wild, weg- fort- antreiben; Od. 18, 408, Il. 8, 439. verfolgen, z. B. den Feind im Felde; seinen Feind im Staate, d. i. ihn gerichtlich verfolgen, sich an ihm rächen, u. δ. (ἐκ) τῆς πόλεως, aus dem Staate verjagen, ins Exil schicken. Im guten Sinne δ. τινὰ, einem hitzig nachlaufen, sein Anhänger werden, *sequi, sectari*, Xen. Mem. 2, 8. 6. 4, 4, 24. Eben so von Sachen, z. B. δ. τὴν ἡδονὴν, stets dem Vergnügen nachlaufen, nach dem Vergnügen haschen; τὰ καλὰ, das Schöne, die Tugend eifrig üben. Ohne cas. als neutr. schnell laufen, σπουδαίως θέω nach Eustath. z. B. δρόμῳ, als Gegensatz v. ἕπομαι βάδην, Xen. An. 6, 5. 25. —ωλένιος, ία, ον, (ὠλένη) mit ausgespannten Ellbogen od. Aermen. —ωλύγιος, ὁ, ἡ, eigentl. was sich weit erstreckt, weit, gross, auch von der hellen, starken Stimme; vom Lande Apollon. 4, 1258. S. ὠλύγιος. —ωμοσία, ἡ, (διόμνυμι) S. ἀντωμοσία. —ώμοτος, ὁ, ἡ, (διόμνυμι) geschworen oder einer, den man hat schwören lassen, *juratus.* Bey Soph. Phil. 593. διώμοτοι die sich unter einander verschworen haben.

Διωνυμία, ἡ, (ὄνομα) ein doppelter Name. —νυμος, ὁ, ἡ, (ὄνομα) mit zwey Namen. Und in so fern es von διὰ u. ὄνομα zus. gesetzt ist, weit u. breit berühmt. Appian. —νυσος, ὁ, der Bacchus. —νυχος, ἡ, δίαιτα, Stobae. Serm. 243. f. st. δι' ὄνυχος.

Διωξικέλευθος, ὁ, ἡ, (δίωξις) κέντρα διωξικέλευθα Anthol. der zum gehen oder auf dem Wege antreibende Stachel. —ξιππος, ὁ, ἡ, d. i. διώκων ἵππους die Pferde antreibend oder der mit Pferden fährt. —ξις, εως, ἡ, (διώκω) das Verfolgen, das Nachsetzen; das Antreiben; das Verfolgen einer Rede, oder Ausrede.

Διωρία, ἡ, bey Suidas s. v. a. ἀνακωχὴ, Aufschub; bey Hesych. Trennung und s. v. a. διορισμὸς; er hat auch δίωρος für διάφωνος nicht stimmend. In διορίαν sagt er προθεσμίαν, wenn es aber διωρίαν, geschrieben werde, bedeute es καιρὸν, entweder Zeit überh. oder zwey Stunden. διορία also wäre ein Termin. —ρισμένως, Adv. vom part. perf. passiv. v. διορίζω, bestimmt; besonders. —ροφος, ὁ, ἡ, (ὀροφὸς) mit doppeltem Dache. —ρυγὴ, ἡ, (διορύσσω) das Durchgraben.

Διώρυγμα, ατος, τὸ, (διορύσσω) ein gezogener Graben, Kanal durch durchgegrabenes Land gehend. —ρυκτὴς, ὁ, (διορύσσω) der durchgräbt, Land od. Mauern. —ρυξ, υχος oder υγος, ὁ, ἡ, (διορύσσω) durchgegraben, durchgeſtochen. ἡ διώρυξ verſt. γῆ oder dergleichen, ein Graben, Kanal, Mine, Stollen. Diodor. 3, 12. —ρυχὴ, ἡ, ſ. v. a. διώρυγή.

Δίωσις, εως, ἡ, oder διωσμὸς, das wegſtoſsen, fort- durchſtoſsen. —ωστὴρ, ῆρος, ὁ, ein Inſtrument, womit man etwas durch oder heraus ſtöſst; 2) eine Stange, die man durch ein Loch, Ring, ſteckt, um damit ein Faſs, Körper zu tragen. —ώτη, ἡ, ein zweyohrigtes, d. i. zweyhenklichtes Gefäſs, *diota*. zw. von —ωτος, ὁ, ἡ, (οὖς, ὠτὸς) zweyöhrigt; von Gefäſsen zweyhenklicht. —ωχὴς. S. διοχὴς.

Δμάω, δμῆμι, ſ. v. a. δαμάζω, δαμάω, δάμνημι, wie τάμω, τάμνω, ταμάω, τμάω, τμῆμι; davon

Δμῆσις, εως, ἡ, das Bändigen, Bezwingen, Beſiegen. —τειρα, ἡ, Bändigerin, Unterjocherin. femin. von —τὴρ, ῆρος, ὁ, Bändiger, Beſieger. —τὸς, ἡ, ὸν, (δμαω) gebändigt, bezwungen, beſiegt.

Δμωὴ, ἡ, oder δμωῒς, ίδος, ἡ, eine Unterjochte, Sclavin. S. in δαμάω. —ὼς, ὁ, oder δμῶς, ωὸς, ὁ, ein Unterjochter, Sclave. S. in δαμάω.

Δνοπαλίζω, f. ίξω, (δονεῖν u. πάλλειν) hin und her ſchnell bewegen, ſchütteln. Einer ſchuttelt den andern. Hom. Il. 4, 472. δ. τὰ ῥάκεα, die Lumpen, lumpichte Kleider ſich umwerfen, Od. 14, 512. δνοπαλίζεται γυῖα Oppian Hal. 2, 295. die Glieder bewegen ſich. —φεος, εα, εον, oder δνοφερὸς, dunkel, finſter; von —φος, ὁ, (von νέφος, ſ. v. a. γνόφος, dicke Wolken, Dunkel) Dunkelheit, Finſterniſs.

Δοάζω u. δοάζομαι u. δέαμαι, davon δόατο εἶναι Odyſſ. 6, 242. von δοὸς ſt. δοιὸς, doppelt, zweifelhaft, ſ. v. a. δοιάζω, δοιάζομαι von δοιὸς. u. διάζω von δύω, endlich ſ. v. a. διστάζω von δὶς, ich befinde mich in Verlegenheit, wenn ich zwiſchen zwey Sachen wählen ſoll, berathſchlage mich, überlege, zweiſle, bin unſchlüſſig. Beym Homer ſteht auch οἱ δοάσσατο, verſt. θυμὸς ſ. v. a. ἔδοξεν, es ſchien ihm, kam ihm vor. Eben ſo ſagt man ἐνδοιάζω u. ἐνδιάζω. So ſteht δοιὴ, für Zweifel, Ungewiſsheit: ἐν δοιῇ (ἐσμεν) σαωσέμεν ἢ ἀπολέσθαι νῆας Homer. wir ſind unſchlüſſig, ob wir die Schiffe retten oder vernichten ſollen. Das lat. *dubito* druckt ganz den Sinn dieſer Worte aus, und iſt auch davon gemacht: von δύο, δοιὸς, δοάν, *dubo*, und als Frequentatif *dubito*; von *dubo* kommt *dubius*.

Δόγμα, ατος, τὸ, (δοκέω) Entſchluſs, Beſchluſs, Verordnung; im philoſophiſchen Sinne: eine Meinung, ein Satz, *placitum*. —ματίας, ου, ὁ, der voller Sätze, Sentenzen iſt. —ματίζω, f. ίσω, (δόγμα) ſeinen Entſchluſs oder Meinung feſtſetzen, bekannt machen, oder einen Satz, Religionsmeinung feſtſetzen, einführen. —ματικὸς, ἡ, ὸν, zum δόγμα, zu Sätzen, Lehrſäzen gehörig oder darinnen abgefaſst; der gewiſſe Grundſätze vorträgt oder annimmt; aus Lehrſätzen hergeleitet oder ableitend, dem empiriſchen entgegengeſetzt. —ματιστὴς, οῦ, ὁ, der eine Meinung oder Lehre aufbringt, einführt oder feſtſetzt. —ματοποιέω, ῶ, ſ. v. a. δόγμα ποιέομαι, einen Beſchluſs faſſen, dekretiren. Polyb. 1, 81. —ματοποιία, ἡ, das Faſſen eines Beſchluſſes oder Erfinden von Lehrmeinungen.

Δοθιὴν, ῆνος, ὁ, od. δοθίων *furunculus*, ein kleines Blutgeſchwür.

Δοιάζω, f. άσω, ich verdoppele; δοιάζομαι, ich bin zweifelhaft, unſchlüſſig, und bedenke mich; von δοιὸς. S. δοάζω.

Δοίδυξ, υκος, ὁ, Mörſerkeule; davon δοιδυκοφόβος, Lucian Tragop. 200. und δοιδυκοποιὸς, der dieſe Keule fürchtet, u. macht; davon ἀναδοιδυκίζω, aufrühren und in Unordnung bringen; διαδοιδυκίζω, verrühren, oder wie eine Mörſerkeule hin und her bewegen: das Stammwort δύζω od δύσσω, iſt ungewöhnlich; davon δοιδύσσω, wie μύω, μοιμύω.

Δοιὴ, ἡ, Zweifel, Ungewiſsheit. S. δοάζω.

Δοιὸς, ὰ, ὸν, doppelt; im plural. wie δισσοὶ, zwey.

Δοκάζω, f. άσω, meinen, wähnen; beobachten, erwarten; aufpaſſen. S. δοκή. —κάνη, ἡ, (δόκη, δοκάω, δόκανος) ein Ort zum aufnehmen, daher bey Heſych ἡ θήκη auch ſ. v. a. στάλιξ die Stange, womit das Stellnetz aufrecht erhalten wird; zu Lazedaemon waren δόκανα τὰ nach Plutarch. 7. p. 867 alte Bilder den Kaſtor und Pollux vorſtellend, aus zwey geraden und zwey Queerſtangen beſtehend: nach Suidas und Etym. M. waren es die offenen Gräber derſelben. Heſych. ſetzt in δοκάναι am Ende hinzu ἢ κάλαμοι. Er las nämlich Odyſſ. ξ. 474 ἂν δοκάνας ſt. ἂν δόνακας und erklärte es an einer andern Stelle d. δοκοὺς: hier wollte er die gemeine Leſart erwähnen. —κεύω, f. εύσω, auf einen Acht geben, ihn beobachten was er macht; aufpaſſen, erwarten, belauern. S. δοκή. —κέω, ῶ, 1) act. meinen, denken, wähnen; 2) neutr. *videor*. δοκεῖ μοι, es ſcheint mir, ich halte dafür; daher οἱ δοκοῦντες, Leute, die für etwas gehalten werden, z. B. σοφοὶ für Weiſe, die in dem allgemeinen Rufe weiſer Männer ſtehen, δόξαν ἔχοντες, ἐν δόξῃ ὄντες; ich glaube, dieſs iſt meine Meinung; (daher τὸ δόξαν, od. im paſſ. δεδογμένον, das im Rathe beſchloſſene, *quod viſum, decretum eſt*) wie *videtur mihi*. Eben ſo δοκῶ μοι ἔχειν, ich ſcheine mir zu haben, d. i. ich glaube, denke zu haben, wie *videor mihi habere*, und ſo durch alle Perſonen: δοκῶ (ἄλλοις) παθεῖν *videor pati*, ich ſcheine zu dulden, man ſieht daſs ich dulde. τοὺς ἑαλωκότας καὶ δεδογμένους ἀνδροφόνους Demoſth. p. 629. die im Gerichte überzeugt und erklärt ſind für Mörder.

Δόκη, ἡ, bey Heſych. ſ. v. a. δοχὴ, δόκησις, ἐνέδρα, u. παρατήρησις, von δέκω ſt. δέχω, perf. δέδοκα. —κημα, ατος, τὸ, ſ. v. a. δόκησις, Plutarch. 10 p. 400. —κησιδέξιος, ὁ, ἡ, der ſich für geſchickt, glücklich hält. —κησις, εως, ἡ, (δοκέω) gefaſste Meinung, Wahn; die gute Meinung, die ich von einem habe, wie *exiſtimatio*, Ehre; guter Ruf. —κησισοφία, ἡ, Weisheitsdünkel. —κησίσοφος, ὁ, ἡ, der ſich weiſe dünkt. —κίδιον, τὸ, dim. v. δοκός. —κιμάζω, f. άσω, (δόκιμος) auch δοκιμαίνω bey Heſych. ſehen, ob etwas ächt ſey, ächten, d. i. läutern, proben, erproben, prüfen, unterſuchen. Daher 2) als ächt, rein, geläutert, geprüft annehmen, mithin entſcheiden, ſchätzen, für nützlich, gut, brav halten, wie *probo*, *approbo*. 2) geprüft annehmen, wählen, zu einer Stelle; auch den Knaben zum ἔφηβος annehmen, nach einer Prüfung. Daher δοκιμασθεὶς Iſocr. p. 688. als ich Jüngling geworden und für ἔφηβος erklärt worden. —κιμασία, ἡ, Läuterung, Unterſuchung, Prüfung, ob einer die zu ſeinem Poſten nothwendigen Eigenſchaften habe; und die dabey abgelegte Probe. —κιμαστήριος, ὁ, ἡ, zum prüfen gehörig; τὸ δοκιμαστήριον ſ. v. a. δοκίμιον. Liban. 1 p. 664. —κιμαστής, οῦ, ὁ, und δοκιμαστὴρ, ῆρος, ὁ, (δοκιμάζω) der etwas prüft und unterſucht; der etwas geprüft findet, annimmt und lobt. S. δοκιμάζω; davon —κιμαστικὸς, ή, ὸν, zum Prüfen gehörig, gut oder geſchickt. —κιμάω, bey Heſych. δοκιμῶμαι ſ. v. a. δοκῶ und οἴομαι. —κιμὴ, ἡ, Prüfung, gemachte Probe; dav. —κίμιον, τὸ, ſ. v. a. δοκιμασία. —κιμος, ὁ, ἡ, v. δέκω, perf. δέδοκα, eigentl. annehmlich, vorzügl. von guter, ächter, gangbarer Münze; übergetr. auf andere Dinge, die Probe oder Prüfung aushaltend und ächt, richtig, gut befunden werden; erprüft, erprobt; ächt, untadelhaft; 2) anſehnlich, von Flüſſen Herodot. 7, 129. 3) δόκιμον ἐόντα παρὰ Ξέρξῃ 7, 117. ſ. v. a. εὐδόκιμον. Adv. δοκίμως. —κιμότης, ητος, ἡ, (δόκιμος) die Geprüftheit; zw. —κιμόω, ſ. v. a. δοκιμάζω, bey Heſych. —κὶς, ίδος ἡ, dimin. v. δοκός. bey Xen. Ven. 9, 15 wird es auch durch Ruthen erklärt. —κὸς, ἡ, ein Balken, vorzügl. der die Decke des Hauſes bilden hilft, und das Dach trägt. —κος, ὁ, und δοκώ, ἡ, bey Eur. Electr. 747 ſt. δόκησις Wahn, Meinung. —κωσις, εως, ἡ, (δοκόω) das Verbalken, d. i. Verbindung der Balken, Stockwerk, Eccleſ. 10, 18. bey den LXX. —λερος, ρὰ, ρὸν, Adv. δολερῶς, (δόλος) liſtig, betrügeriſch. —λιεύομαι, ſ. εύσομαι, (δόλος) hinterliſtig handeln; beym Etymol. M. ὑποστειλάμενος. —λίζω, verfälſchen, Dioſc. —λιόπους, οδος, ὁ, ἡ, mit liſtigem Fuſse od. Tritte, d. i. liſtig einhergehend, oder ſchleichend. —λιος, ία, ιον, ſ. v. a. δολερός. —λιότης, ητος, ἡ, Liſtigkeit, Fertigkeit, Hang zum Ueberliſten. —λιόφρων, ονος, ὁ, ἡ, liſtigen, trügeriſchen Sinnes. —λιόω, ῶ, f. ώσω, liſtig ſeyn. ταῖς γλώσσαις ἐδολίουσαν führt Steph. aus den LXX an. —λίχαυλος, ὁ, ἡ, (δολιχὸς αὐλὸς) z. B. αἰγανέα mit langer eiſerner Röhre. (S. αὐλὸς n. 3.) worein das ſpitzige Ende des Spieſses geſteckt wird. —λιχαύχην, ενος, ὁ, ἡ, (αὐχὴν) langhalſig. —λιχεγχὴς, έος, ὁ, ἡ, mit langem Speere, ἔγχος. —λιχεύω, f. εύσω, ſ. v. a. δολιχοδρομέω; auch metaph. πολλοὺς πλοῦς δολ. bey Aelian. viele u. lange Seereiſen hin- u. her machen. —λιχήπους, οδος, ὁ, ἡ, langfuſsig. —λιχήρετμος, ὁ, ἡ, (ἐρετμὸς) mit langen Rudern. —λιχήρης, ὁ, ἡ, (ἄρω) lang. Opp. Cyn. 1, 407. —λιχογραφία, ἡ, das lange Schreiben. Analecta 3 p. 87. n. 51. —λιχόδειρος, ὁ, ἡ, (δειρὴ) langhalſig. —λιχοδρομέω, ῶ, den δόλιχος laufen; allgm. weit u. oft laufen. —λιχοδρόμος, ὁ, ἡ, der den δόλιχος läuft; wie σταδιοδρόμος. —λιχόκαυλος, ὁ, ἡ, (καυλὸς) mit langem Schafte od. Stiele. —λιχόπους, οδος, ὁ, ἡ, ſ. v. a. δολιχήπους.

Δολιχὸς, ή, ὸν, lang; von der Zeit, lang, langwierig.

Δόλιχος, ὁ, nach Suidas u. dem Schol. Pind. ad Ol. 3, 58. iſt es eine Strecke v. 24 Stadien oder 3/4 deutſche Meilen, die die Wettläufer zwölfmal hin und wieder zurückmachen muſsten, alſo 9 deutſche Meilen; nach andern war es nur die Hälfte, und nach andern gar nur 7 Stadien, oder noch keine ganze Viertelmeile, die ſie 7 mal hin u. wieder zurück legen muſsten d. i. etwas über 1 1/2 deutsche Meilen zusammen. 2) eine Hülsenfrucht, *phaseolus*, wie die türkischen Bohnen.

Δολιχέσκιος, ὁ, ἡ, langschattig, langhaarig, lang. οὐρὴ Opp. Cyn. 1, 410. beym Homer ein mahlerisches Beywort der Lanze; andere schrieben δολιχένιος, und leiteten es von νίω ab und erklärten es durch weitgehend. —λιχόουρος, ὁ, ἡ, (οὐρὰ) lang geschwänzt; vom Verse gebr. s. v. a. ὑπέρμετρος der eine Sylbe zuviel hat. —λιχουάτος, ὁ, ἡ, (οὖας) langöhrig. Opp. Cyn. 3, 186. —λιχόφρων, ονος, ὁ, ἡ, μέριμναι δολιχόφρονες bey Plut. 10 p. 579. in die Länge und Ferne denkend. —λόδουπος, ὁ, ἡ, listig und lärmend; Beywort des Mars; zw. —λόεις, όεσσα, όεν, poet. s. v. a. δολερὸς, listig; 2) pass. listig gemacht, z. B. δέσματα δολόεντα, Hom. od. 8, 281. vergl. 297. w. δεσμοὶ τεχνήεντες. —λοκτασία, ἡ, (κτάω, κτείνω) Meuchelmord. —λομήδης, εος, ὁ, ἡ, (μῆδος) listigen Sinnes. —λομήτης, ου, ὁ, u. δολόμητις, ὁ, ἡ, (μῆτις) mit listigen Anschlägen, verschlagen. —λομήχανος, ὁ, ἡ, (μηχανὴ) der List oder Ränke im Sinne hat oder anlegt. —λόμυθος, ὁ, ἡ, listig sprechend. —λοπλοκία, ἡ, (πλέκω) das Knüpfen oder Stricken oder Anlegen von List; listiger Anschlag, Ränke. —λοπλόκος, ὁ, ἡ, der List oder Ränke spinnt, knüpft, anlegt; listig, ränkevoll. —λοποιὸς, ὸν, (ποιέω) listig. —λόπους, οδος, ὁ, ἡ, s. v. a. δολιόπους; zweif. —λοῤῥαφέω, (ῥάπτω) List oder Ränke ausdenken u. anlegen, wie *suere dolos* und πλέκειν δόλους; davon —λοῤῥαφὴς, έος, ὁ, ἡ, aus List zusammengesetzt, listig ausgedacht; davon —λοῤῥαφία, ἡ, ausgedachte Ränke, List, Betrügerey. —λοῤῥάφος, ὁ, ἡ, (ῥάπτω) s. v. a. δολοπλόκος.

Δόλος, ὁ, eigentl. Lockspeise; List, Betrug, von δέλω, perf. med. δέδολα s. v. a. δελεάζω, locken, ködern. —λοφονέω, ῶ, oder δολοφονεύω, hinterlistig morden oder ermorden; davon —λοφόνησις, ἡ, oder δολοφονία, hinterlistige Ermordung. —λοφόνος, ὁ, ἡ, hinterlistiger Mörder, Bandit. —λοφραδὴς, εος, ὁ, ἡ, oder δολοφραδμων, ονος, ὁ, ἡ, (δόλον φραζόμενος) auf List denkend, listig. Pindar. —λοφρονέω, ich denke, sinne auf List; habe List oder Betrug im Sinne; davon —λοφροσύνη, ἡ, listiger Sinn, sinnen auf List oder Betrug; List, Betrug. —λόφρων, ονος, ὁ, ἡ, s. v. a. δολοφραδής. —λόω, ῶ, f. ώσω, überlisten, hinterlisten; berücken, fangen. δολοῦν ὗς ἀγρίους πλέγμασι καὶ ὀρύγμασι. Xenophon. οἶνῳ, φαρμάκῳ δολοῦν Herodot. tropisch von der Münze, Wein verfälschen, und so auch färben, wie *lana colores mentiens*; davon —λωμα, ατος, τὸ, die List, der Betrug. —λων, ωνος, ὁ, ein versteckter Dolch der Meuchelmörder; 2) auf dem Schiffe der kleinste Segel nach dem Vordertheile zu, italiänisch *trinchetto*. Livius 36 K. 44. 37 K. 30. Isidorus Orig. 19, K. 3. Diodor. 20, 61. Procop. bell. Vandal. 1, 17. das man bey günstigem Winde brauchte. —λῶπις, ιδος, ἡ, mit listigem und betrügerischen Antlitze; zweif. —λωσις, εως, ἡ, (δολόω) das Betrügen, Berücken, Fangen. —μα, ατος, τὸ, (δίδωμι) das Geschenk, die Gabe. —μαῖος, αία, αῖον, (δομὴ) zum Bau gehörig, z. B. δ. λᾶας, Grundsteine. Apollon. 1, 237. —μέω, bauen, erbauen. —μὴ, ἡ, od. δόμησις, Bau, Erbauung; auch das Gebäude; auch s. v. a. δέμας, τὸ, Körper, körperliche Gestalt. Apoll. Rhod. und Nicander. —μήτωρ, ορος, ὁ, (δομέω) Baumeister, der baut. —μόνδε, Adv. wie οἰκόνδε und οἴκαδε u. eben so viel.

Δόμος, ὁ, (δέμω) eigentl. das Zusammenlegen, Zusammensetzen, Reihe; z. B. δόμοι πλίνθων, beym Herodot. Schichten, *ordines*, bey Thucyd. 3, 20 ἐπιβολαὶ Reihen von Ziegel; daher Haus im Ganzen, oder Zimmer; auch die Lagen von Stricken, die umgewunden werden, πληρωθέντος τοῦ πρώτου δόμου πάλιν ἄλλον ἐπιμηρύου, Mathem. vet. p. 65. alles was gebauet, gezimmert ist, wie κέδρινοι δόμοι, Eur. Alc. 151. Kiste, Lade aus Cedernholz. —μοσφαλὴς, έος, ὁ, ἡ, (σφάλλω) Hauserschütternd, zerrüttend. —νακεῖον, τὸ, (δόναξ) ein Ort voll Rohr, Rohrgebüsch. —νακεὺς, έως, ὁ, s. v. a. δονακών, Röhricht, Geröhr. Il. 18, 576. —νακήματα, τὰ, bey Hesych. ἀναλήμματα, aufgesetzte Stockwerke: so braucht es Nicetas Annal. 6, 5. wo jedoch πύργων δονακώματα steht. —νακόεις, εσσα, εν, voll Rohr. —νακοτρόφος, ὁ, ἡ, (τρέφω) Rohr nährend oder tragend. —νακόχλοος, contr. —χλους, ὁ, ἡ, (χλόα) von Rohr grünend. —νακώδης, εος, ὁ, ἡ, s. v. a. δονακόεις. —νακὼν, ῶνος, ὁ, s. v. a. δονακεῖον.

Δόναξ, ακος, ὁ, Rohr; was von Rohr gemacht ist, als eine Hirtenpfeife, Schreibfeder, Angelruthe, Pfeil, wie *arundo* und *calamus*; von δονέω, weil es leicht vom Winde bewegt wird u. schwankt. S. ὑπολύριος. —νέω, f. ήσω, oder δονέω, in Bewegung setzen, erschüttern, hin und her bewegen, z. B. der Wind schüttelt den Baum, Theocr. ein Volk bewegt sich (δονεῖται) d. i. wird unruhig, aufrührerisch, Herodian. Daher auch von Leidenschaften, wie *moveo*, *perturbo*;

von δένω, δέννω. Bey Aretaeus 4, 1. steht es neutr. wie παταγέω, ich mache ein Getöse, gebe einen hohlen Laut; davon

Δόνημα, ατος, τὸ, die Erschütterung, Bewegung. —νησις, εως, ἡ, das Erschüttern.

Δόξα, ἡ, (δοκέω) Meinung, Wahn, Gedanke, den man sich von einer Sache macht; von einer zukünftigen auch Einbildung, Erwartung, daher παρὰ δόξαν, wider Vermuthen oder Erwartung; auch das Urtheil über, oder von einer Sache oder Person; auch Vorurtheil; die allgemeine Meinung oder das öffentliche Urtheil (*existimatio*) ist auch Ruf, Ruhm; daher überh. Ehre, Ruhm, Ansehn; auch Satz, Lehre; κυρίαι δόξαι des Epicurus Lehrsätze. —ξάζω, f. άσω, (δόξα) ich habe einen Wahn, Glauben, oder ich glaube, meine, wahne; act. rühmen, preisen, erheben, loben. —ξάριον, τὸ, dim. v. δόξα. —ξασία, ἡ, (δοξάζω) das Meinen, Wahnen. —ξασμα, ατος, τὸ, beym Plato s. v. a. τὸ δόξαν, τὸ δόγμα und ἡ δόξα. —ξαστής, οῦ, ὁ, (δοξάζω) der wahnt oder meint. —ξαστικός, ἡ, όν, (δοξάζω) zum wähnen, meinen gehörig oder fähig oder geschickt. —ξαστός, ἡ, όν, vermuthet, eingebildet; oder gepriesen. —ξοθηρέω, ῶ, ich jage nach Ruhm, Nicetas Annal. 16, 4. —ξοκαλία, ἡ, Schönheitswahn, vermeinte, eingebildete Schönheit. Plato Phileb. —ξοκομπέω, und δοξοκομπία falsch statt δοξοκοπέω und δοξοκοπία. —ξοκοπέω, ῶ, (κόπτω) nach Ehre trachten, ehrsüchtig handeln, wie δημοκοπέω; davon —ξοκοπία, ἡ, das trachten, streben nach Ehre; Ehrsucht. —ξολογέω, ῶ, von eines Ehre sprechen, ihn rühmen; bey den K. V. dav. —ξολογία, ἡ, das Rühmen; und —ξολόγος, ὁ, ἡ, rühmend. —ξομανής, έος, ὁ, ἡ, von rasendem Ehrgeize. —ξομανία, ἡ, rasender Ehrgeiz. —ξοματαιόσοφος, ὁ, ἡ, von eingebildeter leerer Weisheit, δόξα, μάταιος, σοφός. —ξομιμητής, οῦ, ὁ, u. δοξομιμητικός, bey Plato Sophist. 52. der seiner Vorstellung im Nachahmen folgt; und was dazu gehört. —ξοπαιδευτικός, ἡ, όν, der bloss Meinungen lehrt, eingebildete Weisheit beybringt. Plato Soph. 10. —ξοποιέω, ῶ, einbilden, eine Meinung beybringen; Polyb. 17, 15. bey Porphyr. Abstin. p. 79. s. v. a. nach Gutdünken handeln. —ξοποιΐα, ἡ, beygebrachte Meinung, Einbildung. —ξοσοφία, ἡ, und δοξόσοφος, ὁ, ἡ, s. v. a. δοκησισοφία und δοκησίσοφος. —ξοφαγία, ἡ, (φάγω) Heisshunger nach Ruhm. Polyb. 6, 9. —ξόω, (δόξα) Herodot. 7, 135. 9, 47 δεδόξωσθε εἶναι ἄριστοι, ihr seyd in dem Rufe.

Δοὸς, ὰ, ὸν, doppelt, zwiefach.

Δορά, ἡ, (δέρω, δέδορα) das Abziehen des Fells, das abgezogene Fell; die Haut. —ρατιαῖος, αία, αῖον, (δόρυ) so gross oder lang wie eine Lanze. —ρατίζομαι, f. ίσομαι, (δόρυ) mit der Lanze streiten. —ράτιον, τὸ, dimin. v. δόρυ. —ρατισμὸς, ὁ, (δορατίζομαι) das Gefecht, Streiten mit der Lanze. —ρατογλύφος, ὁ, ἡ, (δόρατα γλύφων) act. Lanzen glättend; s. v. a. δορυξόος; 2) δορατόγλυφος, von Holz gemacht; zw. —ρατοθήκη, ἡ, Ort oder Futteral die Lanze hinein zu stellen. —ρατομαχέω, ῶ, mit der Lanze streiten. —ρατοπαχής, έος, ὁ, ἡ, (παχύς) von der Dicke einer Lanze. —ρατοφόρος, ὁ, ἡ, s. v. a. δορυφόρος.

Δορίαλος, δορίλλος bey Hesych. auch δορύαλος Aristoph Lemn. αἱ γυναῖκες τὸν δορίαλον φράγνυνται im Etymol. M. beym Schol. Aristoph. Ran. 519 u. Suid. wird vom weibl. Schaamgliede erklärt. —ριάλωτος, ὁ, ἡ, (δόρυ, ἁλόω) mit der Lanze, oder im Streite, im Kriege gefangen, erbeutet, erobert. —ρίγαμβρος, ἡ, zum Kriege verheyrathet, od. deren Verheyrathung Krieg veranlasst; Helena bey Aeschyl. Ag. 697. —ριθήρατος, ὁ, ἡ, (δόρυ, θηράω) mit der Lanze, d. i. im Kriege erjagt, erbeutet. —ρικμής, ῆτος, ὁ, ἡ, (δόρατι κάμνων) mit der Lanze streiten; überh. kriegerisch. —ρίκτητος, ὁ, ἡ, (κτάω) mit der Lanze od. im Kriege genommen, erworben. —ρίκτυπος, ὁ, ἡ, mit der Lanze tosend; kriegerisch. Pindar. Nem. 3 u. 7. —ρίληπτος, ὁ, ἡ, (λαμβάνω) im Kriege oder mit der Lanze mit Gewalt genommen. —ριμανής, έος, ὁ, ἡ, (μανία) mit der Lanze wüthend, oder nach Krieg begierig. —ρίμαργος, ὁ, ἡ, (μάργος, δόρυ) s. v. a. d. vorh. —ριμήστωρ, ωρος, ὁ, (μήδομαι) kriegerfahren. Eur. Andr. 1015. —ρίπαλτος, ὁ, ἡ, (πάλλω) lanzenschwingend; zw. da es vielm. passive von der Lanze geschwungen oder geworfen heissen muss. —ριπετής, έος, ὁ, ἡ, (πέτω) durch die Lanze, oder im Kriege gefallen. —ριπόνος, ὁ, ἡ, s. v. a. δορικμής, Aeschyl. S. 630.

Δορίς, ίδος, ἡ, (δέρω, δορά) Messer oder Tisch, womit oder worauf das Fell der Opferthiere abgezogen wird. —ρίτμητος, ὁ, ἡ, (τμάω) mit der Lanze zertheilt, zerschnitten, durchbohrt. —ρίτολμος, ὁ, ἡ, (τόλμη) muthig im Kriege, eigentl. mit der Lanze fechtend.

Δορκάδειος, εία, ειον, von der δορκὰς genommen, oder darzu gehörig. —καδίζω, f. ίσω, hüpfen, springen wie eine δορκὰς. σφυγμὸς δορκαδίζων, wenn die Pulsader zweymal hintereinander ſchlägt.

Δορκάδιον, τὸ, eine kleine δορκάς. —καλὶς, ἡ, ſ. v. a. δορκάς. παίγνια δορκαλίδων Epigr. Silentiarii. 2) eine Peitſche aus Rehhaut. —κὰς, ἡ, u. δέρκος, ὁ, (δέρκω) ein hirſchartiges Thier mit ſchönen hellen Augen, welches man bald für ein Reh, bald für eine Gazellenart erklärt. Bey Aelian. H. A. 14, 14 iſt es *Antilope dorcas* Lin. Die Form δόρκων ſteht Cantic. Canticor. 2 δόρκος u. δορκὰς unterſcheidet Dioſc. 2, 85. —κη, ἡ, Eur. Herc. 376 ſ. v. a. δὸρξ.

Δὸρξ, κὸς, ἡ, ſ. v. a. δορκάς.

Δορόδοκος, ſ. v. a. δοκὸς. Harpocr. in στρωτήρ.

Δορὸς, ὁ, der lederne Schlauch, Sack; v. δέρω, δέδορα, δέρας, δορὸς.

Δορπέω, ῶ, zu Abend eſſen. —πη, ἡ, Abend; ſ. v. a. d. folgend. —πηστος, ὁ, u. δόρπιστος, ὁ, die Zeit des Abendeſſens, der Abend. —πία oder δόρπεια, ἡ, der erſte Tag des Feſtes ἀπατούρια, wo der Schmauſs δόρπος gegeben ward.

Δόρπιστος, ſ. v. a. δόρπηστος. —πον, το, od. δέρπος, Abendeſſen. Das Stammwort δέρπω (perf. δέδορπα) hat ſich nur noch in Φλογόδερπνοι ἄνθρακες bey Heſych. erhalten.

Δόρυ, gen. δόρατος u. δουρὸς. dat. δουρὶ u. δορὶ, Lanze, Speer, Spieſs; 2) bey den Dichtern, die einen Theil ſtatt des Ganzen ſetzen, Krieg. ſ. die obigen compoſita. Und ſo braucht ſelbſt Xen. Cyr. 7, 5. 35 δορυάλωτος v. einer eroberten (wie wir ſagen, mit dem Degen in der Hand eingenommenen) Stadt. 2) Holz, Balken, Schiff u. alles von Holz gemachte. S. δοῦρυ, δουράτειος. Dies ſcheint die erſte Bedeut. zu ſeyn.

Δορύαλος oder δορύλλος. S. δορίαλος. —ρυάλωτος, ὁ, ἡ, ſ. v. a. δοριάλωτος. —ρυβόλος, ὁ, ἡ, (βάλλω) Spieſs oder Lanzenwerfer. —ρυδρέπανον, τὸ, eig. Sichellanze oder Sichelſtange Dio C. 39, 43, was beym Caeſ. b. g. 3, 14. 5. *falx praeacuta* iſt. Plato Lach. erklärt es δρέπανον πρὸς λόγχῃ. —ρυθαρσὴς, έος, ὁ, ἡ, (θαρσέω) ſ. v. a. δορίτολμος. —ρ[illegible]ς, ἡ, όν, *hasta ſ. bello inclutus*, durch Krieg oder als Krieger berühmt. —ρύκνιον, τὸ, *dorycnium*, eine giftige Pflanze. —ρύκρανος, ὁ, ἡ, (δόρυ, κράνον) λόγχη bey Aeſchyl. Pr. 146 weil das Eiſen am Kopfe der Lanze iſt. —ρύκτητος, ὁ, ἡ, ſ. v. a. δορίκτητος. —ρύληπτος, ὁ, ἡ, ſ. v. a. δορίλ. —ρύμαχος, ὁ, ἡ, mit der Lanze ſtreitend, im allgem. kriegend, kriegeriſch; vergl. δορατομαχέω. —ρυμήστωρ, ωρος, ὁ, ſ. v. a. δοριμήστωρ. —ρύξενος, ὁ, ἡ, ein aus einem Feinde gewordener Gaſtfreund, od. auch ein wegen Auslöſung der Gefangenen abgeſchickter Geſandte. Sophocl. —ρυξόος, ὁ, und δορύξους, (ξέω) ein Lanzenpolirer, Lanzenmacher. —ρυπαγὴς, ὁ, ἡ, ſ. v. a. δουροπαγής. —ρυπετὴς, έος, ὁ, ἡ, ſ. v. a. δοριπ. —ρύπληκτος, ὁ, ἡ, ſ. v. a. δορίπληκτος. —ρυπτοίητος, ὁ, ἡ, (πτοιέω) durch die Lanze, d. i. durch die Schlacht beſtürzt, erſchreckt; feige. —ρύπυρος, ὁ, ἡ, bey Demetr. Phalar. 91 ἄστρων στρατὸν δορύπυρον wo die Handſchr. δορύπτερον u. δόριπτρον haben; zw. —ρυσθενὴς, έος, ὁ, ἡ, (σθένος) ſtarker Lanzenſchwinger. —ρυσσόος, ὁ, ἡ, (σόω) die Lanze ſchüttelnd oder ſchwingend. —ρύσσω, f. ξω, mit der Lanze ſtreiten, Soph. Aj. 1188 Eur. Heracl. 777. —ρυτίνακτος, ὁ, ἡ, (τινάσσω) mit der Lanze erſchüttert. —ρυτόμος, ὁ, ἡ, (τέμνω) holzſchneidend. —ρυφορέω, ῶ, ich bin ein δορυφόρος, od. ich begleite einen als Leibwache, decke, ſchütze ihn; m. d. dat. Polyb. 32, 23. überh. begleiten, beſchützen; dav. —ρυφόρημα, ατος, τὸ, der Dienſt der Leibwache; die Leibwache. —ρυφόρησις, εως, ἡ, das Begleiten oder Beſchützen der oder durch Leibwache. —ρυφορία, ἡ, ſ. v. a. δορυφόρημα und δορυφόρησις. —ρυφορικὸς, ἡ, όν, der oder zur Leibwache gehörig; δορυφορικὸν, τὸ, ſ. v. a. δορυφόροι, οἱ. —ρυφόρος, ὁ, ἡ, ein Lanzen- od. Speerträger, ein mit einer Lanze bewafneter Soldat, Xen. An. 5, 2. 4. *haſtatus*. Weil nun die Perſiſche Leibwache und die der andern Könige Speere trug; ſo iſt es überh. ein Soldat von der Leibwache.

Δοσείω δοσίδικος, ὁ, ἡ, das erſtere bey Heſych. ſt. δωσείω, das zweyte bey Polyb. 4, 3, 3. ſt. δωσίδικος. —σιληψία, ἡ, ſ. v. a. δωροληψία; zweif. —σις, εως, ἡ; (δόω δίδωμι) überh. das Geben; Gabe, Geſchenk. Bey Dionyſ. halic. kommt ποιεῖσθαι δόσιν τινὸς ſt. Φροντίδα vor p. 1008. 1103. 1112. So ſteht Compoſ. 4. πολλὴ ἦν αὐτοῖς ἐπίδοσις αὐτοῦ ſt. Φροντίς; aber zweif.

Δότειρα, ἡ, Geberin, femin. von —τὴρ, ῆρος, ὁ, od. δότης, ου, Geber; Ausgeber, Vertheiler, z. B. δ. δαπανημάτων, Xen. Cyr. 8, 1. 9. —τικὸς, ἡ, όν, zum geben geneigt, willig. —τὸς, ἡ, όν, gegeben; was gegeben werden kann.

Δουλαγωγέω, ῶ, ich bringe in die Sclaverey, mache zu Sclaven; auch ich behandle einen Sclaven, d. i. hart u. grauſam, wie παιδαγωγέω. —λαγωγὸς, ὁ, ἡ, der Menſchen raubt und zu Sclaven macht.

Δουλαπατία, ἡ, (ἀπατάω) Verführung oder Betrug eines Sclaven. Aristot. Nicom. 5, 5. —**λάριον**, τὸ, dimin. von δοῦλος. —**λεία**, ἡ, Sclaverey, Knechtschaft, Dienstbarkeit. —**λειος**, ὁ, ἡ, sclavisch, knechtisch. —**λευμα**, ατος, τὸ, (δουλεύω) ein Dienst. Eur. —**λευσις**, εως, ἡ, der Dienst eines Sclaven. —**λεύω**, f. εύσω, Sclave, od. Unterjochter, (Bürger in einem unterjochten Lande) oder Unterthan eines Despoten und Monarchen seyn, dienen; auch wie im lat. *servio*, *inservio*, τῷ καιρῷ, τῇ ἀνάγκῃ, sich nach der Zeit oder Gelegenheit richten, bequemen, schicken. —**λη**, ἡ, Sclavin, femin. von δοῦλος. —**λικὸς**, κὴ, κὸν, und δούλιος, ὁ, ἡ, s. v. a. δούλειος. Adv. δουλικῶς, sclavisch. —**λὶς**, ίδος, ἡ, s. v. a. δούλη. —**λιχόδειρος**, ὁ, ἡ, jonisch s. v. a. δολιχόδειρος. —**λόβοτος**, ὁ, ἡ, nach μηλόβοτος gebildet, οὐσία, ein dem Sclaven überlassenes, Preiss gegebenes Vermögen. Philostr. Soph. 1, 21, 4. —**λογνώμων**, ὁ, ἡ, (γνώμη) mit oder von Sclavensinne. —**λογράφιον**, τὸ, (γραφὴ Process, Klage) in den Pandect. Klage, wodurch man einen als Sclaven vindizirt. —**λοκρατέομαι**, ich werde von Sclaven beherrscht, Dio Cass. 60, 2. —**λοκρατία**, ἡ, Herrschaft der Sclaven. —**λοπρεπὴς**, έος, ὁ, ἡ, (πρέπω) einem Sclaven anständig, sclavisch, niedrig, d. Gegenth. ἐλευθέριος, wie *servilis* u. *liberalis*. Adv. δουλοπρεπῶς; davon δουλοπρέπεια, sclavischer Sinn, niedrige Denkungsart, d. Gegenth. μεγαλοψυχία beym Dio Cass. 51, 15.

Δοῦλος, ὁ, (δέω binden) Sclave, im Gegens. v. δεσπότης, mithin in despotischen und monarchischen Staaten Unterthan, Bürger in einem unterjochten Staate; dav. δουλότερος Μεσσηνίων ein grösserer Sclave als die Messenier. —**λοσύνη**, ἡ, Sclaverey; von —**λόσυνος**, ὁ, ἡ, sclavisch. —**λοσώματα**, τὰ, falsche Lesart bey Pollux 2, 255 st. δοῦλα σώματα. —**λοφανὴς**, έος, ὁ, ἡ, (φαίνομαι) von sclavischem Ansehen. —**λόφρων**, ὁ, ἡ, (φρὴν) s. v. a. δουλογνώμων. —**λόω**, ῶ, f. ώσω, zum Sclaven machen, unterjochen, ganz in seine Gewalt bringen; davon —**λωσις**, εως, ἡ, die Unterjochung.

Δουπέω, ῶ, (δοῦπος) tosen, Lärm machen; 2) act. erlegen; δουπήθησαν ἀολλέες, Anal. Brunk. 2 p. 148.

Δοῦπος, ὁ, das Getöse, dumpfer Wiederhall vom Gehen, Fallen, Rauschen des Meers. Hom.

Δοῦρα und δούρατα, τὰ, (δόρυ, mit langer Sylbe δοῦρυ dav. δούρατα, δούραα o. δοῦρα) Lanzen; 2) gefälltes Holz. —**ράτεος**, έα, εον, od. δούρειος, hölzern, Hom. Od. θ, 493. —**ρατόγλυφος**, ὁ, ἡ, Lycophr. 361. von Holz geschnitzt. —**ρηνεκὴς**, έος, ὁ, ἡ, davon δουρηνεκὲς beym Hom. so weit eine Lanze geworfen reicht, wie διηνεκὴς, von δόρυ, δοῦρυ. —**ρικλειτὸς**, ὁ, ἡ, oder δουρικλυτὸς, s. v. a. δορυκλυτὸς. —**ρίκτητος**, ὁ, ἡ, δουρίληπτος, ὁ, ἡ, und bey Aesch. Sept. 280. δουρίπληκτος, ὁ, ἡ, st. δορικτ. von λαμβάνω, κτάομαι, πλήττω, im Kriege erbeutet, erobert. —**ριος**, ία, ιον, s. v. a. δούρειος. —**ροδόκη**, u. δουροθήκη, s. v. a. δοροδόκη u. δοροθήκη. —**ροπαγὴς**, έος, ὁ, ἡ, (δόρυ, πήγνυμι) von Holz gebaut o. zusammengefugt. Opp.

Δοχαῖος, αία, αῖον, (δέχομαι) s. v. a. δοχὸς, aufnehmend, zum aufnehmen bestimmt. —**χεῖον**, τὸ, ein Ort zum Aufnehmen, Behälter. —**χεὺς**, έως, ὁ, ein Annehmer, der bewirthet. —**χὴ**, ἡ, Aufnahme; dah. beym Lukas 14, 13. ein Gastmahl.

Δοχμὴ, ἡ, s. v. a. σπιθαμὴ, die Spanne; so viel man mit ausgespanntem Daumen und kleinem Finger fassen (δέχεσθαι) kann; dav. —**μιος**, δοχμὸς, u. δοχμαϊκὸς, ὁ, ἡ, was in die Queere geht, *transversus*, wie die Spanne, δοχμὴ, über die Finger und Hand in die Queere geht; δοχμὰ und δόχμια, wie Adv. *oblique*; davon δόχμιος ποῦς, *pes dochmius* in der Prosodie, und δοχμαϊκὸν μέτρον s. v. a. πενθημιμερὲς aus 5 Sylben, zwey langen in der Mitte, bestehend. —**μολόφης**, ου, ὁ, o. δοχμόλοφος, ὁ, ἡ, b. Aeschyl. Sept. 115. ἀνδρῶν, δοχμολοφῶν, die den Federbusch auf der Seite stehend tragen; von λόφος. —**μὸς**, s. v. a. δόχμιος. —**μόω**, ῶ, f. ώσω, (δοχμὴ) ich biege, krümme auf die Seite, in die Queere.

Δοχὸς, ή, όν, (δέχομαι) fassend; bey Hesych. auch als subst. s. v. a. δοχεὺς und δοχεῖον.

Δράβη, ἡ, *draba*, eine Pflanze.

Δράγδην, Adv. von δράσσω, greifend, fassend; δράγδην χειρὶ ἔχοντες st. δράσσοντες Quint. Smyrn. 13, 91.

Δράγμα, ατος, τὸ, (δράσσω) das was man mit der Hand greifen, fassen kann. δράγμα χερὸς πλήσας, Nicand. Ther. 667. *capiens quantum manum impleat*; dah. eine Handvoll, *manipulus*, eine Gelte; auch ein Bündel Aehren, wie man sie aufliest und fasst, um sie in eine Garbe zu binden; auch die noch stehenden Aehren, die Saat δράγματα εὐθαλῆ Lucian. 8 p. 152. dav. —**ματολόγος**, ὁ, ἡ, (λέγω) der Garben oder Bündel lieset o. sammlet. —**μεύω**, u. δραγματεύω, f. εύσω, Il. 18, 555. Bündel machen u. in Bündeln denen, die Garben binden, zutragen, v. δράγμα. —**μὴ**, ἡ, s. v. a. δραγμὸς, auch eine Handvoll, auch s. v. a. δραχμή.

Δραγμὶς, ῖδος, ἡ, s. v. a. δρὰξ, u. δραχμίς. —μὸς, ὁ, von δράσσω, das Fassen, Greifen.

Δραθέω, ῶ, und ἔδραθον. S. δαρθέω.

Δραίνω, f. ανῶ, s. v. a. δράω, bey Hom. Il. 10, 96. s. v. a. δρασείω.

Δράκαινα, ης, ἡ, und δρακαινίς, ἡ, das femin. von δράκων. —κόντειος, εία, ειον, vom δράκων der Schlange, oder schlangenartig. —κοντίας, ου, ὁ, schlangenartig. ἡ δρακοντίας s. v. a. δρακοντεία. —κόντιον, τὸ, eine unbest. Pflanze wie *dracunculus*; eigentl. dim. v. δράκων. —κοντὶς, ἡ, b. Anton. lib. ein Vogel. —κοντογενὴς, έος, ὁ, ἡ, (γένος) von aus Schlangen gezeugt, entstanden. —κοντοέθειρα, ἡ, mit Schlangen statt der Haare. —κοντοειδὴς, ές, Adv. δρακοντοειδῶς, schlangenartig. —κοντολέτης, ου, ὁ, (ὀλέω ὄλλυμι) Schlangentödter. —κοντόμαλλος, ον, (μαλλὸς) mit Schlangenfell oder Haar; Aeschyl. Pr. 803. —κοντόμιμος, ὁ, ἡ, Schlangen nachahmend. —κοντόμορφος, ὁ, ἡ, (μορφὴ) mit von Schlangengestalt. —κοντόπαις, δος, ὁ, Schlangensohn. —κοντόπους, οδος, ὁ, ἡ, mit Schlangenfüßen oder Schlangen statt der Füße. —κοντοφόνος, ὁ, ἡ, Schlangentödtend. —κοντόφρουρος, ὁ, ἡ, (φρουρά) von Schlangen bewacht. —κοντώδης, εος, ὁ, ἡ, voll von Schlangen, oder s. v. a. δρακοντοειδής.

Δράκος, εος, τὸ, v. δέρκω, das Auge. Nicand. Alex. 488. —κων, οντος, ὁ, Schlange; vom scharfen Gesichte, δέρκω δρακω, δέρκω; überh. s. v. a. ὄφις auch als Arm od. Halsband; auch ein Meerfisch; d. femin. δράκαινα.

Δρᾶμα, ατος, τὸ, (δράω) eine That, Handlung; Aristot. Rhet. Alex. c. 32. dah. die Vorstellung einer That auf der Bühne; eine vom Dichter beschriebene u. nach gewissen Regeln der Darstellungskunst behandelte Handlung; ein Drama, theatralisches Gedicht, vorzügl. ein tragisches. —ματίζω, f. ίσω, ein Stück auf die Bühne bringen oder vorstellen; Diog. Laert. —ματικὸς, ἡ, ὸν, (δρᾶμα) Adv. δραματικῶς, dramatisch; zum Drama gehörig od. geschickt. —μάτιον, τὸ, dimin. v. δρᾶμα. —ματοποιέω, ῶ, Stücke vorzügl. tragische für die Bühne machen, schreiben; dav. —ματοποιΐα, ἡ, das Schreiben od. Verfertigen von Stücken für die Bühne; von —ματοποιὸς, ὁ, ἡ, (δρᾶμα ποιέω) der Dramen, Stücke, vorzügl. tragische für die Bühne macht, schreibt, vorstellt. —ματουργέω, ῶ, s. v. a. δραματοποιέω; dav. —ματούργημα, ατος, τὸ, ein dramatisches Stück. —ματουργία, ἡ, s. v. a. δραματοποιΐα. —ματουργὸς, ὁ, ἡ, s. v. a. δραματοποιός.

—μέω, ῶ, s. v. a. δρέμω oder τρέχω, davon δεδράμηκα σοι δρόμον, Menander im Etym. M. wo auch das abgeleitete δράμημα s. v. a. δρόμημα od. δρόμος steht.

Δρᾶνος, τὸ, (δράω, δραίνω) That, Handlung; Werk, Werkzeug, Kraft zu thun. Hesych.

Δρὰξ, ακὸς, ὁ, (δράσσω) wie *pugillus* von *pugnus*, Faust, Handvoll, so viel man mit einer Faust fassen kann; für die flache Hand die LXX Esai. 40, 12. Levit. 2, 2. 5, 2. 6, 15.

Δραπεταγωγὸς, ὁ, ἡ, (δραπέτης) der entflohene Sclaven wiederbringt. Athenae. 4 p. 161. —πέτευσις, εως, ἡ, das Entfliehn, Davonlaufen. Nic. Annal. 4, 2. von —πετεύω, f. εύσω, entfliehen, davon laufen; von —πέτης, ου, ὁ, fem. δραπέτις, ιδος, (δράω, διδράσκω) ein entlaufener Sclave, Flüchtling. —πετίδης, ὁ, s. v. a. d. vorherg. Moschus. —πετικὸς, ἡ, ὸν, Adv. δραπετικῶς, zum δραπέτης gehörig; θρίαμβος der Triumph über die flüchtigen Sclaven. Plut. 3 p. 17. R. —πετίνδα, ἡ, ein Spiel, wo man den Flüchtling δραπέτης nachahmt. —πετίσκος, ὁ, dimin. von δραπέτης. —πετοποιὸς, ὁ, ἡ, was einen Flüchtling oder fliehen macht.

Δρασείω, (δράω, f. δράσω) ich will thun, bin im Begriffe, habe Lust zu thun. —σιμος, ὁ, ἡ, (δράω) thätig.

Δρᾶσις, εως, ἡ, Handlung, That.

Δρασκάζω, f. άσω, s. v. a. δράσκω; wovon διδράσκω. Lys. Or. 9. —κασις, ἡ, bey Hesych. s. v. a. das folgd. Derselbe hat auch δρασκάτων, πανουργημάτων.

Δρασμὸς, ὁ, (δράω, διδράσκω) die Flucht.

Δράσσω, δράττω, f. ξω, gewöhnlicher das med. δράσσομαι, δράττομαι mit d. genit. ich greife, fasse.

Δραστὴρ, ῆρος, ὁ, δράστειρα, ἡ, jonisch δρηστὴρ, δρήστειρα, ἡ, (δράω) auch δράστης, ὁ, der thut, arbeitet, daher der Arbeiter, Sclave, Bediente; 2) unternehmend, thätig, Pindar. Pyth. 4, 511. wo das dorische δράστας steht; davon —τήριος, ία, ιον, s. v. a. δραστικός, thätig, unternehmend, wirksam, kräftig; davon —τηριότης, ἡ, Thätigkeit, Kraft und Muth im Unternehmen, Handeln. —της, s. v. a. δραστήρ. bey Hesych. auch s. v. a. δραπέτης; u. κόβαλος. —τικὸς, ἡ, ὸν, s. v. a. δραστήριος. —τοσύνη, ἡ, jon. δρηστοσύνη, s. v. a. δραστηριότης.

Δρατὸς, δρατὰ σώματα, Il. 23, 169. die abgezogenen Körper st. δαρτά; von δέρω.

Δραχμαῖος, αία, αῖον, (δραχμή) eine Drachme schwer oder geltend. —μη, ἡ, eine Drachme, ungefähr 1 bis 4 Gr.; 2) als medicinisches Gewicht 2 Unzen;

eigentlich ſo viel, als man mit den Fingern halten kann, als δρὰξ. Plut. Lyſ. 17.

Δραχμήιος, joniſch ſt. δραχμαῖος. —μιαῖος, αία, αῖον, von einer Drachme, oder einer Drachme werth. Plato Crat. 1. wofur ehemals bey Pollux 9, 60. δραχμίδιος ſtand. —μίον, τὸ, dimin. von δραχμή. —μὶς, ίδος, ἡ, ſ. v. a. δραγμὶς und δράξ.

Δράω, ῶ, fut. άσω, die einfache Form von δρῆμι, δραίνω, thun, handeln; 2) von δράσκω, διδράσκω, fliehen, entlaufen, davon δραπέτης; vielleicht von τρέω, wovon τρέμω, *tremo*, nur in der Ausſprache verſchieden, δράω, δρέω, τρέω; 3) von δράσσω, δράσσομαι, faſſen, greifen; wovon δράγμα, δραχμή.

Δρέμω, f. δραμῶ, aor. 2. ἔδραμον, δραμεῖν, perf. δέδρομα; davon δρόμος, ὁ, laufen.

Δρεπάνη, ἡ, ſ. v. a. δρέπανον. —πανηφόρος, ὁ, ἡ, ſicheltragend, mit Sicheln verſehn, als ἅρμα, Sichelwagen, *currus falcatus*. —πανὶς, ίδος, ἡ, (δρέπανον) die Erdſchwalbe od. Mauerſchwalbe, von den groſsen ſichelförmigen Flugeln, Simplicius ad Ariſtot. Phyſic. p. 108. b. ſagt: der Vogel hieſse auch κεγχρὶς und ἄπους, ὅτι μικροὺς καὶ φαύλους ἔχει πόδας: bey Heſych. ſteht δρεπανὶς, κέγχρος. —πανοειδὴς, έος, ὁ, ἡ, (εἶδος) ſichelförmig, ſichelartig; von —πανον, τὸ, (δρέπω) Sichel; krummes Meſſer, Schwerdt; davon —πανουργὸς, ὁ, ἡ, (ἔργον) Sichelſchmidt.

Δρεπτὸς, ἡ, ὸν, (δρέπω) gepflückt; zum pflücken.

Δρέπω, f. ψω, und δρέπομαι, brechen, abbrechen, abkneipen, abreiſsen, abſchneiden. Scheint mit δρύπω und δρύπτω einerley Urſprung zu haben, u. nur in der Form verſchieden zu ſeyn. δρέπω ſelbſt ſcheint v. δέρω, δείρω, δέρπω gemacht zu ſeyn, wie δέρκω, ἔδρακον, δράκω, δράκων, δρακέω, δράκημι. Von δέρω kommt ἔδαρον, ἔδαρην, δέδαρμαι, δαρτὸς u. verſetzt δρατὸς Il. ψ. 169. δρατὰ σώματα. Sonach bedeutet δρέπειν eigentl. die Haut, Schaale, Rinde abſtreifen oder abziehn; alsdann uberhaupt pflücken, abziehn, abbrechen, abſchneiden. Daher δρέπανον und δρεπάνη, das Winzermeſſer und die Senſe zum abmahen, beſchneiden. δρεπεῖς oder δρεπτεῖς, bey Heſych. u. Etym. ſ. v. a τρυγηταὶ, Mäher, Obſtſammler. δρεπτὸς gepflückt, gemäht. φίλημα δρεπτὸν eine Art von Kuſs. καὶ τὸ δρεπτὸν σκευωρεῖται παρὰ σοῦ φίλημα der Komiker Teleclides im Etym. δρέμμα ſ. v. a. κλάσμα bey Heſych. vom perf. δέδροπα δρόπις ſ. v. a. τρυγητὸς und δροπὰ ſ. v. a. δρεπτὰ aus Sophocl. bey Heſych. Bey Suidas in δρωπακίζω ſteht δρωπτὰ τὰ δρεπτὰ, τὰ δρέπανα, wo aber die Handſchr. von Stephanus richtiger δροπὰ hat. S. in δρύπτω.

Δρήθω. S. δαρθέω.

Δρησμοσύνη, ἡ, ſ. v. a. δρηστοσύνη, der Dienſt, *cultus*, Hym. Cer. 480.

Δρηστὴρ, δρήστειρα, δρηστοσύνη. S. δραστὴρ u. ſ. w. Diener, Dienerin, Dienſt.

Δριάω, (δρίον) ſ. v. a. θάλλω, χλοάζω.

Δρῖλος, ὁ, der Regenwurm; dav. δρίλαξ bey Heſych. der Blutigel; 2) das männl. Glied; dav. *drilopota*, Juvenal. 2, 95.

Δριμέως Adv. von —μύς. —μύλος, ὁ, ἡ, ein dimin. v. folgd. —μὺς, εῖα, ὺ, durchdringend, ſcharf, beiſsend, vorzüglich, z. B. vom Geſchmack, als ὄξος, wie das lat. *acris*. Daher übergetr. δριμὺς (κατὰ) βλέμμα Dio C. 62, 1 mit durchdringendem, ſcharfen, heftigen Blicke; u. eben ſo δριμύ τινι ἐνιδεῖν, einen ſcharf, zornig, wild anſehn, Dio C. 59, 26. δ. (κατὰ) ψυχὴν, v. ſcharfem durchdringenden Geiſte; auch hitzig, zornig. —μύσσω, durch einen ſcharfen pikanten Geſchmack oder Saft reizen; bey Gregor. und Nicetas Annal. 20, 5. welcher 16, 4 metaph. δριμύσσονται δυσκολαίνοντες hat. Das compoſ. παραδριμύττειν zum Zorne reizen hat Theophyl. Simocatta hiſtor. 2 K. 11. —μύτης, ητος, ἡ, Scharfe, z. B. des Geſchmacks, des Verſtandes, Klugheit, Verſchlagenheit; der Behandlung; auch in der Anlage des Verſtandes, δριμύτης πρὸς τὰ μαθήματα Plato Reſp. 7 p. 169 *acre ad diſcendas artes ingenium* ein durchdringender und leicht faſſender Verſtand. —μυφαγία, ἡ, das Eſſen ſcharfer Speiſen. —μυφάγος, ὁ, ἡ, der gerne ſcharfe Speiſen iſst.

Δρίον, τὸ, und δρίος, εος, τὸ, Buſch, Wald.

Δροίτη, ἡ, hölzerne Badewanne; 2) Sarg.

Δρομάδην, Adv. im Laufe v. δρομάω. —μαῖος, αία, αῖον, Adv. δρομαίως laufend, im Laufe; geſchwind. —μὰς, άδος, laufend, herumlaufend. κάμηλος, ἑταίρα; bey Eur. Or. 834 δρομάσι βλεφάροις; alſo iſt δρομὰς, ὁ, und ἡ, wie μανιὰς, ὁ, ἡ. —μάσσω, ſ. v. a. τρέχω bey Heſych. welcher auch δρομίσσω in δρυμ. hat; desgleich. δρυμάσσω und ἐσδραμύλιξον, εἴσδραμε. wenn es nicht ἐσδρόμυ. heiſsen ſoll. —μάω, ῶ, wovon δρομάασκε Heſiod. fragm. Ruhnk. p. 108. ſ. v. a. τρέχω; von δρόμος. S. δρομάσσω. —μεὺς, έως, ὁ, Läufer. —μημα, ατος, τὸ, der Lauf. —μικὸς, ἡ, ὸν, Adv. δρομικῶς, gut zum laufen, ſchnell laufend. —μοκήρυξ, υκος, ὁ, ein laufender Herold, Eilbote. Dio C. 78, 35. —μος, ὁ, das Laufen, der Lauf; das Entlaufen, Entfliehen; Laufbahn, als

δρόμῳ oder δρομικῷ ἀγωνίζεσθαι, wettrennen.

Δρόμων, ονος, ὁ, *dromo*, der Läufer; eine Art von Meerkrebs.

Δροσερὸς ρὰ, ρὸν, (δρόσος) bethaut; thauigt; alſo weich, zart. —σίζω, f. ίσω, bethauen, beſprengen; dem Thau ausſetzen; im Etym. M. iſt die Form δροσόω in demſelben Sinne. —σιμος, ſ. v. a. δροσερὸς Plut. 9 p. 633. —σοβολέω, ῶ, Thau werfen, thauen, bethauen; Plutarch. 8 p. 616. R. v. —σοβόλος, ὁ, ἡ, (βάλλω) bethauend, thauend; als ἀήρ. —σοείμων, ὁ, ἡ, mit Thau bekleidet; v. εἷμα das Kleid. —σόεις, όεσσα, όεν, ſ. v. a. δροσερὸς. —σόμελι, ιτος, τὸ, Honigthau. —σοπάχνη, ἡ, Reifthau; Ariſtot. d. mundo 4. —σος, ἡ, Thau; 2) was weich und zart wie Thau iſt; daher Aeſchyl. Ag. 145 neugeborne, junge Thiere δρόσους nennt, wie Homer ἕρσας. —σοφόρος, ὁ, ἡ, (φέρω) thaubringend, thauend. —σώδης, εος, ὁ, ἡ, thauartig.

Δρύακες, αἱ, bey Hesych. ſ. v. a. δρύοχοι Bey Plutarch. fort. rom. p. 274 ſteht dafür ἐκ δρυάδων. —άριον, τὸ, dimin. von δρῦς. —ὰς, άδος, ἡ, Baumnymphe; Dryade.

Δρυΐνος, ΐνη, ϊνον, von Eichen gemacht. —ΐτης, ου, ὁ, eine Steinart; von δρῦς.

Δρύκαρπον, τὸ, Lycophr. 83. ſ. v. a. ἀκρόδρυα. —κολάπτης, ου, ὁ, ſ. δρυοκολ. Ariſtoph. Av. 979.

Δρυμάζω und δρυμάσσω. S. in δρύπτω. —μὸς, ὁ, od. δρυμὸν, τὸ, Eichenwald, Polyb. 2, 14. jeder Wald. —μώδης, εος, ὁ, ἡ, waldig. —μὼν, ῶνος, ὁ, ſ. v. a. δριμὸς. Opp. Cyn. 2, 78. —οβάλανος, ἡ, (δρῦς) Eichel; von der Eiche. —οβαφὴς, έος, ὁ, ἡ, mit Eichenrinde gefärbt. Hesych. —όγονος, ὁ, ἡ, von der Eiche gezeugt oder entſtanden. —οκοίτης, ου, ὁ, (κοίτη) in der Eiche oder jedem Baume wohnend oder ruhend. —οκολάπτης, ου, ὁ, (κολάπτω) Baumhacker, Specht. —οκόπος, ὁ, ἡ, (κόπτω) der Bäume haut, abhaut; auch ſ. v. a. das vorherg. —οπαγὴς, έος, ὁ, ἡ, (πήγνυμι) von Eichen zuſammengefügt oder gemacht; στύλος δρ. bey Soph. ein hölzerner Nagel. —οπτερὶς, ίδος, ἡ, eine Art von Farrenkraut. —οτομία, ἡ, (τέμνω) das Hauen, Schlagen von Eichen, überh. Holz; σπάνις δρυοτομίας, Plato Leg. 3 p. 110. Mangel an geſchlagenem Holze. —οτομικὴ, ἡ, verſt. τέχνη oder ἐργασία, Kunſt Holz zu fällen oder zu ſchneiden. —οτόμος, ὁ, ἡ, der, die Holz hauet oder ſchneidet. —οχος, ὁ, (δρῦς, ἔχω) in der Odyſſ. das Loch in der Axt, worein der Stiel kommt; 2) δρύοχοι, die Grundlage am Schiffskiele, womit alles übrige Holzwerk verbunden iſt, Apollon. Rh. 1, 723. δριόχους ἐπεβάλλετο νηὸς. Polyb. 1 ἐκ δρυόχων ναυπηγεῖσθαι σκάφη ganz neue Schiffe bauen; daher metaph. Grundlage, Anlage. Ariſtoph. Thesm. δρ. τιθέναι δράματος. Athenae 5 p. 209 πῶς δὲ κατὰ δρυόχων ἐπάγη σανίς. Hesych. hat in dem Sinne auch δρύακες. Hingegen erklärt Procop. bell. Gothic. 4, 22 δρυόχους und νομέας für eins, und ſagt, es ſeyen die Krummhölzer, die gebogen auf jeder Seite des Schiffs in die τρόπις gefügt, den Bauch des Schiffs machen, und worauf die σανὶς liegt; 3) ſ. v. a. δρυμὸς, Eur. Electr. 1163. und Anthol.

Δρυπεπὴς, έος, ὁ, ἡ, (δρῦς, πέπτω) auch δρυπετὴς, ὁ, ἡ, (δρῦς, πίπτω, πέτω) von reifen Baumfrüchten, die ſelbſt abfallen (δρυπετὴς) oder die auf dem Baume reifen; vorzügl. von Oliven; auch von andern weichen Dingen, μᾶζαι δρυπετεῖς; ferner δρυπετεῖς ἑταῖραι, verbluhete Kourtiſanen. Die Schreibart δρυπεπὴς ſcheint in ſo fern richtiger zu ſeyn, weil daraus δρύππα ἐφολκὶς im Epigr. des Phanias, u. ἀλίπαστον δρύππαν und das lat. *druppa* gemacht iſt. —πεπὴς, έος, ὁ, ἡ, ſ. δρυπεπὴς. —πὶς, ίδος, ἡ, eine Art von Dornſtrauch. S. in δρύπτω.

Δρύππα, ἡ, ſ. δρυπεπὴς.

Δρύπτω, f. ψω, ich kratze, ritze, zerkratze, verwunde durch Ritzen oder Kratzen; nach Hesych. καταξῦσαι, ξέσαι, σπαράττειν; daher δρύπτομαι παρειὰν ſich im groſsen Schmerze die Wangen zerkratzen und zerfleiſchen. Eur. Hec. 652. Das fut. δρύψω perf. δέδρυφα; davon δρύφος, τὸ, bey Suidas τὸ ξέσμα, bey Hesych. δρυφοὶ, ξέσματα alſo δρύφος, ὁ, u. δρυφὴ, ἀμυχὴ, καταξυσμὸς, noch δρυφὰς άδος, ἡ, die vom kratzen verurſachte Schwiele oder Schmerz bey Hesych.; davon hat er das Wort δρύφω in δρυφόμενοι für φθειρόμενοι und δρύφειν im unzüchtigen Sinne für περαίνειν. bey Homer ἀποδρύφω. Von δρυφὴ hat Hesych. δρυφάζω u. δρυφάξαι für δακεῖν. Hieher gehört noch die Pflanze mit ſtachlichten Blättern δρυπὶς Theophr. h. pl. 1, 16. und δρύψελον bey Parthenius ſ. v. a. λέμμα, ψίλωσις u. φύλλον, die abgeſchälte Rinde, oder das Blatt, im Etymol. M. Bey Hesych iſt δρύψωπαις ſ. v. a. λαμπρὰ, ἁπαλόπαις und ἐλεεινὸς, im Etym. M. p. 668 ſ. v. a. κατεσπαραγμένας ταῖς. Eben ſo hat Hesych. δρυψογέροντας für τοὺς ἀτόπους πρεσβύτας καὶ οἱονεὶ ἀτίμους. Von dieſem δρύπτω perf. paſſiv. δέδρυμμαι leitet das Etymol. M. richtig ab δρυμάζω, δρυμάσσω d. i. σπαράττω. Hesych ſagt in δρυμάξεις ebenfalls, daſs es eigentlich ſ. v. a. σπαῥάττω, und auch τὸ τύπτειν ξύλοις ſey, aber auch vom Beyſchlafe gebraucht werde; welches Pollux 5, 93 beſtätiget; und eben ſo wird nach Heſych. δρύφειν für περαίνειν gebraucht. Daher ἀδρύμακτον καθαρὸν bey Heſych. Derſelbe hat auch ἐδρίμαξεν, ἔθραυσεν, ἔσφαξεν. Das Stammwort iſt δρύπω, welches nur eine andre Form von δρέπω zu ſeyn ſcheint. S. in δρέπω. Auch ſcheint man auſser δρέπω u. δρύπω noch δρόπω u. δρώπω gehabt zu haben; davon Heſych. δρώπτειν, für διακόπτειν aus Aeſchylus, u. δρὼψ ingl. δρώπτης für ἀλήτης, πτωχὸς, vorher aber δρύπτην in derſelben Bed. hat; bey Suid. ſteht δρώπης. Von δρώπω δρώπτω ſcheint δρῶπαξ zu kommen, ein Pechpflaſter, womit man die Haare auszieht.

Δρῦς, δρυὸς, ἡ, Eiche; Eicheltragender Baum; 2) jeder eſsbare Früchte tragende Baum; oder auch jeder Baum von feſtem Holze.

Δρυφάζω, δρύφος, τὸ, δρύφω, δρύψελον, δρυψογέρων, δρυψόπαις. S. in δρύπτω. —φακτον, τὸ, u. δρύφακτος, ὁ, andere ſchreiben δρύφρακτον und leiten es von δρῦς, φράσσω her; jene Form kommt von δρυφάσσω her, bedeutet Einſchluſs, Befriedigung, Schranken, *cancelli*; davon —φακτόω, ῶ, f. ώσω, einzäunen; davon —φάκτωμα, ατος, τὸ, das eingezäunte, eingeſchloſſener Platz. —φὰς, άδος, ἡ. S. in δρύπτω. —φάσσω, bey Lycophr. 758 δεδρυφαγμένον beſchützt, bedeckt; davon kann δρύφακτον abgeleitet werden. —φὴ, und δρύψις, ἡ, (δρύπτω) das Zerkratzen.

Δρυώδης, εος, ὁ, ἡ, eichenartig.

Δρωπακίζω, f. ίσω, mit einem Pechpflaſter die Haare ausziehn; davon —πακισμὸς, ὁ, das Ausziehen der Haare mit Pechpflaſter; von —παξ, ακος, ὁ, Pechpflaſter zum Ausziehn der Haare. S. in δρύπτω.

Δυαδικὸς, ἡ, ὸν, z. B. ἀριθμὸς, *numerus dualis*, Doppelzahl, zweyfache Zahl. —άζω, f. άσω, zweifeln. S. δοάζω. δυάζομαι, *coëo*, ich paare mich; bey Nicetas Annal. 10, 6. doppelt oder zwiefach ſeyn. —ὰς, άδος, ἡ, Zweyheit. —ασμὸς, ὁ, (δυάζω) Beyſchlaf, Paarung. —άω, ῶ, unglücklich machen, ins Unglück ſtürzen, Odyſſ. υ. 195. Heſych erklärt es auch κακόω und δυη das Stammwort d. κάκωσις.

Δυερὸς, ρὰ, ρὸν, (δύη) unglücklich, elend; 2) act. unglücklich machend; Heſych. erkl. es d. ἐπίπονος u. τολμηρὸς Suidas d. βλαβερὸς; ohne Beyſpiel.

Δύη, ἡ, Unglück, Elend, Hom. Od. 14, 215. Schmerz, Soph. Ajac. 956. Uebel; die alten Grammat. leiten es v. δύω δύνω ab. —ηπάθεια, u. δυηπαθία, ἡ, (πάσχω) das Dulden, Erdulden von Unglück; Elend. —ηπαθὴς, έος, ὁ, ἡ, Unglück duldend; elend.

Δυθμὴ, ἡ, doriſch ſt. δυσμή. Callim. Cerer. 10.

Δυϊκὸς, ἡ, ὸν, ſ. v. a. δυαδικὸς von zweyen oder zu zweyen gehörig.

Δῦμι, ſ. v. a. δύω u. δύνω.

Δύναμαι, f. νήσομαι, vermögen, können, vermögend ſeyn, ſey es, worin es wolle (ſ. δύναμις u. δυνατὸς), gelten, bedeuten, werth ſeyn, auch in der Bedeutung v. Münzen, z. B. Xen. An. 1, 5. 6 ὁ σίγλος δύναται ἑπτὰ ὀβόλους καὶ ἡμιοβόλιον. davon δύνασαι, contr. δύνη u. joniſch δύνεαι futur. δυνήσομαι, Aor. 1. ἐδυνάσθην; von δυνάω, δύνημι medium δύναμαι; von der Form δυνάζω iſt δυνάστης gemacht. —ναμικὸς, ἡ, ὸν, vermögend, viel wirkend; mächtig. —ναμις, εως, ἡ, Vermögen, beſtehe es z. B. 1) in der Stärke des Körpers, od. 2) der Geſchicklichkeit des Geiſtes; 3) eigenem Vermögen od. groſsem Anhange (*potentia* u. *opes*); 4) einem obrigkeitlichen Amte, od. 5) wenn vom Kriege die Rede iſt, in einem Heere, Truppen (in ſing. u. plur.) Auch heiſst δ. τοῦ ὀνόματος beym Dio C. 55, 3 Gültigkeit, d. i. Bedeutung des Wortes, ſo wie vorher δύναμαι in der ähnlichen Bedeutung vom Gelten der Münzen: *verba valent ſicut nummi.* —ναμοποιὸς, ὁ, ἡ, mächtig machend; zweif. —ναμόω, ῶ, f. ώσω, mächtig, ſtark machen; zw. —νασις, ἡ, Macht. Eur. Andr. 483. —ναστεία, ἡ, Macht, obrigkeitliches Amt, Oberherrſchaft. S. δυνάστης. —ναστεύω, f. εύσω, ich bin ein δυνάστης, od. ein Mächtiger, der viel vermag, weil er viel Anhang hat; od. durch ſeinen Rang und Stand, ein Vornehmer, ein Edler; durch ſein Amt und Würde, ein Oberherr, Regent; Deſpot; herrſche, regiere. —νάστης, ου, ὁ, ſ. δυναστεύω, Herrſcher, Regent, Deſpot. —ναστικὸς, ἡ, ὸν, dem oder zum δυνάστης oder auch zur δυναστεια gehörig; eigen, angemeſſen; deſpotiſch und dergl. —νάστις, ιδος, ἡ, femin. v. δυνάστης. —νάστωρ, ορος, ὁ, ſ. v. a. δυνάστης; poet. —νατέω, ῶ, ich bin vermögend od. mächtig. im N. T. das compoſ. ἀδυνατέω ich kann oder vermag nicht, iſt auch bey alten Schr. gebr. —νατὸς, ἡ, ὸν, vermögend, z. B. τῷ σώματι, d. i. ſtark; am Geiſte, d. i. geſchickt, ſ. Xen. Mem. 4, 2. 6. mächtig durch Vermögen u. Anhang. paſſ. möglich. Das Adv. δυνατῶς ſ. v. a. *valide*, *valde*, auch ſ. v. a. πάνυ, ſehr, *valde*, doch nur bey den LXX. die einzige zweifelh. Stelle Xenoph. Anab. 1, 9, 27. ausgenommen, wo einige Handſchr. σπάνιος δυνατῶν ſt. σπάἐν haben. τὴν δυνατὴν wie Adv. nach Möglichkeit. Dionyſ. Antiq. 7, 15.

Δυνηρὸς, ρὰ, ρὸν, vermögend, mächtig. Baſil.

Δύνω, f. δύσω. S. δύω.

Δύο, zwey; Genit. δυοῖν u. δυεῖν. dat δυσὶ; aber es wird auch als indeclinabile gefunden; z. B. τοῖς δύο Aelian. v. h. 3, 9. —ογὸν, τὸ, nach der alten Ausſprache ſt. ζυγὸν bey Plato. Cratyl. 31. —όδεκα, οἱ, αἱ, τὰ, zwölf. —οδεκάμηνος, ὁ, ἡ, von zwölf Monaten. —οδεκαταῖος, am zwölften Tage. —οειδὴς, ὁ, ἡ, (εἶδος) von zweyerley Geſtalt oder Art. —οῖ, δυῶν, δυοῖς, δυοὺς, joniſch ſt. δύο od. δύω. —οκαίδεκα, zwölf. —οκαιδεκάμηνος, ſ. v. a. δυοδεκάμηνος. —οκαιδεκὰς, άδος, ἡ, die Zahl zwölf; davon δυοκαιδέκατος, der zwölfte. —οστὸς, der zweyte. —οτοκέω, ῶ, d. i. δύο τίκτω.

Δύπτης, ου, ὁ, ein Taucher; von —πτω; f. ψω, tauchen, untertauchen; active u. neutr. ſ. v. a. δύω. S. in δύω.

Δύρομαι, ſt. ὀδύρομαι hat Heſych u. Eur. Hec. 730.

Δὺς, bedeutet in der compoſ. als partic. inſep. das widrige, ſchwere, läſtige, alſo bey Guten das Gegentheil, wie das deutſche un und miſs, wie Unmuth, Miſsmuth, δύσθυμος u. dergl. bey Böſen eine Verſtärkung. Folgende nur in allzu groſser Menge geſammelte Beyſpiele zeigen dies deutlich. Wo die ſimplicia nicht verändert ſind, hat man ſie nicht unnütz wiederholen wollen.

Δυσαγνος, ὁ, ἡ, unrein, unkenſch. —αγρέω, ῶ, im fangen, jagen unglücklich ſeyn. —άγρης, ὁ, unglücklich im Fange, ἄγρα, Oppian. H. 3, 272. —αγρία, ἡ, unglücklicher Fang, Jagd. u. ſ. w. —αγωγὸς, ὁ, ἡ, (ἀγωγὴ) ſchwer zu leiten, zu regieren, zu lenken. —άγων, (δὺς, ἀγὼν) στρατηγίαι πολύπονοι καὶ δυσάγωνες, mühſames mit vielen Kampfen verbundenes Kommando. Plut. Timol. —άδελφος, ὁ, ἡ, unglücklich in, mit ſeinen Brüdern oder durch ſ. Br. zw. —αερία, ἡ, (ἀὴρ) widrige, ungeſunde Luft; dunkle Witterung; Strabo 4 p. 279. —άερος, ὁ, ἡ, von ungeſunder Luft, ungeſund. —αὴς, έος, ὁ, ἡ, (ἄημι) heftig, widrig wehend, tobend. —άθλιος, ὁ, ἡ, höchſtelend. —αίακτος, ὁ, ἡ, (αἰάζω) ſehr bejammert oder ſehr bejammernswürdig oder ſchmerzlich; act. ſchwer, d. i. nicht leicht klagend, unempfindlich, ſo wie illacrymabilis beym Horat. Carm. 2, 14. 6. —αιανὴς, έος, ὁ, ἡ, (αἰανὴς) ſ. v. a. d. vorh. zw. —αίνητος, ὁ, ἡ, (αἰνέω) unbelobt, von böſem Rufe, berüchtigt. —αίρετος, ὁ, ἡ, (αἱρέω) ſchwer einzunehmen; zu bekommen, zu nehmen. —αισθησία, ἡ, (αἴσθησις) Unempfindlichkeit, Stumpfheit der Sinne. —αίσθητος, ὁ, ἡ, an den Sinnen ſtumpf; unempfindlich. —αίων, ωνος, ὁ, ἡ, (αἰὼν) unglücklich lebend. —αλγὴς, έος, ὁ, ἡ, u. δυσάλγητος, ὁ, ἡ, (ἀλγέω) ſchwer, heftig ſchmerzend; heftigen Schmerz leidend; gegen Schmerz unempfindlich; abgehärtet. —αλθὴς, έος, ὁ, ἡ, u. δυσάλθητος, ὁ, ἡ, (ἀλθέω) ſchwer zu heilen; unheilbar. —άλιος, ὁ, ἡ, Eur. Rheſ. 247 falſch ſt. δυσάνιος, d. i. δυσήνιος. —αλλοίωτος, ὁ, ἡ, (ἀλλοιόω) ſchwer zu ändern. —άλυκτος, ὁ, ἡ, (ἀλύσκω) ſchwer zu vermeiden, dem man nicht entgehen kann. —άλωτος, ὁ, ἡ, ſchwer einzunehmen, oder zu erobern; von einem Menſchen, ſchwer zu beſtechen. —άμβατος, ὁ, ἡ, (ἀμβαίνω ſt. ἀναβ.) ſchwer zu erſteigen. —άμοιρος, ὁ, ἡ, (bey Heſych.) u. δυσάμμορος, ὁ, ἡ, ſ. v. a. δύσμορος. Il. 22, 428. —ανάβατος, ὁ, ἡ; ſ. v. a. δυσάμβατος. —αναβίβαστος, ὁ, ἡ, (ἀναβιβάζω) ſchwer hinauf oder auch zu etwas zu bringen; zweif. —αναβλαστέω, ῶ, ſchwer aufkeimen oder wachſen, Plutar. 8 p. 746. R. zw. —ανάγωγος, ὁ, ἡ, ſchwer heraufzubringen (aus der Bruſt) ſchwer auszuwerfen, opp. εὐανάγωγος, auch ſ. v. a. δυσχερής, ἀπειθὴς, bey Suid. —ανάδοτος, ὁ, ἡ, (ἀναδίδωμι) ſchwer zu vertheilen oder zu verdauen. —αναθυμίατος, ὁ, ἡ, τροφὴ, Artemidor. 1 c. 1. Speiſe die nicht ausgedampft hat, ſchwer ausdampft. —ανάκλητος, ὁ, ἡ, (ἀνακαλέω) ſchwer zurückzurufen, abzuhalten, abzubringen. —ανακόμιστος, ὁ, ἡ, (ἀνακομίζω) ſchwer zurückzubringen, herzuſtellen, zu retten; zu erheben. Plutar. Rom. 27. —ανάκρατος, ὁ, ἡ, (ἀνακεράννυμι) ſchwer zu vermiſchen. —ανάλγητος, ὁ, ἡ, ſ. v. a. δυσάλγητος. zw. —ανάληπτος, ὁ, ἡ, (ἀναλαμβάνω) ſchwer wieder zu ſich zu bringen, zu erquicken oder ſtärken. ἀῤῥωστία, von der man ſich ſchwer erholt Julian. Or. 6. —ανάλυτος, ὁ, ἡ, (ἀναλύω) ſchwer aufzulöſen. —ανάλωτος, ὁ, ἡ, (ἀναλίσκω) ſchwer zu verthun, zu verzehren od. aufzureiben. —ανάπειστος, ὁ, ἡ, (ἀναπείθω) ſchwer zu überreden, überzeugen. Plato Parm. 7. —ανάπλους, ουν, (ἀναπλέω) ſchwer herauſzuſchiffen. zw. —ανάπλωτος, ὁ, ἡ, ſchwer herauf oder herüber zu ſchiffen. zw. —ανάπνευστος, ὁ, ἡ, (ἀναπνέω) ſchwer athmend. —ανάπορος, ὁ, ἡ, ſchwer herüberzugehen; zw. —ανάσφαλτος, ον, (ἀνασφάλλω) ſchwer von einem Falle, einer Krankheit aufſtehend, ſich erholend.

Δυσανασχετέω, ῶ, (ἀνασχετὸν) eine Begegnung oder Behandlung unerträglich finden, alſo böſe, unwillig werden, zürnen. mit dem acc. mit ἐπί τινι od. πρός τι. auch aus Unwillen verachten oder nicht wollen mit folgend. infin. —**ανάσχετος**, ὁ, ἡ, ſchwer zu ertragen, unerträglich, act. unwillig, δυσανασχέτως ἔχω, ſ. v. a. δυσανασχετέω. —**ανάτρεπτος**, ὁ, ἡ, (ἀνατρέπω) ſchwer umzukehren, umzuſtoſsen. —**αναφορικὸς**, ἡ, ὸν, (ἀναφέρω) ſchwer heraufholend, ſchwer auswerfend; ſchwer ſich erholend. Heſych. —**άνεκτος**, ὁ, ἡ, ſ. v. a. δυσανάσχετος. —**ανθὴς**, έος, ὁ, ἡ, ſchwer blühend. Pollux 1, 231. —**ανιάω**, ῶ, Plut. Conſ. p. 404. Reisk. τὶ τὸ χαλεπόν ἐστι καὶ τὸ δυσανιῶν ἐν τῷ τεθνάναι, das was ängſtiget oder traurig macht. zw. —**άνιος**, ὁ, ἡ, (ἀνία) höchſt betrübt; niedergeſchlagen, miſsvergnügt, murriſch; ungeduldig; wird auch δυσήνιος geſchrieben. —**άνοδος**, ὁ, ἡ, ſchwer anzukommen, zu erſteigen. —**άνολβος**, ὁ, ἡ, höchſt unglücklich. Empedocl. bey Clemens Strom. 3 p. 516. —**ανταγώνιστος**, ὁ, ἡ, ſchwer vom Gegner zu bekämpfen. —**άντης**, εως, ὁ, ἡ, ſ. v. a. d. folgend. Opp. Cyn. 3. δυσπρόσιτος bey Heſych. —**άντητος**, ὁ, ἡ, (ἀντάω) dem man ungern oder mit einer übeln Ahndung, Vorbedeutung begegnet, antrifft. θέαμα Lucian. mit ἀχθεινὸς verbindet es Plut. alſo böſe, unangenehm, läſtig, ſchwer, feindlich, widrig; oppoſ. εὐάντητος. —**αντίβλεπτος**, ὁ, ἡ, (ἀντιβλέπω) dem man nicht leicht entgegen ſehn kann, den man mit Furcht nur anſehn kann; mit dem man ſich nicht leicht vergleichen kann. Philoſtr. Icon. 3. Praef. —**αντίλεκτος**, ὁ, ἡ, (ἀντιλέγω) ſchwer zu widerſprechen, zu widerſtehen. —**αντίῤῥητος**, ὁ, ἡ, (ἀντιῤῥέω) Adv. δυσαντιῤῥήτως, ſ. v. a. d. vorherg. —**αντοφθάλμητος**, ὁ, ἡ, (ἀντοφθαλμέω) ſ. v. a. δυσαντίβλεπτος. —**άνωρ**, ορος, ὁ, (ἀνήρ) γάμος, Aeſch. v. o. mit einem unglücklich gewählten Manne. —**αξίωτος**, ον, (ἀξιόω) ſchwer zu erbitten, zw. —**απάλειπτος**, ον, (ἀπαλείφω) ſchwer weg- od. auszuwiſchen. —**απαλλακτία**, ἡ, die Schwierigkeit ſich wovon los zu machen. Plat. Phileb. c. 28. —**απάλλακτος**, ὁ, ἡ, Adv. δυσαπαλλάκτως, (ἀπαλλάσσω) wovon man ſich nicht leicht los machen oder befreyen kann. —**απάντητος**, ὁ, ἡ, ſ. v. a. δυσάντητος. —**απάτητος**, ὁ, ἡ, (ἀπατάω) ſchwer zu hintergehn, täuſchen, betrügen. —**απιστέω**, ῶ, kaum zweifeln, gern glauben; zweif. —**απόδεικτος**, ὁ, ἡ, (ἀποδείκνυμι) ſchwer zu beweiſen. —**αποδίδακτος**, ὁ, ἡ, (ἀποδιδάσκω) ſchwer abzugewöhnen, ſchwer zu verlernen. —**αποκατάστασις**, εως, ἡ, die Schwierigkeit der völligen Wiederherſtellung in den vorigen Zuſtand; Erotian erklärt damit des Hippocr. δυσθεσίη. —**απόκριτος**, ὁ, ἡ, Adv. δυσαποκρίτως, (ἀποκρίνομαι) ſchwer zu beantworten. Lucian. —**απολόγητος**, ὁ, ἡ, (ἀπολογέομαι) ſchwer zu vertheidigen, oder zu entſchuldigen. —**απόλυτος**, ὁ, ἡ, Adv. —λύτως, (ἀπολύω) ſchwer abzulöſen, zu trennen, loszumachen. —**απόνιπτος**, ὁ, ἡ, (ἀπονίπτω) ſchwer abzuwaſchen. —**απόπαυστος**, ὁ, ἡ, Adv. δυσαποπαύστως, (ἀποπαύω) kaum zu endigen od. ſtillen. Aeſop. —**απόπλυτος**, ὁ, ἡ, (ἀποπλύνω) ſchwer ab- od. auszuſpülen. —**απόπτωτος**, ὁ, ἡ, (ἀποπίπτω) ſchwer od. nicht leicht abfallend. Theophr. C. pl. 1, 12. —**απόῤῥυπτος**, ὁ, ἡ, (ἀποῤῥύπτω) ſchwer auszuwaſchen. —**απόσπαστος**, ὁ, ἡ, Adv. —στως, (ἀποσπάω) ſchwer abzureiſsen, zu trennen. —**αποτέλεστος**, ὁ, ἡ, (ἀποτελέω) ſchwer zu endigen od. zu Stande zu bringen, zu bewirken. —**απότρεπτος**, ὁ, ἡ, (ἀποτρέπω) ſchwer abzubringen, abzuwenden, abzuhalten. —**απότριπτος**, ὁ, ἡ, (ἀποτρίβομαι) ſchwer zu vertreiben, oder von ſich zu entfernen. —**άπουλος**, ὁ, ἡ, o. δυσαπούλωτος, (ἀπουλόω) ſchwer zu vernarben. —**αρέσκομαι**, ſ. v. a. ἀπαρέσκομαι. Heſych. —**άρεσκος**, ὁ, nicht gefallend, nicht einnehmend. Athenae. 6. —**αρεστέω**, ῶ, οῦμαι, τινὶ mit einer Sache über eine Sache miſsvergnügt, unzufrieden, unwillig ſeyn oder werden; davon —**αρέστησις**, εως, ἡ, Miſsvergnügen, Unzufriedenheit, Unwillen; Miſsbehagen, Unbehaglichkeit. —**άρεστος**, ὁ, ἡ, Adv. —στως, (ἀρέσκω) miſsvergnügt, unzufrieden, unwillig; miſsbehaglich, unbehaglich. —**αρίθμητος**, ὁ, ἡ, (ἀριθμέω) ſchwer zu zählen, unzählig. —**αριστοτόκεια**, ἡ, unglückliche Mutter des beſten Kindes, Il. 18, 54. —**αρκτος**, ὁ, ἡ, (ἄρχω) ſchwer zu beherrſchen, regieren. —**αρμοστία**, ἡ, (δυσάρμοστος) Disharmonie, Uneinigkeit, ἠθῶν, Plut. —**αρχία**, ἡ, (ἄρχω) Mangel an Diſciplin, Ungehorſam. Appian. —**άτιμος**, ὁ, ἡ, höchſt entehrt. zweif. —**αυλία**, ἡ, d. i. τόπος δύσαυλος. zw. —**αυλος**, ὁ, ἡ, (αὐλή) Heſych. erklärt es durch δυσαύλιστος, unwirthbar. Soph. Antig. 567. δ. ἔρις, Anth. der unſelige Streit auf der Flöte. —**αυξὴς**, έος, ὁ, ἡ, (αὐξέω) ſchwer, langſam wachſend. —**αύξητος**, ὁ, ἡ, nicht leicht, ſondern ſchwer vermehrt od. zu vermehren, bey Theophr. c. pl. 1, 8 ſ. v. a. d. vorherg.

Δυσαυχὴς, έος, ὁ, ἡ, (αὐχὴ) ſehr rühmräthig, prahlend. Apollon. Rhod. 3. —αφαίρετος, ὁ, ἡ, (ἀφαιρέω) ſchwer davon oder wegzunehmen. —αχθέω πρὸς, Nic. Annal. 5. 7. ſ. v. a. δυσφορέω, unwillig worüber werden; von —αχθὴς, έος, ὁ, ἡ, (ἄχθος) höchſt oder ſehr läſtig.

Δυσβάστακτος, ὁ, ἡ, (βαστάζω) ſchwer zu tragen. —βατοποιέω, ῶ, ich bringe in eine Enge δύσβατον, Ort, wo man nicht gehn od. reiten kann. Xen. Hippar. 8, 9. —βατος, ὁ, ἡ. (βάω, βαίνω) von ſchwerem Zugange, Durchgange; unwegſam, unzugänglich. —βάυκτος, ὁ, ἡ, (βαΰζω) klagend, winſelnd; zw. —βήρης, ὁ, ἡ, ſ. v. a. δυσχερὴς, δύσβατος, bey Heſych. Suid. Etym. M. ſollte es nicht aus δυσήρης entſtanden ſeyn? —βίοτος, ὁ, ἡ, elend, unglücklich lebend, wie δυσαίων, zw. —βλαστέω, ῶ, ſchwer o. langſam keimen o. wachſen; dav. —βλαστὴς, έος, ὁ, ἡ, ſchwer langſam keimend oder wachſend. —βοήθητος, ὁ, ἡ. (u. δυσβόηθος, zw.) (βοηθέω) dem ſchwer beyzuſtehn, zu helfen, abzuhelfen iſt; ſchwer zu heilen. —βολος, ὁ, ἡ, (βολὴ) unglücklich werfend. —βουλία, ἡ, ein ſchlechter Rath, böſer Entſchluſs; von δυσβουλέω. —βουλος, ὁ, ἡ, (δὺς, βουλὴ) ſchlecht oder unglücklich rathend, ſich unglücklich berathend. —βρωτος, ὁ, ἡ, ungenieſsbar. Plutar. Q. S. 4, 4. zw. —βωλος, ὁ, ἡ, z. B. γῆ, ein Land von ſchlechtem, unfruchtbarem Boden; zw. —γαμος, ὁ, ἡ, unglücklich in der Ehe. γάμος δυσγ. eine unglückliche Ehe. —γάργαλις, u. δυσγάργαλις auch δυσγαργάλιστος, ὁ, ἡ, (γαργαλίζω) die zweyte Form hat Heſych. allein, kitzlicht, gegen Kitzel u. Berührung ſehr empfindlich, Xen. Equ. 3, 10. Ariſtoph. Suidae in ὀρθοπλὴξ. Aelian. h. a. 16, 9. δυσγαργάλιστος hat auſser Heſych. auch Pollux 1, 197. in den Geopon. 16, 2. ſteht δυσγαγγάλιστος, wo die Handſchr. —γαργάλιστος haben. Hemſterhuis hielt die Schreibart γαργ. für attiſch. —γένεια, ἡ, niedrige od. unedle Geburt; 2) übergetr. unedle Geſinnung; v. —γενὴς, έος, ὁ, ἡ. (γένος) unedel, von niedriger oder nicht adelicher Geburt; unedel, von nicht edler Geſinnung. —γεφύρωτος, ὁ, ἡ, (γεφυρόω) ſchwer mit einer Brücke zu verbinden. —γεώργητος, ὁ, ἡ, (γεωργέω) ſchwer zu bebauen, zu beackern. —γνοια, ἡ, Irrthum, Zweifel; zw. —γνωριστος, ὁ, ἡ, (γνωρίζω) ſchwer zu erkennen, wieder zu erkennen. —γνωτια, ἡ, (γνῶσις) die Schwierigkeit etwas zu kennen od. wiſſen; Dunkelheit; zw. —γνωστος, ὁ, ἡ, ſchwer zu kennen, wiſſen; bey Polyb. 3, 32 ſchwer zu leſen, ſoll viell. δυσδιάγνωστος heiſsen. —γοήτευτος, ὁ, ἡ, (γοητεύω) ſchwer zu bezaubern, zu locken, zu berücken, zu fangen. —γράμματος, ὁ, ἡ, ungeſchickt zum lernen (ſ. γράμματα) Ariſtides T. 3 p. 608. —γρίπιστος, ὁ, ἡ, geizig beym Libanius ep. 15, 92. von γριπίζειν, κερδαίνειν, wie es Baſilius in der Antwort an Lib. erklärt. —δαιμονία, ἡ, Unglück; von —δαίμων, ονος, ὁ, ἡ, Adverb. —μόνως unglücklich; oppon. εὐδαίμων. —δάκρυτος, ὁ, ἡ, (δακρύω) ſehr zu beweinen; zweifelh. —δάμαρ, αρτος, ὁ, Aeſchyl. Ag. 1330. der mit ſeiner Frau, Gattin unglücklich iſt; von δάμαρ. —δεικτος, ὁ, ἡ, (δείκνυμι) ſchwer zu zeigen, zu beweiſen: Clemens Al. —δερκὴς, έος, ὁ, ἡ, (δέρκομαι) ſchwer zu ſehen, dunkel; zweif. —δήνης, ὁ, ἡ, (δῆνος) ſ. v. a. δύσνους, κακόβουλος. Heſych. —δηρις, ὁ, ἡ, Nicand. Ther. 738 δύσδηρι d. i. δυσίατον, ſ. v. a. δύσμαχος; von δῆρις. —διάβατος, ὁ, ἡ, (διαβαίνω) wodurch, worüber man ſchwer kommen, gehen kann. Dio C. 40, 34. —διάγνωστος, ὁ, ἡ, (διαγινώσκω) ſchwer zu unterſcheiden, zu beurtheilen; dunkel. —διάγωγος, ὁ, ἡ, (διαγωγὴ) ſchwer durchzuführen; zweif. —διάθετος, ὁ, ἡ, ſchwer zu ordnen; beyzulegen; behandeln; verkaufen u. dergl. S. in διατίθημι. —διαίρετος, ὁ, ἡ, (διαιρέω) ſchwer zu theilen oder vertheilen. —διαίτητος, ὁ, ἡ, (διαιτάω) ſchwer vom Schiedsrichter oder überh. zu entſcheiden, auszumachen. —διακόμιστος, ὁ, ἡ, (διακομίζω) ſchwer durchzubringen od. zu tragen. —διάκριτος, ὁ, ἡ, (διακρίνω) ſchwer zu unterſcheiden, zu beurtheilen. —διάλλακτος, ὁ, ἡ, (διαλλάσσω) ſchwer auszuſöhnen. —διάλυτος, ὁ, ἡ, (διαλύω) ſchwer zu zerlöſen, aufzulöſen oder zu trennen; 2) ſchwer auszuſöhnen, διαλύσασθαι; Ariſtot. —διανόητος, ὁ, ἡ, (διανοέω) ſchwer einzuſehen, dunkel. —διάπνευστος, ὁ, ἡ, (διαπνέω) ſchwer zu verblaſen, zu verdünſten; vom Weine, den man lange fühlt, beym Dioſcor. 5, 9. —διάσπαστος, ὁ, ἡ, (διασπάω) ſchwer zu zerreiſſen, zu trennen. —διατύπωτος, ὁ, ἡ, (διατυπόω) ſchwer zu bilden, aus od. umzubilden. —διάφυκτος und δυσδιάφυκτος, ὁ, ἡ, (διαφεύγω) dem man nicht leicht entfliehn kann. —διαφόρητος, ὁ, ἡ, (διαφορέω) ſchwer zu vertheilen, zertheilen, zerſtreuen. —διαφύλακτος, ὁ, ἡ, (διαφυλάττω) ſchwer zu hüten u. zu bewachen. —διαχώρητος, ὁ, ἡ, (διαχωρέω) was man ſchwer verdauen und durch den Stuhlgang von ſich geben kann; auch act. der ſchweren Stuhlgang hat.

Δυσδίδακτος, ὁ, ἡ, (διδάσκω) ſchwer zu unterrichten. — διέγερτος, ὁ, ἡ, (διεγείρω) ſchwer zu erwecken. — διεξίτητος, ὁ, ἡ, (διέξειμι) ſchwer durchzugehn od. zu erklären; bey Diodor. Sic. ſ. v. a. δυσέξιτος. — διέξοδος, ὁ, ἡ, wodurch woraus man ſchwer kommen kann. — διερεύνητος, ὁ, ἡ, (διερευνάω) ſchwer durchzuforſchen, erforſchen. — διήγητος, ὁ, ἡ, (διηγέομαι) ſchwer zu beſchreiben oder zu erzählen. — διόδευτος, ὁ, ἡ, (διοδεύω) wodurch man ſchwer reiſen kann. — δίοδος, ὁ, ἡ, ſchwer zu durchgehn. — διοίκητος, ὁ, ἡ, (διοικέω) ſchwer zu verwalten od. regieren; Pollux 5, 105 hat in demſ. Sinne δυσδιοικητικὸς. — διόρθωτος, ὁ, ἡ, (διορθόω) ſchwer zu verbeſſern od. beſſern. — δοκίμαστος, ὁ, ἡ, (δοκιμάζω) ſchwer zu prüfen.

Δυσέγχείρητος, ὁ, ἡ, (ἐγχειρέω) ſchwer anzugreifen oder zu behandeln. — εδρος, ὁ, ἡ, (ἕδρα) übelſitzend oder ruhend. Dionyſ. rhet. p. 40. — ειδής, έος, ὁ, ἡ, (εἶδος) opp. εὐειδὴς von ſchlechter Bildung od. Anblick; entſtellt, häſslich. — είκαστος, ὁ, ἡ, (εἰκάζω) ſchwer zu errathen. — είματος, ὁ, ἡ, ſ. v. a. δυσειμων: ohne Beyſp. davon — ειματόω, ῶ, f. ώσω, ſchlecht gekleidet ſeyn Plutar. Q. R. p. 198. ſoll wohl wie εὐειματέω heiſsen δυσειματέω ſ. v. a. δυσειμονέω, davon — ειμονία, ἡ, ſchlechte Kleidung, das ſchlecht gekleidet ſeyn. — είμων, ονος, ὁ, ἡ, (εἷμα) ſchlecht gekleidet. — ειρεσία, ἡ, ſchweres od. unglückliches Rudern. Suidas. — είσβολος, ὁ, ἡ, (εἰσβολὴ) worein man ſchwer dringen od. kommen kann. — είσπλωτος, ὁ, ἡ, oder δυσείσπλους, ὁ, ἡ, (εἰσπλόω) worein man zu Schiffe ſchwer kommen kann. Strabo 9 p. 278. — έκβατος, ὁ, ἡ, (ἐκβαίνω) woraus man ſchwer kommen kann; vom Walde beym Dio C. 56, 19. — εκβίαστος, ὁ, ἡ, (ἐκβιάζω) den man m. Gewalt nicht leicht heraus od. davon bringen kann. — εκβίβαστος, ὁ, ἡ, (ἐκβιβάζω) ſchwer heraus od. abzubringen. — έκδοτος, ὁ, ἡ, (ἐκδίδωμι) ſchwer zu vermiethen, verdingen od. zu verheyrathen. — εκθέρμαντος, ὁ, ἡ, (ἐκθερμαίνω) ſchwer zu erwärmen. — έκθυτα, σημεῖα Plut. Craſſ. 18 böſe Zeichen im Opferthiere. zweif.

Δυσεκκάθαρτος, ὁ, ἡ, (ἐκκαθαίρω) ſchwer ganz zu reinigen Dionyſ. Antiq. p. 699. — εκκόμιστος, ὁ, ἡ, (ἐκκομίζω) ſchwer heraus zu tragen od. zu bringen. — έκκριτος, ὁ, ἡ, (ἐκκρίνω) ſchwer auszuleſen und abzuſondern. — εκλάλητος, ὁ, ἡ, (ἐκλαλέω) ſchwer auszuſprechen. — έκλειπτος, ὁ, ἡ, nicht leicht aufhörend; bey Plut. 9 p. 296 ῥίζας δ. zw. — εκλόγιστος, ὁ, ἡ, (ἐκλογίζομαι) ſchwer aus- oder zu berechnen; *inexputabilis*, bey Suidas. — έκλυτος, ὁ, ἡ, Adv. δυσεκλύτως, (ἐκλύω) ſchwer auszulöſen, zu entwickeln, zu erklären. — έκνευστος, ον, (ἐκνέω) woraus man durch ſchwimmen ſchwer kommen kann; zw. — έκνιπτος, ὁ, ἡ, (ἐκνίπτω) ſchwer auszuwaſchen. — εκπέραντος u. δυσεκπέρατος, ὁ, ἡ, (ἐκπεραίνω) ſchwer zu endigen, zu vollenden. — έκπλους, ουν, woraus man ſchwer fahren, ſchiffen kann; vergl. δυσείσπλωτος. — έκπλυντος, ὁ, ἡ, od. δυσέκπλυτος, ὁ, ἡ, (ἐκπλύνω) ſchwer auszuſpülen. — έκπλωτος, ὁ, ἡ, ſ. v. a. δυσέκπλους; zweif. — εκπόρευτος, ον, (ἐκπορεύω) woraus man ſchwer gehn kann; zw. — εκπύητος, ὁ, ἡ, (ἐκπυέω) ſchwer zur Vereiterung zu bringen. — έκτηκτος, ον, (ἐκτήκω) ſchwer heraus zu ſchmelzen oder zu bringen; zw. — έκφευκτος, ον, u. δυσέκφυκτος, ὁ, ἡ, (ἐκφεύγω) woraus man nicht leicht entfliehen kann: ἀπορία Polyb. 1, 77. ſich helfen kann.

Δυσέκφορος, ον, Adv. — ρως (ἐκφέρω) ſchwer heraus zu bringen, auszuſprechen. — έκφυκτος. S. δυσέκφευκτος. — εκφώνητος, ὁ, ἡ, (ἐκφωνέω) ſchwer auszuſprechen. — έλεγκτος, ὁ, ἡ, (ἐλέγχω) ſchwer zu widerlegen, zu überführen. — έλικτος, ὁ, ἡ, (ἐλίσσω) ſehr verwickelt, z. B. λαβύρινθος. — ελκής, έος, ὁ, ἡ, (δυσελκέω) deſſen Schaden od. Geſchwüre ſchwer heilen. — ελκία, ἡ, das ſchwierige heilen der Schaden oder Geſchwüre. — έλκυστος, ὁ, ἡ, (ἑλκύω) ſchwer zu ziehn od. zu ſchleppen. — ελπίζω, f. ίσω, wenig hoffen, verzweifeln; ſ. v. a. δυσελπιστέω mit περὶ gen. u. ἐπὶ dat. doch iſt die zweyte Form analogiſcher, findet ſich in manchen Stellen in den Handſchr. wo jene in den Ausg. ſteht. — ελπις, ιδος, ὁ, ἡ, verzweifelnd, niedergeſchlagen. — ελπιστέω, ῶ, ſ. v. a. δυσελπίζω; davon — ελπιστία, ἡ, geringe Hofnung, Niedergeſchlagenheit, Furcht, Mistrauen. — έλπιστος, ὁ, ἡ, Adv. δυσελπίστως, ſ. v. a. δύσελπις. — έμβατος, ὁ, ἡ, worauf ſchwer zu gehn iſt. — έμβλητος, ὁ, ἡ, (ἐμβάλλω) ſchwer wieder einzurenken, aus Hipp. — έμβολος, ὁ, ἡ, (ἐμβολὴ) worein man ſchwer dringen kann, faſt ſ. v. a. δυσείσβολος. — εμετέω, ῶ, auch δυσεμέω ich erbreche mich ſchwer, bin ſchwer zum übergeben, ſpeyen zu bringen. — έμετος, ὁ, ἡ, u. δυσεμής, ὁ, ἡ, (ἐμέω) der nicht leicht zum Brechen od. Speyen zu bringen iſt. — έμφατος, ὁ, ἡ, (ἐμφαίνω) von ſchwerer od. ſchlimmer Bedeutung.

Δυσενέδρευτος, ὁ, ἡ, dem durch Nachſtellung, ἐνέδρα, ſchwer beyzukommen iſt. Appian. —**εντερία**, ἡ, (ἔντερον) *tormina inteſtinorum*, die Ruhr, Schneiden im Leibe, mit einem ſtarken Durchfalle verknüpft; dav. —**εντερικός**, ἡ, όν, o. δυσέντερος o. δυσεντεριώδης, an der Dyſenterie leidend, krank; dyſenteriſch. —**έντευκτος**, ὁ, ἡ, (ἐντυγχάνω) ſchwer zu ſprechen od. mürriſch, unfreundlich. —**εντευξία**, ἡ. Diodor. 19, 9. die Eigenſchaft der Vornehmen wo ſie ſich ſchwer ſprechen laſſen, ἐντυγχάνω u. δὺς. —**ένωτος**, ὁ, ἡ, (ἑνόω) ſchwer zu vereinigen. —**εξάγωγος**, ὁ, ἡ, (ἐξαγωγὴ) ſchwer auszuführen, auszubringen. —**εξάλειπτος**, ὁ, ἡ, (ἐξαλείφω) ſchwer auszuwiſchen. —**εξάλλακτος**, ὁ, ἡ, (ἐξαλλάττω) ſchwer zu verändern. —**εξάλυκτος**, ὁ, ἡ, (ἀλύσκω) ſchwer zu vermeiden. —**εξανάλωτος**, ὁ, ἡ, ſ. v. a. δυσανάλωτος. —**εξαπάτητος**, ὁ, ἡ, ſ. v. a. δυσαπάτητος. —**έξαπτος**, ὁ, ἡ, (ἐξάπτω) ψυχὴ Plut. Rom. 27, 4 ſchwer zu entzünden od. zu erleuchten; man könnte es wegen des beygeſetzten δυσανακόμιστος auch ſchwer zu löſen erkl. andre leiten es von ἐξίπταμαι ab, *quod aegre evolat.* zw. —**εξαρίθμητος**, ὁ, ἡ, ſchwer her zu zählen, unzählig. —**εξέλεγκτος**, ον, ſ. v. a. δυσέλεγκτος. bey Dionyſ. φάρμακον, ſchwer zu entdeckendes Gift. —**εξέλικτος**, ὁ, ἡ, ſchwer zu entwickeln od. zu erklären. —**εξέργαστος**, ον, (ἐξεργάζομαι) ſchwer zu vollenden. —**εξερεύνητος**, ὁ, ἡ, (ἐξερευνάω) ſchwer auszuſpüren. —**εξεύρετος**, ὁ, ἡ, (ἐξευρίσκω) ſchwer aufzufinden. —**εξήγητος**, ὁ, ἡ, (ἐξηγέομαι) ſchwer zu beſchreiben oder zu erklären. —**εξημέρωτος**, ὁ, ἡ, (ἐξημερόω) ſchwer ganz zu zähmen. Plut. Artax. 25 wo vorher δυσεξήμερος falſch ſtand. —**εξήνυτος**, ὁ, ἡ, ſ. v. a. δυσήνυτος; δεσμὸς δ. führt Euſtath. aus Eurip. an, nicht aufzulöſendes Band, Feſſel. —**εξίλαστος**, ὁ, ἡ, ſchwer auszuſöhnen, verſöhnen, beſänftigen: Plut. 8 p. 405. —**εξίμητος**, ὁ, ἡ, (ἐξιμάω) ſchwer aus der Tiefe heraufzuholen. Cic. ad Att. 5. 10. —**εξίτηλος**, ὁ, ἡ, nicht leicht zu vertilgen, verlöſchend, oder verſchwindend. —**εξίτητος**, ὁ, ἡ, und δυσέξιτος (ἔξειμι) woraus man ſchwer kommen kann. —**έξοδος**, ὁ, ἡ, von ſchwierigem Ausgange, Ariſtid. 1 p. 535. —**έξοιστος**, ὁ, ἡ, ſ. v. a. δυσέκφορος. —**επανόρθωτος**, ὁ, ἡ, (ἐπανορθόω) ſ. v. a. δυσδιόρθωτος. —**επέκτατος**, ὁ, ἡ, (ἐπεκτείνω) ſchwer darüber auszuſpannen. —**επήβολος**, ὁ, ἡ, (ἐπήβολος) ἀπορία bey Suid. ſchwer zu treffender, zu errathender, erklärender Zweifel. —**επίβατος**, ον, (ἐπιβαίνω) worauf, worzu, wohin man nicht leicht kommen kann. —**επιβούλευτος**, ὁ, ἡ, (ἐπιβουλεύω) ſchwer durch Nachſtellung zu überliſten; auch ſ. v. a. δυσενέδρευτος. —**επικούρητος**, ὁ, ἡ, (ἐπικουρέω) dem ſchwer zu helfen iſt. —**επίκριτος**, ὁ, ἡ, (ἐπικρίνω) worüber ſchwer ſich urtheilen läſst. —**επίμικτος**, ὁ, ἡ, (ἐπιμίγνυμι) mit dem man ſich nicht leicht vermiſchen, Verbindung, Umgang haben kann. —**επινόητος**, ον, (ἐπινοέω) ſchwer zu erſinnen. —**επίστροφος**, ον, (ἐπιστρέφω) ſchwer umzuwenden, umzukehren. zweif. —**επίσχετος**, ὁ, ἡ, (ἐπίσχω) ſchwer an- auf- od. zurückzuhalten. —**επίτευκτος**, ον, (ἐπιτυγχάνω) ſchwer gelingend. Diod. Sic. —**επιτήδευτος**, ὁ, ἡ, (ἐπιτηδεύω) ſehr mühſam u. ſchwierig. zw. —**επιχείρητος**, ὁ, ἡ, (ἐπιχειρέω) ſchwer anzugreifen, anzufangen und zu vollenden. —**έργαστος**, ὁ, ἡ, (ἐργάζομαι) ſchwer zu bearbeiten, thun oder machen. —**εργής**, έος, ὁ, ἡ, ſ. v. a. δύσεργος. —**εργία**, ἡ, Schwierigkeit zu od. im Handeln. Plut. —**εργος**, ὁ, ἡ, ſchwer zu bearbeiten oder zu thun: alſo ſchwer, ſchwierig; 2) ſchwer od. mit Schwierigkeit arbeitend, kraftlos: σῶμα ἀσθενὴς καὶ δύσεργος: βαρύτητες δυσεργεῖς: δύσερ. καὶ ἀμβλυτέρα; ferner mit ἀδρανής, βραδὺς, νωθρὸς bey Plut. welcher auch δυσέργως κινεῖσθαι ſagt ſt. träge, kraftlos. —**ερεύνητος**, ὁ, ἡ, (ἐρευνάω) unerforſchlich, unerforſcht. —**έρημος**, ὁ, ἡ, ſehr einſam oder wüſte. zweif. —**ερις**, ιδος, ὁ, ἡ, ſehr zänkiſch oder ſtreitſüchtig. —**έριστος**, ὁ, ἡ, (ἐρίζω) ſ. v. a. δύσερις, Soph. Electr. —**ερμήνευτος**, ὁ, ἡ, Adv. δυσερμηνεύτως, (ἑρμηνεύω) ſchwer zu erklären oder beſchreiben. —**ερμία**, ἡ, u. δύσερμος, ὁ, ἡ, d. Gegenth. von εὐερμία u. εὔερμος, alſo Unglück vorzügl. in der Jagd; unglücklich vorzügl. im Fange. —**ερνής**, έος, ὁ, ἡ, ſchwer wachſend: Pollux 1, 231. das Gegenth. εὐερνής. —**ερως**, ωτος, ὁ, ἡ, heftig liebend; vorz. unglücklich und ohne Gegenliebe liebend; mit ἀφροδισίων, Xen. Oec. 12, 13. von der Knabenliebe: überh. heftig liebend, od. verliebt in etwas; 2) ſchwer liebend, od. ſich nicht leicht verliebend, Dio Caſſ. fr. 61 u. 42, 34. Adv. δυσερώτως, äuſſerſt verliebt. —**ερωτιάω**, ich bin δύσερως. Achil. Tat. 5 p. 277. ich verlange ſehr, m. d. gen. Plut. Stob. Serm. 233. —**ερωτικός**, zum δύσερως ſehr verliebten gehörig, ihm eigen. Pollux 6, 189. —**ετηρία**, ἡ, (ἔτος) ſchlechtes, unfruchtbares Jahr: Pollux 1, 52. —**ετυμολόγητος**, ὁ, ἡ, (ἐτυμολογέω) ſchwer dem Urſprunge nach abzuleiten.

Δυσευνήτειρα, ἡ, fem. von δυσευνητὴρ oder δυσευνήτωρ, ορος, ὁ, ſ. v. a. δυσεύνητος, ὁ, ἡ, von εὐνάω, der ein übles Lager, Bette, Ehe, Neſt hat. zw. —εύρετος, ὁ, ἡ, (εὑρίσκω) ſchwer zu finden, auszufinden. —εφίκτος, ὁ, ἡ, (ἐφίκομαι) ſchwer zu erreichen. —έφοδος, ὁ, ἡ, von ſchwerem Zugange od. Angriffe. Diodor. Sic.

Δυσζηλία, ἡ, heftige Eiferſucht; von —ζηλος, ὁ, ἡ, Adv. δυσζήλως, ſehr eiferſüchtig; von unglücklicher Eiferſucht. Odyſſ. 7, 307 ſind δύσζηλοι, die leicht unwillig oder böſe werden; wie v. 310. μαψιδίως κεχολῶσθαι zeigt. —ζήτητος, ὁ, ἡ, (ζητέω) ſchwer zu ſuchen, zu unterſuchen. —ζωία, ἡ, Palladius Bragman. p. 10. hartes, mühſeliges Leben. —ζωος, ὁ, ἡ, (ζωὴ) unglücklich lebend.

Δυσηκὴς, έος, ὁ, ἡ, (ἀκέομαι) ſ. v. a. δυσίατος, bey Heſych. —ηκοέω, ῶ, ſchwer hören, verſtehn oder gehorchen; davon —ηκοΐα, ἡ, ſchweres Gehör; 2) Ungehorſam. —ήκοος, ὁ, ἡ, (ἀκοὴ) ſchwer hörend, verſtehend oder gehorchend. —ήλατος, ὁ, ἡ, (ἐλαύνω) zum reiten oder fahren unbequem; Pollux 1, 186. —ηλεγὴς, έος, ὁ, ἡ, (λέγω λέγομαι lagern, ſich legen) mit θάνατος bey Homer, in einen bittern Tod einſchläfernd, wie τανηλεγὴς θάνατος in einen langen Schlaf verſinkend; mit πόλεμος bey Homer. δεσμὸς Heſiod. Theog. 652, wofür v. 660 ἀμείλικτος ſteht. πηγὰς ἔργ. 506. hat man es durch ſchwer, läſtig, ſchmerzhaft erklärt. δυσαλγὴς, κακόπαθος, χαλεπὸς von ἀλγέω abgeleitet; andre leiteten es von ἀλέγω ab. —ήλιος, ὁ, ἡ, wenig Sonne habend; Plutarch Mari. 11 verb. damit ὑλώδης u. σύσκιος. —ημερέω, ῶ, f. ήσω, unglückliche Tage haben, überh. unglücklich ſeyn; Unglück haben; davon —ημερία, ἡ, Unglückstag; Unglück. —ημέω, ῶ, δυσημετέω, δυσημὴς, ὁ, ἡ, ſ. v. a. δυσεμέω u. δυσεμής. —ήνεμος, ὁ, ἡ, (ἄνεμος) von Winden beunruhigt oder bewegt. Soph. Ant. 598. —ηνίαστος, ὁ, ἡ, Adv. δυσηνιάστως (ἡνιάζω) ſchwer zu zügeln, zu regieren; widerſpenſtig. —ήνιος, ὁ, ἡ, Adv. δυσηνίως ſ. v. a. δυσηνίαστος von ἡνία. 2) von ἀνία. —ηνιόχητος, ὁ, ἡ, (ἡνιοχέω) ſchwer zu lenken. —ήνυτος, ὁ, ἡ, (ἀνύω) ſchwer zu vollenden. —ήρης, εος, ὁ, ἡ, bey Suidas d. Gegenth. v. εὐήρης, ſchwer.

Δυσηρὶς, ὁ, ἡ, δυσήριστος, ὁ, ἡ, ſ. v. a. δύσερις u. δυσέριστος. Moeris hat auch δυσέριδος, ὁ, ἡ. —ήροτος, ὁ, ἡ, (ἀρόω) ſchwer zu pflügen. —ήττητος, ον, (ἡττάω) ſchwer zu beſiegen. —ήτωρ, ορος, ὁ, ἡ, (ἦτορ) ſchweren Herzens, traurig, niedergeſchlagen; Heſych. —ηχὴς, έος, ὁ, ἡ, (ἠχέω) heftig, laut od. widrig tönend, toſend, lärmend.

Δυσθαλὴς, έος, ὁ, ἡ, (θάλλω) ſchwer od. langſam grünend, wachſend, blühend. —θαλπὴς, έος, ὁ, ἡ, (θάλπω) ſchwer zu erwärmen, activ. ſehr wärmend oder warm; θέρος Quint. Smyrn. 11, 156. —θανατέω, u. —άω, ῶ, einen ſchweren oder ſchmerzhaften od. langſamen elenden Tod ſterben; dah. auch im Sterben ſich gewaltſam bewegen ſ. v. a. σφαδάζω. —θάνατος, ὁ, ἡ, ſchwer oder langſam ſterbend; act. einen ſchweren oder ſchmerzhaften Tod bringend, Hippocr. daher auch in der Todesangſt wüthend und ſich wehrend; verzweifelnd. —θανὴς, έος, ὁ, ἡ, elend oder eines langſamen oder ſchmerzhaften Todes geſtorben. —θέατος, ὁ, ἡ, (θεάομαι) ſchwer oder häſslich anzuſehn. —θενέω, ῶ, entkräftet, kraftlos, ſchwach ſeyn, wie ἀσθενέω u. εὐσθενέω von σθένος. —θεος, ὁ, ἡ, gottlos; Gott zuwider od. verhaſst. —θεράπευτος, ὁ, ἡ, (θεραπεύω) ſchwer zu heilen. —θερὴς, έος, ὁ, ἡ, (θέρω) ſchwer zu erwärmen oder zu heilen. —θεσία, ἡ, (θέσις) ſchlechte Lage, Laune, Verlegenheit, ſ. v. a. δυσαρέστησις. Hippocr. —θετέω, ῶ, das Gegentheil von εὐθετέω, in Unordnung, in eine ſchlimme Lage, Verwirrung, Verlegenheit bringen; δυσθετεῖσθαι m. d. dativ. Polyb. 8, 7. und δυσθετεῖν als neutr. bey Suidas in δυσθετήσας ſ. v. a. unzufrieden ſeyn. Cyrop. 2, 2. 5. δυσθετούμενος ἀνέτρεψεν τὸ ἔμβαμμα, ſchmiſs durch ſein ungeſchicktes und ungeſtümes Benehmen die Sauce um. —θετος, ὁ, ἡ, in einer ſchlechten Lage; verlegen, miſsmüthig. —θεώρητος, ὁ, ἡ, ſchwer zu beſchauen oder zu betrachten oder zu unterſuchen. —θήρατος, ὁ, ἡ, (θηράω) ſchwer zu erjagen oder zu fangen; ſchwer aufzuſpüren, zu finden. —θηρος, ὁ, ἡ, (θήρη) ſchlecht, unglücklich jagend. —θησαύριστος, ὁ, ἡ, (θησαυρίζω) ſchwer aufzubewahren. —θνήσκω, ſ. v. a. δυσθανατέω, Eur. El. 843. Rheſ. 791. —θραυστος, ὁ, ἡ, (θραύω) ſchwer zu zerbrechen. —θροος, ὁ, ἡ, (θρόος) klagend, kläglich; miſstönend. Pind. Pyth. 4, 111. —θρυπτος, ὁ, ἡ, (θρύπτω) ſchwer zu zerbrechen. Plutar. Etymol. M. p. 104. —θυμαίνω und δυσθυμέω, ich bin miſsmüthig, traurig; jenes Hymn. Cer. 362; δυσθυμέομαι, med. Stobaei Serm. 249; davon —θυμία, ἡ, Muthloſigkeit, Traurigkeit, Miſsmuth; davon —θυμικὸς, ἡ, ὸν, zum Miſsmuth od. Traurigkeit geneigt. Ariſtot. Phyſiogn. c. 6. —θυμος, ὁ, ἡ, Adv. δυσθύμως, muthlos, miſsmüthig, traurig.

Δυσίατος, ὁ, ἡ, (ἰάομαι) ſchwer zu heilen. —ίδρος, ὁ, ἡ, (ἱδρὼς) ſchwer, d. i. nicht leicht ſchwitzend. —ιερέω, ῶ, (ἱερέω, ἱερεύω) unglücklich opfern, od. unglückliche Vorbedeutungen beym Opfer haben, d. i. *non litare.* Plutar. Marcell. c. 28. —ίερος, ὁ, ἡ, unheilig, gottlos. Plutar. 9 p. 39. zw. —ιθάλασσος, —αττος, ὁ, ἡ, (δύω) ins Meer tauchend. —ίμερος, ὁ, ἡ, nicht liebenswürdig, unangenehm. —ιππος, ὁ, ἡ, für die Reiterey nicht tauglich. Xenoph.

Δύσις, εως, ἡ, (δύω) das Tauchen, Untertauchen; das hinunter- oder hineingehn; Untergang der Sonne und Sterne. —ίχνευτος, ὁ, ἡ, (ἰχνεύω) ſchwer aufzuſpüren.

Δυσκαὴς, έος, ὁ, ἡ, (καίω) ſchwer zu verbrennen, ſchlecht brennend. —καθαίρετος, ὁ, ἡ, (καθαιρέω) ſchwer zu vernichten, zerſtören, verwüſten oder zu beſiegen; eigentl. ſchwer niederzureiſſen. —κάθαρτος, ὁ, ἡ, (καθαίρω) ſchwer zu reinigen. —κάθεκτος, ὁ, ἡ, (κατέχω) ſchwer zurück- oder aufzuhalten. —κάθοδος, ὁ, ἡ, Conon Narr. 35. worein man ſchwer hinabgehn oder ſteigen kann. —καμπὴς, έος, ὁ, ἡ, od. δύσκαμπτος, ὁ, ἡ, (κάμπτω) ſchwer zu beugen oder worum man ſchwer umbeugt. —καπνος, ὁ, ἡ, ſehr rauchend. —καρτέρητος, ὁ, ἡ, (καρτερέω) ſchwer zu erdulden, unwiderſtehlich. —καταγώνιστος, ὁ, ἡ, (καταγωνίζομαι) ſchwer zu bekämpfen. —κατακλαστος, ὁ, ἡ, (κατακλάω) ſchwer zu zerbrechen. —κάτακτος, ὁ, ἡ, (κατάγνυμι) ſchwer zu zerbrechen. —κατόληπτος, ὁ, ἡ, (καταλαμβάνω) ſchwer zu begreifen, dunkel. —κατάλλακτος, ὁ, ἡ, ſ. v. a. δυσδιάλλακτος; zw. —κατάλυτος, ὁ, ἡ, (καταλύω) ſchwer aufzulöſen, zu zerſtören. —καταμαθητος, ὁ, ἡ, Adv. δυσκαταμαθήτως (καταμανθάνω) ſchwer zu lernen, bemerken oder begreifen. —καταμάχητος, ὁ, ἡ, (καταμάχομαι) ſchwer im Kriege oder Treffen zu beſiegen. —κατανόητος, ὁ, ἡ, (κατανοέω) ſchwer einzuſehen, zu begreifen. —κατάπαυστος, ὁ, ἡ, Adv. δυσκαταπαύστως, ſchwer zu ſtillen, zu beruhigen, zu endigen. —κατάπληκτος, ον, (καταπλήσσω) ſchwer zu erſchrecken. —καταπολέμητος, ον, (καταπολεμέω) ſchwer im Kriege zu bezwingen. —καταπόνητος, ὁ, ἡ, (καταπονέω) durch Arbeit ſchwer zu ermüden, ſchwer zu erarbeiten, zu vollenden. —κατάποτος, ὁ, ἡ, (καταπίνω) ſchwer zu verſchlucken. —κατάπρακτος, ον, (καταπράσσω) ſchwer zu bewirken. —καταρτιστος, ὁ, ἡ, (καταρτίζω) ἐν τῇ ἐπιβάσει Hippiatr. nicht bis zur Empfängniſs d. Beyſchlaf vollendend. —κατασβεστος, ὁ, ἡ, (κατασβέννυμι) ſchwer zu löſchen, zu ſtillen. —κατασκεύαστος, ὁ, ἡ, (κατασκευάζω) ſchwer zu bereiten, verfertigen. —κατάστατος, ὁ, ἡ, (καθίστημι) ſchwer wieder herzuſtellen und in Ordnung zu bringen, Xen. Cyr. 5, 3, 43. —καταφρόνητος, ὁ, ἡ, (καταφρονέω) den man nicht ſo leicht verachten kann oder darf. —κατέργαστος, ὁ, ἡ, (κατεργάζομαι) ſchwer zu bezwingen, zu verarbeiten; von Speiſen, ſchwer zu verdauen. —κάτοπτος, ὁ, ἡ, ſchwer zu ſehn, erkennen. Heſych. —κατόρθωτος, ὁ, ἡ, (κατορθόω) ſchwer zu Stande od. in Ordnung zu bringen, zu beſſern oder recht zu machen; deſſen richtiger Gebrauch ſchwierig Demetr. Phal. 127. —κατούλωτος, ὁ, ἡ, (κατουλόω) ſ. v. a. δυσαπούλωτος. —κέλαδος, ὁ, ἡ, übel oder ſehr tönend, toſend; ζῆλος δ. Heſiod. Εργ. 196 der ſchlecht redende, böſe Gerüchte verbreitende Neid. —κερδης, έος, ὁ, ἡ, (κέρδος) ſchweren oder ſchlechten Gewinn gebend. —κηδὴς, έος, ὁ, ἡ, (κῆδος) ſchwer ſorgend, von Sorgen od. Kummer gefoltert: Ody. 5, 466 ein Beywort der Nacht, die man traurig durchwacht. —κηλος, ὁ, ἡ, χθὼν Aeſchyl. Eum. 828. ſ. v. a. δυσθεράπευτος v. κηλέω. —κινησία, ἡ, Unbeweglichkeit; Schwierigkeit der Bewegung; von —κίνητος, ὁ, ἡ, Adv. —τως, (κινέω) ſchwer zu bewegen; unbeweglich; träge; langſam, nicht reizbar; unerbittlich und dergl. —κλεὴς, έος, ὁ, ἡ, Adv. —ῶς, (κλέος) von keinem od. von ſchlechtem Rufe, unberühmt oder berüchtigt. —κλεια, ἡ, Mangel an Ruf oder Ruhm; ſchlimmer Ruf, Schande. —κληδόνιστος, ὁ, ἡ, von übler Vorbedeutung. Suidas. —κληρέω, ῶ, (κλῆρος) ein unglückliches Loos haben, unglücklich looſen, mithin bey öffentlichen Aemtern, die verlooſt wurden, kein Loos oder das Amt nicht bekommen: daher übergetragen, unglücklich ſeyn; davon —κληρία, ἡ, unglückliches Loos; überh. Unglück. —κληρος, ὁ, ἡ, mit von einem unglücklichen Looſe, unglücklich. —κλιτος, ὁ, ἡ, ohne Ruf, unberühmt. —κοίλιος, ὁ, ἡ, mit hartem Leibe, Unterleibe; was einen harten Leib macht, unverdaulich. —κοινώνητος, ον, nicht gut zur Gemeinſchaft, ſchlecht zum Umgange. Themiſtius. —κοιτέω, ῶ, (κοιτη) ſchlecht od. unruhig liegen od. ſchlafen; davon —κοιτια, η, ein ſchlechtes Lager, das ſchlechte Liegen oder Schlafen. —κοιτος, ὁ, ἡ, ſchlecht liegend oder ſchlafend; πρὸς συνουσίαν γυνὴ δύσκοιτος, im liegen ungeſchickt,

Aristaen. 2 Ep. 7. act. ein schlechtes Lager gewährend.

Δυσκολαίνω, f. ανῶ, ich bin unzufrieden, mißvergnügt, unwillig, mürrisch. —κολία, ἡ, mürrisches Wesen, Unzufriedenheit mit andern u. sich selbst. S. δύσκολος. —κόλλητος, ὁ, ἡ, (κολλάω) schwer zu leimen, verbinden, vereinigen. —κολόκαμπτος, ὁ, ἡ, s. v. a. δυσκόλως καμπτόμενος, schwer sich beugend od. zu beugen. Aristoph. —κολόκοιτος, ὁ, ἡ, (δύσκολος, κοίτη) ein schweres Lager, schweren unruhigen Schlaf machend. Aristoph. —κολος, ὁ, ἡ, Adv. —λως, opp. εὔκολος, mißvergnügt, unzufrieden, unwillig, mürrisch; schwierig: 2) überh. schwer, auch von Sachen. —κόλπος, ον, Beywort einer Mutter, von unglücklichem Schoosse; zweif. —κόμιστος, ὁ, ἡ, (κομίζω) schwer zu tragen oder ertragen; vergl. δυσφόρητος. —κοπάνιστος. S. τρισκοπάνιστος. —κραής, έος, ὁ, ἡ, s. v. a. δύσκρατος, Oppian. Hal. 2, 517. —κρασία, ἡ, schlechte Mischung oder Temperatur vorzügl. der Luft oder Säfte. —κρατος, ὁ, ἡ, Adv. —τως, übel od. schlecht gemischt; vorz. von schlechter Witterung, opp. εὔκρατος. —κρινής, ὁ, ἡ, schwer zu trennen oder zu unterscheiden. Plutarch. 9 p. 648. —κριτος, ὁ, ἡ, Adv. —τως, schwer zu beurtheilen, zu entscheiden. —κτητός, ὁ, ἡ, (κτάομαι) schwer zu erwerben, kaufen u. dergl. —κυβέω, ῶ, unglücklich im Würfelspiele seyn. Pollux. —κύμαντος, ον, (κυμαίνω) sehr von den Wogen leidend. —κωφος, ὁ, ἡ, sehr taub. —λεκτος, ον, (λέγω) schwer zu sagen oder auszusprechen. —λεκτρος, ον, (λέκτρον) unglücklich in der Ehe. —ληπτος, ὁ, ἡ, (λαμβάνω) schwer zu fangen, zu greifen; übergetr. schwer zu begreifen, z. B. bey Plutar. ἡ ἔφοδος, ἣν ὑπηνίξατο, πάντη δ. ἐστι. —λογέω, ῶ, s. v. a. κακολογέω. Phrynichi App. par. p. 466. —λόγιστος, ὁ, ἡ, (λογίζομαι) schwer zusammenzurechnen oder zu beurtheilen, unbegreiflich. —λοφος, ὁ, ἡ, Adv. —φως, schwer für den Nacken, schwer zu tragen. Aeschyl. im eigentl. Sinne fur ungern tragend, verst. das Joch; wild, unbändig; das Gegentheil von εὔλοφος, verb. mit γαργαλεῖς, hat es Aelian. h. a. 16, 9. —λυτος, ὁ, ἡ, (λύω) schwer zu losen, Adv. —λύτως. —μάθεια, ἡ, od. δυσμαθία, schweres lernen; Ungelehrigkeit; von —μαθής, έος, ὁ, ἡ, Adv. —μαθῶς (μανθάνω) schwer lernend, begreifend; ungelehrig. —μανής, έος, ὁ, ἡ, nicht dünn, dem μανὸς opp. δυσμανὲς ὕδωρ beym Theophr. h. pl. 7. c. 5. wo andre δυσμενῆ lesen. —μαρής, έος, ὁ, ἡ, schwer, das Gegenth. von εὐμαρής. —μάσσητος, ὁ, ἡ, (μασσάω) schwer zu kauen. Galen. —μαχέω, ῶ, ich widerstehe, widerstreite heftig. Soph. Ant. 1106, ich streite vergebens; davon —μάχητος, ον, oder δύσμαχος, schwer zu bestreiten, zu erobern; jedoch hat δύσμαχος bes. die Bedeut. von unglücklichem u. unnützen Streite. —μείλικτος, ὁ, ἡ, (μειλίσσω) schwer zu besänftigen. —μεναίνω, und δυσμενέω (μένος) übel gesinnt seyn. Demosth. 300 verbindet λυπούμενος καὶ στένων καὶ δυσμεναίνων ἐπὶ τοῖς κοινοῖς ἀγαθοῖς, wo es in der eigentl. Bedeut. steht für mißmüthig und in feindseligem Unwillen seyn. —μένεια, ἡ, niedrige, feindliche Gesinnung; Feindschaft, Feindseligkeit; v. —μενέω, s. v. a. δυσμεναίνω; dav. δυσμενέων Hom. —μενής, έος, ὁ, ἡ, Adv. —νῶς übel- widrig- feindlich gesinnt; feindselig, Feind. —μενίδης, ου, ὁ, dem εὐμενίδες (εὐμενίδης) nachgebildet, Aelian. v. h. 3, 7. s. v. a. δυσμενής. —μενικός, ή, όν, Adv. —κῶς, feindlich, feindselig, zum Feinde gehorig, ihm eigen. —μετάβλητος, ὁ, ἡ, (μεταβάλλω) schwer zu verändern. —μετάδοτος, ὁ, ἡ, (μεταδίδωμι) schwer oder ungern mittheilend. —μετάθετος, ὁ, ἡ, (μετατίθημι) schwer zu versetzen, zu verandern. —μετακίνητος, ὁ, ἡ, (μετακινέω) schwer von seinem Orte weg zu bewegen, zu verändern. —μετάκλαστος, ον, (μετὰ, κλάω) schwer zu zerbrechen, d. i. zu erweichen, unerbittlich, unbarmherzig; zw. —μετάκλητος, ὁ, ἡ, (μετακαλέω) schwer zurück od. wegzurufen; Geoponic. 19, 2. —μετακόμιστος, ον, (μετακομίζω) schwer wegzutragen: auch metaph. s. v. a. δυσμετάστρεπτος. zw. —μετάπειστος, ὁ, ἡ, (μεταπείθω) schwer von seiner Meinung abzubringen. —μετάστρεπτος, ον, od. δυσμετάτρεπτος (μεταστρέφω od. —τρέπω) schwer umzukehren, umzuwenden, zu erbitten; zw. —μεταχείριστος, ὁ, ἡ, Adv. —στως, (μεταχειρίζω) schwer zu handhaben; behandeln. —μέτοχος, ον, (μετέχω) nicht leicht theilnehmend; s. v. a. δυσόμιλος; zw. —μέτρητος, ὁ, ἡ, (μετρέω) schwer zu messen; πέλαγος Philostr. Apoll. 4, 15 s. v. a. δυσπόρευτον. —μή, ἡ, (δύω) Untergang; poet. s. v. a. δύσις. —μηνις, εος, ὁ, ἡ, schwer od. heftig zürnend. —μήτηρ, ερος, ἡ, schlechte, nicht mütterlich gesinnte Mutter. —μήτης, ου, ὁ, oder δύσμητις, ὁ, ἡ, s. v. a. κακόβουλος Hesych. Suid. —μήτωρ, ορος, ὁ, ἡ, der eine unglückliche oder schlimme Mutter hat; zw. —μηχανάω, f. ήσω, oder —νέω, opp. εὐμηχανέω, in Verlegenheit seyn; zw.

Δυσμήχανος, ὁ, ἡ, (μηχανὴ) ſchwer zu erfinden oder zu bewerkſtelligen, das Gegenth. v. εὐμήχανος, Themiſtius or. p. 137. —μικὸς, ἡ, ὸν, (δυσμὴ) ſ. v. a. δυτικὸς. —μικτος, ὁ, ἡ, Adv. —τως, (μίγνυμι) ſchwer zu vermiſchen, der ſich nicht leicht mit andern vermiſcht, Verbindung, Gemeinſchaft, Umgang hat. —μίμητος, ὁ, ἡ, (μιμέομαι) ſchwer nachzuahmen. —μίσητος, ὁ, ἡ, (μισέω) ſehr gehaſst. —μνημόνευτος, ον, (μνημονεύω) ſchwer im Gedächtniſſe zu behalten. —μόθεν, Adv. (δυσμὴ) vom Abend her; Nicetas Annal. 5, 7. —μοιρία, ἡ, und δύσμοιρος, ὁ, ἡ, (μοῖρα) ſ. v. a. δυσμορία, ἡ, und δύσμορος, ὁ, ἡ, (μόρος) der ein unglückliches Loos, Schickſal hat; unglücklich. —μορφία, ἡ, häſsliche Geſtalt; von —μορφος, ὁ, ἡ, (μορφὴ) ungeſtaltet; häſslich. —μουσος, ον, den Muſen unhold, von den Muſen nicht begünſtigt, d. i. dumm, ungelehrig; ungebildet; roh, u. dergl. zw. —νίκητος, ὁ, ἡ, (νικάω) ſchwer zu bezwingen oder beſiegen. —νιπτος, ὁ, ἡ, (νίπτω) ſchwer zu waſchen, auszuwaſchen, vertilgen. Sophocl. —νοέω, ῶ, widrig, übel od. feindſelig geſinnt ſeyn. —νόητος, ὁ, ἡ, Adv. —τως, ſchwer einzuſehn, zu verſtehn; dunkel. —νοια, ἡ, (δύσνοος) Ungewogenheit, feindſelige Geſinnung. Eur. Hec. 963. Dio Caſſ. 41, 63. —νομία, ἡ, ſchlechte geſetzliche Verfaſſung: opp. εὐνομία; Geſetzwidrigkeit, Ungerechtigkeit, Bosheit. —νομος, ον, geſetzwidrig; ungerecht; böſe. —νοος, contr. δύσνους, ὁ, ἡ, widrig übel oder feindſelig geſinnt. —νοστος, ὁ, ἡ, δ. νόστος, Eur. unglückliche Reiſe. —νύμφευτος, ὁ, ἡ, unglücklich vermählt; zw. —νυμφος, ὁ, ἡ, unglücklicher Bräutigam. —ξήραντος, ὁ, ἡ, (ξηραίνω) ſchwer zu trocknen. —ξύμβλητος, ὁ, ἡ, (ξυμβλέω) ſchwer zuſammen zu ſtellen oder reimen, d. i. zu verſtehen; mithin dunkel, undeutlich, z. B. τέρας beym Dio C. 56, 29. —ξύμβολος, ὁ, ἡ, (ξυμβάλλω) einer, mit dem ſichs nicht gut handeln od. umgehn läſst; auch ſ. v. a. das vorh. Bey Ariſtaen. 1 Epiſt. 28 ſteht jetzt δυσξύμβουλος, wo δυσξύμβολος ſtehn ſollte. —ξύμβουλος. S. d. vorh. ſonſt bed. es einen, dem es nicht leicht iſt zu rathen, oder mit dem es nicht leicht iſt ſich zu berathen. —ξύνετος, ὁ, ἡ, (συνίημι) ſchwer zu verſtehen, unverſtändlich, z. B. ὁ διάγραμμα. Xenoph. Mem. 4. 7. 3. 2) der ſchwer verſteht oder einſieht. —ογκος, ὁ, ἡ, ſchwer von Maſſe, läſtig oder unbehülflich. —οδέω, ῶ, (ὁδὸς) ſchlecht reiſen, böſen od. ſchlechten Weg haben; dav. —οδία, ἡ, ſchlechter Weg, ſchlechte Reiſe. —οδμος, ὁ, ἡ, (ὀδμὴ) übel, widrig riechend, ſtinkend. —οδοπαίπαλος, ον, (παίπαλος) unwegſam u. felſigt; Aeſch. Eum. 390. —οδος, ὁ, ἡ, unwegſam, ſchwer, unbequem zum gehn. —οίζω, (οἴζω wovon οἴσω, φέρω) aegre ferre, betrübt über etwas ſeyn; daher auch fürchten, beſorgen. Eurip. Rheſ. 724 u. 805. μηδὲν δυσοίζου, fürchte nicht. Aeſchyl. Ag. 1326 δυσοίζω φόβῳ. Heſych. hat, δυσοίζου, οἰωνιζομένου καὶ ἄγαν ὑποπτεύοντος, ferner ἐδύσυξα, ὑπενόησα. —οίκητος, ὁ, ἡ, (οἰκέω) nicht gut zu bewohnen. —οικονόμητος, ὁ, ἡ, (οἰκονομέω) ſchwer zu bewirthſchaften, zu vertheilen; von Speiſen, ſchwer zu verdauen. —οικος, ον, nicht gut wohnend. zw. —οικτος, ὁ, ἡ, ſ. v. a. δυσθρήνητος Heſych. wofür Suidas δύσοικτρος hat. —οιμος, ὁ, ἡ, (οἴμη) ſ. v. a. δύσοδος, poet. Aeſch. Choeph. 945. —οινος, ὁ, ἡ, von ſchlechtem Weine od. zum Weinbau unbequem. —οιστος, ὁ, ἡ, Adv. δυσοίστως, (οἴω) ſchwer zu ertragen. —οιωνέω, (οἰωνὸς) ich ahnde etwas böſes, ſchlimmes, habe ſchlimme Ahndung. —οιωνισμὸς, ὁ, unglückliche Vorbedeutung. zw. —οιώνιστος, ὁ, ἡ, (οἰωνίζομαι) inauſpicatus, von unglücklicher Vorbedeutung. —οκνος, ὁ, ἡ, Adv. δυσόκνως, ſehr trage, zögernd, oder furchtſam. —ομβρος, ον, ſehr regnicht. —όμιλος, ὁ, ἡ, oder δυσομίλητος bey Hierocles, ſchlecht zum Umgange, ein ſchlechter Geſellſchafter. —όμματος, ον, mit ſchlechten Augen oder Geſichte; häſslich anzuſehn. —όμοιος, ὁ, ἡ, unähnlich. —όνειρος, ὁ, ἡ, üble ſchwere Träume habend oder bringend. —οπτος, ὁ, ἡ, u. δυσόρατος, ὁ, ἡ, (ὄπτομαι, ὁράω) ſchwer zu ſehen, zu erkennen; unſichtbar, unkennbar. —οργησία, ἡ, ſ. v. a. das vorherg. Hippocr. hum. 4 von —όργητος, ον, Adv. —τως, und δύσοργος ὁ, ἡ, (ὀργὴ, jenes von ὀργάω) leicht zürnend, jähzornig. —οργία, ἡ, (δύσοργος) Jähzorn; zw. —όριστος, ὁ, ἡ, (ὁρίζω) ſchwer zu begrenzen, zu beſtimmen. —ορμος, ὁ, ἡ, u. δυσόρμιστος, ὁ, ἡ, Pollux. 1, 10. (ὁρμίζω) ſchlecht zum Landen. —ορνις, ιθος, ὁ, ἡ, mit unter widriger, ungünſtiger Vorbedeutung der Vögel. vergl. δυσοιώνιστος. —όρφναιος, α, ον, ſehr finſter, mit dicker Finſterniſs. Eur. Phoen. 329. —οσμία, ἡ, übler Geruch, Geſtank; von —οσμος, ὁ, ἡ, (ὀσμὴ). ſ. v. a. δύσοδμος, übelriechend. —ουρέω, ῶ, (οὖρον) ſchwer den Harnzwang haben; davon —ουρία, ἡ, das ſchwere harnen, Harnzwang. —ουριάω, ῶ, (δυσουρία) ſ. v. a. δυσουρέω. —ουρικὸς, ἡ, ὸν, zum Harnzwange gehörig oder geneigt.

Δυσούριστος, ὁ, ἡ, (οὐρίζω) mit ungünstigem Winde fegelnd; zweif. —αυρος, ὁ, ἡ, schwer zu bewachen. Hesych.

Δυσπάθεια, ἡ, schwere, bittre Leiden, Ungeduld im Leiden; Härte, Festigkeit. S. δυσπαθής; von —παθέω, ich leide sehr; werde im Leiden ungeduldig u. beklage mich: Plut Cicer. 37. ich leide nicht leicht, bin hart, fest. S. d. folgd. —παθής, έος, ὁ, ἡ, nicht leicht leidend oder von etwas affizirt, dah. fest, hart. σῶμα καρτερὸν u. στεῤῥὸν verb. mit δ. Lucian. u. Diosco r. dah. δυσπάθεια bey Plut. vom Panzer die Festigkeit, Undurchdringlichkeit; 2) sehr leidend, also empfindlich; ἡ ἁφὴ πρὸς τὰ ἕλκη δυσπαθής. Plut. dah. 3) unleidlich, ungeduldig im Schmerz od. Betrübniss; u. δυσπάθεια; übermässiger Schmerz, Ungeduld mit Klagen verbunden, dah. δυσπαθεῖν u. δυσπάθεια fast s. v. a. δεινοπαθεῖν u. δεινοπάθεια. Plutar. verb. es daher mit μέμφεσθαι. —παίπαλος, ὁ, ἡ, rauch, τραχύς; so nennt Oppian. Hal. 2, 369 die Stachel des Igels λάχνη δυσπαίπαλος. u. Cyneg. 2, 270 ὄχλος ἐρπυστήρων, 381. τρηχυτάτη χαίτη. δυσπαίπαλος. 527. ῥινός, rauhe Haut; 3, 140. λάχνη, vom Bare, rauh, zottigt. S. παίπαλος. —πάλαιστος, ὁ, ἡ, (παλαίω) schwer zu bestehn od. auszuführen, τύχη, πρᾶγμα. Aesch. Suppl. 477. —πάλαμος, ὁ, ἡ, (παλάμη) schwer, opp. εὐπαλ. 2) f. v. a. κακότεχνος. Aeschyl. Eum. 849 —παλής, ὁ, ἡ, bey Pindar f. v. a. schwer, schwierig, difficilis, wov. das Gegenth. εὐπαλής. —παράβλητος, ὁ, ἡ, (παραβάλλω) schwer zu vergleichen. Plut. —παραβοήθητος, ον, (παραβοηθέω) dem schwer zu helfen; schwer zu retten. —παράβουλος, ον, (παραβουλή) schlecht rathend; zweif. —παράγραφος, ον, bey Polyb. schwer zu begrenzen od. bestimmen; soll viell. δυσπεριγρ. heissen. —παράγωγος, ὁ, ἡ, (παραγωγή) schwer zu verleiten od. bestechen. Pollux 8, 10. —παράδεκτος, ὁ, ἡ, Adv. —δέκτως, (παραδέχομαι) der nicht leicht annimmt, z. B. eine Erzählung und dergleich. Polyb. 12, 4. passive nicht leicht angenommen oder anzunehmen. —παραίτητος, ὁ, ἡ, (παραιτέομαι) schwer zu erbitten, zu versöhnen. —παράκλητος, ον, (παρακαλέω) schwer zu besänftigen, zw. —παρακολούθητος, ον, (παρακολουθέω) dem man schwer nachfolgen kann, activ. der schwer nachf. kann; Jambl. Pyth. c. 17. —παρακόμιστος, ὁ, ἡ, (παρακομίζω) schwer mit zu tragen, fortzubringen, beym Plut. v. Antigonus, dem als einem wohlbeleibten und alten Manne das Reiten und Fahren sauer wurde. Bey Polyb. 3, 61. ist es ein Beywort zu πλοῦς, schwierige Schiffahrt. —παραμύθητος, ὁ, ἡ, (παραμυθέομαι) s. v. a. δυσπαρηγόρητος.

Δυσπαράπλους, ὁ, ἡ, wobey man schwer zu Schiffe wegfährt; Diodor. Sic. —παράτρεπτος, ὁ, ἡ, (παρατρέπω) Pollux 8. 10 nicht zu verleiten oder bestechen. —πάρευνος, ον, schlecht beyzuschlafen, od. schlecht darin zu schlafen (vom Ehegatten u. Ehebette); also unglücklich. zweif. —παρηγόρητος, ὁ, ἡ, Adv. —ρήτως und δυσπαρήγορος (παρηγορέω) schwer zu trösten; zu besänftigen; heftig. —πάρθελκτος, ὁ, ἡ, st. δυσπαράθελκτος, (παραθέλγω) schwer zu besänftigen. zw. —πάρθενος, ἡ, unglückliches Mädchen. —παρις, ιδος, ὁ, unglücklicher Paris; od. Unglückbringender Paris. —πάριτος, ὁ, ἡ, (πάρειμι) od. δυσπάροδος, wodurch oder worüber schwer zu gehen ist; das erstere führen Suid. u. Etym. M. aus Xen. Anab. 4, 1. 25. an, wo jetzt δύσβατος auch δυσπόριστος steht. —πάτητος, ον, (πατέω) schwer oder hart zu betreten. —πείθεια, ἡ, Unfolgsamkeit; Ungehorsam, Widersetzlichkeit; von —πειθής, έος, ὁ, ἡ, Adv. —θῶς, (πείθομαι) schwer zu bereden, unbiegsam; nicht gut, nicht leicht, nicht gern gehorchend, unfolgsam, ungehorsam, widersetzlich. —πειρία, ἡ, Schwierigkeit Versuche zu machen. Hipp. hum. 1. —πειστος, ὁ, ἡ, Adv. —πείστως, (πείθω) schwer zu überreden, zu überzeugen. —πεμπτος, ον, (πέμπω) schwer zu schicken oder wegzubringen. zweif.

Δυσπέμφελος, ὁ, ἡ, vom Meere und der Schiffarth auf dem Meere, welches gefährlich zu befahren ist, δύς, πέμπω; auch von einem mürrischen Menschen. μηδὲ πολυξείνου δαιτὸς δυσπέμφελον εἶναι Hesiod. v. 722. der nicht leicht zu einem Pikenik (συμβολά) geht. Hesych. hat δυσπάμφελος u. δυσπέμφ. u. erkl. es δυστάραχος, δυσχείμερος δυσάρεστος, auch πέμφελα durch δύσκολα, τραχέα, βαθέα. S. πέμφελος. —πενθέω, ῶ, stark od. tief trauern; davon —πενθής, έος, ὁ, ἡ, sehr od. tief trauernd. —πεπτέω, ῶ, schwer od. nicht gut verdauen; von —πεπτος, ὁ, ἡ, (πέπτω) schwer zu verdauen. —πέρατος, ὁ, ἡ, (περάω) worüber man nicht leicht kommen kann; ῥεῖθρον Diod. metaph. αἰὼν Eur. schwer durchzubringendes Leben, wie *transigere vitam*. —περικαθαίρετος, ὁ, ἡ, (περικαθαιρέω) was man schwer ringsherum abziehn, abnehmen kann. —περικάθαρτος, ὁ, ἡ, (περικαθαίρω) schwer ringsherum oder ganz zu reinigen. —περίληπτος, ὁ, ἡ, (περιλαμβάνω) schwer zu umfassen.

Δυσπερινόητος, ον, (περινοέω) ſchwer mit den Gedanken zu umfaſſen. zw. —περιόδευτος, ον, (περιοδεύω) ſchwer, nicht leicht zu umgehn.

Δυσπερίτρεπτος, ὁ, ἡ, (περιτρέπω) ſchwer umzudrehen, nicht leicht umſchlagend; Theophil. protoſp. 1, 10. —περίψυκτος, ὁ, ἡ, (περιψύχω) ſchwer abzukühlen, nicht leicht kühl od. kalt werdend, Dioſc. Φυλάσσει τὸ σῶμα δ. daſs er nicht leicht kalt werde, ſich verkälte. —πετέω, ῶ, (δυσπετὴς) ich falle ſchwer; bin unglücklich: bey Heſych. ſ. v. a. δυσανασχετῶ, παραιτέομαι, bey Suidas κακῶς πάσχω. S. in ἀποδυσπετέω. —πέτημα, ατος, τὸ, Unglücksfall, Unglück. 2 Maccab. 5, 20. —πετὴς, έος, ὁ, ἡ, Adv. —τῶς, (πέτω, πίπτω) ſchwer od. unglücklich fallend; ſchwer: Soph. Aj. 1065. opp. εὐπετής. —πεψία, ἡ, (δύσπεπτος) Unverdauung; Unverdaulichkeit. —πινὴς, έος, ὁ, ἡ, (πῖνος) ſehr ſchmutzig. —πιστέω, ῶ, ich glaube o. traue nicht: Plut. 8 p. 342. dav. —πιστία, ἡ, Unglaublichkeit; Ungläubigkeit, Miſstrauen. —πιστος, ὁ, ἡ, (πίστις) Adv. —πίστως, ſchwer zu glauben, unglaublich; act. ſchwer glaubend, ungläubig, miſstrauiſch. —πλαγχνος, ὁ, ἡ, umbarmherzig. opp. εὔσπλ. zw. —πλανος, ὁ, ἡ, d. verſt. πλάνος, ſehr herumirrend. zw. —πληκτος, ὁ, ἡ, (πλήσσω) ſchwer zu ſchlagen, treffen, erſchrecken. —πλήρωτος, ὁ, ἡ, (πληρόω) ſchwer zu füllen oder erfüllen. —πλοος, ὁ, ἡ, ſchwer od. ſchlecht zu beſchiffen. —πλυτος, ὁ, ἡ, (πλύνω) ſchwer auszuwaſchen. zw. —πνοέω, ῶ, (πνοὴ) ſchwer athmen; davon —πνόητος, ὁ, ἡ, ſchwer athmend. —πνοια, ἡ, ſchweres Athmen; Engbrüſtigkeit. —πνοϊκὸς, ἡ, ὸν, gewöhnlich ſchwer athmend, keichend. —πνοος, contr. δύσπνους, ὁ, ἡ, ſchwer athmend. —πολέμητος, ὁ, ἡ, ſchwer zu bekriegen. —πόλεμος, ὁ, ἡ, unkriegeriſch, feig. —πολιόρκητος, ὁ, ἡ, (πολιορκέω) ſchwer zu belagern. —πολίτευτος, ὁ, ἡ, zur Verwaltung des Staats, Führung der Geſchäfte ungeſchickt. —πονης, έος, ὁ, ἡ, voll Arbeit, mühſelig; dav. δυσπονέως Maxim. vers 194. ſchwer, mit Mühe. —πόνητος, ὁ, ἡ, ſchwer zu erarbeiten, oder zu erwerben; ſchwer, mühſelig, läſtig. —πόρευτος, ὁ, ἡ, ſchwer zu bereiſen, betreten; ὁδὸς, unwegſamer, ſchlechter Weg. —πορία, ἡ, Schwierigkeit des Weges, des Paſſes, der Reiſe; Schwierigkeit u. Verlegenheit überh. —πόριστος, ὁ, ἡ, (πορίζω) ſchwer anzuſchaffen. —πορος, ὁ, ἡ, vom Orte, der ſchwer zu bereiſen iſt, deſſen Uebergang od. Durchgang ſchwierig; metaph. d. Gegenth. v. εὔπορος der ſich nicht leicht helfen kann. —ποτμέω, ῶ, (δύσποτμος) ich bin unglücklich; dav. —ποτμία, ἡ, unglücklicher Zufall, Unglück. —ποτμός, ὁ, ἡ, (πότμος) Adv. —πότμως, den ein Unglücksfall, unglückliches Loos trift, unglücklich. —ποτος, ον, (πόω) nicht gut trinkbar. —πραγέω, ῶ, (πρᾶγος) unglücklich in ſeinem Unternehmen, überh. unglücklich ſeyn; dem εὖ πράττω entgegengeſetzt; davon —πράγημα, τὸ, Nicet. Annal. 13, 7. unglücklich gerathene Handlung; Unglücksfall; und —πραγὴς, έος, ὁ, ἡ, unglücklich in ſeinen Handlungen oder Unternehmungen; überh. unglücklich. —πραγία, ἡ, Miſsglück im Unternehmen, Unglück. —πραγμάτευτος, ὁ, ἡ, (πραγματεύομαι) ſchwer zu behandeln, ſchwer zu regieren, z. B. δορυφόρων λαὸς. b. Plut. —πρακτος, ὁ, ἡ, (πράττω) ſchwer zu thun, ſchwierig. —πραξία, ἡ, ſ. v. a. δυσπραγία. —πρέπεια, ἡ, Uebelſtand; Joſeph. Antiq. 3, 7, 4. von —πρεπὴς, έος, ὁ, ἡ, unſchicklich, unanſtändig, opp. εὐπρεπής; auch ſ. v. a. δύσμορφος Heſych. —πριστος, ὁ, ἡ, (πρίζω) ſchwer zu zerſägen. —πρόμαχος, ὁ, ἡ, zur Vertheidigung ungeſchickt. zweif. —πρόπτωτος, ὁ, ἡ, (προπίπτω) nicht leicht fallend oder fehlend. —πρόσβατος, ὁ, ἡ, (προσβαίνω) worzu man nicht leicht kommen, gehn kann. Dio C. —πρόσβλητος, ὁ, ἡ, (προσβάλλω) ſchwer anzufallen, anzugreifen. auch ſ. v. a. d. vorherg. —πρόσδεκτος, ὁ, ἡ, (προσδέχομαι) ſ. v. a. δυσπαράδεκτος. —προσήγορος, ὁ, ἡ, Adv. —γόρως, ſchwer zu ſprechen. —πρόσιτος, ὁ, ἡ, Adv. —ίτως, (πρόσειμι) worzu man ſchwer kommen, gehn kann. —πρόσμαχος, ὁ, ἡ, (προσμάχομαι) ſchwer zu beſtreiten oder belagern. —πρόσμικτος, ὁ, ἡ, (προσμίγνυμαι) mit dem man ſich ſchwer vermiſchen o. Geſellſchaft pflegen kann. —πρόσοδος, ὁ, ἡ, ſ. v. a. δυσπρόσιτος. —πρόσοιστος, ὁ, ἡ, ungeſellig, unfreundlich. S. ἀπρόσοιστος. —πρόσοπτος, ὁ, ἡ, (προσόπτομαι) nicht gut anzuſehen. —προσόρμιστος, ὁ, ἡ, (προσορμίζω) wo man ſchwer landen kann. —προσπέλαστος, ὁ, ἡ, (προσπελάζω) dem man ſich ſchwer u. mit Mühe nähern kann. —πρόσρητος, ὁ, ἡ, (προσρέω) ſchwer anzureden, nicht wohl zu ſprechen od. mürriſch, ſtolz. —πρόσωπος, ὁ, ἡ, (πρόσωπον) von ſchlechtem oder häſslichem Geſichte, Anſehn; d. Gegenth. v. εὐπρόσωπος. —πύητος, ὁ, ἡ, (πυέω) ſchwer zum ſchwären zu bringen.

Δυσραγὴς, έος, ὁ, ἡ, u. δύσρηκτος (ῥήγνυμι) ſchwer zu zerreiſsen oder zu zerbrechen, durchzubrechen. —ρητος, ὁ, ἡ, ſchwer zu ſagen, zu ſprechen, auszuſprechen; was man nicht gerne ſagt, beym Demetr. Phal. ſyn. w. αἰχρὸς. —ριγὴς, έος, ὁ, ἡ, od. δύσριγος, ὁ, ἡ, (ῥῖγος) ſehr froſtig. —ροέω, ῶ, (ῥοὴ) ſchlecht flieſsen.

Δυσσέβεια, ἡ, Gottloſigkeit; von —σεβέω, ῶ, ich bin, handle oder ſpreche gottlos; davon —σέβημα, ατος, τὸ, gottloſe Handlung oder Rede. —σεβὴς, έος, ὁ, ἡ, (σέβω) Adv. —σεβῶς, gottlos, irreligiös. —σειστος, ον, (σείω) ſchwer zu ſchütteln, zu erſchüttern; mithin unbeweglich, feſt. —σοος, ὁ, ἡ, (σόω, σώζω) ſchwer zu retten, alſo verloren oder unglücklich. —σύμβατος, ὁ, ἡ, (συμβαίνω) mit dem man nicht gut zuſammentreten, ſich nicht vereinigen oder verbinden kann. —σύνακτος, ὁ, ἡ, (συνάγω) ſchwer zuſammenzubringen. —σύνοπτος, ον, ſchwer zu überſehen, erkennen, einzuſehn od. dunkel. —σφαλτος, ὁ, ἡ, (σφάλλω,) ſchwer umzuſtoſsen oder zu erſchüttern. —σχηματιστος, ὁ, ἡ, ſchwer zu bilden, oder in eine gewiſſe regelmaſsige Geſtalt zu bringen. —σχιστος, ὁ, ἡ, ſchwer zu ſpalten, trennen.

Δύστακτος, ὁ, ἡ, (τάσσω) ſchwer zu ordnen oder zu regieren. —τάλας, ανος, femin. δυστάλαινα, (τάλας) höchſt unglücklich, ſehr elend. —τάραχος, ον, ſehr ſtürmiſch und unruhig. —τατέω, ῶ, (δύστατος) unbeſtändig ſeyn Plutar. 10 p. 129 u. 621. —τέκμαρτος, ὁ, ἡ, (τεκμαίρω) ſchwer zu bezeichnen, an gewiſſen Zeichen zu erkennen, mithin ſchwer auszufinden, zu errathen. —τεκνία, ἡ, Unglück mit Kindern; von —τεκνος, ὁ, ἡ, (τέκνον) unglücklich mit Kindern. —τερπὴς, ές, (τέρπω) nicht ergötzend, unangenehm. —τήκτος, ὁ, ἡ, (τήκω) ſchwer zu ſchmelzen. —τηνία, ἡ, Unglück; von —τηνος, ὁ, ἡ, unglücklich, elend, jämmerlich. S. ἄστηνος. —τήρητος, ὁ, ἡ, (τηρέω) ſchwer zu beobachten oder zu bewachen. —στίβευτος, ὁ, ἡ, (στιβεύω) ſchwer aufzuſpüren. —τιθάσσευτος, ὁ, ἡ, (τιθασσεύω) ſchwer zu zahmen oder zu bezähmen. —τλήμων, ονος, ὁ, ἡ, ſchwer duldend oder leidend. —τλητος, ὁ, ἡ, ſchwer zu dulden. —τοκέω, ῶ, (δύστοκος) ſchwer gebaren, mit Mühe od. Schmerzen gebaren; dav. —τοκία, ἡ, das ſchwere Gebaren, die ſchwere Geburt. —τοκος, ὁ, ἡ, ſchwer gebärend. —τομος, ὁ, ἡ, (τομὴ) ſchwer zu hauen oder zu zerſchneiden. —τονος, ὁ, ἡ, ſchwer, laſtig; zweif. —τοπάζω, f. άσω, ich kann ſchwer oder nicht errathen; davon —τόπαστος, ὁ, ἡ, ſchwer zu errathen. —τοπος, ὁ, ἡ, bey Suidas ſ. v. a. δυσχερὴς. —στόχαστος, ὁ, ἡ, (στοχάζομαι) ſchwer zu erzielen oder zu errathen. —τράπεζος, ὁ, ἡ, (τράπεζα) der verabſcheuungswürdige Speiſen genieſst; zw. —τραπελία, ἡ, die Unbeweglichkeit, Unwandelbarkeit, alſo vom Karakter Störrigkeit, Hartſinn; Heſych. erklärt es auch für Bosheit, wie δυστροπία. bey Diod. Sic. τοπικὴ δυστ. Schwierigkeit in der Lage und Beſchaffenheit eines Orts. —τράπελος, ὁ, ἡ, Adv. —πέλως (τρέπω) ſchwer zu wenden oder zu bewegen, Soph. Ajac. 925. mithin auf ſeinen Kopf beſtehend, eigenſinnig, ſtörrig. 2) das lat. *inconditus*. εἰ δυστραπέλως τι σύγκειται, wenn etwas am unrechten Orte mit andern Dingen zuſammenliegt; überh. ungeſchickt zum Gebrauche, Umgange; das Gegentheil von εὐτράπελος. —τράπητος, ὁ, ἡ, bey Hippocr. nat. oſſium p. 307. wo die Handſchr. aber δυστράπελος haben, im Sinne von δυσμετάθετος. —τροπία, ἡ, ein ſtorriger, unbiegſamer Charakter; von —τροπος, ὁ, ἡ, (τρέπω, τρόπος) ſchwer zu wenden; daher vom Charakter eines Menſchen gebraucht, unbiegſam, ſtorrig, ein Sonderling, ein ſyn. von δύσκολος beym Demoſth. —τροφος, ὁ, ἡ, (τροφὴ) ſchwer zu nähren, zu erhalten, groſszuziehen. —τρύπητος, ὁ, ἡ, (τρυπάω) ſchwer zu bohren, zu durchbohren. —τυχέω, ῶ, ich bin unglücklich, habe Miſsglück; davon —τύχημα, ατος, τὸ, Miſsglück, Unglück. —τυχὴς, έος, ὁ, ἡ, (δυστυχέω) dem es miſsglückt, unglucklich; Adv. δυστυχῶς. —τύχησις, εως, ἡ, (δυστυχέω wird aus Palaephatus angef. Miſsglücken, Verfehlen. —τυχία, ἡ, (δυστυχέω) das unglücklich ſeyn, Unglück.

Δυσυπνέω, ῶ, ich ſchlafe ſchlecht; v. —υπνος, ὁ, ἡ, der, die ſchlecht ſchläft. —υποβίβαστος, ὁ, ἡ, (ὑποβιβάζω) ſchwer herunter zu bringen, heraus oder abzuführen. —ύποιστος, ὁ, ἡ, (ὑποίω) ſchwer zu ertragen. —υπομόνητος, ον, (ὑπομονὴ) ſchwer zu erdulden, auszuhalten. —υπόστατος, ὁ, ἡ, (ὑφίσταμαι) dem man ſchwer widerſtehen oder ihn abhalten kann. —υπότακτος, ὁ, ἡ, (ὑποτάσσω) ſchwer zu unterwerfen, oder zu unterjochen, ſtorrig, ungehorſam. —υποχώρητος, ὁ, ἡ, Suidas erklärt damit das W. δυσύποιστος.

Δυσφανὴς, έος, ὁ, ἡ, (φαίνω) kaum ſichtbar, undeutlich. —φάνταστος, ὁ, ἡ, ſchwer oder nicht leicht das Bild einer Sache auf- oder annehmend. S. φαντάζομαι.

Δύσφατος, ὁ, ἡ, (δυσφημέω) häſslich od. ſchwer auszuſprechen; verwünſcht. — **φερής**, ὁ, ἡ, (φέρω) ſchwer zu ertragen; zw. — **φημέω**, ῶ, (φήμη) häſsliche, verabſcheuungswürdige Worte oder von übler Vorbedeutung brauchen oder ſprechen, τινὶ, gegen einen, oder einen beſchimpfen, läſtern, ſchmähen; das Gegentheil εὐφημέω; davon — **φημία**, ἡ, häſsliche, ſchmutzige, verabſcheuungswürdige Worte, oder Worte von böſer Vorbedeutung; auch ſchmähende, beſchimpfende Rede, Schmach, Schimpf; böſer, ſchlechter, übler Ruf. Jamblich Pythag. §. 171. giebt den Umfang der Bedeutung genau ſo an: δυσφημίας πάσης τῆς τε σχετλίας τινῆς καὶ τῆς μαχίμου καὶ τῆς λοιδορητικῆς καὶ τῆς φορτικῆς καὶ γελωτοποιοῦ. — **φήμιστος**, ὁ, ἡ, (φημίζω) von ſchlechter Vorbedeutung; zweif. — **φημος**, ὁ, ἡ, (φήμη) von übler Vorbedeutung, von üblem Rufe; act. ſchmähend, läſternd. — **φθαρτος**, ὁ, ἡ, (φθείρω) ſchwer zu verderben. — **φιλής**, έος, ὁ, ἡ, (φιλέω) unfreundlich; zw. — **φιμος**, ὁ, ἡ, (φιμὸς) zügellos; zweif. — **φορέω**, ῶ, etwas zu ſchwer finden u. nicht gern tragen, unwillig, ungehalten werden oder ſeyn; m. d. dat. und acc. das medium in demſelben Sinne haben einige Ausgaben Xen. Cyrop. 2, 2, 8. und 2, 2, 5. wo jetzt δυσπειθούμενος ſt. δυσφορ. ſteht; τῇ τῶν πολιτῶν εὐνοίᾳ δυσφορούμενος. Iſocr. Helen. — **φόρητος**, ὁ, ἡ, ſchwer zu ertragen. — **φορία**, ἡ, (δυσφορέω) der Unwille, Miſsvergnügen; das Gegentheil von εὐφορία. — **φορικὸς**, ἡ, ὸν, zum Miſsmuthe gehörig, ihn andeutend. — **φόρμιγξ**, γγος, ὁ, ἡ, miſstönend, kläglich oder weinerlich tönend; zw. — **φορος**, ὁ, ἡ, (φέρω) Adv. δυσφόρως, ſchwer zu ertragen, unerträglich; auch act. ſchwer machend. Xen. Cyrop. 1, 6. 17. — **φραστος**, ὁ, ἡ, Adv. δυσφράστως, ſchwer zu ſprechen, auszuſprechen, zu bemerken oder zu erklären, von φράζω und φράζομαι. — **φρονέω**, ῶ, (δύσφρων) miſsmüthig ſeyn. — **φροντις**, ὁ, ἡ, (φρόντις) miſsmüthig, voll Sorgen und Bekümmerniſs; zw. — **φροσύνη**, ἡ, Miſsmuth, Kummer, Sorge; von — **φρων**, ονος, ὁ, ἡ, Adv. — φρόνως, miſsmüthig, traurig; τὰ δύσφρονα Traurigkeit, Pind. Olymp. 2, 95. — **φυής**, έος, ὁ, ἡ, (φυὴ) ſchwer oder langſam wachſend; häſslich oder widernatürlich wachſend; dav. — **φυΐα**, ἡ, ſchweres oder ſchwieriges Wachsthum; oder ſ. v. a. δύσφυσις d. i. κακὴ φύσις, ſchlechte, üble Natur oder Beſchaffenheit. — **φύλακτος**, ὁ, ἡ, ſchwer zu bewachen, zu erhalten; ſchwer zu verhüten, oder vor dem man ſich ſchwer hüten kann; φυλάσσομαι, med. Dio C. 40, 20. — **φυσις**, εως, ἡ, bey Heſych. ſ. v. a. κακὴ φύσις. — **φωνία**, ἡ, widriger, harter Ton; von — **φωνος**, ὁ, ἡ, Adv. — νως, (φωνὴ) widrig, hart tönend, widrig. — **φώρατος**, ὁ, ἡ, (φωράω) ſchwer zu ergreifen, zu überführen oder auszufinden. — **χαλίνωτος**, ὁ, ἡ, (χαλινόω) ſchwer zu zügeln oder zu regieren. — **χάριστος**, ὁ, ἡ, (χαρίζομαι) undankbar. — **χειμερινὸς**, ἡ, ὸν, bey Theophr. hiſt. pl. ſ. v. a. das folgd. zweif. — **χείμερος**, ὁ, ἡ, oder δύσχειμος und δυσχείμων, mit einem ſchweren od. läſtigen Winter und daher ſehr kalt, z. B. χώρα beym Homer. Bey Aeſchyl. S. 505 δύσχιμον δράκοντα ſ. v. a. δυσμενῆ, feindſelig, wie μελάγχειμος, wird auch δύσχιμος geſchrieben; die Form δυσχείμων zweif. — **χείρωμα**, ατος, τὸ, eine ſchwer zu beſiegende Sache; zweif. — **χείρωτος**, ὁ, ἡ, (χειρόω) ſchwer zu beſiegen, unbeſiegt. — **χεραινόντως**, Adv. unwillig; zw. von — **χεραίνω**, f. ανῶ, m. d. dativo und accuſ. über etwas unwillig werden od. ſeyn; unzufrieden ſeyn; nicht ertragen, leiden oder ausſtehn können; einen Widerwillen, Abneigung oder Eckel haben; ὄνομα δυσχεραινόμενον was mit Widerwillen und Abſcheu gehört wird: bey Ariſtot. auch ich bin verlegen, oder ich zweifle: active τήν τε ὑδρείαν πανταχοῦ ἐδυσχέραινον erſchweren, Dio C. 49, 28. So auch Appian. Illyr. 13. Kommt v. δυσχερέω, δυσχεράω, wovon auch δυσχερής. — **χεραντικὸς**, ἡ, ὸν, der leicht böſe od. unwillig wird. Hierocles. — **χέρασμα**, ατος, τὸ, unangenehmer Vorfall, Unannehmlichkeit. — **χέρεια**, ἡ, das Gegentheil von εὐχέρεια, als Schwierigkeit, Unbequemlichkeit oder Ungeſchicklichkeit im handhaben oder behandeln von Perſonen und Sachen; auch paſſive die Schwierigkeit und Unbequemlichkeit, womit eine Sache oder Perſon behandelt werden kann: alſo überhaupt Verlegenheit, Schwierigkeit, Unbequemlichkeit, Hinderniſs; von Perſonen, Ungeneigtheit, Feindſeligkeit, mürriſches Weſen, Unannehmlichkeit. — **χερής**, έος, ὁ, ἡ, das Gegentheil von εὐχερής der nicht leicht, nicht mit Fertigkeit oder Uebung etwas behandelt, daher ungeſchickt, ungeübt, oder mit Widerwillen oder Unwillen etwas thuend; ungeneigt, unfreundlich, feindſelig; dieſe letztern Bedeut. kann man auch von der paſſiv. Bedeut. ableiten, wo es ſchwer unbequem zu behandeln oder zu brauchen heiſst; überhaupt ſchwer, läſtig, unbequem, verhaſst, ſchrecklich; (Xen. Oec. 8, 6. Hier. 1, 36. unangenehm Memor. 1, 4, 6.) übel, böſe; feindlich, Adv. —ρῶς.

Δύσχιμος. S. δύσχειμος. —**χλαινία**, ἡ, ſchmutzige, ſchlechte Kleidung. Eurip. Hec. 240. v. —**χλαινος**, ὁ, ἡ, (χλαῖνα) mit oder von ſchlechter Bekleidung, ſchlecht gekleidet. —**χορήγητος**, ὁ, ἡ, (χορηγέω) von vielem Aufwande und deswegen ſchwierig. Plutarch. Q. S. 7, 8. —**χορτος**, ον, von ſchlechter Weide; ſchlecht, unbequem zur Umzäunung oder Wohnung. S. χόρτος; zweif. —**χρηστέω**, ῶ, active Schwierigkeit verurſachen, Polyb. 27, 6. gewöhnlich δυσχρηστέω und paſſiv. δυσχρηστέομαι, ich bin in Verlegenheit, finde Schwierigkeit und weiſs mir dabey oder daraus nicht zu helfen; πράγμασι, λόγοις auch m. verſch. praepoſ. von Sachen. ἐδυσχρήστουν τὰ πλοῖα und ἐδυσχρητεῖτο ἡ δεκήρης καὶ δυσκίνητος ἦ πρὸς πᾶν Polyb. war unbrauchbar; davon —**χρήστημα**, ατος, τὸ, Unbequemlichkeit, Hinderniſs, Verlegenheit; Nachtheil. Cic. Fin. 3, 21. —**χρηστία**, ἡ, Unbrauchbarkeit, Unbequemlichkeit, Hinderniſs, Verlegenheit; Schwierigkeit zu borgen. (S. χράω) Cic. ad Att. 16, 7. —**χρηστος**, ὁ, ἡ, Adv. —στως, unbrauchbar; unnütz, unbequem, ungelegen, hinderlich. —**χροια**, ἡ, entſtellte, ſchlimme oder häſsliche Farbe; von —**χροος**, contr. δύσχρους, ὁ, ἡ, od. δύσχρως, ωτος, ὁ, ἡ, v. häſslicher, ſchlimmer od. entſtellter Farbe od. Körper, χρόα, χρώς. —**χυλία**, ἡ, übler, unangenehmer Saft od. Geſchmack; von —**χυλος**, ὁ, ἡ, von böſen, übeln, unangenehmen Säften od. Geſchmacke, χυλὸς. —**χυμος**, ὁ, ἡ, ſ. v. a. das vorh. von χυμὸς, eigentl. der Geſchmack des χυλὸς, Saftes. —**χωλος**, ὁ, ἡ, ſchwer od. ſehr hinkend, wie *male claudus*. —**χώρητος**, ὁ, ἡ, ἀκρισία Polyb. 24, 1. eine Verwirrung, aus der man ſich nicht zu helfen weiſs. —**χωρία**, ἡ, enge und ſchwierige Beſchaffenheit und Lage eines Ortes, χῶρος, *difficultas loci*. —**χώριστος**, ὁ, ἡ, (χωρίζω) ſchwer zu trennen. —**ώδης**, εος, ὁ, ἡ, (ὄζω) übel riechend, ſtinkend; davon —**ωδία**, ἡ, übler Geruch, Geſtank. —**ώλεθρος**, ὁ, ἡ, (ὄλεθρος) ſchwer zu vertilgen, ſchwer umkommend, ſchwer ſterbend. —**ωνέω**, ῶ, und δυσωνέομαι, beym einkaufen dingen und handeln; davon —**ώνης**, ου, ὁ, der beym kaufen gern dingt und handelt. —**ώνητος**, ὁ, ἡ, ſchlecht, übel, mit Schaden gekauft. —**ώνυμος**, ὁ, ἡ, mit einem übeln, böſen Namen; deſſen Name eine ſchlechte Vorbedeutung giebt. Soph. Aj. 926. —**ωπέω**, ῶ, ich mache, daſs jemand ſich ſchämt; daher ich bewege ihn, daſs er etwas unterlaſst, nicht mehr thut; daher ich beſchäme; 2) ich mache durch Bitten, daſs jemand aus Schaam und Achtung etwas thut. ἥκειν οὖν ὑμᾶς καὶ παρακαλῶ καὶ δυσωπῶ Heliodor. 10 p. 456. ἱκανὸν δὲ καὶ ἐξ ὄψεως δυσωπῆσαι p. 510. deſſen Anblick dich ſchon zur Erfüllung ſeiner Bitte bewegen wird. Bey Plutarch. Lyc. 9 ὕδατα δυσωποῦντα τὴν ὄψιν, Waſſer, deſſen Anblick dem Auge unangenehm iſt. Im neutr. wird es aus Memorab. 3, 6, 4 angeführt, wo jetzt richtiger διεσιώπησεν ſteht. Med. δυσωπέομαι, δυσωποῦμαι, ich ſcheue mich, ſchäme mich, τινὰ, vor jemanden; τὰ θηρία δυσωπεῖνται, ſind furchtſam, ſchüchtern, ſcheu. —**ώπημα**, ατος, τὸ, beſchämende, abſchreckende Sache; zw. —**ώπησις**, εως, ἡ, das Beſchämen, das Abſchrecken, das Erbitten. —**ωπητικός**, ἡ, όν, Adv. —κῶς, gut, geſchickt zu beſchämen, abzuſchrecken. —**ωπία**, ἡ, Schaam, Schaamhaftigkeit, Blödigkeit. —**ωρέω**, ῶ, eine ſchlimme Nacht mit Wachen zubringen. Il. 10, 183 von ὥρη.

Δύτης, ου, ὁ, (δύω) ein Taucher. —**τικός**, ἡ, όν, (δύσις) zum tauchen gehörig oder im tauchen geſchickt; 2) gegen Abend gelegen, weſtlich. —**τός**, ἡ, όν, (δύω) wo man hineingehn od. was man anziehn kann.

Δύω, ſ. v. a. δύο, *duo*, zwey.

Δύω auch δύνω, δῦμι und δύσκω, von δῦμι ἔδυν, δῦναι joniſch δύμεναι, von δύσκω δύσκεν, ſt. ἔδυσκεν. d. lat. *duo*, *induo*, active δῦναι τεύχεα die Waffen einem andern anziehn; med. δύεσθαι τεύχεα ſich die Waffen anziehen; daher metaph. δύσεαι und δύσεο ἀλκὴν ſt. ἀναλαμβάνοις, ermanne dich; überhaupt bedeutet das Wort im activo und medio tauchen, eintauchen, im allgemeinen hinein hinunter bringen, und neutraliter hinein hinunter gehn, alſo untertauchen unter das Waſſer oder in eine Höle, Oefnung, Haus gehn; von der Sonne und andern Sternen, die untergehn; auch metaph. ὥς μιν μᾶλλον ἔδυ χόλος, wie *ſubire animum*. In der Bedeut. von tauchen hat man auch δύπτω active geſagt, davon δύπτης, ὁ, ſ. v. a. δύτης der Taucher. Antimachus bey Schol. Apollon. Rhod. 1, 1008. Lycophr. 73. 387. 715. 752.

Δυώδεκα, οἱ, αἱ, τὰ, oder δώδεκα contr. aus δύω καὶ δέκα zwölf. δυωδέκατος, od. δωδέκατος, der zwölfte; δωδεκάκις zwölfmal. Die Dichter haben meiſt allein die vollſtändigere Form mit δυωδ. gebraucht; in Proſa iſt die abgekürzte gewöhnlicher. —**δεκαδάρχης**, ου, ὁ, oder δυωδεκάδαρχος, ὁ, δυωδεκάβοιος u.

d. übrigen Composita siehe in δωδεκαδ. u. s. w.

Δυώνυμος, ον, zweynamig, mit zwey Namen, ὄνομα.

Δῶ, τὸ, das abgekürzte δῶμα, beym Hom.

Δωδεκάβοιος, ὁ, ἡ, (βοῦς) zwölf Ochsen werth. —καγναμπτος, ὁ, ἡ, zwölfmal umgebeugt, umzubeugend. Pindar. —καδάκτυλος, ὁ, ἡ, von zwölf Fingern. —κάδαρχος, ὁ, der zwölf Mann anführt. —κάδελτος, ὁ, ἡ, von oder mit zwölf Tafeln. —κάδραχμος, ὁ, ἡ, von zwölf Drachmen. —κάδρομος, ὁ, ἡ, der zwölfmal läuft, oder zwölf Läufe, Umläufe hat. Pindar. —κάδωρος, ὁ, ἡ, (δῶρον) von zwölf Spannen oder Handbreiten. —κάεθλος, ὁ, ἡ, der zwölfmal gekämpft oder gesiegt hat; von ἄεθλος oder ἄεθλον. —καετής, έος, ὁ, ἡ, (ἔτος) von zwölf Jahren. —καήμερος, ὁ, ἡ, (ἡμέρα) von zwölf Tagen. —κάθεος, ὁ, ἡ, zu den zwölf Göttern gehörig oder davon benannt. —κάκις, Adv. zwölfmal. —κάκλινος, ὁ, ἡ, (κλίνη) mit von oder zu zwölf Betten und Tischlagern. —κάκλωνος, ὁ, ἡ, (κλών) mit zwölf Zweigen. —κάκρουνος, ὁ, ἡ, mit zwölf Quellen. κρουνός. —κάκωλος, ὁ, ἡ, (κῶλον) von oder mit zwölf Gliedern, Kolis oder Zeilen. —καλινος, ὁ, ἡ, (λίνον) von zwölf Fäden, zwölfdrätig. —κάμηνος, ὁ, ἡ, (μήν) von zwölf Monaten. —καμήχανος, ὁ, ἡ, (μηχανή) ἄστρον, die Sonne, die durch 12 Zeichen des Thierkreises geht. Eurip. 2) Beyn. einer Kourtisane, von den 12 verschiedenen Formen im Beyschlafe. —κάμοιρος, ὁ, ἡ, (μοῖρα) zwölftheilig, in zwölf Theile getheilt. —κάπαις, αιδος, ὁ, ἡ, von oder mit zwölf Kindern. —κάπαλαι, schon vor langer Zeit. Vergl. δεκάπαλαι. —κάπηχυς, εος, ὁ, ἡ, von zwölf Schuhen. —κάπους, οδος, ὁ, ἡ, von zwölf Füssen oder Schuhen. —κάριθμος, ὁ, ἡ, an der Zahl der zwölfte. Nonnus. —κάρχης, ου, ὁ, der über zwölf Mann gesetzt ist. —κάς, άδος, ἡ, die Zahl zwölf, auch der zwölfte Theil. —κάσκαλμος, ὁ, ἡ, mit zwölf Ruderlagen. —κάσκυτος, σφαῖρα, (σκῦτος) ein bunter Ball, aus zwölf ledernen bunten Stücken zusammengesetzt. Plato. —καστάδιος, ὁ, ἡ, von zwölf Stadien. —καστάσιος, ον, (ἵστημι) 12 Gewichte oder Pfunde schwer. Plato. —καταῖος, αία, αῖον, an oder mit dem zwölften Tage; wie δεκαταῖος. —κατημόριον, τὸ, der zwölfte Theil. —κατος, ατη, ατον, der zwölfte. —καφόρος, ον, ἄμπελος, ein Weinstock, der 12 Maas Wein im Jahre bringt; viell. wie *tricenariae vites, quod jugerum trecenas amphoras reddat.* Varro R. R. 1, 2, 7. —κάφυλλος, ὁ, ἡ, (φύλλον) zwölfblättrig. —κάφυλον, τὸ, die zwölf Stämme. φυλή; zweif. —κέτης, ου, ὁ, fem. δωδεκέτις, (ἔτος) zwölfjährig. —κεύς, έος, ὁ, s. v. a. χοεύς, weil er zwölf κοτύλας hält. —κηΐδες, jon st. δωδεκαΐδες, contr. δωδεκῇδες u. δωδεκΐδες, näml. θυσίαι, Opfer von zwölf Thieren. —κήρης, εος, ὁ, ἡ, (ἐρέω, ἐρέσσω) mit zwölf Ruderern.

Δῶμα, ατος, τὸ, (δέμω) Haus; auch ein einzelner Theil des Hauses od. ein Zimmer. —μάτιον, τὸ, dimin. d. vorh. —ματίτης, ου, ὁ, u. δωματῖτις, ἡ, der, die zum Hause gehörige; z. B. Sklave. —ματοφθορέω, Aeschyl. Ag. 957. wo vorher σωματοφθορεῖν stand, s. v. a. οἰκοφθορέω, sein Vermögen verschwenden. —ματόω Aeschyl. Suppl. 965. δεδωμάτωμαι δ' οὐδ' ἐγὼ σμικρᾷ χερὶ auch ich habe ein Haus von vielen Menschen, Dienern bewohnt: v. δῶμα. —μάω, ῶ, (δῶμα) bauen; dav. —μησις, εως, ἡ, u. δωμητύς, ἡ, jon. Erbauung, Aufbauung. —μήτωρ, ορος, ὁ, Bauer, Erbauer. —ναξ, s. v. a. δόναξ Theocr. 20, 29.

Δωρεά, ἡ, Geschenk, s. v. a. δῶρον. —ρεάν, Adv. (κατὰ) δ. geschenkt, umsonst, eigentl. als Geschenk. —ρέω, ῶ, gewöhnl. med. δωρέομαι, ich schenke, beschenke, verschenke; besteche; dav. —ρημα, ατος, τὸ, Geschenk, das Geschenkte. —ρηματικὸς, ἡ, ὸν, u. δωρητικὸς, Synes. p. 9 u. 29. zum schenken o. zum Geschenke gehörig oder geneigt. —ρητικὸς, s. v. a. δωρηματικὸς; von δωρέω. —ρητὸς, ἡ, ὸν, geschenkt, verschenkt; wer beschenkt werden kann (zu beschenken), wer sich bestechen läſst. —ριάζω, od. δωρίζω, dorisch od. nach dorischer Mundart sprechen; handeln wie die Dorier, ihnen nachahmen, es mit ihnen halten; vergl. βαρβαρίζω. Auch die dorische Kleidung tragen, dorisch angezogen seyn, d. i. ohne Unterkleid (χιτών) mit einem an den Seiten und Schultern offenen Oberkleide, welches über den Schultern mit Spangen befestiget war. S. περονατρὶς u. χιτών. —ριακὸς, ἡ, ὸν, δωρικὸς u. δώριος, ὁ, ἡ, od. δωρια, δώριον, Dorisch Adv. δωριακῶς, δωρικῶς. —ρὶς, ιδος, ἡ, die Dorerin, als adject. od. verst. γῆ, die von den Doriern bewohnte Landschaft. —ρισμὸς, ὁ, (δωρίζω) dorische Mundart; Sitte. —ριστί, Adv. auf dorisch, in dorischer Mundart, nach dorischer Sitte. —ρίτης ἀγὼν, (δῶρον) bey Plut. Praec. polit. ein Wettspiel, wo der Sieger ein Geschenk erhielt, wie ἀργυρίτης, στεφανίτης.

Δωροβόρος, ὁ, ἡ, (βορὰ) f. v. a. δωροφαγος. —**ροδέκτης**, ου, ὁ, (δέχομαι) gern Geſchenke nehmend. —**ροδοκέω**, ῶ, ich nehme, empfange Geſchenke, laſſe mich beſtechen: ἐδωροδόκησε ἀργύριον πολὺ, Herodot. 6, 72. von δέκω, δέχομαι, δῶρον; bey Polyb. und andern auch active durch Geſchenke beſtechen; davon —**ροδόκημα**, ατος, τὸ, genommenes Geſchenk, Beſtechung. —**ροδοκία**, ἡ, (δωροδοκέω) das Nehmen der Geſchenke. —**ροδοκιστὶ**, Adv. durch Beſtechung. zw. —**ροδόκος**, ὁ, ἡ, Geſchenke nehmend. —**ροκοπέω**, ῶ, f. v. a. δωροδοκέω, bey den LXX. —**ροληπτέω**, ῶ, ich nehme Geſchenke; v. —**ρολήπτης**, ου, ὁ, (λαμβάνω, δῶρον) der Geſchenke nimmt. —**ροληψία**, ἡ, (λῆψις, δῶρον) das Nehmen, Annehmen der Geſchenke.

Δῶρον, τὸ, Geſchenk, Gabe; ein den Göttern dargebrachtes Geſchenk oder ein Opfer; 2) f. v. a. παλαιστὴ die Breite der flachen Hand. vergl. Plin. 35, 14. —**ροξενια**, ἡ, δωροξενίας γραφὴ, eine Klage wider den, welcher als ξένος angeklagt durch Beſtechung der Richter ſich gerettet hatte. —**ροτελέω**, ῶ, Geſchenke entrichten, bringen. —**ροφάγος**, ὁ, ἡ, Geſchenke freſſend, heiſshungrig nach Geſchenken. —**ροφορέω**, ῶ, Geſchenke bringen. —**ροφορία**, ἡ, das Bringen der Geſchenke. —**ροφόρος**, ὁ, ἡ, Geſchenke bringend.

Δὼς, ἡ, Gabe, Geſchenk, das lat. *dos.*

Δωσείω, bey Heſych. falſch δοσείω, ich habe Luſt zu geben, will geben; von δόω, δίδωμι, f. δώσω. —**σίδικος**, ὁ, ἡ, (δίδωμι, δίκη) der ſich der Gerechtigkeit übergiebt oder ſein Urtheil von den Gerichten erwartet. Herodot. 6, 42. als Gegenſ. von ἀλλήλους φέροντές τε καὶ ἄγοντες; vergl. Polyb. 4, 4: —**σίπυγος**, ὁ, ἡ, der, die den Hintern, πυγὴ, Preiſs giebt. Suidas. —**σων**, ὁ, eigentl. das Partic. fut. von δίδωμι, der immer geben will und verſpricht; Zunahme des Königs Antigonus beym Plut.

Δωτὴρ, ῆρος, ὁ, od. δώτης, ὁ, Geber, Beſchenker; ἀδώτης, der Nichtgeber. Heſiod. ἔργ. 355. —**τινάζω**, bey Herodot. 2, 180. Gaben, Geſchenke ſammlen und annehmen; v. —**τίνη**, ἡ, (δόω, δώσω) die Gabe, Geſchenk. —**τίνην**, wie Adv. umſonſt, geſchenkt. Themiſt. or. 23. —**τὺς**, ἡ, f. v. a. δωτίνη. —**τωρ**, ορος, ὁ, der Geber, f. v. a. δότης oder δοτὴρ.

Ε.

Ε, der fünfte Buchſtabe des griech. Alphabets, bey den Alten ſelbſt ε, genannt: Athenae: 10 p. 453. Mureti V. L. 18, 1. bey den Spätern ε ψιλὸν, leichtes, kurzes *e*, oder *e* ſchlechthin, im Gegenſatze von dem doppelten, oder langen ε. d. i. η. bedeutet als Zahl 5, und ,ε, 5000.

Ἒ, ἓ. ein Laut des Schmerzes, weh! weh! 2) der alte Accuſ. und das lat. *ſe*, ſich, wovon ἑαυτὸν, eigentlich ἓ αὐτὸν, *ſe ipſum*, ſich ſelbſt.

Ἔα joniſch ſt. ἦν, ich war.

Ἔα ein Laut der Verwunderung, des Unwillens, wie *hem, he, ah, vah*! he! je! auch wie εἶα eia. ἔα, πάτερ Callim. ἔα δὴ f. v. a. ἄγε δὴ, nun wohlan.

Ἔαγμα, τὸ, (ἄγω) ſt. ἄγμα, Bruchſtück. zw.

Ἕαδεν auch εὔαδεν, von ἅδω ſt. ἥδεν, f. v. a. ἀρέσκει, ἤρεσκεν.

Ἐάλη. S. ἄλημι.

Ἐὰν, wenn, wofern, m. d. conjunct. ἐὰν καὶ wie εἰ καὶ, wenn gleich, wenn auch; wird auch getrennt, wie ἐάν τις καὶ, ἐὰν μὴ καὶ; ferner ἐὰν ἄρα μὴ, wenn nämlich nicht; ἐάν περ, wenn anders: ἐάν τε wiederholt, f. v. a. εἴ τε εἴτε, entweder oder, *ſive, ſive.* Statt ἂν, wie ὃς ἐὰν, οὗ ἐὰν ὅπου ἐὰν, ὅσοι ἐὰν ſt. ὅσαν, u. ſ. w. doch ſeltener. Iſt eigentlich aus ἐ oder εἰ ἂν zuſammengeſetzt, und wird in ἢν zuſammengezogen: iſt alſo dem Sinne nach ganz einerley mit dem doriſchen αἴκε oder εἴκε.

Ἑανὸς, ὁ, oder ἑανὸν, τὸ, Il. 3, 385 und 419 für Gewand oder vielmehr Schleyer vor dem Geſichte. ἑανῷ ἀργῆτι φαεινῷ. In der Stelle Il. 18, 352 ἑανῷ λιτὶ κάλυψαν iſt es zweifelhaft, ob es Subſt. od. Adject. ſey; aber v. 615 ἑανοῦ κασσιτέροιο iſt Adject. weiſses oder dünnes Zinn; und ſo wird man das Adject. in den übrigen Stellen zu erklären haben. Man hat auch εἰανὸς u. ἰανὸς geſagt: Heſych. εἰανοῦ, εὐδιαχύτου, welches auf ἑανοῦ κασσιτέροιο geht; ferner ἑωμοῦ, ἱματίου γυναικείου; noch ἴανον, ἱμάτιον. Aber eine ganz verſchiedene Deutung und Ableitung giebt die Gloſſe bey Heſych. u. Suidas an die Hand, welche haben: ἰανόκροκος, ὁ, ἡ, (κρόκη) λεπτὸς, von feinem Faden, feingewebt. Eben ſo kann man auch ἰανοκρήδεμνος erklären; welches beyde von ἴον ableiten.

Ἔαρ, ρος, τὸ, im Dat. ἔαρι und ἦρι, poetiſch auch εἶαρ, der Frühling. 2) ἦρι wird auch für *mane*, am Morgen geſetzt. 3) der Saft, Feuchtigkeit im Menſchen, Thieren u. Früchten, daher Blut; εἶαρ ἐλαίης das Oel. u. ſ. w. Von ἔαρ contr. ἦρ, wie ἐὰν, ἢν, mit vorgeſetztem *digamma* βῆρ, iſt d. lat. *ver* entſtanden; davon

Ἐαρίδρεπτος, ὁ, ἡ, (ἔαρ, δρέπω) im Frühlinge gepflückt. Dionyſ. halic.

'Εαρίζω, das lat. *verno*, den Frühling zubringen, wie χειμάζειν, *hiemare*, wie *aestivare*. τῆς χώρης ταῖς χειμεριναῖς ἐαριζούσης τροπαῖς die Gegend hat in der Zeit der *bruma* so gelinde Witterung wie im Frühjahre. Philo. τῆς ἐαριζούσης καταστάσεως Heracl. Alleg. c. 71. λειμῶνες ἄνθεσιν ἐαριζόμενοι, *prata vernant floribus*, die Wiesen prangen mit Blumen, wie im Frühlinge. Axioch. Aeschin. —ρινός, ἡ, όν, contr. ἠρινός, *vernus*, was im od. vom Frühlinge ist. —ρόδρεπτος, s. v. a. ἐαριδρ. —ροτρεφής, ὁ, ἡ, (τρέφω) oder ἐαρότροφος, ἐαροτροφής, vom oder im Frühlinge genährt, gezogen, entsprossen. Die dritte Form von τροφή zweif. —ρόχροος, ους, ουν, ὁ, ἡ, (χρόα) von Frühlings- d. i. frischer, grünender Farbe.

'Εάρτερος, έρα, ερον, s. v. a. ἐαρινός: Nicand. Ther.

'Εαυτοῦ, ῆς, οῦ, plural. ἑαυτῶν u. s. w. aus ἕο, αὐτοῦ seiner selbst, von sich selbst, *sui ipsius*, contr. wie im accus. ἑαυτόν, *se ipsum*, sich selbst. Wird eigentlich nur von der dritten Person gebraucht; aber auch von der zweyten und ersten, also st. σεαυτοῦ und ἐμαυτοῦ, deiner selbst, meiner selbst. Eben so im pluralis. Die Attiker brauchten es st. ἀλλήλοι auch in der ersten Person, wie Menander: οὐκ ἠρκέσαμεν ἑαυτοῖς st. ἀλλήλοις, uns einer dem andern.

'Εάφθη, Il. 13, 543 ἐκλίνθη δ' ἑτέρωσε κάρη ἐπὶ δ' ἀσπὶς ἑάφθη καὶ κόρυς: gewöhnlich wird es für ἐπηκολούθησε erklärt; von ἐπί ἕπομαι, ἥφθη, jonisch ἑάφθη. Hesych. aber erklärt es: ἐκάμφθη, ἐβλάβη.

'Εάω, ῶ, lassen, zulassen, *sino, patior*: lassen, seyn lassen, oder fahren lassen, vorbey lassen, weglassen. Das Stammwort ist ἐώ davon ἴω, ἰάω, ἵημι, ἰάλλω.

'Εάων. S. in ἐΰς.

'Εβδομαγενής, ὁ, ἡ, Beyw. d. Apollo, am siebenten Tage geboren: Plutarch. Q. S. 8, 1. —μαγέτης, ου, ὁ, Aeschyl. Sept. 802. der siebente Anführer, ἀγέτης ἕβδομος. —μαδικός, ἡ, όν, zur siebenten Zahl, Klasse, Abtheilung gehörig. —μαῖος, αία, ον, (ἕβδομος) κατῆλθε er kam am siebenden Tage zurück. —μάκις, (ἕβδομος) Adv. siebenmal. —μάς, ἡ, die siebente Zahl. 2) der siebente Tag. 3) eine Zeit von 7 Tagen. —ματος, άτη, ατον, (ἕβδομος) der, die siebente. —μεύω. S. ἐνδεκάζω. —μη, verst. ἡμέρα, der siebente Tag im Mondmonate, die Nonae: Herodot 6, 57. —μήκοντα, *septuaginta*, siebenzig; davon —μηκοντάκις, siebenzigmal, und —μηκοντούτης, ὁ, τοῦτις, ἡ, von siebenzig Jahren. —ἔτος, wie τριέτης.

—μηκοστός, ἡ, όν, siebenzigster. —μος, η, ον, siebenter.

'Εβελος, ἡ, s. v. a. ἔβενος: Suidas. zw.

'Εβένινος, ίνη, ινον, von Ebenbaum, von Ebenholz gemacht; von

'Εβενος, ἡ, Ebenholzbaum; Ebenholz, schwarz von Farbe.

'Εβίσκος, ἡ, richtiger ἰβίσκος. lat. *hibiscus*. Plin. 19, 5. Eibisch, sonst ἀλθαία.

'Εβραΐζω, hebräisiren, wie ἑλληνίζω, also hebräisch sprechen; hebräisch handeln, im Charakter, Sitten ein Hebräer seyn. —ϊκός, ἡ, όν, auch ἑβραῖος, αία, αῖον, auch das femin. ἑβραΐς, ΐδος, ἡ, hebräisch, Hebräer, Hebräerin. —ιστί, Adv. (ἑβραΐζω) auf hebräisch.

'Εγγαιος, αία, αιον, s. v. a. ἔγγειος. —γαλακτόομαι, οῦμαι, vermilchen, zu Milch werden. Theophr. zw. viell. ἐκγ. —γαληνίζω, darinn ruhig, still seyn; od. werden. zw. —γαλος, ὁ, ἡ, (γάλα) milchend; Hesych. —γαμέω, ich heyrathe hinein; Hesych. —γαμίζω, ich verheyrathe hinein. —γαστρίβυθος, ὁ, bey Lucian f. L. st. d. folgd. ἐγγαστρίμυθος. —γαστρίμαντις, εως, ὁ, ἡ, (γαστήρ) einer der aus dem Bauche spricht u. prophezeiht. —γαστρίμυθος, ὁ, ἡ, einer der aus dem Bauche redet, und dabey prophezeiht (μῦθος), Bauchredner, Bauchprophet. —γάστριος, ὁ, ἡ, (γαστήρ) im Leibe, Mutterleibe, Bauche. —γαστρίτης, ου, ὁ, s. v. a. ἐγγαστρίμυθος. zw. —γείνω, s. v. a. ἐγγίνω, und dieses so viel als das abgeleitete ἐγγεννάω; Il. 19, 26. εὐλὰς ἐγγείνωνται, Würmer darinn erzeugen. S. γίνω. —γειος, ὁ, ἡ, (γεά, γεία, γαῖα) in der Erde, im Lande. ἔγγειος κτῆσις, das Vermögen im Landeigenthume bestehend, das immobile, auch τὰ ἔγγεια verst. χρήματα; oder auch Grundstücke auf einheimischem Boden, denen auf fremdem Gebiete entgegengesetzt; ἔγγειοι τόκοι Demosth. p. 914. die Landzinsen, der Bodmerey, ναυτικοῖς, entgegengesetzt; dav. —γειοτόκος, ὁ, ἡ, (τέκω, τίκτω) n. d. Lande gebährend. —γειότοκος, auf d. L. geboren. —γειόφυλλος, ὁ, ἡ, (φύλλον, ἐν, γέα, γῆ) mit Blättern, die auf der Erde liegen. —γείσωμα, τό, (γεῖσον) ein Bruch, sonderlich der Hirnschaale, wenn die Knochen einwärts gedrückt worden. Galeni defin. —γελαστής, οῦ, ὁ, d. i. ἐγγελάων verlachend, Spötter.

'Εγγελάω, ῶ, m. d. dat. s. v. a. *irrideo*, verlachen, auslachen. —γεννάω, hinein oder darinne zeugen. S. ἐγγείνω. —γενέτης, ου, ὁ, Eingeborner, Inländer. zw. —γενής, έος, ὁ, ἡ, eingeboren; angeboren; zum Geschlechte gehörig; verwandt. —γένω, s. ἐγγείνω.

'Εγγεύω u. ἐγγεύομαι, s. v. a. γεύω u. γεύομαι. Polyb. —γηγενής, ὁ, ἡ, Heracl. Alleg. c. 26. zweif. s. v. a. γηγενής. —γήραμα, τὸ, das, wobey man alt wird; Ergötzung, Ruhe, Beschäftigung für das Alter. Plut. Caton. 24. u. Cic. Attic. 12. 25. —γηράσκω u. ἐγγηράω, darinnen, dabey alt werden. —γηροτροφέω, darinnen im Alter nähren. Pollux 2, 13. —γίγνομαι, ἐγγίνομαι, f. ήσομαι, darinne seyn; hinein kommen; sich einfinden, darinne entstehen oder erzeugt werden; s. v. a. διαγίνομαι, darzwischen, darzu kommen: χρόνου ἐγγενομένου u. dergl. ἐγγίνεται m. flgd. infinit. es geht an, es ist moglich. —γιγνώσκω, darin anerkennen, darinnen finden. zweif. —γίζω, (ἐγγὺς) m. d. dat. ich bin nahe, komme nahe, nähere mich. Polyb. 8, 6. —γίνομαι, s. ἐγγίγνομαι. —γίσωμα, τὸ, falsch st. ἐγγείσωμα.

'Εγγίων, ἔγγιστος, ἔγγιον, ἔγγιστα, Comparat. u. Superl. von ἐγγὺς, mithin näher, nächster, u. als Adv. näher, am nächsten. —γλαυκος, ὁ, ἡ, etwas γλαυκὸς, bläulicht. —γλισχρος, ὁ, ἡ, etwas γλισχρὸς, klebricht. —γλυκος, ὁ, ἡ, zw. st. ἔγγλυκυς, süſslicht. —γλυμμα, τὸ, (ἐγγλύφω) das hinein gegrabene od. geschnittene; Themist. Or. 4 p. 62. —γλύσσει, bey Herod. 2, 92 ist etwas süſse. v. ἐν, γλυκύς, wov. auch γλύξις, u. γλεῦξις. —γλύφω, einschneiden od. eingraben, vorzügl. in Stein. —γλωσσοτυπέω, stets mit der Zunge (γλῶσσα) schlagen (τύπτω), stets im Munde führen, pralen: Aristoph. Equ. 782. —γλωττογάστωρ, ὁ, ἡ, (γλῶττα, ἐν) der von seiner Zunge sich und seinen Bauch (γαστὴρ) ernährt; wie χειρογάστωρ. —γοητεύω, Philostr. Apoll. 3, 8. einzaubern, durch Zauberey beybringen. —γόμφωσις, ἡ, (γόμφος, γομφόω) Einfügung oder Befestigung darinne durch Nägel od. Zapfen. —γόνη, ἡ, Enkelin. S. ἔγγονος. —γονος, ὁ, ἡ, Sohnes Sohn, also Enkel: wie ἐγγόνη Enkelin; wird aber häufig mit ἔκγονος Sohn verwechselt: wie ἔγγονα, τὰ, mit ἔκγονα. —γράμματος, ὁ, ἡ, (γράμμα) schriftlich, mit Buchstaben dargestellt, φωνή, φθόγγος. —γραπτος, s. v. a. ἔγγραφος. Diod. Sic. —γραυλις, der Fisch, sonst ἐγκρασίχολος: Aelian. h. a 8, 18. not. —γραφή, ἡ, Einschreibung, das Einschreiben, Inschrift. —γραφος, ὁ, ἡ, Adv. —γράφως, (γραφή, ἐν) eingeschrieben, aufgeschrieben, schriftlich. —γράφω, (γράφω, ἐν) ich schreibe ein, hinein, schreibe auf; schreibe, zähle dazu, u. nehme an; auch ichritze an, auf. metaph. διάνοιαι ἐγγραφήσεσθαι μέλλουσι ἀνθρώποις Gesinnungen sollen den Menschen eingeprägt werden. Cyropaed. 3, 3, 52. —γυαλίζω, (γύαλον) einhändigen, in die Hände übergeben: übergeben, überliefern. —γυάω, ῶ, ich übergebe; 2) ich übergebe als Pfand; dah. ich verlobe, gelobe an; θυγατέρα τινὶ ἐγγυᾶν, seine Tochter an jemand verloben; ἐγγυᾶσθαι Burgschaft leisten, unter Bürgschaft versprechen, m. flgd. Inf. ἐγγυησάμενοι παρέξειν. Lys. m. d. Accus. der Sache: τὸ μέλλον ἐγγ. die Zukunft verbürgen; m. d. Accus. der Person: ἐγγυήσασθε οὖν με πρὸς Κρίτωνα τὴν ἐναντίαν ἐγγύην ἢ ἣν οὗτος πρὸς τοὺς δικαστὰς ἠγγυᾶτο· οὗτος μὲν γὰρ ἦ μὴν παραμένειν, leistet mir in Gegenwart des Krito Bürgschaft, versprecht mir hier in seiner Gegenwart, so wie er gegen die Richter sich verbürgte. Plato Phaed. 64 εἰ γὰρ ἐνεγγυησάμην ἐγὼ τούτῳ τὸν Παρμένοντα wenn ich mich bey ihm für den Parmenon verbürgt hatte. ἐγγυᾶσθαι παρά τινος τὴν θυγατέρα, die Tochter von jemand sich angeloben lassen, zur Frau versprechen u. geben lassen. ἡ μὲν ἂν ἐγγεγυημένος ὡς ἀνὴρ ἐσόμενος ἡ welche schon einen als Mann verlobten hat; Plato Legg. 11. von

'Εγγύβαθος, s. v. a. ἀγχιβαθής; zw.

'Εγγύη, ἡ, Bürgschaft, eigentl. durch Ueberlieferung eines Pfandes, also Caution; v. γύον; dav. ἐγγυαλίζω; 2) Verlobung, Verlobniſs. —γύησις, ἡ, Verbürgung, Bürgschaft, Verlobung. —γυητής, οῦ, ὁ, (ἐγγυάω) verbürgend, Bürge. —γυητικός, ἡ, ὸν, den Bürgen, die Bürgschaft betreffend. —γυητός, ἡ, ὸν, verbürgt, versprochen; daher ἡ ἐγγυητή, die Versprochene, Verlobte, Braut. —γύθεν, Adv. (ἐγγὺς) aus, von der Nahe. —γυθήκη, ἡ, (ἔγγυος, θήκη) eine Kiste, Schrank, Behältniſs, worinne man etwas verwahrt, od. ein Gestelle, Kessel, *crateres* u. dergl. darauf zu stellen. Athen. 5 p. 199. wie Dreyfüſse. —γύθι, Adv. in der Nahe, nahe bey. —γυιόω, ῶ, ich gebe in die Hände, γυῖα; ἐγγυιόομαι, ich nehme in die Hände, Arme; Hesych. —γυμνάζω, ich übe darinne. —γυοθήκη, ἡ. S. ἐγγυθήκη. —γυος, ὁ, ἡ, der Bürge, der Sicherheit stellt, od. leistet: dah. 2) sicher, versichert, gewiſs.

'Εγγὺς, Adv. gewöhnl. m. d. Genit. nahe, von Ort u. Zeit; beynahe, von der Zahl. ἐγγὺς ἦλθε τοῦ πάντας ἀπολέσαι ἡμᾶς; auch ohne τοῦ; lat. *parum abfuit*, er hat uns beynahe unglücklich gemacht. ἀλλ' οὐκ ἐποιοῦντο τοῦτο, οὐδ' ἐγγύς; wofür man sonst sagte πολλοῦ γε δεῖ, *nequaquam*: es fehlte viel daran. Compar. ἐγγύτερον. οὐδέν ἐστιν ὕπνου τῷ ἀνθρωπίνῳ θανάτῳ, *nil morti tam ſimile, quam ſomnus*, ſagt Cic. davon ἐγγυτέρω Adv. näher, ähnlicher. Superl. ἐγγύτατος, Adv. ἐγγυτάτω u. ἐγγύτατα. Man ſagt auch ἔγγιον, u. ἔγγιστα. Es kommt von ἐν u. κύτος, davon ἐγκυτὶ κείρεσθαι *ad cutem radi*, ſt. ἐν κυτὶ bey Archil. u. Kallim. κύτος u. σκύτος iſt das lat. *cutis*. dafür ſagte man auch ἐν χρῷ, χροῒ κείρεσθαι ſich glatt raſiren, ſcheeren. Man brauchte aber ἐν χρῷ auch für ἐγγὺς, wie ἐν χρῷ γενέσθαι τοῦ κινδύνου, bey Thucyd. ἐν χρῷ ἀεὶ παραπλέοντος, d. i. πλησίον, ἐγγὺς, nahe bey einander. λίμνης ἢ θαλάττης ἐν χρῷ παρατετάμενοι ψαύουσι τοῖς πτίλοις ἐπιπολῆς: Plut. ἐν χρῷ τῆς γῆς Luzian. ἐν χρῷ ψαύη τῆς πόλεως;, vom Fluſſe. ἐν χρῷ μάχην συνάψαι, *cominus pugnare*. καὶ ἕκαθεν καὶ ἐν χρῷ ἐμαχέσαντο. Dio Caſſ. ἦν δ' ἄρα αὐτῷ ἐν χρῷ φίλος, ein Buſenfreund. Heſych. hat ἐγχρῷ, wie ἐγκυτὶ, ſt. ἐν χρῷ.

'Εγγύτης, ἡ, die Nähe. —γώνιος, ὁ, ἡ, (γωνος) winkelicht. πῆχυς, χεὶρ, heiſſen bey Hippocr. der Ellenbogen und Hände, die am Buge des Ellenbogens mit dem Oberarme einen geraden Winkel machen.

'Εγειρόφρων, ὁ, ἡ, (φρὴν) die Seele erweckend. zw. —ρω, f. ερῶ, ich wecke, erwecke, aus dem Schlafe; ich ermuntere; ich richte auf; auch von Gebäuden aufrichten, aufführen; ἐγείρομαι ich richte mich auf, ſtehe auf, erwache. Von ἐγέρω, zuſammengezogen, ἔγρω, ἔγρομαι, wie ἀγέρω, ἀγείρω, ἄγρω; und ἀέρω, αἴρω; davon ἐγέρθην. u. ſ. w.

'Εγερσιβόητος, ἐγερσίγελως, ἐγερσιθέατρος, ἐγερσίνοος, ὁ, ἡ, von ἐγέρω, ἐγείρω, erweckend durch ſein Geſchrey (βοάω), der Hahn, das Lachen (γέλως), das Theater, die Zuſchauer (θέατρον), die Seele, Gedanken (νόος), wie ἀερσίπους von αἴρω, ἀέρω, ἀέρσω. —σιμος, ὁ, ἡ, (ἐγέρω, ἐγείρω) ὕπνος der Schlaf, aus dem man wieder erwacht; dem Todesſchlafe entgegengeſetzt. —σις, ἡ, (ἐγείρω) das Erwecken, Aufrichten, Errichten, die Ermunterung. —σιφαὴς, ὁ, ἡ, λίθος, (ἐγείρω φάος) der Feuerſtein, der Feuer erweckt.

'Εγερτὶ, Adv. (ἐγείρω) erweckend, ermunternd. Soph. Ant. 413. ἐγερτὶ κινῶν ἀνδρὶ ἀνήρ: wenn es nicht ἐγερσικινῶν heiſsen ſoll. —τικὸς, ἡ, ὸν, (ἐγείρω) ermunternd, erweckend.

'Εγκαγχάζω, ſ. v. a. ἐγγελάω. zweif. —καθαίρω, darinne reinigen. —καθαρμόζω, einpaſſen, einfügen. —καθέζομαι, f. εδοῦμαι, darinne ſitzen. —καθείργνυμι, ἐγκαθειργνύω, u. ἐγκαθείργω, f. ξω, einſchlieſsen, darinne verſchlieſſen, einſperren, hemmen. —κάθετος, ὁ, ἡ, Adv. —έτως, (ἐγκαθίημι) angeſtellt, wie *ſubornatus*: ein Aufpaſſer, der heimlich lauert, od. hinterliſtig etwas anfangt, betreiben muſs. —καθεύδω, f. δήσω, darinne oder darauf ſchlafen. —καθέψω, f. ήσω, darinne kochen. —καθηβάω, ῶ, fut. ήσω, darinne ſeine Jugend zubringen; überh. ſeine Zeit, ſein Leben mit Vergnügen zubringen. Eur. S. ἡβάω. —κάθημαι, drinnen, darauf ſitzen; im Hinterhalte liegen. —καθιδρύω, f. ύσω, hineinſtellen, darauf ſetzen. —καθίζω, f. ίσω, hinein, oder darauf ſetzen; auch ſ. v. a. ἐγκαθίζομαι: das Med. darinne, darauf ſitzen; ῥίζαι ἐγκαθιζόμεναι Dioſcor, 3, 154. als zu einem ἐγκάθισμα genommen, gebraucht. —καθίημι, f. ήσω, hinein und hinunter laſſen. —κάθισμα, τὸ, (ἐγκαθίζω) das Sitzen worinn, vorzüglich im Dampfbade; das Lauern, Aufpaſſen, Hinterhalt, der Ort des Auflaurens, Hinterhalt; wie *inſidiae*; bey Dionyſ. Halicar. das Anſtoſsen, Anhalten in der Ausſprache. —καθισμὸς, ὁ, ſ. v. a. d. vorh. Dionyſ. Halicar. —καθίστημι, f. στήσω, hineinſtellen oder legen; dazwiſchen legen, dazwiſchen ſetzen; dazwiſchen bringen, unvermerkt hinbringen. neutr. in aor. 2. u. in paſſ. darinne, dabey, dazwiſchen ſtehn oder ſeyn. —καθοράω, darinne erblicken. Plutarch. —καθορμίζω, (ὅρμος) in den Hafen oder in die Bucht hineinführen, bringen; med. in die Bucht einlaufen oder fahren; davon —καθόρμισις, ἡ, das Einbringen oder neutr. Einlaufen in den Hafen oder in die Bucht. —καθυβρίζω d. i. καθυβρίζω, ἐν; zweif. —καίνια, τὰ, (καινὸς) Feſt der Erneuerung oder Einweihung, bey den LXX Dan. 4. und im N. T. Joh. 10, 22. —καινίζω, (καινὸς) erneuern, einweihen. —καινὶς, ἡ. S. επηγκενίς. —καίνισις, ἡ, u. ἐγκαινισμὸς, ὁ, (ἐγκαινίζω) Erneuerung; Einweihung. —καινόω, ῶ, ſ. v. a. ἐγκαινίζω; zweif. —καιρία, ἡ, ſ. v. a. ἐγκαιρία. Plato Polit. 43. not. —καιριότης, ητος, ἡ, ſ. v. a. ἐγκαιρία; zw. —καιρος, ὁ, ἡ, Adv. —ρως, (καιρὸς) zeitig, gelegen, ſchicklich, zur gelegenen Zeit kommend, gethan. —καίω, anbrennen, einbrennen, auch v. Mahler *encauſtica pingo* Plin. 35. 11. —κακέω, Polyb. 4. 19. τὸ πέμπειν τὰς βοηθείας ἐνεκάκησαν, aus Thorheit und Bosheit unterlieſsen ſie es die Hülfe zu ſchicken. —καλέω, ῶ, m. d. dat. anrufen, anreden, vorzüglich um einen zu mahnen, wie *appello aliquem de*, χρέος u. dergl. daher überhaupt, vorwerfen, beſchuldigen, Schuld geben: m. d. Accuſ. der Sache; auch gerichtlich einen beſchuldigen; auch von Sachen tadeln; davon ἔγκλημα; bisweilen auch m. d. Genit. der Sache mit verſtandenem ἕνεκα.

'Εγκαλινδέω, ῶ, darinne wälzen oder rollen; med. ſich worinne herumwälzen; vorzügl. wie *verſor in*: ſich mit einer Sache abgeben, beſchäftigen, einer Sache, auch einer Leidenſchaft ergeben ſeyn, vorzügl. von niedrigen Leidenſchaften, wie *volutari in*. —καλλωπίζομαι, ſich worinne, womit ſchön machen od. finden; worinne od. womit ſich brüſten, worauf ſtolz ſeyn; dav. —καλλώπισμα, τὸ, das, worinne man ſich ſchön findet; woranf man ſich etwas einbildet und ſtolz iſt; alſo Zierde, Pracht, Schmuck. —καλοσκελὴς, ὁ, ἡ, d. i. τὰ σκέλη ἐν τοῖς κάλοις ἔχων. Heſych. —καλυπτήρια, Philoſtr. Soph. 2, 25, 4. das Gegentheil von ἀνακαλυπτήρια, τὰ, der Tag, an welchem die Braut ihr Geſicht enthüllt; eben ſo ἐγκαλ. wo ſie es wegen Haſslichkeit bedeckt; von —καλύπτω, darinne oder darein verbergen; verhüllen, bedecken; med. ſich darinne verbergen, vorzügl. das Geſicht im Schleyer oder mit dem Kleide bedecken u. ſich ſchämen; daher überhaupt, ſich ſchämen; dav. —κάλυψις, ἡ, Verhüllung, Schaam. —κάμνω, ich ermüde darinne, dabey. —κάμπτω, ich biege ein, um. —κανάξαι, eingieſsen. S. κανάζω. —καναχᾶσθαι, *inſonare* (καναχὴ) m. d. dat. einen Ton darauf hervorbringen, darauf blaſen. Theocr. 9, 27. —κανθὶς, ἡ, (ἐν, κανθὸς) ein vorſtehendes Stück Fleiſch, Karunkel, im, vor dem Augenwinkel, deſſen Geſchwulſt vorzüglich ſo heiſst, und das Schlieſsen der Augenlieder hindert: dagegen das Ausſchwaren derſelben ῥοιὰς, ἡ, heiſst. —κάπτω, ich ſchlucke begierig, geſchwind hinunter, wie ἐμφαγεῖν; davon ἔγκαφος. —καρ, αρος, τὸ, falſch aus Hom. Iliad. 9, 378 gemacht. S. κάρ. —κάρδιος, (ἐν, καρδία) was im Herzen iſt oder zu Herzen geht. Diod. Sic. τὸ ἐγκάρδιον, der Kern, Mark des Holzes. —καρος, ὁ, Gehirn. Alcaeus Epigr. 14. S. ἔγκαρ und κάρ. —καρπίζω τινὰ ἀλκῆς, mache ihn theilhaftig und ſetze ihn in den Genuſs: Syneſ. Inſomn. p. 137. —καρπος, ὁ, ἡ, u. ἐγκάρπιος mit Früchten oder Saamen; beſaamt, befruchtet, ſchwanger, trächtig; fruchtbar, nutzbar; davon —καρπόω, in med. ſ. v. a. καρποῦμαι; Pollux 4, 42. —κάρσιος, ὁ, ἡ, Adv. —σίως, ſchief, ſchräge. —καρτερέω, ῶ, darinne oder dabey aushalten, ausdauern. —κὰς, Adv. in der Tiefe, tief unten; von ἔγκασι ſt. ἐγκάτοις; blos Galen. führt aus Hippocr. an ῥωγμαὶ ἐγκὰς ἐοῦσαι. de vuln. capit.

'Εγκατα, τὰ, das Innere, das Eingeweide. neutr. plur. von ἔγκατος, wie *inteſtina* und ἔντερα; davon ἔγκασι ſt. ἐγκάτοις. —ταβαίνω, in etwas herabſteigen. —ταβιόω, worinne, wobey ſein Leben zubringen. Plutarch. —ταβρέχω, darinne benetzen: Geopon. 13, 1. —ταβυσσόω, (βυσσος die Tiefe) ich bringe hinein; *inſinuo*. Plutarch Symp. 8, 10. —ταγέλαστος, verlacht, lächerlich; wie καταγέλαστος. Aeſchin. Cteſiph. —ταγηράσκω, worinne, wobey ſein Alter zubringen. —ταγράφω, darinne, darein ſchreiben; zweif. —τάγω, hineinführen; med. darinne einkehren. Pollux 1, 23. —ταδαμάω, ὑπὸ κωνώπων ἐγκαταδαμασθὲν von den Mücken zerſtochen. Hippocr. —ταδαρθάνω, bey Plutarch. ſoll wahrſcheinlich ἐπικαταδ. heiſsen. —ταδέω, darinne, daran feſt binden: drein oder dran binden. —ταδίδωμι, herabgeben, herablaſſen, nachgeben, erlaſſen. —ταδύω, ἐγκατάδυμι und ἐγκαταδύνω, herunter gehen, hinein gehen oder tauchen. —ταζεύγνυμι, f. ζεύξω, daran, damit verbinden, anknupfen, darzu geſellen. Sophocl. —τακαίω, darinne verbrennen. —τάκειμαι, darinne liegen, ruhen, ſchlafen. —τακεράννυμι, darein, darunter miſchen, einmiſchen. —τάκλειστος, ὁ, ἡ, darinne oder darein verſchloſſen. —τακλείω, darinne oder darein verſchlieſsen, einſchlieſsen. —τακλίνω, darinne oder darein niederbeugen oder niederlegen; med. ſich darinne oder darein niederlegen, ſich lagern. —τακρούω, χορείαν ποδὶ Ariſtoph. Ran. 331. *pulſare pede choream* ſt. im Tanze mit dem Fuſse auf die Erde ſchlagen. —τακρύπτω, darinne oder darein verbergen. —ταλαμβάνω, darinne bekommen, antreffen, faſſen, feſthalten, auffangen, dabey ertappen. —ταλέγω, fut. ξω, mit hinein, darzu, drunter leſen, ausheben für Werbung; mithin darzu zählen, dazu rechnen, dazu nehmen: Thucyd. 1, 93. λίθους. —τάλειμμα, τὸ, das darinne zurückgelaſſene, das Uebriggebliebene, Ueberbleibſel. Clemens Al. —ταλείπω, darinne laſſen, übrig zurück laſſen; verlaſſen, im Stiche laſſen, wie *derelinquo*. —ταλείφω, darinne beſchmieren, beſalben, beſtreichen. —τάλειψις, ἡ, (ἐγκαταλείπω) das Uebriglaſſen, Zurücklaſſen oder Verlaſſen darinne. —τάληψις, ἡ, (ἐγκαταλαμβάνω) das fangen, feſthalten und nehmen darinne; bey Artemidor. 3, 3. ſind ἐγκαταλήψεις ſ. v. a. καταλ. Begriffe, Lehrſätze.

'Εγκαταλιμπάνω, eine andere Form von ἐγκαταλείπω. —ταλογίζομαι, darinne, darunter, darzurechnen, mitrechnen. Isaeus. —ταμίγνυμι, darinne vermischen, einmischen. —ταναίω, einen wohin wohnhaft versetzen. —ταντλησις, εως, ἡ, Hippocr. εὐσχημ. c. 4. das Besprengen, Benetzen darinne; andere lesen ἐγκαταπλήσιος und ἐγκατακλύσιος. —ταπαίζω, fut. ξω oder σω, s. v. a. ἐμπαίζω, verspotten; zweif. —ταπήγνυμι, f. ήξω, darein setzen, stellen, stossen, drücken. —ταπλέκω, fut. ξω, darein flechten, einflechten. —τάπληξις, εως, ἡ, Bestürzung, Schrecken; zweif. —ταῤῥάπτω, fut. ψω, darein oder einnähen. —τασβέννυμι od. —ννύω, darinne auslöschen: Plutar. 10 p. 106. —τασκευάζω, fut. άσω, darinnen verfertigen, od. zubereiten; Themistius. —τάσκευος, ὁ, ἡ, Adv. —ευως, bey Demetr. dem ἁπλοῦς oppos. also künstlich, zierlich gearbeitet oder zubereitet; also periodisch, mit Figuren, Metaphern und anderm rhetorischen Schmucke geziert. —τασκήπτω, fut. ψω, hinein, darein fallen- brechen sich stürzen oder werfen; davon —τάσκηψις, εως, ἡ, Dioscor. 7. 4. der Anfall, das Losbrechen. —τασκιῤῥόω, ῶ, f. ώσω, darein od. darinne hart machen, verhärten, alt werden, einwurzeln lassen. —τασπείρω, hinein, darein säen; darinne säen od. zerstreuen, darunter ausstreuen; davon —τασπορά, ἡ, das dreinsäen oder ausstreuen; Zerstreuung darinne: zweif. —ταστηρίζω, darein, hineinsetzen, darein, darinne befestigen, festsetzen. —ταστοιχειόω, fut. ώσω, (ἐν, κατὰ, στοιχεῖον) τοῖς ἤθεσι καὶ ταῖς ἀγωγαῖς τῶν πολιτῶν Plutar. Lyc. 13. ich pflanze es ein und mache es zu einem wesentlichen Bestandtheile, ich vereleinentire etwas in; wie ἐμφυσιόω, ich vernatürliche darinne. —τασφάζω, darinne schlachten; zweif. —τασχάζω, Dioscor. 8, 15. durch Skarification einen Einschnitt machen. —τατάσσω, τάττω, einstellen, darein, darunter ordnen, einsetzen. —τατέμνω, darinne oder darein zerschneiden. —τατίθημι, darinnen niederſetzen, hineinsetzen; verbergen. —τατρίβω, darinne üben: Synesius ep. 121. —ταφλέγω, ich verbrenne darinne; Geopon. 9. 6. —ταφυτεύω, darinne darein säen oder pflanzen. —ταχεύω, Plutar. 2 p. 470. φόνον ἀντιπάλων d. i. ἐκ τῆς ὑπάτης ἀρχῆς καταχ. φ. ἀντιπ. —ταχέω. χώννυμι, f. ώσω, darinne beschütten; Geopon. 4. 3. —ταχωρίζω, einstellen, einsetzen; Dionys. Hal.

'Εγκατείδω, davon ἐγκατιδεῖν, darinne sehen und erkennen; Plutarch. S. p. 375. —ειλέω, ῶ, darein wickeln, darinne verwickeln. —έχω, darinne auf od. zurück oder abhalten. —ιλλώπτω, (ἐν, κατιλλώπτω) ich spotte. S. κατιλλώπτω. —οικέω, ich bewohne darinne. —οικίζω, ich heisse- lasse einen hineinziehen, ich setze meine Wohnung. —οικοδομέω, ich verbaue darinne, schliesse in ein Gebäude ein; ἐγκατῳκοδόμησεν αὐτὴν μεθ' ἵππου εἰς ἔρημον οἶκον Aeschines. sperrte, schloss sie in ein wüstes Haus ein: εὐπορία ἐγκατοικοδομουμένη, verschlossene Schätze; Plutar. Lyc. —οικος, ὁ, ἡ, der darinne wohnt. — ορύττω, ich vergrabe darinne od. darein.

'Εγκατος, ὁ, ἡ, im innern, der innere: scheint von ἐγκὰς abgeleitet. S. ἔγκατα. —καττύω, in den Schuh nähen. S. καττύω. —καυλέω, in den Stengel schiessen, einen Stengel treiben; richtiger ἐκκαυλέω. —καυμα, ατος, τὸ, (ἐγκαίω) das Eingebrannte; Brandmal; Brandblase; Zunder zum Anbrennen; eingebranntes Gemalde; εἰκόνες οἷον ἐν ἐγκαύμασι γραφόμεναι διὰ πυρός. Plutar. 9 p. 43. —καυσις, εως, ἡ, (ἐγκαίω) das Einbrennen, auch von enkaustischen Gemälden: Erhitzung von Sonne u. dgl. —καυστής, οῦ, ὁ, der einbrennet; enkaustische Gemalde macht: ἀγαλμάτων Plutar. 7 p. 374. —καυστικός, ἡ, όν, das Einbrennen betreffend; daher ἐγκαυστικὴ (τέχνη) die Kunst enkaustische eingebrannte Gemälde zu machen, Enkaustik; pass. so eingebrannt, so gemahlt. —καυστον, lat. *encaustum*, purpurrothe Dinte der Kaiser zur Unterschrift; Justin. cod. 1, 23. 6. neutr. von —καυστος, ὁ, ἡ, (ἐγκαίω) eingebrannt; nach den Regeln der Enkaustick gemahlt. —καυχάομαι, ῶμαι, in einer Sache oder Person oder damit sich brüsten, prahlen. —καφος, ὁ, (ἐγκάπτω) οὐ λέλειπται τῶν ἐμῶν οὐδ' ἔγκαφος, von den Meinigen ist mir kein Mundvoll mehr übrig. —καψικίδαλος, ὁ, (ebendah. und κίδαλον, Zwiebel) ein Zwiebelschlucker; Luzian. Lexiph. dahin rechnet man auch bey Hesych. καψιπήδαλος mit einer dunkeln Erklärung; u. καπήδαλος, welches im Etym. M. unter δράξων aus Eratosthenes mit einer ähnlich klingenden Erklärung angeführt wird. —κειμαι, darinne darauf liegen oder seyn; wie anliegen; so viel als in einen dringen, mahnen; einem zusetzen; verfolgen, beunruhigen; auch vom Feinde im Felde gesagt: *urgeo, insto.* —κέλαδος, ὁ, ἡ, einer der Lärmen, Getöse macht; daher ἐγκέλαδα beym Schol. Ariſtoph. Nub. 158. diejenigen Inſekten, die im Fliegen ein Getöſe, Sumſen machen; wie Hummeln, Mücken, auch die Cicaden τέττιγες; ſonſt werden ſie auch βομβύκια genennt.

'Εγκέλευμα und ἐγκέλευσμα, τὸ, die Ermunterung, das Antreiben, der Zuruf. —κέλευσις, ἡ, und —ευσμὸς, ὁ, (ἐγκελεύω) ſ. v. a. d. vorberg. Themiſtius or. 19. —κέλευστος, ὁ, ἡ, befehliget; Cyropaed. 5, 5, 39. Anab. 1, 3, 13. ermuntert, angetrieben; von —κελεύω, ἐγκελεύομαι, m. d. Dat. ermuntern, antreiben, zurufen; τὸ πολεμικὸν, auch von der Trompete, das Zeichen zum Angriffe geben; Plutarch. —κέλλω, als Akt. ich bewege hinein, oder darinne; 2) als neutr. ich bewege mich darinne, darauf, ſtütze mich darauf; Hippocr. S. κέλλω. —κενόω, wahrſch. f. Les. ſt. ἐκκενόω; durch Eingieſsen leeren. —κεντέω, ſ. v. a. ἐγκεντρίζω; zweif. —κεντρίζω, (κέντρον) ich ſporne; ſteche. 2) ich pfropfe in den Spalt. —κεντρὶς, ἡ, ein Stachel; 2) Sporn; 3) ſpitziger Griffel; 4) Beinreiſen, Stachel, um damit im Klettern auf die Bäume ſich anzuhalten. Ariſtaen. 1 Ep. 20. —κέντρισις, ἡ, und ἐγκεντρισμὸς, ὁ, das Pfropfen in den Spalt. —κεντρος, ὁ, ἡ, (κέντρον) geſtachelt, mit einem Stachel, einer Spitze verſehen. —κεντρόω, ῶ, den Stachel hineinſchieben: Heſych. u. Suid. erklären es auch d. ἀσφαλίζειν: befeſtigen, ſichern. —κεράννυμι, νύω, f. άσω, einmiſchen, vermiſchen; davon —κέραστος, ὁ, ἡ, eingemiſcht, gemiſcht. Plutar. Q. S. 4. Praef. —κερτομέω, ῶ, beſchimpfen, ſchmähen; m. d. Dat. Eur. —κέρχνω, rauhen Hals und Stimme machen; Hippocr. S. κέρχω. —κέφαλος, ὁ, ἡ, (κεφαλὴ) verſt. μυελὸς; Kopſmark, Hirn, Gehirn; überhaupt als Adject. was im Kopfe iſt. —κηρος, ſ. v. a. ἐπίκηρος, Heſych. —κηρόω, ῶ, (κηρὸς) incero, überwichſen, mit Wachs überziehen. —κιθαρίζω, μέσῳ ἤματι ἐγκιθάριζεν ſt. ἐκιθάριζεν ἐν μέσῳ ἤματι. Hymn. Merc. 17. —κικράω, ſ. v. a. ἐγκίρνημι, einmiſchen, einſchenken; Sophron ſagte: ἐγκίκρα, ὡς ἕιω, ſchenke ein, damit ich gehen kann; Etym. M. —κιλικεύομαι, ἐγκιλικίζω; Pherecrates ſagte ἀεὶ ποθ' ἡμῖν ἐγκιλικίζουσ' οἱ θεοὶ, die Götter behandeln uns immer treulos, boshaft: wie die wegen ihrer Räuberey berüchtigten Cilicier: Suid. allein hat die Form ἐγκιλικεύομαι, ohne Beyſpiel, ſo wie Heſych. ἐγκιλικίζομαι. Heſych. hat auch κιλικίζεσθαι für κακοηθίζεσθαι, u. ἐγκιλικίστρια für περιαγνίστρια. —κίνυμι, ſ. v. a. ἐγκινέω. Quint. Smyrn. 13, 245. —κισσάω, ῶ, f. ήσω, ich bin ſchwanger. S. κίσσα. —κισσεύομαι, (κισσὸς) ich wickle und ſchlinge mich wie Epheu um etwas. —κίσσησις, ἡ, Schwangerſchaft, oder Beyſchlaf; von ἐγκισσάω. —κλαστρίδια, τὰ, Ohrgehänge; Pollux 5, 97. —κλάω, f. άσω, einbrechen, zerbrechen. S. ἐνικλάω. —κλεισμὸς, ὁ, Einſchlieſsung. —κλείω, f. είσω, einſchlieſsen, einen einſperren, ins Gefängniſs werfen; med. bey ſich verſchlieſsen, verborgen haben; davon —κλημα, ατος, τὸ, (ἐγκαλέω) Beſchuldigung, Anklage, Klage, Vorwurf; davon —κληματικὸς, ἡ, ὸν, Adv. —κῶς: zur Anklage, zum Vorwurfe gehörig od. geneigt dergl. zu machen. —κληματόομαι, οῦμαι, (κλῆμα) Theophr. c. pl. 3, 2, in die Ranken ſarmenta treiben, ſchieſsen, wachſen; ſcheint ἐγκλ. richtiger. —κληρος, ὁ, ἡ, (κλῆρος) der mit ein Loos, Antheil daran hat. τοῖς ἰσοθέοις ἔγκληρα λαχεῖν. Soph. Ant. 837. ſt. ἴσα, ὅμοια. 2) der Land hat, reicher Mann, locuples. 3) der im Beſitz einer Erbſchaft iſt, Erbe. —κλησις, εως, ἡ, (ἐγκαλέω) das Anklagen, Beſchuldigen. —κλητος, ὁ, ἡ, falſche Leſ. ſt. ἔκκλητος; nach der Abl. würde ἔγκ. beſchuldigt, angeklagt heiſsen. —κλιδὸν, Adv. (ἐγκλίνω) ſich neigend; ὄσσε βαλεῖν ἐγκλιδὸν, ſchief blicken, von der Seite ſehen. Apoll. Rhod. —κλιμα, ατος, τὸ, das Geneigte od. ſich neigende; die Neigung; von —κλίνω, f. ινῶ, neigen, vorwärts beugen od. bewegen; daher wie *inclinare in fugam*: in die Flucht treiben oder ſchlagen; 2) anlehnen, anbiegen; 3) neutr. ſich neigen; nachgeben; zurückgehn, fliehen; davon —κλισις, εως, ἡ, das Neigen, Zuneigen; Neigung. —κλιτικὸς, ἡ, ὸν, neigend, ſich neigend; bey den Grammatikern heiſst ſo ein Wort, welches ſ. Accent auf das vorhergehende Wort zurückwirft und ihn abgiebt. —κλειόω, ῶ, f. ώσω, (κλοιὸς) in ein Halsband od. Halseiſen thun, ſtecken. Prov. 6. —κλυδάζομαι, f. άσομαι, darinnen od. im Innern fluthen, wogen; hin und her ſchweifen. Hippocr. davon —κλυδαστικὸς, ἡ, ὸν, darinnen od. im Innern wogend; hin und her ſchweifend und Getöſe erregend. Hippocr. —κλύζω, f. ύσω, durch ein Klyſtier beybringen; davon —κλυσμα, ατος, τὸ, das Einſpritzen; Klyſtier. —κνήθω, f. ήσω, (κνάω) einreiben, einſchaben. —κοιλαίνω, f. ανῶ, auch ἐγκοιλάζω, wovon ἐγκοιλασμένος. Chirurg. vet. p. 109 ich höhle aus; vertiefe; mache durch Eindruck eine Vertiefung. —κοίλιος, ὁ, ἡ, (κοιλία, im Bauche; τὰ ἐγκοίλια die Därme: οὔτε σπλάγχνον οὔτε ἐγκοίλιον. Diodor. 1,

35. vom Schiffe überſetzt Plinius ἐγκοίλια navium coſtas; ſonſt ἐντεριωνίς. Strabo 15. p. 1012. ναῦς κατεσκευασμένας ἀμφοτέρωθεν ἐγκοιλίων μητρῶν χωρίς, vergl. Voſſ. über Mela 3, 7. bey Livius 28, 42. erklärt man *interamenta navium* dav. μήτρη wird vom Heſych. auch durch ἐντεριώνη erklärt, und da könnte μητρῶν bey Strabo eine Gloſſe ſeyn. S. auch ἀμφημήτρια.

'Εγκοιλος, ὁ, ἡ, ausgehöhlt, eingedrückt. —κοιλόω, ſ. v. a. ἐγκοιλαίνω. —κοίλωσις, ἡ, Aushöhlung. —κοιμάομαι, ῶμαι, ich ſchlafe darinne oder darauf. —κοίμηθρον, τὸ, Gloſſar. Stephan. *dormitorium*, Schlafzimmer. —κοίμησις, ἡ, das Schlafen darinne oder darauf: *incubare incubatio*. —κοιμητήριος, ὁ, ἡ, ψίαθος, Pollux, 6, 11. worauf man ſchläft; von ἐγκοιμητήρ, ῆρος, ὁ, ſ. v. a. —μήτωρ, Pollux 10, 120. der darauf ſchläft. —κοίμητρον, τὸ, Bettdecke; Ammonius in Erkl. v. χλαῖνα. —κοισυρόω, Ariſtoph. Nub. nennt eine Frau ἐγκεκοισυρωμένην, ganz in dem Tone und Lebensart einer reichen und vornehmen κοισύρα geſtimmt. —κοιτάω, ich ſchlafe darinne od. darauf: m. d. dat. —κολαβέω. S. ἐγκοληβάζω, —κόλαμμα, ατος, τὸ, (ἐγκολάπτω) was eingegraben iſt; die Gravüre. —κολαπτὸς, ἡ, ὸν, eingegraben; eingeſchnitten, gravirt; von —κολάπτω, ſ. ψω, (κολάπτω) ich grabe hinein und höhle aus; ich gravire darauf. —κολεάζω. S. κολεάζω. —κοληβάζω, bey Ariſtoph. Equit. 265. αὐτοὶ ἐνεκολήβασας. So lieſet Brunk; ſonſt ſteht ἐνεκολάβησας. die Handſchr. haben ἀνεκολάβησας u. ἀνεκωλάβησας. Heſych. las ἂν ἐκολήβασας: denn er hat κοληβάζει, ἐσθίει, καταπίνει, d. i. verſchluckt, Suid. las ἂν ἐκολάβησας, welches er προσέκρουσας παρὰ τὸ ἐπὶ κόλαις βαίνειν: κόλα δὲ ἡ γαστὴρ ferner: ἔθραυσας, ἔκλασας, κατέπιες: die letzte Bedeutung geht auf die Leſeart ἐνεκολλάβισεν, welche Euſtathius δίκην κολλάβου κατέπιες erklärt, wie einen Kuchen κόλλαβος hinter-verſchlucken. Brunk erklärt es *praedicare*: mir ſcheints als ein Fechterwort ſo viel zu ſeyn als κολετρᾶν: Heſych hat auch κολειβάζειν. —κολλαβίζω, ſ. ίσω, ich verſchlinge. S. ἐγκοληβάζω. —κολλάω, ῶ, ſ. άσω, (κολλάω) ich leime hinein, füge hinzu. —κολπίας, ου, ὁ, (ἄνεμος) der in dem Meerbuſen entſtehet. —κολπίζω, ſ. ίσω, in den Buſen drücken, ſenken; med. in den Buſen nehmen; umfaſſen; σαγήνῃ, mit dem Buſen des Netzes umfaſſen. Alciphr. περίοδον ἐγκολπιζομένην, der Buſen macht; ſ. v. a. κολπώδη anderswo. Dionyſ. halic. derſelbe ſagt: ταῦτα κεκολπωμένα σφίγξαι μᾶλλον ἐνῆν καὶ στρογγυλώτερα ποιῆσαι, dieſen ſchlaffen Ausdruck konnte er mehr binden und runden. 6 p. 1010. dem ſtraffen entgegenſetzt: Strabo 5 p. 303 ſagt ἠιὼν ἐγκολπίζουσα: neutr. einen Buſen machen. —κόλπιος, ὁ, ἡ, auf dem Schooſse, in dem Buſen. —κολπόω, ῶ, ſ. ώσω, (κόλπος) ich mache zu einem Buſen od. ſammle in einen, den Buſen; vom Meere ἐγκεκολπῶσθαι εἰς τὰς Σύρτεις, mit einem Buſen ſich einbiegen: Ariſtot. de mundo 3, 7. wofür hernach ἀποκολποῦσθαι ſteht. —κομβόομαι, οῦμαι, ſ. ώσομαι, davon ἐγκόμβωμα, τὸ. S. κόμβος. —κομμα, ατος, τὸ, (ἐγκόπτω) eigentlich Einſchnitt; Anſtoſs; Verhinderung. —κονέω, ῶ, (κόνις, ἐν) ich eile, bin geſchwind, flink; vorz. bey der Bedienung. S. διακονέω: auch m. d. Accuſ. μόρον, ſ. v. a. σπεύδω, ſein Schickſal beſchleunigen; auch m. d. folgd. Infinitiv. Oppian. Hal. 4, 103; davon —κονητὶ, Adv. mühſam, arbeitſam. Bey Pind. Nem. 3, 61. falſch ſt. ἀγκόνησι od. ἀγκάλησι. —κονιάω, lak. ſt. ἐγκονέω: Ariſtoph. Lyſ. 1131. wie ἀδικιάω. —κονίζομαι u. ἐγκονίομαι (κονίζω κονίω) ich wälze mich im Staube und Sande; ich fechte darinne wie die *luctatores*. S. κονίομαι, Xenoph. Symp. 3, 8. γῆ Αὐτολύκῳ τούτῳ ἱκανὴ ἐγκονίσασθαι, ein Stück Land hinreichend für dieſen Autolycus hier, um darauf zu fechten. Philoſtr. Apoll. 8, 18. —κονὶς, ἡ, Dienerin, Magd, Sclavin, wie διάκονος. —κοπεὺς, έως, ὁ, Werkzeug zum arbeiten in Stein, zum hauen, einhauen, aushauen u. ſ. w. wie der Meiſsel. —κοπὴ, ἡ, Einſchnitt, Spalt, Hieb in einen Körper; Anſtoſs, Hinderniſs. —κοπος, ὁ, ἡ, (κόπος) bey den LXX ſ. v. a. δυσχερὴς, χαλεπὸς. —κόπτω, ſ. ψω, einhauen, einſchneiden; einſchlagen; befeſtigen; daher verhindern, den Weg verſperren. —κορδυλέω, ῶ, ich wickle in κορδύλας, Decken, ein, Ariſtoph. Nub. 10. ἦν μὴ καὶ πέπλον ἐγκορδυλίσησθε. Syneſius p. 16. —κορύπτω, Lycophr. 558. πληγὴν, ich ſtoſse mit den Hörnern eine Wunde. S. κορύπτω. —κοσμέω, ῶ, ich ordne ein, ſtelle in die Ordnung, Reihe, κόσμος: Dionyſ. hal. 10, 54. ἀρχὴ ἐγκοσμηθεὶς, wo die Handſchr. richtiger κοσμηθεὶς hat. —κόσμιος, ὁ, ἡ, in der Welt od. Ordnung. —κοσμογενὴς, ὁ, ἡ, Syneſ. p. 339. in der Welt erzeugt, weltlich. —κοτέω, ῶ, (ἐν, κότος) m. d. dat. ich zürne auf jemand; davon —κότημα, τὸ, das zürnen auf jemand; Zorn, Haſs: Jerem. 31, 39. —κότησις, ἡ, ſ. v. a. ἐγκότημα. —κοτος, ὁ, ἡ, (ἐν, κότος) Adv. —ότως, der im Zorne iſt; zornig. στύγος ἔγκοτον

Hafs mit Zorn verbunden; bey Herodot steht oft ἔγκοτον ἔχειν τινὶ, s. v. a. was er 1, 18. κότον ἐνέχειν, zürnen auf jemand, sagt. Als Substantiv παλαιὸν ἔγκοτον, τινὰ ἐγκ. ἔχειν τινὶ. 6, 133.

'Ἐγκραγγάνω u. ἐγκράζω m. d. dat. auf jemand schreyen, vorzügl. im Zorne. ἐνέκραγες ἡμῖν οὐδὲν ἠδικημένη. Aristoph. Plut. 428. Thucyd. 8, 84. —κρασις, ἡ, (ἐγκεράω) Ein- od. Zumischung. —κρασίχολος, ὁ, ἡ, eine kleine Fischart, wie Sardellen und Anchovien. —κράτεια, ἡ, (ἐγκρατέω) *continentia*, Enthaltsamkeit, Mäfsigung im Vergnügen: Aristot. magn. mor. 2, 6. Duldsamkeit: Xen. Cyr. 8, 1. 36. —κράτευμα, τὸ, ein Beweis, eine Probe der Enthaltsamkeit, ἐγκράτεια: Jamblich. Pythag. c. 17. —κρατεύομαι, f. εύσομαι, ich beweise mich als einen ἐγκρατής; bin ein. enthaltsamer, mäfsiger. —κρατέω, ῶ, ich halte, befestige darinne; auch s. v. a. ἐγκρατεύομαι. —κρατής, ὁ, ἡ, haltend, festhaltend: χεὶρ ἐγκρατεστάτη am geschicktesten zum Festhalten. Xen. Reitk. 8, 8. 2) m. d. Genit. einer Sache, Person mächtig; in seiner Gewalt habend; dah. 3) der die Oberhand hat, Sieger ist; 4) ohne Kasus; der seiner u. seiner Begierden mächtig; enthaltsam, mäfsig, gelassen, ohne Leidenschaft ist; wie *continens*: vorzügl. der im Vergnügen sich mäfsigen kann; Aristot. Magn. mor. 2, 6. dah. auch im Uebertriebenen hart, unbeweglich, unerbittlich, nicht nachgebend; Adv. —τῶς, fest, beständig, mit Macht, mit Mäfsigung.

'Ἐγκρεμάννυμι, ἐγκρεμαννύω, ἐγκρεμάω, ῶ, f. άσω, darein, darinne aufo. anhängen. —κρικόω, (κρίκος) einringen, wie mit einem Ringe umgeben. Hipp. nat. ossium. —κρίνω, f. ινῶ, oppos. ἐκκρίνω, beym wählen annehmen, billigen; einrangiren; dazunehmen, dazuzählen od. rechnen; als gültig od. ächt annehmen, gelten lassen. —κρὶς, ίδος, ἡ, ein Kuchen, sonst ταγηνίας genannt. Pollux 6, 78. —κρίσις, εως, ἡ, (ἐγκρίνω) Annahme, Zulassung, Billigung, Anerkennung. —κριτός, ὁ, ἡ, (ἐγκρίνω) angenommen, zugelassen; gebilligt. —κροτέω, ῶ, Theocr. 18, 7. ἐς ἓν μέλος ἐγκροτέοισαι ποσσὶν, mit den Fufsen nach einem Liede tanzend u. m. den Fufsen schlagend; das lat. *plaudere pedibus*: πίνακας χαλκοῦς τῷ τοίχῳ Philostr. Apoll. 2, 20 eingesetzt. —κρούω, f. ούσω, ich schlage ein- od. an; 2) s. v. a. ἐγκροτέω, u. bey Aristoph. Ran. 374. s. v. a. ἐγκατακρούω, tanzen; *pulsare terram pede*, wie ἐγκροτέω. —κρυμμα, τὸ, das Versteckte; die Versteckten; der Hinterhalt; von —κρύπτω, f. ψω, darein- oder darinne verbergen, verstecken. —κρυφιάζω, s. v. a. d. vorige. Procop. Anecd. 1. bey Aristoph. Equ. 822. s. v. a. ἐμφωλεύω; v. —κρυφίας, ου, ὁ, (ἐγκρύπτω) ἄρτος, unter der heifsen Asche gebackenes Brod. —κτάομαι, in einem Lande vorzügl. auswärtigem besitzen, Besitzungen haben; dav. —κτημα, ατος, τὸ, das Besitzen von Gütern od. Land auf fremdem Grunde; das Recht od. die Freyheit dazu. —κτησις, εως, ἡ, auswärtiges Besitzungsrecht; Ankauf, Besitznehmung. —κτητος, ὁ, ἡ, darinne besessen; erworben. Levit. c. 21. —κτερεΐζω, darinne zur Erde bestatten. zw. —κτίζω, f. ίσω, darinne erbauen, errichten. —κυβιστάω, Synes. ep. 73. τότε μᾶλλον αὐτοῖς αἱ πονηραὶ φύσεις ἐνεκυβίστησαν, wagten es u. setzten sich der Strafe aus; wo ἐνεκυλίστησαν falsch steht. —κυδος, ὁ, ἡ, b. Hesych. ἔνδοξος; wie bey ihm ἄκυδος, ἄδοξος. —κυκάω, ῶ, f. ήσω, einmischen, einrühren.

'Ἐγκυκλέω, ῶ, hereinwälzen, hereinoder vorbringen, rollen durch eine Maschine auf dem Theater. S. ἐκκυκλέω; davon —κλημα, ατος, τὸ, od. ἐγκύκληθρον, nach Eustath. eine theatralische Maschine mit Rädern, die Gegenstände oder Personen zu zeigen oder darzustellen: Pollux 4, 128. eigentl. das hereingebrachte, vor- oder dargestellte: bey Aristot. Oecon. 2, ὑπὸ τῶν ἄλλων ἐγκυκλημάτων, stand vorher ἐγκλημάτων; Stephan. erklärte es d. d. vorhergehende ἐγκυκλίων. Camerarius aber las: ἐργολαβημάτων. —κλιος, ὁ, ἡ, (ἐν, κύκλος) zirkelrund; 2) was nach einem gewissen Zirkel, Umlaufe von Zeit wieder kommt; 3) ἐγκύκλια μαθήματα, ἐγκύκλιος παιδεία, heifsen die Kenntnisse, Wissenschaften u. Künste, die jeder freye Grieche erlernte u. trieb; so bey Demosth. p. 792. ᾧ οὐδὲ τῶν ἴσων οὐδὲ τῶν ἐγκυκλίων δικαίων μετουσίαν διδόασιν οἱ νόμοι, d. i. die gleichen u. allen Bürgern gemeinen Rechte; so ἐγκύκλιοι λειτουργίαι, die *munera*, offentlichen Dienste, zu denen jeder Bürger verbunden ist; oft wird es kurz durch gemein, allgemein übersetzt. —κλοπαιδεία, ἡ, Inbegriff der Gelehrsamkeit, Kreis der Wissenschaften, zw. —κλοποσία, ἡ, das Trinken Reihe herum; πόσις oder πίνειν ἐν κύκλῳ. —κλον, τὸ, (κύκλος) ein weibliches Oberkleid; von der Gestalt; von ἔγκυκλος, ὁ, ἡ, rund. —κλόω, ῶ, f. ώσω, ich umgebe mit, wie mit einem Zirkel. med. ἐγκυκλοῦμαι, ich bin rings herum. φωνή μέ τις ἐγκεκύκλωται. Aristoph. Vesp. ich habe eine Stimme um mich gehört; dav.

auch: ich gehe herum; ich umgebe; schliesse gleichsam wie in einen Busen ein: Strabo 5 p. 294. u. 330. dav.

'Εγκύκλωμα, τὸ, das umgebene, eingeschlossene, st. ἐγκύκλημα. zw. ἐγκύκλωσις, ἡ, das Umgeben, Umringen.

[illegible]γκυλιδωτονειρίον, bey Hipp. 1. γυναικ. soll ἐγκυλίνδωτον od. ἐγκυλίωτον heissen, zusammengewickelte od. gerollte Wolle. —κυλινδέω, ῶ, s. v. a. ἐγκαλινδέω; davon —κυλίνδησις, ἡ, das Wälzen darinne. ἐν γυναιξὶ πόρναις, der liederliche Umgang mit Plut. 5 p. 652. —κυλίω, einwickeln, darinne wälzen od. rollen. —κυμαίνω, αἱ τῶν πρεσβυτέρων ὀρέξεις οὐκέτι ἐγκυμαίνονται, werden od. sind nicht mehr stürmisch. Clem. Paedagog. 2, p. 179. —κυμονέω, ῶ, ich bin ἐγκύμων, gehe schwanger, τινὰ, mit einem Kinde. Apoll. 1, 1, 3. —κύμων, ονος, ὁ, ἡ, od. ἔγκιος, ὁ, ἡ, (κῦμα u. κύω) befruchtét, schwanger, trächtig. —κύπτω, f. ψω, sich auf od. unter etwas bücken, um es zu besehen; daher hineingucken, daraufgucken. —κυρέω, ῶ, und ἐγκύρω, (ἐν, κύρω) incido, ich falle auf etwas, begegne; m. d. Dat. s. v. a. ἐντυγχάνω, jon. die Form ἐγκυρσεύω aus Heracl. bey Clem. Strom. 2 p. 432. zweif. —κύρτιον, τὸ, ein Theil im Innern u. am Eingange der Fischreuse, κύρτος, *nassa*, Plato Tim. p. 405. —κυσις, ἡ, die Schwangerschaft. —κυτὶ, Adv. (κύτος) bis auf die Haut, κύτος s. v. a. σκύτος die Haut; davon *cutis*; τὸ δ' ἐγκυτὶ τέκνον ἐκέρσω. Callimach. u. Archilo. χαίτην ἀπ' ὤμων ἐγκυτὶ κεκαρμένος, was man sonst ἐν χρῷ κείρειν sagt. Steht also für ἐν κύτει. S. ἐγγύς. —κυτον, τὸ, laced. st. ἔγκατον. —κύω, f. ύσω, (ἐν, κύω) ich bin schwanger. —κωλύω, (ἐν, κωλύω) darinne durch einen Hacken (κώλυμα) befestigen. Hero Autom. —κωμιάζω, f. άσω, m. d. Akkus. ich lobpreise; dav. —κωμιαστὴς, ὁ, der Lobredner, Preiser; dav. —κωμιαστικὸς, ἡ, ὸν, was zum Lobpreisen gehört, geschickt ist. —κώμιον, τὸ, (ἐν, κώμη) Lobpreisung eines Lebenden u. seiner Handlungen; von —κώμιος, s. v. a. ἐγχώριος. Hesiod. ἔργ. 344. 2) alles was zum κῶμος festlichen bacchischen Aufzuge od. einem Bacchanten-Aufzuge (*comissatio*) od. zum Aufzuge, worinn der Sieger im Wettstreite geführt wird, gehört; also: Freude, Musik, Tanz u. überhaupt Lob und Lobgesänge; dah. Pindar ἐγκώμιος u. ἐπικώμιος von allen Dingen braucht, die zum Lobe und zur Belohnung des Siegers gehören; dah. ἐγκώμιον verst. ἔπος Lobgesang, Lobrede.

'Εγξέω, ῶ, od. ἐγξύω, ich grabe schneide kratze schabe darauf oder hinein.

'Εγρεκύδοιμος, ὁ, ἡ, (ἔγρω) das Kriegsgetöse erweckend, dazu ermunternd. —μάχος, ὁ, ἡ, (ἔγρω, μάχη) zur Schlacht erweckend, ermunternd. —σίκωμος, ὁ, ἡ, (ἔγερω, ἐγερσίκωμος) Beyw. d. Bacchus, zum κῶμος erweckend, ermunternd.

'Εγρήγορα, ἐγρηγορέω, ἐγρηγοράω, (davon ἐγρηγορόων) ἐγρήγορθα, davon ἐγρηγόρθαι u. ἐγρήγορθε u. ἐγρήσσω haben alle die Bedeutung des Praesens und kommen von ἐγέρω, ἐγείρω, contr. ἔγρω; von ἐγέρω das perf. med. ἤγορα, ἐγήγορα, ἐγρήγορα; ἐγρηγορέω, ich wache, bin munter, wachsam; aufmerksam. —γορικὸς, ἡ, ὸν, od. ἐγρήγορος, ὁ, ἡ, wachsam, munter, wachend. —γορότως, Adv. vom part. perf. ἐγρηγορώς, s. v. a. ἐγρηγορτί. —γόρσιος, ὁ, ἡ, was munter u. wachend erhält; Etym. M. führt es aus Pherec. an; auch Eustath. ad Odyss. 4. beyde erklären es durch παυσινύσταλον, v. νυστάζω; von —γορσις, εως, ἡ, Wachsamkeit, Munterkeit. —γορτὶ, Adv. wachend, im Wachen.

'Εγρήσσω, ich wache, bin munter. S. ἐγρήγορα.

'Εγρομαι, ἔγρω, zusammengez. aus ἐγέρω, ἐγείρω, ἐγείρομαι, ich erwecke mich; erwache; richte mich auf; siehe auf. S. ἐγείρω u. ἀερτάζω.

'Εγχαίνω, f. ανῶ, (χαίνω, ἐν) m. d. dat. ich gähne; öffne das Maul nach etwas, wie gierige Hunde und Menschen; *inhio*; 2) metaph. jemandem ins Gesicht lachen, verspotten, mit geöfnetem Maule, wie wenn man Pa macht. —χαλάω, s. v. a. χαλάω. Plut. Q. S. 6, 3. —χαλινόω, ῶ, f. ώσω, aufzäumen; daher im Zaume halten; lenken; ἐγκεχαλίνωνται περὶ τὰ ὦτα τῆς καρδίης Hippocr. sind wie im Zaume herumgeführt. —χαλκεύω, einschmieden, einschlagen. —χαλκος, ὁ, ἡ, kupfern; mit Kupfer vermischt; und in so fern χαλκὸς wie *aes* Geld ist γραῖα Anthol. mit Gelde, reich. —χάραγμα, ατος, τὸ, das eingeschnittene, eingegrabene, eingeschriebene, eingeprägte; Gepräge; Zeichen, Buchstabe; Spur; Fusstapfe. —χάραξις, εως, ἡ, das Einschneiden, Eingraben; Einprägen; Einschreiben. —χαράσσω, ἐγχαράττω, f. ξω, einschneiden; eingraben; einschreiben; einprägen; eindrücken. —χαρίζομαι, δὶς τέκνῳ ζωὴν ἐγκεχάριστο γάλα Anthol. s. v. a. χαρίζομαι. —χάσκω, eine andere Form von ἐγχαίνω. —χέζω, f. έσω, perf. ἐγκέχοδα, hinein drein scheissen. —χεία, ἡ, jonisch ἐγχείη, ης, Lanze, wie ἔγχος; Geschicklichkeit die Lanze im Streite zu führen. Il. 2, 530.

'Εγχειβρόμος, ὁ, ἡ, (ἔγχος, βρέμω) raſch die Lanze werfend, raſcher Krieger; Pindar. ol. 7, 79. —χεικέραυνος, ὁ, ἡ, Blitze (wie Lanzen) ſchleudernd. Pindar. ol. 13, 110. — χειμάζω, darinne überwintern. — χείμαργος, ὁ, ἡ, und ἐγχεσιμ. (μάργος) dem Sinne nach ſ. v. a. ἐγχεσίμωρος; wie enſe furens. —χειρέω, ῶ, m. d. Dat. Hand anlegen, angreifen; im guten und feindlichen Sinne; von Sachen, behandeln durch Beweiſe, Gründe u. dergl. ταῦτα πιθανῶς μὲν ἐδόκει μοὶ ἐγκεχειρεῖσθαι. Plutar. Q. S. 6, 2. wo man es durch diſputare am beſten überſetzt; davon —χείρημα, ατος, τὸ, Unternehmung, Anfang; Beginnen; vorzügl. ein Beweisgrund, womit ich etwas auszuführen, zu beweiſen ſuche. —χειρηματικὸς, ἡ, ὸν, zum ἐγχείρημα oder der Art etwas dadurch zu beweiſen, gehörig. —χείρησις, εως, ἡ, das Angreifen, vorzügl. einer Sache; das Anfangen, Beginnen; od. die Art ſie anzugreifen und zu behandeln. —χειρητὴς, οῦ, ὁ, d. i. ὁ ἐγχειρέων, der angreift; anfängt. —χειρητικὸς, ἡ, ὸν, zum angreifen gehörig oder geſchickt. —χειρία, ἡ, ſ. v. a. ἐγχείρησις. Hipp. —χειρίδιος, ὁ, ἡ, (χεὶρ, ἐν) was man in der Hand hat, hält. Aeſchyl. Suppl. 22. daher ἐγχειρίδιον, τὸ, der Heft; Stiel; Handbuch; Dolch; Handmeſſer. —χειρίζω, (ἐν, χεὶρ) ich händige ein, überliefere in die Hände; med. ἐγχειρίζομαι, ich nehme in die Hände. —χειρίθετον παραδῶ. Herodot. 5, 108 in die Hände (ἐν χέιρὶ τίθημι) überliefern. Pollux 2, 154 wo die Handſchr. auch ἐγχειρίδοτον haben. —χείριον, τὸ, Hand-Schweiſstuch; zw. —χείρισις, εως, ἡ, u. ἐγχειρισμὸς, ὁ, (ἐγχειρίζω) das Einhändigen, Ueberliefern. —χειρίτης, ου, ὁ, bey Pollux 2, 154. ſ. v. a. was d. Handſchr. ἐγχειρητὴς haben. —χειρογάστορες, οἱ, (ἐν, χεὶρ, γαστὴρ) κυκλωπες, ſ. v. a. χειραγάστορες. —χειροτονέω, ῶ, unter andern wählen. Pollux 2, 150. —χειρουργέω, ῶ, durch Händearbeit beybringen od. geben; indo, hineinmachen. —χέλειος, ὁ, ἡ, (ἐγχελὺς) vom Aale. —χελεὼν, ῶνος, ὁ, der Aalhälter. —χέλιον, τὸ, od. ἐγχελύδιον, τὸ, dimin. v. ἐγχελὺς, Aelchen. —χελυοτρόφος, ὁ, ἡ, (τρέφω) Aale nährend; haltend; futternd. —χελυς, υος, ἡ, plur. ἐγχέλεις, Aal. —χελυωπὸς, ὁ, ἡ, (ὢψ) wie ein Aal ausſehend oder geſtaltet. —χεσίμαργος, ὁ, ἡ, ſ. v. a. ἐγχείμαργος. —χεσίμωρος, ὁ, ἡ, ein Krieger der mit dem ἔγχος ſtreitet; die Sylbe μωρὸς bedeutet wie in ὑλακόμωρος, ἰόμωρος, σινάμωρος nichts weiter, als eine Uebung, Gewohnheit in der Sache, und iſt von einem zweifelh. Stammworte Hom. Il. 2, 692. nach dem Schol. v. μωρέω; denn er erklärt jenes durch ὁ περὶ τὰ ἔγχεα μεμωρηκώς. —χεσίπαλος, ὁ, ἡ, od. contr. ἐγχέσπαλος, ὁ, ἡ, (πάλλω, ἔγχος) Lanzen-Spieſs-Speerſchwinger. —χεσφόρος, ὁ, ἡ, Lanzenträger, Lanzner. —χέω, f. εύσω, eingieſsen; eine Infuſion, Aufguſs geben. Hipp. med. ſich eingieſsen laſſen, trinken. Xen. Symp, 2, 26. —χήρης, ὁ, ἡ, δόρυ, Nicetas Annal. 12, 6. einem ἔγχος ähnlich oder gleich. —χθόνιος, ὁ, ἡ, (χθὼν) einländiſch, indiſch, in oder von der Erden. — χλαινόω, ῶ, Lycophr. 974. ich ziehe an; eigentl. eine χλαῖνα. —χλευάζω, verhöhnen, verlachen; zweif. —χλίω, bey Heſych. ſ. v. a. ἐντρυφάω; aus Aeſchyl. Suppl. 920. —χλοος, ὁ, ἡ, (χλοή) ſ. v. a. d. folgd. Nicand. Ther. 676 u. 885. hat ἔγχλοα ſt. ἔγχλοον contr. ἔγχλουν geſagt, wie φλοῖς, φλόα, φλοῖν; aber 772 muſs es ἔγχνοα d. i. χνοώδη nach den Handſch. heiſsen. — χλωρος, ὁ, ἡ, etwas χλωρὸς grün od. gelblicht. —χνοος, ἔγχνους, ὁ, ἡ, mit einem feinen Wollhaare bedeckt, wie χνοώδης. S. ἔγχλοος. —χονδρίζω, den Knorpel des zerriſſenen Ohrs einfügen; oder χόνδρος alica, od. χόνδρος λιβάνου granum turis darauf ſtreuen: Archigenes Galeni κατὰ τόπους 3 c. 1. —χονδρὸς, ὁ, ἡ, knorpelig: in kleinen Stücken, grumoſus. S. χόνδρος. —χορδος, beſaitet; mit Saiten. —χορεύω, d. i. χορεύω ἐν. —χος, τὸ, Spieſs; Schwerdt; jede Waffe; daher πτερωτὰ ἔγχη. Eurip. Herc. 1098. die Pfeile. —χουσα, ἡ, ſ. v. a. ἄγχουσα. — χουσίζω, ich farbe mit ἔγχουσα. — χόω, ῶ, zuſchütten; mit hineingeſchütteter Erde füllen und verſtopfen. —χραύω, u. ἐγχράω: auch ἐγχραινω; ſ. v. a. ἐγχρίμπτω: ich bringe etwas mit Gewalt in einen andern Körper, od. an ihn; impello, impingo: ἐνέχραυε ἐς τὸ πρόσωπον τὸ σκῆπτρον, ſtieſs ihm ſeinen Stab ins Geſicht. Herodot. 6, 75. —χρεμετίζω, hinein od. darinne wiehern: Pollux 10, 56. —χρεμμα, τὸ, der angeſpuckte Auswurf. Bey Plutarch. prof. virtut. ſind ἐγχρέμματα περὶ τὸν βίον zweif. Xylander überſetzte, ἐγχρίμματα: andere leſen ἐκχρέμ. von —χρέμπτομαι, f. ψομαι, anſpucken. —χρήζω, brauchen, nöthig haben, wie χρήζω. —χρίμπτω, ἐγχρίπτω, ſ. v. a. ἐγχρίω, wovon es abgeleitet iſt. S. χρίω. —χρισις, εως, ἡ, Einſalbung, Einreibung; bey Aelian. H. A. 3, 22 der Biſs. S. ἐγχρίω. —χρισμα, ατος, τὸ, Salbe, die eingerieben wird.

'Εγχριστος, ὁ, ἡ, eingeſalbt; eingerieben; aufgeſchmiert; angeſtrichen. —χρίω, einreiben, einſchmieren; einſtechen; einbringen. S. χρίω. —χρονίζω, (χρόνος) lange Zeit worinne wobey womit zubringen; ἐγχρονισθεῖσα, lange Zeit aufbewahrt: Diodor. Sic. —χρονος, ὁ, ἡ, bey Heſych. ſ. v. a. πρόσκαιρος; Suid. erklärt σπονδῶν ἔτι ἐγχρόνων οὐσῶν d. ganz neuerlich gemacht; aus Appian. —χρόω, ἐγχρωννύω, färben, beſtreichen; eigentl. die Farbe hineinreiben. —χρυσος, ὁ, ἡ, dem ἄχρυσος oppoſ. etwas Geld enthaltend od. habend. —χρώζω, ἐγχρώννυμι, ἐγχρωννύω, andere Formen v. ἐγχρόω. Archyt. Stobaei Serm. 141. τὸν νόμον δεῖ ἐγχρώζεσθαι ἐν τοῖς ἤθεσι, muſs den Sitten eingeprägt werden oder ſich damit wie die Farbe mit dem Stoffe vermiſchen. —χυλίζω, zu Saft machen; den Saft ausdrücken; wird aus Theophr. c. plant. 6 angeführt; wahrſch. ſt. ἐκχυ. —χύλισμα, τὸ, ausgepreſster Saft; wahrſch. ſt. ἐκχύλ. —χυλος, ὁ, ἡ, mit Saft, ſaftig. —χυλόω, ſ. v. a. ἐγχυλίζω: zw. ſt. ἐκχ; davon —χύλωσις, ἡ, Auspreſſung des Safts; zw. ſt. ἐκχ. —χυμα, ατος, τὸ, das Eingegoſſene, Aufgegoſſene; Infuſion; Aufguſs; davon —χυματίζω, (ἔγχυμα) einen Trank eingieſsen; davon —χυματισμὸς, ὁ, das Eingieſsen eines Tranks. —χυμος, ὁ, ἡ, mit Saft, ſaftig; geſchmackvoll. —χύμωμα, ατος, τὸ, od. ἐγχύμωσις, ἡ, bey Hippocr. das Ergieſsen und, Vertheilen der Säfte durch den Umlauf im ganzen Körper. —χυράζω, ſ. Leſ. ſt. ἐνεχυράζω. —χυσις, ἡ, das Eingieſsen. —χυτος, ὁ, ἡ, eingegoſſen; vorzügl. ein Kuchen, verſt. πλακοῦς, von der Form, worein er gegoſſen wird; *Enchytus* bey Cato R. R. 80.

'Εγχυτα, τὰ, ſ. v. a. ἐγχύματα: Hippocr.

'Εγχυτρίστρια, ἡ, (χύτρα) eine Frauensperſon, die die Kinder, welche man nicht erhalten will, in einem Scherben ausſetzt; daher ἐγχυτρίζω, ich ſetze aus; tödte. 2) die bey dem Begräbniſſe eines Ermordeten das Reinigungsopfer, das Thier ſchlachtete und das Blut im Topfe ſammlete, womit ſie die verunreinigten reinigte: Pluto; Minos: von —χυτρίζω, eigentl. ich thue in einen Topf, Scherben; ſetze aus; tödte: Ariſtoph. Veſp. 301. ſammle das Blut des Sühnopferthiers. S. ἐγχυτρίστρια. —χύω, ſ. ύσω, ich gieſse hinein. —χωμα, τὸ, ein Damm; Erde in einen Ort geworfen, um ihn damit zu füllen; von —χώννυμι, ἐγχωννύω, ſ. χώσω, ſ. v. a. ἐγχόω. —χωρέω, ῶ, aufnehmen, faſſen; Platz geben od. verſtatten; daher überhaupt verſtatten, geſtatten, erlauben; von Ort und Zeit. 2) nachgeben; zugeben; geſtatten. neutr. ἐγχωρεῖ geht an, iſt möglich, thunlich, erlaubt. —χώριος, ὁ, ἡ, Adv. —ίως, od. ἔγχωρος, ὁ, ἡ, einländiſch; einheimiſch; eingeboren; vaterländiſch; auch auf dem Lande; ländlich. —χωσις, ἡ, das Hineinſchütten der Erde und das Zufüllen durch Erde: Strabo 5 p. 360. —χωστήριος, ὁ, ἡ, (ἐγχωστὴρ) zum zuſchütten und ausfüllen gehörig: Appian.

'Εγώ, gen. ἐμοῦ, μοῦ, ich; ἔγωγε *equidem*; ich für mein Theil; ich wenigſtens; ja ich.

'Εγώλιος, ὁ, auch, αἰγώλιος, αἰτώλιος, ein Nachtvogel.

'Εδανὸς, ὁ, ἡ, eſsbar, von ἔδω; dav. ἔδανον, τὸ, die Speiſe: Aeſchyl. Ag. 1419. 2) angenehm; ſüſs; wo es andere von ἡδὺς, ἁδὺς, ableiten: Il. 14, 172. bey Nicander Alex. 181: ἐδανὸς od. ἐδανὸς, ἔλινος, eine beſondere Art von Trauben, wie Heſych. ſagt: ſonſt erklärt man es, ſüſs.

"Εδαρ, τὸ, ἔδατος, v. ἔδω, wofür εἶδαρ gebräuchlich, die Speiſe.

'Εδαφίζω, ſ. ίσω, (ἔδαφος) ich werfe an die Erde; mache der Erde gleich. 2) ἐδαφιζομένη γῆ, feſt, hartgewordenes Land: Theophr. —φιον, τὸ, dimin. von —φος, τὸ, (ἕζω, ἕδος) der Sitz; die Baſis; der Grund, worauf etwas ruht, ſitzt: vorzügl. Grund und Boden, Erde, Fuſsboden; metaph. der Text.

'Εδέατρος, ὁ, bey den Perſern, der die Speiſen vorher koſtete, und die Folge derſelben nebſt der ganzen Ordnung und Bedienung beſorgte; überh. ſ. v. a. θαλίαρχος: Athenaei 4 p. 142. ein Marſchall bey der Tafel eines Königs. Feſtus hat: *Edeatre, qui praeſunt regiis epulis*, wird oft mit ἐλέατρος verwechſelt.

'Εδέθλιον, τὸ, u. ἔδεθλον, τὸ, (ἕζω, ἕδος) Baſis; Grund; Boden.

'Εδεσμα, τὸ, (ἔδω) Eſſen, Speiſe, Gericht. —μάτιον, τὸ, dimin. des vorhergehenden. —ματοθήκη, ἡ, Speiſekammer: Pollux, 10, 93.

'Εδεστὴς, οῦ, ὁ, d. i. ἔδων, Eſſer. —στὸς, ἡ, ὸν, eſsbar, zu eſſen.

'Εδηδὼν, όνος, ἡ, v. perf. ἐδηδα, partic. ἐδηδώς; bey Heſych. ſ. v. a. φαγέδαινα. —ητὺς, ύος, ἡ, Speiſe, Eſſen; joniſch.

'Εδνιος, ία, ιον, (ἔδνον) χιτὼν, Brautkleid; von der Braut geſchenkt.

"Εδνον, τὸ, ἔδνα, ων, τὰ, Brautgeſchenke, die der Bräutigam der Braut Eltern macht Od. 8. 318. wird auch mit dem ſpir. aſper ἕδνον geſchrieben u. v. ἑδανὸς abgeleitet, ſtatt δῶρον ἑδανὸν, angenehmes Geſchenk.

'Εδνάζω od. ἑδνάζω, bey Eurip. Hel. 939 u. ἑδνεύω, bey Hesych. s. v. a. ἑδνόω.

'Εδνοφορέω, (ἑδνοφόρος, ἕδνα φέρω) ich bringe der Braut Geschenke.

'Εδνόω, ῶ, f. ώσω, verloben; gegen Geschenke ἕδνα versprechen. —νωτή, ἡ, (ἑδνόω) verlobte und von ihrem Bräutigam schon beschenkte Braut. —νωτής, οῦ, ὁ, Verlober, Schwiegervater; der Freyer, der die ἕδνα giebt: Il. 13, 382.

'Εδομαι, st. dessen in praes. ἕζομαι, macht in fut. in compos. καθεδοῦμαι.

'Εδομαι, s. v. a. ἕδω, im praes. u. futur. S. πίομαι.

'Εδος, τὸ, (ἕζω) Sessel; Sitz und alles worauf etwas rubet: also Basis, Grund. πάντων ἕδος ἀσφαλὲς αἰεὶ γαῖα, der Ort, worinne die Götter wohnen und ihre Bildsäulen stehn; Tempel; auch die Bildsaule. Φειδίαν τὸν τὸ τῆς Ἀθηνᾶς ἕδος ἐργασάμενον, Isocrat. 2) s. v. a. ἕδρα, καθέδρα, das Sitzen; Verweilen; Zaudern, οὐχ ἕδος, Homer.

'Εδρα, ἡ, Sitz; Gefass, Stuhl. 2) Nachtstuhl; Abtritt. 3) Gefäss; der Hintere, worauf man sitzt; 4) Basis, worauf ein Korper ruht. 5) Session; Sitzung; ἕδραν ποιεῖν, Sitzung halten; Andocides: τοῦ βέλους, der Eindruck des Pfeils im Knochen: Hippocr. —ζω, f. άσω, (ἕδρα) s. v. a. d. gewöhnlichere prosaische ἱδράω u. καθίζω, setzen, stellen, befestigen.

'Εδραῖος, αία, αῖον, Adv. ἑδραίως, (ἕδρα) sitzend; festhaltend, befestigt; fest; unbeweglich; davon —όω, ῶ, f. ώσω, fest machen, befestigen; davon —ωμα, τὸ, das Festgestellte, Befestigte; Stütze; Unterlage.

'Εδρανον, τὸ, Sitz; Stelle; Lage, Unterlage; Grund. —νὸς, ἡ, ὸν, s. v. a. ἑδραῖος. zw.

'Εδρασμα, ατος, τὸ, (ἑδράζω) s. v. a. ἑδραίωμα, ἕδρανον, u. ἕδρα.

'Εδρήεις, ήεσσα, ῆεν, s. v. a. ἑδραῖος; Hesych.

'Εδριάω, davon ἑδριόωντο s. v. a. ἑδράω setzen; med. sich setzen, sitzen.

'Εδρικὸς, ἡ, ὸν, (ἕδρα) zum Sitze, zum Gefässe oder Hintern und zum Stuhlgange gehörig.

'Εδριον, τὸ, dim. von u. s. v. a. ἕδρα: in συνέδριον gebräuchlicher.

'Εδρίτης, ου, ὁ, bey Suid. u. Etym. M. s. v. a. ἱκέτης, der auf dem Heerde (ἕδρα, ἑστία) sitzende Fremde u. *supplex*.

'Εδροδιαστολεύς, ὁ, (ἕδρα, διαστέλλω) ein Instrument, womit man den verschlossenen After und Darme offnet; sonst διόπτρα und διαστολεύς. —στρόφος, ὁ, ἡ, (ἕδρα, στρέφω) ein Fechter, der nach argivischer Art seinen Gegner durchs Beinunterschlagen besiegt. Theocr. 24, 109.

'Εδω, f. 2. med. ἔδομαι od. ἐδοῦμαι, perf. ἐδήδοκα, d. lat. *edo* u. Stammwort von ἔσθω, ἐσθίω; essen, verzehren, nagen, zernagen; davon

'Εδωδὴ, ἡ, Essen; Speise; Lockspeise; Köder: Theocr. 21, 43. davon —διμος, ὁ, ἡ, essbar; zu essen.

'Εδωλιάζω, stellen auf den Sitz; auf die Ruderbank setzen u. s. w. von —λιον, τὸ, s. v. a. ἕδος, der Sitz; 2) die Ruderbank, *transtra*. 3) der Stuhl des Mastbaums: *calx mali*. 4) der Sitz in dem Theater. —λιος, ὁ, auch εἰδώλιος, ein unbestimmter Vogel.

'Εεδνα, ἔεδνα, τὰ, s. v. a. ἕδνον; desgl. ἐεδνόω, ἐεδνωτής.

'Εείδομαι, s. v. a. εἴδομαι; ferner ἐεισάσθην, ἐείκοσι u. ἐεικοσάβοια s. v. a. εἰσάσθην, εἴκοσι u. εἰκοσάβοια.

'Εέλδομαι. S. ἔλδομαι. —δωρ, τὸ, s. v. a. ἔλδωρ.

'Εερμένος, ἔερτο. S. εἴρω *fero*, ich reihe.

'Εζομαι, f. ἑσομαι, sich setzen, sitzen; auch act. setzen, stellen. τοδε τὸ ἕδος εἵσασθαι u. ἕαται τὰ ἕδεα st. εἶνται Lucian. Syr. dea 14 u. 31. aufstellen, errichten.

'Εθὰς, άδος, ὁ, ἡ, (ἔθος) gewohnt; bekannt; zahm.

'Εθειρα, ἡ, Haupthaar; von Pferden Mähne. —ράζω, f. άσω, langes Haupthaar haben. —ρὰς, άδος, ἡ, s. v. a. ἔθειρα. Odyss. 16, 172 lasen einige ἐθειράδες ἀμφὶ γένειον: aber Aristoteles schrieb γενειάδες, weil ἔθειρ. Haupthaar nicht Barthaar bedeutet: Schol. Theocr. 1, 34. —ρω, Il. Φ. 347. χαίρει δέ μιν ὅστις ἐθείρει, wo die Schol. erklaren ἐξ ἔθους ἐπιμελεῖται: also von ἔθος; woher sie dann auch ἔθειρα, ein sorgfältig genährtes Haar erklaren: Hesych. ἐπιμελείας ἀξιώσῃ, ferner ἐθειρόμενον, ἀγαλλόμενον, κοσμούμενον. das Gegentheil ἀθειρίζω: beyde scheinen mir v. θέρω, θείρω, ἐθείρω, s. v. a. θεραπεύω zu kommen: Orph. Argon. 927. χρυσαῖς φολίδεσσιν ἐθείρεται, bedeckt, geschmückt.

'Εθελακρίβεια, ἡ, unnutze Genauigkeit, Sorgfalt. zw. —λάστειος, ὁ, ἡ, artig seyn wollend; sich ziemend: Heliodor. 7 p. 319. —λεχθρος, ὁ, ἡ, Adv. —έχθρως, (ἐθέλω, ἐχθρὸς) der einen Groll auf jemand hat; davon ἐθελεχθρέω, τινὶ, ich habe einen Groll auf jemand. —λημὸς, ὁ, ἡ, Adv. —μῶς, u. ἐθελήμων, ὁ, ἡ, (ἐθέλω, ἐθελέω) willig, freywillig. —λοδουλέω, freywillig, gutwillig Sclave werden oder seyn, oder als Sclave dienen. —λοδουλία, ἐθελοδουλεία, ἡ, freywillige Sclaverey. —λόδουλος, Adv. —ούλως, freywilliger Sclave. —λοθρησκεία, ἡ, eigenmächtiger selbstgewahlter Gottesdienst od. Religion; von

Ἐθελοθρησκέω, ῶ, einen Gottesdienst nach eigner Wahl haben und üben; im N. T. —λοκακέω, ῶ, ich handle mit Vorsatz böse, vorzügl. feige, thue meine Pflicht im Kriege nicht, wie ein Verräther; bey Herod. 9, 67 Ἑλλήνων τῶν μετὰ βασιλῆος ἐθελοκακεόντων, die die schlechtere Parthey des Königs ergriffen u. gewählt hatten; dav. —λοκάκησις, ἡ, u. ἐθελοκακία, ἡ, das nachlässige Betragen; Vernachlässigung der Pflicht aus Vorsatz; vorzügl. der Streiter. —λόκακος, ὁ, ἡ, (ἐθέλω, κακὸς) der vorsätzlich seine Pflicht vernachlässigt; schlecht, fahrlässig, feige handelt. Adv. —κάκως. —λοκίνδυνος, ὁ, ἡ, (ἐθέλω, κίνδυνος) herzhaft, Waghals. —λοκωφέω, ῶ, ich stelle mich taub, will nicht hören; v. —λόκωφος, ὁ, ἡ, (ἐθέλω, κωφὸς) der sich taub stellt u. nicht hören will. —λοντηδὸν, Adv. o. ἐθελοντὴν, ἐθελοντὶ, ἐθελοντεὶ, freywillig, von freyen Stücken. —λοντὴρ, ῆρος, ὁ, o. ἐθελοντὴς, freywillig, willig. —λοντὶ, u. —τεὶ, Adv. s. v. a. —τηδὸν. —λόντιος, ὁ, ἡ, freywillig: bey Suid. die Form ἐθελοντὸς nimmt man blos an, um ἐθελοντὴν, als Adv. gebräuchl. davon abzuleiten. —λόξενος, s. Les. st. ἐθελοπρόξενος, Pollux 3, 59. —λοπερισσοθρησκεία, ἡ, s. v. a. ἐθελοθρησκεία. zweif. —λόπονος, ὁ, ἡ, gerne arbeitend; willig zur Arbeit; dav. ἐθελοπονία, Liebe zur Arbeit; Arbeitsamkeit. Xen. Oec. 21, 6. mit ἐθελουργὸς verbindet Aelian. ἐθελόπονος. H. A. 4, 43. —λόπορνος, ὁ, ἡ, liederlich; der Hurerey ergeben und zwar nicht als verführter, sondern aus eigener Leidenschaft. —λοπρόξενος, ὁ, ἡ, der sich selbst zum πρόξενος eines Fremden od. einer andern Stadt aufwirft u. sich so beträgt, nicht aber von der fremden Stadt ausdrücklich darzu erwählt od. erbeten ist. —λόσυχνος, ὁ, ἡ, führt das Etym. M. aus Crates an, der gern öfters kömmt od. thut. —λότρεπτος, ὁ, ἡ, (τρέπω) seinen Willen ändernd, τρεπτὸς κατὰ γνώμην. Damasc. —λουργέω, (ἐθελουργὸς) ich bin bey der Arbeit, ich arbeite unverdrossen; dav. —λουργία, ἡ, Willigkeit, Unverdrossenheit bey der Arbeit. —λουργὸς, ὁ, ἡ, (ἐθέλω, ἔργον) willig, unverdrossen. —λούσιος, ὁ, ἡ, Adv. —σίως, (ἐθέλων, ἐθέλουσα) freywillig. —λοφιλόσοφος, ὁ, der sich für einen Philosophen haltende und ausgebende. Etym. M.

Ἐθέλω, f. λήσω, ich will; 2) ich pflege od. kann; πάντων μέντοι ὁπόσα ἡ γῆ φύειν θέλει, Xen. Oec. 4. 13. oft kann man es durch gern, willig, geben. ἤθελον ὑπακούειν Cyrop. 1, 1, 3. bisweilen mit μέλλω vertauschen; εἰ ἐθέλει τοι μηδὲν ἀντίξοον καταστῆναι Herodot. 7, 49. wenn dir auch nichts widriges begegnen sollte.

Ἐθημοσύνη, ἡ, die Gewohnheit; von —μων, ὁ, ἡ, (ἔθος) gewohnt.

Ἐθίζω, f. ίσω, gewöhnen; med. sich gewöhnen, gewohnt werden, gewohnt seyn. Antonin. braucht auch ἐθίζω st. ἐθίζομαι. —κὸς, ἡ, ὸν, (ἔθος) zur Gewohnheit gehörig, gewöhnlich. —μος, ὁ ἡ, zu gewohnen; gewohnt. τὰ ἔθιμα καὶ νόμιμα, Gewohnheiten u. Sitten. Posidon. Athen. 4 p. 151.

Ἔθισμα, ατος, τὸ, (ἐθίζω) die Gewohnheit, das Gewohnte. —μὸς, ὁ, (ἐθίζω) Gewöhnung, Gewohnheit. —στὸς, ἡ, ὸν, (ἐθίζω) gewohnt, gewöhnt, zu gewöhnen.

Ἐθναγὸς, ὁ, (ἔθνους ἀγὸς) Führer des Volks. —νάρχης, ου, ὁ, (ἔθνους ἄρχων) Oberhaupt; Regent eines Volks. —ναρχία, ἡ, Regierung, Würde eines ἐθνάρχης. —νηδὸν, Adv. Völkerweise. —νικὸς, ἡ, ὸν, Adv. —κῶς, (ἔθνος) zum Volke gehörig; ihm eigen, bey den christl. Schriftst. heidnisch. —νιστής, οῦ, ὁ, ἐθνίτης, von einem Volke; Landsmann. Hesych. u. Suid. —νοπάτωρ, ορος, ὁ, Stammvater eines Volks. Joseph. Maccab. 16. —νόπληκτος, ον, (πλήσσων, ἔθνος) das Volk treffend, schlagend, verderbend. Joseph. Maccab. 7. steht ἐθνοπλήκτου πυρὸς v. ἐθνοπλήκτης; andere Handschriften haben ἐθνοπήκτου u. Suid. ἐθνοτάκτου, doch ohne Erklär. —νος, τὸ, die Nation, Volk; 2) das Geschlecht, *sexus*; ἔθνος τὸ θῆλυ, ἄῤῥεν; Xen. Oec. 7, 26. 3) jede Menge; 4) jedes Volk ausser Juden od. Christen.

Ἔθος, τὸ, die Gewohnheit, Gebrauch; 2) Sitte, Herkommen.

Ἔθω, davon εἴωθα, ich habe die Gewohnheit, ich pflege: οἷς παῖδες ἐριδμαίνωσιν ἔθοντες, u. κακὰ πολλ' ἐρρέζεσκεν ἔθων οἰνῆος ἀλωήν; d. i. ἐξ ἔθους, von εἰώθασι des Hesych. von ἐθῶ kommt εἴωκα, εἴωθα.

Εἰ, Conj. wenn; 2) ob, *num*, *utrum*; 3) εἰ μὴ, wenn nicht, wo nicht; εἰ δὲ μὴ, wo aber nicht, wenn aber nicht; εἰ μὴ πέργε, s. v. a. εἰ μὴ ἄρα, wenn nicht etwa; 4) εἰ καὶ od. καὶ εἰ, wenn auch; wenn gleich; *etsi quamquam*; 5) εἴτε — εἴτε, *sive*, *sive*. εἴτε δέοι ἐλαύνειν ἐπὶ πολεμίους, εἴτε ἂν καὶ ἀποχωρεῖν, es mag zum Angriffe oder zum Rückzuge gehn. Man kann es, entweder-oder; auch, es sey dass-oder, übersetzen; εἰ μὲν, εἰ δὲ, wenn, wenn aber; *si*, *sin*; auch εἰ δὲ, das lat. *quod si*, wofern aber. Auch im ersten Satze εἰ, im zweiten εἴτε, wenn, ob-oder; 6) εἰ γε, wenn anders; wenigstens wenn, *certe si*, *si-*

quidem; 7) εἰ ἄρα, ob etwa, wenn vielleicht; 8) εἰ δὴ, wenn nehmlich, wenn anders; 9) εἰ γοῦν, aus γε οὖν zusammengez. wenn also, wenigstens wenn; 10) εἰ μὴ—ἀλλὰ, wo nicht, wenigstens doch; 11) εἴπερ, wenn anders, wenigstens wenn. σαφῶς γε — εἴπερ ἀνύποπτος ὢν ἀφίκοιτο, wenn er nur hinkömmt, ohne einen Verdacht wider sich zu haben. 12) εἰ γ' ἄλλως ὑγιεῖς εἶεν, wenn sie anders gesund, brauchbar sind; 13) εἰ u. εἰ γὰρ st. *utinam*; auch εἴθε γάρ. εἰ γὰρ γένοιτο, ὅτι ἐγώ σοι ἐν καιρῷ ἂν γενοίμην, ach dass ich nur dir worinne einen Dienst leisten könnte. Das γὰρ bezieht sich immer auf eine vorhergegangene oder auch ausgelassene Rede, als Grund davon; so wie in dieser Stelle Cyrop. 6, 1, 38. auf die Rede des Cyrus: du könntest mir mit dieser Meinung des Volks von dir viel nutzen; antwortet Araspas: das will ich gern; denn ich wünsche nur eine Gelegenheit u. s. w. 14) dass: so übersetzt man es nach θαυμάζω, εἰ, μέμφομαι τινὶ, εἰ, ich wundre mich, mache einem Vorwürfe, dass: u. mehreren ähnlichen Verbis; 15) weil: εἰ πρὸς τοῦτο σιωπᾶν ἥδιον σοι τόδε γε εἰπέ; weil du, wenn du also darzu zu schweigen fur gut befindest, so sage mir wenigstens; 16) εἴτις, εἴτου, εἴτῳ, *siquis*, *sicujus*, *sicui*, übers. man sehr oft lat. durch *quisquis*. εἴ τῳ ἐνετύγχανε, τύπτων, schlug, wem er begegnete; 17) εἰ δ' ἄγε, *agedum*, wohlan: Ernesti erklärt hier εἰ für ἔε das lat. *i*. von ἔω, *eo*, *vado*, geh, mache.

Εἶα, auch εἰα, ἔα; u. mit δή, εἶα δη; Plato Soph. 27. wohlan denn; das lat. *eja*: ein Ermunterungszuruf: He! Heda! davon εἰάζω, ich rufe εἰά, wie αἰάζω, ich rufe αἰ: dasselbe ist εὖα; dav. εὐάζω, an Bacchusfesten u. andern Festen im Jubel εὖα schreyen. So will Konr. Gessner im Xen. Cyneg. 6, 20. εὖα κύνες lesen, Hesych. hat auch ἔα in dem Sinne.

Ἑιαμενή, ἡ, richtiger εἰαμενή; von εἰαμενὸς, von εἵαται, jonisch st. ἧνται sitzend, liegend, wie καθήμενος τόπος, eine niedrige Gegend, bey Suid. Hesych. und Aelian. v. h. 3, 1. daher Hesych. εἰαμενὸν, ὑήνεμον, κοῖλον, βοτανώδη erklärt. Hom. sagt ἕλεος εἰαμενῆ. Apollon. 2, 795. ebenfalls vom Flusse: aber 3. 1202. χώροις καθαρῇσιν ὑπεύδιος εἰαμενῇσι, vom hellen, stehenden Wasser eines Flusses. Und so sagte der Dichter Demosth: von einem seichten Haafen: εἰαμένη δὲ καὶ οὐ βάθος ἐστὶ θαλάσσης. Also ist es ein niedriger feuchter Ort neben einem Flusse, worauf Gras wächst, wie bey Hom. od. überh. ein überschwemmter Ort.

Εἰανὸς, s. v. a. ἑανός.

Εἶαρ, st. ἔαρ, τὸ, Frühling; 2) jeder Saft von Früchten, Oel, Blut u. dergl. —ρινὸς, ἡ, ὸν, poet. st. ἐαρινός. —ροπότης, ου, ὁ, (εἶαρ, ἔαρ) Bluttrinker. Hesych. —ροτερπὴς, ἐς, d. i. εἴαρι τερπόμενος. des Frühlings sich freuend. zweif.

Εἴβιμος, ὁ, ἡ, träufelnd; s. v. a. στάζων, bey Eustath. Hom. von

Εἴβω, s. v. a. λείβω.

Εἶγμα, ατος, τὸ, (εἴκω) Bild, Bildniss. zweif.

Εἰδαίνομαι, s. v. a. εἴδομαι u. ἰνδάλλομαι; m. d. dat. ähnlich seyn. Nicand. Alexiph. —δάλιμος, ὁ, ἡ, v. εἶδος, εἴδαλος, schön, wohlgestaltet.

Εἰδάλλομαι u. ἰδάλλομαι bey Hesych. s. v. a. εἴδομαι u. ἰνδάλλομαι. —δαρ, ατος, τὸ, (ἔδω) Essen; Speise. —δέα, ἡ, s. v. a. ἰδέα.

Εἰδέχθεια, ἡ, Hässlichkeit. Suid. v. —δεχθὴς, έος, ὁ, ἡ, (εἶδος, ἔχθος) hässlich, scheusslich von Ansehn; verhasst.

Εἰδέω, εἴδημι, s. v. a. εἴδω; ich sehe, ich weiss; davon futur. εἰδήσω, εἰδὼς εἰδέναι, εἰδείην. —δημονικῶς u. εἰδημόνως, Adv. (εἰδήμων) mit Wissenschaft, Kenntniss, geschickt; *scienter*, *scite*. —δημα, τὸ, (εἰδέω, εἴδω) das Wissen, die Kenntniss; κενοῖς εἰδήμασι. Oenomaus Euseb. 5, 21. davon —δήμων, ονος, ὁ, ἡ, kundig, erfahren. —δησις, εως, ἡ, (εἰδέω, εἴδω) das Wissen, Wissenschaft; Kenntniss, Einsicht. —δικὸς, ἡ, ὸν, Adv. —κῶς, (εἶδος) formell, speciell. —δογραφία, ἡ, (εἶδος γράφω) das Schminken bey Gregor. Naz.

Εἰδοὶ, die Idus der Römer; die Mitte des Monats. —δομαι, εἴσομαι, εἰσάμην, s. εἴδω. —δοποιέω, ῶ, (εἶδος) ein Bild, eine Form wovon machen; abbilden; vorstellen; darstellen; gestalten; davon —δοποιΐα, ἡ, Abbildung, Vorstellung, Darstellung. —δοποιὸς, ὁ, ἡ, (εἶδος ποιέω) ein Bild, eine Form wovon machend; abbildend, vorstellend. —δος, εος, τὸ, s. v. a. *species* von *spicio*, Gestalt; Ansehen; Anblick; Schein; Bildung; Art; Beschaffenheit; die Species, die Art v. einer Gattung. —δότως, Adv. vom part. perf. act. οἶδα von εἴδω; mithin s. v. a. εἰδημόνως. —δοφορέω, (εἶδος, φέρω) darstellen; ausdrücken. Dionys. Antiq. 7, 72. —δύλλιον, τὸ, dimin. v. εἶδος, ein kleines Gedicht, Idyll, bey d. Grammatikern. —δύλλω Pempelus Stobaei Serm. 198. εἰδύλλεται: scheint s. v. a. *sciat*, der wisse, zu seyn. —δυλος, ὁ, und εἴδυλις, ἡ, s. v. a. ἐπιστήμων, συνετὸς, von εἴδω. Hesych. hat auch das verderbte εἴδαυλος, λόγιος u. ἰδύλευμα, μάθημα, v. ἴδυλος; ferner αἴδυλος, ὁ θρασὺς, ἀμαθής.

Εἴδω, f. v. a. ἴδω (das lat. *video*, gl. ἰδέω, wie εἰδέω) ich sehe, ich weiss; davon Aor. 2. εἶδον u. ἴδον, ich sahe, perf. οἶδα, εἰδέναι, εἰδὼς, εἰδῶ, plusqu. perf. ᾔδειν ich wusste. fut. εἴσομαι ich werde kennen, erfahren; εὖ εἰδὼς, wohlwissend, überzeugt: κακῶς εἰδὼς, nicht wissend. Cyrop. 2, 3, 13. 2) εἴδομαι, ἐείδομαι, ich werde gesehen, erscheine. ὡς Ὀδυσεῖ ἀσπαστὸν ἐείσατο γαῖα καὶ ὕλη. Odyss. 5 so erschien dem Ul. erwünscht; daher 3) scheinen, den Schein haben; 4) m. d. Dat. gleichen, ähneln; 5) ich stelle mich. εἴσατ' ἴμεν ἐς λῆμνον. die Dichter sagen: φίλα εἰδὼς, κεχαρισμένα, πεπνυμένα, ἀθεμίστια εἰδὼς u. εἰδέναι st. φίλος ὢν od. φίλον εἶναι.

Εἰδωλεῖον, τὸ, Ort od. Tempel für ein εἴδωλον, Bild, Götzenbild. —λικὸς, ἡ, ὸν, Adv. —κῶς, zum Bilde, Götzenbilde gehörig; ein Götzendiener; zw. —λόθυτος, ὁ, ἡ, (θύω) dem Bilde, Götzenbilde geopfert. —λολατρεία, ἡ, Götzendienst. —λολάτρης, ου, ὁ, Götzendiener. —λομανία, ἡ, übertriebener Götzendienst. —λόμορφος, ὁ, ἡ, (μορφὴ) nach einem Bilde geformt, gestaltet. Geopon. 10, 9 u. 27. —λον, τὸ, (εἶδος) *species*, Bild; Gottes- in der christlichen Sprache Götzenbild; bey den Stoikern Bild in der Seele; Vorstellung, *spectrum*. Cic. ad. div. 15, 16. 2-4. —λοπλαστέω, bilden; ausbilden, nachbilden. Heracl. Alleg. 66. von —λόπλαστος, ον, (πλάσσω) nachgebildet; abgebildet; dessen Bild sich in der Seele abgedruckt hat. —λοποιέω, ῶ, ein Bild machen, durch ein Bild vorstellen; davon —λοποιητικὸς, ἡ, ὸν, ein Bild zu machen oder darzustellen geschickt oder dazu gehörig. —λοποιΐα, ἡ, das Machen, Verfertigen eines Bildes; das Darstellen eines Bildes, einer Figur; von Spiegeln, der Malerey u. s. w. Longin. 15, 1. davon —λοποιϊκὸς, ἡ, ὸν, s. v. a. —ποιητικὸς, —λοποιὸς, ὁ, ἡ, der Bilder oder Figuren macht oder darstellt. —λουργικὸς, ἡ, ὸν, s. v. a. εἰδωλοποιϊκὸς; zw. —λοφανὴς, έος, ὁ, ἡ, einem Bilde gleichend. Plutar. 9 p. 598. —λοφανοῦντες, οἱ, die ein Bild vorstellen. —λοχαρὴς, ὁ, ἡ, an Bildern sich ergötzend. Synes. p. 140.

Εἴην, opt. von ἔω od. εἰμὶ, es sey! nun gut! nun weiter!

Εἴης ἱρον, s. ἐντο.

Εἶθαρ, Adv. sogleich, sofort; s. v. a. εὐθὺς, wird auch ἴθαρ geschrieben.

Εἴθε, Adv. s. v. a. εἰ, wie *ut*, *utinam*; wenn doch; m. d. optat. indic. u. infinit. doch selten; gewöhnlicher mit ὤφελον od. ὄφελον, ες, ε, u. d. infin. o! möchte ich doch u. s. w.

Εἰκαδάρχης, ου, ὁ, d. i. εἰκάδος ἄρχων, Oberhaupt v. 20. —καδισταὶ, ῶν, οἱ, (εἰκὰς) heissen die Epikuraeer, weil sie den 20sten jedes Monats ihrem Stifter zu Ehren feyern. Diog. 6, 101. Plutar. 10 p. 481. —κάζω, ich vergleiche; sage, zeige, dass einer dem andern ähnlich sey; 2) durch Nachaffung verspotten; spotten. Xenoph. Symp. 6, 8. σὺ μέν τοι δεινὸς εἶ εἰκάζειν; wo es Hesych. σκώπτειν erklärt: vergl. Diodor. 20, 63. 3) durch Vergleichung der Umstände und Merkmale rathen, errathen, deuten, schliessen, vermuthen; wie *conjicio*; v. εἴκω, wovon εἰκὸς: bey Aristoph. Av. 807. ταυτὶ μὲν ᾐκάσμεθα κατὰ τὸν Αἰσχύλον; wo Suid. in εἰκάσμεθα es durch ἐσκέμμεθα erklärt; aber richtiger ist es: wir werden verspottet: ἐπίδειξιν μᾶλλον εἰκασθῆναι ἢ παρασκευὴν ἐπὶ πολεμίους. Thucyd. 6, 21. glich mehr einem Schauaufzuge, als einer Rüstung; st. ἐπιδείξει εἰκασθῆναι. —κάθω, attisch s. v. a. εἴκω, weiche, gebe nach.

Εἰκαιοβολέω. S. εἰκοβολέω. —οβουλία, ἡ, Thorheit; Unüberlegtheit; v. —όβουλος, ὁ, ἡ, (εἰκαῖος, βουλὴ) unklug, unbedachtsam. —ολέσχης, ὁ, (λέσχη) unbedachtsamer Schwätzer; zw. dav. —ολεσχία, ἡ, unbedachtsames Geschwätz; zw. —ομυθέω, ῶ, (εἰκαῖος) ich rede unüberlegt: davon —ομυθία, ἡ, unüberlegtes Reden. —όμυθος, ὁ, ἡ, unbedachtsam od. umsonst vergeblich redend. —ορρημονέω, ῶ, ich bin —ρήμων, rede unüberlegt. — ορρημοσύνη, ἡ, s. v. a. —ομυθία; v. —ορρήμων, ονος, ὁ, ἡ, (ῥῆμα) s. v. a. —όμυθος.

Εἰκαῖος, αία, αῖον, ohne Ordnung, Plan, Ueberlegung, Vorsatz, Grund, Ursache; daher unüberlegt, unbesonnen, übereilt, thöricht, vergeblich; ohne Nutzen; eitel; fast ganz d. lat. *temerarius*; auch s. v. a. τυχὼν, gemein, schlecht. —εσύνη, ἡ, oder εἰκαιότης, ἡ, (εἰκαῖος) Unbesonnenheit; Eitelkeit. —οψόγος, ὁ, ἡ, ψόγος εἰκ. bey Demetr. ein Tadel, der zwischen Lob und Tadel zweydeutig ist.

Εἰκὰς, άδος, ἡ, die Zahl zwanzig; (ἡμέρα) der zwanzigste Tag im Monate. —κασία, ἡ, (εἰκάζω) Vergleichung; Abbildung; Bild; das Rathen, Muthmassung. —κασμα, ατος, τὸ, (εἰκάζω) s. v. a. εἰκὼν Abbildung, Bild. —κασμὸς, ὁ, (εἰκάζω) das Rathen, Errathen, Muthmassung. —καστὴς, οῦ, ὁ, (εἰκάζων) der Rather, Deuter. —καστικὸς, ἡ, ὸν, Adv. —κῶς, (εἰκάζω) zum abbilden, rathen, errathen, deuten gehörig oder geschickt. εἰκαστικὴ, verst. τέχνη, Kunst zu errathen, deuten oder abbilden.

Εἰκελόνειρος, ὁ, ἡ, traumähnlich. — —λος, ὁ, ἡ, (εἴκω, ἔοικα) ähnlich; auch ἴκελος. —λόφωνος, ὁ, ἡ, χελιδόσι. Anthol. ſt. χελ. εἴκελος φωνήν.

Εἰκῆ, Adv. ohne Ordnung; daher mit χύδην verb. ohne Ueberlegung, Plan; ohne Vorſatz; daher alſo, auf das Gerathewohl, unbeſonnen, unüberlegt, auf gut Glück; ohne Erfolg oder Nutzen, umſonſt, vergeblich; faſt ganz d. lat. *temere*.

Εἰκοβολέω, (εἰκὸς, βάλλω) ſ. v. a. εἰκάζω, ich vermuthe, rathe; Suidas erklärt es aus einer Stelle des Polyb. d. εἰκῆ βάλλω; aber es muſs εἰκαιοβολέω heiſsen.

Εἰκονίζω, ich drücke durch ein Bild aus; mache ähnlich; vergleiche; von εἰκών. —νικὸς, ἡ, ὸν, was durch ein Bild darſtellen kann; von einer Statue heiſst es: in Lebensgroſse darſtellend. —νιον, τὸ, dimin. von εἰκών, kleines Bild. —νισμα, τὸ, (εἰκονίζω) ſ. v. a. εἰκών. —νισμὸς, ὁ, (εἰκονίζω) das Abbilden; Nachbilden. —νογραφέω, ῶ, in einer Abbildung, in einem Gemälde darſtellen. Longin. dav. —νογραφία, ἡ, Abbildung, Darſtellung in einem Gemälde. —νολογία, ἡ, (εἰκών, λόγος) das Sprechen in Bildern; Vergleichung. —νομαχία, ἡ, Bilderſtreit, Bilderſturm. —νομάχος, ὁ, ἡ, Bilderſtürmer; mit den Bildern oder gegen die Bilder ſtreitend. —ονοποιέω, d. i. εἰκόνα ποιέω, abbilden. zweif.

Εἰκὸς, ότος, τὸ, das gleichende; ähnliche; vorz. das dem wahren ähnliche; wahrſcheinlich, *veriſimile*; das natürliche; billige; ſchickliche: neutr. v. εἰκὼς, υῖα, ὸς, v. εἴκω, gleichen. —σάβοιος, (εἴκοσι, βοῦς) 20 Ochſen werth; von 100 Ochſen. —σάεδρος, ὁ, ἡ, u. —δρής: Pollux. 4, 161. (ἕδρα) von 20 Seiten oder Flächen. —σαετὴς, έος, ὁ, ἡ, (ἔτος) zwanzigjährig. —σαετία, ἡ, Zeit von zwanzig Jahren. —σαετὶς, ίδος, ἡ, fem. zwanzigjährige. —σάκις, Adv. zwanzigmal. —σάκλινος, ον, od. εἰκοσίκλινος, (κλίνη) von zwanzig Betten oder Tiſchlagern; nach unſrer Art ein Zimmer zu einer Tafel von zwanzig Couverts. —σάκωλος, ον, aus zwanzig κῶλα beſtehend. —σάκωπος, ὁ, ἡ, (κώπη) mit 20 Rudern. —σάμηνος, ὁ, ἡ, (μὴν) von 20 Monaten. —σαπλάσιος, ία, ιον, zwanzigfältig; zwanzigfach. —σαρωτεία, ἡ, das Amt, die Würde der Erſten; von —σάπρωτοι, οἱ, die zwanzig Erſten. —σάριθμος, ὁ, ἡ, zwanzig an der Zahl: Etymol. M. —σὰς, άδος, ἡ, Pollux 1, 63. wo die Handſchr. richtiger εἰκὰς haben. —σαστάδιον, τὸ, od. εἰκοσιστάδιον, 20 Stadien. zw. —σάφυλλος, ὁ, ἡ, (φύλλον) mit 20 Blättern. —σέτης, ἡ, ſ. v. a. εἰκοσαετὴς. —σήρετμος, ὁ, ἡ, (ἐρετμὸς) mit 20 Rudern. —σήρης, εος, ὁ, ἡ, wie τριήρης, mit 20 Reihen Ruderer.

Εἴκοσι, 20. εἰκοσιεννέα, 29. εἰκοσιέξ, 16. εἰκοσιέπτα, 27. εἰκοσίκλινος, ὁ, ἡ, ſ. v. a. εἰκοσάκλινος. —σίβοιος, ὁ, ἡ, ſ. v. a. εἰκοσάβοιος. —σιδύω, 22. —σίεδρος, ον, ſ. v. a. εἰκοσάεδρος. —σίμετρος, ὁ, ἡ, (μέτρον) von 20 Maaſsen. —σιμνος, ὁ, ἡ, (μνᾶ) von 20 Minen. —σινήριτος, ὁ, ἡ, zwanzigfältig od. zwanzigfach; εἰκοσιν ἐρίζοντα d. i. εἰκοσαπλᾶ. Il. 22, 349. —σιοκτὼ, 28. εἰκοσιπέντε. 25. —σίπηχυς, εος, ὁ, ἡ, von 20 Ellbogen, Ellen, πῆχυς. —σιτέσσαρες, οἱ, αἱ, 24. —σόργυιος, ὁ, ἡ, von 20 Orgyien. —σορος, ὁ, ἡ, ſ. v. a. εἰκοσήρης, v. ἐρέσσω. Athenae. 5 p. 207. zw. —στάγωνος, ὁ, ἡ, mit 20 Ecken τὸ εἰκ. d. i. τὸ δωδεκάεδρον: Jambl. Pythag. §. 247. —σταῖος, αία, αῖον, am zwanzigſten Tage. —στολόγος, ὁ, ἡ, Einnehmer der *vigeſima*, εἰκοστὴ: Ariſtoph. Ran. 366. —στὸς, ἡ, ὸν, (εἴκοσι) der zwanzigſte. —στώνης, ὁ, (εἰκοστὴ) der Pächter (ὠνέομαι) vom Zolle des Zwanzigſten.

Εἰκοτολογέω, ῶ, (εἰκὸς, λέγω) ich ſchlieſſe lehre rede nach Wahrſcheinlichkeit: davon —κοτολογία, ἡ, die wahrſcheinliche Erklärung, Erläuterung: Jamblich. Pyth. §. 86. —κότως, Adv. (εἰκὸς, εἰκότος) ſ. v. a. κατὰ τὸ εἰκὸς, nach Wahrſcheinlichkeit, Billigkeit, Sitte, Gebrauch; mit Recht; οὐκ εἰκότως, wider Billigkeit und Recht, Thucyd. 1, 37.

Εἰκτικὸς, ἡ, ὸν, (εἴκω) der gern weicht, nachgiebt.

Εἴκω, davon ἔοικα, ich gleiche ſt. οἶκα, fut. εἴξεις: Ariſtoph. Nub. 995. davon partic. perf. εἰκὼς, εἰκυῖα, εἰκὸς, wovon εἰκότως: ſt. ἐοίκαμεν abgek. ἔοιγμεν. Eur. Cycl. 99. ferner: gleich ſeyn d. i. paſſend, ſchicklich ſeyn; beſonders ἔοικε u. part. εἰκὼς, Odyſſ. 22, 348. ἔοικα δέ τοι παραείδειν, mir gebühret es oder ich will neben dir ſingen: ὅτε σφίσιν εἶκε λοχῆσαι Il. 18, 520. wo ſie ſollten.

Εἴκω, ich weiche; gebe nach. 2) ich unterliege; werde beſiegt, ταῖς συμφοραῖς. 3) metaph. ὁπότε οἴονται πειθόμενοι κακὸν τι λήψεσθαι, οὔτε ζημίαις θέλουσιν εἴκειν οὔτε δώροις ἐπαίρεσθαι Cyrop. 1, 6. 21. laſſen ſich weder durch Strafe noch Geſchenke bewegen; daher εἴκων ὕβρει, θυμῷ, μένει, κάρτει, ὀργῇ, αὐθαδείᾳ alle die Urſachen anzeigen, welche uns zu den Handlungen bewegen. —κὼ, όος, contr. οῦς, ἡ, und εἰκὼν, όνος, ἡ, (εἴκω) das Bild, Ebenbild, Gemälde; Statue; Gleichniſs. —κὼς. S. εἴκω.

Εἰλαδὸν, Adv. (εἰλέω) *catervatim*, haufenweiſe, zuſammen. —**λαμὶς**, ἡ, (εἰλέω) εἰλαμίδες, die beyden Hirnhäute, womit das Hirn umgeben bedeckt iſt: Pollux 2, 44. —**λαπινάζω**, f. άσω, ich ſchmauſe, bin zu Gaſte auf einer εἰλαπίνη. —**λαπιναστὴς**, οῦ, ὁ, (εἰλαπινάζω) Schmauſer; Gaſt von einem Schmauſe. —**λαπίνη**, ἡ, ein feſtlicher Schmaus; eigentl. v. πίνειν κατὰ εἴλας od. ἴλας d. i. ἰλαδὸν. Homer unterſcheidet γάμος, ἔρανος u. εἰλαπίνη, als Arten v. δαὶς. Odyſſ. 1, 226. vergl. Athen. 8, 16. der es durch θυσία καὶ λαμπροτέρα παρασκευὴ erklärt.

Εἶλαρ, τὸ, (εἰλέω) poet. Bedeckung; Schutz; Hülfe, ſ. v. a. εἴλημα: Od. 5, 257. —**λάρχης**, ὁ, (εἴλη, ἄρχω) der eine Rotte, *turma equitum*, Haufen anführt; auch ἰλάρχης. —**λὰς**, ἡ. S. ἔλλας. —**λάσσω**, bey Suidas in εἴλλειν. ſ. v. a. εἰλέω. —**λάω**, ſ. v. a. εἰλέω. —**λείθυια**, ἡ, von ἐλεύθω, die Kommende; den Gebährenden zu Hülfe kommende *Ilithyia*, *Lucina*; ſonſt ἐλευθώ. —**λειθυιον**, τὸ, Tempel der *Ilithyia*: Euſtath. —**λεὸς**, ὁ, (εἰλέω) der *Ileus volvulus*, eine Krankheit, wo die dünnen Därme von Winden, Blähungen ſich verwickeln, entzünden, ſo daſs weder Wind noch Koth durch kann, welches man das Miſerere nennt. 2) ein Schlupfwinkel der Thiere, *latebra*; 3) der Kochtiſch. S. auch ἰλεός.

Εἰλέω, ῶ, ein Stammwort, ἔλω, εἴλω, εἰλέω, ἴλλω, ich wickle zuſammen, herum; drehe, kehre herum, zuſammen; bringe zuſammen, in die Enge; ich preſſe: von ἔλω, ἐλέω od. ἰλέω kommt ἑλίσσω, ἑλίττω, wovon ebenfalls die Grundbedeutung das lat. *volvo* ausdrückt. χειμέριαι ἄελλαι εἰλέουσι νῆα, die Stürme treiben wirbelnd ein Schiff in den Hafen; εἶλει γὰρ βορέας, es wirbelte der Boreas, Odyſſ. 19, 200. ἐς ποταμὸν εἰλεῦντο, *devolvebantur in flumen*. θρίοις εἴλησε, er umwickelte es mit Feigenblättern; σταφυλὰς εἰλεῖν, Trauben ſammlen und preſſen. εἰλοῦμαι, ich drehe, wende mich; ich wickle, ziehe mich zuſammen: εἰληθεὶς ὑπὸ τῇ ἀσπίδι, der ſich unter dem Schilde zuſammenzieht und verbirgt. 2) *circumferor*, *vagor*, ich drehe mich herum; treibe mich herum; τὰ ἐν ποσὶν εἰλούμενα, *quae ante pedes observantur*. 3) von εἰλέω, ich umwinde; binde; befeſtige, heiſst auch γῆ εἰλουμένη u. ἰλλομένη, die Erde, die befeſtiget iſt; davon ἱμὰς, das Band.

Εἰλέω, (εἵλη) ich wärme in der Sonne; ſonne.

Εἰλεώδης, ὁ, ἡ, (εἰλεὸς) ein Menſch, der den Ileus, die Krankheit der aufgeblähten Därme hat. —**λη**, ἡ, *turma*, *agmen*, eine Rotte, Schwadrone; auch ἴλη.

Εἵλη, ἡ, (ἕλα, ἕλη) das Sonnenlicht; die Wärme, S. ἕλη.

Εἰληδὸν, Adv. rottenweiſe.

Εἰληθερέω, ῶ, (εἵλη, θερέω) ich wärme an der Sonne; ſonne; von —**ληθερὴς**, ὁ, ἡ, an der Sonne gewärmt; geſonnt; davon hat Suidas allein εἰληθρα u. εἴληθρον ohne Erklärung. —**λη̈ϊς**, ſ. v. a. d. vorherg. Heſych.

Εἴλημα, τὸ, (εἰλέω) die Hülle; Decke; *involucrum*.

Εἵλησις, ἡ, *apricatio*, das Wärmen; Sonnen; die Hitze (εἵλη). Plato ſetzt εἱλήσεις den χειμῶνες entgegen: Resp. 3 p. 298. Plutar. Q. S. 6, 2. εἱλήσεις ἐν πνεύμασι.

Εἴλησις, ἡ, (εἰλέω) *convolutio*, das Wickeln, Einwickeln, Winden, Drehen; davon —**λητικὸς**, ἡ, ὸν, ſich oder andere windend, wälzend. —**λητὸς**, ἡ, ὸν, (εἰλέω) gewunden, zuſammengewunden, gewälzt, geſchlungen.

Εἰλιγγιάω, ῶ, f. ήσω, u. εἴλιγγος, ὁ, ſ. v. a. ἰλιγγιάω u. ἴλιγγος. —**λιγμα**, ατος, τὸ, u. εἰλιγματώδης, ſ. v. a. ἕλιγμα u. ſ. w. —**λιγμὸς**, ὁ, ſ. v. a. ἑλιγμὸς. —**λιδὸν**, Adv. ſ. v. a. εἰλαδὸν u. εἰληδὸν, zw. Anthol. —**λικοειδὴς**, έος, ὁ, ἡ, ſ. v. a ἑλικοειδὴς. —**λικόεις**, ſ. v. a. ἑλικόεις, ſchneckenartig gewunden; gekrümmt; gebogen.

Εἰλικρίνεια, ἡ, die Aechtheit, Reinheit, Deutlichkeit. S. εἰλικρινὴς. —**κρινέω**, ῶ, ich reinige, ſäubere: Ariſtot. de mundo 5. wo Apulejus es *digerere et purgare* überſetzt; von —**κρινὴς**, ὁ, ἡ, (εἵλη, κρίνω) was man bey Tageslichte beſieht und ächt befindet, wie Purpur und dergl. daher ächt, rein, untadelhaft, ganz. 2) deutlich; offenbar; davon Adv. εἰλικρινῶς, an und für ſich; *abſolute*.

Εἰλικτὸς, ἡ, ὸν, (εἰλίσσω) gewunden. —**λινδέω**, —δέομαι, οῦμαι, ich wälze, drehe, wende mich, ſ. v. a. ἀλινδέω und κυλινδέω; v. εἰλέω. Budaeus führt es aus Alciphron an; vergl. Plutar. Agis 3. wo aber die Handſchr. ἀλινδέω haben. —**λιξ**, ἡ, ſ. v. a. ἕλιξ. —**λιπόδης**, ὁ, u. εἰλίπους, οδος, ὁ, ἡ, (εἰλέω, ποῦς) der die Füſse im Gehen ſchleppt, vorz. die Hinterfüſse wie die Ochſen; ſo erklärt es im Homer Hippocr. περὶ ἄρθρων richtig und paraphraſirt es durch περιστροφάδην ὡς βόες ἐξιπορεῖν. —**λισκότωσις**, ἡ, (εἰλέω) ſ. v. a. σκοτοδινία. —**λίσσω**, f. ίξω. S. ἑλίσσω. —**λιτενὴς**, έος, ὁ, ἡ, Theocr. 13, 42. ἄγρωστις, nach dem Schol. das ſich weit ausſtreckende (τείνω) und ſich wie Ephen windende und anhaltende Gras, welches auf ἄγρ. nicht paſst; daher Etymol. M. richtiger das Wort, (wie ἀλιτενὴς v. ἅλς, τείνω) v. ἕλος ableitet und erklärt: das mit feinen Wurzeln weit umher durch den Sumpf fich erftreckende Gras; die erfte Bed. mag in der Stelle Statt gehabt haben, woraus Hefych. ἰλιτενής, κισσὸς, ἄκαρπος genommen hat.

Εἰλλὰς, ἡ, f. v. a. ἰλλὰς, das Band: Maximus v. 560. —λω, f. v. a. ἴλλω.

Εἰλόπεδον, τὸ, gewohnlicher θειλόπεδον; bey Euftath. und Etymol. M. —λυθμὸς, ὁ, (εἰλύω) der Schlupfwinkel; eben daher

Εἴλυμα, τὸ, Bedeckung; Schutz; Kleidung, und —λυὸς, ὁ, Schlupfwinkel: *latebra*; und —λὺς, ἡ, f. v. a. das gewöhnlichere ἰλύς: Moraft, Schlamm. —λυσις, ἡ, f. v. a. εἴλησις: auch das Kriechen. —λυσπάομαι, ῶμαι, auch ἰλυσπᾶσθαι, druckt die Bewegung der Würmer aus, die fich fortwalzen, indem fie fich wechfelsweife zufammenziehen u. ausftrecken: Aelian. h. a. 8, 14. braucht es auch von gewaltfamen und fchmerzhaften Bewegungen, und verbindet es mit στρεβλοῦν. die Abl. v. εἰλύω u. σπάω ift grundfalfch; denn v. εἰλύω, ἰλύω kommen εἰλύσω, εἰλύσσω, εἰλύσπω, εἰλυφάω, εἰλυσπάω, u. f. w. alfo find diefe Worte nur in der Form, wenig in der Bedeutung unterfchieden. —λύσπωμα, τὸ, die würmformige Bewegung.

Εἰλύσσω, εἰλυφάζω u. εἰλυφάω, f. v. a. εἰλύω und εἴλυμι. —λύω, εἴλυμι, f. ύσω, auch εἰλύω, εἴλυμι, von ἕλω, εἴλω, ich walze, drehe, walze, drehe um etwas; wende, winde, umwinde, hülle ein, bedecke: εἰλύεσθαι med. fich wälzen, langfam, mühfam fich bewegen; kriechen wie Kinder und Würmer; fich einhüllen, bedecken; befchützen, verbergen: εἰλυφάω wird bey Homer von der heftigen, kreifelnden Bewegung der Stürme und des Blitzes, auch als ein neutrum gebraucht: *torqueri, vibrare*. S. εἰλυσπάω. Hefiod. Scut. 275. vom ftrahlenden Lichte der Fackeln: δαΐδων σέλας εἰλύφαζε.

Εἴλω, εἴλλω, f. v. a. εἰλέω, davon ἀνείλλω, ἐνείλλω, ἐξείλλω, κατείλλω, εἰλινδέω, εἰλύω, εἰλύσσω, ich wälze, *volvo*, wickle, bringe, treibe zufammen; bringe in die Enge, verfammle, fchliefse ein, ich drehe, wende.

Εἵλως, ωτος, ὁ, εἱλώτης, ου, ὁ, εἱλωτεία, ἡ, εἱλωτεύω, εἱλωτικὸς, εἱλωτὶς, ἡ, eigentl. waren Heloten, die Bewohner einer Gegend des lakonifchen Gebiets, welche bezwungene Sclaven der Lacedaemonier wurden und ihnen ftatt unfrer Bauern in Anfehung des Feldbaues dienten: daher auch εἵλως, ὁ, εἱλωτὶς, ἡ, überhaupt Sclave, Sclavin; εἱλωτεύειν, Sclave feyn; εἱλωτεία, ἡ, Sclaverey: εἱλωτικὸς, was zum Heloten, Sclaven gehört, bedeutet.

Εἷμα, ατος, τὸ, (ἕω, ἕνω, ἕννυμι) das Kleid.

Εἷμαι. S. in ἕω. —μαρμαι, davon εἱμαρμένος, ἡ εἱμαρμένη, τὸ εἱμαρμένον, f. v. a. πέπρωμαι, πεπρωμένος, ἡ πεπρωμένη: von μέρω, μείρω, ich theile; davon μέρος, μοῖρα, perf. μέμαρμαι attifch εἵμαρμαι.

Εἰμὶ, f. ἔσομαι, ich bin: v. ἕω, ἐμὶ, εἰμί: die Formeln ἔστιν ὅς, *eft qui*, ἔστιν ὅπου, ὅπως, *eft ubi, qua ratione* ft. *aliquis, aliquando, alicubi, aliquomodo*, irgend einer, irgendwo, auf irgend eine Art. Von ἔω ift ἦ ft. ἔα, ἦν: ferner ἐμὲν u. εἰμὲν ft. des dorifchen ἐσμέν. Soph. Electr. 21. Von εἰμὶ ift das partic. ἐὶς, ἔντος, wie *ens, entis*. So fieht ἔντασσιν u. ἔντες ft. ὄντες, οὖσιν in den tabul. heracleenf. p. 210 u. 214. u. Heraclides Euftathii p. 1787. führt aus Alcman παρέντων an.

Εἶμι, ich komme, gehe, gehe fort; von ἔω, ἴω, ἶμι, εἶμι, das lat. *eo, euns, euntis*, ἰὼν, ἰόντος; davon ἤεσαν u. ἤισαν, Thucyd. 3, 72. ferner ἦα ἐρῶν, Plato Resp. 5 p. 3. Thaeet. c. 27. ich wollte fagen: wie ἔρχομαι ἐρῶν u. *dormitum eo* u. *factum iri*: davon auch εἴσομαι u. εἰσάμην in ἐπιείσομαι u. κατεισατο; ἀλλά τὶς εἴη εἰπεῖν, Odyff. 14, 997. man gehe fagen.

Εἷμι von ἕω, *mitto*, ich fchicke; werfe; laffe; davon εἷναι. Ariftoph. Ran. 133. gewöhnlicher ἵημι, fut. ἕσω. S. ἕω.

Εἰναέτης, ὁ, ἡ, von 9 Jahren; im neutro neun Jahre lang: wie εἰνάνυχες; ft. ἔτη ἐννέα. —ναετίζομαι, 9 Jahre alt feyn. —νάνυχες. Il. 9. neun Nachte lang: wie εἰνάετες; ft. ἐννέα νύκτας. —νάπηχυς, ὁ, ἡ, (πῆχυς) 9 Ellbogen lang. —νάτειρ, εἰνάτηρ, ρος, ἡ, die Schwägerin: wovon d. lat. *janitrix* ift. —νατος ft. ἔνατος. —ναφώσσων, ὁ, ἡ, (ἐννέα) mit neun Segeln, φώσσων.

Εἵνεκα, εἰνέτης, εἰνὶ, εἰνόδιος, ft. ἕνεκα, ἐνέτης, ἐνὶ od. ἐν, ἐνόδιος. —νοσίφυλλος, ὁ, ἡ, (ἔνοσις) Laub fchüttelnd; belaubt; waldigt. —νύω, ft. ἐνύω, ἔνυμι.

Εἰξάσκω, das verlängerte εἴκω. Ody. 5, 332. weichen; überlaffen.

Εἴπερ, *fiquidem*; wenn anders; wenn fonft; f. v. a. *fi forte, forte an, forfan*, vielleicht. —πως, wenn irgend auf eine Art.

Εἰργάθω, bey Dichtern f. v. a. εἴργω, wie διώκω, διωκάθω.

Εἰργμὸς, ὁ, das Einfperren, bey Aelian. h. a. 17, 37. f. v. a. d. vorhergehende. ἔρματα, Schlingen, Bande.

Εἰργμοφύλαξ, ὁ, ἡ, Gefängnifs-Kerkermeifter.

Εἱργνυμι, f. ξω, u. εἱργνύω, f. v. a. εἴργω u. εἵργω.

Εἵργω, f. ξω, (ἔργω) das lat. *arceo*, ich halte ab; schliefse, sperre aus; ich verbiete: ὁ νόμος εἵργων μήτε ἀδίκως μήτε δικαίως ἀποκτείνειν. Antiphon. S. d. folgd. u. εἱργνύω auch εἵργνυμι.

Εἵργω, f. ξω, scheint nur im Spiritus durch die Aussprache von εἵργω verschieden zu seyn: bedeutet einsperren, ins Gefängnifs oder Behältnifs werfen, sperren, und dadurch von andern absondern, ausschliefsen: von ἔργω, *arceo*, davon ἕρκος, der Zaun, u. εἱρκτή, Gefängnifs.

Εἰρέα, ἡ, und besser εἶρα od. εἴρη. Hesiod. Theog. 804. —ρερος, ὁ, Odyss. θ. 529. die Gefangenschaft; Knechtschaft. Ernesti leitet es von εἴρω, ἐρέω, u. davon das lat. *servio* her. Hesych. hat εἴρεον u. εἴρερον; ferner βιοῤῥὸν u. ἴρερον, —ρεσία, ἡ, (ἐρέσσω) das Rudern, die Ruderer; auch das beym Rudern gewöhnliche Lied. Oppian. Hal. 5, 294. daher αὐλεῖν εἰρεσίαν τοῖς ἐλαύνουσιν in Plutar. Alcibiad. —ρεσιώνη, ἡ, (εἶρος) ein Oelzweig mit Wolle umwunden oder vielmehr eine Art von Erndtekranz, den am Feste Πυανέψια u. Θαργήλια Knaben in Procession trugen, als man der Sonne und den Horen opferte: hernach hieng man sie vor den Thüren auf. Aufserdem hiefs auch der Kranz, den man einem Todten zu Ehren aufhängt, eben so. Alciphron. 3 Ep. 37. —ρεῦσαι, jon. ft. εἰρέεσσαι, ἐρέουσαι. Hesiod.

Εἴρη, Il. 18, 531. εἰράων, wo andere ἱράων lesen: Versammlung; Ort der Versammlung, f. v. a. ἀγορά.

Εἴρην, ὁ, Lacedaem. der Knabe vom 18ten Jahre an. Plutar. Lyc. 17. der älteste Knabe μελλείρην. —ναγωγέω, ῶ, friedlich geleiten. Clemens Paed. 1 p. 137. —ναῖος, αία, αῖον, Adv. —ναίως, friedlich, ruhig. —νάρχης, ου, ὁ, *Irenarcha*, nach Ulpian: *qui disciplinae publicae et corrigendis moribus praeficitur:* Friedensrichter; Polizeydirector. —ναρχικὸς, ἡ, ὸν, was zum *Irenarcha* oder zu seinem Amte gehört. —νεῖον, τὸ, Tempel der Göttin Irene, Friedenstempel. Dio Caff. —νευσις, ἡ. S. d. folgd. —νέω u. εἰρηνεύω, ich bringe in Friede, ich halte Friede, lebe in Frieden, Diog. Laert. 2, 5. auch im medio Polyb. 5, 8. 2) in Friede bringen, beruhigen. Basil. dav. εἰρήνευσις, ἡ, das Vereinigen mit einander u. in Friede od. Einigkeit bringen. Jamblich. Pyth. 1 c. 20.

Εἰρήνη, ἡ, Ruhe, Friede; v. εἴρω, sprechen; dav. εἶρα, f. v. a. ἐκκλησία, Versammlung, wo man spricht: εἴρην, ein mannbarer Jüngling: dav. εἰρηνὸς, εἰρήνη, Vereinigung durch Unterredung; Hesych. hat ἐνειρείας, συναλλαγάς. —νικὸς, ἡ, ὸν, Adv. —κῶς, zum Frieden gehörig od. geneigt, den Frieden betreffend. —νοδίκαι, οἱ, Friedensrichter, Friedensgesandte; bey den Römern *fecialis*. —νοποιέω, ῶ, Frieden machen, friedlich machen, in Frieden bringen; von —νοποιὸς, ὁ, ἡ, d. i. εἰρήνην ποιέων, auch f. v. a. εἰρηνικὸς u. εἰρηνοδίκης. bey Plut. —νοφύλαξ, ακος, ὁ, ἡ, Friedenswächter, Plut. Numa c. 12. erkl. dadurch *fecialis* welchen Dionys. Hal. εἰρηνοδίκην nennt.

Εἰρίνεος, ἐ, ἡ, f. v. a. ἐρεοῦς, von Wolle. Herodot. —ριον, τὸ, f. v. a. ἐρίον, Wolle.

Εἶρις, ἡ, f. v. a. ἶρις, als Regenbogen und als Pflanze.

Εἱρκτή, ἡ, (εἵργω) Gehege, Einschlufs, Gefängnifs. —κτοφυλακέω, ich bewache das Gefängnifs. Philo 1 p. 290. —κτοφύλαξ, ὁ, (εἱρκτῆς φύλαξ) Wärter, Wächter des Gefängnisses;

Εἰρμὸς, ὁ, (εἴρω) Band, Verbindung, Reihe; wie *series* von *sero*.

Εἰροκόμος, ὁ, ἡ, (εἶρος, κομέων) Wolle arbeitend, spinnend. —ρομαι, f. v. a. ἔρομαι, ich frage. S. ἐρω. bey Nic. Ther. 359. εἴρεο, f. v. a. lerne, höre. —ροπόκος, ὁ, ἡ, (εἶρος, πόκος) Wolle tragend. —ροπόνος, ὁ, ἡ, (εἶρος) in Wolle arbeitend.

Εἶρος, τὸ, st. ἔρος; Wolle; wovon ἐρέα, ἔριον. —ροχαρὴς, ὁ, ἡ, (εἶρος, χαίρω) was sich seiner Wolle freuet, Wolle hat. —ρύομαι, f. v. a. ἐρύομαι, ῥύομαι, ich rette, bewahre, bewache, ich beobachte, passe einem auf; wie φυλάσσω; Od. 16, 459. μηδὲ φρεσὶν εἰρύσαιτο; u. v. 463: εἰ ἔτι μ' αὐτ' εἰρυαται οἴκαδ' ἰόντα; Il. 1, 216. ἔπος εἰρύσσασθαι, Worte, Befehl befolgen; 8, 143. ἀνὴρ οὔτι Διὸς νόον εἰρύσσαιτο, hindern, aufhalten, bezwingen, entgehn. —ρύσιμον, τὸ, f. v. a. ἐρύσιμον. Nicand. S. ἰάσιμον.

Εἴρω, *sero, necto*; dav. εἶρας, ich reihe zusammen, knüpfe zusammen; dav. ἔερτο ἐερμένον ἠλέκτροισιν Odyss. *consertum, sertum electris*, mit Bernstein zusammengereihet. —ρω, erklärt man *dico*. Odyss. 10, 136. Arat. Diosc. 7. ich spreche, sage; u. leitet davon das futur. ἐρῶ poet. ἐρέω u. perf. εἴρηκα her. Ernesti leitet diese Bedeut. von sprechen aus εἴρω, εἴρω *sero, consero*, ich füge, reihe Worte zusammen, her u. vergleicht das lat. *sermo*, welches von εἴρω, εἱρμος herkomme. Aber diese Form kommt blos in dem dichterischen εἴρομαι und διείρομαι ft. ἔρομαι, διέρομαι vor; das Stammwort ist also ἔρω, welches nachzusehen: doch kommt bey Aeschyl. Eum. 639. εἴρηται passive vor ft. λέγεται.

Εἴρων, ὁ, der ſich verſtellt, der ironiſch ſpricht. —ρωνεία, ἡ, die Verſtellung; der Vorwand; πᾶσαν ἀφεὶς τὴν εἰρωνείαν Demoſth. 42. wenn man ſich erſt bereit zeigt, hernach unter allerhand Vorwänden zaudert, nichts thut; beſonders im Reden, die verſtellte Unwiſſenheit, um einen andern damit zu höhnen oder ſpotten, Ironie; v. folgd. —ρωνεύομαι, f. εύσομαι, ich verſtelle mich, ich ſtelle mich unwiſſend, einer Sache unbewuſst, um einen andern zu verſpotten od. auch ihn zu ſchelten. —ρωνευτὴς, οῦ, ὁ, ſ. v. a. εἴρων. —ρωνευτικὸς, u. εἰρωνικὸς, Adv. —κῶς; jenes von εἰρωνεύομαι, dieſes von εἴρων, der ſich verſtellen kann, verſtellt, ironiſch.

Εἰρωτάω, poet. ſt. ἐρωτάω.

Εἰς, präpoſ. auch ἐς, drückt die Bewegung an einen Ort hin, aus; alſo nach, zu, hin, hinein, ein, in; gegen, wider, *adverſus*; an, ohngefähr: von der Zahl, εἰς μυρίους, an 10,000.

Εἷς, μία, ἕν, ἑνὸς, μιᾶς, einer, eine, eines; auch wie *unus* ſt. *primus*; u. wie unſer einer, ſt. *quidam*; τὶς ein gewiſſer: als εἷς μὲν, εἷς δὲ, der eine, der andere; auch mit τὶς, *unus aliquis*; mit ἕκαστος, *unusquisque*, ein jeder.

Εἰσαγγελεὺς, έως, ὁ, (εἰσαγγέλλω) Ankündiger, Anmelder, Ankläger. —αγγελία, ἡ, Ankündigung, Anmeldung, Anklage, Angabe, vorzügl. eines beſtimmten öffentlichen Verbrechens. —αγγελικὸς, od. εἰσαγγελτικὸς, die εἰσαγγελία betreffend, dazu gehörig. —αγγέλλω, f. 2. ελῶ, p. ελκα, hineingehn und melden, ankündigen, vortragen. Cyrop. 8, 3, 20. anklagen aber bloſs von Staatsverbrechen; vollſtändig ſagt Dionyſ. Ant. 8, 77. εἰσήγγειλαν εἰς τὸν δῆμον ἐπὶ τυραννίδος αἰτίᾳ. —αγείρω, drein- hineinſammlen; med. in ſich bey ſich ſammlen; θυμὸν bey Hom. zur Beſinnung kommen, ſich wieder faſſen. —άγω, f. ξω, einführen; hinein- darein- einleiten: eintragen, vortragen, zum Vortrage bringen; davon —αγωγεὺς, ὁ, der Einführer; bey Hompollo 1, 21. die einleitende Brunnenröhre: in anderer Bedeut. Pollux 8, 38 u. 93. —αγωγὴ, ἡ, Einleitung, Einführung; dav. —αγωγικὸς, ἡ, ὸν, zur Einleitung, Einführung gehörig, dienend, ſie betreffend. —αγώγιμος, ὁ, ἡ, (εἰσάγω) was man einführen kann und darf, als Waaren; das Gegentheil ἐξαγώγιμος: auch δίκη, eine Klage, die man einbringen, vor Gericht anſtellen kann: bey Eurip. ἄλλαι παρ᾽ ἄλλων εἰσὶν εἰσαγώγιμοι πόλεις ſ. v. a. εἰσαγόμεναι, geſammlet, zuſammengebracht. Plut. Q. S. 7, 8r. —αεὶ, Adv. d. i. εἰς, ἀεὶ, auf immer. —αθρέω, ῶ, hineinſehen, anſehen. —αίρω, hinein- drein- eintragen od. legen. —αΐσσω, f. ξω, ſ. v. a. εἰσάττω. —αΐω, poet. ſ. v. a. εἰσακούω. —ακοντίζω, f. ίσω, hineinſchieſsen mit dem Spieſse; hineinwerfen. —ακούω, m. d. Genit. eigentl. einhören, vorz. anhören u. verſtehn; vernehmen; gehorchen. Thucyd. 1, 126. 3, 4. Xen. Hellen. 5, 2, 12. bey den LXX u. im N. T. erhören. —αλείφω, einſalben, einſchmieren, ſ. v. a. ἀλείφω. Ariſtid. T, 2 p. 292. zw. —άλλομαι, hinein- drein- einſpringen. —αμείβω πόλιν ich gehe in die Stadt. Aeſchyl. Sept. 560. —αναβαίνω, f. βήσομαι, p. βέβηκα, hinauf und hineingehn, od. ſteigen, beſteigen. —αναγκάζω, f. άσω, hineinzwingen. —ανάγω, hinauf u. hineinführen. —αναλισκω, f. ώσω, darauf, darinne verwenden. zw. —ανδρόω, bemannen, mit Männern anfüllen. zw. —ανείδω, in der Höhe anſehen, aufſeben. zw. —ανεῖμαι, hineingehen; ſoll wohl εἰσάνειμι heiſsen? —ανέχω, ſich (ἑαυτὸν) erheben, aufſtehen. zw. —ανοίγω, Pauſan. 8 16. ἐσανοίγεσθαι ſoll wahrſcheinl. ἐπαν, heiſsen. —ανορούω οὐρανὸν, Quint. Smyrn. 14, 2. in den Himmel hinaufſpringen oder eilen. —αντλέω, einſchöpfen, eingieſsen. —άπαν, Adv. d. i. εἰς ἅπαν, ganz u. gar; überhaupt. —άπαξ, Adv. d. i. εἰς ἅπαξ, nur einmal. —αποβαίνω, herabſteigen in zw. —αποκλείω, darinnen verſchlieſsen, verſperren. zw. —αποστέλλω, hineinſchicken. Anton. Lib. —αράσσω, hinein od. darauf losbrechen laſſen. Bey Dio Caſſ. hineinſchmeiſſen oder werfen. —αρπάζω, hereinreiſſen. zw. —αρύομαι, ich ſchöpfe ein, nehme ein. Hipp. glandul. 4. —άττω, hineinſpringen od. laufen. —αῦθις, Adv. d. i. εἰς αὖθις, auf ein andermal wieder, in der Zukunft, hernach. —αύριον. Adv. d. i. εἰς αὔριον, für morgen, auf morgen. —άφασμα, τὸ, erklärt Heſych. d. εἴσπτημα, wenn es von εἰσαφίημι; durch σπάραγμα, wenn es von ἐσάφασσω d. i. ἅπτομαι herkommt, aus Aeſchyl. —αφάω, εἰσαφάζω, εἰσαφάσσω, jon. ἐσαφάζειν od. ἐσαφάσσειν τὸν δάκτυλον od. ἐσαφάσσεσθαι τῷ δακτύλῳ mit eingeſtecktem Finger fühlen; ſonſt εἰσμάσσεσθαι. —αφίημι, f. ήσω, hinein, hereinlaſſen; hinein, hereinſchicken oder werfen. —αφικάνω, u. εἰσαφικνέομαι, οῦμαι, f. ξομαι, hineinkommen, hinkommen.

Εἰσβαίνω, f. βήσομαι, p. βέβηκα, hinein, drein- eingehen. —βάλλω, hinein, drein, einwerfen; geſchwind hineinbringen; neutr. ſich hineinwerfen, auf einen od. etwas losgehn, losbrechen, einen Einfall thun, einfallen, einbrechen; überh. hineingehn, vom Fluſſe. Xen. Anab. 1, 7, 15. ſich ergieſsen.

Εἴσβασις, εως, ἡ, das Hineingehen, Eingang. —βατὸς, ἡ, ὸν, (εἰσβαίνω) wohinein man gehen kann; zugänglich. —βιάζομαι, f. άσομαι, mit Gewalt hineingehn, eindringen, einbrechen. —βιβάζω, f. άσω, hineinbringen oder legen; hineintragen. —βοηθέω, ῶ, hinein - darein gehn um zu helfen. —βολὴ, ἡ, das hinein - od. einwerfen: das Eindringen: der Anfall, Einfall, Eingang, Zugang: dah. Anfang. S. εἰσβάλλω. —δανείζω, verleihen, auf Zinſen austhun. zweif. —δέρκω u. —ομαι, poet. ſ. v. a. εἰσοράω. —δέχομαι, f. δέξομαι, einnehmen, annehmen, auf ſich nehmen. —δοχὴ, ἡ, das Einnehmen; Annahme, Aufnahme. —δρομὴ, ἡ, Einlauf, Anlauf, Angriff. —δύνω, f. ύσω, od. εἰσδύω, vorzügl. εἰσδύομαι med. hineingehen, hineindringen, eindringen, eintauchen, hinuntergehn; dav. —δυσις, ἡ, Eingang. —δύω, ſ. v. a. εἰσδύνω.

Εἰσεάω, f. άσω, hinein - oder einlaſſen. zw.

Εἰσεγγίζω, f. ίσω, ſich nähern. Polyb. 12, 19. —είδω, u. ἐσείδω, dav. aor. 2. εἰσιδεῖν, anblicken, anſehen. —ειλέω, ῶ, hinein - oder darein verwickeln. —ειμι, hineingehen. —έλασις, ἡ, das Einfahren, Einziehen, Eindringen, Plut. 5 p. 458; von —ελαύνω, u. εἰσελάω, hineintreiben o. bewegen: daher mit verſtandenen ἵππον, ἅρμα, ναῦν, στρατὸν od. πόδας, hineinreiten, fahren, ſchiffen, hineinmarſchiren, einbrechen, eindringen, hineingehen. —έλευσις, ἡ, das Hineingehen, Einzug, Eingang. —ελκύω, u. εἰσέλκω, hineinziehen, hereinſchleppen. —εμπορεύομαι, f. εύσομαι, (ἔμπορος) als Kaufmann wohin reiſen. —έπειτα, Adv. d. i. εἰς ἔπειτα, aufhernach, für die Zukunft. —επιδημέω, ich komme, gehe wohin als Fremder. —έρπω, und εἰσερπύζω, hinein - darein - herankriechen. —ερσις, ἡ, (εἰσείρω) Einknüpfung, Einfügung, Einrenkung. —έῤῥω, ich gehe hinein, mit der in ἀνέῤῥω bemerkten Nebenbedeutung. —έρχομαι, f. ελεύσομαι, ich gehe hinein, komme herein. 2) τὸν ἀκούσαντα ἐσῆλθε αὐτίκα ὡς εἴη τέρας Herodot. 8, 37. wie er dies gehört hatte, ſo kam ihm gleich der Gedanke ein. —έτι, Adv. d. i. εἰς ἔτι, für noch, d. i. ferner noch; bis jetzt, noch jetzt. —ευπορέω. Diod. 16, 40. χρήματα τῇ πόλει, mit Gelde beyſtehn, helfen, wo Pletho προσπορίζω hat. —εφίημι, f. ήσω, noch dazu hineinſchicken oder laſſen. —έχω, ich halte hinein: 2) neutr. ich lange od. reiche hinein: εἰσέχων ὁ ἥλιος, die Sonne, welche hinein ſchien. Herodot. 8, 137. —ηγέομαι, οῦμαι, hineinführen, einleiten, anleiten, anführen, vorbringen, vortragen, antragen, vorſchlagen, anrathen, veranlaſſen: dav. —ήγημα, τὸ, (εἰσηγέομαι) der Vortrag, die vorgetragene ein - od. angeführte Sache, Dionyſ. halic. 10, 30. —ήγησις, ἡ, das Hineinführen, Einführung, das Vortragen, der Vorſchlag, das Anrathen, Anleitung, Unterricht, Anführung. —ηγητὴς, ὁ, d. i. εἰσηγεόμενος, Einführer, Anleiter, Anführer, Anrather, Veranlaſſer. —ηγορέομαι, οῦμαι, (εἰς, ἀγορέω) anklagen, ſich beklagen. zweif. dav. —ηγορία, ἡ, b. Suid. ſ. v. a. κατηγορία. —ηθέω, hineintrichtern, hineinſpritzen, Herodot. 2, 87. —θεσις, ἡ, Anfang, Eingang; bey den Grammatic. —θέω, hinein, darein - einlaufen. —θλίβω, Themiſtii or. 15 p. 197. wo die Ueberſetz. *elidere*, alſo ἐκθλίβω hat, eindrücken. —θορέω, hinein -, drein - einſpringen. —ίημι, hinein - drein - ſchicken - werfen oder laſſen; εἰσίεμαι med. herein - oder zulaſſen. —ιθμη, ἡ, Eingang, ſ. v. a. εἴσοδος; von εἴσειμι Odyſſ. ζ. 264. —ικνουμένη βέλη Aeſchyl. Suppl. 565. paſſive, in welche der Pfeil gedrungen iſt. S. ἱκνέομαι. —ιππεύω, hinein, herein reiten. —ίπτημι, vorzügl. in med. εἰσίπταμαι, hinein, herein fliegen. —ιτήριος, ία, ιον, (εἴσειμι, εἰσιτὴρ) zum Eingange, Anfange gehörig; τὰ εἰσιτήρια, verſt. ἱερὰ, Opfer: Feſt beym Eingange Anfange des Amts, der Regierung, des Jahrs, gegeben oder gefeyert. —ιτητὸς, ἡ, ὸν, (εἴσειμι) zugänglich. —καλέω, ῶ, hereinrufen, einladen; vorladen. —καταβαίνω, hinein - und zugleich hinunter ſteigen oder gehn. —κειμαι, Thucyd. 6, 32. ἐπεὶ ἐσέκειτο, nach dem Schol. ἐνεβλήθησαν hineingelegt war; doch haben einige Handſchr. ἐπέκειτο. —κέλλω, hineinbringen od. bewegen, verſt. ναῦν; anlanden, einlaufen. Ariſtoph. Theſm. 877. —κηρύττω, f. ξω, durch den Herold fordern, hereinrufen; als Herold einladen. —κλύζω, einſpülen, einſpritzen; zw. —κολυμβάω, hinein - drein - her - einſchwimmen; zweif. —κομιδὴ, ἡ, das Hereinbringen oder Führen; Einfuhr; von —κομίζω, hinein - darein - einführen oder bringen; einfahren, eintragen. —κρίνω, auswählen, ausleſen für, annehmen zu; das Gegentheil ἐκκρίνω. —κρισις, ἡ, Auswahl, Annahme. —κρούω, hinein - einſchlagen. Pollux 10, 79.

Ἐσκυκλέω, das Gegentheil von ἐκκυκλέω, auf dem Theater den Zuschauern einen Gegenstand durch Umdrehung der Maschine mit Räderwerke (hier εἰσκύκλημα dort ἐκκύκλημα genannt) entziehn, entfernen, hinter die Koulissen, Vorhange bringen; Aristoph. Thesmo. 265. dav. ἀπεραὶ ἡμῖν πράγματα δαίμων τις εἰσκεκύκληκεν εἰς τὴν οἰκίαν hat uns ins Haus gebracht. Aristoph. Vesp. 1475. —κύκλημα, τὸ, s. εἰσκυκλέω. —κυλίω, hineinwickeln, verwickeln; εἰς πράγματα. Aristoph. —κύπτω, f. ψω, hereinkuken.

Εἴσκω, s. v. a. εἰκάζω in den Bed. ob es gleich nicht einerley Ursprung von εἴκω, ἔοικα zu haben scheint, sondern von ἴσος, ἐΐσος zu kommen, also s. v. a. ἰσόω zu seyn scheint. S. auch ἴσκω gleich machen; gleich halten od. schatzen, vergleichen, schatzen, halten, ansehn für.

Εἰσκωμάζω, eigentlich mit einem feyerlichen Aufzuge, auch mit einem Aufzuge und mit Begleitung von Musik hineingehn oder kommen; vorz. von trunkenen jungen Menschen, welche nach dem Mahle so herum zogen und in die ofnen Häuser giengen; daher wird es auch vom gewaltsamen od. ungestümen Eindringen, Einbrechen, Ankommen; auch v. dem kommenden Unglücke gebraucht. —λάμπω, f. ψω, hineinleuchten. —μάσσω, εἰσμάττω, f. ξω, vorz. im Med. εἰσμάττομαι, ich berühre; befühle durch hineingesteckte Hand od. Finger; μάλα γάρ με θανὼν ἐσεμάσσατο θυμὸν, dessen Tod sehr mein Herz gerührt hat; wie *tangere*. S. ἐπιμάσσω. Im eigentl. Sinne hineinstoßen u. tasten; bey Hipp. ἐσμασάμενος ἐς τὴν κοιλίην. —ματτεύομαι, εἰσματεύομαι, s. v. a. εἰσμάττομαι, δακτύλῳ, πτερῷ, ich fühle und untersuche mit eingesteoktem Finger, Feder. S. μάσσω u. ματέω. —νέω, hinein- drein- hereinschwimmen. —νοέω, sehen, bemerken; erkennen; poet. —οδιάζομαι, einkommen; wie *redeo* vom Gelde; bey den LXX. —όδιος, ὁ, ἡ, zum Eingange gehorig, den Eingang betreffend; bey Dionys. Antiq. 11, 29. συνήθη καὶ εἰσοδιανοῦσαν, die bey ihr aus und eingieng; zw. beym Eingange, Einzuge, gewohnliche; bey den LXX τὰ εἰσόδια, das Einkommen, Einnahme. —οδος, ἡ, Eingang, Zugang, Vorhof, Einzug, Einkommen. —οικειόω, ῶ. (οἰκεῖος) als Verwandten oder Freund in ein Haus bringen; zum Verwandten od. Freunde machen; Plutar. Alex. 10. Xen. Hellen. 5, 2, 17. —οικέω, ῶ, hineinwohnen, hineinziehen, hineingehn; davon —οίκησις, εως, ἡ, das hinziehn, hineinziehn, hingehn als Bewohner, Einwandrung. —οικίζω, f. ίσω hineinbringen als Bewohner; med. s. v. a. εἰσοικέω. —οικισμὸς, ὁ, (εἰσοικίζω) das Einführen od. Versetzen als Bewohner in eine Wohnung, in ein Land, Stadt u. dergl. —οιχνέω, hineingehn. —όκε, εἰσόκεν, poet. d. i. εἰς ὅκε, bis; so lange als. —ομόργνυμι, hinein- u. abdrücken; zw. —οπίσω, Adv. d. i. εἰς ὀπίσω: auf- od. in die Zukunft. —οπτος, ὁ, ἡ, Pollux 2, 58. angesehn, anzusehn, ansichtlich. Herodot. 2, 142. —οπτρίζομαι, f. ίσομαι, sich in dem Spiegel besehen, sich spiegeln; von —οπτρον, τὸ, (εἰς, ὄπτομαι) Spiegel. —οράω, ῶ, hinein- drein- einsehen, ansehen. —ορμάω, hineineilen- dringen oder gehn. Plut. 9 p. 101. —ορμίζω, in den Hafen, in die Bucht führen; med. in die Bucht laufen oder einfahren.

Ἔισος, η, ον, s. v. a. ἴσος, gleich; auch mäßig; billig; νῆες εἶσαι; Odyss. 5, 176. vollkommene große Schiffe; der σχεδίη entgegen gesetzt.

Εἰσοχὴ, ἡ, (εἰσέχω) was einwärts steht, vertieft, entgegen gesetzt der ἐξοχή. —παίω, f. αίσω, hereinspringen. —πέμπω, f. ψω, hinein- drein- einschicken, einbringen, einlassen. —περάω, ῶ, f. άσω u. ήσω, hinein- darzu- hinzugehen, aber indem man durch od. über etwas anders weggeht. —πέταμαι, f. πτήσομαι, od. εἰσπέτομαι, εἰσπετάομαι, hinein- drein- einfliegen. —πηδάω, ῶ, f. ήσω, hinein- drein- einspringen.

Ἐισπίμπλημι hat Suidas aus Xen. An. 1, 7. 8. wo jetzt ἐμπίμ. steht. —πίπτω, hinein- drein- einstellen; hineingeworfen werden; einbrechen, einfallen. —πλέω, f. εύσω, hinein- drein- einschiffen od. einfahren. —πληρόω, anfullen, vollfüllen; zw. —πλόος, contr. εἴσπλους, ὁ, das Einlaufen der Schiffe, Einfahrt. —πνέω, f. εύσω, das Gegenth. von ἐκπνέω; einathmen, Luft hohlen; 2) einhauchen, inspiriren; 3) bey den Lazedaem. zur Liebe begeistern; vom geliebten Gegenstande; Aelian. v. h. 3, 12. daher εἴσπνιλος Theocr. 12, 13. der geliebte, begeisternde Knabe. S. ἐμπνέω.

Εἴσπνιλος, ὁ. S. εἰσπνέω no. 3. —πνοή, ἡ, das Einathmen; 2) die Begeisterung, Eingebung. —ποδίζω s. v. a. εἰσβαίνω. Suidas in εἰσεπ. —ποιέω, ῶ, übergeben, überlassen, zuschreiben, beylegen als Eigenthum; vorz. als Sohn; med. als Sohn annehmen, adoptiren; ἑαυτὸν εἰσπ. εἰς od. m. d. Dat. sich eindrangen, einmischen; als Theilhaber, Mitglied angeben. Ἄμμωνι, sich für einen Sohn des Ammon ausgeben: τούτῳ τὸν Πομπήιον εἰσποιούσης τῷ κατορθώματι τῆς τύχης, als das Glück auch dieſen Ruhm dem Pompejus zueignete. Plut. Pompej. 21.

Εἰσποίησις, ἡ, Annahme, vorzügl. an Kindes Statt; Adoption. —ποίητος, η, ον, angenommen, adoptirt. —πομπὴ, ἡ, Einſchickung, Einführung, Einlaſſung. —πορεύομαι, f. εύσομαι, hereingehen; act. εἰσπορεύω, hineinführen. Eur. El. 1285. —πράκτωρ, ορος, ὁ, (εἰσπράττω) der einfordert, eintreibt, einnimmt. —πραξις, ἡ, (εἰσπράττω) das Einfordern, Eintreiben: Einnahme. —πράσσω, εἰσπράττω, f. ξω, einfordern, eintreiben, beytreiben, einnehmen; act. für einen andern; med. für ſich; dieſer Unterſchied wird aber nicht überall beobachtet. —πτύω, f. ύσω, hineinſpucken. —ῥέω, f. εύσω, einflieſsen; davon —ῥοος, contr. εἴσρους, ὁ, Einfluſs, Zufluſs. —ῥυέω u. εἰρυημι, ſ. v. a. εἰσρέω; Syneſ. p. 24 u. 32. —ῥυσις, ἡ, das Hinein- oder Zuflieſsen. —σπάω, ῶ, f. άσω, hinein- herein- zu- dazuziehn. —τελέω, Plato Politic. §. 30 ἀναγκαῖον εἰς τοῦτο εἰστελεῖσθαι αὐτὸν τὸ γένος, daſs er in dieſe Klaſſe aufgenommen werde; wie τελεῖν εἰς ἱππάδα u. ſ. w. —τίθημι, hinein- darein- einſetzen- legen- thun. —τιμάομαι, bey der Schätzung angeben; zw. —τοξεύω, hinein- drein- ſchieſsen oder werfen. —τρέπω, f. ψω, hinein- hin- darzu kehren oder wenden. —τρέχω, hinein- einlaufen. —τρυπάω, ῶ, f. ήσω, einbohren; neutr. ſich hinein ſenken oder ſchleichen; wie ἐκτρυπᾶν. —φέρω, f. εἰσοίσω, a. 1. εἰσήνεγκα, hinein- drein- eintragen; hinein- drein- darzu- einbringen; zutragen, beytragen, abtragen; Abgaben entrichten; vortragen; vorſchlagen; Diodor. Sic. u. Dionyſ. hal. brauchen es häufig für παρέχεσθαι, brauchen, anwenden, διάλεκτον eine Sprache brauchen. —φθείρομαι, ſich zu ſeinem eignen Unglücke od. Verderben wo hinein begeben od. gehn. —φοιτάω, ῶ, f. ήσω, hineingehn, öfters wohin gehen, vorz. als Schüler. —φορὰ, ἡ, (εἰσφέρω) das Eintragen, Eintrag, Beytrag; Abgabe; Vortrag. —φράσσω, εἰσφράττω, f. άξω, hineinſperren; zweif. —φρέω, εἴσφρημι, ſ. v. a. εἰσφορέω; doch in den Bedeut. verſchieden: denn es heiſst zulaſſen, einlaſſen; wie admitto; davon εἰσφρήσομαι, fut. u. εἴσφρες imper. 2) ſ. v. a. εἰσφέρω ἐμαυτὸν, ich gehe hinein. Andere leiten es von πρὸ u. ἕω, ῶ, mitto, her: alſo προέω, προῶ, πρῶ, φρῶ u. εἰς wie διαφρέω. —χειρίζω, ſ. v. a. ἐγχειρίζω; zw. —χέω, f. εύσω, hinein- eingieſsen.

Εἴσω, Adv. ſ. v. a. ἔσω. —ωθέω, ῶ, f. εἰσώσω, hinein- drein- einſtoſsen oder treiben. —ωπὸς, ὁ, ἡ, (εἰς, ὤψ) vor Augen vor ſich habend, entgegenſtehend, m. d. Genit.

Εἶτα, Adv. hernach, nachher, darauf; nun? wirklich? wie nun? mithin alſo: wie folget: vorzüglich wenn man mit Affekt fragt u. ſich zugleich wundert. Ueberhaupt zeigt es eine Folge der Zeit, Sachen u. Gedanken an, wie das abgeleitete lat. *ita, itaque.*

Εἶτε, verdoppelt ſ. v. a. *ſive, ſive*, entweder, oder; theils, theils; ſey es, oder.

Εἶτεν, ἔπειτεν joniſch ſt. εἶτα u. ἔπειτα.

Εἴω, ſ. v. a. ἔω, *eo*, das Stammwort von εἶμι. S. in ἐγκικράω. —ωθότως, Adv. vom Genit. partic. praet. εἰωθὼς, auf die gewöhnliche Art.

Εἴως, ſ. v. a. ἕως. Il. 15, 272. iſt εἴως αἰεὶ, eine Zeit lang, beſtändig.

Ἐκ oder ἐξ vor einem Vokal; beybehalten im lat. *e, ex*, u. wie dieſs, aus, heraus, von, davon, wegen; v. d. Zeit nach.

Ἑκάεργος, ὁ, ἡ, (ἔργον) der weit wirkende oder werfende oder ſchieſsende Apollo; Hom.

Ἕκαθεν, Adv. (ἑκὰς) von ferne, von weitem her.

Ἑκάλειος ζεὺς u. ἑκαλήσιον ἱερὸν, zu Athen ein Opfer der Hekate zu Ehren gebracht; davon auch der an demſelben Tage verehrte Ζεὺς den Namen führt; Plutar. Theſ. 14.

Ἑκὰς, Adv. ferne; auch m. d. Genit. οὐχ ἑκὰς χρόνου; Herodot. in kurzer Zeit. Comp. ἑκαστέρω, Superl. ἑκαστάτω; Auch ἑκαστοτέρω u. ἑκάστω; das letztere zweif. bey Hippocr.

Ἑκαστάκις, Adv. jedesmal: οἱ ἑκ. ἄρχοντες; ſonſt οἱ ἀεὶ ἄρχ. Inſcr. Diarii Ital. Montfauc. p. 412. —σταπος τὴν ἥλιος τέτραπται, Ariſtoph. Pollucis 9. 46. *ad quotam harum linearum ſol ſe vertit*, bis auf welche Linie iſt die Sonne gekommen? —σταχῆ, Adv. überall, immer; von Zeit und Ort. —σταχόθεν, Adv. von jeder Seite, von allen Seiten her; —χόθι, auf allen Seiten; überall; —χόσε, nach allen Seiten hin; überall hin; —χοῦ, überall. —στέρω, Adv. weiter entfernt; wie ein Compar. von ἑκάς. —στος, άστη, αστον, wie ein ſuperl. von ἑκάτερος gemacht, jeder einzelne, jeder; dah. οἱ καθ' ἕκαστον, τὰ καθ' ἕκαστον, *ſinguli, ſingula*; καθ' ἕκαστον, *ſigillatim*, einzeln, für ſich; καθ' ἑκάστην verſt. ἡμέραν jeden Tag; bey Thucyd. ὡς ἕκαστοι δύνανται od. ἐδύναντο; auch mit ausgelaſſenem δύναται. Hom. ſetzt den Artikel zu: ἡ ἑκάστη. Man ſagt εἷς ἕκαστος, wie *unusquisque*, jedweder: πᾶς ἕκαστος, ἕκαστός τις, auch αὐτὸς ἕκαστος: wovon in αὐθέκαστος ſiehe; u. dieſe Art zu ſprechen ſcheint die älteſte und natürliche; wenn von ἑκὰς (getrennt, beſonders, fern) ἑκάτερος u. ἕκαστος abgeleitet ſind, wie es ſcheint; αὐτὰ ἕκαστα τῶν πραχθέντων. Aelian. v. h. 12, 1. αὐτὰ ἕκαστα τῶν δρυμώνων κατασκεψάμενοι, 13, 1. alles, alle Oerter, Umſtände, u. dergl.

Ἑκάστοτε, Adv. jedesmal, immer, ſtets. —στοτέρω u. ἑκάστω, ſ. v. a. ἑκαστέρω u. ἑκαστάτω.

Ἑκάταιον, u. ἑκατεῖον, τὸ, eine Bildſäule der Hekate, 2) ἑκάταια, τὰ, κατεσθίειν. Man trug die Sachen, womit man das Haus gereiniget (*luſtrare*) hatte, Eyer, Zwiebeln u. dergl. auf die Kreuzwege, wo Hekate verehrt ward, u. warf es ihr gleichſam zu Ehren dahin; wer davon aſs, ward fur einen unreinen Menſchen u. unglücklichen gehalten; doch thaten es Bettler u. Cyniker. —τεράκις, Adv. auf eine od. die andere Art, ein und das andere mal; Cyrop. 4, 6, 4. —τερθεν, Adv. von beyden Seiten. —τερὶς, ἡ, ein Tanz, wo bald dieſer bald jener Schenkel od. Fuſs in die Höhe geworfen wird. Pollux 4, 102. v. ἑκατερέω. med. ἑκατερέομαι, welches Heſych. d. πρὸς τὰ ἰσχία πηδᾶν ἑκατέραις ταῖς πτέρναις erklärt. —τερομάσχαλος, ὁ, ἡ, (μασχάλη) mit von beyden Schultern herabhängenden Aermeln. —τερος, έρα, ερον, (ἑκὰς, ἑκὰ, ἕτερος) eigentl. einer od. jeder getrennt od. entfernt; überh. einer von beyden; jeder beſonders und beyde zugleich; davon ἕκαστος gleichſam der Superl. davon —τέρωθεν, Adv. von einer Seite her, von beyden Seiten, auf beyden Seiten. —τέρωθι, Adv. auf einer von beyden Seiten od. auf beyden Seiten. —τέρως, Adv. auf eine von beyden Arten, auf beyderley Arten. —τέρωσε, Adv, nach einer von beyden Seiten hin, nach beyden Seiten hin.

Ἑκάτη, ἡ, Hecate; eine Göttin, die bey Beſchwörungen und Zaubereyen angerufen wird; auch hat ſie mit den Reinigungen (*luſtratio*) zu thun. ἑκάτης δεῖπνον, beſteht aus den zur Reinigung des Hauſes am 30ſten jedes Monats gebrauchten Sachen (Eyern, jungen Hunden, u. dergl.) welche dann auf einen Kreuzweg gebracht u. der Hecate zu Ehren hingeſetzt werden, wo arme Leute u. Bettler dieſe Mahlzeit der Hekate verzehrten. S. ἑκάταιον no. 2. —τηβελέτης, ου, ὁ, od. ἑκατηβόλος, ὁ, ἡ, (ἑκὰς, βάλλω) weit werfend, weit ſchieſſend. Beyw. d. Apollo.

Ἑκατήσιον, τὸ, eine Bildſäule der Hekate.

Ἕκατι, ſt. ἕκητι, wegen. —τογκεφάλας, λος, ὁ, ἡ, od. ἑκατόγκρανος, ὁ, ἡ, (κεφαλὴ, κράνον) hundertköpfig. —τόγχειρ, ειρος, ὁ, ἡ, od. ἑκατόγχειρος, ὁ, ἡ, (χεὶρ) hunderthändig. —τόμβαια, τὰ, verſt. ἱερὰ, ein Feſttag, wo man den Göttern ἑκατόμβας opferte; dav. Apollo, Jupiter und andere Götter ἑκατομβαῖος hieſs; davon —τομβαιὼν, ὁ, der Monat, worinne die ἑκατόμβαια gefeyert wurden: bey den Lazedäm. ἑκατομβεύς. —τόμβη, ἡ, (ἑκατὸν βοῦς) ein ſolennes Opfer von hundert Stieren oder andern Thieren; überh. jedes ſolenne Opfer, und das, was geopfert wird. Herodot. 4, 179 ſagt vom abreiſenden Jaſon: ἐσθέμενον ἄλλην τε ἑκατόμβην καὶ δὴ καὶ τρίποδα χάλκεον, die Ableitung von ἑκατομένη hat nichts fur ſich. —τόμβοιος, ὁ, ἡ, (ἑκατὸν βοῦς) von 100 Ochſen od. 100 Ochſen werth. —τόμπεδος, ον, od. —ποδος, ὁ, ἡ, Il. ψ. 164. πυρὴ, 100 Fuſs lang, auf jeder der 4 Seiten. —τομπλασίων, ονος, ὁ, ἡ, hundertfältig o. hundertfach. —τομπολίεθρος, ον, ſ. v. a. ἑκατόμπολις. —τόμπολις, εως, ὁ, ἡ, mit od. von 100 Städten. —τόμπους, οδος, ὁ, ἡ, hundertfüſsig. Sophocl. Oed. Col. 750. —τόμπυλος, ὁ, ἡ, (πύλη) mit 100 Thoren. —τομφόνια, τὰ, (ἑκατὸν, φόνος) verſt. ἱερὰ, Opfer, wegen 100 getödteter Feinde. Plut. Rom. 24. —τὸν, οἱ, αἱ, τὰ, Adject. hundert. —τόνζυγος, ὁ, ἡ, (ζυγὸν) mit 100 *tranſtris*, Ruderbänken: —κρηπις, ὁ, ἡ, βωμὸς; Julian. Epiſt. 24. mit 100 Baſen. —τόνσεμνος, ſehr ehrwürdig. —ταδόχος, ὁ, ἡ, (δέχομαι) 100 faſſend. Jul. Ep. 24. —ταετηρὶς, ίδος, ἡ, Zeit von 100 Jahren, Jahrhundert. —ταέτηρος, ὁ, ἡ, hundertjährig. —ταέτης, ου, ὁ, u. —ταετὴς, έος, ὁ, ἡ, (ἔτος) von 100 Jahren. —τακάρανος, ὁ, ἡ, (κάρηνον) hundertköpfig. Pindar. Pyth. 1, 31. —τακεφάλας, u. —φαλος, ὁ, ἡ, ſ. v. a. ἑκατογκέφ. —τάκις, Adv. hundertmal. —τάκλινος, ὁ, ἡ, (κλίνη) mit 100 Betten od. Tiſchlagern. —ταλαντία, ἡ, die Summe od. Zahl von 100 Talenten. —τάλαντος, ὁ, ἡ, (τάλαντον) von 100 Talenten. —τανδρος, ὁ, ἡ, (ἀνὴρ) von 100 Menſchen. Jul. Ep. 24. —ταόργυιος, ὁ, ἡ, (ὀργυιὰ) von 100 Orgyen. —τάπεδος, ὁ, ἡ, Julian. Ep. 24. von 100 πέδον. —τάπηχυς, ὁ, ἡ, von 100 πῆχυς. —ταπλάσιος, ία, ιον, Adv. —πλασίως, o. ἑκατονταπλασίων, ὁ, ἡ, hundertfältig, hundertmal ſo viel. —τάπλεθρος, ὁ, ἡ, (πλέθρον) von 100 Plethris. Jul. Ep. 24. —τάπυλος, ſ. v. a. ἑκατόμπυλος. —ταρχέω, ich bin ἑκατοντάρχης. —τάρχης, ου, ὁ, od. ἑκατόνταργος, Anführer von 100. *centurio.*

Ἑκατονταρχία, ἡ, Würde, Amt eines ἑκατοντάρχης, ein Centuriat. —τοντὰς, άδος, ἡ, *centuria*, ein Haufe von 100 Mann. —τοντατρίκλινος, ον, mit hundert Triclinien; sehr zw. —τοντάχειρ, ρος, ὁ, ἡ, s. v. a. ἑκατόγχειρ. —τοντάχοος, contr. ους, ὁ, ἡ, von 100 χόοι; hundertfältig wiedergebend; von χέω. —τοντόργυιος, ὁ, ἡ, s. v. a. ἑκατονταόργ. —τόντορος, (ἐρέσσω) hundertrudrig. —τοντούτης, ὁ, das zusammengez. ἑκατονταέτης. fem. —τοῦτις, ἡ.

Ἕκατος, ὁ, ἑκάτη, ἡ, weit schiessend mit dem Bogen; v. ἑκάς. Beyw. des Apollo u. der Diana: ἄρτεμιν ἑκάταν. Aeschyl. Suppl. 684. Simonid. Jul. Ep. 24. leitete es von 100 Pfeilen ab. —τοστεύω, f. εύσω, hundertfaltig tragen, bringen, Genes. c. 26. 2) die *vigesimam* heben od. einnehmen. zw. —τοστιαῖος, α, ον, der hundertste; zw. ἑκατοσταῖος würde heissen, am hundertsten Tage. —τόστομος, ὁ, ἡ, (στόμα) mit 100 Mündungen, Oeffnungen. Eur. Bacch. 404. —τοστὸς, ἡ, ὸν, hundertster. —τοστὺς, ύος, ἡ, s. v. a. ἑκατοντάς.

Ἐκβαίνω, f. βήσομαι, p. βηκα, herausgehen, heraussteigen; neutr. ἐκβαίνει, wie *evenit*, es ereignet sich, trift ein: z. B. der Traum: m. d. accus. wie *egredi* überschreiten. δικαιώματα ἐκβεβηκότα τὴν θνητὴν φύσιν. Dionys. Ant. 8, 50. —βακχέω, ich setze in Bacchische Wuth; auch ἐκβακχεύω als neutr. u. ἐκβακχεύομαι, ich gerathe in Wuth, Leidenschaft. ἐπὶ ταῖς ἀβυρτάκαις ἐκβακχεύομεν Athen. p. 124. wie *insanire aliqua re*, rasend lieben. τὰς ὑποθέσεις τὰς σοφιστικὰς Philostr. 2, 10, 4. in dem Sinne, wie er sonst ὑπερβακχεύειν braucht. τῶν πάλαι δοκούντων σεμνῶν εἰς ὕβριν καὶ παροινίαν ἐκβεβακχευμένων, Herodian. 5, 8. durch bacchische Trunkenheit und Schmach entehren u. schänden. —βάλλω, ausherauswerfen- bringen- ziehen; wegwerfen, verwersen. 2) verst. ἑαυτὸν sich herauswerfen, d. i. hervorspringen, hervorsprudeln. —βαρβαρόω, ῶ, zu Barbaren machen; verwildern lassen; wild. grausam machen: dav. —βαρβάρωσις, ἡ, Verwilderung. —βασανίζω, f. ίσω, aussoltern, d. i. durch Foltern zum Geständnisse zwingen; auch s. v. a. ausforschen, prüfen. Philostr. Apoll. 2, 30. —βάσιος, ὁ, ἡ, das Aussteigen betreffend, befördernd; von —βασις, ἡ, (ἐκβαίνω) das Herausgehen, Ausgang, Ausweg, Erfolg. —βεβαίωσις, εως, ἡ. S. ἐμβεβαιόω. —βέλτιος, ον, ohne Pfeile Waffen zu fangen oder gefangen, sehr zweif. —βήττω, f. ξω, aushusten. —βιάζομαι, mit Gewalt heraustreiben od. schmeissen, verdrängen, vertreiben; das passiv. wird auch gebraucht, obgleich ἐκβιάζω nicht gebrauchlich ist: auch mit Gewalt aus- od. durchbrechen. —βιβάζω, f. άσω, heraustragen oder bringen, herausgehen- od. steigen lassen, aussetzen; davon —βιβασμὸς, ὁ, das Herausbringen oder Aussetzen. —βιβαστὴς, οῦ, ὁ, der herausbringt oder aussetzt; davon ἐκβιβαστικὸς, zum herausbringen oder aussetzen gehörig: gewöhnlich wird ἐκβιβάζω durch vollstrecken oder exequiren, ἐκβιβασμὸς, Execution, u. ἐκβιβαστὴς, Executor erklärt; diese Erklärung schreibt sich von Budaeus her, aber ohne Grund. Es muss ἐκβιάζω u. ἐκβιαστὴς heissen; obgleich Hesych. ἐκβιβάζει, ἀνύει, δοκιμάζει hat. Jenes Wort und Bedeutung soll blos bey den griechischen Juristen vorkommen; das richtigere ἐκβιασταὶ τῆς δίκης hat Suidas angemerkt. —βιος, ὁ, ἡ, vom Leben gebracht, ohne Leben. Artemidor. 4, 34. —βλαστάνω, f. στήσω, u. ἐκβλαστάω, ich schlage, keime aus. Aretaeus 4, 3. ἐξεβλάστησε τὴν φυὴν; Job. 38, 27. davon —βλάστημα, τὸ, der neue Trieb, Zweig, Keim, Ausschlag. —βλάστησις, ἡ, das Auskeimen, Ausschlagen, Austreiben. —βλέπω, bey Aelian. h. a. 3, 25. aufsehn, das Gesicht bekommen: vergl. Aristides 1 p. 298. —βλητος, ὁ, ἡ, aus- oder weggeworfen, zum wegwerfen, verachtet, verächtlich. —βλίσσω, ἐκβλίττω. S. in θάω, ich sauge. —βλύζω, f. ύσω, od. ἐκβλύω, ergiessen; neutr. sich ergiessen; quellen, fliessen; ist mit ἐκφλύω einerley. —βοάω, ῶ, laut aufschreyen oder ausrufen, laut rühmen. —βοήθεια, ἡ, das Herausgehn um einem beyzustehen: bey Thucyd. ein Ausfall der Belagerten; von —βοηθέω, ῶ, herausgehn oder marschiren, um zu helfen, beyzustehn; überh. einen Ausfall machen. —βόησις, εως, ἡ, das Aufschreyen, Ausrufen. —βολὰς, ἡ, die ausgeworfene; also μήτρα, *vulva ejectitia* bey Plinius. Athenae. 3 p. 100. σκωρία, die Schlacken. u. s. w. —βολβίζω, τουτονὶ τῶν κωδίων ἐκβολβιῶ, Aristoph. Pac. 1123. ich will ihm die gestohlnen Häute ausziehn, wie man dem Bulbus (zwiebelartigem Gewächse) die Häute abzieht; daher bey Suid. ἐκβεβόλισται, ἐξορώρυκται st. ἐκβεβόλβισται, wie Hesych. hat. —βολὴ, ἡ, (ἐκβάλλω) das Auswerfen, z. B. der Ladung im Sturme: πλὴν ἐκβολῆς, ἣν ἂν οἱ σύμπλοι ψηφισάμενοι κοινῇ ἐκβάλωνται Demosth. 926. ἐκβολὴ σίτου, das Schiessen des Getraides in die Stengel oder Halm: ποταμοῦ, Aussluss: λόγου, eine Digressſión, Nebenerzählung: ἄρθρου Ausrenkung eines Gliedes; davon

Ἐκβολιμαῖος, αία, αῖον, od. ἐκβόλιμος, ausgeworfen, weggeworfen, verworfen, abgetrieben. —βόλιον, τὸ, verſt. φάρμακον, ein Mittel wie ἐκβόλιος οἶνος, Wein zum Abtreiben der Leibesfrucht eingerichtet. —βολος, ὁ, ἡ, ausgeworfen, verworfen, weggeworfen, abgetrieben; unzeitig, von der Leibesfrucht. —βόμβησις, ἡ, Themiſt. Or. 23. das Beyfall zurufen. —βόσκω, f. βοσκήσω, abweiden laſſen: med. ἐκβόσκομαι, abweiden, depaſcor. m. d. accuſ. Ariſtaen. 2 ep. 5. —βράζω, f. άσω, (Galen. hat das joniſche ἐκβρήσσω aus Hippocr. angemerkt) auswerfen: vorz. von kochenden, erhitzten oder brauſenden Körpern, als dem Meere; daher auch vom erhitzten Korper, der allerhand Materie, Unreinigkeit in Ausſchlägen oder unter andrer Geſtalt auswirft; davon —βρασμα, ατος, τὸ, das von einem kochenden, erhitzten, oder brauſenden Korper ausgeworfene, ausgetriebene; Auswurf, Ausſchlag u. dergl. —βρασμὸς, ὁ, das Auswerfen, Ausſtoſsen eines erhitzten, kochenden, brauſenden Korpers oder Maſſe. —βράσσω, u. joniſch ἐκβρήσσω, ſ. v. a. ἐκβράζω. —βροντάω, ῶ, f. ήσω, herausdonnern, losdonnern; zweif. —βρυχάομαι, ῶμαι, losbrüllen. zw. —βρωμα, ατος, τὸ, πρίονος Soph. Trach. (ἐκβρώσκω) das von der Säge ausgefreſſene; Sägeſpäne. —βρώσκω, ich freſſe aus; verzehre. —βυθίζω, aus der Tiefe βυθὸς hervorbringen: Calliſtr. ſtatua 14. —βύρσωμα, τὸ, u. ἐκβύρσωσις, ἡ, die Vorragung der Glieder oder Gelenke auſser der Haut; von βύρσα, ἐκβυρσόω; wovon ἐκβυρσώμενα, τὰ, ſ. v. a. ἐκβυρσώματα, Galen.

Ἐκγαλακτόω, σπέρματα ἐκγαλακτοῦται, die Saamen der Feldfrüchte, wenn ſie in der Milch ſtehn, arten aus. Theophr. —γαμίζω, f. ίσω, ἐκγαμέομαι u. ἐκγαμίζομαι od. ἐκγαμίσκομαι, von einem Mädchen, welches auſser der Familie heirathet. —γαυρόομαι, οῦμαι, f. ώσομαι, das verſtärkte γαυρόομαι. —γελάω, ῶ, f. άσω, laut auflachen. —γελως, ὁ, lautes Gelächter. Pollux. 6. 199. —γενέτης, ου, ὁ, ſ. v. a. ἔκγονος. Eurip. —γεννάω, daraus erzeugen, oder gebähren. —γιγαρτίζω, f. ίσω, auskernen, den Kern herausnehmen. —γίγνομαι, ἐκγίνομαι, f. γενήσομαι, daraus, davon erzeugt werden, entſtehen, entſpringen; wegſeyn, weggehen: imperſ. ἐκγίνεται, es geht an. —γλευκίζω, bey Hippocr. ἐκγεγλευκισμένος οἶνος, der aufgehört hat Moſt (γλεῦκος) zu ſeyn, der ausgegohren hat. —γλισχραίνω, d. verſtärkte γλισχραίνω. —γλύφω, ich grabe aus, ſchneide, höhle aus. Plato Reſp. 10 p. 327. —γοητεύω, f. εύσω, das verſtärkte γοητεύω. —γονος, ὁ, ἡ, davon, daraus erzeugt, geboren, entſtanden, entſproſſen: ſubſt. Sproſsling, Nachkomme, Sohn, Tochter, Enkel; obgleich ἔγγονος für Enkel gebrauchlicher iſt. —γράφω, ich ſchreibe aus, ab, für einen andern. ἐκγράφομαι, ich ſchreibe für mich ab, kopire. 2) bey Andocides p. 37. εἴ τις μὴ ἐξεγράφη, ſ. v. a. expungere, aus der Liſte auslöſchen. —γρυτεύω, f. εύσω, (ἐκ, γρύτη) d. lat. ſcrutor, ich ſuche heraus: bey Heſych. ἐξερευνάω. —δακρύω, f. ύσω, in Thränen ausbrechen, weinen: Plutarch. —δανείζω, f. είσω, ausleihen auf Zinſen, verleihen. —δανειστὴς, ὁ, der Ausleiher, Verleiher. Inſcr. muſ. veron. p. 15. —δαπανάω, ῶ, f. ήσω, das verſtärkte ſimpl. δαπ. Polyb. —δεὴς, έος, ὁ, ἡ, (δέω) mangelhaft, unvollendet, woran etwas fehlt. —δεια, ἡ, (δεῖα) bey Thucyd. 1, 99. αἱ τῶν φόρων καὶ νεῶν ἐκδεῖαι, der Rückſtand mit den Abgaben u. Schiffen: τὴν γεγονυῖαν ἐκδείαν οὐκ ἀποδώσειν ἡμῖν. Demoſth. p. 890. —δείκνυμι, eigentl. herauszeigen, vorzeigen; zw. ſt. ἐνδεικ. —δειματόω, ῶ, f. ώσω, od. ἐκδειμαίνω bey Hierocles, erſchrecken, in Schrecken ſetzen. —δεινόω, ῶ, f. ώσω, (δεινὸς) vergroſsern, groſs, erſtaunlich, ſchrecklich durch die Rede und Vorſtellung machen. —δειπνέω, Pollux 6, 122. die Mahlzeit ſchlieſsen. —δεκατεύω, verzehnten, wie δεκατεύω. Diod. Sic. —δεκτικὸς, ἡ, ὸν, zum empfangen, aufnehmen, zur Nachfolge oder Aufnahme gehörig; von —δέκτωρ, ορος, ὁ, ἡ, Plutar. 6 p. 371. πόνων die Arbeit aus-abnehmend: aus Aeſchyl. —δεξις, εως, ἡ, das Empfangen, die Aufnahme, Folge, Zeitfolge, Nachfolge. —δερματίζω, ſ. v. a. d. folgd. zw. —δέρω, f. ερῶ, ſchinden, abſtreifen, die Haut abziehn; abprugeln. Ariſtoph. —δεσμεύω, f. εύσω, u. ἐκδεσμέω, binden, verbinden. Polyb. anbinden. —δέχομαι; f. ξομαι, aufnehmen, annehmen, auffangen, wie excipio; einer nimmt den andern auf, d. i. folgt ihm, wie excipit; daher auch erwarten. —δέψασθαι bey Heſych, ſ. v. a. ἐνμαστιγοῦν.

Ἐκδέω, ſ. v. a. ἐκδεσμεύω. —δηθύνω, d. verſtärkte δηθ. zw. —δηλος, ὁ, ἡ; Adv. ἐκδήλως, das verſtärkte δῆλος, ſehr hell oder deutlich; davon —δηλόω, ῶ, f. ώσω, ſehr ſichtbar, hell, deutlich machen. —δημαγωγέω, das Volk gewinnen durch demagogiſche Künſte und Reden. Dionyſ. halic.

'Εκδημέω, ῶ, (δῆμος) in die Fremde gehen, wegreiſen, verreiſen; davon —δημία, ἡ, das Verreiſen, Weg- oder Fortgehen in die Fremde. —δημοκοπέω, ῶ, durch δημοκοπεῖν, d. i. Volksſchmeicheley gewinnen. Chion. daſſelbe iſt καταδημ. bey demſelben. —δημος, ὁ, ἡ, (δῆμος) ausheimiſch, auſser dem Lande, verreiſet, fremde. —δημοσιεύω, unter's Volk bringen, öffentlich bekannt machen. Dio Caſſ. —διαδοχή, ἡ, Nachfolge; zw. —διαζωμεύω. S. διαζωμεύω. —διαιτάω, davon ἐκδιαιτάομαι, ich ändere meine vorige Lebensart und werde unordentlich oder ausſchweifend. εἴ τι που ἐξεδεδιῄτητο καθεστώτων νομίμων, Thucyd. ob er von der alten gebräuchlichen Lebensart u. Sitte abgewichen ſey; vergl. Dionyſ. Antiq. 5, 74. Philo verbindet es mit dem Accuſ. πρὶν ἂν ἐκδιαιτηθῇς τὰ πάτρια: und πάντα τὰ τῆς ἀρχαίας πολιτείας ἐκδεδιῃτημένος; auch εἰς ἀναρχίαν ἐκδιαιτῶνται; davon —διαίτησις, ἡ, bey Plutar. Alex. 45. Aenderung der vorigen Lebensart, alſo Ausſchweiſung in Lebensart. τῶν κατὰ φύσιν ἐκδ. παράβασιν; derſ. 7 p. 919. —διαπρίζω, heraus oder abſägen, abſchneiden. —δίδαγμα, τὸ, Lehre; zweif. —διδάσκω, f. ξω, das verſt. διδάσκω; dav. —διδράσκω, herauslaufen und entfliehn. —διδύσκω, ausziehn; ſ. v. a. ἐκδύω, ἐκδύσκω. Joſeph. b. j. 2, 14. —δίδωμι, ich gebe heraus, gebe aus, liefere aus, dedo, gebe, ſtatte die Tochter aus, nuptui do; ich verdinge, vermiethe etwas, loco; ἐκδιδόναι τὸν υἱὸν ἐπὶ τέχνην, den Sohn in die Lehre geben. Plato. 2) als neutr. ich falle-breche aus dem Orte hervor, heraus und endige, gehe hin bis an einen Ort, z. B. ein Fluſs ἐκδίδωσιν εἰς θάλατταν, geht bis ins Meer. —διεκπαίω, ſ. v. a. διεκπαίω, ſehr zweif. —διηγέομαι, οῦμαι, auserzählen, ganz erzählen: zweif. —διθυραμβόω, bey Photius Bibl. 79. ἡ συνθήκη εἰς τὸ τραχύτερον καὶ δύσηχον ἐκδιθυραμβοῦται, ſeine Kompoſition artet in Dithyrambiſche Härte und Miſslaut aus. —διίστημι, von einander ſetzen, trennen; zweif. —δικάζω δίκην, ich bringe einen Proceſs zu Ende als Richter. Plato und Lyſias. ἐκδικάζομαι bey Iſaeus, ich führe mein Recht durch einen Proceſs gegen jemand aus. —δικέω, ῶ, (ἔκδικος) ich räche, beſtrafe; davon —δίκημα, τὸ, genommene Rache, Beſtrafung. —δίκησις, ἡ, das Rächen, Beſtrafen, Rache, Strafe. —δικητής, οῦ, ὁ, Rächer, Strafer. —δικητικός, ἡ, ὸν, rächeriſch, rächend, ſtrafend. —δικία, ἡ, ſ. v. a. ἐκδίκησις: bey Dio Caſſ. 38, 7 iſt ἐκδικία, Erlaſs an dem Pacht; zweif. —δικος, ὁ, ἡ, Adv. ἐκδίκως, (δίκη) das Recht die Gerechtigkeit ausführend, handhabend; alſo rächend, ſtrafend, vertheidigend; 2) wie exlex, ungerecht, widerrechtlich. —διόθεν, Adv. (διόθεν) ſt. ἐκ διός, vom Dis oder Zeus. —διοίγω. Hippocr. de arte c. 8. wo die Handſchr. richtiger διοίγω haben. —διφρεύω, (δίφρος) aus- oder vom Wagenſitze oder Wagen ſtoſsen werfen. Lucian. —διψάω, ſehr durſten. Plutar. Cleom. 29. —διώκω, f. ξω, heraustreiben od. jagen; dav. —δίωξις, ἡ, das Heraustreiben, Verjagung. —δοκιμάζω, ausproben, prüfen, erforſchen; zweif. —δονέω, ſ. v. a. excutio, durch Erſchütterung weg- oder heraus werfen. —δοξάζω, rühmen, auspreiſen; zw. —δορά, ἡ, (ἐκδέρω) das Abſtreifen, Abziehn: davon —δόριος, ὁ, ἡ, zum Abſtreifen der Haut, zum Abziehn gehörig oder geſchickt. —δόσιμος, ὁ, ἡ, (ἔκδοσις) auszugeben, auszuſtatten, zu verdingen; στέφανοι, Pollux 7, 200. —δοσις, ἡ, (ἐκδίδωμι) Ausgabe, Ausſtattung (einer Tochter), Uebergabe, Verdingung. —δοτικός, ἡ, ὸν, zur Ausgabe, Ausſtattung, Verdingung gehörig oder dienlich; zw. —δοτος, ὁ, ἡ, ausgegeben, ausgeſtattet, überliefert, verdungen. —δοχεῖον, τὸ, Behälter, Behaltniſs; von —δοχή, ἡ, (ἐκδέχομαι) Aufnahme, Annahme, Folge, Nachfolge, Erwartung, Aufnahme in ſein Haus oder Bewirthung, Gaſtmahl, Deutung, Auslegung. Polyb. 3, 29. —δρακοντόω, ich mache zum δράκων, Schlange. —δραχμος, ὁ, ἡ, (ἕξ) von ſechs Drachmen, δραχμή. —δρέπω u. ἐκδρέπομαι, ich breche-pflücke heraus; davon —δρομή, ἡ, das Auslaufen; Ausfall, Streiferey. —δρομος, ὁ, Auslaufer, Vorlaufer; aus der Linie, aus Reihe und Glied gegen den Feind vorausgehend. Xen. Hell. 4, 5, 26. Thucyd. 4, 125 u. 127. vergl. Pollux 1, 219. 3, 148. —δυμα, τὸ, (ἐκδύω) ausgezogene Haut, Kleid. —δύνω, wie emergo, ich komme hervor oder empor, aus dem Waſſer, Schlupfwinkeln u. dergl. —δύσια, τὰ, Antonin. Lib. verſt. ἱερὰ, von ἐκδύσιος zum ausziehn gehörig, das Ausziehn betreffend. —δυσις, ἡ, (ἐκδύω u. ἐκδύνω) das Ausziehn; 2) das Emporkommen aus Waſſer, Gefahr, Rettung, wie emergo ex periculo; bey Plat. Crat. 36. ἐκδύσεις Ausflüchte. —δυσωπέω, (δυσωπία) durch Schaam einen abſchrecken; bewegen: erbitten: Joſeph. dav. —δυσώπησις, ἡ, das Bewegen durch Schaam od. Furcht. —δύω, ich ziehe einen aus: ἐκδύομαι med. ich ziehe mich aus; 2) ἐκδύομαι auch ἐκδύω, ich gehe, mache mich heimlich davon: auch wie ἐκδύνω, ich komme davon: rette mich: ἐκδεδυκέναι τὰς λειτουργίας, sich den öffentlichen Diensten entziehen. Demosth. Lept.

'Εκδωριόω, ich mache ganz zu Doriern. Herodot. 8, 73.

'Εκεῖ, Adv. dort, daselbst: auch s. v. a. ἐκεῖσε.

'Εκεῖθεν, Adv. von da oder dorther. —θι, Adv. daselbst. —νος, είνη, εῖνο, jener; der dort; Adv. ἐκείνως, auf jene Art. —σε, Adv. dorthin: auch s. v. a. ἐκεῖ.

'Εκεχειρία, ἡ, (ἔχω, χείρ) Waffenstillstand, Enthaltung v. Feindseligkeiten: davon —χειροφόρος, ὁ, ἡ, *fetialis*, Friedensbote oder Waffenstillstand stiftend; zw.

'Εκζεμα, τὸ, od. ἔκζεσμα (ἐκζέω) der durch Hitze herausgetriebene Ausschlag, Auswurf eines kochenden, brausenden Körpers. —ζεσις, ἡ, (ἐκζέω) das Auswerfen, Austreiben durch Hitze. —ζεστος, ὁ, ἡ, aufbrausend, ausgeworfen durch Hitze, Kochen; zweif. —ζέω, f. έσω, aufbrausen, aufkochen; auch act. s. v. a. εἰβράσσω. auswerfen, austreiben durch Hitze. —ζητέω, ῶ, auffuchen, ausfuchen, nachfuchen; im N. T. verfolgen, rächen. —ζήτησις, εως, ἡ, Auffuchung, Unterfuchung; zw. —ζητητής, οῦ, ὁ, der auffucht, unterfucht; zw. —ζοφόω, verfinstern. Nicetae Annal. 9, 9. —ζωμεύω. S. διαζωμεύω. —ζωόω, ich mache zum Thiere; ἐρέβινθος ἀπόλλυται καὶ ἐκζωοῦται, wird wurmstichig. Theophr. —ζωπυρέω, ῶ, u. ἐκζωπυρίζω, Plutarch. Marii c. 44. zw. das glimmende Feuer wird er anfachen, anzünden; metaph. wiedererwecken, beleben: davon —ζωπύρησις, εως, ἡ, das Anfachen, Wiedererwecken; Wiederbelebung.

'Εκηβολία, ἡ, das weite werfen oder schiessen; von —βόλος, ὁ, ἡ, (ἑκὰς βάλλω) weit schiessend, werfend.

'Εκηλία, ἡ, s. v. a. εὐκηλία. —λος, ὁ, ἡ, s. v. a. εὔκηλος, Adv. —λως. Ernesti leitet es von ἕω, ἧμι mit andern ab; aber s. ἕκηλος. Andere leiten es von ἀκαλὸς, ἀκηλὸς her.

'Εκητι, wie eine praepos. m. d. genit. s. v. a. ἕνεκα, durch, vermöge, kraft, wegen.

'Εκθαλαττόω, gleichsam vermeeren, zu Meere machen. —θάλπω, aufwärmen; erwecken; Synesius p. 49. —θαμβέομαι, οῦμαι, ganz betäubt, wie betäubt seyn. S. θαμβέω. —θαμβος, ὁ, ἡ, erschrocken, betäubt. —θαμνίζω, (θάμνος) wie *exstirpo*, ich rotte aus. Aeschyl. S. 72. hingegen ist ἐκθαμνόω, ἐκθαμνόομαι, οῦμαι, strauchicht wachsen oder werden, zum Strauche werden. Theophr. —θαῤῥέω, oder ἐκθαρσέω, viel Zutrauen oder Muth haben; dav. —θάρσημα, τὸ, Plut. 10 p. 537. Zuversicht, Muth, ein Wort des Epikurus. —θαυμάζω, das verstärkte simpl. θαυμ. Dionys. halic. —θεάομαι, besehen, ansehen, anschauen; zw. —θεατρίζω, aufs Theater bringen; so zur Schau ausstellen; überh. öffentlichem Spotte oder Schande aussetzen. Polyb. 3, 91. —θειάζω, vergöttern, zum θεῖος machen, wie einen Gott anstaunen und ehren; davon —θειασμὸς, ὁ, Vergötterung; Verehrung. —θεμα, ατος, τὸ, (ἐκτίθημι) Ausstellung, Anschlag, öffentlich bekannt gemachter Befehl, Edikt. Polyb. —θεόω, ῶ, vergöttern; von Oertern, Tempeln, weihen, widmen. —θεραπεύω, das vollendete und verstärkte θεραπεύω; warten, pflegen, heilen, ganz heilen, durch vorzügliche Sorgfalt und Achtung, die man einem beweiset, ihn sich ganz zum Freunde machen. —θερίζω, aus- oder abmahen, aus- oder abschneiden. —θερμαίνω, f. ανῶ, erwärmen, durchwärmen; Plut. Audit. p. 176. τὸν εὐρῶτα τῆς ψυχῆς ἐκτεθέρμακεν; zw. —θεσις, εως, ἡ, (ἐκτίθημι) das Aussetzen, Heraussetzen; Bekanntmachung; ein Schluss, Edikt; Erklärung. Bey Alciphr. 3 Ep. 54 der Satz im Spiele. —θεσμος, ὁ, ἡ, Adv. —μως, gesetzlos, ausser dem Gesetze, gesetzwidrig; greulich, *nefandus*; ὄναρ Plutarch. —θετικὸς, ἡ, ὸν, zum Aussetzen, Bekanntmachen gehörig; auseinandersetzend, erklärend. —θετος, ὁ, ἡ, heraus- ausgesetzt, ausgeworfen. —θέω, futur. θεύσομαι, heraus- hervorlaufen, auslaufen, weglaufen, vorlaufen. —θέωσις, ἡ, (ἐκθεόω) Vergötterung; Weihung. —θεωτικὸς, ἡ, ὸν, vergötternd. —θηλάζω, aussaugen. —θήλυνσις, ἡ, Verweichlichung, Erschlaffung, Schwächung; das weichlich- weibisch- schwach- kraftlos- feige machen; von —θηλύνω, das verstärkte θηλύνω; ganz- vollends weibisch- weichlich- schwach- feige machen. —θηράω, ἐκθηρεύω, Xen. Cyn. 5, 25. med. ἐκθηράομαι, daraus, davon jagen und fangen, wegfangen. Plutar. Pomp. 26. —θηριάζω, s. v. a. d. folgd. sehr zw. —θηριόω, ῶ, zum Thiere oder wilde machen, *effero*, wie ἀποθηριόω. Eur. Bach. 1329. —θησαυρίζω, aus dem Schatze nehmen u. verbrauchen. Phalar. Epist. —θλίβω, herausdrücken od. pressen, auspressen, wegdrücken, wegdrängen; dav. —θλιμμα, τὸ, (ἐκθλίβω) durch Druck bewirkte Quetschung oder Beschädigung. —θλίψις, ἡ, das Heraus oder Ausdrücken, Weg oder Herausdrängen, Zuſammendrücken; Druck; Leiden; Bedrückung; Drangſal.

'Εκθνήσκω, ich liege in Ohnmacht, wie todt. Plato Legg. 12 unterſcheidet daher ἐκτεθνεῶτα καὶ τὸν ὄντως τεθνηκότα, den für todt liegenden und den wirklich todten; dah. 2) ἐκθνήσκειν γέλωτι, ſich halb todt lachen, u. ſo von andern heftigen Leidenſchaften, wie lat. *terrore exanimari* u. dergl. —θορέω, ῶ, od. ἐκθόρνυμι, ſ. v. a. ἐκθρώσκω; der aor. 2. ἐξέθορον iſt von der Form ἐκθόρω, heraus, hervorſpringen. —θορυβέω, beunruhigen; zw. —θροεῖν, ausſagen, anzeigen. Pollux 6, 207. —θρομβόω, ῶ, gerinnen laſſen: eigentlich zu θρόμβος, Klumpen, *grumos* machen; davon —θρόμβωσις, εως, ἡ, das Gerinnen; und Act. gerinnen laſſen oder machen. —θρυλλέω, ausſchwatzen. Pollux 6, 207. —θρώσκω, ſ. v. a. ἐκθορέω. —θύζω. S. ἐκθύω. —θυμαίνω, vom Zorne entbrennen. Antonin. Liber. 7. —θύματα, τὰ, (ἐκθύω) ein febriliſcher Hautausſchlag. —θυμία, ἡ, Muth, Hitze, gleichſ. von ἐκθυμέω. —θυμιάω, ῶ, anzünden, räuchern. —θυμος, ὁ, ἡ, Adv. —θύμως, muthig, raſch, hitzig. —θυσία, ἡ, (ἐκθύω) Zoſimus 2, 1. *ſacrum piaculare*, ſ. v. a. ἔκθυσις. —θύσιμος, ὁ, ἡ, zum Ausſöhnen. S. ἐκθύω. Plutar. Curioſ. p. 58 verbindet ἐκθύσιμα καὶ μιαρὰ, d. i. *piacularia*, verunreinigende Sachen. —θυσις, ἡ, *expiatio*, Verſöhnung, Ausſöhnung, Sühnopfer. Plutar. Mar. 28. S. ἐκθύω; 2) das Ausbrechen; wie ἔκθυμα. Hippocr. —θύω, bey Eurip. Oreſt. ſ. v. a. ἀπόλλυμι. 2) ſ. v. a. *erumpo*, ich breche hervor; davon ἔκθυσις und ἔκθυμα. Heſych hat auch ἐκθύζει, ἐκζεῖ, ἐξεμεῖ, und ἐκθύσαι, ἐξεμέσαι, und ἐκθύσσῃς, ἐκφυσήσῃς, ἐκπνεύσῃς. 3) ἐκθύομαι, ich ſöhne durch ein Opfer aus, verſöhne, ein *portentum expiare*. Theophr. h. pl. 5, 10. metaph. ἐκθ. τὸν φθόνον, den Neid verſöhnen; auch ſ. v. a. *luſtrare*, reinigen durch ein Reinigungsopfer, die Verunreinigung verhüten; daher μιαρὰ καὶ ἐκθύσιμα; überh. ſ. v. a. verabſcheuen. Philo 2 p. 351. δοκεῖ ἐκθύσασθαι τὸ πάθος καὶ μυσαξάμενος: wo falſch ἐνδύσασθαι ſteht; bey Syneſius p. 74 ſteht falſch ἐκθείονται. —θώπτω und ἐκθωπεύω, davon ἔπεισας, ἐξέθωψας. Sophocl. Plutar. 8 p. 100. haſt mich durch Schmeicheley darzu gebracht. Heſych. ἐξέθωψεν, ἐξεθώπευσεν. Dio Caſſ. hat die zweyte Form in dem Sinne des ſimplex, welches die Handſchr. daſ. auch haben. —καγχάζω, ich breche in Gelächter aus. —καθαίρω, ich reinige aus, räume auf; ἐκκαθᾶραι τὸν λογισμὸν τῆς δαπάνης, die Rechnung aufs reine bringen. Plutar. diſcrim. —καθεύδω, *excubo*, *excubias ago*; wie ἐκκοιτέω, ich halte Nachtwache. Xen. Hellen. 4, 24.

'Εκκαίδεκα, οἱ, αἱ, τὰ, ſechzehn; dav. —κάδωρος, ὁ, ἡ, von ſechszehn Palmen, δῶρον. —καετηρὶς, ίδος, ἡ, Zeitraum von 16 Jahren. —καέτης, ου, ὁ, (ἔτος) ſechszehnjährig. —κάπηχυς, ὁ, ἡ, ſechszehn Ellbogen lang. —καστάδιος, ὁ, ἡ, ſechszehn Stadien lang. ἑκκαιδέκατος η, ον, der, die das ſechszehnte —δεκέτης, ὁ, fem. —δεκέτις, ἡ, ſ. v. a. δεκαέτης ſechszehnjährig. —κήρης, εος, ἡ, verſt. ναῦς, (ἐρέσσω) 16 rudriges Schiff.

'Εκκαιρος, ὁ, ἡ, unzeitig, veraltet. —καίω, f. αύσω, anbrennen, ausbrennen, verbrennen; metaph. πόλεμον, anſtiften, entzünden. —κακέω, ῶ, (κάκη) ermüden, den Muth verlieren, vorz. im Unglücke. S. ἐγκακεῖν. —καλαμάομαι, ῶμαι, ich ziehe, hole heraus; von κάλαμος, die Fiſchangel. Ariſtoph. Veſp. —καλέω, ῶ, hervor, heraus rufen oder fordern, heraus locken; med. fur ſich, zu ſich heraus rufen. —καλλύνω, d. verſtärkte ſimpl. καλλύνω; 2) entſtellen; zweif. —κάλυμμα, τὸ, Beweiſs, Merkmal. Plutar. 7 p. 814. von —καλύπτω, aufdecken, entblöſſen, offenbaren. —κάμνω, ermüden, ermatten; τὰς ὀλοφύρσεις. Thucyd. 2, 51. des Klagens müde werden. —κανάξαι, austrinken. S. κανάζω. —καπηλεύω, verhökern, wie Höker verfälſchen; ἵν' ἐκκαπηλευθείη τῆς χώρας ὁ σῖτος, Philoſtr. Apoll. 1, 15. um das Getraide auſser Landes zu verhökern. Heſych. erklärt es d. δολόω, verfälſchen, wie das ſimplex. —καρδιόω, ῶ, entherzen d. i. entſeelen, betäuben; bey den LXX. —καρπίζω, ich nehme Frucht davon; ἄτης ἄρουρα θάνατον ἐκκαρπίζεται. Aeſchyl. das Feld der Sünde bringt den Tod zur Frucht, vom Frevel erndtet man den Tod. —καρπέομαι, οῦμαι, die Früchte ſammeln, genieſsen; bey Thucyd. 5, 28. ἐκκαρπωσάμενοι: nach Suidas προσόδους μεγάλας λαβόντες; davon —κάρπωσις, ἡ, Benutzung, Genuſs.

'Εκκαταγγέλλω, f. ελῶ, aus einer f. Leſ. Plutar. Rom. 13, 3 entſtanden ſt. καταγγέλλω. —ταλείπω, f. Leſ. ſt. ἐγκατ. —τάτασις, ἡ, Einrenkung; wahrſch. eine f. Leſ. ſt. ἐγκατατ. oder κατατ.

'Εκκαυλέω, ῶ, (καυλὸς) in den Stengel ſchieſsen, einen Stengel treiben. —καύλημα, τὸ, ausgetriebener Stengel. —καυλησις, ἡ, das Treiben des Stengels; das Schieſsen in den Stengel.

'Εκκαυλίζω, den Stengel oder mit dem Stengel ausreissen. Aristoph. —καῦμα, τὸ, Zunder, Holz zum anzünden; κριβάνων, Holz, damit die Oefen zu heitzen. Diodor. Sic. eigentlich das angezündete. Plutarch. Cato. min. 1. ἔκκαυμα ψυχῆς, soll ἔγκαυμα heissen, was in der Seele sich einprägt, wie enkaustische Malerey. —καυσις, ἡ, (ἐκκαίω) das Anzünden: Entzünden, Anbrennen, Verbrennen, Entzündung, Erhitzung; dav. —καυστικὸς, ἡ, ὸν, zum anzünden, entzünden, anbrennen, verbrennen gehörig od. geschickt. —κειμαι, ausgesetzt- ausgestellt seyn, offen liegen od. stehn, unterworfen seyn, öffentlich da liegen und bekannt seyn, z. B. Bücher. —κέλευθος, ὁ, ἡ, ausser dem Wege, verirrt. Lycophr. —κέλευστος, ὁ, ἡ, bey Suid. aus Synes. Epist. 73. s. v. a. ἐγκέλευστος. zw. —κενόω, ῶ, f. ώσω, ausleeren. —κεντάω; ἐκκεντέω, ῶ, ausstechen, durchstechen, durchbohren, niederstechen. Polyb. die Form ἐκκεντίζω; zweif. —κέντρος, ὁ, ἡ, excentrisch; davon ἐκκεντρότης, ητος, ἡ, Jambl. Pythag. 3. Excentrizität, das von der Zirkelbahn abweichende, die Abweichung von der Zirkelbahn; das Gegentheil σύγκεντρος, konzentrisch, mit einander in einer Zirkelbahn und um dasselbe Zentrum laufend. —κένωσις, ἡ, Ausleerung. —κεραΐζω, f. ίσω, das verst. κεραΐζω. —κεράννυμι, ἐκκεραννύω, f. ράσω, herausgiessen u. mischen. Athenae. 2 p. 38. —κεχυμένως, Adv. v. partic. perf. pass. von ἐκχύω ausgegossen: wie *effusa*, reichlich, überflussig, übermassig.

'Εκκηραίνω, (κηραίνω) s. v. a. φθείρω. Aeschyl. Eum. 128. —κηρυκεύομαι, bey Pollux 1, 168. wo die Handschr. richtiger ἐπικηρ. haben. —κήρυκτος, ὁ, ἡ, durch den Herold u. öffentlichen Ausruf aus der Stadt, dem Vaterlande fort od. ins Elend vertrieben, gejagt; von —κηρύσσω, ττω, f. ξω, durch den Herold einen aus der Stadt oder aus dem Lande gehn heissen, vertreiben, fortjagen, ins Elend schicken, verweisen. —κιναιδίζω, γυναικίζει καὶ ἐκκεκιναίδισται, Dio Cass. ist ein weibischer Mensch, so feig u. schlechtdenkend, wie ein κίναιδος. —κινέω, ῶ, heraus- wegbewegen; überh. stark bewegen, rühren, ausser Fassung bringen. —κλάω, f. άσω, d. verst. κλάω, brechen, zerbrechen, zernichten, schwächen. Plut. —κλείω, f. είσω, ausschliessen, nicht hineinlassen. —κλέπτω, f. ψω, heraus- od. wegstehlen, entwenden, heimlich heraustragen oder bringen. —κληΐζω, f. ίσω, jon. st. ἐκκλείζω, d. i. ἐκκλείω. —κλη-

ματοῦσθαι, (κλῆμα) vom Weinstocke, ins Holz, in die Ranken treiben. Geopon. 5, 40. S. in ἔγκλημ. —κλησία, ἡ, (ἐκκαλέω) die zusammenberufenen, versammleten Bürger; Volksversammlung in Republicken; auch der Ort wo sie sich versammlen und die Personen, welche versammlet sind. κυρίαι ἐκκλησίαι, heissen zu Athen die ordentlichen und bestimmten Volksversammlungen, 4 während jeder πρυτανεία; die ausserordentlichen σύγκλητοι: wenn der Gegenstand zur Deliberation vorher bekannt gemacht wird, heisst es προγράφειν ἐκκλησίαν; 2) bey den Christen die Kirche. —κλησιάζω, (ἐκκλησία) ich halte Volksversammlung, bin, rede, od. berathschlage in der Volksversammlung; davon —κλησιασμὸς, ὁ, das Halten einer Versammlung, Volksversammlung; das Reden darinne. —κλησιαστὴς, οῦ, ὁ, der in der Volksversammlung spricht. —κλησιαστικὸς, ἡ, ὸν, zur Volksversammlung gehörig; τὸ ἐκκλ. verst. ἀργύριον, das Geld, welches der bekommt, welcher sich in der Volksversammlung zu Athen einstellt. —κλησις, ἡ, (ἐκκαλέω) das Herausrufen, Herauslocken od. Fordern; Reizen. —κλητεύω, f. εύσω, s. v. a. κλητεύω no. 3. κάλει μοι 'Αμύντορα καὶ ἐκκλήτευε, ἐὰν μὴ θέλῃ δευρὶ παρεῖναι. Aeschines. —κλητικὸς, ἡ, ὸν, Adv. —τικῶς, zum heraus- od. hervorrufen gehörig; reizend, erweckend, lockend. —κλητος, ὁ, ἡ, *evocatus*, der aufgeforderte, ausgesuchte, hervorgerufene; 2) an den man appellirt. 3) der ausgewählte Schiedsrichter. οἱ ἔκκλητοι, so wie ἔκκλητος, ἡ, s. v. a. ἐκκλησία, der Ausschuss des Volks, der bey Berathschlagungen berufen wird, zu Lazedämon u. in andern Aristokratien. S. ἔσκλητος. —κλιμα, τὸ, Diodor. 20, 12. s. v. a. ἔκκλισις. —κλίνω, f. νῶ, activ. ich biege ab, aus. neutr. ich weiche aus, ab; ziehe mich zurück; dav. —κλισις, ἡ, die Abweichung, das Aus- od. Zurückweichen. —κλύζω, f. ύσω, ich spüle, wasche aus, ausspeyen. Apollodor. 1, 6. 3. —κλυσμα, τὸ, das ausgespülte, oder gewaschene. Plut. 10 p. 480. —κλώζω, ich pfeife aus. S. κλώζω. —κναίω, f. αίσω, bey Theocr. 15, 88. ἐκκναισεῦντι dor. st. ἐκκναίσουσι, *enecabunt*, wie ἀποκναίω, von lästiger Geschwätzigkeit, betäuben, todten. —κνάω, ἐκκνίζω, Herodot. 7, 239. τὸν κηρὸν αὐτοῦ ἐξέκνησε, wo andre ἐξέκνισε lesen; d. i. auskratzen; von κνάω: da ἐκκνίζειν mit dem Nagel herausreissen, ausbrechen heisst. —κοβαλικεύομαι, durch Schmeicheleyen und

Schmarotzereyen zu gewinnen suchen. Aristoph. Equ. 270. S. κόβαλος.

'Εκκοιλαίνω, aushöhlen. Polyb. 10, 48. —κοιλίζω, f. ίξω, aus dem Bauche nehmen, ausweiden, *eventro*. zweif. —κοιμάομαι, ῶμαι, f. ήσομαι, ich wache auf, habe ausgeschlafen. —κοιτέω, ῶ, ich schlafe draussen, ich bleibe auf, halte Nachtwache; dav. —κοιτία, ἡ, die Nachtwache, Schildwache, die des Nachts ausgestellt wird. —κοκκίζω, f. ίσω, (κόκκος) entkernen, des Kerns berauben; überh. berauben: Aristoph. Pac. 63. τὸ γῆρας, austreiben. Lysistr. 364. τρίχας, vers 448. ausreissen; σφυρὸν Acharn. 179. ausrenken. —κολάπτω, f. ψω, ausschlagen, aushauen, auskratzen, durch pikken aus dem Eye bringen, also ausbrüten, wie ἐκγλύφω; dav. —κόλαψις, εως, ἡ, das Ausschlagen, Ausbauen; Ausbrüten der Eyer.

'Εκκολλαβέω, davon Hesych. ἐκκολλαβήσαντα durch ἐκλακέντα, ἐκφρονήσαντα erklärt: scheint eigentl. vom reissen der Saiten am Wirbel κόλλαβος gebraucht zu seyn. —κολυμβάω, ῶ, f. ήσω, herausschwimmen, durch Schwimmen entkommen. —κομιδὴ, ἡ, (ἐκκομίζω) das Heraustragen; Ausfuhr; das Herausbringen, z. B. der Leiche. —κομίζω, f. ίσω, ich trage heraus, ich begrabe, wie *effero*; ἐκκομίζομαι, ich trage für mich heraus, ich nehme mir heraus, nehme weg. 2) ich ertrage; Eur. Andr. 1266. wie συνεκκομίζω. 3) τὸν σῖτον, Xen. Equ. 4. 2. Il. ε. 359. vom Pferde, welches das Futter aus der Krippe wirft, u. nicht frisst. —κομισμὸς, ὁ, s. v. a. ἐκκομιδὴ. —κομπάζω, das verst. κομπάζω. —κομψεύω, Eur. Iph. Aul. 333. ἐκκεκόμψευσαι, *scitus es*, *argutus*, du bist sehr beredt u. weise. zweif. —κονιόω, f. ώσω, u. ἐκκονίω, Hesych. hat ἐκκονίω für εἰς κόνιν ἀναλύω, in Staub verwandeln; sonst kann es aus- oder abstäuben bedeuten. Bey Hipp. Vict. san. 3, 5. steht ἐκκεκονιωμένοις περιπάτοις; aber die beste Handschr. hat ἐγκονιώμενος δὲ χριέσθω. —κοπεὺς, έως, ὁ, Messer zum aushauen, ausschneiden, wie ἐγκοπεὺς zum Einschnitte. —κοπὴ, ἡ, das Aushauen, Ausschneiden. —κοπος, ὁ, ἡ, s. v. a. ἔγκοπος, ermüdet, ermattet. Suid. —κοπρέω, ich lasse den Mist od. Stuhlgang, gebe ihn von mir. —κοπρίζω u. ἐκκοπρόω, ausmisten, den Mist weg- herausnehmen. —κόπρωσις, ἡ, das Wegnehmen des Mistes. —κοπρωτικὸς, ἡ, ὸν, den Mist wegnehmend od. abführend. —κόπτω, f. ψω, aushauen, umhauen, ausschlagen, ausschneiden, ausmeisseln; metaph. ausrotten, vertilgen, zerstören, *excido*. —κορακίζω, f. ίσω, ich jage fort, weg; ἐς κόρακας, zum Henker. S. κόραξ. —κορέω, ῶ, ich kehre aus, reinige, fege aus; im metaph. Sinne τὸν πολὺν αὐτοῦ τῦφον καὶ τὴν κραιπάλην ἐκκορήσειεν, um seine Dummheit und Trunkenheit wegzuräumen, auszufegen, Alciphron. μὴ ἐκκόρει τὴν 'Ελλάδα, Aristoph. Pac. 59. welches Suid. erklärt verwüste Griechenland nicht durch Krieg; ἐκκορηθείης σύγε, dass du müsstest vergehn! Menander. bey Alciphr. 3 Ep. 62 steht falsch, ἐκκρυριασθείης. Bey Aristoph. Thesm. 760. τίς ἐξεκόρησέ σε, ein Wortspiel, wie entjungfern das Mädchen (κόρη) und die Jungferschaft nehmen; vergl. Horapollo 1, 8. ἐκκόρει κόρε κορώνην. —κορίζω, τοὺς κόρις ἐκκορίσας Anal. Brunk. 2, 203. auswanzen, ein Wortspiel. —κορυφόω, ῶ, λόγον ἐκκορυφώσω, bey Hesiod. s. v. a. ἀνακεφαλαιώσομαι od. ἀπάρξομαι. S. auch συγκορυφόω. —κοσμέω, ῶ, ausschmücken, ausputzen. Aristid. T. 1 p. 148. wo aber die Handschr. κοσμεῖν haben. —κότημα, τὸ, falsch st. ἐγκότημα. —κοτταβίζω, dav. ἐκκεκοτταβισμένος bey Hesych. in ἐκκεκομμένος, der im Spiele sein Geld verlohren hat. —κουφίζω, f. ίσω, erleichtern, erheben: Plutar. —κραγγάνω, u. ἐκκράζω, fut. ξω, aor. 2 ἐκκραγεῖν, aus oder aufschreyen; die erstere Form bey Suidas, welcher auch ἐγκραγάνω hat. —κραιπαλάω, den Rausch ausschlafen; das verstärkte κραιπ. zw. —κραυγάζω, s. v. a. ἐκκράζω. Plutar. 10 p. 517. —κρεμάννυμι, ἐκκρεμαννύω, herabhängen lassen, daran hängen; von —κρεμάω u. ἐκκρέμημι, wovon ἐκκρέμαμαι, ich hänge daran, herab: auch activ. s. v. a. d. vorh. davon —κρεμὴς, έος, ὁ, ἡ, herabhängend, schwebend. —κρημνάω u. ἐκκρήμνημι, hinaushängen; daran davon draussen aufhängen, aushängen: ἐκκρημνὰς τὴν δέλτον. Jambl. Pythag. §. 238. —κρίδδω. S. κρίδδω. —κρίνω, f. ινῶ, auswählen; absondern, mithin bey Seite setzen, verwerfen, nicht wählen; nicht annehmen; absondern, ausmerzen; von sich geben; abführen: oppos. εἰσκρίνω. —κρισις, ἡ, Absonderung, Absonderung der Dünste, des Schweisses, der Nahrung; Abführung. —κριτικὸς, ἡ, ὸν, zum absondern od. abführen gehörig oder geschickt. —κριτος, ὁ, ἡ, abgesondert, ausgewählt, auserlesen, abgeführt, getrennt. —κροτέω, herausschlagen oder treiben. Joseph. b. jud. 6, 2. —κροτος, ὁ, ἡ, συνθήκη, Photius Cod. 138. eine lösende Composition, wegen der Zusammenstellung der Vokale.

'Εκκρουσις, εως, ἡ, das herausschlagen od. stoſsen, vertreiben. —κρουστος, ὁ, ἡ, ausgeschlagen, ausgestoſsen, ausgetrieben. Aeschyl. S. 544. ἐκκρουστον δέμας, von erhabener Arbeit; von —κρούω, f. ουσω, ausschlagen, ausstoſsen, austreiben, wegtreiben, vertreiben; neutr. ausbrechen. τῶν κροτάφων κέρατα ἐκκρούει. Philostr. Apoll. 1, 19. —κτυπέω, ich breche mit Lärm, Getöſe heraus- hervor. —κυβεύω, f. εύσω, auswürfeln, ausspielen; metaph. τοῖς ὅλοις, ich setze das Wohl des Ganzen, mein ganzes Wohl aufs Spiel. χιλίους ἐκκυβευθεῖσα δαρεικούς. Plut. Artax. 17. im Spiele darum gebracht. —κυβιστάω, ῶ, ich stürze mich über den Kopf heraus. —κυκλέω, ῶ, wird eigentlich von den Dingen und Personen gebraucht, die auf dem Theater durch Umdrehung einer Maschine mit Raderwerk (ἐκκύκλημα u. ἐξώστρα) den Zuschauern dargestellt oder gezeigt werden; daher vorzeigen, entdecken, offenbaren: ἀλλ' ἐκκυκλήθητι, zeige dich doch. Aristoph. Acharn. 407. das Gegentheil heiſst εἰσκυκλεῖν den Zuschauern den Gegenstand durch die Maschine entziehn. —κύκλημα, τὸ. S. ἐκκυκλέω. —κύκλιστος στέφανος, sonst κυλιστὸς, Athenaei 15, 7. Pollux 7, 199. ein Kranz so fest gebunden, daſs er sich rollen laſst. —κυλίω, ἐκκυλινδέω, ἐκκυλίνδω, heraus- auswickeln oder wälzen, abwerfen, vom Pferde. Pollux 1, 198 εἰς ἔρωτας ἐκκυλισθεὶς: Xen. Memor. 1, 2, 22. εἰς φαυλότητα, wie sonst ἐξάγεσθαι, ἐκφέρεσθαι, ἐκχύεσθαι u. *ad audendum, ad libidines projectus*, ausgelaſsen und ganz den Lüsten ergeben. —κυμαίνω, f. ανῶ, überfluten, überwogen, im marschiren über die Linie kommen: Xen. Anab. 1, 8, 18. auswerfen durch die Wellen. Plutar. 7 p. 407. —κύμανσις, ἡ, das Ueberströmen, Auswerfen durch die Fluten. zw. —κυματίζω, f. ίσω, s. v. a. ἐκκυμαίνω. zw. —κυνηγετέω, jagen, auf der Jagd verfolgen, überh. verfolgen. Eur. Jon 1422. —κυνος, ὁ, ἡ, κύων, Xen. Cyn. 7, 10. ein Spürhund, der immer reviert, nicht eine Spur verfolgt. Das Wort ἐκκυνεῖν in demselben Sinne hat Pollux 5, 65. u. Hesych. so wie προκυνεῖν, vor der Zeit anschlagen. —κύπτω, f. ψω, heraus- hervorkucken; übergetr. hervorsehn, hervorsehn; act. hervorstecken. τὴν κεφαλὴν, Aelian. h. a. 15, 21. —κωδωνίζω, f. ίσω, ausbreiten, unter die Leute bringen; s. v. a. διακωδ. —κωμάζω, f. άσω, was εἰσκωμάζω mit der Bewegung hinein, daſſelbe ist ἐκκ. mit der Bewegung heraus; heraus im κῶμος gehn oder kommen, überh. heraus oder ausgehn mit Ungestüm, u. s. w. —κωπέω. S. in κωπεύω. —κωφέω, ῶ, od. ἐκκωφόω, betäuben, taub machen; übergetr. stumpfen, abstumpfen: bey Synes. Ep. 4. ἐξεκεκώφει τὸ κάθαρμα, war taub.

'Εκλαγχάνω, durch's Loos bekommen. Sophocl. bey Hesych. auch s. v. a. διαλαγχάνω. —λάθω, das Stammwort v. ἐκλανθάνω. —λακτίζω, f. ίσω, ausschlagen mit den Hinterfüſsen, von Thieren; überh. die Füſse hintenaus in die Höhe werfen, mit Verachtung von sich stoſsen. Theophyl. —λάκτισμα, ατος, τὸ, ein Sprung oder Tanz, wobey man mit den Fuſsen gleichsam ausschlägt oder sie in die Höhe zurückwirft. —λακτισμὸς, ὁ, das Ausschlagen mit den Füſsen; auch s. v. a. das vorh. —λαλέω, ῶ, ausreden, aussprechen, aussagen, ausplaudern, bekannt machen; davon —λάλησις, ἡ, Pollux 5, 147. das Aussprechen. —λαμβάνω, f. λήψομαι, ich nehme heraus, bekomme von, genieſse davon; 2) ich wähle davon; 3) ich nehme bedungene Arbeit an, so wie ἐκδίδωμι ich verdinge. ἐκλαβὼν παρὰ τῆς πόλεως πίνακα γράψαι, *tabulam pingendam conduxit*, bekam ein Gemälde zu machen und nahm es an. Plutar. u. Herodot. 9, 95. —λαμπάνω, zw. Les. bey Hippocr. Coa. Praen. c. 13. —λαμπρός, ὁ, ἡ, sehr glänzend, hell. Plato. Phaedo 59. zw. —λαμπρύνω, hervorleuchten laſſen; med. hervorleuchten, wie ἐκλάμπω. —λάμπω, f. ψω, hervorleuchten oder glänzen, hervorstrahlen, sich plötzlich hervorthun und sich in seinem Glanze oder in seiner ganzen Kraft und Stärke zeigen; auch vom Fieber. Hippocr. davon —λαμψις, ἡ, ein von einem Körper ausgehender Strahl, Glanz, Licht. —λανθάνω, s. v. a. ἐκλήθω; im med. vergeſſen; m. d. genit. —λαξεύω, f. ευσω, aushauen in Stein. Deuteron. c. 10. —λαπάζω, s. v. a. ἐξαλαπάζω, ich leere aus; 2) ich zerstöre, verwüste. 3) ἐδωλίων ἐκλαπάξαι, Aeschyl. S. 458. aus dem Wohnsitze werfen. —λάπτω, f. ψω, ich saufe, trinke aus. S. λάπτω, ich verschlinge. Lycophr. 1201. —λατομέω, ῶ, φρέαρ u. λάκκους, bey den LXX. aushauen im Felsen. —λαχαίνω, f. ανῶ, ausgraben, aushohlen. zw. —λαχανίζομαι, das Kraut abschneiden: Theophr. h. pl. 7, 11. —λεαίνω, f. ανῶ, aus- abglätten, reiben oder poliren, mindern, wegwischen. —λέγω, f. ξω, auslesen, auswählen, aussuchen; davon oder wegnehmen, hinnehmen, ausheben, werben, eintreiben, einfordern.

'Εκλειγμα, τὸ, od. ἐκλεικτὸν, ἐκλεικτικὸν, (ἐκλείχω) ecligma electuarium, Medizin im Munde zu halten, und davon zu lecken, daran zu saugen; wie z. B. am Liquiritiensafte. —λειοτριβέω, ῶ, das verst. λειοτρ. zw. —λειπία, ἡ, τῆς πίστεως. Joseph. Antiq. 19, 3. das Brechen, Ermangeln der Treue. —λειπτικὸς, ἡ, ὸν, mangelhaft, zur ἔκλειψις gehörig; von —λείπω, f. ψω, auslassen, verlassen, unterlassen, vorbeylassen, übergehen, unterbrechen: neutr. wie im pass. ermatten, erschlaffen, mangeln, fehlen, ausgehn, verschwinden; ohnmächtig werden, sterben. —λειτουργέω, bey Isaeus τίνα λειτουργίαν οὐκ ἐξελειτούργησεν, s. v. a. λειτουργέω. —λείχω, ausdavon- weglecken, belecken. —λειψις, ἡ, das Ermangeln, Unterlassen, Verlassen: neutr. das Ausbleiben, Verschwinden, Wegbleiben, z. B. des Mondes, der Sonne; Mond-Sonnenfinsterniss. —λεκτικὸς, auslesend. οἱ —Eklektiker, Philosophen, die von den übrigen Sekten nur einiges wählten und annahmen. —λεκτὸς, ἡ, ὸν, Adv. —λέκτως. (ἐκλέγω) auserwählt, auserlesen, ausgesucht. —λελάθω, u. ἐκλελάθομαι, s. v. a. ἐκλήθω, ἐκλήθομαι, Hymn. Ven. 40. ich mache vergessen, ich vergesse. —λελυμένως, Adv. vom partic. perf. pass. v. ἐκλύω, lose, nachlässig, schlaff, ausgelassen u. dergl. —λεμμα, τὸ, das Abgeschälte, die Rinde. —λεξις, ἡ, Auswahl; das Aussuchen. —λεπίζω, f. ίσω, (λέπος die Schaale, Rinde) ich mache von der Schaale, Rinde los, ziehe die Schaale, Rinde ab, vorzüglich von Hünern, die Eyer ausbrüten und die Jungen aus der Eyerschaale hervorbringen; sonst auch ἐκκολάπτειν u. ἐκγλύφειν; davon —λέπισις, ἡ, das Abziehn der Schaale, Rinde. 2) das Ausbrüten der Eyer. —λεπτος, ὁ, ἡ, sehr dünne oder fein. zw. —λεπτουργέω, ῶ, ins Kleine gehn; im Detail ausarbeiten. Synesius. p. 30. —λεπτύνω, sehr dünne oder mager machen. Geopon 16, 6. —λέπω, f. ψω, s. v. a. ἐκλεπίζω, ausschälen, abschälen. Hippocr. —λευκαίνω, f. ανῶ, sehr weiss machen. zw. —λευκος, ὁ, ἡ, weisslicht. —λήγω, f. ξω, ablassen, aufhören. Sophocl. —ληθάνω, od. ἐκλήθω, ich mache vergessen; med. ich vergesse, davon ἐκλήσομαι fut. u. aor. 1. m. d. genit. —λήπτωρ, ορος, ὁ, (ἐκλαμβάνω) der übernimmt; im Glossar. Steph. conductor, exceptor. —ληρέω, ῶ, das verstärkte ληρέω: bey Polyb. 15, 26. scheint es activ. zu stehen, für zum Narren halten und mit Possen fortschicken. —λησις, ἡ, (ἐκλήθω) Vergessenheit: —λῆψις, ἡ, das Herausnehmen; Ausnahme. S. ἐκλαμβάνω.

'Εκλιθάζω, f. άσω, zu Stein machen; zw. bey Theophr. h. pl. 5, 3. ἐάν τις ἐκλιθασθῇ λίθον. fehlerh. —λιθολογέω, ῶ, Steine auslesen, von Steinen reinigen. Theophr. —λικμάω, ῶ, f. ήσω, auswurfeln und reinigen, evannere. —λιμία, ἡ, Heisshunger: Deuteron. 28. von —λιμνόω, u. ἐκλιμνάζω, (λίμνη) ganz zum See, stehenden Wasser machen; das zweyte bey Heracl. Alleg. c. 9. u. Appian. —λιμος, ὁ, ἡ, ausgehungert. Theophr. c. pl. 2, 6. —λιμπάνω, eine andre Form von ἐκλείπω. —λινάω. S. λινάω. —λινέω, ῶ, (λίνον) aus dem Netze entwischen. —λιπαίνω, f. ανῶ, fett machen; bey Pollux 1, 185. glatt machen, streichen. —λιπαρέω, ῶ, erflehen, erbitten, sehr bitten. —λιπὴς, έος, ὁ, ἡ; (ἐκλείπω) mangelnd, fehlend, übersehn. —λογίζομαι, bey Appian haufig statt entschuldigen; so wie auch ἐκλογίζεσθαι u. zwar τὴν ἀνάγκην, sich mit der Nothwendigkeit entschuldigen: ὑπὲρ, περὶ τούτων, auch ohne Praep. ἐξελογεῖτο τῆς ἀνάγκης, auch mit d. accus. c. infinit. —λογεὺς, έως, ὁ, (ἐκλέγων) der einfordert, einsammlet. —λογὴ, ἡ, (ἐκλέγω) Auswahl, ausgewähltes Stück; das Einsammlen, Einfordern. —λογία, ἡ, s. v. a. ἐκλογή: Dionys. hal. 5 p. 417. zw. —λογίζομαι, f. ίσομαι, ausrechnen, berechnen, überrechnen; daher überlegen, bedenken; 2) auch s. v. a. ἐκλογέομαι; davon —λογισμὸς, ὁ, Ausrechnung, Berechnung, Schatzung, Ueberlegung; s. v. a. λογισμός. Otho 9. —λογιστὴς, οῦ, ὁ, der Rendant, Berechner. —λογιστία, ἡ, Berechnung, Auszahlung. Tobiae 1, 21. —λογος, ὁ, ἡ, ausser der Rede. Aeschylus Hesych. —λουτρον, τὸ, Pollux 10, 46. Gefäss zum auswaschen; von —λούω, f. ούσω, auswaschen. —λοφίζω, (λόφος) ἡ δὲ γῆ ἐκ τῶν Δικαιαρχείας λόφων ἐξελοφίζετο, die Erde ward aus den Hügeln von Puteoli ausgegraben: Suidas in ἐξελοφίζετο. —λοχεύω, f. εύσω, gebähren. Pollux 4, 208. —λοχίζω, f. ίσω, aus einer Kohorte (λόχος) auswählen. Cantic. Salom. 5. darein vertheilen. zw. —λοχμόομαι, οῦμαι, zum Busche (λόχμη) werden. Theophr. c. pl. 3, 2. —λυμάδες, αἱ, aus Sophocles Pollux 7, 109. wofür aber 10, 110. ἐκκαύματα steht. —λυπος, ὁ, ἡ, (λύπη) sehr traurig. zw. —λυρος, ὁ, ἡ, (λύρα) πνεύμων ἔκλυρος sagt Eupolis Athenaei 1 p. 22. Plutar. Q. S. 7, 1. u. Macrob. Satur. 7, 15. welches Hesych. durch nass, feucht, erklärt.

Ἔκλυσις, ἡ, Auslöſung, Auflöſung; mithin Befreyung: der Glieder, der Kräfte, d. i. Erſchlaffung, Schwäche, Ohnmacht. —λυσσάω, ῶ, das verſtärkte λυσσάω: Joſeph. antiq. 13, 16, 2. —λυτήριος, ὁ, ἡ, (ἐκλυτὴρ) zum Auslöſen gehörig. zweif. —λυτος, ὁ, ἡ, Adv. ἐκλύτως, (ἐκλύω) aufgelöſt; daher erſchlafft, ſchwach. —λυτρόω, ſ. v. a. ἀπολ. auslöſen; davon —λύτρωσις, εως, ἡ, Auslöſung, bey den LXX. —λύω, f. ύσω, auslöſen, auflöſen, losmachen, befreyen, trennen, ſchwächen, erſchlaffen, entkräften. —λωβάω, f. ήσω, das verſtärkte λωβάω. zw. —λωπίζω, f. ίσω, (λῶπος) ἐκ δ' ἐλώπισε πλευρὰν ἅπασαν, Sophocl. Trach. 942. entbloſsen vom Kleide. —λωτίζω, ſ. v. a. ἐπολωτίζω.

Ἐκμαγεῖον, τὸ, (ἐκμάσσω) woran man ſich abwiſcht. 2) der Abdruck. 3) die Maſſe, worein man abdruckt, wie Gyps, Wachs. —μαγέω, ſ. v. a. ἐκμάσσομαι u. ἐκμάσσω, ich bilde ab, mache od. ahme nach. Heſychius und Suidas. —μαγμα, τὸ, (ἐκμάσσω) das aus oder abgedrückte; ein Abdruck in Wachs und dergl. metaph. Ebenbild. Ariſtoph. Thesm. 514. αὔτ' ἔκμαγμα σόν, ganz dein Ebenbild, vom Kinde; bey Hippocr. ſ. v. a. κροκόμαγμα. —μάζω, ſ. v. a. ἐκμάσσω. —μαίνω, ich bringe in Wuth oder wüthende Liebe. Eur. Bach. 36. πᾶν τὸ θῆλυ σπέρμα ἐξέμηνα δωμάτων, habe ſie wüthend aus den Häuſern geführt. med. ἐκμαίνομαι, ich gerathe in Wuth, Zorn, Liebe, bin wüthend. —μακαρίζω, das verſtärkte μακαρίζω. —μακτρον, τὸ, Eur. El. 535. ſ. v. a. ἔκμαγμα. —μαλάσσω, ἐκμαλάττω, f. ξω, und ἐκμαλθακόω, ich erweiche und verderbe dadurch. —μανής, ὁ, ἡ, Adv. —νῶς, ſehr raſend; auch von allen heftigen Leidenſchaften. —μανθάνω, f. θήσομαι, ich lerne auswendig; auch ſ. v. a. μανθάνω, ich verſtehe. Herodot. 5, 91. —μαξις, ἡ, (ἐκμάττω) das Aus- Abwiſchen; Abdrücken. —μαραίνω, f. ανῶ, austrocknen, vertrocknen, verſchmachten laſſen. —μαργόω, das verſtärkte μαραίνω. —μαρτυρέω, εἰς πολλοὺς ἐκμαρτυρῆσαι, Aeſchines: vor vielen als Zeuge ausſagen; überh. zeugen, Dionyſ. Ant. 7, 33. 2) abweſend od. krank ſein Zeugniſs geben; davon —μαρτυρία, ἡ, ἐκμαρτύριον, τὸ, das Zeugniſs eines Abweſenden oder Kranken. —μάσσω, ἐκμάττω, f. ξω, ich drücke aus, reibe aus, wiſche aus. S. μάσσω: Hippocr. σπόγγους βρέχων καὶ ἐκμάττων. Ariſtot. v. den Bienen; ἐκμάττουσι τοὺς ἐμπροσθίους πόδας εἰς τοὺς μέσους, ſie wiſchen den geſammleten Blumenſtaub an den vordern Fuſsen ab auf die mittelſten; ἀλείφειν ἐς κοίτην καὶ ἐκμάσσειν, auf das Lager ſchmieren und von den Fingern abſtreichen. ἔκμασσε τῷ δακτύλῳ τοὺς τόπους, und beſtrich mit dem Finger die Stellen; 2) ich drücke ab, bilde ab, mache nach; im med. ἐκμάσσομαι, ich ahme nach; ἐκμάξαι δακτύλιον, *fingere pastillum*, einen runden Kuchen bilden. S. ἀπομάσσω. Plato resp. 3. αὐτὸν ἐκμάττειν τε καὶ ἐνιστάναι εἰς τοὺς τύπους, ſich modeln und abdrücken. —μαστεύω, aufſuchen, nachſpüren. —ματαιόομαι, οῦμαι, (μάταιος) vereitelt werden; zweif. —μεθύσκω, berauſchen, betrunken machen. —μειλίσσω, f. ίξω, beſänftigen. —μέλεια, ἡ, das verfehlen der Melodie, μέλος; Fehler im Singen oder Spielen eines Inſtruments. Dionyſ. Comp. 2. das Gegentheil iſt ἐμμέλεια. —μελετάω, ῶ, durch Uebung jemand völlig unterrichten: Plato; auch von Künſten, die man treibt und auslernt, auch ſ. v. a. μελετάω. —μελής, έος, ὁ, ἡ, Adv. —λῶς, (μέλος) ſorglos, miſshellig, unharmoniſch, unpaſſend, unordentlich. Heſych hat auch ἔκμελος, ἀδύναμος. —μελίζω, (μέλος) in Stücken hauen. —μετρέω, ῶ, ausmeſſen, vermeſſen; davon —μέτρησις, εως, ἡ, Ausmeſſung, Vermeſſung. —μετρος, ὁ, ἡ, Adv. ἐκμέτρως (μέτρον) opp. ἔμμετρος, übermaſsig; ohne Maas. —μηκύνω, verlängern, in die Länge ziehen. —μηνίω, in Zorn gerathen. Heſych.

Ἕκμηνος, ὁ, ἡ, (ἕξ, μὴν) ſechsmonatlich.

Ἐκμηνύω, anzeigen, bekannt machen, verrathen. —μηρύω, ἐκμηρύομαι, ich wickle heraus, aus einander, wie einen Knäuel; figürl. von der Armee, wie *explico*, heraus defiliren laſſen; auch neutr. defiliren. S. μηρύω. —μιαίνω, bey Ariſtoph. Ran. 766 ἐκμιαίνομαι, ich bekomme den Saamenfluſs. S. μίασμα. —μιμέομαι, οῦμαι, ich drucke etwas durch Nachahmung eines Originals aus. —μισέω, des verſtärkte μισέω. Plut. Pelop. 12. —μισθος, ὁ, ἡ, Adv. —θως, ſ. v. a. ἀπόμισθος. —μισθόω, ῶ, gegen Lohn verdingen; davon —μίσθωσις, ἡ, Verdingung gegen Lohn. —μολέω, ῶ, und ἐκμόλω, heraus- hervorgehen. —μόργνυμι ſt. ἐξομόργνυμι; zw. S. in ὀμόργνυμι. —μορφόω, ῶ, abformen, abbilden; ſ. v. a. d. ſimpl. mit διατυπόω. Plutar. —μουσόω, (μοῦσα) Eur. Bach. 873 ſ. v. a. ἐκπαιδεύω. —μοχθέω, ῶ, ἄθλοις, mit Mühe vollenden. Plutar. δεσμοῖς ἐκμεμόχθηνται hat derſelbe Conſol. p. 327. H. aus Euripides, wo man aber ἐκμεμόχλῆνται verbeſſert; von —μοχλεύω, mit Hebeln oder überh. mit Gewalt herausheben - herausbringen oder reiſſen.

Ἐκμυελίζω, (μυελὸς) entmarken; zw. —μυζάω, ἐκμυζέω, ῶ, ausſaugen; davon —μύζησις, εως, ἡ, das Ausſaugen. —μυθόω, Philoſtr. Icon. 1, 3. zu einem μῦθος, Fabel oder zum Gegenſtande einer Fabel machen. —μυκτηρίζω, bey Suidas βδελύττομαι, eigentl. ſ. v. a. χλευάζω; davon —μυκτηρισμὸς, bey Heſych. ſ. v. a. χλευασμὸς. —μυστίζω, d. i. ἀμυστὶ ἐκπίνω. Plato comic. in Caſaub. ad Athen. p. 783. ἔκπιε κἀξεμύστισε, ſoll wahrſch. κἀξαμυστ. heiſsen, welches Wort Suidas hat. —ναρκάω, ῶ, das verſt. ναρκάω, erſtarren. —ναυλόω, ῶ, und ἐκναυσθλόω, zu Schiffe ausführen; fort- oder wegbringen. —νεάζω, jugendlich aufwachſen: σπόρου πυροῦ ἐκνεάζοντα. Lucian. —νέμομαι, ich weide aus- ab. 2) ich gehe zum weiden aus; überh. ich gehe aus; mit πόδα. Sophocl. Aj. 369. —νεοττεύω, ausniſten, ausbrüten. Ariſtot. Mirab. c. 138. —νευρίζω, entnerven, entſehnen, die Nerven od. Sehnen zerſchneiden, entkräften. —νευρόκαυλος, ὁ, ἡ, mit nervichtem Stengel. Theophr. zweif. —νευσις, ἡ, das Abwenden des Kopfs auf die Seite, um auszuweichen, abzuſtreifen u. ſ. w. von —νεύω, mit auf die Seite gebogenem Kopfe auszuweichen. Xen. Ven. 10, 12. oder auch vom Pferde, vom Kopfe oder über den Kopf abſtreifen. Equ. 5, 41. 10, 12. überhaupt ausweichen. Polyaeni 4, 3, 17. —νέφελος, ὁ, ἡ, (νεφέλη) aus den Wolken kommend; ſ. v. a. d. folgd. —νεφίας, ὁ, verſt. ἄνεμος, ein Orkan, nach Theophr. wenn Winde in den Wolken gegen einander ſtoſsen u. daraus losbrechen; vergl. Ariſtot. de Mundo 4, 11. u. Seneca. Q. N. 5, 12. ὄμβρος, Regen mit Sonnenſchein. Galeni Gloſſ. —νέω, f. εύσω, heraus- daraus- wegſchwimmen; durchs Schwimmen entkommen. —νηπιόω, entkindern, alſo klug machen. Philoſtr. Apoll. 5, 14. —νηστεύω, ausfaſten, faſten. Plutar. Q. S. 6, 1. u. Hippocr. —νήφω, f. ψω, ἐξένηφε τὴν αἴσθησιν. Aretaeus 4, 3. eigentlich nach einem Rauſche ausſchlafen und ſeine Sinne wieder bekommen. τῆς δυσθυμίης 3. 6. das Gegentheil vom μεθύειν δυσθυμίᾳ. —νήχομαι, f. ήξομαι, ſ. v. a. ἐκνέω. —νηψις, εως, ἡ, (ἐκνήφω) das wiedernüchtern werden, das Ausſchlafen des Rauſches, das verſtändigwerden. —νικάω, beſiegen; bekämpfen: ὄντα ἀνεξέλεγκτα καὶ τὰ πολλὰ ὑπὸ χρόνου αὐτῶν ἀπίστως ἐπὶ τὸ μυθῶδες ἐκνενικηκότα Thucyd. ſo ſagt Dionyſ. hal. 6 p. 883 ἀλλ' ἐκνενίκηται ταῦτα τῷ περιέργῳ καὶ περιττῷ μηδὲ ἡδέα εἶναι μήτ' ὠφέλιμα, durch das übermäſsige Alterthum ſind ſie ſo verwandelt, verändert, durch das Geſuchte und Gekünſtelte ſind ſie ſo verſtellt worden, daſs u. ſ. w. gewöhnlicher wird es neutr. gebraucht von Dingen die allgemein Mode, Sitte werden, in Gebrauch kommen: ὀνομασθῆναι καὶ τούτους ἐξενίκησεν εἵλωτας. —νίκημα, τὸ, das beſiegte, erkämpfte. —νίκησις, ἡ, Beſiegung, Erkämpfung; auch die juriſtiſche *evictio.* —νίπτω, f. ψω, auswaſchen, ausſpülen, reinigen. —νιτρόω, ῶ, mit Nitrum ausreiben u. waſchen. —νιψις, ἡ, (ἐκνίπτω) das Auswaſchen, Reinigen. —νοια, ἡ, (ἔννοος) Sinnloſigkeit; zw. —νομὴ, ἡ, das Abweiden; Weide. Dionyſ. hal. —νόμιος, ὁ, ἡ, Adv. —ίως, oder ἔκνομος, ὁ, ἡ, ungeſetzmäſsig, ungewöhnlich, ungebräuchlich. Pind. Nem. 1, 86. ἐκνόμιον λῆμα. u. Ariſtoph. Plut. 981. 992. —νοος, contr. ἔκνους, ὁ, ἡ, (νοῦς) ohne Verſtand, ſinnlos. —νοσηλεύω, ſ. v. a. ἐκθεραπεύω, von einer Krankheit heilen und ſich erholen laſſen. —νοσφίζω, bey Heſych. ſ. v. a. ἐκβάλλω, herauswerfen.

Ἐκξυλόω, ῶ, verholzen, zu Holz machen.

Ἑκοντὶ, Adv. (ἑκὼν) freywillig, von freyen Stücken.

Ἑκουσιάζομαι, (ἑκούσιος) ich thue etwas freywillig, von ſelbſt: davon —σιασμὸς, ὁ, die freywillige Handlung. —σιος, ὁ, ἡ, (ἑκὼν, ἑκοῦσα) freywillig, ſ. v. a. ἑκών: davon ἑκουσία verſt. γνώμη ſ. v. a. ἑκουσίως *ſponte*, freywillig. —σίως, Adv. ſ. v. a. ἐκπάγλως.

Ἐκπαγλέομαι, οῦμαι, m. d. Accuſ. ich bewundere, erſtaune über etwas. Herodot. 7, 181. 8, 92. 9, 47. wo die Handſchr. ἐκπλαγέομαι haben. —παγλον, Adv. ſ. v. a. ἐκπάγλως. —παγλος, ὁ, ἡ, ſt. ἔκπλαγος, von ἐκπλήττω vorzüglich, *eximius*; was Bewunderung und nach Beſchaffenheit der Sache Erſtaunen oder Schrecken verurſacht. Auch Xenoph. ſagt: ἐκπαγλοτάτοις ὅπλοις κατακεκοσμημένος, wo der Gegenſatz τῆς πόλεως ὅλης εὐόπλου οὔσης zeigt, daſs es vorzügliche, ſchöne, gute Waffen bedeutet. Das Adverb. ἐκπάγλως, auch ἔκπαγλα und ἔκπαγλον bedeutet alſo ſ. v. a. das lat. *vehementer*, ſehr vorzüglich, bewundernswürdig, auf eine erſtaunliche oder ſchreckliche Art. —παθαίνομαι περὶ τὰς ὀρέξεις, Clemens Paedag. 2 p. 231. ſ. v. a. ἐκπαθὴς γίγνομαι. —πάθεια, ἡ, ſ. v. a. πάθος, Longin 38. 2. von —παθὴς, ὁ, ἡ, Adv. —θῶς, auſser Schaden, Gefahr; unverletzt; 2) heftig, in Leidenſchaft gebracht. —παιδεύω, ich erziehe u. unterrichte vom erſten Alter an, erziehe groſs, unterrichte. —παι-

Φάσσω, ich renne in der Hitze, Wuth heraus zum Gefechte. S. παιφάσσω.

Ἐκπαίω, ſ. v. a. ἐκπίπτω; 2) ſ. v. a. ἐκβάλλω, wie ὑπερπαίω ſt. ὑπερβάλλω. Eur. Herc. 460. δόξης με ἐξέπαισαν ἐλπίδες. vergl. v. 773. Andere leiten es v. ἐκπαίζω ab. — παλαι, Adv. (πάλαι) ſeit langer Zeit. — παλαίω, ich handle wider die Geſetze der Fechterkunſt. Philoſtr. Icon. 1, 6. — παλέω, (ἐκπάλλω) Hippocrates braucht das Wort von den Gelenken oder Gliedern, die aus ihrer Fuge ſpringen und verrenkt werden: ἐκπαλὲς ἄρθρον, ausgerenktes Gelenk, Glied; alſo iſt ἐκπαλῆσαί ſ. v. a. ἐξαρθρῶσαι. S. auch ἀποπάλησις u. παλαίω no. 2. — παλὴς, ὁ, ἡ, ausgeſprungen, herausgerenkt. S. ἐκπαλέω. — πάλησις, ἡ, ſ. v. a. ἐξάρθρωσις. — πάλλω, davon σπονδυλίων ἔκπαλθ' ὁδ'. Il. 20. ſprang heraus. — πανουργέω, das verſtärkte πανουργέω; zweif. — παντὸς, Adv. ſt. ἐκ παντὸς, im Ganzen, überhaupt ganz u. gar, auf alle Weiſe. — παππόω, (πάππος) von Pflanzen ἐκπαπποῦνται, deren Blüthe einen Federbuſch auf dem Saamen anſetzt, *in pappos abit.* 2) in einem andern Sinne hat es Theophr. c. pl. 1, 9. — παραβόλως, Adv. Joſeph. b. jud. 7, 6, 5 falſch ſt. ἐκ παραβόλου oder ἐκ παραβολῆς; bey Heſych. ἐκ παρακινδυνεύματος, mit Muth, ſehr kühn. — παρθενεύω, entjungfern: zweif. — παρίστημι, heraus und dabey ſtellen, hinſtellen; zweif. — παταγέω, durch Geräuſch od. Getöſe betäuben. Themiſtius or. 21. bey Heſych. ſ. v. a. ἐκφωνέω. — πατάσσω, f. ξω, erſchrecken, beſtürzt machen; davon ἐκπεπαταγμένος. Odyſſ. ſ. v. a. ἐκπεπληγμένος. — πατέω, ῶ, ſ. διεκπατέω. — πάτιος, ια, ιον, (πάτος) Aeſchyl. Agam. 40 ἄλγος, auſserordentlich; exorbitant; auch bey Hippocr. erklärt Erotianus ἐκπατίῃ d. ἐκτρόπως, und erinnert, daſs andere ἐκπάγλως läſen. — πάτριδος, nach Heſych. ſ. v. a. ἀνόμοις; zweif. — παύω, ſ. v. a. ἀναπαύω; davon ἔκπαυμα ſ. v. a. ἀνάπαυμα; bey Heſych. — παφλάζω, von kochenden Körpern, die Blaſen mit Gewalt auswerfen und platzen. Ariſtot. Probl. 24, 9. wo es auch vom Silber ſteht, welches mit dem Getoſe platzt; davon ἐκπαφλασμὸς, das aufplatzen oder herausſpringen kochender oder im Feuer liegender Körper. — παφλασμὸς, ὁ, das Aufwallen mit einem Geplatze. S. παφλάζω. zweif. — παχύνω, f. νῶ, das verſt. παχύνω. — πείθω, f. σω, bereden, überreden, Plut. Flamin. 10. — πειράζω, f. άσω, oder ἐκπειράω, ἐκπειράομαι. Ariſtoph. Equ. 1234. ausforſchen, verſuchen, proben.

Ἐκπεκτέω, ſ. v. a. τίλλω u. κτενίζω. Heſych. — πελεκάω, ῶ, f. ήσω, mit der Axt aus- ab- durchhauen. — πελέω, dav. ἐκπέλει, ſ. v. a. ἔξεστι. Soph. Ant. 478. — πέμπω, f. ψω, ich ſchicke heraus, ſchicke aus, laſſe heraus. med. ἐκπέμπομαι, ich gehe heraus., bey Soph. Oed. tyr. 951. ich hole heraus, wie πέμπομαι ſt. μεταπέμπεσθαι, holen laſſen; dav. — πεμψις, ἡ, das Herauslaſſen, Fort- od. Wegſchicken, Wegſenden. — πεπαίνω, f. ανῶ, ganz reif od. weich machen. Theophr.

Ἐκπεπταμένος, Adv. —νως, v. Part. perf. paſſiv. von ἐκπετάννυμι, ausgebreitet, geöfnet, offen. — πέπτω, f. ψω, ich koche aus, verdaue. Aretaeus 4, 3. — περαίνω, f. ανῶ, ich bringe zu Ende, ich gehe durch bis ans Ende. — πέραμα, τυ, (ἐκπεράω) δωμάτων Aeſchyl, Choe. 653. der Ausgang, das Herauskommen aus dem Hauſe. — περάω, ῶ, f. ήσω, άσω, ſ. v. a. ἐκπεραίνω, ich bringe bis ans Ende, bringe durch, ſetze über: ich gehe durch, darüber, ich gehe heraus. — περδικίζω, f. ίσω, (πέρδιξ) ich entwiſche, fliehe davon wie das Rebhun. Ariſtoph. Av. 768. aus derſelben Stelle hat Suidas διεκπερδ. u. Heſych. διαπερδ. genommen. — πέρθω, f. έρσω, verwüſten, zerſtören. — περιάγω, f. άξω, heraus od. weg u. herumführen. — περίειμι, u. ἐκπεριέρχομαι, heraus od. weg und herumgehen. — περιίξις, ἡ, (ἐκπεριικνέομαι) Syneſ. p. 29. das umhergehn, durchſtreifen. — περιλαμβάνω, f. λήψω, p. εἴληφα, daraus od. davon nehmen u. umfaſſen. — περινοστέω, ῶ, ſ. v. a. ἐκπερίειμι. Syneſ. — περιοδεύω, umgehen, umzingeln, Plut. Q. S. 7, 5. — περιπλέω, f. εύσω, u. πλώω, heraus od. weg u. herumſchiffen od. mit dem Schiffe fahren. — περιπορεύομαι, heraus od. davon und herumgehen oder reiſen. — περισπασμὸς, ὁ, das heraus und herumziehn; eine militäriſche Evolution. Polyb. 10, 21. — περιτρέχω, daraus oder davon und herumlaufen. — περονάω (περόνη) Nic. Annal. 10, 6. ὀφθαλμοὺς, die Augen ausſtechen. — πέσσω, ἐκπέττω, f. ψω, auskochen, ausbacken; verdauen, zeitigen. — πετάζω, ſ. v. a. ἐκπετάννυμι. — πέταλος, ὁ, ἡ, (ἐκπετάω) ausgebreitet, offen, breit. — πέταμαι, f. πτήσομαι, daraus- ausfliegen, davon fliegen. — πετάννυμι, ἐκπεταννύω, f. πετάσω, ausbreiten, ausdehnen; ἐκπετάσας πᾶσαι τοῖς ἀρμένοις, Polyb. 1, 44. legte alle Seegel aus, zog ſie auf. — πετάομαι, ῶμαι, ſ. v. a. ἐκπέταμαι. — πέτασις, ἡ, (ἐκπετάννυμι) Ausbreitung, Oefnung.

*Ἐκπετήσιμος, ὁ, ἡ, flücke, reif zum ausfliegen. Aristoph. Pollux 2, 18. von —πέτομαι, ich fliege aus od. davon. —πήγνυμι, o. ἐκπηγνύω, f. πήξω, (παγετὸς) ich mache steif, dicht, vorz. durch Frost; ich schade durch Frost o. Reif den Pflanzen und andern Körpern. Theophr. h. pl. 8, 7. ἐκπαγεῖσα διὰ ξηρότητα καὶ περιῤῥαγεῖσα. Plut. 2, 3. festgetrocknet. —πηδάω, ῶ, f. ήσω, heraus-hervorspringen, entspringen, entkommen: wie *excurro*, Streifereien machen; dav. —πήδημα, τὸ, Vorsprung, das Hervorspringen. —πήδησις, ἡ, das Herausspringen. —πηκτικὸς, ἡ, ὸν, (ἐκπήγνυμι) zum gefrieren od. gerinnen machen gehörig od. geschickt. —πηλοῦται ὁ σῖτος (πηλὸς) Theophr. c. pl. 3, 25. übers. Plin. *luto perditur*; wird durch allzunassen Boden verderbt. —πηνίζω, f. ίσω, (πηνίον) ἐκπηνιεῖται ταῦτα; Aristoph. Ran. 578. eigentl. heraus-ausziehn, hier, von sich geben und zwar einzeln u. mühsam. —πῆξις, ἡ, (ἐκπήγνυμι) s. v. a. παγετὸς, das gefrieren oder gerinnen machen. —πηρόω, ῶ, f. ώσω, verstümmeln; das verst. πηρόω. —πηχύς, εος, ὁ, ἡ, von sechs Ellbogen oder Ellen. —πιάζω u. ἐκπίασμα, τὸ, s. v. a. ἐκπιέζω und —εσμα. —πιέζω, f. έσω, heraus od. ausdrücken, auspressen; hervor od. herausdrängen; dav. —πίεσις, ἡ, das heraus od. hervorpressen, od. drängen, Ausdrücken, Zusammendrücken. —πίεσμα, τὸ, das ausgedrückte, ausgepreßte, wie Saft; auch ein Bruch der Hirnschale, wo die Stücken einwärts gedrückt werden. —πιεσμὸς, ὁ, das aus- od. herausdrücken, hervordrängen. —πιεστήριον, τὸ, verst. ὄργανον, Maschine zum ausdrücken; Presse; v. —ήριος, ὁ, ἡ, zum ausdrücken gehörig. —πιεστὸς, ἡ, ὸν, ausgedrückt, zum ausdrücken. —πικράζω, u. ἐκπικραίνω, s. v. a. ἐκπικρόω. —πικρος, ὁ, ἡ, sehr bitter. —πικρόω, ῶ, f. ώσω, sehr bitter machen, sehr erbittern: s. v. a. ἐκπικραίνω. —πίμπλημι, ἐκπιμπλάω, f. ἐκπλήσω, an- aus- vollfüllen. —πίνω, austrinken. —πίπλημι, s. v. a. ἐκπίμπλημι. —πίπτω, f. ἐκπεσῶ, m. d. genit. aus- ab- durchfallen; daher unglücklich ausfallen, wie *excidere spe*; vertrieben werden, *excidere patria*; entfallen, durchkommen; τῇ φιλοτιμίᾳ, übermäßigen Ehrgeiz haben. Strabo 1 p. 44. S. —πιτίζω, f. ίσω, τὸν ὀξὺν οἶνον ἐκπιτύζομεν. Athenaei p. 124. spucken wir aus. S. πυτίζω. —πιτνέω, ῶ, s. v. a. ἐκπίπτω, —πλαγὴς, ὁ, ἡ, (ἐκπλήττω) Adv. ἐκπλαγῶς, betroffen, bestürzt, erschrocken: wird mit ἐκπαγλες u. ἐκπάγλως verwechselt gefunden. Suidas hat es auch active für schreckend. —πλεθρίζω, bey Galen. de san. tuend. 2. eine Leibesübung, wo man im πλέθρον herauf u. herunterläuft und immer im kürzern Laufe. —πλεθρος, ὁ, ἡ, (πλέθρον ἕξ) ἀγὼν, st. στάδιον. Eur. El. 883. Med. 1190. —πλεονάζω, f. άσω, wie *redundo*, ich fließe über; auch s. v. a. πλεονάζω. —πλεος, έα, attisch ἔκπλεως, Adv. ἐκπλέως, gefüllt, gehäuft, gesättiget, voll, vollständig, ganz.

*Ἐκπλευρος, ὁ, ἡ, (πλευρὰ ἕξ) sechsseitig.

Ἐκπλέω, f. εύσω, u. ἐκπλώω, ich schiffe aus, fahre mit dem Schiffe, der Flotte aus; metaph. ἐκπλέειν, ἐκπλώειν τῶν φρενῶν, τοῦ νόου, wie b. Pausan. ἐξορμᾶν τοῦ νοῦ st. seinen Verstand verlieren; eine bey Nationen, die Schiffarth treiben, daher genommene Redensart. Herodot. —πλήγδην, Adv. (ἐκπλήσσω) schrecklich, zum erschrecken. Suidas. —πλήγνυμι bey Thucyd. 4. 125. s. v. a. ἐκπλήττω. —πληθύνω, f. νῶ, s. v. a. d. folgd. zw. —πλήθω, f. ήσω, *expleo*, s. v. a. ἐκπίμπλημι, aus-an-vollfüllen, vollenden. —πληκτικὸς, ἡ, ὸν, Adv. —κῶς, (ἐκπλήττω) erschreckend, betäubend. —πληκτος, ὁ, ἡ, (ἐκπλήττω) geschreckt, betäubt, wie *perculsus*. —πλημμυρέω, ῶ, ausfluthen, aus od. überströmen. —πληξία, ἡ, s. v. a. d. folgd. Callistr. Stat. 14. Pollux 5. 122. —πλῆξις, ἡ, (πλήττω) eigentl. Betäubung von einem Schlage, Schrecken, heftige Bestürzung, heftiger Trieb, heftige Begierde. —πληρόω, ῶ, s. v. a. ἐκπίμπλημι, aus-an-vollfüllen, erfüllen; dav. —πλήρωμα, τὸ, das angefüllte; Ausfüllung, zw. —πλήρωσις, ἡ, Aus-Vollfüllung, Ersetzung. —πληρωτὴς, ὁ, der Erfüller, Vollführer. —πλήσσω, ἐκπλήττω, f. ξω, durch einen Schlag erschrecken- erschüttern- betäuben; überh. erschrecken, betäuben; med. m. d. accusat. vor jemand erschrecken, einen fürchten oder anstaunen. —πλινθεύω, f. εύσω, die Ziegel herausbrechen, Isaeus Harpocrat.

Ἐκπλίσσω. S. in πλίσσω. —πλοος, contr. ἔκπλους, ὁ, das Ausschiffen, Auslaufen eines Schiffes; der Ort od. Platz zum Ausfahren eines Schiffs. —πλύνω, auswaschen; davon —πλυσις, ἡ, das Auswaschen. —πλυτος, ὁ, ἡ, ausgewaschen, ausgebleicht; Philostr. heroic. 3 auszuwaschen. —πλώω, s. v. a. ἐκπλέω. —πνευματόω, ῶ, verlüften, d. i. in Luft oder Wind verwandeln; durch Wind und Sturm erheben, z. B. τὴν θάλασσαν, d. i. ἐκταράττω, ἐπαίρω; bey Plutar. Audit. p. 142. τὸ οἴημα καὶ τὸν τῦφον, den Dünkel und Stolz auslüften.

'Εκπνευσις, ἡ, das Ausathmen, Aushauchen, Ausdampfen; von —πνέω, f. εύσω, aushauchen, ausathmen, ausdampfen, den Athem laſſen, ſterben; davon —πνοή, ἡ, das Aushauchen, Ausblaſen, Ausdampfen. —ποδών, Adv. eigentl. ἐκ ποδῶν aus dem Wege; ποιεῖσθαί τινα, aus dem Wege ſchaffen, wegräumen; γίγνεσθαι, aus dem Wege gehn, auf die Seite gehn; hingegen ἐκ ποδὸς ἕπεσθαι auf dem Fuſse nachgehn, ſpornſtreichs folgen. —ποθεν, Adv. irgend woher, ſey es woher es wolle. —ποιέω, ῶ, ich mache heraus, ἐκποιεῖν με τοῦ δικαστηρίου, mich aus dem Gerichte zu machen; Philoſtr. 2) ich bringe zu Ende, mache fertig; Herodot. u. Dio Caſſ. 3) ein Kind einem andern geben, um es zu adoptiren, welches εἰσποιεῖσθαι heiſst; davon υἱὸς εἰσποίητος u. ἐκποίητος, jenes in Rückſicht des Fremden, der annimmt, dieſes in Rückſicht der Eltern, die weggeben; daher 4) verkaufen, veräuſsern; 5) als neutr. ἐκποιούσης τῆς ὥρας, προσόδων εἰς ταῦτα ἐκποιουσῶν, d. lat. *ſuppetere*, zureichen, hinlangen. ἐκποιεῖ, es iſt Zeit, es geht an. —ποίησις, ἡ, die Vollendung; 2) die Entäuſserung, Entlaſſung, *emancipatio*. S. ἐκποιέω no. 3, bey Herodot. 3, 109. die Ergieſsung des Saamens. —ποίητος, ὁ, ἡ, υἱός. S. ἐκποιέω no. 2. —ποικίλλω, f. ιλῶ, das verſtarkte ποικίλλω; zw. —πονίζω, (πόνος) Ariſtoph. Thesm. 567 eigentl. Wolle ausziehn, auch von Haaren. —πολεμέω, ῶ, den Krieg zu Ende bringen; auch bekriegen; m. d. accuſ. Polyb. 15, 6. auch ſ. v. a. d. folgd. Xen. Hellen. 5, 4, 20. not. —πολεμόω, ῶ, f. ώσω, verfeinden mit jemand: ἵνα οἱ ἐκπολεμωθῇ πᾶν τὸ Περσικὸν, damit die Perſer alle mit ihm verfeindet und böſe auf ihn würden: Herodot. 3, 66; davon

'Εκπολέμωσις, ἡ, Plutar. 2 p. 269. das Reizen zum Kriege. —πολίζω, zur Stadt mitziehn und anbauen; Ariſtides. —πολιορκέω, ῶ, eine belagerte Stadt bezwingen- erobern- einnehmen. —πολιτεύω, καὶ διαιτάω τὸ ἔθνος πρὸς ἀνομίαν: Joſephi Maccab. 4 durch veränderte Lebensart und Verfaſſung eine Nation führen, bringen. —πομπεύω, ſtolz od. prächtig einhergehen; activ. mit Schmach bekannt machen. Dionyſ. Areop. —πομπή, ἡ, das Heraus-, Fort- Wegſchicken, Entlaſſen, Verſtoſsen. —πονέω, ῶ, ausarbeiten, durch Arbeit vollenden, endigen: 2) ertragen, erdulden; 3) ausarbeiten, wie Speiſen, die man durch Arbeitſamkeit verdaut. Xen. Memor. 1, 2, 4. 4) θεοὺς ἐκπονῆσαι. Eur. Jon 375. bewegen darzu. 5) ausforſchen. verſ. 1355. —πονηρεύω, verderben, αἷμα. Syneſ. epiſt. 114. —ποντίζω, übers Meer ſetzen; zw. —πορεύομαι, heraus- hervor- aus- weggehn; davon —πόρευσις, εως, ἡ, das Aus- Weggehn. —πορευτὸς, ἡ, ὸν, Adv. —τῶς, ſ. v. a. ἐκπορευόμενος, bey den Kirchenv. —πορθέω, ῶ, ſ. v. a. ἐκπέρθω, davon —πορθήτωρ, ὁ, der Zerſtörer, Verwüſter. —πορθμεύω, ausſchiffen, auslaufen: im medio wegführen, auf dem Schiffe entführen, Eur. Hel. 1533. —πορία, ἡ, wahrſcheinl. f. Leſ. ſt. εὐπορία. —πορίζω, ausfinden, aufbringen und einem geben, darreichen, ihn damit unterſtützen. —πορνεύω, das verſtärkte πορνεύω, active verhuren oder debauchiren: ἐκπορνευούσης τὴν γεῦσιν τῆς ὀψαρτυτικῆς, Clemens Paed. 2, 1.

'Εκπόρπισις, ἡ, (πόρπη) Chirurg. vet. p. 51. Ausfugung, das Verrücken aus der Fuge, dem Gelenke, Heſych. u. Suidas haben ἐκπορπόω, aus der πόρπη machen, von der π. löſen, z. B. ein Kleid. —ποτάομαι, ῶμαι, u. ἐκποτέομαι, ich fliege aus: πᾶ τὰς φρένας ἐκπεπότασαι; wohin iſt dein Verſtand geflogen? Theocrit. So ſagt Eurip. Elect. 175. οὐκ ἐπ' ἀγλαΐαις θυμὸν ἐκπεπόταμαι, ſich erheben, übermüthig werden. —ποτισμὸς, ὁ, Dürre; bey Strabo 3 p. 435. S. ſoll wohl ἐκτοπισμὸς heiſsen.

'Εκπραθεῖν, aor. 2. ſ. v. a. ἐκπορθῆσαι. —πράκτωρ, ὁ, d. i. ἐκπραττόμενος, Eintreiber, der einfordert, als Schuld u. dergl. —πραξις, ἡ, das Eintreiben, Einfordern der Schuld u. dergl. von —πράσσω, ἐκπράττω, f. ξω, vollführen, vollenden; vorz. im med. eintreiben, einfordern, als Schuld, Abgaben u. dgl. —πραΰνω, f. υνῶ, das verſtarkte πραΰνω. —πρεμνίζω, (πρέμνον) *excodico*, ich grabe mit dem Stamme und Wurzel aus.

'Εκπρέπεια, ἡ, Jamblich Pyth. 1, 23. die Vorzüglichkeit, *excellentia*; von —πρεπής, έος, ὁ, ἡ, Adv. —πῶς, ausgezeichnet oder vorzüglich, vortreflich. —πρεπόντως, Adv. ſ. v. a. ἐκπρεπῶς, vom part. praeſ. ἐκπρέπω. —πρέπω, vortreflich oder vorzüglich ſeyn, ſich auszeichnen. —πρήθω, f. ήσω, anzünden, verbrennen, ausblaſen, aushauchen. —πρησις, ἡ, das Anzünden, Verbrennen. —πρησμὸς, ὁ, Kochen oder Ziſchen des kochenden Waſſers, zw.

'Εκπρήσσω, joniſch ſt. ἐκπράσσω. —πρίαμαι, abkaufen, loskaufen, erkaufen. —πρίω u. ἐκπρίζω, Geopon. 9, 11, 7, ausſchneiden, ausſägen.

'Εκπροθεν, bey Heſych. ſ. v. a. ἐκ παλαιοῦ, wie ἀπόπροθεν.

'Εκπροθεσμέω, ῶ, ich halte nicht die beſtimmte Zeit oder Tag; von —πρόθεσμος, ὁ, ἡ, (πρόθεσμος) der den beſtimmten Tag, Zeit nicht hält, überh. zu ſpät kommt. 2) ἐκπρ. ἤδη τοῦ ἀγῶνος, der nicht mehr das zum Kampfe beſtimmte und geſchickte Alter hat. Lucian. τῶν ἑπτὰ ἡμερῶν ἐκ. γίνωμαι, ſo bald ich über dieſe 7 Tage hinaus gekommen bin. Derſ. Saturn. 2. Adv. —έσμως, nach der beſtimmten Zeit. —προθορεῖν, heraus- hervor- entſpringen, aor. 2. im praeſ. wäre ἐκπροθορέω gewöhnlicher. —προθυμοῦμαι, d. verſtärkte προθ. zw. —προΐημι, f. ήσω, hervor- herauslaſſen; aus- wegſchicken. —προικίζω, das verſtärkte προικίζω. zw. —προκαλέω, heraus und hervorrufen; med. zu ſich heraus rufen oder kommen laſſen. —προκρίνω, f. νῶ, ἐκκρίνω, auswählen und vorziehn. Eurip. —προλείπω, f. ψω, eigentl. drauſsen verlaſſen, entlaſſen. —προμολέω, ῶ, herausgehn, weggehn. —προπίπτω, f. πεσοῦμαι, heraus- oder verfallen. —προφαίνω, f. φανῶ, herausnehmen und vorzeigen, ſehen laſſen; med. hervorkommen und ſich ſehen laſſen. —προφέρω, f. ἐκπροοίσω, heraus und vorbringen, vorführen, vorzeigen. —προφεύγω, f. ξω, heraus und entfliehn, entgehn. —προχέω, f. εύσω, heraus- aus- fort- weggieſsen.

'Εκπρυμνίζω, τὸ κέρας τῶν κροτάφων, Philoſtr. Icon. 3, 4. das Horn aus den Schläfen ausreiſsen. S. πρυμνὸς u. πρυμνίζω.

'Εκπτερνίζω, ἐξεπτέρνισεν ὁ ἱστὸς, der Maſtbaum iſt mit dem Fuſse (πτέρνα) aus dem Stuhle (τράπεζα) geriſſen worden. —πτερόω, erheben: das verſtärkte πτερόω. zw. Hippocr. de diaeta 1. —πτερύσσομαι, f. ξομαι, die Flügel ausbreiten zum oder im Fliegen. Lucian musca 1. —πτήσσω, f. ξω, act. ich ſcheuche heraus. Eur. Hec. 177. ich erſchrecke. —πτοέω, ſ. v. a. ἐκπλήττω. Polyb. —πτυστος, ὁ, ἡ, ſ. v. a. ἀπόπτυστος, verabſcheuungswürdig. zweif. von —πτύω, f. ύσω, ausſpucken, ausſpeyen. —πτωμα, τὸ, (ἐκπίπτω) das herausgefallene, ausgerenkte Glied. —πτωσις, ἡ, (ἐκπίπτω) das Herausfallen, Verfehlen; Unglück; Verfall; das Verrenken eines verrückten Gliedes oder Theiles, das vertrieben werden, *exilium.* Polyb. —πτωτος, ὁ, ἡ, herausgefallen. —πυέω, ῶ, oder ἐκπυΐσκω, vereitern, zum Eitern bringen; davon —πύημα, τὸ, vereitertes Geſchwür oder Wunde. —πύησις, εως, ἡ, (ἐκπυέω) das Vereitern. —πυητικὸς, ἡ, ὸν, vereiternd, zum Eitern oder Schwären bringend. —πυΐσκω, ſ. v. a. ἐκπυέω. —πυνθάνομαι, f. πεύσομαι, ausfragen, erfragen, ausforſchen; von einem hören, erfahren. —πυόω, ῶ, ſ. v. a. ἐκπυέω. —πυρηνίζω, f. ίσω, (πυρὴν) ausſchälen, den Kern herausnehmen; den Kern zwiſchen den Fingern halten und fortſchnellen; dav. —πυρήνισις, ἡ, ἔκθλιψις τῶν πυρήνων τῶν ἀπὸ δακτύλων ἀποπιεζομένων, Olympiod. das Herausſchnellen oder Preſſen eines Körpers. u. ἐκπυρηνίσματα ἀστραπῶν, Nicetae Annal. 3. 6. herausgepreſste oder geworfene Blitze. —πυριάω, erhitzen, erwärmen. Hippocr. aphor. 5. 63. zw. —πυρος, ὁ, ἡ, (πῦρ) entzündet, brennend, hitzig, heiſs; davon —πυρόω, ῶ, *exurere,* anbrennen, ausbrennen, durch Brennen vertilgen. Eur. Herc. 421. —πυρσεύω, f. ευσω, πύργος ἐκπυρσεύων τοῖς καταπλέουσι, Joſeph. ein Wachtthurm, der den Einfahrenden leuchtet, oder durch Feuer ein Zeichen giebt: τὸν κότον Nicetae Ann. 3, 5. den Zorn in hellen Flammen ausbrechen laſſen. —πύρωσις, ἡ, (ἐκπυρόω) das Anzünden, Verbrennen, Erhitzen. —πυστος, ὁ, ἡ, (πύθομαι) durch das Gerücht verbreitet, kundbar gemacht. —πώγων, ωνος, ὁ, ἡ, mit einem Barte. zw. —πωλέω, ῶ, daraus- davon verkaufen. zweif. —πωμα, ατος, τὸ, (ἐκπίνω) Geſchirr zum Trinken, Becher; daher ἐκπωμάτιον, dimin. und ἐκπωματοποιὸς, der Becher verfertigt. Pollux. —πωματίζω, φαρέτραν Nicetae Annal. 7, 2. leeren; von πῶμα, Deckel. —πωτάομαι, ῶμαι, ſ. v. a. ἐκποτάομαι. —ῥαβδίζω, f. ίσω, Ariſtoph. Lyſ. 576. mit Ruthen oder im Hauen wegbringen, herausſchaffen, herauspeitſchen. —ῥαγὴ, ἡ, ſ. v. a. ἔκρηξις. Suidas. —ῥαίνω, f. ανῶ, ausſpritzen; bey Polyb. 8, 8. haben andere ἐξεραίνω. S. ἐξεράω. —ῥέω, f. εύσω, ausflieſsen, weg- oder entflieſsen, entſchlüpfen, ſich nach und nach verlieren, wie *effluo.* —ῥηγμα, τὸ, das Aus- oder Abgeriſſene, abgeriſſener, losgeriſſener Theil, Stück; Durchbruch des Stroms. Plutar. Anton. 5. bey Hippocr. ſind ἐκρήγματα hervorbrechender Ausſchlag; von —ῥήγνυμι, ἐκρηγνύω, f. ῥήξω, heraus- ausbrechen, ausreiſſen, aufbrechen, los- oder ausbrechen laſſen; neutr. heraus, hervor- losbrechen, mit Gewalt herausdringen; davon —ῥηξις, ἡ, das Aus- Herausbrechen; Ausbruch, Durchbruch. —ῥιζόω, ῶ, (ῥίζα) auswurzeln, entwurzeln, ausroden, gänzlich zerſtören, vertilgen; dav. —ῥίζωσις, ἡ, Auswurzelung, Ausrodung, Vertilgung. —ῥιζωτής, οῦ, ὁ, der Auswurzeler, Vertilger.

Ἔκριμμα, τὸ, (ἐκρίπτω) das Aus- oder Weggeworfene; Auswurf. —ῥινίζω, f. ίσω, (ῥὶν) bey Lucian Philopatr. 22. ausspüren. —ῥιπίζω, f. ίσω, anfachen, anzünden: metaph. anfeuern, antreiben, erneuern, von neuem beleben, erwecken. —ῥιπτέω, ῶ, und ἐκρίπτω, f. ίψω, heraus- aus- fort- wegwerfen oder stoſsen. —ῥιψις, ἡ, das Heraus- Aus- Fort- Wegwerfen, Wegjagen. —ῥοὴ, ἡ, oder ἔκροος, contr. ἔκρους, ὁ, das Heraus-Ausflieſsen; Ausfluſs, Mündung. —ῥομβέω, (ῥομβέω) Mathem. vet. p. 69. ἐκρομβεῖν καὶ διαστέλλειν τὸν ἀέρα, ausdrangen, verdrangen. zw. —ῥοφέω, ῶ, ausschlurfen, austrinken.

Ἐκρύπτω, ausspülen, auswaschen. Pollux 7. 39. —ῥυσις, ἡ, s. v. a. ἐκροή. —ῥύω, f. ύσω, s. v. a. ἐκρέω. Ἐκρέω u. ἐκρύημι s. v. a. ἐκρύω.

Ἐκσαγηνεύω, f. εύσω, mit dem Garne (σαγήνη) fangen. —σαλεύω, f. εύσω, durch Erschütterung herauswerfen oder stoſsen. Aristoph. Lysistr. 1028. ἐκσάλευσον αὐτὸ: von dem Herausheben, einer Mücke aus dem Auge; wo Brunk aus den Handschr. ἐκσκάλευσον gesetzt hat, obgleich Suidas die gem. Lesart durch ἐξένεγκον, nimm heraus, erklärt. —σαρκίζω, f. ίσω, entfleischen, absleischen. Ezech. c. 29. —σαρκόω, ῶ, Fleisch heraus wachsen machen; davon —σάρκωμα, τὸ, ausgewachsenes Fleisch. —σαρόω, ausfegen, reinigen. zw. —σείω, f. είσω, heraus- aus- abschütteln, durch Schütteln oder Erschütterung herauswerfen; wie excutio. —σεύομαι, s. v. a. ἐκσύομαι. —σημαίνω, f. ανῶ, bezeichnen, erklaren. zw. —σήπω, f. ψω, in Faulniſs bringen, faulen machen. —σιφωνίζω, f. ίσω, (σίφων) Jobi c. 5. durch den Heber herausziehn, ausleeren. —σιωπάομαι, ῶμαι, f. ήσομαι, verschweigen, schweigen. Polyb. 28, 5. —σκαλεύω. S. in ἐκσαλεύω. —σκεδάζω, f. άσω, u. ἐκσκεδάννυμι, Aristoph. Equ. 795. herauswerfen und zerstreuen. —σκευάζω, f. άσομαι, ich bringe alle Geräthe (σκεύη) weg, ich räume bringe weg. ἡ δὲ γεωργία ἐξεσκευάσθη, Demosth. p. 872. welches vorher hieſs: ἐξενεγκεῖν τὰ σκεύη τὰ γεωργικὰ πάντα. Strabo sagt πάντα τὰ χρήματα ἐξεσκευάσατο εἰς τὰ Σοῦσα, räumte, brachte sie weg. —σκευος, ὁ, ἡ, d. Gegenth. von ἐνσκευος, ὁ, ἡ, (σκευή) mit Larve versehen, also ohne Larve. Pollux. 4. 141. u. Hesych. —σκορπισμὸς, ὁ, das Herauswerfen; Zerstreuung. Plutar. 7 p. 507. —σμάω, ῶ, f. ήσω, abauswischen. —σοβέω, ῶ, herausscheuchen oder vertreiben. —σπάω, ῶ, herausziehn. —σπένδω, f. σπείσω, ausgieſsen, den Göttern spenden. —σπερματίζω, f. ίσω, Saamen von sich geben; Saamen d. i. Kinder bringen; bey den LXX. —σπερματόω, ῶ, im pass. bey Theophr. h. pl 7. 1. in den Saamen gehn oder schieſsen. —σπεύδω, wegeilen, wohin eilen. zweif.

Ἐκσπογγίζω, f. ίσω, mit dem Schwamme aus- oder abwischen. —σπονδος, ὁ, ἡ, (σπονδὴ) von dem Bündniſse und Frieden ausgeschlossen, nicht darinne begriffen; dawider gethan: ὅρκους ἐκσπ. hat Suidas für Meineid.

Ἐκστάδιος, ὁ, ἡ, (στάδιον) von 6 Stadien.

Ἔκστασις, ἡ, jede Verrückung oder Entfernung von einer Stelle, vorz. der Seele oder des Verstandes, Entzückung, Begeisterung; Furcht, Schrecken, Staunen, langwierige Ohnmacht, und der höchste Grad von Melancholie. —στατικὸς, ἡ, ὸν, Adv. —κῶς, verrückend, entzückend, rasend machend; pass. verrückt, entzückt, erstaunt, erschrocken, entkräftet, vor Zorn auſser sich, enthusiastisch. —στέλλω, f λῶ, aussenden; ausschmücken, ausrüsten. zw. —στέφω, f. ψω, ich lege- nehme den Kranz ab. 2) d. Gegenth. von ἐπιστέφω, füllen, also leeren. 3) s. v. a. στέφω. Sophocl. Oed. ἐξέστεψε θάλασσαν, *circumdedit mare*, hat rings herum das Meer ausgegossen. Oppian. Hal. 2, 333. —στηθίζω, f. ίσω, s. v. a. ἀποστηθίζω. Eustath. —στραγγίζω, f. ίσω, ausdrücken, durchseihen. —στρατεία, ἡ, od. ἐκστράτευσις, ἡ, Ausmarsch, Aufbruch mit der Armee. —στρατεύω, f. εύσω, (στρατὸς) mit der Armee aufbrechen, ausmarschiren; einen Feldzug anfangen. —στρατοπεδεύω, f. εύσω, auſserhalb das Lager aufschlagen. —στρέφω, f. ψω, herauskehren, umkehren; heraus- ausdrehen, herauswinden. Il. 17, 58. davon

Ἐκστροφὴ, ἡ, τοῦ λόγου. Plutar. 10 p. 422. mehr als διαστροφὴ, also Zerstörung. —σύομαι, ἐκσεύομαι, herausstürzen, mit Gewalt oder Schnelligkeit heraus- hervorgehn. —συριγγόω, ῶ, in Hölen oder Fisteln verwandeln. Hippocr. —συρίζω, f. ίξω, ἐκσυρίσσω, u. ἐκσυρίττω, auszischen, auspfeiffen. —σφαιρίζω, (σφαῖρα) herauswerfen. Nic. Annal. 4. 3. —σφενδονάω, ῶ, f. ήσω, heraus- fort- oder wegschleudern, herauswerfen. —σφονδυλίζω, attisch, (σπόνδυλος) im Etymol. M. wird ἐκτραχηλίζω damit erklärt. —σφραγίζω, f ίσω, (σφραγὶς) ich drucke mit dem Siegel ab- od. aus; med. ἐκσφραγίζομαι, *exsigno*, ich mache einen Abdruck, ahme nach. Eur. Herc. 53. ἐκ γὰρ ἐσφραγισμένοι δόμων ſt. ausgeſchloſſen, getrennt; dav.

Ἐκσφράγισμα, τὸ, Abdruck. —σχίζω, f. ίσω, davon, daraus ſchneiden od. ſpalten. Ariſtot. de mundo 6, 23. theilen. —σώζω, f. ώσω, daraus retten, erretten, befreyen, durchbringen. —σωρεύω, f. εύσω, auf-anhäufen.

Ἐκταγὴ, ἡ. (ἐκτάσσω) Anordnung, Stellung in Ordnung: wird auch durch *delegatio* u. *multa* überſ. zw. —τάδην, Adv. od. ἐκταδὸν (ἐκτείνω) ausgedehnt od. geſtreckt. —τάδιος, ὁ, ἡ, (ἐκτείνω) ausgedehnt-geſtreckt, weit und breit. —ταδὸν, Adv. ſ. v. a. ἐκτάδην.

Ἐκταῖος, αία, αῖον, am ſechsten Tage; 2) ἄρτος, ein Brod von σχοίνικες, Heſych. μᾶζα ἐκταίη, des Simonides vielleicht eben ſo viel.

Ἐκταλαντόω, um die Talente bringen. zweif. —ταμα, τὸ, (ἐκτείνω) das Ausgedehnte. —τάμνω, jon. ſt. ἐκτέμνω. —τανθαρύζω, zittern. Heſych. S. τανθαρύζω. —τανύω, f. ύσω, ſ. v. a. ἐκτείνω, ausdehnen. —ταξις, ἡ. (ἐκτάττω) das Herausbringen und in Ordnung ſtellen, das Stellen der Armee in Schlachtordnung. —ταπεινόω, ῶ, ſehr niedrig-klein-demüthig, kleinmüthig machen, erniedrigen. —ταρακτικὸς, ἡ, ὸν, zum beunruhigen gehörig od. geſchickt; v. —τάραξις, ἡ, Beunruhigung; γαστρὸς, der Durchfall; von —ταράσσω, ἐκταράττω, f. ξω, ſehr beunruhigen; κοιλίαν, den Unterleib in Unordnung bringen, den Durchfall verurſachen. —ταρβέω, ῶ, erſchrecken, active bey Heſych. —ταριχεύω, ἀπαττία, Nic. Annal, 10, 9. d. verſt. ταριχεύω. —ταρσόω. S. ταῤῥόω. —τασις, ἡ, (ἐκτείνω) Ausdehnung, Anſpannung, Verlängerung. —τάσσω, ausſtellen, vorz. die Armee aus dem Lager ziehn u. in Schlachtordnung ſtellen; anordnen. —τατὸς, ἡ, ὸν, (ἐκτείνω) ausgedehnt. —ταφρεύω, f. εύσω, ausgraben; Heſych. ſ. v. a. ἀποτεφ. Joſeph. b. Jud. 5, 2. —τείνω, f. ενῶ, ausdehnen, ausrecken, ausſtrecken, erſtrecken, anſpannen, anſtrengen. —τειχίζω, f. ίσω, (τεῖχος) ausmauern, mit Mauer od. einer Burg umgeben, befeſtigen. —τεκνόω, f. ώσω, Kinder gebären; med. vom Vater, die gebornen Kinder als die Seinigen annehmen; zeugen. Eur. Jon 438. —τελειόω, ῶ, (τέλειος) vollſtändig machen, vollenden. —τελευτάω, f. ήσω, beendigen, endigen. —τελέω, ῶ, das verſt. τελέω. —τελὴς, έος, ὁ, ἡ, (τέλος) vollendet, beendigt. —τέμνω, f. εμῶ, ich ſchneide aus, ab; daher ich kaſtrire, entmanne; bey Polyb. 31, 6. ἐκτεμέσθαι τινὰ τῇ φιλανθρωπίᾳ beſänftigen u. auf ſeine Seite bringen. γῆν ἐκτ. ſ. v. a. τέμνειν, verwüſten. Dion. Ant. 9, 57. zweif. —τένεια, ἡ, die Ausſtreckung, Anſpannung; vorz. metaph. Anſtrengung der Seelenkräfte einem zu dienen, helfen; alſo Dienſtfertigkeit, Willfährigkeit, Gewogenheit: Stetigkeit u. ſ. w. S. d. folgend. —τενὴς, ὁ, ἡ, (ἐκτείνω) Adv. ἐκτενῶς, ausgeſtreckt, ausgedehnt, angeſpannt, *intenſus*; metaph. bey Polyb. Cic. ad Attic. u. den ſpätern Griechen häufig: wird durch ἐπιμελὴς, ἐνεργητικὸς, ſorgſam, thätig, emſig, willig, bereit, dienſtfertig, συνεχὴς, ſtetig, anhaltend, πρόθυμος, willfährig, δαψιλὴς, reichlich, erklärt; daher Herodian. 7, 2. ξύλων ἐκτένεια, ſ. v. a. δαψίλεια, *copia*, Vorrath, Ueberfluſs; vergl. 8, 3. —τενία, ἡ, ſ. v. a. ἐκτένεια.

Ἐκτεξις, ἡ, Ariſtot. Mirab. c. 191. das Gebären.

Ἐκτεὺς, έως, ὁ, (ἕκτος) wie *ſextarius*, der ſechſte Theil des μέδιμνος.

Ἐκτεφρόω, ῶ, zu Aſche brennen; dav. —τέφρωσις, ἡ, Verbrennung zu Aſche. —τεχνάομαι, ῶμαι, f. ήσομαι, ausſinnen, erſinnen. zw. —τήκω, f. ήξω, herausſchmelzen, zerſchmelzen.

Ἐκτημόριον, τὸ, (ἕκτος) ein Sechstel, ſechster Theil. —τηξις, ἡ, das Herausſchmelzen, Zerſchmelzen. —τιθασσεύω, das verſt. τιθασσεύω. Pollux 4, 28.

Ἐκτιθεύω, f. εύσω, ſ. v. a. ἐκτιθηνέω. zweif. —τίθημι, f. θήσω, ausſetzen, ausſtellen, als Ziel, zur Schau od. Belohnung; wegſetzen, weggeben, z. B. ein Kind in die Wüſte den wilden Thieren ausſetzen, *exponere infantem*: hinſetzen, vorſetzen, vorſtellen; ausgeben, herausgeben, bekannt machen; erklären, feſtſetzen. —τιθηνέω, ῶ, u. ἐκτιθηνεύω, ernähren, erziehn: wie *enutrio*.

Ἐκτικὸς, ἡ, ὸν, (ἕξις) eine Leidenſchaft habend od. betreffend; bey Diodor. fertig, geübt; ſo auch ἐκτικῶς 3, 4.

Ἐκτίκτω, f. τέξομαι, ich gebäre aus, bringe durch Geburt ans Licht. —τιλάω, ῶ, f. ήσω, ich gebe durch Stuhlgang, Durchfall von mir. S. τιλάω. —τίλλω, f. ιλῶ, ich zupfe, reiſſe aus. —τιμάω, ῶ, f. ήσω, ſehr ſchätzen, ehren. Polyb. dav. —τίμησις, ἡ, Hochſchätzung, Ehre; zweif. —τιμος, ὁ, ἡ, (τιμὴ) ohne Ehre, ungeehrt. oppoſ. ἔντιμος. —τιναγμὸς, ὁ, das Fort-Weg-Herausſtoſsen: v. —τινάσσω, f. ξω, durch einen Stoſs oder mit Gewalt wegnehmen, fortbringen, *excutio*. —τίνυμι u. ἐκτινύω od. ἐκτίνω, ſ. v. a. ἐκτίω, auszahlen, bezahlen, büſſen; davon

Ἔκτισις, ἡ, Bezahlung, Büſſung; und —τισμα, τὸ, die bezahlte od. zu bezahlende Strafe. Dionyſ. Ant. 9, 27. —τιστής, ὁ, d. i. ἐκτίων, bey Baſil. Eintreiber, Schuldeinforderer. —τιτθεύω, ſ. v. a. ἐκτιθεύω, zweif.

Ἐκτιτραίνω, ἐκτιτράω u. ἐκτίτρημι, ich bohre aus, Chirurg. vet. —τιτρώσκω, f. ἐκτρώσω, abortiren od. fehlgebähren machen; v. d. Mutter, abortiren, fehlgebähren. —τίω, f. ίσω, ſ. v. a. ἐκτιννύω u. ἐκτίνω. —τμημα, τὸ, das Aus- oder Abgeſchnittene: Abſchnitt, Stück. —τμησις, ἡ, das Aus- Ab-Beſchneiden. —τοθεν, Adv. eigentl. von auſſen her; überh. auſſen: ἔκτοθι, Adv. auſſerhalb, auſſen; beſonders. —τοιχωρυχέω, ῶ, durch Einbruch plündern u. ſtehlen; überh. ausplündern, plündern. Polyb. —τοκίζω, f. ισω, (τόκος) verleihen, auf Zinſen austhun. zw. —τοκος, ὁ, ἡ, ſ. v. a. ἔκγονος. Aelian. h. a. 10, 14. —τολμάω, f. ήσω, ſ. v. a. ἐκθαρσέω, act. bey Joſeph. kühn machen; zw. —τολυπεύω, (τολύπη) vollenden, als πόνον. Heſiod. S. τολυπεύω. —τομάς, ἡ. S. ἐκτομίς. —τομευς, έως, ὁ, (ἐκτέμνω) der aus- od beſchneidet, aus- od. abhauet. —τομή, ἡ, das Ausſchneiden, Aushauen, Beſchneiden; dav. —τομιας, ου, ὁ, ausgeſchnitten, Beſchnittener. —τομίς, ἡ, auch ἐκτομάς, ἡ, act. die ausſchneidet; paſſive die ausgeſchnittene; bey Aeneas Tact. 24 πυλὶς oder ἐκτομας eine kleine Thüre im Thore, ſonſt ῥινοπύλη. S. auch ἐκβολάς. —τομος, ὁ, ἡ, ausgeſchnitten. —τονος, ὁ, ἡ, (τόνος) auſſer dem Tone, miſshellig, miſslautend; 2) abgeſpannt, entkräftet. —τοξεύω, (τόξον) ich ſchieſse- werfe aus- weg, verſchieſſe; metaph. βίον, verlebe. Ariſtoph. Plut. 34. 2) neutr. τὸ σῶφρον σοῦ ἐξετόξευσε φρενός, Eur. And. 363. ſ. v. a. ἐξῆλθε. —τοπίζω, ich entferne, ſchicke fort; 2) neutr. ich entferne mich, gehe fort aus dem Orte, τόπος. —τόπιος, ὁ, ἡ, ſ. v. a. ἔκτοπος. —τοπισμός, ὁ, (ἐκτοπίζω) Entfernung, Trennung, Weggehn aus einem Orte. —τοπιστέος, έα, έον, u. ἐκτοπιστικός, zum entfernen- weggehn gemacht, geneigt. —τοπος, ὁ, ἡ, v. ſeinem Platze entfernt, abweſend, ungewöhnlich, widerſinnig, abſurd, Adv. ἐκτόπως, ungewöhnlich, auſserordentlich. —τορέω, ῶ, ich höhle, bohre aus. —τορμέω, ῶ, ich weiche vom geraden Wege ab, a meta aberro. S. τόρμη.

Ἕκτος, η, ον, (ἕξ) der ſechſte.

Ἐκτός, Adv. (ἐκ) auſsen. —τόσε, Adv. nach auſsen, auſsen. —τόσθε, Adv. od. ἐκτοσθεν, auſsen, von auſsen. —τοτε, Adv. eigentl. ἐκ τότε, von damals, von der Zeit an. —τραγῳδέω, ῶ, ich vermehre, vergröſsere etwas durch eine fürchterliche klägliche Erzählung oder Vorſtellung. S. τραγῳδέω. —τράπεζος, ὁ, ἡ, auſser dem Tiſche, vom Tiſche entfernt. —τραπελογάστωρ, ὁ, ἡ, von ungewöhnlichem dicken Bauche: Athenae 7 p. 322. von γαστὴρ und —τράπελος, ὁ, ἡ, (τρέπω, τράπω) Adv. —έλως, abweichend, ungewöhnlich, häſslich; ungeheuer. —τραχηλίζω, eigentl. vom Pferde, das ſeinen Reiter über den Hals herunterwirft: Xen. Cyr. 1, 4, 8. 2) herunterſtürzen- werfen, herabwerfen. 3) ſtolz machen; auch metaph. in hohen Ausdrücken vortragen. 4) Bey Demoſth. 124 iſt ἐκτραχηλισθῆναι ſich durch Saumſeligkeit in Unglück ſtürzen. —τραχύνω, f. υνῶ, das verſt. τραχύνω, rauh- hart- böſe machen, exaſpero. —τρέπω, f. ψω, heraus- weg- od. abwenden- lenken- beugen; med. ſich weg- abwenden; abweichen, ausarten; m. d. accuſ. ausweichen, verabſcheuen. —τρέφω, f. θρέψω, auf- erziehen, groſsziehen. —τρέχω, heraus- davon- weglaufen, wegrennen; wie excurro, Ausfall thun. —τρησις, ἡ, (ἐκτράω) Durchbohrung; Loch; zw. —τριαινόω, ῶ, mit dem Dreyzack heraus bewegen- wegſtoſsen; τὴν Ἑλλάδα. Lucian. Pſeudol. 29 tadelt den Ausdruck. —τριβή, ἡ, ſ. v. a. ἔκτριψις. —τρίβω, f. ψω, (τρίβω) ich reibe aus, glätte, reinige, polire: 2) ich reibe auf, vernichte: ἐκτρίβειν πίτυος δίκην. S. πίτυς. τὴν ποίην ἐκ τῆς γῆς ἐκτρίβειν, Herodot. 4, 120. was Kap. 122 heiſst τὰ ἐκ τῆς γῆς φυόμενα λεαίνειν; davon —τριμμα, τὸ, (ἐκτρίβω) Tuch zum Abreiben od. Abwiſchen; 2) bey Hippocr. Verwundung durch Reiben. —τριψις, ἡ, (ἐκτρίβω) das Herausreiben, Wegreiben, Zerreiben. —τροπή, ἡ, (ἐκτρέπω) Abwendung; Weg- Ablenkung; neutr. Abweichung, Ausweichung; λόγου, eine Digreſſion, Abweichung vom Gegenſtande in der Rede; ποταμοῦ, Ableitungen und Kanäle des Fluſſes, Polyb. ὁδοῦ, Nebenweg, Ausweg. —τροπίας, ου, ὁ, (ἐκτρέπω) οἶνος, umgeſchlagener ſaurer Wein. —τρόπιμος, ὁ, ἡ, Cicero Att. 12, 12. haben einige auch ἐκτρόποιμος, wofür Erneſti ἔκτροπος mit Gronov lieſt, auſser dem Wege liegend; zw. —τρόπιον, τὸ, (ἐκτρέπω) ein Fehler des Augenlieds, wenn es ſich nach auſſen kehrt. —τροπος, ὁ, ἡ, (ἐκτρέπω) abgewendet, abgehend vom Wege; alſo abgelegen, entlegen: abweichend, abgehend, von Gewohnung. —τροφή, ἡ, (ἐκτρέφω) das Aufziehn, Groſsziehn, Erziehung. —τροχάζω, ſ. v. a. ἐκτρέχω. —τρυγάω, ῶ, f. ήσω, Trauben leſen, od.

andere Früchte daraus leſen- ſondern- nehmen; zw.

Ἐκτρυγίζω, (τρύξ) Geopon. 5, 2, 13. von den Heſen ziehn oder reinigen. —τρυπάω, ῶ, f. ήσω, ich bohre- höhle aus. 2) Neutr. ich breche durch ein gebohrtes Loch aus, *erumpo.* Ariſtoph. Eccl. 360. —τρύπημα, τὸ, die Bohrſpäne, *ſcobes.* —τρυχόω, ῶ, od. ἐκτρύχω, ſ. v. a. κατατρύχω, aufreiben, ermüden; entkräften. —τρώγω, heraus- ausfreſſen oder nagen. —τρωμα, τὸ, (ἐκτιτρώσκω) zu früh geborne Leibesfrucht; davon —τρωματαῖος, αία, αῖον, *abortivus*, zur Fehlgeburt gehörig: von zu früher Geburt. —τρωσις, εως, ἡ, oder ἐκτρωσμὸς, ὁ, (ἐκτιτρώσκω) das Fehlgebären, zu früh gebären. —τυγχάνω, ſ. v. a. τυγχάνω; zw. —τυμπανωσις, ἡ, Geſchwulſt, das Aufſchwellen wie zu einem τύμπανον. —τυπέω, bey Philoſtr. Apoll. 6, 26. οὕτω ἐκτυπηθῆναι τὰ ὦτα, wären die Ohren ſo betäubt worden. —τυπος, ὁ, ἡ, ausgedruckt, abgedruckt nach einer Form; vorzügl. von erhoben gearbeiteter Kunſtarbeit in Holz, Stein, Marmor, wie *gemma ectypa.* S. τύπος. —τυπόω, ῶ, ich drücke ab- aus; bilde in erhobener Arbeit ab; davon —τύπωμα, τὸ, das abgedruckte, in erhobener Arbeit abgebildete. S. πρόστυπος. —τύπωσις, ἡ, (ἐκτυπόω) das Abdrücken, Ausdrücken, Abbilden in erhobner Arbeit. —τυφλόω, ῶ, blenden, verblenden, blindmachen; davon —τύφλωσις, ἡ, Blendung, Verblendung; das Blindmachen. —τυφος, ὁ, ἡ, μοῦσα, Oenomaus Euſebii 5, 21. ſchwülſtige Muſe, Dichtkunſt. —τύφω, ἐκτυφόω, ῶ, in Rauch oder Dampf verwandeln, alſo anzünden und durch ein Dampffeuer oder durch Schmauch verbrennen: εἰς καπνὸν ἐκτυφοῦται Dioſcor. 1, 83. verglimmt, verſchmaucht in oder zu Rauche; an andern Stellen ſteht ſonſt ἐκτύφεται; vergl. Polyb. 16, 21. daher aufdunſten, aufblaſen, ſtolz- übermüthig machen, durch Stolz oder Dünkel verderben oder dumm machen. S. auch τύφω.

Ἕκτωρ, ὁ, ἡ, (ἔχω ἔξω) der die feſthält, zuſammenhält. S. ἕστωρ.

Ἑκυρά, ἡ, Mannes Mutter; Schwiegermutter. —ρὸς, ὁ, Mannes Vater; Schwiegervater.

Ἐκφαγεῖν, heraus- aus- aufeſſen oder freſſen. —φαιδρύνω, futur. νῶ, ganz hell- glänzend machen; reinigen, glätten; putzen, ſchmücken. —φαίνω, f. ανῶ, heraus- hervorzeigen; ſichtbar- deutlich- bekannt machen; med. ſichtbar werden, ſich zeigen, erſcheinen; deutlich- bekannt werden. —φαλαγγίζω, oder vielmehr ἐνφαλαγγέω, auſſer der Phalanx- der Reihe- dem Gliede treten: Demetr. Phal. 84. —φαμαι, ſ. v. a. ἔκφημι. —φάνδην, Adv. ſ. v. a. ἐκφανῶς, offenbar: Philoſtr. Apoll. 7, 20. u. Heſych. —φανὴς, έος, ὁ, ἡ, Adv. —νῶς, ſichtbar, deutlich, ausgezeichnet vor andern, glänzend, berühmt. —φανίζω, ſ. v. a. ἐκφαίνω, Heſych. —φανσις, ἡ, (ἐκφαίνω) Offenbarung, Deutlich- oder Bekanntmachung, Bezeichnung. —φαντικὸς, ἡ, ὸν, Adv. —κῶς; anzeigend, offenbarend, deutlich oder bekannt machend. —φαντορί . ἡ, (ἐκφάντωρ) Offenbarung; dav. —φαντορικὸς, ἡ, ὸν, offenbarend, erklärend. —φαντος, ὁ, ἡ, (ἐκφαίνω) offenbar, deutlich. —φάντωρ, ορος, ὁ, (ἐκφαίνων) Offenbarer. Dionyſ. Areop. —φασις, ἡ, (φημὶ) das Ausreden, Ausſprechen; Ausſpruch: Herodot. 6, 128. —φασμα, τὸ, ſ. v. a. φάσμα; zweiſ. —φατνίζω, ich werfe- räume aus der Krippe, φάτνη. Bey Athen. 12 p. 540 ſagt Poſidonius: χωρὶς τῶν ἀναλισκομένων καὶ ἐκφατνιζομένων σωρευμάτων; wo es bloſs ausleeren, verzehren bedeutet; dav. ἐκφατνίσματα, nach Pollux 10 ſect. 166. u. Heſych. die Breter an der Krippe der Pferde, welche man ausnimmt, um die Krippe zu reinigen; aber bey Athen. 6 p. 270. u. Philoſtr. Apol. 1, 19 ſind ἐκφατνίσματα, Abfall, Abgang, was man beym reinigen der Krippe wegnimmt. —φάτνισμα, τὸ, was aus der Krippe beym reinigen geworfen wird. S. d. vor. —φάτως, Adv. unausſprechlich, auſſerordentlich. —φαυλίζω, f. ίσω, (φαῦλος) ſchlecht, gering machen, verachten; davon —φαυλισμὸς, ὁ, Geringſchätzung, Verkleinerung, Verachtung. —φαυλος, ὁ, ἡ, das verſtärkte φαυλὸς, bey Joſeph. Antiq. 3, 12, 1. haben die Handſchr. richtiger ἔκφυλος. —φερεμυθέω, (ἐκφέρω, μῦθος) ich plaudre aus. Aeneas Tact. 21. —φέρω, *effero*, ich trage heraus, ich bringe heraus einen Todten, ich begrabe, wie *efferre.* 2) ich bringe aus, verrathe, mache bekannt. Daher 3) ich publizire, mache öffentlich bekannt. 4) ich gebe heraus, bringe hervor. 5) ich trage aus, wie eine Schwangere die Leibesfrucht. 6) ich führe über das Ziel: λόγῳ ἐκφέρομαι, *longius oratione provehor.* πάθει, ich laſſe mich durch Leidenſchaft, Affekt verleiten, verführen. 7) v. der Erde, die Früchte hervorbringt. 8) ἐκφ. πόλεμον, *infero bellum*, ich fange Krieg an, bekriege einen. 9) ψήφισμα ἐκφέρω, ich bringe ein Dekret aus- zu Stande, gebe es. 10) τοῦ δοκεῖν εὖ λέγειν δόξαν ἐκφέρονται, Demoſth. *ferunt, auferunt gloriam*, ſie tragen davon. 11) wie *referre* ma-

ternam naturam, ἐκφέρειν μητρῷα ὀνείδη, Eur. Andr. 621. Homer braucht es Il. 23, 376 vom Auslaufen der Pferde im Wettrennen. Xenoph. Equ. 3, 4. vom Ausreiſſen, Durchgehn des Pferdes; auch vom Ausgange der Wettrenner. Il. 23, 759.

'Εκφεύγω, f. ξω, heraus- davon- entfliehn, entkommen. —φημι, med. ἐκφαμαι, ausreden, ausſagen; reden, ſagen. —φθείρομαι, unglücklich heraus- hinweggehn oder davon kommen. ἐκφθείρου, Lucian dial. mer. 15. packe dich zum Henker heraus. —φθίνω, verderben; ermorden. zw. —φλαίνω. S. φλέω und ἐκφλύζω. —φλαυρίζω, f. ίσω, ſ. v. a. ἐκφαυλίζω. —φλεγματοῦσθαι, in zähen Schleim (φλέγμα) verwandeln. Hipp. —φλέγω, f. ξω, anbrennen, entzünden, verbrennen. —φλίβω, ſ. v. a. ἐκθλίβω. Hippocr. —φλογόω, ῶ, f. ώσω, ſ. v. a. ἐκφλέγω. —φλυαρίζω, f. ίσω, Plutar. Q. S. 5, 7. wahrſcheinlich ſt. ἐκφλαυρίζω. —φλύζω, f. ύσω, ἐκφλινδάνω u. ἐκφλύσσω, von φλύω, φλύζω, φλύδω, φλινδάνω, φλύσσω, als neutr. hervorſprudeln; hervor- herauskochen, hervordringen von Hitze: ἐκφλινδάνει ἕλκεα, es brechen Geſchwüre aus, Hippocr. 2) als activ. beſonders ἐκφλύσσω, herauspreſſen durch Hitze, Angſt! οὐδ' ἔχει ἐκφλύξαι τόσσον γόον: wo es dem kochenden Schmerze Luft machen, ausdrücken, heiſst, wie ἐκφλῆναι λόγον Eurip. S. φλέω. —φοβέω, ῶ, herausſchrecken, erſchrecken; med. erſchrecken. —φόβηθρον, τὸ, Schreckbild, Scheuſal. zw. —φόβημα, τὸ, das heraus oder verſchreckte, weggeſcheuchte. zw. —φόβησις, ἡ, das Herausſchrecken oder Scheuchen, Erſchrecken. —φοβος, ὁ, ἡ, erſchreckt, voll Schreckens. zw. —φοινίσσω, ίττω, f. ξω, rothen. —φοιτάω, ῶ, f. ήσω, heraus- vor- weggehen: εἰς μανίαν ἐκφοιτᾷ. Aelian. h. a. 2, 32. gerath- verfällt in Raſerey. 2) auskommen, bekannt werden; auch activ. bekannt machen, bey Suidas in ἐξεφοίτα. —φοίτησις, ἡ, das Heraus- Ausgehen, das Bekanntwerden. —φορά, ἡ, das Aus- oder Wegtragen. 2) der Leiche, Begräbniſs. 3) λόγου Ariſtoph. Thesm. 472. das Ausplaudern, Verrathen. S. ἐκφορικός. —φορέω, ῶ, ich trage heraus, leere aus: ἐκφοροῦται τῇ καύσει, der Stein wird durchs Brennen hohl, löcherig. Theophr. dav. —φόρημα, τὸ, das Herausgetragene. —φόρησις, ἡ, das Heraustragen, Herausbringen. —φορικός, Adv. —κῶς, von ἐκφορά, Ausdruck, Bezeichnung der Gedanken durch Worte, Plutar. 10 p. 576. τὸ ἐκφορικὸν, eben ſo viel. ibid. p. 579. καλοῦντες —κῶς. p. 575. —φόριον, τὸ, die Frucht des Landes: ἐκφόρια τοῦ καρποῦ, Herodot. auch der Zehnt (*decima*); davon. —φορος, ὁ, ἡ, (ἐκ, φέρω) was ausgeführt 2) ausgetragen, bekannt gemacht werden kann. 3) einer, der ſich durch Leidenſchaft über die Gränzen hat führen laſſen. 4) κάλοι ἔκφοροι. S. θρῖος. 5) δυσσεβούντων ἐκφορωτέρα. Aeſchyl. Eum. 913. ſcheint ſ. v. a. ἀφορωτέρα zu ſeyn. —φορτίζω, f. ίσω, bey Soph. Ant. 1036. κἀκπεφόρτισμαι d. i. ich bin verhandelt (φόρτος): andre leſen κἀμπεφόρτισμαι ſt. καὶ ἀναπεφ. Sonſt ſcheint ἐκφορτίζομαι ſ. v. a. ἀποφορτίζομαι zu ſeyn. —φράζω, f. άσω, beſchreiben, erzählen, auslegen, erklären. —φρακτικός, ἡ, όν, zum eröfnen verſtopfter Wege- Theile gehörig oder geſchickt. —φρασις, ἡ, (ἐκφράζω) Beſchreibung, Erzählung, Erklärung, Auslegung. —φραστικός, ἡ, όν, (ἐκφράστης) zum beſchreiben- erklären- erzählen gehörig oder geſchickt. —φρέω, ἐκφρείω, ἔκφρημι, f. φρήσω, herauslaſſen, entlaſſen, heraustragen. —φρονέω, ῶ, thöricht- unſinnig handeln; übermüthig u. ſtolz werden; überh. ἔκφρων εἰμί. Dio Caſſ. —φροντίζω, f. ίσω, ausdenken, ausſinnen, erdenken, nachdenken; auch beſorgen; aus Thucyd. 3. wird es auch für, auſser Acht laſſen, angeführt, aber zw. —φροσύνη, ἡ, Pollux 5, 121. Einfalt, Unſinn; von —φρων, ονος, ὁ, ἡ, Adv. —όνως, einer der von Sinnen oder vom Verſtande iſt, ſinnlos, erſchrocken, betäubt, u. dergl. —φυάς, άδος, ἡ, ſ. v. a. ἀποφυάς, Auswuchs, Anhangſel. —φυγγάνω, eine andere Form v. ἐκφεύγω. —φυγή, ἡ, Ausflucht; das Entfliehen, Entkommen. —φυής, έος, ὁ, ἡ, (φυὴ) übernatürlich, auſserordentlich, ſehr groſs, u. ſ. w. zw. —φυλάσσω, Soph. Oed. Col. 285. wo es Heſych. d. ἐκσπάω erklart. —φυλλίζω. S. ἐπιφ. —φυλλοφορέω, ῶ, bey Aeſchines vom Rathe zu Athen, der einen verurtheilt und ausſtoſst: weil die Stimmen auf Oelblätter geſchrieben wurden; dav. —φυλλοφορία, ἡ, das Verdammungsurtheil und Ausſtoſsen. Erneſti vermuthete, daſs es von φυλὴ alſo ἐκφυλοφορέω ſey. Aber der nämliche Gebrauch hieſs zu Syracuſae πεταλισμός. Diodor. 11, 87. —φυλος, ὁ, ἡ, (φυλή) auſser der Zunft, unzunftig, fremd. 2) (φῦλον) ganz ungewohnlich, auſserordentlich, vorzügl. widernatürlich, unbeſtandig, ungebuhrlich. —φυμα, τὸ, (ἐκφύω) Auswuchs, Blatter, Blaſe, Ausſchlag. —φύρω, ſ. v. a. φύρω. Jerem. 3, 2. —φυσάω, ῶ, f. ήσω, ich blaſe, hauche, athme aus. ὕπνον βαῥοῦν ἐκφυσῶντας, die im tiefen Schlafe stark ausathmen oder schnarchen, Theocr. 24, 47. davon

Ἐκφύσημα, τὸ, das Ausgeblasene; Aufgeblasenheit, Geschwulst. Pollux 4, 190. bey Hesych. sind ἐκφυσήματα, die durch Erdbeben aufgeworfenen Felsen. — Φύσησις, ἡ, das Ausblasen, Ausathmen, Aufblasen.

Ἐκφυσιάω od. ἐκφυσιόω, Aeschyl. Ag. 1400. s. v. a. ἐκφυσάω. — Φύσις, ἡ, (ἐκφύω) das heraus- hervor- auswachsen; das Keimen; das heraus- hervorbrechen oder gehn; das Entstehn daraus; das entstandene, erwachsene, erzeugte daraus; auch s. v. a. ἐκφυὰς u. ἀποφυὰς, Fortsatz, Ansatz, Auswuchs. — Φυτεύω, herausnehmen u. verpflanzen. — Φύω, f. ύσω, erzeugen; heraus oder hervorwachsen lassen; neutr. s. v. a. d. passiv. ἐκφύομαι, heraus oder hervorkeimen, aufwachsen, geboren, gezeugt werden. — Φωνέω, ῶ, ausschreyen, ausrufen, namentlich nennen, aussprechen. — Φώνησις, ἡ, das Ausschreyen, der Ausruf, das Ausrufen, Aussprechen. — Φωτίζω, f. ίσω, erhellen, erleuchten.

Ἐκχαλάω, ῶ, s. v. a. ἀποχαλάω, nachlassen, lose machen. — Χαλκεύω, f. εύσω, aus Erz oder Metall arbeiten. Joseph. — Χαραδρόω, ῶ, eine Höhlung machen, aushöhlen, durchbrechen. χείμαῤῥος ἐκχαράδρoῖ τοὺς τόπους, Polyb. 4, 41. Strabo 11 p. 765. eben so sagt Herodot. 2. ὑπομένησι τῆς χώρας καὶ κεχαραδρωμένης. — Χαυνόω, ῶ, f. ώσω, s. v. a. χαυνόω, Eurip. Supp. 412. ἐκχαυνῶν λόγοις, übermüthig machen, aufblasen. τὸν πολὺν ὄχλον, den Pöbel für sich einnehmen, täuschen. Hippocr. — Χέω, f. εύσω, s. v. a. ἐκχύνω, aus- weggießen, ausschütten, reichlich geben, verschwenden. — Χιλόω, ῶ, f. ώσω, (χιλὸς) davon ἐκκεχιλωμένη bey den Grammat. durch verwüstet, vernachlässiget, vom Lande, erklärt wird. — Χλευάζω, aus Libanii 1 p. 8114. s. v. a. χλευάζω. — Χλοιόομαι, u. ἐκχλοοῦμαι, (χλόος) blaß werden oder seyn. Hippocr. — Χοΐζω, f. ίσω, nach Suidas σκάπτω; von χόος, χοῦς, graben und die Erde aufwerfen. — Χολίζω, entgallen, von Galle befreyen, reinigen: Geopon. 14, 19, 3. wo die Handschr. ἐκχολῆσαι haben. — Χολόω, ῶ, f. ώσω, vergallen, in Galle verwandeln, mit Galle anfüllen; daher mit Galle d. i. mit Zorn anfüllen, zornig machen. — Χορδεύω. S. in κατακχορδεύω. — Χορδόω, ῶ, f. ώσω, bey Athenae 4. p. 175. τῆτος λαρυγγ. Φωνὸς ἐκκεχόρδωται, aus den Saiten hervorbringen. — Χορεύω, f. εύσω, bey Eurip. Hel. 386. ἐξεχορεύσατο, hat sie aus dem Chore gestoßen. — Χράω, s. v. a. ἀποχράω, ich reiche hin- zu. 2) s. v. a. ἐκχρησμῳδέω. Sophocl. Oed. Col. ὅτ' ἐξέχρη κακά. — Χρέμπτομαι, f. ψομαι, ich werfe, spucke aus. — Χρηματίζω, f. ίσω, Thucyd. 8, 87. ἵνα τοὺς Φοίνικας ἐκχρηματίσαιτο, damit er von ihnen Geld erpressen könnte. — Χρησμῳδέω, heraus- daraus Orakel ertheilen. zweif. — Χυλίζω, f. ίσω, ich drücke den Saft aus; presse aus. — Χυμίζω, f. ίσω, ich sauge die Feuchtigkeit aus. — Χυμόω, ῶ, f. ώσω, Φλέβες ἐκχυμοῦνται, die Blutgefäße ergießen sich unter die Haut u. bilden eine mit Blut unterlaufene Stelle; davon — Χύμωμα, τὸ, u. ἐκχύμωσις, ἡ, das Ergießen der kleinen Blutgefäße und eine mit Blut unterlaufene Stelle, *sugillatio, livor*, ausgetretenes Blut von Quetschungen. — Χύνω. S. ἀνηνεμία. — Χύσις, ἡ, das Aus-Ergießen, Vergießen. — Χύτης, ου, ὁ, der ausgießt, ergießt. — Χυτος, ὁ, ἡ, aus- er- vergossen; für ein flüßiges Essen wird ἔκχυτον, τὸ, aus Anthol. angemerkt. Suidas führt ein Buch des Hermagoras an: ἔκχυτον, ἔστι δὲ ὠοσκοπία. — Χυτρίζω, f. ίσω, s. v. a. ἐκβάλλω: Hesych. soll aber wahrsch. ἐγχυτρ. heißen. — Χύω, s. v. a. ἐκχέω, aus- er- vergießen. — Χωνεύω, f. εύσω, aus- oder einschmelzen, umschmelzen. Dio Cass. — Χωρέω, ῶ, herausgehn, ausweichen, Platz machen, nachgeben. — Χώρησις ἡ, (ἐκχωρέω) das Weggehn, Herausgehn oder Weichen. — Χωρίζω, f. ίσω, aus der Stelle schaffen, absondern, fortschaffen. zw.

Ἐκψῆγμα, τὸ, γῆς, Clemens. Paedag. 2, 12. *minutal terrae*, ein Stückchen abgeriebene Erde. — Ψύχω, f. ξω, ausathmen, aushauchen, den Athem verlieren, durch Ohnmacht sterben; ist auch bisweilen s. v. a. ἀποψύχω.

Ἐκὼν, οῦσα, ὸν, freywillig: die Attiker setzen gern εἶναι hinzu ohne weitere Bedeut. die alten Grammat. leiten es von ἔκω, εἴκω, als part. εἴκων her.

Ἐλάα, ἡ, attisch st. ἐλαία.

Ἐλάδιον, τὸ, (ἐλάα, ἔλαον) ein wenig Oel.

Ἐλαία, ἡ, Oelbaum; Olive, Frucht des Oelbaums. — Αγνος, ἡ, auch ἐλαίαγνος bey Hesych. Theophr. h. pl. 4. 11. Plinius 24, 9. ein Sumpfgewächs: hat bey Linné denselben Namen. — Αἰς, αισσα, αεν, gen. εντος, έσσης, εντος, vom Oelbaume, von Oliven, ölig. — Ακόνη, Paul. Aeg. *cos olearia*, Wetzstein, auf dem man Eisen mit Oel reibt und schärft; im Gegens. von *cos aquaria*. — Αλογέω, ῶ, s. v. a. ἐλαιολ. Deuter. u. c. 24. — Εμπορος, ὁ, Oel-Olivenhändler. zw.

'Ελαΐζω, Olivenfarbig ſeyn; Oliven bauen oder ſammlen; Pollux hat davon ἐλαϊστής. 10, 130. S. auch ἐλαιόω.

'Ελαιήεις, ήεσσα, ῆεν, u. ἐλαιηρὸς, ſ. v. a. ἐλαιόεις.

'Ελαΐνεος, έα, εον, oder ἐλαϊνὸς, vom Oelbaume und deſſen Holze gemacht.

'Ελαιόβροχος, ὁ, ἡ, ἐλαιοβραχὴς, ὁ, ἡ, (βρέχω) in Oel getaucht, dann benetzt. —όδευτος, ὁ, ἡ, (δεύω) ſ. v. a. d. vorh. —οδόκος, ἐλαιοδόχος, ὁ, ἡ, (δέχομαι) Oel in ſich faſſend, enthaltend. —οειδὴς, έος, ὁ, ἡ, (εἶδος) öl- oder olivenartig. —οθήκη, ἡ, Oelbehältniſs- Oelkeller. zw. —όθρεπτος, ὁ, ἡ, (τρέφω) mit oder von Oel genährt. zw. —οκομέω, Oliven bauen- ziehn und warten; Oelbau treiben; αὐλῶνες ἐλαιοκομούμενοι Pollux 1, 229. mit Oelbaumpflanzungen; davon ἐλαιοκομικὸς, zum Olivenbau gehörig. Pollux 7, 140. davon —οκομία, ἡ, Oliven- oder Oelbau. —οκόμος, ὁ, ἡ, Oelbauer, der Olivenbäume zieht und wartet. —οκονία, ἡ, ein Maueranſtrich (*albanium*) mit Oel gemiſcht. zw. —ολογέω, ῶ, ich leſe, ſammle, erndte Oliven; v. folgd. —ολόγος, ὁ, ἡ, (ἐλαία, λέγω) der Oliven lieſt, ſammlet. —όμελι, ιτος, τὸ, bey Dioſcor. 1, 37. u. Plinius eine Art von Manna, das aus den angeſtochenen Aeſten des Oelbaums flieſst. Vergl. Columella 5. 8. 7. p. 269.

'Ελαιον, τὸ, (ἐλαία) Oliven- oder Baumöl, nachher jede flüſſige Fettigkeit, wie Oel, Schmalz, Butter. —οπινὴς, ὁ, ἡ, (πῖνος) mit Oele geſalbt; vom Oele ſchmutzig. —οποιία, ἡ, das Oel machen oder ſchlagen, Oelpreſſen. —οπωλεῖον, τὸ, (πωλέω) Ort, wo man Oel verkauft. —οπώλης, ου, ὁ, Oelhändler. —οπώλιον, τὸ, ſ. v. a. ἐλαιοπωλεῖον.

'Ελαιος, ὁ, Soph. Tr. 1197 ἄρσενα ἄγριον ἔλαιον, ſ. v. a. κότινος, *oleaſter*, wilder Oelbaum. Vergl. Pauſan. 2, 28.

'Ελαιόσπονδος, ὁ, ἡ. S. ὑδρόσπονδα.

'Ελαιοστάφυλος, ὁ, ἡ, Geopon. 9, 14. ein auf den Weinſtock gepflanzter Oelbaum; davon ἐλαιοστάφυλος καρπὸς, die Frucht. Heſych. u. Pollux 6, 82. haben eine Traubenart ἐλάεος. —οτριβεῖον, τὸ, Oelmühle, worinne die Oliven zermalmt werden. —οτρόπιον, τὸ, (ἐλαῖα, τρέπω) Oelmühle; das Oelpreſſen. Geopon. 6, 1. —οτρυγητὸς, ὁ, Olivenerndte. —οτρύγον, τὸ, ſt. ἐλαίου τρὺξ, ſ. v. a. ἀμόργη. —ουργεῖον, τὸ, Ort zum Oelmachen; Oelpreſſe: von —ουργία, ἡ, das Oelmachen, Oelpreſſen. —ουργὸς, ὁ, ἡ, Oelmacher, Oelpreſſer. —οφιλοφάγος, ὁ, ἡ, Epicharmus Athenaei 2 p. 24. nennt die κιχήλα; d. i. κιχλας, Krammetsvögel, ſo, weil ſie gern Oliven freſſen; es ſteht fälſch ἐλαιοφυλλοφ. gedruckt. —οφόρος, ὁ, ἡ, Oel oder Oelbäume tragend; τὸ ἐλ. verſt. ἀγγεῖον, Oelgefäſs, Oelkrug. —οφυὴς, έος, ὁ, ἡ, (φύω) Oelbäume zeugend, tragend. —οφυλλοφάγος, ὁ, ἡ. S. ἐλαιοφιλοφ. —όφυτος, ὁ, ἡ, χώρα, eine Gegend, die mit Oelbäumen bepflanzt iſt oder ſie von Natur trägt, Strabo. —οχριστία, ἡ, das Salben mit Oel. —όω, ῶ, ſ. ώσω, (ἔλαιον) mit Oel ſalben; Oliven (ἐλαία) ſammeln. Pollux 7, 146. wo auch ἐλαιατὴρ oder ἐλαιωτὴρ od. ἐλαϊστὴρ für ἐλαιολόγος ſteht; denn die Handſchr. haben alle dieſe Leſearten.

'Ελαΐς, ίδος, ἡ, Olivenpflanze. Ariſtoph. Ach. 998. —ϊστὴς, οῦ, ὁ, Oliven ſammelnd. S. ἐλαΐζω.

'Ελαιώδης, εος, ὁ, ἡ, ſ. v. a. ἐλαιοειδὴς. —ὼν, ῶνος, ὁ, (ἐλαῖα) *olivetum*, Olivengarten. Geopon. 3, 11. —ωτὴρ, ῆρος, ὁ. S. ἐλαιόω. —ωτὸς, ἡ, ὸν, (ἐλαιόω) mit Oel beſchmiert, geſalbt. Heſych.

"Ελανδρος, ὁ, ἡ, (ἑλεῖν ἄνδρα) der den Mann od. Krieger gefangen nimmt. zw.

'Ελασᾶς, ὁ, ein unbeſt. Vogel. Ariſtoph. Av. 886. Heſych. hat ἔλανος für ἰκτῖνος. —σείω, ich will- habe Luſt zu gehen- reiten- fahren- marſchiren, und was ſonſt ἐλαύνω für Bedeut. hat, von deſſen fut. ἐλάσω es abgeleitet iſt. —σία, ἡ, ſ. v. a. ἔλασις. Xenoph. Hipparch. 4, 4. —σίβροντος, ὁ, ἡ, (ἐλαύνω, βροντὴ) den Donner ſchleudernd; donnernd. Pind. —σιππος, ὁ, ἡ, ſ. v. a. ἱππελάτης, Reiter, beritten. Pindar. —σις, ἡ, (ἐλάω, ἐλαύνω) mit beygeſetztem oder verſtandenem ἵππου, ἅρματος, νεὼς und dergl. das Reiten, Fahren, Schiffen, das Gehen, Marſchiren, das Treiben; überh. das Fortbewegen

"Ελασμα, τὸ, (ἐλαύνω) ein mit dem Hammer getriebenes Stück Metall, eine Platte. —μὸς, ὁ, ſ. v. a. ἔλασις. μολύβδου ἐλασμοὺς ſt. ἐλάσματα. Dio Caſſ.

'Ελασσόω, ἐλαττόω, f. ώσω, (ἐλάσσων) kleiner, geringer, ſchlechter machen, verſchlimmern, beſchädigen; vom Feinde, ſchlagen; paſſiv. ἐλαττοῦμαι, ich komme zu kurz, habe, leide Schaden, ich liege unter; dav. —σωμα, τὸ, Verringerung, Verſchlimmerung, Schaden, Verluſt, Niederlage. —σων, ἐλάττων, ονος, ὁ, ἡ, Adv. —όνως, u. ἔλασσον, vom alten ἐλαχὺς der comparat. wie βαθὺς, βαθίων, βάσσων, kleiner, geringer, ſchlechter; beſonders wie *inferior*, im Felde geſchlagen, Niederlage erleidend; dav. ἐλαττόω.

'Ελαστὴς, οῦ, ὁ, ſ. v. a. ἐλατήρ. —στρέω, ῶ, jon. ſ. v. a. ἐλάω, ἐλαύνω; wie καλιστρέω von καλέω.

'Ελάτειρα, ἡ, fem. v. ἐλαστὴρ od. ἐλαστής. —τη, ἡ, ἄῤῥην, die Fichte oder Rothtanne, *Pinus abies*. Lin. θήλεια, die Tanne, Weisstanne, *Pinus picea* Lin.

'Ελατὴρ, ῆρος, ὁ, s. v. a. ἐλαστής; davon —τήριον, τὸ, eigentl. neutr. verst. φάρμακον, von ἐλατήριος, ὁ, ἡ, treibendes, abführendes Mittel: vorz. der Saft der Purgirgurke, *cucumis elaterium* Lin. —της, ου, ὁ, s. v. a. ἐλαστής; davon —τικὸς, ἡ, ὸν, zum bewegen, treiben, regieren gehörig od. geschickt. —τίνη, ἡ, ein Kraut, Diosc. 4, 50, Plin. 27, 9. *antirrhinum elatine* oder *spurium* Linnaei. —τινος, ίνη, ινον, (ἐλάτη) von Tannen oder Tannenholz gemacht. —τὸς, ἡ, ὸν, (ἐλαύνω) getrieben, mit-durch Hammerschläge getrieben u. gestreckt; was sich treiben, schlagen lässt; als Metall.

'Ελαττον, neutr. v. ἐλάττων, weniger, auch als Adv. —τονάκις, Adv. weniger, noch nicht so oft, seltener. —τονέω, ῶ, ich mache weniger, verringere, ich bekomme weniger; bey den Spätern. —τόω, ἐλάττωμα und ἐλάττων, s. oben in ἐλάσσων; davon —τωσις, ἡ, Verringerung, Verkleinerung; passiv. Verlust. —τωτικὸς, ἡ, ὸν, zum verringern, verkleinern od. passive zum verlieren gehörig, gemacht, geneigt.

'Ελαύνω, v. ἐλάω; davon ἐλάσω, ἐλήλακα; beyde kommen von ἔλλω, ἐλῶ, ἐλέω, ἐλεύω: davon ἐλεύθω: wie von κέλλω, κελῶ, κελέω, κελεύω kommt κέλευθος. dah. die Attiker das fut. ἐλῶ st. ἐλάσω brauchen: die erste Bedeut. ist *impello, incito, ago*, ich treibe, setze in Bewegung: ἅρμα, ἵππους, ναῦς, ich fahre, reite, rudere: *ago currum, equos, impello navem;* dah. auch ohne ἵππον u. ἅρμα, ich reite, fahre: auch ἐλαύνω ohne ναῦν, ich rudere; οὔτε θέομεν οὔτ' ἐλαύνομεν, Aristoph. Eccl. 109. ἔγχος, ich stoſse das Schwerdt, Spieſs, u. dergl. δρόμον, ich laufe, auch ohne δρ. ich laufe, renne. ὄρχον, ich ziehe eine Reihe, Linie von Bäumen. χαλκὸν, *ducere aes*, ich schmiede Kupfer mit dem Hammer. γυναῖκα, *agito*, ich beschlafe ein Frauenzimmer. 2) ich stoſse, jage fort, verfolge, ängstige, plage; ich treibe an. 3) von schimpflicher Behandlung und Beschimpfung braucht es Demosth. häufig: ἐλαυνόμενον καὶ ὑβριζόμενον p. 241. ὡς δοῦλον ἐλαυνόμενον p. 1481. ἐλαύνεις, διώκεις, συκοφαντεῖς p. 960. εἰ μὴ καὶ φυλὴν ὅλην καὶ βουλὴν καὶ ἔθνος προπηλακιεῖ καὶ πολλοὺς ἀθρόους ὑμῶν ἅμα ἐλᾷ st. ἐλάσει p. 537. σὺ δ' ἀπειλεῖς πᾶσιν, ἐλαύνεις πάντας p. 559 u. 58. πάντα τρόπον περιωθῶν καὶ ἐλαύνων τοὺς ἀνθρώπους p. 570. woraus der Ursprung der Bedeut. erhellet. 4) neutr. s. v. a. gehn, fortgehn, *procedere*: εἰς τοῦτ' ἤλασε μανίας, *eo usque furens processit*, er gieng so weit in der Wuth, trieb sie so weit; ἄδην ἐλάαν κακότητος, in seinem Unglücke noch weit genug kommen: Odyss. 5, 290.

'Ελάφειος, ὁ, ἡ, vom Hirsche, zum Hirsche gehörig. —φηβολία, ἡ, (βάλλω) das Schieſsen der Hirsche, Hirschjagd. —φηβόλια, τὰ, verst. ἱερὰ, Jagdfest der Artemis zu Ehren. —φηβολιὼν, ῶνος, ὁ, der Monat der Hirschjagd halb Februar u. März; hieſs bey den Eliern ἐλάφιος und fiel ins Frühlingsaequinoctium. Pausan. 5, 13. 6, 20. —φηβόλος, ὁ, ἡ, (βάλλω) Hirsche schieſsend, Hirschjäger, überh. Jäger. —φίνης, ου, ὁ, junger Hirsch, Hirschkalb. Hesych. —φιος, ὁ, ἡ, s. v. a. ἐλάφειος. S. auch ἐλαφηβολιών. —φοβόσκον, τὸ, eigentl. Hirschfutter. Dioscor. 3, 80. Plin. 22, 22. wilder Pastinak, *pastinaca sativa* Lin. —φογενής, ὁ, ἡ, vom Hirsche erzeugt od. genommen. —φοειδής, ὁ, ἡ, (εἶδος) hirschartig. —φόκρανος, ὁ, ἡ, (κράνον) mit einem Hirschkopfe. —φοκτόνος, ὁ, ἡ, d. i. ἔλαφον κτείνων, Hirschtödter. —φος, ὁ, ἡ, Hirsch, Hirschkuh; von ἔλος, ἔλλος, wie ἕδος, ἔδαφος; andere leiten es von ἐλάω ab. —φοσκόροδον, τὸ, Hirsch od. wilder Knoblauch. —φρία, ἡ, Geschwindigkeit, Leichtsinnigkeit; dah. Leichtsinn, wie *levitas*: Geringfügigkeit, Wenigkeit. —φρίζω, f. ίσω, leicht machen, erleichtern. 2) neutr. leicht seyn. Opp. Cyn. 1, 85.

'Ελαφρόγειος, ὁ, ἡ, (γεία, γαῖα) von leichter Erde. —φρόπους, ὁ, ἡ, leichtfüſsig. —φρὸς, ά, ὸν, leicht, schnell, geschwind, behend, rüstig; οὐκ ἐν ἐλαφρῷ ποιεῖσθαι τι, *graviter ferre*, etwas nicht verachten, sondern sich darüber betrüben, ängstigen. 2) unbeschwerlich, sanft, mild. 3) unbeständig, leichtsinnig; auch gering, niedrig, ohne Bedeutung und Ansehn; bey Aelian. h. a. 9, 49. mit βραχέα verbunden u. von derselben Bedeut. nehmlich τενάγη. Adv. ἐλαφρῶς, leichtlich. —φρότης, ητος, ἡ, die Leichtigkeit, Schnelligkeit, und die übrigen Bedeutungen von ἐλαφρὸς. —φρύνω, f. υνῶ, ich mache leicht, erleichtere.

'Ελάχιστα, Adv. am wenigsten; von —χιστος, ίστη, ιστον, der kürzeste, kleinste, wenigste; von ἐλαχὺς der Superl. davon wiederum gemacht wird ἐλαχιστότερος, noch kleiner. Odyss. 19, 116. —χιστέρυξ, γος, ὁ, ἡ, kurzflüglig. —χὺς, εῖα, ὺ, kurz, klein; davon ἐλάσσων, kleiner, ἐλάχιστος der kleinste, wenigste.

'Ελάω, f. άσω, s. v. a. ἐλαύνω. Pindar. Isthm. 5, 48. ἐλᾷ νῦν μοι πεδέθειν.

'Ελαών, ῶνος, ὁ, (ἐλάα) ſ. v. a. ἐλαιών.

'Ελδομαι, u. ἐέλδομαι, ich verlange, ἐὸν αὐτοῦ χρεῖος ἐελδόμενος, Odyſſ. ſeine eigne Angelegenheit ſuchend, betreibend: m. d. Genit. ich wünſche: davon —δωρ, τὸ, u. ἔελδωρ, Verlangen, Wunſch.

'Ελεαίρω, ſ. v. a. ἐλεέω.

'Ελεᾶς, ὁ, Name eines Vogels. Ariſtoph. Av. 303. —ατρος, (ἐλεὸς) der die Oberaufſicht und ganze Beſorgung der Tafel hat. Athenaei 4 p. 171.

'Ελεγεία, ἡ, od. ἐλεγεῖον, τὸ, (ᾠδὴ, ἆσμα) elegiſcher Geſang, elegiſches Lied, Elegie. —γειοποιὸς, ὁ, Elegiendichter. —γῖνοι, οἱ, eine Art Fiſche: Ariſtot. h. a. 9, 2.

'Ελεγκτικὸς, ἡ, ὸν, Adv. —κῶς, zum überführen, widerlegen geſchickt od. bereit. —κτὸς, ἡ, ὸν, zu widerlegen oder tadeln, widerlegt, überführt, getadelt.

'Ελεγμὸς, ὁ, od. ἔλεγξις, ἡ, Ueberführung, Widerlegung, Tadel, Unterſuchung, Prüfung.

'Ελέγος, ὁ, als Subſt. Klage, Klagelied, Elegie. 2) als Adject. kläglich, traurig. Eur. Hel. 185. Nach dem Schol. des Ariſtoph. Av. kommt es von λέγω, u. ἒ, ἒ hei, welchen Laut man beym Klagen häufig wiederholte.

'Ελεγχείη, ἡ, Schande, Tadel, Vorwurf. S. ἐλέγχω. —χὴς, έος, ὁ, ἡ, ſchandlich. S. ἐλέγχω. —χιγάμος, ὁ, ἡ, d. i. ἐλέγχων γάμον, die Treue eines Gatten prüfend u. zeigend. —χος, εος, τὸ, Schande. S. ἐλέγχω. —χος, ὁ, eigentl. der Beweis, Beweismittel jemand zu beſchämen, zu überführen, zu widerlegen; dah. die Widerlegung, Ueberführung; auch Tadel, Vorwurf, Anklage, Beſchuldigung: auch Prüfung, Unterſuchung. —χω, f. ξω, die älteſte Bedeut. bey Hom. iſt beſchämen, zu Schande machen: τῶν μὴ σύ γε μῦθον ἐλέγξῃς μήτε πόδας, beſchäme ſie nicht ſo ſehr, daſs ſie umſonſt gekommen ſeyn und geſprochen haben ſollten; eben ſo braucht er ἔλεγχος, τὸ, die Schmach, Schande; wie auch ἐλεγχείη, ἐλεγχὴς u. ἐλέγχιστος, von ſchändlichen, ſchandbaren Menſchen; dah. wird es metaph. gebraucht für überzeugen, überführen, widerlegen, weil dadurch der andere beſchämt wird; ferner: prüfen, forſchen, fragen, unterſuchen, um den andern zu widerlegen: überh. tadeln, verweiſen, verachten, wie *refuto*; auch abhalten, zurückhalten; τοῦ πυρὸς δύναμιν ἤλεγξε προσευχὴ, Chryſoſt. das alte Stammwort muſs ἐλέγω ſeyn, welches bey Suidas ἐλεγαίνειν, παραφρονεῖν; beym Etym. M. ἐλεγαίνειν, παραφρονεῖν, ἀσελγαίνειν u. ἀκολασταίνειν bedentet. Heſych. hat ἐλεθαινομένη für ἀκολασταίνουσα.

'Ελεδεμνὰς κτύπος bey Aeſchyl. S. 83. ὁ ἐλῶν ἐκ τοῦ δεμνίου, aus dem Lager, Bette treibend. zweif.

'Ελεδώνη, ἡ, u. ἐλεδώνη, eine Art kleiner Dintenfiſche; *polypi marini ſpecies.*

'Ελεεινολογέω, ῶ, erbärmlich ſprechen, Mitleiden durch Reden zu erwecken ſuchen; dav. —εινολογία, ἡ, *oratio miſerabilis*, Mitleiden, Erbarmen erregende Rede. —εινὸς, ἡ, ὸν, Adv. —νῶς, bemitleidenswerth, erbärmlich. —έω, ῶ, (ἔλεος) bedauern, beklagen aus Mitleiden; Mitleiden mit einem haben, ſich erbarmen. Von der Form ἐλεάω iſt ἐλεαίρω gemacht, u. das Etym. M. bemerkt ἐλεᾶν als die gemeine Form. In Clemens Paedag. 1 p. 146. hat die florent. Ausg. ἐλεᾷ ſt. ἐλεεῖ. —ημονικὸς, ἡ, ὸν, (ἐλεήμων) zum Erbarmen, Mitleiden geneigt od. gehörig. —ημοσύνη, ἡ, Mitleiden, Erbarmen, Bedauern; Unterſtützung armer Menſchen, Wohlthat, Almoſen: von —ήμων, ονος, ὁ, ἡ, Adv. —μόνως, (ἐλεέω, fut. ἐλεήσω) mitleidig, barmherzig. —ητικὸς, ἡ, ὸν, ſ. v. a. ἐλεημονικὸς. zw. —ητὺς, ύος, ἡ, jon. ſ. v. a. ἔλεος.

'Ελειητὴς, ὁ, ἐσχατιὰν ὑπὸ πέζαν ἐλειήταν λέοντος führt Etym. M. an u. leitet es von εἵλη, Wärme, od. ἕλος, Sumpf, ab.

'Ελεινὸς, poet. ſt. ἐλεεινὸς, erbärmlich: Soph. Ph. 867. ſo auch ἀνελήμων ſt. ἀνελεήμων u. ἀνήλης.

'Ελειοβάτης, ου, ὁ, (ἕλος, βάω) über-durch Sümpfe gehend. Suid. —ογενὴς, έος, ὁ, ἡ, (γένω) in Sümpfen geboren, erzeugt, gewachſen. —ονόμος, ὁ, ἡ, (νέμω) in Sümpfen lebend, weidend.

"Ελειος, ὁ, ἡ, ſumpfigt, in Sümpfen lebend.

'Ελειὸς, ὁ, *glis*, der Lobaok, eine Mauseart, andere erklaren es für das Eichhorn (*ſciurus*) auch für eine Falkenart; bey Ariſtot. h. a. 8, 3 iſt ἐλεὸς, ein Nachtvogel groſser als ein Hahn, εἰλεὸς bey Artemidor. 3, 66. für die Mausart, *loir* franzöſ. ſteht ἐλειὸς bey Ariſtot. h. a. 8, 17. wo die Handſchr. ἐλιὸς haben. Heſych. hat ἐλειὸς, εἰλυῖος, ἰλῃός, ὄλιος u. ἔλιος von demſelben Thiere. —οσέλινον, Sumpf-eppich. —ότροφος, ὁ, ἡ, (τρέφω) in Sümpfen ernährt, gezogen, gewachſen. —όχρυσος, ὁ, ἡ, ſ. v. a. ἑλίχρ.

'Ελελεῦ, Kriegsgeſchrey der Soldaten beym Angriffe; dav. —λίζω, f. ίσω, Xen. Anab. 1, 8, 18. ſ. v. a. ἀλαλάζω, was er an andern Stellen braucht; vergl. Demetr. Phaler. 98. —λισφακίτης, ου, ὁ, (οἶνος) Wein über ἐλελίσφακος abgezogen. —λίσφακος, ὁ, eine Art wilder ftrauchichter Salbey: Diofcor. 3, 40. *falvia pomifera* Linn. Tournefort Reife 1. S. 107.

Ἑλελίττω, f. ξω, wickeln, (εἱλέω) winden, fchnellen, fchnell umdrehn, fchwingen, erfchüttern. Il. 1, 530. von [illegible]langen die fich winden, zufammenwinden. Il. 2, 316. u. fonft —λίχθημα, ατος, τὸ, Erfchütterung, σεισμός. Hefych. —λίχθων, ωνος, ὁ, ἡ, d. i. ἐλελίττων χθόνα, Erderfchütterer, f. v. a. ἐννοσίγαιος.

Ἑλένας, ἡ, bey Aefchyl. Ag. 699. Beywort der Helena, von ἑλεῖν ναῦς.

Ἑλένη, ἡ, ἑλενηφορέω, ἑλενηφόρια, τὰ, nach Pollux 10, 191. ift ἑλένη ein geflochtener Korb, worinne man an dem Fefttage der Diana Brauronia die Heiligthümer und Opfergeräthfchaften in Prozeffion trug; dav. ἑλενηφοροῦντες eine Komoedie des Diphilus: Athen. 6, p. 223. u. das Feft felbft ἑλενηφόρια, τά.

Ἑλένιον, τὸ, Diofcor. 1, 27 u. 28. man nimmt es für *inula*, Aland.

Ἐλεοδύτης, ου, ὁ, der dem Koche in der Küche und überhaupt beym Opfern aufwartet. Athenaei 4 p. 173.

Ἐλεόθρεπτος, ὁ, ἡ, f. v. a. ἑλειότροφος Il. 2, 776.

Ἐλεόν, Adv. ft. ἐλεεινὸν, kläglich, erbärmlich, μύρετο Hefiod. ἐλεώτερον den Compar. hat Hefych.

Ἐλεόν, τὸ, u. ἐλεὸς, ὁ, der Tifch worauf der Koch, Wirth, das Fleifch, Braten zerlegt. Odyff. 14, 432. Il. 9, 215. 2) eine Vogelart. S. ἔλειος.

Ἔλεος, ου, ὁ, Mitleid, Erbarmen, Bedauern; als neutr. bey den LXX u. im N. T.

Ἐλεοσέλινον, τὸ, f. v. a. ἑλειοσέλινον.

Ἐλέπολις, ein Fifch. S. ἐλιφῖτις.

Ἑλέπολις, ἡ, (ἑλεῖν) eine Mafchine zur Belagerung u. Einnahme der Städte.

Ἑλέπτολις, ἡ, f. v. a. d. vorige.

Ἐλεσπίς, ἡ, Apollon. 1, 1266. f. v. a. wäfsrigte, feuchte Wiefen, ἕλος. Hefych hat λέσπιν, μεγάλην, ὑδρηλὴν, Δίδυμος τὴν καταδυομένην εἰς πέλαγος πέτραν· οἱ δὲ τὴν νοτερὰν· ἄλλοι δεσπίδα βαθεῖαν, οἱ δὲ λόχμην: aus der Stelle irgend eines alexandrinifchen Dichters wo λεσπίδα oder ἐλεσπίδα πέτραν vorkam.

Ἑλετὸς, ἡ, όν, (αἱρέω) was man faffen kann.

Ἐλευθερία, ἡ, Freyheit. —θέρια, τὰ, Freyheitsfeft od. Feyer. —θεριάζω, ich thue, fpreche frey, wie ein freyer Menfch: τοῖς λόγοις, aus dem Stegreife, ohne Vorbereitung, frey fprechen. Plut. Educ. —θεριαστικὸς, ἡ, όν, (ἐλευθεριάζω) gerne frey handelnd, fprechend, thuend. —θέριος, ἡ, όν, zum Freygebornen od. zur Freyheit gehörig; z. w. —θέριος, ὁ, ἡ, Adv. —ρίως, von ἐλευθερος, wie *liberalis* von *liber*; von freyer Denkungsart, der frey und wie ein freygeborner Menfch denkt und handelt; alfo edel, freymüthig, vorzüglich im Gebrauche des Geldes und Reichthums, wie *liberalis*, dem Knicker entgegengefetzt; von Kleidung, Koft, Bildung: Xen. Cyr. 5, 2. 16, 4. 4, wie *liberalis forma*, *liberalis cultus victusque*: als Beywort eines Gottes, z. B. des Zeus, freymachend, Erretter; davon —θεριότης, ητος, ἡ, die Denkart u. Art zu handeln eines freygebornen Menfchen, alfo Edelmuth, vorz. Freygebigkeit. —θερόπαις, αιδος, ὁ, ἡ, mit freyen, freygebornen Kindern; δῆμος, Anthol. —θεροπράσιον, τὸ, (πράω, πιπράσκω) δίκη - ασίου, Klage wegen Verkaufung eines freyen Menfchen in die Sclaverey. —θεροπρέπεια, ἡ, das, was einem Freygebornen anftändig ift: Pollux 3, 119. von —θεροπρεπής, έος, ὁ, ἡ, Adv. —πρεπῶς, (πρέπω) für einen freyen Menfchen anftändig. —θερος, έρα, ερον, oder ὁ, ἡ, Adverb. —θέρως, (ἐλεύθω) frey, eigentl. der gehen kann wohin er will; dem δεσμώτης und δοῦλος, dem gefeffelten Sclaven entgegengefetzt. —θεροστομέω, ῶ, ich fpreche frey oder freymüthig; davon —θεροστομία, ἡ, Freyheit, Freymüthigkeit im Reden oder Sprechen; von —θερόστομος, ὁ, ἡ, (στόμα) mit freymüthigem Munde, frey fprechend. —θερουργὸς, ὁ, ἡ, bey Pollux 1, 194 vom Pferde, welches fich brüftet und fchön macht. —θερόω, ῶ, frey machen, befreyen, loslaffen; davon —θέρωσις, ἡ, Befreyung. Loslaffung. —θερωτὴς, οῦ, ὁ, (ἐλευθερόω) Befreyer. —θω, davon ἐλήλυθα, aeolifch εἰλήλουθα, u. εἴλυθον, zufammengez. ἦλθον, fut. ἐλεύσομαι; von ἦλθον der infinit. ἐλθεῖν. Das Praefens ift nicht gebräuchlich, fondern dafür ἔρχομαι. Davon kommen ἐλευθώ, ἔλευσις, ἡ, u. ἤλυσις, ἡ. Das Stammwort ift ἔλλω, ἐλέω, ἐλεύω, wie von κέλλω, κελῶ, κελέω, κελεύω kommt κέλευθος, ἡ, der Gang, Weg. —θώ, όος, contr. οῦς, ἡ, (von ἐλεύθω) fonft εἰλήθυια u. εἰλείθυια, *Lucina*, die Geburtshelferin. —

Ἔλευσις, ἡ, (ἐλεύθω) der Gang, die Ankunft. —στέον, von ἐλεύθω, man mufs gehn.

Ἐλεφαίρω, davon ἐλεφαίρομαι, Iliad. ψ. 380. οἱ ἐλεφαίρονται ἐπ' ἀκράαντα φέροντες: wovon der Gegenfatz οἱ ῥ' ἔτυμα κραίνουσι; man erklärt es διαψεύδεσθαι, ἀπατᾶν, täufchen, betrügen; 2) bey Hefiod. ἐλεφαίρετο φῦλ' ἀνθρώπων, vom nemaeifchen Löwen heifst es ἀδικεῖν, βλάπτειν, Schaden thun. Das Wort kommt von ἔλπω, f. v. a. ἐλπίζω, davon ἐλπωρὴ, die Hofnung: dafür hat man ἔλφω gesagt, wovon ein *frequentativum* ἐλφαίρω u. ἐλεφαίρω, ich tausche durch Worte, Versprechung, Hofnung, thue also Unrecht und Schaden. Davon Hesych. ἐλεφηρέα, τὸ βλάψαι erklärt.

'Ελεφανταγωγὸς, ὁ, Elephantenführer. —φαντάρχης, ου, ὁ, d. i. ἐλεφάντων ἄρχων, Aufseher über Elephanten u. der auf Elephanten streitenden Soldaten; davon —φανταρχία, ἡ, Amt eines ἐλεφαντάρχης. —φάντειος, ὁ, ἡ, vom Elephanten, zum Elephanten gehörig. —φαντίασις, ἡ, od. ἐλεφαντιασμὸς, ὁ, eine Art von Aussatz, wie ihn Aretaeus Cappadox beschreibt: von der Aehnlichkeit mit der Haut des Elephanten: von —φαντιάω, ῶ, an der Elephantiasis leiden. —φάντινος, η, ον, von Elfenbein gemacht, elfenbeinern. —φαντιστὴς, οῦ, ὁ, gleichs. ἐλεφαντίζων, Elephantenbändiger, Elephantenführer; bey Appian. Punic. 46. scheint es ein Schild von Elephantenhaut zu seyn. —φαντόδετος, ὁ, ἡ, (δέω) s. v. a. d. folgd. —φαντοκόλλητος, ὁ, ἡ, (κολλάω) mit angeleimtem Elfenbein ausgelegt. Clemens Paed. 2, 3. —φαντόκωπος, ὁ, ἡ, (κώπη) mit elfenbeinernen Griffen. —φαντομαχία, ἡ, Plutarch. Pomp. 52. Kampf der Elephanten. —φαντόμαχος, ὁ, mit Elephanten streitend. —φαντόπους, οδος, ὁ, ἡ, mit elfenbeinernen Fussen. —φαντοτόμος, ὁ, ἡ, der Elfenbein zerschneidet. Oppi. Cyn. 2, 574. —φαντουργὸς, ὁ, der in Elfenbein arbeitet. Themistius or. 18 p. 224. —φαντοφάγος, ὁ, ἡ, Elephanten oder dessen Fleisch essend. —φαντώδης, εος, ὁ, ἡ, elephantenartig. —φας, αντος, ὁ, Elephant; dessen Zahn, oder Elfenbein; s. v. a. ἐλεφαντίασις.

῞Ελη, ἡ, s. v. a. εἵλη, Sonnenlicht, Wärme; dafür mag man auch ἥλη gesagt haben, und von ἕλα auch σέλα, σέλας, σελήνη, wie von ἥλη, ἥλιος, die Sonne; davon ἑλᾶν, bey Hesych. ἑλᾶται, ἡλιοῦται u. ἑλαθερὲς st. εἱληθερὲς; davon

'Εληθερὴς, s. v. a. εἱληθερὴς, gewärmt.

'Ελίγδην, Adv. (ἑλίσσω) gewunden, sich windend, drehend, kreiselnd, windend, wälzend; im walzen, rollen, wickeln. —μα, τὸ, das gewundene, gewickelte; s. v. a. ἑλιγμὸς; davon —ματώδης, εος, ὁ, ἡ, s. v. a. ἑλικοειδὴς. —μὸς, ὁ, das Winden, Wickeln, Drehen, Umdrehen; die Windung, Gewinde, Verwickelung, krummer verdrehter Gang, Körper, Weg: Krummung, Wirbel, u. s. w.

'Ελικάμπυξ, υκος, ἡ, Beyw. der Semele bey Dionys. hal. rhet. p. 154. die das Haar rings herum mit einer ἄμπυξ umbunden hat.

'Ελίκη, ἡ, Name des grossen Bäres am Himmel. 2) die Weide bey den Arkadern: Theophr. h. pl. 3, 13. 3) die Windung, s. v. a. ἕλιξ. Aristot. gener. anim. 4, 5. —κηδὸν, Adv. s. v. a. ἑλίγδην. —κίας, ου, ὁ, gewunden, geschlängelt; κεραυνὸς: Aristot. de mundo. 4, 18. —κοβλέφαρος, ὁ, ἡ, (βλέφαρον) dem Sinne nach s. v. a. ἑλίκωψ u. ἑλίκωπις. —κόδρομος, ὁ, ἡ, im Kreise laufend, sich drehend. —κοειδὴς, έος, οῦς, Adv. —ειδῶς, (εἶδος) wie oder gleichsam gedrehet, gekreiselt. —κόεις, όεσσα, όεν, (ἕλιξ) s. v. a. ἑλικτὸς, gedreht, gewunden, gekrümmt. —κὸς, ἡ, ὸν, s. v. a. ἑλικτὸς, gedreht, sich drehend, sich kreiselnd, sich wirbelnd; soll auch schwarz heissen.

'Ελικτὴρ, ῆρος, ὁ, Armbänder, Ohrgehänge; eigentl. ein sich windender, gewundener, sich schlangelnder Korper. —τὸς, ἡ, ὸν, (ἑλίσσω) gewunden, umgedreht.

'Ελικὼν, ῶνος, ὁ, (ἑλίσσω) der Faden, den man vom Rocken auf der Spille abspinnt; 2) ein musikalisches Instrument mit 9 Saiten bezogen. Ptolem. Harmon. 2, 2. Aristid. Quintil. Music. 3 p. 117 von viereckigter Gestalt; 3) der Berg, worauf die Musen wohnen, daher sie —κωνιάδες, ων, αἱ, auch παρθένοι ἑλικωνιάδες heissen. —κῶπις, ιδος, ἡ, ἑλικωπὸς, ὁ, ἡ, ἑλίκωψ, ωπος, ὁ, ἡ, (ὤψ) bey Homer sind Ἀχαιοὶ fast immer ἑλίκωπες, aber besonders ist ἑλικῶπις ein Beywort der Musen, Venus, der Mädchen, und deutet ohne Zweifel einen besondern Theil der männlichen u. weiblichen Schönheit an, der sich aber nicht gewiss bestimmen lässt; die alten Grammatiker erklären es schwarzäugig, mit gebogenen runden oder grossen, überhaupt schönen Augen; sie geben aber auch die wahrscheinlichste Erklärung, von ἑλίω, ἑλισσῶ abgeleitet an, wornach es einen bedeutet, der lebhaft das Auge im Kopfe bewegt, umdreht, rollt, *oculis argutis, volubilibus*, mit munterm, lebhaften Blicke oder Auge.

'Ελιννύες, αἱ, Rasttage, Ferien: v. folgd. So nennet Polyb. 21, 1. die romische *supplicatio*. —νύω, ἐλινύω, ich ruhe, raste, fevere; ἐλινύειν μίαν ἡμέραν, Demosth. p. 531. daher ich ruhe aus, schlafe. 2) ich zaudere, verweile; 3) ich hore auf, halte an. 4) Activ. s. v. a. παύω, ich endige, mache aufhoren: ἐλινύεσκον poet. Imperf.

῞Ελινος, ὁ, Ranke, Zweig der Rebe; die Weinrebe selbst: Nicand. Alex. 181. bey Oppian. Cyn. 4, 262. ὡραίη ἕλινος wo jetzt σίλινος steht; davon

'Ελινοφόρος, ὁ, ἡ, κόρυμβος: Nonnus Dionyf. 16. §. 23. ft. ἐλίνου.

'Ελιξ, ικος, ἡ, als fubft. alles gewundene, alfo ein Armband, Wirbel, Kreifel, die *clavicula* an der Weinrebe und Epheu, womit fie andere Körper umfchlingen; die Windung der Schlange: Eurip. Hercul. 399. χλόαν ἕλικα Hel. 180. u. εὐφύλλων ἑλίκων 1347 vom Grafe. γενύων ἠϊθέους ἕλικας, Anal. Brunk. 2, 133. vom Milchbarte: für eine Winde braucht es Athenaeus 5 p. 207. bey welcher Gelegenheit Plutarch im Marcellus einen Flafchenzug nennt. Fur ein Wafferrad zum fchöpfen Philo T. 1 p. 410. 2) als Adject. gewunden, krumm, kraufe, rund gedreht, herumgewunden; von ἑλίσσω; vergl. εἷλιξ. —ξόκερως, ωτος, ὁ, ἡ, κριὸς Anthol. mit gewundenen Hörnern.

'Ελίσσω, ἑλίττω, f. ξω, (von ἕλω, ἑλέω od. ἑλίω, εἰλέω) ich wälze, drehe, wickle herum, zufammen, *volvo*, S. εἰλέω. bey Eur. Or. 446. ich umgebe.

'Ελίτροχος, ὁ, ἡ, (ἑλίω, ἑλίσσω) σύριγξ, die Achfe, welche das Rad umwälzt.

'Ελιφῖτις, bey Hippocr. der Name eines Meerfifches, der fich an Felfen hält; zw. Hefych. hat ἐλέποκες, ἰχθὺς ὅμοιος φυκίδι; derfelbe hat λέλετρις für den Fifch φυκὶς angemerkt, womit *lepris* ftimmt, welches in Plinius 32 f. 53 für *Liparis* die Handfchr. haben.

'Ελίχρυσος, ὁ, eine goldfarbene Pflanze: Diofcor. 4, 57. *tanacetum annuum* Lin. nach andern *Gnaphalium Stoechas* Lin.

'Ελκαίνω, Aefchyl. Choe. 843. ἑλκαίνοντι καὶ δεδηγμένῳ d. i. verwundet, wie ἑλκανάω. —κανον, τὸ, f. v. a. ἕλκος, v. ἕλκω, ἑλκάω; davon —κανόω, bey Hefych. ἑλκανῶσα ὑπὸ πυρὸς, vom Feuer verwundet. —κεσίπεπλος, ὁ, ἡ, u. ἑλκεχίτων, ὁ, ἡ, in langem fchleppenden Gewande, ἕλκω πέπλος und χιτὼν. Il. 6, 442. —κέω, f. v. a. ἕλκω, ich ziehe, zerre, zerreiſse. 2) ich wiege. 3) ich verfuche ein Frauenzimmer zur Unzucht, eigentlich ἑλκῆσαι πέπλων, am Kleide zupfen und nöthigen zur Unzucht. Odyff. 11, 579. dav. —κηδὸν, Adv. ziehend, fchleppend, mit ziehen, zugweife. —κηθμὸς, ὁ, (ἑλκέω) das Ziehen, Schleppen, Reifsen. —κηθρον, τὸ, bey Theophr. h. pl. 5, 8. ein Theil des Pflugs, vielleicht ἕλυμα. —κημα, ατος, τὸ, (ἑλκέω) das Fortgefchleppte, Erbeutete, die Beute. —κησίσταχυς, ὁ, ἡ, Paufan. Arcad. 42. fcheint verderbt; giebt wenigftens keinen fchicklichen Sinn. —κοποιέω, ῶ, (ἕλκος, ποιέω) bey Aefchines metaph. die Wunde wieder aufreifsen, das Alte nicht vergeffen, fondern wiederholen. —κοποιὸς, ὁ, ἡ, was Wunden macht, was einen Theil zum fchwären bringt. —κος, εος, τὸ, die Wunde; 2) der Schwär, eine alte fchwarende Wunde, Schaden, Gefchwür. —κόω, ῶ, ich verurfache einen Schwär, Gefchwür, fchwärende Wunde, durch Hitze, Entzündung, Reiz u. dergl. —κτικὸς, ἡ, ὸν, (ἕλκω) ziehend, gut oder ftark ziehend. —κτὸς, ἡ, ὸν, gezogen, zum ziehn, ziehbar. —κύδριον, τὸ, dimin. von ἕλκος. —κυσις, ἡ, (ἑλκύω) das Ziehn, Reifsen. —κυσμα, τὸ, das Gezogene, als gefponnene Wolle; 2) f. v. a. σκωρία, Unreinigkeit od. Abgang des gefchmolzenen Silbers. —κυσμὸς, ὁ, (ἑλκύω) f. v. a. ἑλκηθμὸς. —κυστάζω, f. άσω, das verlängerte ἑλκύω, ziehen, fchleppen, fchleifen. Il. 23, 187. 24, 1. —κυστὴρ, ῆρος, ὁ, Inftrument zum ziehn, ausziehn. —κυστικὸς, ἡ, ὸν, ziehend, anziehend. —κυστρον, in Mathem. vet. p. 26. ein Theil der Mafchine, womit man fie aufzieht, ἑλκύω. —κύω, f. ύσω, f. v. a. ἕλκω.

"Ελκω, f. ξω, ich ziehe, fchleppe, zerre: ποδῶν ἕλκωσι, ziehe an den Füfsen; τῆς ῥινὸς, an der Nafe herumziehn. σεμνῶς χλάνιδ' ἕλκων, vornehm ein Kleid hinter fich her fchleppend: ἕλκειν ταῖς ῥισὶ mit der Nafe einziehn, riechen; fo heifst vom Säuglinge ἕλκειν γάλα, Milch faugen, verft. στόματι: ἔριον ἕλκειν, Wolle krempen, durch die Krempe ziehn; u. dergl. mehr, als κλῆρον, ein Loos ziehn. 2) von Gewichten: τὰ πλεῖον ἕλκοντα, was mehr wiegt u. die Wagfchaale niederzieht; 3) vom Holze, das fich wirft, windet, nicht gerade fortgeht im Wuchfe: ξύλον ἕλκεται. Im medio ἕλκομαι f. v. a. ἕλκειν, als τόξον ἕλκεσθαι, Iliad. oder an fich ziehn; μήδ' ἀδίκοισιν ἔργμασιν τιμὰς μήτ' ἀρετὰς ἕλκεο μήτ' ἄφενος, ziehe durch Unrecht keine Ehre, Reichthum, noch Anfehn an dich, Theognis. ἡ θυρὶς ἕλκει, die Thüre zieht, macht einen Windzug, Theophr. S. 409. Bey Lyfias τὴν παιδίσκην ἕλκειν, f. v. a. πειρᾶν, zur Unzucht reizen. —κώδης, ὁ, ἡ, was wie ein Gefchwür, Wunde ift. —κωμα, τὸ, (ἑλκόω) verwundeter Theil od. Stelle. —κωματικὸς, ἡ, ὸν, was ein Gefchwür, Wunde macht. —κωσις, ἡ, das Gefchwür-Wunde machen.

'Ελλαδικὸς, griechifch.

'Ελλαμβάνω, (ἐν, λαμβάνω) ich halte inne, halte feft, gebunden. —λαμπρύνω, (ἐν, λαμπρύνω) ich mache darin glänzend; vorzügl. ἐλλαμπρύνομαι m. d. Dativ. fich in, bey einer Sache glänzend zeigen, hervorthun, brüſten, ſich bey u. mit einer Sache rühmen.

'Ελλαμπτικὸς, ἡ, ὸν, Adv. —τικῶς, was erleuchten kann. —**λάμπω**, f. ψω, (ἐν, λάμπω) ich ſcheine-leuchte darinne-darauf; d. lat. *illuceo*, [νή]σι νηυσὶ ἐλλάμψεσθαι, Herod. 8, 74. ſich zu Schiffe, im Seekriege hervorthun. —**λαμψις**, ἡ, das darinn-darauf ſcheinen der Sonne, das Licht, Erleuchtung.

'Ελλανοδίκαι, ῶν, οἱ, (δίκη) hieſsen die erſten 9 Richter der olympiſchen Spiele; 2) bey den Lazedaemoniern im Kriege die Richter der Streitigkeiten unter den verbündeten Kriegsvolkern. Xen. Resp. Lac. 13, 11. —**λανοδικέω**, ῶ, ich führe das Amt eines Kampfrichters, ἐλλανοδίκης; doriſch ſt. ἑλληνοδ. —**λὰς**, άδος, ἡ, Hellas, Griechenland. 2) als Adject. griechiſch. 3) ἡ, ſ. v. a. δεσμὸς, auch εἰλλὰς. Maxim. v. 560. davon ἐλλεδανὸς. —**λεβοριάω**, (ἐλλέβορος) ich habe Nieswurzel nöthig, bin unklug. —**λεβορίζω**, ich reinige, heile einen mit Nieswurzel; davon —**λεβορισμὸς**, ὁ, die Reinigung, Heilung durch den Gebrauch der Nieswurzel. —**λέβορος**, ἐλλέβορος, ὁ, *helleborus*, Nieswurzel, durch deren Gebrauch man mehrere Krankheiten u. Fehler der Seele, als Wahnſinn u. Stupiditaet, heilte.

'Ελλεδανὸς, ὁ, (ἕλω, εἵλω, εἱλέω, ἕλλω, ἴλλω, ich umwickle) das Band, *vinculum*. S. ἐλλάς. —**λειμμα**, τὸ, (ἐλλείπω) Fehler; 2) Defekt; Rückſtand. —**λειπασμὸς**, ὁ, Lucian. Philop. 20 ſ. v. a. ἔλλειμμα. —**λειπὴς**, ὁ, ἡ, ſ. v. a. ἐλλιπής. —**λειπτικὸς**, ἡ, ὸν, elliptiſch, woran etwas zu fehlen pflegt; Adv. —πτικῶς. —**λείπω**, f. ψω, ich laſſe darinne zurück, im Stiche: 2) ich ermangele, ſ. v. a. δέω, m. d. genit. 3) bleibe zurück, laſſe aus, unterlaſſe; ἐλλείπουσι κακῶν καὶ αἰσχρῶν οὐδέν, ſie unterlaſſen nichts; ἐλλείπειν τὰς εἰσφορὰς, mit den Abgaben zurück bleiben: οὐκ ἐλλείψει εὐχαριστῶν, er wird mit ſeinem Danke nicht ermangeln. Demoſth. 257. —**λείχω**, f. ξω, (ἐν, λείχω) 'Αθηνῶν ἐλλείχοντα hat Heſych. aus einem Komiker, von einem Fremden der ſich für einen attiſchen Bürger ausgab. —**λειψις**, ἡ, (ἐλλείπω) das Unterlaſſen, Ausbleiben, Zurückbleiben. 2) die Ellipſis, wo man ein Wort auslaſst. —**λεσχος**, ὁ, ἡ, (λέσχη, ἐν) bekannt, wovon man allgemein ſpricht: von

"Ελλην, ὁ, der Sohn des Deucalion, deſſen Nachkommen ἕλληνες Griechen hieſsen. —**ληνίζω**, f. ισω, ich folge der Parthey der Griechen, ahme ihnen in Sprache, Sitten, Anzug, Lebensart nach, ich ſpreche griechiſch. Activ. Thucyd. 1, 6. ἑλληνίσθησαν τὴν νῦν γλῶσσαν ἀπὸ τῶν 'Αμπρ. haben von den Ampr. ihre jetzige Sprache gelernt. —**ληνικὸς**, ἡ, ὸν, griechiſch. Adv. —νικῶς. —**λήνιος**, ὁ, ἡ, ſ. v. a. d. vorige —**ληνὶς**, ίδος, ἡ, γῆ, γυνὴ, Griechenland, Griechen, ſ. v. a. ἑλληνική. —**ληνισμὸς**, ὁ, (ἑλληνίζω) Nachahmung der Griechen in Sprache, Sitten und Charakter. —**ληνιστὴς**, ὁ, (ἑλληνίζω) der den Griechen in Sprache und Sitten nachahmt; beſonders im N. T. griechiſche Juden u. Judenchriſten. —**ληνιστὶ**, Adv. (ἑλληνίζω) in griechiſcher Sprache, nach griechiſcher Art u. Sitte. —**ληνοδίκαι**, ῶν, οἱ, ſ. v. a. ἑλλανοδίκαι. —**ληνοκοπέω**, wie δημοκοπέω bey Polyb. 20, 10. ὅτι γὰρ ὑμεῖς ἑλληνοκοπεῖτε, welches Livius überſetzte: *quid Aetoli ſatis ex more Graecorum factum eſſe cenſeant*, alſo *morem Graeciae loqui*, *crepare*, von der griechiſchen Sitte reden. —**ληνοταμίαι**, οἱ, hieſsen die Athenienſer, ſofern ſie die Beyträge der wider die Perſer verbündeten griechiſchen Republiken zum Kriege einſammleten u. verwalteten. —**λησποντίας**, ου, ὁ, heiſst ein Wind, der aus dem Hellespont kommt.

'Ελλήσποντος, das Meer der Helle zwiſchen Aſien u. Europa, worinne Helle bey der Ueberfarth ertrank; dav. ἑλλησπόντιος, was dazu gehort od. davon kommt.

'Ελλιμενίζω, f. ίσω, (λιμὴν, ἐν) im Hafen ſeyn, dahin kommen; Zoll (ἐλλιμένιον) im Hafen fordern oder einnehmen. —**λιμενικὸς**, ἡ, ὸν, ſ. v. a. d. flgd. zw. —**λιμένιος**, ὁ, ἡ, im Hafen befindlich od. einkommend; τὸ ἐλλ. verſt. τέλος, der Zoll im Hafen gehoben. —**λιμενιστὴς**, οῦ, ὁ, (ἐλλιμενίζων) Einnehmer des Hafenzolls. —**λιμνάζω**, f. άσω, darinne ſtehn bleiben u. einen Sumpf od. See machen. —**λιπὴς**, ὁ, ἡ, (ἐλλείπω) act. der etwas unterläſst; τῆς τῶν ἐπιτρόπων αἱρέσεως ἐλλιπής, der im Teſtament unterlaſst den Vormund zu wahlen: 2) Paſſ. an dem etwas fehlt, mangelhaft. Adv. —πῶς, mangelhaft. —**λοβίζω**, (λοβὸς) ich ſetze Schoten, *ſiliqua*, an. —**λόβιον**, τὸ, (λοβὸς) *inauris*, Ohrring, Ohrgehenk, weil es im Ohrlappen hängt. —**λοβοανθὴς**, ὁ, ἡ, (ἔλλοβος, ἄνθος) mit Blüthen in einer Hulſe, Beutel. —**λοβοκαρπὸς**, mit Frucht in einer Hulſe. —**λοβοσπέρματος**, ὁ, ἡ, mit Saamen in einer Hulſe. —**λοβώδης**, ὁ, ἡ, nach Art der Hülſenfrüchte. —**λογέω**, ῶ, annehmen, in Rechnung bringen, im N. T. b. Clem. Strom. 3 p. 510 ſteht ἐλλογισθεῖ viell. ſt. —γηθεῖ in demſelben Sinne.

'Ελλόγιμος, ὁ, ἡ, (ἐν λόγῳ ὢν) s. v. a. ἀξιόλογος, beträchtlich, ansehnlich, merkwürdig, vorzüglich, berühmt, wie λόγιμος; auch gelehrt, mit der Gelehrsamkeit (λόγοις) bekannt, doch nur bey den Spätern. —λογος, ὁ, ἡ, Adv. —γως, oppos. ἄλογος, mit Vernunft begabt, vernünftig. —λοπεύω, ἐλλοπιεύω, f. εύσω, (ἔλλοψ) wie ἰχθύς, ἰχθυάω, fischen; die erste Form zw.

'Ελλὸς, ὁ, Od. τ. 228. ist ποικίλος ἐλλὸς, ein junges Reh od. junger Hirsch; Ant. Liber. 28. 2) bey Sophocl. Aj. 1291. ἐλλοῖς ἰχθύσι, ein Beyw. der Fische, für stumm: ἐν δ' αὐτῇ πλωτοὶ χρυσώπιδες ἰχθύες ἐλλοὶ b. Athen. p. 277. davon ἐλλοφόνος u. ἔλλοψ der Fisch. S. ἔλαφος. —λοφόνος, ὁ, ἡ, Beyw. der Diana, als Jagdgöttin, Tödterin der jungen Rehe oder Hirsche, ἐλλὸς, sonst ἐλαφοκτόνος. —λοχάω, ῶ, f. ήσω, ich befinde mich im Hinterhalte u. passe auf einen vorübergehenden, ἐν, λόχος; nachstellen, m. d. Accus. —λοχίζω, f. ίσω, (ἐν, λόχος), ich stelle im Hinterhalte, lasse einen dem andern aufpassen. —λοψ, οπος, ὁ, jeder Fisch. Nicand. Alex. 481. 2) besonders *ellops* od. ἔλοψ, *elops*, ein Meerfisch von unbestimmter Art. S. ἐλλὸς. —λυπος, ὁ, ἡ, (ἐν λύπῃ ὢν) traurig.

'Ελλύτης, ὁ, eine Art von Kuchen b. Hesych. u. Gruteri Inscr. p. 218. —λυχνιάζω, davon λύχνος ἐλλυχνιασμένος, Lampe mit einem Docht versehen; von —λύχνιον, τὸ, (ἐν, λύχνος) der Docht in der Lampe; ἐλλύχνια βιθυνικὰ bey Galen eine Art von Charpie aus einer besondern Dochtmaterie. —λυχνιωτὸς, μοτὸς. S. μοτὸς.

'Ελλω, davon ἔλσαι und ἐελμένος bey Hom. s. v. a. ἔλω, εἴλω, εἴλλω, ἴλλω, ich treibe, bringe zusammen, in die Enge. S. εἰλέω; eben s. v. ist κέλλω. Von ἔλλω, ἐλῶ kommt ἐλάω, ἐλαύω, ἐλαύνω.

'Ελλωβάομαι, (λωβὴ) ὅτι ἐνελωβᾶτο εἰς τὸν οἶκον, weil er seine Familie beschimpft hatte. Antonin. Liber. 11, 8.

'Ελμινθιάω, ῶ, (ἕλμινς) Würmer haben, von Würmern leiden. —μίνθιον, τὸ, dimin. v. ἕλμινς. —μινθοβότανον, τὸ, Wurmkraut: Alexand. Trall. Epist. §. 7. —μινθώδης, εος, ὁ, ἡ, wurmartig. —μινς, νθος, ἡ, Wurm, Regenwurm, vorz. Eingeweidewurm, wie Spuhlwurm, Bandwurm, Stephanus führt aus 2 Stellen des Hippocr. Epidem. 1 u. 4. die Form ἕλμιγγες, αἱ, an. Von ἕλω, ἐλίω, ἐλίσσω, ἐλύω, εἰλέω, εἰλάω, davon εἰλαμίς. S. oben u. ἐλεμίς, contr. ἑλμίς, ἑλμίνς, von der wälzenden Bewegung, von welcher eigentl. εἰλύω u. εἰλυσπάω gebraucht werden.

'Ελξίνη, ἡ, (ἕλκω) die Pflanze, sonst περδίκιον lat. *parietaria* u. *urceolaris* genannt; *parietaria officin.* Tag u. Nacht, deutsch; von den rauhen Saamenkapseln. —ξις, ἡ, (ἕλκω), das Ziehn, Zerren, Schleppen.

'Ελος, εος, τὸ, stehendes Wasser, Sumpf, Teich.

'Ελπιδοποιέω, ῶ, ich mache Hofnung. —πιδότης, δώτης, ου, ὁ, (δίδωμι) der Hofnung giebt, macht. —πίζω, f. ίσω, von ἔλπω vermöge der Form, wie ἐπελπίζω, m. d. Accus. ich mache einem Hofnung, Erwartung; meistens aber heisst es als neutr. ich habe einen Gedanken, Meinung, Erwartung, oder Hofnung von der Zukunft, sie sey gut od. böse, also; ich glaube, meine, hoffe u. fürchte. S. ἔλπω. —πὶς, ἡ, die Meinung, Glaube, Erwartung, Hofnung und Furcht von u. vor der der Zukunft. S. ἐλπίζω. —πίσματα περὶ σαρκὸς πιστὰ bey Epicur tadelt Cleomedes 2 p. 91. Plut. 10 p. 482. erkl. es durch βέβαιος ἐλπίς. —πιστικὸς, ἡ, ὸν, der Hofnung hat. —πιστὸς, ἡ, ὸν, was gehoft werden kann, hofnungswerth. —πω, activ. πάντας μὲν ῥ' ἔλπει, macht allen Hofnung; daher med. ἔλπομαι, s. v. a. ἐλπίζω u. ἐέλπομαι in allen Bedeutungen; davon ἀέλποντες u. ἀελπὴς; ferner ἔλπτω, ἐλπτέω bey Hesych. ferner ἐλπωρὴ, d. i. ἐλπίς; endlich ἐλεφαίρω. —πωρὴ, ἡ, s. v. a. ἐλπὶς, Hofnung. S. ἔλπω u. ἐλεφαίρω.

'Ελυμα, τὸ, (ἐλύω) die Bedeckung; 2) am Pfluge der Schaarbaum mit dem Pflugschaar, *dentale*. —μος, ὁ, (ἐλύω) eine Getraideart, italienischer Hirse, Pferch, Fench, *panicum*, sonst μελίνη; Hesych. hat davon das lakonische ἔλεμος. 2) eine Art Flöte von Buchsbaum. 3) Gehäuss für die Cither, Futteral.

'Ελυτρον, τὸ, (ἐλύω) Hülle, Bedeckung, Deckel. 2) die Flügeldecken der Käferarten. 3) Bette des Flusses, Sumpfes, *alveus*, λίμνης, ὑδάτων, κρήνης, u. s. w. Pausan. 8, 14. 7, 37.

'Ελύω, ἐλύω, von ἔλω, εἴλω, εἰλέω, auch ἴλλω. S. εἰλέω und ἴλλω, ich wickle zusammen- ein, bedecke; dav. ἔλυτρον, Bedeckung, Futteral. Il. 23, 393. ῥυμὸς ἐπὶ γαῖαν ἐλύσθη nach Hesych. παρελύθη, ἔπεσεν, συνειλήθη; andere erklären es anders: Il. 24, 510. προπάροιθε ποδῶν ἐλυσθεὶς, vor den Füssen liegend: κατὰ πηλοῖο ἐλυσθεὶς: Oppian. Hal. 2, 89. verborgen.

'Ελω, st. dessen man in praes. αἱρέω findet, macht ἑλῶ, εἷλον, ἑλεῖν, ἑλών: med. ἑλόμην, ἕλωμαι, ἑλέσθαι, ἑλόμενος; eben so die compos. mit ἀνὰ, ἀπὸ.

'Ελω, ἔλσω, dav. ἔλσαι u. ἐελμένος, st. ἔλσαι u. ἐλμ. od. ἠλμ. wird von einigen für einerley mit εἰλέω od. ἐλαύνω gehalten;

die Bedeutung iſt, in die Enge treiben oder preſſen; im Verſe des Empedocles bey Porphyr. Abſt. 2, 27 θυμὸν ἀποῤῥήξαντας ἐελμέναι ἤεα γυῖα iſt d. Bed. zw.

'Ελώδης, εος, ὁ, ἡ, (ἕλος) ſumpfícht.

'Ελωρ, ορος, τὸ, u. ἐλώριον (ἑλεῖν) Fang, Beute, Fraſs. —ριος, ὁ, ein Waſſervogel: Athenae. 8 p. 332.

'Εμβαδίζω, einhergehen: Dio Caſſ. —βάδιον, τὸ, Dim. v. ἐμβὰς. —βαδὸν, Adv. (ἐμβάω, ἐμβαίνω) zu Fuſse. Il. 15, 505. —βαθμος δικαστὴς, (βαθμὸς) auf dem Richterſtuhle ſitzend, als Beweis des ordentlichen Richters: Pandect. —βαθρα, τὰ, (ἐμβαίνω) eine Art Schuhe: Pollux 7, 90. —βαθύνω, tief hinein machen; neutr. tief eindringen. Anonymus Photii Cod. 259 de vita Pythag. τὴν κακίαν ἑαυτοῖς —ύνουσιν, verbergen tief in ſich: Plutar. 10 p. 638. —βαίνω, hinein gehn oder treten, einhergehn; darauf treten, darauf gehn; activ. hineinbringen, hineinlegen, hineinführen: μήτις ἐμβήῃ Il. 16, 94. bey Heſych. ἐμβαίη u. ἐμβείη, im Wege ſtehn, hinderlich ſeyn. —βακχεύω, d. i. βακχεύω ἐν; zw. —βάλλω, m. d. Dativ. ich werfe auf jemand; ich werfe, lege, ſetze, ſtelle hinein; ich ſchiebe hinein, ſetze hinzu, ſetze darzwiſchen hinein. 2) als neutr. ich gehe hinein, falle ein, mache einen feindlichen Einfall: ἐμβαλούσης τῆς νεώς, wie ſein Schiff mit der Spitze, ἔμβολον, den Angriff gemacht hatte: Xen. Hell. 1, 6, 33. οὐδὲ γὰρ τῷ 'Ετεονίκῳ ἤθελον οἱ ναῦται ἐμβάλλειν wollten nicht rudern: 5, 1, 13. εἶτα τὰς κώπας λαβόντες ἐμβαλόντες: Ariſtoph. Eq. 603. bey Demoſth. 836 ὡς μὲν ὤφειλεν, ἐνεβάλετο, wie *injicere*, verſt. *mentionem*, beyläufig erwahnen. —βαμμα, τὸ, (ἐμβάπτω) Tunke, Brühe. —βαπτεύω, od. ἐμβάπτω, ἐμβαπτίζω; ein- untertauchen; bey Athenaeus p. 326 ἐμβάπτευε, mache eine Sauce ἔμβαμμα u. lege den Fiſch darein. —βαρύθω, f. ύσω, darinne ſchwer ſeyn, beſchweren, belaſten. —βὰς, άδος, ἡ, *ſolea*, *ſoccus*, eine Art von Schuh: σικυώνια, von weiſsem Filze gemachte Weiberſchuhe. Lucian Rhet. bey Iſaeus heiſst es von einem armen Bürger ἐμβάδας καὶ τριβώνιον φέρει. Daſs es Filzſchuhe waren, erhellet aus Plutar. Demetr. 41. —βασικοίτης, ου, ὁ, od. ἐμβασιχύτας, wie Euſtath. bey Athenaeus 2 K. 5 las, eine Art von Trinkgefäſs. —βασιλεύω, f. εύσω, d. i. βασιλεύω ἐν, darinne, darüber herrſchen. —βάσιος, ὁ, ἡ, (ἔμβασις) Beyw. des den Eingang in das Schiff beglückenden und ſegnenden Gottes. —βασις, ἡ, (ἐμβαίνω) das Einhergehn, Hineingehn; das, worauf man geht, wie der Schuh (ἐμβὰς) Aeſchyl. Ag. 914. die Badewanne, worein man beym Baden ſteigt, auch das Baden darinne. —βασίχυτρος, ὁ, ἡ, (ἔμβασις) Topfkriecher. —βαστάζω, darinne, darunter tragen: Lucian. Ocyp. 14. —βατεύω, f. εύσω, u. ἐμβατέω, (ἐμβαίνω) ich gehe hinein, trete hinein, betrete, ich trete an, wie *adire* 1) m. d. Dativ. ἔσω πλέον ἐμβατεύῃ τοῖς βάθεσι: Gregor. 2) m. d. Genit. μήτ' ἐμβατεύειν πατρίδος: Sophocl. Oed. Tyr. 825. γῆς δὲ μὴ 'μβαίνῃς ὅρων: Oedip. Col. 400. ſ. v. a. ἐπεμβατεύειν, betreten; 3) m. d. Acc. ναῦν ἐμβατεύων: Eurip. Rheſ. 225. κλήρους δ' ἐμβατεύσεσθε χθονὸς: Heracl. 875. betreten. 4) ἐμβατεύειν εἰς τὴν κληρονομίαν, οὐσίαν, ναῦν, τὸ χωρίον, den Beſitz der Erbſchaft, des Vermögens, Schiffes, Landes antreten, wie *adire hereditatem*, *ire in poſſeſſionem*; auch von Gläubigern, die ſich ſo bezahlt machen: Demoſth. p. 894. 5) bey Xenoph. Sympoſ. 4, 27 ἐν τῷ αὐτῷ βιβλίῳ ἀμφότεροι ἐμβατεύετέ τι, und in demſelben Buche beyde etwas ſuchtet. Heſychius hat ἐμβατεῦσαι ſo wie ἐπιβατεῦσαι für ζητῆσαι angemerkt. —βατὴ, ἡ, (ἐμβατὸς) Badewanne, Badefaſs, worein man ſich ſetzt. —βατήριος, ία, ον, zum einhergehn, marſchiren geſchickt, dabey gebrauchlich: τὸ ἐμβ. μέλος, die Muſik und die Melodie, wornach die Soldaten marſchiren; der Marſch: ῥυθμὸς, der Takt eines Marſches: ἐμβατηρία ὄρχησις, ein Waffentanz, gleichſam ein Marſchiren. —βάτης, ὁ, (ἐμβάω, ἐμβαίνω) der darauf geht, ſitzt, iſt, alſo der Reiter; der auf dem Schiffe fahrende Schifsſoldat; bey Xen. Equit. 12, 10. eine Art Halbſtiefeln. —βατὸς, ὁ, ἡ, worein, worinne man gehn kann; συνωρίσι τόπος ἐμβ. bey Diodor. ein Ort, worinne zweyſpännige Wagen fahren können. —βάφιος, ὁ, ἡ, (ἐν, βάπτω) zum eintauchen, eintunken geſchickt, λοπάδες, auch ἐμβάφιον, τὸ, ſ. v. a. ὀξύβαφον u. *acetabulum*, plattes Gefaſs, worein man Saucen und Tunken thut. —βάω, ſ. v. a. ἐμβαίνω. —βεβαιόω, ῶ, (βέβαιος, ἐν) ἐμβεβαιώσασθαι τὸ νίκημα τῇ φυγῇ τῶν πολεμίων, Plutar. Lyc. 22. den Sieg durch die Flucht der Feinde ſicher ſtellen; wofür Ageſ. 19. ἐκβεβαιώσασθαι ſteht. Er hat auch 6 p. 317 ἐκβεβαίωσις, Beſtatigung. —βεβηλέω, ῶ, od. ἐμβεβηλόω, ich mache βέβηλος, unheilig, entweihe, verunheilige. —βελὴς, έος, ὁ, ἡ, τόπος bey Didor. διάστημα bey Polyb. innerhalb des Wurfs der Pfeile, den Pfeilen erreichbar, ausgeſetzt. —βημι, ſ. v. a. ἐμβαίνω. —βιβάζω, (βάω, βάζω, βῆμι) ich bringe hinein z. B. ναῖς, zu Schiffe bringen, einladen;

metaph. εἰς τὴν δικαιοσύνην τοὺς οἰκέτας: Xenoph. ich führe, leite die Sclaven zur Gerechtigkeit an.

'Εμβιος, ὁ, ἡ, was am Leben ist, lebendig; metaph. auch v. Bäumen, die anschlagen, fortkommen, wenn sie gepflanzt werden; daher εἰς τὸ ἔμβιον, zum Fortkommen und Wachsthume: Aelian. v. h. 13, 1. τιμωρία, Lebensstrafe: Dio Caff. —βιοτεύω, ich lebe darinne. —βιόω, ῶ, ich lebe darinne, von Pflanzen, die bekommen, bekleiben. Theophr. c. pl. 1, 2, ὅταν ἐμβιώσωσι, μεταφυτευόμενα; davon —βίωσις, ἡ, das Leben darinne, das Bekleiben der Pflanze in der Erde. —βιωτήριον, τὸ, Ort darinne zu leben, Aufenthalt, Wohnung: Diod. Sic. —βλάπτω, f. ψω, darinne, daran verwickeln, an- oder aufhalten: Il. 15, 647. 6, 39. —βλεμμα, τὸ, der Blick ins Gesicht: Xenoph. Venat. 4, 4. von —βλέπω, f. ψω, m. d. Dat. ins Gesicht einem sehen, anblicken. —βλημα, τὸ, (ἐμβάλλω) *emblema*, was an- od. eingesetzt ist; also Zierrathen, Bilder am Geschirre von eingelegter od. mosaischer Arbeit; 2) was eingeschoben ist, μέσον τοῦ ἐμβλήματος καὶ τοῦ καττύματος τῶν ὑποδημάτων: Mathem. vet. p. 102. scheint die Ober- und Untersohle zu bedeuten. —βλησις, ἡ, das Hineinwerfen- legen oder thun; Einschalten; zw. —βοάω, ῶ, m. d. Dat. anschreyen, hineinschreyen; dav. —βόησις, ἡ, das Hinein- oder Anschreyen, Anrufen. —βοθρεύω, s. v. a. ἐμβοθρόω: Philostr. Apoll. 2, 13 tief eintreten und so eine Grube machen. —βοθρος, ὁ, ἡ, in einer Grube liegend, gelegen, seyend, mit einer Grube, ausgehölt. —βοθρόω, grubenartig machen, wie eine Grube aushölen: Hippocr. —βολάς, ἡ, ἄπιοι ἐμβολάδες, gepfropfte Birnen, *insitiva pira*, bey Plutar. Q. S. 2, 6. Pfropfreis. —βολεύς, έως, ὁ, (ἐμβάλλω) κράμβης πάσσαλος, der Pflock, womit man die Kohlpflanze in die Erde setzt und das Loch macht: Anthol. 2) s. v. a. ἔμβολον, lat. *embolum*, der Stämpfel in einer Röhre, der sich auf und nieder bewegt, wie in der gemeinen Spritz- und Platzbüchse der Knaben. 3) καταγραφαὶ τῶν ἐμβολέων, der Lehrbogen bey Anthemius. —βολή, ἡ, (ἐμβάλλω) das hineinwerfen, hineinschmeissen; neutr. das Hineindringen, Einbruch, Einfall, Eingang, Mündung, Angriff, Anfall, Anfang, u. dergl. S. ἐμβάλλω. —βολιμαῖος, αία, αῖον, u. ἐμβόλιμος, ὁ, ἡ, (ἐμβολή) eingeschoben, eingeschaltet, zum einschieben oder einschalten. —βόλιον, τὸ, Einschiebsel, Digression, Episode: Cicero ad Q. fr. 3, 1. bey Pollux 5, 33. ein Netz zum zubüssen, einschieben. —βολίσματα, (ἐμβολίζω) eingesetzte, eingeschobene Stücke. —βολισμὸς, ὁ, (ἐμβολίζω) das Einschieben, Einschalten, Einsetzen. —βολοδέτης, ου, ὁ, (δέω) Pollux 1, 146. was den ἔμβολος bindet, festhält. —βολος, ὁ, ἔμβολον, τὸ, am Kriegsschiffe der metallene Schnabel, *rostrum navis*, womit man feindliche Schiffe zu durchbohren und dann zu versenken suchte: von ἐμβάλλειν ταῖς ναυσί: daher 2) die keilartige, vorn zugespitzte Schlachtordnung, *acies cuneata*. 3) was spitzig ist oder in einen andern Körper gesteckt, geschlagen wird, ἐμβάλλεται, also ein Pflock, *paxillus*; auch ein Okulirange: Geopon. 4) das römische *tribunal pro rostris* drücken die Griechen durch οἱ ἔμβολοι aus, wie die Römer diese durch *rostra*. —βομβέω, ῶ, d. i. βομβέω ἐν Synes. —βουλος, Pausan. 7, 16. falsch st. συμβούλους. —βραδύνω, darinne, dabey verzögern, verweilen. —βραμένη, u. ἔμβραται lakon. st. εἱμαρμένη u. εἵμαρται. —βράσσομαι, kochen, sieden; in heftiger Bewegung stehn; zw. —βραχυ, od. ἐμβραχὺ, wie Adv. überhaupt, kurz zu sagen; im geringsten: ὅτουπερ ἔμβραχυ εἰσὶν θεαταί: Arist. Thesm. 390. wo es nur überhaupt Zuschauer giebt; bey Lysias p. 510. καθ' ὅσον ἔμβραχυ ἕκαστος δύνηται, so viel nur jeder kann: wo jetzt ἂν βραχὺ steht. οὐδὲν ἀδικήσας τοὺς 'Αθηναίους ἔμβραχυ: Aelian. v. h. 3, 47. wo jetzt ἐν βραχεῖ steht. —βρεγμα, τὸ, die Feuchtigkeit, worein etwas getunkt, eingetaucht, eingeschlagen wird, Umschlag: s. v. a. ἐμβροχή. —βρέμω, od. ἐμβρέμομαι, darinne tosen, sausen, brausen. —βρέχω, f. ξω, einweichen, eintunken, benetzen, beregnen: Il. 15, 627. —βρίθεια, ἡ, wird nach den im folgd. ἐμβριθής angegebenen Bedeut. verschiedentlich übersetzt, als Schwere, Gewicht, Nachdruck, Beharrlichkeit, Standhaftigkeit, Festigkeit, Hitze, Zorn, Unwillen, Gesetztheit, Ansehn, Würde, und dergl. fast ganz s. v. a. βάρος und *gravitas*. —βριθής, έος, ὁ, ἡ, Adv. —θῶς, (βρῖθος, s. v. a. βάρος) im allgem. s. v. a. βαρύς, schwer, fest, beständig, standhaft, nachdrücklich, hitzig, zornig, gesetzt, gravitätisch, beharrlich. —βριμάομαι, ῶμαι, f. ήσομαι, m. d. Dat. ich äussere meine Ungeduld, Unwillen, Zorn an etwas oder gegen etwas; ich zürne, drohe; bey Nicetas Ann. häufig, welcher auch 9, 7. dafür ἐμβριμόω braucht. S. βριμάω. —βρίμημα, τὸ, der gegen an etwas geäusserte Unwille, Zorn, Ungeduld; Drohung: Nicetae Ann. 2, 2.

'Εμβρόνταιος, durch den Blitz getroffen; daher bey Diodor. 2 p. 549. τὸ ἐμβρονταῖον, das lat. *bidental*, ein Ort durch den Blitz getroffen und dadurch unzugänglich. —βροντάω, ich betäube durch den Blitz; daher ἐμβεβροντημένος, ein stupider Mensch. —βροντησία, ἡ, eigentl. die Betäubung durch den Blitz, daher Stupidität. —βρόντητος, ὁ, ἡ, vom Blitze getroffen, daher stupid, seines Verstandes und der Sinne nicht mächtig; von ἐμβροντάω. —βροχὰς, άδος, ἡ, das Senkreiss, *mergus*: Geopon. 4. 13. —βροχὴ, ἡ, (ἐμβρέχω) das einweichen, der feuchte Umschlag. —βροχίζω, verstricken, in Strick, ins Garn ziehn: Apollodor. 2, 5. 4. —βρόχος, ὁ, ἡ, (ἐμβρέχω) eingeweicht. 2) (βρόχος) eingeschlungen, in der Schlinge. —βρύκω, Nicand. Ther. 824. hinein oder anbeissen. —βρυοδόχος, ὁ, ἡ, d. i. τὸ ἔμβρυον δεχόμενος: Lucian. Lexiph. —βρυοθλάστης, ου, ὁ, (θλάω) ein Instrument, eine todte Frucht (ἔμβρυον) im Mutterleibe zu zerdrücken. —βρύοικος, ὁ, ἡ, ἄγκυρα, die in der Tiefe wohnt. Philippi Epigr. 5. —βρυοκτόνος, ὁ, ἡ, der die Mutterfrucht oder Neugeborne tödtet. —βρυος, ὁ, ἡ, (ἐν, βρύω) Theophr. hat c. pl. 1, 1. ἔμβρυον ὑγρότητα. cap. 4 ὁ κιττὸς ὅλος ἔμβρυος. 5, 4 εἰ ἐπιπέσοι σπέρμα καὶ ἔμβρυον γένοιτο: Eben so hat Suidas ἔμβριαι (st. ἔμβρυαι) αἱ ἐς βάθος διϊκνούμεναι ῥίζαι, καὶ ἐμβρυΐαι; also bedeutet ἔμβρυος alles, was innerhalb eines andern Körpers eingeschlossen ist, und daselbst wachst, keimt, βρύει; daher ἔμβρυον, τὸ, verst. βρέφος, das Kind im Mutterleibe, Embryo; auch von Thieren: daher ἔμβρυον σκύλακα, ungeborner Hund; bey Homer heisst ἔμβρυον auch ein neugebornes Thier, wie βρέφος, ein neugebornes Kind und eine neugeborne Frucht: Odyss. 9, 309. 345. —βρυοτομία, ἡ, Pollux 4, 208. entweder das Nabelabschneiden, oder das Ausschneiden (aus Mutterleibe) des ungebornen Kindes. —βρυουλκὸς, ὁ, (ἕλκω) ein Instrument, die Frucht (ἔμβρυον) aus Mutterleibe zu ziehn. —βρωμα, τὸ, Anbiss, Frühstück; davon —βρωματίζω, f. ίσω, zu essen geben, füttern: neutr. frühstücken; zweif. —βυθίζω, Plutar. 10 p. 81. in die Tiefe werfen, senken, versenken. —βύθιος, ὁ, ἡ, in der Tiefe, im Grunde befindlich, vertieft. —βυκανάω, f. ήσω, κέρασιν, ich blase auf Hörnern. Dionys. antiq. 2, 9. —βυρσόω, (βύρσα) Plutar. 10 p. 725. in ein Fell oder Haut stecken. —βύω, (βύω ἐν) das lat. *imbuo*, hinein- einstopfen, verstopfen. Aristoph. Vesp. 128. —βώμιος, ὁ, ἡ auf dem Altare: Julian. Epist. 24.

'Εμεσία, ἡ, die Neigung zum Brechen. —σις, ἡ, das Brechen.

'Εμεσμα, τὸ, das ausgebrochene, Auswurf. S. ἐμέω.

'Εμετήριος, ὁ, ἡ, s. v. a. ἐμετικὸς. Hippocr. von ἐμετὴρ, s. v. a. ἐμετὴς, der sich erbricht; davon auch ἐμετηρίζω, zu brechen geben. Hippocr. loc. in hom. c. 12. —τιάω, ῶ, Neigung zum brechen haben. —τικὸς, ἡ, ὸν, zum brechen, das Brechen erregend: ἐμετικὸς ἐκ πεινατικοῦ γενόμενος, Plut. Pomp. 51. wie *emeticam facere* Cicero Ep. 8, 1. zeigt die Schwelgerey und Völlerey an, zu deren freyerm Genusse man öfters zu brechen einnahm. —τοποιέομαι, οῦμαι, sich brechen- speyen lassen; Brechen erregen. —τοποιὸς, ὁ, ἡ, Brechen erregend.

'Εμετὸς, ὁ, s. v. a. ἔμεσις, das Erbrechen, Speyen.

'Εμετὸς, ἡ, ὸν, ausgebrochen. —τώδης, ὁ, ἡ, Adv. —δῶς, nach Art des Brechens od. Speyens.

'Εμέω, ῶ, f. έσω, speyen, durch Brechen Erbrechen von sich geben; eigentl. aus dem Magen; aber bey Hippocr. auch aus der Lunge und Luftröhre.

'Εμμαίνομαι, d. i. μαίνομαι ἐν. —μαλλος, (μαλλὸς) wollig, zottig; zweif. —μανὴς, έος, ὁ, ἡ, Adv. —νῶς, (ἐν μανίᾳ ὤν) rasend, toll.

'Εμματέων, ἐμματέουσα bey Nicand. Ther. 809. von der Biene: κέντρον γὰρ πληγῇ περικάλλιπεν ἐμματέουσα: ist eine fehlerhafte Leseart für ἐμματέουσα, d. i. ἐμβάλλουσα, wie Alexiph. 137. τὰ δ' ἀθρόα νειόθι βράσσοις ἐμματέων: d. i. mit hineingesteckten Finger suche Brechen zu verursachen, und die Speise herauszuwerfen. —ματέως, Adv. bey Homer ἀπόρουσε, ὑπάκουσε, wird schnell, geschwind, προθύμως, ταχέως erklärt, und von ἅμα ἔπει gleichsam ἀμεπέως abgeleitet; es sollte wohl aber ἐμματέων heissen, welches von μάπω s. v. a. μάρπω, μάρπτω, bedeutet, fassen, ergreifen, einholen, berühren. Es liegt also der Begriff vom schnellen Ergreifen, Schnelligkeit zum Grunde, u. ἐμματέων ist s. v. a. sonst μεμαὼς, u. bey Apollon. Rhod. ἐμμεμαὼς. —μάρτυρος, ὁ, ἡ, (μάρτυρ) Adv. —ύρως, mit Zeugen, durch Zeugen oder Zeugnisse beweisen. Themist. or. p. 144. —μάσσω, davon bey Hesych. ἐμμάσαι, ἐνερεῖσαι, s. v. a. εἰσμάσσω, εἰσμάσσομαι u. ἐμματέω. —ματάζω, ἐμματαΐζω, u. ἐμματαιάζω, von ματάζω, mataΐζω, ματαιάζω, u. ἐν, bey von einer Sache närrisch reden, handeln. —ματέω, ἐμματεύω, s. v. a. εἰσμάσσω, εἰσμάσσομαι, von ματέω, ich stecke den Finger oder Feder hinein, um zu unterſuchen, oder zum Brechen zu bringen. S. μάσσω.

Ἐμμαχέομαι, οῦμαι, darinne zu fechten, eine Schlacht zu liefern. Dio Caſſ. —μέθοδος, ὁ, ἡ, Adv. —όδως, mit od. nach der Kunſt, nach Regeln gethan, geſchehen, methodiſch, wiſſenſchaftlich, kunſtmäſsig, regelmäſsig. —μεθύσκομαι, ſich worinne, womit berauſchen oder betrinken. Joſeph. b. jud. 4, 4, 3. —μειδιάω, ῶ, darinne, dazu, dabey lächeln: ὀφθαλμοῖς ἐμμ. Philoſtr. Epiſt. 73. Xen. Venat. 4, 3. —μέλεια, ἡ, (ἐμμελὴς) eigentl. d. lat. *concinnitas*, vom richtigen, einſtimmigen, guten Geſange; daher ἐμμέλειαι, Plutar. Audit. p. 149. Modulationen der Stimme im Sprechen: u. metaph. von der Schicklichkeit, Güte jeder Sache und Handlung, λόγων, κονδύλου bey Ariſtoph. 2) eine Art von Muſik und Tanz darzu: Herodot. 6, 129. S. in συμφωνία. —μελετάω, ῶ, darinne- dabey- damit üben; dav. —μελέτημα, τὸ, eine Sache oder Gegenſtand, wobey- womit man ſich übt oder üben kann. —μελὴς, έος, ὁ, ἡ, Adv. —λῶς, (μέλος) harmoniſch, melodiſch, paſſend, ſchicklich, richtig, artig, fein, geſchmackvoll. S. in συμφωνία. —μελῳδέω, ῶ, ἀλλοτρίαις φωναῖς, durch fremde Stimmen harmoniſch oder melodiſch ſprechen. Greg. Naz. —μεμαὼς, υῖα, ὸς, eigentl. m. d. Dat. ἐμμεμαὼς βέβρυξι. Apollon. 2, 121. auch ohne Caſus ſ. v. a. μεμαὼς, hitzig, zornig, heftig; auch von Dingen: ἡ δέ τε ἠχὴ ἔρχεται ἐμμεμαυῖα, und das heftige Geräuſch kommt daher. Heſiodus. —μενετικὸς, ἡ, ὸν, (ἐμμένω) m. d. Dat. dabey oder getreu bleibend. Ariſtot. —μενὴς, έος, ὁ, ἡ, Adv. —νῶς, poet. —νέως, (ἐμμένω) dabey beharrend, bleibend, beharrend, ſtandhaft: τὸ ἐμμ. Beharrlichkeit, Standhaftigkeit: ἐμμενὲς auch wie Adv. unabläſſig, beharrlich. —μένω, f. ενῶ, (μένω ἐν) darinne, dabey verbleiben, bleiben, verweilen, dabey beharren, ſtandhaft, treu bey einer Sache ſeyn und bleiben: τοῖς ὅρκοις, ταῖς συνθήκαις, Eid, Bündniſs halten, beobachten. —μεσιτεύω, f. εύσω, vermitteln, als Mittler (μεσίτης) bewirken. Clemens Strom. 7 p. 862. —μεσος, ὁ, ἡ, d. i. μέσος ἐν, mitten in; oder worinne die Mitte. zw. —μεστος, ὁ, ἡ, angefüllt, voll. Plato Epiſt. 7. —μετρέω, ſ. v. a. μετρέω, meſſen. Lucian. Gallus. zw. —μετρος, ὁ, ἡ, Adv. —έτρως, (μέτρον) in- nach- oder mit einem Maaſse; alſo abgemeſſen, alſo nach dem Sylbenmaaſse, oder Versmaaſse, metriſch; mäſsig, von gehörigem Maaſse; davon —μετρότης, ητος, ἡ, Ebenmaaſs. Ariſtaen. 1 Ep. 18. —μήνιος, ὁ, ἡ, (μὴν) monatlich: τὰ ἐμμήνια ἱερὰ, monatliches Feſt; auch vorzügl. τὰ ἐμ. monatliche Reinigung der Frauen. —μηνος, ὁ, ἡ, (μὴν) im Monate; von einem Monate, einen Monat lang oder dauernd; auch ſ. v. a. d. vorh. —μηρος, ſ. v. a. ὅμηρος, welches m. nachſehe. —μητρος, ὁ, ἡ, (μήτρα) ξύλα ἐμμητρα, Kienholz. Athenae. 3 p. 100. S. ἐγκοίλιος. —μίγνυμι, ἐμμιγνύω, f. ξω, einmiſchen, vermiſchen; davon

Ἔμμικτος, ὁ, ἡ, eingemiſcht, vermiſcht, Plato Phileb. 28. wo andere Ausg. συμμ. haben. —μιλτος, ὁ, ἡ, mit Röthel gefärbt, roth. —μισθος, ὁ, ἡ, (μισθὸς) um Lohn gedungen. —μολύνομαι, darinne- damit ſich beſudeln, beſchmutzen. zw. —μονὴ, ἡ, (ἐμμένω) das darinne bleiben, Verbleiben, Verharren, Ausdauern, Dauerhaftigkeit; davon —μονος, ὁ, ἡ, bleibend, dauerhaft, beſtändig.

Ἔμμορε, Il. 1, 278. ſ. v. a. ἔτυχε, m. d. Genit. Einige leiten es als aor. 2. verdoppelt von μόρω, ἔμορον, andere von μέρω, μείρω, μέμορα, verſetzt ἔμμορα. Dieſe letztere Ableitung gründet ſich vielleicht darauf, daſs man ἐμμόραντι doriſch ſ. v. a. τετεύχασι fand, wie Heſych. anmerkt. Nicand. Ther. 290. τῶν δὴ γενεὴν ἐξέμμορον, davon haben ſie ihre Abkunft: ſt. ἐμμ. ἐξ αὐτῶν, wie θεῶν ἐξέμμορε τιμῆς. Odyſſ. 5, 335. ſt. ἐκ θεῶν ἔμμορε τ. —μορος, ὁ, ἡ, (μόρα, μοῖρα) theilhaftig. 2) ſ. v. a. μοιρίδιος, *fatalis*; durch das Schickſal beſtimmt. —μορφος, ὁ, ἡ, (μορφὴ) mit einer Geſtalt, Bildung; körperlich. —μοτος, ὁ, ἡ, (μοτὸς) ἔμμοτον, τὸ, verſt. φάρμακον, eine Arzney, Hülfsmittel, Salbe auf gezupfte Leinewand oder Charpie gethan, um ſie in eine Wunde zu legen. Aeſchyl. Choe. 469. ἄλγος ἔμμοτον δώμασιν, Schmerz, der in einem Hauſe wohnt; ἀγωγῇ ἐμμότῳ θεραπεύειν, heiſst eine Wunde mit Charpie nach der Regel behandeln. 2) ἔμμοτος, auch ein Verwundeter, in deſſen Wunden Charpie mit Arzney liegt. —μουσος, ὁ, ἡ, Adv. —ούσως, (μοῦσα) poetiſcher aber ſ. v. a. μουσικός. —μοχθος, ὁ, ἡ, mit Mühe, Arbeit, Kummer, Schmerz verbunden; als βίοτος, *vita aerumnosa*, Eur. δῆγμα Nicand. Ther. 736. —μύλων, ωνος, ὁ, die Mühle. Numeror. c. 17. zw.

Ἔμμωμος, mit Fehlern, fehlerhaft, bey Aquil. u. Sym. in d. gr. Ueberſ. Maleach. 1, 14.

Ἐμὸς, ἡ, ὸν, meiner, *meus*.

Ἔμπα, Conj. doch; ſ. v. a. ἔμπας, attiſch, ἔμπης, joniſch. Schol. Soph. Ajac. 122. —πάζομαι, m. d. Genit. ich achte, bekümmere mich um etwas, beſorge; davon ἔμπαξ, ὁ, der Beſorger, Aufſeher,

u. ἐμπαστῆρας bey Hesych. πιστωτὰς, μάρτυρας. Nicand. hat κατεμπάζω für κατεπείγω.

'Εμπάθεια, ἡ, heftige Gemüthsbewegung, Leidenschaft; von —παθὴς, έος, ὁ, ἡ, Adv. —θῶς, (ἐν παθει-ῶν) in Leidenschaft gesetzt, in Leidenschaft sich befindend, bewegt, in heftiger Gemüthsbewegung. —παιανίζω Herodian. 8, 2. s. v. a. παιανίζω ἐν τῷ στρατοπέδῳ. —παιγμα, ατος, τὸ, (ἐμπαίζω) der Spaſs, Spott, den man mit einem hat.

'Εμπαιγμὸς, ὁ, (ἐμπαίζω) das Spaſsen, Verspotten. —παιδεύειν, m. d. Dat. darinne lehren. Philostr. Soph. 1, 21, 3. —παιδοτριβέομαι, (παιδοτριβέω) m. d. Dat. ich übe mich darinne. —παιδοτροφέω, ich erziehe darinne, m. d. Dat. —παίζω, f. ξω, wie *illudo*; m. d. Dat. ich verspotte, ich betrüge; davon —παίκτης, ὁ, der verspottet, betrügt. —παιος, ὁ, ἡ, s. v. a. ἔμπειρος, κακῶν ἐμπαιος ἀλήτης. 2) v. παίω, s. v. a. ἐμπίπτω. Aeschyl. Ag. 195. ἐμπαίοις τύχαις, wie 355. πρὸς παια κακὰ. —παις, αιδος, ἡ, (ἐν, παῖς) schwanger. Hesych. —παισμα, ατος, τὸ, (ἐμπαιω) Eustath. nennt einen Becher (ἄλεισον) mit hineingeschlagenen (getriebenen) Buckeln und Figuren; τὸ μὴ λεῖον ἀλλὰ τραχὺ τοῖς ἐμπαισμασι; dasselbe nennt er auch ἐμπαιστὸν u. ὃ ζωωτοῖς δαιδάλμασιν ἐμπεπαίσται: also sind ἐμπαίσματα, Figuren von getriebener Arbeit: ἐμπαιστὸς, mit getriebener Arbeit: ἐμπαιειν, getriebene Arbeit machen; die Kunst getriebene Arbeit zu machen nennt Athenae. 2 c. 12. ἐμπαιστικὴν τέχνην. —παίω, f. αίσω, hineinschlagen, hineinprägen. —πακτόω, bey Herodot. 2, 196. s. v. a. πακτόω. —παλάσσω, f. άξω, s. v. a. ἐμπλέκω, ich verwickle darein, damit. Thucyd. 7, 84. Herodot. 7, 85. S. πλάσσω. wird häufig mit ἐμπλάσσω verwechselt; davon ἐμπάλαγμα, s. v. a. ἐμπλοκὴ. —παλιν, Adv. (ἐν, πάλιν) zurück, im Gegentheile, umgekehrt. —πάλλω, f. λῶ, hineinwerfen, darinne schütteln, erschüttern. zw. —παλύνω, f. υνῶ, darein- darauf streuen. zw. —πανηγυρίζω, f. ίσω, d. i. πανηγ. ἐν, darinne- darbey- darob ein Fest feyern, einen Festtag halten. —παξ, ὁ, ἡ, der Besorger, Aufseher. Soph. Ajac. 563. S. ἐμπάζομαι. —παραβάλλω, f. βλήσομαι, s. v. a. ἐμβάλλω. Epist. Phalar. —παραγίνομαι, s. v. a. παραγ. ankommen, da seyn; bey den LXX. —παρασκευάζω, f. άσω, zubereiten, vorbereiten. zw. von —παράσκευος, ὁ, ἡ, (ἐν παρασκευῇ ὤν) vorbereitet, zubereitet. —παρατίθημι, f. θήσω, ταῖς χερσὶ τοῦ δεδωκότος, in die Hände des Gebers niederlegen; dav. ἐμπαράθετος, ὁ, ἡ, hinein und niedergelegt. Suidas. —παρέχω, f. ξω, Thucyd. 6, 12. μηδὲ τουτῳ ἐμπαρέχητε τῷ τῆς πόλεως κινδύνῳ ἐλλαμπρύνεσθαι: st. τούτῳ παρέχητε ἐν τῷ τ. π. κ. ἐλλαμ. Lucian. Lapith. 28. ἐμπαρασχεῖν εαυτὸν τοιούτῳ τινὶ, sich zu so etwas verstehn u. brauchen lassen. —παρίημι, f. ήσω, d. i. παρίημι ἐν, darinne, dabey nachlassen. —παροινέω, ῶ, (παροινέω) m. d. Dat. gegen einen in einer Sache, bey einer Sache sich wie ein trunkener Mensch betragen; gegen einen sich übermüthig- insolent-, unbesonnen- frech- unverschämt betragen, ihm so begegnen, ihn beschimpfen, beleidigen; davon —παροίνημα, τὸ, ein Gegenstand von Beleidigung und schmählicher Behandlung. Nicetae Annal. 6, 9. —παῤῥησιάζομαι, d. i. παῤῥησιάζομαι ἐν, darinne- dabey freymüthig sprechen oder handeln. zw. —πας, Adv. u. ἔμπα, attisch, ἔμπης, jonisch: man erklärt es überh. durch ὅμως, doch, jedoch, ὁμοίως, auf gleiche Weise, und πάντως, allerdings, überhaupt, durchaus, ja, *omnino*. Hesych. hat auch ἔμπαν, πάντως, ὅμως. Wie ἔμβραχυ, wird es von ἔμπας gemacht, und bedeutet urspr. s. v. a. ὅλως, überall, durchaus, allerdings, überhaupt; hernach wie unser, bey dem allen, s. v. a. doch, dennoch, ὅμως. —πασις, ἡ. S. πᾶσις. —πάσσω, ἐμπάττω, f. άσω, einstreuen, einmischen; übergetr. vom Weben, einweben. Il. 3. 126. —παταγεῖν, ταῖς μάστιξιν, *increpare scuticis*, mit den Peitschen knallen. Themistius or. 4 p. 50. —πατέω, darinne treten, oder stampfen. Pollux 7, 151. —πεδα. S. ἔμπεδος. —πεδέω, ῶ, (ποῦς) d. lat. *impedire*, fesseln. Herodot. 4, 69. bey Joseph. ἐμπεδάω. —πεδὴς, ὁ, ἡ, s. v. a. ἔμπεδος; davon ἐμπεδῶς Adv. Hesych. hat die Stelle des Hipponax ἐμπεδὴς γάμορος ἔμαρψεν ἄδης, wo es einige d. χθόνιος, andere d. ἀσφαλὴς erklärten. —πεδόκυκλος χρόνος, die in fest bestimmten Zirkeln fortrollende Zeit. —πεδολώβης, ὁ, Manetho 4, 196. der stets schadet. —πεδόμητις, ὁ, ἡ, ἀνάγνη, von festem Entschlusse. —πεδόμοχθος, ὁ, ἡ, der immer in Arbeit und Kummer, Elend ist. —πεδόμυθος, ὁ, ἡ, von fester- beständiger Rede. —πεδορκέω, ῶ, ich bleibe meinem Eide treu, halte den Eid. S. ἐμπεδόω. —πεδος, ὁ, ἡ, (ἐν, πέδον) in der Erde stehend, befestigt; stehend, fest, unerschüttert; metaph. dauernd, dauerhaft. ἔμπεδον oder ἔμπεδα wie Adv. st. ἐμπέδως, immer fort und fort; ferner, bedeutet es sicher, fest, wahr, genau, stark, kräftig, deutlich; oft auch ganz und gar, wie ἔμπεδα πάντα κεάσσαι. Apollon. 4. 392. u. 854.

'Εμπεδοσθενὴς, ὁ' ἡ, von fester Kraft, beständig. —πεδόφρων, ὁ, ἡ, von unerschütterter Seele, bey Verstande. —πεδόφυλλος, ὁ, ἡ, von beständigen fortdauernden nicht abfallenden Blättern. —πεδόω, ῶ, (ἔμπεδος) ich befestige in der Erde, überh. befestige, bestätige: in den Formeln ὅρκον, νόμους, ὁμολογίας, συνθήκας u. dergl. wird. ἐμπεδοῦν durch halten, beobachten, übersetzt, weil der Mensch durch sein Thun den Eid, Gesetze, Verträge, Versprechen bestatiget, wenn er sie hält. —πέδως, ἐμπεδῶς, Adv. jenes von ἔμπεδος, dieses von ἐμπεδής. —πειράζω, f. άσω, m. d. genit. s. v. a. πειράζω. Polyb. 15, 35. —πείραμος, poet. s. v. a. ἔμπειρος. —πειρέω, ῶ, m. d. Genit. ich habe Erfahrung und Kenntniss von einer Sache, Gegend, ich bin ἔμπειρος: Polyb. davon —πειρία, ἡ, Erfahrung, Kenntniss. 2) die Arzneykunst, so fern sie nicht nach Grundsätzen und Lehren, sondern aus Erfahrung geübt wird, davon diese Aerzte ἐμπειρικοὶ heissen. —πειρικὸς, ἡ, ὸν, Adv. —κῶς, der Erfahrung hat und darnach handelt; davon eine Gattung von Aerzten und ihre Verfahrungsart, ἐμπειρικὴ verst. τέχνη heisst. —πειροπόλεμος, ὁ, ἡ, d. i. ἔμπειρος πολέμου, kriegserfahren. —πειρος, ὁ, ἡ, Adv. —πείρως, (ἐν, πεῖρα) m. d. Genit. erfahren, versucht, gelehrt, geübt. —πειροτόκος, ἡ, d. i. ἔμπειρος τόκου, eine Frau, die das Gebaren schon erfahren hat, schon öfter geboren hat. —πείρω, f. ερῶ, p. αρκα, (ἐν, πείρω) darein- daran stechen, hineinstechen, anspiessen. Il. 2, 426. —πελάδην, Adv. oder ἐμπελαδὸν, (ἐμπελάζω) im Nahen, durch Annäherung, nahe; doch die erste Form ist bey Nicand. Alex. 225. v. zweif. Bedeut. —πελάζω, f. άσω, (πελάζω, ἐν) nahe dabey seyn, sich nähern: act. nähern, näher bringen, zusammenbringen. —πελαστικῶς, Adv. (ἐμπελάζω) sich nähernd, im Nahen, in heftiger Annäherung, heftig. —πελάτειρα, ἡ, s. v. a. πλάτις, Frau, Beyschläferin. —πελάω, ῶ, s. v. a. ἐμπελάζω, sich nähern. —πέλιος, ὁ, ἡ, s. v. a. πέλιος. Nicand. —πέμπω, f. ψω, hinein- darein schicken lassen. zw. —πέραμος, ὁ, ἡ, Adv. —μως, s. v. a. ἔμπειρος, geschickt, erfahren, geübt, gelehrt, kundig. Callimachus. —περιάγω, f. άξω, darinne- daran- herumführen. —περιβάλλω, darein fallen, umfassen. Aristides 2 p. 494. —περίβολος, ὁ, ἡ, (ἐν περιβολῇ) vom rednerischen Putze, λόγος, geschmückt, verziert, ausgekleidet. Hermogenes. —περιγράφω, f. ψω, darinne umschreiben, Pollux 9, 108 beschreiben, einschränken, wie περιγράφω. zw. —περιεκτικὸς, ἡ, ὸν, (ἐμπεριέχω) in sich enthaltend, fassend oder dazu geschickt. —περιέρχομαι, darinne umhergehen, durchgehn. —περιέχω, in sich enthalten, fassen, begreifen. —περικλείω, einschliessen, darinne verschliessen. —περιλαμβάνω, in sich mit umfassen oder enthalten. —περιληπτικὸς, ἡ, ὸν, in sich mit umfassend oder enthaltend; pass. mit darein zu fassen; von —περίληψις, ἡ, (—λαμβάνω) das Einschliessen und Umfassen eines Körpers oder einer Sache in einem andern. —περίοδος, ὁ, ἡ, (ἐν περιόδῳ) mit Perioden, periodisch. —περιπαθέω, ῶ, d. i. περιπαθῶ, ἐν, über- bey etwas jammern, klagen. —περιπατέω, ῶ, ich gehe darinne herum, ich beschäftige mich damit; mit Personen verbunden ἐμπ. τινὶ, s. v. a. auf einem herumtreten, ihm mitspielen nach Gefallen, zum Spott jemand misbrauchen. —περιπείρω, f. ερῶ, ringsumher hineinstechen, durchstechen, durchbohren. zw. —περιπίπτω, f. πεσοῦμαι, s. v. a. ἐμπίπτω, hineinfallen. zw. —περιπλέω, f. εύσω, darinne umher schiffen. —περιῤῥήγνυμι, f. ήξω, darinne ringsherum zerreissen. zw. —περονάω, ῶ, f. ήσω, ich stecke, befestige mit περόναις; davon —περόνημα, τὸ, καταπτυχὲς, Theocr. 15, 21. 24. ein über den Schultern mit Agraffen befestigtes Kleid. S. περονατρὶς. —περπερεύομαι, d. i. περπερεύομαι ἐν, sich womit brüsten, grossthun. Cic. ad Att. 1, 14. zw. —πετάννυμι, ἐμπεταννύω, f. πετάσω, ausbreiten, entfalten: οἱ τοῖχοι διαχρύσοις ὕφεσι ἐμπεπετασμένοι, mit Tapeten belegt od. behängt. Athenae. 14 p. 147. davon —πέτασμα, τὸ, Decke, Vorhang. Athen. 5 p. 296. —πετρος, ὁ, ἡ, auf Felsen (πέτρα) oder felsigem, steinigen Boden wachsend: τὸ ἔμπετρον, eine Pflanze, bey den Lateinern *saxifraga*, *calcifraga*: Plin. 27, 9. Dioscor. 4. 181. —πευκὴς, έος, ὁ, ἡ, bitter, wie ἐχεπευκής. Nicand. Alex. 202. —πήγνυμι, f. πήξω, ἐμπηγνύω, *impingo*, ich schlage- ich pflanze hinein; ich mache in der Erde gerinnen, erstarren durch Kälte; daher bey Theophr. c. pl. 5, 17. s. v. a. ἐκπήγνυμι. —πηδάω, ῶ, f. ήσω, hinein- darauf- anspringen, darauf losspringen, m. d. dat. —πηξις, ἡ, (ἐμπήγνυμι) das hineinsetzen, schlagen, pflanzen. 2) s. v. a. ἔκπηξις bey Theophr. c. pl. 5, 17. ἐμπήξεις αἱ ὑπὸ τῶν πάγων καὶ πνευμάτων. —πηρος, ὁ, ἡ, wie πηρὸς, verstümmelt, beschädiget, an einem Gliede versehrt.

"Εμπης, ſ. v. a. ἔμπας. —πιέζω, f. έσω, eindrücken, ſ. v. a. πιέζω. Themiſt. or. 2 p. 39. —πίζω u. ἐμπίζομαι, tränken, benetzen, anfeuchten. Nicand. Ther. 623. Alex. 320, 518. —πικραίνω, f. ανῶ, ich miſche eine Bitterkeit bey, mache bitter, verbittere: metaph. ἐμπικραίνομαι τινι, ich bin auf jemand erbittert, handle, begegne ihm mit Erbitterung; von —πικρος, ὁ, ἡ, etwas bitter dabey. —πιλέω, ῶ, (πιλέω ἐν) hineinpreſſen oder zuſammendrangen. Diodor. Sic. —πίμελος, ὁ, ἡ, (πιμελὴ) fett, fettig. —πίμπλημι, ἐμπίπλημι, ἐμπιπλάω, έω, f. πλήσω, an- aus- vollfüllen. —πίμπρημι, ἐμπίπρημι, ἐμπιπράω, f ήσω, anzünden, an- verbrennen. —πινής, έος, ὁ, ἡ, (πῖνος) S. in εὐπινής. —πίνω, ein-austrinken, einſaugen. Hippocr. gland. 2. wie ἐμφαγεῖν, ſ. v. a. ὑποπίνειν. Plutar. Q. S. 7, 10. —πιπλάω, ἐμπιπλέω, ἐμπίπλημι, ſ. v. a. ἐμπίμπλημι. —πιπράσκω, ſ. v. a. πιπράσκω. Pollux 7, 9. —πιπράω, ἐμπίπρημι, ſ. v. a. ἐμπίμπρημι. —πίπτω, f. πέσομαι, ich falle hinein, falle ein: τὰ ἐμπίπτοντα, was ſich eben zuträgt, mir begegnet, gleichſam entgegen kommt: εἰς δεσμωτήριον, ins Gefängniſs geworfen werden. —πίς, ίδος, ἡ, die Stechmucke, Mücke. —πιστεύω, f. εύσω, ich vertraue auf. 2) ich vertraue an. Diodor. 7, 23. —πιστος, ὁ, ἡ, treu, ſicher, dem man trauen kann. —πιτνέω, ῶ, ſ. v. a. ἐμπίπτω. —πλάζομαι, inerro, ich irre darinne; überh. ich irre. S. πλάζω. —πλάσσω, ἐμπλάττω, f. άσω, darein- darauf- hineinſchmieren, verſchmieren, eindrücken. —πλαστικός, ἡ, ὀν, (ἐμπλάσσω) ein und zuſchmierend; verſtopfend. —πλαστὸς, (ἐμπλάσσω) auf oder eingeſchmiert. —πλαστρον, τὸ, od. ἔμπλαστρος, ἡ, Pflaſter, Salbe zum Aufſchmieren, vorz. τὸ ἔμπλαστρον, verſt. φάρμακον. Die neuern Aerzte brauchten ἔμπλαστρον, die aeltern ἔμπλαστον, v. ἐμπλάσσω. Galen. Comp. medic. ſec. gener. 1. p. 319. davon —πλαστρώδης, έος, ὁ, ἡ, (εἶδος) pflaſterartig. —πλατειάζω. S. πλατειάζω. —πλατύνω, f. νῶ, darinne verbreiten, erweitern. zweif. —πλέκτης, ου, ὁ, (ἐμπλέκω) Haarkräuſler od. Flechter, Gloſſar. St. —πλεκτὸς, ὁ, ἡ, (ἐμπλέκω) eingeflochten, verflochten. Vergl. Vitruv. 2, 8. —πλέκτρια, ἡ, fem. v. ἐμπλεκτὴρ od. —της, Haarkrauslerin, friſeuſe; v. —πλέκω, implico, darein- einflechten od. knüpfen, verflechten, verwickeln, verwirren; bey Artemidor 5 p. 261. ἡ ἐμπλέκουσα αὐτῇ θεράπαινα d. i. ἡ ἐμπλέκτρια. —πλεος, attiſch ἔμπλεως, poet. ἔμπλειος, Adv. ἐμπλέως, angefüllt, voll, ſatt; davon —πλευρος, ὁ, ἡ, (πλευρὰ) mit vollen Seiten; Geopon. 18, 9. —πλευρόω, ῶ, in die Seiten ſpringen u. ſtoſsen: Sophocles Heſychii. —πλέω, f. εύσω, ich ſchwimme- ſchiffe darinne; von Speiſen, die Aufſtoſsen verurſachen, u. wie Horaz ſagt, innatant ſtomacho, Aretaeus 5, 3. —πλήγδην, Adv. (ἐμπλήττω) im Gegenſ. v. πινυτὸς Odyſſ. 20, 132. alſo temere, unbeſonnener-unüberlegter Weiſe. —πληγὴς, ὁ, ἡ, ſ. v. a. ἔμπληκτος. zw. —πλήδην, Adv. (ἐμπλέω) in Fülle, voll. Nicand. Alex. —πλήθω, f. ήσω, (ἐμπλέω, impleo) er- an- vollfüllen. —πληκτικὸς, ἡ, ὀν, (ἐμπλήσσω) erſchreckend, erſchütternd, betäubend, in Schrecken und Staunen ſetzend; auch paſſ. leicht zu betäuben, in Staunen zu ſetzen; θέατρα ἀνόητα καὶ ἐμπληκτικά. Plutar. —πληκτος, ὁ, ἡ, (ἐμπλήσσω) erſchreckt, erſtaunt, betäubt. —πλην, Adv. m. d. Genit. ſ. v. a. πλησίον, v. ἐμπελάω, nahe ey. 2) ſ. v. a. πλὴν, χωρὶς. 3) doch, jedoch. —πληξία, ἡ, u. ἔμπληξις, ἡ, der Zuſtand eines Menſchen, der durch Schrecken, Furcht betroffen und gleichſam betäubt iſt, ſtupor; metaph. Betroffenheit, Verlegenheit, Furchtſamkeit, ἐμπληξία καὶ δειλία. Aeſchines: Unbeſonnenheit; u. ſ. w. —πληρόω, ῶ, er- an- vollfüllen. —πλήρωσις, ἡ, An- Voll- Ausfüllung. —πλήσσω, ἐμπλήττω, f. ξω, poet. ἐνιπλήττω, ich ſetze in Erſtaunen, Schrecken und bringe auſſer Faſſung, mache ἔμπληκτον, attonitum. 2) nach Heſych. ἐμπλῆξαι, ἐμπεσεῖν, ἐγγίζειν iſt es ſt. ἐμπελάω, ἐμπελάζω, ἐμπλάζω, ἐμπλάσσω, ἐμπλήττω: Il. 12, 72. Odyſſ. 22, 469. Oppian. Hal. 3, 117 u. 480 wo andre ἐπιπλήττειν haben, wie Heſych. ἐπιπλῆξαι, ἐπελθεῖν hat: —πλοκή, ἡ, (ἐμπλέκω) das Einflechten, Einknüpfen: Flechte, Knoten, Einſchürzung. —πλόκιον, τὸ, (ἐμπλέκω) ein Weiberſchmuck in den Haaren; Machon Athenaei p. 579. D. Plutar. Phoc. 19. auch πλόκιον. —πλώω, f. ώσω, darauf ſchiffen oder ſchwimmen. —πνείω. S. ἐμπνέω. —πνευματόω, ῶ, ich fülle mit Luft- Wind- Odem. —πνευμάτωσις, ἡ, das Füllen mit Luft- Wind; Blähen. —πνευματωτικὸς, ἡ, ὀν, was mit Luft füllen, blähen kann. —πνευσις, ἡ, (ἐμπνέω) Inſpiration, Eingebung, Begeiſterung. —πνευστὸς, ἡ, ὀν, begeiſtert. —πνέω, poet. ἐμπνείω, f. εύσω, von der Form ἐμπνεύω, ich hauche ein, gebe ein, begeiſtere; dah. die Lazedaem. es von Junglingen brauchten, die ihre Geliebten mit Liebe begeiſterten, der liebende ἐμπνεῖται wird von Liebe begeiſtert. Plut. Cleom. S.

εἰσπνέω. Xen. Symp. 4, 15. διὰ τὸ ἐμπνεῖν τι ἡμᾶς τοὺς καλοὺς τοῖς ἐρωτικοῖς; 2) als neutr. ich bin bey Odem, ich lebe, athme; 3) ich blaſe, athme auf etwas. ἐμπνείοντε μεταφρένῳ, Il. 17, 502 die auf ſeinen Rücken athmeten, ſo dicht ſtanden ſie hinter ihm.

Ἐμπνίγω, f. ίξω, darinne erſticken. — πνικτος, ὁ, ἡ, d. i. ἐμπεπνιγμένος. Athenae. 14 p. 661. ἐρίφιον ἐντακερὸν ἔμπνικτον, wofür aber Grotius Excerpt. p. 893. εἶτα τακερὸν, εὖ πνικτὸν lieſst. — πνοὴ, ἡ, das heſtige Anblaſen d. Windes. zw. — πνοια, ἡ, das Athmen, Athem holen, leben; von — πνοίησις, ἡ, das Anhauchen, Eingebung. S. θεόμοιρος. zw. — πνοος, ἔμπνους, ὁ, ἡ, noch athmend, noch am Leben, lebend, lebendig. — πνυμι, ἔμπνυμαι, Il. 10, 475. ἡ δ' ἐπεὶ οὖν ἔμπνυτο: ſo las Ariſtarch. ſt. d. gewöhnl. ἄμπνυτο, u. erklärte es durch ἀνεβίωσεν, welches Heſych. wiederholt hat. — ποδίζω, (ἐν ποδὶ) ich bin im Wege, hindere: m. d. Accuſ. u. Dat. 2) κέχηνεν ὥσπερ ἐμποδίζων ἰσχάδας. Ariſtoph. Equ. 755. v. zweif. Bedeut. u. Lesart. — πόδιος, ὁ, ἡ, im Wege ſtehend oder liegend, hinderlich; τὸ ἐμπόδιον, das Hinderliche, Hinderniſs. Xen. Mag. 4, 8. — πόδισμα, τὸ, (ἐμποδίζω) das Hinderniſs. ἐμποδισμὸς, ὁ, das Verhindern, a. ſ. v. a. d. vorherg. — ποδιστὴς, ὁ, (ἐμποδίζω) der verhindert. — ποδιστικὸς, ἡ, ὸν, hinderlich, verhindernd. — ποδοστατέω, ῶ, (ἐμποδὼν) ich ſtehe im Wege; bey den LXX. — ποδοστάτης, ὁ, der im Wege ſteht, verhindert. Suidas. — ποδὼν, Adv. ſt. — ποσὶν, vor den Füſsen, im Wege; ὁ ἐμπ. der mir im Wege liegt, mir vorkommt od. begegnet. τὰ ἐμπ. die gegenwärtigen vorliegenden Dinge, Angelegenheiten: auch οἱ od. τὰ ἐμπ. der, od. die im Wege ſtehenden hinderlichen Perſonen od. Umſtände.

Ἔμποθεν, Adv. beſſer ἐν ποθ' ἂν, wie die Jurt. bey Theocr. hat, eines nach dem andern, wechſelsweiſe.

Ἐμποιέω, ῶ, hineinmachen - thun - bringen, beybringen, darinne erregen: beybringen o. anweiſen, lehren. — ποιητικὸς, ἡ, ὸν, hinein- od. beybringend. — ποικίλλω, f. ιλῶ, darein bunte Farben od. Arbeit bringen, darein ſticken, weben. — ποιμνος, ὁ, ἡ, (ποίμνη) bey Suidas αἷμα ἐμ. ohne Erklär. wo andere Ausgaben ἐμπειμένον haben. — ποίνιμος, ὁ, ἡ, u. ἐμποίνιος, ὁ, ἡ, (ποινὴ) ὅρκος οὐκ ἐμποίνιμος, ein Schwur, der einem nicht angerechnet, u. wenn er gebrochen, nicht beſtraft wird. — πολαιος, ὁ, (ἐμπολὴ) zum Handel gehörig: ἐμπόλαιος καὶ ἔμμισθος, Plut. 9 p. 110. käuflich; vorz. Beyw. des Mercurius, als Beſchützer des Handels u. der Handelsleute. — πολάω, ῶ, u. ἐμπολέω, ich bin ein Handelsmann, treibe Handel, handle; 2) ich erwerbe, verdiene; οὐδέπω οὐδ' ὀβολὸν ἐμπεπολήκαμεν, Lucian. haben noch keinen Obolus verdient; πολλὰ διὰ τοῦτο ἐμπολήσας στίγματα, dadurch bekam ich viele Maale. Derſelbe. — πολεμέω; darinne kriegen. Plut. 7 p. 31. — πολέμιος, ὁ, ἡ, u. ἐμπόλεμος, ὁ, ἡ, ſ. v. a. πολεμικὸς. — πολεὺς, έως, ὁ, ſ. v. a. ἔμπολος. v. flgd. — πολέω, ῶ, ſ. v. a. ἐμπολάω: bey Hippocr. κάλλιον ἐμπολήσει, wird ſich beſſer befinden. — πολὴ, ἡ, alles Kaufmannsgut, Waare, womit gehandelt wird; auch die durch Handel erworbenen Vortheile, Geld; von πολέω, πωλέω. — πόλημα, τὸ, (ἐμπολέω) ſ. v. a. ἐμπολή. — πόλησις, ἡ, das Verhandeln, Verkaufen. — πολίζω, f. ίσω, ich nehme in die Stadt (πόλις) auf; 2) ich füge mit dem Pol (πόλος) ein: Ptolemaeus: wie ἐναξονίζω. — πολις, ὁ, ἡ, (ἐν πόλει ὢν) Bürger, Mitbürger. Sophocl. — πολιτεύω, f. εύσω, vorz. im medio, ich bin Bürger einer Stadt, eines Staats, lebe, halte mich in der Stadt als Bürger auf: active braucht es Heracl. Alleg. 69. ἀκολασίαν ἐμπεπολίτευεν ἐν οὐρανῷ: ſt. εἰσῴκισεν εἰς τὸν οὐρανὸν, hat ſie eingeführt, einheimiſch gemacht. — πολίτης, ου, ὁ, wie ἔμπολις, Stadtbewohner, Staatsbürger. zweif. — πομπεύω, f. εύσω, in einem Aufzuge od. im Triumphe aufführen oder aufziehn; metaph. τινὶ, mit etwas prahlen, auf etwas groſs thun. — πονέω, ῶ, darinne, daran arbeiten: zweif. davon — πόνημα, τὸ, das, woran man arbeitet. zweif. — πονος, ὁ, ἡ. (πόνος) mühſelig zw. — ποος, ὁ, ἡ, Philoſtr. Epiſt. 40. falſch ſt. ἔμπορος, oder eines andern Worts. — πορεῖον, τὸ, Handlungs - Marktplatz; von — πόρευμα, τὸ, Kaufmannswaare. Xen. Vect. 3, 4. — πορεύομαι, (ἔμπορος) ich bin ein Handelsmann, treibe Handel, handle; dah. die Bedeut. von wuchern, überliſten, betrügen, täuſchen; ἐνεπορεύοντο καμήλοις τὸν Ἰνδικὸν φόρτον verführten auf Kameelen die indiſchen Waaren, Strabo 11 p. 773. Das activ. πολλὰ πρὸς ταύτην τὴν ὑπόθεσιν ἐμπορεύων καὶ μεθοδευόμενος. Polyb. 28, 4. ſprach er u. führte liſtiger u. betrüglicher Weiſe an; πλαστοῖς λόγοις ὑμᾶς ἐμπορεύσονται. Petri Brief 2 Cap. 2. anführen, verführen. τοῖς εἰς ἰητρικὴν ἐμπορευομένοις, Hippocr. de arte c. 1. nach dem Schol. καθυδοιπορούσι κέρδους χάριν, um ſeines Vortheils willen etwas verkleinern, was vorher ἐμπίπτειν ἐς τὰς τέχνας heifst.

'Εμπορευτικὸς, ἡ, ὸν, zum Handel gehörig, od. darinne erfahren. —πορέω, ῶ, u. ἐμπορητικὸς, f. v. a. ἐμπορεύω, u. ἐμπορευτικὸς. S. ἐμπορεύομαι. —πορία, u. ἐμπορεία, ἡ, der Handel, der zur See getrieben wird; überh. der Handel, auch die Handelswaaren. Xenoph. Vect. 3, 2. —πορίζομαι, bey Xen. Vect. 4, 38. falsch st. ἐκπορίζομαι in der Stephan. Ausgabe. —πορικὸς, ἡ, ὸν, f. v. a. ἐμπορευτικὸς. —πόριον, τὸ, ein Handelsplatz, wohin der Seehandel getrieben wird; auch die Waaren. Xen. Vect. 1, 7. von —πορος, ὁ, ἡ, (ἐν, πόρος) einer der auf dem Wege ist, ein Wanderer, vorz. aber der auf der See ist, zur See fährt, u. Handel treibt; Handelsmann; auch f. v. a. ἐμπορικὸς, zum Seehandel gehörig. —πορπάω, ῶ, u. ἐμπορπέω, mit der πόρπη, Agraffe anstecken, befestigen; med. ein Kleid anziehn, welches mit πόρπαις auf den Schultern befestigt hangt; davon —πόρπημα, τὸ, ein Kleid, mit der πόρπη über den Schultern zu befestigen. —πορπόω, ῶ, f. v. a. ἐμπορπάω. —πορφύρεος, ὁ, ἡ, bepurpurt, schön und roth wie Purpur. zw. —πόρφυρος, ὁ, ἡ, (πορφυρα) im Purpur, mit Purpur, etwas purpurfarbig, bepurpurt, *purpuratus*, in Purpur gekleidet. —ποτος, ὁ, ἡ, (ποτὸν) trinkbar. zw. —πουσα, ἡ, eine Art von Gespenste, wie ὀνόσκελὶς, und ὀνοκώλη, welches von der Hekate, wie man glaubte, geschickt ward. —πρακτικὸς, ἡ, ὸν, was thätig seyn od. wirken kann, od. zu wirken pflegt. —πρακτος, ὁ, ἡ, Adv. —τως, thatig, wirksam, kräftig. —πρεπὴς, ὁ, ἡ, (πρέπω ἐν) ἐσθήμασι γυναικομίμοις, Sophocl. Clementis Paed. 3 p. 286. geziert mit: nach Hesych. bedeutet ἔμπρεπος f. v. a. ἐπίπρεπος πρέπων, ὅμοιος. —πρέπω, (πρέπω, ἐν) darinne, darauf glänzen od. hervorstechen; auch f. v. a. πρέπω, ähnlich seyn. —πρήθω, f. ήσω, (πρέω) anzünden, anstecken, anbrennen, verbrennen: anblasen, aufblasen; davon —πρησις, ἡ, od. ἐμπρησμὸς, ὁ, das Anstecken, Anzünden, Feuersbrunst; u. —πρηστὴς, οῦ, ὁ, der Anzünder, der an- od. verbrennt. —πρίω, f. ίσω, τοὺς ὀδόντας ἐμπεπρικὼς, Diodor. 17, 92. der sich mit den Zähnen eingebissen hat: τὸ οὖς ἐνέπρισε τοῖς ὀδοῦσι, biss mit den Zähnen in das Ohr; ἐμπρίον σίνηπι, der beissende Senf, Nicand. ἐμπρίοντ' ὀξύγυρον, Theriac. 71. wird τραχὺν oder δριμὸν erklärt. —πρόθεσμος, ὁ, ἡ, Adv. —μως, als Gegensatz v. ἐκπρόθεσμος, der innerhalb einer gewissen oder festgesetzten Zeit etwas thut oder leidet. Philostr. Epist. 43.

'Εμπροίκιος, ὁ, ἡ, (προὶξ) γῆ ἐμπροίκιος διδομένη, das mit der Aussteuer oder statt derselben gegebene Land. Appian. —προικος, (προὶξ) ausgestattet; auch f. v. a. d. vorh. —προμελετάω, f. ήσω, darinne, damit, vorher üben. —προσθεν, Adv. vor, vorne, wie *ante* als praepos m. d. genit. u. Adv. v. der Zeit, vorher, ehemals; dav. —πρόσθιος, ὁ, ἡ, der vordere. —προσθόκεντρος, ὁ, ἡ, (κέντρον) mit einem Stachel vorne. —προσθοτονία, ἡ, das Spannen u. Lenken nach vorne hin; vorz. ein Krampf, welcher den Kranken zwingt gebückt und vorwärts geneigt zu gehn; sonst ἐμπροσθότονος genannt; davon —προσθοτονικὸς, ἡ, ὸν, zur ἐμπροσθοτονία gehörig, von der Art, daran leidend. —προσθότονος, ὁ, ἡ, (ἔμπροσθε τείνω) nach vorn gespannt oder gebeugt; gezogen; als subst. mit verst. σπασμὸς. oppos. ὀπισθότονος, Spannen der Glieder nach vorne mit Steifheit. —προσθουρητικὸς, ἡ, ὸν, (ἔμπροσθεν οὐρέω) nach vorne harnend. —πρόσωπος, ὁ, ἡ, (ἐν προσώπῳ ὢν) ἄλλοις, der andern vor Augen oder im Gesichte ist. Phalaris Epist. —πρωρος, ὁ, ἡ, (πρώρα) auf oder am Vordertheile des Schiffs; mit Vorderth. Polyb. 16, 4. zw. —πτυσις, εως, ἡ, (ἐμπτύω) das An- oder Bespucken. —πτυσμα, τὸ, das womit man bespuckt wird; von —πτύω, f. ύσω, m. d. Dat. anspucken. —πτωσις, ἡ, (ἐμπίπτω) das Hineinfallen; Einfall; bey Clemens Strom. 2 c. 9. soll ἐμπτωσία, ἡ, vermuthlich ἐνιμπ. heissen. —πτωτος, ὁ, ἡ, hinein- oder einfallend, hineingefallen. zw. —πυελὶς, ἡ, ἐμπυελίδιον, τὸ, (ἐν πυέλος) eine Büchse, Loch, worinne der Zapfen, κνώδαξ, sich bewegt. Hero: Automat. —πυέω, ῶ, ich habe Lungengeschwüre, πύος; davon —πύη, ἡ, bey Aretaeus 3, 8. st. ἐμπύησις, die Krankheit, wo man Lungengeschwüre hat. —πύημα, τὸ, Eiter, Geschwür, vorzügl. zwischen dem Ribbenfelle, und der Lunge, auch Lungengeschwur; v. ἐμπυέω. —πύησις, ἡ. S. ἐμπύη. —πυΐσκω, ich verursache ein Geschwür, πύος. —πυκάζω, f. άσω, darinne- darein decken, bedecken, verdecken. zw. —πύλιος, ὁ, ἡ, in, an der Thüre, πύλη. —πυνδάκωτος, ὁ, ἡ, mit dem Boden, πύνδαξ. —πυος, ὁ, ἡ, (πύον) der ein innerliches Geschwür hat.

'Εμπυρεία, u. ἐμπυρία, ἡ, das Wahrsagen aus dem Opferfeuer. 2) ein Eid bey dem Opferfeuer, v. ἐμπυρεύω. S. ἔμπυρος. 2. —πύρευμα, τὸ, (ἐμπυρεύω) das Anzünden, Verbrennen,

Kochen; daher 2) der brandichte Geſchmack vom Anbrennen der gekochten Speiſen und Flüſſigkeiten. 3) glühende Kohlen unter der Aſche, zum anzünden des Feuers aufbewahrt; ſ. v. a. ἔναυσμα; daher ſ. v. a. ein Reſt, Ueberbleibſel.

'Εμπυρευτὴς, ὁ, der anzündet oder verbrennet. Nic. Annal. 10, 10. von —πυρεύω, f. εύσω, u. ἐμπυρίζω, (ἔμπυρος) ich zünde an, ich brenne, koche, bereite im oder beym Feuer: λίθοι ἀγαθοὶ ἐμπυρεύσασθαι. Philoſtr. Icon. 2, 24. gut darinne oder damit Feuer anzumachen. —πυριβήτης, das Feuer beſteigend, über das Feuer zu ſetzen: Beyw. v. τρίπους. Hom. Il. 23, 702. S. τρίπους u. λέβης. —πυρισμὸς, ὁ, (ἐμπυρίζω) das Anzünden, Verbrennen. —πυρος, ὁ, ἡ, (ἐν, πῦρ) dem ἄπυρος entgegengeſetzt; was mit, im, beym Feuer geſchieht und bereitet wird: τέχνη, Kunſt, die mit Feuer arbeitet: σκεῦος ἔμπυρον, im Feuer bereitete Gefäſse. Plato; ἰχθὺς, gebratener Fiſch: ἱερὰ ἔμπυρα, brennendes Opfer; daher 2) ἔμπυρα, auch ἔμπυρα σήματα bey Apollon. 1, 145. die Zeichen, welche die Wahrſager aus der Flamme des Opferfeuers nahmen, um daraus die Zukunft zu verkündigen; Beyſpiele u. Beſchreib. dieſer Prophezeihungen ſind Sophocl. Antig. 1005. Eur. Phoen. 1262. Seneca Oedip. 306. ἵνα μάντιες ἄνδρες ἐμπύροις τεκμαιρόμενοι Pindar. Olym. 8, 4. —πυροσκόπος, ὁ, ἡ, (σκοπέω) der aus dem Opferfeuer wahrſagt. S. ἔμπυρος. 2) ſonſt πυρκόος θυοσκόπος. —πυρόω, ῶ, f. ώσω, entzünden, anzünden. —πυῤῥος, ὁ, ἡ, röthlich, roth. —πυτιάζω, f. άσω, (πυτιὰ) mit Lab die Milch gerinnen laſſen, laben. —πωλέω, ῶ, desgl. ἐμπωλὴ, ἡ, ἐμπώλημα, τὸ, ἐμπώλησις, ἡ, falſche Leſ. ſt. ἐμπολέω, u. ſ. w. —πωλὴ, ἡ, Verkauf. —πώλημα, τὸ, Waare zum Verkauf. —πώλησις, ἡ, Verkauf.

'ΕμΦαγεῖν, hereineſſen, vorz. geſchwind eſſen: wie ἐμπιεῖν. —Φαινίσκω, Jambl. Pythag. §. 260. ſ. v. a. ἐμΦανίζω. —Φαίνω, f. ανῶ, darinne ſehn laſſen oder zeigen, anzeigen, vorzeigen, bekannt machen: ἐμΦαίνει neutr. wie ἐμΦαίνεται, es ſcheint, es erſcheint, man ſieht, erblickt, bemerkt darinne oder daran. —Φαλκόω, S. Φάλκης. —Φάνεια, ἡ, das Erſcheinen, Sichtbarwerden, Erſcheinung, παρασχεῖν εἰς ἐμΦ. Joſeph. antiq. 6, 4. 3. wo die Handſchr. richtiger ἐμΦανεῖς haben; aber 15, 11, 7 ſind ἐμΦάνειαι Beweiſe von der Gegenwart. —Φανὴς, ἐς, ὁ, ἡ, Adv. —νῶς poet. —νέως, (ἐμΦαίνω) eigentl. ein Körper der glatt iſt, ſo daſs auf der Oberfläche ſich andere Körper wie im Spiegel zeigen, daher Plato ἐμΦανῆ καὶ λεῖα verbindet: was ſich zeigt, da iſt, offenbar, klar, deutlich: ἐμΦανῆ καταστῆσαι und ἐμΦανῶν κατάστασις, die lat. *editio* im Gerichte, wenn man Documente oder Sachen, die man verborgen hat, herausgeben und vorzeigen muſs, um daraus den Beweis zu führen. —Φανίζω, f. ίσω, ſ. v. a. ἐμΦανῆ oder ἐμΦανὲς ποιῶ, deutlich, ſichtbar machen, alſo auch ſ. v. a. ἐμΦαίνω. —Φανισμὸς, ὁ, (ἐμΦανίζω) Anzeige, Erklarung, Angabe, Anklage.

'ΕμΦανιστικὸς, gut oder deutlich zeigend, deutlich bezeichnend, ausdrucksvoll. Longin. 31, 1. —Φανσις, ſ. v. a. ἔμΦασις. —Φαντάζομαι, ſich darinne darſtellen, abbilden. Syneſ. p. 139. —Φαντικὸς, ἡ, ὸν, Adv. —κῶς, ſ. v. a. ἐμΦατικ. —Φαρυγξάμενος, ἐμΦαρυξάμενος. S. Φάρυγξ. —Φασις, ἡ, (ἐν Φαίνομαι) ἔμΦασιν ποιεῖ καὶ διάΦασιν, von Steinen, die wie ein Spiegel ein Bild darſtellen, und die durchſcheinen. Theophr. denn als nomen v. ἐμΦαίνω heiſst es, Erſcheinung, Schein, das Sichtbare; die Vorſtellung, Darſtellung, Beweis; von Worten und ihrer Bedeutung iſt es Nachdruck, Emphaſe; und in ſo fern es Schein iſt, iſt es act. das Scheinenlaſſen, die Vorſtellung. —Φατικὸς, ἡ, ὸν, Adv. —κῶς, deutlich darſtellend oder bezeichnend, ausdrucksvoll, bedeutungsvoll oder voll Nachdruck. —Φατος, ὁ, ἡ, angedeutet: mit Anſpielung oder Darſtellung verblümt oder nachdrücklich geſagt. —Φέρεια, ἡ, Aehnlichkeit; von —Φερὴς, έος, ὁ, ἡ, ähnlich, wie *referens aliquem*; von —Φέρω, hineintragen: medium, worinne bewegt werden und ſich befinden oder bewegen; vorz. m. d. Dat. *referre aliquem*, einem gleichen, ähneln, ähnlich ſeyn. —Φθαρτος, ὁ, ἡ, ſ. v. a. Φθαρτὸς, eigentl. darinne verderbt, getödtet. zw. —Φθέγγομαι, f. ξομαι, ſ. v. a. Φθ. ἐν; zw. —Φθορὴς, έος, ὁ, ἡ, Nicand. Alex. 176. ſ. v. a. Φθειρόμενος ἐν. —Φιληδονέω, (Φιλ. ἐν) an etwas ſich vergnügen; gern an einem Orte ſeyn, m. d. Dat. —Φιλοκαλέω, ῶ, (Φιλοκαλεῖν) worinne woran Ehre oder Ruhm ſuchen. —Φιλονείκως, Adverb. ſ. v. a. Φιλονείκως; ſehr zweif. —ΦιλοσοΦέω, ῶ, worinne, woran, womit ſich eifrig beſchäftigen; wobey, worüber nachdenken oder philoſophiren; davon —Φιλοσόφημα, τὸ, etwas, wobey worüber man nachdenkt, philoſophirt, womit man ſich mit allem Fleiſse beſchäftiget. —Φιλόσοφος, ὁ, ἡ, der Philoſophie gemäſs, anſtändig; mit Philoſophie oder auf eine philosophische Art gesagt, gethan, behandelt; zw.

'Εμφιλοτεχνέω, (φιλοτεχνέω ἐν) worinne, woran seine Kunstliebhaberey beweisen, woran künsteln, zw. —φιλοχωρέω, ῶ, (φιλ. ἐν) m. d. Dat. gerne wo wohnen, sich aufhalten, verweilen. —φλάω, f. άσω, (φλάω ἐν) eindrücken. —φλεβοτομέω, die Ader theilen, vertheilen hinein Hippocr. nat. ossium. —φλέγω, f. ξω, an- oder entzünden; zw. —φλοιος, ὁ, ἡ, berindet, mit Rinde. —φλοιοσπέρματος, ὁ, ἡ, dessen Saamen (σπέρμα) eine Rinde (φλοιὸς) haben. —φλοξ, γος, ὁ, ἡ, s. v. a. ἔμπυρος, feurig. Anthol. —φοβέομαι, s. v. a. φοβ. aus Plutar. Otho. zweif. —φοβος, ὁ, ἡ, (ἐν φόβῳ) in Furcht, furchtsam. —φονεύω, darinne tödten; Geopon. 16, 19. —φόρβιος, ὁ, ἡ, (φέρβω) abweidend, abzehrend, verzehrend: νούσου ἐμφόρβια. Nicand. Ther. 629. Mittel wider die Krankheit. —φορβιόω, f. ώσω, (φορβειὰ, φορβιὰ) bey Aristoph. Av. 861. die φὸρβιὰ anlegen, wie einem Flötenbläser. —φορέω, ῶ, s. v. a. ἐμφέρω: med. ἐμφορέομαι, m. d. genit. sich anfüllen, sättigen womit, im Uebermaasse oder in Fülle geniessen; davon —φόρησις, ἡ, das Hineintragen; 2) v. med. ἐμφορέομαι, Sättigung, Anfullung, reichlicher Genuss. —φορτος, ὁ, ἡ, belastet, voll, ἐδωδῆς, Opp. Hal. 2, 212. —φράγμα, τὸ, das eingestopfte, verstopfte; eine Verstopfung; auch s. v. a. ἔμφραξις. —φραγμὸς, ὁ, s. v. a. ἔμφραξις. —φρακτικὸς, ἡ, ὸν, zum einstopfen oder verstopfen gehörig, oder dienlich. —φρακτος, ὁ, ἡ, hineingestopft, verstopft; von —φραξις, ἡ, (ἐμφράττω) das Hineinstopfen: Verstopfung. —φράσσω, ἐμφράττω, fut. ξω, hineinstopfen, verstopfen, versperren. —φρουρέω, ich wache oder bewache darinne. —φρουρος, ὁ, ἡ, der auf der Wache ist. 2) der bewacht wird, fremde Besatzung, *praesidium* hat; 3) bey Xenoph. Laced. 5, 7. der noch Kriegsdienste thun muss; das Gegenth. v. ἄφρουρος. —φρύγω, s. v. a. φρύγω: Aelian. H. A. 14, 18. —φρων, ὁ, ἡ, Adv. —όνως, bey Verstande, Besinnung, besonnen, klug, verstandig: ἔμφρονες γενόμενοι, die wieder zu sich oder zur Besinnung gekommen. —φυης, έος, ὁ, ἡ, (φυὴ) angewachsen, angeboren, s. v. a. ἔμφυτος, eingesetzt: Julian. Ep. 24 —φύλιος, ὁ, ἡ, od. ἔμφυλος, ὁ, ἡ, von φυλὴ, zur Zunft gehörig, zünftig, Zunftgenosse; von φῦλον, zum Geschlechte, zur Nation gehorig, einheimisch, bürgerlich. —φυλλίζω, f. ίσω (φύλλον) davon ἐμφυλλισμὸς, ὁ, ich pfropfe zwischen Holz u. Rinde: Geopon. 10, 75. —φυλλος, ὁ, ἡ, (φύλλον) mit Blättern: Geopon. 4, 15. —φῦναι, S. ἐμφύω. —φύρω, ich mische, knete hinein od. darinne. —φυσάω, ῶ, ich blase auf oder an. —φύσημα, τὸ, das Auf- oder Anblasen, Einblasen. 2) was hineingeblasen wird. 3) eine Krankheit, wo versetzte Winde oder Luft den Körper aufblähen, vorz. zwischen Haut und Fleisch. —φύσησις, ἡ, das Aufblasen, Aufblähen der Eingeweide von Winden. —φυσιόω, ῶ, ich blase auf; 2) mache stolz, von φύσα; 3) ich mache zur Natur, von φύσις. —φυσις, ἡ, *ingeneratio*, das einpflanzen, einarten; στομάτων ἐμπ. der Biss der Schlange: Aeschyl. Plutar. 10 p. 474. —φυτεία, ἡ, das Pfropfen, Einpflanzen. —φύτευσις, ἡ, s. v. a. d. vorige. —φυτεύω, f. εύσω, ich pflanze hinein, pfropfe; bringe durch Unterricht hinein; führe ein. —φυτος, ὁ, ἡ, eingepflanzt, angeboren; daher natürlich, unverstellt, fest, dauerhaft, beständig. —φύω, f. ύσω, ich pflanze, zeuge, bringe hinein; 2) als neutr. an etwas sich halten, fest halten: ἐμφῦναι (v. ἔμφυμι) τινὶ; auch jemand anfallen mit den Zähnen und ihn festhalten; überhaupt jemand anfallen; sich an etwas machen: ἐμφῦναι heisst auch, angeboren seyn. —φωλεύω, f. εύσω, ich bin darin verborgen, verstecke mich darinne. —φωνος, ὁ, ἡ, der eine gute Stimme hat. —φώτειος, ὁ, ἡ, licht, hell. —φωτίζω, erleuchten: Clemens Strom. 6, 15. ἐκφλεγήσονται οὐδ' ἐμφωτισθήσονται, anbrennen und leuchten.

'Εμψηφίζω, f. ίσω, (ψῆφος) einrechnen, anrechnen. —ψιθυρίζω, f. ίσω, zu- oder einzischeln, zumurmeln. —ψοφέω, darinne tonen: Hippocr. loc. in hom. c. 8. —ψόφος, ὁ, ἡ, schallend, klingend. —ψυξις, εως, ἡ, (ἐμψύχω) Abkuhlung, Erfrischung. —ψυχία, ἡ, (ἐμψυχέω) die Vereinigung der Seele mit dem Leibe: Plutar. 10 p. 331. —ψυχος, ὁ, ἡ, Adv. —χως, (ψυχὴ) am Leben, lebendig, lebhaft; davon —ψυχοφαγία, ἡ, das Essen der lebendigen Geschopfe od. Thiere; zweif. —ψυχόω, ῶ, f. ώσω, einseelen, beseelen; ἔμψυχος machen. —ψύχω, f. ξω, kalt machen, abkuhlen.

'Εν, Praepos. m. d. Dat. denn wenn der Genit. dabey steht, so ist etwas ausgelassen: ἐν κλέωνος verst. οἰκία; bey Demosth. p. 1249. τὸ χωρίον τὸ ἐν γειτόνων μοι τοῦτο; ist im latein. beybehalten *in*, und heisst wie dies, in, bey, unter, an; und als Adv. wie ἔνθα, daselbst, ἐν δὲ, dabey noch, ausserdem noch.

'Ενα β ρ ύ ν ο μ α ι, ſich darinne, damit brüſten: Dio Caſſ. —α γ γ ε ι ο σ π έ ρ μ α τ ο ς, ὁ, ἡ, ſ. v. a. ἀγγειόσπερμος.

'Ε ν α γ ε ί ρ ω, darinne, darein, dahinſammlen, verſammlen. —γ ὴ ς, έος, ὁ, ἡ, (ἄγος) ein durch ein Verbrechen verunreinigter, verwünſchter, abſcheulicher Menſch; ſündiger, frevelhafter Menſch. —γ ί ζ ω, f. ίσω, Todtenopfer bringen, *inferias facere alicui.* —γ ι κ ὸ ς, ἡ, ὸν, zum ἐναγὴς gehörig: χρήματα, Vermögen der für unrein und Frevler erklärten Perſonen: Plutar. 9 p. 281. —γ ι σ μ α, τὸ, das dargebrachte Todtenopfer. —γ ι σ μ ὸ ς, ὁ, das Darbringen eines Todtenopfers.

'Ε ν α γ κ α λ ί ζ ω, fut. ίσω, ich gebe in die Arme, ἀγκαλαὶ, —λίζομαι, ich nehme in die Arme, umarme; davon —κ ά λ ι σ μ α, τὸ, was man in die Arme nimmt, umarmt, Frau, Geliebte, u. dergl. —κ υ λ ά ω, ἐναγκυλέω, ἐναγκυλίζω: Polyb. 27, 9. und ἐναγκυλόω, ich mache eine ἀγκύλη, Handhabe daran. —κ ω ν ί ζ ω, fut. ίσω, (ἀγκὼν) auf den Ellbogen ſtützen; bey Heſych. ἀποκλίνω.

'Ε ν α γ λ α ΐ ζ ο μ α ι, womit ſchön thun, worinne wobey ſich gefallen, womit ſich brüſten. —α γ χ ο ς, Adv. S. ἄγχι: ganz neuerlich, kürzlich, vor kurzem.

'Ε ν ά γ ω, hinein- od. einführen, dahin- od. einbringen, übergeben, worzu bringen od. bereden od. bewegen: πόλεμον, τὴν ἔξοδον, anrathen, betreiben; Thucyd. ſ. v. a. ὑπάγω, vor Gericht führen und anklagen. —γ ω γ ή, ἡ, οἰκέτου bey Suidas muſs ἀναγωγὴ heiſsen. —γ ω ν ί ζ ο μ α ι, fut. ίσομαι, d. i. ἀγὼν ἐν, darinne, darauf ſtreiten, kämpfen. —γ ώ ν ι ο ς, ὁ, ἡ, Adv. —νίως, (ἐν ἀγῶνι ὢν) zum Kampfe, Wettſtreite gehörig, den K. od. W. betreffend: νόμος, κόσμος, ἐσθής. auch zum gerichtlichen Kampfe, d. i. zum Proceſſe, und zur Führung deſſelben gehörig; im Kampfe begriffen; überh. thätig; zum Kampfe oder Streite geſchickt; als Beyw. mehrerer Götter, den Wettkampf beſchützend.

'Ε ν α δ η μ ο ν έ ω, d. i. ἀδημονέω ἐν darinne, dabey traurig ſeyn, od. ſich ängſtigen. α δ ι α φ ο ρ έ ω, ῶ, darinne, dabey gleichgültig ſeyn, od. bleiben: Baſilius. —α δ ο λ ε σ χ έ ω, d. i. ἀδολεσχέω ἐν, darinne, dabey, davon ſchwatzen. —έ ν ο ς, ὁ, ἡ, oder ἐνάενος, ὁ, ἡ, jährig, einjährig. S. ἔνος. —α ε ρ ί ζ ω, f. ίσω, (ἀὴρ) in die Luft erheben: Heſych. —α έ ρ ι ο ς, ὁ, ἡ, (ἀὴρ) in der Luft ſchwebend, fliegend; luſtig; dagegen iſt ἐνάερος, ὁ, ἡ, ſ. v. a. luſtartig, von der Farbe der Luft: Plutar. verbindet es mit ἀλλυώδης und χρῶμα ἐνάερον καὶ ἀπατηλὸν: 10 p. 29. 9, 624. —α θ λ έ ω, d. i. ἀθλέω ἐν: Aelian. V. H. 2, 4. ταῖς βασάνοις ἐνεκαρτέρει καὶ ἐνηθλεῖ. —α θ ρ έ ω, ῶ, anſehen. —α θ ύ ρ ω, ſ. v. a. ἐμπαίζω: Heſych. —α ι θ έ ρ ι ο ς, ὁ, ἡ, (αἰθὴρ) im Aether, in der Luft. —α ί θ ρ ι ο ς, ὁ, ἡ, (αἴθρα) in freyer Luft, unter dem Himmel; 2) kalt. S. αἶθρος. —α ι μ α τ ό ω, f. ώσω, blutig machen, mit Blut füllen. —α ι μ ο ς, ὁ, ἡ, (αἷμα, ἐν) mit Blut begabt, verſehn; blutig, blutend: ἔναιμον φάρμακον, ein Mittel auf friſche Wunden zu legen, welche auch das Blut ſtillen; davon —α ι μ ό τ η ς, ητος, ἡ, Eigenſchaft der Körper, welche Blut haben; zweif. —α ι μ ώ δ η ς, ὁ, ἡ, ſt. ἐναιμοειδὴς, wie blutig, blutend; Pollux 2, 215. —α ί μ ω ν, ὁ, ἡ, ſ. v. a. ἔναιμος; zweif. —α ί ρ ω, der allgemeine Begriff iſt, *corrumpo, perdo,* verderben: μηκέτι χρόα ἐναίρεο: Hom. Od. 19, 263. daher wie φθείρω verderben, vernichten, morden, tödten; davon ἔναρον, ἐναρίζω. —α ί σ ι μ ο ς, ὁ, ἡ, Adv. —μως, u. ἐναίσιος, ὁ, ἡ, (αἶσα, ἐν) Schickſal bedeutend, vorbedeutend; als ὄρνις ἐναίσιμος, σῆμα ἐναίσιμον; davon ἐναίσιμα μυθήσασθαι, die Deutung von einer Vorbedeutung geben; daher bey Heſych. ἐναισιμία, οἰοσημεία; im moraliſchen Sinne iſt es ſ. v. a. αἴσιος, u. αἴσιμος. —α ι σ χ ύ ν ο μ α ι, ſ. v. a. αἰσχ. Dio Caſſ. —α ι χ μ ά ζ ω, futur. άσω, ſ. v. a. μάχομαι ἐν: Lycophr. 546. —α ι ω ρ έ ο μ α ι, οῦμαι, in der Höhe ſchweben, darauf, darinne, ſchweben, fliegen, hängen. —α ι ώ ρ η μ α, τὸ, das darinne darauf ſchwebende oder ſchwimmende. —α κ μ ά ζ ω, f. άσω, d. i. ἀκμάζω ἐν, auch ſ. v. a. ἐνισχύω. —α κ μ ὴ ς, έος, ὁ, ἡ, oder ἔνακμος (ἐν ἀκμῇ ὢν) in der Blüthe vollen Kraft oder Stärke ſeyend: Pollux 1, 10. —α κ ο λ α σ τ α ί ν ω, f. στήσω, daran, darinne, dabey ungezogen oder wollüſtig ſeyn od. ſich bezeigen, daran ſeine Geilheit ſättigen. —α κ ο σ ι ο σ τ ὸ ς, ἡ, ὸν, u. ἐνακόσιος, ſ. v. a. ἔννακος. —α κ ο ύ ω, f. σω, *inaudio*, hören; zw. —α λ δ α ί ν ω, darinne nähren, vermehren, wachſen laſſen: Nicand. Alex. 409. wo vorher ἐναλδῆσαι ſtand. —ά λ ε ι μ μ α, τὸ, das darauf geſchmierte, aufgelegte Salbe; und —α λ ε ι π τ ο ς, ον, drauf geſtrichen, eingeſchmiert, eingeſalbt; v. —α λ ε ί φ ω, f. ψω, darein, darauf ſtreichen, einſalben, beſchmieren. —α λ ή θ ω ς, Adv, in Wahrheit, der Wahrheit gemäſs; zw. —α λ ί γ κ ι ο ς, ὁ, ἡ, gleich, ähnlich; poet. ſ. v. a. ὅμοιος. —α λ ί ζ ω, f. ίσω, als Gegenſ. von ἐξαλίζω: Heſych. —α λ ι ν δ έ ω, ῶ, darinne wälzen, darein wickeln, rollen. —ά λ ι ο ς, ὁ, ἡ, auch ἐνάλιος, ία, ιον, (ἅλς) in, vom, am Meere.

'Εναλιτέω, u. ἐναλίτω, ἐπεὶ νύμοι ἔνδοθεν ἦτορ υἱὸς Ὀϊλῆος μέγ' ἐνήλιτεν: Quint. Smyrn. 14, 435. ſ. v. a. ἠδίκησεν, hat beleidigt, wie Heſych. ἤλιτεν erklärt: 13, 400. ſteht ὅσσα οἱ ἐν λεχέεσσιν ἀνήλιτε κοιρανίοισι; verm. ſt. ἐνήλιτε. —αλλάγδην, Adv. ſ. v. a. ἐναλλάξ. —αλλαγὴ, ἡ, Wechſelung, Verwechſelung, das tauſchen, kreutzen, verändern. —άλλαγμα, ατος, τὸ, das verwechſelte, umgetauſchte, z. B. Waare: der Werth od. Preiſs der Waare. —αλλὰξ, Adv. (ἐναλλάσσω) wechſelsweiſe, kreutzweiſe, umgekehrt. —άλλαξις, ἡ, ſ. v. a. ἐναλλαγή; von —άλλάσσω, ἐναλλάττω, f. ξω, tauſchen, vertauſchen, umtauſchen, wandeln, wechſeln, verwechſeln, kreutzen, über od. durch einander legen; daher paſſ. ἐναλλάττομαί τινὶ: Thucyd. gleichſam ſich od. ſeine Waare mit einem umtauſchen, d. i. Handel treiben. —άλλομαι, hinein- darauf ſpringen. —αλλος, ὁ, ἡ, πάντα γένοιτο ἔναλλα, alles kehre ſich um, werde verändert. Theocr. 1, 134. davon ἐνάλλως. Plutar. 10 p. 323. —αλος, ὁ, ἡ, ſ. v. a. ἐνάλιος. —αλύω, f. ύσω, d. i. ἀλύω ἐν. —αμάρτητος, ὁ, ἡ, ſündig, dem Fehlen ausgeſetzt. —αμάω, f. ήσω, darinne, darein häufen, anhäufen. zw. —αμβλύνω, f. υνῶ, d. i. ἀμβλύνω ἐν. Plutar. —αμείβω, f. ψω, darinne wechſeln. zw. —αμέλγω. f. ξω, hinein, oder einmelken. —αμιλλάομαι. Themiſt. or. 21 p. 254. ſ. v. a. ἁμ. —άμιλλος, ὁ, ἡ, Adv. —λως, (ἐν ἁμύλλῃ) kampfend, ſtreitend, wetteifernd, mithin gleich, gewachſen. —αμμα, τὸ, (ἐνάπτω) das darein oder daran geknüpfte, das Band daran. —αμοιβαδὶς, Adv. wechſelſeitig. —αμπυκίζω, (ἄμπυξ) ſ. v. a. ἐγχαλινόω. Heſych. —αναπαύομαι, f. σομαι, d. i. ἀναπ. ἐν, darinne, darauf liegen oder ruhen. —ανθρωπέω, ῶ, ich lebe im Menſchen und habe menſchliche Geſtalt; bey den Kirchenvätern von Chriſto: ich wohne, bin im Menſchen: ψυχὴ ἐνανθρωποῦσα, Heliodor. aethiop. davon —ανθρώπησις, ἡ, das Leben im Menſchen und Annehmung menſchlicher Geſtalt: Kirchenv. —ανθρωπίζω, f. ισῶ, ſ. v. a. ἐνανθρωπέω. —ανθρωπότης, ητος, ἡ, Menſchwerdung; wie die 3 vorigen bloſs bey den Kirchenv.

'Εναντα, Adv. oder ἔναντι, ſ. v. a. ἐναντίον, dargegen, gegen, gegen über, im Gegentheil. —τίβιον, als Adv. eigentl. das neutr. vom folgd. ſ. v. a. ἐναντίον, entgegen, gegen, dagegen ſtehend. —τίβιος, ὁ, ἡ, (βία) entgegenſtrebend, wirkend, ſtehend, alſo ſ. v. a. ἐναντίος. —τιγνωμονέω, ich bin ἐναντιογνώμων, von entgegengeſetzter Meinung. zw. v. —τιγνώμων, ονος, ὁ, ἡ, von entgegengeſetzter Meinung. Heſych. in ἀγνώμονες. —τιοδρομέω, entgegen, oder auf die entgegengeſetzte Seite laufen. zw. —τιοδύναμος, ὁ, ἡ, (δύναμις) von entgegengeſetzter Kraft, Wirkung. zw. —τιολογέω, ῶ, ich widerſpreche, rede das Gegentheil. —τιολογία, ἡ, Widerſpruch. —τιολόγος, ὁ, ἡ, dagegen redend, widerſprechend. —τίον, Adv. auch als Präpoſ. m. d. genit. von ἐναντίος: gegen über, vor, entgegen, gegen, ins Geſicht, vorm Geſichte, *coram.* —τιοπετής, έος, ὁ, ἡ, (πίπτω) auf die entgegengeſetzte Seite fallend. zw. —τιοποιολογικὸς, ἡ, ὸν, bey Plato Sophiſt. 52. der im Reden macht, daſs der antwortende ſich widerſpricht; doch haben die Basler Ausgaben ἐναντιολογικὸς. —τιοπραγέω, eigentlich entgegen oder zuwider handeln, es mit der Gegenparthey halten. zw. —τίος, ία, ίον, m. d. gen. u. dat. entgegen, gegenüber ſtehend, zuwider, widrig, feindlich, Gegner. —τιότης, ητος, ἡ, (ἐναντίος) entgegengeſetzte Eigenſchaft, Widerſpruch, Gegentheil. —τιοτροπὴ, ἡ, entgegengeſetzte Wendung oder Richtung. zw. —τιόφημος, ὁ, ἡ, (φήμη) von entgegengeſetzter Rede oder Bedeutung. zw. —τιόφωνος, ὁ, ἡ, (φωνη) entgegen, dargegen ſprechend. —αντιόω, (ἐναντίος) entgegen ſtellen. med. ἐναντιοῦμαι, ſich entgegenſtellen, entgegen, zuwider ſeyn, widerſtehn, wiederſprechen. —τίωμα, τὸ, (ἐναντιόω) was uns zuwider oder gegen uns gemacht iſt, was uns zuwider oder entgegen iſt; widriger Umſtand oder Zufall, Unfall, widriges Glück, Widerſpruch, entgegenſtehende Eigenſchaft. —τιωματικὸς, ἡ, ὸν, Adv. —κῶς, zum ἐναντίωμα gehörig; alſo entgegengeſetzt oder ſtehend, widrig, zuwider. —τίωσις, ἡ, (ἐναντιοῦμαι) das Widerſtreben, Widerſprechen, Zuwider- Entgegenſeyn. —ξονίζω, ich füge mit der Achſe (ἄξων) ein, wie ἐμπελίζω bey Ptolemaeus.

'Εναπαιωροῦμαι, (ἀπαιωροῦμαι ἐν) darinne aufgehängt ſeyn, oder ſchweben. —πειλέω, darinne oder dabey drohen. —πενιαυτίζω, f. ίσω, darinne ein Jahr abweſend zubringen. —περγάζομαι, darein- darinne machen, oder verfertigen. —περείδω, f. είσω, darein- dahin ſtützen, ſtemmen, oder mit Gewalt ſtoſsen; neutr. ſich dahin, darauf ſtützen, oder ſtemmen, oder mit Gewalt ſich werfen. —πέρεισμα, τὸ, das worauf, wohin, geſtützt, geſtemmt, an- gelehnt wird; woranf man ſich lehnen, ſtützen kann.

Ἐναποβάπτω, f. ψω, eintauchen, einſinken. zw. —ποβλύζω, f. ύσω, (ἀποβλύζω ἐν) hineinſpeyen od. piſſen. —ποβρέχω, f. ξω, (ἀποβρέχω ἐν) darinne mazeriren, einweichen. —ἀπογεννάω, f. ήσω, darein, darinne zeugen, oder erzeugen. —όγραφος, ὁ, ἡ, darinne aufgeſchrieben. zw. —πογράφω, f. ψω, darinne einſchreiben, oder eintragen. —ποδείκνυμαι, darinne zeigen, oder beweiſen. —ποδέω, darein anbinden; darinne feſtbinden. —ποδημέω, (ἀποδημέω ἐν) lebe darinne als Fremder. zw. —ποζέω, f. έσω, drarein- darinne abſieden, abkochen. —ποθνήσκω, darinne ſterben. —ποκάμνω, (ἀποκάμνω, ἐν) dabey- oder darinne ermatten, ermüden. —ποθωπεύω, f. εύσω, (ἀποθωπεύω ἐν) darinne, dabey durch Schmeicheley bereden, beſänſtigen. —ποικοδομεῖν, bey Polyaen. verbauen, vermauern. —πόκειμαι, f. είσομαι, darinne verwahrt liegen. —ποκινδυνεύω, f. εύσω, darinne- damit- dabey einen Verſuch machen; oder einen Kampf oder Streit wagen. —ποκλάω, darinne abbrechen. —ποκλείω, f. είσω, darein- darinne verſchlieſsen. —ποκλύζω, f. ύσω, darein- darinne abſpülen. —ποκρύπτω, f. ψω, darein- darinne verbergen. —ποκυβεύω ταῖς ψυχαῖς ὑμῶν, ich mache das Wageſtück auf Gefahr eures Lebens. Diod. 16. S. κυβεύω. —πολαμβάνω, darinne einſchlieſsen und fangen. —ποκλαύω, darinne- dabey genieſsen. Plutar. —πολείπω, f. ψω, darinne zurücklaſſen, verlaſſen; davon —πόλειψις, ἡ, das Verlaſſen oder Zurücklaſſen darinne. —πόληψις, ἡ, (ἐναπολαμβάνω) das Einſchlieſsen und Fangen darinne. —πόλλυμι, u. ἐναπολλύω, darinne verderben oder tödten. —πολογέομαι, ich vertheidige mich in- bey einer Sache. Aeſchines or. —πολούω, f. σω, darinne oder darein abwaſchen. —πομάσσω, ich wiſche, drücke daran ab.

Ἐναπομένω, darinne zurück bleiben. —πομόργνυμι, f. ξομαι, u. ἐναπομόργνυμαι, ich wiſche daran ab, und theile dadurch mit; Farbe geben. dem ἐξαλείφω oppoſ. Jambl. Stob. Serm. 28. —πόμορξις, ἡ, bey Theophr. H. P. 6, 1. wo andere ἐναπόμιξις leſen. —πονίζω, u. —νίπτω, darinne abwaſchen, abſpülen; davon —πόνιψις, ἡ, das Abwaſchen darinne. —ποξύω, f. ύσω, darinne abſchaben. Clemens Strom. 6. c. 15. —ποπατέω, darinne-darein-darauf kacken. —ποπλύνω, f. νῶ, darinne abwaſchen, abſpülen. —ποπνέω, f. εύσω, darinne aushauchen; oder ſterben.

—ποπνίγω, f. ξω, darinne erſticken. —ποῤῥέω, darinne, dabey verlegen oder im Zweifel ſeyn. —ποσβέννυμι, f. έσω, u. —νύω, darinne auslöſchen. —ποσημαίνομαι, ich drücke darauf wie ein Zeichen oder Siegel ab. Clemens Strom. 6, 12. bey Plutar. Cim. 2. iſt das activ. darinne andeuten. —ποστηρίζομαι, ſ. v. a. ἐναπερείδομαι. —ποσφάττω, f. ξω, darinne, darauf abſchlachten oder tödten. —ποσφραγίζω, f. ίσω, (σφραγὶς) darinne, darauf abdrücken das Siegel; davon —ποσφράγισμα, τὸ, das darinne oder darauf abgedrückte, wie ein Siegel. —ποτελέω, f. έσω, darinne vollenden. —ποτέμνω, f. εμῶ, darinne abſchneiden. —ποτίθημι, f. θήσω, (ἀποτίθημι ἐν) darinne, darein ablegen. —ποτιμάω, f. ήσω, ἅπαν ἐναπετίμησεν αὐτῷ (τῷ δούλῳ) Demoſth. p. 1253. ſo bezahlte er alles mit dem abgelaſſenen und ſo hoch geſchätzten Sklaven. —ποτίω, f. ίσω, Ariſtoph. Av. 38. ich bezahle darinne. —ποτυπόω, ῶ, f. ώσω, darinne- darein- darauf ein- oder abdrücken. —ποχράομαι, f. ήσομαι, darinne- dabey brauchen, oder verbrauchen. zw. —ποψάω, f. ήσω, (ἀποψάω ἐν) darinne- daran abwiſchen. —ποψύχω, f. ξω, darinne- darein kacken und ſich erleichtern. Heſiod. op. 759: darinne ſterben. —πτομαι, f. ψομαι, berühren, ſ. v. a d. ſimpl. ἅπτομαι. —πτω, f. ψω, darein- daran knüpfen, anknüpfen, anbinden: ἐνημμένος διφθέραν, der einen Pelz ſich angeknüpft, angezogen hat; 2) anzünden.

Ἔναρα, τὰ, die dem Ermordeten (ἐναίρω) abgenommene Beute, Rüſtung, *ſpolia*. —ράσσω, ἐναράττω, f. άξω, darein- daran- hineinſchlagen oder ſtoſsen, m. d. Dat.

Ἐνάργεια, ἡ, Klarheit, Deutlichkeit, vorz. die rhetoriſche Evidenz, Darſtellung einer Sache oder Perſon, daſs man ſie zu ſehen glaubt; von —γὴς, έος, ὁ, ἡ, Adv. —γῶς, (ἀργὸς, ἀργὴς, hell, weiſs) hell, deutlich, ſichtbar, offenbar; activ. ſichtbar, deutlich machend; darſtellend wie gegenwärtig, oder lebendig. —γότης, ἡ, (ἐναργὸς) ſ. v. a. ἐνάργεια. Pollux 4, 97. —γώδης, ὁ, ἡ, ſ. v. a. d. vorh. zw. eigentl. —γειώδης.

Ἐναρέσκομαι, ich habe woran Gefallen. zw. —ρετος, ὁ, ἡ, Adv. —τως, (ἐν ἀρετῇ) tugendhaft, gut. —ρὴς, έως, ὁ, ἡ, (ἄρω) eingefügt. Heſych. —ρηφόρος, ὁ, ἡ, (ἔναρα φέρων) Beute, *ſpolia*, abgenommene Waffen tragend, als Beyw. einer Trophäe und des Mars. Heſiod. Scut. 192. d. i. der Beutemacher, der den Krieger entwafnet.

'Ενάρϑρος, ὁ, ἡ, Adv. —ϑρως, (ἄρϑρον) mit Gelenken, Gliedern artikulirt, wie die Sprache.

'Εναρίζω, f. ίξω, v. ἔναρα gemacht, ſ. v. a. ἐναίρω und σκυλεύω, die gebliebenen ausziehn: εἵματα ἐναρίξαι, Oppian. Hal. 2, 416. die Kleider ausziehn ſ. v. a. λωποδυτεῖν. —ριϑμέω, ich zahle, rechne mit darunter: med. ἐναριϑμεῖσϑαι, mitzählen, achten. Eur. Or. 622 —ρίϑμιος, ὁ, ἡ, od. ἐνάριϑμος, ὁ, ἡ, in der Zahl, mitgezählt, mitgerechnet. —ρίϑμητος, ὁ, ἡ, darunter gezählt, mitgerechnet. Pollux 4, 162. —ρικύμων, ἡ, ſ. v. a. ἀρικύμων, Hipp. aer. et loc. 2. —ρίμβροτος, ὁ, ἡ, (ἐναίρω, βροτὸς) Menſchenmorder. —ριστάω, darinne frühſtücken. Pollux 9, 102.

'Εναρτικὸς, ἡ, ὸν, (ἐνάρχομαι) zum anfangen, anheben gehorig oder geſchickt. —αρμόζω, ἐναρμόττω, f. όσω, einfugen, einpaſſen, anpaſſen; neutr. wohin, wozu paſſen, ſich ſchicken. —αρμονικὸς, ἡ, ὸν, und ἐναρμόνιος, ὁ, ἡ, Adv. —ίως, (ἁρμονία, ἐν) was in der harmoniſchen Melodie oder Art geſetzt, gemacht iſt, als Lied, Geſang; überh. harmoniſch, ſchicklich, paſſend; unterſcheidet ſich vom γένος διάτονικὸν und χρωματικὸν durch die Intervalle der Tone; nur das γένος διάτονικὸν iſt jetzt noch üblich.

'Ενάρμοστος, ὁ, ἡ, (ἐναρμόζω) eingepaſst, eingefugt. —αρος, ὁ, ἡ, (ἐν ἀρᾶ ὢν) verwunſcht, verflucht. Heſych. —αρφόρος, ἐναροφόρος, ὁ, ἡ, ſ. v. a. ἐναρηφόρος; das erſtere Heſiod. Scut. 192 —άρχομαι, f. ξομαι, m. d. genit. anfangen, den Anfang machen; als Opferwort ſ. v. a. ἀπάρχ. —αρχος, ὁ, ἡ, (ἐν ἀρχῇ) mit einem Anfange: im Magiſtrate, in der Regierung befindlich. Appian.

'Ενὰς, άδος, ἡ, Einheit; ſ. v. a. μονάς.

'Ενασαλγαίνω, ſ. v. a. ἐνακολασταίνω. Diod. Sic. —ασϑενέω, ῶ, (ἀσϑενέω, ἐν) darinne ſchwach od. krank ſeyn. —ασκέω, darinne, daran üben; auch neutr. ſich darinne, daran üben. 2) darein weben oder ſticken. —ασμενίζω, (ἀσμενίζω, ἐν) woran einen Gefallen haben. Nicetae Annal. 8, 3.

'Ενασπιδώσομαι, (ἐνασπιδόω) Ariſtoph. Ach. 368. ſ. v. a. παρασκευάσομαι: bey Philo 1 p. 669. εὐλάβειαν ἐπασπιδήσεται: wo die Handſchr. richtiger ἐπασπιδώσεται hat, ſich mit Vorſicht bewaffnen. —αστράπτω, f. ψω, darinne od. hineinblitzen. —αστρος, ὁ, ἡ, mit Sternen ἄστρον, beſtirnt: von den Geſtirnen beſchienen, als γῆ. Theophr. c. pl. 5, 18. —ασχημονέω, ῶ, d. i. ἀσχημονέω ἐν. Philoſtr. Epiſt. 54. τῇ γλυκύτητι τοῦ ϑυμοῦ, ſich den ſuſsen Reitzen des Zorns zur Ungebühr, u. eignen Schande überlaſſen. —ασχολέω, (ἀσχολέω, ἐν) darinne, damit beſchäftigen. —αταῖος, am neunten Tage, von 9 Tagen. Plut. 9 p. 331. —ατενίζω, f. ίσω, mit unverwandten Augen auf etwas ſehn; m. d. Dat. activ. τὰς ἀκοὰς τινὶ, genau auf etwas horchen; Jambl. Pythag. 1 c. 15. —ατμος, ὁ, ἡ, (ἐν ἀτμῷ ὢν) mit Dünſten, voll von Dünſten. —ατος, άτη, ον, ſ. v. a. ἔννατος, der neunte. —αττικίζουσιν τῷ χωρίῳ αἱ ἀηδόνες, Philoſtr. heroic. die attiſchen Nachtigallen ſingen in dem Orte. —αυγάζω, darinne glänzen, leuchten, anſehn; zweif. —αυδὴς, έος, ὁ, ἡ, od. ἔναυδος, ὁ, ἡ, (αὐδὴ) ſprechend, lebend. —αυϑεντέω, ῶ, (αὐϑεντέω ἐν) darinne, dabey ſein Anſehn ſeine Macht zeigen u. behaupten. Gregor. Naz. —αυλακόφοιτις, ἡ, (ἐν αὔλακι φοιτῶσα) in den Furchen, Fluren wandelnd. Antholog. —αυλίζω, f. ίσω, (αὐλὴ) ich quartiere ein, m. d. Dat. bringe einen an einem Ort, um da zu wohnen; ἐναυλίζομαι, ich halte mich worinne auf, bleibe, bin, wohne darinne. —αύλιον, τὸ, die Wohnung. S. ἔναυλος. —αύλιος, α, ον, (αὐλὴ) was darinne iſt, innerſt; bey Hipp. τὸ στόμα καὶ ἡ ἐναυλίη, die Mündung und innern Theile; verſt. ὁδὸς. —αυλὶς, ἡ, (αὐλὸς) Beywort der γλωττὶς, des Mundſtücks an der Flote. —αύλισμα, τὸ, (ἐναυλίζομαι) die Wohnung, Höle, u. dergl. —αυλιστήριος, ὁ, ἡ, (ἐναυλίζομαι) ἄντρον, Hole, worinne man wohnt, wohnen kann.

"Εναυλος, ὁ, τάχα κεν φεύγοντες ἐναύλους πλήσειν νεκύων, Il. π. erklart man von Aushohlungen oder Graben, dergleichen χείμαῤῥοι od. reiſsende Winterflüſſe machen: (αὐλὸς) vergl. Il. 21, 312. Oppian. 5, 21. nennt ποσειδάωνος ἐναύλους, die Wohnungen des Neptun, das Meer, von αὐλή. Im Homer ſcheinen nach Heſych. einige ἐπαύλους, andere ἐπαύρους geleſen zu haben. Heſiod. Theog. 129. nennt die Berge ϑεῶν ἐναύλους, Wohnungen; überh. bedeutet das Wort dort ſ. v. a. ἄναυροι, oder χαράδραι.

"Εναυλος, ὁ, ἡ, eigentl. ὁ ἀκουόμενος παρὰ τὸν αὐλὸν, was man beym Ton unter dem Blaſen der Flöte hört; 2) meiſt metaph. λόγοι ἔναυλοι, φωνὴ ἔναυλος, eine Rede, Stimme, die uns noch in den Ohren tönt, u. im friſchen Andenken iſt; ἔναυλα τὰ λεχϑέντα ὑπηχεῖ, wie *dicta meas aures adhuc perſonant*, Philo: bey Plato Leg. 3 p. 109. φόβος, Furcht von einem Vorfalle, der noch in friſchem Andenken iſt. ἐναύλους ἔχει καὶ ἐναργεῖς τὰς καταλήψεις, hat noch eine friſche u. deutliche Vorſtellung: αἱ ἔναυλοι μνῆμαι τῶν κακουργιῶν, das friſche Andenken; ἔναυλον ἦν ἔτι τότε πᾶσιν, alle hatten es noch in friſchem Andenken damals, Aeſchines. πρὸς ταῦτα χρὴ ἔχειν ἔναυλον ὅτι, dabey muſs man ſtets eingedenk ſeyn: Plutarch. dah. überh. friſch, neu, was kurz vorhergegangen iſt; πόνοι ἔναυλοι bey Piſides: ἔναυλον εὐεργεσίαν bey Heſych. ἔναυλον ἁρμονίαν Dionyſ. hal. 6 p. 900. zweif. 3) der darinne wohnt, von αὐλὴ, αὐλίζω. S. ἐναύλιον u. ἔναυλος, ὁ.

Ἐναυξάνω, f. ήσομαι, ich mehre darinne; ernähre darinne: ἐναυξάνομαι, ich werde darinne ernährt, erzogen. In ἐναύξησαν Xen. ven. 12, 9. liegt αὐξέω zum Grunde. —αυρος, ὁ, ἡ, (αὖρα) luftig, was der Luft, dem Zuge ausgeſetzt iſt. —αυσμα, τὸ, (ἐναύω) woran und womit man Feuer anmacht, anzündet, entweder Stahl und Feuerſtein, oder glühende Aſche u. Kohlen, Reſte von dem vorigen Feuer, die darzu aufbewahret werden; dah. 2) wie das gleichbedeutende ἐμπύρευμα, metaph. für Ermunterung, Antrieb, Gelegenheit, Anfang; τοιαῦτα ἔχων ἐναύσματα εἰς βασιλείας ἐπιθυμίαν, Herodian. 2, 15. vergl. 3. 13. 3) der Reſt, Ueberbleibſel, Spuren, wie ἐμπύρευμα, Polyb. 9, 28. Plutar. Flam. 11. —αυχένιος, ὁ, ἡ, (αὐχὴν) auf an dem Halſe od. Nacken. —αυχέω, darinne, damit ſich rühmen. Heſych. —αύω, f. αύσω, für ἱκετεύω. S. ναύω. 2) (ἐν, αὔω) ich zünde an; οὔτε οἱ πῦρ οὐδεὶς ἔναυε, es zündete ihm niemand Feuer an, lieſs ihn niemand bey ſich Feuer holen: eine Art von öffentlicher Schmach: ἐναύομαι πῦρ, ich zünde mir Feuer an; metaph. καὶ τὸ θάρσος παρὰ τῆς Ἐλευσινίας ἐναύσασθαι, habe den Muth ſich angezündet wie eine Fackel, u. bekommen: Axioch. S. ἔναυσμα καί τινα ἐξ αὐτοῦ διδασκαλίαν ἐναυσάμενος, Aelian. ἐντεῦθεν τὸν λόγον ἐναυσάμενος Εὐριπίδης, er nahm den Stoff, Anfang, Veranlaſſung der Rede daher. —αφανίζω, f. ίσω, darinne unſichtbar machen oder vertilgen. —αφεψέω, ῶ, oder ἐναφέψω, darinne abkochen, einkochen. —αφίημι, f. ήσω, darein laſſen oder thun, darinne loslaſſen: hineinlaufen oder gehn laſſen. —άφορμος, ον, (ἀφορμή) mit Stoff od. Gelegenheit: dergleichen in ſich habend. zweif. —αφροδισιάζω τῇ κόρῃ gegen ein Mädchen ſeine Liebe zeigen, ſchöne thun. Ariſtenae. 1. Ep. 15. 2. ep. 1.

Ἐνγόνασι, ἐν γόνασι, nämlich καθήμενος ἀνὴρ, der knieende gebückte Mann, am Himmel ein Stern: Aratus.

Ἔνδᾳδος, ὁ, ἡ, von ἐν, δαΐς, δᾴς, - ᾴμος, *Schneiders griech. Wörterb. 1. Th.*

eine Hochzeit mit od. bey Fackeln. 2) πεύκη ἔνδᾳδος, eine Fichte, Kiefer, wo der Kien, Harz, Fettigkeit ſich an einer Stelle ſammlet u. ſo den Baum erſtickt: Theophr. S. δᾴς: dav. —δᾳδόω, ῶ, ich verwandele einen Baum in lauter Kien, Harz od. Fett, und mache ihn ſo krank, od. erſticke ihn. —δαίνυμαι, ich eſſe darinne. —δαις, αιδος, ὁ, ἡ, σπονδαὶ ἔνδαιδες, Aeſchyl. 1047. d. i. μετὰ δᾳδῶν, mit Fackeln. —δαιτέομαι, οῦμαι, darinne eſſen, ſchmauſen. zw. —δαίω τινὶ πόθον, Pind. Pyth. 4, 328. in einem Verlangen anzünden, erwecken. —δάκνω, f. δήξω, ich beiſse an oder hinein: ἵνα μὴ ἐνδάκῃ ὁ στύλος τῇ γῇ; damit der Pfal nicht mit der Spitze in die Erde gehe: Mathem. vet. p. 17. τῶν τρόχων ἐνδακόντων, Syneſ. ep. 4. die Rollen hatten ſich geſetzt und giengen nicht. —δακρυς, υος, ὁ, ἡ, in Thränen, thränend, weinend. —δακρύω, f. ύσω, darinne, darüber weinen. —δάπιος, ὁ, ἡ, Pollux 3, 51. einheimiſch; von δάπος, δάπεδον, bey Nicet. Annal. 3, 7. 4, 6. 8, 2. findet ſich ἐνδαπός. —δασυς, υος, ὁ, ἡ, etwas rauch, haarig, buſchig. —δατέομαι, οῦμαι, f. ήσομαι, ich theile zu, aus, δαΐς, δᾴς, δατός. 2) λόγους ὀνειδιστῆρας ἐνδατούμενος, Eur. Herc. 213. Vorwürfe machend; dah. es Sophocl. Trach. 801. Aeſchyl. S. 580 für ὀνειδίζω brauchen. Nicand. Ther. 509 wird ἐνδατέοιτο paſſiv. μερίζοιτο κόπτοιτο, τρίβοιτο erklärt. —δαψιλεύομαι, f. εύσομαι, ich bin od. beweiſe mich darinne dabey als ein δαψιλὴς, reicher oder reichlich aufwendender Mann. —δεδομένως, Adv. nachlaſſend, mit nachgelaſſenen Zügeln; vom part. praet. p. v. ἐνδίδωμι. —δεέστερον, als Adv. eigentl. neutr. des flgd. mangelhafter, weniger als. —δεης, έος, ὁ, ἡ, ermangelnd, Mangel leidend, dürftig, bedürftig: τινὸς, an etwas, worin ſchwach, ſchwächer: fehlerhaft, mangelhaft: Xen. Cyr. 8, 1. 40. dav. —δεια, ἡ, Mangel, Bedürfniſs, Dürftigkeit. —δειγμα, τὸ, (ἐνδεικνύω) Anzeige, Beweis, auch durch Handlungen, wie εὐνοίας, von Gewogenheit. —δείκνυμι, (ἐνδείκω) f. ἐνδείξω, ich zeige an, ich zeige daran: τῷ σώματι τὴν εὔνοιαν οὐ χρήμασιν οὐδὲ λόγοις ἐνεδείξατο τῇ πατρίδι, Demoſth. 561. nicht in mit Worten zeigte er ſeine Zuneigung. 2) ich zeige an, klage an, ſtelle die Klage ἔνδειξις an. 3) —μαι, med. ich beweiſe, zeige, bezeige: πολλὴν ἀρετὴν καὶ σωφροσύνην ἐν τῷ βίῳ ἐνδεδειγμένος: Iſocr. auch das lat. *prae me fero*. 4) ἐνδείκνυσθαί τινι, ſagt man wie *oſtentare ſe, venditare ſe, operam ſuam alicui*, wenn man jemand ſeine Dienſte rühmt.

um ſich ihm gefällig zu machen: οὗτοι δ'ἐχαρίζοντο πάντ' ἐνδεικνύμενοι καὶ ὑπερκολακεύοντες ἐκεῖνον! Demoſth. p. 391. Philoſtr. Apoll. 3, 32. καὶ πένητας μὲν, ἐνδεικνυμένους δὲ τοῦτο, die ſich deſſen rühmten 5) Πηλείδη μὲν ἐγὼν ἐνδείξομαι, Il. τ. 83. wo es Suidas und Heſychius ἀπολογήσομαι erklären. So braucht es Demoſth. p. 375. καταβαίνων ἀπὸ τοῦ βήματος ἐνδεικνύμενος τοῖς πρέσβεσι πολλοὺς ἔφη τοὺς θορυβοῦντας εἶναι, d. i. er entſchuldigt ſich bey den Geſandten; daher ἔνδειξις bey Suidas ſ. v. a. ἀπολογία.

'Ενδείκτης, ου, ὁ, d. i. ἐνδεικνύων, Anzeiger, Angeber, Ankläger: Philoſtr. Soph. 2, 29. davon —δεικτικὸς, ἡ, ὸν, Adv. —κῶς, anzeigend, andeutend. —δεινος, ὁ, ἡ, ſ. v. a. δεινὸς. zweif. —δειξις, ἡ, das Zeigen, Anzeigen, Beweis: Anzeige, Anklage.

'Ενδεκα, οἱ, αἱ, τὰ, eilf: von δέκα u. ἕν, εἷς. —καετὴς, έος, ὁ, ἡ, (ἔτος) eilfjährig. —κάζω, Suidas u. Harpocr. führen aus der Rede des Dinarch. c. Theocr. p. 1335 τοῖς αὐτοῖς ἐνδεκάζοντας an, wo andere ἐνδικ. u. συνενδεκατίζοντας leſen. Die wahre Lesart iſt συνδεκατίζοντας, d. i. die δεκάτην zuſammenfeyern, od. vielmehr συνδεκατεύοντας: denn ſo ſagte man ἑβδομεύειν in demſelben Sinne, weil andere daſſelbe am 7ten Tage thaten. —κάκις, Adv. eilfmal. —κάκλινος, ὁ, ἡ, (κλίνη) mit eilf Lagern zur Mahlzeit. —κάπηχυς, εος, ὁ, ἡ, eilf Ellbogen lang. —κάπους, οδος, ὁ, ἡ, eilf Fuſs lang. —κὰς, άδος, ἡ, die Eilfe, die Zahl eilf. —καταῖος, αία, αῖον, eilftägig, eilf Tage alt; am eilften Tage etwas thuend, kommend u. ſ. w. —κατημόριον, τὸ, eilfter Theil. —κατος, άτη, ατον, eilfter. —κήρης, εος, ὁ, ἡ, (ἐρέσσω) eilfrudrig.

'Ενδελέχεια, ἡ, Fortdauer. S. auch ἐντελέχεια; von —δελεχέω, ῶ, fortdauern, anhalten, aushalten; nach Heſych. ſ. v. a. πυκνάζω, bey den Lazedamoniern. —δελεχὴς, έος, ὁ, ἡ, Adv. —χῶς, aushaltend, anhaltend, fortdauernd; Plato Resp. 7 p. 178. verbindet ἐνδελεχῶς καὶ ξυντόνως. —δελεχίζω, f. ίσω, ſ. v. a. ἐνδελεχέω: u. act. fortdauern laſſen, fortſetzen. Sirach 20, 19 u. 24, 30, 1. —δελεχισμὸς, ὁ, ſ. v. a. ἐνδελέχεια, oder Fortſetzung: Sirach 7, 13. Numer. 28, 6. Daniel 11, 31. —δεμα, τὸ, (ἐνδέω) das Ein- Angebundene, Halsband u. dgl. —δέμω, darein oder darinne bauen: verbauen. —δεξιόομαι, οῦμαι, in die Rechte nehmen, mit der Rechten halten, als βωμὸν, Eurip. —δέξιος, ία, ιον, ſ. v. a. ἐπιδέξιος. —δεσις, εως, ἡ, (ἐνδέω) das Ein- oder Anbinden; der Band. —δεσμα, ατος, τὸ, das eingebundene; das Band; davon —δεσμέω, ῶ, u. ἐνδεσμεύω, an- feſtzuſammenbinden. —δεσμος, ὁ, der Einband, Band, Bündel. —δετος, ὁ, ἡ, (ἐνδέω) ein- an- oder feſtgebunden. —δεύω, ich färbe hinein, bringe etwas wie durch eine dauerhafte Farbe hinein. S. ἀναδεύω. —δέχομαι, an- aufnehmen, auf ſich nehmen, z. B. τὴν αἰτίαν Demoſth. die Schuld auf ſich nehmen, φθορὰν Philo die Vergänglichkeit annehmen, ihr unterworfen ſeyn: ἐνδέχεται imperſon. und neut. es nimmt es an, es iſt moglich: τὰ ἐνδεχόμενα mogliche Dinge; ἐκ τῶν ἐνδεχομένων Xeno. memor. 3, 9, 4 auf alle mögliche Art. Davon das particip. iſt ἐνδεχόμενος, ένη, ενον, Adv. —ένως, möglich. ἐνδεχομένην πρόνοιαν ποιεῖσθαι, alle mögliche Vorſicht brauchen.

'Ενδέω, f. ἐνδεήσω und ἐνδέομαι, nöthig haben, Mangel leiden, entbehren, mit dem genit. auch wie δέω, οὐδὲν ὑμῖν ἐνδεήσει τῶν Herodian. 2, 5.

'Ενδέω; f. ἐνδέσω, ἐνδήσω, ein- an- feſtbinden. —δηλος, ὁ, ἡ. ſ. v. a. δῆλος. —δημέω, ῶ, ich bin einheimiſch- im Lande- in der Stadt. —δημία, ἡ, Anweſenheit.

'Ενδήμιος, ὁ, ἡ, einheimiſch, einem Volke- einer Nation eigen. —δημιουργέω, darinne- darein verfertigen oder machen. —δημος, ὁ, ἡ, einheimiſch, anweſend. —διαβάλλω, darinne- dabey- deswegen verläumden. —διάγω, darinne zubringen- ſich aufhalten. —διάζω, S. ἔνδιος und ἐνδιάω. —διάζω, ich webe hinein; davon ἐνεδιάσθη, εἰσενεπλάκη, Heſych. von διάζω, δίασμα. —διάθετος, ὁ, ἡ, Adv. —θέτως, λόγος, von προφορικὸς verſchieden, ſo fern es bloſs das vom Verſtande erzeugte Raiſonnement, προφ. das durch Worte ausgedrückte iſt: überh. bey Plutar. tief eingeprägt in die Seele. ἕξιν ἐνδ. καὶ φιλόσοφον: u. ῥώμη ἐνδ. καὶ τόνος ἀληθινὸς. Daher Heſych. ἐνδιαθέτως d. ὁλοψύχως u. διηνεκῶς erklärt. —διαθρύπτομαι, Theocrit. 3, 36 ſ. v. a. ἐντρυφάω. —διαιτάομαι, ῶμαι, darinne wohnen oder leben; davon —διαίτημα, ατος, τὸ, ein Ort, darinne zu wohnen, Aufenthalt, Wohnung. —διακειμένως, Adv. Hermogenes verbindet es mit ἐμψύχως u. ἐνδιαθέτως, alſo mit der natürlichen Empfindung der Sache. —διαλλάττω, f. άξω, darinne verändern- verwechſeln. —διαμένω, d. i. διαμένω ἐν: zw. —διαπρέπω, darinne glänzen- ſich auszeichnen. —διάσκευος, ὁ, ἡ, (διασκευὴ) λόγος eine vom Redner künſtlich behandelte und geſchmückte Rede.

'Ενδιασπείρω, f. ερῶ, darinne ausstreuen- verbreiten. —διατάσσω, ἐνδιατάττω, f. ξω, darinne aus einander ſtellen u. ordnen. —διατρίβω, f. ψω, darinne- dabey zubringen- verbringen, vorzüglich ſeine Zeit, ſein Leben: alſo dabey- darinne verweilen, ſich aufhalten: τὴν ὄψιν, den Blick darauf verweilen laſſen, Cyropaed. 5, 1, 15. davon —διατριπτικὸς, ἡ, ὸν, lange- gewöhnlich- gerne wobey verweilend; zw. —διαφθείρω, drinnen verderben- vernichten- tödten. —διαχειμάζω, darinne- dabey überwintern. —διαχρίω, darein ſchmieren, darinne beſchmieren, beſalben: zw. — —διάω (ἔνδιος) ich bin unter freyem Himmel, wohne- bin darinne, mit dem Datif. S. εὔδιος u. ἔνδιος. —διδάσκω, darinne lehren- unterrichten: zw. — διδύσκω ſ. v. a. ἐνδύω, anziehen. — δίδωμι (ἐνδόω, davon ἐνδώσω fut.) ich gebe in die Hand, übergebe; 2) ich gebe an die Hand oder die Veranlaſſung; 3) ich thue hinein, hinzu, *indo.* 4) ich gebe nach, laſſe nach, weiche. μαλακὸν οὐδὲν ἐνδιδόναι, keine Furchtſamkeit merken laſſen. οἱ δὲ πιστότητα καὶ δικαιοσύνην ἐνέδωκαν, ἄχαρι δ'οὐδὲν Herodot. 7, 52. gaben Beweiſe von Treue und Gerechtigkeitsliebe. εἰς οὐδὲν ἡδὺ καὶ νεωτερικὸν ἐνδιδοὺς ἑαυτὸν Plutar. Dio 8 *ad nullam relaxabat ſe hilaritatem vel ludum juvenilem.* Eben ſo Anton. 80. πρὸς τὸ ῥᾶστον ἐνδιδόναι καὶ ἥδιστον, verſt. ἑαυτούς; 5) ich weiche und neige mich auf eine Seite; 6) ich gebe an, wie den Ton, ich präludire: davon ἐνδόσιμον; 7) ich zeige an, gebe an, beſtimme. —δίημι, (ἐνδίω, ἐνδιέω) ſ. v. a. διώκω, vertreiben, verfolgen: Il. 18, 384. —δικος, ὁ, ἡ, Adv. ἐνδίκως, was dem Rechte- der Gerechtigkeit gemäſs iſt: gerecht, geſetzmaſsig, gerichtlich, wahr; 2) ἡμέρα ἔνδικος, Gerichtstag. κόλασις, ὅρκος, gerichtliche Strafe, gerichtlicher Eid. πόλις ἔνδικος, eine Stadt, wo Recht und Gerechtigkeit gehandhabet wird. Plato. —δινα, τὰ, Iliad. ψ. 806 wird durch ἔντερα und μέλη, Eingeweide, Glieder erklärt. —δινέω, ῶ, darinne herumdrehen, hineindrehen. —διον, τὸ, eigentl. ein Lager, Wohnung, Aufenthalt unter freyem Himmel; Oppian braucht es oft von den Wohnungen und Höhlen der Fiſche; überh. Sitz, Wohnung; wovon ἐνδιάω. S. ἔνδιος. —διος, ία, ιον, Odyſſ. 4. 450 ἔνδιος δ'ὁ γέρων ἦλθε, d. i. μεσημβρινὸς, am Mittage. ἐς ἔνδιον, bis an den Mittag: Apollon. ὄφρα μὲν οὖν ἔνδιος ἔην ἔτι, θέρμετο δὲ χθὼν bey Suidas. Plutarch Q. S. 8, 62 erklärt es für den Mittag und Nachmittag, ἔνδιον, und leitet davon ἐνδιάζειν, Mittagsruhe halten her. Davon kömmt auch ἔνδιον, τὸ, die Wohnung unter freyem Himmel, und jede Wohnung; davon ἐνδιάω. Stephan. leitete es von ἰδίω ab, vermuthl. weil Heſych. das Mazedoniſche ἰνδέα durch μεσημβρία und εἴδεος ἐνδίοιο, καύματος μεσημβρινοῦ erklärt. Aber der Begriff von Wärme, Hitze, liegt auch in dem von ζεὺς, διὸς abgeleiteten εὔδιος u. εὐδιεινὸς. Das lat. *divus, ſub divo.* oder *dio* kommt eben daher. So wie εὐδία die Mittagszeit und Hitze bedeutet, eben ſo hat Heſych. ἐνδία, μεσημβρία und ἐνδιῶνται, μεσημβριάζουσι. —δίφριος, ὁ, ἡ, auf dem Wagen oder eigentl. a. d. Wagenſitze ſitzend; auf dem Seſſel, Stuhle ſitzend; Xenoph. Anab. 7, 2, 38. der neben einem bey der Tafel ſitzt, Tiſchgenoſſe. —δογενὴς, ὁ, ἡ, drinnen erzeugt, im Hauſe geboren, wie οἰκογενής. —δοθεν, Adv. von drinnen, von innen heraus oder her. —δόθι, Adv. drinne. —δοιάζω, ſ. v. a. ἐνδυάζω, von ἐνδοιάω hat Parthenius e. g. ἐνδοιάσθαι in demſelben Sinne. —δοιάσιμος, ὁ, ἡ, Adv. —ίμως, zweifelhaft. —δοίασις, ἡ, oder ἐνδοιασμὸς, ὁ, Zweifel, Ungewiſsheit. —δοιαστὴς, ὁ, Zweifler, zweifelhaft. Philo. T. 2. p. 582. —δοιαστικὸς, ἡ, ὸν, Adv. —κῶς, zum zweifeln gehörig oder geneigt. —δοιαστὸς, ἡ, ὸν, Adv. —στῶς, bezweifelt, zweifelhaft. —δομα, τὸ, (ἐνδίδωμι) das angegebene, nachgelaſſene, ſ. v. a. ἔνδοσις, das Nachgeben, Nachlaſſen; zw. —δομάχης, doriſch ἐνδομάχας (μάχη) der innen, im Hauſe (ἔνδον) Streit, Krieg führt. —δομενία, ἡ, (ἐν δόμῳ εἶναι) wird auch ἐνδυμενία geſchrieben, ein mazedoniſcher Ausdruck für Hausgeräthe, Kleidung u. dergl. —δόμησις, ἡ, (δομέω ἐν) das darinne oder hinein gebaute; bey Joſeph Antiq. 15, 9 ein ſteinerner Molo (*moles*) im Hafen gegen das Meer gebaut. —δομυχέω, ῶ, ſ. v. a. οἰκουρέω ſich im Innern- Hauſe- in einem Winkel verſtecken oder verborgen halten. S. ἐνδόμυχος. —δομυχὶ, Adv. bey Heſych. im verborgenen; von —δόμυχος, ὁ, ἡ, (ἔνδον μυχῶν ὢν) im Hauſe- im Innern verborgen- im Winkel ſich verſteckend; ſ. v. a. οἰκουρὸς.

'Ενδον, Adv. drinne; davon das altlat. *endu, indu,* ſt. *in, induperator* ſt. *imperator.* —δοξάζω, ehren, rühmen; zw. —δοξολογέω, ῶ, ſeinen Ruhm in Reden ſuchen: Diog. Laert. —δοξόπωλος, ὁ, ἡ, als Erklärung von κλυτόπωλος bey Heſych. —δοξος, ὁ, ἡ, Adv. ἐνδόξως, d. i. ἐν δόξῃ ὤν, der in der Meinung iſt, dem παράδοξος, was man nicht meint, nicht glaubt, oppon. Ariſtot. Rhet. Alex. c. 12. der im

Ruſe iſt, berühmt, geehrt, ehrenvoll; davon

Ἐνδοξότης, ἡ, der Ruhm: zw. —δόσθια, τὰ, die Eingeweide. S. ἐντοσθίδια. —δόσιμον, τὸ, neutr. verſt. κροῦσμα oder μέλος, von ἐνδόσιμος, ὁ, ἡ, (ἐνδίδωμι) angebend, nachgebend, nachlaſſend: daher τὸ ἐνδ. das Vorſpiel der Muſikanten, oder überh. das Zeichen zum Anfange: daher Veranlaſſung, Gelegenheit, Befehl, Ermunterung. —δοσις, ἡ, das Nachgeben, Nachlaſſen, Angeben, Anſtimmen, ſ. v. a. τὸ ἐνδόσιμον. —δότερος, έρα, ερόν, und Adv. ἐνδοτέρω, ein von ἔνδον gemachter compar. wie von intus, interior u. intimus, wie hier ἐνδότατος, Adv. ἐνδοτάτω, innerer, innerſter. —δοτικὸς, ἡ, ὸν, zum angeben- anſtimmen- nachgeben- nachlaſſen gehörig- geſtimmt- geneigt: faſt ſ. v. a. ἐνδόσιμος. —δουπέω, ῶ, d. i. δουπέω ἐν. —δουχία, ἡ, (ἔνδον ἔχω) Hausgeräth, was man im Hauſe hat, Polyb. 18. 18. ſ. v. a. ἐνδυμενία. —δρανὴς, ὁ, ἡ, bey Suidas das Gegentheil von ἀδρανής. —δρομὴ, ἡ, das Anlaufen, der Anlauf; zw. —δρομὶς, ἡ, (ἐν, δρόμος) eine Art von Schuh vorzüglich der Jäger, welche den Fuſs vor Verwundung ſicherte; daher wider die verſteckten τριβόλους, Fuſseiſen, angerathen wird. ἐνδρομίδας ἔχοντας ὑποβαίνειν Mathem. veter. p. 100. Bey Juvenal und Martial iſt es ein Kleid, womit die erhitzten Ringer und Fechter ſich nach der Uebung bedecken. — —δροσος, ὁ, ἡ, (δρόσος) bethauet, feucht, naſs. —δρυον, τὸ, bey Heſiod. 469. ein Theil am Pfluge, oder der Pflug ſelbſt; 2) ſ. v. a. μελάνδρυον. —δυάζω, ſ. v. a. ἐνδοιάζω, ich zweiſle; davon ἐνδυασμὸς, ὁ, Zweifel, Ungewiſsheit. —δυκὲς, wie ein Adv. davon ἐνδυκέως, poet. ſt. ἐνδυκῶς, eben ſo viel; Heſychius hat auch ἐνδύκιος in eben der Bedeutung, wie ἐνδυκὴς, ἐνδυκὲς. Bey Homer bedeutet es ſ. v. a. ſorgfältig, treulich, innig; ſonſt aber auch ſ. v. a. συνεχὲς, fort und fort, immer, ſtets. παρὰ στίβον ἐνδυκὲς ἄυει, Nicander Ther. 363. Scheint von ἐν, δέδυκα zu kommen, u. innig zu bedeuten; daher Heſychius ἐνδύκιον auch durch ἀποκρύφιον erklärt. —δυμα, τὸ, (ἐνδύω) das angezogene, Anzug, Kleid. —δυμενία, ἡ. S. ἐνδομενία. —δυμι ſ. v. a. ἐνδύω. —δυναμόω, ῶ, ſtark machen, ſtärken; zw. —δυναστεύω, darinne herrſchen- die Oberhand haben, darinne es durch ſeine Macht und Anſehen dahin bringen, Xenoph. Hellen. 7, 1, 41. —δύνω, f. ύσω. ſ. v. a. ἐνδύω; dav. —δυσις, ἡ, das Hineingehn; Eingang; 2) Anzug, Kleidung. —δυστυχέω, ῶ, darinne unglücklich ſeyn oder verunglücken. —δυτὴρ, ὁ, πέπλος angezogen, anzuziehn, Sophocl. Trach. —δυτὸν, τὸ, das Angezogene, der Anzug; das neutr. von —δυτος, ον, (ἐνδύω) angezogen. —δύω, ἐνδύνω und ἔνδυμι, ich bringe hinein, induo, Cicero Div. 2, 19. venti ſe in nubem induerunt: daher ich ziehe an, lege das Kleid einem andern an. Med. ἐνδύομαι χιτῶνα, ich ziehe mir das Kleid an; 2) Med. ἐνδύομαι, ich gehe hinein, dringe in etwas, in die Tieſe- das Innere. ἐνδύεσθαι ταῖς ψυχαῖς τῶν ἀκουόντων in das Gemüth der Zuhörer eindringen, Cyrop. ἐνέδυ εἰς ταύτην τὴν ἐπιμέλειαν, Cyrop. 8, 1, 12. er widmete ſich ganz dieſer Sorge. ἐνδύειν ἑαυτὸν, Cyrop. 1, 6, 40. wie Cicero: dum ſe expedire vult, induit ſe, verwickelt ſich.

Ἐνεάζω, wie ein einfältiger Menſch (ἐνεος) ſich umſehn und ſtaunen. Etymol. M. —εαρίζω, den Frühling wo zubringen. Plutar. —εασμὸς, ὁ, bey Heſych. h. v. und in κιμβηκία ſ. v. a. πανουργία, δόλος, ἐμπαιγμός: die letzte Bed. deutet auf νεάζειν ἐν. —εγγυάω, ſ. v. a. ἐγγυάω. —εγγυς, Adv. ſ. v. a. ἐγγὺς, nahe; zw. —έγκω, wovon ἤνεγκα Perf. zu φέρω ich trage, bringe. S. ἐνέκω u. ἐνείκω. —έδρα, ἡ, das darinne oder darauf ſitzen oder liegen, ναρθήκων Hippocr. 2) Hinterhalt, Nachſtellung, Hinterliſt, wie inſidiae. —εδράζω, (ἕδρα) hineinſtellen oder ſtützen: Theophil. Protoſp. 1, 21. —εδρευτὴς, ὁ, der im Hinterhalte liegt und lauert- aufpaſst; davon —εδρευτικὸς, ἡ, ὸν, zum nachſtellen im Hinterhalte gehörig oder geſchickt. —εδρεύω, mit dem accuſ. ich liege im Hinterhalte und ſtelle einem nach, wie inſidior, von ἐνέδρα: ich ſtelle in den Hinterhalt. Joſeph. Antiq. 5, 8. —εδρον, τὸ, ſ. v. a. ἐνέδρα, im N. T. wahrſch. d. neutr. vom folgd. —εδρος, ὁ, ἡ, einſäſſig, Einſaſſe, Einwohner. Sophocl. —έζομαι, darinne ſitzen, im Hinterhalte liegen, lauern. —εθίζω, darinne- darein- daran gewöhnen. —εικονίζω, (εἰκὼν) ich bringe ein Bild hinein. ἐνεικονίζομαι, ich ſehe mein Bild worinne, ſpiegele mich. τοὺς ἑαυτῶν λόγους ἐνεικονίζεσθαι τοῖς ἑτέρων ſeine Reden im Spiegel von fremden betrachten. Plutar. Audit. p. 146. —είκω, wovon ἠνείκαντο. S. ἐνέκω. —ειλέω, ῶ, darinne- darein- einwickeln; davon —είλημα, τὸ, das Ein- Zuſammengewickelte, die Rolle. —ειλινδέω, ῶ, ſ. v. a. ἐναλινδέω; Joſeph. b. j. 4, 9, 10. —ειλίσσω, f. ίξω, ſ. v. a. ἐνελίσσω. —είλλω, ſ. v. a. ἐνειλέω. —ειμι, darinne- dabey ſeyn, ſich befinden: ἔνεστι es iſt erlaubt, geht an, man kann oder darf: ἐνὸν accus. absolut. da es erlaubt ist oder war: ἐκ τῶν ἐνόντων, κατὰ τὸν ἐνόντα τρόπον, nach Möglichkeit.

Ἐνείργνυμι, γνύω, oder ἐνείργω, einschliessen, einsperren; versperren. —είρω, einknüpfen, einflechten, einfügen, hineinstellen.

Ἕνεκα, Adv. oder ἕνεκεν, m. d. genit. wegen, um-willen: in Ansehung, betreffend.

Ἐνεκπλύνω, darinne auswaschen, Pollux 10, 76. —ένκω, das Stammwort von ἐνείκω u. ἐνέγκω, ich trage, bringe, davon ἐνεκτέος u. κατήνοκα, bey Hesych. κατενήνοχα. Aus ἤνοκα wird ἤνοχα, u. durch reduplicatio ἐνήνοχα, wie aus ἄγω, ἦχα, ἀγήοχα, aus ἀγείρω, ἤγερκα, ἀγήγερκα. Valkenair leitete ἐνήνοχα Genes. 31, 39 u. Athenaei 13 p. 555. von der Form ἐνέχω st. ἐνέκω ab.

Ἐνελαύνω, mit verstandenem ἵππον, ἅρμα u. s. w. einlaufen, einfahren, einreiten. —ελίσσω, ich winde hinein, Meleager Ep. 129. —εμα, τό, (ἐνίημι) das hineingeworfene, eingespritzte; Klystir; davon —εματίζω, ich gebe bringe durch ein Klystir bey. Aetius. —εμέω, ῶ, hineinspeyen. —εμφύομαι, s. v. a. ἐμφύομαι ἐν. sehr zw. —ενήκοντα, οἱ, αἱ, τὰ, neunzig; davon —ενηκονταετής, έος, οῦς, ὁ, ἡ, contr. —τούτης, ου, ὁ, fem. —τοῦτις, ἡ, (ἔτος) neunzigjährig.

Ἐνεξεμέω, darein ausspeyen: Pollux 10, 76. —εξουσιάζω, f. άσω, wobey seine Macht gebrauchen oder sich Freyheiten herausnehmen. —εορτάζω, f. άσω, s. v. a. ἑορτάζω ἐν. —εός, ά, όν, stumm, oder einer, der vor Schrecken, Erstaunen verstummt. Wird auch ἐννεὸς gefunden. Scheint von ἄνεως bloss durch die Aussprache verschieden. —εοστασία, ἡ, (ἐνεός, στάσις) das Erstaunen. Apoll. Rhod. 3, 76. S. ἀνεοστασία. —εότης, ἡ, (ἐνεός) die Stummheit; das Verstummen, nicht sprechen können vor Schreck oder Erstaunen. —επαγγέλλομαι, s. v. a. ἐπαγγ. zw. —επηρεάζω, f. άσω, s. v. a. ἐπηρ. mit der Bestimmung von bey, darinn.

Ἐνεπιδείκνυμι, d. i. ἐπιδείκνυμι ἐν. —επιδημέω, ῶ, s. v. a. ἐπιδημέω ἐν, halte mich wo als Fremder auf; v. —επίδημος, ὁ, ἡ, der irgend wo sich als Fremder oder auf der Reise aufhält.

Ἐνεπιδίδωμι, f. Les. aus dem Index über Dio Cass. aufgenommen. —επικύπτω, f. ψω, sich dahin- darüber bücken, um etwas anzusehn, auf etwas zu achten; s. v. a. *incumbo*. zw. —επιορκέω, ῶ, ich schwöre falsch bey einem Gotte u. s. w. —επισκημμα, τό, Anforderung und Klage wegen Anforderung; von —επισκήπτομαι, f. ψομαι, (ἐπισκ.) ἐν τῇ οὐσίᾳ τῇ ἐκείνου ἐνοφειλόμενον τοῦτο τὸ ἀργύριον Demosth. 1197. ich mache Ansprüche auf das Vermögen z. B. eines, dessen Vermögen confiscirt wird, weil er mir schuldig ist. —έπω, ἐννέπω, s. v. a. ἔπω, sagen, erzählen, besingen. Hom. Od. 1, 1. u. s. v. als ἐνίπτω, anreden, bereden, Hesiod. op. mit μύθοις σκολιοῖς. —εργάζομαι, f. άσομαι, m. d. Dat. ich mache arbeite darinne; 2) ich mache bringe hinein. —ἐργεια, ἡ, Wirksamkeit, Thätigkeit. —εργέω, ῶ, ich wirke, bewirke, thue, bin thätig; davon —έργημα, τὸ, das bewirkte; Wirkung, That, Handlung. —εργής, ὁ, ἡ, (ἔργον, ἐν) s. v. a. ἐνεργὸς, bewirkt, gethan; wirksam, wirkend, thätig, kräftig. —εργητικός, ή, όν, Adv. —κῶς, (ἐνεργέω) wirksam, kräftig, stark. —εργολαβέω, ῶ, ich habe meinen Vortheil, Verdienst darinne- dabey. Aeschin. s. v. a. ἐργολ. Procop. Anecd. 25. —εργός, ὁ, ἡ, wie ἐνεργής, wirkend, wirksam, thätig: pass. bestellt, bearbeitet, als γῆ Xen. Cyr. 3, 2, 19. —ερείδω, f. είσω, darauf hineinstossen - stellen - stützen; auch neutr. sich daran- darauf stützen-lehnen, sich darauf werfen u. dergl. davon —έρεισις, ἡ, das Stossen-Stellen-Stützen hinein oder darauf. —ερεύγω, hinein speyen oder ergiessen. —ερευθής, ὁ, ἡ, röthlich, etwas roth. —ερθε und vor einem Vokal ἔνερθεν, auch νέρθε u. νέρθεν. S. ἐνέρτερος. —εροι, ων, οἱ, *inferi*, die in- unter der Erde sind, die Todten, *manes*; überh. die unterirdischen Götter und Menschen; davon νέρτεροι. Vom alten ἔνερ kommt ἔνερθε, wie ὕπερθε von ὑπέρ, *super*; und wie von ὑπὲρ kommen ὑπέρτερος, ὑπέρτατος, lat. *superus*, *superior*, eben so kommen von ἔνερ, ἐνέρτερος, ἐνέρτατος, contr. νέρθε, νέρτερος, νέρτατος, νερτέριον. Das lat. *infer*, woraus das spätere *infra*, ist aus ἔνερ mit eingeschobenen digamma ἐνFερ, wie *in* aus ἐν entstanden; aus *infer* ist *inferus*, *inferius*, *inferior* genommen, und ἔνεροι, οἱ, sind *inferi* der Lateiner. —ερόχρως, ὁ, ἡ, todtenfarbig. —ερσις, ἡ, (ἐνείρω) das hineinfügen-stecken-thun, Einfügung. —έρτερος, έρα, ερον, unterer, niedriger; compar. von ἔνερος, eigentl. ἐνερέτερος, superl. ἐνέρτατος, unterster. Hesych. S. in ἔνεροι. —έρυθρος, ὁ, ἡ, röthlich, wie ἐνερευθής. —έρχομαι, Pind. Pyth. 4, 376. hineingehen. —εσία, ἡ, poet. ἐννεσία, s. v. a. ἔνεσις, (ἐνίημι) Eingebung, Rath, Befehl. —εσις, ἡ, (ἐνίημι) das Hineinthun, das Einlassen, Einspritzen.

'Ενεστι, von ἔνειμι, ist darinne, dabey, da; es ist erlaubt oder möglich. —εστιάω, ῶ, darinne einem einen Schmauſs oder ein Gastmahl geben. —έστιος, ὁ, ἡ, (ἐν, ἑστία) der im Hause ist, zum Hause gehört, wie ἐφέστιος. —ετὴ, ἡ, (ἐνίημι) s. v. a. περόνη, die Spange: Il. 14, 181. eigentl. femin. von ἐνετὸς, eingesteckt, eingelassen. —ετὴρ, ὁ, (ἐνίημι) die Klystierspritze; das Klystier. 2) eine Maschine, welche man auf die feindlichen Belagerungsmaschinen warf, um sie abzuhalten. —ετὸς, τὴ, ὸν, (ἐνίημι) hineingesteckt; untergeschoben, angestellt: Appian. —ευδαιμονέω, ῶ, ich bin darinnen, dabey glücklich. —ευδιάω, Apollon. 2, 935. st. ἐν εὐδίᾳ κέτομαι. —ευδοκιμέω, ῶ, ich verdiene darinne Lob. —εύδω, ich schlafe, wohne darinne. —ευημερέω, ῶ, ich habe glücklichen Erfolg-Glück darinne. —ευθηνεῖσθαι, d. i. εὐθην. ἐν. zw. —ευκαιρέω, d. i. εὐκαιρέω, ἐν, s. v. a. sich womit beschäftigen. Nicetae Annal. 10, 6. —ευκατάφρόνητος, ὁ, ἡ, s. v. a. εὐκ. ohne ἐν, sehr zw. —ευλογέω, ῶ, d. i. εὐλογέω ἐν. zw. —εύναιος, ὁ, ἡ, s. v. a. d. folg. v. εὐνὴ. 2) τὸ ἐνεύναιον, s. v. a. Bettlager, Unterlage, darauf zu schlafen. —εύνιος, ὁ, ἡ, ἔνευνος, ὁ, ἡ, s. v. a. ἐν εὐνῇ ὤν, im Bette seyend, liegend, zum Bette-Lager gehörend. —ευπάσχειν, sich worinne wohl thun oder seyn lassen. Nicetas Annal. 21, 6. —ευστομέω, ῶ, d. i. εὐστομέω ἐν, z. B. τοῖς ἄλσεσιν, Philostrat. Icon. 3, 6. von Vögeln, welche in den Hainen angenehm singen. —ευσχημονέω, d. i. εὐσχημονέω ἐν. —ευσχολέω, ῶ, (εὐσχολέω ἐν) seine Muſse worauf wenden. —ευτυχέω, d. i. εὐτυχέω ἐν. —ευφραίνομαι, darinne- dabey sich freuen. —εύχομαι, f. ξομαι, darinne-dabey beten- Gebet thun- verrichten-Gelübde thun. —ευωχέομαι, οῦμαι, f. ήσομαι, d. i. εὐωχέομαι ἐν. —εχυράζω, f. άσω, (ἐνέχυρον) ich nehme von einem ein Pfand zur Sicherheit, pfände ihn aus. ἡ Φύσις ἐπιστᾶσα ἐνεχυράζει τοῦ μὲν ὄψιν, τοῦ δ' ἀκοὴν, nimmt als Pfand von ihm. ἐνεχυράζομαι τὰ χρήματα, man nimmt mir mein Vermögen als Pfand weg, pfändet mich aus; 2) ich gebe das Recht zu pfänden; 3) ich verpfände, versetze. med. ἐνεχυράζομαί τινα. ich lasse mir von einem ein Pfand geben. Metaph. ἐνεχυράζω wie *obligo*, ich mache mir verbindlich. —εχυρασία, ἡ, das Auspfänden oder verpfänden, —εχύρασμα, τὸ, das Pfand. —εχυρασμὸς, ὁ, s. v. a. ἐνεχυρασία, —εχυραστὸς, gepfändet, zu pfänden. Inscript. mus. veron. p. 15. —εχυριάζω, ἐνεχυρίασις, ἐνεχυριασμὸς, s. v. a. ἐνεχυράζω, ἐνεχύρασις, ἐνεχυρασμὸς. zw. —έχυρον, τὸ, (ἔχω, ἐχυρὸν) das Pfand, Handgeld, was man zur Sicherheit giebt oder nimmt. —έχω, darinne haben oder halten, darein halten: χόλον τινὶ Herod. 1, 118. Zorn haben, zornig seyn auf einen: ἐνέχεσθαι παθήμασι, sich in Leidenschaften befinden, oder ihnen unterworfen seyn: ἐνέχεσθαι τοῖς ὀνείδεσι τῶν προγόνων, d. i. begriffen werden; ausgesetzt seyn: τῇ νοθείᾳ, τῷ νόμῳ, in dem Vorwurfe der Unächtheit mit begriffen, also unächt seyn; in dem Gesetze, d. i. in der Strafe des Gesetzes mit begriffen seyn, Plutar. ist das lat. *teneri*: neutr. ὥστε τὴν αἰχμὴν ἐνσχεῖν κατὰ τὸ ἰνίον, daſs die Spitze im Nacken stecken blieb, anhielt. Plutar. 3 p. 852. ὅπως αἱ αὐγαὶ τοῦ φέγγους εἰς τὸν κόλπον διὰ τῶν βρόχων ἐνέχωσι, Xenoph. Venat. 10, 7. hineingehn, oder dringen. —εψέω, einkochen. —έψημα, τὸ, (ἑψέω) was darinne gekocht- bereitet wird, im Topfe.

'Ενζέομαι, f. έσομαι, ich brühe darinne, lasse darinne aufkochen.

'Ενη, auch ἕνη u. ἔννη od. ἕννη, verst. ἡμέρα, von ἕνος, der dritte Tag, αὔριον καὶ ἕνη, morgen und übermorgen, ἐς ἕνην auf übermorgen, so auch ἔνῃ: u. bey Hesiod. ἔννηφι oder ἔννηφι. dorisch ἔνα, ἐς ἔναν, dafür. Hesych. ἐς. ἔνας; ἔναρ, εἰς τρίτην; ferner ἐνὰς, ἐνεκὲς, hat, alle von εἰς, ἐς ἔναν, ἔνας abgeleitet, wie das dorische νῆς st. ἔνης oder ἐνῆς, wie einige schrieben: daher auch ὑπένες u. ἐπέναρ, s. v. a. auf den vierten Tag, ἐπὶ, ὑπὸ ἔνην. Theocr. 19, 14. ἔνας. Dio Cass. 47, 41 hat ἐσένης. 2) ἕνη καὶ νέα verst. ἡμέρα, heiſst der letzte oder der 30ste Tag im Monate, wo der alte Mond mit dem neuen im Mondjahre wechselt. S. ἕνος.

'Ενὴ bey Aristoph. Achar. 610. ἤδη πεπρέσβευκάς συ πολιὸς ὢν ἐνή. s. v. a. einmal, v. ἕν. Aber Brunk hat gesetzt ἔν ἤ οὐκ.

'Ενηβάω, darinne die Jünglingsjahre zubringen, darinne frölich oder munter seyn; davon, —ηβητήριον, τὸ, ein Lustort, Gegend, wo man sich vergnügen kann. —ηβος, ὁ, ἡ, (ἐν ἥβῃ ὢν) in den Jahren der Mannbarkeit, mannbar. —ήδομαι, darinne, daran Freude haben, sich vergnügen, ergötzen. —ήδονος, ὁ, ἡ, (ἐν ἡδονῇ ὢν) mit Freude oder Vergnügen versehen, derselben theilhaftig; vergnügend, ergötzend. —ηδύνω, f. υνῶ, darinne-dabey süſse machen- erheitern- erfreuen- ergötzen. —ηδυπαθέω, ῶ, d. i. ἡδυπαθέω ἐν. —ήεια, ἡ, s. v. a. προσήνεια; von —ηὴς, έος, ὁ, ἡ s. v. a. προσηνής.

'Ενήκοος, ὁ, ἡ, (ἐν ἀκοῇ ὤν) der hören kann, der hört. —ήλατον, τὸ, (ἐλάυνω) ἐνήλατα, verſt. ξύλα an der Bettſtelle die *ſpondae*; vier Hölzer, woraus ſie beſteht und wodurch die Stricke zum Boden oder Lager,. die *inſtitae*, gezogen werden. Pollux 10, 34. Artemidor 1, 76. 2) an der Leiter die beyden langen Hölzer, zwiſchen welchen die Staffeln oder Sproſſen. Eurip. Phoen. 1190. 3) ἀξόνων ἐνήλατα Eur. Hippol. der Pflock an der Achſe vor dem Rade. 4) ein Kuchen oder Backwerk. Demoſth. —ήλικος, ὁ, ἡ, od. ἐνῆλιξ, ὁ, ἡ, (ἐν ἡλικίᾳ ὤν) im geſetzten Alter; mannbar, erwachſen, wie ἔνηβος. —ηλλαγμένως, Adv. verwechſelt, verändert, umgetauſcht, wechſelſeitig; vom part. paſſ. von ἐναλλάσσω. —ηλύσιος, vom Blitze getroffen, τὸ ἐνηλ. das lat. *bidental*, ein Ort, wo der Blitz eingeſchlagen hat, den man durch ein Opfer geheiligt hat und den niemand weiter betreten darf. —ήλωσις, ἡ, (ἡλόω) eigentl. das Einnageln; bey Athenae. 5 p. 205. die in der Thüre zur Zierde eingeſchlagenen Nagelköpfe. —ῆμαι, f. ἥσομαι, (ἧμαι) m. d. Dat. ich ſitze darinne. —ημερεύω, m. d. Dat. den Tag womit- wobey zubringen. Diodor. Sic. —ήνοχα. S. ἐνέκω. —ηρεμέω, ῶ, d. i. ἠρεμέω ἐν. —ήρης, ὁ, ἡ, mit Ruderern verſehn, wie τριήρης. —ηχέω, ῶ, ich töne darinne, ich töne zu, rufe zu, daher wie κατηχέω, lehren, belehren. Chryſoſt. davon —ήχημα, τὸ, der in einem Körper tönende Schall; bey Jambl. Pyth. 1, 15. ſ. v. a. περιήχημα. —ηχος, ὁ, ἡ, (ἦχος) tönend; einen Ton in ſich habend.

Ενθα, Adv. hier, da: bey den Dichtern ſ. v. a. wo; und von der Zeit, damals, wie *ibi* und unſer da. —θάδε, Adv. hieher, Attiſch ἐνθαδὶ, Ariſtoph. davon ἐνθάσιος, ὁ, ἡ, hieſig, ἐντόπιος: Heſych. —θακέω, ῶ, (θᾶκος, ἐν) ich ſitze darinne: davon —θάκησις, ἡ, das Einſitzen, Sitzen darinne: ἡλίου Soph. Phil. 18. Eingang und Verweilen der Sonne. —θαλασσεύω, ἐνθαλαττεύω, f. εύσω, ich bin zu Meere, lebe auf dem Meere, wohne im Meere. Aelian. h. a. 9, 63. —θάλαττος, ἐνθαλάττιος, ὁ, ἡ, in oder auf dem Meere befindlich- lebend. Diod. Sic. —θάλπω, ich wärme darinne. —θανατόω, f. ώσω, ich verurtheile zum Tode. Dionyſ. Hal. —θάπτω, f. ψω, ich begrabe- verbrenne darinne. —θαρσέω, ῶ, oder ἐνθαῤῥέω, ich vertraue darinne- darauf- dabey. —θεάζω, und ἐνθεάζομαι med. bey Plutarch: ich bin ἔνθεος, begeiſtert, in prophetiſcher Wuth- Enthuſiasmus, wie θεάζω und συνθεάζω; davon —θεαστικὸς, ἡ, ὸν, und Adv. —κῶς, was zur Begeiſterung- prophetiſchen Enthuſiasmus gehört; enthuſiaſtiſch. —θεινος. S. ἔνθινος. —θεμα, τὸ, das Eingeſetzte, das Pfropf-Setzreiſs; davon —θεματίζω, einſetzen, pfropfen. Geopon. 10, 23 und 76. davon —θεματισμὸς, ὁ, das Einſetzen, Einpfropfen. —θέμιον, τὸ, nach Pollux 1, 90 der innere Raum des Schiffs im Hintertheile. —θεν, Adv. oder ἐνθένδε u. ἐνθεῦτεν, von hieher, von hieraus; daher, deswegen. —θεναρίζω, (θέναρ) ſ. v. a. ἐγχειρίζω: Heſych. —θεος, ἔνθους, ὁ, ἡ, Adv. ἐνθέως von Gott eingenommen oder begeiſtert. —θεραπεύω, f. σω, darinne- dabey pflegen, u. d. übrigen Bed. vom ſimpl. zw. —θερίζω, f. ίσω, den Sommer (θέρος) wo zubringen. —θερμαίνω, f. ανῶ, darinne wärmen, erwärmen. zw. —θερμος, ὁ, ἡ, erwärmt, warm, ſ. v. a. θερμὸς. —θεσις, ἡ, das hineinlegen- ſtellen- ſtecken; vorz. der Biſſen, den man in den Mund ſteckt; Antiphan Athenaei 3 p. 104. bey Ariſtoph. Equit. überh. die Koſt, Speiſe: davon ἐνθεσίδουλος, ſ. v. a. ψωμόδουλος. —θεσμος, ὁ, ἡ, (θεσμὸς) ſ. v. a. ἔννομος, gerecht, erlaubt. —θετος, ὁ, ἡ, (ἐντίθημι) eingeſetzt, eingepflanzt; einzupflanzen. —θήκη, ἡ, (ἐντίθημι) das eingeſetzte, Einſatz; Ladung. —θηλυπαθέω, ῶ, Joſeph. b. j. 4, 9, 10. τῷ κόρῳ allen weibiſchen Leidenſchaften im Ueberfluſſe nachhängen und ergeben ſeyn. —θηρος, ὁ, ἡ, (θὴρ) mit Wilde, mit wilden Thieren verſehen, als ein Wald; von einem Wilde verletzt, von einer Schlange gebiſſen. Soph. Philoct. —θινος und ἔνθεινος, ſ. v. a. θεῖος, bey den Kretern: Ciſhull. Antiq. p. 505. u. p. 133. 134. 135. wo falſch ἐνθινον ſteht. —θλασις, ἡ, der Eindruck, die Höhlung durch Druck gemacht: von —θλάω, hineindrücken, eindrücken, niederdrücken. —θλίβω, f. ψω, einpreſſen, eindrücken. Nicand. Al. 454. —θνήσιμα αἵματα, Aeſchyl. Ag. 1304. Blut worinne man ſtirbt. —θνήσκω, darinne- dabey ſterben. —θορέω, ῶ, und ἐνθόρω, hineinſpringen, darunter ſpringen; ſpringend anfallen, m. d. Dativ. —θορίσκω, beſpringen, belegen. Heſych. S. θορίσκω u. θρώσκω. —θορος, ὁ, ἡ, beſprungen, trächtig: Nicand. ther. 99. —θους, contr. aus ἔνθεος. —θουσιάζω, f. άσω, oder ἐνθουσιάω, ich bin ἔνθεος, ἔνθους, von einem Gotte begeiſtert, eines Gottes voll: das paſſiv. ἐνθουσιασμένος ehemals falſch bey Herodian 2, 5, 5. —θουσιασις, ἡ, u. ἐνθουσιασμὸς, ὁ, (ἐνθουσιάζω) göttliche Einwirkung, Begeiſterung, Schwärmerey, aufserordentliche Leidenschaft wozu- wobey- wonach.

'Ενθουσιαστὴς, ὁ, ein Begeisterter, Schwärmer. —θουσιαστικὸς, ἡ, ὸν, Adv. —κῶς, mit Begeisterung o. Schwärmerey gethan, od. heuchelnd; act. begeisternd, als ἁρμονία, Aristot. —θουσιώδης, ὁ, ἡ, Adv. —δῶς, s. v. a. d. vorhergeh. —θράσσω, f. ξω. darinne stechen oder beunruhigen: Hippocr. —θρηνέω, Aristides T. 1 p. 26. darinne trauern- klagen. —θριόω, ich wickle in ein Feigenblatt ein, wickle hülle ein: οὐκ ἐντεθριῶσθαι πρέπει, Aristoph. Lys. 662. sagt der Mann, der seine ἐξωμὶς auszieht. —θρονίζω, f. ίσω, (θρόνος) auf den Sitz- Thron setzen; dav. —θρόνιος, ὁ, ἡ, zum Sitze gehörig; s. v. a. ἔνθρονος. Pollux 10, 52. —θρονισμὸς, ὁ, das Setzen- Erheben auf den Stuhl, Sitz, Thron. —θρονιστικὸς, ἡ, ὸν, was zum Sitzen oder Erheben auf den Sitz oder Thron gehört oder dasselbe betrift. —θρονος, ὁ, ἡ, (ἐν θρόνῳ) auf dem Sitze od. Throne. —θρυλλέω, u. ἐνθρυλλίζω, (θρυλλέω) einzischeln, heimlich zubringen, m. d. Dat. ἐνεθρύλλισε τῷ δεσπότῃ Aristoph. Thesm. 341. dem Herrn ausplandert, wo Suidas und andere ἐνετρύλλισε lesen. S. ἐντρυλλίζω. —θρυμματὶς, ἡ, andere schrieben ἐνθριμματὶς, s. v. a. θρυμματίς. —θρύπτης, ἡ, (θρύπτω) der einbrockt.

'Ενθρυπτὸς, (θρύπτω) eingebrockt; τὸ ἔνθρυπτον, eine Art von Kuchen od. Backwerk. —θρύπτω, f. ψω, (θρύπτω) ich brocke ein. —θρυσκον, τὸ, bey Theophr. h. pl. 7, 7. wird auch ἄνθρυσκον geschrieben, eine wilde Dolden tragende Pflanze, die gegessen ward. —θρώσκω, s. v. a. ἐνθορίσκω. —θυμέομαι, οῦμαι, (θυμὸς, ἐν) zu Herzen nehmen, beherzigen, bedenken, überlegen: in Erwägung ziehn, erwägen, m. d. genit. u. accus, davon —θύμημα, τὸ, das beherzigte, überlegte; Gedanke, Betrachtung, Reflexion. 2) In der Rhetorik eine Art zu schliessen oder argumentiren. Quinctil. 1, 10, 27. 5, 14. 24. 9, 4. 57. davon —θυμηματικὸς, ἡ, ὸν, zum ἐνθύμημα gehörig, daraus bestehend, v. der Art eines ἐνθύμ. in den Beweisen durch ἐνθύμ. geübt u. geschickt. —θυμημάτιον, τὸ, diminut. v. ἐνθύμημα. —θυμηματώδης, ὁ, ἡ, von der Art des ἐνθύμημα: von Sachen s. v. a. —ατικός. —θύμησις, ἡ. (ἐνθυμέομαι) Beherzigung, Ueberlegung, Ueberdenkung. —θυμία, ἡ, Betrachtung, Gedanke: bey Thucyd. 5, 16. ἐς ἐνθυμίαν προβάλλειν, s. v. a. ἐνθύμιον. —θυμιάω, ῶ, darinne räuchern, beräuchern. —θυμίζομαι, bey Pollux aus Thucyd. 5, 32. st: ἐνθυμεῖσθαι. S. ἐνθυμιστὸς. bey Appian s. v. a. verlangen, wonach trachten. —θύμιος, ὁ, ἡ, was in der Seele ist, was man bedenkt, überlegt. ποιεῖσθαι ἐνθύμιον, zu Herzen nehmen; εἴτε καὶ ἐνθύμιόν οἱ ἐγένετο ἐμπρήσαντι τὸ ἱρὸν, Herodot. 8, 54, oder ob er zu Herzen nahm, ihm das Gewissen schlug, weil er den Tempel verbrannt hatte. So sagt man auch ἐνθυμεῖσθαι bedenken, zu Herzen nehmen. Herodot. 2, 175. sagt dafür ἐνθυμιστὸν ποιεῖσθαι. Bey Antiphon kommt häufig vor, ὑμῖν ἐνθύμιος γενήσεται ὁ ἀποθανὼν, ἡμῖν προστρόπαιος οὐκ ἔσται; auch αὐτῷ ἐνθύμιον προσέθηκε, sonst ὑπολείπεσθαι ἐνθ. einerley mit προστρόπαιον καταλείπειν u. ebendas. μεῖζον τὸ ἐνθύμιον γενήσεται, endlich δεινοὺς ἀλιτηρίους ἕξομεν τοὺς τῶν θανόντων προστροπαίους, Eur. herc. 722. —θυμιστὸς, ἡ, ὸν, bey Herodot. S. ἐνθύμιος zu Ende. —θυμος, ὁ, ἡ, (θυμὸς) muthig, herzhaft, Aristot. Polit. 7, 7. —θυσιάζω, f. άσω, d. i. θυσιάζω ἐν, zw. —θωρακίζω, darinne darein panzern, zw.

Ἔνι st. ἔνεστι, es ist darinne, es ist erlaubt.

'Ενὶ st. ἐν, poet. u. jonisch.

'Ενιαυσιαῖος, αία, αῖον, u. ἐνιαύσιος, ὁ, ἡ, (ἐνιαυτὸς) jährig, jährlich, ein Jahr lang od. dauernd. Sollte ἐνιαύτιος heissen, wird aber unregelmäsig gebildet, wie πλούσιος von πλοῦτος. —αυτίζω, (ἐνιαυτὸς) ein Jahr zubringen, dauern, leben. —αυτὸς, ὁ, das Jahr. Im weitläuftigen Sinne brauchts Aristoph. Ran. 348. παλαιοὺς ἐτῶν ἐνιαυτούς. —αυτοφορέω, ῶ, die Frucht in einem ganzen Jahre hervorbringen, reifen; von —αυτοφόρος, ὁ, ἡ, eine Pflanze, die in einem ganzen Jahre die Frucht hervorbringt und reift, wie der Wacholderbaum; *juniperus*. —αύω, f. αύσω, (ἰαύω) ich wohne, schlafe darinne. —αχῆ, Adv. an manchen Stellen, mitunter. —αχοῦ, Adv. an manchen Stellen; bisweilen, von Ort und Zeit. —βάλλω, s. v. a. ἐμβάλλω: v. ἐνὶ st. ἐν. —γυιος, ὁ, ἡ, (εἷς, γυῖον) auf einem Gliede- Fusse lahm, nach Suidas: aber bey Athenaeus 2 p. 58. nennt Ibykus die Molioniden ἐνιγυίους st. ἰσογυίους, von gleichen Gliedern. —δρόω, ῶ, bey Xen. Symp. ich übe mich darinne bis zum Schweisse; ich schwitze darinne. —δρύνω, und ἐνιδρύω, ich stelle, setze hinein, ich stelle gründe darinne. —ζάνω, f. ζήσω, dabey-darinne sitzen. —ζευγνύω, f. ευξω, einjochen, anjochen, anbinden. —ζημα, τὸ, der Sitz darinne, das darinne sitzende. —ζησις, ἡ, (ἐνιζέω) das sitzen darinne.

'Ενίζω, s. v. a. ἐνιζάνω, ἐνιζέω.

'Ενίζω, f. ίσω, vereinigen, verbinden.

'Ενίημι, f. ήσω, (ἐν, ἕω od. ἵημι) s. v. a. ἐμβάλλω, ich lege- bringe hinein, schicke hinein; bringe lege bey. ἡμεῖς δ' αἶψ' ἀναβάντες ἐνήκαμεν εὐρέϊ πόντῳ. Odyss. 12, 401. verst. νῆα. 2) ἀγηνορίην ἐνῆκας, Il. 20, 696. st. αὐθάδη ἐποίησας. So ὁμοφροσύνησιν ἐνήσει, wird uns zur Eintracht bringen.

'Ενικατατίθημι, irgendwo niedersetzen, niederlegen. —κλάω, f. άσω, sonst ἐγκλάω, ein-zerbrechen; daher einen Strich durch die Rechnung machen, vereiteln, als: eines Gedanken: Il. 8. —κλείω, f. είσω, s. v. a. ἐγκλείω.

'Ενικμος, ὁ, ἡ, (ἰκμὰς) behässt, nass. —κνέομαι, -οῦμαι, hineinkommen, hineindringen. —κνήθω, f. ήσω, s. v. a. ἐγκνήθω.

'Ενικὸς, ἡ, ὸν, Adv. ἑνικῶς, einzig, einfach.

'Ενικρίνω, d. i. ἐγκρίνω.

'Ενίλλω, ἐνιλλωπέω, ἐνιλλώπτω, (ἴλλω, ἰλλωπτέω, ich verspotte. S. ἰλλώπτω u. κατιλλώπτω.

'Ενιοβολέω, ῶ, (ἐν, ἰοβόλος) Gift einflössen, vergiften.

'Ενιοι, ίαι, ια, einige.

'Ενίοτε, Adv. einigemal, mannigmal.

'Ενιπὴ, ἡ, (ἐνίπτω) scharfes Anreden: Schelte: Ody. 5, 446. Il. 5, 492. —πλειος, st. ἔμπλεος. —πλήθω, st. ἐμπλήθω. —πλήσσω, ἐνιπλήττω, f. ξω, st. ἐμπλήσσω.

'Ενιππάζομαι, f. άσομαι, u. ἐνιππεύω, hinein- darinne- hereinreiten, hereinfahren, durchreiten.

'Ενιπρήθω, f. ήσω, st. ἐμπρήθω.

'Ενιπτάζω, f. άσω, eine andere Form von ἐνίπτω. —πτύω, f. ύσω, st. ἐμπτύω. —πτω, f. ψω, s. v. a. ἐνέπω, ich sage, rede, erzähle, zeige an; eben das bedeuten die abgeleiteten ἐνίσσω, ἐνίσπω, ἐνισπέω. Von ἐνίπτω fut. ἐνίψω, perf. ἤνιφα, ἤνιπα, davon ἠνίπαπα. 2) schelten, *increpare*. So wie Hesiod. sagt μύθοισι σκολιοῖς ἐνέπω τὸν ἀρείονα, so sagt Homer χαλεπῷ μύθῳ, ὀνείδεσιν, ἐνίπτειν, selten ohne dergleichen Zusatz, wie Il. ω. ἐνὶ μεγάροισιν ἐνίπτοι. Am gewöhnlichsten ist ἐνίσπω blos in der Bedeutung von sagen.

'Ενισκέλλω, (σκέλλω) eintrocknen. —σκήπτω, f. ψω, oder ἐνισκίμπτω, s. v. a. ἐγσκήπτω, ἐγσκίμπτω. —σπέω, ῶ, ἐνίσπω u. ἐνίσσω. S. ἐνίπτω.

'Ενίστημι, dabey- darein- dazwischen stellen, hinstellen, hinsetzen, ansetzen: im aor. 2. u. med. dabey- darein- dazwischen stehen; nahe dran seyn, bevorstehen, anfangen; dabey seyn, dabey stehen, genau beobachten, darüber stehen, darüber schweben, drohen; dagegen stehn, sich widersetzen: m. d. Dat. —ισχυος, ὁ, ἡ, s. v. a. ἰσχυὸς. —ισχυρίζομαι, f. ίσομαι, sich stark machen, sich stark stellen: seine Stärke, sein Vertrauen worauf setzen. —ισχύω, f. ύσω, irgendworin stark seyn oder werden. —ίσχω, s. v. a. ἐνέχω.

'Ενιτρέφω, f. θρέψω, u. ἐνιχρίμπτω, st. ἐντρέφω u. ἐγχρίμπτω.

'Ενκάπτω, ein od. verschlucken. —λακκεύω. S. ἐνσηκάζω.

'Ενναέτειρα, ἡ, fem. v. ἐνναετὴρ, ῆρος, ὁ, (νάω, ναίω) Einwohner, Bewohner. —ναετηρὶς, ίδος, ἡ, Zeitraum von neun Jahren; wie τριετηρὶς. —ναέτηρος, ὁ, ἡ, und ἐνναετὴς, femin. —αέτις, (ἔτος) neunjährig: das neutr. ἐννάετες, wie Adv. neun Jahre lang, davon ἐνναετίζω 9 Jahre lang seyn oder dienen; Nicetas Annal. 14, 3. —ναέτης, ὁ, fem. ἐνναέτις s. v. a. ἐνναετὴρ. —ναίω, mit d. Dat. drinne wohnen bewohnen. —νάκις, neunmal. —νακοσιαστὸς, ἡ, ὸν, neunhundertster; v. —νακόσιοι, ιαι, ια, neunhundert. —ναταῖος, αία, αῖον, der am neunten Tage etwas thut, ankommt, stirbt u. dergl. σελήνη, am neunten Tage: Geopon. —νατος, η, ον, der neunte. τὰ ἔννατα wie τρίτα, die lat. *novemdialia sacra*, Opfer welche den neunten Tag, so wie τρίτα, den dritten Tag nach dem Begräbnisse geschehn. καὶ ὡς ἔθαψά τ' ἐγὼ αὐτὸν, καὶ τὰ τρίτα καὶ τὰ ἔννατα ἐποίησα καὶ τ' ἄλλα περὶ τὴν ταφὴν: Isaeus de Meneclis heredit. —ναυλοχέω, s. v. a. ναυλοχέω ἐν. —ναυμαχέω, ῶ, s. v. a. ναυμαχέω ἐν.

'Εννέα, neun. Das Stammwort ist ἔνος, ἔνος, davon ἐνὰς s. v. a. ἐννεὰς, in τρισεινάς; davon ferner ἐνάκις, ἐννάκις, u. ἐνεὸς, ἐνεὰ od. ἐννεὸς, ἐννέα, auch ἔνατος, ἐνάτη. —άβοιος, ὁ, ἡ, (βοῦς) neun Stiere werth oder ihnen am Werthe gleich. —αγήρως, ω, ὁ, ἡ, (ἐννέα, γῆρας) neun Menschenalter durchlebend, sehr alt; Beywort der Krähe: Aratus. —άδεσμος, ὁ, ἡ, mit neun Bändern, Fugen, Gelenken. —άδικος, ἡ, ὸν, (ἐννεὰς) von der Zahl 9. zur Zahl 9 gehörig, *novenarius*. —άζω, f. άσω, (νέος) darinne seine Jugend zubringen, ῥόδον τῷ ἦρι ἐννεάζον: Philostr. Epist. 73. die im Frühling blühende Rose. —ακαίδεκα, 19. dav. —ακαιδεκαετηρὶς, ἡ, ein Zeitraum von neunzehn Jahren. —ακαιδεκαταῖος, αία, αῖον, am 19ten Tage. —ακαιδέκατος, άτη, ον, der neunzehnte, selbst neunzehnter d. i. mit 18 andern. —άκεντρος, ὁ, ἡ, (κέντρον) mit 9 Stacheln od. Spitzen. —άκις, Adv. s. v. a. ἐννάκις. —άκλινος, ὁ, ἡ, zu oder von 9 Tischlagern, κλίνη. Themistius or. p. 223. —άκρουνος, ὁ, ἡ, mit neun Quellen oder Röhren.

'Εννεάλινος, ὁ, ἡ, (λίνον) neunfädig: Xen. ven. 2, 5. —άμηνος, ὁ, ἡ, (μήν) neunmonatlich. —άμυκλος, ὁ, ἡ, (μύκλη) ὄνος bey Antimachus, der Esel mit vielen schwarzen Ringen an den Füssen. S. uber Columella. p. 371. Lycophr. Schol. vers. 771. —άνυχες, Adv. (νύξ) neun Nächte hindurch: Il. 9, 466. von ἐννεανυχής, wie ἐνναετές. —άπηχυς, ὁ, ἡ, neun Ellbogen lang. —απλάσιος, ία, ιον, neunfach, neunfältig. —άπους, ὁ, ἡ, von neun Füssen. —άπυλος, ὁ, ἡ, (πύλη) von oder mit neun Thoren.

'Εννεάς, ἡ, die Neune. —άφθογγος, ὁ, ἡ, von oder mit neun Tönen. —άφωνος, ὁ, ἡ, (φωνή) von oder mit neun Stimmen, neunstimmig. —άχιλοι, 9000, Il. 5, 860. st. ἐννεακισχίλιοι. —άχορδος, ὁ, ἡ, (χορδή) neunsaitig.

'Εννεκρόω, davon ἐννεκρωθεὶς ταῖς γαλήναις, beym stillen Wetter abgestorben: Plutar. 9 p. 164. —νέμω, d. i. νέμω ἐν. —νενήκοντα, 90. —νενηκονταέτης, contr. τούτης, fem. —οῦτις, (ἔτος) neunzigjährig. —νενηκοστός, ἡ, όν, neunzigster. —νεόργυιος, ὁ, ἡ, 9 Orgyien lang. —νεός, ά, όν, st. ἐνεός. —νεοτροφέω, (νεοτρ.) ich ernähre, erziehe darinne als oder den Jüngling. —νεοττεύω, f. εύσω, ich niste - baue darinne - darein. —νέπω, poet. st. ἐνέπω. —νεσία, ἡ, st. ἐνεσία. poet. —νέωρος, ὁ, ἡ, (ἐννέα, ὥρα) neunjährig. —νῆμαρ, Adv. (ἐννέα, ἦμαρ) neun Tage lang. —νήρης, ἡ, verst. ναῦς, (ἐννέα) ein neunrudriges Schiff, wie τιήρης. —νηφι. S. ἐνη. —νήχομαι, darinne schwimmen. —νοέω, ῶ, ich habe im Sinne (νόῳ), Gedanken; bedenke, denke nach; begreife, sehe ein. Auch von Sachen die etwas bedeuten, einen Gedanken veranlassen: τό μοι ξυμβεβηκός τι ποτ' ἐννοεῖ: Plat. Apol. 31. —νόημα, ατος, τὸ, Gedanke, Betrachtung, Reflexion; davon —νοηματικός, ἡ, όν, von Sachen oder Schriften, gedankenreich. —νοια, ἡ, (νοῦς, ἐν) Gedanke, Vorstellung, Idee, Begriff, Ueberlegung, Betrachtung. —νομολέσχης, ου, ὁ, (λεσχέω) vom Gesetze und Gerechtigkeit sprechend: Timo Phliaf. von —νομος, ὁ, ἡ, Adv. ἐννόμως, gesetzmäſsig, dem Gesetze unterworfen, durch das Gesetz bestimmt; rechtmäſsig, gerecht. —νοος, contr. ἔννους, ὁ, ἡ, (νόος ἐν) nachdenkend; besonnen; verständig, einsichtsvoll. —νος, ου, ὁ, od. ἐννός, jährig. S. ἐνος. —νοσίγαιος, ὁ, st. ἐνοσιγ. Erderschütterer. —νοσίδης, ὁ, s. v. a. d. vorherg. Beywort des Neptunus. Pind. Pyth. 4, 59. —νοσίς, εως, ἡ, s. v. a. ἔνοσις. —νοσίφυλλος, ὁ, ἡ, die Blätter schüttelnd, bewegend; ὄρος, ein Berg worauf der Wind die Blätter der Bäume schüttelt, bewegt, dicht belaubt: st. ἐνοσιφ. —νοσσεύω, ἐννοσσοποιέω, s. v. a. ἐννεοσσεύω u. ἐννεοσσοποιέω, ich niste - hecke - brüte darinne - darauf. —νότιος, ἔννοτος, ὁ, ἡ, (νότος, νοτία) feucht: Pollux 1, 238. —νυκτερεύω, f. εύσω, d. i. νυκτερεύω ἐν, darinne übernachten.

"Εννυμι, ἐννύω, von ἔω, ἕσω, ich kleide, bekleide, *amicio*: davon ἐσθής, ἡ, das Kleid, *vestis*, sollte ἑσθής geschrieben werden.

'Εννυός, ἡ, od. ἔνυος, s. v. a. νυός, ἡ, Schwiegertöchter: Pollux 3, 32. —νυστάζω, dabey - darüber einschlafen - einschlummern. —νυχεύω, Philostr. Apoll. 4, 11. s. v. a. ἐννυκτερεύω. —νύχιος, ὁ, ἡ, oder ἔννυχος, ὁ, ἡ, (νύξ, ἐν) in der Nacht, nächtlich. —νωθρός, ὁ, ἡ, s. v. a. νωθρός; zw.

'Ενόδιος, ὁ, ἡ, (ἐν ὁδῷ ὤν) in dem Wege, am Wege, auf dem Wege liegend oder überhaupt befindlich: auf dem Wege gebräuchlich oder zu gebrauchen. —οδίτης, ου, ὁ, fem. —ῖτις, ἡ, auf od. am Wege stehend oder befindlich, s. v. a. d. vorh. —οδμος, ὁ, ἡ, (ὀδμή) riechend, frisch: Nicand. Ther. 41. —οθω, f. όσω. S. in ὀθομαι. —οιδής, έος, ὁ, ἡ, (οἶδος) geschwollen; zw. —οικέτης, ου, ὁ, fem. —έτις, ἡ, Einwohner: Suidas. —οικειόω, s. v. a. ἐσοικειόω: Plut. 10 p. 4. —οικέω, ῶ, drinne wohnen, bewohnen; davon —οικήσιμος, ὁ, ἡ, bewohnbar; zw. —οίκησις, εως, ἡ, (ἐνοικέω) das Wohnen darinne. —οικητήριον, τὸ, Pollux 1, 73. Ort darinne zu wohnen. —οικίδιος, ὁ, ἡ, (οἰκία) im Hause befindlich, häuslich. —οικίζω, f. ίσω, hineinbringen um darinne zu wohnen; med. hineingehen um darinne zu wohnen. —οικιολόγος, ὁ, (λέγω) der Miethe einfordert: Artemidor. 2, 41. von —οίκιον, τὸ, Miethe, Miethschilling; eigentlich neutr. von ἐνοίκιος, ὁ, ἡ, (οἰκία, ἐν) in dem Hause befindlich. —οίκισμα, ατος, τὸ, Bewohnung; sehr zweif. —οικισμός, ὁ, (ἐνοικίζω) das Bringen in ein Haus oder in eine Wohnung: neutr. das Einziehen. —οικοδομέω, ῶ, ich baue darauf; 2) verbaue, baue zu, versperre. εἴσοδον, φαράγγα: Diod. 3, 37. 11, 45. —οικος, ὁ, ἡ, (οἶκος) der darinnen wohnende, Einwohner, Bewohner. —οικουρέω, ῶ, darinne bleiben, (im Hause) ohne auszugehn, darinne sich verbergen. —οινοχοέω, ῶ, Wein einschenken, überh. einschenken. —οκλάζω, fut. άσω, niederknieen, τοῖς ὀπισθίοις: Philostr. Icon. 3, 3. auf die Hinterfüſse kauern. —ολισθω, ἐνολισθαίνω, ἐνολισθέω, hineingleitschen, hineinfallen: Plutarch.

Ἐνόλμιος, ὁ, ἡ, (ἐν ὅλμῳ ὤν) auf dem Dreyfuſse ſitzend, prophezeihend, Prophet; im Etymol. M. wird aus Sophocl. ἐνόλμιος angeführt. —ομιλέω, ῶ, ſ. v. a. ὁμιλέω: Philoſtr. Soph. 1, 25 νεότης ἡ ἐνομιλοῦσα τῇ Σμύρνῃ, die ſich in Smyrna befand. —ομόργνυμι, f. ξομαι, darein abdrücken. γραμμὴν τῷ ἐπιπέδῳ, darauf drücken. Plutarch. 10 p. 451. med. darinne- daran- damit abdrücken, abtrocknen, abwiſchen.

Ἐνὸν, Imperſon. das part. neutr. v. ἐνὼν, als accuſat. abſolut. gebraucht, da es doch erlaubt oder möglich iſt oder war, da man kann oder konnte. —όπαι, αἱ, ſ. v. a. διόπαι, Ohrgehänge: Sophocl.

Ἐνοπὴ, ἡ, (ἐνέπω) Laut, Stimme, Geſchrey: Il. 24, 160 ἐνοπήν τε γόον τε. —οπλίζω, (ἔνοπλος) bewafnen, rüſten. —όπλιος, ὁ, ἡ, was in oder mit den Waffen geſchieht, als Tanz und dergl. μέλη, Geſang zum Tanze der Bewaffneten; von —οπλος, ὁ, ἡ, (ὅπλον) in oder mit den Waffen; bewafnet, gerüſtet.

Ἑνοποιέω, ῶ, (εἷς) vereinigen; davon —ποιὸς, ὁ, ἡ, vereinigend.

Ἐνοπτρεύω, ſ. v. a. d. folgd. zweif. —οπτρίζω, f. ίσω, (ἔνοπτρον) im Spiegel zeigen, ſpiegeln: med. ſich im Spiegel beſehn. —οπτρον, τὸ, (ἐν, ὄπτω) Spiegel, wie *ſpeculum* von *ſpecio*. —οράω, ῶ, ich ſehe, bemerke in oder an einer Perſon: ἐνορέω γάρ ὑμῖν οὐκ οἵοισι τε ἐσομένοις πολεμέειν Ξέρξῃ Herodot. 8, 140. ich bemerke an euch, daſs ihr nicht werdet Krieg mit dem Xerxes führen können; auch anſehen, anblicken: davon —όρασις, ἡ, das Anſehen, die Beſichtigung: Clemens Al. —όριος, ὁ, ἡ, (ὅρος) in oder innerhalb der Gränzen. —ορκόω, ῶ, vereiden, ſchwören laſſen; zw. —ορθιάζουσα, (ὄρθιος) ἑαυτὴν πλέον τῆς Φύσεως, Philo de Meroed. ſich höher und gröſser- gerader machen, als man iſt. —όρκιος, ὁ, ἡ, und ἔνορκος, ὁ, ἡ, der einen Eid geſchworen und ſich dadurch verbindlich gemacht hat. τὸ ἐνόρκιον u. ἔνορκον, ſ. v. a. ὅρκος: ποιεῖσθαι ἔνορκον, einen Schwur thun, Plato Phaed. 38. Adv. ἐνόρκως, eidlich. —ορκισμὸς, ὁ, Beſchwörung: Syneſius p. 209. —ορμάω, hintreiben, antreiben: med. geſchwind hineingehn. Polyb. 16, 28. —ορμίζω, f. ίσω, (ὅρμος) das Schiff in den Hafen oder in die Bucht bringen; med. in den Hafen einlaufen, landen; davon —όρμισμα, τὸ, Appian. Landungsplatz, Bucht, Haafen. —ορμίτης, ου, ὁ, (ἐν ὅρμῳ ὤν) im Haafen in der Bucht liegend oder bei —ορούω, f. ούσω, hinein oder darauf ſpringen. —όρχης, ου, ὁ, oder ἔνορχος, ὁ, ἡ, ἔνορχις, ιος, (ὄρχις) mit Hoden oder Geilen verſehn: oppon. dem verſchnittenen. Mit dem ſpiritus aſper, ἑνόρχ. (εἷς) der nur einen Hoden hat. —όρω, f. ἐνόρσω, aor. 1. ἔνωρσα, u. ſ. w. der Bedeut. nach ſ. v. a. ἐμβάλλω als, Φύζαν ἐνόρσας Il. 15, 62. eben ſo σθένος, νόον, ἵμερον, geben, machen, verurſachen: ἐνῶρτο γέλως θεοῖς, entſtand unter den Göttern. S. ὄρω.

Ἔνος, oder ἕνος, ὁ, das Jahr, davon δίενος, τρίενος, wie *bienis trienis, biennis, triennis*, von *enus, unus, ennus, annus*. S. ἄφενος.

Ἔνος, oder ἕνος, ἕνη, ἕνη, ſ. v. a. πέρυσινος, jährig, vorjährig, dem νέος, diesjährigen, neuen, entgegengeſetzt, ἕναι ἀρχαὶ, die Magiſträte vom vorigen Jahre. Von ἕνη καὶ νέα u. ἕνη. S. ἕνη.

Ἐνοσίγαιος, ὁ, u. ἐνοσιχθὼν, auch ἔννοσις, (γαῖα u. χθὼν) Erderſchütterer: eben ſo ἐνοσίφυλλος, ὁ, ἡ, die Blätter erſchütternd oder bewegend. —οσις, εως, ἡ, Bewegung, Erſchütterung. Heſiod.

Ἑνότης, ητος, ἡ, (εἷς) Einheit, Einigkeit.

Ἔνουλα, τὰ, Zahnfleiſch auf der innern Seite der Zähne: Pollux 2, 94. —ουλίζω, (οὖλος) kräuſeln, krauſe machen: κόμη Φυσικῶς ἐνουλισμένη ὑακινθίνῳ ἄνθει das Haar von Natur in ſchwarze Farbe und Locken gekräuſelt: Ariſtaen. 1 ep. 1. davon —ουλισμὸς, ὁ, das Einkräuſeln. Clemens Alex. —ουράνιος, ὁ, ἡ, (οὐρανὸς) im Himmel, himmliſch. —ουρέω, hinein piſſen oder harnen; m. d. Dat. anpiſſen. —ουρήθρα, ἡ, Piſstopf, Nachttopf. —ουρος, ὁ, ἡ, (οὖρον) im Urin befindlich. —ούσιος, ὁ, ἡ, (οὐσία) weſentlich, ſubſtantiel; 2) in ſo fern οὐσία das Vermögen iſt, von Vermögen, reich.

Ἐνουσιόω, (οὐσία) ὁ τοῖς λογικοῖς γένεσιν ἐνουσιωμένος, der mit dem Weſen vernünftiger Geſchöpfe verbundene: Hierocles Pythag. p. 30. Lond. —οφείλομαι, ἐνοφείλεται ἀργύριον, es haftet darauf Geld als Schuld. —οφθαλμιάω, ῶ, ſ. v. a. ἐποφθ. Pollux 2, 62. —οφθαλμίζω, f. ίσω, inokuliren, einimpfen; davon —οφθαλμισμὸς, ὁ, das Inokuliren, Einimpfen; bey Suid. ſ. v. a. θέαμα. —οχὴ, ἡ, (ἐνέχω) Verbindlichkeit, Unterwürfigkeit; zw. davon —όχιον, wird *pretium penſionis* überſ. zw. —οχλέω, ῶ, (ὄχλος) m. d. accuſ. u. dativ. läſtig ſeyn oder werden; beläſtigen; zur Laſt fallen, beunruhigen; davon

Ἐνόχλησις, ἡ, die Beläſtigung, Beunruhigung. —οχοποιὸς, ὁ, ἡ, verbindend, verbindlich machend: Gloſſ. Steph. —οχος, ὁ, ἡ, d. i. ἐνεχόμενος, darinne gehalten, befeſtiget, angehalten, festgehalten: νόμοις, ἀρᾶ, ἐπιτιμίοις, darinne begriffen, unterworfen, schuldig. Seltner m. d. genit. mit verstandenem τῇ ποινῇ oder dergl.

'Ἐνοψις, ἡ, Anblick, Ansicht. Themistii or. 132 p. 177.

'Ἐνόω, ῶ, f. ώσω, (εἷς) vereinigen.

'Ἐνράπτω, f. ψω, einnähen. —ῥάσσω, f. ξω, oder ἐνρήσσω, einbrechen, darauf losbrechen oder stürmen, Joseph. Antiq. 5, 8, 10. —ῥιγόω, ῶ, d. i. ῥιγόω ἐν. —ῥιζος, ὁ, ἡ, mit der Wurzel. Geopon. —ῥιζόω, f. ώσω, einwurzeln, in der Wurzel befestigen: Joseph. b. j. 4, 8, 3. wo das simpl. falsch steht. —ῥίπτω, f. ψω, hinein- darauf werfen, Dio Cass. —ρυθμικός, ἡ, όν, s. v. a. d. folgd. bey Martianus Capella c. 9. —ρυθμος, ὁ, ἡ, (ἐν ῥυθμῷ ὤν) in- nach oder mit dem Takte: taktmäfsig: auch mit oder in rednerischem Numerus verfasst.

'Ἐνσαρόω, ῶ, f. ώσω, Lycophr. 753. μυχοῖς πόντου ἐνσαρούμενος, in der Tiefe des Meers von Stürmen hin und her geworfen. S. σαρόω.

'Ἐνσβεννύω, darinne löschen. Dioscor. 5, 93. —σείω, f. σίσω, lat. *incutio*, ich schlage, stoſse hinein; als neutr. ich breche los. αὐτὸς μὲν ἐνσεῖσαι κατὰ θάτερον κέρας, Plutarch. Alex. 60. er griff selbst an; vorz. m. d. Dat. Diodor. 13, 40. —σήθω, (σήθω) ich siebe hinein. —σηκάζω, in den Stall, σηκὸς, einsperren: Nicetae Annales 8, 3. wo auch ἐνλακκεύω (λάκκος Keller) für einsperren in ein Kloster steht. —σημαίνω, ich bezeichne daran für einen andern; ἐνσημαίνομαι, ich bezeichne daran für mich: ἐνσημανεῖσθε λοχίτῃ τὴν ὀργὴν τὴν ὑμετέραν, Isocrat. so werdet ihr euern Zorn an dem Lochites auf eine deutliche, auszeichnende Art beweisen. τύπον ἐνσημήνασθαι ἑκάστῳ: Plato resp. 2. eine Form eindrücken. —σημειόομαι, οῦμαι, daran- darinne- dabey ein Zeichen sich machen oder nehmen. Xen. ven. 6, 22. —σιαλεύω, f. εύσω, (σίαλον) s. v. a. ἐμπτύω. Hesych. —σιμος, ὁ, ἡ, s. v. a. σιμὸς, nur vermindert, etwas eingedrückt oder vertieft, vorz. von der Nase. —σιτέομαι, darinne essen, fressen. zw. —σκευάζω, f. άσω, ich rüste, mache zurecht, wie παρασκευάζω. Cyrop. 8, 5, 11. ἵππους anschirren, satteln und aufschirren, Polyaen. 7, 21, 6. —σκευος. S. in ἔνσκευος. —σκηνοβατέω, ῶ, auf die Bühne bringen. Alciph. 2 Ep. 4. —σκήπτω, f. ψω, hineinstoſsen, hineinschlagen od. neutr. hineinbrechen. —σκιατροφέω, darinne im Schatten d. i. im Zimmer außer der freyen Luft und bey einer sitzenden Lebensart ernähren- erziehn: ἐλπίδα, mit schwacher Hofnung nähren: Plutarch. —σκίμπτω, s. v. a. ἐνσκήπτω. —σκιῤῥόω, (σκίῤῥος, σκίρον, σκύρος) ich verhärte darinne- darauf. S. auch ἐξαμαρτάνω. —σκλήμαι, darinne- darauf- daran austrocknen und verhärten: neutr. Hippocr. —σκολιεύομαι, einkrümmen, einbiegen; zw. bey Nicetas Annal. 14, 5. 21, 6. Schelmerey darinne- dabey- damit treiben. —σοβέω πεδίλῳ Philostr. Apoll. 6, 10. in einem Schuh stolz einher gehen. —σοριάζω, f. άσω, (σορὸς) einsargen, begraben. zw. —σπαργανόω, ῶ, f. ώσω, (σπάργανον) einwindeln, einwickeln. —σπείρω, einsäen, einstreuen; darunter ausstreuen z. B. ein Gerücht: Xen. Cyrop. 5, 2, 30. —σπερμος, ὁ, ἡ, (σπέρμα) mit Saamen versehn, voll Saamen. —σποδος, ὁ, ἡ, von der oder mit Asche; aschenfarbig. —σπονδος, ὁ, ἡ, Adv. —ὄνδως, (σπονδὴ) in dem Bündnisse oder Friedensschlusse eingeschlossen, oder begriffen; oppon. ἔκσπ. durch Bündniſs mit andern verbunden, Bundesgenosse; dem Bündnisse gemaſs oder treu. —στάζω, f. ξω, und ἐνσταλάζω, einträufeln, einflossen. —στασις, ἡ, (ἐνίσταμαι) der Anfang. 2) *institutum*, ζωῆς ἔνστασις, angefangene Lebensweise. 3) s. v. a. ἀνταγώνισμα bey Hesych. 4) was entgegen, im Wege steht, πᾶσαν θάμνου ἔνστασιν, jeden im Wege stehenden Strauch. —στάτης, ου, ὁ, der uns entgegensteht, Feind, Gegner. Soph. Aj. 104. τὸν τῷ σίκῳ αὐτοῦ γεγενημένον ἐνστάτην δαίμονα. Aelian. —στατικός, ἡ, όν, Adv. —κῶς, (ἐνίσταμαι) eindringend, heftig, gewaltsam. —στερνίζω, in med. an seine Brust drücken, umarmen: Hesych. —στερνομαντίας, ὁ, oder besser —αντις, ὁ, nach Hesych. und Pollux 2, 262. Photias Epist. 150. s. v. a. ἐγγαστρίμυθος und στερνόμαντις. —στηθίδιος, (στῆθος) Philostr. Icon. 3, 10. ἐμπεφυκότων τοῖς ἐνστηθιδίοις τῶν λεόντων, da die Löwen schon die Theile in der Brust, das Herz u. dergl. angegriffen hatten. S. ἐντοστηθίδια. —στηθίζω, (στῆθος) s. v. a. ἐνστερνίζω. zw. —στημα, τὸ, (ἐνίσταμαι) *obstaculum*, Hinderniſs, Chrysippus Plutarch. 10 p. 363. —στηρίζω, f. ίξω, befestigen, anheften, einrammen. —στίζω, f. ίξω, einsticken. Dio Cass. —στοιβάζω, hineinstopfen. —στομίζω, f. ίσω. S. ἐνστόμισμα. —στόμιος, ὁ, ἡ, (ἐν στόματι ὤν) im Munde. —στόμισμα, ατος, τὸ, (ἐνστομίζω) das in Mund, ins Maul gegebene gestellte: Zaum, Gebiſs. Joseph. Antiq. 18, 12. —στομος, ὁ, ἡ, s. v. a. ἐνστόμιος. —στρατοπεδεύω, d. i. στρατοπεδεύω ἐν —στρέφω, f. ψω, hineindrehen oder kehren, zw.

Ἐντροφαί, αἱ, bey Aristides T. 1 p. 239. ein poetischer Ausdruck wird *diverticula* übersetzt. —**στύφω**, f. ψω, sauer oder bitter seyn. Nicander. —**συλλαγχάνω**, s. v. a. συλλ. ἐν. Plutarch. 2 p. 423. —**συνθῆκος**, ὁ, ἡ, (συνθήκη) Appian. Mithrid. 14. s. v. a. ἔνσπονδος. —**σφηνόω**, ῶ, f. ώσω, (σφήν) einkeilen, einzwängen, mit Keilen oder mit Gewalt einfugen, verengen, verstopfen. Dioscor. 5, 29. —**σφραγίζω**, f. ίσω, jonisch ἐνσφρηγ. das Siegel ein oder aufdrücken und so bestätigen. —**σχερῶ**. S. σχερός. —**σχολάζω**, f. άσω, mit ἐνδιατρίβω, dabey darinne verweilen: Themist. or. 2 p. 39 vergl. Ciceron. Attic. 2, 11. —**σχολέω**, s. v. a. das vorh. Polyb. 9, 17. —**σώματος**, ὁ, ἡ, (σῶμα) eingekörpert; körperlich; davon —**σωματόω**, ῶ, f. ώσω, einkörpern; davon —**σωμάτωσις**, εως, ἡ, Einkörperung, das Einsetzen in einen Körper. —**σωρεύω**, f. εύσω, darinne häufen, anhäufen. zw.

Ἔνταλμα, ατος, τὸ, s. v. a. ἐντολή. —**ταμιεύω**, f. εύσω, s. v. a. ἐνθησαυρίζω: Hesych. —**τάμνω**, jon. st. ἐντέμνω. —**τανύω**, f. ύσω, s. v. a. ἐντείνω. —**ταξις**, ἡ, (ἐντάσσω) das darein oder darunter ordnen oder stellen, das Einschieben: Suidas. —**ταράσσω**, f. ξω, s. v. a. ταράσσω ἐν, Philostr. Apoll. 3, 20. φάσμα τῷ ὁμίλῳ ἐνταραττόμενον, das in dem Haufen Furcht und Angst erzeugte; med. darinne dabey in Unruhe, oder Unordnung kommen oder seyn. —**τασις**, εως, ἡ, (ἐντείνω) Anspannung, Anstrengung. —**τάσσω**, ἐντάττω, f. ξω, darein- darunter ordnen oder stellen, einschieben. —**τατικός**, ἡ, όν, (ἐντείνω) anspannend, anstrengend, stärkend. —**τατός**, ἡ, όν, ein- oder angespannt. —**ταῦθα**, Adv. oder ἐνταῦθι, hier, hieselbst; von der Zeit, jetzt. —**ταυθοῖ**, Adv. hieher. —**ταφή**, ἡ, Begräbniss: Inscript. Caylus Tom. 2 pl. 56. —**ταφιάζω**, f. άσω, das ἐντάφιον bestellen, den Todten ankleiden und zur Erde bestatten; einbalsamiren. Plutarch. 10 p. 138. davon —**ταφιασμός**, ὁ, Leichenbestattung. —**ταφιαστής**, ὁ, der die Leiche besorgt, ankleidet und zur Erde bestattet, bey Strabo 11. p. 786. falsch ἐνταφιστής. —**ταφιοπώλης**, ου, ὁ, (ἐντάφια πωλέω) Leichengeräthschaften verkaufend, vermiethend, *libitinarius*: Sextus Antisceptic: p. 618. bey Artemidor. 4, 58 steht —πώλους. —**τάφιος**, ὁ, ἡ, (ταφή) zum Begräbnisse gehörig, τὸ ἐντάφιον, das Sterbekleid: τὰ ἐντ. Leichenbegängniss. —**τείνω**, f. τενῶ, ich spanne hinein, als eine Fabel in Versen und Sylbenmaass, ᾠδῇ καὶ μέτρῳ; 2) ich spanne an und strecke aus oder strenge an, wie *intendo*, 3) πληγὴν ἐντείνω, wie *plagam intendo*, ich gebe mit gespannter und gestreckter Hand einen Schlag. 4) Bey Xenoph. Reitk. 8, 3. ἐντείνειν τῷ ἀγωγεῖ, mit dem gespannten Seile ziehn und rücken. —**τειχίδιος**, ὁ, ἡ, (ἐν, τεῖχος) κάθητο, er sass innerhalb der Mauern. Lucian. —**τειχίζω**, f. ίσω, (τεῖχος) durch eine Mauer oder Burg trennen oder befestigen. —**τείχιος**, ὁ, ἡ, (τεῖχος) in den Mauern; mit den Mauern. —**τείχισις**, εως, ἡ, (ἐντειχίζω) das Trennen od. Befestigen d. eine Mauer od. Burg. —**τεκμαίρομαι**, (τέκμαρ) ein Zeichen, Merkmal woran- woraus nehmen, d. i. schliessen, urtheilen. zweif. —**τεκνέω**, ῶ, s. v. a. ἐντίκτω. zw. S. ἐντεκνόω. —**τεκνος**, ὁ, ἡ, (τέκνον) m. Kindern, Kinder habend. —**τεκνόω**, s. v. a. ἐντίκτω, oder ἐγγεννάω. Plutar. Cato minor. c. 25. —**τέλεια**, ἡ, (ἐντελής) Vollendung, Vollkommenheit. Theophyl. Q. Natur. 9. bey Hesych. τάξις ἀρχοντική. —**τελευτάω**, ῶ, fut. ήσω, darinne, dabey endigen, oder verst. τὸν βίον, sterben. —**τελέχεια**, ἡ, ist von ἐνδελέχεια ganz verschieden, und was wir Thätigkeit, Wirklichkeit nennen, dem Vermögen oder Können entgegen gesetzt, *actus*. So sagt Sextus Empir. c. Mathem. 10, 3, 40 τὸ ᾠὸν κατὰ δύναμιν μὲν νεοσσός ἐστι, κατ' ἐντελέχειαν δὲ οὐκ ἔστιν. Eben so ist κίνησις nach Aristoteles ἐντελέχεια κινητοῦ, die Thätigkeit, der *actus* eines beweglichen Körpers. Daraus muss man die Stelle Cicero Tuscul. 1, 10. vergl. Aristotel. de anima 20. verstehn, wo in Erklärung der Seele die ἐνδελέχεια genennt wird; von ἐντελεχής, welches v. ἐντελὲς ἔχω, wie νουνεχής von νοῦν ἔχω kommt. —**τελεχής**, ὁ, ἡ, für ἐνδελεχής, zw. thätig, wirklich. S. d. vorherg. —**τελής**, έος, ὁ, ἡ, (ἐν, τέλος) vollkommen, vollendet; 2) οἱ ἐντελεῖς, die Magistratspersonen, geehrtesten, angesehensten, s. v. a. οἱ ἐν τέλει. S. τέλος. —**τελίς**, ὁ, ein Fisch. S. ἐτελις. —**τέλλω**, und ἐντέλλομαι, auftragen, befehlen, heissen, m. d. dat. —**τελόμισθος**, ὁ, ἡ, der den vollen Sold erhält. —**τεμενίζω**, f. ίσω, (τέμενος) im Haine oder im Tempel aufstellen, also heiligen, einweihen. —**τέμνω**, ich schneide ein, zerschneide; 2) vorzügl. ein Opferthier beym feierlichen Eidschwur oder bey den *inferiis* oder einem Heros zu Ehren schlachten; daher das Opferthier und Opfer τόμια und ἔντομα. Vom Eide Aristoph. Lys. 192. τόμια ἐντεμούμεθα. Bey Thucyd. 5, 11 ὡς ἥρωΐ τε ἐντέμνουσι καὶ τιμὰς δεδώκασι. S. ἔντομος. —**τενής**, έος, ὁ, ἡ, (ἐντείνω) ein- oder angespannt, angestrengt.

Ἐντενίζω, f. ίσω, st. ἐνατενίζω, wahrscheinlich eine falsche Lesart. —τερεύω, f. εύσω, s. v. a. ἐξεντερεύω. Athenaei 7. —τερικὸς, ἡ, ὸν, zu den Eingeweiden oder zum Innern gehörig. —τεριώνη, ἡ, und ἐντεριωνίς, ἡ, (ἐντερὸν) der innere Theil, das Innere; 2) das weiche Mark von Pflanzen u. Bäumen, als Flieder (*fambucus*) und Binsen (*carex*); 3) s. v. a. ἐντερονεία und ἐγκοίλια. —τεροεπιπλοκήλη, ἡ, ein Netz- und Darmbruch zugleich; von ἔντερον, ἐπίπλον und κήλη. —τεροκήλη, ἡ, (ἔντερον, κήλη) ein Darmbruch; dav. —τεροκηλήτης, ου, ὁ, ein Mensch mit einem Darmbruche. —τερὸν, τὸ, *intestinum*, Darm; 2) Blase, Beutel, Hippocr. 3) ἔντερα γῆς heissen auch die Regenwürmer, die in der Erde leben. —τερόνεια, ἡ, ἐς τριήρεις, das Holz zu dem Untertheile und Basis der Kriegsschiffe, sonst τὰ ἐγκοίλια ξύλα, von ἔντερον. Doch s. ἐγκοίλια. —τεροπώλης, ὁ, der Eingeweide, Gedärme od. daraus gemachte Würste verkauft. —τέσιεργος, ὁ, ἡ, oder ἐντεσιουργὸς, (ἔντος, ἔργον) wie andre lesen, in der Rüstung arbeitend, d. i. ziehend, nicht tragend. Il. 24, 277. —τεσιμήστωρ, od. ἐντεομήστωρ, erfahren in den Waffen oder im Kriege. Hesych. —ταμένως, Adv. v. part. praet. pass. von ἐντείνω, angespannt, angestrengt, stark, heftig. —τεῦθεν, oder ἐντευθενὶ, von hinnen, d. i. von der Zeit an, von nun an. —τευκτικὸς, ἡ, ὸν, sprechbar, umgänglich; dav. —τευξίδιον, τὸ, Arrian. Epict. 1, 10. kleine Bittschrift, Memorial. —τευξις, εως, ἡ, (ἐντεύχω, ἐντυγχάνω) das Zusammentreffen, Zusammenkommen, das Gehn zu jemandem, um mit ihm zu sprechen; daher Anrede, Unterredung, das Anliegen, Bitte, Fürbitte. —τευτλανόω, (τεῦτλον) in Rüben thun, mit Rüben zubereiten oder kochen. Aristoph Ach. 894. —τεφρος, ὁ, ἡ, (τέφρα) m. Asche: aschig, aschenfarbig. —τεχνία, ἡ, Geschicklichkeit; dav. —τεχνος, ὁ, ἡ, Adv. ἐντέχνως, (τέχνη) kunstmässig, mit oder nach der Kunst gemacht: künstlich, regelmässig, systematisch, erfahren, geschickt in der Kunst, kundig. —τήκω, f. ξω, einschmelzen, und metaph. tief eindrücken und unvergesslich, unvertilgbar machen; im perf. wie pass. eingeprägt seyn. Bey Plutarch. Q. S. 5, 17 für zerschmelzen. zw. auch geschmolzen eingiessen. —τίθημι, f. ήσω, hineinsetzen- stellen- legen- bringen. —τίκτω, f. ξω, hineingebähren, darinne erzeugen, durch die Zeugung mittheilen, beybringen; τοῦτο ἐπιμελῶς ἐντίκτειν ἐπειρῶντο τῇ συγκλήτῳ, Polyb. 17, 11. diese Ueberzeugung beyzubringen. —τιλάω, ῶ, hineinkacken, bekacken, beschmutzen. —τιμάω, ῶ, f. ήσω, für baar Geld, statt des b. G. anrechnen: med. für b. G. angerechnet erhalten: Harpocrat. —τιμος, ὁ, ἡ, Adv. ἐντίμως, (τιμὴ, ἐν) in Ehren, Ansehn, Würde: geschätzt, vornehm; τὰ θεῶν ἔντιμα ἀτιμάζειν, Sophocl. st. τὰ ὅσια; davon —τιμότης, ητος, ἡ, die Würde, Ansehn, Werth. —τιναγμὸς, ὁ, das Hineinstossen. zw. von —τινάσσω, ἐντινάττω, f. ξω, hineinstossen. zw. —τμημα, ατος, τὸ, (ἐντέμνω) das Eingeschnittene, der Einschnitt.

Ἔντο, ἐξ ἔρον ἕντο, häufig für befriedigen. So Il. 24, 227 γόου ἐξ ἔρον εἵην. und anderswo ἐῶμεν πολέμοιο. Hesych. erklärt es mit andern ἐξήνεγκαν τὸν ἔρωτα von ἐξίημι. Dann muss ἐῶμεν πολέμοιο anders abgeleitet werden.

Ἔντοκος, ὁ, ἡ, (τόκος) gebährend, niederkommend; auf Zins (τόκος) ausgeliehen. zw. —τολὴ, ἡ, (ἐν, τέλλω) Auftrag, Befehl. —τολμάω, f. ήσω, darinne, dab. Kühnheit od. Muth haben. zw. —τόμα, ων, τὰ. S. ἔντομος. —τομὴ, ἡ, Einschnitt, das Einschneiden. —τομίας, ου, ὁ, Ver- Beschnittener. Hesych. Suid. —τομὶς, ίδος ἡ, Einschnitt. Levitic. 19, 28. —τομος, ὁ, ἡ, (ἐντέμνω) eingeschnitten, geschnitten; 2) ἔντομα, verst. ζῶα, *insecta*, Insekten, welche man auch von dem geringelten Körper *annulata* nannte; 3) ἔντομα, s. v. a. σφάγια, Opferthiere, die man bey Todtenopfern, *inferiae*, und bey solennen Eidschwüren schlachtete; daher ἔντομοι, ἔνορκοι bey Hesychius. S. ἐντέμνειν. —τονία, ἡ, Anspannung, Anstrengung. zw. st. εὐτονία. —τονος, ὁ, ἡ, Adv. ἐντόνως, (τόνος ἐν) angestrengt, angespannt; daher hitzig, rasch. —τοξεύω, mit dem Pfeile hineinschiessen, überh. hineinschiessen. zw. —τοπίζω, f. ίσω, ich bin einheimisch. zweif. —τόπιος, ὁ, ἡ, oder ἔντοπος, (ἐν τόπῳ ὢν) an Ort und Stelle sich befindend, Einwohner, einheimisch. —τορεύω, fut. εύσω, eingraben, einbohren, einhauen. —τορνεύω. drechseln. zweif. —τορνος, ὁ, ἡ, gedrechselt, rund gedreht.

Ἔντος, τὰ, Geräth, Werkzeug, Rüstung, Waffe, also auch vom Schilde zur Bedeckung; davon ἐντύω, ἐντύνω, rüsten, zubereiten.

Ἐντὸς, Adv. *intus*, drinnen, innerhalb; davon ἔντοσθε u. ἔντοσθι. —τοστηθίδια, τὰ, ἐντόσθια u. ἐντοσθίδια, τὰ, b. Pollux 2, 162 τοῦ στήθους τὰ ἐντὸς ἐντοστηθίδια, wo man jetzt a. den Handschr. ἐντοσθίδια geschrieben findet. Hesych. erklärt dieses durch τὰ σπλάγχνα, Eingeweide. Dafür hat man auch ἐνδόσθια gesagt: Sirach 10, 9. Exod. 12, 9. sonst ἔγκατα und bey Homer ἔνδινα, *interranea*. Bey Philostr. findet man ἐνστηθίδια, welches wahrsch. für ἐνστηθ. od. ἐνστηθίδια steht.

'Εντραγεῖν s. v. a. ἐντρώγειν, vorz. vom Nachtische (τραγήματα) essen. —τραγῳδέω, d. i. τραγῳδέω ἐν, Lucian. Epist. Saturn. 19 ἡμῖν ἐντραγῳδοῦσιν, sie prahlen uns mit ihrem Reichthume und dessen Genusse entgegen. —τρανός, ὁ, ἡ, deutlich, ὀφθαλμοῖς ἐντρανοῖς θεάσασθαι, Nicet. Ann. 6, 4. S. τρανής. —τραπεζίτης, ου, ὁ. davon femin. —ῖτις, ἡ, bey Suidas s. v. a. παρασιτος, Tischgenosse, Schmarotzer. —τραχύς, etwas rauh, hart. zw. —τρεπτικός, ἡ, ὸν, Adv. —κῶς, (ἐντρέπω) geschickt und bequem zur Erkenntniss zu bringen od. zu beschämen: neutr. der sich schämt, mit αἰδήμων verb. b. Arrian. Epict. —τρέπω, f. ψω, umkehren, umwenden, einen in sich kehren, zu sich bringen, machen, dass er in sich kehrt und sich schämt, 1 Cor. 4. 14. rühren: Aelian. v. h. 3, 17. daher in pass. m. d. genit. wie ἐπιστρέφομαι, in sich kehren, sich schämen, sich an einen kehren, ihn scheuen: Luc. 18, 2. sich darum bekümmern, Xen. hell. 2, 3, 33. überh. sich umkehren, lenken lassen, sich ändern, sich rühren lassen, Hom. Il. 15, 554. Bey Aelian. h. a. 1, 7 ἐντρέπεται αὐτὸν, viell falsch st. αὐτοῦ. —τρέφω, f. ψω, d. i. τρέφω, ἐν. —τρέχεια, ἡ, (ἐντρεχής) das lat. *solertia*, Klugheit, Ueberlegung, Sorgfalt, Aufmerksamkeit. —τρεχής, έος, ὁ, ἡ, Adv. ἐντρεχῶς, (ἐντρέχω) das lat. *solers*, klug, verständig, emsig, gewandt, verschlagen. Im bösen Sinne ist κακεντρεχής, hinterlistig, gebräuchlich; ἐν πόνοις καὶ μαθήμασι καὶ φόβοις ὃς ἂν ἐντρεχέστατος φαίνηται, Plato Resp. 7 p. 173. ausdauernd, beharrlich. Hesych. erklärt es auch durch γοργός. —τρέχω, ich laufe hinein- hinan; 2) ich hänge mich an, setze mich an, ἔρως ἀρετῶν οὐδεὶς ἐντρέχει Lucian wie *incessit amor*. 2) bey Homer ἐντρέχοι, s. v. a. συντρέχοι, passen. —τριβής, ὁ, ἡ, (τριβή, ἐν) ἀρχαῖς καὶ νόμοις, der sich in Magistratsstellen und durch die Gesetze bewahrt hat; überh. geübt, erfahren, geprüft, τέχνῃ, in einer Kunst. —τρίβω, f. ψω, einreiben, daher salben, schminken, Xen. Cyr. 8, 1, 41. Oec. 10, 2. κόνδυλον, Maulschelle aufdrücken, geben; κακὸν, Schaden, Unheil zufügen; dav. —τριμμα, ατος, τὸ, das Eingeriebene, Salbe, Schminke. —τριτος, ὁ, ἡ, dreyfach, σχοινίον, Ecclesiast. 4. 12. zweif. —τριχος, ὁ, ἡ, behaart: τὸ, falsches Haar um dünne Haare damit zu bedecken. Pollux 2, 30. —τρίχωμα, ατος, τὸ, (ἐντριχόω) der Theil an den Augenliedern, woran die Haare sitzen, Pollux 2, 69. 2) bey Plutar. Quaest. natur. 3. ist es etwas anders; zw. —τρίχωσις, εως, ἡ, die Haare an den Augenliedern; bey Hesych. —τριψις, εως, ἡ, das Einreiben, vorz. der Salbe, Schminke; die Schminke selbst, Xen. Cyr. 1, 3, 2. Aelian. v. b. 12, 1. —τρομος, ὁ, ἡ, (ἐντρέμω) zitternd. —τροπαλίζομαι, s. v. a. ἐντρέπομαι, sich umkehren, weichen. —τροπή, ἡ, (ἐντρέπομαι) Beschämung, Schaam; Schaamhaftigkeit, Scheu. —τροπία, ἡ, bey Hippocr. einmal s. v. a. das vorige; im hym. Homer. 2, 245. steht ἐντροπίαι δόλιαι für argliftige Ränke. —τροπίας, ου, ὁ, s. v. a. τροπίας: Pollux 6, 17. Hesych. und Suid. —τροπόω, S. ἐπικαλαμίς. —τροφος, ὁ, ἡ, darinne- dabey ernährt- erzogen. —τρυλίζω, ἐντρυλλίζω, ins Ohr reden, zischeln, schreyen, Pollux 9, 109. bey Aristoph. Thesm. 341. lesen einige ἐνεθρύλλισε st. ἐνετρύλλισε. —τρυφάω, ῶ, f. ήσω, d. i. τρυφάω ἐν, in einer Sache schwelgen, sich wie ein Schwelger zeigen; woran sich vergnügen, τινί, s. v. a. ὑβρίζω τινὰ; davon —τρυφερός, bey Dio or. 4 p. 177. s. v. a. τρυφερός. zw. —τρύφημα, ατος, τὸ, ein Gegenstand, womit, woran man Schwelgerey treibt- Lust oder Vergnügen hat, ἐν ᾧ τρυφᾷ τις. —τρύχομαι, ich bin, falle zur Last: Dio Cass. 38, 46. —τρώγω, auf- hineinmessen. S. ἐντραγεῖν. —τυγχάνω, f. ἐντεύξομαι, a. 2. ἐνέτυχον, perf. ἐντετύχηκα, m. d. dat. antreffen, begegnen, anreden, sprechen, reden mit: v. Büchern, lesen. —τυλίσσω, ἐντυλίττω, f. ξω, einwickeln. —τυλόω, ῶ, f. ώσω, darinne ab- verhärten, verschwielen. —τυμβεύω, darinne begraben: Nicetas Annal. 2 p. 3. —τύνω, f. υνῶ, zubereiten, zurüsten, anordnen, fertig machen. ἐντύνομαι steht so Odyss. 6, 33. Von ἔντος kommt auch ἐντύω in derselben Bedeutung, für putzen, ausschmücken Il. 14. 162. —τυπάς, Adv. (ἐντύπτω) von dem auf der Erde liegenden und trauernden Priamus, Hom. Il. 24, 163. welche Stelle Apollon. Rhod. 1, 264 ἐντυπὰς ἐν λεχέεσσι καλυψάμενος, νοάασκεν u. Quint. Smyrn. 3, 528 φίλῳ περικάππεσε νεκρῷ ἐντυπὰς ἐν κονίῃσι καλὸν δέμας αἰσχύνουσα nachgeahmt haben, woraus erhellt, dass das Wort so viel heisst als hingestreckt, *prostratus*. —τυπος, ὁ, ἡ, eingeschlagen, eingedrückt, abgedrückt; davon —τυπόω, ῶ, f. ώσω, eindrücken, abdrücken, einprägen. ἐντετύπωται ἀεὶ ταῖς θύραις,

Philostr, Apoll. 8, 11. liegt stets auf den Thüren; davon

'Εντυπωσις, εως, ἡ, Schultergelenke, Pollux 2, 137. sonst ὠμονοτύλη, eine am Schulterblatte für den Arm gemachte Höle, wie κοτύλη für ἰσχίον. —τυραννέω, darinne als Tyrann herrschen, überh. herrschen: Cic. Att. 2, 14. —τύσσομαι, Aretaeus 2, 13 zw. die Handschriften lesen δατύσσομαι. —τύφω, darinne schmauchen- glimmen- rauchen lassen; also ἐντυφόμενος σπινθὴρ, ein in der Asche glimmender Funke, Kohle; auch anzünden; auch bey Aristoph. s. v. a. τύφω. —τυχία, ἡ, s. v. a. ἔντευξις, Plutarch. 6 p. 247. —τύω, s. v. a. ἐντύνω.

'Ενυάλιος, ὁ, (ἐνιώ) kriegerisch, streitbar, der Kriegerische, Krieger, oder Ares, Mars. Xen. Cyr. 7, 1, 26. —υβρίζω, f. ίσω, τινὶ, einem übermüthig- stolz- frech- schmahlich begegnen, behandeln; davon —ύβρισμα, ατος, τὸ, das, der schmählich behandelte: ἐν καὶ παροίνημα Μακεδόνων γενέσθαι, zur Schmach und zum Schimpfe vor den Mazedoniern zu werden. Plutar. 7 p. 381. —υγρόβιος, ον. S. ἐνυδρόβιος. —υγροθηρευτὴς, οῦ, ὁ, auch ἔνυδρος, Plato Soph. 5 u. 7. d. i. ἐν ὑγρῷ θηρεύων, Fischer. —υγροθηρικὸς, ὸν, u. ἐνυδροθ. was zum Fischer und seiner Kunst gehört. —υγρος, ὁ, ἡ, d. i. ἐν ὑγρῷ ὢν, im Nassen- Wasser lebend; benässt, nass. —υδρέω, ῶ, nass seyn, nass werden: Erotiani Gloss. zw. —υδρία, ἡ, Nässe, viel Wasser; wahrsch. st. εὐυδρ. —υδρὶς, ίδος, ἡ, oder ἔνυδρις, die Fischotter, welche im Wasser lebt; 2) eine Wasserschlange, *enhydris*, Plinii. —υδρόβιος, ὁ, ἡ, u. ἐνυγρ. (ἐν ὕδατι ὑγρῷ βιῶν) im Wasser lebend. —υδροθηρικὸς, s. v. a. ἐνυγροθ. —υδρος, ὁ, ἡ, (ὕδωρ) s. v. a. ἔνυγρος; davon —υδρόω, ῶ, f. ώσω, (ἔνυδρος) Hesych hat davon ἐνυδρώθη, für ὑδρωπικὸς ἐγένετο. —υεῖον, τὸ, Tempel der 'Ενυὼ. —υλος, ὁ, ἡ, (ὕλη) mit- in oder von Materie, materiell, s. v. a. ὑλικὸς. —υμενόσπερμος, ὁ, ἡ, (ὑμὴν) den Saamen in einer Haut habend. —υπάρχω, f. ξω, d. i. ὑπάρχω ἐν. —υπατεύω, (ὕπατος) οἷς ὀρθῶς ἐνυπατεύων τὴν πατρίδα διέσωζε Plutar. 9 p. 183 durch deren guten Gebrauch er als Konsul das Vaterland rettete. —υπνιάζω, u. άζομαι, (ἐνύπνιον) träumen; davon —υπνιαστὴς, οῦ, ὁ, Träumer. —ύπνιον, τὸ, Traum, Traumgesicht, eigentl. neutr. von ἐνύπνιος, was im Schlafe vorkömmt. —υπνιώδης, ὁ, ἡ, (εἶδος) traumartig, wie im Traume, nichtig. —υπόκειμαι, darinne zum Grunde liegen. Hierocles. —υποπνίγω, st. ἐναποπ. sehr zw. —υπόσαπρος, ον, etwas eiternd oder faulend. Hippocr. Coac. c. 16. zw. —υπόστατος, ὁ, ἡ, (ἐνυφίσταμαι) darinne subsistirend oder daseyend. —υφαίνω, f. ανῶ, ein- verweben, einwürken; davon —ύφαντος, ον, eingewebt, und —ύφασμα, τὸ, das Eingewebte, die eingew. Zeichnung-Figur. —υφιζέω, darinne sich setzen: Geopon. 6, 5, 6. —υφίστημι, hineinfügen od. stellen, aor. 2. (s. ἵστημι) neutr. drinne seyn.

'Ενυὼ, όος, contr. οῦς, ἡ, *Enyo*, Kriegsgöttin, des Mars Schwester.

'Ενωμος, ὁ, ἡ, noch etwas roh, unreif. —μοτάρχης, ἐνωμόταρχος, ὁ, Anführer einer —μωτία, ἡ, eigentl. eine Zahl geschworner Soldaten, bey den Lacedämoniern, ein Viertheil einer Centurie, 25 Soldaten. —μοτος, ὁ, ἡ, (ὄμνυμι) der geschworen hat, beeidet. θεῶν der bey den Göttern schwört, Eurip. bey Plutar. Sert. 26. ein Verschworner. Adv. —ότως, eidlich.

'Ενωπαδὶς, ἐνωπαδίως, Adv. s. v. a. ἐνωπιδίως. Apoll. rhod. —ωπὴ, ἡ, (ὢψ, ἐν) Anblick, Angesicht. —ώπια, τὰ, bey Homer die innern Wände neben der Stubenthüre, so wie προνώπια die Wände vor dem Zimmer. Bey Xenoph. Anab. 7, 8, sind ἐνώπια ἐν Λυκαίῳ gemahlt, aber dies ist bloss eine Vermuthung: st. ἐνύπνια u. ἐνοίκια. —ωπιδίως, Adv. Odyss. ψ, 94, wo andere ἐνωπαδίως lasen, vor Augen, sichtbar; s. v. a. ἐντώπιον. —ώπιος, ὁ, ἡ, d. i. ἐν ὠπὶ ὢν, im Anblicke oder Angesichte, gegenwärtig, vor Augen stehend. —ωραΐζομαι, ich gefalle mir- weiss mir viel- mit- in einer Sache oder Person. S. ὡραΐζομαι. —ωρὴς, ὁ, ἡ, bey Diodor. 2. 29. zweif. ἐνωρίστερον τοῦ κατεῖθισμένου καιροῦ, früher als gewöhnlich, Athenaei 4 p. 142. welches man auch als attische Form von ἔνωρος ableiten konnte. —ωρος, ὁ, ἡ, (ὥρα) in der rechten Zeit, Blüthe, Reife; reif, jung, stark. S. d. vorh.

"Ενωσις, εως, ἡ, (ἑνόω) Vereinigung.

'Ενωτίζομαι, (οὖς, ἐν) hören, vernehmen.

'Ενωτικὸς, ἡ, ὸν, (ἑνόω) zum vereinigen gehörig oder geschickt.

'Ενώτιον, τὸ, (οὖς, ἐν) Ohrgehänge. —ωτοκοίτης, ου, ὁ, auch ἐνωτόκοιτος Strabo 2 p. 895. (οὖς, κοίτη) mit sehr langen Ohren, so dass man darauf schlafen konnte. —ωχρος, ὁ, ἡ, blässlich, blass.

"Εξ, οἱ, αἱ, τὰ, sechs.

'Εξ, praepos. *ex*, vor einem Vokale, s. v. a. ἐκ.

'Εξάβιβλος, ον, von sechs Büchern.

'Εξάγαστος, ὁ, ἡ, d. verstärkte ἀγαστὸς: Hesych.

'Εξαγγελεύς, έως, ἡ, f. v. a. ἐξάγγελος; von —αγγέλλω, f. ελῶ, hinaus-heraus verkündigen, berichten, erzählen; alfo auch ausplaudern, verrathen. Cyrop. 2, 4. S. ἐξάγγελος. —αγγελία, ἡ, Verkündigung, Bekanntmachung, Anzeige unter fremden oder die es nicht wiffen follen; alfo das ausplaudern, verrathen. Cyrop. 2, 4, 23. —άγγελος, ὁ, ἡ, ein Bote, der etwas ausbringt, hinausgeht und draufsen verkündiget; alfo find auf dem Theater ἄγγελοι Boten aus der Fremde kommend; ἐξάγγελοι, die blofs auf dem Theater den Zufchauern verkündigen, was hinter den Vorhängen gefchehen ift; z. B. einen Mord, Philoftr. Soph. 1, 9. diefe Nebenbedeutung von aufserhalb mufs man bey allen Compof. von ἐξαγγέλλω bemerken; wovon —αγγελτικός, ἡ, όν, zum berichten und verkündigen draufsen, oder zum ausplaudern gehörig, gefchickt. —άγγελτος, ὁ, ἡ, heraus-hinaus verkündigt, bekannt gemacht. S. ἐξάγγελος. —αγγίζω, f. ίσω, (ἄγγος) aus dem Faffe gieffen, ausleeren. S. ἐξαλίζω. —αγιάζω, ich wäge ab; von

'Εξάγιον, τὸ, die Wage, *exagium:* Geopon. 2, 32. not. 2) bey den neuern Aerzten ein Gewicht von 4 Skrupel. Cornar. ad Galen. comp. med. f. loc. p. 438. —αγίζω, f. ίσω, für unrein, frevelhaft erklären; bey Aefchyl. Ag. 652. δόμων ἐξ. aus dem Haufse vertreiben; davon —αγινέω, jon. f. v. a. ἐξάγω: Herodot. —άγιστος, f. v. a. ἐναγής, verwünfcht, verabfcheuet, abfcheulich. —αγκυρόω θύραν, die Thüre ausankern, aus den Angeln heben: Hefych. —αγκωνίζω, (ἐξ. ἀγκών) ich ftofse mit dem entgegen gehaltenen Ellbogen heraus- fort. Ariftoph. Ekklef. 259 ἐξαγκωνίζεσθαι. S. προεξαγκ. 2) einem die Hände auf den Rücken binden: Diodor. 13, 27. daher ἐξηγκωνισμένος τὸν λογισμὸν bey Philo, deffen Seele und Vernunft gleichfam gefeffelt ift. —αγοράζω, f. άσω, aus- auf- loskaufen. —αγόρευσις, εως, ἡ, das Ausplaudern. —αγορευτικός, ἡ, όν, zum ausfprechen- bekannt machen- ausdrücken gehörig oder gefchickt. —αγορεύω, f. εύσω, laut verkündigen, bekannt machen. —αγριαίνω, metaph. f. v. a. das folgd. wild- böfe oder zornig machen. —αγριόω, ῶ, f. ώσω, (ἄγριος) wild machen, verwildern machen oder laffen; roh- ungefittet- graufam machen; dav. —αγρίωσις, εως, ἡ, Verwilderung, v. Pflanzen und von Menfchen. —άγω, ich führe heraus- aus, z. B. die Armee; daher ich marfchire aus mit der Armee; στρατὸς und andere dabey gefetzte Subft. müffen oft mit verftanden werden. 2) ich laffe- bringe heraus, *emitto.* 3) ich führe aus, τὰ ἐξαγόμενα, die aus dem Lande im Handel gehende Waare. γέλωτα ἔκ τινος ἐξ. Lachen hervorbringen, zum Lachen bewegen. 4) ich bringe in Gang, bewege oder verleite. οὐδ' ὣς ἐξήχθη διώκειν, liefs fich auch fo nicht bewegen, fie zu verfolgen. ἐξάγεσθαι τῇ ὀργῇ fich vom Zorne verleiten, zu weit in Affekt bringen laffen. 5) ἐξάγομαι, im Med. hervorbringen, fich verfchaffen, erwecken. ὡς μικρὰ ἆθλα μεγάλας δαπάνας καὶ πολλὰς ἐπιμελείας ἐξάγεται ἀνθρώπων. wie kleine Belohnungen grofsen Aufwand und Sorgfalt der Menfchen zur Folge haben, bewirken. Xenoph. —αγωγεύς, έως, ὁ, (ἐξάγων) der weg- heraus- abführt: Diod. Sic. —αγωγή, ἡ, (ἐξάγω) das heraus- fort- wegführen. neutr. das Ausgehn, Auswanderung, Todt. —αγώγιμος, ὁ, ἡ, aus- oder abführend, Dionyf. Antiq. 4. 44. ὕδατος ἐξαγωγίμους τάφρους: paff. abzuführen, auszuführen, als τὰ ἐξαγώγιμα, die ausgeführten Waaren. —αγωγίς, ἡ, ein Ableitungskanal oder Graben. —αγωνίζομαι, f. v. a. ἀγωνίζομαι: Eur. Herc 155. u. Diod. Sic.

'Εξαγώνιος, ὁ, ἡ, oder ἐξάγωνος, ὁ, ἡ, (γάνος, γωνία) fechseckig.

'Εξαγώνιος, ὁ, ἡ, (ἀγωνία) nicht zum Kampfe, überh. nicht zur Sache gehörig. Luc. Imag. 18. Gymn. 191.

'Εξαδάκτυλος, ὁ, ἡ, fechsfingerig. —άδαρχος, ὁ, (ἑξάς) Anführer von 6.

'Εξάδελφος, ὁ, ἡ, Bruder oder Schwefterkind.

'Εξάδραχμος, ὁ, ἡ, (δραχμή) von fechs Drachmen.

'Εξαδρύνω, das verftärkte ἁδρύνω, Hippocr. daffelbe ift ἐξανδρόω. Geopon. 4, 8, 5. —αδυνατέω, ῶ, das verftärkte ἀδυνατέω. —άδω, f. σω, entfingen, durch Gefänge entzaubern: Lucian. Tragopod. 172. βίον fingend das Leben fchliefsen: Plutarch. 6 p. 614. —αείρω, jonifch f. v. a. ἐξαίρω. —αερόω, ῶ, f. ώσω, (ἀήρ) in Luft- Dunft verwandeln, ausdüften.

'Εξαέτης, ου, ὁ, fem. ἐξαέτις, ἡ, (ἔτος) fechsjährig: ἐξάετες, wie Adv. 6 Jahre lang. —ετία, ἡ, fechs Jahre, Zeitraum von 6 Jahren. —ήμερος, ὁ, ἡ, (ἡμέρα) von 6 Tagen: το ἐξ. das Tagewerk von 6 Tagen, in welchen die Welt gefchaffen feyn foll.

'Εξαθέλγω, ausmelken, ausfaugen: Hippocr. f. v. a. ἐξαμέλ. —αθερίζω, das verftärkte ἀθερίζω: aus Phavor. Lexico. —αθλος, ὁ, (ἆθλον) des Kampfes- Wettkampfes unfähig: Luciani Lexiph.

'Ἐξαθροίζω, f. σω, heraussuchen und versenden: Eur. Phoe. 1180. —αθυμέω, ῶ, das verstärkte ἀθυμέω, sehr traurig-missmüthig seyn. Plutarch. verbindet es m. ποτνιῶμαι, für den Muth sinken lassen mit καταφρονεῖν ἑαυτοῦ, 6 p. 229. 10 p. 545. —αιθερόω Plutar. 9 p. 648 ich verwandele in αἰθήρ. —αιθριάζω, (αἰθρία) ich setze der freyen Luft- dem heitern Himmel aus; lüfte, trockne. —αιμάσσω, ἐξαιμάττω, f. ξω, blutig machen, τὸν ἵππον τῷ κέντρῳ blutig stechen mit den Sporen. —αιματόω, ῶ, zu Blut machen; blutig machen, κέντρῳ, mit dem Sporn: Xeno. Cyrop. davon —αιμάτωσις, εως, ἡ, Verwandlung in Blut; Verwundung; davon —αιματωτικὸς, κὴ, κὸν, geschickt in Blut zu verwandeln oder zu verwunden. —αιμος, ὁ, ἡ, (αἷμα, ἐξ), verblutet, der viel Blut vergossen hat. —αιμόω bey Pollux. 4, 186. vollblütig seyn oder bluten; zw. denn 8, 79. steht ἐξαίμων als adject. dafür. —αίνυμαι, poet. s. v. a. ἐξαρέομαι, davon oder wegnehmen.

'Ἐξάιππος, ὁ, ἡ, mit 6 Pferden: Aesch. Pers. 47.

'Ἐξαιρέσιμος, ὁ, ἡ, (ἐξαιρέω) was herausgenommen werden kann, herauszunehmen. —αίρεσις, εως, ἡ, (ἐξαιρέω) das herausnehmen, herausführen; die Auswahl; Ausnahme, Ausladung, Ausladungsplatz, Niederlage, Waarenlager; die Klage womit man einen Sklaven reklamirt. —αίρετος, ὁ, ἡ, Adv. —έτως, (αἱρέω) ausgenommen, herausgenommen, heraus- davon vor andern gewählt, vorgezogen, vorzüglich, vortreflich, wie *eximo, eximius.* ἕδρα ausgezeichneter Sitz. χρόνον μηδένα ἐξαίρετον ποιεῖσθαι τοῦ πολέμου, Dionys. Antiq. 6, 50. zu keiner Zeit den Krieg unterlassen. —αιρέω, davon nehmen und wählen, auswählen, um einem andern zu geben: Xenoph. herausnehmen; wegnehmen, ausnehmen, ausladen, erobern, einnehmen, zerstören, πόλιν. in med. ich nehme mir daraus, davon, u. s. d. übr. Bedeutungen. —αιρόομαι, οῦμαι, (αἶρα) in Lolch oder Trespe verwandelt werden oder übergehn. —αίρω, f. αρῶ, das verstärkte αἴρω, erheben, hoch halten oder tragen: heraustragen: neutr. wie αἴρω aufbrechen, παντὶ τῷ στρατεύματι, Polyb: vom Vogel sich erheben, in die Höhe fliegen. Diod. Sic. 2. —αίσιος, ὁ, ἡ, (S. αἶσα) übermassig, unmassig, ausser dem Loosse, Schicksale oder Maasse der Billigkeit; daher übermässig, sehr gross; 2) ungewohnlich, ὄμβροι ἐξαίσιοι Xen. Oecon. 5, 18. 3) von unglücklicher Bedeutung. S. ἐναίσιμος. 4) unbillig, ungerecht, οὔτε τινὰ ῥέξας ἐξαίσιον. Odyss. 4. —αΐσσω, f. ξω, heraus, hervorspringen. —αϊστόω, das verstärkte ἀϊστόω. Aeschyl. Pr. 668. —αιτέω, ῶ, heraus- abfordern, verlangen; med. sich einen ausbitten, seine Freylassung, Begnadigung erbitten. Xen. an. 1, 13. vorz. ausgeliefert haben wollen, als einen Ueberläufer, einen Sklaven zur Tortur; davon —αίτησις, εως, ἡ, das Herausfordern, die Fürbitte; das Fordern, dass einer ausgeliefert oder überliefert werden solle. —αιτος, ὁ, ἡ, vorzüglich, s. v. a. ἐξαίρετος. —αίφνης, Adv. s. v. a. ἐξαπίνης u. αἴφνης, plötzlich, unvermuthet, von neuem. — αιφνίδιος, ὁ, ἡ, s. v. a. αἰφνίδιος. —ακανθίζω, gleichsam entdornen, von Dornen reinigen; die Dornen und Disteln ausreissen u. sie sammeln: Cic. ad Attic. 6. 6. —ακανθόω, ῶ, gleichsam verdornen, dornicht oder stachlicht machen. —ακέομαι, οῦμαι, ganz heilen, ausbessern, wieder gut machen, aussöhnen, abhelfen, ersetzen: Cyrop. 8, 2, 22. davon —άκεσις, εως, ἡ, gänzliche Heilung. —ακεστήριος, ὁ, ἡ, zum heilen- gut machen- aussohnen-. (θυσία Dionys. Antiq. 5, 54) geschickt.

'Ἐξάκις, Adv. sechsmal; davon —κισμύριοι, ιαι, ια, 60,000. —κισχίλιοι, ιαι, ια, 6000 —κισχιλιοστὸς, ἡ, ὸν, 6000ster. —άκλινος, ὁ, ἡ, (κλίνη) mit 6 Tischen oder Bettlagern.

'Ἐξακμάζω, verblühen, Blüthe u. Kraft verlieren: Schol. Soph. Aj. 601 ὁ καιρὸς ἐξ. die rechte Zeit ist vorbey.

'Ἐξάκνημος, ὁ, ἡ, (κνήμη) mit 6 Speichen.

'Ἐξακολουθέω, ῶ, folgen, nachfolgen, nachspähen, nachgehen, aufsuchen; davon —ακολούθησις, εως, ἡ, das Folgen, Nachspüren, Aufsuchen. —ακονάω, ῶ, das verstärkte ἀκονάω. —ακοντίζω, eigentl. den Wurfspiess herauswerfen, überh. herauswerfen od. schleudern; dav. —ακόντισμα, ατος, τὸ, das herausgeworfene, ausgeworfene, fortgeschleuderte. —ακοντισμὸς, ὁ, das Herauswerfen oder schleudern.

'Ἐξακόσιοι, ιαι, ια, 600. davon —κοσιοστὸς, ἡ, ὸν, 600ster.

'Ἐξάκουστος, ὁ, ἡ, gehört, vernommen; zu hören oder vernehmen, hörbar, vernehmlich; von —ακούω, von aussen oder von ferne hören, es hören können; vernehmen, verstehen, erhören. —ακριβάζω oder ἐξακριβόω, mit Genauigkeit oder Sorgfalt machen, vollenden, vollkommen erfüllen, wie ἀπακρ. u. διακριβόω. Die erste Form, wie ἀκριβάζω, ungewohnlicher, bey Liban. u. den LXX erforschen, genau untersuchen.

Ἐξακρίζω, πτεροῖς αἰθέρα, Eur. Or. 377 ſt. εἰς ἄκρον αἰθέρα ἐλθεῖν.

Ἐξάκυκλος, ὁ, ἡ, ſechsrädrig, mit 6 Zirkeln. —άκωλος, ὁ, ἡ, (κῶλον) ſechsgliedrig.

Ἐξαλαόω, ῶ, f. ώσω, (ἀλαὸς) blenden, blind machen, Ody. 9, 504. —αλαπάζω. S. ἐκλαπάζω, räumen, räumen laſſen, z. B. eine Stadt, deren Bewohner man ausziehen heiſst, um andern Platz zu machen, Ody. 4. 176. ausräumen, plündern, Xen. An. 7, 1. 29, mithin zerſtören, Il. 1, 129. —αλδαίνω, ſ. v. a. ἐκβλαστάνω, aufkeimen. Heſych. —αλεαίνω, ſ. v. a. ἐξαλέομαι. Heſych. —αλέασθαι ſt. ἐξαλέασθαι. —άλειπτρον, τὸ, Salbenbüchſe: Pollux 10, 46, Ariſtoph. Ach. 1063. —αλείφω, f. ψω, dav. perf. paſſ. ἐξήλιμμαι, attiſch ἐξαλήλιμμαι, ich wiſche ab, wiſche aus; ſtreiche aus; metaph. ich hebe auf, vertilge, vernichte, wie *oblittero*. 2) bey Herodot. 7, 69. ſ. v. a. ἀλείφω, ich beſtreiche, ſalbe, ſchmiere ein. —άλειψις, εως, ἡ, das Ab- Ver- Auswiſchen oder löſchen. —αλέομαι u. ἐξαλεύομαι, ausweichen, vermeiden, entkommen. —αληθίζω ſ. v. a. ἀληθίζω: Proclus Etymol. M. —αλίζω Ariſtoph. Nub. 32. ἄπαγε τὸν ἵππον ἐξαλίσας οἴκαδε, führe das Pferd auf den Wälzplatz (in die Schwemme nach unſerer Art) und von da nach Hauſe. Vergl. Xen. Oecon. 2, 18. Bey Hippocr. ἡ κοιλία ἐξαλίζοιτ' ἂν καθ' ἡμέραν, erklärt Galen ἐκκενοῖτο ausleeren, wie συναλίζειν zuſammenbringen; aber andere Handſch. leſen ἐξαγγίζοιτο in demſelben Sinne. —αλίπτης, ου, ὁ, ſt. ἐξαλείπτης, Be- Anſtreicher: Galeni Gloſſ. —αλίστρα, ἡ, ſ. v. a. ἀλινδήθρα.

Ἐξάλιτρος, ὁ, ἡ, (λίτρα) ſechspfündig.

Ἐξαλίω. ἐξαλίζω, ſ. v. a. ἐξαλίζω.

Ἐξαλλαγὴ, ἡ, und ἐξάλλαξις, ἡ, Verwechſelung, Umtauſchung, Veränderung. —αλλάγματα, τὰ, Parthenius c. 26. ſcheint Preiſse, Geſchenke zu bedeuten. —αλλάσσω, und ἐξαλλάττω, f. ξω, ich verändre durchaus; hat übrigens auch die Bedeutung von ἀλλάσσω. Soph. Aj. 474 κακοῖσιν ὅστις μηδὲν ἐξαλλάσσεται, der von Feigen nicht verſchieden iſt; ἐξηλλαγμένος, verändert, fremd, ſonderbar, abweichend u. dergleich. ἐξαλλάττω δεῦρο ἀπὸ τῆς νεώς, Philoſtr. heroiſ. praef. ich komme von, aus dem Schiffe hieher. —αλλοιόω, (ἀλλοῖος) anders machen, verändern. —άλλομαι, heraus- hervor- weg- aufſpringen: abſpringen. —αλλος, ὁ, ἡ, Adv. ἐξάλλως, ſ. v. a. διάφορος, unterſchieden, verſchieden, ausgezeichnet, vorzüglich, ausgeſucht: Polyb. u. die LXX. —αλλοτριόω, ῶ, f. ώσω, veräuſsern, auswärts verkaufen. Strabo 5, p. 330. —αλμα, ατος, τὸ, der Sprung heraus oder in die Höhe. —αλος, ὁ, ἡ, (ἅλς) auſser dem Meere; aus dem Meere, Waſſer ſtehend, hervorragend. —αλσις, εως, ἡ, der Sprung heraus: Herausſpringen. —αλύσκω, ſ. v. a. ἐξαλέομαι und ἐξαλεύομαι. —αλφέω, und ἐξάλφω, ſ. v. a. ἄλφω ἐκ, bey Heſych. welcher es durch εὑρίσκω und ἐκτιμάω erklärt. —αμαρτάνω, verfehlen, act. zu Fehlern, Sünden verleiten: 4 Reg. 10. ἐπειδὰν ἐνσκιῤῥινθῇ τε καὶ ἐξαμαρτηθῇ τὰ νοσήματα Xen. Equ. 4, 2. wenn die Krankheiten vernachläſſiget werden und einwurzeln. —αμαρτία, ἡ, Verfehlung z. B. ſeines Wunſches, ſeiner Hoffnung, das Fehlſchlagen: Soph. Antig. 564. —αμαυρόω, ῶ, fut. ώσω, ganz verdunkeln oder ſchwächen. Plutar. 9 p. 182. —αμάω, ῶ, f. ήσω, heraushohlen; βρύκουσα σου τοὺς πλεύμονας καὶ τ' ἄντερ' ἐξαμήσω, Ariſtoph. Lyſ. 367. nach Suidas ἐξανύσω, ἐξοίσω. Heſych. hat ἐξαμοῦν, ἐκθερίζειν, da ſonſt ἐξαμάω, gewöhnlich iſt, fur aus- abſchneiden; γένους ἅπαντος ῥίζαν ἐξημημένος, Soph. Aj. 1778. d. i. ἐκτεθερισμένος, ἀφῃρημένος: Pauſan. 8, 7. ahmte dies nach ἔμελλεν ὁ δαίμων καὶ τὸ γένος τὸ Κασσάνδρου κακῶς ἐξαμήσειν, wie *exſcindere genus*. —αμβλίσκω, eine Fehlgeburt od. frühzeitige Geburt verurſachen, machen; metaph. machen, daſs etwas fehlſchlägt. —αμβλόω, ῶ, und ἐξαμβλώσκω ſ. v. a. das vorberg. auch ſ. v. a. ἀμβλύνω, doch zw. —αμβλύνω, ganz ſtumpf od. ſchwach machen, entkräften. —άμβλωμα, ατος, τὸ, das zu früh geborne: Fehlgeburt; von ἐξαμβλόω; wovon auch —άμβλωσις, ἡ, das zu früh Gebähren oder Fehlgebähren, Abortiren. —αμβλώσκω, f. βλώσω, ſ. v. a. ἐξαμβλίσκω. neutr. Aelian. h. a. ἐξαμβλώσῃ αὐτοῖς ἡ σπουδὴ, ſt. fehlſchlagen. —αμβρόσαι, bey Aeſchyl. Eum. 928. wird *affluere* überſetzt, als wenn ἐξαμβρῦσαι für ἐξαναβρῦσαι ſtünde. zw. —αμείβω, f. ψω, ich vertauſche, verwandle, verändere aus einem Orte, Geſtalt in die andre; 2) ich gehe aus einem Orte: ἐξαμείψει χωρὶς ὀμμάτων ἐμῶν, Eur. Or. 274. aus meinen Augen geht; 3) ſ. v. a. ἀμείβω, ich vergelte; davon —άμειψις, εως, ἡ, die Vertauſchung, Veränderung, Verwandlung aus einem Orte- Geſtalt u. dergl. 2) die Vergeltung. —αμέλγω, fut. ξω, ausmelken, ausſaugen. —αμελέω, ῶ, das verſtärkte ἀμελέω.

Ἐξάμετρος, ὁ, ἡ, (μέτρον) aus ſechs Versmaaſsen oder Füſsen beſtehend, Hexameter. —μηνιαῖος, α, ον, 6 Monate dauernd, auch ſ. v. a. —μηνος.

'Εξαμηνόβιος, ὁ, ἡ, 6 Monate lebend. Aristot. h. a. —μηνος, ὁ, ἡ, (μὴν) v. 6 Monaten.

'Εξαμηχανάω, fut. ήσω, Eur. Heracl. 496. d. i. ἐξαμηχάνων εὑρίσκω, *expedio*, aus der Noth, Verlegenheit helfen, befreyen: ausfinden. —αμιλλάομαι, ῶμαι, (ἅμιλλα) Eur. Or. 433. γῆς, ich treibe aus dem Lande. v. 38 Φόβῳ, s. v. a. ἐκφοβέω. —αμμα, τὸ, (ἐξάπτω) Themist. or. 10 pag. 166. wird *ansa* übers. ein Seil, woran man sich hält. Bey Plutar. 9 p. 773. ἐξ πυρὸς, Entzündung.

'Εξαμναῖος, αία, αῖον, od. ἐξάμνους, ὁ, ἡ, (μνᾶ) 6 Minen schwer oder werth. —άμορος, ὁ, ἡ, s. v. a. ἐξάμοιρος, (μοῖρα) zum sechsten Theile. Nicand. Ther. 594. wie ἰσόμορος, τετράμορος.

'Εξαμπρεύω, f. σω, ich ziehe-winde heraus. S. ἄμπρον. —αμύνομαι, vertreiben, abhalten, νόσους, Aeschyli Pro. 481. —αμυστίσαι. S. ἐκμυστίζω. —αμφοτερίζω, fut. ίσω, τὸν λόγον Plato Euthyd. p. 65. beruht auf einem Wortspiele wegen des vorhergehend. καὶ ἀμφότεραι, zweydeutig machen. —αναγινώσκω, aus- oder durchlesen: Plutar. Cato Utic. c. 68. —αναγκάζω, f. άσω, πληγαῖς ἀργίαν, mit Gewalt und Schlägen vertreiben: Xen. Mem. 2, 1, 16. —ανάγω, f. ξω, heraus und hinauf führen: med. aus- und abfahren zu Schiffe. —ανάδυμι, ἐξαναδύνω, ἐξαναδύω, heraus-hervor- und emporkommen: med. τῆς μάχης, Plut. der Schlacht ausweichen, das Treffen vermeiden. —αναζέω, ῶ, f. έσω, heraus und aufkochen oder brausen; χόλον, Aeschyl. Prom. 370. in Zorn aufbrausen und ausbrechen. —αναιρέω, heraus- und aufnehmen: Eur. Jon 269. —ανακαλύπτω, f. ψω, aufdecken: Schol. Arist. Nub. 3. —ανακολυμβάω, ῶ, f. ήσω, heraus und in die Höhe schwimmen. —ανακρούω, f. ούσω, zurückschlagen: med. zurückgehn, wie ἀνακρ. Plutar. 9 pag. 422. —αναλίσκω, und ἐξαναλόω, ich verzehre, verbrauche durch Ausgabe, gebe aus; auch von Personen; ἐξανηλωμένοι ἐν τῷ πολέμῳ καὶ ἀπόρως διακείμενοι, Aeschin. erschöpft durch die Ausgaben des Krieges, wie Thucydid. δαπανᾷν πόλιν braucht. —αναλύω, ganz losen oder auflösen. Philo. —ανάλωσις, ἡ, (ἐξαναλίσκω) das verstärkte ἀνάλωσις. Plutar. 2 p. 455. —ανανεόω, ῶ, f. ώσω, erneuern. zw. —ἀνανήφω, fut. ψω, wiederum ganz nüchtern oder zu Verstande kommen. zw. —αναπείθω, f. σω, ganz überreden, bereden. Athenaei p. 597. —αναπληρόω, ῶ, f. ώσω, ganz anfüllen. zw. —αναπνέω, fut. εύσω, aufathmen, zu Athem kommen, sich erholen. Plato. Soph. 19. —ανάπτω, f. ψω, (ἀνάπτω) ich hänge etwas auf, so dass es von der Sache herabhängt; im Medio ἐξανάψῃ δύσκλειαν, Eur. Or. 826. wirst dir Schande zuziehn; 2) wieder anzünden: Plut. 9. p. 13. —αναρπάζω, fut. σω, heraus und wegreissen. —ανασπάω, ῶ, heraus und in die Höhe oder wegziehn. —ανάστασις, εως, ἡ, (ἐξανίστημι) das Aufstehnheissen, Versetzung, Vertreibung, Zerstörung: neutr. das Weggehn, Auswandern; Aufstand, Widerstand. —αναστέφω, f. ψω, s. v. a. ἀναστέφω: Eur. Bach. 1052. —αναστρέφω, f. ψω, ἱδρύματα δαιμόνων ἐξανέστραπται βάθρων, Aeschyli Pers. 813. von den Postementen herunterwerfen und umkehren. —ανατέλλω, f. ελῶ, heraus-hervorgehn lassen; θόρυβον, erwecken: Plutar. med. heraus- und hervorgehn, aufgehn. —αναφανδὸν, Adv. s. v. a. ἀναφ. zw. —αναφέρω, sich erholen, eigentl. von einer Krankheit, und s. v. a. ἀναφέρειν. Bey Plutar. Otho 9 δοκεῖ μηδ' αὐτὸς ἐξαναφέρειν ἔτι πρὸς τὴν ἀδηλότητα, μηδ' ὑπομένειν τοὺς περὶ τῶν δεινῶν ἐκλογισμοὺς, wo es Kräfte, Muth fassen zum ertragen bedeutet. Derselbe de vindicta p. 14. und de fortun. Alex. p. 341. —αναχωρέω, ῶ, heraus- oder hervorgehn: bey Thucyd. 4, 28 τὰ εἰρημένα, dem gegebenen Worte ausweichen; als activ. bey Herod. 6, 76. wegbringen. —αναψύχω, f. ξω, das verstärkte ἀναψ. zw. —ανδραποδίζομαι, fut. ίσομαι, ganz erobern und zu Sklaven sich machen oder als Sklaven behandeln und verkaufen; davon —ανδραπόδισις, εως, ἡ, oder ἐξανδραποδισμὸς, ὁ, das zu Sklaven machen, Behandeln und Verkaufen als Sklaven. —ανδρόομαι, οῦμαι, ganz zum Manne werden, das mannbare Alter erreichen: Aristoph. Equ. 1238 λόχος ὀδόντων ὄφεως ἐξανδρούμενος, in Männer verwandelt. Eur. —άνειμι, heraus in die Höhe gehen. —ανεμόω, aus- durchlüften. Theophr. hist. pl. 8, 10. vergl. Plin. 18, 17. 2) blähen, voll Wind machen; ἐς δρόμον ἐξηνέμωσεν ἕτερον, Aelian. h. a. 13, 11. st. *excitavit*; derselbe braucht das simpl. 11, 7. in einer seltenen Bedeutung: ὅσοι περὶ τὴν ἄγραν αὐτῶν ἠνεμῶνται, sich mit Leidenschaft beschäftigen. Metaphor. ἐξαν. bey Eurip. Hel. 32. Androm. 938. Vergl. Aristot. h. a. 7, 3. Aelian. 10, 27. —ανέργαστος, nicht verarbeitet, nicht verdauet: sehr zw. —ανέρχομαι, fut. λεύσομαι, s. v. a. ἐξάνειμι. —ανευρίσκω, f. ήσω, ganz aus- oder auffinden. —ανέχω, heraus- od. hervorstehn; med. ertragen, erdulden. Aristoph. Pac. 702.

'Εξανεψιοὶ, οἱ, zweyte Geſchwiſterkinder, deren Väter unter ſich ἀνεψιοὶ waren. —ανθέω, ῶ, aufblühen; daher von Ausſchlägen m. und ohne Farbe; überh. ausbrechen, hervorkommen; act. hervor- heraustreiben; überh. hervorbringen; vom verriechenden Weine, *quod florem amittit*, Plutar. 8. in διαιρόω; davon —άνθημα, ατος, τὸ, das aufgeblühete, die Blüthe; ein Ausſchlag in hitzigen Krankheiten, fleckicht, blattricht oder ſchwärend. —άνθησις, εως, ἡ, das Aufblühen, Ausſchlagen, Hervorbrechen; die ausbrechende Blüthe, der Ausſchlag. S. ἐξανθέω. —ανθίζω, f. ίσω, bunt färben: ποικίλας βαφὰς ἐξ. b. Suidas ἐξηνθισμένοι, Ariſtoph. Lyſiſtr. 43. geſchminkt oder mit bunten Kleidern angethan; ἐπὶ πλεῖστον ἐξανθίζεται τοῦ λειμῶνος, Plut. Q. S. 4, 1. pflückt Blumen ab. —άνθισμα, ατος, τὸ, ſ. v. a. ἐξάνθημα, herausblühende od. hervorbrechende Beule, Geſchwür. —ανθισμὸς, ὁ, das Ausblühen- Hervorbrechen der Beule. —ανθρακόω, zu Kohlen brennen. Etym. M. und Photius Lexic. führen aus Jon an: πυθμένα εὔκηλον δρυὸς ἐξανθρακώσας, d. i. εὐκέατον od. εὔκαυστον. —ανθρωπίζω, menſchlich machen: Plutar. 8 p. 301 ſagt, Sokrates ἐξηνθρωπίσαντος φιλοσοφίαν ἀτυφίᾳ καὶ ἀφελείᾳ: wo falſch —ήσαντος ſtand; τὰ θεῖα Idem 5 pag. 420. dem Menſchen näher bringen od. machen; σιτία ἐξηνθρωπισμένα, der Natur des Menſchen angemeſſen: Hippocr. ἄνθρωπος, ὁ, ἡ, unmenſchlich: zum Unmenſchen oder wild machend. —ανίημι, f. ανήσω, heraus- hervor- entlaſſen, loslaſſen, von ſich geben, nachlaſſen. Eur. Iphig. Aul. 372. Andr. 718. braucht ἐξανήσω u. med. ἐξανήσομαι activ. ἐξανίη ἄτα, neutr. Soph. Phil. 705. nachlaſſen, wiq *remittere*; herausgehn: Apoll. 4. 292. —ανίστημι, u. ἐξανιστάω, heraus- hervorgehn heiſſen; heraus oder wegtreiben; ver- wegführen; aufſtehn- weggehn heiſsen: im aor. 2. u. medio heraus- hervorgehn oder kommen; fort oder weggehn aus einem Orte. —ανίσχω, ſ. v. a. ἐξανέχω, von der Sonne aufgehn; davon —ανοίγω, f. ξω, eröfnen; davon —άνοιξις, εως, ἡ, Eröfnung. —ανορθόω, ῶ, f. ώσω, ganz aufrichten, wiederherſtellen; Eur. Alc. 1138. —άντης, ὁ, ἡ, (ἔξω τῆς ἄτης) auſser Schaden- Gefahr, Krankheit; alſo geneſen, geſund, geheilt, unverſehrt: ἐξάντη ποιεῖν, durch Schröpfen reinigen. Dio Orat. 4. Euſeb. Praep. 4. 16. —αντίπλευρος, ὁ, ἡ, Piſides bey Schol. Lycophr. 1467 ἐξαντιπλ. καταδρόμων ſ. Les. ſt. ἐξ ἀντιπ. —αντλέω, ῶ, aus- erſchöpfen; mit Mühe erdulden oder vollenden, *exantlare*. —ανύω, f. ύσω, oder attiſch ἐξανύτω, vollenden, vollbringen: τινὰ, wie *conficere aliquem*, einen tödten. —απαείρω, weg od. forttragen: Philox. Athenaei 4. p. 147.

'Εξαπάλαιστος, ἐξαπάλαστος, ὁ, ἡ, (παλαιστὴ) von 6 Spannen.

'Εξαπαλλάττομαι, davon- daraus ſich entfernen, weggehn, davon kommen. —απατάω, ῶ, f. ήσω, das verſt. ἀπατάω. —απάτη, ἡ, ſ. v. a. ἀπάτη, Verführung, Betrug; wie ἐξαπάτημα, τὸ, ſ. v. a. ἀπάτημα: Etymol. M. —απατητικὸς, ἡ, ὸν, zum Betruge oder betrügen gehörig oder geſchickt; täuſchend. —απατίσκω. S. ἀφίσκω. —απαφάω, ῶ, f. ήσω, ἐξαπαφίσκω, ἐξαπάφω, poet. ſ. v. a. ἐξαπατάω; als aor. 2. ἐξαπαφὼν Eur. Jon 705. In Heſiod. Theog. haben für ἐξαπαφίσκω andere Ausgaben —ατίσκω. Bey Ariſtoph. findet ſich das komiſche ἐξαπατύλλω, wie ein Dimin. von ἐξαπατάω.

'Εξάπεδος, ὁ, ἡ, von ſechs Fuſs; wie ἑκατόμπεδος: Herodot. —πεζος, ὁ, ἡ, (πέζα) mit ſechs Füſsen.

'Εξαπείδω, in der Ferne ſtehen und erkennen: Soph. Oed. Col. 1648. —πελαύνω, ſ. v. a. ἀπελ. Plutarch. 4 p. 21. zweif.

'Εξαπέλεκυς, εως, ὁ, ἡ, mit ſechs Aexten, dem ſechs Aexte vorgetragen werden, ein Praetor. Polyb. —πηχυς, ὁ, ἡ, von ſechs Ellen, Ellbogen: Herodot. 2.

'Εξάπινα, Adv. od. ἐξαπίνης, ſ. v. a. ἐξαίφνης jon. u. gelind ausgeſprochen. —πιναιος, αία, αιον, od. ἐξαπιναῖος, αία, αῖον, Adv. ἐξαπιναίως, ſ. v. a. wie ἐξαιφνίδιος.

'Εξαπλάσιος, ία, ιον, u. —σίων, ονος, ὁ, ἡ, ſechsfach. —πλεθρος, ὁ, ἡ, ſechs πλέθρα lang. —πλευρος, ὁ, ἡ, (πλευρὰ) mit ſechs Seiten oder Ribben. —πλῆ, Adverb. ſechsfach, ſechsfältig; eigentl. —λῆ von ἑξαπλόος. —ήσιος, jon. ſt. —άσιος. —πλόος, όη, όον, contr. ἐξαπλοῦς, ῆ, οῦν, ſechsfältig, ſechsfach.

'Εξαπλόω, ῶ, f. ώσω, entfalten; davon —άπλωσις, εως, ἡ, Entfaltung, Entwickelung. —αποβαίνω, —βάω und —βημι, herabſteigen.

'Εξαπόδης, ου, ὁ, oder ἐξάποδος und ἐξάπους, οδος, ὁ, ἡ, (ποῦς) mit oder von ſechs Füſsen.

'Εξαποδίω, ἐξαποδίομαι, ſ. v. a. ἐξαποδιώκω, herausjagen, vertreiben: Il. 5. 763. —αποδύνω, δύω, f. δύσω, ausziehen. —απόλλυμι, ἐξαπολλύω, das verſtärkte ἀπόλλυμι. —απονέομαι, daraus davon zurückkommen. —απονίζω, aus oder abwaſchen. —αποξύνω, ganz ſpitzig oder ſcharf machen: Eur. Cycl. 454. —αποπατέω, ſ. v. a. ἀποπ. Hippocr. de morbis 4. —απορέω, ῶ, u. ἐξαπορέομαι, οῦμαι, das verſtärkte ἀπορέω u. ἀπορέομαι.

'Εξαποστέλλω, heraus und fort oder verſchicken, herausſenden; davon — αποστολὴ, ἡ, das Heraus- und Wegſchicken. — αποτίνω, das verſtärkte ἀποτίνω.

'Εξάπους, οδος, ὁ, ἡ, ſ. v. a. ἐξαπόδης.

'Εξαποφαίνω, das verſtärkte ἀποφ. Lucian. Diſſ. c. Heſ. — αποφθείρω, das verſtärkte ἀποφθείρω.

'Εξάπρυμνος, ἡ, (πρύμνα) mit ſechs Hintertheilen der Schiffe oder ſechs Schiffen: Lycophr. 1346. — πτέρυγος, ὁ, ἡ, (πτέρυξ) mit ſechs Flügeln.

'Εξάπτω, daran knüpfen oder hängen, med. ἐξάπτομαι, ſich anhängen, verfolgen, angreifen. S. auch ἐνάπτω. — άπτω f. ψω, anbrennen, anzünden. — απωθέω, f. ώσω, heraus und wegſtoſsen, vertreiben: Eur. Rh. 811.

'Εξάπωλος, ὁ, ἡ, von oder mit ſechs Füllen oder Roſſen.

'Εξάραγμα, ατος, τὸ, (ἐξαράσσω) herausgeſchlagener oder zerbrochener Theil, Knochen, Stück, Splitter: Galeni Gloſſ. — αραιόω, f. ώσω, das verſt. ἀραιόω. — αράομαι, ῶμαι, f. ἐσωμαι, τὸν ναὸν, den Tempel durch das gewöhnliche Gebet, ἀραῖ, einweihen: Aeſchin. c. Ctéſiph. — αράττω, f. ξω, aus- herausſchlagen oder ſchmeiſsen: aufbrechen, zerbrechen; übergetr. τινὰ αἰσχροῖς, Ariſtoph. einen ſchändlich ausmachen. — άργματα, τὰ, (ἐξάρχω) bey Apollon. Rhod. 4, 477. ſ. v. a. ἀκρωτηριάσματα u. μασχαλίσματα. — αργυρίζω, u. ἐξαργυρόω (bey Herodot. 17, 86) οὐσίαν στρωμνὴν, ſeine Haabe, Tiſchdecken zu Gelde machen, verkaufen, verſetzen, verſilbern. Bey Polyb. 32, 22. ἐξαργυρίσασθαί τινα, einen ſeines Geldes berauben, ums Geld bringen. — αρεσκεύομαι und ἐξαρέσκομαι, τοῖς θεοῖς, ich erwerbe mir die Gunſt der Götter, durch Opfer; ich opfere: Xen. Oec. 5, 3 u. 19, ἐξαρέσκεσθαι δώροις ἢ δι' ἄλλης ὁμιλίας τινὰ, Demoſth. p. 1396. einen gewinnen, für ſich einnehmen. — αρθρέω, ῶ, ἐξάρθρημα, τὸ, u. ἐξάρθρησις, ἡ, ſ. v. a. ἐξαρθρόω, ἐξάρθρωμα, ἐξάρθρωσις bey Galen. — αρθρος, ὁ, ἡ, (ἄρθρον) ausgerenkt; 2) mit vorſtehenden Gelenken, wie ἐξόφθαλμος. — αρθρόω, ῶ, f. ώσω, (ἄρθρον) ausgliedern, ausrenken, verrenken; dav. — άρθρωμα, ατος, τὸ, das ausgerenkte Glied, Verrenkung. — αριθμέω, ῶ, (ἀριθμὸς) ich zähle her; 2) ich zahle aus: Demoſth. *enumero*; dav. — αρίθμησις, ἡ, die Aufzahlung, Herzahlung, *enumeratio*: Auszahlung.

'Εξάριθμος, ὁ, ἡ, ſechszählig, d. i. ſechsfach.

'Εξαρκέω, ῶ, f. έσω, hinreichen, zureichen; 2) ausrichten: Xen. Mem. 2, 4, 7. — αρκὴς, έος, ὁ, ἡ, hinreichend, zulänglich. — αρκούντως, Adv. vom Part. ἐξαρκῶν, hinreichend, genügſam. — αρμα, ατος, τὸ, (ἐξαίρω) Erhebung, Erhöhung: Höhe, Geſchwulſt. — αρμόζω, f. όσω, aus den Fugen bringen, ausfugen: Philoſtr. Icon. 2, 4. ὁ τροχὸς ἐξήρμοσται. — αρνέομαι, οῦμαι, ich läugne, verläugne; ſchlage aus, verweigere; verſage; davon — άρνησις, εως, ἡ, das Läugnen, Verläugnen, Abſchlagen; davon — αρνητικὸς, ἡ, ὸν, verneinend, verläugnend, abſchlagend. — αρνος, ὁ, ἡ, läugnend, verläugnend. — αρπάζω, f. σω, d. i. ἁρπάζω ἐξ, entreiſſen, entrücken: Il. 21, 597. — αρσις, εως, ἡ, (ἐξαίρω) das Er- Aufheben; Erhebung. — αρτάω, ῶ, f. ήσω, daran knüpfen- befeſtigen, hängen; anknüpfen, an- aufhängen; erheben; med. von ſich abhängig machen, an ſich knüpfen, ſich verbindlich machen; an ſich feſſeln, einnehmen: dav. — αρτηδὸν, Adv. von ἐξαρτάω hängend: Heſych. — άρτημα, ατος, τὸ, das daran gehängte- geknüpfte: Anhang: Hermogenes. — άρτησις, εως, ἡ, (ἐξαρτάω) das daranknüpfen oder hängen; das Anhängen, Aufhängen; die Verbindung eines daran hängenden Körpers oder Theils. — αρτίζω, f. ίσω, (ἄρτιος) vollkommen machen, ganz vollenden: Act. 21, 5. ganz zu Stande bringen, zubereiten, rüſten 2 Tim. 3, 17. bey Arrian. Peripl. Eryth. wird es mit und ohne πλοῖα vom ausrüſten und befrachten der Schiffe geſagt, daher ἐξαρτισμὸς die Fracht, Ladung p. 8 u. 11. davon — άρτισις, εως, ἡ, u. ἐξαρτισμὸς, ὁ, Vollendung: Zubereitung. S. d. vorberg. — άρτυσις, εως, ἡ, Rüſtung, Zubereitung; von — αρτύω, rüſten, zubereiten. — άρυσις, εως, ἡ, das Ausſchöpfen; von — αρύω, f. ύσω, heraus- weg- ausſchöpfen; ausdrücken: Hippocr. — αρχος, ὁ, ἡ, Anfänger, der andern etwas vormacht und das Beyſpiel giebt; Urheber, Erſter, Vorzüglichſter, wie *auctor, princeps*. — άρχω, u. ἐξάρχομαι, ich hebe an, fange an, τινὶ ᾠδὴν einem vorſingen. Auch m. d. Genit. εἰδ' ἔμ' ὧδ' ἀεὶ λόγοις ἐξῆρχες Soph. El. 557. wenn du deine Rede gegen mich immer ſo anhübſt.

'Εξᾶς, αντος, ὁ, d. lat. *ſextans* bey den Sicilienſern. Pollux 4, 174. 9, 81.

'Εξὰς, άδος, ἡ, die ſechſte Zahl, Sechſe; der Sechſer.

'Εξασθενέω, ῶ, das verſtärke ἀσθενέω, ohne Kraft- ohnmächtig ſeyn. — ασθενίζω, f. ισῶ, ganz entkräften oder ſchwächen. — ασκέω, ῶ, ich übe einen bis zu Ende, damit er vollkommen die Sache lerne: auch von der

Sache; 2) ſ. v. a. ἀσκέω. ich übe; 3) ich ſchmücke aus, ziere, rüſte aus; oder ich mache fertig. S. ἀσκέω.

'Ἑξαστάδιος, ὁ, ἡ, (στάδιον) von ſechs Stadien. —αστερον, τὸ, (ἄστρον) Sechsgeſtirn, gewöhnlich die Pleiaden. Euſtath. —αστις, ἡ, bey Hippocr. κατ' ἰητρεῖον ſteht: ὀθόνια κοῦφα, λεπτὰ μὴ ἔχοντα συῤῥαφὰς μηδ' ἐξέστιας, wobey Galen. ſagt: τὰς καλουμένας ἐξεστίας, ἅιτινες ἐν τοῖς ὑφαινομένοις συμβαίνουσι: Im Gloſſ. erklärt er ἐξεστίας durch die vorſtehenden Faſern, τὰ προὔχοντα, an zerriſſener od. auch ganzer Leinewand, auch d. ἀπὸ τῶν ῥακῶν τὰς κρόκας. Undeutlicher iſt die Erklärung des Erotian: ἐξάστις, αἱ ἐμφερόμεναι τοῖς ἐπιδέσμοις κατὰ τὰς ἕλικας κρόκαι. Galen. ſagt in Chirurg. vet. Cochii p. 63. bey Erklärung der Hippocr. Stelle ὡς μὴ τι ὑπάρχειν ἐξέχον ἢ καὶ παχὺ, καθάπερ ἐπὶ τῶν παρυφασμάτων γίνεται. Im Commentar über ἰητρ. ſagt er: τὰς καλουμένας ἐξαστίας, ἅιτινες ἐν τοῖς ὑφαινομένοις ἐνιότε μεν ἐξεπέτηδες ἐνιότε δὲ ἀκουσίως γίνονται, προμήκεις ἐξοχαὶ, ποτὲ μὲν αὐτῆς τῆς κρόκης, ἐστὶ δέ ὅτε καὶ τῆς πορφύρας, ἀλλὰ καὶ κατὰ τὰς καλουμένας παρυφὰς ἐκοῦσαι τοῦτο πράττουσι διὰ παντὸς αἱ γυναῖκες. Pollux 7, 53 hat ἐν τοῖς χιτῶσι πορφυραῖ ῥάβδοι πάρυφοι καλοῦνται, alſo ſcheint er nicht die πορφύρας von παρύφαι zu unterſcheiden, wie Galen. Heliodor im Chirurg. vet. p. 102 nennt die vorſtehenden Enden der umgeſchlagenen Charpiefäden: τῶν ἄκρων ἐξάντεις oder ἐξάστεις, alſo ſind es umgeſchlagene und vorſtehende Fäden im Gewebe, entweder um Troddeln zu machen, oder wie beym Sammet und ähnlichen Zeugen, eine wollige Oberfläche zu bilden, oder aus Verſehn. Scheint von ἐξάζω, wie διάζω, δίασμα zu kommen.

Ἑξάστιχος, ὁ, ἡ, mit- aus ſechs Zeilen- Reihen- Verſen.

Ἑξαστράπτω, f. ψω, herausblitzen, heraus- hervorſtrahlen.

Ἑξάστυλος, ὁ, ἡ, mit ſechs Säulen.

Ἑξασφαλίζομαι, das verſtärkte ἀσφ. Joſeph Strabo. —ατιμάζω, f. άσω, das verſt. ἀτιμάζω: Soph. Oed. C. 1442. —ατιμάω, ῶ, f. ώσω, das verſtärkte ἀτιμάω; zweif. —ατμιάω, ſ. v. a. d. folgd. Hippocr. d. Morbis 4 p. 507. —ατμίζω, f. ίσω, (ἀτμίς) ausdunſten, ausdampfen laſſen; neutr. ausdunſten, ausdampfen. —ατονέω, ῶ, das verſt. ἀτονέω. —άττω, ich ſpringe- hüpfe heraus, hervor. S. ἄττω. —αναίνω, f. ανῶ, ſ. v. a. ἐξαύω. —αυγὴς, ὁ, ἡ, glänzend, weiſs: Eur. Rhes. 304. —αυδάω, ῶ, f. ήσω, ausſprechen, ausreden: Il. 1, 363. —αυθαδιάζομαι, f. άσομαι, das verſt. αὐθαδ: Joſeph. Antiq. 15, 10, 4. —αῦθις, ſ. v. a. ἐξαῦτις. —αυλέω, ῶ, ausblaſen. S. in παρεξαυλέω. Pollux 4, 67 u. 73. —αυλίζομαι, f. ίσομαι, ausziehen; herausgehn, aufbrechen: Xen. Anab. 7, 8, 21. bey Lucian ver. hiſt. 1. haben die Handſchriften ἐξοπλισάμενοι ſt. ἐξαυλισάμενοι. —αυλος, ὁ, ἡ, ausgeblaſen: Pollux 4, 67 u. 72. —αύξω, das verſt. αὔξω; ſehr zweif. —αυτῆς, (ὥρας) darnach, darauf, hernach; eigentl. von Stunde an. —αῦτις, ἐξαῦθις, Adv. ſ. v. a. d. vorh. wird auch wiederum, abermals, von neuern überſ. S. αὖθις, αὖτις. —αυτομολέω, ῶ, ſ. v. a. αὐτομολέω. Ariſtoph. —αυχενισμὸς, ὁ, (ἐξαυχενίζομαι) Widerſpenſtigkeit, Halsſtarrigkeit: Hieronym. in Nahum 3. —αυχέω, ῶ, ſ. v. a. ἐξεύχομαι, Soph. Antig. 390. Phil. 883. wo man es auch meinen, glauben erklärt. —αυχμόω, ῶ, (αὐχμὸς) verbrennen, vertrocknen, austrocknen.

'Ἑξαύω, ich zünde an, brate, röſte. S. ἄυω, dürre machen, trocknen, austrocknen.

'Ἑξαύω, wovon ἐξαῦσαι, ἐξελεῖν herausholen, u. ἐξαυστὴρ ſ. v. a. κρεάγρα, ein Inſtrument, das Fleiſch aus dem Topfe zu hohlen: Pollux 6, 88. und Heſych. das Etym. M. führt dazu Aeſchylus an. Eben daher iſt αὐστὴρ, μέτρου ὄνομα. —αφάζων, bey Heſych. ἐξ ἑαυτοῦ γιγνόμενος καὶ περιβλέπων, iſt ſ. v. a. ἀλλοφάσσω, ἀλλοφάζω, ἀλλοφράζω, ἀλλοφρονέω, u. ſo wie einige ἀλλοφάσσειν v. φάσκειν ἄλλο, andere von φάη, die Augen ſchnell umher bewegen, περιβλέπειν erklärten. Scheint aus Hippocr. zu ſeyn. —αφαιρέω, ῶ, ἀνθρώπους εἰς ἐλευθερίαν ἐξαφελέσθαι, verſt. ἐκ δουλείας, *vindicare in libertatem*, in Freyheit ſetzen. Demoſth. —αφανίζω, f. ίσω, das verſt. ἀφανίζω. —αφίημι, f. ήσω, daraus- herauslaſſen oder entlaſſen; heraus und von ſich geben. —αφίσταμαι, heraus oder davon treten, abtreten, abſtehen, abgehn: Soph. Oed. col. 587.

'Ἑξαφόροι, οἱ, ſechs Träger, die etwas zuſammen tragen: Vitruv. 10, 8. —φορον, τὸ, eine Sänfte, welche ſechs Männer tragen, Martial 2, 81, 1.

'Ἑξαφρίζω, f. ίσω, ich bringe zum ſchäumen, ſchäume ab, *deſpumo*: Aeſchyl. Ag. 1075. davon —φρισμὸς, ὁ, das in Schaum verwandeln: Clemens Paedag. 1 p. 122. —φρόω, ich verwandle in Schaum: Clemens Paedag. 1 p. 126. —φύω, fut. ύσω, ausſchöpfen: Odyſſ. 14, 95.

'Ἑξάχειρ, ειρος, ὁ, ἡ, ſechshändig. —χῶς, ἑξαχῶς, Adverb. ſechsmal, ſechsfach. —χοίνικος, ὁ, ἡ, von ſechs Choenices. Pollux 4, 168.

'Εξάχοος, contr. ἑξάχους, ὁ, ἡ, (χοῦς) von fechs Maafsen. —χῶς, auf fechsfache Art: Euftath.

'Εξάψις, εως, ἡ, (ἐξάπτω) das Anftecken, Anzunden, Entzündung.

'Εξεγγυάω, ῶ, f. ήσω, ich befreye einen durch Gewährleiftung für ihn; ἐξεγγυάομαι heifst es von dem, der folche Bürgfchaft für fich ftellt, um aus Gefangenfchaft u. dergl. zu kommen; davon —εγγύησις, εως, ἡ, auch ἐξεγγύη bey Ifaeus, die Gewährfchaft, Burgfchaft, die man leiftet um einen zu befreyen, auch jede Burgfchaft. S. ἐγγύη. —εγείρω, f. ερῶ, aufwecken, erweken; med. aufwachen, aufftehen; davon —έγερσις, εως, ἡ, das Er- Aufweecken; paff. das Aufwachen, Aufftehen. —έγρω, und ἐξέγρομαι, f. v. a. ἐξεγείρω u. f. w. —εδαφίζω, f. ίσω, (ἔδαφος) von Grund aus zerftoren: Orac. Sibyll. —έδρα, ἡ, (ἕδρα) *exedra*, eine Gallerie, bedeckter Gang vor dem Haufe, wo man fitzen kann. Eur. Or. 1458. davon —έδριον, τὸ, Dimin. d. vorh. —εδρος, ὁ, ἡ, (ἕδρα) von feinem Sitze, Wohnfitze entfernt; überh. f. v. a. fremd. —έδω, *exedo*, ausfreffen, aufzehren, verzehren. —ειδέναι, ἐξοιδα; ἐξειδῆσαι, ἐξῄδη ft. ἐξῄδεα, ich wufte: Soph. Ant. 460. Plut. Q. S. 1, 4. wie ᾔδη ft. ᾔδεα, von εἴδω, εἴδημι, οἶδα.

'Εξείης, poet. ft. ἑξῆς, hinter jemanden, nach der Reihe.

'Εξεικάζω, f. άσω, d. verft. εἰκάζω, ganz ähnlich machen; ἐξεικάζουσιν αὐτοὺς ταῖς τῶν φιλούντων ὑπουργίαις. Xenoph. Hier. 1, 38. ahmen nach. —εικονίζω, f. ίσω, abbilden, kopiren; bey Plutar. virt. moral. p. 750. ἐξεικονίζει, was p. 693 εἰκόνι ἐνδείκνυται heifst, mit einem Bilde andeuten, figürlich fagen. —ειλέω, ῶ, heraus oder entwickeln, entfalten; davon —είλησις, εως, ἡ, das Herauswickeln- Entwickeln oder Entfalten. —είλλω, (εἴλω, εἰλέω, ἴλλω) herauswickeln- wälzen- winden, herausbringen. ἐὰν τις ἐξείλλῃ τινὰ ἐκ τῆς ἐργασίας, wenn einer einen aus feinem Baue im Bergwerke treibt, verdrängt. Demofth. —ειμι, herausgehn, ausgehn, aus dem Haufe, ins Feld oder zu Felde gehn. —εῖπον, ἐξειπεῖν (ἐξέπω) wie *effari*, ausfprechen, laut nennen; verkündigen, bekannt machen, auch f. v. a. εἰπεῖν. Demofth. p. 540. ἡμᾶς ῥητὰ καὶ ἄῤῥητα κακὰ ἐξεῖπον. —ειργασμένως, wie Adv. vom Perf. Paff. v. ἐξεργάζομαι, ausgearbeitet, vollkommen, genau. —είργω, f. ξω, (ἔργω, εἴργω) jonifch ἐξέργω, ich fchliefse aus; ich verbiete. Bey Herodot. ἀναγκαίῃ ἐξέργομαι, ich werde gezwungen 7. 139. u. 96. —ειρύω, f. υσω, jon. ft. ἐξερύω. —είρω, *exfero*, herausftrecken, herausziehen, z. B. τὴν γλῶτταν: Ariftoph. Equ. 378. —ειρωνεύομαι, verfpotten, verlachen, Jofeph. Antiq. 15, 3, 6. für Spott, Spafs auslegen, Jofeph. ant. 15, 7, 4. —εκκλησιάζω, f. άσω, bey Thucyd. 8, 93. Xenoph. Hell. 5, 3, 16. in Demofth. p. 577. heifst die Volksverfammlung an einem ungewöhnlichen Orte halten, oder zu einer Zeit, die nicht die rechte oder gewöhnliche ift. —ελαιόω, ῶ, f. ώσω, ich verwandele in Oel: τὰ κάρυα χρονιζόμενα ἐξελαιοῦται, alte Nüffe werden öhlicht: Theophr. ἐξελαιοῦν τὸ ὑγρὸν die wäfsrige Feuchtigkeit in eine öhlichte verwandeln, derfelbe. —ελασία, ἡ, und ἐξέλασις, ἡ, das Heraus oder Austreiben, das Ausreiten, Ausfahren, Ausgehn, Ausmarfchiren; Ausmarfch, Ausbruch; Zug; Feldzug, Aufbruch; von —ελαύνω, f. ἐξελάσω, attifch ἐξελῶ, p. ἐξελήλακα, heraustreiben oder jagen, vertreiben; mit verftandenen ἵππον, ἅρμα, πόδα, στρατὸν, herausreiten- fahren- gehn und marfchiren, ausgehn- reiten- ausfahren, ausmarfchiren, aufbrechen, ausziehn; τὸν ἀργύρον, Athenaei 6 p. 230. das Silber treiben, mit dem Hammer dünne arbeiten. —ελέγχω, f. ξω, das verftärkte ἐλέγχω, ausfragen, ausforfchen; überfuhren u. f. w. vorzügl. ἐλπίδα u. τύχην bey Polyb. verfuchen. —ελευθερικὸς, ὁ, eines Freygelaffenen Sohn od. Abkömmling, wie *libertinus* von *libertus*: νόμοι ἐξ. die Freygelaffenen betreffend oder daran gehörig; von —ελεύθερος, ὁ, ἡ, Freygelaffener, *libertus*. —ελευθεροστομέω, ῶ, f. v. a. ἐλευθ. Soph. Aj. 1275. —ελευθερόω, ῶ, f. ώσω, davon- daraus befreyen; den Sclaven freylaffen: Dio Caff. —ελεύθω, davon die tempora ἐξήλυθα, ἐξήλυθον, ἐξῆλθα, ἐξῆλθον, ἐξελθεῖν zu ἐξέρχομαι. S. ἐλεύθω; davon —έλευσις, εως, ἡ, Ausgang, fonft ἔξοδος. —ελιγμὸς, ὁ, (ἐξελίσσω) Entwickelung, Entfaltung, Ausdehnung der Schlachtordnung, Evolution. —έλικτος, ὁ, ἡ, (ἐξελίσσω) entwickelt, entfaltet; zu entwickeln oder entfalten. —ελίκτρα, ἡ, (ἐξελίσσω) bey Hero Spirit. 1 p. 220. die Winde, um welche das Seil fich auf und abwindet, nachdem man fie dreht. S. 67. Mathem. vet. fteht auch ἐξέλικτρον ξύλινον. —έλιξις, εως, ἡ, f. v. a. ἐξελιγμὸς. —ελίσσω, u. ἐξελίττω, f. ξω, ich wickle aus- auseinander; im Kriege das franz. *déployer*, lat. *fubducere*. οὕτω δὲ τῶν συνεχῶν τοῖς τελευταίοις καθ' ὑπαγωγὴν ἐξελιττομένων Plutar. Aemil. was Livius 44 B. fagt: *ex poftrema acie triarios primos fubducit, deinde prin-*

οἶμαι, *postremo hastatos*: wenn man von hinten die Reihen vorrücken läſst und in die Fronte ſtellt.

Ἐξελκόω, ῶ, f. ώσω, verwunden; τὸ σῶμα ἐξελκοῦται, bricht in Geſchwüre oder Wunden auf: Joſeph Antiq. 2, 14, 3. —ελκυσμὸς, ὁ, das Herausziehen; von —ελκύω, f. ύσω, oder ἐξέλκω, herausziehen. —έλκωσις, ἡ, (ἐξελκόω) das verwunden u. verurſachen v. Geſchwüren; Diod. Sic. —ελληνίζω, f. ίσω, ganz vergriechiſchen, griechiſch machen an Sprache und Sitten. —ελλοβορίζω τὸν νοῦν, bey Ariſtotel. Poet. 14. ſcheint reinigen mit- durch Nieswurz zu bedeuten. —εμέω, ῶ, f. έσω, aus- wegſpeien. —έμμορε. S. ἔμμορε. —εμπεδόω, ῶ, f. ώσω, bey Xenoph. Cyr. das verſtärkte ἐμπεδόω: bey Heſych. λύω τὰ ἔμπεδα. —εμπολάω, ῶ, f. ήσω, oder ἐξεμπολέω, ich verkaufe, verbandle. Soph. Ant. 1036. ganz verkaufen, Dionyſ. Antiq. 3, 46. —εναίρω, und ἐξεναρίζω, das verſtärkte ἐναρίζω und ἐναίρω: aor. 2. ἐξείναρον, von der Form ἐξενάρω: Heſiod. Scut. 329. —ενέγκω, u. ἐξενείκω, ſ. v. a. ἐκφέρω. —ενέπω, ſ. v. a. ἐξέπω, herausſagen. —ενεχυριάζω, f. άσω, ſ. v. a. ἐνεχυρ. Diog. Laert. Menip. —έννυμι, (ἕνω) ausziehen. —εντερίζω, f. ίσω, (ἔντερα) das Innere, die Eingeweide herausnehmen. —επάδω, f. άσω, das verſt. ἐπάδω, ich bezwinge durch einen Zaubergeſang: Soph. Oed. Col. 1194. Plutar. 7 p. 508. —επαίρω, das verſtärkte ἐπαίρω erheben: erregen, antreiben, bewegen; Ariſtoph. Lyſ. 623. —επερείδω bey Polyb. 16, 11. wahrſch. ſt. ἐξυπερ. —επεύχομαι, f. ξομαι, ſ. v. a. ἐπεύχ. Soph. Phil. 668. —επιπολῆς, ſ. v. a. ἐπιπολῆς. Lucian Pſeudoſoph. ſagt es müſſe ἐκ τῆς ἐπιπολῆς heiſſen. —επίσταμαι, das verſt. ἐπίσταμαι. —επισφραγίζω, f. ίσω, ſ. v. a. ἐπισφ. Athenaei p. 608. C. —επίτηδες Adv. ſ. v. a. ἐπίτ. —έπω, ausſagen, ausplaudern; davon aor. ἐξεῖπον. —εράζω. S. ἐξεράω. Bey Polyb. 8, 8 ἐξεραίνω, aber zw. —έραμα, und ἐξέρασμα, τὸ, was man von ſich gegeben- geſpien hat; von —εράω, ῶ, f. άσω, u. ἐξεράζω, ich gebe von mir entweder durch Speien oder durch den Stuhlgang: ich werfe aus, werfe fort; leere aus; das Stammwort ἐράω, ἐράζω leitet man von ἔρα, die Erde, ab; alſo auf die Erde- an die Erde- herauswerfen. Von demſelben ἐράω kommt ἐρύω, ἐρύγω, ἐρυγὴ, ἐρυγγάνω, ferner ἐρεύγω, ἐρεύγομαι. Alſo bedeutet ἐξεράω ſ. v. a. ἐξερεύγω, ich gebe von mir, ſpeie aus, breche aus, leere aus. 2) τοὺς λίθους ἐξεράσατε, Ariſtoph. Acharn. 341. werft die Steine weg. ἐξέρασω τὰς ψήφους, derſ. Veſp. 993. ich will die Stimmſteine herausnehmen, herauswerfen und zählen. Syneſius ſagt auch ἀπὸ κιβωτίων ἐξεράσαι βιβλίον, ein Buch aus dem Kaſten nehmen. ἐξέρα τὸ ὕδωρ, gieſs das Waſſer aus: Demoſth. p. 963. —εργάζομαι, f. άσομαι, ich arbeite aus, vollbringe, vollende; 2) ἀγρὸν ich bebaue ein Land, mache es urbar, *excolo*. 3) ſ. v. a. ἐργάζομαι, ich mache, *efficio, reddo*. 4) ich erarbeite, verdiene. 5) ich verderbe, ſtürze ins Unglück: Herodot 4, 134. 5, 19. μή μ' ἐξεργάσῃ, mache mich nicht unglücklich, Eurip. Hipp. 607. Hel. 1104. ἐξειργάσμεθα, wir ſind verloren. Derſelbe. —εργασία, ἡ, Ausarbeitung, Vollendung. —εργαστικὸς, ἡ, ὸν, zum ausarbeiten oder vollenden gehörig oder geſchickt. —έργω, jon. ſ. v. a. ἐξείργω: Herodot. —ερεείνω, ausfragen, ausforſchen, aufſuchen, durchſuchen: Ody. 12, 259. —ερεθίζω, f. ίσω, das verſtärkte ἐρεθίζω: Pindar. —ερείδω, f. είσω, ſ. v. a. d. ſimplex: Lucian Tragop. 55. und Polyb. —ερείπω, das verſtärkte ἐρείπω. —έρεισις, εως, ἡ, das Stützen, Anſtützen, Stemmen: Polyb. —ερέομαι, ſ. v. a. ἐξερεείνω. —έρευγμα, ατος, τὸ, das Ausgeſpieene, Ausgegoſſene, Ausfluſs; von —ερεύγω, aor. 2. ἐξήρυγον, *eructo*, ausſpeien, ausgieſsen, ergieſsen; med. ſich ergieſsen. —ερευνάω, ῶ, f. ήσω, ſ. v. a. ἐξερεείνω, aufſuchen, ausfragen, ausſpüren; davon —ερεύνησις, εως, ἡ, das Aufſuchen, Ausfragen, Nachforſchen. —ερευνητὴς, οῦ, ὁ, Ausforſcher. —ερευνητικὸς, ἡ, ὸν, zum ausforſchen gehörig oder geſchickt. —έρευξις, εως, ἡ, (ἐξερεύγω) das Ausſpeyen, Ausgieſsen, Ergieſsen. —ερέω, ῶ, ſ. v. a. ἐξερεείνω, aufſuchen, ausforſchen. —ερημόω, ῶ, das verſtärkte ἐρημόω, verwüſten.

Ἐξερίζω, Plut. Pomp. 56 beym Streite beharren. —εριθεύομαι, drückt die vollendete Handlung v. ἐριθεύομαι aus. —ερινάζω, f. άσω, von ἐρινάζω, welches das künſtliche zeitigen- reifen der Feigen durch anhängen der wilden Feigen bedeutet: ἐρινὸς ἀχρεῖος ὢν ἐς βρῶσιν ἄλλους ἐξερινάζεις λόγῳ, du biſt ſelbſt eine unesbare wilde Feige und willſt andere durch reden reifen, d. i. du biſt ſelbſt ohne Klugheit und willſt andere klug machen; Soph. Athenaei p. 26. —εριστὴς, οῦ, ὁ, Eur. Suppl. 894. das verſtärkte ἐριστής. —ερμηνεύω, ſ. v. a. ἑρμην. Dionyſ. hal. —έρομαι, ich frage aus, ich frage. ἀνάξιον φωτὸς ἐξερήσομαι, Soph. Phil. 439. ich will nach einem unwürdigen Menſchen fragen. —ερπύζω, f. σω, und ἐξέρπω, heraus- hervorkriechen, hervorgehn, hervorkommen; act. hervorkommen laſſen, hervorbringen.

Ἐξέῤῥω, heraus- fort- weggehn, mit der in ἀνέῤῥω bemerkten Nebenbedeutung. —έῤῥωσις, ἡ, bey Hippocr. falſch ſt. ἐξέρησις, Ausleerung. —ερυθριάω, f. άσω, ich bin ſehr roth: Hippocr. nat. mul. p. 566. —έρυθρος, ὁ, ἡ, ſehr roth. —ερύω, f. ύσω, herausziehen. —έρχομαι, (welches von ἐξελεύθω einige tempora annimmt) ich gehe heraus, fort; m. d. Genit. ſelten m. d. Accuſ. wie bey Herodot. 2) wie *evenire, exire*, vom Ausgange der Zeit. der Sachen, Herodot. 6, 108. ἐξεληλυθέναι τὴν ὄψιν, der Traum ſey nun ausgegangen, in Erfüllung gegangen. —ερωάω, (ἐρωάω) ἐξερώησε κελεύθου, gieng, wich aus dem Wege: Theocr. 25, 189 u. Il. ψ. 468. —ερωτάω, f. ήσω, ich frage aus. Pindar. —εσθίω, ich eſſe aus. —εσία, ἡ, u. ἔξεσις, ἡ, (ἐξίημι) die Fortſchickung, Abſchickung: bey Herodot. 5, 40. ἔξεσις, die Entlaſſung der Frau aus der Ehe. ἐξεσίαν ἐλθεῖν verſtanden ὁδοὶ wie Odyſſ. 21, 20. abgeſchickt werden, als Geſandter. —εστι, (ἔξειμι) es iſt erlaubt, davon ἐξὸν, das partic. neutr. da es erlaubt iſt oder war. —εστις, ἡ. S. ἐξαστις. —εστραμμένως, Adv. von ἐκστρέφω, auf die Art eines ἐξεστραμμένος, der umgekehrt, herausgekehrt iſt, auf eine fremde- neue Art. —ετάζω, f. άσω, (ἐτὸς, ἐτάζω) ich prüfe, unterſuche, ob es ächt- wahr- gut ſey; ich erforſche die Wahrheit durch Fragen und Foltern, daher examiniren, ausfragen, ausforſchen, auch vergleichen mit andern, um die Wahrheit auszuforſchen, daher vergleichen, ſchätzen, auch muſtern, vorzügl. die Kavallerie. 2) das geprüfte- erforſchte- verglichene billigen, mitzählen, aufſtellen; daher ἐξετάζεσθαι, ſich zur Prüfung- Muſterung darſtellen; überhaupt gegenwärtig ſeyn, ſich zeigen, ſich darſtellen und beweiſen. καὶ λέγων καὶ γράφων ἐξηταζόμην τὰ δέοντα, man fand immer, daſs ich ſprach und ſchrieb, was meine Pflicht war: Demoſth. ἐξετάζεσθαι φιλοτιμούμενον καὶ προθυμούμενον εἰς ἃ δεῖ, ſich beweiſen, zeigen, als einen u. ſ. w. ἐξὸν αὐτῷ μετὰ τῶν μηδένα ἠδικηκότων ἐξετάζεσθαι, unter die gerechten gezählt zu werden, ſich darzu zu halten: τῶν ἐχθρῶν τῶν σῶν εἷς ἐξητάζετο, befand ſich als einer deiner Feinde. οὐδαμοῦ τῶν συγχαιρόντων τῷ δήμῳ ἐξητάσθη, man ſah ihn nie mit dem Volke ſich freuen. ἐξητάσθης τούτων οὐδενὸς πώποτε κατήγορος, haſt dich nie als Ankläger von einem dieſer gezeigt. πρὸς τὸν ἄρχοντα οὐδέπω καὶ τήμερον ἐξήτασται, Demoſth. p. 980. bey dem

Dionys. Antiq. 1, 79. hängend an der Mutter.

'Εξέψω, f. ψήσω, ich koche aus; verdaue.

'Εξηβος, ὁ, ἡ, (ἥβη) der aus den Jünglingsjahren ausgewachsen ist. S. ἐξέφηβος. —ηγέομαι, οῦμαι, m. d. Genit. f. v. a. ἡγέομαι, ich gehe voran, führe, leite worinne. τῆς ὁδοῦ τινὶ: so Cyrop. 2, 1, 29. ἐξηγεῖτο τῆς πράξεως, zeigte er ihnen indem er selbst sie that und den Anfang machte. 2) m. d. accus. ich erzähle erkläre; zeige an, rathe. Bey Thuc. 6, 85. τους ξυμμάχους ἐξηγούμεθα wir behandeln und beherrschen unsere Unterthanen und Bundsgenossen; davon —ηγημα, ατος, τὸ, das erklärte- erzählte oder gezeigte. —ηγησις, εως, ἡ, Anführung, Anleitung, Erklärung, Erzählung, Deutung. —ηγητὴς, οῦ, ὁ, der anführt, leitet, erklärt, erläutert, deutet, der Rath und Anweisung giebt, Ausleger, Deuter. —ηγητικὸς, ἡ, ὸν, zum anleiten- anführen- erklären- erzählen- deuten gehörig od. geschickt. —ηγορία, ἡ, (ἀγορέω) das Erzählen, Preisen, Rühmen. Job. c. 33, 26.

'Εξήκοντα, οἱ, αἱ, τὰ, sechzig: ἐξηκοντάκις od. —κι, Adv. sechzigmal; man zählt fort indem man δύο, τρεῖς, τέσσαρες, πέντε u. s. w. hinzusetzt. —κονταέτης, εος, ὁ, ἡ, oder ἐξηκοντούτης, ὁ, ἡ, (ἔτος) sechzigjährig. So werden mit ἐξήκοντα mehrere Worte gemacht als ἐξηκοντάπηχυς, ὁ, ἡ, ἐξηκοντασταδιος, ὁ, ἡ. —ταλάντειος u. s. w. von 60 Ellen, Stadien, Talenten. —κοσταῖος, am sechzigsten Tage. —κοστὸς, ἡ, ὸν, sechzigster.

'Εξηκριβωμένως, Adv. vom partic. perf. pass. v. ἐξακριβόω, sehr genau od. sorgfältig. —ήκω, aus- weg- vergehen; meist von der Zeit gebräuchlich, und hat die Bedeutung eines perfecti im praesens; also ὁ χρόνος ἐξήκει die Zeit ist zu Ende oder vorbey.

'Εξήλατος, ὁ, ἡ, ἀσπὶδα Il. 12, 295. wo andere ἐξήλατον lesen und ἓξ πτύχας ἔχουσαν aus sechs Lagen bestehend erklären. ἐξήλ. ist bloss geschmiedet, mit dem Hammer ausgearbeitet. —ηλιάζω, f. άσω, aussonnen oder der Sonne aussetzen, an der Sonne trocknen: Suid. erklärt es auch d. καίω brennen, anzünden; bey den LXX gewöhnlich. —ηλιόω, Plut. de facie lunae p. 648. ἀὴρ ἐξηλιοῦται wird erhellet. —ηλλαγμένως, Adv. partic. perf. pass. ἐξαλλάσσω auf eine veränderte oder fremde Art. —ήλυσις, εως, ἡ, (ἐξελεύθω) Ausgang, das Weggehn.

'Εξῆμαρ, Adv. sechs Tage lang. —μαρτημένως, Adverb. vom partic. perf. pass. v. ἐξαμαρτάνω, irrig, fehlerhaft. —μερόω, ῶ, und davon ἐξημέρωσις, ἡ, das verst. ἡμερόω, ἡμέρωσις. —μοιβὸς, ἡ, ὸν, (ἐξαμείβω) zum wechseln, als εἵματα: Hom. Od. 8, 249. —νιος, ὁ, ἡ, (ἡνία) zügellos: Plut. Garrul. p. 31. —πειρόω, das verstärkte ἠπειρόω. —περοπεύω, f. εύσω, bey Aristoph. hänseln, täuschen, betrügen. S. ἠπεροπεύω. —πιαλόω, in das Fieber ἠπίαλος verwandeln; Hippocr. κρισ. c. 3.

'Εξήρης, εος, ὁ, ἡ, (ἐρέω, ἐρέσσω) sechsrudrig, mit sechs Reihen Ruderbänken; davon ἐξηρικὸς, πλοῖον, sechsrudriges Schiff: Polyb.

'Εξῆς, Adverb. in der Reihe, hintereinander; nächstdem, darnach, dem gemäss. Ist von ἔχω, ἕξω, s. v. a. ἐχομένως. —ητασμένως, Adv. vom partic. perf. pass. ἐξετάζω, genau, sorgfältig. —ητριάζω, f. άσω, (ἐξ, ἠτριον) ich schlage, seige durch ein dünnes, feines Tuch, Beutel. Hippocr. —ηττάομαι, ῶμαι, das verstärkte ἡττάομαι. —ηχέω, ῶ, austönen: ἐξηχεῖται, wird draussen gehört; bey den Neuern für ἠχέω Polyb. tonen.

'Εξιάομαι, ῶμαι, f. άσομαι, ausheilen, gänzlich heilen. —ιδιάζομαι, f. άσομαι, (ἴδιος) sich zueignen, sich eigen oder zu seinem Freunde machen; dav. —ιδιασμὸς, ὁ, Zueignung, Anmassung.

'Εξίδιον, τὸ, dim. von ἕξις: Etym. M.

'Εξιδιόομαι, οῦμαι, s. v. a. ἐξιδιάζομαι: Xen. —διοποιέομαι, s. v. a. d. vorh. Diodor. Sic. —διοποίησις, εως, ἡ, s. v. a. ἐξιδιασμὸς. —δίω, f. ίσω, u. ἐξιδρόω, ausschwitzen: im Scherze bey Aristoph. Av. s. v. a. dünne kacken, welches Dio Cass. 44, 8 nachgeahmt hat.

'Εξιδρύω, f. ύσω, Soph. Oed. Col. 11. στῆσόν με κἀξίδρυσον: d. i. ἐκ τῆς ὁδοιπορίας στῆσον με, lass mich nach dem Marsche Gange stehn und ausruhn. —ιερόω, ῶ, weihen, widmen: Hesych. —ίημι, herausschicken- werfen oder lassen; wegnehmen- wegbringen; neutr. herausgehen, auslaufen, von Flüssen sich ergiessen: Polyb.

'Εξίθμη, ἡ, Ausgang, wie εἴσιθμη, Eingang Hesych. —ιθύνω, f. νῶ, das verstärkte ἰθύνω, leiten, lenken. —ικετεύω, f. εύσω, das verst. ἱκετεύω. Sophocl. —ικμάζω, f. άσω, (ἰκμὰς) u. ἐξικμαίνω, Geopon. 5, 52, 2. ich sauge aus: 2) ich trockne aus. Bey Eur. Andr. 405. οὐκ ἐξικμάζω καὶ λογίζομαι; zweif. m. d. genit fast s. v. a. ἐφικνέομαι. —ικνέομαι, οῦμαι, hingelangen, hinkommen: erreichen, erlangen: vollenden, vollbringen: neutr. hinreichen. —ίκω, s. v. a. ἐξήκω: bey Sophocl. wie evenio, sich ereignen, zutragen nach der Prophezeiung.

'Εξίλασις, εως, ἡ, Verſöhnung, Ausſöhnung, von —ιλάσκομαι, f. άσομαι, einen ſich geneigt machen; verſöhnen, ausſöhnen. —ίλασμα, ατος, τὸ, Verſöhnungsmittel, Sühnopfer, Löſegeld. —ιλασμὸς, ὁ, ſ. v. a. ἐξίλασις. —ιλαστήριος, ὁ, ἡ, zum ver- oder ausſöhnen gehörig od. geſchickt. —ιλεόω, ich mache geneigt, ſöhne aus, verſöhne in med. mir, mit mir, für mich; davon —ιλέωμα, τὸ, ſ. v. a. ἐξίλασμα und ἀποτροπίασμα: bey den Grammatik. —ίλλειν, ſ. ἐξείλλω. —ιμάω, ῶ, f. ήσω, herauswinden oder ziehn. —ινιάζω, (ἴς, ἶνες, fibra) ἐγκεφάλους ἐξινιασθέντας bey Athenae. p. 406 was Apicius 4, 2 cerebella enervata nennt, woraus man die Faſern genommen hat. —ινόω, ῶ, das latein. exinanire, ausleeren, wie ὑπέρινος: Pollux 4, 178 u. 179. —ιουθίζω, τρίχα, ich bringe ein Haar hervor. S. ἴουθος. —ιπόω, ῶ, (ἰπόω) ich drucke aus, drücke ſehr: Ariſtoph. Lyſiſtr. 291 τὸν ὦμον ἐξιπώκατον, wo andere ἐξεπιώκατον leſen. —ιππάζομαι, f. άσομαι u. ἐξιππεύω, aus- wegreiten.

•Εξιππος, ὁ, ἡ, von oder mit ſechs Pferden.

'Εξίπταμαι, f. ἐκπτήσομαι, heraus- wegfliegen; das med. von ἐξίπτημι. —ιπωτικὸς, ἡ, ὸν, (ἐξιπόω) gut oder ſtark ausdrückend.

•Εξις, εως, ἡ, (v. ἔχω εὖ, κακῶς) eine gewiſſe Beſchaffenheit, Zuſtand, Lage; Leidenſchaft der Seele; bey Diodor Fertigkeit, wie ἑκτικὸς und ἑκτικῶς.

'Εξισάζω, f. άσω, gleich, eben machen; ausgleichen. —ίσης, (μοίρας) od. neutr. ἐξ ἴσου (μέτρου) zu gleichen Theilen, gleich. —ισονομέω, ſ. v. a. ἰσονομέω, aus Phavor. Lexico. —ισος, η, ον, ſ. v. a. ἴσος, Hippocr. —ισοτιμία, ἡ, ſ. v. a. ἰσοτιμία: ſehr zw. —ισόω, ῶ, ſ. v. a. ἐξισάζω.

'Εξιστάνω, ἐξιστάω u. ἐξίστημι, ich ſtelle weg, bringe von der Stelle; ταῦτα κινεῖ, ταῦτα ἐξίστησιν ἀνθρώπους ἑαυτῶν, bringt die Menſchen auſser ſich: Demoſth. ἐξίσταμαι ich gehe vom Wege ab; aus dem Wege; ἐκστὰς τῆς ὀρθῆς καὶ δικαίας ὁδοῦ, derſ. ἐξειστήκει τῶν ἑαυτοῦ δι᾽ ἀπορίαν, ceſſerat bonis, ſ. v. a. ἀπώλετο ἐκεῖνος καὶ τῶν ὄντων ἐξέστη, er machte Bankerot: Demoſth. πάντων τῶν πεπραγμένων ἐκστάντα, derſ. p. 363. läugnen, und thun als hätte mans nicht gethan. ἐξίσταμαι τινὶ, ich gehe einem aus dem Wege; metaph. ich weiche ihm, ſtehe ihm nach. ἐξίσταμαι ὁδῶν, Xenoph. Symp. 4, 31. M. d. Accuſ. οὐδένα κίνδυνον ἐξέστησαν, haben keine Gefahr geſcheuet: Demoſth. p. 460 ἐξέστηκα τὰ τοιαῦτα p. 891, ich vermeide dergleichen. ἐν ᾧ πολλοὶ καὶ τῶν παλαι-

Ἐξοδία, ἡ, der Aus- Weggang: Ausmarsch: Expedition. —οδιάζω, ausgeben, verwenden; davon —οδίασις, εως, ἡ, das Ausgeben, Verwenden. —οδιασμὸς, ὁ, die Ausgabe, Aufwand: bey Polyb. 23, 6. s. v. a. ἐξοδία, kriegerische Expedition, Feldzug. —οδικὸς, ἡ, ὸν, zum Ausgange gehörig; das Adv. —κῶς wird beyläufig übersetzt; zweif. —όδιον, τὸ, (ἔξοδος) der Ausgang, τραγικὸν δράματος, Plutarch. Alex. 75 der tragische Ausgang eines Stücks; 2) ein Lied beym Ausgange des Chors gespielt oder gesungen; 3) ein Nachspiel nach einer Tragödie, eine Atellane oder Mimus, wie bey uns Oper oder Ballet nach Tragödien Plut. Crass. 33. —όδιος, ὁ, ἡ, zum Ausgange, des Chors vorzüglich, gehörig. —οδοιπορέω ich wandere- gehe aus- heraus. —οδος, ἡ, Ausgang, Ausmarsch, Auszug; Expedition oder Zug, Feldzug; Ausbruch, Ausfall; 2) Ausgang des Lebens, Tod; 3) des Geldes, d. i. Ausgabe, davon ἐξοδιάζω; 4) als Adjekt. ἔξοδος den Ausgang befördernd. Aretaeus. —οδυνάω, das verstärkte ὀδυνάω: Eur. Cycl. 656. —όζω, riechen; darnach riechen; zw.

Ἐξόθεν wie Adv. st. ἐξ οὗ χρόνου, Nicand. Ther. 317. —οίγω, f. ξω, öfnen, eröfnen; Hippocr. —οιδαίνω od. ἐξοιδέω, aus- anschwellen. —οιδίσκω, ich mache aufschwellen. —οικειόω, das verstärkte οἰκειόω. —οικέω, ῶ, aus seinem Hause- seiner Heimat gehen, ausziehen, auswandern. Bey Thucyd. 2, 17 s. v. a. bewohnen; davon —οικήσιμος, ὁ, ἡ, Soph. Col. 27 st. οἰκήσιμος. —οίκησις, εως, ἡ, das Ausziehn; Auswanderung. —οικία, ἡ, Polyaen. 4, 2, 12. wahrsch. verderbte Les. —οικίζω, aus dem Hause bringen; passiv. ausziehn: Dionys. Ant. 5, 77 πόλεις ἐξοικίζειν, zerstören. —οίκισις, εως, ἡ, oder ἐξοικισμὸς, ὁ, das Wegführen- Versetzen- Vertreiben aus dem Hause oder dem Vaterlande.

Ἐξοικιστὴς, δαίμων, (ἐξοικίζω) der uns aus unserm Hause wirft, und damit zerstört. —οικοδομέω, ῶ, aus- auferbauen; davon —οικοδόμησις, εως, ἡ, das Aus- Erbauen. —οικος, ὁ, ἡ, ausser dem Hause oder dem Vaterlande. —οιμώζω, aufwinseln, in Klagen ausbrechen: Soph. —οινέω bey Pollux 6, 21 wo falsch ἐξοινίσαι gedruckt steht, trunken seyn; aber bey Paul. Aeg. 1 c. 23 den Rausch ausschlafen: κοιμώμενος ἐπὶ πλεῖστον χρόνον ὡς ἂν ἐξοινήσωσιν; davon —οίνησις, ἡ, od. ἐξοινία, Berauschung im Weine; die erstere Form Schol. Aristoph. Thesm. 742. —οινος, ὁ, ἡ, betrunken, trunken vom Weine; dav. —οινόω, trunken machen; Eur. Ba. 812. —οισὶς, εως, ἡ, (ἐξοίω) das Austragen, Ausplaudern; zw. —οιστράω, ῶ, jon. ἐξοιστρέω, in Wuth oder Zorn setzen- bringen; dasselbe ist ἐξοιστρηλατέω Plut. 10 p. 779. —οιχνέω, ῶ, oder ἐξοίχομαι, heraus- davon- weggehen. —οιωνίζω (οἰωνὸς) ἐξοιωνιζόμενος τὸν ἴδιον δαίμονα καὶ τὴν τύχην Plutarch. Demost. 21. *abominor*, etwas als von böser Vorbedeutung vermeiden. —οκέλλω, eigentl. ich führe- bringe das Schiff vom geraden Wege ab auf Felsen, Untiefen u. s. w. S. κέλλω. 2) als neutr. ich komme, gerathe vom geraden Wege ab, mit dem Schiffe, und gerathe in Gefahr; metaph. auf Abwege- in Laster fallen: εἰς κύβους καὶ κώμους ἐξοκέλλουσι, Plutarch. verfallen aufs Spielen u. Schmausen. —ολέω, wofür ἐξολλύω u. ἐξόλλυμι im Praes. gebräuchlicher; davon ἐξολέσω, Aristoph. Equit. 143. ferner ἐξολώλεκα Perfect. ἐξώλεσα Aorist. ich verderbe, rotte aus. Die Form des futuri ἐξολῶ ist eigentl. von ἐξόλλω. —ολιγωρέω, ῶ, das verstärkte ὀλιγωρέω. —ολισθαίνω, ἐξολισθέω u. ἐξολίσθω, heraus- davon- entschlüpfen- entkommen, heraus gleiten oder fallen: m. d. acc. Aristoph. Equ. 491. —ολκὴ, ἡ, (ἐξέλκω) das Herausziehen. —όλλυμι, u. ἐξολλύω. S. ἐξολέω. —ολόθρευμα, ατος, τὸ, das verheerte oder zerstörte. —ολόθρευσις, εως, ἡ, die Verheerung; Verderben. —ολοθρευτὴς, οῦ, ὁ, Verheerer, Verderber, Zerstörer; davon —ευτικὸς, zerstörend. —ολοθρεύω, verheeren. —ολολύζω, d. lat. *exululo* aufheulen: Hom. batra. 100. —ομαλίζω, das verstärkte ὁμαλίζω. —ομβρέω, ῶ, oder ἐξομβρίζω ausregnen, wie Regen ausgiessen: Sirach 1, 19 u. 10, 13. —ομήρευσις, ἡ, wenn man sich der Treue eines andern durch Geiseln (ὅμηρος) versichert; von —ομηρεύω, τινὰ, ich versichere mich von jemandes Treue durch Geiseln; metaph. δούλους τεκνοποιΐαις ἐξ. sich der Treue der Sklaven durch Erlaubung der Ehe und Kinderzeugung versichern. —ομιλέω, bey Eurip. Iph. aul. 735. ἐξομιλεῖσθαι ἐν ὄχλῳ, sich ausser seiner Gesellschaft, seines gleichen unter dem grossen Haufen befinden. Vergl. Cycl. 318. 2) bey Plutarch. Praec. Polit. ἐξομιλεῖν τινα, durch Reden besänftigen- gut machen; überh. durch Reden und Umgang einen vermögen- wozu bringen: Polyb. 7, 4. für ὁμιλεῖν schlechtweg, Xen. Ages. 2, 4. —όμιλος, ὁ, ἡ, ξένων βάσις Sophocl. Tr. 964 fremd, der nicht von derselben Gesellschaft- Haufen ist. —ομματόω, ῶ, sehend machen: Aristoph. Plut. 635 u. Aeliani h. an. 2) entaugen, blenden, blind machen: häufig in Nicetae Annal. welcher auch das Stammwort ἐξόμματος, ὁ, ἡ, geblendet, blind hat.

Ἐξομμάτωσις, εως, ἡ, Pollux 2, 48. das Hellmachen, Klarmachen der Augen; das Entaugen, Blenden. — όμνυμι, ἐξόμνυμαι, fut. 2. ἐξομοῦμαι, aor. 1. ἐξωμοσάμην, abschwören; schwörend verneinen, durch einen Schwur sich wovon losmachen; ausweichen; weigern, verweigern, entschuldigen. —ομόθεν, Adv. f. v. a. ὁμόθεν, eben daher oder davon, Ody. 5, 477. —ομοιόω, verähnlichen, ganz ähnlich machen; davon —ομοίωσις, εως, ἡ, Verähnlichung, Abbildung; das ganz ähnlich machen. — ομολογέω, ῶ, und ἐξομολογέομαι, οῦμαι, gestehen, bekennen; versprechen, verbürgen: Luc. 22, 6. davon —ομολόγησις, εως, ἡ, Geständniss, Bekenntniss. —ομόργνυμι, aus-, abdrucken: med. sich abdrucken, abbilden: sich abwischen. —όμορξις, εως, ἡ, das Aus- od. Abdrucken, Abbilden, Abwischen. —όμφαλος, ὁ, ἡ, mit vorstehendem Nabel; 2) als Subst. ein Nabelbruch.

Ἐξόν, Imperf. part. praes. neutr. von ἔξειμι, ἐξών, als accus. absolut. da es erlaubt ist oder war: da man kann oder konnte. —ονειδίζω, f. ίσω, f. v. a. ἐπονειδ. beschimpfen, schmähen: davon — ονειδισμός, ὁ, Beschimpfung, Schmähung. —ονειδιστικός, ἡ, όν, schimpfend, beschimpfend: schimpflich, schmähend, schmählich. —ονειρόω, f. v. a. ἐξονειρώττω: Hippocr. morb. mul. 2 p. 664. —ονειρωγμός, ὁ, das Entgehen des Saamens im Schlafe; davon —ονειρωκτικός, ἡ, όν, dem im Schlafe der Saamen entgeht. —ονειρώττω, fut. ξω, (ὄνειρος) im Schlafe den Saamen verlieren. —ονομάζω, f. άσω, und ἐξονομαίνω, aussprechen, nennen, benennen, rufen. — —ονομακλήδην, Adv. f. v. a. ὀνομ. namentlich; Ody. 12, 250. —ονυχίζω, f. ίσω, genau untersuchen, genau machen, genau etwas nehmen. S. in ὄνυξ. —οξύνω, f. υνῶ, sauer oder zu Essig machen. —οπάζω, f. σω, bey Hesych. ἐξώπαζεν ἐξέπεμπεν; bey Pindar. Isthm. 1, 11. lasen einige ἐξώπασε st. ἐξ ὤπασε. —οπίζω, den Saft ausdrücken, entsaften: Aristot. h. a. — όπισθεν, poet. f. v. a. ἐξόπισθεν, von hinten: rückwärts, hinterwarts. — οπισθοπρωκτίζω, von dem widernatürl. Beyschlafe: Aristoph. thesm. 1124. das Wort wird einem Barbaren beygelegt. —οπίσω, Adv. rückwarts, hinterwärts; von der Zeit, hernach, in der Zukunft. —οπλίζω, f. ίσω, be-

schiessen, Saamenstengel treiben, schossen. S. ὀρμενος.

Ἐξορμέω, ῶ, wird vom Schiffe gesagt, das aus dem Hafen, *statio*, ὅρμος, gelaufen ist, in der See ist: τῆς νεὼς ἤδη περὶ τὴν ἀκτὴν ἐξορμούσης, Lycurg. ἐκ τοῦ νοῦ ἐξώρμει, Pausan. 3, 4. war unklug, wahnsinnig. —ὁρμησις, εως, ἡ, (ἐξορμάω) active, Ermunterung, Antrieb: neutr. das Ausgehn, Ausmarsch, Abgang. —ορμίζω, f. ίσω, ich bringe das Schiff aus dem ὅρμος, Haafen, in See: Demetr. Phal. 151. metaph. ich bewege heraus und fort; dav. —ορμιστὸς, ὁ, die *muraena*, μύραινα, vom oben aufschwimmen, ἐξορμίζω: Cassiodorus 12, epist. 4. —ορμος, ὁ, ἡ, (ὅρμος) aus dem Haafen oder aus der Bucht laufend, aussegelnd. —οροθύνω, das verstärkte ὀροθύνω. —ορος, ὁ, ἡ, f. v. a. ἐξόριος. —ορούω, f. ούσω, ich springe heraus, breche hervor.

Ἐξόροφος, ὁ, ἡ, (ὄροφος) mit sechs Stockwerken.

Ἐξορρίζω, (ὀῤῥὸς) ich reinige die Milch oder Käse von Molken. —ορρόω, (ὀῤῥὸς) ich mache zu- verwandle in Molken, oder Blutwasser. —ορυξις, εως, ἡ, das Ausgraben; von

Ἐξορύσσω, oder ἐξορύττω, f. ξω, ausaufgraben: χάρακα ἐξ. das Lager mit einem Graben befestigen: Dionys. ant. 9. 55. zweifelh. —ορχέομαι, οῦμαι, austanzen: nach Lucian de saltat. vorzügl. von dem ausplaudern und verrathen der mit Tanz gefeyerten Mysterien zu Eleusis gebräuchlich; daher ἀπόῤῥητα, τὰ ἀνέκπυστα ἐξ. f. v. a. ἐξαγορεύειν, Geheimnisse verrathen; Plutarch sagt ἀλήθειαν ἐξ. in dem Sinne, wie Herodot: ἀπορχεῖσθαι τὸν γάμον, die Wahrheit nicht reden: Aelian. h. a. 16, 23. braucht fast eben so πόλεμον ἐξ. den Krieg durch den Tanz endigen und die Schlacht verlieren. Herodian. 5, 5 τήν τε ἱερωσύνην τοῦ ἐπιχωρίου θεοῦ περιεργότερον ἐξωρχεῖτο, *celebravit supervacuis saltationibus*, sagt Politian. es scheint aber mehr zu bedeuten: er zeigte sich darinne öffentlich und in einem sorgfältiger gewählten Pompe. Die Bedeut. χλευάζω, ὑβρίζω, welche Hesych. angemerkt hat, findet in ἐπορχεῖσθαί τινι bey Appian. statt, wie *insultare*: da ἐξορχ. *exultare* ist. Mit der Stelle des Herodian könnte man *cubiculum principis histrio exsultaverit* Tac. Annal. 11, 28. vergleichen; aber man streitet noch über die Lesart. —όρω, f. σω, ἐξόρομαι, davon ἐξῶρτο, *excito*, ich erwecke, ich erhebe mich. S. ὄρω. —οσιόω, ῶ, f. ώσω, fast f. v. a. ἀφοσιόω. Plut. Arat. 53. Hesych erklärt es auch δικαιόω, u. das Medium ἐξοσιοῦσθαι, ὅσιος γενέσθαι. Diodor. hat ἐξοσιώσασθαι τὴν ἅλωσιν, st. entgehen. τὰ θεῖα Plutar. die göttlichen Zeichen und Vorbedeutungen abzuwarten oder zu vermeiden. —οστεΐζω, f. ίσω, entknochen, die Knochen herausnehmen, wie *exosso*. —οστρακίζω, f. ίσω, durch den *ostracismus* vertreiben - verbannen - verweisen: überh. vertreiben, verweisen. —οστρακισμὸς, ὁ, Verweisung durch den *ostracismus*: überh. Verweisung. —όστωσις, εως, ἡ, das Hervorstehen eines Knochens, Knochengeschwulst. —ότε, Adv. od. ἐξότου (ἐξ ὅτε, ἐξ ὅτου d. i. οὗτινος) seitdem, seit welcher Zeit. —οτρύνω, f. 2. υνῶ, d. verstärkte ὀτρύνω. —ουδενέω, ῶ, f. v. a. ἐξουδενίζω, zw. davon ἐξουδένησις und ἐξουδενητὴς, zw. st. ἐξουδένισις und ἐξουδενιστής. — —ουδενίζω, (οὐδεὶς, οὐδενὸς, ἐξ) für nichts halten, gering schätzen, verachten, verächtlich behandeln: βλασφημίαις ἐξουδένιζον τὸν νεανίαν, Plutar. 7 p. 228. dafür findet man auch ἐξουθενίζω geschrieben, wie οὐθεὶς für οὐδεὶς; dav. ἐξουδένισις, ἡ, die Geringschätzung, ἐξουδενιστὴς der Geringschätzer, Verachter; ἐξουδένισμα, das verachtete: auch mit θ geschrieben. —ουδενόω, ῶ, f. ώσω, f. v. a. ἐξουδενίζω, zweifelh. davon ἐξουδένωμα und ἐξουδένωσις f. v. a. ἐξουδένισις u. ἐξουδένισμα bey den LXX. —ουθενέω, ῶ, ἐξουθένημα u. ἐξουθενίζω, f. v. a. ἐξουδενέω u. ἐξουδενίζω, die beyden ersten Formen eben so zweif. als ἐξουδενέω u. ἐξουδένημα. Doch hat Hesych. ἐξουδενεῖ u. ἐξαθενούμενοι, und Clemens Paedag. 3 p. 308. —ούλη, ἡ, (ἐξίλλω) δίκη ἐξούλης, Klage wider einen, der uns aus unserm Eigenthume vertrieben und es in Besitz genommen hat. —ουραγία, ἡ, f. v. a. οὐραγία: Diod. Sic. —ουρέω, ῶ, ausweg- fort harnen: mit dem Harne auswerfen. —ουρίζω. S. οὔρινος. —ουρίας, Adverb. S. οὔριος. —ουρος, ὁ, ἡ, (οὐρὰ) f. v. a. μύουρος, spitzig zugehend: Hippocr. —ουσία, ἡ, das Können, die Macht, das Vermögen, das Recht, die Erlaubnifs, Vollmacht, das mit Macht verbundene Amt oder Aufsicht: ἐξουσία θαλάμου, Herodian 1, 12 *praefectura cubiculi*: oder die Mächtigen d. i. mit Macht bekleideten- obrigkeitlichen Personen (im N. T.) Bey Thucyd. 6, 31 mit δύναμις verbunden, f. v. a. περιουσία, Ueberfluss und Macht. —ουσιάζω, f. άσω, (ἐξουσία) Recht- Vollmacht- Macht-Gewalt haben- brauchen- ausüben; m. d. Genit. auch unter seine Gewalt bringen. Blos im N. T. —ουσιαστὴς, οῦ, ὁ, der Macht oder Gewalt hat oder braucht. —ουσιαστικὸς, ἡ, ὸν, Adv. — στικῶς, Macht od. Gewalt habend, brauchend, übend: willkühr l.: eigenmächtig: Polyb. 5, 26.

Ἐξοφέλλω, vermehren, vergröſsern: Hom. 15, 18. —όφθαλμος, ὁ, ἡ, mit hervorſtehenden Augen, im Gegenſ. v. κοιλόφθαλμος, hohläugig: Xen. in die Augen fallend, deutlich, ſichtbar: Polyb. 1, 14. —οφρυόω, das verſt. ὀφρυόω: u. ſ. v. a. ἐξαίρω, erheben. —οχα, Adv. eigentl. neutr. von ἔξοχος, ausgezeichnet, vorzüglich. —οχάδες, αἱ, Paul. Aeg. 3. δακτυλίου Adergeſchwülſte am Maſtdarme, wenn ſie auſsen ſitzen, ἐσοχάδες, wenn ſie innen ſitzen; wofür gewöhnlich falſch ἐσωχὰς u. ἐξοχὰς bey Galen. und Paul. ſteht. —οχετεία, ἡ, das Ableiten durch einen Kanal: Strabo 4 p. 314. von —οχετεύω, fut. εύσω, ableiten, abflieſsen laſſen, ausführen. —οχή, ἡ, das Heraus- Hervorſtehn; ein vorſtehender herausſtehender Theil, Körper, wie Spitze, Ecke; auch was erhaben iſt, *eminentia*, der Vertiefung, εἰσοχή, entgegengeſetzt: daher metaphor. Vorzug, Vortreflichkeit, κατ' ἐξοχὴν, vorzugsweiſe. —οχον, Adv. ſ. v. a. κατ' ἐξοχὴν: von —οχος, ὁ, ἡ, Adv. ἐξόχως, (ἐξέχω) hervorſtehend, ragend, herausſtehend, erhoben; metaph. vorzüglich, vortreflich; wie *eminens*. —οχυρόω, ῶ, das verſt. ὀχυρόω.

Ἐξυβρίζω, f. ίσω, in Muthwillen, Uebermuth, Ueppigkeit, Schmach ausbrechen verfallen: auch das verſtärkte ſimplex ὑβρίζω, oder ſeinen Muthwillen, Uebermuth auslaſſen; metaph. v. überſtrömenden Flüſſen, zu dichter Saat; m. d. acc. Anton. Lib. 12. aber Kap. 15 ſteht ἐξύβρισε πρὸς τὸ ὄνομα, brach in Schmähreden bey dem Namen aus: vergl. K. 21. davon —ύβρισις, εως, ἡ, das Ausbrechen in Schmach, Muthwillen, Uebermuth oder das Auslaſſen derſelben. —υγιάζω, f. άσω, ἐξυγιαίνω, wie ἐξιάομαι, ganz heilen, geſundmachen; neutr. ἐξυγιαίνειν, ganz geſund werden: Hippocr. —υγραίνω, f. ανῶ, ich mache ganz naſs oder feucht; auch in der metaph. Bed. von ὑγραίνω. —υγρος, ὁ, ἡ, aus od. durchgenaſst oder genetzt, ganz feucht, ganz wäſsricht. —υδαρόω, (ὑδαρής) ich wäſsre aus, ziehe aus. ἐξυδαροῦται οἶνος, der Wein wird wäſsricht. —υδατόω, ῶ, (ὕδωρ) ſ. v. a. ἐξυδαρόω, —υδάτωσις, εως, ἡ, das Auswäſſern, Ausziehn. S. ἐξυδαρόω. —υδρίας, ἄνεμος, Wind mit Regen ausbrechend. —υδρωπιάω, ῶ, die Waſſerſucht bekommen: Ariſtot. h. an. 5, 20. an den Augen d. Waſſerſucht verderben. —υλακτέω, ῶ, losbellen, herausbellen; im Zorne losbrechen mit Reden. Plutar. Arat. 50. —υμενίζω, f. ίσω, aushäuten, von den Häuten reinigen: v. ὑμὴν: Dioſcor. 2, 86 n. 87. —υμενιστὴρ, ῆρος, ὁ, (ἐξυμενίζω) Meſſer zum trennen- löſen der Häute, Membranen, vom Fleiſche: Paul. Aegin. 6, 5. —υμνέω, ῶ, das verſtärkte ὑμνέω. —υπάλυξις, εως, ἡ, Vermeidung, Flucht; von —υπαλύσκω, f. ξω, entwiſchen; vermeiden, fliehen. —υπανίστημι, davon ἐξυπανέστη μεταφρένου σμῶδιξ, Il. 2. d. i. ὑπὸ τοῦ μετ. ἐξανέστη, unter der Haut zwiſchen den Schultern erhob ſich eine Schwiele. —υπειπεῖν, ſ. v. a. ὑπειπεῖν: Eur. Ba. 1264. —ύπερθε, Adv. ſ. v. a. ὕπερθεν: Soph. Phil. 29. wie *deſuper*. —υπηρετέω, ῶ, ἐξυπηρετέομαι, οῦμαι, ſ. v. a. ὑπηρ. Eur. —υπνίζω, (ὕπνος) erwecken, aufwecken. —υπνιστὴς, οῦ, ὁ, d. i. ἐξυπνίζων, Wecker. —υπνος, ὁ, ἡ, aufgeweckt; erwacht. —υπτιάζω, das verſtärkte ὑπτιάζω: Lucian. Herc. 3 πρὸς τὸ ἐναντίον τῆς ἀγωγῆς ἐξυπτιάζοντες die ſich zurücklegen und ſo dem Zuge entgegen ſtreben. —υφαίνω, ausweben, das Gewebe vollenden: Hom. batr. 181. davon —ύφασμα, ατος, τὸ, das vollendete Gewebe: Eur. El. 539. —υφηγέομαι, ſ. v. a. ἐξηγέομαι: Soph. Oed. Col. 1025. —υψόω, ῶ, das verſt. ὑψόω, erhöhen.

Ἔξω, (ἐξ, wie εἴσω aus εἰς) als Adv. *foris, foras*, hinaus, drauſsen, auſsen, οἱ ἔξω die drauſsen ſind. 2) als Praepoſ. m. d. Genit. auſserhalb, auſser, ohne. 3) ἔξω ἤ, wie *praeterquam*, ohne Kaſus, auſser. Kompar. ἐξώτερος Superl. ἐξώτατος. —ωθεν, Adv. von auſsen her, herein. v. ἔξω. —ωθέω, ῶ, heraus- aus- weg- fort- verſtoſſen, austreiben; hervortreiben; herausſtrecken: die meiſten tempora werden von der ungew. Form ἐξώθω gemacht, alſo ἔξωσα u. ἐξέωσα u. ſ. w. —ώθησις, εως, ἡ, das Herausſtoſsen, Wegſtoſsen; die Verſtoſsung. —ωκεανίζω, auſser dem Ocean, jenſeit des O. verſetzen: Strabo 1 p. 55. S. davon —ωκεανισμὸς, ὁ, das Verſetzen auſser jenſeit des Oceans. —ώκοιτος, ὁ, ἡ, drauſsen ſchlafend liegend, gelagert; 2) ein Meerfiſch, der bisweilen ans Land geht, ſonſt ἄδωνις. —ώλεια, ἡ, das gänzliche Verderben: κατ' ἐξωλείας ὀμόσαι, ἐπιορκεῖν, einen Eidſchwur thun, brechen, in welchem man ſich das Verderben wünſcht, wenn man falſch ſchwört: Demoſth. p. 1305. —ώλης, εος, ὁ, ἡ, (ἐξ, ὀλέω, ὄλλυμι) ganz verdorben: völlig unglücklich. 2) verderblich. ζῶον ἐξωλέστερον, Ariſtoph. 3) *perditus homo*, ein verderbenswürdiger Menſch. 4) ſ. v. a. κίναιδος, nach Heſych. u. Suidas, ſonach das lat. *exoletus*.

Ἐξωμίας, ου, ὁ, (ἔξωμος) der die Arme blos, auſser dem Kleide hat. Lucian. vit. auct. mit vorſtehenden Schultern: Nicetas annal. 9, 13. —ωμίδιος, ὁ, ἡ, von den Schultern hängend oder zur ἐξωμὶς gehörig. —ωμιδοποιΐα, ἡ, ἐξωμιδοποιὸς, ὁ, ἡ, die Verfertigung, der Verfertiger, Schneider der Kleidung ἐξωμίς. —ωμίζω, Ariſtoph. Con. 267 τὸν ἕτερον βραχίονα, den einen Arm entblöſsen, auſser dem Unterkleide halten, ἐξ ὦμος. —ωμὶς, ἡ, nach Gellius 7, 12 u. Pollux 7, 47 ein Mannskleid der Freyen mit einem einzigen Ermel, ſo daſs die eine Schulter und Arm blos war (ἔξωμος). Bey Ariſtoph. Lyſ. 662 u. 1021 tragen es alte Leute, Veſp. 444 die Sclaven, bey Aelian. V. H 9, 34 geringe Leute. Das Gegentheil iſt ἐπωμίς. —ωμὸς, ὁ, ἡ, der die Aerme auſser dem Kleide, Mantel hat; (ὦμος) 2) der alſo gerüſtet, bereit iſt etwas zu thun, *expeditus*. —ωμοσία, ἡ, (ἐξόμνυμι) eidliche Verneinung, Verweigerung, Entſchuldigung. —ωνέομαι, οῦμαι, loskaufen, abkaufen; davon —ώνησις, εως, ἡ, die Loskaufung. —ώπιος, ὁ, ἡ, (ἐξ, ὢψ, ὠπὸς) aus dem Geſichte, δωμάτων ἐξώπιος auſser dem Hauſse. Eur. Med. 627. —ώπροικα, τὰ, d. lat. *parapherna*, in den Pandekten. —ωραΐζω, d. verſtärkte ὡραΐζω. Heſych. —ωριάζω, (ὥρα) m. d. Acc. ich laſſe auſser Acht, achte nicht. Aeſchyl. Pr. 17. —ωρος, ὁ, ἡ, unzeitig, auſser der Jahreszeit und der Lebenszeit; alſo auch alternd, alt. ἔξωροι τῆς θήρας Philoſtr. Apol. 3, 4. nicht mehr in dem Alter, welches zur Jagd geſchickt iſt. —ωσις, ἡ, (ἐξώθω) die Austreibung; eines Gliedes, d. i. Ausrenkung. —ωσμα, τὸ, (ἐξώθω) ausgetriebener, ausgeſtoſsener Körper, Theil. —ωστὴρ, ὁ, u. ἐξωστὴς, ὁ, (ἐξώθω) der ausdrängt, heraustreibt. ἄνεμος ein Sturmwind, der die Schiffe von der Bahn abtreibt; metaph. ἄρης Eur. Rheſ. 322. —ώστρα, ἡ, (ἐξωθέω) ſ. v. a. ἐκκύκλημα. S. ἐκκυκλέω. —ώτατος, ſuperl. v. ἔξω. —ωτάτω, Adv. ſuperl. von Adv. ἔξω. —ωτερικὸς, ἡ, ὀν, zum äuſsern gehörig, äuſserlich: als Gegenſatz v. ἐσωτερικὸς, von den Schülern der Lehrart und den Schriften des Pythagoras, Plato u. Ariſtoteles, welche nicht zu der ſtrengen Lehrart zugelaſſen worden ſind, oder nur die gemeine und faſslichſte Art des Vortrags befolgen; v. —ώτερος, compar. von ἔξω, äuſserer.

Ἐξωτέρω, compar. v. ἔξω, mehr auſsen.

Ἐξωτικὸς, ἡ, ὀν, (ἔξω) Ausländer, ausländiſch: fremd, Fremdling. —ώφορος, ὁ, ἡ, Jambl. Pythag. §. 247 ἐξώφορον ποιεῖσθαι ſt. ἐκφορεῖν, austragen, bekannt machen, verrathen. —ωχρος, ὁ, ἡ ganz blaſs.

Ἐοικότως, Adv. v. ἐοικὼς, part. praet. m. v. εἴκω, ſ. εἰκὼς, gleich: dem gleich, dem gemäſs; daher, mit Recht, billig, ganz recht, gut. S. auch εἰκὸς u. εἰκότως.

Ἐολέω, von ἐόλω ſt. αἰολλέω, αἰόλλω, davon ἐόλητο νόον μελεδήμασι Apollon. 3, 471. ward durch mancherley Sorgen beunruhiget.

Ἐόργη, ἐοργὶς, ἡ, die Mörſerkeule oder ein Werkzeug zum Umrühren, *tudicula*, davon ἐοργίζω ſ. v. a. ὀργάζω ich rühre um: Heſych u. Pollux 6, 88.

Ἑορτάζω, f. άσω, feyern, als ein Feſt feyern. —ταῖος, ſ. v. a. ἑόρτιος: Dionyſ. hal. antiq. —τάσιμος, ὁ, ἡ, feſtlich, feyerlich, zum feyern: οὐ πάνυ ἑορτάσιμα ὄντα ἐμοὶ Luci. Cronoſolon 11. daſs es bey mir nicht nach Feyertagen ausſah. —τασμα, ατος, τὸ, Feyerlichkeit, Feſt. —τασμὸς, ὁ, das Feyern eines Feſttags. —ταστὴς, ὁ, der Feyernde: Pollux 1, 34. davon —ταστικὸς, ἡ, ὀν, zur Feyer gehörig, feyernd, feyerlich, feſtlich. —τὴ, ἡ, Feſt, Feſttag, Feyer, Feyerlichkeit, Ergötzlichkeit; davon —τιος, ὁ, ἡ, zum Feſte gehörig, feſtlich. —τολόγιον, τὸ, Feſtkalender: Suid. —τώδης, ὁ, ἡ, feſtlich, feyerlich.

Ἑὸς, ἑὴ, ἑὸν, von ἓ ſe, ἧο, ſui, eigentlich ſein oder ihr von der dritten Perſon, alſo *ſuus, ſua, ſuum*: aber auch von der zweyten u. erſten, mein, unſer: dein, euer, wie ἑαυτοῦ *ſui ipſius, tui ipſius, mei ipſius.*

Ἐπαβελτερόω, noch einfältiger (βέλτερος) machen: Menander bey Suidas in ἀβέλτερος. zw. —αγαίομαι, ſich über etwas freuen. —αγάλλομαι, (ἀγάλλομαι ἐπὶ) worauf ſtolz ſeyn. —άγεμαι, d. i. ἄγαμαι ἐπὶ. zw. —αγανακτέω, ῶ, dabey- darüber oder noch darzu böſe oder unwillig werden. —αγάομαι, darüber zürnen, ergrimmen; οἴτῳ πατρίδος: Parthenius c. 21. —αγγελία, ἡ, (—γέλλω) Ankündigung; Befehl; freywilliges Verſprechen. —αγγέλλω, das lat. *denuncio*, ich verkündige, zeige an, mache einen Befehl bekannt, befehle und lege auf. ἐπαγγείλαντες πανδημεὶ στρατεύειν, geboten, daſs das ganze Volk in Krieg ziehn ſollte. Med. ἐπαγγέλλομαί τι ich erbiete mich wozu, verſpreche. ἐπηγγελμένου τοῖς ναύταις μεγάλους μισθοὺς, Demoſth. 3) das lat. *profiteri*, vorgeben von ſich, ſich ausgeben wofür, καὶ γὰρ ταῦτα δεινὸς εἶναι ἐπαγγέλλεται, denn er will ja darinne ſtark ſeyn. 4) m. d. Dat. der Perſon u. Acc. der Sache: ἃ δ' ἂν αὐτὸς ἐπαγγείλαιτο ἡδέως, ῥᾶστα μέν ἐστι Φιλίππῳ δοῦναι, was er gern verlangen, ſich erbitten möchte, ſey dem Philipp ein leichtes ihm zu geben. Demoſth: der auch p. 1122 im Actif hat: προσέλθοι ἄν τις καὶ δεηθείη καὶ παραγγείλειεν. daher bey Appian ἐπαγγέλλειν ὑπατείαν ums Konſulat anhalten, *petere*.

'Επάγγελμα, ατος, τὸ, das Verſprechen, Ankündigung, das Bewerben um Ehrenſtellen, zu denen man ſich angiebt. —αγγελτικὸς, ἡ, ὸν, der verſpricht; viel verſpricht; mit Zuverſicht, dreuſt ſpricht. ἐπαγγελτικώτερον εἰπεῖν τι, etwas dreuſt behaupten: Ariſtot. Rhetor. Adv. ἐπαγγελτικῶς. —αγείρω, (ἀγείρω ἐπὶ) ich verſammle, bringe hinzu; bringe zuſammen; davon ἐπαγερμὸς, ὁ, u. ἐπάγερσις, ἡ, das ſammlen, zuſammenbringen. S. ἐπεγερμὸς. —αγινέω, (ἀγινέω) ich führe hin- hinzu. —αγλαΐζομαι, (ἀγλαΐζω) ich brüſte mich, prahle, bin ſtolz über- auf eine Sache, und betrage mich darnach ſtolz: das activ. ſ. v. a. ἀγλαΐζω Ariſtoph. Eccl. 575.

'Επαγρία, ἡ. S. ἐπεγρία, ἡ. —άγριος, ὁ, ἡ, ſ. v. a. ἄγριος, wild. —αγριόω, ῶ, ich mache wild, *efferare*. —αγρὸς, ὁ, ἡ, der auf dem Lande (ἀγρὸς) iſt; 2) der auf der Jagd (ἄγρα) glücklich iſt. —αγρυπνέω, ῶ, *invigilo* (ἀγρυπνέω) ich wache über- bey einer Sache, die ich mit Fleiſs thue, laure auf, m. d. Dat. Diod. 14, 68. —αγχέω, ſt. ἐπαναχέω. Aeſchyl. Ag. 1147 τὸ ἐμὸν θροῶ πάθος ἐπαγχέασα verſt. δάκρυον wie διαίνω verſt. δακρύῳ. —άγω, ich führe hinzu, herbey; führe an wie die Armee auf, wider jemand, alſo ich gehe auf ihn los, greiſe ihn an; ἐπάγειν πληγὴν einen Schlag beybringen, geben. ἐπάγομαι, ich hole zu mir, laſſe holen; ich führe mit mir, bey mir; θεραπαίνας Mägde hinter ſich gehn, bey ſich haben, mit ſich führen. ἐπάγεσθαι εἰκόνας, Bilder, Beyſpiele herbeybringen, anführen. —αγωγεὺς, Ein- od. Anführer, Zuführer: Pollux 8, 101. —αγωγὴ, ἡ, (ἐπάγω) das Einführen, Anführen, Herbeyführen; Anlockung, Reizung; Anzug, Anmarſch; Hinzufügung, Vermehrung: u. in ſo fern das med. zum Grunde liegt, das Hinzukommen, Eingang; Einfall, Anfall; in der Rhetorik die *inductio*, Cic. top. 16. Quintil. 5, 10. der durch Anführung mehrerer Beyſpiele und ähnlicher Fälle geführte Beweiſs: nach einigen vom Kriege hergenommen, wo es die gerade und fortlaufende Linie der Kolonnen iſt, die hintereinander aufmarſchirten.

'Επαγωγικὸς. S. ὑπαγωγικὸς. —αγώγιμος, ὁ, ἡ, (ἐπαγωγὴ) eingeführt, eingebracht: Plutar. Lyſ. 17. —αγώγιον, τὸ, Vorhaut: Dioſcor. 3, 25. 4, 247. wo es aber vielmehr einen Fehler der Vorhaut zu bed. ſcheint.

'Επαγωγὸς, (ἐπαγωγὴ) zum locken- anziehn- reizen gehörig oder geſchickt; verführeriſch: Xenoph. Mem. 2, 5. 5. —αγωνίζομαι, ich kämpfe bey, über. ἑτέροις ἐπαγωνίζονται τεκμηρίοις: Plutarch. Num. 8 ſie kämpfen noch mit andern Beweiſen. —αγώνιος, ὁ, ἡ, (ἀγὼν, ἐπὶ) der beym Kampfe iſt, Aufſicht hat; hilft. Aeſchyl. Ag. 523. —άδω, v. ἐπαείδω, dazu ſingen, einem zuſingen und ſo locken; reizen: Xen. Mem. 2, 6. 10. 11. mit Geſang heilen, zähmen u. dergl. —αείρω, ſ. v. a. ἐπαίρω erheben, einen oder eines Muth erheben, ihn er- aufmuntern. ἁμαξάων ἐπάειραν hoben und legten auf die Wagen: Il. 7, 426. —αθλον, τὸ, gewöhnl. ſ. v. a. ἆθλον, bey Plutar. Flamin. 15 τοῦ πολέμου φέρεσθαι τὰ ἔπαθλα, Belohnung auf, nach dem Siege. —αθροίζω, ſ. οίσω, dabey- dahin- darauf- dazu ſammeln, verſammeln.

'Επαιάζω, darüber- dabey- darzu klagen, weinen, ſeufzen. —αΐγδην, Adv. (ἐπαΐσσω) darauf losſtürzend. —αιγίζω, braucht Homer von einem heftigen ſtarken Winde, der auf etwas zuſtöſst; wie καταιγὶς, u. καταιγίζειν von einem Windſtoſse gebräuchlich, der von oben nach unten geht; lat. *irruo*. Theophr. braucht in dem Sinne ἐπικυρίσσειν, ein Wort ebenfalls von den Ziegen entlehnt! ἐπαίγιζεν πεδίοισι braucht Opp. Cyn. 2, 125 von einem Fluſſe der die Felder überſtromt; vergl. Artemidorus 2, 12. —αιδέομαι, οῦμαι, dabey- darüber ſich ſchämen, errothen. —αιθύσσω, Oppian. Cyn. 4, 176 richtiger ἐπιθύων. —αικλα, ἐπάικλα, τὰ, (αἶκλον) Nachſpeiſe, Nachtiſch, bey den Doriern: Athen. 4, 8. ſonſt ἐπιδόρπια. —αινέτης, ου, ὁ, ἐπαινετὶς, ἡ, Lober. —αινετιάω, gern Lob verdienen wollen. zw. —αινετικὸς, ἡ, ὸν, Adv. —κῶς, zum Loben gehörig- geneigt- geſchickt. —αινετὸς, ἡ, ὸν, Adv. —τῶς, gelobt: zu loben. —αινέω, ῶ, billigen: zuſagen, loben (ἔπαινος): belöhnen. 2) von Gäſten, die nicht kommen wollen und danken laſſen für die Ehre und Mahlzeit, Xen. Sym. 1, 7. Il. 18, 312 Ἕκτορι ἐπῄνησαν ſt. ἐπευφήμησαν lobten ihn u. ſtimmten ihm bey. Die Form ἐπαινίζω iſt aus falſcher Erklärung von Ariſtoph. Lyſ. 198 entſtanden. —αινίττομαι bey Heraclid. Alleg. 53 falſch ſt. ὑπαινίττομαι. —αινιῶ, lakoniſch. ſt. ἐπαινῶ Ariſtoph. Lyſ. 198. wie ἀδικιάω ſt. ἀδικέω. —αινος, ὁ, (αἶνος) Lob; Lobrede; Dank; Belohnung; eigentlich Zuſage, Beyfall, wie ἐπαινέω zuſagen. —αινὸς, ἡ, ὸν, gelobt, belobt, berühmt, in ſo fern es mit ἐπαινέω von αἶνος, Lob, herkommt; v. αἰνὸς abgeleitet ist es wie dies, fürchterlich, furchtbar, z. B. als Beywort der Proserpina. Hom. Il. 9, 457. Hesiod. th. 768.

Ἐπαινονάω, daraufgiessen, benetzen, baden: Nicand. Al. 462. ἐπαιονεῖ Athenaei p. 41. B. —αίρω, (ἐπὶ, αἴρω) ich richte auf, hebe auf; bringe in Bewegung; bewege jemand; reize, treibe ihn an; auch jemand in Leidenschaft setzen; ἐπαίρεσθαι sich erheben, bewegen lassen, angetrieben werden; sich brüsten, rühmen mit einer Sache (m. d. Datif.) Bey Theognis ἐπὶ δ' ἐσθλὸς ἄροιτο δαίμων heifst es. der gute Gott stehe mir bey, helfe mir. —αισθάνομαι, s. v. a. αἰσθάνομαι, empfinden, fühlen, sehen, hören, bemerken. —αίσθημα, ατος, τὸ, s. v. a. αἴσθημα, Plutar. 9 p. 562. —αΐσσω, f. ίξω, drauf los- drauf zulaufen, losbrechen: anfallen: m. d. dat. u. accus. S. ἀΐσσω. —άϊστος, ὁ, ἡ, (ἐπαΐω) gehört, erhört; ruchbar, entdeckt, von dem man hört: Herodot. 7, 146. —αισχής, έος, ὁ, ἡ, (αἶχος) schändlich, schimpflich, bey Suid. u. Dio Cass. —αισχίστως, Pollux 5, 127 wo die Handschr. ἐπαίσχρως haben, s. v. a. ἐπαισχής im Adv. —αισχύνομαι, s. v. a. ἐπαιδέομαι, sich dabey, darüber schämen. —αιτέω, ῶ, dazu oder ausserdem bitten; fordern, verlangen; betteln; davon —αίτης, ου, ὁ, Bettler. —αίτησις, εως, ἡ, das Betteln, die Betteley; zw. —αιτιάομαι, ῶμαι, ich gebe wovon die Schuld. κἀμὲ συμφοραῖς ἐπαιτιᾷ, hältst du mich auch für schuldig an deinem Unglücke. Aeschyl. Pr. 982. —αίτιος, ὁ, ἡ, der in der Schuld ist, der daran Schuld ist. 2) τὰ ἐπαίτια s. v. a. προστιμήματα, die vom Gerichte festgesetzte Strafe: Demosth. p. 733. Pollux 8, 22. —αιχμάζω, Opp. 1, 188. angreifen, losgehn auf, m. d. Dat. wo vorher ἀποχμάζειν stand. —αΐω, hören, darauf hören, erhören; vernehmen, verstehn; fühlen, bemerken; m. d. genit. —αιωρέω, darüber- darauf- dabey hängen oder schwebend bewegen: med. darüber- darauf- dabey schweben oder schwebend sich bewegen oder hängen. —ακανθίζειν, etwas dornicht, stachlicht seyn: Theophr. h. pl. 4. —ακμάζω, f. άσω, zunehmen, wachsen an Alter und Stärke: οἱ τούτοις ἐπακμάσαντες, die nach ihnen gelebt u. geblüht haben: Dionys. halic. davon —ακμαστικὸς, ἡ, ὸν, zunehmend, wachsend an Alter und Kräften. —ακμος, ὁ, ἡ, (ἐπ' ἀκμῆς ὢν) der Blüthe, Reife nahe: bey Dionys. Antiq. 4, 28 παρθένους ἐπάκμους wo die Ausg. ἐπιγάμους haben. 2) mit einer Spitze, zugespitzt; chirurg. vet. Cochii scharf: τὸν ἕτερον ὀδόντα ἔπακμον ἀεὶ καὶ ὀξὺν φυλάττουσιν: Plutarch. 10 p. 28. —ακόησις, ἡ, Philodemus col. 1. das hören und verstehn. —ακολουθέω, ῶ, drauf folgen; einem folgen oder gehorchen; ihm anhängen; überh. s. v. a. ἀκολ. davon —ακολούθημα, ατος, τὸ, was drauf folgt, Folge: Plutar.

Ἐπακολούθησις, εως, ἡ, das Darauffolgen: die Folge. —ακολουθητικὸς, ἡ, ὸν, gut folgend, leicht begreifend; was darauf zu folgen pflegt: τὸ ἐπ. die Folge, Folgerung. —ακόλουθος, ὁ, ἡ, Aristid. 2 p. 198 nachfolgend, gemäfs, übereinkommend. —ακοντίζω, darauf- darnach den Wurfspiefs werfen: überh. darzu- darauf- darnach werfen; davon —ακοντισμὸς, ὁ, das werfen darnach- darauf mit dem Wurfspiefse, überh. das Werfen darnach oder darauf. —ακουὸς, ὁ, ἡ, s. v. a. ἐπήκοος. —ακουσμὸς, ὁ, Erhörung. zweif. —ἀκουστος, ὁ, ἡ, gehört, verstanden; zu hören, hörbar; von —ακούω, f. ούσω, dabeystehn und hören, anhören; darauf hören; bemerken; gehorchen; verstehn: m. d. genit. —ακρίζω, αἱμάτων πολλῶν ἐπήκρισε Aeschyl. Choe. 933 st. εἰς ἄκρον ἦλθε, vollbringen. —ἄκριος, ὁ, ἡ, (ἄκρα) auf den Spitzen, Gipfeln, Bergen befindlich oder wohnend. —ακροάομαι, ῶμαι, s. v. a. ἐπακούω: zw. davon —ακρόασις, εως, ἡ, das Hören, Anhören, Zuhören, Gehorchen, Gehorsam: 1 Reg. 15, 22. —ακρος, ὁ, ἡ, zugespitzt. Hippocr. —ακτὴρ, ῆρος, ὁ, (ἐπάγω verst. κύνας) Jäger. —ακτικὸς, ἡ, ὸν, Adv. ἐπακτικῶς anführend, anleitend; anziehend, lockend; durch- oder mit der Induction, ἐπαγωγὴ, inductiorisch. —άκτιος, ὁ, ἡ, (ἀκτὴ, ἐπὶ) auf oder an dem Ufer. —ακτος, ὁ, ἡ, (ἐπάγω) hinzugebracht, auch dem natürl. entgegengesetzt, wie *adscititius* und ἐπίκτητος, also erkünstelt, erlernt, zugesetzt: Herodot. 7, 102. ἐπακτὸς ὅρκος, der vom Gegenparth angebotene, zugeschobene Eid. ἡμέραι ἐπακτοὶ Schalttage. —ακτρεύς, ὁ, s. v. a. ἐπακτήρ. —ακτρὶς, ίδος, ἡ, (ἐπακτὴρ) ein Nachen, kleines Fahrzeug der Fischer oder Seeräuber. —ακτροκέλης, ητος, ὁ, ein Fahrzeug der Seeräuber zwischen ἐπακτρὶς u. κέλης. —ακτρον, τὸ, s. v. a. ἐπακτρίς. —αλαζονεύομαι, f. εύσομαι, dabey- darzu noch prahlen oder windbeuteln. —αλαλάζω, f. άξω, darzu- dabey- zujauchzen, ein Schlachtgeschrey erheben: Xen. Cyr. 7, 1 26. —αλάομαι, ῶμαι, darüber- dahin- durchirren: Hom. Od. 4, 81. —αλαστέω, ῶ, d. i. ἀλαστέω ἐπὶ: Od. 1, 252. worüber- wobey jammern oder klagen.

'Επαλγέω, Eur. Suppl. 58 mit dem genit. darüber Schmerz empfinden. —αλγής, έος, ό, ή, (ἄλγος) Schmerz und Kummer empfindend oder machend. —άλειμμα, ατος, τὸ, das darauf geschmierte oder als Salbe oder sonst aufgestrichene: Salbe, Anstrich; von —αλείφω, f. ψω, dargegen einschmieren, einsalben; darauf schmieren oder streichen; übergetr. wider jemand einen Gegner, Feind erwecken, ihn ausrüsten, unterstützen und zum Kampfe stärken; davon ἐπάλειψις das aufschmieren, anstreichen: Etymol. M. —αλεξέω, poet. s. v. a. ἐπιβοηθέω zu Hülfe kommen. —αλετρεύω μύλης bey Apollon. s. v. a. ἐπὶ μύλης ἀλετρεύω. —αληθεύω, f. εύσω, u. ἐπαληθίζω, bewahrheiten, als wahr darstellen, beweisen, λόγον wahr reden: Dionys. Antiq. 1, 58. —αλής, ό, ή, warm, wärmend. ἐπαλέα λέσχην, Hesiod. ἔργ. 493. wo Stephanus die Leseart ἐπ' ἀλέα vorzieht. —αλθέω, ῶ, s. v. a. ἀλθέω, heilen. zw. —αλίνδω, u. ἐπαλινδέω, darauf wälzen. Nicand. Ther. 266. er hat auch das einfache ἀλίνδω. —αλκής, ό, ή, (ἀλκὴ) stark, starkend, Aeschyl. Choe. 413. —αλλαγὴ, ή, (ἐπαλλάσσω) s. v. a. ἐπάλλαξις. —αλλὰξ, Adv. s. v. a. ἐναλλὰξ. —άλλαξις, εως, ή, u. ἐπαλλαγὴ, (ἐπαλλάσσω) der Wechsel, Tausch, Uebergang von einem zum andern. 2) Verbindung, Vermischung, Durchkreuzung; Verwechselung: Verkehr im Handel. ἐπάλλαξις δακτύλων, wenn man bald einen bald den andern Finger erhebt und niederlegt. —αλλάσσω, ἐπαλλάττω, drückt das wechseln, den Uebergang einer Sache an einen andern Ort aus, wechseln, *alternare*. Als activ. ἐπαλλάττει τοὺς ὀδόντας, hat in einander greifende Zähne: Aristot. τὰς εὐθείας γωνίαις ἐπαλλάττουσα wechselt die geraden Linien mit Winkeln: Derselbe; lat. *variare*. 2) s. v. a. ἐμπλέκειν, hineinflechten, fügen, zusammen verbinden: Iliad. N. 359. So ist γάμων ἐπαλλαγὴν ἐποιήσαντο Herodot. s. v. a. eine Verbindung durch Heyrath, συμπλοκή. 3) Als neutr. abwechseln, von einem zum andern übergehn. ὀδόντες ἐναλλάσσοντες s. v. a. ἐναλλὰξ ἐμπίπτειν, wechselsweise in einander greifende Zähne. ἐπαλλάττει τῷ γένει τῶν ἰχθύων wechselt, gränzt mit den Fischen, geht über. ἐπαλλάττει πρὸς τὴν βασιλείαν geht über, gränzt an die Monarchie. ἐπαλλάττουσιν ἀλλήλοις gehn in einander über, wechseln mit einander. λόγοι ἐπαλλάττοντες *rationes alternantes*, wie *haec alternanti potior sententia visa est*. κατ' ἐνίας νόσους ἐπαλλάττει τὰ νοσώδη σώματα τοῖς βραχυβίοις, κατ' ἐνίας δ' οὐδὲν κωλύει νοσώδεις εἶναι μακροβίους Aristot. d. i. in einigen Krankheiten gränzen sieche, kränkliche Körper an diejenigen, die ein kurzes Leben haben, gelten dafür.

'Επαλληλία, ή, dichte Reihe; oder Reihe von vielen oder häufig oder oft auf einander folgenden Personen und Sachen. —αλληλίζω, Nicetas Annal. 16, 2 viell. s. v. a. παραλλ. nachahmen. —άλληλος, ό, ή, Adv. ἐπαλλήλως, einer auf den andern, oder gedrängt, dicht, häufig. βοὴ stetes anhaltendes Geschrey: Herodian. 2, 7, 6. —αλλόκαρπος, ό, ή, (ἐπὶ ἄλλῳ καρπὸς) bey Theophr. h. pl. 3, 18 wo andre Ausg. ἐπαυλόκαρπος haben, so wie eben daselbst ἐπαυλόκαυλος st. ἐπαλλόκαυλος, beyde Worte bedeuten eine Pflanze, welche ihren Stiel, Stengel, Stamm, καυλὸς, oder ihren Saamen, Frucht, καρπὸς, auf andern Pflanzen stützt oder trägt. Im 7 Buche braucht Theophr. dafür περιαλλόκαυλος, die sich mit ihrem Stengel um andre Pflanzen schlingt. —αλλόκαυλος, ό, ή. S. d. vorh.

'Επαλξις, εως, ή, Schutz, Hülfe: Eur. Or. 1207. Festungswerke auf den Stadtmauern angelegt, *pinna muri*, *propugnaculum*, v. ἄλξις bey Hesych. τεῖχος, v. ἄλξ, ἀλκὴ, ἄλκω; davon —αλξίτης, ό, λίθος, ein Stein zu den Festungswerken der Mauer, ἔπαλξις, gehörig. —αλπνος, bey Pindar Pyth. 8, 120. νόστος s. v. a. ἡδύς. Isthm. 5, 14 ζωᾶς ἄωτον ἀλπνιστον st. ἡδύτατον: v. ἀλπνός. Damit stimmt bey Hesych. ἀλπαλαῖον st. ἀλπαλέον, ἀγαπητὸν. Man leitet es v. ἄλφω, ἄλπω, andre von θάλπω, einige von ἔλπω, ἄλπνω her, wie τερπνὸς von τέρπω. —αλφιτόω, ῶ, beym Athen. p. 432 steht in Kasaub. Ausgabe ἀπηλφίτωσε und in den Excerpten ἀπαλφιτίζειν, aber schon Stephan. citirt richtig ἐπαλφιτόω τὸν οἶνον ich mische den Wein mit *polenta*, ἄλφιτα, beym trinken, heisst auch ἐπ' ἀλφίτοις πίνειν. —αλώστης, ου, ό, (ἐπὶ, ἀλοάω) der beym austreten (ausdreschen) des Getraides durch Ochsen oder Pferde die ungetretenen Aehren wendet und unter die Füsse der Thiere legt: Xenoph. Oecon. 18, 5. —αμαξεύω, mit dem Wagen befahren: Soph. Ant. 256. —αμαυρόω, ῶ, s. v. a. ἀμαυρόω. zw. —αμάω, darauf- daran- darüber sammlen, anhäufen, darauf schütten. —αμβατὴρ, ῆρος, ό der darauf steigt, steht oder sitzt: v. ἐπαναβαίνω. Aeschyl. Choe. 278. —αμβλήδην, Adv. s. v. a. ἐπαναβληδὸν. —αμμένω, poet. st. ἐπαναμένω m. d. Dat. ich warte. —αμοιβαδὶς, Adv. oder ἐπαμοιβαδὸν, wechselsweise, wechselseitig. —αμοίβιος, ό, ή, s. v. a. ἐπάμοιβος, ό, ή. wofür auch jonifch ἐπήμοιβος fteht. Die erftere Form hat Hymn. Hom. 2, 513 wo die Handfchr. ἐπαμοίβιμα ἔργα hat, d. i. Taufch, Taufchhandel.

Ἐπαμείβω, ἐπαμείβομαι, verwechfeln, vertaufchen; abwechfeln: med. wechfelsweife hin und her gehn; aus einem Lande in ein anderes gehn. —αμπέχω, od. ἐπαμπίσχω, drüber anziehen, drüberziehen: Plut. 10 p. 535. —αμπήγνυμι, poet. ft. ἐπαναπ. Orph. Argon. 316 darauf- daran ftricken. —αμπίσχω, f. v. a. ἐπαμφίσχω: Eur. Troad. 1148. —αμύντωρ, ορος, ὁ, Helfer, Beyftand; von —αμύνω, f. 2. υνῶ, m. d. Dat. zu Hülfe kommen, beyftehn: m. d. Acc. τὴν δολίην ἐπάμυνον, räche, ftrafe, in einem epigram; zweif. —αμφιάζω, ἐπαμφιέννυμι, ἐπαμφιεννύω, ἐπαμφίσκω und ἐπαμφίσχω, ich kleide an, ziehe an, bedecke; von ἐπί, ἀμφί, ἕω, ἕνω, ἐνύω, ἔννυμι, εἷμα. Die erfte und vierte Form bey Hefych. —αμφοτεριζόντως, Adv. vom partic. praef. zweifelhaft, zweydeutig; auf beyde Seiten fich hinlenkend; und —αμφοτερίζω, f. ίσω, auf beyde Seiten hängen, fich neigen; an beyderley Gefchlechter oder Gattungen grenzen und gleichfam in der Mitte ftehn; m. d. Dat. neutral oder ungewifs, zweifelhaft feyn: zweydeutig, doppelfinnig feyn; dav. —αμφοτεριστής, οῦ, ὁ, d. i. ἐπαμφοτερίζων; zw. —αμφότερος, ὁ, ἡ, Adv. —τέρως bey Philoftr. Soph. 1, 25, 8. f. v. a. ἀμφίβολος, *ambiguus*.

Ἐπάμων, f. v. a. ὀπάων, Begleiter, Diener: Hefych. u. Athenae 6 p. 267. wo vor Valkenair πάλμονες für ἐπάμονες ftand.

Ἐπάν, Conjunctio, contr. aus ἐπεὶ ἄν, jonifch ἐπήν, nachdem: wenn: fo bald: m. d. conjunctiv. —αναβαθμός, ὁ, Stufe; von —αναβαίνω, hinauf hinan fteigen: darauf fteigen. —αναβάλλω, darüber darauf werfen- fetzen- legen; med. überziehn; auffchieben: Herodot. —ανάβασις, εως, ἡ, (ἐπαναβαίνω) das Hinauf od. Darauffteigen. —αναβιβάζω, f. άσω, darauf darüber fetzen- legen- ftellen- heben. —αναβληδὸν, Adv. S. ἀναβληδὸν, drüber geworfen: Herodot. 2, 81. eben fo viel ift ἐπαμβλήδην, welches Hefych. d. ἀναβαλλόμενος, ἀνακρουόμενος erklärt. —αναβοάω, ῶ, f. ήσω, ausrufen: Ariftoph. —αναγινώσκω, überlefen: lefen. —αναγκάζω, f. άσω, zwingen; dav. —αναγκαστής, οῦ, ὁ, Zwinger; zweif. —αναγκές ἐστι f. v. a. ἀνάγκη, es ift nothwendig, eine Nothwendigkeit; auch als Adv. nothwendigerweife, gezwungen. Scheint eigentl. das neutr. von ἐπανάγκης. —αναγορεύω, Ariftoph. Au. 1071 f. v. a. ἐπικηρύσσω.

Ἐπανάγω, zurückbringen, zurückführen, z. B. die Vertriebene; zurückziehen, z. B. die Hand; neutr. fich zurückziehn: Cyropaed. 4, 1, 3. 2) zur See heifst es mit dem Schiffe der Flotte auslaufen und dem Feinde entgegengehn, active und neutr. daher metaph. ἐπ. τὸν ἔπαινον, mit dem Lobe heraus oder heranrücken: Plut. difcrim. adul. —αναγωγή, ἡ, (ἐπανάγω) das Anführen, Zurückführen; Rückkehr. —ανάγωγος, ὁ, ἡ, anführend; zurückführend; zurückkehrend: Dio Caff. —αναδέρω, f. v. a. ἀναδέρω: Hippocr. de acie vid. —αναδίδομαι, nach und nach oder hinterher zunehmen: Hippocr. —αναδιπλάζω u. ἐπαναδιπλόω, ich verdoppele; bey Aefchyl. Pr. 823. heifst ἐπαναδίπλαζε wiederhole es im Fragen, frage noch einmal; davon —αναδίπλωμα, ατος, τὸ, das Verdoppelte, Doppeltgemachte oder gelegte. —αναδίπλωσις, εως, ἡ, Verdoppelung. —αναδρομή, ἡ, das Zurückberufen; Zurückkommen; zw. —αναθεάομαι, ῶμαι, in der Höhe oder aufgehoben befehn, betrachten; überh. f. v. a. ἐπισκέπτομαι: Pollux 6, 140. Cyrop. 5, 4. 11. —αναζευγνύω, u. —νυμι, fut. ζεύξω, f. v. a. ἐπανέρχομαι, zurück kommen oder kehren: Diod. Sic. —αναιρέω, gebräuchlicher ἐπαναιρέομαι, ich nehme auf mich, über mich, wähle, trete an, *fufcipio* βίον, ἀγωγὴν βίου eine Lebensart anfangen, treiben. 2) bey Polyb. f. v. a. ἀναιρέομαι, ich tödte. 3) τὸ δὲ ἐπαναιρέεται bey Herod. vom Haafen, die eine Frucht wird empfangen, *concipitur*; dav. —αναίρεσις, ἡ, Tod, Mord, Zerftörung: Polyb. —αναίρω, u. med. in die Höhe heben, aufheben: Ariftoph. Equ. 784 in medio aufftehn. —αναίσθητος, ὁ, ἡ, f. v. a. ἀναίσθ. zw. —ανακαινίζω, f. v. a. ἀνακ. zw. —ανακαλέω, ῶ, f. έσω, zurückrufen. —ανακάμπτω, f. ψω, zurückbeugen, umbeugen, umlenken; zurückkehren. —ανάκειμαι, davon- dabey- darauf liegen oder gefetzt feyn als Strafe oder Belohnung: Cyrop. 3, 3, 52. —ανακεφαλαιόομαι, οῦμαι, f. v. a. ἀνακεφ. zufammenzählen oder ziehn, wiederholen: Hermog. —ανακίρναμαι, wieder vermifchen. —ανακλαγγάνω, aufbellen: Xen. ven. 4, 5. 6, 23. —ανάκλησις, εως, ἡ, (ἐπικαλέω) das zurückrufen oder bringen. —ανακλίνω, zurückbeugen oder lehnen, daran lehnen; davon —ανάκλισις, εως, ἡ, das Zurückbeugen oder lehnen; das Anlehnen. —ανακοινόω, ῶ, mittheilen, vorz. um darüber zu berathfchlagen. —ανακομίζω, zurückbringen oder führen. —ανακράζω, auffchreyen: Pollux 5, 84. —ανακρεμάω daran, darüber aufhängen, anhängen.

'Επανάκρίνω, f. v. a. ἀνακρίνω. —ανάκρουσις, εως, ἡ, das Zurückstoſsen; Rückkehr; von —ανακρούω, f. ούσω, zurückstoſsen; med. wie ἀνακρ. zurückgehn. —ανακτάομαι, ῶμαι, wieder erwerben, erlangen, erhalten; f. v. a. ἀνακτ. —ανακυκλέω, ῶ, zurückbringen oder führen; wiederholen: f. v. a. ἀνακ. davon —ανακύκλησις, εως, ἡ, das Zurückbringen; Wiederholung. —ανακυκλόω, zurückführen oder bringen in oder mit einer zirkelförmigen Bewegung; davon —ανακύκλωσις, εως, ἡ, das Zurückbringen oder wälzen in zirkelförmiger Bewegung, umkreiſen. —ανακύπτω, f. ψω, ich bücke mich auf- nach- über etwas. ἐπανακύπτοντας αὐτοῦ ταῖς ἐλπίσι: Joſeph B. J. 6, 8. die ſeiner Hofnung entgegen ſtanden; vergl. Plut. Q. Symp. 8, 3. —αναλαμβανω, zurück oder wiedernehmen, wiederholen; überh. f. v. a. ἀναλ. davon —ανάληψις, εως, ἡ, Wiederholung u. f. v. a. ἀναλ. —αναλίσκω, f. ώσω, und —λόω, noch darzu oder obendrein anwenden oder verwenden. —αναλογέω, wiederholen und deutlicher erklaren; aus Herodot. 1, 90. f. Les. ſt. παλιλογέω. —ανάλύω, f. v. a. ἐπαναζεύγνυμι, aufbrechen u. zurückmarſchiren: Nicetas Ann. —αναμένω, f. νῶ, dabey verweilen und warten, erwarten. —αναμιμνήσκω, wieder daran erinnern. —ανάμνησις, εως, ἡ, Wiedererinnerung. —ανανεόω, ῶ, wieder erneuern; davon —ανανέωσις, εως, ἡ, Erneuerung. —αναπαύω, f. αύσω, darauf dabey ruhen oder ſich erholen laſſen. —αναπέμπω, in die Höhe oder zurückwerfen oder ſchicken: Hippocr. —αναπηδάω, ῶ, hinan- hinauf- darauf oder anſpringen: Ariſtoph. —αναπίπτω, worauf fallen, ſich worauf legen. φύλλοις ῥόδων ἐπαναπεσών Aelian. v. h. 9, 14. —αναπλάττω, f. άσω, f. v. a. ἀναπλ. Athenaei p. 93. C. —αναπλέω u. ἐπαναπλώω, ich fahre zu Schiffe, mit der Flotte, gegen einen: Xenoph. Hell. 4, 8, 36 ich fahre weiter oder zurück: Demoſth. p. 1292. eigentlich in die Hohe und obenauf ſchwimmen, wie bey Herodot. 1, 212 ὥστε κατιόντος τοῦ οἴνου, ἐπαναπλώειν ὑμῖν ἔπεα κακά. daſs ihr trunken vom Weine in Schmähworte überflieſset; wo die alten Ausg. ἐπαναπνέειν falſch hatten. Man kann das homeriſche δακρυπλώειν vergleichen. —αναπνέω, futur. εύσω, wiederholt athmen: S. ἐπαναπλέω. —αναποδίζω, f. v. a. ἀναποδίζω. —αναπολέω, ῶ, f. v. a. ἀναπολέω. —αναπτημι, hinauffliegen und davon ἐπαναπτήσιμος, ὁ, ἡ, der hinauffliegen kann, darzu im Stande iſt, bey Heſych. —αναῤῥήγνυμι, fut. ῥήξω, nach oben zu aufbrechen; vorz. im paſſivo: Hippocr. —αναῤῥιπίζω, f. v. a. ἀναῤῥιπίζω ἐπὶ: Joſeph. —αναῤῥίπτω, und —ριπτέω, darüber in die Höhe oder hinauf werfen: f. v. a. ἀναρ. und neutr. in die Höhe ſpringen: Xen. Venat. 5, 4. —ανασαλεύω, f. εύσω, f. v. a. ἀνασαλεύω ἐπὶ; zw. —ανάσεισις, εως, ἡ, das Aufheben der Waffen (ὅπλων) und ſchütteln derſelben gegen jemand; das Drohen mit aufgehobenen geſchüttelten Waffen; überh. drohen; von —ανασείω, ειν, (ἐπὶ, ἀνασείω) ich hebe die Waffen (ὅπλα), die Hände (χεῖρας) gegen jemand auf; drohe ihm mit aufgehobenen Händen, Waffen; überh. ich drohe. —ανασκέπτομαι, f. ψομαι, f. v. a. ἀνασκ. Plato Theaet. wiederum aufnehmen und betrachten. —ανασπείρω, und ἐπανασπορὰ, ἡ, f. v. a. ἐπισπείρω und ἐπισπορὰ bey Tzetzes über Heſiod.

'Επανάστασις, εως, ἡ, (ἐπανίστημι) Aufſtand; Aufruhr; die Erhabenheit, τοῦ λόγου, Demetr. wie *oratio aſſurgens* bey Quintil. und eben ſo von der Erhöhung eines Berges; Geſchwulſt: Dioſcor. 8, 6. —αναστέλλω, f. ελῶ, f. v. a. ἀναστ. aufſchlagen, zurückſchlagen, in die Höhe heben: τοῦ παραπετάσματος: Clemens Paed. 3 p. 253. —ανάστημα, ατος, τὸ, das Erhobne; Erhobenheit, Geſchwulſt. —αναστρέφω, f. ψω, zurückkehren, als activ. und medium; davon —αναστροφὴ, ἡ, f. v. a. ἀναστροφὴ. —ανασώζω, f. ώσω, wie ἀνασώζω. Euſtath. —ανατάμνω, doriſch, ſt. ἀνατέμνω, f. v. a. ἀνατ. zw. —ανάτασις, εως, ἡ, das Aufhebenſtrecken; von —ανατείνω, vorz. im medio, in die Höhe ſtrecken, halten, ſpannen; aufheben; ausſtrecken; vorzeigen. —ανατέλλω, f. λῶ, f. v. a. ἀνατέλλω, aufgehn, oben erſcheinen, ſich zeigen: Opp. Cyn. 2, 563. ἐπαντέλλουσι γαίης kommen, entſtehen aus der Erde. —ανατίθημι, f. v. a. ἀνατίθημι, auflegen, zulegen. —ανατρέπω, f. ψω, wie ἀνατρέπω; zw. —ανατρέφω, f. θρέψω, durch Nahrung wieder zu Kräften bringen: Hippocr. —ανατρέχω, f. v. a. ἀνατρέχω. —ανατρυγάω, f. ήσω, von neuem den Wein leſen, nachleſen; bey den LXX. —αναφέρω, f. v. a. ἀναφέρω. —αναφορὰ, ἡ, f. v. a. ἀναφορὰ: das zurückführen, beziehn; davon —αναφορικὸς, ἡ, ὸν, zur ἐπαναφορὰ, als rhetoriſche Figur gehörig. —αναφυσάω, f. ήσω, aufblaſen oder aufathmen: Ariſtoph. Theſm. 1175.

Ἐπαναφύω: Aelian. H. A. 10, 13 oben anſetzen, anwachſen laſſen. —αναχέω, S. ἐπαγχέω, ſ. v. a. ἀναχέω ergieſsen, ausgieſsen. —αναχρεμπτήριος, ὁ, ἡ, den Auswurf nach oben befördernd; v. —αναχρέμπτομαι, f. ψομαι, nach oben zu abführen u. durch den Speichel auswerfen; dav. —ανάχρεμψις, εως, ἡ, das Abführen nach oben u. Ausſpucken, Auswerfen. —αναχωρέω, ῶ. ſ. v. a. ἀναχωρέω, zurückgehn, weichen; dav. —αναχώρησις, εως, ἡ, das Zurückgehn, Weichen: Rückkehr. —ανδρος, ὁ, ἡ, einem Manne geziemend, männlich: auch von Handlungen, πρᾶξις, eine männliche Handlung. Diodor. —ανδρόω, Apollon. 1, 874 Λῆμνον παισὶν ἐπανδρώσῃ, mit männlichen Kindern verſehn hat, wo vorher ἐσανδρώσῃ ſtand. —ανεγείρω, ἀνεγείρω ἐπὶ, auch ſ. v. a. das ſimpl. dav. —ανέγερσις, εως, ἡ, ἐπὶ, u. ſ. v. a. d. ſimplex. —άνειμι, (ἄνειμι ἐπὶ) zurückgehen, zurückkommen: übergetr. im Reden wieder zurückgehn, wiederholen: Xen. Cyr. 1, 2. 15. —ανειπεῖν, darzu-obendrein-anſagen, verkünden: ἐπανεῖπον ἀργύριον τῷ ἀποκτείναντι lieſsen noch darzu dem eine Belohnung verſprechen: Thucyd. 6, 60. —ανέλευσις, εως, ἡ, Zurückkunft, Rückkehr. —ανελκύω, f. ύσω, zurückziehn: Arriani Anab. 2. —ανεμέω, f. έσω, auſſpeyen, öfters od. wieder ſpeyen oder ſich erbrechen. Hippocr. —ανενέγκω, ſ. v. a. ἐπαναφέρω. —ανερεύγομαι, ſ. v. a. ἀνερ. aufrülpſen, auf-oder öfters ſpeyen. —ανέρομαι, wieder fragen. —ανέρχομαι, zurückkommen-oder gehn: worauf in der Rede zurückkommen, auch wiederholen. Xenoph. Oec. 6, 2. Ageſ. 11, 1. —ανερωτάω, ῶ, f. ήσω, wieder fragen. —ανέχω, m. verſtand. φρένα, wie *animum advertere*, wird auch in den Handſchr. m. ἐπέχω verwechſelt, wie ἐπανέχοντες ταῖς παρ' ὑμῶν ἐλπίσι bey Demoſth. wo andere ἐπέχοντες leſen, im Vertrauen auf euern Beyſtand. Eigentlich ich habe die Gedanken bey etwas, oder ich begnüge mich woran. Artemid. Onirocr. 1 μὴ μόνον τοῖς βιβλίοις ἐπανέχειν. Alciphr. 1 Ep. 38 τοῖς παρ' ἡμῶν γλίσχρως πεμπομένοις ἐπανέχουσα: 2) bey Suidas ὅδε τὸν πρὸς Πέρσας πόλεμον ἐπανέσχετο, wie *ſuſcepit*, über ſich nehmen, vornehmen; 3) τὰ οἰκεῖα πάθη τοῖς δημοσίοις ἐπανέχοντα, bey Plutar. Demoſth. 22. wird nachſetzen erklärt. zw. Kann im ganzen mit προσανέχω verglichen werden. —ανήκεστος, ὁ, ἡ, ſ. v. a. ἀνήκ. aus der f. L. bey Joſeph. 2 pag. 25 vitae §. 52. entſtanden. —ανήκω, wieder-zurückkommen. —ανθέω, ῶ, darauf-daran blühen: von blühender Farbe daran ſeyn: ἐρύθημα ἐπανθεῖ; überh. von allen blos am aeuſsern oder an der Oberfläche eines Körpers ſich zeigenden Dingen oder Eigenſchaften: πηλὸς, ἅλμη, φαιδρότης ἐπανθεῖ; 2) nachblühen; davon —άνθησις, εως, ἡ, das Blühen daran oder darauf: das Nachblühen. —ανθιάω, ῶ, jon. ιω, ſ. v. a. ἐπανθέω: Apollon. Rhod. 3, 519. zw. —ανθίζω, f. ίσω, mit Blumen ſchmücken, putzen: ἀπαγγελία ὀνόμασι ποιητικοῖς ἐπηνθισμένη, mit poetiſchen Worten beblümelt: Philoſtr. Soph. 1, 15, 4. —άνθισμα, ατος, τὸ, was oben auf einem Körper ſich wie die Blüte befindet, oben auf liegt-ſchwimmt und dergl. Hippocr. vorz. von gefärbten Theilen od. Körpern. —ανθισμὸς, ὁ, (ἐπανθίζω) das Ausſchmücken mit Blumen oder blühenden Farben: Dioſcorides 5, 107, beſchreibt das ἰνδικὸν der Färber als ἐπανθισμὸν πορφυροῦν ἐπαιωρούμενον τοῖς χαλκείοις: wo Plin. 35 c. 6 ſagt: *flos niger qui adhaereſcit aereis cortinis*, die oben auf wie Schaum ſchwimmende Farbe. —ανθρακίδες, αἱ, (ἄνθραξ) auf Kohlen gebratene Fiſche, Bratfiſche: Ariſtoph. —ανθρακίζω, f. ίσω, auf Kohlen braten. zw. —ανιάομαι, Pollux 5, 129. dabey-darüber ſich betrüben. —ανίημι, nachlaſſen, loſe machen: loslaſſen: ſ. v. a. ἀνίημι. —ανισόω, ῶ, ſo viel als ἀνισόω. —ανίστημι, eigentl. wider-gegen andre jemand aufrichten, aufſtehn laſſen, erwecken; alſo auch aufwiegeln gegen andre: bey Homer iſt es im perfect. u. aor. ἐπανέστησαν wie im med. ſchlechtweg ſ. v. a. aufſtehn, ſich erheben: τοῖς πρεσβυτέροις, vor den Alten: bey den attiſchen Schr. iſt es meiſt für ſich auflehnen wider einen, Aufſtand machen, ſich widerſetzen gebräuchlich; mit d. dat. bey den Aerzten auch ausbrechen auf der Haut, ſich erheben, in die Höhe ſtehen. —αντέον und ἐπανιτητέον, gerund. von ἐπάνειμι, man muſs zurückkehren. —άνοδος, ἡ, Zurückkunft: Rückkehr.

Ἐπανοιδέω, ῶ, auf-anſchwellen. —ανοίκτωρ, ορος, ὁ, (ἐπανοίγω) der Oeffner: zw. die Form ἐπανοικτὴς in θυρανεπανοικτής. —ανορθόω, ῶ, fut. ώσω, wieder aufrichten, gerade ſtellen oder machen: übergetr. wieder herſtellen, ausbeſſern, verbeſſern: einen aufhelfen, unterſtützen: Xen. Mem. 2, 4. 6. davon —ανόρθωμα, ατος, τὸ, das verbeſſerte: Verbeſſerung. —ανόρθωσις, εως, ἡ, Wiederherſtellung: Verbeſſerung. —ανορθωτὴς, οῦ, ὁ, der Verbeſſerer, Wiederherſteller. —ανορθωτικὸς, ἡ, ὸν, zum verbeſſern oder wiederherſtellen gehörig od. geſchickt.

'Επαντέλλω, ſt. ἐπανατέλλω. —άντης, εος, ὁ, ἡ, Thucyd. 7, 79. anſchüſſig, anhängig, das Gegenth. κατάντης, abſchüſſig, abhängig. —αντιβολέω, ſ. v. a. ἀντιβολέω: Pollux 1, 26. wo die Handſchr. καταντιβ. haben. —αντλέω, ich gieſse hinzu- darauf: ich begieſse. —άντλημα, ατος, τὸ, was darauf - hinzu gegoſſen wird. —άντλησις, ἡ, das Gieſsen darauf - hinzu, das Begieſsen. —ανύω, fύσω, ſ. v. a. ἀνύω: Heſiod. Sc. 311. —άνω, Adv. oben, druber; dav. —άνωθεν, Adv. von oben darüber her. —άνωθι, Adv. oben, darüber, oberhalb. —άξιος, ὁ, ἡ, Adv. ἐπαξίως, ſ. v. a. ἄξιος· würdig, werth. —αξιόω, ῶ, ſ. v. a. ἀξιόω, würdigen, ſchätzen: verlangen, bitten; davon —αξίωσις, εως, ἡ, ſ. v. a. ἀξίωσις, Würdigung, Schätzung: Verlangen: Dionyſ. hal. antiq. —αξόνιος, ὁ, ἡ, (ἄξων, ἐπὶ) auf od. üb. d. Achſe. —αοιδὴ, ἡ, od. ἐπαοιδία b. Heſych. und Lucian. Philop. 9. ſ. v. a. ἐπῳδὴ. —αοιδὸς, ὁ, ſ. v. a. ἐπῳδὸς. —απειλέω, ῶ, dazu- oder auſserdem drohen. —απερείδω, f. είσω, darauf- daranſtützen - ſtemmen - oder lehnen. —απέρχομαι, mit dem dat. hinterher nach einem fort - oder weggehn. —αποδύνω, und ἐπαποδύω, ich ziehe einen aus wider jemand, ſtelle einen nackten Fechter auf, einen Gegner wider jemand: χάρητα ἐπαποδύοντες στρατηγὸν Τιμοθέῳ Plutar. daher ἐπαποδύομαι, ich rüſte mich oder trete als Gegner wider jemand auf. S. ἀποδύω. — —αποθνήσκω, darauf - dabey - darüber - darzu ſterben. —αποικίζω, noch darzu- oder wieder als Koloniſten ausführen od. verſetzen: Dio Caſs. —αποκτείνω, darzu - dabey todten. —απολαύω, πάντα τὸν τοῦ ζῆν χρόνον ταῖς ἡδοναῖς ἐπαπολ. Diod. Sic. 2 p. 609. ſoll wohl ἐναπολ. heiſsen. —απόλλυμι, und μαι, noch daizu - oder dabey verderben od. todten. —απολογέομαι, οῦμαι, hinter- oder nach einem Vorgänger die Vertheidigung führen, als zweyter vertheidigen. —απορέω, ῶ, dabey - oder noch daizu zweifeln: b. Soph. Trach. 1243. aber zweif. davon —απόρημα, ατος, τὸ, neuer Zweifel: oder ſ. v. a. ἀπορ. davon —απορηματικὸς, ἡ, ὸν, was daizu gehort oder führt. —απόρησις, εως, ἡ, das neue Zweifeln: bey Heſych. u. Suid. ſ. v. a. ἀπορία. —απορητικὸς, κὴ, κὸν, ſ. v. a. —ρηματικὸς, dabey zweifelnd: überhaupt zweifelnd, verlegen. —αποστέλλω, nachſchicken: als oder zum Nachfolger ſchicken. —αρὰ, ἡ, Verwünſchung, Verfluchung; davon — —αράομαι, ῶμαι, verwünſchen, verfluchen; dav. —αράσιμος, ὁ, ἡ, verwünſcht, verflucht: verwünſchungswerth. —αῤῥάσσω, άττω, ἐπαῤῥάσσω, ττω, drauf ſchmeiſsen: neutr. drauf los brechen oder ſtürmen, drauf fallen. —άρατος, ὁ, ἡ, ſ. v. a. ἐπαράσιμος. —άργεμος, ὁ, ἡ, (S. ἄργεμος) der ein Fell auf dem Auge hat, u. daher blind iſt; dunkel Aeſchyl. Ag. 1121. —άργυρος, ὁ, ἡ, verſilbert; mit Silber ausgelegt, überzogen; davon

'Επαργυρόω, verſilbern, mit Silber auslegen oder überziehn. —αρδεύω, ἐπάρδω, bewäſſern mit hin oder zugeleitetem Waſſer. —αρέσκομαι, wieder gefällig machen oder verſohnen; zw. —αρήγω, zu Hülfe eilen oder kommen wie ἐπιβοηθέω, Xen. Cyr. 6, 4. 18. davon —αρηγὼν, όνος, ὁ, ἡ, Helfer. —άρηξις, εως, ἡ, das Helfen, Beyſtehn, Hülfe. —άρηρα u. —ρήρειν perf. u. plusq. perf. v. ἐπάρω, ſ. v. a. ἐφήρμοσμαι —αριθμέω ταῖς ἡμέραις τὰς πόλεις zu auf die Tage zählen: Ariſtides 1 p. 223. Pollux 4, 162. —αρίστερος, ὁ, ἡ, links, verkehrt, verdreht, ungeſchickt; davon —αριστερότης, ητος, ἡ, Verkehrtheit, Ungeſchicklichkeit, Abgeſchmacktheit. — —άρκεια, ἡ, Hülfsleiſtung, Hülfe, vorz. mit Geld, Aufwand. S. ἐπαρκέω. bey Polyb. Zufuhr und Unterſtützung von Proviant; daher ἐπάρκειαι u. χορήγειαι 6, 49 verbunden ſtehn. —άρκεσις, ἡ, Hülfe; das Helfen; zw. von —αρκέω, ῶ, ich helfe, ſtehe bey, unterſtütze; mittheilen, darreichen. πᾶσιν ἀφθόνως ἐπήρκει τῶν ἑαυτοῦ Xen. Memor. 1, 2, 60; davon —αρκὴς, έος, ὁ, ἡ, Adv. —κῶς, u. ἐπάρκιος, ὁ, ἡ, hinreichend, zureichend. Heſych. hat auch ἐπάρκειοι für βοηθοὶ. —αρκούντως, Adv. von Part. ἐπαρκῶν, mithin hinreichend, genug. —αρμα, ατος, τὸ, (ἐπαίρω) das erhöhete; Erhöhung, Erhabenheit; Höhe, Anhöhe; Geſchwulſt; Stolz, Aufgeblaſenheit. —άρμενος, ſ. v. a. ἐπαρτὴς, Heſiod. ἔργ. 601. 627. —άρουρος, ὁ, ἡ, (ἐπ' ἀρούρᾳ ὢν) auf dem Lande oder Acker: Odyſſ. λ. 488 wo andre κε πάρουρος d. i. als Wächter dabey, laſen. —αρσις, εως, ἡ, (ἐπαίρω) das Erheben, Erhöhen. —αρτάω, ῶ, darüber, daran, darauf hängen: Φόβον τινὶ einem Furcht machen und vor die Augen ſtellen; ἐπαρτᾶται κίνδυνος darüber ſchwebt Gefahr, dabey iſt Gefahr, *impendet periculum.* —αρτεία, ἡ, S. ἐπαρτηία. —αρτηία, ἡ, joniſch ſt. ἐπαρτεία ſ. v. a. παρασκευὴ: Heſych. —αρτὴς, έος, ὁ, ἡ, (ἀρτέω) gerüſtet, bereit, fertig. —αρτίζω, ſ. v. a. ἐπαρτύω u. ἀρτίζω; zw. —αρτύω, anpaſſen, darauf befeſtigen. —αρυστὴρ, ὁ, ἐπαρυστρὶς, ίδος, ἡ, (ἀρύομαι) Gefaſs womit man Oel in die

Lampo zugieſst oder überhaupt zuſchöpft.

Ἐπαρχία, ἡ, Amt, Würde oder das Land eines ἔπαρχος: alſo auch Provinz, erobertes Land; davon —αρχικός, ἡ, ὸν, die Provinz oder den Gouverneur der Provinz betreffend, ihm gehörig u. dergl. —αρχιώτης, ου, ὁ, (ἐπαρχία) ein Menſch aus der Provinz: fem. ἐπαρχιῶτις. —αρχος, ὁ, ἡ, (ἐπ' ἀρχῇ ὤν) mit der Herrſchaft, dem Kommando verſehn, alſo Vorgeſetzter, Regent, Befehlshaber und ſpeciell, Gouverneur in einer Provinz, Propraetor, Proconſul bey den Römern. —αρχότης, ἡ, ſ. v. a. ἐπαρχία Photius in Olympiodoro. —άρχω, ich bin ἔπαρχος, Regent, Gouverneur, Vorſteher von einem vorz. eroberten Lande, Cyrop. 1, 1, 4. m. d. Genit. 2) ἐπάρχομαι bey Homer iſt die deutlichſte Stelle Il. 6, 417. οἰνοχόος μὲν ἐπαρξάσθω δεπάεσσιν wo der Schol. richtig ἐπιχέειν zugieſsen erklärt. Daher Hymn. Apoll. 125 ἀλλὰ Θέτις νέκταρ τε καὶ ἀμβροσίην ἐρατεινὴν ἀθανάτῃσιν χερσὶν ἐπήρξατο reichte ihm, und nährte ihn. Scheint alſo von ἐπάρκω, ἐπαρκέω zu kommen. —αρωγή, ἡ, Hülfe, Beyſtand; ſ. v. a. ἐπάρηξις. —αρωγός, ὁ, Helfer, Gehülfe; ſ. v. a. ἐπαρηγών. —ασθμαίνω, dabey darzu keuchen. —ασκέω, noch darzu, oben drein üben; oder wider einen üben, unterrichten; bey Homer mit Fleiſs arbeiten und hinzuſetzen. S. ἀσκέω. —ασμα, ατος, τὸ, ſ. v. a. ἐπῳδή, das vorgeſungene Lied, zum einſchläfern, bezaubern u. ſ. w. —ασπαίρω, dabey, darzu zappeln. μόχθῳ Oppian. Hal. 5, 407. —ασπιδόω. S. ἐνασπιδόω. —ασσύτερος, dicht auf einander, häufig, ſ. v. a. ἐπάλληλος, *frequens* v. ἐπὶ, ἆσσον. —ασσυτεροτριβής, ὁ, ἡ, (τρίβω) ὀρέγματα χερὸς ἐπασσυτεροτριβῆ Aeſch. Choeph. 424. die ſchnell und häufig auf einander folgenden Bewegungen der Hände beym Schlagen, tödten. —αστράπτω (ἐπὶ, ἀστρ.) ich glänze, leuchte darein, daran, darüber.

Ἐπάττω hinzuſpringen: Ariſtoph. Ach. 1171. —αυγάζω, darauf leuchten, erleuchten, erhellen, beſtrahlen: auch beſehen; paſſ. darauf leuchten, tagen, ὡς ἐπηύγαζεν Polyaen. 1, 39, 1. ſoll ὑπαυγ. heiſſen wie 7, 8, 2. dav. —αύγασμα, ατος, τὸ das darauf fallende Licht, Glanz, Strahl. —αυδάω, ῶ, darzu, auſſerdem ſagen: Suid. —αυθαδίζομαι Arrian. Exp. 5 p. 164 ἐπαυθαδάσασθαι ἐπὶ κακῷ. noch bey der böſen ſchlechten Handlung ſich trotzig und übermüthig bezeigen; wo jetzt ἀπαυθαδιάσασθαι ſteht: auch bey Joſeph. —αύλειος, ὁ, ἡ, ſ. v. a. αὔλειος falſch aus Odyſſ. 1 οὐδοῦ ἐπ' αὐλείου genommen. —αυλέω, ῶ, dazu ſpielen auf der Flöte: πρὸς τὰ αὐλήματα τῶν ποιμένων αἱ σκοπιαὶ ἐπαυλοῦσαι die zu dem Flötenliede der Hirten wiedertönenden Felſen: Lucian. 8 p. 93. —αυλίζομαι, dabey darauf liegen- bleiben, im Zelte oder Lager verweilen, ſchlafen.

Ἐπαύλιον, τὸ, ſ. v. a. ἔπαυλις. 2) τὰ ἐπαύλια, der zweyte Hochzeittag, ſonſt ἀνακαλυπτήρια: Pollux 3, 39. —αυλις, εως, ἡ, Landgut; Landhaus; Meyerey; Stall; auch ſ. v. a. ἐπαύλισις Polyb. 16, 15 u. Plato Alcib. 2, 21. —αυλισμός, ὁ, das Schlafen- Lagern- Verweilen dabey; zw. —αυλος, ὁ, Stall, Odyſſ. ψ. 358. auch ſ. v. a. ἔπαυλις; bey Sophocles iſt der plur. ἔπαυλα. 2) als adject. ſ. v. a. ἔνοικος. —αυξάνω, ἐπαύξω, f. ξήσω, vergröſsern, vermehren, zuſetzen. —αυξή, ἡ, ſtatt ἐπαύξησις. —αυξής, ὁ, ἡ, zunehmend, zu od. anwachſend: Hippocr. —αύξησις, εως, ἡ, Wachsthum, Zunahme. —αυρέω, ῶ, ſ. v. a. ἀπολαύω Antheil woran haben, alſo Nutzen oder Schaden davon haben. S. ἀπαυρέω; davon —αύρεσις, ἡ, und ἐπαύρησις, ἡ, Antheil, Mitgenuſs vom Vortheil und Schaden. —αυρίζω, f. ίσω, ich hauche - blaſe zu - an, *adſpiro*; von αὔρα. —αύριον, Adverb. auf morgen, morgen, ἐπὶ αὔριον. —αυρίσκω und ἐπαυρίσκομαι, ſ. v. a. ἐπαύρω, ἐπαύρομαι, ich habe Theil daran: Hom. Il. 13, 733. —αύρω, ἐπαύρομαι, ſ. v. a. ἐπαυρέω. —αύρω, ich berühre, erhalte, erlange: ὅστις ἐπαύρῃ, Nic. Ther. 763. von αὔω ſ. v. a. θίγω. —αυτίκα, ſogleich, hernach, ἐπὶ αὐτίκα. —αυτομολέω, bey Aelian. H. A. 2, 11. ſ. v. a. αὐτομολέω. zw. —αυτοφώρῳ ſt. ἐπ' αὐτῷ φώρῳ *in ipſo furto*, auf dem Diebſtahle ſelbſt, auf der That. —αυχένιος, ὁ, ἡ, (ἐπ' αὐχένι) auf dem Halſe liegend, oder darauf zu legen. —αυχέω, d. i. αὐχέω ἐπί. —αυχμέω, (αὐχμός) Ζεὺς ἐπαυχμήσας, Jupiter der trocknes Wetter macht. Sophocles. —αφαίρεσις, εως, ἡ, wiederholtes Wegnehmen; von —αφαιρέω, ῶ, wiederum - abermals wegnehmen. —αφάομαι, ῶμαι, fut. ήσομαι, berühren, betaſten: ſanft, liebevoll (μαλακῶς) betaſten, ſtreicheln, liebkoſen. —αφαυαίνω, ἐπαφαυανθῆν γελῶν Ariſtoph. Ran. 1089. ſt. ἐπιγελῶν ἀφαυ. wo vorher fälſch ἀπαφ. ſtand. —αφή, ἡ, und ἐπάφησις, ἡ, Berührung, Betaſtung: Plut. im ſchlimmen Sinne: Angriff, Beſtrafung, Verweis. ἐμμελοῦς φιλοτιμίας ἐπαφή. Plut. Lyſ. 23. derſ. verb. es mit νουθέτησις audit. —αφίημι, f. ήσω, d. i. ἀφίημι ἐπί τινα, gegen einen losslaſſen, als Hunde aufs Wild anhetzen: losslaſſen, dargegen werfen, darauf- dahin- darnach schicken.

'Ἐπαφρίζω, darauf- oder oben über schäumen. —αφροδισία, ἡ, das Liebenswürdige, die Annehmlichkeit: Dio Or. 32 p. 118. und Appian. von —αφρόδιτος, ὁ, ἡ, Adverb. —δίτως, mit Liebe, Liebreiz versehn: lieb, liebenswürdig, liebreizend, schön, angenehm —αφρὸς, ὁ, ἡ, mit Schaum oben auf: schäumend: Hippocr. —αφύω, dazuschöpfen, dazugiessen: Hom. Od. 19, 388. —άχθεια, ἡ, Lastigkeit, Belästigung: v. —αχθὴς, έος, ὁ, ἡ, Adv. —θῶς, (ἄχθος) lastig, beschwerlich, drückend. —αχθίζω, belasten, beschweren: Aesop. 20, 1. wo aber andre ἀπαχθ. haben. —αχλύω, verfinstert seyn: τὸν θολερὸν ἀέρα καὶ πρὸ τῆς ἑκάστου διανοίας ἐπαχλύοντα πρῶτος ἡρακλῆς διήρθρωσε, Heraclid. Allegor. 34. wo es vermuthl. διήθρωσε von αἴθρη heissen sollte d. i. aufheitern, helle machen. Arat. Dios. 174. hat die Form ἐπαχλυόω, davon partic. ἐπαχλυόων.

'Ἐπεάν, Conj. s. v. a. ἐπὰν und ἐπὴν, mit d. conjunct. —εγγελάω, ῶ, s. v. a. ἐγγελάω, m. d. dat. verspotten, verlachen. —έγγυος, ὁ, ἡ, Pollux 3, 34. falsche Les. st. ὑπέγ. —εγείρω, gegenwider jemand aufwecken - aufregen- anhetzen - aufhetzen: wozu erwecken- ermuntern - reizen - antreiben; dav. —εγερμὸς, ὁ, oder ἐπέγερσις, ἡ, das Aufwecken, Aufhetzen oder Aufmuntern. zw. Bey Clemens Paedag. 2 p. 213. muss es ἐπαγερμὸς st. ἐπεγ. heissen. —εγερτικὸς, ἡ, ὸν, Adv. ἐπεγερτικῶς, aufweckend, aufmunternd, anreizend. —εγκαγχάζω, auslachen und zwar mit lautem Gelächter. zw. —εγκανάξαι. S. καναζω. —εγκάπτω, noch darzu oder obendrein verschlucken, verschlingen. —εγκεράννυμι, noch- darzu- od. ausserdem einmischen. —εγκλάω, b. Dio Cass. βλέφαρα und ὀφθ. die Augen auf die Seite biegen, und so also von der Seite ansehn oder zunicken; daher bey Hesych. ἐπεγκλάσας, τοῖς ὄμμασι πως διανεύσας. —εγκολάπτω, noch- darzu- einhauen, eingraben. —εγκρεμάω, darinne aufhängen: wahrsch. f. L. st. ἐπαγκρ. —εγκυκλέω, ich fuhre- bringe noch darzu- herbey: Aristides 2 p. 514. —εγκυλίω, drinne herumwâlzen: Clem. Strom. 7 p. 877. —εγρία, ἡ, bey Jamblich. Pythag. §. 68. hat die Handschr. ἐπεγρίαις wo ἐπειρίαις steht. §. 13. steht ἐπαγρίαν mit ὀλιγουπνίαν verbunden. §. 187 ἐπήρειαι. Soll verm. Wachsamkeit bedeuten. zw. —έγρω, s. v. a. ἐπεγείρω. —εγχαίνω, mit aufgerissenem Maule auslachen: mit dem dat. s. v. a. ἐπεγγελάω, bey Sui-

'Επεισάγω, dazu- oder auſserdem einführen, einbringen, anbringen, noch hinzubringen, zubringen: auſführen, annehmen. —εισαγωγὴ, ἡ, das Zuführen auſserdem: Hinzufügung, Einführung, Zufuhre, Annahme an Kindes ſtatt. —εισαγώγιμος, ὁ, ἡ, noch darzu geführt, eingebracht: z. B. τὰ ἐπεισαγώγιμα, Zufuhre von fremden Waaren, Lebensmitteln und dergl. —είσακτος, ὁ, ἡ, ſ. v. a. das vorherg. noch darzu gebracht- eingebracht, eingeführt. —εισβαίνω, mit- oder noch darzu hineinſteigen oder gehn. —εισβάλλω, noch-darzu- auſserdem hineinwerſen -legen - ſtellen - bringen: (ἑαυτὸν) τινὶ, einen anfallen: Palaeph. 1, 5. einfallen, einbrechen, eingehen. —εισβάτης, ου, ὁ, ſt. ἐπιβάτης: Eurip. Hel. 1566. zw. —εισδέχομαι, f. ξομαι, noch - darzu - auſserdem einnehmen - aufnehmen, zulaſſen. —είσειμι, ſ. v. a. das folgd. zw. —εισέῤῥω, noch - darzu hineingehen oder kommen und zwar zu ſeinem Verderben: Pollux 9, 158. —εισέρχομαι, noch-darzu-auſſerdem- hinterher hineingehen od. kommen. —εισηγέομαι, οῦμαι, noch- darzu- darauf- auſſerdem einführen, anrathen u. dgl. —είσθεσις, ἡ, bey den gr. Grammat. Eingang, Anfang. —είσιον, τὸ, Lycophr. 1385. die Schaamhaare, Schaamgegend: ſonſt ἐπίσειον u. ἐφήβαιον. S. ἐπίσειον. —εισκαλέω, ῶ, noch- darzu- darauf hereinrufen. —εισκρίνομαι, dem Sinne nach ſ. v. a. ἐπεισέρχομαι, hinterher od. hernach- dazu oder hineingehn oder kommen, wie ἐκκρίνομαι und ἀποκρίν. ſich abſondern, trennen und weg- od. fortgehn. —εισκυκλέω, ῶ, noch- dazu - darauf - auſserdem zuführen, herbeybringen. —εισκύπτω, ſ. v. a. ἐπικύπτω. zweif. —εισκωμάζω, ich komme κωμάζων noch darzu und hinein. —εισόδιον, τὸ, das fremde, eingeſchobene einer Rede od. Erzählung, Einſchiebſel, Epiſode; von —εισόδιος, ὁ, ἡ, von auſsen darzu kommend: ἀπὸ μηχανῆς θεὸς ἐπ. Eunap. Legat. epiſodiſch. —εισοδιόω, ῶ, eine Epiſode anbringen: λόγον ἐπαίνοις, Ariſtot. Rhet. 3, 17. Lob in die Rede einſchieben. —εισοδιώδης, εος, ὁ, epiſodiſch, von der Art einer Epiſode. —είσοδος, ἡ, das Darzukommen: Darzwiſchenkunft. —εισπαίω, noch - darzu - darauf- hinterher hineinbrechen, oder mit Gewalt eindringen. —εισπέμπω, f. ψω, noch - darzu - darauf hineinſchicken - werfen - laſſen. —εισπηδάω, ῶ, f. ήσω, noch- darzu oder hinterher- hinein ſpringen. —εισπίπτω, noch- darzu- hinterher oder auſserdem hineinfallen. —εισπλέω, f. εύσω, noch od. hinterher hineinſchiffen od. fahren. —εισπνέω, f. εύσω, wiederholt Athem holen: Galen. —εισπράττω, f. ξω, auſserdem- noch- obendrein einfordern, eintreiben: Dio Caſſ. —εισρέω, auſserdem- noch- hinterher hineinflieſsen. —εισφέρω, noch- darzu- auſserdem hineintragen oder bringen. —εισφρέω, ἐπεισφρημι, noch- darzu- hinterher- auſserdem hineinlaſſen oder gehn. —εισχέω, auſserdem- noch- darzu- hinterher- hineingieſsen.

'Επειτα, Adv. nachher, hernach, hierauf; als Frage: nun? was folgt daraus? wirklich? ſo? bisweilen ſ. v. a. doch, Ariſtoph. Ach. 497 von εἶτα u. ἐπί.

'Επειτε, joniſch ſt. ἔπειτα, hernach.

'Επείτε, als: weil, bey Herodot.

'Επείτοι, als aber, weil aber. —εκβαίνω, herausſteigen und wohin gehen; nach andern ausſteigen. —εκβοάω, beſchuldigen, Vorwürfe machen: Dio Caſſ. 43, 24. ſ. v. a. ἐπικαλέω. —εκβοηθέω, ῶ, hervorgehn und zu Hülfe eilen. —εκδιδάσκω, f. δάξω, annoch- ferner- weiter lehren. Plutar. Solon. 25 verb. es m. σαφηνίζω. —εκδίδωμι, auſserdem weggeben, verſchenken: zw. —εκδιηγέομαι, οῦμαι, noch- darzu- ferner weiter erklären; davon —εκδιήγησις, εως, ἡ, die fernere oder wiederholte Erklärung. —εκδρομὴ, ἡ, Ausfall; Streiferey: Dio Caſſ. —έκεινα, Adv. d. i. ἐπ' ἐκεῖνα, m. d. genit. jenſeit; darüber hinaus. —εκθέω, gegen einen auslaufen, vorlaufen: einen Ausfall thun: Streiferey machen. —εκκλίνω, f. νῶ, ausweichen, vermeiden; zw. —εκκουφίζω, f. ίσω, erleichtern; zw. —εκλέγομαι, durchleſen: Pauſan. zw. —εκπίνω, darzu- noch- überdem- hinterher austrinken. —έκπλοος, contr. ἐπέκπλους, ὁ, das Auslaufen eines Schiffs oder einer Flotte gegen den Feind. —εκπνέω, wiederholt ausathmen, wie ἐπεισπνέω d. Gegenth. Galen. —εκροφέω, Ariſtoph. Equ. 701. noch darzu austrinken. —έκτασις, εως, ἡ, verlängerte Ausdehnung, Aufſchub; davon —εκτατικὸς, ἡ, ὸν, Adv. —κῶς, verlängernd, ausdehnend; ausſtreckend. —εκτείνω, darüber- oder wieder oder mehr ausdehnen, erſtrecken oder verlängern; davon —εκτεταμένως, Adv. vom partic. perf. paſſiv. mit Anſtrengung: heftig, ſehr. zw. —εκτρέχω, ſ. v. a. ἐπεκθέω. —εκφέρω, noch- ferner- hinterher oder darzu hinaustragen od. führen: Plutar. Alex. 26. —εκφεύγω, f. ξω, entfliehen, hinfliehn. zw. —εκφορὰ, ἡ, hinzugefügter Ausdruck. zw. —εκχέω, dabey- darnach- noch- auſserdem ausgieſsen. —έλασις, εως, ἡ, eigentl. das Antreiben; der Marſch gegen den Feind; der Angriff; von

'Επελαύνω, f. άσω, (ἐλαύνω ἐπὶ) mit verſtandenen ἵππον, ἅρμα, στρατὸν u. dergl. auf oder gegen einen gehn; angreifen, anfallen. Xenoph. Equ. hat das eigentl. ἐπ. ἵππον, antreiben. —ελαφρίζω, f. ίσω, u. ἐπελαφρύνω, (ἐλαφρὸς) daraufheben, erheben; leicht machen, erleichtern; wie *levis, levo, elevo*. —έλεγχος, ὁ, ſ. v. a. ἐπεξέλεγχος. —έλευσις, εως, ἡ, Ankunft, das Ankommen, Hinzukommen; davon —ελευστικὸς, ἡ, ὸν, darzu oder hinzukommend. —ελίσσω. S. ἐφελίσσω. —έλκω, jon. ſtatt ἐφέλκω. —ελπίζω, f. ίσω, m. d. acc. einem Hofnung geben oder machen; zu Hofnungen berechtigen; durch oder mit Hofnungen reizen, locken und auch täuſchen. —έλπομαι; ſ. v. a. ἐλπίζω. zweif. —εμβαδὸν, Adv. im gehn, treten, ſteigen auf etwas; von —εμβαίνω, darauf gehn, darauf treten oder ſeyn als νηὸς auf dem Schiffe: τινὶ, d. lat. *inſultare* einen unter die Füſse treten, ſchmählich behandeln. Sophocl. —εμβάλλω, auſserdem-noch-darzu hineinlegen- werfen- ſetzen; darzuthun, zuſetzen. —έμβαμμα, ſ. v. a. ἔμβ. Nicetas Annal. 20, 5. —έμβασις, εως, ἡ, (ἐπεμβαίνω) das treten, gehn, ſeyn auf etwas; bey Dionyſ. Antiq. 3, 19 Vorrücken, Vortreten. —εμβάτης, ου, ὁ, d. i. ἐπεμβαίνων, Eur. Suppl. 585. Bach. 781. —εμβοάω, ῶ, f. ήσω, m. d. dat. gegen einen aufſchreyen, einen anſchreyen. —εμβολὰς, άδος, ἡ, ἄπιος Athenae 14. gepfropft, geimpft. —εμβολὴ, ἡ, Einſchiebſel, Einſatz: Hermogenes. —εμβριμάομαι. S. ἐμβρ. —έμμηνος, ἡ, Joſeph. b. j. 6, 9, 3. γυνὴ, in der monatl. Reinigung. —εμπηδάω, ῶ, f. ήσω, noch- darzu- hinterher- hineinſpringen, ſ. v. a. ἐμπ. —εμπίπτω, ſ. v. a. ἐπεισπίπτω. —εμφύρω, noch- darzu hineinkneten; einmiſchen: ſ. v. a. ἐμφ. —ενδίδωμι; ſ. v. a. ἐπιδιδ. u. ἐνδιδ. zw. —ένδυμα, ατος, τὸ, u. ἐπενδύτης, ὁ, Oberkleid; von —ενδύνω, ἐπενδύω, darauf- darüber ziehn od. anziehn. —ένεγξις, ἡ, εως, (ἐπενέγκω) das darzu- noch hineintragen oder bringen. —ενήνοθεν, ſt. ἐπῆλθεν. S. ἀνενήνοθεν. —ένθεσις, εως, ἡ, das Einſchieben, darzwiſchen Setzen. —ενθορέω, ῶ, darzu- hinterher, hineinſpringen, ſ. v. a. ἐνθορ. —ενθρώσκω, ſ. v. a. d. vorh. —ενθυμέομαι, οῦμαι, ein ἐνθύμημα hinzufügen; davon —ενθύμημα, ατος, τὸ, ein zweytes oder hinzugeſetztes ἐνθύμημα: Hermog. —ενθύμησις, εως, ἡ, das hinzuſetzen eines zweiten ἐνθύμημα: zw. —εντανύω, f. ύσω, oder τείνω darüber- daran- dagegen anſpannen- erſtrecken- anſtrengen; ferner oder weiter anſpannen od. anſtrengen: Ariſtoph. Pac. 514. —εντέλλω, Soph. Ant. 218. noch darzu befehlen. —εντίθημι, einſetzen, einſchieben. —εντρίβω, f. ψω, noch- darzu- hinterher einreiben, eindrücken, beybringen; ſ. v. a. ἐντρ. —εντρυφάω, ῶ, f. ήσω, ſ. v. a. ἐντρυφάω, wie ἐγγελάω u. ἐπεγγελάω.

'Επεντρώγω davon ἐπεντραγεῖν aor. 2. von ἐπὶ, ἐν, τρώγω auch τράγω, ich eſſe dazu vorz. Leckerbiſſen, Näſchereyen. —εντρώματα, τὰ, ein Wort des Epikurs bey Athenaeus p. 546 welches Philo de Allegor. durch ἐγκοίλια erklärt u. Kaſaubon falſch von ἐπεντρώγω ableitet, ſoll ἐπεντερώματα heiſsen, ſo wie ἐντερόνεια durch ἐγκοίλια erklärt wird, und bedeutet Speiſen die in die ἔντερα Eingeweide kommen. —εντύνω und ἐπεντύω (ἐπὶ, ἐντύω) ich mache darzu zu rechte; paſſe an; mache daran. S. ἐντύω. —εξάγω, d. i. ἐξάγω ἐπὶ. —εξαγωγὴ, ἡ, d. i. ἐξαγωγὴ ἐπὶ. —εξαμαρτάνω, darzu oder noch mehr fehlen, ſündigen. —εξανάπτω, noch mehr entzünden: Piſides bey Suid. —εξανθίζω, noch mehr mit Blumen oder bunten Farben ſchmücken; zw. —εξαπατάω, noch darzu- obendrein betrügen; zw. —έξειμι, ſ. v. a. ἐπεξέρχομαι. —εξελαύνω, f. λάσω, ausreiten- ausfahren- ausgehn- ausmarſchiren wider einen. —εξέλεγχος, ὁ, weitere fernere Ausführung des ἔλεγχος. S. παράψογος. —εξέλευσις, εως, ἡ, (ἐπεξέρχομαι od. ἐπεξελεύθω) Verfolgung, Rache, Strafe; dav. —εξελευστικὸς, ἡ, ὸν, rächend, ſtrafend. —εξεργάζομαι, f. άσομαι, noch darzu machen, arbeiten, bewirken, thun; überarbeiten und die Arbeit poliren, ausputzen, vollenden; davon —εξεργαστὴς, οῦ, ὁ, der überarbeitet und vollendet; dav. —εξεργαστικὸς, ἡ, ὸν, Adv. —στικῶς, zum ausarbeiten, überarbeiten, poliren, vollenden gehörig, geneigt oder geſchickt. —εξέρπω, durchgehn, durchdringen; zw. —εξέρχομαι, f. ελεύσομαι, (ἐξέρχομαι ἐπὶ) gegen einen ausgehen, ihm entgegen gehen, einen Ausfall thun: Streifereyen machen: 2) übergehn, durchgehn, wie *perſequi oratione.* 3) m. d. Dativ. verfolgen, belangen; rächen, beſtrafen: τοῦ βασιλέως τῷ αἵματι den Mord rächen. Herodian. 2, 9. wie auch Thucyd. —εξέτασις, εως, ἡ, wiederholte ἐξέτασις, Muſterung: Thucyd. 6, 42. —εξευρίσκω, f. ρήσω, darzu- annoch- auſserdem erfinden oder ausfinden. —εξηγέομαι, darzu oder nacherzählen oder erklären; ferner weiter ausführlicher erzählen; dav.

Ἐπεξήγησις, εως, ἡ, Nacherzählung; hinzugefügte- fernere- weitere Erzählung oder Erklärung. —εξιακχάζω, noch darzu oder zujauchzen; zw. —εξόδια, τὰ, (ἱερὰ) Opfer beym Ausmarsche der Armee wider den Feind; neutr. von ἐπεξόδιος, ὁ, ἡ, von —έξοδος, ἡ, Ausmarsch, Ausfall eines losbrechenden Feindes. —εργάζομαι, wie das davon kommende. —εργασία, ἡ, ich ackere und baue Land auf fremdem Gebiete, und das Recht, welches zwey benachbarte Länder ihren Einwohnern durch Verträge geben, gegenseitig auf ihrem Gebiete Land zu besitzen und zu bebauen, wie ἐπιγαμία gegenseitig einander zu heyrathen, ἐπινομία gegenseitig das Vieh auf fremdem Boden zu weiden: Cyrop. 3, 2, 23. —ερεθίζω, u. ἐπερεθισμὸς, ὁ, s. v. a. d. simpl. ἐρεθ. Plut. 9 p. 598. u. 3 p. 589. —ερείδω, f. είσω, darauf- daran stützen- stemmen- lehnen; anstrengen: Il. 7, 269. med. sich worauf oder woran lehnen, stützen, stemmen; davon —έρεισις, εως, ἡ, das Draufdrücken - stützen - stemmen; das Festsetzen oder legen woran oder worauf. —ερεύγω, darauf od. dargegen speyen. —έρομαι, f. ρήσομαι, befragen, ausfragen, anfragen, fragen, um Rath fragen: Xen. resp. Lac. 8, 5. wie ἐπερωτάω, mag. eq. 9, 9. —ερυθριάω, darüber erröthen. —ερύω, f. ρύσω, dahin- darauf- daran ziehn. —έρχομαι, f. ἐλεύσομαι, dazu gehn oder kommen; gegen einen kommen oder ihn anfallen, angreifen, u. so strafen, bestrafen; nahe kommen ankommen: Hom. Od. 16, 27. von Schriften und Sachen wie alle ähnliche verba, durchgehn, durchlesen, Synes. überdenken; treiben, studieren: Apollodor. 3, 10, 2. eigentl. von Oertern u. Gegenden, die man durchgeht, bereist u. besieht: Plut. in Pomp. —ερωτάω, ῶ, f. ήσω, ich befrage, frage um Rath; davon —ερώτημα, ατος, τὸ, u. ἐπερώτησις, s. v. a. ἐρώτημα u. ἐρώτησις, Frage: das Fragen. —εσβαίνω, f. βήσομαι, s. v. a. ἐπεισβαίνω. —εσβολέω, ich schmähe, tadele: Lycophr. 130 von ἐπέσβολος. —εσβολία, ἡ, Schimpf, Tadel, Schmach; Geschwätz oder unschickliches Dazwischenreden: Hom. od. 4, 159. wo andere es durch πολυλογία erklären. —έσβολος, ὁ, ἡ, schimpfend, schmähend, tadelnd, v. ἐπὶ, ἐς, βάλλω: Hom. Il. 2, 275. —εσθίω, ἐπέσθω, dabey, dazu essen: hinterher oder nachessen. —έστιος, ὁ, richtiger ἐπίστιος jonisch st. ἐφέστιος. —εσχάριος, ὁ, ἡ, (ἐπ' ἐσχάρα) auf dem Heerde befindlich. —ετειόκαρπος, ὁ, ἡ, jährlich Frucht tragend. Theophr. —ετειόκαυλος, ὁ, ἡ, jährlich einen neuen Stengel treibend; ders. —έτειος, ὁ, ἡ, (ἐπ' ἔτος) auf ein Jahr dauernd, oder jährlich, jährig. ἐπέτειοι τὴν φύσιν die alle Jahre ihren Charakter, Urtheil ändern: Aristoph. Eq. 518. —ετειοφορέω, ῶ, ich trage jährlich; von —ετειοφόρος, ὁ, ἡ, jährlich tragend. —ετειόφυλλος, ὁ, ἡ, mit oder von jährigen Blättern; jährlich neue Blätter treibend.

Ἐπέτης, ου, ὁ, (ἕπω) s. v. a. ἐπήμων u. ὀπάων; das femin. ἐπέτις, ἡ.

Ἐπετήσιος, ὁ, ἡ, poet. s. v. a. ἐπέτειος.

Ἐπετικὸς, ἡ, ὸν, (ἕπω) folgsam, gehorsam; zw. —τις, ιδος, ἡ, fem., v. ἐπέτης.

Ἐπευάζω, zujauchzen. S. εὐάζω; zw. —ευδοκέω, m. d. Dat. bey Nicetas Ann. häufig s. v. a. εὐδοκεῖν, billigen, genehmigen. —ευθὺ, Adv. d. i. ἐπ' εὐθὺ, gerade zu, gerade hin; zw. ἐπευθὺς, wie εὐθὺς, sogleich; zw. —ευθυμέω, ῶ, dabey gutes Muths seyn; zw. —ευθύνω, darnach- dahin lenken - richten - steuern.

Ἐπευκτὸς, ἡ, ὸν, (ἐπεύχομαι) erwünscht: Jerem. 20, 14. —ευλαβέομαι, οῦμαι, sich wohl in Acht nehmen. —εύνακτοι, οἱ, u. ἐπεύνασται, auch ἐνεύνακτοι, (εὐνάζω) bey Hesych. u. Athen. 6 p. 271. die zu Sparta im Ehebette der abwesenden Herrn von den Sclaven erzeugten Kinder: ἐπευνακταὶ aber oder ἐνευνακταὶ, hiessen die Sclaven, die im Ehebette ihrer Herren schliefen. —ευφημέω, ῶ, Beyfall zurufen. —ευφημίζω, s. v. a. das vorberg. Bey Dio Cass. u. für ἐπιφημίζω bey dems. u. sonst: zw. —ευχὴ, ἡ, Gebet, Gelübde, Wunsch. —εύχομαι, beten: geloben, wünschen, flehen; von sich rühmen, sich brüsten. —ευωνίζω, (ἐπὶ, εὔωνος) πωλοῦσιν ἐπευωνίζοντες Demosth. 687. verkaufen um einen geringen Preiss: Plutarch. Coriol 20. Cicer. 8 τὴν ἀγορὰν ἐπ. die Lebensmittel wohlfeil machen. —ευωχέομαι, ich schmause dabey, darauf: Dio Cass. —έχω m. d. Dat. *adhibeo*, *applico*, ich halte, lege an, auf etwas; ἐπέχε σκοπῷ halte nach dem Ziele; vergl. Herodot. 6, 49. ἐπέχούσας ναῦς πρὸς τὴν πελοπόννησον Plut. Anton. 67 die nach dem Pelop. zu fuhren: vorz. νοῦν, wie *animum adverto*, ich achte auf etwas, denke auf etwas, habe etwas im Sinne; ich bin aufmerksam auf etwas m. d. Dat. auch mit nachfolg. Infinit. ἐπὶ ταύτην ἐπεῖχον στρατεύεσθαι: Herodot 6, 96. 2) ich halte an, zurück, hindere; 3) ich nehme ein, behaupte. γῆν ἐπέχω ὀλίγην; 4) hinhalten, hingeben, darreichen, machen, verursachen; 5) anhalten, auf einen halten, ihn bezielen, no. 1, ihm zuſetzen.

'Επήβολος, ὁ, ἡ, ſ. v. a. ἐπίβολος, (ἐπιβάλλω) m. d. genit. der es erzielt, erreicht, hat, beſitzt: theilhaft. —ηγκενίδες, αἱ, Odyſſ. 5. 254 die langen Balken und Bretter an den Seiten des Schiffs vom Grunde an. Baſilius Petricius S. 140 ſagt, ſie hieſsen damals τὸ καταπατητόν. Bey Agathias 5 p. 167 ξύλα ἰθυτενῆ καθάπου ζυγὰ καὶ ἐγκαινίδας ὕπερθε κατὰ τὸ ἐγκάρσιον ἐνθέντες: wornach es alſo Queerbretter od. Banke zum Sitzen ſind. Nach Iſ. Voſſius de fabr. trirem. waren es die beyden obern Seitenverdecke (*fori*) welche die neuern παρόδους nannten, und wie Plutarch. in Demetr. vom κατάστρωμα unterſchieden. —ηγορεύω u. ἐπηγορέω m. d. Dat. ſ. v. a. κατηγορέω m. d. Genit. wider jemand ſprechen, anklagen, beſchuldigen, ſich beſchweren über jemand: Herodot 1, 90. davon —ηγορία, ἡ, wie κατηγορία, Anklage, Beſchuldigung, Beſchwerde. —ηετανὸς, ὁ, ἡ, (ἐπὶ ἔτος) aufs ganze Jahr hinlänglich; reichlich, überflüſſig: Hom. Od. 7, 99. τρίχες dichte Haare oder Wolle Heſiod. ἔργ. 515. —ήκοος, ὁ, ἡ, (ἀκούω) der hört, hören kann; ἐς τὸ ἐπήκοον, dahin wo man hören kann; 2) der erhört, ein Beyname mehrerer Gottheiten; 3) der erhört wird. ἐπήκοα γενέσθαι παρὰ θεῶν Plato. —ηλις u. ἐπηλὶς, ἡ, ſ. v. a. ἐφηλὶς, joniſch, der Deckel; 2) Sonnenbrand im Geſichte, *vitiligo*.

'Επηλλαγμένως, Adv. v. partic. perf. paſſ. ἐπαλλάττω. —ηλυγάζω, (ἐπὶ, ἠλύγη, Schatten, Finſterniſs, Bedekkung) ich beſchatte, bedecke, verberge; ἱματίοις τινα, mit Kleidern bedekken; ἐπηλυγάζεσθαι ſich bedecken; τὴν κεφαλὴν, ſeinen Kopf bedecken; θοιμάτιον, ſich mit ſeinem Kleide bedecken. S. ἐπιλυγίζω u. ἠλύγη.

'Επηλυγαῖος, ſchattigt, dunkel; desgl. —ηλυγίζω, ſ. v. a. das vorige. —ήλυγξ, ἡ πέτρα, dunkler Felſen: Eurip. Cyclop. 676. S. ἠλύγη. —ηλυς, υδος, ὁ, ἡ, (ἐπὶ, ἐλεύθω) Ankommling, Fremdling, Ausländer. —ηλυσία, ἐπηλυσίη, ἡ, u. ἐπήλυσις, ἡ, (ἤλυσις) die Ankunft; 2) Bezauberung, Behexung. Hymn. in Mercur. 37. Cer. 230. —ηλύτης u. ἐπήλυτος, ſ. v. a. ἔπηλυς. —ημάτιος, ὁ, ἡ, (ἐπὶ, ἦμαρ) was auf den Tag iſt, oder am Tage iſt, geſchieht, *diurnus*. —ημοιβὸς, (ἐπὶ, ἀμείβω) wechſelſeitig, *mutuus, alternus*, abwechſelnd, ſt. ἐπαμοιβὸς. —ημύω ich neige mich; ἐπημύει δὲ κεραίη: Oppian Hal. 1, 223 wo falſch ἐπιμύει ſteht; wie auch Cyn. 4, 123. S. ἠμύω. —ηνέμιος, ὁ, ἡ, (ἐπὶ, ἄνεμος) windig, in den Wind gehend, verſchwindend, eitel: Suid. —ήορος, ὁ, ἡ, (ἐπαείρω) darüber, darauf hängend- ſchwebend- liegend; erhoben. —ήρανος, ὁ, ἡ, ſ. v. a. ἐπιήρανος zw. —ήρατος, ὁ, ἡ, (ἐράω) liebenswürdig; angenehm, reizend. —ηρεάζω. S. ἐπήρεια, ich behandle feindſelig, ſchade. —ηρεασμὸς, ὁ. S. ἐπήρεια, feindſelige Behandlung, Schaden. —ηρεαστικὸς. S. ἐπήρεια, zum Schaden, Nachtheile geſchickt, bereit. —ήρεια, ἡ, von ἀρειὰ und ἐπὶ, wo das α in η verwandelt wird. ἀρειὰ bedeutet bey Homer v. ἀρὰ, ἀρὴ, wenn λευγαλέα ἔπη damit verbunden, oder μειλίχια entgegengeſetzt werden, harte Worte u. Drohungen, daher Etymol. ἀρειάω für ἀπειλέω erklärt. Daher heiſst auch ἐπήρεια eigentl. Drohung, harte Worte, ſchimpfliche Behandlung, womit man jemand zu ſchrecken und zu ſeinem Willen oder Abſicht zu bringen ſucht. In der erſten Bedeut. ſagt Herodot. 6, 9 τάδε σφι λέγετε ἐπηρεάζοντες, ſagt ihnen und drohet ihnen damit. Ueberh. iſt ἐπήρεια jede feindſelige, ſchmähliche, übermüthige Begegnung mit Chikane, Sucht zu verläumden und zu ſchaden verbunden. Man findet auch δαίμονος ἐπήρειαν von einem Unglücke, das durch Verhängniſs der Götter, Schickſal, ohne Schuld des Menſchen, ihm zuſtöſst. Auch Schaden, Nachtheil. Davon ἐπηρεάζω m. d. Datif u. Accuſ. Drohungen, Schmähungen, ſchmähliches Betragen mit Verläumdung und Sucht zu ſchaden verbunden ausdrückt, alſo überhaupt jemanden chikaniren, miſshandeln, verlaumden, ihm ſchaden, Unrechtthun u. dergl. die Handlung ἐπηρεασμὸς, und der ſie thut oder darzu geſchickt, gemacht iſt, ἐπηρεαστικὸς.

'Επηρεμέω, worauf- wobey ruhig ſeyn: Clemens Al. Paed. 2, 8. —ήρετμος, ὁ, ἡ, (ἐρετμὸς, ἐπὶ) am Ruder; rudernd. Odyſſ. 2, 403. mit Rudern verſehn. —ηρεφὴς, έος, ὁ, ἡ, (ἔρεφος) bedeckt; beſchattet; dicht. —ηρης, εος, ὁ, ἡ, ſ. v. a. ἐπήρετμος, mit Ruderern verſehen. —ήριτος, ὁ, ἡ, (ἐρίζω, ἐπὶ) beſtritten, ſtreitig; zw.

'Επητανὸν ὄλβον Maximus verſ. 465 ſt. ἐπηετανὸν. —ήτεια, ἡ, bey Apollon. 3, 1007 ἀγαναὶ ἐπήτειαι bey Suidas ſ. v. a. ἐπιητύς. —ήτης, ὁ, ἡ, auch ἐπητὴς, gewöhnlich leitet man es von ἔπος her und erklärt es beredt, *diſertus*, aber in den beyden Stellen des Homer muſs man es eher nach Maaſsgabe des Apollon. 2, 987. d. πρᾶος, milde, menſchlich, cultivirt, erklären, ſo wie Odyſſ. φ. ἐπητύος, Milde, πραότης, wo andre ἐπητέος nach Heſych. leſen. —ήτριμος, ὁ, ἡ, (ἤτριον ἐπὶ) dicht an oder über einander; eigentl. v. Gewebe und dem Anfange oder der Kette des Gewebes. Hieher gehört auch ἐπήτριος, λόγιος, πανοῦργος bey Hesych. verständig, klug, wie πυκνός u. σταθητός.

Ἐπητύς, ἡ, wird gewöhnlich durch Beredsamkeit erklärt, besser d. πραότης milde, sanfte Begegnung u. Sitten. S. ἐπήτης. S. ἐπήτεια, Hom. Od. 21, 306. —ηχέω, ῶ, dabey- darzu- darüber-entgegen rauschen oder tönen. —ηῶος s. v. a. ὑπηῶος Orph. Argon. 659 vergl. 482. —ήωρος, ὁ, ἡ, s. v. a. ἐπήορος; zw.

Ἐπί, Praepos. m. d. Genit. Dat. u. Accus. und in den Kompositis; auch ohne Kasus s. v. a. darzu, dabey. 1) m. d. Genitiv. in, bey, an, auf, unter, vor, nach; gegen, als ἐπὶ τῆς γῆς, auf der Erde, ἐπὶ τῆς γῆς καταπίπτειν, Xen. Cyr. 4, 5, 54, auf die Erde fallen: ἐπὶ κέρως, μετώπου, das. 6, 3, 34. 2, 4. 3. auf dem Flügel, vor der Fronte; ἐπὶ Κύρου, ἐπὶ τῆς αὐτοῦ ἀρχῆς, das. 8, 4. 5. c. 7, 1. unter Cyrus, unter dessen Regierung; ἐπὶ τῶν πράξεων das. 1, 6. 25 bey Unternehmungen; ἡ ἐπὶ τῆς πόλεως ὁδὸς das. 5, 2. 37. der Weg nach d. St. 2) mit dem Dativ: auf, bey einer Bedingung. ἐπὶ τούτοις, lat. *cum eo, ut*, auch ἐφ' ᾧ, ἐφ' ὧτε, ἐφ' οἷς mit folg. Infinitif ἐφ' ὧτε γράψαι νόμους, dass sie sollten Gesetze schreiben. b) ἐπὶ παιδὶ κληρονόμῳ ἀποθανεῖν, ἐπὶ παισιν ὀρφανοῖς ἀποθ. ἐπὶ νηπίῳ μοι τέθνηκεν, hier muss man es durch das lat. *relicto, superstite* z. B. *me puero infante relicto mortuus* erklären: mit Hinterlassung von Kindern, Erben sterben. c) ἐπ' ἐμοί ἐστι es steht bey mir, in meiner Gewalt, *penes me est*; ἐπὶ τούτοισι ἡ πᾶσα περσικὴ στρατιὴ ἐγένετο διαφθεῖραι καὶ περιποιῆσαι, Herodot. 7, 52. st. ἐπὶ τούτοις ἐγένετο τὴν πᾶσαν στρατιὴν δ. κ. π. es stand bey ihnen die ganze Armee zu vernichten oder zu erhalten; d) nach. S. ἐπώνυμος. 3) mit dem Accusativ, zu, gegen, bey.

Ἐπιάλλω, f. αλῶ, poet. s. v. a. ἐφίημι u. ἐπιβάλλω, ich schicke, werfe, führe zu. S. ἐφιάλλω. —άλτης, ου, ὁ, s. v. a. ἐφιάλτης. —ανδάνω, s. v. a. ἁνδάνω, gefällig seyn, gefallen. —αύω, (ἰαύω ἐπί) drauf schlafen. —άχω, (ἰάχω ἐπί) zurufen, zujauchzen.

Ἐπιβάθρα, ἡ, (ἐπί, βάθρα) eine Leiter, die man an- auf die Mauer- das Land- die Schiffe u. s. w. werfen kann, um darauf zu gehn, und auf etwas zu steigen; Zugang: Polyb. —βαθραίνω, ich steige hinauf auf der ἐπιβάθρα. Clemens Paed. 3 p. 296. —βαθρον, τὸ, das Fährgeld eines ἐπιβάτης, Passagiers auf dem Schiffe. Appollon. 1. 421. braucht es für das Opfer beym Einsteigen ins Schiff: Plut. Q. S. 8, 7. Miethschilling. —βαίνω, f. βήσομαι, p. βηκα, (ἐπί, βάω, βῆμι, βαίνω) Activ. ich bringe, führe hin- hinauf: ἀ' καὶ Σωσάνδρου παῖδ' ἐπέβησε πυρᾶς, *imposuit rogo.* 2) Neutr. ich gehe, steige, zu- hinauf etwas; 3) gehe auf einen los, greife ihn an; 4) greife, fange an. —βακχεύω, ich rufe wie beym Bacchusfeste dabey- dazu aus. —βάλλω, f. λῶ, ich werfe- lege- setze hinauf oder hinzu, m. d. Dat. der Sache und Accus. der Person oder Sache; also ich setze hinzu, auch ich lege- setze daran, σφραγῖδα, ich lege, drucke das Siegel daran oder darauf; ich lege auf, Strafe, Tribut, ζημίαν, u. s. w. τοξόται ἐπιβεβλημένοι, Bogenschützen, die den Pfeil auf die Sehne gelegt haben: Xen. Anab. ἐπιβάλλειν πληγάς τινι, *imponere plagas alicui*, Streiche geben: ἐπιβάλλειν κλήματα, die Ranken in die Höhe gehen lassen, *immittere palmites* Theophr. 2) als neutr. oder mit verstandenem ἑαυτὸν oder νοῦν, *animum advertere, appellere, operam dare*, wie προσέχειν, auf etwas merken, beobachten, bemerken, m. d. Dat. 2) treffen- stossen auf etwas; ausfallen, ausbrechen und anfallen; sich zutragen, begegnen. 3) eine Sache angreifen, anfangen, unternehmen; τοῖς κοινοῖς ἐπιβάλλειν πράγμασιν, *rempublicam capessere* verst. χεῖρας, Hand anlegen; auch im med. τὸν ἐπιβαλλόμενον μεγάλοις, wer grosse Dinge übernimmt: Dionys. hal. 4) ἐπιβάλλει μοὶ τόδε τὸ πρᾶγμα, die Sache geht mich an: τὸ ἐπιβάλλον μέρος, den zukommenden, gebührenden Theil: ὅσον ἐπιβάλλει αὐτοῖς, so viel ihnen zukömmt: ἐπιβάλλομαι, m. d. Accus. ich werfe mir an, ziehe an, lege mir auf: αὐθαίρετον δουλείαν ἐπιβαλεῖται, Thucyd. 6, 41. 2) ich werfe mich auf eine Sache, greife sie an, unternehme sie, fange sie an: τοσοῦτον ἐπιβαλλόμενος ἔργον, eine so grosse Sache unternehmend; auch m. d. Dat. oder mit folgd. Infinit. 3) m. d. Genit. verlangen, streben, wie ὀρέγεσθαι ὅσοι καὶ τοῦ εὖ ζῆν ἐπιβάλλονται, so viele nach einem glücklichen Leben streben. Auch wird d. med. bisweilen st. des Act. gebraucht: Odys. 6, heisst ἐδὲ φθρὰς ἐπέβαλλεν, sie richtete ihren Laut nach Phera, wie ἐπέχειν und προσέχειν gebraucht werden.

Ἐπίβαλος, bey Hesych. πτέρνα, die Ferse (βόω) s. v. a. ἐπιβάτης, wie βηλὸς, die Schwelle. —βαπτίζω, oder ἐπιβάπτω, ein- untertauchen. —βαρέω, ῶ, oder ἐπιβαρύνω, belasten, beschweren, mit schweren Lasten, Leiden belegen; lästig, beschwerlich werden; die erste Form ausser Appian bey Dionys. Antiq. 8. 73.

'Επιβασία, ἡ, oder ἐπίβασις, ἡ, (ἐπιβαίνω) das darauf oder hinzutreten oder gehn; Tritt, Zugang: Herodot. 6, 61. das Hinaufgehn- ſteigen, der Angriff, der Grund worauf etwas ſteht; das Gehen, Weitergehn: Longin. 11, 1. —βάσκω, ſ. v. a. ἐπιβαίνω: act. *induco*, ich bringe- führe hin: Il. 2, 234. —βαστάζω, ich trage darauf. —βατεύω, f. εύσω, ich bin ein ἐπιβάτης auf dem Schiffe, als Reiſender oder als Soldat, Krieger. 2) ſ. v. a. ἐπιβαίνω, m. d. Genit. ich gehe- ſteige auf etwas, beſteige; auch vom Beſpringen der männlichen Thiere; 3) ich betrete; wenn es mit einer Armee geſchieht, heiſst es einnehmen. 4) als neutr. ich gehe, ſtehe, lehne, ſtütze mich auf etwas: ἐπιβατεύων τῆς ἐκείνου θεολογίας καὶ θεωρίας, ſtütze mich auf ſeine Theorie und Auslegung: Gregor. Naz. bey Herodot. ἐπιβατεύων τοῦ Σμέρδιος οὐνόματος 3, 63. wofür c. 67. ἐπιβατεύων τοῦ ὁμωνύμου Σμέρδιος, ſich ſtützend auf den Namen des Smerdis, unter dem Scheine- Vorwande des Namens. Gewöhnlich erklärt man es durch ſich anmaſsen. —βατήριος, ὁ, ἡ, zum einſteigen- aufſteigen gehörig: ἐπιβατήρια, verſt. ἱερὰ, Feſt beym Einſteigen, Eingange: Syneſ. p. 70. —βάτης, ου, ὁ, d. i. ἐπιβαίνων, das Schiff beſteigend, auf dem Schiffe befindlich, ſey es als Mitreiſender oder Schiffsſoldat. —βατικὸς, ἡ, ὸν, zum ἐπιβάτης gehörig: τὸ ἐπὶ ſ. v. a. οἱ ἐπιβάται. —βατὸς, ἡ, ὸν, zugänglich, erſteigbar. —βάω, u. ἐπίβημι, ſ. ἐπιβαίνω.

'Επίβδα, ἡ, der vierte Tag des Athen. Feſtes ἀπατούρια: auch der Tag nach der Hochzeit: bey Pind. Pyth. 4, 249 für die Zukunft; der Neujahrstag, Ariſtides T. 1 p. 352. —βδάλλω, nachmelken; zweif. —βεβαιόω, ῶ, befeſtigen, verſtärken, verſichern, beſtätigen, bekräftigen. —βήτωρ, ορος, ὁ, ſ. v. a. ἐπιβάτης. 2) κάπροι, ταῦροι ἐπιβήτορες, Eber und Stiere, die ſpringen, befruchten. —βιβάζω, f. άσω, beſteigen, beſpringen, belegen laſſen. —βιβάσκω. S. in κυΐσκω. —βιβρώσκω, dabey, dazu eſſen: ſ. v. a. ἐπιβρ. —βιος, ὁ, ἡ, nachherlebend, überlebend: Pollux 3, 108. —βιόω, ῶ, u. ἐπιβίωμι, noch oder ferner leben, überleben, m. d. Dat. —βλαβὴς, έος, ὁ, ἡ, Adv. —βῶς, (βλάβη) ſchädlich, nachtheilig. —βλάπτω, f. ψω, annoch oder darzu, od. auſserdem ſchaden; zw. —βλαστάνω, und ἐπιβλαστέω, nachkeimen, nachwachſen; daran darauf keimen oder wachſen; davon —βλάστησις, ἡ, das Nachkeimen oder wachſen; Nachtrieb. —βλαστικὸς, ἡ, ὸν, zum Nachtreiben oder wachſen gehörig oder geneigt. —βλασφημέω, nochdazu- darüber oder dabey ſchmähen. —βλέπω, drauf ſehn, anſehn, beſehn: ſ. v. a. ἐποφθαλμιάω: Dio or. 4 p. 171. —βλεφαρίδιος, ὁ, ἡ, τρίχες. Syneſius p. 71. die Haare an den Augenliedern. —βλεψις, ἡ, (ἐπιβλέπω) das darauf- dahinſehn, Aufſehn: Plutar. Philop. 11. —βλήδην, Adv. (ἐπίβλημι) darauf legend- werfend- ſetzend. —βλημα, τὸ, (ἐπιβάλλω) das darauf- darüber geworfene gelegte- geſetzte; Anzug, Kleid: aufgeſetzter Fleck od. ſonſt angeſetzte Zierrath, Zeichen: Zuſatz, Anſatz; Deckel. —βλὴς, ῆτος, ὁ, ſ. v. a. ἐπίβλητος, daran- davor geſetzt oder gelegt; Balke, Riegel: εἰλατινὸς Il. 24, 454. —βλητος, ὁ, ἡ, darauf geworfen oder geſetzt, zugeſetzt, hinzugekommen. —βλὺξ, Adv. (ἐπιβλύζω) ich quelle- ſtröme zu: ſ. v. a. *adfluenter*, reichlich, im Ueberfluſſe: Athenaei 6 p. 269. —βλυσμὸς, ὁ, ſ. v. a. *perditio*; zweif. —βόας, ὁ, lautſchreyend; zweif. —βοάω, ῶ, laut zurufen, zuſchreyen; 2) verſchreyen: Thucyd. 6, 16. wie ἐπιβόητος. 3) med. zu ſich rufen, anrufen, zu Hülfe rufen. —βοήθεια, ἡ, das Kommen zur Hülfe; von —βοηθέω, ῶ, zur Hülfe gehen, kommen, eilen. —βόημα, τὸ, der Zuruf. —βόησις, ἡ, das Zurufen, Zuſchreyn. —βόητος, ὁ, ἡ, verrufen, verſchreyen: Thucyd. 6, 16. —βόθριος, ὁ, ἡ, auf- über der Grube: Ariſtides T. 1 p. 296.

'Επίβοιον, (θῦμα) Opfer nach einem der Minerva geopferten Stiere: Harpocr. —βόλαιον, τὸ, (ἐπιβάλλω) ſ. v. a. ἐπιβόλημα, Anzug, Kleid, Ezech. 13. 18. 21. eigentl. neutr. von ἐπιβόλαιος. —βολεὺς, ὁ, Mathem. vet. p. 67. ὅμοιος ἐπιβουλεῦσιν, ὅσοι τὰ νομίσματα ἔχοντες πίπτουσι, wo es vielleicht heiſſen ſoll: ἐπιβολεῦσιν οὓς τὰ — τύπτουσιν, wird dort mit einem Vorbohreiſen verglichen. —βολὴ, ἡ, Zuſatz, Erſatz; von ἐπιβάλλω no. 2. Beobachtung, Bemerkung: Anfangen, Vorhaben, Unternehmen, Anſchlag, τῶν ὅλων, auf das Ganze: Polyb. Anfall; Auferlegtes, d. i. entweder Auflage, Abgabe, oder auferlegte Strafe: aufgelegtes- aufgedrücktes Merkmal- Kennzeichen. —βολος, ὁ, ἡ, Adv. —λως, ſ. v. a. ἐπήβολος. —βομβέω, ῶ, d. i. βομβέω ἐπὶ. —βόσκησις, ἡ, (ἐπιβοσκέω) das Abweiden. —βοσκὶς, ίδος, ἡ, Rüſſel der Fliegen und Bienen zum ſaugen: Ariſtot. P. Anim. 1, 5. —βόσκω, darüber darauf weiden oder treiben; med. darauf weiden, d. i. abfreſſen, verzehren. —βουκόλος, ὁ, ſ. v. a. βουκόλος.

'Επιβούλευμα, τὸ, Nachſtellung; ſ. v. a. ἐπιβουλή. —βούλευσις, ἡ, das Nachſtellen. —βουλευτής, οῦ, ὁ, der auflauert, nachſtellt; von —βουλευτὸς, der Nachſtellung ausgeſetzt; von —βουλεύω, f. εύσω, ich habe eine Sache im Sinne, oder ich habe wider jemand etwas im Sinne, ſtelle ihm nach: ἐπιβουλεύειν σὲ πρήγμασι μεγάλοισι, Herodot. 3, 122, du habeſt groſse Dinge im Sinne; μιν ἐπιβουλεύειν οἱ ἐπανάστασιν, 3, 119. er habe wider ihn eine Empörung im Sinne; 2) im guten Sinne Cyrop. 1, 4, 13. ἐπιβουλεύσας ὅπως ἂν ἀλυπότατα εἴποι, paſste genau die Zeit ab bey ſeinem Groſsvater. —βουλὴ, ἡ, oder ἐπιβουλία, Pollux 4, 50. d. i. βουλὴ ἐπὶ, Entſchluſs, Vorhaben gegen einen, Nachſtellung; Hinterliſt. —βουλος, ὁ, ἡ, Adv. —λως, nachſtellend, hinterliſtig. —βραδύνω, dabey verzögern- verweilen. —βραχὺ, Adv. auf kurze Zeit. —βρεγμα, ατος, τὸ, das eingeweichte, angefeuchtete. zw. —βρέμω, ἐπιβρέμομαι, ſ. v. a. ἐπιβρομέω. —βρέχω, f. ξω, benäſſen, bewäſſern, anfeuchten, einweichen: m. d. Dat. darüber regnen laſſen: Gregor. Naz. —βρίθω, f. ισω, ſ. v. a. ἐπιβαρύνω, darauf oder herunter drücken, mit der ganzen Laſt oder Maſſe- darauf fallen oder anfallen- angreifen: ὁππότε διὸς ὧραι ἐπιβρίσειεν ὕπερθεν, Odyſſ. 24, 343. wenn gutes Wetter von oben herabkommt. —βριμάομαι, ῶμαι, m. d. Dat. ich erzürne über jemand. S. βριμάομαι. —βρομέω, ῶ, ich töſe- ſauſe zu: ἐπιβρομέονται ἀκουαὶ, Apollon. 4, 908 die Ohren werden umſauſet, mit dem Geräuſche- Tone gefüllt. —βροντάω, ῶ, f. ήσω, darzu oder darauf donnern. —βρόντητος, ὁ, ἡ, bey Soph. Aj. 1386. ſ. v. a. ἐμβρόντητος, verrückt. —βροχὴ, ἡ, (ἐπιβρέχω) das Benetzen, Anfeuchten. —βρυχω, f. ξω, bey Ariſtides T. 2 p. 394 ἐπιβρυχάομαι, anbrüllen. —βρύω, f. ύσω, überflieſsen, voll ſeyn: Alciphr. —βρωμάομαι τινὶ, Callim. in Del. 56. d. i. βρωμ. ἐπὶ τινὶ, anbrüllen, wie ein Eſel: bey Nicetas Annal. 20, 3. γυναιξὶν ἐνηδον, wie ἐπιχρεμετίζω 19, 4. von geilen Menſchen, anfallen, verſuchen. —βύστρα, ἡ, was verſtopft: v. —βύω, f. ύσω, (βύω) ich ſtopfe zu, verſtopfe. —βωμίζω, f. ίσω, ich lege auf den Altar, βωμὸς: Heſych. —βώμιος, ὁ, ἡ, auf dem Altare ſeyend, darzu gehörig. —βωμιοστατέω, bey Eur. Heracl. 44 an Altar ſtellen: zw. von ἱστάω, ἐπιβωμίος. —βωμίτης, ὁ, der zum Altare gehört: Joſeph. c. Apion. 1, 3. —βωστρέω, ῶ, joniſch ſt. ἐπιβοάω. —βώτωρ, ορος, ὁ, (ἐπιβόω) Hirt. —βωτος, ὁ, ἡ, ſ. v. a. ἐπιβόητος.

'Επίγαιος, ὁ, ἡ, auf oder über der Erde befindlich; dav. —γαιόω, anerden, übererden, zur Erde machen: Zoſimus. —γαμβρεία, ἡ, Verſchwägerung, Schwagerſchaft; v. —γαμβρεύω, f. εύσω, verſchwägern: neutr. verſchwägert ſeyn: m. d. Dat. bey den LXX. —γαμβρια, ἡ, ſ. v. a. —βρεία. —γαμέω, ῶ, dazu od. eine zweyte heyrathen: Eurip. Alc. 306. einen zweyten Gatten (πόσιν) Or. 588. ἐπιγήμαντα τοῖς ἐνηλίκοις παισὶ τὴν 'Αργολίδα, Plutar. Cat. 24. der den erwachſenen Kindern eine zweyte Mutter aus Argos zubrachte; davon —γαμια, ἡ, (γάμος) S. ἐπεργασία: auch das darzu oder hinterher heyrathen. —γαμος, ὁ, ἡ, zur Heyrath reif oder bereit: Herodot. 1, 196. —γάννυμι, u. —άνυμι, ſ. v. a. d. folgd. meiſt aber im med. ſ. v. a. ἐπί τινι γάννυμαι, ich freue mich deſſen, darob, darüber, habe meine Freude daran. —γανόω, f. ώσω, mit Glanz oder einem glänzenden Anſtriche überziehn. —γάστριος, ὁ, ἡ, (γαστὴρ, ἐπὶ) auf oder über dem Bauche oder Magen befindlich: τὸ ἐπ. der Theil des Leibes von der Bruſt bis an den Nabel: ὑπογ. das übrige bis an die Schaam: βίος bey Clemens, das Leben eines Menſchen, der dem Bauche ergeben iſt. —γαυριάω, ῶ, ſ. v. a. d. folgd. u. inſultiren: zw. —γαυρος, ὁ, ἡ, froh, munter, ſtolz. zw. —γαυρόω, frölich oder ſtolz machen: Plutar. Q. S. 2, 10. med. ſich freuen: Xen. Cyr. 2, 4, 30. ſtolz ſeyn. —γειόκαυλος, ὁ, ἡ, mit einem an der Erde kriechenden Stengel. —γειον, τὸ, ſ. v. a. πρυμνήσιον, Tau, womit das Schiff auf dem Lande befeſtigt wird. —γειος, ὁ, ἡ, (γέα, γαῖα) auf oder über der Erde befindlich; irdiſch, niedrig; davon —γειόφυλλος, ὁ, ἡ, (φύλλον) mit auf der Erde liegenden Blättern. —γελάω, ῶ, zu- anlächeln, darzu- darüber lachen: στόματα ἐπιγελῶντα, die Mündung eines Fluſſes, welche auf der Oberfläche ſich mit ſtarken Wellen zeigt: Strabo 11 p. 166. —γεμίζω, f. ίσω, zuladen: zw. —γενεσιουργὸς, ὁ, ἡ, ſ. v. a. γενεσ. Clemens Strom. 5 p. 668. zw. —γένημα, τὸ, ſ. v. a. —έννημα. —γενής, έος, ὁ, ἡ, nachgeboren; nachgewachſen; Nachkomme wie ἐπίγονος. —γεννάω, ῶ, f. ήσω, nachzeugen; darzu oder hinterher wachſen laſſen oder erzeugen oder hervorbringen; davon —γέννημα, τὸ, das Nachgewachſene oder Nachgeborne; das nachher oder ſpäter erzeugte oder hinzukommende, was auf andere zu kommen od. folgen pflegt; davon —ματικὸς, was darzu gehört oder von der Art iſt, was hinterher oder darzu kommt.

'Επιγεραίρω, beehren, belohnen: Cyrop. 8, 6, 11. —γεύομαι, f. εύσομαι, darauf koſten: ſ. v. a. γεύομαι: zw. Plutar. 10 p. 119. —γεωμόροι, οἱ, die Künſtler und Handwerker, welche nach den Landbauren, γεωμόροι, kommen: Etym. M. —γηθέω, ῶ, d. i. γηθέω ἐπὶ, ſich worüber- wobey freuen. —γηράσκω, nach oder darauf altern: Julian. Epiſt. 24. —γῆτις, ἡ, ſonſt κληματὶς, bey Dioſc. 4, 7. —γίγνομαι, ἐπιγίνομαι, darzu- darauf- darnach- kommen- entſtehn- werden- geſchehn- geboren werden; darzu kommen, ankommen, nachkommen, nachfolgen. —γιγνώσκω, od. ἐπιγινώσκω, erkennen, wieder kennen, anerkennen, beſchlieſsen, daraus ſchlieſsen, ein Reſultat oder Urtheil fällen: Xen. Cyr. kennen lernen, erfahren; bey Thucyd. 1, 70. ſ. v. a. ἐπινοέω, erſinnen, erfinden: bey Dionyſ. Ant. 11, 51. zuerkennen, zuſprechen. —γλισχραίνω, mehr ſchlüpfrig machen. zw. —γλίχομαι, darzu- noch verlangen: Clemens Paed. 2 p. 201. —γλυκαίνω, u. ἐπίγλυκος, ὁ, ἡ, ſ. v. a. d. ſimpl. γλυκαίνω, γλυκὺς, verſüſsen, ſüſs: zw. —γλύφω, f. ψω, daran- darüber- darzu ſchnitzen: zw. —γλωσσάομαι, ττάομαι, (γλῶσσα) m. d. Genit. wider jemand böſes reden- ſchelten- ſchmähen: Aeſchyl. Pr. 936. Cho. 1045. οὐκ ἐπιγλωττήσομαι, Ariſtoph. Ly. 37 wo andere ἐπιγλωττίσομαι laſen: Pollux 2, 109. —γλωσσὶς, ἐπιγλωττὶς, ίδος, ἡ, der Kehldeckel, als ein Anhang der Zunge, γλῶσσα. —γνάμπτω, f. ψω, einbiegen, umbiegen oder drehen, umlenken: metaph. Il. —γναφος, ὁ, ἡ. S. δευτερουργὸς. —γνοια, ἡ, attiſch ſt. ἐπίνοια: Schol. Electr. 584. —γνώμη, ἡ, ſ. v. a. ἐπίγνωσις. —γνωμοσύνη, ἡ, Erkenntniſs, Entſcheidung. zw. —γνώμων, ονος, ὁ, ἡ, Erkenner, ein Erkenntniſs fällend, Schiedsrichter, Aelian v. h. 3, 10. nachſehend, verzeihend: und Demoſth.: bey den LXX verſtändig. —γνωρίζω, f. ίσω, bekannt machen, zeigen. zw. —γνωσις, ἡ, Erkenntniſs, Kenntniſs, Wiſſenſchaft; das Wiederkennen, Anerkennen. —γνωστος, ὁ, ἡ, erkannt, anerkannt. zw.

'Επιγονατὶς, ίδος, ἡ, die Knieſcheibe auf dem Knie, ἐπὶ γόνατος (γόνυ); 2) ein Kleid, das bis auf die Knie geht. —γόνειον, τὸ, ein muſikaliſches Inſtrument vom Erfinder Epigonus genannt, mit 40 Saiten, welche aber nur 20 Töne gaben; weil ſie wie auf der μαγάδις doppelt, und in der Octave zuſammen geſtimmt waren, wie Burette vermuthet. —γονὴ, ἡ, (γένη) die Nachkunſt, der Zuwachs an Menſchen und Vieh, lat. *proles* oder *ſuboles*. —γονος, ὁ, ἡ, darüber oder nachgezeugt, nachgeboren, nachgewachſen: plur. Nachkomme, Erbe, aus der zweyten Ehe geboren. —γουνατὶς, ίδος, ἡ, ſ. v. a. ἐπιγονατὶς. —γουνίδιος, ὁ, ἡ, (ἐπὶ, γόνυ joniſch γοῦνυ), was auf dem Knie iſt- ſitzt- liegt. —γουνὶς, ίδος, ἡ, (ἐπὶ γοῦνυ ſt. γόνυ) ſ. v. a. ἐπιγουνατὶς, Knieſcheibe: daher 2) fürs ganze Knie. 3) der Theil unter dem Knie, die Wade, ſonſt κνήμη: Theocr. 26, 34. μεγάλαν ἐπιγουνίδα λύσας, die Wade öffnend: bey Homer ſteht es zweymal für εὐσαρκία, εὐεξία, Wohlbeleibtheit, Vollleibigkeit, wo man es ebenfalls von den vollen Waden, als Zeichen eines vollen geſunden Leibes erklärt. Mir ſcheint es in dieſem Sinne von γουνὸς ſt. γόνιμος zu kommen. —γράβδην, Adv. ſtreifend, ritzend: von ἐπιγράφω; wovon auch —γραμμα, τὸ, Inſchrift, Aufſchrift: dimin. —μάτιον, Plutar. davon —γραμματογράφος, ὁ, od. ἐπιγραμματοποιὸς, der Aufſchriften od. Epigramme ſchreibt od. macht. —γραφεὺς, έως, ὁ, der aufſchreibt; vorz. zu Athen der bey der Schätzung des Bürgervermögens die Angaben aufſchreibt. —γραφὴ, ἡ, (ἐπιγράφω) Aufſchrift; 2) Namen, Titel, Vorwand, Anſehn, Urſache von einer Sache, welcher man etwas zuſchreibt, oder welche man angiebt, annimmt; 3) die Angabe bey der Schätzung des Vermögens.

'Επιγράφω, f. ψω, ich ſchreibe darauf, ſchreibe einen Namen- Titel darauf, mache eine Aufſchrift; 2) ich ſchreibe auf, vorz. zu Athen, die Namen und Vermögen der Bürger und Kontribuenten zu den öffentlichen Laſten: daher ἐπιγράψεσθαι im med. *in cenſu profiteri*; 3) ich ſchreibe zu, rechne zu, indem ich den Namen von jemand vorſetze, vorſchütze: τοῖς ἐκβαίνουσι τὴν τύχην ἐπιγράφειν, dem Glücke den Ausgang zuſchreiben: διαφέρει τοῦ ἀδικεῖν οὐδὲν τὸ συνεπιγράφεσθαι τῷ ἀδικοῦντι, d. i. Theil zu nehmen: τὸν ἐπὶ τοῖς τῆς πόλεως ἀτυχείμασιν ἐπιγεγραμμένον, den Urheber des Unglücks: Lycurg. προστίμοις μεγάλοις ἐπέγραψε τοὺς ἁμαρτάνοντας, und hat eine groſse Strafe feſtgeſetzt, beſtimmt für die fehlenden: Diodor. 12, 12. daher im med. ἐπιγράφεσθαι διαιτητὴν, anerkennen, διδάσκαλον, einen Lehrer angeben, nennen: τῆς εὐροίας δοκῶ μοι τὸν ὅμηρον ἐπιγράψασθαι Maxim. Tyr. ich kann als die Quelle angeben: οἱ τὸν Πυθαγόραν ἐπιγραφόμενοι, Lucian. die ſich vom Pythagoras her nennen, ſchreiben. So wird auch ἐπιγραφὴ gebraucht. 4) ich ritze, ſtreife, wie γράφω, Hom. Il. 4, 139. Od. 22, 280.

'Επίγρυπος, ὁ, ἡ, etwas eingebogen: vorz. mit eingebogener Nase. S. ἐπίσιμος. —γυια, τὰ, s. v. a. ἐπίγειον, Polyb. 3, 46. —γυμνάζομαι, darzu- noch oder darinne dabey üben. zw.

'Επιδαίομαι, vertheilen, zutheilen; μέγαν ὅρμον ἐπιδαίομαι: hymn. hom. 2, 382, wo die Handschr. ἐπιδεύομαι haben, zw. st. hinzusetzen. —δαίσιος, ὁ, ἡ, (δαίς, δαίω) zugetheilt, durch Erbschaft oder sonst: ἐπιδ. οἶκον Callim. in Jon. 59. wo Suidas es d. ἐπίκοινος, andere d. getheilt, Toup d. zum Schmausse geschickt, erklären. —δαιτέομαι, οῦμαι, nachessen: Hesych. —δαιτρον, τὸ, bey Hesych. und Athenae. 14 p. 646 eine Art von Nachgericht. —δάκνω, anbeissen, beissen, einbeissen. zw. —δακρύω, f. ύσω, darzu- darüber weinen. —δαμος, ὁ, ἡ, Dor. st. ἐπίδημος. —δανείζω, f. είσω, darzu- darauf leihen: med. darzu- darauf gelehnt oder geliehen nehmen oder bekommen oder borgen. —δασυς, εος, ὁ, ἡ, etwas rauch oder haarig. zw. —δαψιλεύω, s. v. a. δαψιλῶς ἐπιχορηγέω, noch darzu geben, zusetzen. —δεής, έος, ὁ, ἡ, (ἐπιδέω) dürftig, bedürftig, mangelhaft. —δειγμα, τὸ, (ἐπιδείκνυμι) das auf oder vorgezeigte: Probe z. B. mit seinem verbo Xen. Cyr. 8, 2, 15. eine Probe ablegen, einen Beweis geben. —δείελα, Adv. von ἐπιδείελος, *pomeridianus*, nach Mittage, gegen Abend. —δείκνυμι, ἐπιδεικνύω, f. δείξω, aufzeigen, vorzeigen, eine gemachte vollendete Arbeit: vorz. eine solche, die als Probe dienen und zum Lobe gereichen soll: daher überh. etwas thun, verrichten, was etwas beweisen oder zeigen oder uns Lob bringen soll: im med. θᾶττόν τις ἰὼν ἐπιδεικνύτω ἑαυτὸν, geht geschwind und zeigt nun, wer ihr seyd: Cyrop. 3, 3, 61. ἐπιδείξαντος αὐτοῦ τῷ Σωκράτει θώρακας εὖ εἰργασμένους Memor. 3, 10, 9. eben so das med. memor. 2, 1, 21. wie *ostentare*. Im med. wird ἐπιδείκνυσθαι ῥώμην ψυχῆς, παιδείαν, u. dergl. durch zeigen, beweisen, übersetzt: λόγον ἐπ. Cyrop. 5, 5, 47. eine Rede halten, um seine Beredsamkeit zu zeigen; daher wird es überh. für prahlen, prahlend zeigen, vorweisen gebraucht. Bey den Spätern s. v. a. zeigen, anzeigen. —δεικτιάω, ῶ, (—δείκνυμι, fut. —δείξω) ich wünsche- habe Lust mich zu zeigen: Hesychius. —δεικτικὸς, ἡ, ὸν, Adv. —τικῶς, aufzeigend, vorzeigend, zur Probe oder Schau aufstellend: geschickt oder gemacht als Probe oder zur Schau aufgestellt zu werden: prahlend, Aufsehen machend. —δειξις, ἡ, Beweis, abgelegte Probe, Schaustück: z. B. ἐπίδειξιν ποιεῖσθαι, Isocr. pan. 2. eine Probe von sich- seinen Talenten ablegen. was Xen. Cyr. 8, 2. 15 ἐπίδειγμα ἐπιδεικνύναι sagt; b. Plut. Sert. 14 ἐπιδείξεις λαμβάνειν, eine Schulübung od. Prüfung anstellen.

'Επιδειπνέω, ῶ, nachspeisen, zum Nachtische essen. —δείπνιος, ὁ, ἡ, nach oder bey dem Essen oder der Mahlzeit gebräuchlich od. zu brauchen. —δειπνὶς, ίδος, ἡ, *epidipnis* b. Martialis Epigr. lib. 11. oder ἐπίδειπνον, τὸ, Nachtisch, Desert. —δέκατος, άτη, ατον, was eine gewisse Zahl und noch deren zehnten Theil enthält. S. ἐπίτριτος. —δεκτικὸς, ἡ, ὸν, d. i. ἐπιδεχόμενος, fassend, annehmend, wartend. —δελεάζω, ich lege als Köder drauf: Diodor. 1, 35. —δέμνιος, ὁ, ἡ, (δέμνιον) auf oder im Bette-Lager. —δένδριος, ὁ, ἡ, (δένδρον) auf dem Baume: Julian. Epist. 24. —δεξελευθέρως, Adv. f. Les. bey Suidas aus Plato Theaet. c. 25. st. ἐπιδέξια ἐλευθέρως. —δέξιος, ὁ, ἡ, Adv. —ως, zur Rechten: übergetr. rechts, gewandt, von *omen* und andern Dingen, glücklich: von Personen, im Umgange angenehm, scherzhaft, artig: Aristot. Nicom. 4, 14. davon —δεξιότης, ητος, ἡ, Gewandheit, Artigkeit: Aristot. l. c. —δέομαι, f. δεήσομαι, noch bedürfen - nöthig haben- verlangen: auch s. v. a. δέομαι, bedürfen. —δέρκομαι, anschauen, ansehen; dav. —δερκτος, ὁ, ἡ, sichtbar. —δερματὶς, ἡ, f. Les. aus Aristot. angeführt, st. —δερμὶς, ἡ, Oberhaut, Oberhäutchen: ἐπιδερρίς, ἡ, Pollux 2, 174. s. v. a. κλειτορίς. —δεσις, ἡ, das Darüberbinden, das Verbinden: z. B. einer Wunde. —δεσμεύω, f. εύσω, oder ἐπιδεσμέω, s. v. a. ἐπιδέω. zw. —δέσμιον, τὸ, s. v. a. das folgd. zw. —δεσμος, ὁ, und ἐπίδεσμον, τὸ, Binde, Band, Verband um eine Wunde oder über ein Pflaster, Bandage. —δεσμοχαρὴς, ὁ, ἡ, den Verband- Bandagen liebend, heisst bey Lucian. Tragop. 197 das Podagra. —δεσπόζω, fut. όσω, darüber herrschen: auch s. v. a. d. simpl. —δευής, έος, ὁ, ἡ, poet. st. ἐπιδεής, der etwas bedarf, der ermangelt oder geringer ist, weniger hat als ein anderer. S. das folgd. —δεύομαι, s. v. a. ἐπιδέομαι, m. d. genit. der Person und Sache, ich bedarf, ermangele, habe nicht, ich stehe in einer Sache einer Person nach, wie *inferior sum*. Eben so wird ἐπιδευής gebraucht: οὔτε ἀλκὴν ἐπιδευόμεθα Apollon. 2, 1220. wir stehen ihm an Muth und Stärke nicht nach. Muss ἀλκῆς heissen. —δέχομαι, ich nehme auf mich- über mich- an: lasse zu, gebe zu, nehme auf. —δέω, ich binde an- drauf, verbinde z. B. eine Wunde. Xen. Cyr. 5, 2, 32. —δεῶς, Adv. von ἐπιδεής. —

Ἐπίδηλος, ὁ, ἡ. Adv. —λως, deutlich anbey - über einer Sache oder Person. Bey Aristoph. Plut. 368. m. d. dat. st. ὅμοιος, ähnlich.

'Επιδημεύω, fut. εύσω, im oder unter dem Volke oder in der Stadt seyn: s. v. a: das folgd. Odyss.

'Επιδημέω, unter oder im Volke oder in der Stadt - im Lande - zu Hause seyn, einheimisch seyn, im Lande gewöhnlich seyn: nach Hause kommen: als Fremder wohin gehn oder kommen; davon —δήμησις, ἡ, Aufenthalt zu Hause, das Zuhauseseyn, Anwesenheit: Ankunft zu Hause, Ankunft oder Aufenthalt eines Fremden. —δημητικὸς, ἡ, ὸν, zu Hause bleibend: einheimisch. —δημία, ἡ, s. v. a. ἐπιδήμησις. —δήμιος, ὁ, ἡ, (δῆμος) einheimisch, anwesend: unter dem Volke - in dem Lande gewöhnlich: als Fremder ankommend oder sich aufhaltend: von Krankheiten, sich über das ganze Volk erstreckend. —δημιουργέω, das Werk vollenden, nacharbeiten. zw. —δημιουργὸς, ὁ, b. Thucyd. 1. sind —ουργοὶ Arbeiter, Handwerksleute, wie b. Procopius: andere erklaren es für Aufseher derselben. —δημος, ὁ, ἡ, s. v. a. ἐπιδήμιος. —δὴν, oder ἐπιδηρὸν, ἐπὶ δὴν, auf die Länge, lange. —διαβαίνω, nach einem od. einer Handlung übergehn, durchgehn: oder gegen einen durchgehn: Polyb. —διαγινώσκω, f. γνώσομαι, darauf - hernach erkennen, entscheiden, unterscheiden. zw. —διαθήκη, ἡ, Nachtestament: sogenanntes Kodizill: Joseph. S. in ἐπιδιατίθεμαι. —διαιρέω, noch darzu theilen, theilweise - stückweise zusetzen: freywillig austheilen: Appian. —διαίτησις, ἡ, Anordnung der Lebensart, Dioscor. 4. eigentl. das Nachentscheiden, od. wiederholte Entscheidung eines Streits. zw. —διαίτητος, von neuem vor den διαιτητὴς gebracht. zw. —διάκειμαι, darauf - dabey liegen oder gesetzt seyn: Pollux 9, 96. —διακινδυνεύω, darauf - darnach es wagen, dabey in Gefahr seyn: Joseph. antiq. 14, 14, 3. —διακρίνω, darauf - darnach unterscheiden: entscheiden: Pollux 6, 140. Plutarch. 6 pag. 462. —διαλάμπω, oben durchleuchten, durchschimmern: Theophr. h. pl. 9, 3. —διαμένω, dabey oder noch - ferner bleiben, verbleiben; davon —διαμονὴ, ἡ, das ferner Bleiben, Verweilen, oder das Bl. dabey: Clemens. Alex. —διανέμω, noch - darzu - ausserdem vertheilen. —διανοέω, dabey - darauf - hernach - noch - ausserdem denken, bedenken. zw. —διαπέμπω, darauf - hernach - hinterher verschicken oder ausschicken. —διαπλέω, fut. εύσω, darauf - hernach - hinterher - dahin - überfahren: Xenoph. Hellen. 1, 1, 15. —διαῤῥήγνυμι, f. ήξω, darüber - dabey - darzu zerreissen, zerplatzen: Aristoph. Equ. 701. —διασαφέω, ferner - weiter erklären, deutlicher machen: Polyb. 32, 26. —διασκευάζω, f. άσω, übergehn und verbessern: von Büchern eine zweyte Rezension oder Ausgabe machen; dav. —διασκεύασις, ἡ, Revision, Verbesserung, zweyte oder verbesserte Ausgabe. —διασύρω, dabey oder noch - darzu durchziehn oder verspotten. zw. —διατάσσομαι, ἐπιδιατάττομαι, noch - darzu - ausserdem anordnen - befehlen. zweif.

'Επιδιατείνω, dahin ausdehnen: neutr. dahin reichen: Polyb. 32, 9. —διατίθεμαι, im attischen Rechte: ἐπιδ. ἀργύριον, als Pfand bey einem Dritten eine Summe Geldes niederlegen: dav. ἐπιδιαθήκη, diese Handlung, oder das niedergelegte Geld heisst: Lysias bey Harpocration und Demosth. c. Apatur. im activo μονομαχίαν ἐπ. bey Dio Cass. hinterher das Schauspiel der μονο. geben. —διατρίβω, f. ψω, wobey verweilen. —διαφθείρω, dazu - noch - darauf verderben. zw. —διδάσκω, f ξω, darzu - darnach lehren: Xen. Cyr. 1, 3, 17. —διδυμὶς, ιδος, ἡ, Oberhode, ein Geflecht von Gefassen im obern Theile der Hoden, δίδυμοι. —δίδωμι, (ἐπιδώ) ich gebe zu, ich gebe darzu: ἐμαυτὸν τῷ δικαστῇ, ταῖς ἡδοναῖς, ich übergebe, überlasse mich: daher ἐπιδοδόναι εἰς τρυφὴν, ὑπερηφανίην, sich überlassen, ergeben, verfallen in Schwelgerey und Ueppigkeit, mit verst. Pronom. ἑαυτὸν; 2) ἐπιδ. ἐπὶ oder πρὸς ἀρετὴν, φιλοσοφίαν und s. w. zunehmen, wachsen, Fortschritte machen in einer Sache; 3) wird auch von den freywilligen Geschenken gebraucht, die man dem Staate in der Noth, oder bedrangten Freunden und Verwandten giebt: ἐγὼ δ' αἰσχυνοίμην εἰ τούτῳ μὴ ἀποδιδοὺς ὑμῖν ἐπιδιδοίην Plutar. Phoc. 9. wenn ich diesem meinem Gläubiger seine Schuld nicht bezahlte, euch aber Geschenke machte: Il. 22, 254 θεοὺς ἐπιδώμεθα, wollen die Götter zu Zeugen darzu nehmen. —διέρχομαι, hinterher durchgehen, übergehn, durchgehn, erzählen, erklaren. zw. —διετὴς, έος, ὁ, ἡ, in der Formel ἐπιδιετὲς ἡβῶντες, besser getrennt, ἐπὶ διετὲς, d. i. alle ἔφηβοι, die es schon 2 Jahre, also 20 Jahre alt sind. —δίζημι, (δίζημαι) ich suche weiter - darzu, verlange noch: Herodot. 5, 106. —διηγέομαι, darzu - hinterher erzahlen: Aristides T. 1 p. 298. davon —διήγησις, ἡ, Nacherzählung, Nachsatz. S. παράψογος. —δικάζω, f. άσω, ich spreche zu, im Urtheile; 2) ἐπιδικάζομαι; ich bringe eine Sache vors Gericht zum Spruche: προσαγορεύειν τὸν φόνον τῷ δράσαντι καὶ ἐπιδικασάμενον ἐν ἀγορᾷ κηρύττειν τῷ κλείναντι, Plato Legg. 9. anschuldigen und vor Gericht deswegen belangen; 3) daher ἐπιδικάζεσθαί τινος, vor Gericht etwas als sein Eigenthum fordern: τῆς μέσης χώρας, Aristot. vorz. ἐπιδικάζεσθαι τοῦ κλήρου, die Erbschaft vor Gerichte fordern, und als sich zugehörig fordern: ἐπεδίκασεν ὁ ἄρχων τοῖς ἀντιδίκοις τὸν κλῆρον τὸν Κόνωνος — ἐπειδὴ δ' ἐπιδικάσαντο Demosth. p. 1174. der Archon sprach den Gegnern die Erbschaft zu, und als sie dieselbe zugesprochen bekommen hatten.

Ἐπιδικαιόω, ῶ, worüber rechten. zweif. —δικασία, ἡ, ein Prozess um die Erbschaft. S. ἐπιδικάζομαι no. 3. —δικάσιμος, ὁ, um das man sich streitet, das jeder sich anmaasst, gern haben will: φίλοις ἐπιδικάσιμος, φοβερὸς ἐχθροῖς, um den Freunde sich reissen und den die Feinde fürchten: Lucian. —δικος, ὁ, ἡ, s. v. a. ἐπιδικάσιμος, vorz. aber eine reiche Erbin, um dessen Hand und Vermögen die nächsten Verwandten vor Gerichte streiten, wer sie heyrathen soll. S. ἐπιδικάζομαι und ἐπίκληρος. Dionys. Antiq. 7, 58 δίδωμι ἐμαυτὸν ἐπίδικον τοῖς δημόταις, ich überlasse mich dem Richterspruche des Volks. —δίμοιρος, ὁ, ἡ, nach Vitruv. 3, 1. *besalter*, aus einem Ganzen und zwey Theilen bestehend. —δινέω, ῶ, in der Höhe oder darüber drehen: ἐμοὶ τόδε θυμὸς πολλ' ἐπιδινεῖται, wendet es nach allen Seiten u. überdenkt, überlegt es. Odyss. —διορθόω, ῶ, f. ώσω, darauf- hinterher verbessern; davon —διόρθωσις, ἡ, die darauf oder hinterher gemachte Verbesserung; davon —διορθωτικὸς, ἡ, ὸν, was hinterher oder darauf verbessert, oder dazu hilft oder dient. —διουρέω, ausserdem- hinterher- darauf- dazu pissen.

Ἐπιδιπλασιάζω, f. άσω, ἐπιδιπλόω und ἐπιδιπλοΐζω, (διπλάσιος, διπλόος) lat. *ingemino*, ich mache doppelt, verdoppele, wiederhole, sage noch einmal. — διστάζω, ich zweifle dabey oder hinterher: Aristides 2 p. 430. —διφριὰς, άδος, ἡ, s. v. a. ἄντυξ. —δίφριος, ὁ, ἡ, (δίφρος) der auf dem Wagensitze (δίφρος) Wagenstuhle sitzt: τέχνη, *ars sellularia*, ein sitzendes Handwerk, Kunst. —διχα, Adv. bey Pind. Pyth. 5, 126. falsch st. ἐπὶ, δίχα. —δίψιος, ὁ, ἡ, s. v. a. δίψιος. zw. —δίω, f. ίσω, darzu - darauf schwitzen. zw. —διωγμὸς, ὁ, das weitere Verfolgen: Polyb. 11, 18. von —διώκω, f. ξω, weiter- ferner verfolgen. —δοιάζω, zweifeln, bezweifeln. zw. —δομα, ατὸς, τὸ, (ἐπιδίδωμι) Zugabe; 2) freywillige Gabe: ἐξ ἐπιδομάτων δεῖπνον, s. v. a. ἐπιδόσιμον, Athenaeus p. 364. —δομέω, Synesius Epist. 148 ἡμῖν ἀεὶ καὶ ἀπὼν ἐπιδομεῖς τῇ μνήμῃ, *versans in memoria:* also von δόμος, darinne wohnen. zw. —δοξάζω, Theophr. c. pl. 1. als Meinung zusetzen, hinzudenken. —δοξος, ὁ, ἡ, Adv. —ξως, (ἐπὶ, δόξα) einer der in gutem- grossen Rufe steht, berühmt; 2) von dem man etwas glaubt, erwartet: καὶ τοῦτο ποιήσων ἐπίδοξος ἦν, und man glaubte, dass er es thun würde. Auch m. d. Infinit. πολλοὶ ἐπίδοξοι τωὐτὸ τοῦτο πείσεσθαί εἰσι, Herodot. 6, 12. viele fürchten, dasselbe zu erfahren, man erwartet es von ihnen. Von Sachen: τάδε τοὶ ἐξ αὐτέων ἐπίδοξα γενέσθαι 1, 89. ἐκ γὰρ τῶν μεταβολῶν ἐπίδοξος ἡ δυσπραγία, Antiphon. —δορατὶς, ίδος, ἡ, die obere Spitze an der Lanze, δόρυ; die andere hiess σαυρωτήρ. —δορπέω, ῶ, und —πίζομαι, s. v. a. ἐπιδειπνέω. —δόρπιος, ὁ, ἡ, s. v. a. ἐπιδείπνιος. —δορπὶς, ίδος, ἡ, und ἐπιδόρπισμα, τὸ, s. v. a. ἐπίδειπνις. —δορπισμὸς, ὁ, (ἐπιδορπίζω) das Nachessen, Geniessen des Nachtisches. —δόσιμος, ὁ, ἡ, was man zugiebt; 2) was man als freywilliges Geschenk giebt. ἐπιδόσιμα, verstand. δεῖπνα, eine Mahlzeit die man einem von den Seinigen giebt: Athenae. p. 365 u. 141. —δοσις, ἡ, (ἐπιδίδωμι) Zugabe; 2) freywilliges Geschenk; 3) Zunahme: Wachsthum.

Ἐπιδοτικὸς, ἡ, ὸν, Adv. —κῶς, zum freywilligen Geschenke- Beysteuer gehörig oder bereit. S. ἐπιδίδωμι. —δουπέω, ῶ, darauf- darüber Geräusch- Lärm machen. —δοχεῖον, τὸ, s. v. a. δοχεῖον; zw. —δοχὴ, ἡ, Aufnahme, Annahme. —δράσσομαι, ἐπιδράττομαι, f. ξομαι, angreifen; anfassen; sich anmassen; m. d. Genit. —δρέπομαι, s. v. a. δρ. τιμὰς, bey Clemens Coh. p. 35 geniessen. —δρομάδην, Adv. s. v. a. ἐπιτροχάδην: Hesych. —δρομὴ, ἡ, Zulauf, Anlauf, Anfall; das Durchlaufen einer Schrift oder einer Sache, d. i. flüchtige Behandlung. —δρομία, ἡ, s. v. a. d. vorh. zw. —δρομος, ὁ, ἡ, zugangbar, zugänglich: worauf od. wohinauf man laufen oder gehen kann: τεῖχος ἅρμασιν ἐπ. worauf Wagen fahren können; 2) ἐπίδρομος heisst auch ein Seil von hinten gezogen, auch der Segel am Hintertheile des Schiffs: Xen. Ven. 6, 9. Pollux 1, 91. 3) ἵππος, σταδιαῦς ἐπ. bey Pollux s. v. a. ἔνδρομος: auch ὁδὸς ebend. stark befahrne Strasse. —δυναστεύω, f. εύσω, darauf- darnach herrschen oder regieren: Synes. —δυσφημέω, ῶ, oppos. ἐπαινέω, tadeln, beschimpfen: Aristot. Nicom. 7.

1. —δύω, ἐπιδύνω, f. ύσω, darauf- darüber- untergehen: Il. 2, 413.

Ἐπιείκεια, ἡ, Billigkeit, Mäſsigung, Beſcheidenheit; anſtändige billige Behandlung-Begegnung. S. ἐπιεικής. — είκελος, ὁ, ἡ, ähnlich, ähnelnd, wie εἴκελος. —εικεύω, ich bin ἐπιεικής: in Med. Esdr. 9, 8. —εικής, έος, ὁ, ἡ, Adv. —κῶς, bey Homer wie εἰκώς u. ἔοικε, der Wahrheit ähnelnd, wahrſcheinlich: geziemend, paſſend, ſchicklich, der Billigkeit gemäſs: ὡς ἐπιεικές, wie ſonſt ὡς εἰκός, wie es ſich gehört, gebührt, der Sache oder der Billigkeit gemäſs: Il. ψ. 245 wird ἐπιεικέα τοῖον, anſtändig, dem μάλα πολλὸς entgegengeſetzt; daher die Bedeut. mäſsig. billig, menſchenfreundlich, raiſonnabel; für nachgebend, τιμωρὸς ἐπ. Dionyſ. Antiq. 5, 71 kann man es von ἐπιείκω nachgeben, ableiten: wie Plutar. Q. S. 8, 3. wirklich ἐπιεικοῦς καὶ ἀναφοῦς verbindet, wofür er hernach ἀπαθὲς καὶ ἄπληκτον ſetzt. Das Adv. ἐπιεικῶς brauchen die Attiker häufig für hinlänglich, ſattſam, ſehr: Polyb. auch für ungefähr. —είκησις, ἡ, oder richtiger ἐπιείκισις, bey Hieron. in Amos c. 5. Frömmigkeit; von —εικίζω, f. ίσω, nach Billigkeit entſcheiden; zw. —εικτός, ἡ, όν, (ἐπιείκω) ἔργα ἐπ. in der Odyſſ. zu ertragen, nachzugeben. —έλδομαι, ſ. v. a. ἔλδ. begehren; zw. —έλπομαι, ſ. v. a. ἔλπ. hoffen. —έννυμι, (ἕνω ἕννυμι, ἐπὶ) ich ziehe darüber- darauf- an: Herodot. 4, 64. χλαίνας ἐπιέννυσθαι. —έπομαι, poet. ἐπιέσπομαι, nachfolgen, verfolgen. —έτης, ὁ, ἡ, (ἔτος) auf dies Jahr, diesjährig: Polyb. 3, 55. —ζαρέω, ſ. v. a. ἐπιβαρέω: Eur, Phoen. 45. Rheſ. 441. wie ζέρεθρον ſt. βέρεθρον.

Ἐπιζαφελής, έος, ὁ, ἡ, oder ἐπιζάφελος, wovon bey Homer das Adv. ἐπιζαφελῶς χαλεπαίνειν, ſehr oder heftig zürnen- böſe ſeyn oder ſchelten. Man erklärt das Adject. d hitzig, heftig, zornig, S. ζάφελος. —ζάω, ῶ, f. ήσω, darzu- darüber, oder überleben; m. d. Dat. —ζείω, ſ. v. a. ἐπιζέω. —ζεμα, τὸ, abgeſottenes Waſſer, Abſud, Dekokt; zw. —ζεύγνυμι, ἐπιζευγνύω, f. ζεύξω, anjochen, anbinden, anknüpfen, hinzuthun; doch meiſt mit dem Nebenbegriffe, daſs das zugeſetzte zwiſchen zwey Körpern oder Theilen ſey; auch ſ. v. a. ἐπιζυγόω: davon —ζευκτήρ, ῆρος, ὁ, bey Heſych. ein Seil, um Dinge an einander zu binden. —ζεῦξις, ἡ, Verbindung, Hinzufügung, Wiederholung. —ζέω, f. έσω, heiſs ſeyn, kochen, brennen wie heiſses Waſſer mit der Bedeut. von darauf- darüber: Eur. Hec. 583. Iph. Taur. 987. ἐπιζέσῃ ὀξὺ κελεύων βουτύπος Oppian. Hal. 2, 528. auf ihm ſitzend brennende Schmerzen verurſacht: θυμάλωψ ὑμῖν ἐπέζεσεν Ariſtoph. Ach. 321. Hitze iſt euch angewandelt. ἡ χολὴ ἐπιζεῖ Theſm. 468 die Galle kocht läuft über. ἀφρὸς ἐπιζείων Orph. Argo. 456 der auf dem kochenden Meerwaſſer ſtehende Schaum. 2) λέβητα, einen Keſſel heiſs machen: Eur. Cycl. 391. —ζηλος, ὁ, ἡ, beneidet, neides- oder nachahmungswürdig: Aeſchyl. Ag. 948. —ζηλοτυπέω, ῶ, falſch ſt. ἔτι ζηλ. bey Lucian. dial. deor. —ζήμιος, ὁ, ἡ, Adv. —ίως, (ζημία, ἐπὶ) ſchadend, ſchädlich, nachtheilig; ſtrafend; daher τὸ ἐπιζ. ſ. v. a. ζημία, Strafe: davon —ζημιόω, beſtrafen; davon ἐπιζημίωμα, τὸ, Pollux 8, 149. ſ. v. a ζημίωμα, Strafe. —ζητέω, ῶ, vermiſſen, ſuchen, verlangen; dav. —ζήτημα, τὸ, das Vermiſste, geſuchte, verlangte; ſ. v. a. ζήτημα: Clemens Al. —ζητήσιμος, ὁ, ἡ, vermiſst, geſucht, verlangt; was man zu vermiſſen- ſuchen- verlangen pflegt. von —ζήτησις, ἡ, das Vermiſſen, Suchen, Verlangen. —ζυγόω, ῶ, die zugemachte Thüre verriegeln. S. ἀναζυγόω: häufig bey Nicetas Chon. annal. —ζώστρα, ἡ, ſ. v. a. ζωστήρ, Gürtel: Sophocl. Pollucis 7, 68.

Ἐπίηρα, S. ἐπίηρος u. ἦρα. —ήρανος, ὁ, ἡ, bey Homer θυμῷ ἐπιήρανα, ſ. v. a. ἐπήρατα, angenehm. Andere erklären es wie ἠρανος, d. βοηθός: bey Athenaeus 1 p. 5. νεύρων ἐπιήρανος, nervenſtärkend: σοφῶν παντοίων ἔργων ἐπιήρανος, Empedocles Porphyr. Pyth. 30. —ηρεφής, ὁ, ἡ, jon. ſt. ἐπηρεφής. —ηρος, ὁ, ἡ, ſt. χαριζόμενος, βοηθῶν erklärten es einige in dem homeriſchen ἐπίηρα φέρων, welches andere trennten ἐπὶ ἦρα φ. ſt. ἐπιφέρων ἦρα. S. ἦρα.

Ἐπιθαλάμιον, τὸ, (μέλος) Hochzeitlied; neutr. v. —θαλάμιος, ὁ, ἡ, zum Hochzeitzimmer (θάλαμος) oder zur Hochzeit gehörig, hochzeitlich: Heſych hat auch die Form —μίτης, als Beyw. des ἑρμῆς. —θαλασσίδιος, ἐπιθαλαττίδιος, ία, ιον, od. ἐπιθαλάσσιος, —λάττιος, ὁ, ἡ, am Meere befindlich oder gelegen: bey Appian. Hiſpan. kommt ἐπιθάλασσος vor. —θαλπής, έος, ὁ, ἡ, wärmend, warm; v. —θάλπω, wärmen, vorz. auf der Oberfläche erwärmen: Plutarch. 9 p. 721. —θαμβέω, ῶ, anſtaunen: Nonnus. —θανάτιος, ὁ, ἡ, zum Tode verdammt: Dionyſ. Antiq. 7, 35 u. Nicetas Chon. aber ἐπιθανατίως ἔχειν Aelian. v. h. 13, 27 ſ. v. a. ἐπιθανατίως. —θάνατος, ὁ, ἡ, dem Tode nahe; todtkrank: Demoſth. den Tod bringend, tödtlich: Theophr. c. pl. 6, 4. Adv. —τως, ἔχειν ſ. v. a. ἐπιθάνατον εἶναι. —θανής, έος, ὁ, ἡ, ſ. v. a. ἐπιθάνατος;

zw. —θάπτω, f. ψω, darzu- darauf- darüber- hernach begraben.

Ἐπιθαρσέω, ῶ, darauf trauen und ſich verlaſſen: τοῖς ἐχθροῖς wider den Feind Muth faſſen, App. Civ. 3, 10. —θαρσύνω, f. υνῶ, u. ἐπιθαῤῥύνω, worzu Muth machen, ermuntern. —θαυμάζω, f. άσω, bewundern; ehren und belohnen: Ariſtoph. Nub. 1147. —θεάζω, f. άσω, u. ἐπιθειάζω, wie θειάζω, in der Begeiſterung zurufen und prophezeyen; 2) bey den Göttern flehen, bezeugen, anrufen und dabey jammern, *per deos obteſtari*. Thucyd. 8, 53. —θεάομαι, überſchauen, beſchauen: Pollux 6, 115. —θείασις, ἡ, ſ. v. a. ἐνθουσιασμὸς: Bezeugung, Verpflichtung bey der Gottheit, Anrufung der Gottheit. Eben dies iſt ἐπιθειασμὸς bey Thucyd. 7, 75 ſ. v. a. jammern mit Beſchwörung bey den Göttern. —θέλγω, δόναξ ἀχέτας ὑπνοδόταν νόμον ἐπιθέλγων, bläſt dazu eine ſanfte ſchlafbringende Melodie; bey Plut. 7 p. 789: aber bey Aeſchyl. Prom. 577 ſtebt das Wort ἐπιθέλγων nicht. S. auch θέλγω. —θεμα, τὸ, das darauf gelegte- geſtellte- geſetzte, z. B. ein Deckel, Kranz, Grabſtein u. dgl. —θεραπεύω, f. εύσω, noch- dabey- beſorgen, darauf bedacht ſeyn: z. B. τὴν ἑαυτοῦ κάθοδον, Thucyd. 8, 47. S. θεραπεύω, hinterher oder noch die Kur brauchen oder heilen: Geopon. 17, 23, 2. —θεσία, ἡ, ſ. v. a. d. folgd. zw. —θεσις, ἡ, (ἐπιτίθημι) das darauf ſetzen oder ſtellen: vom med. Anfang, Unternehmung, Angriff: Nachſtellung, Hinterhalt, Hinterliſt, Betrügerey. —θεσπίζω, f. ίσω, bey Dionyſ. halic. häufig m. d. Dat. vom Orakel, oder einer Gottheit, die etwas beſtätiget oder gut heiſst; davon —θεσπισμὸς, ὁ, die Beſtätigung oder Billigung eines Orakels oder Gottes. —θέτης, ου, ὁ, (ἐπιτιθέμενος) Nachſteller, Betrüger. —θετικὸς, ἡ, ὸν, Adv. —κῶς, gern- leicht oder muthig angreifend oder nachſtellend; gerne betrügend, betrügeriſch. S. ἐπίθεσις. —θετος, ὁ, ἡ, zugeſtellt, zugeſetzt; dem natürl. oppoſ. unnatürlich, geziert; hinzugedichtet, erdichtet; fremd; verſtellt: bey Strabo 3 p. 422. S. ἐπίθετοι καὶ λῃστρικοὶ ſoll vielleicht ἐπιθετικοὶ heiſsen.

Ἐπιθέω, an- zulaufen; nachlaufen, verfolgen: Xen. ven. —θεωρέω, ῶ, noch- ferner oder überh. beſehen, betrachten; davon —θεώρησις, ἡ, Beſchauung, Betrachtung: Antonini 8, 26. —θήγω, dargegen- darwider ſchärfen; überh. ſchärfen: Plutar. 9 p. 142. reizen, ermuntern; reizen, aufbringen. —θήκη, ἡ, Zuſatz, Aufſatz. —θημα, τὸ, ſ. v. a. ἐπίθεμα; davon ἐπιθηματικὸς zur Decke gehörig: Pollux 7, 208. und —θηματουργία, ἡ, das Verfertigen von Decken- Deckeln- Dächern u. ſ. w. Plato Polit. —θηματόω, ῶ, bedecken, einen Deckel darauf legen: Athenaeus. —θηραρχία, ἡ, Amt eines ἐπιθήραρχος, der vier Elephanten regiert, oder unter ſich hat; zweif. —θιγγάνω, ἐπιθίγω, be- anrühren. —θλίβω, fut. ψω, drücken; davon —θλιψις, ἡ, Druck; das Drücken darauf. —θοάζω, darauf, dabey ſitzen.

Ἐπιθολόω, ῶ, verdunkeln durch etwas darüber- darzu gebrachtes. —θορέω, ῶ, darauf ſpringen. —θόρνυμαι, beſpringen, z. B. βουσὶν, von Stieren: Luc. auch met. γυναιξὶν, von geilen Männern, beſchlafen. —θορόω, (θορὸς) mit Saamen befruchten: Clemens Paed. 2 p. 222. —θορυβέω, ῶ, darzu- dabey lärmen: lärmenden od. lauten Beyfall geben. —θράττω, Pollux 1, 246. Heſych. hat ἐπιθράξαι d. ἐπινύξαι erklärt. —θρεπτος, ὁ, ἡ, zugenährt oder nachgewachſen, σάρξ, ſtarkes Fleiſch: Hippocr. —θρηνέω, ῶ, darzu- dabey klagen oder weinen; davon —θρήνησις, ἡ, das Klagen oder Weinen dabey oder darzu: Plutar. 8 p. 410. —θρομβόω, ῶ, gerinnen laſſen; paſſ. gerinnen: Nicand. —θρύπτω, ſ. v. a. διαθρ. Plutar. Dion. 17. —θρώσκω, ſ. v. a. ἐπιθορέω. —θυμβρον, τὸ, eine Schmarotzerpflanze auf der θύμβρα, wie ἐπίθυμον. —θυμέω, ῶ. m. d. Genit. begehren, verlangen; eigentlich ſeine Begierden (θυμὸς) worauf werfen; davon —θύμημα, τὸ, das Begehrte, Verlangte; das Verlangen, Begehren; der Wunſch. —θύμησις, ἡ, das Verlangen oder Begehren. —θυμητὴς, οῦ, ὁ, (ἐπιθυμέω) der verlangt, ſich ſehnt. —θυμητικὸς, ἡ, ὸν, Adv. —κῶς, verlangend, begierig, ſtark ſtrebend: τὸ ἐπ. Begierde, Verlangen, Luſt: act. begierig machend, Begierde einflöſsend. —θυμητὸς, ἡ, ὸν, begehrt, zu begehren: Ariſtot. eth. 3, 10. —θυμία, ἡ, (ἐπιθυμέω) Begierde, Verlangen, Luſt, Liebe wozu: im ſchlimmen Sinne, Luſt, Sucht, Wolluſt. —θυμίαμα, τὸ, das Geräucherte; Räucherwerk; von —θυμιάω, ῶ, räuchern; auf dem Altare Räucherwerk anzünden. —θύμιος, ὁ, ἡ, Manetho 4, 565 der verlangt.

Ἐπιθυμιδειπνος, ὁ, ἡ, (ἐπιθυμῶν δείπνου) Plutar. Q. S. 8, 6. der nach der Mahlzeit verlangt, ſie nicht abſagt u. doch zu ſpät kommt. —θυμον, τὸ, eine Schmarotzerpflanze auf dem θύμος, *cuſcuta epithymum* Linn. wie ἐπίθυμβρον. —θύνω, ſ. v. a. ἐπευθύνω. —θυσιάζω, darauf oder hernach opfern: Dionyſ. antiq. zw. —θύω, f. ύσω, ich gehe auf jemand ſchnell oder hitzig los. 2) ich opfere auf dem Altare: Aristoph. Pl. 1117. oder bey einer Gelegenheit oder nach einem andern: (ἐπὶ u. θύω) die älteste Bedeut. ist mit den Fingern das Räucherwerk, Weihrauch (θυος, thus) in das brennende Feuer werfen. Porphyr. Abst. Anim. 2, 58. Diodor. 12, 11. In der ersten Bedeut. (Hom. Il. 18, 175. Od. 16, 297. hymn. 2, 472) leitet man es v. ἰθύω ab, weil ἰθύω die erste Sylbe lang hat.

Ἐπιθωρακίδιον, τὸ, (θώραξ) Kleid über den Panzer: Plutar. Artax. c. 17. wo andere περιθωρακίδιον haben. — θωρακίζω, f. ίσω, mit dem Panzer überziehn: im med. Cyrop. 3, 3, 27. — θωρήσσω, gegen einen wafnen, rüsten: med. gegen einen zu Felde ziehn, in einen Kampf sich einlassen. — θωΰσσω, f. ξω, zurufen, ermuntern: κώπαις Eur. Iph. Taur. 1126. σκυλακας Synes. p. 320.

Ἐπιίδμων, ονος, ὁ, ἡ, s. v. a. ἐπιίστωρ. — ίζομαι, jonisch, s. v. a. ἐφέζομαι. — ίστωρ, ορος, ὁ, ἡ, s. v. a. ἐπιίδμων, auch *conscius*, mitwissend oder sich bewusst. Quint. Smyrn. 13, 373 ἔργων κακῶν ἐπιίστορας. Odyss. 21, 26 ἔργων μεγάλων vom Hercules, wird ἔμπειρος, kundig, erklärt.

Ἐπικαγχάζω, f. άσω, darzu oder darüber laut lachen. S. auch — αχλάζω. — καθαιρέω, noch- darzu niederreissen oder zerstören. — καθαίρω, noch- darzu reinigen: Hippocr. κρισ. 3. — καθέζομαι, sich drauf setzen, drauf sitzen. — καθεύδω, drauf schlafen. — κάθημαι, u. — θιζάνω, dabey- darauf sitzen oder setzen. sich setzen: belagern m. d. Dativ. — καθίζω, f. ίσω, act. drauf setzen: neutr. drauf sitzen; dabey sitzen, πόλει, belagern, *obsidere*: Polyb. — κάθισμα, τὸ, Sitz darauf. — καθίστημι, darzustellen; nach einem stellen: στρατηγὸν, nach einem zum Feldherrn machen, ihn wahlen u. folgen lassen. — καινίζω, f. ίσω, erneuern. — καινοτομέω, ῶ, s. v. a. καινοτομέω: Euseb. h. eccl. 7, 3. — καιρία, ἡ, gelegene- bequeme Zeit. S. ἐπικέρδεια. — καίριος, ὁ, ἡ, Adv. — ίως, (καιρὸς) was zur Zeit- Gelegenheit- dem Maasse der Sache passt, geschickt, bequem, nützlich, nöthig, bedurftig. Bey Xen. sind ἐπικαίριοι die vorzüglichsten, Ersten, Befehlshaber der Armee: er verbindet es auch m. d. Infinit. Cyrop. 8, 2, 25. τῶν θεραπεύεσθαι ἐπικαιρίων, die Pflege bedurften oder verdienten: auch zeitig, eine Zeit dauernd, *temporarius*. S. καιρὸς. — καιρος, ὁ, ἡ, Adv. — ρως, s. v. a. ἐπικαίριος. — καίω, ἐπικάω, f. αύσω, auf der Oberfläche brennen, überbrennen; anbrennen, verbrennen. — καλαμάομαι, ῶμαι, nach andern Nachlese halten: Lucian. Toxar. — καλαμὶς, ἡ, bey Agathias 5 B. καὶ πτύα ὡς πλεῖστα ταῖς ἐπικαλαμίσιν ἐντροπωσάμενοι, es ist von den Theilen des Schiffs die Rede, die Stelle worauf die Ruder ruhen. Aber Suidas hat richtiger ἐπισκάλμισι, in diesem Worte: und Hesych. erklärt ἐντροπῶσαι durch ἐνδῦσαι, oder vielmehr ἐνδῆσαι, darauf binden. — καλέω, ῶ, hinzu- herbeyrufen: daher im med. zu Hülfe rufen, anrufen; einen Zunamen oder Beynamen geben: anrufen, zurufen, m. d. Dat. vorwerfen, beschuldigen, wie ἐγκαλέω: provoziren auf, ἐπικαλεῖσθαι τὰς δημάρχους, Plut. Marcel. 2. — καλλύνω, überschminken: Themistii orat. 32 p. 359. — κάλυμμα, τὸ, was daruber oder darauf gelegt wird, etwas zu bedecken; Decke, Bedeckung; Vorwand; bey Aristot. h. a. der Krebsschwanz. — καλυπτήριον, τὸ, s. v. a. d. vorh. eigentl. d. neutr. von — ήριος, ία, ιον, bedeckend: von — καλύπτω, f. ψω, bedecken, verdecken, oder verdunkeln, indem man etwas oben darauf oder darüber (ἐπὶ) legt; dav. — κάλυψις, ἡ, Bedeckung, das Ueberdecken. — κάμνω, τοῖς παρελθοῦσιν ἐπικάμνειν μήτε τῶν ἐπιόντων προκάμνειν Aelian. v. h. 14, 6. nach dem was geschehen und vorüber ist, Angst und Kummer sich machen: wie προκ. sich vorher Kummer und Sorge machen. — καμπὴ, ἡ, Einbiegung, Umbiegung, Krümmung. — καμπὴς, ὁ, ἡ, u. ἐπικάμπιος, ὁ, ἡ, eingebogen, umgebogen, gekrümmt, sichel- oder mondformig gebogen; von — κάμπτω, f. ψω, einbiegen, umbiegen, umdrehen, umwenden, krümmen: übergetr. wie *flecto, inflecto*, einen umlenken, umkehren, zu etwas andern bereden. — καμπύλος, ὁ, ἡ, s. v. a. ἐπικαμπὴς. — καμψις, ἡ, Ein- Umbiegung, Umlenkung.

Ἐπικανθὶς, ἡ, s. v. a. ἐγκανθίς. — καρ, Adv. uber- auf dem Kopfe st. ἐπὶ κάρα: Il. 16, 392. — καρπία, ἡ, die Früchte, die Nutzung der Früchte u. Gebrauch: überh. Nutzung von etwas: auch die Abgabe von Frucht und Viehnutzung, sonst der Zehnt: (*decima*) bey Andocid. 45. ἐπικαρπίας τῶν ἐν τῇ γῇ γεωργούντων ἐκλέξας ἐννεήκοντα μνᾶς. — καρπίδιος, ὁ, ἡ, auf der Frucht befindlich: Anthol. — κάρπιος, ὁ, ἡ, (καρπὸς) Frucht tragend oder gebend: daher ζεὺς ἐπ. Aristot. d. mundo, c. 7. *Jupiter frugipotens*: τὰ ἐπικάρπια nannte der Botaniker Phanias die Fruchtstiele, *pediculi*: 2) von κάρπος, die Vorhand, ὄφεις ἐπικάρπιοι, Philostr. epist. 39. die Armbänder. — καρπολογέω, im med. τοὺς ἀμητοὺς, Nacherndte, Nachlese halten: Joſeph. Maccab. 3. wo auch ἐπιῤῥωγολογεῖσθαι τοὺς ἀμπελῶνας ſteht, d. i. Nachleſe im Weinberge halten.

'Ἐπικάρσιος, ία, ιον, od. ἐπικάρσιος, ὁ, ἡ, ſ. v. a. ἐγκάρσιος. —καρυκεύω, nachwürzen, mehr würzen: Heſych. —καταβαίνω, herunter ſteigen- gehn und zugleich dem Gegenſtande ſich nähern: ἐπικαταβῆναι ἐς Πλαταιάς, Herodot. 9, 25. in der tabul. heracleenſi p. 224 ἐπικαταβάνοντι ſt. ἐπικαταβήσουσι, wie ἐπεξέρχεσθαι rächen, beſtrafen.

'Ἐπικαταβάλλω, dabey- dazu niederlaſſen- hängen laſſen: Xen. ven. 4, 3. —κατάγνυμι, darüber- darauf- darzu- auſserdem zerbrechen. —κατάγω, darzu- darauf- darnach herunter führen oder fahren: med. darnach- darauf herunter oder ans Ufer oder in den Hafen fahren: Thucyd. —καταδαρθάνω, dabey- darauf- darüber einſchlafen. S. διακαταδαρθ. —καταδέω, ῶ, darüber- darauf binden, oben drauf binden, darüber verbinden: bey Clemens Paed. 2 p. 213. f. Leſ. —καταδύομαι, darauf- darüber- darnach untertauchen od. untergehn: Pollux 1, 108. —καταθέω, darüber- darauf herunterlaufen: Dio Caſſ. —καταίρω, m. d. Dativ. Plutar. 31. ſich darauf niederlaſſen, darauf losgehn. —κατακαίω, noch darzu verbrennen: Liban. —κατακλείω, verſchlieſsen, verbergen: ſ. v. a. κατακλ. Cyrop. 4, 1, 8. —κατακλίνω, d. i. κατακλίνω ἐπὶ, darüber- darauf- darnach niederlegen oder ſich legen laſſen: Schol. Homer. —κατακλύζω, f. ύσω, noch darzu überſchwemmen: Herodot. 1, 107.

'Ἐπικατακοιμάομαι, darauf- darüber- dabey einſchlafen. —κατακολουθέω, darauf- darnach folgen: Schol. Pind. —καταλαμβάνω, hinterhergehn u. einholen: in Xenoph. Hellen. 2, 4, 7 ſteht jetzt ἔτι καταλ. νυκτὸς ſt. ἐπικαταλαβούσης, da ſie die Nacht überfiel. —καταλλαγὴ, ἡ, Aufgeld, Agio: Theophr. char. 30 περὶ αἰσχροκερδείας. —καταμένω, noch länger bleiben oder verweilen: Cyrop. 1, 2, 11. —καταμωκάομαι, ſ. v. a. καταμωκάομαι: Pollux 8, 77. ἐπικαταμωμέομαι, daſſelbe: Schol. Apoll. Rhod. 3, 790. —καταπηδάω, darüber- herauf- darnach- herunter oder herabſpringen: Joſephus. —καταπίπτω, d. i. καταπ. ἐπὶ, darüber herfallen oder ſich legen: Lucian. —καταπλάσσω, ττω, darüber- darauf ein Pflaſter legen: Hippocr. —καταπλέω, wider einen ausfahren oder mit dem Schiffe losgehn: Diod. Sic. —καταπρήθω, drüber anſtecken oder verbrennen: Appian. —καταράομαι, ſ. v. a. ἐπαρ. —καταράσσω, ἐπικαταράττω, darauf- darüber ſchlagen oder (neutr.) fallen od. losbrechen. —κατάρατος, ὁ, ἡ, ſ. v. a. ἐπάρατος, verwünſcht, verflucht. —καταῤῥέω, darauf- darüber- herunter oder herabflieſsen. —καταῤῥήγνυμι, darüber- darauf zerreiſſen oder zerbrechen- zerſprengen- zerplatzen. —καταῤῥιπτέω, u. —ῥίπτω, darüber- darauf- darnach herunter od. herabwerfen. —καταῤῥυέω, ſ. v. a. ἐπικαταῤῥέω. —κατασείω, darüber erſchüttern und niederwerfen: Joſeph. —κατασκάπτω, darüber- durchgraben: zerſtören oder verſchütten: ἐπικατασκάπτει τῷ κλωπὶ τὸ σπήλαιον Dion. Antiq. 1, 39 zerſtörte die Hole und begrub den Dieb unter der eingeſtürzten Höhle. —κατασκευάζω, ſ. v. a. κατασκευάζω ἐπὶ, darauf- darzu machen: Dio Caſſ. 50, 23. —κατασπάω, darüber- darauf- darnach oder ferner herunterziehn: Hippocr. —κατασπένδω, darüber- darauf die Libation verrichten oder den Opferwein ausgieſsen. —καταστρατοπεδεύω, gegen einen ſich lagern: zw. Polyb. 5, 46. —καταστρέφω, darüber- darauf umkehren oder umdrehen. —κατασφάζω, u. σφάττω, f. ξω, darüber- darauf ſchlachten- tödten oder opfern.

'Ἐπικατατέμνω, bey Demoſth. p. 977 im Bergwerke über die Grenze mit der Arbeit gehn. S. κατατέμνω. —κατατρέχω, auf jemand einen Ausfall, Streiterey thun. —καταφέρομαι, darüber- herunter gehn- laufen. —καταφορὰ, ἡ, das darüber- herunter ſchieſsen: der Abſchuſs: abſchüſſige Stelle: zw. —κατάφορος, ὁ, ἡ, abſchüſſig: πρὸς τὰ ἀφροδίσια Athenae. ſ. v. a. καταφερὴς, geil. —καταχωννύω, darauf- darüber zuſchütten oder verſchütten: zw. —καταψάω, darauf- darüber zerſcharren oder aufſcharren: auf der Oberfläche aufkratzen: Strabo 17 p. 1187. —καταψεύδομαι, Thucyd. 8, 74 πολλὰ ἐπικαταψευδόμενος ἔλεγεν, und log noch darzu vieles zum Nachtheile (κατὰ) deſſelben. —καταψήχω, hinterher ſtreicheln und beſänftigen: Appian: Civil. 2, 145. —κατείδω, überſehn, beſehn: Hippocr. Praenot. —κάτειμι, darüber- darauf heruntergehn: Thucyd. —κατενέγκω, ſ. v. a. ἐπικαταφέρω. —κατεράω, ῶ, darüber- darauf- darzu ausgieſsen, Galen. κατὰ τόπ. 7. S. κατεράω. —κατέρχομαι, ſ. v. a. ἐπικάτειμι: Hippocr. nat. pueri. —κατέχω, darüber- darauf- daran- annoch ſeſthalten oder anhalten: Dionyſ. hal. und Lucian. —κατηγορέω, noch- darzu- auſserdem vorwerfen: von etwas ſagen oder behaupten; davon —κατηγόρησις, ἡ, Dionyſ. Antiq. 1.

66. ἐπικατηγορήσει τοῦ σχήματος, durch die beygefügte Bestimmung der Gestalt.

'Επικατοικέω, bewohnen: Cebes. — κατονομάζω, nach einem benennen und es ihm widmen: Clemens Paed. 2 p. 168. —κατορθόω, darauf- darnach- ausserdem zu Stande bringen- glücklich vollbringen oder gut machen: aus Dion. halic. zw. —καττύω, anflicken, zuflicken: Pollux 7, 82. —καυλόφυλλος, ὁ, ἡ, mit Blattern am Stengel: Theophr. h. pl. 8, 9.

'Επίκαυμα, τὸ, das Angebrannte, Verbrannte; das Anbrennen; eine brennende Blatter auf der Haut, vorz. der Hornhaut des Auges. —καυσις, ἡ, das Brennen oder Sengen auf der Oberfläche; der Brand. —καυστος, ἐπίκαυτος, ὁ, ἡ, angebrannt: auf der Oberfläche oder an der Spitze vorn versengt oder verbrannt: Herodot. — καυχάομαι, ῶμαι, worauf oder gegen einen sich brüsten; davon —καύχησις, ἡ, das Brüsten und Stolz, den man bey einer Sache oder gegen eine Person zeigt. —καχλάζω, mit Geräusch anschlagen; Hesych. hat ἐπικαχλάζεται, διακινεῖται. —κάω, s. v. a. ἐπικαίω. —κειμαι, m. d. Dat. ich liege darauf- darüber- daran- darneben; 2) ich liege an, setze zu, verfolge; 3) pass. ich habe an- auf mir liegen: κάρα ἐπικείμενον κυνέαν, τραγῳδοὶ ἐπικείμενοι κράνη, mit Helmen auf den Köpfen. —κείρω, bescheeren, beschneiden; übergetr. verhindern; als μήδεα. Hom. S. διακείρω. —κεκρυμμένως, Adv. v. part. perf. pass. von ἐπικρύπτω, im Verborgenen, dunkel. —κέλευσις, ἡ, Zuruf, Aufmunterung; davon — κελευστικὸς, κὴ, κὸν, aufmunternd: Polyaen. von —κελεύω, ἐπικελεύομαι, m. d. Dat. zurufen, aufmuntern. — κέλλω, s. v. a. ἐποκέλλω, ναῦν ἠπείρῳ, νήσῳ, *appello navem ad insulam, continentem*, ich lande mit dem Schiffe an einer Insel, am Lande; auch als neutr. ἐπικέλλειν m. verst. ναῦν. S. κέλλω. — κενος, ὁ, ἡ, s. v. a. κενὸς; zw. —κεντρέω, anspornen, Anthol. —κεντρίζω, pfropfen: Geopon. 1062 u. 65. —κεράννυμι, ἐπικεράω, ῶ, beymischen. —κερας, sonst αἰγόκερας oder τῆλις: Galeni Gloss. —κεραστικὸς, ἡ, ὸν, (ἐπικεράω) mischend, eine sanftere Mischung gebend, temperirend, lindernd.

'Επικερδαίνω, darbey- darzu gewinnen: Plutar. Flam. 3 u. Antonii compar. —κέρδεια, ἡ, ἐπικέρδειον, τὸ, (κέρδος) Gewinnst, Profit an verkaufter Waare: Philostr. Heroic. p. 740. in Proclo p. 603. an der erstern Stelle hatten vorher die Ausgaben ἐπικαιρίαν. —κερδὴς, έος, ὁ, ἡ, (κέρδος) Gewinn bringend: bey Herodot. 4, 152 ἐκ τῶν ἐπικερδέων, von dem Gewinne. —κερτομέω, ῶ, s. v. a. κερτομέω, m. d. accus. ausschelten, beschimpfen, verspotten, schmähen; davon —κερτόμημα, τὸ, Schmähwort, Schimpf, Spott: ἐπικερτόμησις, ἡ, das Schelten od. Beschimpfen. —κεύθω, verbergen. — κεφάλαιον, τὸ, u. ἐπικεφάλιον, Cicero Attic. 5, 16 Kopfgeld, Kopfsteuer; d. neutr. v. —άλαιος, zum Kopfe gehörig, als κόσμος, Kopfputz. —κεφαλαιόω, ῶ, das Ganze- die Sache im Ganzen zusammen oder nach gewissen Hauptstücken nehmen- sagen- erzählen: μνησθησόμεθα ἐπικεφαλαιούμενοι d. i. ἐπὶ κεφαλαίων, wie Dionys. hal. sagt, Polyb. 2, 40. —κήδειος, ὁ, ἡ, (κῆδος) zur Leiche- Trauer- zum Leichenbegängnisse gehorig. —κήκαστος, ὁ, ἡ, (κηκάζω) verhohnt, beschimpft; zw. Hesych. hat ἐπικηκάζω für ἐπονειδίζω.

'Επικήπιος, ὁ, ἡ, (κῆπος) im Garten, zum Garten gehörig. —κηραίνω, s. v. a. ἐπιδυσμενεύομαι, ich bin feindselig gesinnt. S. κηραίνω. —κήριος, ὁ, ἡ, s. v. a. d. folgd. —κηρος, ὁ, ἡ, Adv. —ρως, (κὴρ) dem Schicksale- Tode- Verderben unterworfen oder ausgesetzt, also verderblich, vergänglich, sterblich, kränklich, schwach, kraftlos. — —κηρυκεία, ἡ, oder ἐπικηρύκευμα, Eur. Med. 738. die Abschickung eines Herolds an den Feind um Friedensvorschläge zu thun, oder wegen eines Waffenstillstandes zu unterhandeln; Vorschläge zum Vergleiche oder Frieden; von —κηρυκεύομαι, zum Feinde einen Herold abschicken, oder (im medio) als Herold gehn: (Polyb. 21, 13) um mit ihm wegen eines Waffenstillstandes oder wegen des Friedens zu unterhandeln: Friedensvorschläge thun: Isocr. pan. 42 Thucyd. 4, 27. —κήρυξις, εως, ἡ, das Ausrufen und Setzen eines Preises oder einer Strafe auf eine Handlung oder Person; auch die Achtung; von —κηρύσσω, ύττω, ich mache durch den Herold wegen einer Sache bekannt, τιμὴν, ζημίαν, θάνατον, die Ehrenbelohnung, Todesstrafe, wer das und das thut: ἐπικηρύττειν τινὶ χρήματα, auf jemandes Kopf eine Geldsumme als Prämie setzen und bekannt machen; ihn vogelfrey erklären; daher bey Dionys. hal. u. Dio Cass. ἐπικηρυχθεὶς der *proscriptus*, der geächtete, in die Acht erklärte: ἐπικηρυχθεὶς χθονὶ Aeschyl. S. 636. der Stadt drohend. S. auch λάφυρον. —κίδναμαι, s. v. a. ἐπισκεδάω, poet. darüber zerstreuen, ergiessen, Il. 2, 850. —κιναίδισμα, τὸ, (κιναιδίζω) eine unzüchtige Handlung oder Rede. S. ῥιναυλέω. —κινδυνεύω, ich wage darauf: ἐπικινδυνεύεται τῷ δανείσαντι τὰ χρήματα, Demosth. p. 915. dafs die Ladung auf Gefahr des Kreditors gehe: in der Bodmerey.

'Επικίνδυνος, ὁ, ἡ. Adv. —νως, (κίνδυνος) auch ἐπικινδυνώδης, ὁ, ἡ, mit Gefahr verbunden, gefährlich. —κινέω, ῶ, darzu-dahin bewegen: med. darzu fich bewegen oder geftikuliren; zw. — κίρνημι, f. v. a. ἐπικεράννυμι.

'Επικιχλίδες, αἱ, ein Gedicht des Homer, welches er für κίχλας machte: Athenaei p. 65. A. —κλάζω, f. v. a. ἐπικλάω; zw. —κλαίω, dabey-darzu-darüber weinen; beweinen. —κλαυτός, ὁ, ἡ, beweinend, weinerlich: Ariftoph. Ran. 683. —κλάω, ῶ, einbrechen oder umbiegen; daher zum Mitleide bewegen oder erweichen, erbitten. —κλεής, έος, ὁ, ἡ, (κλέος) davon bekannt, berühmt; auch f. v. a. ἐπώνυμος. —κλεΐζω, u. poet. ἐπικλήΐζω, Appian. Syr. 17. f. v. a. d. folgd. ἐπικλείω no. 1. —κλείω, f. v. a. ἐπικαλέω, herbey oder anrufen; darzu fagen oder nennen, den Beynamen geben, dabey- davon fagen: ῥινὸν δ' ἀμφοτέροισιν ἐπικλείουσιν ἀοιδοὶ Oppia. Cyn. 1, 278. d. i. ἐπὶ ἀμφ. λέγουσιν: auch überh. davon- dabey rühmen- erzählen; 2) vom Stammworte κλάω, κλέω, κλείω, fchliefsen heifst es auch dabey-darzu- darauf fchliefsen, verfchliefsen, zumachen.

'Επίκλημα, τὸ, Vorwurf, Befchuldigung, Anklage. S. ἐπικαλέω. —κλην, Adv. eigentl. κατ' ἐπίκλην d. i. ἐπίκλησιν, mit dem Zunamen od. Beynamen: πονηρία τις ἕξεώς τινος ἐπίκλην λεγομένη, welche von einer gewiffen Eigenfchaft den Zunamen hat und davon benannt wird: Plato Phileb. c. 29. —κληρικός, ἡ, ὸν, den ἐπίκληρος betreffend oder ihm gehörig: Dionyf. hal. — κληρίτης, ὁ, —ῖτις, ἡ, f. v. a. ἐπίκληρος, ὁ, ἡ, Pollux 3, 33. wo vorher περικληρῖτις, ἡ, ftand. —κληρος, ὁ, ἡ, der das väterliche Vermögen erbt, vorzüglich zu Athen, die einzige Tochter, welche das Vermögen erbt, und um welche die nächften Verwandten fich ftreiten, wer der nächfte fey, und nach dem Gefetze fie heyrathen könne; in fo fern die Anverwandten fich um ihre Heyrath ftreiten, heifst fie ἐπίδικος; daher Lyfias p. 751. ὥσπερ ἐπικλήρου τῆς συμφορᾶς οὔσης ἀμφισβητήσων ἥκει. Dionyf. Antiq. 1. 70 ἐπίκληρος τῇ ἀρχῇ, Erbin des Reichs. —κληρόω, zuloofen, durchs Loos zutheilen, zugeben, zulegen: med. durch das Loos darzu bekommen, erhalten; davon —κλήρωσις, ἡ, Ertheilung, das Zugeben durchs Loos. —κλής, f. v. a. ἐπικλεής, Oppian. Hal. 1, 340. —κλησις, ἡ, (ἐπικαλέω) Zuname: Anrufung, Provocation: Plutar. Marcell. 2. Befchuldigung, Befchimpfung; im guten Sinne, Ruf, Sage: Apollodr. 1, 3, 2. —κλητος, ὁ, ἡ, angerufen, herzu-herbeygerufen; obendrein- aufser den übrigen noch dazu gebeten oder eingeladen: Plutar. Q. S. 7, 6. getadelt, befchuldigt; berufen, berühmt. —κλινής, έος, ὁ, ἡ, (κλίνω) fich worzu oder wohin neigend, geneigt, abfchüffig.

'Επικλίντης, ου, ὁ, der auf die Seite neigt, wie σεισμὸς ἐπικλίντης, eine Erderfchütterung in fpitzigen Winkeln nach den Seiten: Arift. de mundo 4. —κλιντρον, τὸ, (ἐπικλίνω) der Boden der Bettftelle, oder Lehne des Stuhls, wo man fich anlegt. —κλίνω, ich neige, lehne, lege an etwas an oder hin: ἐπικέκλιται mit d. dat. es liegt darandabey; ἐπικεκλιμένος, geneigt, fchief liegend, abwärts gehend: auch neutr. ἐπικλίνω, ich neige mich zu; dav. —κλισις, ἡ, das Hinneigen, Anlehnen an etwas: Zuneigung. —κλονέω, ῶ, ich bringe in Bewegung, erfchüttere dabey-darüber: ἐπεκλονέοντο γυναῖκες ξείνῳ, Apollon. 1, 783. machten einen Lärm vor Freude über den Fremdling; für antreiben: 3, 687. —κλοπος, ὁ, ἡ, (κλέπτω, ἐπὶ) diebifch, verfteckt, heimlich, liftig, verfchlagen. —κλύζω, f. ύσω, ich ftröme daran- darüber; 2) ich überftröme, fetze unter Waffer: auch metaph. χρυσοῦ πλῆθους ἐπικεκλυκότος παρ' αὐτοῖς, Diodor. 3, 47. wie *redundare*, im Ueberfluffe da feyn: vergl. Dionyf. antiq. 6, 17. —κλυσις, ἡ, das Anftrömen, Ueberftrömen. —κλυσμός, ὁ, f. v. a. das vorige. — κλυστος, ὁ, ἡ, (ἐπικλύζω) etwas woranworüber das Waffer- der Regen ftrömt. —κλυτὸς, ὁ, ἡ, ὄλβῳ, von od. wegen feines Reichthums berühmt; Apollon. —κλύω, f. ύσω, poet. f. v. a. ἐπακούω, hören, anhören, m. d. genit. —κλώθω, fpinnen, zufpinnen, von den Parzen, als Schickfal oder Loos zutheilen oder beftimmen: Odyff. 1, 17. 3, 108. —κνάμπτω, f. v. a. ἐπιγνάμπτω. —κνάω, ῶ, und ἐπικνήθω, ich fchabe - reibe - fchneide darauf-darzu. S. κνάω. —κνίζω, f. ίσω, auf der Oberfläche zerfpalten, zerreiffen. S. κνίζω. Plin. h. n. 13, 7. Theophr. b. pl. 4, 2, dav. —κνισις, ἡ, das Einritzen oben- auf der Oberfläche. —κοιλὶς, ίδος, ἡ, S. ἐπικιλίς. —κοιλος, ὁ, ἡ, gehöhlt, hohl: Hippocr. off. nat. p. 279.

'Επικοιμάομαι, ῶμαι, darauf-darüber fchlafen- einfchlafen: wie *indormifco*: faumfelig wobey feyn: Polyb. 2, 12. davon —κοίμησις, ἡ, das Schlafen oder Liegen worauf: bey Hippocr. de artic. wo andere ἐπίκνησις lefen.

Ἐπικοίνῆς, eigentl. ἐπὶ κοινῆς verſt. ὁδοῦ oder βουλῆς, gemeinſchaftlich: Heſych. —κοινος, ὁ, ἡ, gemeinſchaftl. ſich mittheilend oder mitgetheilt. —κοινόω, und όομαι, gemeinſchaftlich machen, mittheilen: in med. ἐπ. τινὶ τὶ, mit jemandem zu Rathe gehn uber eine Sache: Dio Caſſ. —κοινωνέω, ῶ, τινὶ, τινὸς, ich habe Gemeinſchaft oder gemeinſchaftlich. —κοινωνὸς, ὁ, ἡ, ſ. v. a. κοινωνὸς: Hippocr. εὐσχ. zw. —κοίρανος, ὁ, ſ. v. a. κοίρανος, wie ἐπιβουκόλος: Orph. Argo. 291. —κοιτάζομαι, und ἐπικοιτέω, (κοιτη) m. d. genit. Polyb. 22, 10. worauf- worüber- wobey ſchlafen: wobey liegen und wachen. —κοίτιος, ὁ, ἡ, (κοίτη) Hierocles Pyth. p. 209 Lond. ᾆσμα, Lied beym Schlafengehn. —κοκκυζω, davon ἐπικοκκύστρια, ἡ, das Echo bey Ariſtophan. Theſm. 1059. welches die Worte nachplaudert; wo andere falſch ἐπικόκκάστρια haben. S. κοκκύζω. —κολλάω, ῶ, f. ήσω, anleimen: paſſ. und med. angeleimt ſeyn, ſich anleimen, ankleben, feſt anhangen. —κόλλημα, ατος, τὸ, das Angeleimte, Angehangte. —κολπίδιος, ὁ, ἡ, (κόλπος) in oder auf dem Schooſse. —κόλωνος, ὁ, ἡ, auf dem Hugel: Diod. Sic. 19, 19. —κομάω, Pollux 4, 136 ξανθῇ κόμῃ ἐπικομῶν, wo die Handſchr. ἐπίκομος hat, ſ. v. a. κομάω; vergl. 2, 25. —κομβίον, τὸ, S. κόμβος. —κομίζω, f. ίσω, hinzu fuhren oder tragen: med. mit ſich führen. Dio Caſſ. —κομμόω, ῶ, f. ώσω, ausſchmücken, ausputzen, überſchminken.

Ἐπικομπάζω, f. άσω, darzu- dabey- damit pralen: pralend ſagen od. erzahlen. —κομπέω, ῶ, ſ. v. a. das vorh. Dio Caſſ. —κομψεύω, ferner- weiter ausputzen- ausſchmücken od. als Zierrath zufügen: Joſephi ant. 20, —κόπανον, τὸ, (ἐπικόπτω) ein Hackeblock, worauf die Schlächter das Fleiſch zerhauen. —κοπή, ἡ, das Ein- Ver- Beſchneiden: das Einhauen, Verhauen, Köpfen. —κοπος, ὁ, ἡ, verſchnitten, verhauen, verkürzt; τὸ ἐπίκοπον ſ. v. a. ἐπικόπανον: bey Heſych. und Etymol. M. nachgeprägt. —κοπρίζω, bemiſten, düngen: Geopon. 2, 23. —κόπτης, ου, ὁ, Tadler: bey Diog. Laert. zweymal, wo die Handſchr. ἐπισκώπτης haben. —κόπτω, f. ψω, einbauen, verhauen, auch köpfen von Baumen: metaph. hindern, ſchwächen, verkleinern: zurückhalten, unterdrücken: βοῦν ἐπικ. den Ochſen von oben her ſchlagen: χαρακτῆρα, das Gepräge aufdrücken, aufſchlagen: bey Diog. Laert. ſ. v. a. ἐπισκώπτω, welches letztere andere Handſchr. haben, ſ. ἐπισκόπτης: ἐπικόπτουσιν ἀποτριβέντα μύλον, Strabo 15 p. 1050. ſcharfen den abgeriebenen Mühlſtein: med. ſich ſchlagen, ſich an die Bruſt ſchlagen oder klagen, τινὰ d. i. ἐπὶ τινὶ, Eurip. Troad. 623. —κορίζω, falſch ſt. ἐπικορρίζω. —κόρμιον, τὸ, (κορμὸς) ſ. v. a. ἐπίξηνον, Hackeklotz; Grammat. —κορρίζω, bey Ariſtot. Anim. 9, 8. ſ. v. a. ἐπὶ κόρρης πατάσσειν, auf den Kopf ſchlagen- hacken; davon —κορριστὸς, bey Heſych. der einen Schlag- Ohrfeige bekommen hat. —κορσος, ὁ, ἡ, (κόρση) auf der Wange befindlich. zw. —κορύσσομαι, ſich dagegen bewaffnen od. ſtreiten.

Ἐπικὸς, (ἔπος, Lied, Geſang) epiſch, heroiſch. —κοσμέω, ῶ, überſchmücken, ausputzen, zieren: davon ἐπικόσμημα, τὸ, Zierde, Zierrath: Nicetae Annal. 5, 6. —κοτος, ὁ, ἡ, Adv. —ότως, zornig, zürnend: Aeſchyl. Prom. 162. Theb. 791. Choeph. 626. auch ſ. v. a. ἐπίμομφος, Sophocles Heſychii. —κοτταβίζω, (S. κοτταβίζω) den κότταβος darauf gieſsen oder werfen: Pollux 6, 40. —κουρέω, ῶ, τινὶ, ich ſtehe bey, helfe, im Kriege und ſonſt: νόσοις ich helſe den Krankheiten ab, heile ſie, wie ἐπικούρησις κακῶν, Hülfe wider das Unglück: bey Iſocrat. Paneg. c. 44 τοὺς δι' ἔνδειαν τῶν καθ' ἡμέραν ἐπικουρεῖν ἀναγκαζομένους ὑπὲρ τῶν ἐχθρῶν τοῖς φίλοις μαχομένους ἀποθνήσκειν, iſt ſ. v. a. für Söldner, ἐπίκουρος, ſich verdingen. S. ἐπίκουρος: davon ἐπικούρησις, ἡ, das Beyſtehn, Helfen; ἐπικούρημα, τὸ, u. ἐπικουρία, ἡ, die Hülfe, Beyſtand; Hülfsmittel, Mittel wider etwas: Hulfstruppen. —κουρικὸς, ἡ, ὸν, u. ἐπικούριος, was zum helfen- beyſtehn dient: τὸ ἐπικουρικὸν, Hulfstruppen. —κουρος, ὁ, ἡ, (κοῦρος) der einem beyſteht- hilft wider einen Feind: ἐπίκουρον ψύχους, was wider die Kalte hilft: Xenoph. δεσπότου ἐπικούρου, Schutzherr, Derſelbe. Vorz. heiſsen ἐπίκουροι Hulfsvölker, Söldner, ſonſt τὸ ξενικὸν, μισθωτοὶ, wie ἐπικουρία und τὸ ἐπικουρικὸν bey Thucyd. daher ἐπικουρεῖν, als Soldner dienen; bey Thucyd. 6, 55. ſind ἐπίκουροι ſ. v. a. δορυφόροι, Leibwache. —κουφίζω, f. ίσω, erleichtern, erheben, aufhelfen. —κραδαίνω, ἐπικραδάω, darauf- darüber ſchwingen oder ſchwenken. —κράζω, anrufen, an- zuſchreyen: Lucian. —κραίνω, ἐπικραιαίνω, das Homeriſche ἐπικρήηνο iſt mehr v. ἐπικρεαίνω jon. ἐπικρηαίνω, vollenden, vollbringen. —κράνιος, ὁ, ἡ, auf- über dem Schedel oder Kopfe. —κρανὶς, ίδος, ἡ, Pollux 2, 45. ſ. v. a. παρεγκεφαλὶς, Hirnhaut: Plutar. 9 p. 560. —κρανον, τὸ, (ἐπὶ κράνῳ) was auf- am Kopfe iſt: Kopfbinde: Kopfputz, Eurip. Hipp. 201. Scheitel des Kopfs: Eur. Iph. Tr. 51. bey Kriegern nach Pollux ſ. v. a. λίΦος: in der Baukunſt der Saulenkopf, ſonſt κιονόκρανον.

Ἐπίκρασις, εως, ἡ, Miſchung, Temperatur, Milderung. — κραταιόω, ῶ, verſtärken, noch mehr befeſtigen. zw. — κράτεια, ἡ, die Uebermacht, der Sieg, die Gewalt: das Gebiet, worinne man Macht hat: vorz. erobertes Land, Provinz: die Regierung ſelbſt: πρὶν ἔξω τῆς τούτου ἐπικρατείας γένηται, bis er ſich aus deſſen Gebiete entfernt hat, Xen. Hier. 6, 13. von — κρατέω, ῶ, bezwingen, beſiegen, beherrſchen, in ſeiner Gewalt haben: vorzügl. von eroberten Ländern inne haben: auch neutr. überhand nehmen; davon — κρατὴς, έος, ὁ, ἡ, Adv. — τῶς, mit d. genit. eines mächtig, d. i. der ihn in ſeiner Gewalt, beſiegt und ſich unterworfen hat. — κράτησις, ἡ, (ἐπικρατέω) das Feſthalten, Bezwingen, in ſeiner Gewalt haben: und ἐπικρατητικὸς, anhaltend, feſthaltend. — κρατίδες, αἱ, (ἐπὶ, κρὰς, Kopf) τρίψις ἐπικρατίδων Φευκτέα, Hippocr. Praecept. c. 4. wird von Heſych. durch eine Bedeckung des Kopfes erklärt. — κρατικὸς, ἡ, ὸν, ſ. v. a. ἐπικεραστικὸς, wie κατακρατικὸς ſt. — κεραστικὸς: Cornar. ad Galen. κατὰ τόπους p. 334.

Ἐπικρατύνω, ſ. v. a. ἐπικραταιόω, Heſych. — κραυγάζω, ich ſchreye an: Arrian. Epict. 1, 21. — κρέκω, ſ. v. a. κρέκω. zw. — κρεμάννυμι, ἐπικρεμαννύω, u. ἐπικρεμάω, ich hänge darüber - darauf - dabey an oder auf: med. darauf - darüber - dabey - daran hängen - ſchweben - ſiegen wie *impendere*, von vorſchwebender, bevorſtebender Gefahr, Tod, Zeit; davon — κρεμὴς, έος, ὁ, ἡ, daran - darüber hängend od. ſchwebend. — κρημνος, ὁ, ἡ, ſteil, abſchüſſig: Greg. Naz. — κρητηρίδιον, τὸ, S. ὑποκριτηρ. — κριδὸν, Adv. (ἐπικρίνω) mit Auswahl: Apoll. Rhod. 2, 802. — κριμα, ατος, τὸ, Dekret, Edikt: aus Joſeph. von — κρίνω, genehmigen, beſtätigen: durch ſein Urtheil zueignen oder ertheilen, ἐπέκρινε τὸν ἄνδρα τοῖς νέοις, Philoſtr. Soph. 2, 2. Dionyſ. antiq. 11, 51. — κριον, τὸ, (ἰκρίον) die Segelſtange: Apollon. 2, 1262. Odyſſ. 5, 254. — κρισις, εως, ἡ, (ἐπικρίνω) Auswahl, Beurtheilung, Beſtätigung. — κριτὴς, οῦ, ὁ, Beurtheiler, Richter, Beſtätiger. — κριτος, ὁ, ἡ, (ἐπικρίνω) ausorleſen, gewählt, beurtheilt, beſtätiget. — κροτέω, ῶ, daran - darauf - darzu ſchlagen mit einem Geräuſche: alſo τὼ χεῖρε, zuklatſchen: τοῖς ὀδοῦσι, klappern mit den Zähnen: τοῖς δακτύλοις, dazu Schnippchen mit den Fingern ſchlagen: ἐπ. τινι, verſt. τὼ χεῖρε, applaudiren: Plutar. Anton. 12. — κροτος, ὁ, ἡ, feſtgeſchlagen, feſt, hart, von der Erde und dem Boden: Xenoph. Mag. Equ. 3, 14. not. — κρουμα, ατος, τὸ, das darauf geſchlagene oder geprägte: Sophocles Heſychii. — κρουσις, εως, ἡ, das darauf ſchlagen. Galen. — κρούω, daran - darauf ſchlagen oder ſtoſsen: τῇ χειρὶ τὸ ξίΦος, mit der Hand auf den Degen ſchlagen: Plutar. Pomp 58. überhaupt auch ſ. v. a. ἐπικροτέω. — κρυπτικὸς, ἡ, ὸν, verbergend; von — κρύπτω, verbergen, verheimlichen, geheim halten; davon — κρυΦος, ὁ, ἡ, verborgen, geheim: und — κρυψις, εως, ἡ, Verbergung, Verheimlichung. — κρώζω, an - oder zukrähen: Ariſtoph. Equ. 1051. — κτάομαι, ῶμαι, ich erwerbe darzu, beſitze darzu.

Ἐπικτένιον, τὸ, (κτεὶς, ἐπὶ) ſ. v. a. ἐπίσειον, die Gegend über den Schaamhaaren, *pecten*. 2) das Werg, *ſtupa*, welches beym Hecheln an der Hechel, κτεὶς, bleibt. Hippocr. nach Heſych. am Fuſse, was wir jetzt *metatarſus* nennen. — κτημα, τὸ, (ἐπικτάομαι) was man noch darzu erwirbt, beſitzt. — κτησις, ἡ, das darzu erwerben, beſitzen; auch ſ. v. a. ἐπίκτημα. — κτητος, ὁ, ἡ, (ἐπικτάομαι) darzu erworben. 2) dem σύμΦυτος, natürlichen entgegen geſetzt, ſ. v. a. *adſcititius*, durch Kunſt-Fleiſs hinzugeſetzt, erkünſtelt, unächt. S. ἐπίκτητος. — κτίζω, f. ίσω, darauf - daran - darzu - drüber bauen: πόλεις ἀγρίοις ἔθνεσι, unter wilden Völkern anlegen, errichten: Plutar. 7 p. 299. — — κτυπέω, ῶ, darauf - dabey töſen: τοῖς ποσὶν, mit den Füſsen ſtampfen: Ariſtoph, Eccl. 433. — κυδαίνομαι, ſich damit berühmen, ſich brüſten: Xiphilin. — κυδὴς, ὁ, ἡ, (κῦδος) angeſehn, anſehnlich, ſtolz: πράγματα ἐπικυδέστερα, beſſere Umſtände, Lage: ἐλπίδες, beſſere Hofnungen: Polyb. ſagt auch von den ſiegenden, die die Oberhand behalten, ἐπικυδεστέρως ἀγωνίζεσθαι u. γίνεσθαι — στερον. — κυέω, ῶ, nach der erſten Leibesfrucht mit einer zweyten - dritten ſchwanger werden; davon — κύημα, τὸ, eine nach der erſten empfangene Leibesfrucht, Nachempfängniſs. — κυίσκω, ίσκομαι, hinterher noch ſchwanger machen: d. paſſ. ſ. v. a. ἐπικυέω. — κυκλέω, ſ. v. a. ἐπεισκυκλέω u. ἐπεισάγω. — κύκλιος, ὁ, ἡ, Plutar. 10 p. 699. ſ. v. a. ἐγκύκλιος. — κυλίδες, αἱ, die obern Augenlieder: Pollux 2, 66. S. κιλοιδιάω.

Ἐπικυλίκειος, ὁ, ἡ, beym Becher - beym Trunke geſprochen - gethan - zu ſprechen - zu thun. — κυλινδέω, ῶ, od. ἐπικυλίνδω, darzu - dabey - darauf - darüber wälzen. — κυλινδρέω, ῶ, mit der Walze überfahren und feſt machen: Theophr.

'Επικυλισμὸς, ὁ, das Hinzu- darauf- darüber wälzen: zweif. von —κυλίω, darzu- darüber- darauf wälzen. —κυμαίνω, darzu- darauf- darüber wogen-, ſtromen- fluthen. —κυματίζω, auf den Wogen ſeyn oder ſchwimmen. —κυμάτωσις, ἡ, (ἐπικυματόω) das Zuſtrömen mit Wogen: τὰς ἐπικυματώσεις τῶν μεταβολῶν καὶ ἀλλοιώσεων Antonin. 9, 28. die ſteten u. neu hinzukommenden u. abwechſelnden Verwandlungen und Veränderungen, wie Wellen. —κύπτω, ſich auf oder über etwas bücken, genau darauf oder hineinſehn. —κυρέω, m. d. Dat. *incido*, ich falle, gerathe hinein- darauf: ſ. v. a. ἐπιτυγχάνω. —κυρίσσω, davon ᾗ ἂν ἐπικυρίσῃ ὁ ἄνεμος, *quocunque incubuerit ventus*, wohin ſich der Wind anlegt: Theophr. p. 409. von κυρίσσω. So ſagt Homer von einem heftigen Winde ἐπαιγίζειν. —κυρόω, ῶ, beſtätigen, genehmigen, beſchlieſsen. —κυρτος, ὁ, ἡ, etwas bucklicht, erhoben, hervorſtebend; krumm; davon —κυρτόω, ῶ, darüber krümmen oder biegen, krumm oder bucklicht machen. —κύρω, f. ύρσω, ſ. v. a. ἐπικυρέω. —κύρωσις, ἡ, (ἐπικυρόω) Beſtätigung, Genehmigung. —κυφος, ὁ, ἡ, übergebogen oder gekrümmt, ſ. v. a. ἐπίκυρτος. —κυψέλιος, ὁ, ἡ, (κυψέλη) πὰν, der Bienenſtocke und Bienenzucht Beſchützer: Anthol. —κωθωνίζομαι, weiter oder mehr trinken; Pollux 6, 31. —κωκύω, dabey- darzu winſeln oder klagen. —κώλυσις, ἡ, Verhinderung, Hinderniſs; von —κωλύω, hindern, verhindern. —κωμάζω, in oder mit dem κῶμος zu einem gehn oder kommen; überh. auch mit Ungeſtüm kommen, einbrechen, von Unglück und gewaltſamen Begebenheiten und Handlungen. —κωμιαστικῶς, Adv. lobredneriſch; ſt. ἐγκωμ. zw. —κώμιος, u. ἐπίκωμος, ὁ, ἡ, der im feſtlichen Zuge, vorz. im Bacchantenzuge (*comiſſatio*) einhergeht- zieht- und zu andern ins Haus geht: Pindar. braucht die erſte Form ſtatt ἐγκώμιος: Plutar. ſagt ἐπίκωμος ἥκων ſt. ἐπικωμάζων. —κωμῳδέω, ῶ, darzu- dabey verſpotten: Plato Apol. 19. —κωπος, ὁ, ἡ, einer der am Ruder (κώπη) ſitzt und rudert; 2) πλοῖον ἐπίκωπον, ein Schiff, das mit Rudern fortgebracht wird. 3) Ariſtoph. Acharn. 231. πρὶν ἂν σχοῖνος αὐτοῖσιν ἀντεμπαγῶ ὀξὺς, ὀδυνηρὸς, ἐπίκωπος, d. i. bis an den Heft, oder durch und durch, wie ein Degen. —κώφωσις, ἡ, Taubheit: Hippocr. Prorrhet. zweif.

'Επιλαγχάνω, darauf- darnach- nachher looſen, oder durchs Loos gewählt werden od. bekommen. —λάζυμαι, an- ergreifen; feſt- an- zurückhalten: Euripid. Androm. 249. —λαιμαργέω, m. dem Dativ. gierig auf etwas ſeyn: Clemens Paed. 2 p. 171. —λαΐς, ίδος, ἡ, S. ὑπολαΐς. —λαλέω, darzwiſchen reden, unterbrechen: Schol. Ariſtoph. thesm. 39. —λαμβάνω, ich nehme darzu, nehme v. andern mir weg; daher μηδεὶς μηδὲν τῶν τῆς πόλεως μηδὲ οἰκοδομήμασι μηδὲ ὀρύγμασιν ἐπιλήψεται, Plato Legg. 6 p. 306. ſich anmaaſsen; 2) ich lege die Hand woran, um es zu halten, nehmen, faſſen; daher anhalten, faſſen, anfaſſen, nehmen, bekommen: θάνατος αὐτὸν ἐπέλαβε, der Tod ergriff ihn; med. ἐπιλαμβάνομαί τινος, ich faſſe einen an, um ihn zu halten, anzuhalten, feſtzuhalten; überh. angreifen, anfaſſen, anfangen, antaſten, berühren: metaph. tadeln, ſchelten. Auch wird es vom Anhalten u. Lähmen der Sinne und Glieder geſagt, welcher Zuſtand ἐπίληψις oder ἐπιληψία heiſst: τὴν αἴσθησιν ἐπιληφθεὶς, Plutar. Flam. 16. wie *ſenſibus captus*, der Sinne beraubt. —λαμπος, ὁ, ἡ, bey Suidas ſ. v. a. καταφανής, aus Herodot. 3, 69. wo jetzt richtiger ἐπίλαμπτος, joniſch ſt. ἐπίληπτος. ergriffen, ertappt, ſteht. —λαμπρύνω, glänzend machen, zieren, ſchmücken: Dio Caſſ. τὴν φωνὴν Plutar. die Stimme hell machen, ſtärker- deutlicher ſprechen. —λαμπτος, S. ἐπίλαμπος. —λάμπω, darauf- darüber leuchten oder ſcheinen: τὸ ἔαρ, der Frühling erſcheint, *illuceſcit ver*: active erleuchten, erhellen. —λανθάνομαι, m. d. Genit. ich vergeſſe; ich verſchweige: ὧν ἑκὼν ἐπιλ. Aeſchines: fut. ἐπιλήσομαι, aor. 2. ἐπελαθόμην. —λάρκισμα, τὸ, S. λάρκος. —λαρχία, ἡ, doppelte Schwadrone, ἰλαρχία, oder 128 Reiter. —λεαίνω, ſ. v. a. λεαίνω ich mache glatt, überglätte, zerreibe, zermalme; 2) bey Herodot. 7, 9 ἐπιλεήνας τὴν Ξέρξεω γνώμην, mildern, glätten, deutlicher machen: vergl. 8, 142.

'Επιλέγω, ich ſetze noch zu dem Geſagten hinzu; 2) ich leſe- ſuche aus, wähle, erwähle, vorz. ἐπιλέγομαι, ich wähle mir; 3) ἐπιλέγεσθαι joniſch leſen, βιβλίον u. dergl. 4) überlegen, bedenken: Herodot. 7, 49. —λείβω, ich gieſse darauf, ich verrichte die *libatio* darauf- darbey. —λειόω, ich überglätte, mache glatt: Dio Caſſ. —λείπω, das lat. *deficere, deſtituere*, ich mangele, gehe aus, fehle zu einer Abſicht: τὰ φρέατα ἐπιλείπει, die Brunnen geben kein Waſſer mehr: τὰ χρήματα ἐπι. das Geld fehlt, mangelt: ἐπιλείπω λέγων Plato Phil. c. 13 u. 32. ich vermag nicht al-

les zu ſagen, *deficiunt dicentem tempus et vires.*

Ἐπιλείχω, ich überlecke, belecke. —λειψις, ἡ, der Mangel, das Fehlen, Ausbleiben. S. ἐπιλείπω. —λεκτάρχης, ου, ὁ, d. i. ἐπιλέκτων ἀρχων: Plutar. —λεκτος, ὁ, ἡ, Adverb. —τως, (ἐπιλέγω) mit Auswahl, ausgewählt, auserleſen, ausgeſucht. —λεξις, ἡ, ſ. v. a. ἐπιλογὴ, Wahl, Auswahl. —λεπτύνω τιτάνῳ, Pollux 7,124. dünn mit Kalk überziehn, übertünchen. —λέπω, (λέπος) δάφνης ἀγλαὸν ὄζον ἑλὼν ἐπέλεψε σιδήρῳ, Hym. in Mercur. 109. kratzte, rieb das untergelegte Stück Lorbeerholz mit dem Eiſen, um durchs Reiben Feuer zu machen. Doch iſt σιδήρῳ hier fehlerhaft: der Name einer Holzart ſollte dafür ſtehn. S. ἐκλεπίζω. —λευκαίνω, überweiſsen, weiſs anſtreichen. —λευκία, ἡ, Plutar. Q. S. 4, 5. ſ. v. a. λεύκη, ἡ. —λευκος, ὁ, ἡ, weiſslicht, etwas weiſs, oberwärts weiſs. —λεύσσω, anſehen, beſeben. —λήθης, ὁ, ἡ, (ἐπιλήθω) vergeſſen machend. —λήθομαι, ich vergeſſe, verſchweige, m. d. Genit. —ληθος, vergeſſen machend; andere leſen im Homer ἐπιλῆθον, ſt. ἐπίληθον, Odyſ. 4, 221. —λήθω, ich mache vergeſſen: ἐπέλησεν, ἐπιλῆθον bey Homer: das med. ἐπιλήθομαι ſiehe vorher und ἐπιλανθάνω: Hom. Odyſ. 20, 85. 4, 221. —ληῒς, ἰδος, ἡ, (λεία) erbeutete, eroberte: Xen. hellen. 3, 2, 23. —ληκέω, dabey- dazu ein Geräuſch- Getöſe- Lärm machen: zuklatſchen, ſ. v. a. ἐπικροτέω.

Ἐπιλημπτικὸς, ἐπίλημπτος, u. —λημψις, ἡ, joniſch ſt. u. ſ. v. a. ἐπιληπτικὸς, u. ſ. w. Hippocr. —λήναιος, ὁ, ἡ, zu dem Feſte ληναῖα gehörig, dabey gebräuchlich; zw. denn ἐπὶ ληναίῳ ἀγὼν, iſt der Wettkampf der Dichter am Feſte ληναῖα. —λήνιός, ὁ, ἡ, (ληνὸς) zur Weinpreſſe oder Weinleſe gehörig. —ληπτεύομαι, Nicetae Ann. 12, 5. ἐπιληπτίζομαι, Plutar. Q. R. p. 165 u. ἐπιληπτομαι 1 Regum 21 (ἐπίληπτος) epileptiſch ſeyn, die Epilepſie haben. —ληπτικὸς, ἡ, ὸν, Adv. —κῶς, epileptiſch: mit der fallenden Sucht behaftet. —λήπτομαι, ſ. v. a. ἐπιληπτίζομαι. —ληπτος, ὁ, ἡ, (ἐπιλαμβάνω) einer den man anhält- faſst oder faſſen kann. ἢν ἐπίλαμπτος ἀφάσσουσα ἔσται Herodot 3, 69. wenn ſie ertappt wird, indem ſie ihn nach den Ohren fühlt. 2) tadelnswürdig, getadelt; geſtraft, beſtraft; 3) epileptiſch, mit der fallenden Sucht behaftet: Theophr. char. 16, 4. —λήπτωρ, ορος, ὁ, (ἐπιλαμβάνω) der anhält, angreift, tadelt; aus Plut. zw. —λήσμη, ἡ, und ἐπιλησμοσύνη, ἡ, Vergeſſenheit, Vergeſslichkeit: Alexis und Cratinus bey Suidas und Schol. Ariſtoph. Nub. 788 die Form ἐπιλησμονὴ, zw. ſo wie bey Heſych. die Gloſſe ἐπιλησμονείη, ἐπιλαθείη. —λησμος, ὁ, ἡ, ſ. v. a. —ήσμων: Ariſtoph. Nub. 788.

Ἐπιλήσμων, ονος, ὁ, ἡ, (ἐπιλήθω) vergeſſend, uneingedenk, vergeſslich. —λη στικὸς, vergeſſen machend; bey den Grammat. —ληψία, ἡ, eigentl. ſ. v. a. ἐπίληψις: wie bey Ariſtot. Problem. 2, 1. wo Stephanus lieber ἐπίληψις ſchreiben wollte: vorz. der Anfall und die Krankheit der fallenden Sucht, Epilepſie. —λήψιμος, ὁ, ἡ, (ἐπιλαμβάνω) den man angreifen- faſſen- tadeln kann. —ληψις, ἡ, (ἐπιλαμβάνω) das Angreifen, Faſſen, Feſthalten: Anfall, Angriff, vorz. der fallenden Sucht; Blöſse, Schwäche, Fehler: Athenaei 5 c. 3. —λίγδην, Adv. ſ. v. a. ἐπιγράβδην, ritzend, ſtreifend: Il. 17, 599. —λιμνάζω, übertreten oder überſchwemmen und einen Teich oder Sumpf, See bilden: Plutar. Caeſ. 25. —λινάω, ἐπιλίνημι, ἐπιλινεύω. S. λινάω. —λιπαίνω, darüber fett oder fettig machen: Plutar. Alex. 57. —λιπὴς, έος, ὁ, ἡ, ſ. v. a. ἐλλιπὴς, Heſych. —λιχμάομαι, ich überlecke: Philo 1 p. 305. wo die Handſchr. ἐπιλιχνεύομαι haben.

Ἐπιλλίζω, ich ſehe mit blinkenden nickenden Augen, um etwas beſſer zu erkennen oder aus Liebe: ἀκριβέστερον γὰρ θέλων ἰδεῖν, ἀπέψησεν τὼ ὀφθαλμὼ καὶ προσῆλθεν ἐγγύτερον καὶ ἐπιλλίσατο, Ariſtocles bey Euſeb. auch von Verſpottung: Apollon. 3, 791. ἐπιλλίζουσι κερτομίας: Nicand. Alex. 81. —λος, ὁ, ἡ, ſ. v. a. *ſtrabo; paetus,* ſchiel, verliebt von der Seite blickend, blinzelnd, nickend. S. ἰλλὸς. —λόω, ich verſpotte. S. ἰλλώπτω, κατιλλώπτω. —λώπτω τινὶ, ich blinzle- nicke einem zu, aus geiler Liebe oder um ihn zu verſpotten. S. κατιλλώπτω.

Ἐπιλοβὶς, ἰδος, ἡ, bey Heſych ein Lappen oder Anhang der Leber. S. λοβὸς. —λογὴ, ἡ, die Auswahl, Erwählung; davon —λογίζομαι, ich überrechne, überlege, überdenke; 2) ich rechne zu, ſchreibe zu. —λογικὸς, ἡ, ὸν, zur Wahl od. zur Berechnung (ἐπιλογίζομαι) od. zum ἐπίλογος Nachſatze oder Beſchluſſe der Rede gehörig. —λογισμὸς, ὁ, u. ἐπιλόγισις, ἡ, Plutar. 10 p. 488. das Ueberrechnen, Ueberlegen. —λογος, ὁ, bey Herodot. u. Hippocr. ſ. v. a. ἐπιλογισμὸς, Ueberlegung, Schluſs; gewöhnlicher der Nachſatz, Zuſatz der Rede; der Schluſs, *epilogus,* einer kunſtmäſsigen Rede. Bey Eur. Electr. 719. ſcheint es als Adject. zu ſtehn, wie ἐπήγορος. —λογχος, ὁ, ἡ, mit einer λόγχη, eiſernen Spitze daran- darauf.

Ἐπιλοίβιος, ὁ, ἡ, bey- zur (λοιβὴ) Libation dienend. —λειδορέω, ich schimpfe dabey oder, oben drein: Polyb. 15, 33. Schol. Aristoph. Thesm. 396. zweif. —λοίμιος, ὁ, ἡ; ἐπὶ ἐπιλοίμια, Lieder, die bey- nach der Pest (λοιμὸς) gesungen werden. —λοιπος, ὁ, ἡ, noch übrig, übrig gelassen. —λουτρον, τὸ, Badelohn: Lucian. Lexiph. —λυγάζω u. —γίζω, zw. Form st. ἐπηλυγάζω, ἐπηλυγίζω, welche man sehe, und ἠλύγη. —λύζω, (λύζω) *singultio*, ich habe den Schlucken dabey: Nicand. Alexiph. 81. —λυπέω, ῶ, noch- darzu- darnach- betruben, beleidigen, reitzen. —λυπος, ὁ, ἡ, (ἐπὶ λύπῃ) traurig, betrübt, zornig. —λυσις, ἡ, Auflosung, Losung: Vertilgung. —λυτικὸς, ἡ, ὸν, zum auflosen gehörig oder geschickt. —λυτρον, τὸ, s. v. a. λύτρον: Strabo 11 p. 759. —λυχνος, τὸ, Athenaei 4 p. 173. zw. Bed. —λύω, ich lasse nach (ein Band) ich lasse los, löse, löse auf, erkläre; auch im med. Plato Crito. 1. οὐδὲν αὐτοῖς ἐπιλύεται ἡ ἡλικία τὸ μὴ οὐχὶ ἀγανακτεῖν τῇ παρούσῃ τύχῃ, auch die zunehmenden Jahre spannen ihren Unwillen über ihr Schicksal nicht ab. —λωβάω, und —βεύω, Odyss. 12, 323. verspotten. —λωβὴς, ὁ, ἡ, (λωβὴ). Nicand. Ther. 35. schädlich. —λώβητος, ὁ, ἡ, beschimpft, verspottet: Lycophr. 1173.

Ἐπιμάζιος, ὁ, ἡ, (μαζὸς) s. v. a. ἐπιμαστίδιος. —μαιμάω, sich wornach sehnen- verlangen, m. d. Genit. Lycophr. 301. —μαίνομαι, m. d. Dat. auf einen rasend erpicht seyn, nach ihm rasend verlangen, ihn rasend lieben. —μαίομαι, (μάω, μαίω; μαίομαι) ich suche, verlange: Φυγῆς ἐπεμαίετο, er suchte die Flucht, Timon Sexti Emp. 9. ὀφθαλμοῖς Apollon. 2, 546. 2) weil das Suchen auch mit den Händen geschieht, und zwar durch Berührung, Antasten, so hat Homer ἤρη δὲ μάστιγι θοῶς ἐπεμαίετ᾽ ἄρ᾽ ἵππους, berührte die Pferde mit der Peitsche, wie ἐφικέσθαι τινὸς κέντρῳ, wo man es mit ῥάβδῳ ἐπεμάσσατ᾽ Ἀθήνη Odyss. 3, 129 vergleichen und von ἐπιμάσσομαι ableiten kann. 3) In ungewohnl. Bed. in den Orphicis 119, δολιχὴ δ᾽ ἐπεμαίετο πάντοθεν ὄρφνη, *caligo undique imminebat et cuncta contingebat.* v. 930. Φρουραῖς ἀκμήτοις ἐπιμαίεται. —μαλθος, ὁ, ἡ, bey Hesych. s. v. a. μαλθακὸς und μαλακὸς. —μᾶλλον, Adv. noch mehr, noch stärker: bey Suidas, wo es aber auch ein Fehler st. ἔτι μᾶλλον seyn kann. —μανδαλωτὸν, τὸ, ein wollustiger Kuss mit Berührung der Zungen: Aristoph. Acharn. 1201. daher ein süsses zärtliches Lied: κατεγλωττισμένον καὶ μανδαλωτὸν Thesm. 131. heisst, gleichsam ein geschnäbeltes. —μανὴς, έος, ὁ, ἡ, Adv. —νῶς, (ἐπιμαίνω) rasend. —μανθάνω, darauf- darnach- darzu lernen.

Ἐπιμαντεύομαι, davon prophezeyen: Appian. Civ. 4, 127. —μαργαίνω, m. d. Dat. Arat. Dios. 391. rasend auf etwas erpicht seyn. —μαργος, ὁ, ἡ, rasend: Suidas. —μάρτυρ oder ἐπιμάρτυς; und ἐπιμάρτυρος, ὁ, ἡ, Zeuge dabey oder davon. —μαρτυρέω, ῶ, m. d. Dat. Zeuge davon seyn, bezeugen; bestätigen, zuschreiben: dav. —μαρτύρησις, ἡ, s. v. a. d. folg. Plutar. 10 p. 611. u. Antonini 7. —μαρτυρία, ἡ, Bezeugung, Bestätigung. —μαρτύρομαι, zu Zeugen nehmen, anrufen: θεοὺς, die Gotter zu Zeugen der Behandlung des Unrechts anrufen: mit oder vor Zeugen etwas sagen- versichern- betheuern; wie *obtestari*, sehr bitten u. flehen. —μάρτυρος, s. v. a. ἐπιμάρτυρ. —μασάομαι, oder ἐπιμασσάομαι, ich kaue darzu- darnach- darauf. —μάσσω, (S. μάσσω) ist weniger gebräuchlich als ἐπιμάσσομαι, ausser dass Hesychius ἐπιμάξαι, ἐπισπάσαι hat. S. ἐπίμαστος. Die erste Bedeut. ist berühren, betasten, um zu suchen, untersuchen, oder streichen, abwischen, abreiben, reinigen; endlich berühren z. B mit der Ruthe, streichen, schlagen: ῥάβδῳ ἐπεμάσσατ᾽ Ἀθήνη: daher auch metaph. wie *tangere*: ἐμὸν γε μάλιστ᾽ ἐπεμάσσατο θυμὸν, der mein Herz gerührt hat: für betasten; τὴν γρηῦς χείρεσσι καταπρήνεσσι λαβοῦσα γνῶ ῥ᾽ ἐπιμασσαμένη: für fassen, ergreifen: χεὶρ ἐπιμασσάμενος, wo man aber auch χεῖρα ἐπιμ. verstehn kann, die Hand anlegend; für abwischen: ἕλκος δ᾽ ἰητὴρ ἐπιμάσσεται. S. ἀμφιμάσσομαι: für hinzusuchen, vermehren, ἐπευρίσκειν hat es Hesych. aus Sophocl. S. auch ἐπιμαίομαι, welches in einigen Bedeut. einerley Ursprung zu haben scheint. —μαστίδιος, ὁ, ἡ, und —μάστιος, ὁ, ἡ, (μαστὸς) der an der Brust liegt, der noch die Brust saugt; zur Brust gehorig. —μαστος, ὁ, ἡ, bey Homer ἐπίμαστον ἀλήτην, der sich seinen Unterhalt sucht. S. μάσσω, ich berühre, suche. ἐπίμαστον κακὸν, ein Unglück, das man gesucht- sich selbst zugezogen hat, ἐπίσπαστον. —μαχέω, ῶ, ich stehe im Streite bey; ὥστε τῇ ἀλλήλων ἐπιμαχεῖν. Thucyd. 5, 27. dass sie einer des andern Land beschutzen wollten; davon —μαχία, ἡ, Vertheidigungs-, Schutzbündniss: Thucyd. 1, 44. —μαχος, ὁ, ἡ, heisst ein Ort, dem man beykommen kann, den man durch Belagerung einnehmen- erobern oder ersteigen kann. Hesych. hat es auch als activ. fur ἐπίκουρος.

'Επιμειδίασις, ἡ, das Anlächeln, Lächeln; v. —μειδιάω, ῶ, zu- anlächeln, lächeln, *subrideo*. —μείλια, τὰ, Il. 9, 147. 289. wo man beſſer ἐπὶ zum Verbo δοῦναι zieht.

'Επιμελαίνω, oben oder auf der Oberfläche ſchwärzen. —μέλας, αινα, αν, ſchwärzlich u. zwar oberwärts- auf der Oberfläche. —μέλεια, ἡ, Sorge, Sorgfalt. —μελέομαι, οῦμαι, m. d. genit. beſorgen, ſorgen, pflegen, warten. —μελέτησις, ἡ, fernere Uebung: v. ἐπιμελετάω, ferner üben: Schol. Ariſt. Thesm. 169. —μέλημα, τὸ, das beſorgte oder zu beſorgende Geſchäfte, Beſorgung, Sorge. —μελὴς, έος, ὁ, ἡ, Adv. —λῶς, ſorgend, ſorgſam, beſorgend, beſorgt, bekümmert: paſſiv. beſorgt, wofür geſorgt wird, als ἐμοί ἐστι ἐπιμελὲς, ich habe dafür zu ſorgen, das iſt meine Sorge: ἐπιμελὲς ἐποιοῦντο, Dionyſ. hal. laſſen dies ihre Sorge ſeyn: ἐπιμελὲς τῷ Δαρείῳ ἐγένετο, fiel dies dem D. auf, Herodot. 5, 12 aus welcher Stelle Suidas das verderbte ἐπιμέλεον genommen hat. —μελητὴς, οῦ, ὁ, (ἐπιμελέομαι) Beſorger, Verwalter, Anordner: ſ. v. a. ἁρμοστὴς, Xenoph. —μελητικὸς, ἡ, ὸν, zum ſorgen- beſorgen- pflegen gehörig- geneigt oder geſchickt. —μελλω, f. λήσω, ferner zaudern, zögern: davon ἀντεπιμέλλειν: Thucyd. —μέλομαι, ſ. v. a. ἐπιμελέομαι. —μέλπω, darzu ſingen: zuſ. beyſingen: Aeſchyl. Theb. 874. —μελῳδέω, dabey- darauf ſingen: Ariſtides. —μεμπτος, ὁ, ἡ, oder ἐπιμεμφὴς, getadelt, tadelhaft: zw. —μέμφομαι, tadeln: davon —μεμψις, ἡ, Tadel, Beſchwerde. —μενίδειος, ὁ, ἡ, σκίλλα, die eſsbare Meerzwiebel, woraus Epimenides ein Nahrungsmittel verfertigte, womit er ſich lange Zeit allein erhielt, welches davon ἐπιμενίδιον φάρμακον heiſst, und Mathem. vet. p. 88 beſchrieben wird. —μένω, dabey bleiben- ausdauern: noch bleiben, verbleiben, verweilen, warten, erwarten. —μερὴς, έος, ὁ, ἡ, ſ. v. a. ἐπιμόριος, Heſych. —μερίζω, theilweiſe hinzuſetzen; davon —μερισμος, ὁ, das theilweiſe hinzuſetzen. —μεσος, ὁ, ἡ, was in der Mitte iſt, *medius*; als ῥῆμα, bey den Grammatikern *verbum medium*, *deponens*. —μεστος, ὁ, ἡ, voll, angefüllt. —μεταπέμπομαι, nachkommen laſſen, Thucyd. 6, 21. —μετρέω, ῶ, zumeſſen, zutheilen: med. ſich zumeſſen laſſen, oder zugemeſſen bekommen: dem Maaſse zuſetzen, zugeben: mehr thun, als man ſoll: auch übertreiben. —μετρον, τὸ, Uebermaaſs, Zugabe. —μήδομαι, ausſinnen, erdenken, m. d. Dat. wider- gegen einen: Δαναῶν ἐπεμήδετο νόστῳ Quint. Smyrn. 14, 475. —μήθεια, ἡ, Nachüberlegung, Ueberlegung nach der That, mit Reue verbunden: oppoſ. προμήθεια: von —μηθεύομαι, nachher überlegen; nach der That klug werden: oppoſ. προμηθεύομαι: von —μηθεὺς, έως, wird als Bruder des προμηθεὺς angegeben, und als Sinnbild eines Menſchen, der nach der That erſt klug wird, und ſeine Thorheit bereut. —μηθὴς, έος, ὁ, ἡ, d. Gegenth. v. προμηθὴς, u. ſ. v. a. d. vorh. zw. —μήκης, εος, ὁ, ἡ, (μῆκος) lang, langlicht.

'Επιμηλὶς, ίδος, ἡ, eine Art von Miſpel: Dioſcor. 1, 171. viell. *hypomelis* bey Palladius. —μήνιος, ὁ, ἡ, (μὴν) auf den Monat, monatlich: ἐπιμήνια, τὰ, verſt. ἱερὰ, ein monatliches Opferfeſt, davon ἐπιμήνιοι, die ein ſolches Opfer bringen, u. ἐπιμηνιεύειν, dergleichen Opfer bringen: Gruteri Inſcr. p. 216, 217. ἐπιμηνία, wie ἱερομηνία. Bey Herodot. 8, 41 ſind ἐπιμήνια, die monatliche Koſt: bey Polyb. 31, 20 überh. Proviant. —μηνίω, ich zürne worauf, worüber. —μηνυτὴς, ὁ, Arrian. Anab. 3 p. 141. falſch ſt. μηνυτὴς. —μητιάω, (μῆτις) ich denke worüber nach, berathſchlage: Apollon. rhod. 3, 667. —μηχανάομαι, ῶμαι, ich erſinne und brauche ein Mittel- eine Liſt wider jemand, oder ich erſinne und brauche noch dazu: Xen. Cyr. 8, 8, 16. —μηχάνημα, τὸ, ſ. v. a. μηχάνημα, Stobae: ſer. 141. —μίγνυμι, ἐπιμιγνύω, f. μίξω, (ἐπιμίγω, wovon ἐπιμίσγω) ich miſche darein- darunter- darzu: ἐπιμίγνυσθαι med. auch von der Vermiſchung der Menſchen im Umgange u. Handel: Cyrop. 7, 4, 5. Anab. 3, 5, 16. ἐπιμ.. ἀλλήλοις φιλικῶς: auch bey den Dichtern τόπῳ ἐπιμ. an einen Ort gehn- kommen; davon —μικτος, ὁ, ἡ, gemiſcht, vermiſcht, untermiſcht.

'Επιμνάομαι u. ἐπιμνήσκομαι, gewöhnlicher ἐπιμιμνήσκομαι m. d. Genit. und Accuſ. ſich erinnern, daran denken: erinnern, erwähnen, gedenken: anführen. —μίμνω, poet. ſ. v. a. ἐπιμένω. —μὶξ, Adv. (ἐπιμίγω) gemiſcht, darunter gemiſcht. —μιξία, ἡ, (ἐπιμίγνυμι) Vermiſchung, Vereinigung: Umgang, Verbindung durch gegenſeitigen Handel und Verkehr. —μιξις, ἡ, ſ. v. a. d. vorh. —μίσγω, ἐπιμίσγομαι, ſ. v. a. ἐπιμίγνυμι. —μίσθιος, ὁ, ἡ, um Lohn (ἐπὶ μισθῷ) arbeitend: gedungen. —μισθὶς, ίδος, ἡ, als femin. v. vorigen. Anthol. —μισθοφορὰ, ἡ, Dio Caſſ. 78, 36. auſserordentlicher Sold. —μνημονεύω, ſ. v. a. μνημ. Athenae. p. 386 C. —μοιράω, ῶ, zutheilen, mittheilen; durchs Loos geben: med. m. d. Genit. durchs Loos bekommen oder theilhaftig werden.

'Επιμοίριος, ὁ, ἡ, (μοῖρα) durchs Schicksal bestimmt oder dem Schicksal unterworfen. —μοιρος, ὁ, ἡ, (μοῖρα) m. d. Gen. wie ἐπήβολος, theilhaftig, fähig. Stobaei Serm. 249. —μολος, ὁ, ἡ, Aeschyl. S. 630. s. v. a. ἐπελθών. —μομφή, ἡ, s. v. a. ἐπίμεμψις: Pindar. Ol. 10, 11. —μομφος, ὁ, ἡ, s. v. a. ἐπίμεμπτος. —μονή, ἡ, (ἐπιμένω) das Verbleiben, Verweilen, Beharren, Verzögern; davon —μόνιμος, ὁ, ἡ, s. v. a. ἐπίμονος: Geopon. 3, 5, 7. —μονος, ὁ, ἡ, Adv. —όνως, verbleibend, stets bleibend, ausdauernd, standhaft: ποιῶν ἐπιμόνους ἐράνους, Polyb. 28, 3. mit Einforderung der Abgaben anhalten lassen, s. v. a. εἰσφορὰς. —μονόω, ῶ, veröden, einzig oder einzeln (μόνος) machen, verlassen: zw. —μόριος, ὁ, ἡ, über den Theil (μόριον) enthaltend: λόγος; heisst die Rechnungsart oder das Verhältniss der Zahlen, wo die grössere Zahl die kleinere einmal und einen Theil von ihr enthält. So enthält 4 erst 3 u. einen Drittheil mehr, daher heisst die Zahl ἐπίτριτος, u. s. w. hingegen, wenn die grössere Zahl die kleinere einmal, aber mehrere Theile von ihr enthält, so heisst dieses Verhältniss ἐπιμερὴς λόγος. In solchem steht 5 zu 3, dies heisst, 5 ist von 3 δὶς ἐπίτριτος λόγος. Wenn ich nach demselben Verhältnisse abziehe, so heisst das erstere dann ὑπεπιμόριος, das andere ὑπεπιμερὴς λόγος: überh. heisst die erstere Proportion πρόλογος, die zweyte ὑπόλογος, *dux*, *comes* bey Boethius. —μορτος, ὁ, ἡ, —γῆ, u. γεωργὸς, das Land, und der *colonus*; der das Land für einen gewissen Antheil (ἐπὶ μέρει, μορτῇ) der Früchte bauet. S. μορτή. —μορφάζω, (μορφάζω) ἀλήθειαν, εὐσέβειαν, s. v. a. ὑποκρίνομαι, ich stelle mich an, als redete ich die Wahrheit, stelle mich heilig. Philo 1 p. 288. bey Hesych. s. v. a. σχηματίζομαι. —μοχθέω, s. v. a. ἐπιπονέω, Hesych. —μοχθος, ὁ, ἡ, Adv. —θως, mühsam, mühselig. —μοχλόω, vorschieben den Riegel, verriegeln: Schol. Arist. Thesm. 422. —μύζω, ich stöhne- seufze- werde unwillig bey einer Sache. 2) ich spotte- verspotte dabey: (ἐπὶ, μύζω, μυχθίζω) Im Homer erklärt man αἱ δ' ἐπέμυξαν auf beyderley Art. S. μύζω. Nicetas Ann. 11, 13 u. 12, 10 braucht es wie ὑπομύζω, für dabey seufzen. —μυθέομαι, οῦμαι, ich spreche- rede zu, tröste. 2) ich sage noch darzu. —μυθεύω, ἐπιμυθεύομαι, s. v. a. d. vorige. —μύθιος, ὁ, ἡ, zur Fabel, Erzählung gehörig: τὸ ἐπιμύθιον, der Nachsatz der Fabel, die daraus gezogene Lehre, Anwendung, Moral. —μυκτηρίζω, spotten, verspotten: Plutar. 8 p. 163.

'Επίμυκτος, (ἐπιμύζω) verspottet: Theognis sagt v. 263 der Brunk. Ausg. παντη δ' ἐπίμυκτος, πάντη δ' ἐχθρὸς, die Armuth wird überall verspottet: die Ausgaben haben alle ἐπίμικτος, ausgenommen Camerarius und die Handschr. —μύλιος, ὁ, ἡ, auf der Mühle, μύλη. 2) zur Mühle- zum Mahlen gehörig. —μυλὶς, ίδος, ἡ, (μύλη) die Kniescheibe. —μυξις, ἡ, (ἐπιμύζω) das Stöhnen- Seufzen bey einer Sache vor Traurigkeit, Ungeduld, Unwille. 2) die Verspottung. —μύρομαι, darzu- dabey klagen und jammern: vom daran schlagenden und brausenden Meere: Apollon. Rhod. 1, 938. —μυσις, ἡ, (ἐπιμύω) βλεφάρων, das Schliessen- Verschliessen der Augenlieder: Clemens. —μύσσω, ἐπιμύττω, (ἐπὶ, μύσσω) verspotten, st. ἐπιμύζω. —μύω, darzu die Augen oder den Mund verschliessen. S. μύω. Opp. Cyn. 2, 290. wo die Handschr. ἐπημύειν haben, welches der Bed. nach verschieden ist. —μωκάομαι, verhöhnen, verlachen: Schol. Soph. oed. tyr. 990. —μωμάομαι, ἐπιμωμέομαι, tadeln; davon —μωμητὸς, ὁ, ἡ, oder —ητὴ, Hesiod. ἔρ. 12. tadelnswerth. —μωμος, ὁ, ἡ, (ἐπὶ μώμῳ) getadelt, zu tadeln: zw.

'Επινάσσω, ἐπινάττω, f. άσω, voll füllen, eigentlich mehr einfüllen. S. νάσσω. —νάστιος, ὁ, ἡ, s. v. a. ἔποικος, ein Fremder, der ins Land gezogen ist: Apollon. Rhod. 1, 795. —ναύσιος, ὁ, ἡ, einer dem übel wird, *nauseabundus*. S. ναυσία. —νεάζω ἀνδρειοτέρα κινήσει, Pollux 10, 53. eine stärkere Bewegung, wie ein junger Mensch, lieben und sich machen. —νεανιεύομαι, Pollux 3, 121 u. Plutar. 10 p. 446. hinzuthun aus Uebermaass an jugendlicher Kraft, und um sie zu zeigen: über seine Pflicht thun. —νειον, τὸ, (ναῦς) ein Ankerplatz, verschieden von λιμὴν Hafen: Diodor. 11, 41. —νείσομαι, s. v. a. ἐπινίσσομαι. —νέμησις, ἡ, Vertheilung, Austheilung, Zutheilung: v. med. die Ausbreitung: πυρὸς, Plutar. Lys. 12. s. v. a. ἐπινομὴ, Alex. 35. das Umsichgreifen des Feuers; von —νέμω, ich theile darüber oder darunter, vertheile unter; 2) überweiden, βοσκήματα ἐπινέμειν, Plato Legg. 8 p. 428 auf fremdem Grunde weiden. Med. ἐπινέμομαι vom Viehe über ein Land weidend weggehn, überweiden: daher πῦρ ἐπινέμεται πόλιν, verzehrt- verheert- verbreitet sich über die Stadt: überh. daruber hingehn. —νευσις, ἡ, das zuwinken, der dadurch gegebene Befehl- Erlaubniss- Einwilligung- Bekräftigung. —νεύω, ich neige mich zu- hin. 2) ich nicke zu, um etwas zu befehlen oder zu billigen- erlauben- bestätigen: von νεύω, *nuo*, *nuto*.

'Επινέφελος, ὁ, ἡ, (νεφέλη) mit Wolken bedeckt, umwölkt: ἐπινεφέλων ὄντων, bey wölkichtem Himmel: Herodot. 7, 37. Aristot. Probl. 24, 17. wie πλωΐμων ὄντων. —νεφέω, ῶ, bewölken, mit Wolken (νέφος) bedecken: Aristot. Probl. 26, 41. —νεφὴς, έος, ὁ, ἡ, bewölkt, umwölkt; dunkel. —νεφρίδιος, ὁ, ἡ, (νεφρὸς) auf- an- über den Nieren befindlich. —νεψις, ἡ, (νέφω, ἐπὶ) Umwölkung: Aristot. Probl. 26, 41. s. v. a. συννέφεια. —νέω, drüber- darauf schwimmen. —νέω, ἐπινήθω, f. νήσω, zuspinnen, wie ἐπικλώθω; auch von dem durch die spinnenden Parzen zugetheilten Schicksale. —νέω, ἐπινήω, u. ἐπινήνω, ich häufe auf- an. πυρκαιῆς ἐπενήνεον, st. νήνεον ἐπὶ πυρκ. S. νέω. —νήθω. S. ἐπινέω. —νήϊος, ὁ, ἡ, (νηὺς, ναῦς) auf dem Schiffe, zum Schiffe gehörig. —νηνέω. S. ἐπινέω. —νητρον, τὸ, (νήθω) der Rocken, woran man spinnt. —νήφω, nüchtern seyn- bleiben bey: τῷ βίῳ s. v. a. νήφειν ἐν τῷ β. Plutar. util. inimic. p. 272. —νήχομαι, oben oder drauf schwimmen. —νήχυτος, ὁ, ἡ, s. v. a. νήχυτος: Orphic. Argon. 39 und 310. —νικάω, ῶ, beliegen: zw. —νίκιος, ὁ, ἡ, bey Aristides T. 2 p. 379 (auch ἐπίνικος, ὁ, ἡ, zw.) (ἐπὶ, νίκη) zum Siege gehörig. ἐπινίκιον (ᾆσμα) Siegslied; ἐπινίκια, verst. ἱερὰ, Siegesfest, Siegesopfer. —νιπτρὶς, κύλιξ, Pollux 6, 31. nach dem Händewaschen gegebener Becher und Trank. —νίσσομαι, darauf- darüber- darzu- dahin gehn oder kommen.

'Επινίφω, drüber schneyen, beschneyen. —νοέω, ῶ, im Sinne haben, überdenken, bemerken, er- ausdenken, ersinnen: dasselbe ist ἐπιγινώσκω; davon —νόημα, τὸ, der Gedanke; Entschluss, das Ausgedachte, Einfall, Ersinnung; davon —νοηματικὸς, ἡ, ὸν, zum überdenken, ersinnen, erfinden gehörig od. geschickt. —νόησις, ἡ, (ἐπινοέω) das Ueberdenken, Ersinnen, Erfinden; davon —νοητικὸς, ἡ, ὸν, s. v. a. ἐπινοηματικὸς, erfinderisch, anschläglich. —νοια, ἡ, attisch ἐπίνοια, Einfall, Gedanke, Erfindung; Klugheit überh. bey Sophocl. Ant. 389 spätere Einsicht, bessere Kenntniss, fast wie Hesych. ἐπέγνω d. μετενόησεν erklärt. —νομὴ, ἡ, (ἐπινέμω) S. ἐπεργασία u. ἐπινέμησις. Bey Plutar. πυρὸς, das Umsichgreifen, Verbreitung des Feuers. —νομὶς, ίδος, ἡ, (νόμος) was zu den Gesetzen zugegeben wird; was zu dem gewöhnlichen zugetheilt wird, Zugabe; auch *strena*, sonst ἐναρχισμὸς Athenaei. 3 p. 97. —νομοθετέω, ῶ, ich setze noch in dem Gesetze hinzu, ich verordne überdem durch Gesetze. —νομος, ὁ, ἡ, (ἐπινέμω) nach Hesych. s. v. a. κληρονόμος, Erbe: Inscr. Corcyr. Diarii Italici Montfauc. p. 412. bey Appian. Civil. 3, 94. s. v. a. ἔννομος: bey Pind. Pyth. 13, 13 s. v. a. σύννομος oder ἐπιχώριος. —νοσέω, ich bin noch immer oder noch nachher krank. Hippocr. Praed. 1 p. 77. —νοσος, ὁ, ἡ, Adv. ἐπινόσως, der Krankheit unterworfen, kränklich: χωρίον, Ort, wo man leicht krank wird, der Krankheiten durch seine Lage verursacht, also ungesund. —νοτίζω, oben benetzen- besprengen- anfeuchten: Dioscor. 2, 105. —νυκτερεύω, dabey- darzu übernachten. —νυκτὶς, ίδος, ἡ, im allgem. als adject. *nocturna*, u. zwar speciell, *pustula nocturna:* Hautkrankheiten, die des Nachts heftiger jucken als bey Tage; Nachtblatter: Celsus 5, 8, 2. bey Synesius Nachtbuch, wie ἐφημερὶς, Tagebuch. —νυμφίδιος, ὁ, ἡ, der oder zur Braut (νυμφη) oder Hochzeit gehörig, hochzeitlich; Soph. Ant. 825 Anthol. —νύσσω, ἐπινύττω, auf der Oberfläche oder Haut stechen oder stossen: bey Hesych. τιτρώσκω, ἐπιτρίβω u. συντρίβω: im pass. ἐπινενύχθαι, s. v. a. παραφρονεῖν: u. Luciani Lexiph. —νυστάζω, dabey- darüber- darauf nicken oder schlafen. —νωμάω, darüber führen oder lenken: bey Aesch. Eum. 311. Eur. Phoen. 15, 57. s. v. a. ἐπισκοπέω, besehn.

'Επινωτιδεὺς, ὁ, eine Art Hayfisch, (*squalus* Linn.) den andere νωτιδανὸν nennen: vergl. histor. litter. Piscium p. 137 vom Stachel an der Rückenflosse. —νωτίδιος, ὁ, ἡ, (νῶτον) auf dem Rücken. —νωτίζω. S. νωτίζω, —νώτιος, ὁ, ἡ, s. v. a. ἐπινωτίδιος.

'Επιξαίνω, τραύματα, aufkratzen, Basil. auf der Oberfläche kratzen, schaben, ritzen. —ξανθος, ὁ, ἡ, gelblicht, blond; od. oben gelb od. blond. —ξενίζω, ἐπιξενίζομαι s. v. a. ἐπιξενοῦμαι. —ξενος, ὁ, ἡ, der als Fremder- Gastfreund zu einem- wohin kommt. —ξενόω, ἐπιξενόομαι, ἐπιξενοῦμαί τινι, ich komme zu einem als Gastfreund, ξένος: ich komme an einen Ort, πόλει; 2) s. v. a. ἐπιμαρτύρομαι Aeschyl. Ag. 1331. in eben dem Sinne hat Hesych. ἐπιξενοδέκευμαι angemerkt. S. ξενοδοκέω. —ξένωσις, ἡ, (ἐπιξενοῦμαι) die Ankunft eines Gastfreundes: Phil. Icon. 3, 13. das Gehn- Kommen an einen fremden Ort, Bekanntschaft daselbst: Diodor. 2 p. 582. —ξέω, ich reibe- kratze- schabe- schnitze- ritze- schreibe auf der Oberfläche eines Körpers. —ξηνον, τὸ, (ἐπιξαίνω) ein Tisch- Block, worauf der Koch das Fleisch zerhaut, zerlegt, und der Scharfrichter den Kopf abhaut: Aeschyli Ag. 1288.

Ἐπιξηραίνω, oben oder auf der Oberfläche trocknen; davon —ξηραντικὸς, ἡ, ὸν, übertrocknend. —ξηρος, ρα, ρὸν, oben oder auf der Oberfläche trocken.

Ἐπιξιφίζω, mit Schwerdtern tanzen; zweif. aus Eustath. —ξυγκάμπτω, darauf- darüber zusammenbringen; Hippocr. artic. p. 824. —ξυννοέομαι, νοῦμαι, s. v. a. ἐπινοέω; zw. —ξυνος, ὁ, ἡ, u. ἐπιξυνέω Apoll. 3, 1161 s. v. a. ἐπίκοινος u. ἐπικοινόω. —ξύω, darauf- darzu- darüber schaben- reiben.

Ἐπιόγδοος, ὁ, ἡ, *sesquioctavus*, achtehalb. —όπτομαι, ausersehen, wählen. —ορκέω, ῶ, hiess beym Solon s. v. a. ὄμνυμι, ich schwöre: späterhin aber, ich schwöre falsch oder einen Meineid: oder ich breche meinen Eid, wie εὐορκεῖν, seinen Eid halten: Stobaei Serm. 116. vergl. Il. 19, 188. —ορκητικὸς, ἡ, ὸν, zum Meineid gehörig oder geneigt. —ορκία, ἡ, ἐπιόρκιον, τὸ, Meineid, falscher Eid: die zweyte Form. zw. —ορκος, ὁ, ἡ, Adv. —κως, meineidig, falsch schwörend. —όσσομαι, Il. 17, 381 ἐπιοσσομένω θάνατον καὶ φύζαν ἑταίρων, bemerken: nach Hesych. s. v. a. ἐφορῶ, προσαγορεύω, ἐπισημαίνομαι. —ουρα, τὰ, Iliad. ι. ὅσσον τ' ἐπίουρα πέλονται ἡμιόνων, wie Odyss. 8, 124 ὅσσον τ' ἐν νειῷ οὖρον πέλει ἡμιονοῖιν, wo einige es durch ὅρμημα, Schritt, andere durch ὅρος, Unterschied erklären. So Il. ψ. 431 ὅσσα δίσκου οὖρα πέλονται, so weit ein Discus fliegt: diese Strecke heisst v. 523. δίσκουρα, wo man es d. ὅρια Gränze, Entfernung erklärt. —ουρος, ὁ, Wächter, Hüter, Aufseher, ἔφορος. —οῦσα, ἡ, verst. ἡμέρα, (ἔπειμι) der kommende, folgende Tag. —ούσιος, ὁ, ἡ, ἄρτος im N. T. wird tägliches Brod übersetzt.

Ἐπίπαγος, ὁ, (πήγνυμι) eine oben darauf oder darüber stehende und geronnene oder gefrorne Masse oder Materie: auch eine Haut auf Milch- gekochtem Essen und dergl. —πάγχυ, Adv. s. v. a. πάγχυ. zw. —παιανίζω, darauf- darzu einen Siegesgesang- Paean singen. —παίζω, verspotten: Athenaei p. 516. —παισμα, τὸ, Anstoss, Verstoss, wie πρόσκομμα: Hesych. auch ἐπίπταισμα; von —παίω, auch ἐπιπταίω, darauf- daran stossen, anstossen mit dem Fusse, wie *impingo*, und προσκόπτω. —παντὶς, ίδος, ἡ, Name eines Krautes: Dioscor. 4, 109. Plin. 13, 20. Theophr. hist. pl. 9, 11. viell. *Serapias helleborine*, Linne. —παντόω, ῶ, Pollux 10, 27. s. v. a. παντόω, zumachen. —παλαμάομαι, wird aus Lucian. Toxar. angeführt, wo andere richtiger ἐπικαλαμ. lesen: sonst ist es s. v. a. ἐπιμηχανάομαι. —παλάσσω, beflecken, besudeln, an- mit: Eurip. Iph. Tr. 880. —παμματὶς, ἡ, (πᾶμα) s. v. a. ἡ ἐπίκληρος; Hesych. und Schol. Aristoph. Vesp. 581. —παμφαλάω, ῶ, überschauen, übersehn: Apoll. Rh. 2, 127.

Ἐπίπαν, Adv. überhaupt, im Ganzen, im Allgemeinen: überall: ὡς ἐπ. gemeiniglich. —παππος, ὁ, nach Hesych. des Grossvaters Vater, *proavus*; nach Pollux 3, 18. ist es des Grossvaters Grossvater, also *atavus*: Aristot. Polit. 3, 2. —παραγίγνομαι, darzu kommen. —παράγω, hinführen, darzuführen: Hippocr. Mochl. p. 848. —παραθεῖν, darzu- noch herbeylaufen, darauf- vorbeylaufen: bey Xeno. Hellen. 5, 4, 51. oben- nebenher laufen und folgen. —παρανέω, oder —νήω, darzu- mehr- noch- ferner anhäufen, aufhäufen: Thucyd. 2, 76. —παρασκευάζω, noch darzu bereiten, anschaffen: Cyrop. 6, 3, 1. —πάρειμι, (εἶμι) darüber od. oben hin oder weggehn u. folgen: Xeno. Anab. 3, 4, 30. 6, 3, 19. von εἰμὶ, ich komme darzu, bin darbey oder in der Nähe. —παρεμβάλλω, darzu- darüber hineinstellen, hinzuthun, einschieben: bey Polyb. neutraliter, sich darzu hineinstellen, einfügen. —παρέξειμι, nach u. nach vergehen: zw. eigentl. darauf- darüber- oder oben vorbey gehn. —παρέρχομαι, hinzugehn, fortgehn. Dio Cass. —παροξύνω, gegen- wider einen od. noch- darzu- noch oben drein antreiben, anspornen: von Fiebern bedeutet ἐπιπαροξύνεσθαι, mehrere Anfälle- Paroxismos hinter einander haben. —παρορμάω, gegen- wider einen oder noch- darzu antreiben, ermuntern. —πάσσω, ἐπιπάττω, f. άσω, darauf- darüber- daran streuen. —παστος, ὁ, ἡ, (ἐπιπάσσω) darauf gestreut, überstreut: τὸ ἐπ. ein Mittel, Arzeney aufzustreuen, Streupulver: b. Aristoph. Equ. 103 u. 1089. eine Art v. Salzkuchen. —παταγέω, ῶ, darzu- dabey- dargegen larmen oder tösen. —πατάσσω, darauf- darzu- darein schlagen. zw. —πάτωρ, ορος, ὁ, Stiefvater. —παφλάζω, darauf- darinne kochen. Nonnus. —πεδος, ὁ, ἡ, (πέδον) auf- über dem Boden oder der Erde, θύρας ἐπιπέδους, Fenster über der Erde: Plut. Anton. 79. also niedrig, eben, gleich: τὸ ἐπ. die Oberfläche, Fläche: comp. ἐπιπεδέστερος. —πειθὴς, έος, ὁ, ἡ, gehorchend, folgend, gehorsam. —πείθω, vorz. im med. folgen, gehorchen. —πειράω, ῶ, noch versuchen. zw.

'Επιπελάζω, annähern: neutr. nahe daran- darzu gehn. zweif. —**πέλω**, ἐπιπέλομαι. S. πέλω. —**πεμπτος**, ὁ, ἡ, fünftehalb. S. ἐπίτριτος. —**πέμπω**, darzu- dahin- dagegen- darnach schicken oder werfen. —**πεμψις**, ἡ, Absendung. —**πεντάμοιρος**, ὁ, ἡ, wie ἐπιδίμοιρος. zw. —**περαίνω**, v. der Frau ἐπιπεραίνεται d. i. μοιχεύεται, Artemidor. 1, 82. Hesych. hat ἐπιπείρει, μοιχεύεται ἢ μοιχεύει. —**περθε**, bey Plato Theaet. c. 24. aus Pindar, s. v. a. ὑφύπερθε. zw. —**περιτρέπω**, ich kehre herum, werfe um: Antonin. 8, 35. —**περκος**, *subniger*, eigentl. eine Frucht, die anfängt sich dunkel zu färben und zu reifen. S. περκνὸς: Xen. Ven. 5, 22. —**πετάννυμι**, ich breite darüber aus. —**πετάομαι**, ῶμαι, ich fliege darauf- dahin. —**πέτομαι**, s. v. a. das vorige. —**πετρον**, τὸ, (πέτρα) eine Pflanze. —**πηγάζω**, (πηγὴ) aus der Quelle zufliessen lassen: Clemens Strom. 1 p. 323. —**πήγνυμι**, ἐπιπηγνύω, f. ξω, ich setze- pflanze etwas darauf; 2) ich mache etwas oben- auf der Oberfläche gerinnen - frieren. —**πηδάω**, ῶ, ich springe darauf- zu: falle an, m. d. dat. —**πήδησις**, ἡ, das Zuspringen, der Anfall. —**πηξ**, ηγος, ὁ, (ἐπιπήγνυμι) ein Pfropfreiss zum aufsetzen: Geopon. 4, 12. —**πήσσω**, s. v. a. ἐπιπήγνυμι. —**πηχυς**, εος, ὁ, ἡ, (πῆχυς) über dem Ellbogen. —**πιθηκίζω**, s. v. a. πιθηκίζω ἐπὶ: Schol. Aristoph. thesm. 1133. —**πικραίνω**, mehr- ferner bitter machen - verbittern - erbittern. Hippocr. —**πικρος**, ὁ, ἡ, bitterlich. zw. aus Theophr. —**πίλνημι**, med. s. v. a. ἐπιπελάζω, sich nähern: ἐπ' οὔδει πίλναται. Il. τ. —**πίνω**, darauf - darnach - dabey - darzu trinken. —**πίπτω**, darzu - dahin - darauf fallen: einfallen, anfallen, befallen. —**πιστεύω**, anvertrauen: aus Joseph. —**πίστωσις**, ἡ, Nach- Bestätigung. S. παράψογος.

'Επιπλα, τὰ, Geräthe, Geräthschaft, Meubeln: man leitet es von ἐπιπόλαιος ab. —**πλάζομαι** und ἐπιπλανάομαι, darüber hinirren oder streifen: Clem. Strom. 1 p. 357. —**πλάζω**, st. ἐπιπλήττω. aeol. Sappho Etym. M. —**πλασμα**, τὸ, das darauf- darüber geschmierte oder gestrichene Pflaster oder Salbe: von —**πλάσσω**, und ἐπιπλάττω, darauf- daran- darüber schmieren od. streichen: beschmieren, bestreichen, anstreichen: zustreichen, verstopfen. —**πλαστος**, ὁ, ἡ, Adv. —**άστως**, (ἐπιπλάσσω) aufgeschmiert, überschmiert, übertüncht: verstellt, s. v. a. πλαστὸς, falsch, unächt. —**πλαταγέω**, ῶ, zuklappern, zuklatschen, zuklappen. —**πλατύνω**, darauf - darüber breiter machen, verbreiten, erweitern. —**πλεῖον**, Adv. s. v. a. ἐπιπλέον. —**πλειος**, ὁ, ἡ, s. v. a. ἐπίπλεος u. ἐπίπλεως, angefüllt, voll. —**πλείων**, ονος, ὁ, ἡ, wahrsch. f. Les. st. ἔτι πλείων. —**πλέκω**, darein - darauf- darzu flechten - anknüpfen: einverflechten. —**πλέον**, Adv. oder ἐπὶ πλέον, noch mehr, weiter, ausführlicher, genauer u. s. w. —**πλεος**, έα, εον, S. ἐπίπλειος. —**πλευρος**, ὁ, ἡ, auf- über den Ribben. Hesych. —**πλευσις**, ἡ, das Schwimmen - Schiffen oder Fahren zu Schiffe über - auf - gegen: Anfahrt; von —**πλέω**, f. εύσω, darauf- darüber - dargegen - darwider schwimmen - schiffen - zu Schiffe fahren. — —**πλεως**, S. ἐπίπλεος. —**πλήθω**, s. v. a. ἐπιπληρόω: aus Apoll. Rhod. 3, 270. falsch angef. —**πλήκτης**, ου, ὁ, der Bestrafer: zw. davon —**πληκτικὸς**, ἡ, ὸν, Adv. —κῶς, zum bestrafen - tadeln gehorig oder geneigt: tadelnd, strafend. —**πληξία**, ἡ, s. v. a. ἐμπληξία: Pollux 5, 121. —**πληξις**, ἡ, (ἐπιπλήσσω) Bestrafung, Tadel, Schelte, Vorwurf. —**πληρόω**, ῶ, zufüllen, anfüllen, überfüllen; davon —**πλήρωσις**, ἡ, die Ueberfüllung: Galen. 4 difficult. pulsuum. —**πλήσσω**, ἐπιπλήττω, f. ξω, darauf schlagen: metaph. m. d. dat. heftig ausschelten, tadeln, Vorwürfe machen, s. v. a. ἐπιτιμᾶν. S. auch ἐμπλήσσω. —**πλοκὰς**, άδος, ἡ, s. v. a. das folgd. zw. —**πλοκὴ**, ἡ, Anknüpfung, Verbindung, Gemeinschaft: auch s. v. a. *ansa*. Polyb. —**πλοκήλη**, ἡ, (ἐπίπλοον, κήλη) ein Netzbruch. —**πλόμενος**, Odyss. 7, 261 ἔτος ὄγδοον ἐπιπλόμενον μοι ἦλθε, Soph. Oed. tyr. 1314. s. v. a. ἐπερχόμενος, heran - herzu - herbey kommend: wie περιπλ. —**πλόμφαλον**, τὸ, Nabelgeschwulst vom austretenden Netze, ἐπίπλοον: Galen. defin.

'Επιπλον, τὸ, ἔπιπλα, τὰ, die Mobilien, das bewegliche Vermögen, dem Grundvermögen entgegengesetzt: Hausgeräthe. —**πλοον**, τὸ, auch ἐπίπλοος, ὁ, (ἐπιπλέω) das Netz, welches die Därme bedeckt, *omentum*. —**πλοος**, ὁ, ἡ, ναῦς, ein Kriegsschiff, was auf das feindliche im Streite zufährt, um es mit dem ἐμβόλῳ zu durchbohren: Polyb. 1, 27. —**πλοος**, ους, ὁ, das Zufahren des Kriegsschiffes auf das feindliche und der Kampf selbst. —**πλώω**, ich fahre - schiffe darauf oder gegen einen; 2) ich schwimme darauf. —**πνείω**, ich hauche an. S. ἐπιπνέω. —**πνευσις**, ἡ, das Anhauchen, *adflatus*. —**πνευστικὸς**, ἡ, ὸν, (ἐπιπνέω) anhauchend, begeisternd: von Begeisterung kommend. —**πνέω**, (die tempora werden von ἐπιπνεύω gemacht) ich hauche zu - an: ich inspirire, gebe ein; 2) ὅσσα τε γαῖαν ἐπιπνείει st. ἐπὶ γαῖαν, was auf der Erde athmet und lebt; 3) ἐπιπνεύσας στρατὸν αἵματι Θήβας, Eur. Phoen. 800. ἀργείους ἐπιπνεύσας Σπάρτων γέννα 805. zum Kriege gegen einen ermuntern, antreiben, aufwiegeln. S. ἐμπνέω.

Ἐπίπνοια, ἡ, das Anhauchen: Begeisterung. —πνοιος, ὁ, ἡ, s. v. a. ἐπίπνοος, oder anhauchend, begeisternd: Orph. hymn. Curet. 25. —πνοος, contr. ἐπίπνους, ὁ, angehaucht, begeistert. —πόδιος, ὁ, ἡ, (ποῦς) verstrickend oder auf den Fußen: Soph. Oed. tyr. 1350.

Ἐπιποθέω, ῶ, ich wünsche darzu: Herodot. 5, 93. auch ich verlange- sehne mich wornach, s. v. a. ποθέω; davon —πόθησις, ἡ, Verlangen: s. v. a. πόθησις. —πόθητος, ὁ, ἡ, verlangt, erwünscht, geliebt. —ποθία, ἡ, s. v. a. ἐπιπόθησις. —ποιέω, ῶ, noch darzu machen, zufügen, zusetzen. —ποίητος, ὁ, ἡ, angenommen, angemacht, verstellt. —ποικίλος, ὁ, ἡ, sehr bunt. zw. —ποιμήν, Hirte: Od. 12, 131. wie ἐπιβουκόλος. —ποκος, ὁ, ἡ, mit Wolle, bewollt, behaart, κριὸς, 4 Reg. 3. —πολάζω, (ἐπιπολῆς) heißt oben auf seyn, auf der Oberfläche sich befinden, oben auf schwimmen: auch mit dem dat. metaph. emporkommen: Φίλιππος ἐπιπολάζει, Demosth. von Sitten, Gewohnheiten, Moden, die aufkommen und im Schwange gehn: bey Heliod. 8 p. 379 χρόα μελαινοῦσα τὴν ἐπιφάνειαν ἐπεπόλαζε ist ungewöhnlich und zweif. von Speisen bedeutet es, *innatare stomacho*, unverdaulich seyn und aufstoßen: ἐπιπολάζων ὑπεροψία, Appian. Civ. 3, 76. der durch Hoffarth sich erhebt: derselbe Mithr. 75. braucht es vom Feinde, der sich verbreitet und alles verheert: Φορτικῶς καὶ σοβαρῶς ἐπιπολάζων τοῖς συνδειπνοῦσι, *superbe se efferentem supra*: Plutar. 8 p. 512. daher ἐπιπολασμὸν ποιεῖσθαι κατά τινος, Dionys. Antiq. 6, 65. sich übermüthig betragen. —πολαιόῤῥιζος, ὁ, ἡ, (ῥίζα) mit oberflächlichen oder herausstehenden Wurzeln; von —πόλαιος, ὁ, ἡ, Adv. —αίως, oberflächlich, dem tiefen entgegengesetzt: hervorstehend, sichtbar, deutlich, offenbar: gemein, nicht selten, gewöhnlich: auch von Menschen, leichtsinnig, unbesonnen: wie βαθὺς, ein Mensch von tiefem Sinne, v. Nachdenken. —πολασμός, ὁ, das Kommen in die Höhe, das Schwimmen - Seyn auf der Oberfläche: bey Dionys. Halic. der Uebermuth. S. ἐπιπολάζω. —πολαστικός, ἡ, όν, Adv. —κῶς, gewöhnlich, oben auf schwimmend, emporkommend, überfließend: Polyb. 4. 12 verbindet es m. κατακόρως. —πολεμέω, ῶ, zum Kriege aufregen, aufhetzen. zw. —πολεύω, bey Aelian. h. a. 9, 61. s. v. a. ἐπιπολάζω. —πολῆς, Adv. auf der Oberfläche, oben, oben auf; am Tage, zu Tage: daher deutlich, sichtbar. —πολίζω, (πόλις, πολίζω) ich baue darauf. —πολιόομαι, οῦμαι, ich fange an graue Haare zu bekommen. —πόλιος, der nahe an den Graukopf (πολιὸς) grenzt: Demosth. p. 1267. —πολος, ὁ, ἡ, Soph. Oed. Tyr. 1321. s. v. a. πρόσπολος. —πολύ, Adv. eigentl. ἐπὶ πολὺ, viel, sehr lange Zeit: ὡς ἐπιπολὺ, oder ὡς ἐπὶ τὸ πολὺ, großen Theils, meisten Theils, meistens. —πομπεύω ταῖς συμφοραῖς τῆς πατρίδος, über oder bey dem Unglücke des Vaterlandes triumphiren: Plutar. —πομπή, ἡ, (ἐπιπέμπω) poet. vet. de herbis vers. 22. ἐπιπομπαὶ, statt Behexungen oder dergl. —πονέω, ῶ, in der Arbeit fortfahren, fort- oder weiter arbeiten: Xen. Laced. 2, 5. Hellen. 6, 1. 4. —πονος, ὁ, ἡ, Adverb. —όνως, mit Mühe, Kummer verbunden, mühsam, mühselig. —πόντιος, ὁ, ἡ, auf- an- über- bey dem Meere befindlich oder liegend. —πορεύομαι, wohin- worzu- worüber gehn oder reisen: durchstreifen, durchgehn.

Ἐπιπορπάω, έω, ich befestige darüber mit einer πόρπη, ἐπιπορπάομαι χλαμύδα, ich hänge mir den Reitrock über und befestige ihn über den Schultern mit der Spange; davon —πόρπημα, dor ἐπιπόρπαμα, τὸ, auch ἐπιπόρπωμα, τὸ, das übergezogene und über den Schultern mit einer Spange befestigte Kleid, wie ἐμπερόνημα: obgleich andere es für einen Theil der Spange, z. B. den Kopf, andere für eine Falte über der Stelle, wo die Spitze sitzt, erklaren. S. περονατρίς. Bey Plutar. Alex. 32. ist es offenbar ein Ueberkleid, Reitrock, *chlamys*; vergl. Athenaei 2 p. 48. —πορπίς, ίδος, ἡ, bey Callim. erklärt man es für περόνη, πόρπη, oder den Kopf der Spange; viell. s. v. a. ἐπιπόρπημα. —πορπόω, u. ἐπιπόρπωμα, τὸ, s. v. a. ἐπιπορπάω und ἐπιπόρπημα. —πορφυρίζω, ins purpurrothe fallen oder spielen. —πόρφυρος, ὁ, ἡ, in das purpurfarbige fallend oder spielend. —ποτάμιος, ὁ, ἡ, oder ία, ιον, am Flusse gelegen: Synes. p. 111. —ποτάομαι, ῶμαι, darzu- darauf fliegen. —πράττομαι, darzu- noch- außerdem fordern: χρήματα τινὰ, Geld von einem, bey Suidas. —πρέπεια, ἡ, (ἐπιπρέπω) das äußere Ansehn, Anstand, Würde, das Dekorum: von —πρεπής, έος, ὁ, ἡ, mit zierlichem- anständigen- würdigen- äußern Ansehn: ansehnlich, anständig, zierlich, vorstechend; von —πρέπω, von Korpern oder Farben, die auf einem Körper sich befinden und ihn zieren:

ὀφθαλμὸς ἐμπρέπει τῷ μετώπῳ, Lucian. τῇ λευκῇ χρόᾳ τὸ ἐρύθημα ἐμπ. auf der weiſsen Farbe nimmt ſich die Röthe aus, ſticht ab, ſteht wohl darauf: Lucian.

Ἐπιπρεσβεύω, ἐπιπρεσβεύομαι, als Geſandter wohin gehen: ſ. v. a. ἐπικηρυκεύομαι Dionyſ. Antiq. 10, 24. Pollux 8, 137. —πρηνὴς, έος, ὁ, ἡ, nach- zu etwas vorwärts geneigt. —πρητὴν, ὁ, ἡ, S. πρητὴν. —πρίω, oben einſägen: τοὺς ὀδόντας, dabey- darzu mit den Zähnen knirſchen.

Ἐπιπρὸ, Adv. vorwärts, durchaus. —προβαίνω, darauf- dahin fortgehn: Dionyſ. Perieg. 128. —προβάλλω, darüber werfen: Plutar. Rom. 16. —προθέω, darüber- darzu- weiter vorwärts laufen: Apoll. Rhod. 1, 581. —προϊάλλω, davon ἐπιπροΐηλε τράπεζαν Il. 11, 627, wo man es d. ἐξέτεινε παρέθηκε, vorſetzen, hinſetzen, erklärt. —προΐημι νηυσὶν ἐπ. auf Schiffen fort oder wegſchicken: ἰὸν τινὶ, wider- auf einen werfen. —προικος, ὁ, ἡ, (προῖξ) mit Ausſtattung, ausgeſtattet: Pollux 3, 35. —προιξ, was zur Ausſtattung (προῖξ) noch hinzu kommt: aus Heſych. ἐπιπρόκοικα, τὸ-δῶρον, genommen, wo aber ἐπ. vielmehr das neutr. plur. vom vorigen zu ſeyn ſcheint. —προμολέω, weiter vorwärts oder hervor u. hinzu- darauf gehn: Apoll. Rhod. 3, 664. —προνέω, ſ. v. a. d. vorh. Apoll. Rhod. 4, 1588. —προπίπτω, worauf- worüber hin oder her fallen oder ſich legen: Apoll. Rhod. 4, 1449. —προσβάλλω, neutr. wohin gehen, ſich wohin wenden: Apoll. Rhod. 1, 931.

Ἐπιπροσήκω, einkommen, von Einkünften: zw. —πρόσθε, ἐπίπροσθεν, Adv. vor, davor. —πρόσθεσις, ἡ, Zuſatz. —προσθέω, ῶ, (ἐπίπροσθεν) ich bin oder ſtehe davor, bin dazwiſchen, ſtehe im Wege- im Lichte; beſchatte, bedecke, hindere, τινὶ. 2) von θέω, ich laufe darauf zu: Longin. 32, 2. vom erſten kommt —πρόσθησις, ἡ, das davor- dazwiſchen ſeyn oder ſtehen: das Stehn im Lichte vor einem: das Hinderniſs: das Bedecken, Beſchatten: Gegenſtand der bedeckt: Polyb. 3, 71. —προσπλέω, dazu- hinzuſchiffen. —προστίθημι, noch- dazu hinſetzen: bey Dionyſ. Antiq. 6, 9. ἐπιπροσθήσω, richtiger ἔτι προσθήσω.

Ἐπιπρόσω, Adv. fern, in die Ferne hinaus. —προτέρωσε, Adv. ferner, weiter, drüber. —προφαίνω, dabey- darüber zeigen, ſehen laſſen: Apoll. Rhod. 3, 916. —προφέρω, darzu- darauf- dagegen vorbringen, weiter bringen: Apoll. Rh. 4, 1318. —πρωϊαίτερον, früher: Hippocr. morb. epid. 2 p. 998 C. zw. —πρωρος, ὁ, ἡ, (πρώρα) auf- bey- mit dem Vordertheile: gegen das Vordertheil zu: Heſych.

Ἐπιπταίρω, ſ. v. a. ἐπιπτάρνυμαι. —πταισμα, τὸ, u. ἐπιπταίω, ſ. v. a. ἐπίπαισμα, u. ἐπιπαίω. —πτάρνυμαι, ſ. v. a. ἐπιπταίρω, darzu- darauf nieſsen. —πτημι med. ἐπίπταμαι, oder ἐπίπτεμαι, davon ἐπιπτέσθαι, Il. δ. 126. ſ. v. a. ἐπιποτάομαι, hinzu- hinauffliegen. —πτήσις, ἡ, das Hinzufliegen, Anflug. —πτυγμα, τὸ, (ἐπιπτύσσω) das darüber gefaltete, um etwas zu bedecken, alſo Ueberzug, Decke, Deckel: bey Ariſtot. h. anim. der Deckel der Schnecken, und der umgeſchlagene Schwanz der Meerkrebſe, ſonſt ἐπικάλυμμα. —πτυξις, ἡ, das Ueberfalten, Ueberziehn, das Bedecken mit etwas übergezogenem. —πτύσσω, f. ξω, überfalten, übereinander legen, überziehn: mit einem darüber gefalteten oder gezogenen Körper bedecken; anlegen: med. ſich anlegen, umfaſſen, umfangen. —πτυστος, beſpuckt, verabſcheut: abſcheulich. —πτυχὴ, ἡ, ſ. v. a. ἐπίτυξις u. ἐπίτυγμα. —πτύω, darauf- daran ſpucken; beſpucken. —πτωσις, ἡ, das zu oder darauf fallen: Zufall: Strabo 2 p. 161. —πύησις, ἡ, das Ueberſchwären: Hippocr. Praen. p. 39. zw. —πυνθάνομαι, dazu- noch- hernach hören fragen oder erfahren: zw. —πυρέσσω, u. ἐπιπυρεταίνω, Hippocr. Coac. c. 20. nachfiebern, immer mehr Fieber bekommen oder haben. —πυρον, τὸ, am Altare die Stelle, worauf das Feuer brennt: Hero Spirital. —πυῤῥος, ὁ, ἡ ins roth braune fallend. —πυρσεία, ἡ, das ſpätere Zeichen durch Feuer gegeben; von ἐπιπυρσεύω, hinterher oder ein ſpäteres Zeichen durch Feuer (πυρσὸς) geben: Polyaen. 6, 19, 2. —πωλέομαι, οῦμαι, umgehen, begehen, übergehn, überſehn, Il. 3, 196. 4, 231. davon —πώλησις, ἡ, das Umgehen, Begehen: Ueberſehen. —πωμάζω, u. ἐπιπωματίζω, bedecken, mit dem Deckel verſchlieſsen oder bedecken; die erſtere Form Hippocr. de locis hom. p. 423. dav. —πωματικὸς, ἡ, ὸν, bedeckend, verſtopfend, verſchlieſsend: zw. —πωρόω, (πῶρος) auf der Oberfläche verhärten; davon —πώρωμα, τὸ, Verhärtung, Knoten an einem Theile, ſ. v. a. πῶροι ἐπὶ τινος μέλους: und —πώρωσις, ἡ, das Verhärten auf der Oberfläche.

Ἐπιραβδοφορέω, drückt den ſchnellen Lauf des Pferdes aus, woran man ihm wahrſcheinlich das Zeichen mit aufgehobener Gerte, Ruthe, gab, galoppiren: Xenoph. Reitk. daſſelbe drückte Sophocles durch ἐπισείειν, *incutere virgam*, aus.

Ἐπιριγάω, nachfrieren oder wiederholten Fieberfrost haben: Hippocr. —ρικνος, ὁ, ἡ, etwas mager: Xen. ven. 4, 1. Pollux 5, 58.

Ἐπιῤῥαθυμέω, dabey oder darnach träge- nachläſſig- ſaumſelig ſeyn: dabey nachlaſſen: Lucian. —ῤῥαίνω, darauf- darüber- daran ſprengen, beſprengen, benetzen. —ῤῥακτὸς, ἡ, ὸν, (ῥάσσω, ῥήσσω) mit Gewalt darauf geworfen, geſchlagen, fallend, dringend, als θύρα, Plut. eine Fallthüre: πνεῦμα, mit Gewalt eindringende Luft: Plutar. Q. S. 7, 1. —ῤῥαμμα, ατος, τὸ, (ἐπιῤῥάπτω) das angeſetzte- angenähte. —ῤῥαντίζω, ſ. v. a. ἐπιῤῥαίνω. zw. —ῤῥαπίζω, ich peitſche, ſchlage, beſtrafe m. d. Ruthe, ῥάπις. 2) metaph. beſtrafen mit Worten, tadeln, ſchelten, wie *caſtigare*; davon —ῤῥάπισις, ἡ, u. ἐπιῤῥαπισμὸς, ὁ, Beſtrafung mit der Ruthe; 2) mit Worten, Tadel; Scheltworte, Vorwurf Schmach. —ῤῥάπτω, annähen, anſetzen. —ῤῥάσσω, ἐπιῤῥάττω, f. ξω, ſ. v. a. ἐπιῤῥήγνυμι. —ῤῥαψῳδέω, ῶ, dabey- darauf- darzu- noch abſingen- ſingen oder erzählen. —ῤῥέζω, darauf- darnach, darzu machen oder opfern. —ῤῥέπεια, ἡ, das Neigen dahin: Neigung, Hang: von —ῤῥεπὴς, έος, ὁ, ἡ, dahin ſich neigend; geneigt, abſchüſſig: ἐλπὶς —ῤεστέρα, günſtigere Hofnung: Polyb. —ῤῥέπω, (ῥέπω) ſich dahin- darzu- darüber neigen: ὄλεθρος ἐπ. Il. ξ. 99. d. i. ἐπικρεμᾶται: Oppian. Hal. 2, 520 δάκος αἰνὸν ἐπιῤῥέπει ſ. v. a. ἐπιβρίθει, drückt und beiſst ihn. —ῤῥέω, f. ῥεύσω, dahin- darzu- darauf- darüber flieſsen, zuflieſsen, zuſtrömen. —ῤῥήγνυμι, ſ. v. a. ἐπιῤῥήσσω. —ῤῥήδην, Adv. (ἐπὶ ῥέω darzu- dabey ſagen) καλέονται ἐπ. werden davon, darnach benannt: Aratus: bey Apollonius wird es d. διαῤῥήδην, ausdrücklich, deutlich, auch dreiſt erklärt. —ῤῥημα, τὸ, was darzu oder darauf geſprochen wird; alſo in den alten Chören, was nach der Parabaſis in der Komödie oder nach der Antiſtrophe in der Tragödie geſungen wird, und dem ἀντεπίῤῥημα entſpricht; 2) das Adverbium, Zuwort; davon —ῤῥηματικὸς, ἡ, ὸν, Adv. —κῶς, zum ἐπίῤῥημα gehörig. —ῤῥησις, ἡ, Tadel, Schimpf, Beſchimpfung. —ῤῥήσσω, joniſch ἐπιῤῥησσέσκω, ich bringe etwas mit Gewalt darauf- darein- daran, wie den Riegel: Il. 24, 454. Soph. Oed. Tyr. 1253. auch neutr. darauf los- oder hineinbrechen, mit Gewalt gehn. —ῤῥητος, ὁ, ἡ, berüchtigt, verſchrieen: Xen. Oecon. 4, 2. —ῤῥιγέω, ſ. v. a. ἐπιριγέω: Hippocr.

Ἐπιῤῥίζιον, τὸ, Anhängſel oder Faſern an den Wurzeln. Dioſcor. —ῤῥίνιον, τὸ, (ῥὶς) Symmachus Proverb. 2, 12. wo andere ἐνώτιον haben, Naſenring.

Ἐπίῤῥινος, ὁ, (ῥὶς) Lucian. Philop. 12 mit einer groſsen Naſe. —ῤῥιπτέω, oder ἐπιῤῥίπτω, darauf- darzu- darüber werfen: neutr. m. d. Dat. anfallen: Palaeph. 53, 5. —ῤῥοὴ, ἡ, (ἐπιῤῥέω) Zufluſs; Ueberfluſs. —ῤῥοθέω, ῶ, (ῥόθος) darzu- dabey ein Geräuſch machen: eigentl. wie das tobende Meer und Wellen lärmen. 2) ſ. v. a. ἐπικροτέω, applaudiren, Beyfall durch Zurufen u. Händeklatſchen bezeugen: Eur. Phoen. 1248. Hec. 553. —ῤῥοθος, ὁ, ἡ, der zum Beyſtande herbey eilt, hilft; Helfer, Hülfe, Beyſtand: auch ἐπιτάῤῥοθος, mit eingeſetztem ταρ, wie ἀταρτηρὸς von ἀτηρὸς: μάχης, der in der Schlacht beyſteht: ἀλγέων, Aeſchyl. Sept. 370, der in Schmerzen hilft: bey Soph. Antig. 424 ἐπιῤῥόθοις κακοῖς, d. i. λοιδόροις, ὑβριστικοῖς: So hat Heſych. ἐπιῤῥόθητα, ἐπίψογα. —ῤῥοια, ἡ, poet. ſ. v. a. ἐπιῤῥοή. —ῤῥοιβδέω, ῶ, bey Theophr. nach den in ἐπιῤῥοιζέω angeführten Worten: κόραξ εὐδίας μὴ τὴν εἰωθυῖαν φωνὴν ἵῃ καὶ ἐπιῤῥοιβδῇ: welche beyde Stellen Plinius 18 ſ. 87. überſetzt: *corvi ſingultu quodam latrantes* (ἐπιῤῥοιζοῦντες) *ſeque concutientes ſi continuabunt, ventos: ſi vero carptim vocem reſorbebunt, ventoſum imbrem.* Alſo von ῥοιβδέω, *ſorbeo*, ich ſchlürfe: ἐπιρ. ich ſchlürfe, ziehe in mich.

Ἐπιῤῥοίβδην, Adv. ſ. v. a. ῥύβδην, u. ῥύδην: Eur. Herc. 869. —ῤῥοιζέω, (ῥοῖζος) ich rufe mit einem Laute zu: bey Theophr. κόραξ ἐὰν δὶς φθέγξηται καὶ ἐπιροιζήσῃ, καὶ τινάξῃ. welches Aelian. h. a. 7, 7 giebt: ταχέως καὶ ἐπιτρόχως φθεγγόμενος κόραξ. Aratus Dioſ. 233. κρώξαντε βαρείῃ διοσάκι φωνῇ μακρὸν ἐπιῤῥοιζεῦσι: Plinius überſetzt dies *ſingultu quodam latrare.* S. ἐπιῤῥοιβδέω.

Ἐπιῤῥοφάω, ῶ, oder ἐπιῤῥοφέω, dazu- noch- hernach einſchlürfen, oder verſchlucken, nachtrinken: die Form ἐπιῤῥοφάνω hat Hippocr. intern. affect. c. 7. —ῤῥυγχὶς, ίδος, ἡ, (ῥύγχος) der vordere krummgebogene Theil, der Haken am Schnabel der Raubvögel, als Adler, Falken. —ῤῥύζω, f. ξω ich hetze den Hund auf einen: Ariſtoph. Veſp. 705. S. ῥύζω. —ῤῥυθμίζω, nachbilden, formen: zw. —ῤῥυπαίνω, auf der Oberfläche beſchmutzen, beſudeln: Plutar. 9 p. 291. —ῤῥυσις, ἡ, ſ. v. a. ἐπιῤῥοή. —ῤῥύσμιος, α, ον, ein Wort des Democritus, von ῥυσμὸς ſt. ῥυθμὸς. Heſych. erklärt es ἐπιῤῥέων bey Sextus 7, 137 ἐπιῤῥυσμίη δόξις, die jedem vorkommende Meinung. —ῤῥυτος, ὁ, ἡ, Adv. —ύτως, (ἐπὶ ῥύω) Act. hinein-

hinzufliesfend: ὕδωρ ἐπιῤῥυτον, *aqua manans*, fliesfendes Waſſer; 2) metaph. was hinzukommt. 3) Paſſ. was Zufluſs hat. *irriguus*, befeuchtet wird.

Ἐπιῤῥωγολογέω, οῦμαι, (ἐπὶ, ῥὼξ, λέγω) ſ. in ἐπικαρπολογέω. —ῤῥώννυμι, u. ἐπιῤῥωννύω, fut. —ώσω, ich verſtärke, ſtärke, mache Muth. Med. ἐπιῤῥώννυμαι, ich ſtütze mich, ſtärke mich, handle, thue etwas mit aller angewandter Stärke. S. ἐπιῤῥώω. —ῤῥωσις, ἡ, das Stärken, Verſtärken. —ῤῥώω, ſ. v. a. ἐπιῤῥώννυμι, ich ſtärke, ſtütze dabey, darauf. ἐπιῤῥώσομαι, ich ſtütze mich: ἐπὶ δ' ἐῤῥώσαντο πόδεσσι, Apollon. 1, 385. 2) χαῖται ἐπεῤῥώσαντο, Il. α. und πλοχμοὶ ἐπεῤῥώοντο κιόντι, Apollon. 2, 677. die Locken, Haare bewegten ſich mit den ſtarken oder ſchnellen Schritten oder mit der Bewegung des Körpers.

Ἐπίσαγμα, τὸ, die Decke, Saumſattel, worauf die Laſt gelegt wird. Bey Sophocl. Phil. 755 die Laſt ſelbſt, wo andere falſch ἐπείσαγμα von ἐπὶ, εἰσάγω, leſen. —σαλεύω, (ἐπὶ, σάλος) neutr. auf dem Meere bey einem Orte (auſser dem Hafen) vor Anker liegen. 2) auf einem andern Körper ſchwankend liegen. —σαλος, ὁ, ἡ, was ſich auf dem hohen- unruhigen Meere hält, alſo 2) ſchwankend, dem Winde ausgeſetzt iſt. —σαλπίζω, darzu trompeten, darzublaſen. —σαξις, ἡ, An- Aufhäufung, z. B. τῆς γῆς: Theophr. das dichte auf oder anlegen, z. B. der Pferdedecken od. des Saumſattels; von —σάσσω, ἐπισάττω, f. ξω, darauf- daran- darüber, dicht legen, als die Pferde-Decke, den Saumſattel: ἵππον, ὄνον, nach unſrer Art zu reden, ſatteln: Cyropaed. 3, 3, 27. Anab. 3, 4, 35. anhäufen, dicht darauf legen, als Erde und dergl. —σαφηνίζω, noch mehr deutlich machen: Clemens Alex. —σειον, τὸ, ſ. v. a. ἐπείσιον, Schaamgegend, Schaamhaare. zweif. —σειστος, eine komiſche Larve mit freyen ſich bewegenden Haaren; von —σείω, (ἐπὶ, σείω) ich bewege- ſchwinge- ſchüttle gegen jemand (m. d. Dat.) um ihn zu ſchrecken: φόβον (*incutere timorem*) κίνδυνον. Daher ἐπισείειν, *incutere equo virgam*, das Pferd antreiben, ſ. v. a. ἐπιραβδοφορέω: Eur. Or. 612. ſ. v. a. ἐπισείω σκιὰν ἀδικήματος τινὶ u. πόλεμον Joſeph. b. j. 1, 10, 9 u. 2, 17, 3. drohen: einen Krieg erregen: vergl. Diodor. 1 p. 618. —σείων, ὁ, (ἐπισείω) die Flagge, Wimpel: Pollux 1, 90, 91. wahrſcheinl. mit παράσειον, τὸ, verwandt. —σέληνος, ὁ, ἡ, (σελήνη) Heſych. hat ἐπισέληνα, πόπανα μηνοειδῆ und σελήνας, πόπανον τῷ ἄστρῳ ὅμοιον, Mondkuchen. Nach Photii Lex. heiſst derſelbe Kuchen ἀρεστὴρ u. βοῦς. Auch σελήνη: Euripides Suidae in ἀνάστατοι, vergl. Pollux 6, 76. ἐπισέληνα in dieſem Sinne hat Plato Athenaei 10 p. 441. —σεμνύομαι, ich brüſte mich, rühme mich mit einer Sache, σεμνύομαι, ἐπί τινι, oder ich brüſte mich noch darzu. —σεσυρμένως, fahrläſſig, leichtſinnig, S. ἐπισύρω. —σεύω, (ἐπὶ, σεύω) ich ſetze wider jemand in Bewegung, ich treibe an, *immitto incito*: ἐπισεύομαι, ich ſetze mich in Bewegung wider jemand, gehe auf ihn ſchnell- heftig los, *irruo, inſequor*. —σήθω, Joſeph Antiq. 8, 7. 3. darauf ſieben. —σημαίνω, (σῆμα) darbey- darzu- darnach ein Zeichen machen oder geben, als Billigung meiſtentheils, oder als Tadel: ἐπεσήμαινε τοῖς πλείστοις τὸ θεῖον, τὸ δαιμόνιον, Plutar. welches vom Donner und Blitz zu verſtehen iſt; daher überh. andern bezeichnen, anzeigen; im med. daher vorzüglich bey einer Rede oder Handlung ein Zeichen des Beyfalls oder der Miſsbilligung geben; jedoch meiſtens loben, billigen, applaudiren; auch m. d. Acc. bey Polyb. welcher auch δώροις τινὰ ἐπισημαίνεσθαι ſagt, d. i. auszeichnen, u. belohnen: u. τὰς παρανόμους τῶν πράξεων, durch Tadel auszeichnen; das Activum hat Polyb. 9, 9. 10, 38. u. Joſeph. einigemal in demſelben Sinne gebraucht. Als Neutrum bedeutet es, ſich anmelden, ein Zeichen ſeiner Ankunft geben; daher ankommen, auch von Krankheiten als Fiebern, und vom Aufgange der Sterne, und der damit meiſt verbundenen Witterung: ἐξανθεῖ ἡ τῆς ἥβης τρίχωσις τοῖς μὲν ἄῤῥεσιν ἐπιδηλότερον περὶ τοὺς ὄρχεις, ἐπισημαίνει δὲ καὶ περὶ τοὺς μαστοὺς, τοῖς δὲ θήλεσι περὶ τοὺς μαστοὺς μᾶλλον: Ariſtot. und anderswo: καὶ θήλεσι τὰ καταμήνια ἐπισημαίνει: zeigen ſich, melden ſich: ἀμφημερινὸς πυρετὸς ἐστιν ὁ καθ' ἑκάστην ἡμέραν καὶ νύκτα κατὰ τὸ πλεῖστον τῆς αὐτῆς ὥρας ἐπισημαίνων Galen. daher ἐπισημασία, der Anfall des Fiebers; auch von Winden ὁ νότος ἐπισημαίνει μὲν ἐπιτέλλουσι δὲ ἄστροις: τὸ δὲ ἐπισημαίνειν ἐστι μεταβολὴν τοῦ ἀέρος ποιεῖν; Ariſtot. Problem. ſect. 26.

Ἐπισημασία, ἡ, Bezeichnung, Wink, Vorbedeutung; Bezeichnung ſeiner Meinung durch Lob oder Tadel, Händeklatſchen u. dergl. meiſt aber Lob und Beyfall; 2) Zeichen der Ankunft, das Anmelden; die Ankunft; der Paroxysmus; die mit dem Auf- oder Untergange gewiſſer Sterne eintretende Witterung. —σημειόω, ῶ, bezeichnen; mit einem Zeichen bemerken; davon

'Επισημείωσις, έως, ἡ, die Bezeichnung, Bemerkung oder Anmerkung mit einem beygeſetzten Zeichen. —σημος, ὁ, ἡ, Adv. —μως, (σῆμα) mit einem Zeichen oder Gepräge bezeichnet, geprägt, beprägt, ausgezeichnet; hervorſtechend; glanzend, berühmt, bekannt, vorzüglich; wie *inſignis*: τὸ ἐπ. das Zeichen, Merkmal.

'Επίσης, verſt. μοίρας, zu gleichen Theilen, gleich. —ισθμιος, ὁ, ἡ, über- an- auf dem Halſe; (ἰσθμὸς) τὸ ἐπ. Halsbinde, Halstuch, u. dergl. Heſych.

'Επίσιγμα, ατος, τὸ, das Anhetzen des Hundes. —σίζω, m. d. Accuſ. (σίζω, oder σίττα) durch einen Ton den Hund anhetzen; dav. ἐπίσιστος, angehetzt, im Etym. M. —σιμόω, bey Xenoph. gr. Geſch. 5, 4, 50. ſt. ἀποσ. not. —σινής, έος, ὁ, ἡ, (σίνομαι) der Beſchädigung ausgeſetzt: Theophr. c. pl. 4, 11. h. pl. 8, 6. bey Heſych. auch ſ. v. a. βλαβερὸς, ſchädlich. Derſelbe hat auch ἐπισίνιος für ἐπίβουλος. —σίνιος, ὁ, zu ſchaden (σίνομαι) ſuchend, nachſtellend. —σιτιάζω, (ἐπισίτιος) ſ. v. a. ἐπισιτίζω. —σιτίζω, (ἐπὶ, σῖτος) ich reiche Nahrungsmittel oder Fourage; —ζομαι, ich bekomme- nehme mir Nahrungsmittel, ich fouragire; auch fur παρασιτέω bey Athenaeus 6 p. 246. bey Philoſtr. Apoll. 6, 15. noch mehr eſſen. —σίτιος, ὁ, ἡ, (ἐπὶ, σῖτος) einer der für die Koſt arbeitet: τὰ ἐπισίτια, die Koſt, Fourage; 2) ſ. v. a. παράσιτος. —σίτισις, ἡ, ſ. v. a. ἐπισιτισμὸς. —σίτισμα, τὸ, ſ. v. a. ἐπισιτισμὸς, Polyaen. 3, 18, 11. —σιτισμὸς, ὁ, das Reichen der Koſt, Fourage; das Nehmen, Hohlen, Mitnehmen der Koſt, Fourage im Kriege; auch bey der Schiffarth: Demoſth. p. 909. die Koſt, Fourage ſelbſt. —σιτος, ὁ, ἡ, ſ. v. a. ἐπισίτιος. —σίττω, ſ. v. a. ἐπισίζω. —σίφλιος oder ἐπίσιφλὸς, bey Heſych. ſ. v. a. häſslich, tadelhaft. —σκάζω, hinken: Apoll. Rhod. —σκαλμὶς, ίδος, ἡ, Pollux 1, 87. die Stelle auf dem σκαλμὸς. S. ἐντροπ. ω. —σκάπτω, f. ψω, τὰ σπαρέντα, die Saat zupflugen: Geopon. 2, 24. *inoccare*: davon —σκαφεὺς, έως, ἡ, der die Saat zupflugt (*inoccat*) oder mit der Hacke bedeckt: Heſych. —σκεδάζω, u. —δαννύω, oder —δάννυμι, ich ſchütte- ſtreue darauf, ich verſchütte- zerſtreue- oder verſchwende darauf- darüber- damit. —σκέλησις, ἡ, oder ἐπισκέλιτις, ἡ, (σκέλος) bey Xenoph. Equ. 7, 12. Pollux 1, 213 der Anſatz des Pferdes im Gehen. —σκεπάζω, bedecken durch etwas drüber oder darauf gelegtes; davon —σκεπὴς, έος, ὁ, ἡ, bedeckt, verdeckt, gedeckt, z. B. gegen Wind, vergl. Odyſ. 12, 336.

'Επισκέπτης, ὁ, ſ. v. a. ἐπίσκοπος, Späher: Appian. Civ. 3, 25. —σκέπτομαι, beſehen, überſehen, anſehen; daher betrachten, überlegen, unterſuchen, prüfen. —σκευάζω, ich verſehe mit dem Nöthigen, rüſte aus, mache zurechte, beſſere aus, ſetze in den Stand. τὰ ὑποζύγια, ich mache die Zugthiere zurecht, ſattle, zäume ſie. ἔιτις τὴν ναῦν μὴ ἐπισκευάζοι Xenoph. R. Ath. 3, 4. wenn jemand ſein Schiff nicht mit dem gehörigen Geräthe, σκεύη, ausrüſtet; davon —σκευαστὴς, οῦ, ὁ, der ausbeſſert, in Stand ſetzt. —σκευαστὸς, ἡ, ὸν, (ἐπισκευάζω) zurechte gemacht, in den Stand geſetzt, ausgebeſſert. —σκευὴ, ἡ, Ausbeſſerung, Ausrüſtung; Materialien: ἐλέφαντα καὶ μαχαιρῶν λαβὰς καὶ ἄλλας ἐπισκευὰς, Demoſth. 819. —σκεψις, εως, ἡ, (ἐπισκέπτομαι) das Beſehen, Beſchauen; Betrachtung, Ueberlegung, Unterſuchung. —σκήνιον, τὸ, bey Heſych. und Vitruv. 7, 5. welcher auch dafür ἡ ἐπίσκηνος braucht, 5, 7. ſcheint die ein- zwey- oder dreyfache Etage mit den Sitzen auf dem Theater zu ſeyn. —σκηνος, ὁ, ἡ, (ἐπὶ σκηνῇ) auf- über der Bühne; im Zelte, Sophocl. Aj. 580. im Quartiere; Plut. Sert. 24 für ankommend, fremd, *adventitius*: Dionyſ. Antiq. 6, 53. vergl. 9, 53. wo es v. zw. Bed. —σκηνόω, in ein Zelt gehn, in eine Wohnung gehn- einziehn- einkehren: Polyb. 4, 18 u. 72. —σκήπτω, f. ψω, (σκήπτω) als neutr. m. d. Dat. der Perſon, oder mit εἰς, ἐπισκήπτοντα αὐτῇ νοσήματα, ἐπισκήπτει εἰς δένδρεα, wie das lat. *incumbere*, *ingruere*, *invadere*, plötzlich mit Gewalt losbrechen- ausbrechen- ſich zeigen. 2) m. d. Dat. tadeln, vorwerfen, οὐδεὶς ἐπισκήψει αὐτῷ, niemand wird ſein Zeugniſs verwerfen. Plato. 3) als Act. auftragen, befehlen; daher auch 4) anflehen, *obſecrare*, *obteſtari*: ἐπισκήπτουσί τε ὑμῖν πρὸς τῶν ὅρκων —μηδὲν νεωτερίζειν, ſie bitten euch um des Eides willen —nichts zu ändern: Thucyd. 5) ἐπισκήπτομαι, ich lehne mich auf, ſtütze mich. σὺ γ' ἐπισκήπτῃ μάρτυρι αὐτῷ τῷ συναδικοῦντι, du ſtützeſt dich auf den Zeugen, der ſelbſt mit dir unrecht gethan hat. Daher 6) ἐπισκήπτεσθαί τινι, oder εἴς τινα, ſich gegen jemand auflehnen, ihn verklagen wegen angethanenen Unrechts; wegen Mords, wegen falſchen Zeugniſſes; m. d. Dat. d. Perſ. od. d. Sache. ὑβρισμένος ὑπὸ Σίμωνος —οὐκ ἐτόλμησα αὐτῷ ἐπισκήψασθαι, Lyſias. ἀδικηθεὶς ὑπ' ἐμοῦ οὐκ ἐτόλμησεν ἐπισκήψασθαι εἰς ἡμᾶς, Derſelbe. ἐπισκήπτεσθαι τῶν ἀντιδίκων τῇ μαρτυρίᾳ, ſich gegen die Zeugen der Gegner auflehnen, und ſie des, falſchen Zeugniſſes wegen verklagen: Plato. ἐὰν ἐπισκηΦϑῇ τὰ ψευδῆ μαρτυρῆσαι, wenn er ſie des falſchen Zeugniſſes anklagt. Derſ. πάντως γὰρ οὐδεὶς ἐπισκήψει αὐτῷ, Plato Theat. 3 in demſelben Sinne

'Επισκηρίπτω, ſ. v. a. ἐπισκήπτω und ἐπερείδω. —σκηψις, εως, ἡ, das Aufſtützen; der Auftrag, Befehl; Klage wegen falſchen Zeugniſſes oder Mordes; überhaupt alle Bedeut. welche das Stammwort ἐπισκήπτω u. —τομαι hat. —σκιάζω, ſ. v. a. ἐπισκιάω, m. d. Dat. einem Schatten machen, im Lichte ſtehn; m. d. Accuſ. beſchatten, umſchatten, bedecken, verdecken; davon —σκιασμὸς, ὁ, Beſchattung, Bedeckung. —σκιάω, ῶ, u. ἐπισκιάζω, ich bedecke, umſchatte durch einen darüber gehaltenen Körper, *obumbro*; daher Oppian. Cyn. 2, 590 vom Pfau, der ein Rad ſchlägt: δέμον ἀγλαόμορΦον ἐπισκιάζουσιν beugen ihn über ſich und machen ſich damit Schatten. —σκιος, ὁ, ἡ, Adv. —ίως, beſchattet, ſchattig; dunkel. —σκιρτεω, ῶ, darauf- darüber- darzu- dahin- darnach ſpringen. —σκληρος, ὁ, ἡ, etwas oder auf der Oberfläche hart: Hippocr. —σκοπεῖον, τὸ, Biſchofswohnung. —σκοπεύω, ich bin ἐπίσκοπος Biſchoff; auch ſ. v. a. d. folgd.

'Επισκοπέω, ῶ, beſehn, bemerken, beobachten: Cyropaed. 8, 2, 25. einen Kranken beſuchen und ſehn, wie er gewartet wird: daher unterſuchen; überh. überlegen, betrachten, wie d. verwandte poet. ἐπισκέπτομαι. —σκοπὴ, ἡ, und ἐπισκέπησις, das Beſehen, die Aufſicht: Amt, Würde eines Aufſehers; Prüfung, Unterſuchung; im N. T. —σκοπία, ἡ, ſ. v. a. εὐστοχία: Pollux 6, 205. —σκοπικὸς, ἡ, ὸν, biſchöflich; von —σκοπος, ὁ, Aufſeher; Vorgeſetzter; Aufſeher einer chriſtlichen Gemeinde, Biſchof; bey Hom. Il. 10, 38 ein Spion, Späher. —σκοπος, ὁ, ἡ, das Ziel (σκοπὸν) treffend; ἐπίσκοπα wie Adv. glücklicherweiſe, glücklich. —σκοταζω, ſ. v. a. d. folgd. Hippocr. —σκοτέω, ῶ, (σκότος) verfinſtern, verdunkeln: τῇ ἀπειρίῃ ἐπισκοτεύμενος wegen Unerfahrenheit ſich in Ungewiſsheit befindend. Hippocr. praecept. 3. davon —σκότησις, εως, ἡ, Verfinſterung; Finſterniſs. —σκοτίζω, ſ. v. a. ἐπισκοτέω. —σκύζομαι, (σκύζομαι) zornig, böſe werden über- bey etwas.

'Επισκυϑίζω, nach Herodot. 6, 84. nannten die Lazedäm. ſo das ſtarke Trinken von ungemiſchtem Weine nach der Mahlzeit. —σκυϑρωπάζω, dabey- darzu ernſthaft oder ſauer ausſehn: Xen. Ven. 3, 5. —σκύνιον, τὸ, (σκύζω, σκύνιον) die Gegend über den Augen, wo ſich durch Runzeln und andere Zeichen Zorn, Hochmuth, Ernſt, Würde ausdrückt; daher es für dieſe Leidenſchaften und Eigenſchaften wie *ſupercilium* geſetzt wird: Polyb. 26, 5. u. ſ. w. Nach Ariſtotel. Gener. anim. 3, 1. iſt es eigentlich die Vorragung über den Augen, woran die Augenbraunen ſitzen. —σκυρος, ὁ, Art von Ballſpiel bey Pollux 9, 103. —σκώπτω, f. ψω, οἴεσϑαι δ' ἔΦη ἐπισκώπτων, Memor. 1, 3, 7. u. er ſetzte ſcherzend hinzu; vergl. Sympoſ. 8, 4. m. d. Acc. verſpotten, necken: Memor. 4, 4, 6. Symp. 1, 5. davon —σκωψις, ἡ, Spaſs, Scherz, Spott: Clemens Al. u. Plutar. 5 p. 141. —σμαραγέω, ῶ, darüber ertönen im herunterfallen u. dergl. Oppian. Hal. 2, 159. —σμάω, ἐπισμέω u. ἐπισμήχω, ſ. v. a. ἐπιτρίβω. S. σμάω. Ariſtoph. Thesm. 389 τίγὰρ ἡμᾶς οὐκ ἐπισμῇ τῶν κακῶν, was redet er uns nicht böſes nach? Oppi. Cyn. 1, 500 ἐπισμήχουσα παρειαῖς ſt. ἐπιπλήττουσα wie bey Lycoph. 994. ἀλίσμηκτος ſ. v. a. ἀλίπληκτος, wo jetzt ἀλίσμικτος ſteht. S. ἄσμηκτος. —σμυγερὸς, ρὰ, ρὸν, Adv. —ρῶς, ſ. v. a. σμυγερὸς, jämmerlich: Hom. Od. 3, 195. Apollon. Rhod. 1, 676. Act. elend machend, ἀχλὺς, Heſiod. ſcut. 264. —σμύγω, ſ. v. a. σμύχω; zweif. —σοβέω, ῶ, ſtolz einhergehn; zw. —σογκος, ὁ, ἡ, Strabo 13 p. 914. ὕδωρ ἐπ. von gleichem Umfange, von gleicher Maſse: ſoll wohl ἴσογκος heiſsen.

'Επισος, ὁ, ἡ, gleich, ſ. v. a. ἴσος: Polyb. 3, 115.

'Επισόω, unter oder gegen einander gleich machen: Plut. 3 p. 41. —σπάδην, Adv. (σπάω) πίνειν ſ. v. a. ἀμυστὶ, in einem Zuge trinken: Hippocr. —σπαίρω, dabey- darauf- dazu zappeln: Plut. 7 p. 296. —σπασις, εως, ἡ, od. ἐπισπασμὸς, das An- Zu- od. Zuſammenziehn. —σπαστὴρ, ῆρος, ὁ, ſ. v. a. ἐπίσπαστρον: τρίκλωστος Epigr. die Angelſchnur, woran man zieht. —σπαστικὸς, ἡ, ὸν, an ſich- nach ſich ziehend, zuziehend, anziehend, reizend, lockend. —σπαστὸς, ἡ, ὸν, nach- an ſich gezogen, angelockt, zugezogen. —σπαστρον, τὸ, (ἐπισπάω) ein an- oder zugezogener Körper, od. woran man zieht, oder den man zieht, womit man zieht, alſo Griff, Klopfer am Thore, der Thüre; ein Seil, woran man zieht; ein Vorhang, den man zuziehn kann; eine Schlinge: ein Zugnetz der Vogelſteller: Oppian. Ixeut. 3, 12. —σπάω, ῶ, zu- nach- anziehen; med. an- zu ſich ziehen, zu ſich hinziehen, ſich erwerben- verſchaffen, wohin ziehen, wozu bringen, wozu vermögen. Xen. Cyr. 5, 5, 10. γυναῖκα, ein Frauenzimmer reizen und zu verführen suchen: Apollodr. 1, 4. 1. ὅλην τὴν ἄμαξαν ἐπεσπάσω, Lucian. Pseudol. 32. scheint das lat. Sprüchwort zu seyn *plaustrum perculisti*, Plaut. Epid. 4, 2, 22.

Ἐπισπεῖν, S. ἕπομαι: ist s. v. a. ἐφέπειν. —σπείρω, fut. ερῶ, darauf- darinne- darnach- darzu oder nachsäen: darauf, daran streuen. —σπεισις, εώς, ἡ, das Daraufgiessen bey dem Opfer. —σπεισμα, ατος, τὸ, ἐκκεχυμένων βίων Plutar. 7 p. 375. wo ἐπὶ πεισμάτων steht, womit man das verschwendete Vermögen noch als mit einer Libation weihet.

Ἐπισπένδω, fut. σπείσω, ist. ἐπισπείδω, darauf giessen und so die Libation verrichten, oder das Opfer durch darauf gegossenen Wein weihen; med. hinterher oder noch ein Bündniss machen. Thucyd. —σπερχής, έος, ὁ, ἡ, Adverb. —χῶς, eilig, hastig: heftig: τρίχωμα ἐπ. Aristot. Physiogn. 6' 3. zw. —σπέρχω, antreiben, beschleunigen; eilig, hastig betreiben. —σπέσθαι, s. v. a. ἐφέπεσθαι. —σπεύδω, s. v. a. ἐπείγω, antreiben; neutr. hinzueilen. —σπλαγχνίζομαι, über einen, oder worüber sich erbarmen; zweif. —σπλήνος, ὁ, ἡ, (σπλὴν) an der Milz krank: Hippocr.

Ἐπίσπομαι, jon. st. ἐφέπομαι, Xen. Cyr. 4, 5. 52. S. ἕπομαι. —σπονδή, ἡ, ein späteres Bündniss: Thucyd. 5, 32. —σπορά, ἡ, (ἐπὶ, σπορὰ) das Nachsäen. —σπορία, ἡ, eben soviel —σπορος, ὁ, ἡ, τὰ ἐπίσπορα, heissen die Gemüssarten; *olera*, welche mehrmal im Jahre gesäet, nachgesäet werden; ἐπίσποροι, οἱ; Aeschyl. Eum. 676. die Nachkommen. —σπουδάζω, darzu antreiben; neutr. darzu eilen; zw. davon —σπουδαστής, οῦ, ὁ, Antreiber, Beschleuniger; zweif. —σπῶν, s. v. a. ἐφέπων.

Ἔπισσαι, αἱ, im Etymol. M. aus Hecataeus, s. v. a. αἱ ἐπιγινόμεναι, womit die Homer. μέτασσαι verglichen werden. Hesych. hat ἔπισσον, τὸ ὕστερον γενόμενον, u. ἔπισσα ὕστερον γενομένη, νεωτέρα. S. μέτασσαι. —σοφος, eine unbek. Magistratswürde: Inscr. mus. veron. p. 15. —συτος, ὁ, ἡ, d. i. ἐπισσευόμενος, eindringend, ein- auffallend. Eur. Hipp. 574. davon bey Hesych. ἐπισσυτέρη, ὁρμητικωτέρα. —σωτρον, S. ἐπίσωτρον.

Ἐπισταγμὸς, ὁ, (ἐπιστάζω) das Darauf- Darzu- Darübertraufeln; zw. —σταδὸν, Adv. Odyss. 13, 392 u. 18, 424. hinzutretend, hinzugehend; aber 16, 453 οἱ δ' ἄρα δόρπον ὁπλίζοντο ist es s. v. a. ἐφεξῆς, nach einander, in der Ordnung: Apollon. 1, 293 αἱ δὲ γυναῖκες γοάασκον ἐπισταδὸν, alle nach einander; aber derselbe sagt im 2. B. οὐκ ἔλληξαν ἐπ. οὐτάζοντες, wo es der Schol. d. ohne sich zu rühren erklärt; also von ἐφίσταμαι, die Bedeut. st. ἐπιστημόνως ist ohne Beyspiel. —στάζω, s. v. a. ἐπισταλάζω. —σταθμα, τὰ, Pollux 4, 173. Quartier, neutr. von ἐπίσταθμος. —σταθμεύω, (ἐπὶ, σταθμὸς) bey jemand einkehren, als Gast wohnen, παρθένῳ, bey einer Jungfer wohnen; οἰκίαι χαμαιτύπαις ἐπισταθμευόμεναι, worein man Huren einquartiert. Plutarch. Anton. 9. —σταθμία, ἡ, das Einkehren in ein Quartier, σταθμὸς; 2) die Verbindlichkeit ins Quartier zu nehmen, zu bewirthen. —σταθμος, ὁ, ἡ, der dem Quartiere vorstehet, Quartiermeister; auch von andern Vorgesetzten, συμποσίου, πόλεων, χώρας; s. v. a. σατράπης, δυνάστης; der einquartierte; Polyaen. 7, 40, 1. 2) was zum Gewichte zugelegt wird. —σταθμῶμαι, (στάθμη) erwägen, überlegen; zweif. —σταλάζω, oder ἐπισταλάω, darauf- darzu- darüber traufeln. —σταλμα, ατος, τὸ, (ἐπιστέλλω) das aufgetragene oder gemeldete: Auftrag, Commission; das zugeschickte; zweif. —σταλτικός, ἡ, όν, zum Auftrage, zum Ueberschicken, zum Briefschreiben gehörig oder geschickt; zw. —σταμαι, ich weiss, kenne, verstehe, bemerke. Man leitet es unrecht von ἐπὶ und ἵσημι, ἴσαμαι her: richtig leitet es der Ernestische Hederich von ἐπὶ und ἵσταμαι ab. Es ist nämlich die jonische Form st. ἐφίσταμαι bloss in dieser Bedeutung beybehalten worden und zwar bloss im medio. Denn im Activo sagen auch die Attiker ἐφίστημι νοῦν, διάνοιαν, γνώμην τινὶ, περὶ τινὸς, auch mit ausgelassenem Substant. ἐφιστάναι τινὶ, περὶ τινὸς, wie sonst ἐπέχειν νοῦν lat. *animum advertere*. Wie also Isocrates sagt ἐπιστὰς ἐπὶ τὰ Θησέως ἔργα des Theseus Handlungen betrachtend; so heisst ἐπίσταμαι statt ἐφίσταμαί τι, ich richte meine Seele, Gedanken, Aufmerksamkeit auf etwas, betrachte, überlege es, lerne, bemerke es, wie *animum advertere*, *animadvertere* aufmerken und bemerken bedeutet; fut. ἐπιστήσομαι, aor. ἠπιστήθην, ἐπιστηθεὶς. Für meinen, glauben; Herodot. 3, 140. bey Aeschyl. ἐπίστα st. ἐπίστασαι Eum. 584 und sonst.

Ἐπιστάμενος, wie ein Adject. *intelligens*, der versteht: erfahren: ἐπιστάμενοι πολέμοιο und ἐπιστάμενος μὲν ἄκοντι verst. βάλλειν, wie *sciens cithara* verst. *psallere, ludere*: ἐπισταμένως, Adv. geschickt, verständig. —σταξις, εως, ἡ, (ἐπιστάζω) das wiederholte Tröpfeln oder Bluten aus der Nase: Hippocr.

activo, das Tröpfeln darauf, darzu, darnach.

Ἐπιστασία, ἡ, f. v. a. ἐπίστασις, wie ἐλασία und ἔλασις: alſo bey Polyb. 2, 2. und 2, 40. zw. Aufmerkſamkeit: bey Plutar. Aufſicht, Kommando, Befehl, Amt eines Befehlshabers oder Aufſehers: Xen. Memorab. 1, 5. 2. —στάσιος, ὁ, ſo überſetzt Plutar. Rom. 17 den Jupiter Stator, der anhält, zum ſtehen bringt, alſo von ἐφίστημι. —στασις, εως, ἡ, vom activo das Anhalten, Stillen, Stopfen, als αἵματος, οὔρου; vom medio das Stillſtehn, Verweilen: Xen. Anab. 2, 4, 26. ἐν τῇ ἐπιστάσει καὶ τῷ ἀντενισμῷ bey Theophr. wenn man ſtill ſteht und gerade auf eine Sache ſiebt: εἰς ἐπίστασιν ἄγειν aufmerkſam machen: Polyb. eben ſo ἐπ. die Aufmerkſamkeit, Bemerkung, Betrachtung. —στατεία, ἡ, Aufſicht, Beſorgung, Befehl, Kommando; von —στατεύω, oder ἐπιστατέω, mit dem genit. ich habe die Aufſicht od. Beſorgung von etwas, ich bin Vorſteher, Kommandeur, Herr von Menſchen od. Ländern: τοῦ εἶναι, dafür ſorgen, daſs etwas ſey, werde: Cyropaed. 8, 1, 16, τοῖς μανθάνουσιν dabey ſtehen: Plutar.

Ἐπιστατὴρ, ῆρος, ὁ, f. v. a. d. folgd. auch ἀγορανόμος, Marktmeiſter; bey Heſych. welcher es auch d. στόμα νεὸς erklärt, und ἐπιστατῆρες d. οἱ τῶν πλοίων νομεῖς: alſo waren es die ſogenannten ἐγκοίλια. S. in νομεὺς und δρύοχος. Meibom las στῆμα für στόμα, und Heſych. hat στῆμα als einen Schiffbau-Terminus angemerkt, aber ohne Erklär. Auch hat er ἐπίστασις für einen Theil des Schiffs angemerkt. Vielleicht laſſen ſich am füglichſten die homeriſchen σταμῖνες für die ἐπιστατῆρες erklären. —στάτης, ου, ὁ, (ἐφίσταμαι) Vorſteher, Aufſeher, Vorgeſetzter, Regent: im Felde Feldherr; zu Athen einer von den πρυτάνεις, welcher einen Tag über die Direction der öffentlichen Angelegenheiten hatte: Lehrer: Odyſſ. 17, 455. der am Tiſche ſtehende Bettler; in der Schlachtordnung, der hinter einem andern ſtehende, ſ. v. a. ἐπιστήμων. Piſides bey Suidas; dav. —στατικὸς, ἡ, ὸν, Adv. —κῶς, zur Aufſicht od. dem Aufſeher gehörig: ihn od. ſie betreffend. —στάτις, ιδος, ἡ, fem. von ἐπιστάτης. —στατον, τὸ, inſcr. Sigea, die Baſis des Bechers; von ἐφίσταμαι. —σταχύω, bey Apollon. Rhod. ἴουλος ἐπισταχύεσκεν ſt. ἐπήνθει, keimte, hervor, brach hervor. S. ὑποσταχύω. —στείβω, darauf- oder zu- darzutreten oder ſtampfen: betreten, feſttreten: ἔργον, Orph. Argon. 941 antreten, angreifen, aggredi. —στείριος, ὁ, ἡ, auf der στεῖρα. Suidas. —στείχω, darzu- dahin- darübergehn. —στέλλω, hinſchicken, zuſchicken, durch einen Boten ſagen laſſen, beſtellen oder befehlen; durch einen Brief ſagen, melden, befehlen, auftragen; überh. auftragen, beſtellen, befehlen, melden, ſchreiben, φᾶρος ἐπιστείλασα κατωμαδὸν, an- oder über die Schulter ziehen und zuſammenziehen, einziehn, wie συστέλλω. —στενάζω, f. άξω, ἐπιστενάχω, und ἐπιστένω, darzu- darbey- darüber- darauf ſetzen. —στεφανόω, ῶ, f. v. a. στεφανόω: Pind. Oly. 9, 168. —στεφὴς, έος, ὁ, ἡ, bekränzt: m. d. genit. angefüllt bis an den Rand: Homer. —στέφω, f. ψω, bekränzen, umkränzen. —στηθίζομαι, f. ίσομαι, (στῆθος) ſich worauf mit der Bruſt ſtützen, bey den LXX. —στήθιος, ὁ, ἡ, (ἐπὶ στήθει) an- über- auf der Bruſt. —στηλόω, ῶ, f. ώσω, als Säule darauf ſetzen, mit einer Säule beſetzen. zw. —στημα, ατος, τὸ, (ἐφίστημι) was darauf geſtellt wird; der Grabſtein: Plato. —στήμη, ἡ, das Wiſſen: Wiſſenſchaft, Kenntniſs, Einſicht, Kunſt. —στημονικὸς, ἡ, ὸν, Adv. —κῶς, der Wiſſenſchaft eigen; zur W. gehörig. —στημόομαι, οῦμαι, ſ. v. a. ἐπίσταμαι u. συνίημι. zw. —στημος, ὁ, ἡ, bey Galen. Gloſſ. ſ. v. a. ἐπιστατικὸς, σύννους, ἐφεκτικὸς. zw. —στημοσύνη, ἡ, poet. ſ. v. a. ἐπιστήμη; v —στήμων, ονος, ὁ, ἡ, Adv. ἐπιστημόνως (ἐπίσταμαι) wiſſend; gelehrt, kundig: m. d. gen. geſchickt, verſtändig, einſichtsvoll. —στηρίζω, f. ίξω, ſ. v. a. ἐπερείδω, darauf ſtemmen- ſtützen- ſtellen: med. ſich worauf ſtemmen- ſtützen- lehnen. —στητικὸς, ἕξις-κὴ Clemens Strom. 2, 17. Fertigkeit im Wiſſen; v. ἐπίσταμαι. —στητὸς, ἡ, ὸν, was man wiſſen kann, weiſs: τὸ ἐπ. das Wiſſen, Wiſſenſchaft. —στίζω, f. ίξω, punktiren, mit Punkten, Flecken oben auf bezeichnen. —στίλβω, τὸ χρῶμα οἰνωπὸν ἐπ. Plutar. Lyſ. 28 es glänzt daran, darauf. —στιος, ὁ, ἡ, joniſch ſt. ἐφίστιος. 2) τὸ ἐπίστιον bey Herodot. 5. 72 eine Familie, Haus mit ſeinen Einwohnern. Odyſſ. ζ. 265 wird es durch νεώριον, ἐποίκιον erklärt; *navale, ſtatio, porticus* bey Vitruv 5, 12 und die dabey erwähnte ἀγορὴ iſt *emporium* des Vitruv.

Ἐπίστιχος, ὁ, ἡ, (στίχος) φυτεία, nach der Linie. Etym. M. —στοβέω, ῶ, ich verſpotte, höhne. S. στόμφος. —στοιβάζω, f. άσω, ich häufe darauf, lege darauf, zuſammen. S. στοιβάζω. —σταλάδην, Adv. (ἐπιστέλλω) Heſiod. Scut. 287 mit στέλλειν ſ. v. a. ἀνεσταλμένως, aufgeſchürzt, aufgegürtet. —στολεὺς, έως, ἡ, (ἐπιστολὴ) bey den Spätern ein Briefträger, Briefbote;

bey Xenoph. und andern der Unteradmiral einer Flotte: wie ἐπιστολιοφόρος.

Ἐπιστολή, ἡ, ein durch einen Boten oder Brief zugeschickter Befehl, Auftrag, Nachricht; überh. Befehl, Auftrag; gemeinigl. Brief. —στολιαφόρος, ὁ, s. v. a. ἐπιστολιοφόρος. —στολίζω, (στολή) bekleiden. zw. —στολικός, ἡ, όν, (ἐπιστολή) zum Briefe od. zum Briefschreiben gehörig. —στολιμαῖος, ὁ, ἡ, (ἐπιστολή) im Briefe enthalten, gegeben, stehend: schriftlich, wie κατηγορία: Dio Cass. —στόλιον, τὸ, dimin. v. ἐπιστολή. —στολιοφόρος, ὁ, ἡ, Briefträger; der Briefe oder Befehle überbringt: nach andern s. v. a. ἐπιστολεύς: Xen. Hellen. 6, 2, 25. —στολογραφικός, ἡ, όν, zum Briefschreiben dienlich oder gehörig: von —στολογράφος, ὁ, oder ἐπιστολιογρ. Polyb. 31, 3. Briefschreiber, Sekretair. —στομίζω, f. ίσω, (ἐπὶ, στόμα) mit dem Gebisse am Zaume ein Pferd bändigen: Philostr. Icon. 2, 18. daher metaph. einen zum Schweigen bringen, ihm das Maul stopfen, auch überh. hindern, abhalten. Lucian sagt von einem Läufer: ὅπως τὸν τρέχοντα ἐπισχὼν ἢ ἐμποδίσας ἐπιστομιεῖ: wo es Suidas κατασχεῖν erklärt. Bey Athenae. 4 p. 180 tadeln. Φορβιᾷ καὶ αὐλοῖς ἐπιστομίσας ἑαυτὸν, Plutarch. Q. S. 7, 8 rüstete seinen Mund mit der Binde u. der Flöte aus. —στόμιον, τὸ, u. ἐπιστόμισμα, ατος, τὸ, (ἐπιστομίζω v. ἐπὶ στόμα) Maulkorb; 2) womit man jemand zum schweigen bringt. 3) Hinderniss, was etwas auf oder abhält. ἐπιστόμισμα ἦν αὐτῶν μίσει Joseph. Auch ist ἐπιστόμιον das Gebiss am Zaume, wie auch der Hahn an einem Gefässe, wofür auch ἐπιτόνιον steht. —στοναχέω, ῶ, oder ἐπιστοναχίζω, s. v. a. ἐπιστενάζω, u. s. w. —στόρνυμι, zus. gez. aus ἐπιστορέννυμι s. v. a. ἐπιστρωννύω. —στρατεία, ἡ, u. ἐπιστράτευσις, ἡ, Feldzug gegen- wider einen. —στρατεύω, f. εύσω, gegen- wider einen in den Krieg oder zu Felde gehn: m. d. Dat. —στρατοπεδεία, ἡ, das dem feindlichen gegenüber aufgeschlagene Lager; von —στρατοπεδεύω, f. εύσω, dem Feinde gegenüber sich lagern oder sein Lager aufschlagen. —στραφής, ὁ, ἡ, s. v. a. ἐπιστρεφής. —στρεπτικός, ἡ, όν, was umkehren, umwenden, aufmerksam machen kann. S. ἐπιστρέφω. —στρεπτος, ὁ, ἡ, was auf sich, an sich ziehet, die Augen auf sich richtet, ἐπιστρέφω. Aeschyl. Choe. 348. —στρέφεια, ἡ, die Eigenschaft eines ἐπιστρεφής, Aufmerksamkeit, Sorgfalt, Genauigkeit, Klugheit. —στρεφέως u. ἐπιστρεφῶς Adv. (ἐπιστρεφής) sorgfältig, genau, aufmerksam, schlau, klug.

Ἐπιστρεφής, έος, ὁ, ἡ, **aufmerksam**, sorgfältig, genau, klug, vorsichtig, schlau, verständig, scharfsinnig. S. ἐπιστρέφω N. 5. δίαιτα, Herodian. 5, 2. dem ἀνειμένος weichlichen entgegen gesetzt: mit κόσμιος 7, 8 verbunden; für streng 7, 10. 2) umgekehrt, **gekrümmt**. —στρέφω, ich kehre, wende um; metaph. ich wende einen von seinem Irrthume ab, mache ihn aufmerksam, dass er in sich geht; ἐπιστρέφω τινα u. πάντων τὰς ὄψεις εἰς ἐμαυτὸν, ich mache, dass sich jemand umsieht, ich wende, ziehe aller Augen auf mich. 2) ich ziehe krümme zusammen, wie *converto*. 3) ἐπιστρέφομαι ich kehre wende mich um, sehe zurück; gehe zurück; kehre um; 4) ich kehre ein, wie *devertor*. εἰς ὁπόσας χώρας ἐπιστρέφεται, Xenoph. Oec. 4, 13. 5) ich wende mich um auf etwas zu merken, Acht zu geben, daher ich achte auf etwas, achte etwas, kehre mich an etwas; m. d. Genit. u. ἐπὶ. οὐδὲν ἐφροντίσατε οὐδ' ἐπεστράφητε ἐπ' οὐδενὶ τούτων. —στρεφῶς, Adv. S. ἐπιστρεφέως. —στρογγύλλω, Nicand. Ther. 514 etwas zurunden. —στρόγγυλος, ὁ, ἡ, zugerundet. —στροφάδην, Adv. (ἐπιστρέφω) bey Homer τύπτειν ἐπ. erklären einige für ἐπιστρεφῶς durch ἐνεργῶς, σπουδαίως: andre d. ἐπιστρεφόμενος, nach allen Seiten sich wendend und drehend. —στροφεύς, ὁ, nach Pollux 2, 131 der Umdreher des Halses, ein Halswirbel. —στροφή, ἡ, das Umkehren, Umwenden; Umdrehen, vom medio die Rückkehr; das Ende: Polyb. 22, 15. die Aufmerksamkeit, Acht, Obacht, Bemerkung; Bestrafung; Polyb. 4, 4. u. anderswo; der Ort des Aufenthalts, Wohnung: S. ἐπίστροφος. —στροφία, ἡ, Beyw. der Venus von ἐπιστρόφιος, ἐπιστρέφω, umkehrend, umlenkend: Pausan. —στροφίδες, αἱ, nach Eust. u. Hesych. zusammengedrehte Haare. —στροφος, ὁ, ἡ, Adv. ἐπιστρόφως, sich umwendend, wiederkehrend, als κέλευθος, Apollon. Rh. gekrümmt, ὅρμος Dionys. Perieg. 174. wofür Strabo θεατροειδής sagt: ἀνθρώπων, der sich an Menschen kehrte, mit ihnen umgieng: Odyss. 1, 77. auch s. v. a. ἐπιστρεφής; bey Aeschyl. Agam. 407 τὸν ἐπίστ. τῶνδε erklärt man *horum auctorem*: ich meine es heisse: der bey ihnen einkehrt, wohnt: τῶνδε auf das vorherg. πόλει bezogen. So braucht Aeschyl. Eum. 551 δωμάτων ἐπιστροφαὶ vergl. Aristoph. Ran. 1430. Hesych. hat aus Aeschylus ἐπιστροφαὶ d. δίαιται, διατριβαὶ erklärt. —στρωμα, ατος, τὸ, das darauf- darüber gelegte, gedeckte, gestreute: von —στρώννυμι, ἐπιστρωννύω, f. στρώσω, darzu- darauf- darüber legen- streuen- decken- werfen.

Ἐπιστρωφάω, ῶ, ſ. v. a. ἐπιστρέφω und ἐπιστρέφομαι: πόληας Odyſſ. 17, 486. gehn zu beſuchen. —στυγής, ὁ, ἡ, verhaſst, verabſcheut: Clemens Coh. p. 79. —στυγνάζω, f. άσω, worüber mürriſch oder betrübt ſeyn: Baſilius. —στύλιον, τὸ, der auf der Säule (στύλος) ruhende Balke, Bindebalken, *Architrave*. —στύφω, f. ψω, wie στύφω u. ἐνστύφω, anziehen, zuſammenziehen, von Speiſen; vom Gehöre, ἀκοὴν, eine unangenehme Empfindung machen, Dionyſ. hal. metaphoriſch ſtrafen, ſchelten. Alciphr. Ep. 1, 3 und Clemens Alex. —στωμύλλομαι κωμωδίαις, Syneſii Dion p. 62. ich wetteifre mit der Komödie im Spaſsmachen. —συγκροτέω, ῶ, d. i. συγκροτέω ἐπὶ. zw. —συκοφαντέω, ῶ, noch darzu verläumden oder chikaniren. Pollux 8, 31. —συλλέγω, f. ξω, darnach- darzu- dargegen ſammeln. —σύλληψις, ἡ, (ἐπισυλλαμβάνω) das nachherige, ſpätere oder zweyte Schwangerwerden, Ueberſchwängerung. —συμβαίνω, darzu- dabey- darnach ſich ereignen. —συμμαχία, ἡ, (συμμαχία) ein Bündniſs, wider einen gemeinſchaftlichen Feind geſchloſſen, offenſives Bündniſs. —συμπίπτω, darüber oder darauf zuſammenfallen, dazu oder zugleich mit vorfallen. —συνάγω, f. άξω, dabey- darnach- darzu- zuſammenführen oder bringen: verſammeln und wohin führen; dav. —συναγωγὴ, ἡ, das Verſammeln und Bringen an einen Ort, Zuſammenhinführen: das nachherige Sammeln oder Zuſammenbringen. —συναθροίζω, dem Sinne nach ſ. v. a. das vorh. zweif. —συναινέω, ῶ, ſ. v. a. συναινέω, genehmigen, gut heiſsen. Joſeph. Antiq. 5, 1, 16. —συνάπτω, darzu- daranfügen, damit verbinden.

Ἐπισύνδεσις, ἡ, Verbindung damit oder daran: Plutar. 9 p. 508. von — σύνδεσμος, ὁ, Verband daran od. damit: zw. —συνδέω, ῶ, daran- darauf- damit verbinden. —συνδίδωμι, ſt. ἐπιδίδωμι, wachſen, zunehmen; ſehr zweif. Plut. Aemil. 14 ἐπισυνδιδόντων ὁλκῇ καὶ φορᾷ τοῦ θλιβομένου πρὸς τὸ κενούμενον ῥευμάτων: wo es vielmehr, nachſchieſsen, ſich nachſenken bedeutet. —σύνειμι, dabey- darauf- darnach- zuſammenkommen. —συνέχω, noch oder daran zuſammenhalten: γυναῖκα, heyrathen: Esdrae lib. 1. —σύνθεσις, ἡ, das Zuſetzen, Zufügen. — σύνθετος, ὁ, ἡ, ſ. v. a. σύνθετος, Clemens Str. 5 p. 667. —συνθῆκαι, αἱ, Zuſatz zum Bündniſſe, zweytes Bündniſs, wie ἐπισπονδαὶ: Polyb. —συνίημι, ſ. v. a. συνίημι: und ſorgen, beſorgen; zweif. —συνίστημι, im med. ἐπισυνίσταμαι τινὶ ſ. v. a. ἐπανίσταμαι: ſich entgegenſtellen, einen Aufſtand machen; bey Dio Caſſ. daran, dabey ſich verſammeln: Plutar. 9 p. 543 daran entſtehn, darauf wachſen. Dioſcor. —συννέω, ῶ, darzu- dabey- daraufhäufen oder zuſammenlegen: Dio Caſſ. —συνοδοιπορέω, ſ. v. a. συνοδ. zw. —συνοικίζω, neue Koloniſten ausführen und hinbringen oder damit aubauen; zw. —συντάσσω, —άττω, f. άξω, noch- dazu- hernach- zuſammenſtellen, hinſetzen, anſetzen: zweif. —συντείνω, zuſammenziehen, noch mehr anſpannen, anſtrengen: Pollux 3, 121. —συντήκομαι, d. i. συντήκ. ἐπὶ. zweif. —συντίθημι, immer noch darzuſetzen. —συντρέχω, darzu- dahin- dabey- zuſammenlaufen. —σύομαι, darzu- dahin- daraufrennen, ſich ſtürzen- ſtürmen, anfallen. —συρίσσω, —ίττω, f. ξω, dabey- darzuziſchen oder pfeifen.

Ἐπισυρμα, ατος, τὸ, (ἐπισύρω) das nachgeſchleppte, der Schweif, Schwanz u. dergl. 2) die Furche Spur eines ſchleppenden Körpers, wie ὁλκὸς; 3) Fahrläſſigkeit. —συρμὸς, ὁ, (ἐπισύρω) das Nachſchleppen; 2) die Fahrläſſigkeit, Nachläſſigkeit, Leichtſinn in Handlungen, ἐπ. βλακείας: Clemens. —συῤῥέω, dahin zuſammenflieſsen. —σύρω, ich ziehe, ſchleppe einen nach, ἐπισύρομαι, ich ſchleppe einen nach mir, habe hinter mir gehend, folgend, wie ἐπάγομαι θεραπαίνας, ſchleppe Dienerinnen nach mir; γράμματα ἐπισεσυρμένα, in Eile geſchriebene, geſchleppte, gezogene Buchſtaben: τὸ ἐπισεσυρμένον τοῦ λόγου bey Cicero *oratio fuſa et tracta* und *tractus verborum*, von einer weitläufigen nicht zugerundeten und zuſammengedrängten (συνεστραμμένη) Periode. Metaph. wird ἐπισύρειν von einer flüchtigen, nachläſſigen Behandlung geſagt, wenn man etwas obenhin thut, etwas hinſchleudert; ἀπολογήσεσθαι ἐπισύροντα τὰ πράγματα καὶ διακλέπτοντα τῇ ἀπολογίᾳ τὴν κατηγορίαν, Lyſias; ἔτι τοίνυν ἴσως ἐπισύροντες ἐροῦσιν, Dem. Lept. 110, ſie werden Sachen und Beyſpiele anführen, ohne gehörige Unterſcheidung, um euch zu verwirren: μήτε ἐν ταῖς πράξεσιν ἐπισύρειν, d. i. nachläſſig, fahrläſſig ſeyn; davon ἐπισεσυρμένως, Adv. nachläſſig, fahrläſſig, ohne Sorgfalt, leichtſinnig: Polyb. 16, 20. ſetzt dem ἐπισεσυρμένον entgegen ἐπαινούμενον καὶ ζηλούμενον, alſo heiſst es da vernachläſſigen, nicht achten: τὴν γραφὴν ἐπισύρειν, Dionyſ. Antiq. 1, 7. wo falſch ἐποσύρειν ſteht.

Ἐπισύστασις, εως, ἡ, (ἐπισυνίσταμαι) f. v. a. ἐπανάστασις im N. T. —συστέλλω, dabey- darzu- darnach oder ferner zusammenziehen; zweif. —συστρέφω, f. v. a. συστρέφω, m. d. Bedeut. dabey- darzu - darnach - darwider. —σφαγεύς, έος, ὁ, oder vielmehr ἐπισφαγιεύς Pollux 2, 134 die Grube im Nacken. —σφαγιάζομαι, darzu- darnach- dabey opfern: zw. —σφάζω, drüber schlachten, opfern, darzu- darneben schlachten; bey Plut. Anton. 77 vollends schlachten, tödten.

Ἐπίσφαιρα, τὰ, S. σφαιρομαχία, no. 2. Polyb. 10, 21. —σφακελίζω, darauf- darnach- oder auf der Oberfläche brandicht werden, oder entzündet werden: Hippocr. —σφαλής, έος, ὁ, ἡ, Adv. —λῶς, zum Fallen geneigt oder dem Fallen ausgesetzt: also schlüpfrig, gefährlich, wankend, unsicher; von —σφάλλω, f. v. a. σφάλλω; zweif. davon —σφαλμα, ατος, τὸ, f. v. a. σφάλμα; zw. —σφατος, ὁ, ἡ, ft. ἐπίφατος. f. v. a. ἐπίῤῥητος, berüchtigt: Hesych. Etym. M. und Ammonius f. v. a. ὀλέθριος, von σφάζω, nach Eustath. Hesych. hat ἐπίφατος ὁ πρὸς εὐμορφίαν φαινόμενος, ἐπιθέτης: von ἐπιφαίνω, wovon bey Sophocl. Ant 841 ἐπίφαντον nach den Schol. f. v. a. ὁρωμένην καὶ ζῶσαν. —σφάττω, f. άξω, eine andere Form von ἐπισφάζω. —σφελίτης, ου, ὁ, (σφέλας) f. v. a. θρανίτης: Hesych. —σφηνος, ὁ, ἡ, (σφήν) keilförmig: Clemens Strom. 6 c. 18. wo falsch ἐπίσφινον steht. —σφίγγω, daran- darauf- darzubinden, anbinden. —σφοδρύνω Plut. Cleom. 10. ἐπ. καὶ ἀνατείνειν τὴν ἀρχὴν, strenge, mächtig machen; wo vorher ἐπιφαιδρύναντα stand. —σφραγίζω, ver- besiegeln: med. ich drücke mein Siegel darauf, besiegele und genehmige oder bestätige etwas. —σφραγιστής, οῦ, ὁ, (ἐπισφραγίζων) der be- oder versiegelt. —σφύριος, ὁ, ἡ, auch ἐπίσφυρος, ὁ, ἡ, was an- über- auf dem Knochel, σφῦρον ist, liegt. ἐπισφύριον, τὸ, ein Band, Schnur, Bedeckung um die Fersen. —σχάζω, f. L. bey Theophr. h. pl. 4. 13. st. ὑποχάσκω. —σχεδιάζω, τῷ καιρῷ Philostr. Soph. 1, 2. f. v. a. σχεδ. ἐπὶ τῷ καιρῷ, zufolge der Gelegenheit, Veranlassung extemporiren. —σχεδὸν, Adverb. nahe, beynahe, wie σχεδὸν; 2) Hymn. Apoll. 3. f. v. a. ἐπισχερῶ, nach der Reihe, hintereinander. —σχερῶ, Adv. S. σχερός. —σχεσία, ἡ, das Vorhalten, Vorgeben, Vorwand, μύθου: Odyss. 21, 21. f. v. a. d. folgd. —σχεσις, εως, ἡ, (ἐπέχω) das an- auf- zurückhalten, unterbrechen, hindern: Aufhaltung, Hindernifs: Odyss. 7, 431 erkl. es einige wie d. vorh. —σχετικὸς, ἡ, ὸν, an- zurückhaltend. —σχηματίζω, daran- darüber- darzu bilden, formen; zweif. —σχίδες, αἱ, (ἐπισχίζω) Vitruv. 10, 18 in den Einschnitt gefugte Keile, *cuneoli*. —σχίδιον, τὸ, dim. des vorh. zweif. —σχίζω, auf der Oberfläche spalten, einspalten.

Ἐπισχναίνω, f. v. a. ἰσχναίνω: Plutar. Q. S. 1, 6. trocken oder mager machen. —σχολάζομαι, Musse haben und wozu verwenden; zw. —σχυρίζω, verstarken; zw. in Plut. Oth. 16. steht jetzt richtiger ἀπισχυρίζομαι. —σχυρος, ὁ, f. v. a. ἐπίκουρος: Hesych. zw. —σχύω, starkmachen, verstärken: neutr. stark werden, stark seyn, können: Xen. Oecon. 2, 13. wo beyde Bedeutungen statt haben.

Ἐπισχω, f. v. a. ἐπέχω, ich halte an, auf, mäfsige; 2) ich halte vor, halte hin, reiche, z. B. die Brust: Il. 22, 83. den Wein oder Becher. Od. 16, 444. daher ἐπισχέσθαι vor sich halten, nehmen; ἐπισχόμενος ἐξέπιε, hielt den Becher vor den Mund und trank ihn aus: Plato. —σωματόω, ῶ, dem Körper zusetzen. Dioscor. 5. —σωμος, ὁ, ἡ, (σῶμα) bey Leibe, korpulent, dick, feist: Hippiatr. —σωρεύω, f. εύσω, zum Haufen legen od. setzen, anhäufen, aufhaufen. —σωτρον, τὸ, die auf das σῶτρον, hölzerne Rad, gefügte eiserne Bedeckung, oder der eiserne Beschlag der Rader, Schiene.

Ἐπιταγή, ἡ, (ἐπιτάσσω) Auftrag, Befehl, f. v. a. ἐπίταξις. —ταγμα, ατος, τὸ, (ἐπιτάσσω) das Befohlne, Befehl; Auflage, Bedingung; die hinterher gestellte oder nachkommende Armee, *corps de reserve*: Polyb. 5, 53. dav. —ταγματικὸς, ἡ, ὸν, zum ἐπίταγμα in den mancherley Bedeut. gehörig. —τακτήρ, ῆρος, ὁ, oder ἐπιτάκτης, ου, ὁ, der Befehler; davon —τακτικὸς, ἡ, ὸν, Adv. ἐπιτακτικῶς, befehlend, befehlerisch, gebieterisch: zum Befehlen gehorig oder geschickt. —τακτος, ὁ, ἡ, (ἐπιτάσσω) befohlen, geheifsen; 2) hinter andere gestellt; in der Schlacht die *triarii*: Thucyd. 6, 67. Reservecorps. —ταλαιπωρέω, ῶ, dabey, darnach, darzu arbeiten- dulden- leiden oder unglücklich seyn. —ταλάριος, ὁ, ἡ, (τάλαρος) Ἀφροδίτη: Plutar. 7 p. 280. *Venus calatina* der Römer. —ταμα, ατος, τὸ, (ἐπιτείνω) Spannung: Plutar. 7 p. 703. —τάνυω, eine andere Form von ἐπιτείνω.

Ἐπιτὰξ, Adv. Aratus Phaen. 380. f. v. a. ἐφεξῆς, in der Reihe, hinter einander: ὅστις τῆς ὁδοῦ ἡγήσεται σοι τὴν ἐπιτὰξ im Etym. M. st. τὴν σύντομον: Hesych. hat ἐπιτὰξ, und erklärt es auch ἐπ' ἀριστερά. —ταξις, εως, ἡ, f. v. a. ἐπιταγὴ, das Hinterherstellen, Befehlen.

Ἐπιτάραξις, ἡ, Trübung, ὀμμάτων: Verwirrung, Störung, Beunruhigung, Unterbrechung; von —ταράσσω, —άττω, verwirren, ſtören, beunruhigen, unterbrechen. —τάῤῥοθος, ὁ, ἡ, ſ. v. a. ἐπίῤῥοθος. —τασις, εως, ἡ, (ἐπιτείνω) Ausdehnung: Anſpannung, Anſtrengung, Verſtärkung: Zunahme, Vergröſserung: Heftigkeit, Hitze. —τάσσω, —άττω, f. ξω, nach, auf, hinter andern oder gegen andere ſtellen oder ordnen, τινὰ τινὶ; 2) mit d. dat. einem auflegen, auftragen: befehlen, anordnen. —τατικὸς, ἡ, ὸν, Adv. ἐπιτατικῶς, (ἐπιτείνω) anſpannend, anſtrengend, vermehrend, ſtärkend. —τάφιος, ὁ, ἡ, (τάφος) beym Grabe: zum Begräbniſſe gehörig: λόγος, μέλος, Trauer- od. Begräbniſsrede od. Lied. —ταχύνω, beſchleunigen, antreiben.

Ἐπίτεγξις, εως, ἡ, (ἐπιτέγγω) Benezzung, Befeuchtung, (eigentl. auf der Oberfläche) daher Erweichung; zw. —τεθειασμένως, Adv. part. praet. p. v. ἐπιθειάζω, in oder mit göttlicher Begeiſterung. —τείνω, ich ſpanne an, darauf, darüber; metaph. ich vermehre, ſtrenge an; auch neutr. ich vermehre, vergröſsere mich. ἐπιτείνεσθαι εἴς τι ſich um etwas bemühen: Diodor. 1, 37. Cyrop. 7. 5. 82. ἀπὸ τοῦ αὐτοῦ σίτου πλείω χρόνον ἐπιταθῆναι längere Zeit damit auskommen Xenoph. Lac. 2, 3. ἐπιτείνω τρέφειν ἄμεινον Hipparch. 1, 13 ich treibe an zur beſſern Ernährung. —τειχίζω, f. ίσω, ich errichte eine Mauer, Thurm, Feſtung (τεῖχος) auf der Grenze oder ſonſt wider feindliche Einfälle oder um daraus feindliche Einfälle zu thun; davon —τείχισμα, ατος, τὸ, was zu dieſer Abſicht erbauet wird; und —τειχισμὸς, ὁ, u. ἐπιτείχισις, ἡ, die Handlung des ἐπιτειχίζειν. —τεκμαίρομαι, ſ. v. a. τεκμαίρομαι; zw. —τεκνόω, ῶ, f. ώσω, nachzeugen: Joſeph. antiq. 6, 5, 6.

Ἐπιτελεία, ἡ, Polyaen. 6, 9, 3 verbindet es mit ἀρχῇ, Regiment, Aufſicht; wie οἱ ἐπὶ τέλει die Magiſtratsperſonen. —τελειόω, ſ. v. a. ἐπιτελεόω, ἐπιτελέω. zw. davon —τελείωσις, εως, ἡ, Vollendung, bey Heſych. αὔξησις. —τελεόω, ῶ, f. ώσω, ein ἐπιτελέωμα darbringen: d. i. nach dem Opfer noch opfern, wie προτέλεια, τὰ, das vor dem Opfer dargebrachte, *praecidanea hoſtia*, ſo ἐπιτελεώματα, die nachgebrachten Opfer *ſuccidaneae hoſtiae*: Harpocration. —τέλεσμα, τὸ, das vollendete: Pollux 6, 181. —τελεστικὸς, ἡ, ὸν, (ἐπιτελέω) zum vollenden gehörig, geſchickt, geneigt; zw. —τελέω, ῶ, vollenden, vollbringen, darbringen: die τέλη, Zölle, Abgaben abtragen: die τέλη, Feſte feyern: τὰ τοῦ γήρως Xen. mem. 4, 8, 8. die Laſten des Alters über ſich nehmen, ſie erdulden, ſo wie θάνατον, apol. 33. den Tod erdulden, ſterben, ἄθλους, Kämpfe beſtehen. Apolldr. 2, 4, 12. —τελέωμα, ατος, τὸ. S. in ἐπιτελεόω. —τελέως, Adv. zuletzt, endlich; zw. von —τελὴς, έος, ὁ, ἡ, (τέλος) beendiget, geendigt, vollendet; reif; mannbar; zu Ende oder in Erfüllung gehend oder gebracht. —τέλλω, f. ελῶ, an- auftragen, befehlen, einſchärfen, heiſſen; τῷ δ' ἐπὶ πάντ' ἐπέτελλε ἀνασσέμεν Il. 2, 643 ſ. v. a. ἐπιτέτραπτο. Il. 1, 25 ἐπὶ μῦθον ἔτελλεν iſt es hinzufügen. 2) als neutr. u. im Med. ſ. v. a. aufgehn, von Sonne und Geſtirnen jedoch nach der in ἐπιτολὴ angegebenen Beſtimmung. —τέμνω, f. εμῶ, be- einſchneiden, verſchneiden; hemmen, hindern, verhindern; abkürzen und zuſammenziehn; davon ἐπιτομή.

Ἐπίτεξ, εκος, ἡ, (τέκω, τίκτω) ſ. v. a. ἐπίτοκος, ὁ, ἡ, der Geburt nahe. —τερατεύομαι, f. εύσομαι, Wunder darzu machen oder fügen im erzählen: Pauſan. ſonſt προστερατ. bey Themiſtius. —τέρμιος, ὁ, ἡ, (τέρμα) bey- zu- auf der Grenze oder dem Ende. —τερπὴς, έος, ὁ, ἡ, Adv. ἐπιτερπῶς, ergötzend, erfreuend, angenehm; paſſ. dem Vergnügen ergeben: Plutar. Alcib. 23 mit χλιδανὸς u. ῥάθυμος verbunden. —τέρπω, f. ψω, damit- dabey ergötzen, erfreuen: med. ſich daran- damit ergötzen oder freuen. —τερσαίνω, übertrocknen, auf der Oberfläche trocknen; zweif. —τεταμένως, Adv. v. part. praet. paſſ. v. ἐπιτείνω, *intente*, angeſpannt, ſtark, heftig.

Ἐπιτέταρτος, ὁ, ἡ. S. ἐπίτριτος. —τετηδευμένως, Adv. v. part. praet. paſſ. v. ἐπιτηδεύω, mit Fleiſs, genau. —τετμημένως, v. part. praet. paſſ. v. ἐπιτέμνω, zuſammengezogen, abgekürzt. —τευγμα, ατος, τὸ, (ἐπιτυγχάνω- τεύχω) das Erreichte, das Erlangte; das geglückte: ἐπιτ. χειρόκμητον Dius Stobae. Serm. 159 ein durch Menſchenhand verfertigtes Bild oder Gegenſtand. —τευκτικὸς, ἡ, ὸν, zum treffen, erreichen ſeiner Abſicht gemacht, bequem, geſchickt: der gewöhnlich trifft, erreicht: m. d. genit. —τευξις, εως, ἡ, das Treffen, Erreichen, Erlangen; davon —τεχνάω, vorz. med. ἐπιτεχνάομαι ich brauche darzu, dazu Kunſt, Erfindung, ich erfinde noch, von neuem, oder ich erfinde, brauche Kunſt, Liſt gegen jemand, τεχνάω; davon —τέχνησις, εως, ἡ, neue, wiederholte, hinzugeſetzte Erfindung, Kunſt, Liſt, oder wider jemand; auch das Künſteln an einer Sache: Dion. hal. Iſaeus c. 3.

Ἐπιτεχνητός, ὁ, ἡ, durch neue oder wiederholte Kunst, Erfindung hervorgebracht, auch f. v. a. τεχνητός. —τεχνολογέω, ῶ, darzu, darbey noch die Regeln der Kunst erklären. —τήδειος, ὁ, ἡ, auch ἐπιτηδεία, (ἐπιτηδής) geschickt bequem, brauchbar, nützlich zu einer Absicht. τὰ ἐπιτήδεια was man zum Leben braucht, Lebensmittel; 2) ein Verwandter, Freund, Schüler. Adv. ἐπιτηδείως. —τηδειότης, ἡ, die Geschicklichkeit, Bequemlichkeit, Brauchbarkeit, Nützlichkeit worzu, Gelegenheit; nützliche Dinge: Polyb. 2, 23. 2) Verwandtschaft, Freundschaft, Bekanntschaft. —τηδειόω, ich mache bequem, geschickt, ἐπιτήδειος Jamblich. Pythag. §. 225. —τήδευμα, ατος, τὸ, (ἐπιτηδεύω) was man mit Fleiss treibt, Beschäftigung, Gewerbe, Lebensart; ganz das lat. *studium*. —τήδευσις, ἡ, das Betreiben eines Geschäftes, Gewerbes; eine gewisse Einrichtung der Lebensart, Sitten, Gebräuche: νενομισμένη ἐς τὸ θεῖον ἐπιτήδευσις Thucyd. 7, 86 was er 76 sagt: πολλὰ ἐς θεοὺς νόμιμα δεδιῄτημαι, eine regelmässige Ehrfurcht und frommes Betragen gegen die Götter. —τηδευτής, οῦ, ὁ, d. i. —τηδεύων: zw. —τηδευτός, ἡ, ὸν, genau oder mit Fleiss gemacht oder getrieben: gesucht, und dem natürlichen entgegengesetzt, also fremd; von —τηδεύω, f. εύσω, ich mache, betreibe, verrichte mit Fleiss, Sorgfalt und genau; überhaupt ich treibe- übe- führe eine Lebensart, Kunst, Handwerk, auch m. folgd. infinit. wie *studeo*, sich bemühen; 2) von der Bed. des sorgfältigen kommt die von übertriebener Sorgfalt, Putz, Ausschmückung, und also f. v. a. durch übertriebne Sorgfalt, Fleiss, Politur, durch Kunst und fremde Farben, Zusätze entstellen, verstellen, schminken, vorstellen, nachäffen, erkünsteln. —τηδέως, Adverb. v. ἐπιτηδής. —τήθη, ἡ, Urgrossmutter, wie *abavia* und ἐπίπαππος. —τηδής, ὁ, ἡ, Iliad. ἐπιτηδὲς ἀγείρομεν st. ἐπιτηδεῖς f. v. a. ἐπιτηδείους, Gewöhnl. ist ἐπίτηδες und ἐξεπίτηδες mit Fleiss, Absicht, Vorbedacht: Eurip. Iph. Aul. 476. καὶ μὴ ἐπιτηδὲς μηδὲν, ἀλλ' ὅσον φρονῶ, nichts verstelltes, falsches. —τηκτος, ὁ, ἡ, (ἐπιτήκω) Meleag. Epigr. 62. ἰδ' ὡς ἐπίτηκτα φιλοῦσα ἦλως, wo es so viel als das folgd. πλαστὸς, verstellt ist. Aber die gemeinen Ausg. haben richtiger ἐπίκτητα, so wie auch bey Cicero Attic. 7, 1. —τήκω, ich schmelze, giesse geschmolzen darauf: Herodot. 7, 239. —τηλὶς μήκων, Nicand. Ther. 852. der Schoten (*siliquas*) wie τῆλις, ἡ, Bockshorn hat. —τηρέω, ῶ, ich beobachte; bemerke bey einer Sache, Handlung; davon —τήρησις, ἡ, Beobachtung, Achthaben: ferner Ἐπιτηρητής, ὁ, Beobachter, Aufseher; und —τηρητικὸς, geschickt zum beobachten, aufpassen. —τιθέω und ἐπιτίθημι, fut. ἐπιθήσω ich setze hinauf; setze hinzu; 2) ich lege auf, φορτίον, eine Last, ζημίαν, eine Geldstrafe, Strafe; 3) ich trage auf, gebe den Befehl. 4) Medium ἐπιτίθεμαι wie *aggredior* ich greife, fange etwas an, unternehme es; 5) ich greife, falle einen feindlich an; auch ich stelle einem nach, wie ein Feind im Kriege: Herodot. 8, 27. τοὺς ἀρίστους νυκτὸς ἐπεθήκατο τοῖσι Θεσσαλοῖσι, liess durch die besten Soldaten die Thessalier des Nachts angreifen. —τίκτω, ich gebäre nach, m. d. Dat. noch mehrere. —τιλάω, ich verunreinige mich darauf. S. τιλάω. —τιμάω, ῶ, ich erhöhe den Preiss, übersetze im Preisse, οὔτε ὁ νομεὺς ἐπιτιμῶν ζημιώσει, Aelian. v. h. 10 K. 50. ὁ σῖτος ἐπιτιμᾶται, der Waitzen steigt im Preisse; 2) m. d. Dat. einem Vorwürfe machen, schelten, mit ihm unzufrieden seyn, auch von Sachen: δημοσίᾳ πάντας ὑμᾶς τοῖς πεπραγμένοις ἐκ τῆς εἰρήνης ἐπιτιμᾶν, Demosth. p. 381. οὐ τοῦτ' ἐπιτιμῶ, ich mache euch deswegen keinen Vorwurf. 502. 3) ich räche, daher ἐπιτιμήτωρ der Rächer. 4) f. v. a. προστιμᾶν, wenn die Richter die Strafe des Schuldigen nach ihrer Schätzung erkennen: τῶν ἐπιγεγραμμένων ἐπετίμησαν Demosth. Daher ἐπιτίμιον, τὸ, die Geldstrafe. Bey Herodot. 6, 39 erklären einige die jonische ἐπιτιμέων st. ἐπιτιμάων durch ehrend, andere durch rächend, so wie ἐπιτίμια bey Sophocl. Electr. 917 einige durch τὰ ἐπὶ τιμῇ γιγνόμενα erklaren. —τίμημα, ατος, το, (ἐπιτιμάω) das Vorgeworfene, vorgeworfenes Verbrechen, Vergehen, Tadel, Vorwurf: Strafe, —τίμησις, εως, ἡ, das strafen, rächen: tadeln, vorwerfen: auch f. v. a. d. vorh. σίτου, Theurung: Appian. Civil. 4, 117. —τιμητήρ, und ἐπιτιμητής, ὁ, Oppian. Hal. 1, 682, Strafer, Bestrafer mit Worten oder That; Rächer, Beystand, wie ἐπιτιμήτωρ ἱκετάων ξένων τε, bey Homer. —τιμητικός, ἡ, ὸν, Adv. ἐπιτιμητικῶς, zum strafen, bestrafen, schelten, tadeln gehörig oder geneigt. —τιμήτωρ, ορος, ὁ, f. v. a. ἐπιτιμητήρ. —τιμία, ἡ, f. v. a. ἐπιτίμησις. 2) der Stand eines ἐπίτιμος, Bürgers, der alle Rechte geniesst, der ἀτιμία entgegengesetzt: Demosth. p. 549. —τίμιος, ὁ, ἡ, was zu Ehren geschieht, ist. S. ἐπιτιμάω no. 4. 2) τὸ ἐπιτίμιον, die von den Richtern geschätzte und bestimmte Strafe, vorz. an Geld. S. ἐπιτιμάω no.

4. daher überh. Gleiches gegen Gleiches, Vergeltung, Eur. Hec. 1086.

Ἐπίτιμος, ὁ, ἡ, in Ehren, geehrt. 2) ein Bürger der alle Rechte und Vorzüge eines ſolchen genieſst, im Gegenſ. v. ἄτιμος, der ſolche verlohren hat, Adv. ἐπιτίμως. Auch χρήματα ἐπίτιμα, das unverſehrte Vermögen eines Bürgers, der wegen eines zufälligen Mords geflohen iſt: Demoſth. p. 634. —τίτθιος, ὁ, ἡ. und ἐπίτιτθος, ὁ, ἡ, παῖς u. dergl. *ſubrumus*, der noch an der Bruſt τίτθη liegt, ſaugt. —τλάω u. ἐπίτλημι, ſ. v. a. τλῆμι, τλάω, ich ertrage, erdulde. —τμήγω, und ἐπιτμήσσω, ſ. v. a. ἐπιτέμνω. —τοκος, ὁ, ἡ, (τόκος) γυνή, eine Frau die gebären, in Wochen kommen ſoll; 2) ἀργύριον ἐπίτοκον Geld das auf Zinſen ſteht. —τολή, ἡ, (ἐπιτέλλω) Aufgang eines Sterns zugleich mit der Sonne oder nach Untergang der Sonne. —τολμάω, f. ήσω, τῇ θαλάττῃ, wider das Meer Herz faſſen, wie *contemnere mare*, und ſich drauf wagen. 2) σοὶ δ' ἐπιτολμάτω κραδίη καὶ θυμὸς ἀκουὴν faſſe du bey dem Geſange nur Herz: vergl. 17, 238. —τομή, ἡ, (ἐπιτέμνω) das abſchneiden, einſchneiden, τῆς κεφαλῆς, Lyſias: beſchneiden: verkürzen; zuſammengezogenes Werk; Auszug, u. dergl. —τομος, ὁ, ἡ, (ἐπιτέμνω) abgeſchnitten, verkürzt, abgekürzt; zuſammengezogen. ἐπίτομα ξύλα, kurzes Holz, welches gleich ſo aus dem Baume geſchnitten und vom Zimmermanne verbraucht wird: Theophr. H. P. 5, 2. —τόνιον, τὸ, (ἐπὶ, τόνος) ein Griff an einem Inſtrumente, um damit zu drehen, winden, ſchrauben, anzuſpannen: Mathem. veter. p. 110. ἡ συντροφία τῆς εὐνοίας ἐπιτ. Plutarch. Educ. ſpannt an, vermehrt die Zuneigung. —τονος, ὁ, verſt. ἱμὰς, ein Strick, Seil, Tau, womit etwas angeſpannt wird, ἐπιτείνεται; im Bette die Stricke, worauf die Bettkiſſen und Decken liegen: Ariſt. Lyſ. 922. —τοξάζομαι, f. άσομαι, oder ἐπιτοξεύω m. d. dat. darnach mit Pfeilen ſchieſsen. —τοξὶς, ίδος, ἡ, der Einſchnitt oder Hölung an der Wurfmaſchine, worinne der Pfeil liegt: Vitruv. 10, 15. —τοπίζω, an dem Orte ſeyn oder wohnen: Suidas. oppoſ. ἐκτοπίζω. Suid. κατοικίζω. —τοπλέον, ἐπιτοπολὺ, ἐπιτοπλεῖστον, ἐπιτόπληθος, eigentl. ἐπὶ τὸ πλέον oder πολὺ, oder πλεῖστον, πλῆθος mehrentheils: ἐπιτοπολὺ oder ἐπιτόπληθος überhaupt, im allgemeinen: ἐπιτόπλειστον meiſtentheils. —τόσσαις und ἐπέτοσσε, bey Pindar. Pyth. 4 und 10. desgl. das ſimplex Pyth. 3. 48 τόσσαις die ſ. v. a. ἐπιτυχὼν, ἐπέτυχε, τυχὼν von einem jetzt unbekannten Stammworte. —τραγέαι, S. ἐπιτραγίαι.

Ἐπιτραγηματίζω, bey Julian. Epiſt. 24 ἰσχάδας ἐπιτραγηματίζεσθαι als Nachtiſch ἐπιτράγημα aufgetragen werden. —τραγίαι, οἱ, (ἐπὶ, τράγος) Fiſche, die niemals Rogen haben, noch zeugen, und dabey fett ſind; franz. *brehuignes*, *bréhans*. S. τράγος, τραγᾶν. —τράγιος, ἀφροδίτη, ein Beyname der Venus, von einer in einen Bock verwandelten Ziege: (τράγος) Plutar. Theſ. 17. wo aber ἐπιτραγία ſteht. —τραγος, ὁ, ein Fehler des Weinſtocks, der ihn unfruchtbar macht; daher, wenn er ins Laub und unnütze Triebe (*pampinos*) ſchieſst und nicht trägt; 1) ſ. v. a. ἐπιφυλλίδες, unnütze Blätter. Triebe, *pampini*; 2) der Brand, wenn die Knoſpen verſengt werden und nicht tragen, ſonſt θυμάλωπες. S τραγᾶν. —τραγῳδέω, ῶ, auf eine tragiſche oder übertriebene Art hinzuſetzen. —τραπεζίδιος, ὁ, ἡ, oder ἐπιτραπέζιος, ὁ, ἡ, auf- an- bey dem Tiſche: zum Tiſche gehörig. —τραπεζώματα, τὰ, die aufgetafelten Speiſen; von ἐπιτραπεζόω: Athenae. 14 p. 641. S. τραπεζόω. —τραχήλιος, ὁ, ἡ, (ἐπὶ τραχήλῳ) auf- an- dem Halſe: zum Halſe gehörig. —τραχύνω, auf der Oberfläche rauh machen; zweif. —τρεπτικὸς, zum überlaſſen, nachgeben geneigt: Ariſtides 2 p. 310. von —τρέπω, f. ψω, ich wende zu; überlaſſe; vertraue an; 2) erlauben, zulaſſen; 3) befehle, treibe an. med. σοὶ δ' ἐμὰ κήδεα θυμὸς ἐπετράπετο εἰρέσθαι, Odyſſ. 9, 12 dein Sinn hat ſich dahin geneigt, du willſt. mit verſt. ἑαυτὸν, ὀργῇ ἐπιτρέψας, ſich dem Zorne überlaſſend, im Zorne: Dionyſ. Ant. 7, 45. τοῖς ὅρκοις ἐπιτρέψαντες, im Vertrauen auf den Eid, 7, 40 und öfterer. —τρέφω, drüber- darzu nähren, füttern, wachſen laſſen, erhalten. ἐπιτεθραμμένης νεότητος ἱκανῆς, Dionyſ. Ant. 3, 59 da hinlängliche junge Mannſchaft nachgewachſen war. —τρέχω, darzu- dahin- darnach- dargegen laufen; überlaufen: λόγῳ τὶ, Xen. Oecon. 15, 1, 6 ſchnell, kurz abhandeln, durchlaufen. —τρίβω, f. ψω, bereiben, abreiben, zerreiben: aufreiben, zerſtören. Bey Appian anreizen, aufwiegeln: τὴν νόσον ἐπιτρίβειν, vermehren, verlängern: Appian. —τριηραρχέω, ῶ, über die Zeit τριήραρχος ſeyn; davon —τριηράρχημα, ατος, τὸ, die über die geſetzmäſsige Zeit behaltene Führung und Unterhaltung eines Kriegsſchiffes. —τριμμα, ατος, τὸ, (ἐπιτρίβω) das daran- darauf geriebene; ἐρώτων ἐπ. Nicetas Ann. 17, 4. wie περίτριμμα in der Liebe ſehr erfahren und liſtig. —τριπτος, ὁ, ἡ, (ἐπιτρίβω) abgerieben, berieben: zerrieben; werth aufgerieben zu werden; verwünſcht, verflucht: Ariſtoph. u. Soph. Ajac. 103.

Ἐπιτρὶς, Adv. dreymal. —τριτος, ὁ, ἡ, im Rechnen beym Addiren heiſst das Verhältniſs ἐπιμόριος λόγος, wo die gröſſere Zahl eine kleinere einmal und einen Theil von ihr enthält; ſo ἐφημιόλιος 3 von 2 *ſequialtera ratio*; ſo heiſst das Verhältniſs von 4 zu 3 ἐπίτριτος, weil 4 einmal 3 und einen Drittheil enthalt; ſo 5 zu 4 ἐπιτέταρτος. Eben ſo ἐπίπεμπτος, ἐφεκτος, ἐφέβδομος, ἐπόγδοος u. ſ. w. Dieſe Verhältniſſe werden auch in der Muſik von den Intervallen der Töne und vom Zinsfuſse gebräucht. So heiſst δάνεισμα ἐπόγδοον und τόκος ἐπόγδοος, wenn man zu dem Kapital vom Schuldner noch den achten Theil des Kapitals bekommt, alſo von 4 Drachmen, welche 24 Obolen machen, drey Obolen: u. ſ. w. —τριψις, ἡ, das Abreiben: Zerreiben: Zerſtören, Vertilgen, Aufreiben. —τρομος, ὁ, ἡ, (τρόμος, ἐπὶ) erſchrocken, zitternd. zw. —τροπάδην, Adv. verſtellt: Heſych. welcher es auch durch eilig erklart, wo es wahrſch. für ἐπιτροχάδην ſteht. —τροπαῖος, αία, αῖον, (ἐπιτροπὴ) überlaſſen, übergeben, anvertraut: vorz. vom Vormunde: ἀρχὴν ἐπιτροπαίαν ἔχειν, die Regierung als Vormund verwalten. —τροπάω, ῶ, ſ. v. a. ἐπιτρέπω. —τροπεία, ἡ, u. ἐπιτρόπευσις, ἡ, anvertraute Aufſicht, Verwaltung; Regentſchaft, Vormundſchaft; davon —τροπευτικὸς, ἡ, ὸν, zur Verwaltung, Aufſicht, Vormundſchaft gehörig oder geſchickt. —τροπεύω, f. εύσω, ich bin ἐπίτροπος, Aufſeher, Statthalter, Vormund, Beſorger, Verwalter von einer Perſon, Sache, Stadt, Provinz, oft m. d. genit. Herodot. 7, 62. —τροπὴ, ἡ, (ἐπιτρέπω) die anvertraute Gewalt, Macht, Auſehen eines Schiedsrichters, Vormundes, Verwalters, Aufſehers, Statthalters; 2) die lat. *deditio in fidem* wenn man ſich dem Sieger auf Gnade und Diſcretion ergiebt; auch Vollmacht: Diodor. 17, 47. —τροπία, ἡ, ſ. v. a. ἐπιτροπεία. —τροπικὸς, ὁ, ἡ, was zum ἐπίτροπος gehort, vorz. zum Vormund, νόμος, Geſetz wegen der Vormundſchaften. —τροπος, ὁ, ἡ, einer, dem man die Sorge, Aufſicht, Verwaltung von einer Sache, Perſon, Stadt, Provinz aufgetragen, überlaſſen (ἐπιτρέπω) hat, alſo Aufſeher, Statthalter, Vormund und dergl. —τροφὴ, ἡ, nachkommende Nahrung od. Wachsthum. zweif. —τροχάδην, Adv. (ἐπιτροχάω) darüber hinlaufend, eilig: obenhin, kurz. —τροχάζω, darüberhin oder weglaufen; davon —τρόχαλος, ὁ, ἡ, rund, abſchüſſig, glatt oder ſchlüpfrig, worüber man wegläuft: Dionyſ. halic. verb. es mit καταφερής. —τροχασμὸς, ὁ, das darüber hin oder weglaufen: das eilige Berühren mehrerer Gegenſtände oder Sachen. —τροχος, ὁ, ἡ, Adv. ἐπιτρόχως, ſ. v. a. ἐπιτρόχαλος, daher volubil, ſchnell, eilig. —τρύζω, f. ύσω, bey Heſych. zumurmeln, ἐπιγογγύζω. —τρώγω, dazu eſſen. —τυγχάνω, ich treffe, ſtoſse auf einen, τινὶ, ich treffe an; 2) ich treffe das Ziel, σκοποῦ; daher ich erreiche, erhalte, bekomme von ohngefähr, *nanciſcor*; auch ohne Caſus ich bin glücklich in einer Unternehmung; ἐπιτυγχάνεται, ἐπιτέτευκται ἡ πράξις, die Handlung iſt glücklich gerathen, λόγος, die Rede iſt glücklich, gut ausgeführt; davon ἐπίτευγμα und ἐπιτυχής: Anton. Liber. 41 ὅτι αὐτῷ μὲν οὐδὲν ἐπετύγχανε τῶν πρὸς τὴν θήραν. Derſelbe ſagt 39 ἀρκεφῶντι δ' ἀποτυγχανομένῳ πρὸς τὸν γάμον πολὺ χαλεπώτερος ἦν ὁ ἔρως — ἐπεὶ δὲ αὐτῷ πρὸς τὸ ἔργον οὐδὲν ἐτυγχάνετο, wo es zuletzt ἐπετυγχάνετο heiſſen muſs und viell. αὐτῷ τῶν πρὸς τ. ε. vorher aber ἀποτυγχάνοντι τῶν πρ. τ. γ. —τυμβίδιος, und ἐπιτύμβιος, ὁ, ἡ, (τύμβος) auf dem Grabe: zu dem Grabe gehörig; κορύδαλοι ἐπιτυμβίδιοι, die das Grab auf ihrem Kopfe haben und den Grabhügel d. i. die Kuppe; nach einer Fabel.

Ἐπίτυρον, τὸ, bey Cato 112 cap. ein Eſſen von gebrochenen Oliven u. eingemacht; auch eine Olivenart ſcheint ἐπίτυρις oder πίτυρις davon zu heiſſen. —τυφλόω, ῶ, f. ώσω, blind machen: Plutar. 6 p. 345. —τυφόω, ῶ, f. ώσω, ſ. v. a. τυφόω: bey Suidas u. Heſych. ſ. v. a. ἐπικαίω und das folgd. —τύφω, f. θύψω, ich entflamme, entzünde. S. τύφω. —τυχὴς, έος, ὁ, ἡ, (ἐπιτυγχάνω) Adv. —χῶς, der das Ziel trifft: ſeinen Zweck, Abſicht, Wunſch erreicht, erlangt hat: glücklich; dav. —τυχία, ἡ, ſ. v. a. ἐπίτευξις, Erreichung des Zwecks, glücklicher Fortgang, Glück. —τωθάζω, f. άσω, (τωθάζω) verſpotten, verlachen, m. d. dat. u. acc. davon —τωθασμὸς, ὁ, Verſpottung. —φαγεῖν, aor. 2. dazu eſſen, darnach eſſen. —φαιδρύνω, f. υνῶ, erheitern: helle, glänzend, heiter machen, oder reinigen, waſchen. zw. —φαίνω, dabey- darüber- darzu- darnach- darwider ſehn oder ſcheinen laſſen, zeigen, weiſen: von auſsen oder oben auf zeigen oder ſehn laſſen: medium dabey- darüber- darzu- darnach- darwider ſich zeigen oder ſehn laſſen, kommen, gehn, erſcheinen, glänzen, leuchten, aufgehn: τὰ ἐπιφαινόμενα, die hinzu kommenden Umſtände oder Zufälle. Hippocr.

Ἐπιφάνεια, ἡ, (ἐπιφαίνομαι) die Erscheinung vorz. die unvermuthete Ankunft oder Gegenwart eines Gottes, Menschen, um zu helfen und dergl. 2) die äussere Seite einer Sache, die Oberfläche: das äussere Ansehn einer Sache, Person, Polyb. 26, 5. Handlung, der Schein; metaph. auch die Würde, das Ansehn, die Ehre, Ruhm, Glanz, vorzügliches Ansehn und Macht: Diodor. 19, 1. 3) das Aufsehn, was eine unvermuthete Sache macht: τὸ μέγεθος τῶν δικῶν ἐπιφάνειάν τινα ἐποίησεν, Isaeus 167. Angesicht, die Fronte: Polyb. 3, 116. von —φανής, έος, ὁ, ἡ, Adv. —νῶς, (ἐπιφαίνω) sichtbar, deutlich, ausgezeichnet, vorzüglich: berühmt: angesehn. —φανία, ἡ, s. v. a. ἐπιφάνεια, und τὰ ἐπιφάνια, das Fest der Erscheinung, *Epiphaniae.* —φαντος, ὁ, ἡ, (ἐπιφαίνω) sichtbar. S. ἐπίσφατος. —φαρμακεύω, f. εύσω, s. v. a. φαρμ. mit der Bedeut. von darzu, dabey, darnach. zweif. —φαρμάττω, aus Achilles Tat. p. 263. noch einmal φαρμάττειν.

Ἐπίφασις, ἡ, s. v. a. ἐπιφάνεια, Erscheinung, äusseres Ansehn, Mine: Polyb. 26, 5. 2) Bezeigung, Beweis: Polyb. 4, 11. und sonst. —φάσκω, s. v. a. ἐπίφημι. zweif. —φατνίδιος, ἐπιφάτνιος, bey - zu - über der Krippe, φάτνη. —φατος, ὁ, ἡ, S. ἐπίσφατος, berüchtiget. —φαύσκω, s. v. a. ἐπιφώσκω, erscheinen und leuchten, aufgehn: Hesych. die Form ἐπιφαύω von ἐπιφάω, erscheinen, kommt im N. T. vor. —φέρβω, und med. s. v. a. ἐπινέμω und medium: Clemens Alex. — φέρω, fut. ἐποίσω, aor. 1. ἐπήνεγκα, darauf - darüber - darzu - dahin - darnach - darwider tragen oder bringen; 2) s. v. a. ἐπιτιμάω, vorwerfen, Schuld geben: Xenoph. Mem. 1, 2, 31. πόλεμον, *inferre bellum*, mit Krieg einen überziehn: Vectig. 4, 41. auflegen, aufbürden, zuschreiben: αἰτίαν, διαβολὴν, συμφορὰν, ὀνομασίαν, ὀνειδος; hineinhinan - darauf bringen: τάφῳ χοὰς, θανάτους ἀνθρώποις, zuführen, darunter oder darüber bringen: med. mit sich, bey sich führen, hinter oder nach sich gehn haben: ὕδωρ ἐπιφερόμενος, mit sich führend: Strabo 3 p. 368. S. μηδὲν ὅπλον ἀρήιον ἐπιφερόμενος Plutar. 1 p. 33. τινὶ ἐπιφέρεσθαι, gegen - wider - einen gehn, auf einen losgehn, anfallen, angreifen: ὅταν θάλαττα μεγάλη ἐπιφέρηται, wann das stürmende Meer auf das Schiff tobt: Xen. Anab. 5, 8. 20. οἱ ἐπιφερόμενοι, sind auch die nachkommenden. — φημητὴρ, ὁ, bey Hesych. s. v. a. ὁ ἐπιφημίζων und ἐπιφημῶν. —φημι, bey Eur. Iph. Aul. 130. ἐπέφησα, wofür andre ἐπεφήμισα lesen, zusagen, geloben, versprechen: Plutar. 9 p. 266. für genehmigen. —φημίζω, und ἐπιφημίζεσθαι, (φήμη) heisst einem reisenden, oder einem der etwas anfängt, vorträgt u. s. w. zurufen, und zwar Worte von irgend einer Bedeutung, Ahndung der Zukunft, φήμη, also einem Flüche und gute Wünsche zurufen, also ihm Beyfall oder Missfallen dadurch andeuten. So Herodot. 3, 124. davon solche Zurufungen ἐπιφήμισμα; 2) δαίμονάς τινας καὶ θεοὺς τοῖς προγόνοις ἐπιφημίζοντες Plutar. ἅπασι τοῖς μεγάλοις ἐπιφημίζειν τὸ δαιμόνιον, Derselbe; ὄρη ἀνέθεσαν καὶ ὄρνεα καθιέρωσαν καὶ τὰ φυτὰ ἐπεφήμισαν ἑκάστῳ, Lucian. Hier erklärt man es durch zuschreiben, aber dabey ist der Nebenbegriff von guter Bedeutung und Ahndung nicht zu vergessen. In der Stelle des Plutar. vom Hirsche des Sertorius: πολλὰ τῶν ἀδήλων ἐπεφήμιζεν δηλοῦν, heisst es durch irgend ein Zeichen, Ahndung, *omen*, andeuten entdecken: wie bey Appian. Civil. 2, 61. S. φήμη; auch zusagen, geloben. Wird mit ἐπευφημέω oft verwechselt. — φήμισμα, ατος, τὸ, (ἐπιφημίζω) ein dabey- oder darauf gegebnes Zeichen des Beyfalls oder der göttlichen Bestätigung durch Zeichen am Himmel: Thucyd. 7, 75. Joseph. b. j. 7 c. 5. —φημισμὸς, ὁ, Bezeigung des Beyfalls bey einer Rede oder Handlung: Bestätigung und Zeichen der Genehmigung: Hesych. erklärt es auch durch ὀδυρμὸς. —φθάνω, Hom. batr. 213. wie φθάνω. —φθέγγομαι, f. ξομαι, darzu - dabey - darnach tönen, reden, sprechen, singen, spielen; dav. —φθεγμα, ατος, τὸ, Zuruf: Antwort: überh. das darzu- od. dabey gesagte, gesungene. —φθονέω, ῶ, s. v. a. φθονέω: Dionys. Ant. 9, 43. zweif. —φθονος, ὁ, ἡ, Adv. ἐπιφθόνως, dem Neide und Hasse ausgesetzt, beneidet: getadelt, tadelnswerth.

Ἐπίφθορος, ὁ, ἡ, (ἐπὶ φθορᾷ) verderblich: Pollux 5, 132. —φθύσδω, bey Theocr. 11 und 7. wo es der Schol. durch ἐπιπτύουσα und ἐπιψιθυρίζουσα erklärt; in jenem Falle steht φθύω st. πτύω, in diesem soll es ἐπιψύσδουσα heissen, ψύζω st. ψιθυρίζω. Vielleicht stand ehemals ἐπιψύττοισα, denn Hesych. hat ψύττει, πτύει u. ψύττον, πτύελον. —φιλοπονέω, έομαι, d. i. φιλοπ. ἐπὶ, mit dem dativ. eifrig betreiben: Xen. Oec. 5, 5. — φλιβος, ὁ, ἡ, (φλὶψ) mit hervorstehenden, aufgelaufenen Adern auf einem magern Körper. Hippocr. —φλεγμαίνω, darauf - darüber - darnach - oder auf der Oberfläche entzündet oder geschwollen seyn. zw. —φλέγω, f. ξω, entzünden, anbrennen: erleuchten: metaph. Pind. Olymp. 9, 34. neutr. Pyth. 11, 69. glänzen.

'Επιφλογὴς, έος, ὁ, ἡ, d. i. ἐπιφλέγων oder entzündet. zw. —φλόγισμα, ατος, τὸ, (ἐπιφλογίζω) entzündete Stelle oder Fleck. Hippocr. —φλογώδης, ὁ, ἡ, oben entzundet. zw. —φλύω, f. ύσω, μακάρεσσι, Apollon. Rh. 1. wider die Gotter ſprechen, reden. S. φλύω. —φοβέομαι, noch mehr ſich fürchten. zw. —φοβὸς, ὁ, ἡ, der Furcht ausgeſetzt: γειτνίασις ἐπ. καὶ ἄπιστος Plutar. Pyrrh. c. 7. —φοινικίζω, ins purpurrothe fallen oder ſpielen. —φοινίσσω, auf der Oberfläche roth machen: Plutar. 8 p. 886. —φοιτάω, ῶ, dahin-dazu öfters gehn oder kommen: überh. dahin-darzu-darüber gehn: bey Thucyd. 1, 81. einfallen, hineinſtreifen. —φοιτεύω, f. εύσω, ſ. v. a. ἐπιφοιτάω. zw. —φοίτησις, ἡ, (ἐπιφοιτάω) Zugang, Ankunft: θεοῦ, Eingebung: Joſeph. antiq. 17, 2. —φονὸς, ὁ, ἡ, mörderiſch, blutdürſtig. zw. —φορὰ, ἡ, (ἐπιφέρω) das darzu-darüber-dahintragen oder bringen; 2) eine Zugabe zu dem Solde, Gratification, Thucyd. 6, 31. Diodor. 17, 94. 3) vom medio ἐπιφέρομαι, die plötzliche Ankunft, der Angriff des Feindes, das Eindringen, Zudringen ἀνέμων, ὑδάτων und dergl. vorzügl. eine Krankheit des Auges, thranendes Auge, *epiphora:* verſt. τῶν ῥευμάτων: Schluſs: Schluſsfolge, *concluſio*, des Syllogismus. —φορβέω, ῶ, ſ. v. a. ἐπινέμω. zw. —φορέω, ῶ, eine andere Form von ἐπιφέρω; davon —φόρημα, ατος, τὸ, was nachher aufgetragen wird, Nachtiſch. Herodot. 1, 133. —φορικὸς, ἡ, ὸν, (ἐπιφορὴ) ein-andringend, heftig. Ariſtides 2, p. 470. —φόρος, ὁ, ἡ, Adv. ἐπιφόρως, (ἐπιφέρω) nachtragend, nachſtoſsend, ἄνεμος, *ſecundus ventus*, günſtiger Wind: abſchüſſig, geneigt; davon εὐεπίφορος, ſchwanger, trächtig: Xenoph. Venat. 7, 2. bey Heſych. ſ. v. a. ἐπίτοκος, bey Hippocr. erklarten es einige durch ofters ſchwanger. —φορτίζω, f. ίσω, noch hinzuladen, beläſtigen: Geopon. 9, 14, 6. med. noch als Laſt oder Ladung einnehmen, darzu nehmen. —φράγμα, τὸ, (ἐπιφράσσω) Stopſel, Pfropf. —φραδέως, Adv. (ἐπιφραδὴς) mit Ueberlegung, Bedacht, ſorgfaltig. —φράζω, ſagen, davon ἐπέφραδε, perf. med. Homer Il. 11, 795. med. bedenken, betrachten, überlegen, überdenken, bemerken, ſehn, einſehn. —φράσσω, ἐπιφράττω, f. ξω, verſtopfen, zuſtopfen. —φρὶξ; beſſer getrennt ἐπι (zum vorherg. verbo gezogen) φρὶξ, Hom. Il. 7, 63. S. φρὶξ. —φρίσσω. —ίττω, Opp. Cyn. 1, 383 νέποδες ἐπιφρίσσουσι γαλήνῃ, Fiſche ſchwimmen auf **der ruhigen** Oberfläche des Meers; wie φρὶξ und φρίσσειν die bewegte Oberfläche ausdrücken.

'Επιφρονέω, ῶ, ich bin ἐπίφρων, bin verſtändig, klug, Odyſſ. 19. 385. bey Heſych. ἐπιφρονεύουσιν, ἐπακούουσιν. —φροντίζω, f. ίσω, beſorgen. zw. —φροσύνη, ἡ, Odyſſ. 19, 22. Aufſicht, Obacht, bey Heſiod. ἐπιφροσύνη, Rath; Beobachtung: Arat. Dioſ. 130. —φρουρος, ὁ, ἡ, (ἐπὶ φρουρᾷ) als Wächter bey der Beſatzung beſtellt. zweif. —φρων, ὁ, ἡ, aufmerkſam, ſorgſam, klug, bedachtſam, faſt ſ. v. a. ἔμφρων. —φυάδες, Sproſslinge, die eine Pflanze oben treibt. Theophr. —φύλαξ, ακος, ὁ, wie φύλαξ, Wächter. —φυλάττω, f. ξω, bewachen: beobachten: aus Plato Legg. —φύλιος, (ἐπὶ φυλῇ) im Stamme, in Stämme, unter Stämme vertheilt, bey χθὼν, Eur. Jon 1577. —φυλλίζω, f. ίσω, ich halte Nachleſe im Weinberge; 2) ich ſuche, forſche aus; bey den LXX. Nicetas Annal. 7, 4. verb. es mit καλαμᾶσθαι, 11, 3. ſteht dafür ἐκφ. u. 17, 3 ἀποφ. —φυλλὶς, ἡ, die kleine Traube, welche man bey der Weinleſe verachtet und für die Nachleſer ſtehen läſst: daher beym Ariſtoph. Ran. 92 ſchlechte geringe Dichter ἐπιφυλλίδες heiſsen: Dionyſ. halic. rhetor. 18. τραγήματα τῶν λόγων καὶ ὥσπερ ἐπιφυλλίδας καὶ στωμύλματα. Dioſcor. 4, 144. —φυλλόκαρπος, ὁ, ἡ, das den Saamen oder Frucht auf dem Blatte, aus dem Blatte oben entſpringend trägt, wie *ruſcus*, Linn. —φυλλος, ὁ, ἡ, mit Blättern, ſtark beblattert, belaubt. zw. —φυσάω, ῶ, f. ήσω, darzu-daraufblaſen: aufblaſen. zw. —φυσις, εως, ἡ, das darzu-daranwachſen; das daran gewachſene: Anſatz: Zuwachs: Theophr. pl. 1, 1. —φυτεύω, f. εύσω, darauf-darnach-dazu pflanzen. —φύω, darauf-darüber-daran-darzu wachſen laſſen, hervorbringen, erzeugen: ἐπίφυμι u. ἐπιφύομαι paſſiv. daran-darauf-darüber-darzu-darnach wachſen, erzeugt werden, entſtehn: daran wachſen; zuwachſen: τινὶ, ſich feſt woran hangen, ὀδόντι, hineinbeiſsen, mit den Zahnen feſthalten: angreifen: ἀμφοῖν ταῖν χεροῖν mit beyden Händen feſthalten und umfaſſen: Polyb. 12, 11. —φωνέω, ῶ, zurufen; dabey-daraufdazu ſagen: davon —φώνημα, ατος, τὸ, das zugerufene, Zuruf: das dabey-darzu-hernach geſagte, Ausruf; dav. —φωνηματικὸς, ἡ, ὸν, Adv. —κῶς, zum Ausrufe, Zurufe gehorig, oder von der Art deſſelben. —φωνημάτιον, τὸ, dimin. von ἐπιφώνημα. —φώνησις, εως, ἡ, das zu- oder ausrufen: das ſagen darbey, darzu.

Ἐπιφωράω, ῶ, etwas verborgenes bemerken und entdecken: Synefius. — φώσκω, ſ. v. a. ἐπιφαύσκω, active poet. vet. de herb. vers 25 ἐπιφώσκειν φέγγος ἐρυθρὸν ſt. ἐπιφαίνειν. S. διεπιφώσκω. — χαίνω, m. d. dat. wornach ſchnappen od. den Mund öffnen und gierig verſangen, *inhiare*. — χαιράγαθος, ὁ, ἡ, der ſeine Freude an andrer Glück hat: bey Strabo 1 p. 165. oppoſ. ἐπιχαιρέκακος. — χαιρεκακία, ἡ, Freude über Unglück, Schadenfreude; von — χαιρέκακος, ὁ, ἡ, der ſich über Unglück, fremden Schaden freuet: von — χαίρω, m. d. Dat. ich freue mich über eine Perſon oder Sache; meiſt über ſein Unglück, Schaden. οὐκ ἐκείνοις ἐπετίμων ἀλλά σοι ἐπέχαιρον Demoſth. p. 558. — χαλαζάω, ῶ, überhageln, behageln: Luciani Timon. — χαλάω, ῶ, los- nach- entlaſſen. — χαλκεύω, f. εύσω, darauf ſchlagen oder prägen, noch dazu- auſserdem ſchlagen, prägen: ausprägen: auspoliren: Ariſtot. Rhet. 3, 19 braucht ſt. κατασκευάζειν ἑαυτῷ τὸν ἀκροατὴν. Vergl. Ariſtoph. Nub. 421. — χαλκος, ὁ, ἡ, mit Kupfer überzogen, vorz. ἀσπὶς, der Schild: Ariſtoph. Vesp. 18. Pollux 10, 144. — χάραγμα, ατος, τὸ, das daraufgeſchlagene, geprägte; das Gepräge; von — χαράσσω, — άττω, f. άξω, darauf- darein- darzu graben, ſchneiden, prägen; einſchneiden, einkerben. — χάρεια, ἡ, Reiz, Annehmlichkeit; zw. von — χαρὴς, έος, ὁ, ἡ, (ἐπιχαίρω) erfreut, froh worüber. — χαριεντίζω, f. ίσω, dazu- dabey ſcherzen. zw. — χαρίεις, εσσα, εν, ſ. v. a. ἐπίχαρις: ſehr zw. — χαρίζομαι, noch darzu geben oder ſchenken. zw. — χαρις, ιτος, ὁ, ἡ, oder ἐπιχάριτος, Adv. ἐπιχαρίτως mit χάρις verſehn, gefällig, angenehm, lieblich, reizend. — χαρμα, ατος, τὸ, u. ἐπίχαρσις, ἡ, (ἐπιχαίρω) Freude über etwas; auch Schadenfreude und Spott: Eur. Phoe. p. 1568. — χαρτος, ὁ, ἡ, worüber man ſich freuet; worüber man Schadenfreude hat: v. ἐπιχαίρω. — χέζω, f. έσω, darauf- darzu kacken. — χειλέω, anfüllen: Heſych. hat ἐπιχιλοῦντες, πληροῦντες: u. χειλοῦσθαι u. χιλοῦσθαι für παχύνεσθαι, αὔξεσθαι, μεγαλύνεσθαι: alſo ἐπιχειλόω: von — χειλὴς, ὁ, ἡ, (χεῖλος) was auf den Lippen iſt, γλῶσσα ἐπιχειλὴς, eine voreilige, geſchwätzige Zunge; ῥήματα ἐπιχειλῆ erklärt Pollux 2, 89 d. ἐπικείλαια, gemeine, die jeder auf den Lippen hat. 2) ein Gefäſs, Maaſs, was den Lippen nah und nicht voll iſt. ἐστρέφετο τὴν πόλιν μεστὴν, εὑρὼν ἐπιχειλῆ. Ariſtoph. Equit. 814. 3) die ſpätern brauchen es für ὑπερχειλὴς, übervoll. κεράμιον ἐπιχειλὲς τῆς σοφίας καὶ οὐκ ἄν ἔτι τι χωρῆσον; Syneſ. πίθον ἐπιχειλῆ τῶν ἀγαθῶν, Themiſtius, alſo ſ. v. a. ἐπίμεστος. Bey Alciphr. 3 ep. 55 τὸ στόμα ἐπιχειλὴς ſcheint ein Mund mit eingezogenen Lippen, wie bey Alten, zu bedeuten. — χειμάζω, f. άσω, dabey- darnach überwintern; noch den Winter darzu bleiben: Thucyd. 1, 89. nachwintern, nachſtürmen. — χείμασις, ἡ, nachher oder darauf folgender Sturm oder Winter: Plinius 18 c. 25. Veget. 4, 40. — χειρ, ὁ, ἡ, Pollux 2, 148 der Hand anlegt. — χειρέω, ῶ, m. d. dat. Hand anlegen, angreifen, anfangen: unternehmen: vorhaben: angreifen, anfallen: m. folgd. infin. vorhaben, wollen: Cyrop. 2, 2, 23 wo auch 6, 1, 41 im paſſivo ἐπιχειρεῖται τὰ αἰσχρὰ ſteht; ſchlieſsen, Schluſsfolgerung machen und dadurch beweiſen: davon — χείρημα, τὸ, Unternehmung; Beginnen; Angriff; in der Logik, Schluſsfolge, Syllogismus: bey Oppian. Syr. 52. ἐπιχ. κατὰ κύπρου ſ. v. a. ὁρμητήριον; davon — χειρηματικὸς, ἡ, ὸν, zum ἐπιχείρημα gehörig oder geſchickt; in der Art eines ἐπιχ. Adv. — κῶς. — χείρησις, εως, ἡ, das Unternehmen, Beginnen; Schluſsfolgerung.

Ἐπιχειρίζομαι, ſ. v. a. ἐπιχειρέω: Hippocr. Epid. 5. zw. — χείριον, τὸ, u. ἐπίχειρον, τὸ, eigentl. Handgeld; Belohnung, Lohn, auch Strafe. ξιφέων ἐπίχειρα λαχοῦσα: Soph. Ant. 820 nicht durchs Schwerdt geſtraft. — χειρονομέω, ῶ, die Hände dabey- darzu bewegen: zw. — χειροτονέω, ῶ, durch Stimmenmehrheit beſchlieſsen, beſtätigen; davon — χειροτονία, ἡ, Beſchluſs durch Stimmenmehrheit. — χεῤῥονησιάζω, f. άσω, ſich der Geſtalt einer Halbinſel nähern: Strabo. — χέω, f. εύσω, ich gieſse zu, oder darauf- darüber. 2) ἐπιχεῖσθαι ἀκρατόν τινος beym Gaſtmahle ſich ungemiſchten Wein in den Becher gieſsen laſſen, um auf des Geliebten Geſundheit zu trinken: Theocr. 2, 151. 14, 18. Athenae. 6 p. 261 καὶ ἐπιχεομένους Δημητρίου μόνου βασιλέως wofür Plutarch im Demetr. 25 ſagt: ἐπίχειν λαμβανόντων Δημητρίου βασιλέως. Vergl. Polyb. 16, 21. — χηρεύω, noch Witwe bleiben oder ſeyn: zw. — χθόνιος, ὁ, ἡ, (ἐπιχθονὶ) auf oder über der Erde: irrdiſch, ſterblich. — χλευάζω, f. άσω, verſpotten. — χλιαίνω, dabey- darnach- darauf erwärmen: paſſiv. an Wärme oder Hitze zunehmen: Hippocr. — χλοος, ὁ, ἡ, (χλόος) ποίησι Oppian. H. 1, 131 der auf ſich grüne Kräuter hat. — χνοάω, ῶ, ich bin mit Moos oder wolligtem Haare, *lanugo*, überzogen: Apollon. 1, 672 braucht es von langen Haaren ἐθείραις ἐπιχνοάουσαι der Frauen.

Ἐπίχνοος, contr. ἐπίχνους, ὁ, ἡ, bey Hippocr. ἐπίπαγος χνοώδης nach Galenus, wollichter Ueberzug. —χολος, ὁ, ἡ, (χόλος) ποίη ἐπιχολωτάτη, Grafs, das viel Galle macht: Herodot. 4. 58. vergl. Aelian H. A. 16. c. 26. 2) voll Galle, zum Zorne geneigt; daher ὀργαῖς ἐπίχολοι bey Plutarch., σῶμα gallsüchtiger Körper. —χορδὶς, ἡ, (χορδὴ) f. v. a., μεσεντέριον, das Gekröse: Aretae. 2, 6.

Ἐπιχορεύω, f. εύσω, hinzutanzen. act. τοιοῦτό τι ἐπιχορεύσας, Philostr. Apoll. 5, 14. dergleichen lafst er den Chor hinzufetzen. —χορηγέω, ῶ, zu dem übrigen Aufwande und Kosten noch geben oder aufwenden oder darreichen; davon —χορήγημα, ατος, τὸ, das aufser oder zu dem übrigen Aufwande noch dargereichte oder gegebene. Zugabe: und —χορηγία, ἡ, das Zugeben und Darreichen aufser dem übrigen Aufwande und Kosten. —χράομαι, ῶμαι, f. ἤσομαι, bey Thucyd. 1, 41. ich brauche darzu, nehme zu Hülfe; das activ. ἐπιχράω, darzu leihen: Plutar. 3 p. 815. — —χράω, anfallen, anpacken, Hom. Il. 16, 352 einfallen, einbrechen, auf jemand losbrechen. —χρεμέθω und ἐπιχρεμετίζω, zuwiehern, anwiehern: mit d. dat. S. ἐπιβρωμάομαι, darauf od. daran fpucken. —χρηματίζω, befchliefsen und genehmigen; Antwort geben; zw. davon —χρηματισμὸς, ὁ, Befchlufs: Beftätigung; Antwort; zw. —χρηματιστὴς, οῦ, ὁ, d. i. ἐπιχρηματίζων; zw. —χρησμωδέω, ῶ, Synefius p. 220. dabey, daran prophezeyen. —χρίμπτω, f. ψω, f. v. a. ἐγχρίμπτω und ἐπιχράω. —χρίσις, ἡ, das darauffreichen von Salbe u. dergl. —χρίσμα, ατος, τὸ, das darauf oder darüber geftrichene, Salbe, Pflafter, Anftrich. —χριστος, ὁ, ἡ, darauf- daran- darüber geftrichen; von — χρίω, daran- darauf- darüber ftreichen oder fchmieren. —χροὰ, ἡ, Abfärbung. Athenae. 2 p. 42. bey Clemens Strom. 6, 12. ift ἐπίχροια aufgedrückte, abgedrückte Farbe. —χρονίζω, dabey- darüber lange Zeit zubringen, veralten, alt werden. —χρόνιος, ὁ, ἡ, oder ἐπίχρονος, lange dauernd: veraltet, alt geworden. Cic. Attic. 6, 9. —χρυσος, ὁ, ἡ, vergoldet. —χρώζω, ἐπιχρωματίζω, (χρῶμα) ἐπιχρώννυμι u. ἐπιχρωννύω, anftreichen, mit einer Farbe- einem Anftriche überziehn: färben; davon —χρωσις, εως, ἡ, Ueberfärbung, Anftrich, Ueberzug von Farbe. —χυλὸς, ὁ, ἡ, faftig, nahrhaft, f. L. aus Herodot. 4, 58. —χύνω, f. v. a. ἐπιχέω. —χυσίς, εως, ἡ, (ἐπιχέω, ἐπιχύω) das Zugiefsen, Eingiefsen; 2) das Gefäfs, womit man zu- eingiefst; 3) das Zufliefsen, Zuftromen der Menge; 4) Uebergiefsen, Ueberftreichen; 5) das Trinken der Gefundheit. S. ἐπιχέω. —χυτὸς, ὁ, (ἐπιχύω) eine Art von Kuchen: Athenae. 14 p. 645. nach dem Etymol. M. f. v. a. ἔγχυτος, *enchytus* b. Cato R. R. c. 80. eine Art Münze aus Silber und Bley gegoffen: Hefych. —χύω, f. v. a. ἐπιχέω, darzu- darauf- darubergiefsen, paff. zufliefsen, zuftrömen. —χωλος, ὁ, ἡ, etwas hinkend, hinkend; zw. —χῶμα, ατος, τὸ, der darauf oder darzu geführte Schutt; der dabey- darauf mit Schutt aufgeführte Damm oder Wall. —χώννυμι, ἐπιχωννύω, hinzufchütten: neuen Schutt darzu oder darauf fuhren: mit Schutt bedecken oder abdammen; davon —χωρέω, ῶ, als act. ich gebe nach, laffe, fehe nach, geftatte, Plutarch. Alex. 45. 2) als neutr. ich gehe hinzu, fort, Xen. Anab. 1, 2, 17. davon —χώρησις, εως, ἡ, Nachgeben, Nachficht, Erlaubnifs. —χωριάζω, ich bin im Lande; τινὶ, bey einem im Lande; auch activ. ἀθήναζε, nach Athen gehn; 2) was im Lande üblich ift, ἐπιχωριάζει, feltner ἐπιχωριάζεται. Bey Diodor. 3, 33 ταφαῖς ἐξηλλαγμέναις ἐπιχωριάζουσι ihre gewöhnlichen Begräbniffe weichen von unfern fehr ab. —χώριος, ία, ιον, oder ἐπιχώριος, ὁ, ἡ, (ἐπὶ χώρα) Adv. —ίως, im Lande, einheimifch, im Lande gebrauchlich oder üblich. —χωσις, εως, ἡ, (ἐπιχόω) das Hinzufchütten, Verfchütten oder Zufüllen und Abdammen mit Schutte.

Ἐπιψάλλω, f. v. a. ψάλλω, Pollux 4, 58. dabey fpielen: Clemens Al. — ψαλμὸς, ὁ, Ptolemaeus Harmon. 2, 12. nach Burette das Praludium. — ψαύδην, Adv. f. v. a. ἐπιλίγδην, Suidas: von —ψαυσις, ἡ, das Berühren: Clemens Alex. von —ψαύω, f. αύσω, auf der Oberflache berühren, fanft anfaffen, m. d. genit. ὅσσ' ὀλίγον περ ἐπιψαύει πραπίδεσσι, Odyff. 8, 547 mit dem Herzen berühren, d. i. Gefühl haben. —ψέγω, f. ξω, f. v. a. ψέγω. zw. —ψεκάζω, f. άσω, darauf- darzutröpfeln: Ariftoph. Pac. 1141 eintröpfeln: Xen. Symp. 2, 26. neutr. Clemens Paed. 2, 4. —ψεύδομαι, darzu- dabey lugen. —ψῆγμα, ατος, το, Diofcor. 5, 119 ἁλὸς ἐπ. ein auf der Oberflache des Meers befindlicher Auswurf, wie Schaum; wie ψῆγμα. —ψηλαφάω, ῶ, daran greifen, daran faffen und fühlen, betaften. —ψηφίζω, f. ίσω u. ιῶ, vortragen und darüber ftimmen laffen: *fententias perrogare* oder *in suffragia mittere:* med. durch die Stimme bestätigen oder beschliessen, billigen, genehmigen: davon

Ἐπιψήφισις, ἡ, das Vortragen um darüber stimmen zu lassen; vom medio, das Zustimmen, Genehmigen. —ψίζω, s. v. a. ἐπιψωμίζω: Hesych. —ψιμμυθόω, ῶ, überschminken: aus Liban. T. I p. 305. —ψογος, ὁ, ἡ, (ἐπὶ ψόγος) dem Tadel ausgesetzt, getadelt: tadelnswerth. —ψύχω, f. ξω, überkühlen, abkühlen. — ψωμίζω, darzu- noch mehr Bissen in den Mund geben oder stecken: Hesych.

Ἐπιωγαὶ, eine Stelle am Ufer, wo die Schiffe vor den Stürmen gesichert vor Anker liegen können.

Ἐπόγδοος, ὁ, ἡ. S. ἐπίτριτος. —ογκος, ὁ, ἡ, (ὄγκος) γυνὴ, Jamblich. Pythag. §. 194. ein schwängeres Weib. —οδόω, davon ἐποδώκει, Plusquamperf. Aeschyl. Pr. 655. st. ἐφοδίω. —όδυνος, ὁ, ἡ. richtiger ἐπώδυνος. —οδύρομαι, darzu- darbey- darüber klagen, beweinen. —όζω, verfaulen und stinken. Exod. 7. zw. S. ἐπώδης. —οιδαλέος, έα, έον, aufschwellend, geschwollen. zw. von —οιδέω, ῶ, auf- anschwellen. —οιδίσκω, ich mache aufschwellen, pass. s. v. a. das vorberg. —οικέω, ῶ, dahin- darzu- dabey ziehn oder wohnen; als Kolonist hinziehn: bewohnen. —οικία, ἡ, Kolonie. Appian. Civil. 2, 135. wie ἐποίκισις, ἡ, 5, 137 das Besetzen mit Kolonisten, und ἐποικίζω in dems. Sinne, Hisp. 56. als Kolonisten darzu dahin führen, versetzen; in den Geopon. 10, 1. ist ἐποικία s. v. a. ἔπαυλις. —οικίδιος, ία, ιον, auf- über dem Hause, zum Hause gehörig, häuslich: Hesych. hat δημήτηρ ἐποικιδία angemerkt. —οικίζω, darbey- darzu- darau bauen. S. ἐποικία: davon —οίκιον, τὸ, (ἐπ' οἴκῳ) Hausgeräthe: zw. Hütte, Landhaus, bey Suidas. —οίκισις, ἡ. S. ἐποικία. —οικοδομέω, ῶ, darauf- darüberbauen: wiederbauen, ausbessern. —οικοδομὴ, ἡ, oder ἐποικοδόμησις, ἡ, das drüber- oder daraufbauen: Anbauen, Auf-Anbauung; auch übergetr. v. Bau der Rede, Longin. 39, 3. —οικονομέω, ῶ, bey Aristotel. Oecon. 2 ὃ πάσαις ἐποικονομεῖται ταῖς οἰκονομίαις falsch st. ἐπικοινωνεῖται, wie die Handschr. d. Camerarius hat: dav. —οικονομία, ἡ, genaue Abhandlung, sorgfältige Erzählung, weise Vertheilung (der Sätze in einer Rede), Longin. 11, 2. —οικος, ὁ, ἡ, Anbauer, Kolonist: Bewohner. —οικουρέω, ῶ, bewohnen. st. ὑποικ. zw. —οικτείρω, bedauern: beklagen. —οικτίζω, dabey- darzu- darüber klagen und jammern: beklagen, bejammern.

Ἐποίκτιστος, ὁ, ἡ, beklagt, zu beklagen: bedauernswerth. —οιμώζω, f. ώξω, dazu, dabey seufzen und klagen: zw. S. οἰμώζω. —οίνιος, ὁ, ἡ, ἐποινος, ὁ, ἡ, Suidas hat das erstere d. μέθυσος u. ἐπιτράπεζος erklärt. —οιχνέω, ῶ, und ἐποίχομαι s. v. a. ἐπέρχομαι, hingehn, begehn, bereisen, durchwandern: wider oder gegen einen gehn, anfallen, angreifen; ἱστὸν ἐποιχομένη, den Weberstuhl umgehn, weil im Homerischen Zeitalter die Frauenzimmer stehend arbeiten, und indem sie rings um den Weberstuhl gehn, ganze Kleider fertig weben. —οιωνίζω, einem eine glückliche Vorbedeutung durch Zuruf u. dergl. geben: zw. —οκέλλω, s. v. a. ἐπικέλλω, *impingere navem*, verst. γῇ oder σκοπέλῳ, das Schiff ans Land oder auf einen Felsen fuhren; 2) als neutr. auf den Felsen, Klippe gerathen und scheitern. —οκριάω, (ὄκρις) Nicand. Ther. 790. rauh, τραχὺς, seyn.

Ἐπόλιος, ὁ, ein Nachtvogel. Suidas. zweif. vielleicht αἰγώλιος. S. αἰτώλιος. —ολισθαίνω, ἐπολισθέω, ῶ, darzu- darauf- darüber- dahin gleiten oder fallen. —ολολύζω, f. ύξω, dabey- dazu jauchzen, wie ἐπαλαλάζω, nach Hesych. auch s. v. a. darzu- dabey ein Klage- Jammergeschrey erheben. —ολοφύρομαι, dabey- darzu klagen, jammern, Klaggeschrey erheben.

Ἕπομαι, Medium, (S. ἕπω) in Prosa gewöhnl. mit d. dat. folgen, hinter einem hergehn, begleiten, mitgehn; auch erreichen und metaph. verstehn; auch nachahmen. Vermöge der ersten Bedeut. aber ist die älteste Wortfügung beym Homer μετὰ κτίλα ἕσπετο μῆλα: man findet auch ἅμα τινὶ, μετά τινὸς ἕπεσθαι. —ομβρέω, ῶ, beregnen, bewässern; 2) bey Philo beregnet seyn u. voll Wasser stehn. —όμβρησις, εως, ἡ, Beregnung. —ομβρία, ἡ, viel Regen, viel Nässe, Ueberschwemmung, Sündfluth. —ομβρίζω, wie Regen herabfallen lassen: Clemens Strom. 1 c. 7. —ομβρος, ὁ, ἡ, voll Regen: dem Regen ausgesetzt.

Ἑπομένως, Adv. vom partic. praes. v. ἕπομαι, in der Folge, darauf, folgends: m. d. dat. zufolge, gemäss.

Ἐπόμνυμι, ἐπομνύω, ἐπόμνυμαι, f. ἐπομοῦμαι, aor. 1. ἐπώμοσα, beschwören; noch darzu schwören: schwören: bey Xen. Cyr. 6, 4. 6. —ομόργνυμι, darauf drücken oder reiben: med. sich daran reiben oder abwischen. —ομφάλιος, auf oder über dem Nabel, ἐμφαλὸς σῦκον ἐπ. eine Feige am oder mit dem Stiele: Anthol. μέσσον ἐπομφάλιον, Il. 7, 767 soll wohl ἐπ' ὀμφάλιον heissen, der Buckel, *umbo*, des Schildes.

'Εποvειδίζω, be- ausſchimpfen, ausſchmählen. —ονείδιστος, ὁ, ἡ, Adv. ἐπονειδίστως, beſchimpft: zu beſchimpfen oder tadeln: ſchimpflich, ſchimpfend: Theophr. Char. 11, 1. Eur. Iph. Taur. 689. —ονομάζω, f. άσω, darnach oder davon benennen, dem Namen eines andern widmen oder heiligen: einen Zunamen geben; davon —ονομασία, ἡ, Benennung von oder nach einer Sache, Zuname, Weihung auf eines andern Namen. —ονόμαστος, ὁ, ἡ, Adv. ἐπονομάστως, (ἐπονομάζω) davon benannt, mit dem Zunamen. —οξίζω, ſauer werden. —οξύνω, zuſpitzen: antreiben: zw. —οξυς, ὑ, zugeſpitzt: ſ. v. a. ὀξὺς. zw. —οπίζομαι, verehren, ſcheuen, fürchten, wie ὀπίζομαι: Odyſſ. 5, 146. —όπισθεν, Adv. von hinten, hinter. Heſiod. fragm. —οποιία, ἡ, (ἔπος, ποιέω) Verfertigung eines heroiſchen oder epiſchen Gedichts; dav. —οποιϊκὸς, ἡ, ὀν, dieſelbe betreffend oder dazu gehörig. —οποιὸς, ὁ, (ἔπος, ποιέω) der Verfaſſer eines heroiſchen, erzählenden Gedichts, vorzüglich in Hexametern. —οπτάνομαι, Nicetas Annal. 2, 5. darauf geſehn werden oder ſich ſehn laſſen. —οπτάω, (ἐπὶ, ὀπτάω) ich brate darauf. —οπτεία, ἡ, die Aufſicht; 2) der dritte und höchſte Grad, den die eleuſiniſchen Eingeweiheten erhielten; von —οπτεύω, ειν, darauf ſehen, die Aufſicht haben; 2) den dritten und letzten Grad in den eleuſiniſchen Myſterien erhalten, ein Jahr nach der Einweihung in die groſsen Myſterien. —οπτήρ, ὁ, ein Aufſeher. —όπτης, ὁ, ein Aufſeher, Augenzeuge; 2) einer der zum dritten und letzten Grade der Myſterien gelangt iſt. S. ἐποπτεύω. —οπτικὸς, ἡ, ὀν, den ἐπόπτης oder die ἔποψις betreffend, dazu gehörig. —όπτομαι, f. ὄψομαι, überſehn, anſehn, auserſehn, ſ. v. a. ἐπιόπτομαι; davon —οπτος, ὁ, ἡ, ſichtbar, vor den Augen. —οργάω, ῶ d. i. ὀργάω ἐπὶ; bey Suidas ſ. v. a. μηνιάω. —οργιάζω, wie ὀργιάζω: zw. —οργίζομαι, f. ίσομαι, darauf- dabey zürnen. zw. —ορέγομαι, f. ξομαι, m. d. dat. ich ſtrecke meine Hand wornach aus, entweder um jemand anzugreifen: Apollon. 2, 1212. um etwas zu reichen, oder um etwas zu werfen und dergl. ἐπὶ, ὀρέγομαι: Hom. Il. 5, 335. —ορθιάζω, dabey- darauf laut aufſchreyen: γόοις, klagelaut: Aeſchyl. Perſ. 1043. Agam. 29. —ορθοβοάω, der Bedeut. nach ſ. v. a. das vorherg. zweif. —ορθρεύω, f. εύσω, oder ἐπορθρίζω, ſ. v. a. ὀρθρεύω, ὀρθρεύομαι und ὀρθρίζω, früh oder morgens thun, gehen, kommen, aufſtehn: Pollux 1, 71. liegen, ſingen u. dergl. τῆς ἀηδόνος ἕωθεν ἐπορθρευομένης, Dio Orat. 12, p. 372. Heſych. erklärt ἐπορθρεῦσαι durch ἐπαγρυπνῆσαι: davon —ορθρισμὸς, ὁ, das Frühaufſtehn, thun, ſingen und dergl. τελωνικῶν κεκραγμῶν ἐπορθρισμοὶ bey Plutar. 8 p. 598. R. das Geſchrey der Zöllner am frühen Morgen. —ορθροβόας, ου, ὁ, ſ. v. a. ὀρθροβόας. zw. —οριγνάομαι, ſ. v. a. ἐπορέγομαι: Themiſt. or. 2 p. 33. —ορίνω, Niçand. Ther. 671. ἐπώρινε, *incitabat*, hetzte, trieb an, wo die Handſchr. ἐπήιε haben. —ορκίζω, joniſch ſt. ἐφορκίζω, beſchwören. zw. davon —ορκισμὸς, ὁ, joniſch ſt. ἐφορκισμὸς, Beſchwörung: das Beſchworen: zw. u. —ορκιστὴς, οῦ, ὁ, Beſchwörer: zw. —όρνυμι, ἐπορνύω, ſ. v. a. ἐπορίνω; ἀνέμου ἐπορνυμένου ſt. ἐπιφερομένου, *ingruente*, entgegen kommen und ſtürmen. —ορούω, f. ούσω, darauf- darzu- dargegen- darwider ſpringen, anfallen. —οροφόω, (ὄροφος, ἐπὶ) τὸν οὐρανὸν, den Himmel als Decke hinzuſetzen. Heracl. Alleg. c. 48. —ορχέομαι, οῦμαι, darzu- dabey tanzen: Demoſth. nach- auf einen ſpringen: τοῖς πολεμίοις, Appian. Punic. 66. wie *inſultare hoſtibus*. —όρω, ſ. v. a ἐποτρύνω: davon ἐπῶρσα, ἐπόρσαι und ἐπὶ δ' ὀρώρει plusquamperf. Il. 23, 112.

"Επος, εος, τὸ, Wort, Rede, Sprache, Vers, Gedicht, Geſang, Götterſpruch, Orakel, Erzählung. S. ἔπω und ἐνέπω. —οστρακίζω, mit Scherben übers Waſſer hinwerfen, um Kreiſe im bewegten Waſſer zu erregen: Pollux 9, 119. ein Spiel der Kinder, welches ἐποστρακισμὸς hieſs.: von ἐπὶ und ὄστρακον, Scherbe. —όσχιον, τὸ, (ὄσχος) ein Zweig mit Früchten: Galeni Gloſſ. —οτοτύζω, ὀτοτοῖ, worüber, wobey rufen oder klagen, weinen, jammern. Eur. Phoen. 1045. —οτρύνω, reizen, ermuntern, anregen, antreiben, hetzen-gegen-wider einen. —ουδαῖος, (οὖδας) ſ. v. a. ἐπιχθόνιος. Heſych. —ουλὶς, ίδος, ἡ, Geſchwulſt im und über dem Zahnfleiſche, (οὖλα) hingegen παρουλὶς ein Geſchwür im Zahnfleiſche. —ουλόω, ῶ, (οὐλὴ) zuheilen und vernarben; davon —ούλωσις, εως, ἡ, das Zuheilen und Vernarben; davon —ουλωτικὸς, ἡ, ὀν, zuheilend und vernarbend: darzu gehörig oder geſchickt. —ουραῖος, αία, αῖον, (ἐπ' οὐρᾷ) am- auf dem- über dem Schwanze. —ουράνιος, ὁ, ἡ, (ἐπ' οὐρανῷ) am- auf dem- im Himmel, himmliſch. —ουρέω, ῶ, ich piſſe drauf, von οὐρέω. —ουριάζω, und ἐπουρίζω, (ἐπὶ, οὖρος) vom günſtigen Winde, der ein Schiff forttreibt, und geſchwinde, gute Fahrt bringt; metaph. von Anlagen, Neigungen und Leidenschaften, welche den Menschen zu Handlungen antreiben, oder ihm einen guten Fortgang in seiner Bemühung gewähren: τὴν μὲν αὔραν ἐπουριάζουσαν τὴν ὀθόνην, Lucian. 8 p. 101. der günstige Wind, der die Segel blähet.

Ἐπουρος, ὁ, ἡ, (οὖρος) der Wind, und was wie der Wind, wenn er günstig ist, das Schiff, metaph. den Menschen, forttreibt, antreibt, Fortgang bringt, mit gutem Winde: ἐπ. ὀρθεῖς πνεύματι φορᾷ Clemens Al. —ρόω, s. v. a. κατουρίζω: Polyb. 2, 10. —ρωσις, ἡ, bey Aristot. Rhet. 3, 13. ein rhetorisches Wort des Licymnius, v. zweif. Bed. andre Ausgaben lesen ἐπέῤῥωσις oder ἐπόρουσις.

Ἐπουσιώδης, εος, ὁ, ἡ, (οὐσία) wesentlich, zum Wesen gehörig: aus Porphyr. zweif.

Ἐποφείλω, noch mehr- noch drüber schuldig seyn: Thucyd. 8, 5 ἐπωφείλησε, war schuldig geblieben: und Dio Cass. —φέλλω, vermehren, vergrößern: zweif.

Ἐποφθαλμέω, ἐποφθαλμιάζω, ἐποφθαλμιάω und ἐποφθαλμίζω, mit gierigen, verliebten oder neidischen Augen nach etwas sehn, m. d. dat. Aelian. H. A. 1, 12. 3, 44. wo ἐποφθαλμίζω mit ἐποφθαλμάω in den Handschr. verwechselt wird: v. ἐπὶ, ὀφθαλμία od. ὀφθαλμός. S. ὀφθαλμιάω. —θάλμιος, ὁ, ἡ, auf oder über den Augen. —λισκάνω, Themist. or. 6 p. 83. s. v. a. ὀφλ.

Ἐποχετεία, ἡ, das Leiten des Wassers dahin oder darauf; von —τεύω, (ὀχετός) darzu- dahin- darauf leiten, Wasser und dergl.

Ἐποχεύω, darauf oder wiederum bespringen, treten und dergl. von männlichen Thieren. —χέω, ῶ, darauf fahren, führen, tragen; pass. wie vehor, ἵππῳ, auf einem Pferde reiten, ὕδατι, auf dem Wasser liegen, schwimmen, vom Wasser getragen werden. —χὴ, ἡ, (ἐπέχω) das Anhalten, Zurückhalten; Hinderniss; 2) Zweifel, Unentschlüssigkeit; 3) ἀστέρων ἐποχαί, die Konstellation und das Zusammentreffen der Planeten in der Astrologie: Plutar. Rom. 11. oder die Bahn eines Sterns oder Planeten: Jamblich. Pyth. 1 c. 15. Nicomach. Enchirid. harmon. p. 6. 4) s. v. a. aera, epocha, ein Zeitraum, wo eine neue Zeitrechnung, Jahresberechnung, oder überh. wo von einer wichtigen Veränderung die Geschichte anfängt, von neuem anhebt. —χλεύς, ὁ, der Hemmschuh am Wagenrade, sonst τροχοπέδη: Athenae. 3 p. 99.

Ἐποχον, τὸ, Sattelgurt: Xen. Reitk. 12, 8. —χος, ὁ, ἡ, der auf dem Pferde sitzt und reitet, der auf dem Wagen, Sessel, Schulter sitzt, liegt, also fährt, gefahren oder getragen wird; 2) der sich auf dem Pferde zu halten weiss und festsitzt; daher fest, unbeweglich, beständig bey einem Vorsatz u. s. w. von ὄχος und ἐπὶ: Xenoph. Equ. 8, 10. Memor. 1, 6, 7, 18. bey Plut. Mar. 34 σῶμα ἔποχον ἱππασίαις, Körper der noch zum Reiten geschickt ist, sich auf dem Pferde zu halten: ποταμὸς ναυσὶ μεγάλαις ἔποχος, ibid. 15 Fluss, der grosse Schiffe tragen kann.

Ἔποψ, οπος, ὁ, der Widehopf, von seinem Rufe, wie im lat. upupa. —ψάομαι, ῶμαι, darzu (zum Brode) essen: Plutar. 6 p. 881. —ψὲ, d. i. ἐπὶ ὀψὲ, sehr spät hinaus. zw. —ψειασμός, ὁ, bey Suidas ohne Erklärung, also zw. —ψημα, τὸ, od. ἐπόψησις, ἡ, Athenae 5. p. 2. Zubrod. —ψία, ἡ, s. v. a. ἔποψις, zw. bey Suidas. —ψιμος, ὁ, ἡ, s. v. a. das folgd. zw. —ψιος, ὁ, ἡ, sichtbar, sehbar: zum Anschaun: Arat. Ph. 81, 258. Opp. Hal. 1, 30. wo auch ὑπόψιος in den Handschr. steht; auch zum Gespött: Hom. Il. 3, 42: zum Anschaun, d. i. sehenswerth: Hymn. 1, 496. act. s. v. a. ἐπόπτης, ἔφορος, ἐπίσκοπος, Aufseher, Beobachter: Callim. in Jov. 82. —ψις, εως, ἡ, Anblick, Ansicht: εἰσὶν ἐν ἐπόψει ἀλλήλαις αἱ πόλεις liegen so weit aus einander, dass man eine aus der andern sehn kann: Strabo 17 p. 1189.

Ἑπτὰ, sieben: d. lat. septem. —βασίλειον, τὸ, Siebenkönigssalbe. —βόειος, ὁ, ἡ, von sieben Ochsenhäuten (βοῦς), siebenhäutig: Hom. Il. 7, 220 vergl. Ovid. Met. 13, 2 und 346. —βοιος, ὁ, ἡ, sieben Stiere werth: s. v. a. das vorherg. Soph. Aj. 577. —γλωσσος, ωττος, ὁ, ἡ, (γλῶσσα) siebenzüngig. —γράμματος, ὁ, ἡ, (γράμμα) aus sieben Buchstaben bestehend. —γωνον, τὸ, (γωνία) Siebeneck, musikalisches Instrument, wie τρίγωνον: zw. —δυμος, ll. ἑπτάδιδυμος, Strab. 15. siebenfach, siebenfältig. —έτης, ἑπταέτης, εος, ὁ, ἡ, (ἔτος) siebenjährig: neutr. ἑπτάετες, sieben Jahre lang: Hom. Od. 3, 305. —ετία, ἡ, ein Zeitraum oder Alter von sieben Jahren. —ήμερος, ὁ, ἡ, (ἡμέρα) von 7 Tagen.

Ἑπταῖος, α, ον, am siebenten Tage.

Ἑπτακαίδεκα, οἱ, αἱ, τὰ, ἑπτακαιδεκάπους, οδος, ὁ, ἡ, mit oder von 17 Füssen, 17 Fuss lang: ἑπτακαιδεκαταῖος, am 17ten Tage: ἑπτακαιδέκατος, ατη, ον, der, die, das siebenzehnte. —δεκέτης, (ἔτος) 17 Jahre alt. —εικοσαέτης, ὁ, ἡ, (ἔτος) sieben und zwanzigjährig. —εικοσαπλάσιος, ὁ, ἡ, sieben und zwanzigfältig.

'Επτάκαυλος, ὁ, ἡ, ſiebenſtenglich. —κι, ἑπτάκις, Adv. ſiebenmal. —κισμύριοι, ſiebenmal zehntauſend oder 70,000. —κισχίλιοι, ιαι, ια, ſiebentauſend. —κλινος, ὁ, ἡ, (κλίνη) mit ſieben Lagern, zu Betten oder bey der Tafel. —κόσιοι, ſiebenhundert. —κοσιοπλασιάκις, ſiebenhundertmal. —κοσιοστὸς, ἡ, ὸν, ſiebenhunderteſter. —κτιν, ὁ, ἡ, mit 7 Stralen: Julian. or. 5 p. 173. —κτυπος, ὁ, ἡ, ſiebentönig oder ſiebenſaitig. Pindar.

'Επτάκωλος, ὁ, ἡ, (κῶλον) ſiebengliedrig oder aus ſieben Gliedern, Abtheilungen, Verſen beſtehend.

'Επτάλογχος, ὁ, ἡ, (λόγχη) aus ſieben Schaaren beſtehend. —λοφος, ὁ, ἡ, mit 7 Hügeln oder Bergen. —λυχνος, ὁ, ἡ, mit ſieben Leuchtern oder Aermen.

'Επταμηνιαῖος, αία, αῖον, ſiebenmonatlich, ſieben Monat alt: im ſiebenten Monate geboren. —μηνος, ὁ, ἡ, von 7 Monaten; ſo alt: ſo lange dauernd. —μήτωρ, ορος, ἡ, Mutter von ſieben Kindern. zw. —μιτος, ὁ, ἡ, mit 7 Faden oder Saiten. zw. —μόριον, τὸ, ein Siebentheil. —μυχος, ὁ, ἡ, mit 7 Höhlen. zw.

'Επτάπεκτος, ὁ, ἡ, (πέκω) αἴξ, eine Ziege, die ſiebenmal geſchoren werden kann. Unter dieſem Namen hatte man ein ſcherzhaftes Gedicht, das man dem Homer zuſchrieb. —πηχυς, έος, ὁ, ἡ, ſieben Elbogen lang. —πλασιάζω, f. άσω, verſiebenfaltigen, ſiebenfach machen; von —πλάσιος, ια, ιον, oder ἑπταπλασίων, Adv. ἑπταπλασίως, ſiebenfältig; ſiebenfach. —πλευρος, ὁ, ἡ, (πλευρὰ) mit ſieben Seiten oder Ribben. —πλοος. contr. ἑπτάπλους, ὁ, ἡ, ſiebenfach, ſiebenfaltig. —ποδης, ου, ὁ, oder ἑπτάπους, ὁ, ἡ, mit oder von ſieben Füſsen. —πορος, ὁ, ἡ, aus ſieben Gängen beſtehend, ſieben Bahnen gehend: Beyw. der Plejaden: Hom. hymn. 7, 7. Eurip. Or. 1004. —πυλος, ὁ, ἡ, (πύλη) mit ſieben Thoren. —πυργος, ὁ, ἡ, mit ſieben Thürmen.

'Επτάῤῥοος, contr. ἑπτάῤῥους, ὁ, ἡ, mit ſieben Flüſſen oder Ausflüſſen, Mündungen.

'Επτὰς, άδας, ἡ, die Zahl Sieben. —στάδιος, ὁ, ἡ, (στάδιον) von ſieben Stadien. —στεροι πλειάδες, das Siebengeſtirn: Clemens Alex. —στολος, ὁ, ἡ, (στέλλω) auf ſiebenfache Art beſtellt, verſehn. zweif. —στομος, ὁ, ἡ, (στόμα) mit ſieben Ausflüſſen, Oeffnungen: Eur. Suppl. 401. Bach. 917. —τειχὴς, ὁ, ἡ, (τεῖχος) mit ſieben Mauern oder Burgen. —τονος, ὁ, ἡ, ſiebentonig wie ἑπτάκτυπος. Eur. als Beywort der χέλυς, λύρα: Alc. 448. Iph. Tr. 1129.

'Επταφαὴς, ὁ, ἡ, (φάος) ſiebenfach leuchtend. —φθογγος, ὁ, ἡ, (φθογγὴ) ſiebentönig, κίθαρα, Eur. Jon 881. —φυλλος, ὁ, ἡ, (φύλλον) mit ſieben Blättern. —φωνος, ὁ, ἡ, (φωνὴ) mit ſieben Stimmen oder Tönen.

"Επταχα, od. ἑπταχῆ, Adv. ſiebenfach, ſiebenfältig: in ſieben Theile. —χορδος, ὁ, ἡ, (χορδὴ) mit ſieben Saiten.

'Επτέτης, ου, ὁ, ſ. v. a. ἑπταέτης, femin. ἑπτέτις. —τήμερος, ὁ, ἡ, (ἡμέρα) von ſieben Tagen. —τήρης, εος, ὁ, ἡ, (ἐρέσσω) mit ſieben Reihen Ruderbänke, wie τριήρης.

'Επύλλιον, τὸ, dimin. von ἔπος, mithin ein Liedchen, ein Verschen.

"Επω, davon ἐνέπω: ſprechen, ſagen, ſingen, erzählen, befehlen, heiſsen.

"Επω, wovon das Medium ἕπομαι, folgen, oben beſonders ſteht; ἕπω im activo findet ſich nirgend in derſelben Bedeut., ſondern die erſte iſt: thätig, ämſig, beſchäftiget ſeyn, wie die gr. Grammatiker ſagen ἐνεργεῖν. Durch beygeſetzte praepoſ. wird dieſe Bedeut. näher beſtimmt: περιέπω Il. ο. 555 οὐχ ὁρᾶας οἷον Δόλοπος περὶ τεύχε' ἕπουσιν, wie beſchäftiget ſie um die Waffen des D. ſind und darum ſtreiten, ζ. 321 περὶ καλλέα τεύχε' ἕποντα, beſchäftiget mit ſeinen Waffen: ſ. v. a. περιέποντα. Am deutlichſten zeigt ſich beym Homer die erſte Bedeutung in ἀμφιέπω u. ἀμφέπω. So vom Feuer τὴν πρύμνην ἄμφεπεν und γάστρην τρίποδος ἄμφεπε πῦρ, welches um das Hintertheil des Schiffs und den Bauch des Dreyfuſses ſpielte, ſeine Wirkung äuſserte. σφὶν κακὰ ῥάπτομεν ἀμφιέποντες, Il. γ. 118. ſind wir damit beſchäftiget, Liſt gegen ſie zu üben. So Pindar Pyth. 4, 477 μόχθον ἀμφέπειν, Arbeit verrichten und damit beſchäftiget ſeyn. Daher überh. beſorgen, zubereiten: βοῦς ἔδερον τε καὶ ἄμφεπον, und τάφον Ἕκτορος ἀμφίεπον: auch verwalten, warten, pflegen, regieren, wie περιέπω. Man ſehe noch die Compoſ. ἐφέπω, διέπω, ἀμφέπω, περιέπω, μεθέπω nach. Man hat auch ἕσπω, ἕσπομαι geſagt, dav. aor. 2. σπὼν, σπεῖν, σπόμενος, wie ἐπισπὼν, ἐπισπόμενος, ἐπισπείη, μετασπὼν; ferner σπεῖο u. dergl. wie ἔχω, ἴσχω, ἔσχον, σχὼν, σχεῖν.

'Επωάζω, (ἐπὶ, ὠὸν) auf d. Eyern ſitzen, brüten: wie eine brütende Henne, Vogel ſchreyen; auch contr. ἐπώζω, Ariſtoph. Au. 266. davon

'Επώασις, ἡ, und ἐπωασμὸς, ὁ, das Sitzen über den Eyern, das Brüten der Vögel.

'Επωβελία, ἡ, (ὀβελὸς) οὗτος τῇ δραχμῇ ἑκάστου μηνὸς ἐπωβελίαν κατατιθέτω, dieſer ſoll jeden Monat zur Strafe für jede Drachme als Zins einen Obolus, den ſechſten Theil der Drachme bezahlen: Plato Leg. 11. 2) bey Klagen wegen Geldforderungen war es die gesetzmäſsige Strafe der Kalumnianten, daſs sie den sechsten Theil der angegebnen Forderung dem Beklagten zur Entschädigung bezahlten.

Ἐπῳδὴ, ἡ, (ᾠδὴ) im lyrischen Gedichte der Nachsatz, *Epode*; 2) ein Zaubergesang als Mittel eine Krankheit zu heilen, oder sonst etwas auf einem auſserordentlichen Wege zu bewirken oder zu erhalten, wie *incantatio*. —δης, ὁ, ἡ, wie δυσώδης von ἐπόζω, übelriechend.

Ἐπῳδικὸς, ἡ, ὸν, zur ἐπῳδὴ oder zum ἐπῳδὸς gehörig, respondirend: bezaubernd.

Ἐπωδίνω, darnach-darauf gebären.

Ἐπῴδιον, τὸ, dimin. von ἐπῳδὴ. —δὸς, ὁ, ἡ, einer der mit Zaubergesängen Krankheiten heilt, zur Liebe bewegt, und andere Wirkungen hervorbringt; daher νοσῶν νοσοῦντι ἐπῳδὸς ἐστι, ein Kranker tröstet den andern: Plutar. 2) ein Theil, Nachsatz, eines lyrisches Gesanges: 3) μορφῆς ἐπῳδὸν, Eur. Hec. 1258 s. v. a. ἐπώνυμον.

Ἐπώδυνος, ὁ, ἡ, Adv. —δύνως, (ὀδύνη) Schmerz empfindend od. verursachend, δάκρυα ἐπώδινα, von Schmerzen verursacht: Plutar.

Ἐπώζω, s. v. a. ἐπωάζω.

Ἐπωθέω, ῶ, f. ἐπώσω, ἐπωθίζω, ich stoſse ὠθέω, dahin, darzu, daran, ἐπὶ: auch neutr. Luci. Philop. 3.

Ἐπωκὴς, ὁ, ἡ, τῷ ὄξει ἐπωκεστέρῃ φακῆ, Hippocr. mit Eſsig noch mehr gemischt; von ὠκύς, welches wie ὄξος von ἄκος, wovon auch ὄκρις. —κύνω, schnell machen, beschleunigen, τὴν ἐνέργειαν ὑγιεινῶν 2 p. 248. B.

Ἐπωλένιος, ὁ, ἡ, (ὠλένη) auf, in den Ellbogen, Armen.

Ἐπωμάδιος, ὁ, ἡ, (ὦμος) auf den Schultern. —μαδὸν, Adv. auf den Schultern: Apollon. Rhod. —μίδιον, τὸ, dimin. von ἐπωμίς. —μίζω, (ὦμος) ich lege auf die Schultern: ἐπομίζομαι, ich nehme auf die Schultern: Luci. Philop. 4. —μὶς, ἴδος, ἡ, der Obertheil der Schultern, wo die Schlüſſelbeine mit dem Schulterblatte sich verbinden, daher bey den Dichtern die Schulter selbst; 2) der oberste Theil am Schiffe und andern Körpern; 3) ein Frauenskleid mit Ermeln, ein Unterkleid, das Gegentheil von ἐξωμίς, ohne Ermel. —μοσία, ἡ, das Schwören bey einer Gottheit. —μοτος, ὁ, ἡ, Ζεύς, Soph. Tr. 1188. bey dem man schwört: auch active, einer der bey einem Gotte schwört; von ἐπόμνυμι.

Ἐπώνιον, τὸ, (ὠνή, ἐπὶ) eine Abgabe von verkauften Waaren: Pollux 7. 15. —νυμα, ἡ, der Zuname, Beyname, Benennung nach- von einer Person- Sache; von —νυμιος, ία, ιον, s. v. a. d. folgd. Pindar. —νυμος, ὁ, ἡ, (ἐπὶ, ὄνυμα st. ὄνομα) mit dem Beynamen; 2) was seinen Namen einem andern giebt; 3) was von einem andern seinen Namen bekommt; τὸν μὲν ἐπ' ἀδελφῷ — τὸν δ' ἐπὶ τῷ πατρὶ ὠνόμασε, Plutar. Demetr. 2. Adv. ἐπωνύμως. —πάω und ἐπωπάζω, (ὄψ) s. v. a. ἐφοράω, *inspicio*, drauf sehen, Acht haben: Aeschyl. Eum. 974. Hesych. —πὴς, ἐπωπὶς, ὁ, ἡ, Auffeher; bey Lykophr. 1176. erklärt man es durch ἀκόλουθος von ἕπεσθαι, ἐπωπὶς, oder ἐπῶπις. —πὴ, S. ἐσωπή. —ριάζω, f. άσω, besorgt, bekümmert seyn, wie ἐξωριάζω: bey Hesych. s. v. a. μεριμνάω. S. auch εὐωριάζω. —ρύω, fut. ύομαι, dabey- darzu bellen oder heulen: Anthol.

Ἔπωσις, ἡ, (ἐπωθῶ) das Stoſsen dahin- darzu- darauf; zweif. davon —στρὶς, ἡ, die Nachstoſserin, die mit der untergelegten Hand beym einsteigen nachhilft: Hesych.

Ἐπωτειλάομαι, (ὠτειλὴ) s. v. a. ἐπουλόομαι; zw. —τίδες, αἱ, (ἐπὶ, οὖς) an des Kriegsschiffes Hintertheile zur Seite vorragende Hölzer, worauf die Steuerruder ruhten, wie Basilius Patricius S. 140 sagt; dah. Eur. Iph. ἐπωτίδων ἀγκύρας ἐξανῆπτον, Iph. Tr. 1350. am vordern oder hintern Theile des Schiffs; welche Is. Vossius mit dem vergleicht, was ital. *giogo di proda* und *di poppe* heiſst; de fabr. tirer.

Ἐπωφέλεια, ἡ, der Nutzen, Hülfe; vom folgd. —φελέω, ῶ, ich helfe, nutze dabey, ἐπὶ; 2) bey Soph. ἐπωφέλησα s. v. a. ὠφελον, welches m. nachsehe. —φέλημα, τὸ, der Nutzen, Hülfe. —φελὴς, έος, ὁ, ἡ, nützlich. 2) s. v. a. ἐφιάλτης. Eben dies ist ἐπωφέλιμος.

Ἔρα, ἡ, die Erde; davon ἔνεροι.

Ἔραζε, Adv. wie *humi*, auf die Erde. —ζω, wovon ἐξεράζω nur gebräuchlich ist. Hesychius hat ἐράσαι, κενῶσαι; ferner ἔραμα, τὸ, was ausgeleert, herausgeworfen wird. Man leitet es von ἔρα ab. S. ἐξεράζω. Von dieſem ἐράω kommt noch ἐρύω, ἐρύγω, ἐρυγὴ, ἐρυγάω, ἐρυγγάνω, auch ἐρέω, ἐρεύω, ἐρεύγω, ἐρεύγομαι her.

Ἔραμαι, lieben, m. d. Genit. v. ἐράω, ἔρημι, med. ἔραμαι: Opp. Cyn. 1, 10 ἀεῖσαι ἔραμαι ich will singen.

Ἐρανάρχης, ου, ὁ, der Anführer des ἔρανος, an den man sich wendete, wenn man einen ἔρανος verlangte, wie die Stelle des Diog. Laert. zeigt: ἔρανον αἰτούμενος πρὸς τὸν ἐρανάρχην ἔφη, τοὺς ἄλλους ἐράνιζε: Artemidor 1, 18 u. 37. und 2, 38. nennt ihn neben δανειστής, τραπεζίτης, ναύκληρος und ἔμπορος. Scheint also im römischen Sinne etwas mehr zu bedeuten.

Ἐρανέμπολος, ὁ, ἡ, (ἐμπολὴ) einer der von ἐράνοις d. i. vielleicht, von Aktien, von zusammengeschossenen Geldern, seinen Handel unterhält und treibt: Hesych. —νίζω τινὰ, ich fordere, bitte von einem einen Beytrag ἔρανος; ich sammle, bettle zusammen; ἐρανίζομαι, ich sammle für mich und empfange Beyträge: καὶ πρὸς τῶν φίλων ἐρανισθέντα εἰς Αἴγυπτον ἀπᾶραι, Diog. Laert. sey mit einer Unterstützung von seinen Freunden nach Aegypten gegangen. οὗτος καὶ Πρόδικος λόγους ἀναγινώσκοντες ἠρανίζοντο, Ders. d. i. liessen sich dafür von den Zuhörern Geld geben und sammelten Beyträge ein: ὡς ἐρανισθησόμενος ὑπὸ τῶν συγγενῶν, Dionys. hal. 12 p. 2238 dass er von den Verwandten freywillige Beysteuern erhalten werde; 2) ἐρανίζω ich trage bey hat Harpocr. aus Demosth. c. Boeot. angemerkt. —νικὸς, δίκη, Klage Process wegen des monatlichen Beytrags, ἔρανος. —νιον, τὸ, Dimin. von ἔρανος, kleiner Beytrag. —νισις, ἡ, oder ἐρανισμὸς, ὁ, Einsammlung der Beyträge: Beysteuer. —νιστὴς, οῦ, ὁ, (ἐρανίζω) der seinen ἔρανος Beytrag giebt, u. a. d. Pikenik oder monatlichem Schmausse Theil hat.

Ἐραννὸς, ἡ, ὸν, (ἐράω) liebenswürdig.

Ἔρανος, ὁ, der Beytrag, *symbola*; vorz. den man zur Unterstützung armer Freunde giebt: 2) Mahlzeit wozu jeder seinen Beytrag in Geld oder Essen giebt, Piquenik. 3) metaph. der Beytrag, Belang, der Antheil der auf einen kommt an Dank. ὀφείλειν τοῦτον τὸν ἔρανον ἀνθ' ὧν ἐκεῖνος αὐτῷ συνεκινδύνευσε. Isocr. Man leitet es von ἐρᾶν lieben ab: Vergl. Plin. 10 Epist. 94.

Ἐρασίμολπος, ὁ, ἡ, (μολπὴ) Freund von Liedern, Gesängen: Pindar. —πλόκαμος, ὁ, ἡ, Pind. Pyth. 4, 242. mit schonen Locken.

Ἔρασις, εως, ἡ, (ἐράω) das Lieben, die Liebe. —σιχρήματος, ὁ, ἡ, (ἔραομαι, χρήματα) geldliebend, habsüchtig, geitzig.

Ἐράσμιος, ὁ, ἡ, (ἐράω) liebenswürdig, angenehm.

Ἐραστὴς, ὁ, (ἐράω) Liebhaber; davon ἐράστρια, ἡ, Liebhaberin.

Ἐρατεινὸς, ἡ, ὸν, s. v. a. ἐράσμιος. —τίζω, poet. s. v. a. ἐράω. —τοπλόκαμος, ὁ, ἡ, mit schönen, angenehmen Haaren, Locken; von —τὸς, ἡ, ὸν, (ἐράω) s. v. a. ἐράμιος; davon —τόχροος, ὁ, ἡ, contr. ἐρατόχρους, von angenehmer Farbe oder Korper, χρόα. —τὺς, ἡ, Liebenswürdigkeit: Anthol. —τὼ, οῦς, Erato, eine Muse; v. ἐράω. —τῶπις, ιδος, ἡ, (ὢψ) mit lieblichem Blicke; zw.

Ἐράω, ῶ, auch ἔρημι, med. ἔραμαι, m. d. genit. lieben, und zwar zärtliche Liebe, von Geliebten und ähnlichen gleich werthen Gegenstanden, mehr als φιλέω: Xen, Hier. 11, 11. wie *amo* mehr als *diligo*: Cic. ad div. 9, 14. 11. 13, 47. 1. ἐρώμενος, der Geliebte, Liebling; ἐρωμένη, Geliebte, Liebste.

Ἐράω, ῶ, ich giesse aus, wovon ἐξεράω gewöhnlicher ist. Das Stammwort ist ῥάω, ἐράω, davon ῥάζω und ῥάνω, ῥαίνω; von ῥάζω kommen ῥαθαίνω, ῥαθάσσω, ῥαθαμίζω. Von der Form ῥέω sind weniger Ableitungen bekannt

Ἐργάζομαι, ich arbeite, thue, ich mache; 2) bearbeite, γῆν, baue das Land; θάλατταν, bearbeite das Meer, vom Fischer, der davon lebt, wie jener vom Ackerbau; 3) ich treibe, τέχνην, ἐπιστήμην, eine Kunst, Wissenschaft; 4) erarbeiten, verdienen: Xenoph. Memorab. 1, 3. 5. τὸ χρῆμ' ἐργαζεται: bey Aristoph. Eccl. 158. st. ἐπείγει, die Sache pressirt, ist eilig.

Ἐργάθω, trennen, absondern, s. v. a. εἴργω.

Ἐργαλεῖον, τὸ, das Werkzeug.

Ἐργάνη, ἡ, Beywort der Minerva, als Beschutzerin der Arbeit und der Arbeiter: bey Aeschyl. Pr. 461. s. v. a. ἐργάτις: wie bey den Samiern Minerva hiess.

Ἐργᾰσείω, ich will es thun: Soph. Tr. 1232. ὡς ἐργασείων οὐδὲν θροεῖς st. ἐργασόμενος. —σία, ἡ, (ἐργάζομαι) die Arbeit, die That; 2) die Tagearbeit, Tagewerk, *opera*; 3) die Arbeit, Kunst, Profession, Handthierung; 4) daher der Erwerb, Unterhalt, Gewinnst; auch der Bau, Anbau, *cultus*. —σιμὸς, ὁ, ἡ, was bearbeitet, gebauet, gethan werden, geschehn kann, ἐργασιμος χώρη, urbares, bebautes Land; 2) was geschehn, gethan, verrichtet ist; 3) act. γυναῖκες oder ἑταῖραι ἐργάσιμοι, öffentliche Huren, die ein Gewerbe damit treiben: Artemidor. 1, 80. —στὴρ, ῆρος, ὁ, Arbeiter, s. v. a. ἐργαστὴς und ἐργατης: Xenoph. —στηριακῶν καὶ βαναύσων, verbindet Polyb. 38, 4. von ἐργαστήριον, Handwerksleute. —στηριάρχης, ου, ὁ, (ἄρχων) Vorsteher, Aufseher einer Werkstätte, einer Fabrike oder Manufactur; von —στήριον, τὸ, (ἐργαστὴρ) Arbeitsstätte, Laden, Werkstatt, Fabrikenhaus. —στικὸς, ἡ, ὸν, arbeitend, thuend: zum arbeiten oder thun, ausführen gehörig oder geschickt: arbeitsam, mühsam, thätig. —στῖναι, αἱ, zu Athen die Jungfern, welche dem Peplus der Minerva webten: Hesych.

Ἐργατεία, und ἐργατία, s. v. a. ἐργασία; zw. von —τεύω, (ἔργον) ich mache, ἐργατεύομαι Diodor. 20, 92. s. v. a. ἐργάζομαι.

Ἐργάτης, ὁ, der Arbeiter; bey den Attikern und Xeno. auch arbeitſam, thätig: bey den Dorern Taglöhner; 2) ſ. v. a. das lat. *ergata*, eine Zugmaſchine bey Vitruvius 10, 4. Mathem. veteres p. 110. ἐργάτης ὃς ἐπιστρέφει τὸν κοχλίαν, dav. p. 109 τόπος ἐργατοκυλίνδρις, ein Göpel, ſtehende Winde. —τήσιος, ὁ, ἡ, ſ. v. a. ἐργάσιμος: Plutar. Cato major. c. 21 χώραν ἐργατησίαν ἔχουσαν αὐτοφυεῖς νομὰς καὶ ὕλας, ſoll alſo vielmehr ἀνέργαστον unbebaut heiſsen. —τίνης, ὁ, poet. ſ. v. a. ἐργάτης, Arbeiter. —τικὸς, ἡ, ὸν, Adv. —κῶς, der arbeiten, etwas thun, ausrichten kann. Bey Herodot. 2, 11. heiſst ſo der Nil, mächtig, ſtark; wie ἐργαστικὸς: da ἐργατικὸς eigentl. das bedeutet, was zum ἐργάτης gehört, ihn betrifft. —τις, ιδος, ἡ, fem. v. ἐργάτης, verdungen: Pind. Iſthm. 2. μοῖσα, um Lohn arbeitend. —τωες und attiſch ἐργάωνες, die *ergaſtula* der Lat. auf dem Lande, der Ort, wo die Sclaven ſchlafen: Heſych.

Ἐργάω, ῶ, das Stammwort von ἐργάζω, ἐργάζομαι: dieſe Form ἐργάομαι u. ἐργάω kommt bloſs bey den LXX vor.

Ἐργεπείκτης, ου, ὁ, (ἐπείγω) der das Werk oder die Arbeit betreibt, beſchleunigt.

Ἐργεπιστατέω, ich bin Aufſeher bey der Arbeit. —στάτης, ου, ὁ, d. i. ἔργου ἐπιστάτης, Aufſeher bey der Arbeit.

Ἔργετος, ὁ, ſ. v. a. ἐργμὸς: Heſych.

Ἔργμα, τὸ, (ἔργω) ſ. v. a. κώλυμα u. περίφραγμα: Heſych.

Ἔργμα, ατος, τὸ, (ἔρδω, ἔρζω) ſ. v. a. ἔργον und πρᾶγμα, That, Handlung.

Ἐργνύω, ſ. v. a. εἴργω.

Ἐργοδιωκτέω, ῶ, (ἔργον διώκω) ich betreibe und regiere die Arbeit; dav. —διώκτης, ου, ὁ, Aufſeher, der die Arbeit, das Werk betreibt: bey den LXX. —δοτέω, ῶ, gebe oder verdinge Arbeit. S. ἐργολάβος; davon —δότης, ου, ὁ, der Arbeit giebt oder verdingt. —επιστάτης, ου, ὁ, ſ. v. a. ἐργεπιστάτης: Pollux 7, 183. —κηδεστὴς, οῦ, ὁ, d. i. ἔργου κηδεστὴς od. κηδέων, mithin ſ. v. a. das vorherg. zw. —λάβεια, ἐργολαβία, ἡ, Unternehmung einer Arbeit, Uebernehmung derſelben für einen gewiſſen Lohn: Pachtung: metaph. λόγους πρὸς ἐπίδειξιν καὶ πρὸς ἐργολάβειαν γεγραμμένους, Iſocr. ad Philipp. wie Alciphr. Ep. 1, 34 λῆρος ταῦτα καὶ τῦφος καὶ ἐργολάβεια, was man um Lohn thut, oder zum Schein um dadurch zu gewinnen: u. —λαβέω, ῶ, (ἔργον, λαμβάνω, λάβω) ich übernehme verdungene Arbeit, od. ich übernehme Arbeit gegen einen bedungenen Lohn: ich pachte: Dio Caſſ. bey Demoſth. eine Sache übernehmen, unternehmen um ſeines Vortheils, um des Gewinnſtes willen; ſeinen Vortheil ſuchen. dav. —λάβος, ὁ, ἡ, od. ἐργολήπτης, der Arbeit für einen bedungenen Lohn übernimmt: Entrepreneur. —μωκία, ἡ, in dem Gloſſario Steph. wird es d. *adulatio*, Schmeicheley, ἐργομωκεύω durch *ancillor*, *adſecto*, *adulor*, und ἐργόμωος d. *adulator*, *ambitioſus* erklärt.

Ἔργον, τὸ, das Werk, Verrichtung, Tagewerk, Handthierung, Gewerbe, Handwerk, Arbeit; 2) ἔργον ἐστὶ, mit folgd. Infin. es iſt ſchwer; 3) καλοῦ κἀγαθοῦ τοῦτ' ἐστιν ἔργον, das iſt die Handlung eines braven Mannes. Oft wird ἔργον ausgelaſſen: 4) οὐδὲν ἔργον ἑστάναι das Stehn hilft, taugt nicht: Ariſtoph. Lyſiſtr. 424. Bey Xenoph. Vect. 4, 44. ſind ἔργα die Gewerke in den Bergwerken; τὸ τ' ἀρχαῖον καὶ τὸ ἔργον τῶν δώδεκα ἐτῶν, das Kapital und die Zinſen von 10 Jahren. Demoſth. ἔργα βοῶν, *boum labores*, Saatfelder; ſo nennt Oppian. Hal. 1, 161 ἔργα ἁλὸς, das Meer oder vielmehr den Sturm, auch die Fiſcherey.

Ἐργοπαρέκτης, ου, ὁ, ſ. v. a. ἐργοδότης. zw. —πόνος, ὁ, ἡ, Hand- Tag- Feldarbeiter. —στόλος, ὁ, (στέλλω) ſ. v. a. ἐργεπιστάτης. zw. —τρὺς, ὁ, ἡ, (ὄτρω, ὀτρύνω) ſ. v. a. ἐργεπείκτης: Heſych. —χειρον, τὸ, Handarbeit: zw. davon —χειρέω, ῶ, Handarbeit verrichten. zw.

Ἔργω, ἔρξω, ἐρχθεὶς, das lat. *arceo*, *coerceo*, wofür man in Proſa meiſt εἴργω, wie ἔρω, εἴρω ſagt; ferner ἔρχω. S. εἴργω. Bey Herodot. kommt ἔργεσθαι m. d. genit. oft für *abſtinere*, ſich enthalten, vor. S. συνέργω, Hom. Odyſſ. 12, 424.

Ἐργώδης, εος, ὁ, ἡ, Adv. ἐργωδῶς, (ἔργον) mühevoll, mühſelig, ſchwer, ſchwierig, läſtig: davon ἐργωδία, ἡ, Nicetas Ann. 1, 7. Mühe, Schwierigkeit.

Ἐργώνης, ου, ὁ, (ἔργον, ὠνέομαι) Arbeiten kaufend, d. i. für bedungenen Lohn unternehmend, ſ. v. a. ἐργολάβος; davon —νία, ἡ, ſ. v. a. ἐργολάβεια: Polyb. 6, 17.

Ἕρδω, ſ. v. a. ῥέζω, machen: vorzügl. opfern, wie *facere*.

Ἐρέα, ἡ, (ἔρος, εἶρος, ἔριον) Wolle: ἀμφίταποι τῆς πρώτης ἐρέας, von der erſten, feinſten Wolle: Athen. p. 197. davon ἐρεοῦς.

Ἐρεβεννὸς, ſ. v. a. ἐρεβώδης, finſter, dunkel. —βίνθειος, von der Art des ἐρέβινθος, oder darzu gehörig. —βινθιαῖος, αία, αῖον, von der Gröſse des ἐρέβινθος.

Ἐρεβίνθινος, s. v. a. ἐρεβίνθειος. —**βινθος**, ὁ, *cicer*, Kichererbsen, Pflanze und Frucht; 2) bey den Komikern st. der Hoden oder des männlichen Gliedes. —**βινθώδης**, ὁ, ἡ, s. v. a. ἐρεβίνθειος. —**βοδιφάω**, ich suche, durchsuche die Finsterniss, das Dunkle. —**βόθεν**, wie Adv. (ἔρεβος) aus der Finsterniss, der Unterwelt. —**βος**, τὸ, genit. ἐρέβους und ἐρέβεος, die Finsterniss, vorz. der Unter- oder Todtenwelt; hat mit ὄρφνη und ἐρεμνὸς einerley Ursprung von ἐρέπτω oder ἐρέφω. S. ὀρφανὸς. —**βώδης**, ὁ, ἡ, finster, dunkel, wie ἔρεβος. —**βῶπις**, ιδος, ἡ, (ὤψ) mit finstern, dunkeln Augen, wie ἔρεβος.

Ἔρεγμα, ατος, τὸ, (ἐρείκω) Bohnen und andere Hülsenfrüchte geschroten, *faba et legumina fresa*, d. i. grob gemahlen; wird auch ἔρειγμα u. ἔριγμα geschrieben. —**μὸς**, ὁ, s. v. a. ἔρεγμα: davon ἐρέγμινον ἄλευρον bey Galenus, κατὰ τόπους, Mehl von geschrotenen Bohnen, Bohnenmehl, *lomenti farina*. Cornar. p. 549.

Ἐρεείνω, s. v. a. ἔρομαι, ich frage, auch im medio ἐρεείνομαι.

Ἔρειγμα s. v. a. ἔρεγμα.

Ἐρεθίζω, s. v. a. ἐρέθω, ich bewege, reize, necke. —**θισμα**, ατος, τὸ, und ἐρεθισμὸς, ὁ, die Bewegung, Reizung, Neckerey. —**θιστὴς**, ὁ, der in Bewegung setzt, reizt, neckt. —**θιστικὸς**, ἡ, ὸν, was reizen kann, oder zu reizen, necken pflegt. Adv. ἐρεθιστικῶς. —**θω**, s. v. a. das abgeleitete ἐρεθίζω, ich setze in Bewegung, reize, necke; von ἔρω, wovon auch ἐρέσσω, Hom. Il. 1, 519.

Ἐρείδω, festsetzen, feststellen, eindrucken, wie *figere*; also ἴχνος, ὄμμα, wie *vestigia*, *oculos figere*, vom festen Tritte, starrem Ansehen; σικύαν, den Schröpfkopf andrücken: med. ἐρείδομαι, ich stütze mich, lege mich auf βάκτρῳ den Stab; ὕπτιος οὔδει ἐρείσθη, ward rücklings auf die Erde gestreckt, geworfen, *allisus*, passive; auch wird es wie σκήπτω und βρίθω neutr. gebraucht für das lat. *incumbere* von einer Krankheit, die auf einen Theil fallt, sich wirft. Nach der Bemerkung des Scholiasten über Aristoph. Pac. v. 25. brauchen die Attiker das Wort v. allen Handlungen, die m. Eifer, Hastigkeit u. hinter einander geschehn. So braucht Aristoph. v. 25. ἐρείδει st. sogleich ist es hinterher u. frisst es; und v. 31. ἔρειδε, μὴ παύσαιο μήποτ᾽ ἐσθίων, frisch, frisch! Equit. 627 τερατευόμενος ἤρειδε κατὰ τῶν ἱππέων κρημνοὺς ἐρείδων καὶ ξυνωμότας λέγων, welches Hesych. erklärt σφοδρῶς κατηγόρει: ἐκ μεταφορᾶς τῶν ἐλαυνόντων. Eben so Nub. 558 πάντες ἐρείδουσιν ἐς Ὑπέρβολον, alle dringen auf Hyp. ein; und v. 1378 ἔπος πρὸς ἔπος ἐρείδεσθαι, kommen in einen harten Wortwechsel und Streit mit einander; μηκέτ᾽ ἐρείδεσθον, Iliad. 23, 735. streitet nicht mehr; ἐρείδεσθαι ὑπὲρ, streiten u. wetten: Aelian. H. A. 15, 24. Auch braucht Aristoph. Thesm. 488 und Eccles. 616. es für βινεῖν. Polybius 2, 33 und 3, 46. setzt ἐρείδειν μαχαίρας und σχεδίας für stützen, anlegen; ἐρείδειν ἀμνὸν, ein Lamm setzen: Theocr. 5, 24. ἐς χεῖρας ἐρείσαις 7, 104 in die Hände drücken. ἔρειδε τὰν γνώμαν 21, 61. strenge dein Nachsinnen an; oder stehe mir bey, tröste, stütze mein unruhiges Herz. In der ersten attischen Bedeut. sagt Philostr. Apoll. 4, 9 ἐνέκειτο παρακελευόμενος ἐρείδειν τε καὶ μὴ ἀνιέναι, u. 6, 36 ἐγκειμένους καὶ ἐρείδοντας. Photius führt aus Aristoph. an: ἐρείδετον. κἀγὼ κατόπιν σφῷν ἕψομαι, macht fort, geht geschwind. Schon die alten Grammat. leiten das Wort von ἔρω, ἐρέω wie ἐρέσσω, und in derselben Bedeut. ab.

Ἐρεικτὸς, ἡ, ὸν, zerbrochen, zerrissen, gespalten, zermalmt, geschrotet; von

Ἐρείκω auch ἐρίκω, dav. διὰ κάλον ἤρικεν, zerriss den Strick. Anal. Brunk. 1, 420. neutr. Il. 17, 295. ich spalte, trenne, zerbreche, zerreisse, zermalme: οἱ δ᾽ ἀροτῆρες ἤρεικον χθόνα δῖαν, Hesiod. spalteten mit dem Pfluge die Erde. Meist wird es von Hülsenfrüchten gebraucht, die man leicht mahlt, schrotet, bricht, lat. *frendere*, *faba fresa*; von der Form ἐρέκω ist ἐρεξάμενοι τὰς κριθὰς, Theophr. Porphyrii Abstin. 2, 6. S. ῥήγνυμι; davon

Ἔρειξις, εως, ἡ, das Zerbrechen, Zermalmen, Spalten.

Ἔρειος, bey Theocr. 15, 50. von zweif. Bedeut. und Lesart.

Ἐρείπιον, τὸ, der Sturz, Fall: das niedergestürzte Haus, Körper, *ruina*; von ἐρείπω. —**πω**, (ἐρίπω, davon ἤριπον u. ἐρέριπτο, Il. 14, 15.) ich werfe, stürze einen nieder, reisse herunter, ein, wie ein Haus: auch neutr. ich stürze nieder, ein: μέγας ἐρείπεται κτύπος διόβολος, Soph. Oed. Col. 1462. rollt herab.

Ἔρεισις, ἡ, (ἐρείδω) das Stützen, Stemmen, Festsetzen.

Ἔρεισμα, τὸ, (ἐρείδω) Stütze: τοῦ σώματος, der Eindruck von einem liegenden, sich stützenden Körper. Aristaen. 2 ep. 22. eigentl. das gestützte, festgesetzte.

Ἐρείψιμος, ὁ, ἡ, eingestürzt, eingefallen: Eur. von —**ψις**, ἡ, (ἐρείπω) das Zerstören oder Niederreissen; davon —**ψίτοιχος**, ὁ, ἡ, (ἐρείπω) δωμάτων, Aeschyl. S. 883. die Mauern niederreissend.

Ἐρεύω, st. ἔρομαι. S. ἔρω.

Ἐρέκω, S. ἐρείκω.

Ἐρεμνὸς, ἡ, ὸν, f. v. a. ἐρεβεινὸς, finfter, fchwarz, fürchterlich: Aefchyl. Ag. 1401. S. ἔρεβος.

Ἐρέομαι, ft. ἔρομαι, ich frage.

Ἐρεοῦς, ἐρεοῦν, (ἐρέα) von Wolle gemacht.

Ἐρέπτω, ich nähre: ἐρέπτομαι im med. ich effe; Homer braucht es blofs von Thieren, und Oppian. Hal. 1, 96. S. in τρέφω; 2) in ὑπερέπτω und ἀνερέπτω hat es eine andere Bedeutung; 3) f. v. a. ἐρέφω, bekränze. Pind. Pyth. 4, 427. χρυσῷ τὰς οἰκίας ἐρέπτουσι, Dio Orat. 79 p. 432.

Ἐρεσία, ἡ, das Rudern; vom folgd.

Ἐρέσσω, und ἐρέττω, vorz. ich rudere, bewege durch rudern fort: überh. bey Dichtern, ich bewege, f. v. a. κινῶ. Soph. Ant. 158 μῆτιν ἐρέσσων. Das Stammwort ift ἔρω, ἐρέθω, ἐρεθίζω v. ἔρω ἔρσῃ u. ἔρσεο, διεγείρου, bey Hefych. Statt ἔρω hat man auch ὄρω gefagt.

Ἐρεσχελέω, ῶ, als activ. ich necke, reize durch eine Neckerey, Spafs. Themift. Or. 18 ἐρεσχελεῖ καὶ ἐρεθίζει. Lucian verbindet ἐρεσχελεῖν καὶ δειματοῦν; 2) als neutr. ohne Kafus, Spafs, Scherz machen, Neckerey treiben, fpaffen; ὡς πρὸς παῖδας ἡμᾶς παιζούσας καὶ ἐρεσχελούσας, ὡς δὴ σπουδῇ λεγούσας, Plato Resp. 8. Daher erklärt Suidas ἐρεσχελεῖται durch Φλυαρεῖται. Die Ableit. von ἐρᾶν, λέσχη ift ungewiffer als die von ἐρίζω. Das Etym. M. führt aus Parthenius dem Dichter ἐρίσχηλος für λοίδορος, und ἐρισχηλεῖν, für ἐρεσχελεῖν an. —εσχελία, ἡ, Neckerey, Spafs, Scherz. S. das vorige.

Ἐρετάνης, ὁ, und ἐρεταίνω, f. v. a. ἐρέτης u. ἐρέσσω. Hefych. —της, ου, ὁ, (ἐρέσσω) Ruderer: davon —τικὸς, ἡ, ὸν, die Ruderer, das Rudern betreffend, darzu gehörig; τὸ ἐρ. f. v. a. οἱ ἐρέται.

Ἐρετμὸν, τὸ, (ἐρέσσω) oder ἐρετμὸς, ὁ, Ruder; Hefych. hat auch ἐρετμὴ angemerkt. —μόω, ῶ, χέρας, ich verfehe die Hand mit einem Ruder, (ἐρετμὸς) Eurip. Med. 4 ich lege die Hand ans Ruder: Orphika 357.

Ἐρέττω, f. v. a. ἐρέσσω.

Ἔρευγμα, ατος, τὸ, f. v. a. ἔρυγμα; davon —γματώδης, ὁ, ἡ, f. v. a. ἐρυγματώδης. —γμὸς, ὁ, f. v. a. ἔρευγμα; davon —γμώδης, ὁ, ἡ, was Aufftoffen verurfacht. —γω, ἐρεύγομαι (ἐράω, ἐρύω, ἐρεύω. S. ἐξεράω u. ἐρύγω) ich werfe aus; fpeye aus; rülpfe. Odyff. 9, 374 ἐρεύγετο f. v. a. ἐβρύχετο er brüllte. S. ἐρύγω. Wird auch von Flüffen gefagt, die ihr Waffer von fich geben, fich entledigen z. B. ins Meer.

Ἐρευθέδανον, τὸ, (ἔρευθος) f. v. a. ἐρυθρόδανον. —θέω, roth feyn: Lucian Nero 7; davon —θήεις, ήεσσα, ῆεν, u. ἐρευθής, έος, ὁ, ἡ, poet. f. v. a. das profaifche ἐρυθρὸς, roth. —θιάω, ῶ, roth feyn, roth werden, poet. u. f. v. a. d. profaifche ἐρυθριάω. —θος, εος, τὸ, die Röthe; das Rothwerden des Gefichts, Erröthen, die Schaam. S. ἐρεύω. —θύδανον, τὸ, f. v. a. ἐρυθρόδανον. —θω, f. εύσω, u. ἐρευθόω: Nicetae Ann. 5 c. 5. roth machen, röthen. S. ἐρεύω.

Ἐρευκτικὸς, ἡ, ὸν, zum fpeyen gehörig oder geneigt.

Ἔρευνα, ἡ, das Forfchen, Nachfuchen, Nachfpüren, die Vifitation; die Tortur; die Unterfuchung; Prüfung; davon —νάω, ῶ, f. ήσω, ich forfche nach, fpüre nach, unterfuche, prüfe; davon —νητὴρ, ῆρος, ὁ, u. —νητὴς, ὁ, der nachforfcht, nachfpürt, prüft. Das Hauptwort ἔρευνα kommt von ἐρέω, ἐρεύω, ἐρεύνω her. S. ἔρω. Hefychius hat ἔρευε u. ἐρεύσομεν, desgleichen ἐξερεύειν u. ἐξερεύηκα. —ξις, εως, ἡ, (ἐρεύγω) das Speyen; dav. ἐρευξίχολος, ὁ, ἡ, (χολὴ) gallefpeyend, d. i. jähzornig: Nicet. Annal. 19, 4.

Ἐρεύω, f. v. a. ἐρεύθω röthen, rothfärben. Il. 18, 329 ἐρεῦσαι. Das Stammwort ift alfo ἐρύω u. ἐρεύω, davon ἐρυθὸς, ἐρυθρὸς ἐρυσίβη u. ἔρευθος, das lat. *ruber* wie νύω, νεύω, *nubo*.

Ἐρέφω, f. ψω, bedecken, bedachen, mit einem Dach verfeben; bekränzen, umwinden: Eur. Bacch. 323. davon ὄροφος. S. auch ἐρέπτω.

Ἐρέχθω, f. v. a. ἐρείκω (ἐρέκω, ἐρέχω) zerreiffen, zerbrechen, metaph. vom Schmerz, Betrübnifs: Hom. Od. 5, 83. νῆα ἐρεχθομένην ἀνέμοις, Il. 23, 317. f. v. a. σαλευομένη, ἐλαυνομένη hin und her gefchleudert.

Ἐρέψιμος, ὁ, ἡ, zum Dache gefchickt. ξύλα, δένδρα ἐρέψιμα, Bäume, Bauholz, zum Sparrwerke der Häufer und Dächer; von ἐρέφω, davon ὀροφαὶ, *contignationes*, Sparren. —ψις, ἡ, das Decken, ξύλα πρὸς ἔρεψιν f. v. a. ἐρέψιμα.

Ἐρέω, ῶ, ich frage, forfche, fage. S. ἔρω. davon kommt ἐρήσω u. εἴρηκα 2) ft. ἐρῶ, ich will fagen.

Ἐρημάζω, f. άσω, ich bin ἔρημος, einfam, lebe in der Einfamkeit: Theocr. 22, 35. —μαῖος, αία, αῖον, poet. f. v. a. ἔρημος. —μία, ἡ, Einfamkeit, einfamer Ort; Zuftand eines einfamen, verlaffenen, verwaifeten Menfchen; daher Mangel; Abwefenheit; ἐρημία κακῶν, Eur. Herc. 1137 Befreyung vom Unglück. —μιὰς, άδος, ἡ, verft. γῆ f. v. a. ἐρημία, u. ἐρήμη. —μικὸς, ἡ, ὸν, zur Einfamkeit gehörig, gewöhnt. —μίτης, ὁ, ein Einfiedler, einfamer Menfch. —μοβάτευτος, ὁ, ἡ, d. i. ἐν ἐρήμῳ (γῇ) βατεύων. zw. —μοδίκιον, τὸ, f. v. a. ἐρήμη δίκη. zw.

'Ερημόθωκος, ὁ, ἡ, allein oder in der Einſamkeit ſitzend. Heſych. —μοκόμης, ὁ, entblöſst von Haaren, kahlköpfig: zw. —μολάλος, ὁ, ἡ, d. i. ἐν ἐρήμῳ (γῇ) λαλέων. zw. —μόνομος, ὁ, ἡ, in der Wüſte geweidet oder weidend. zw. —μόπλανος, ὁ, ἡ, Demetr. Phal. 116 in der Wüſten irrend. —μοποιὸς, ὁ, ἡ, wüſte machend, verwüſtend: Suidas. —μος, ὁ, ἡ, auch ἐρήμη, ἡ, einſam, verlaſſen von Menſchen, auch entbloſst von Hülfe; von Land und Hauſern, einſam, wüſte, unbebaut, verlaſſen, leer. 2) entbloſst, entbehrend, m. d. Genit. 3) ἡ ἔρημος, die Wüſteney, einſamer Ort, verſt. γῆ. 4) ἐρήμη verſt. δίκη, wo einer von beyden Partheyen am Termin ausbleibt, wodurch der Proceſs verloren gegeben wird, ἐρήμην (κατὰ δίκην) κατηγοροῦντες, ἀπολογουμένου οὐδενὸς, Plato: wo man es kurz einen abweſend anklagen überſetzen kann; ἔρημον ἐμβλέπω hat Ariſtoph. bey Suidas von einem ſtarken Blicke geſagt, wie man ihn auf eine unüberſehbare Fläche oder auf das Meer in Gedanken richtet. Hemſterh. leitet es von ἔρα, wüſtes Land her.

'Ερημόσκοπος, ὁ, Wächter oder Späher der Wüſte, bey Suidas, welcher es falſch d. ῥαθύμως φυλάττων zu erklären ſcheint. —μοσύνη, ἡ, Einſamkeit. zw. —μοφίλης, und ος, ὁ, Freund der Einſamkeit. —μόω, ῶ, ich mache wüſt, leer; 2) ich räume einen Ort, verlaſſe ihn, wie κενόω: Eur. Andr. 983. davon —μωσις, ἡ, das Leermachen, oder Raumen: Verwüſtung, Entvolkerung. —μωτὴς, ὁ, (ἐρημόω) Verheerer, Verwuſter.

'Ερητύω, f. ύσω, ich halte ab, halte zurück; ich beſänftige; ich mache ſtille: Apollon. 1, 297 ἐρητύσεις κακότητος δάκρυσιν, wirſt entfernen das Ungluck. Scheint mit ἐρύκω u. ἐρωέω einerley Urſprung zu haben.

"Ερι, eine Partikel, die in der Zuſammenſetzung verſtärkt, wie *per* z. B:

'Εριαύχην, ενος, ὁ, ἡ, mit hohem, erhobnem Halſe; vom Pferde, ſtolz, muthig; daher ἐριαύχην κλόνος, Pindar. Plutar. Q. S. 1, 5. wo die Handſchr. ῥιψαύχην haben, wie 7, 5 ſteht.

'Εριβόας, ου, ὁ, (βοὴ) laut ſchreyend. —βομβὸς, ὁ, ἡ, μέλισσα, die ſtark ſummſende Biene: Orpheus. —βρεμέτης, ου, ὁ, oder ἐρίβρομος, ſtark, heftig, laut töſend, rauſchend, laut brullend. —βρύχης, ὁ, ἡ, ἐρίβρυχος, (βρύχω) laut brullend. —βῶλαξ, ακος, ὁ, ἡ, oder ἐρίβωλος, ὁ, ἡ, mit ſtarken Schollen, Klöſen, mit ſtarkem fruchtbaren Boden.

'Εριγάστωρ, ορος, ὁ, ἡ, (γαστὴρ) mit ſtarkem Bauche, groſs- oder dickbauchicht. —γδουπος, ὁ, ἡ, (ἔρι, δοῦπος) ſtark, lauttoſend, ſtark krachend, ſtark donnernd. —γήθης, ὁ, ἡ, (γηθέω) ſich ſtark freuend, hoch erfreut. —γληνος, ὁ, ἡ, (γλήνη) mit ſtarkem oder groſsem Augapfel oder Auge. —γμα, τὸ, ſ. v. a. ἔρειγμα und ἔρεγμα. —γμη, ἡ, ſ. v. a. ἐριγμὴ, aus Ariſtoph. zw.

'Εριδαίνω, und ἐριδέω, ἐριδέομαι, ſ. v. a. ἐρίζω, ſtreiten; davon ἐριδήσασθαι und ἐριδδήσασθαι: Il. 23, 792. von der erſtern Form kommt —δαντεὺς, έος, ὁ, der Zänker. S. ἱμαντοελικτεύς. —δηλος, ὁ, ἡ, ſehr deutlich. —δηνὴς, έος, ὁ, ἡ, (δίνη) voller Wirbel. zw. —διον, τὸ, dimin. von ἔριον.

'Εριδμαίνω, ſ. v. a. ἐρεθίζω, necken, reitzen: Il. 16, 260. —ματος, ὁ, ἡ, (δμάω) ſtark oder ſehr bandigend zw.

'Ερίδουπος, ὁ, ἡ, ſ. v. a. ἐρίγδουπος. —ζω, ἐρίζομαι, ſ. v. a. ἐριδμαίνω, ſtreiten, wetteifern. —ζωος, ὁ, ἡ, lang lebend, *vivax*: Heſych.

'Εριήκοος, ὁ, ἡ, (ἀκοὴ) ſtark od. genau hörend. zw. —ηρες, οἱ, und ἐρίηροι ἑταῖροι, von ἐριὴρ, od. ἐριήρης, und ἐρίηρος, bey Homer die trauten Geſellen. Die Ableit. von ἄρω d. i. ἁρμόζω ſcheint die richtigere, wie ἀοιδὸς ἐρίηρος, Od. 1, 347 der gefallige Sänger, εὐάρμοστος, zeigt. Die andern Ableit. von ἐράω und ἦρα paſſen weit weniger. —ηχὴς, έος, ὁ, ἡ, (ἠχέω) ſtark tönend.

'Εριθάκη, ἡ, Ariſtot. h. an. 5, 22. Varro R. R. 3, 16. das ſogenannte Bienenbrod. —θακὶς, ίδος, ἡ, nach Heſych. εἶδος δένδρου. —θακος, ὁ, ein Vogel, auch φοινικουργὸς genannt: Ariſtot. hiſt. an. 9, 49. bey Porphyr. Abſtin. 3, 4. wird er mit dem Papagey, Raben und Elſter unter die Vögel gezählt, die ſprechen lernen. —θαλὴς, έος, ὁ, ἡ, ſ. v. a. ἐριθαλλὴς. —θαλὶς, ίδος, ἡ, bey Heſych. eine Pflanze. Plin. 25, 13. ſcheint ſie *erithales*, ἐριθαλὲς, zu nennen. —θαλλὴς, ὁ, ἡ, und ἐρίθαλλος, ὁ, ἡ, (ἔρι, θάλλω) Beyw. von Pflanzen und Bäumen, die im guten Wachsthume oder groſs, hoch ſind: Plutar. Theſ. 16. S. ἐριθηλὴς. —θεία, ἡ, die Arbeit um Lohn; 2) *ambitus, factio*, franz. *brigue*. S. ἐριθεύω. no. 2. —θεὺς, έως, ὁ, ſ. v. a. ἐρίθακος, ein Vogel. —θεύω, ἐριθεύομαι, (ἔριθος) ich arbeite für Lohn, diene, wie arme Leute: 2) metaph. von Magiſträten, Richtern, und angeſehenen Perſonen heiſst ἐριθεύεσθαι, in Rückſicht auf Vortheil, Gewinnſt, Gunſt des Volks, Anſehn, aus Ambition, Eiferſucht etwas thun, handeln; alſo ſich beſtechen laſſen, nach Gunſt handeln, Kabale machen, u. d. franz. *briguer*. So heiſsen ἐριθευόμενοι bey Ariſtot. Politik 5, 5. diejenigen die *ambitum* der Romer exerciren, bey Bewerbung um Stellen; daher ἐριθεῖαι, folche Faktionen von *ambientibus magistratum.* Hefychius hat ἠριθευμένων durch πεφιλοτιμημένων, und ἠριθεύετο durch ἐφιλονείκει erklärt; Suid. durch δεκάζεσθαι, bestochen werden. Dah. Richter, Magiſträte ἀνερίθευτοι, *integri, ſancti,* heiſsen. ἐξεριθεύεσθαι τοὺς νέους, durch Kabale die Jugend dahin bringen; Polyb. 3) obenhin etwas thun: Hefychius.

Ἐριθηλής, έος, ὁ, ἡ, (ἐρι, θάλλω) was in vollem Wuchſe, Blüte, iſt; ſ. v. a. ἐριθαλής; überhaupt ſchön oder groſs gewachſen: fruchtbar. —θος, ὁ, einer der für Lohn arbeitet, alſo ein Mäher, Pflüger, Spinner: überhaupt ein Dienſtbote; ein armer Menſch, männlichen und, ἡ, weiblichen Geſchlechts. Bey Demoſth. p. 1313 werden τιτθαί, ἔριθοι καὶ τρυγήτριαι verbunden: hymn. Mercur. 296. heiſst γαστρὸς ἔριθος der Furz: zweif. —θυμος, ὁ, ἡ, ἀνθρώποις ἐριθύμοις Orpheus p. 393. fragm. 31. von ungew. Bedeut. —θύομαι, f. ύσομαι, ich webe; zw.

Ἐρίκιδες, αἱ, geſchrotene Gerſte, von ἐρείκω; auch ἐρικάδες und ἐρεικίδες: Galeni Gloſſ. —κίτας ἄρτος, (ἐρείκω) bey Athenae. 3. Brod von geſchrotener Gerſte. —κλάγκτης, ου, ὁ, (κλάγγω) ſehr klingend, tönend. —κλαυτος, ὁ, ἡ, ſehr weinend oder beweint. —κλυτος, ὁ, ἡ, ſehr gehört, bekannt, berühmt. —κτέανος, ὁ, ἡ, ſehr viel beſitzend, reich. —κτός, ἡ, όν, *freſus,* geſchroten. S. ἐρίκω. —κτυπος, ὁ, ἡ, ſehr lärmend, tönend. —κυδής, έος, ὁ, ἡ, ſehr geehrt, gerühmt, berühmt; von κῦδος. —κύμων, ὁ, ἡ, ſehr ſchwanger, fruchtbar; von κῦμα oder auch ſehr viel Wellen ſchlagend. —κω, ſ. v. a. ἐρείκω. S. inῥήγνυμι. —κώδης, εος, ὁ, ἡ, bey Suid. διερῥηγμένος: ſonſt kann es von ἐρίκη abgeleitet voll Heide bedeuten. —λαμπής, ὁ, ἡ, bey Maximus vers 103 ἐριλαμπέτιν αἴγλην, ſtark leuchtend, glänzend, λάμπω. —μήκετος, ὁ, ἡ, wie περιμήκετος; zw. —μυκος, ὁ, ἡ, (μύκω) laut brüllend.

Ἐρινάζω, ſ. άσω, *caprifico,* ich hänge die Frucht des wilden Feigenbaums über die zahmen Feigen, damit dieſe reif werden; weil die Inſecten aus der wilden Frucht kriechen und die zahmen durchbohren. —νάς, άδος, ἡ, der wilde Feigenbaum. —νασμός, ὁ, *caprificatio.* S. ἐρινάζω. —νεμος, ὁ, ein Wirbelwind, ſ. v. a. ἐριώλη; von ἐρι u. ἄνεμος: Theophr. von Winden. — —νεόν, τό, die Frucht des wilden Feigenbaums; auch ſ. v. a. ὄλυνθος. —νεός, ὁ. *caprificus,* wilder Feigenbaum; 2) deſſen Frucht; oder auch ſ. v. a. ὄλυνθος: Heſiodi fragm. ὅσους ἐρινεὸς ὀλύνθους ſt. ἐρινεός.

Ἐριννύς, ύος, ἡ, (ἐρίνω) *Erinnys, Furia,* die Göttin welche die Verbrechen der Menſchen rächt, durch Erweckung des Gewiſſens und dah. entſtandene Wuth; 2) das Verbrechen: Heſiod. Theog. 472. —νυώδης, εος, ὁ, ἡ, Erinnyen-Furienmäſsig: Plutar.

Ἐρινόν, τό, ſ. v. a. ἐρινεόν. —νός, ὁ, ſ. v. a. ἐρινεός. —νόω, ῶ, ſ. v. a. ἐρινάζω, Theophr H. P. 2, 9. zw. —νύω, oder ἐριννύω, nach Pauſan. Arcad. c. 25 bedeutet ἐριννύειν bey den Arcadern zürnen, davon ἐριννύς die Rachgöttin; wahrſch. vom folgd. —νω, forſchen, fragen; vom Stammworte ἔρω, ἔρομαι; dafür gewöhnlicher ἐρεείνω: in der Bedeut. von bewegen iſt ἐρέθω ἐρεθίζω gewöhnlicher ſo wie ἐρέσσω. Von ἐρίνω kommt ἐρινύω und ἐριννος wie es ſcheint, reizen, zornig machen.

Ἐριξ ἧπατος erklärt Galeni Gloſſ. aus Hippocr. durch die Stelle der Leber, wo ſie ſich in Lappen theilt, alſo von ἐρίκω; er bemerkt als Variante θρίξ, jetzt ſteht σύριξ dafür.

Ἐριόδων, οντος, ὁ, ἡ, (ὀδούς) mit ſtarken, groſsen Zähnen: Heſych. —ον, τό, Dimin. von ἔρος, εἶρος, τό, auch ἐρέα, die Wolle, und was von Wolle gemacht iſt. —νέω, ῶ, Wolle ſpinnen, ἔριον, νέω: zw.

Ἐριόξυλον, τό, (ἔριον), Baumwollenſtaude.

Ἐριοπλύτης, ου, ὁ, (ἔριον πλύνων) Wolle oder wollene Kleider waſchend, reinigend: Dioſcor. 2, 193. —πωλέω, ῶ, ich verkaufe Wolle; davon —πώλης, ου, ὁ, der Wolle verkauft, Wollenhändler; davon —πωλικῶς, Adv. nach Art der Wollenhändler: und —πώλιον, τό, Wollenmarkt.

Ἐριούνης, ὁ, und ἐριούνιος bey Homer ein Beywort des Merkur, welches man von ἐρι ὀνῶν, ſehr nützlich, ableitete, andere erklärten es durch χθόνιος; u. ſo ſagt Nicander beym Anton. Lib. 25 τοὺς ἐριουνίους θεοὺς und erklärt es ſelbſt durch χθονίους δαίμονας die unterirrdiſchen Götter; von ἔρα die Erde.

Ἐριουργέω, ῶ, ich arbeite Wolle, in Wolle: davon —γία, ἡ, das Arbeiten in Wolle, Wollenarbeit. —γός, ὁ, ἡ, (ἔριον ἔργον) Wollenarbeiter; dav.

Ἐριοφορέω, ῶ, Wolle oder wollene Kleider tragen. —φόρος, ὁ, ἡ, Wolle tragend.

Ἐρίπιον, τό, ſt. ἐρείπιον. Heſych. zw. —πλευρος, ὁ, ἡ, (πλευρά) mit ſtarken Seiten oder Ribben: zw.

Ἐρίπνη, ἡ, Felſen, von ἐρείπω, ἐρίπω, wie *rupes* von *rumpere.*

Ἐριπόω, ῶ, ſ. ώσω, ſ. v. a. ἐρείπω: Etymol. M. —πω, ſ. ψω, ſt. ἐρείπω: iſt mit ῥίπω, ῥιπίζω und ῥίπτω einerley, wie ῥύομαι, ἐρύομαι.

Ἔρις, ιδος, ἡ, Streit, Eifer: Wetteifer, Wettstreit; εἰς ἔριν ταύτης τῆς μάχης: Cyropaed. 2, 3, 15. Zank, Gefecht, Streit- Zanksucht; personificirt ist es die Gottin Eris, die Zank und Streit erregt.

Ἐρισάλπιγξ, γος, ὁ, ἡ, der stark (ἐρι) trompetet, ein Vogel beym Kallim. Schol. Arist. Au. 884. wofur Hesych. ἠρισάλπιγξ hat. —σθενής, έος, ὁ, ἡ, (σθένος) sehr stark oder mächtig. —σκηπτρος, ὁ, ἡ, nach Plutar. Q. S. 4. ξύλα ἐς ἃ ἡ ἶρις (εἶρις) ἐπισκήψῃ, und die durch die Wirkung des Regenbogens wohlriechend werden. Daher hiess ἀσπάλαθος und κύπειρος auch so, wofür andre ἐρείσκηπτρον, andre ἐρυσίσκηπτρον schreiben.

Ἔρισμα, ατος, τὸ, (ἐρίζω) Gegenstand des Zanks oder Streits. —μάραγος, ὁ, ἡ, s. v. a. ἐρισσάραγος. S. σμάραγος.

Ἐρίσπορος, ὁ, ἡ, (σπορὰ) Opp. Cyn. 2, 119. besäet.

Ἐρισσάραδος, ὁ, ἡ, (ἄραδος) stark tösend; zw. —στάφυλος, ὁ, ἡ, (σταφυλὴ) grofstraubig. Hom. Od. 9, 111. —στής, οῦ, ὁ, (ἐρίζω) Streiter, Zänker; dav. —στικὸς, ἡ, ὸν, Adv. —κῶς, zum Streite gehörig oder geneigt, zänkisch, gern streitend. —στὸς, ἡ, ὸν, bestritten, zu streiten, bestreiten: Sophocl. Electr.

Ἐρισφάραγος, laut tösend, stark brausend: Hom. Hym. 2, 187. Eustath. über Homer p. 163. führt aus Pindar ἐρισφάραγος für βαρύηχος an; aber Isth. 8, 47 steht βαρυσφαράγῳ πατρί. —φηλος, ἡρακλῆς, Stesichorus beym Etym. M. s. v. a. ἐρισθενὴς von σφάλλω.

Ἐρίσχηλος. S. ἐρισχελέω.

Ἐριταρβής, έος, ὁ, ἡ, (ταρβέω) sehr furchtsam; Hesych. —τιμος, ὁ, ἡ, (τιμὴ) hochgeehrt oder geschätzt.

Ἐρίφειος, ὁ, ἡ, (ἔριφος) von der jungen Ziege. —φη, ἡ, die Ziege: im Etymol. M. —φιον, τὸ, Dimin. von ἔριφος. —φλοιος, ὁ, ἡ, bey Eusrath. Il. 2 p. 994. sagt Agathocles die Eichen mit breiten Blättern und ohne Früchte hiessen zu Pergamus ἐρίφλοιοι: Hesych. aber sagt ἐρίφυλλος δρῦς sey die breitblätterige, πλατύφυλλος, und die sogenannte Korkeiche, φελλός. Dieses stimmt zusammen, weil ἐρίφλοιος eine dicke Rinde andeutet. —φος, ὁ, junge Ziege: ἐρίφη, ἡ, für alte Ziege hat ein Dichter im Etymol. M. Bey Hesych. findet sich auch ἔριφος als Beywort des Bacchus zu Lacedaemon; er hat auch ἐρίφεας, χίμαρος: ferner ἐριφιάματα, ἔριφοι bey den Lacedaem.

Ἐριψ, ὁ, s. v. a. ὀαλὸς bey Hesych. der es anderswo d. σωμάτιον, viell. πτωμάτιον von ἐρείπω, ἐρίπω erklärt; davon auch ἐρίψιμος s. v. a. πτώσιμος, bey demf. ist.

Ἐριώδης, εος, ὁ, ἡ, (ἔριον, εἶδος), wollig, wollenartig; zw. —ώδυνος, ὁ, ἡ, (ὀδύνη) heftig schmerzend: Hesych. —ώλη, ἡ, ein Wirbel- oder Sturmwind: Aristoph. nennt auch einen Menschen ἐριώλην, nach der Etymol. ein Verderben der Wolle, zum Spass. —ώπους, ὁ, femin. ἐριῶπις, ἡ, (ὤψ) mit grossen Augen.

Ἐρκάνη, ἡ, Einschluss, Befriedigung, ἕρκος: Themist, Or. 23. nennt die Gerüste so, wo Getreide ausgetheilt ward: Hesych. u. Schol. Theocr. 4, 61. haben ὀρκάνη. —κειος, ἐρκεῖος, (ἕρκος) Beyw. des Zeus, als Beschützer des Hauses, s. v. a. ἐφέστιος; Ovid behielt *Jupiter Herceus*, andre übersetzten es d. *penetralis*. —κίον, τὸ, Dimin. und s. v. a. ἕρκος. —κίτης, ου, ὁ, bey Suidas ψύλαξ, bey Athenae. 6 p. 267 ὁ ἐν ἀγρῷ οἰκέτης, ein geschlossener Sclave auf dem Lande. —κοθηρευτικὸς, ἡ, ὸν, oder ἐρκοθηρικὸς, (ἕρκος, θηρεύω) zur Jagd mit dem Netze gehorig. Plato Soph. 5. folgd. —κος, εος, τὸ, (ἔργω, εἴργω) Plato Soph. 5. Einschluss, Zaun, Käfig, Netz, Schlinge: Herodot. 7, 85. Eurip. Electr. 155. Aeschyl. Agam. 1620. —κουρος, ὁ, ἡ, (οὖρος, ἕρκος) der am Einschlusse wacht: Meleager Ep. 129. —κτή, ἡ, s. v. a. εἱρκτή. —κτωρ, ὁ, der Thäter, wie ἔργμα die That: Antimachus Etym. M.

Ἕρμα, τὸ, von ἔρω, εἴρω *sero, insero*, kommt ἕρμα das Ohrgehenk: Il. ξ. und σ. wie ὅρμος, ὁ, Halsband, wie *sertum* von *sero*; 2) von ἐρῶ, ἐρέω, ἐρέδω, ἐρείδω, stützen, befestigen, heisst ἕρμα alles, womit ein Körper gestützt oder befestiget wird, s. v. a. ἔρεισμα, Stütze, Unterlage, Band, Binde: ἕρματα νηῶν, πόληος; so auch ἑρμὶν oder ἑρμὶς, Fuss der Bettstelle. ἕρματα bey Aelian. h. a. 17, 25 und 37. s. v. a. das folgd. εἰργμοὶ und δεσμοί. Bey Phocyl. 199. haben 2 Handschr. ἕρματα für ἅμματα; 3) Sandbank od. Felsen, Klippe im Meere: ἄφαντον Aeschyl. Agam. 1016. eine verborgene: βαθὺ, eine tief im Meere liegende: Aelian. h. a. 14, 24. dasselbe ist auch ἑρμὰς, ἡ. Diese Bed. leitet man von ἔρω, ἐρύω, ἔρυμα d. i. κώλυμα, Hindernis der Schiffe, ab. Appian. Civ. 5, 101 nennt ἕρμα γῆς ἁπαλὸν, eine Stelle von Schlamm oder weicher Grund; 4) Ballast oder jede Last, schwerer Korper, womit man einen leichtern belastet um ihn fest zu stellen oder im Gleichgewichte zu halten, *suburra*: ἕρμα ἀφετήριον, Analect. Die *meta* oder *creta carcerum* auf der Laufbahn, eine Art Gränzstein, die Linie zu bezeichnen, von welcher ausgelaufen wird: μελαινέων ἕρμ' ὀδυνάων, Il. 4, 117. der Schmerzen verursacht: von zweif. Ableitung.

Ἑρμάδιον, τὸ, s. v. a. ἑρμίδιον: Suidas. zweif. —μάζω, stützen: befestigen: festsetzen, legen, stellen: belasten: mit Ballast füllen. S. ἕρμα. —μαθήνη, eine Statue mit der Figur des Hermes und der Athene: Cicero Attic. 1, 3. wie hermeracles 1, 10. mit der Figur des H. und Hercules. —μαΐζω, ομαι, ich ahme dem Hermes nach, wie ἑλληνίζω. —μαϊκὸς, ἡ, ὸν, vom Hermes: wie mercurialis vir, ein gelehrter Mann: wie ἀρεϊκὸς martialis, Kriegsmann: Nic. Ann. —μαιον, τὸ, ein Fund, unverhoffter Gewinnst, Vortheil: weil man einen Fund auf dem Wege der Gunst des ἑρμῆς zuschrieb; 2) περὶ ἑρμαίων ἐν ταῖς παλαίστραις und οἱ γυμνασίαρχοι τοῖς ἑρμαίοις μὴ ἐάτωσαν συγκαθιέναι μηδένα bey Aeschines p. 35 und 33. in den Palästern der Ort, wo die Bildsäule des Mercur stand, und die Jünglinge sich übten. —μακες, ein Haufen Steine, Nicand. Ther. 50. dergl. vorz. an den Wegen bey den Hermen, Bildsäulen des Hermes, lagen, weil jeder Wanderer einen Stein aus Gottesfurcht dahin warf. —μάριον, τὸ, wie ἑρμάδιον dimin. v. ἑρμῆς dorisch ἑρμᾶς. —μὰς, άδος, ἡ, s. v. a. ἕρμα, Sandbank. —μασις, εως, ἡ, und ἑρμασμὸς, ὁ, bey Hippocr. (ἑρμάζω) das Stützen: Befestigen, Feststellen, legen oder setzen. —μασμα, ατος, τὸ, s. v. a. ἕρμα. Hippocr. —μασμὸς, ὁ, s. v. a. ἕρμασις. —ματίζω, ich belade ein Schiff mit Ballast, ἕρμα. Lycophr. 1319. ἡρματίξατο, ladete sie auf ein Schiff: bey Hippocr. s. v. a. ἑρμάζω. —ματίτης, ου, ὁ, (ἑρματίζω) stützend. zw. —μαφρόδιτος, ὁ, ein Hermaphrodit, Zwitter, m. beyderley Geschlechtsgliedern: wie jener Sohn des Hermes und der Aphrodite war: Ovid. Metam. 4, 368. —μάων, ωνος, ὁ, oder Ἑρμέας, Ἑρμείας, andere Formen von Ἑρμῆς: wovon Ἑρμεῖον, τὸ, ein Tempel oder Kapelle des Hermes, vorz. am Eingange der Gymnasien: Aeschines or. —μήδιον, τὸ, dimin. von ἑρμῆς. —μηνεία, ἡ, Ausdruck; Deutung, Erklärung. —μήνευμα, ατος, τὸ, (ἑρμηνεύω) Erklärung, Auslegung, Deutung, Dollmetschung. —μηνεὺς, έως, ὁ, Erklärer, Deuter, Ausleger, Dollmetscher. —μηνευτὴς, οῦ, ὁ, s. v. a. ἑρμηνεύς. —μηνευτικὸς, ἡ, ὸν, zum Deuten, Auslegen, Erklären gehörig oder geschickt: ἡ —ικὴ, Auslegungskunst. —μηνεύω, f. εύσω, ich bezeichne meine Gedanken durch Worte, drücke sie aus: ich deute, erkläre, dollmetsche. —μηρακλῆς, S. ἑρμαθήνη.

Ἑρμῆς, οῦ, ὁ, Hermes, Merkur, der Botschafter der Götter: auch als Erfinder oder Lehrer der Kunst des Ausdrucks, überh. der Sprache und Gelehrsamkeit, und der Leibesübungen, besonders der palaestrischen Uebungen; 2) der letzte Becher und Trank beym Gastmahle, dem ἑρμῆς gebracht: daher ἑρμῆν ἕλκειν, bey Athenaeus 2 c. 6. —μίδιον, τὸ, (ἑρμῆς), eine kleine Herme, Bildsäule: auch als dimin. Schmeichelname des Mercurius. —μὶς, ἡ, oder ἑρμὶν, (ἕρμα) ἑρμῖνες κλίνης, die Füsse der Bettstelle: Hom. Od. 8, 278 und 23, 198. —μογλυφεῖον, τὸ, Werkstätte eines Bildhauers; von —μογλυφεὺς, έως, ὁ, (ἑρμῆς, γλύπτω) der Bildhauer: eigentl. der Bilder des Mercurius schnitzt oder aus Stein hauet. —μογλυφικὸς, ἡ, ὸν, was zum Bildhauer gehört; ἡ ἑρμογλυφικὴ, verst. τέχνη, die Bildhauerkunst. —μογλύφος, ὁ, s. v. a. ἑρμογλυφεύς. —μοκοπίδης, ὁ, (κόπτω) der die Hermen, Bildsäulen des Hermes zerschlägt. —μολογέω, ῶ, τάφον, Anal. Brunk. 2. 234. von Steinen erbauen; von ἕρμαξ, λέγω, wie λιθολογέω; doch andere leiten es von ἁρμολογέω ab. —μόπαν, ανος, ὁ, Pan, des Hermes Sohn. zw.

Ἐρνεσίπεπλος, ὁ, ἡ, mit Zweigen, mit Laube (ἔρνος) bekleidet. zw.

Ἐρνοκόμος, ὁ, ἡ, (ἔρνος, κομέω) der Gewächse pflegt, wartet.

Ἔρνος, εος, τὸ, Gewächs, Strauch, Pflanze: Zweig; daher Sprössling, Kind, Nachkomme; davon ἔρνατις ἄμπελος st. ἐρνῆτις, s. v. a. ἀναδενδρὰς, Hesych.

Ἐρνύτας, s. v. a. κέρατα, führt Aristot. Poet. 13. an; von ἔρνος.

Ἐρνώδης, εος, ὁ, ἡ, einem Gewächse ähnlich: κλάδους ἐρνωδεστάτους werden Geopon. 10, 22, 5. d. γενναιοτάτους, die stärksten und am besten gewachsenen, erklärt.

Ἑρξείης, ου, ὁ, oder ἑρξίης, womit Herodot. 6, 98 das persische Xerxes erklärt: jonisch st. ἑρξίας, ῥεξίας, d. i. πρακτικὸς, der thätige, mächtige, nach dem Etym. M.

Ἐρόεις, όεσσα, όεν, (ἔρος) liebenswürdig, liebreich, lieblich.

Ἔρομαι, f. ἤσομαι, forschen, untersuchen, fragen. S. ἔρω.

Ἔρος, ὁ, die älteste Form, s. v. a. ἔρως, Liebe.

Ἔρος, auch εἶρος, τὸ, wovon ἐρέα und ἔριον, Wolle.

Ἐροτὴ, u. ἐροτὶς, ἡ, s. v. a. ἑορτή. Hesych. legt diese Form den Cypriern bey: zweymal, ἐροτὶν im Orakel bey Phlegon de Olympiis p. 140.

Ἑρπετόδηκτος, ὁ, ἡ, (ἑρπετὸν δάκνω) von einem kriechenden Thiere gebissen.

'Ερπετόεις, όεσσα, όεν: Opp. Cyn. 2, 274 gehörig zum ἑρπετὸν, vom ἑρπ. —τὸς, ἡ, ὸν, (ἕρπω) kriechend, daher τὸ ἑρπετὸν, kriechendes Thier, besonders Schlange; bey Hom. uberh. Thier, Od. 4, 419. weil ἕρπω bey ihm gehen ist, so wie beym Xen. Memor. 1, 4. 11. —τώδης, εος, ὁ, ἡ, den kriechenden Thieren ähnlich.

'Ερπηδών, όνος, ἡ, u. ἑρπὴν, ῆνος, ὁ, s. v. a. ἕρπης. Die erste Form bey Nicander Alex. 418. die zweyte im Etym. und Philo 2 p. 64; dav. ἑρπηνώδης νόσος: Philo 2 p. 205 u. 491. 1 p. 212. bey Nicander heifst es das Kriechen, aber andere lesen ἑρπυδών.

'Ερπήλη. S. ἑρπύλλη.

'Ερπηνώδης, ὁ, ἡ, von der Art des ἑρπὴν. S. das vorige Wort.

'Ερπης, ητος, ὁ, (ἕρπω) um sich greifender Schaden, Geschwür der Haut, ἐσθιόμενος, fressendes Geschwür; κεγχρίας, mit einem Ausschlage wie Hirsekorner.

'Ερπηστὴς, οῦ, ὁ, der Kriecher, kriechende. —στικὸς, ἡ, ὸν, zum Kriechen gemacht.

'Ερπητικὸς, ἡ, ὸν, von der Art des ἕρπης, ητος.

'Ερπινώδης, falsch st. ἑρπηνώδης. S. ἑρπὴν.

'Ερπις, ὁ, bey den Aegyptiern der Wein.

'Ερπτὺς, ἡ, ὸν, st. ἑρπετὸς, aus Aristot. zweif.

'Ερπυδὼν, ἡ, S. ἑρπηδών.

'Ερπύζω, f. ύσω, s. v. a. ἕρπω.

'Ερπύλη oder ἑρπύλλη, ἡ, *serpula*, Numenius Athenaei 7. p. 305 und 306 nennt ἑρπήλας, ἕρπηνας, ἑρπίλλας, oder ἑρπύλας (alles Varianten) δολιχήποδας, mit langen Füssen, gewisse Würmer in der Erde am Meeresufer, welche die Fischer als Koder brauchen. Hesych. hat ἑρπυλλὶς fur τέττιξ.

'Ερπυλλον, τὸ, lat. *serpyllum*, Plin. 20, 22. Quendel.

'Ερπυσμὸς, ὁ, das Kriechen; von ἑρπύζω; wovon auch —στὴρ, ῆρος, ὁ, oder ἑρπυστής; s. v. a. ἑρπετὸν, das kriechende Thier. —στικὸς, ἡ, ὸν, kriechend: zum kriechen eingerichtet oder gebildet.

'Ερπω, ich krieche, schleiche, das lat. *serpo*; metaph. um sich greifen, sich ausbreiten: 2) bey den Doriern s. v. a. ich gehe: 3) ἕρπέτω ὁ πόλεμος, Aristoph. mag der Krieg fortgehn. In der zweyten Bed. braucht es Homer gewohnlich, auch Eurip. Phoen. 41.

'Ερρᾶος, ὁ, bey Lycophr. 1316. der Schaafbock, bey Hesychius steht ἔῤῥας; andre erklären es fur ein wildes Schwein. S. ἐῤῥωός.

'Ερραστωνευμένως, Adv. part. praet. pass. von ῥαστωνεύω, trage, nachlässig, sorglos, faul.

'Ερρέω, st. dessen in praes. ἔῤῥω.

'Ερρίγω, s. v. a. ῥιγέω, erstaunen, erschrecken, fürchten: von ῥίγω, perf. ἔῤῥιγα gemacht, wie κέκληγα, κεκλήγω, πέφυκα, πεφύκω.

'Ερρινον, τὸ, (ῥὶν) ein Reinigungsmittel des Kopfs, als Schnupftobak oder durch die Nase.

'Ερριψις, εως, ἡ, Hippocr. humor. 3 zweif. Bedeut. bey Dionys. halic rhet. 966 steht ἐῤῥίπτειν, wo die Handschr. richtiger ἐῤῥίπτεν haben.

'Ερρυθμισμένως, Adv. abgemessen, passend; v. part. perf. pass. ῥυθμίζω. —μος, ὁ, ἡ, d. i. ἐν ῥυθμῷ ὤν, nach dem Zeitmaafse oder Takte abgemessen, zugerundet, auch vom rhetorischen numerus.

'Ερρω, fut. ἐῤῥήσω u. aor. 1. ἤῤῥησα von ἐῤῥέω gemacht, das lat. *erro* ist dasselbe u. bedeutet bey Homer traurig herumgehn: Il. 6' 421. δ, 367. zu seinem Unglucke, unglücklicherweise wohin gehen: ἐνθάδε ἔῤῥων Θ. 239. daher in sein Verderben oder Unglück gehn: ἔῤῥε, κακὴ γλήνη, wie *abi in malam rem*. Daher von Sachen und Personen, welche verloren gehn, unglücklich gehn, wie φθείρομαι u. οἴχομαι, bey Xen. ἔῤῥει τὰ ἐμὰ πράγματα, so ists mit mir aus: daher umkommen, vergehn: τὴν ποιητικὴν αὐτοῦ ἀκλεῆ καὶ ἄτιμον ἐῤῥειν, Plutar. πόλεις ἐῤῥούσας ὑπὸ βαρβάρων st. φθειρομένας, Plato. Man führt aus Eur. ἔῤῥου fur ἔῤῥε an: und Hesych. hat ἔῤῥεται, φθαρεῖται. Sonach hat man auch ἐῤῥω active, wie φθείρω gebraucht. Dieses φθείρω leitet man von ἐῤῥω ab, in dem dieses aeolisch für εἴρω gesagt ist. Vom einfachen ῥέω, ῥαω, ῥαίω kommt ἐρέω, ἐῤῥέω, wovon das fut. u. aor. zu ἔῤῥω genommen wird, wie ῥύω, ἐρύω, ῥύομαι, ἐρύομαι. Homer braucht ῥαίω als activ. fur zerstoren, verderben.

'Ερρωμένος, davon ἐῤῥωμένως Adv. stark, kräftig, das Adv. sehr; eigentl. partic. perf. pass. von ῥώω, ῥώννυμι ἔῤῥωμαι; der comp. ἐῤῥωμενέστερος u. superl. ἐῤῥωμενέστατος wird attisch gemacht wie von ἐῤῥωμενής; eben so v. ἄφθονος u. andern.

'Ερρωὸς, S. ἐῤῥαὸς.

'Ερσαῖος, αία, αῖον, s. v. a. ἐρσήεις u. ἐρσώδης; von —ση, ἡ, wird auch ἕρση, so wie die Ableitungen geschrieben, Thau, ἕρση τεθαλυῖα, der erquickende Thau, der macht, dafs Gewachse grünen, θάλλειν; 2) ἔρσας nennt Homer die neugebornen Lämmer; so wie er Il. ω. 757 vom Leichname des Hektor sagt: νῦν δέ μοι ἐρσήεις καὶ πρόσφατος κεῖσαι. Sophocles hat darnach ψακάλους junge Thiere genennt; Hesych. hat auch ἕρσαι τῶν ἀρνῶν οἱ ἔσχατοι γενόμενοι.

Alſo laſen einige im Homer ὄρσοι für ἔρσαι.

'Ερσήεις, ήεσσα, ῆεν, (ἔρση) thauigt, bethaut; friſch, neu. S. ἔρση no. 2. —σην, ενος, ὁ, joniſch ſt. ἄρσην. —σις, ἡ, (ἔρω, εἴρω) ſ. v. a. *ſeries*, Verbindung, Reihe, Band; κρωβύλου, Flechte: Thucyd. auch ἔρσις. —σω, ich bethaue, benetze. Nicand. Ther. 631. und 62. —σώδης, εος, ὁ, ἡ, ſ. v. a. ἐρσήεις.

'Ερυγγάνω, *eructo*, auch ἐρυγγαίνω, ich gebe von mir durch Speyen oder Brechen, ich ſpeye, oder rülpſe heraus: γένος περίβλεπτον καὶ δόκιμον ἠρύγγανε bey Suidas, prahlte mit ſeiner vornehmen Abkunft, wie *ructare*. Iſt ſ. v. a. ἐρεύγω: S. ἐρύγω: von

'Ερυγὴ, ἡ, das Speyen, das Rülpſen, in Proſa ἐρευγμὸς: von ἐράω, ἐρύω, ἐρύζω, futur. ἐρύξω, ἐρυγή.

'Ερυγμα, τὸ, ſ. v. a. ἐρυγὴ: Hippocr. davon —μαίνω, *ructo* ſ. v. a. ἐρυγγάνω von ἐράω, ἐρύω, ἐρύζω, ἐρύξω, ἐρυγμὸς u. ἐρυγὴ, davon ἐρυγμαίνω. —ματώδης, εος, ὁ, ἡ, was Brechen oder Rülpſen macht. —μέω, ῶ, ſ. v. a. ἐρυγγάνω: Hippocr. Epidem. 7. —μήλη, Beywort des Rettigs, der Aufſtoſſen verurſacht; bey Heſychius ἐρυγηλὴ: von —μηλος, ὁ, ἡ, ταῦρος Il. 6, 584 ſ. v. a. ἐρίμυκος der blöckende Stier; andere erklären es falſch, der die Speiſen von ſich ſpeyet, oder wiederkäuet. S. ἐρύγω: Maximus vers 84. —μὸς, ὁ, ſ. v. a. ἐρυγὴ, das Brechen oder Rülpſen.

'Ερύγω, davon ἤρυγον, ἐρυγὴ u. ἐρυγμὸς herkommen, ferner mit eingeſetztem ε die Form ἐρεύγω, ἐρεύγομαι. Die gewöhnlichſte Bedeutung iſt, ich ſpeye, breche von mir oder gebe durch den Mund den aufſtoſſenden Wind oder Rülps von mir, *ructo*, *eructo*, *vomo*. Weil beym Rülpſen u. vorzügl. beym Erbrechen der Schlund und die Kehle erweitert werden, und mit dem Auswurfe zugleich eine ſtarke hohle Stimme herausgepreſst wird, ſo kommt daher beym Theocr. 13, 58 τρὶς μὲν "Υλαν αὔσεν, ὅσον βαθὺς ἤρυγε λαιμὸς, dreymal rufte er den Hylas, ſo ſtark als der vorgeſtreckte weite Schlund die Stimme herauszupreſſen vermochte. Der Schol. giebt es durch ἐχώρει *capiebat*. Daher Iliad. υ. 403 ἤρυγεν ἑλκόμενος ὡς ὅτε ταῦρος, wo Euſtath. es durch den Odem mit Gewalt herausziehn und preſſen, Heſychius durch brüllen erklären. Davon ταῦρος ἐρύγμηλος der tiefbrüllende Stier, der wie beym Brechen den Hals vorſtreckt und mit vollem Halſe die Luft und Stimme herauspreſst. Eben ſo erklärt Heſych. ἐρυγμαίνουσα von dem Brüllen des Stiers und der Kuh. Im Homer laſen ſt. ἤρυγε, andre ἤρυσε bey Heſychius ἐβόα, ἐμυκᾶτο ἰδίωμα φωνῆς. Auf dieſe Bedeutung beziehn ſich bey Heſych. ἠρυγῶν, μυκώμενος; ferner ἐρυγεῖν, φωνεῖν, auch ἐρυγὴ, φωνὴ, βοήτις. Eben ſo ἐρεύγετο, ἐρύγετο, ἐμυκᾶτο. Odyſſ. 9, 374 ὁ δ' ἐρεύγετο οἰνοβαρείων, er brüllte beym ſpeyen, ἐβρύχετο, wie Heſychius es recht erklärt. Eine ſeltene Bedeutung von groſsſprechen hat Suidas in folgender Stelle: καὶ εἰ περίβλεπτον καὶ δόκιμον ἠρύγγανε γένος, δοῦλος ἐπιπράσκετο; wobey der Begriff von lautſchreyen mit zum Grunde liegt. Das lat. *rugere*, *ructare* iſt davon gemacht, ſo wie *erugere* beym Feſtus, und *eructare*. Von ἐρύω iſt auch ὀρύομαι, ὠρύομαι, das lat. *rugio*, ich brülle, gemacht, ſo wie μηρυκάομαι, ich käue wieder, *ruminor*.

'Ερυθαίνω, ſ. v. a. ἐρυθραίνω, ich röthe, mache ſchaamroth. —θημα, ατος, τὸ, die Röthe, Schaamröthe. S. auch ἐρυσίπελας. —θιάω, ῶ, zweif. ſ. v. a. ἐρυθριάω. —θίβιος, rhodiſch ſt. ἐρυσίβιος. Strabo. Hieraus erhellt der Urſprung von ἐρυθὸς, ἐρυθρὸς, roth; das lat. *rubigo*. —θραίνω, ich röthe, mache roth. —θραῖος, αία, αῖον, röthlich. —θρημα, ατος, τὸ, falſch ſt. ἐρύθημα. —θρίας, ου, ὁ, röthlich. —θρίασις, εως, ἡ, joniſch ἐρυθρίησις, (ἐρυθριάω) *rubor*, die Röthe, Schaamröthe. —θριάω, (ἐρυθρὸς) ich erröthe, werde ſchaamroth. —θρῖνος, ὁ, *erythrinus*, ein Meerfiſch von rother Farbe, eine Meerbarbe. —θριον, τὸ, der Name einer rothen Salbe oder Pflaſter. —θροβαφὴς, ὁ, ἡ, (βάπτω) rothgefärbt. —θρόγραμμος, ὁ, ἡ, (γραμμὴ) mit rothen Linien. —θροδάκτυλος, ὁ, ἡ, mit rothen Fingern. —θρόδανον, τὸ, *rubia*, die Färberröthe, eine Pflanze; davon —θροδανόω, rothfärben, mit Färberröthe. —θροκάρδιος, ὁ, ἡ, (καρδία) mit rothem Herzen. —θρόκομος, ὁ, ἡ, (κόμη) mit rothen Haaren. —θροποίκιλος, ὁ, ἡ, rothgeſprenkelt. —θρόπους, οδος, ὁ, ἡ, rothfüſsig. —θρὸς, ρὰ, ρὸν, roth. S. ἐρυθίβη: das lat. *ruber*; davon —θρόστικτος, ὁ, ἡ, ſ. v. a. —ποίκιλος. —θρότης, ἡ, Röthe. —θρόχροος, ὁ, ἡ, (χροιὰ) rothgefärbt, roth. —θρόχρως, ωτος, ὁ, ἡ, von oder mit rother Haut, Leder oder Farbe. —θρώδης, ὁ, ἡ, röthlich.

'Ερυκακέω, ἐρυκάκω, ſ. v. a. ἐρύκω. —κανέω, ἐρυκάνω, ſ. v. a. ἐρύκω. —κω, fut. ξω, ſ. v. a. ἐρύω ziehn, zurückziehn: zurückhalten abhalten, auf- oder anhalten: med. ἐρύκεσθαι, Odyſſ. 17, 17. zurückbleiben. Daſſelbe iſt und bedeutet ἐρυκάνω, ἐρυκανάω, u. ἐρυκάκω und ἐρυκακάω, welche beyde Formen man im Homer findet.

wovon mir aber die erſtere, alſo auch ἐρκαυνέω die richtigere zu ſeyn ſcheint, wie δείκω, δεικάνω, δεικανάω.

'Ε ρ υ μ α, ατος, τὸ, (ἐρύομαι) Schutz, Beſchützung, Schutzwehr, Bedeckung, befeſtigtes Lager, befeſtigte Stadt: Xenoph. Cyr. — μ ά τ ι ο ν, τὸ, dimin. des vorherg. — μ ν ό ν ω τ ο ς, ὁ, ἡ, mit bewaffnetem, befeſtigten Rücken; von folgd. — μ ν ὸ ς, ἡ, ὸν, (ἐρύομαι) befeſtiget, wohlverwahrt, ſicher; auch von hohen Bergen: Apollon. 2, 514. Xen. Mem. 3, 5, 25. davon — μ ν ό τ η ς, ητος, ἡ, die feſte Beſchaffenheit, Feſtigkeit eines Orts und Sicherheit. — μ ν ό ω, ῶ, f. ώσω, feſtmachen, befeſtigen, wohl verwahren.

'Ε ρ υ ξ ι ς, ἡ, ſ. v. a. ἔρευξις: Hippocr.

'Ε ρ ύ ο μ α ι, ich bewahre, rette, erhalte, wie ῥύομαι und φυλάττω; ἔπος ἐρ. wie φυλάττω, die Rede, den Befehl beobachten; χρυσῷ, loskaufen; ἔγχος ἔρυτο, hielt den Speer ab; ἐρύσσατο κῆρα, entgieng dem Tode. Wenn man als erſte Bedeut. ziehn, heranziehn, annimmt, ſo kann man die übrigen: retten, bewahren, erhalten, leicht davon ableiten; davon iſt auch *ſervo* gemacht.

'Ε ρ υ σ ά ρ μ α τ ο ς, ὁ, ἡ, d. i. ἐρύων τὸ ἅρμα, den Wagen ziehend, ἐρυσάρματες ἵπποι ſt. ἐρυσάρματοι. — σ ι ά ζ ω, ſ. v. a. ῥυσιάζω: bey Euſtath. über Od. λ. bey Erkl. des ῥύσι' ἐλαυνόμενος; zw. — σ ι β ά ω, ῶ, *robiginem patior*, ich leide vom Mehlthau; von — σ ί β η, ἡ, der Mehlthau, der ſich wie ein rothes Mehl an den Aehren des Getraides zeigt, wenn auf Thau und Reif Sonnenbrand folgt. S. ἐρυθίβη; davon — σ ί β ι ο ς, Ἀπόλλων bey den Rhodiern, (ſ. ἐρυθίβιος) und Δημήτηρ ἐρυσιβίη bey den Gorgoniern am Hermus, weil man ſie anrief, um den Mehlthau abzuwenden, wie die Römer die Robigalia dem Robigus feyerten, um die *robigo* abzuwenden. — σ ι β ό ω, ῶ, f. ώσω, ich verurſache den Mehlthau; ἐρυσιβοῦμαι, ich leide daran. — σ ί θ ρ ι ξ, χος, ὁ, ἡ, ψήκτρη, die Striegel, die die Haare durchzieht, reiniget; 2) ſt. ἐρυθρόθριξ. — σ ι μ ο ν, τὸ, lat. *irio*, ein Gartengewächſe: Theophr. 8 c. 3. Dioſcor. 2, 88. *Siſymbrium irio*: Linn. Andre unterſcheiden das ἐρ. des Theophr. weil er es immer nach den Getreidearten nennt. — σ ι ν η ΐ ς, ιδος, ἡ, ἄγκυρα, Philipp. Epigr. 5. die das Schiff hält, rettet, v. ἐρύομαι: Anthol. — σ ί π ε λ α ς, ατος, τὸ, Pollux 2, 202. erklärt es μάλωψ ἐρυθρὸς, alſo eine rothe Entzündung oder Geſchwulſt, wie die Roſe. Von ἔρυσος ſt. ἐρυθρὸς, roth, wie ἐρυσίβη ſt. ἐρυθίβη; auch haben die alten Ausg. des Pollux ἐρυθρόπελας. Auch braucht Hippocr. ἐρύθημα, wo er ſonſt ἐρυσίπελας nennt. Das zweyte Wort iſt πέλας, πέλος, d. i. ἕλκος, wofür Kallimachus ἄπελος geſagt hatte. Es iſt alſo die Roſe, eine Entzündung der Haut. S. φλεγμονή. — σ ι π ε λ α τ ώ δ η ς, ὁ, ἡ, von der Art des ἐρυσίπελας, der Roſe. — σ ί π τ ο λ ι ς, ὁ, ἡ, (ῥύομαι, ἐρύομαι) der die Stadt rettet, erhält: Hom. Il. 6, 305. — σ ί σ κ η π τ ρ ο ν, τὸ, eine Strauchart, ſonſt ἀσπάλαθος genennt. Heſychius in κύπειρος ſagt, ſie hieſse auch ἐρείσκηπτρον. S. ἐρίσκηπτος. — σ ί χ θ ω ν, ὁ, ἡ, Athenae. 9 p. 382. heiſst dithyramb. der Ochs, der pflügt; von ἐρύω, χθὼν. — σ μ ὸ ς, ὁ, ſ. v. a. ἔρυμα: Hym. Cer. 230. — σ τ ὸ ς, ἡ, ὸν, (ἐρύω) gezogen, zu ziehn.

'Ε ρ υ τ ὴ ρ, ῆρος, ὁ, Retter; zw.

'Ε ρ ύ ω, f. ύσω, ziehen: Il. 1, 141. zurückziehn, zerren. S. ἐρύκω u. ἐρωέω αὖ ἐρύειν, zurückziehen, ein Thier, welches geopfert werden ſoll, in die Höhe ziehen: Hom. Il. 1, 459. auch von Hunden, beym Halſe packen, anfallen: Callim. Art. 92. S. ἐρύομαι.

'Ε ρ φ ο ς, ὁ, Fell, Haut, ſ. v. a. στέρφος: Nicand.

'Ε ρ χ α τ ό ε ι ς, Heſych. hat ἐρχατόεντα πυλῶνα, d. i. πεπυκνωμένον, συνεχόμενον; von — τ ο ς, ὁ, (ἔργω, εἴργω) ſ. v. a. ἕρκος und ἔρκατο; bey Heſych. der Zaun, Einſchluſs; davon — τ ό ω, ῶ, f. ώσω, ἐρχατόωντο, ich ſchlieſse, ſperre ein. S. ἔρχω; davon kommt bey Heſychius ἐραχάται, οἱ, δεσμεύοντες, Kerkermeiſter, ſt. ἐρχάται; ferner ἔραχος, τὸ δράγμα. S. ῥηχιάδαι.

'Ε ρ χ ο μ α ι, f. ἐλεύσομαι, perf. ἐλήλυθα, a. 2. ἤλυθον, ἦλθον, von ἐλεύθω, ich gehe, komme; daher bey Herodot. ἔρχομαι ἐρέων, λέξων u. dgl. ſt. ich will erzählen. So lat. *ingreſſus ſum dicere, ſcribere*; franzöſ. *je m'en vais vous dire, je vais vous dire*. S. καταβαίνω zu Ende; ich fange an, kann man es auch überſetzen, wie es eigentlich im lat. *ingredior dicere* heiſst. Auſſerdem bedeutet ἔρχομαι fortgehn, zurückkehren, welches der Zuſammenhang zeigt. Mit den Präpoſ. nimmt es noch mancherley Bedeutungen an, als ἐπί τινα, auf jemanden losgehen, ihn angreifen; εἰς λόγους τινὶ ἔρχ. wie *convenire aliquem*, gehn um mit einem zu ſprechen; ἐπὶ πᾶν, alles mögliche verſuchen: Xenoph. Anab. 3, 1. 18. διὰ μάχης τοῖς πολεμίοις ἔρχεσθαι, Thucyd. ſ. v. a. μάχεσθαι. So διὰ πάσης βασάνου ἐλθεῖν, Syneſ. διὰ πείρας ἰέναι, verurſachen, erfahren; διὰ φόνου, διὰ πυρὸς ἔρχεσθαι, ἰέναι, morden, brennen. Eben ſo διὰ πάντων τῶν καλῶν ἐληλυθότες, Xenoph. Cyrop. 1, 2, 15 die alle Pflichten erfüllt haben. Die Lateiner ſagten *virtutis via graſſari (gradi) ad gloriam, graſſari periclis ad clara, graſſari rapinis, vene-*

no, cupidine, ira, ferro, igne, ſuperbia, ſaevitia, jure, vi, conſilio, obſequio.

Ἐρχω, ſ. v. a. ἔργω, εἴργω, ich ſchlieſſe ein, halte ab, *arceo, coerceo*; davon ἔρχαται, ἔρχατο, ἐέρχατο ſt. πέφρακται, πεφρακτο beym Homer, ἐρχθέντ' ἐν ποταμῷ im Fluſſe erſtickt, ertrunken: Il. φ. 282.

Ἕρψις, εως, ἡ, (ἕρπω) das Kriechen.

Ἔρω, ein Hauptſtammwort, wofür man falſch εἴρω als das Stammwort von ἐρῶ, ich will ſagen, angiebt. Von ἔρω kommt das fut. ἐρῶ; aber von der Form ἐρέω kommt ἐρήσω, u. εἴρηκα im perf. Die erſten Bedeut. ſcheint forſchen und fragen zu ſeyn, in welcher Bedeut. Homer ἔρομαι auch ἐρέομαι, und mit zugeſetztem Jota εἴρομαι und διείρομαι ſagt. Die Form ἐρέω kommt in dieſer Bedeut. vor in, πάντων Ἀργείων ἐρέων γενεήν τε τόκον τε. Davon kommt durch Einſchub des Jota ἐρείω Iliad. I. ἀλλ' ἄγε δή τινα μάντιν ἐρείομεν; davon ἐξερέουσιν, Odyſſ. ξ. ſie forſchen. Von ἐρείω kommt ἐρείνω und ἐρίνω: bey Heſychius ἔρινε, ἐρώτα; daraus wird mit Einſchub des ε das poetiſche ἐρεείνω, ich forſche, frage. Von der Form ἐρέω leitet Euſtathius richtig ἐρεύω, ἐρεύνω, ἔρευνα, ἡ, und ἐρευνάω, ich forſche, ſpüre, ab. Von ἔρομαι, ἐροτὸς ſcheint ἐρωτάω zu kommen; 2) die zweyte Bedeutung von ἔρω, iſt, ich rede, ſpreche zu jemand; davon ἐρῶ, futur. von ἐρέω kommt ἐρήσω und εἴρηκα. Mit dem dat. jemanden ſagen, verkündigen. Statt ἐρῶ ſagen die Dichter auch ἐρέω, ἐρέων, ἐρέουσα, obgleich auch bisweilen von ἐρέω das praeſ. ἐρέων ἐρέουσα iſt, und bey Heſiodus εἰρεῦσαι ſt. ἐρέουσαι. Von dieſem ἔρω kommt durch Verſetzung ῥέω, davon ῥήσω, ἐῤῥηκα, ῥῆσις, ῥῆμα, in derſelben Bedeutung.

Ἔρω, ſ. v. a. εἴρω, *ſero*, ich reihe an; davon ἔερτο, ἐερμένον.

Ἐρωδιός, ὁ, der Reiher: Ariſt. hiſt. anim. 8, 3 u. 9, 1. 18. Plin. 10, 60.

Ἐρωέω, ῶ, ſ. v. a. ῥόω, ῥύω, αἷμα κελαινὸν ἐρωήσῃ περὶ δουρὶ flieſsen; 2) ſ. v. a. ὁρμῶ; 3) ich treibe zurück, halte ab: ἐσσύμενόν περ ἐρωήσαιτ' ἀπὸ νηῶν; 4) neutr. zurückgehn, zurückweichen; ablaſſen, aufhören; πρὶν πάντας ἐρωῆσαι πολέμοιο, Hym. Cer 301. ἐρώησαν καμάτοιο; iſt mit ἐρύω, ἐρύκω, ἐρυκάνω, zurückziehn, abhalten einerley; nämlich ἐρέω, ἐρύω, ἐρωή; davon ἐρωέω u. ἐρωάζω. Das letztre erklärt Heſych. d. ἡσυχάζω wie ἐρωέω; dav.

Ἐρωή, ἡ, ſ. v. a. ῥύμη, ὁρμή, *impetus*, die Kraft, Gewalt, Macht eines eindringenden, abgeſchloſſenen, geworfenen Körpers; 2) das Zurückweichen, Nachlaſſen, Aufhören: Ruhe, Raſt, S. in ἐρωέω no. 4.

Ἐρωμανής, έος, ὁ, ἡ, Adv. —νῶς, lieberaſend, raſend verliebt; davon —μανία, ἡ, raſende Liebe. —μένη, ἡ, (ἐράω) die Geliebte, Liebſte; davon ἐρωμένιον, τὸ, ein Dimin. ἐρώμενος, ὁ, der Geliebte, Liebſte, *amaſia, amaſius.*

Ἔρως, ωτος, ὁ, ſ. v. a. die alte Form ἔρος, ου, ὁ, Verlangen, Liebe; die perſonificirte Liebe, Amor, Cupido; davon ein Dimin.

Ἐρωτάριον, τὸ, kleiner Amor: Liebchen. —τάω, ῶ, (ἔρω, ἔρομαι, ἐροτὸς, ἐρωτάω, S. ἔρω) ich frage, forſche. —τημα, ατος, τὸ, das gefragte, die vorgelegte Frage; davon

Ἐρωτηματίζω, von ἐρωτᾷν verſchieden wie Ariſtot. Topic. 8 c. 1. zeigt, woraus erhellt, daſs ἐρωτηματίζω heiſst, die zum Beweiſe dienlichen Sätze ſo ordnen und ſtellen, daſs ſie der Dialektiker hernach in Fragen einem andern vorlegen kann. —ματικὸς, ἡ, ὸν, Adv. —κῶς, die Frage betreffend, zur Frage gehörig, fragenweis, in Fragen vorgetragen. —μάτιον, τὸ, dimin. von ἐρώτημα.

Ἐρώτησις, εως, ἡ, (ἐρωτάω) das Fragen. —τιάω, ſ. v. a. ἐράω: Nicetae Annal. 4 c. 3 δρόμων. —τίδια, τὰ, verſt. ἱερὰ, Feſt des Amors. —τίζω, ſ. v. a. ἐρωτάω: Heſych. in ἠρώτιζον. —τικὸς, ἡ, ὸν, Adv. ἐρωτικῶς, (ἔρως) zur Liebe gehörig oder geneigt oder gemacht, führend: die Liebe betreffend: liebend, verliebt: der Liebe kundig, in der Liebe erfahren. —τιον, τὸ, ſ. v. a. ἐρωτάριον, ein kleiner Amor, Liebchen. —τὶς, ίδος, ἡ, eine Geliebte, Liebchen: Theocr. 4, 59. —τογράφος, ὁ, Schriftſteller der Liebe; zw. —τόδεσμος, ὁ, Liebesband: Nicetas Annal. 5 c. 5. —τοδιδάσκαλος, ὁ, ἡ, Lehrer der Liebe. —τόληπτος, ὁ, ἡ, (λαμβάνω) von Liebe ergriffen, beſeſſen, begeiſtert, eingenommen; davon —τοληψία, ἡ, Verliebtheit: das von Liebe beſeſſen oder begeiſtert ſeyn. —τομανέω, ῶ, ich bin von oder vor Liebe raſend; davon —τομανής, έος, ὁ, ἡ, von oder aus Liebe raſend, ſehr verliebt; davon —τομανία, ἡ, ſ. v. a. ἐρωμανία, Liebeswuth, raſende Liebe. —τοπαίγνιον, τὸ, Liebesſpiel, Liebesgedicht: Gallius 2, 24. Priſcian. 9 p. 869. 11 p. 922. —τοπλάνος, ὁ, ἡ, die Liebe täuſchend; v. der Liebe ableitend, abbringend; zw. —τοπλοέω, ῶ, im Schiffe der Liebe ſeyn: aus Anthol. zw. —τοποιέομαι, οῦμαι, zur Liebe bewegen oder reizen: zw. —τοτόκος, ὁ, ἡ, Liebe erzeugend, erweckend. —τοτρόφος, ὁ, ἡ, Liebe nährend.

'Ερωτύλος, ὁ, Liebchen, Geliebter: Theocr. 3, 7.

'Ες, praepoſ. joniſch und attiſch ſt. εἰς, mithin ſuche man die compoſ. mit ἐς in εἰς.

'Εσάνδρόω, S. ἐπανδρόω.

'Εσαφάζω, ἐσαφάσσω, ἐσαφάω, τὸν δάκτυλον oder τῷ δακτύλῳ, ich fühle mit eingeſtecktem Finger: Hippocr. S. ἀφάζω u. ἀφάσσω.

'Εσένης und ἐσένας S. in ἔνη.

'Εσηλυσίη, ἡ, ſ. v. a. εἰσέλευσις, Eingang: Anthol.

'Εσθέω, ich bekleide, davon ἠσθημένος: Eur. Hel. 1555. v. ἕω, ἕζω, ἕσω, ἕσθω, wie ἔδω, ἐσθίω.

'Εσθημα, ατος, τὸ, (ἐσθέω) Bekleidung, Kleid.

'Εσθὴς, ῆτος, ἡ, Kleid, Kleidung; von ἕω, ἕσω, ἕσθω ſollte ἐσθὴς heiſsen, wie ἐφεστρὶς, das Oberkleid. —σις, εως, ἡ, Bekleidung, ſ. v. a. ἐσθής.

'Εσθίω, eſſen, ſ. v. a. ἔσθω und ἔδω.

'Εσθλοδότης, ου, ὁ, Geber des Guten: Syneſius p. 340.

'Εσθλὸς, ἡ, ὸν, edel, bieder, wie ἀγαθὸς, gut in jeder Art, mithin auch brav, tapfer: reich, vermögend, Heſiod. oper. 214, wie *bonus*: Flor. 1, 7, 4. Cic. ad Att. 9, 12 u. 7, 4. davon —θλότης, ητος, ἡ, Edelſinn, Biederkeit, Tapferkeit: Plutarch. 7 p. 735. —θλωμα, τὸ, (ἐσθλόω) trefliche, brave gute That oder Handlung: Eurip.

'Εσθος, τὸ, ſ. v. a. ἐσθής. —θω, ſ. v. a. d. abgeleitete ἐσθέω, von ἔδω fut. ἔσω wie αἴσθω und βιβάσθω.

'Εσίταλος, S. ἐξίτηλος.

'Εσκεμμένως, Adv. vom partic. perf. von σκέπτομαι, überdacht, überlegt.

'Εσκλητος, ἡ, wie ἔκκλητος, ſ. v. a. ἐκκλησία, der Ausſchuſs des Volks.

'Εσλὸς, doriſch ſt. ἐσθλός.

"Εσμα, τὸ, ſ. v. a. μίσχος, der Stiel.

'Εσμὸς, ὁ, oder ἑσμὸς, (ἕω) der Bienenſchwarm; daher jede Menge; 2) ἐσμοὺς γάλακτος: Eurip. Bach. 709. vergl. Philoſtr. Soph. 1, 19. ἐσμὸν μελίσσης γλυκὺν bey Athen. p. 432. für Honig; davon ἔσμιος bey Heſych. für ſüſs. S. ἄφεσμος und ἐσμοφύλαξ, ὁ, Geopon. 15, 2. der auf die Schwarme Acht giebt.

'Εσοχὰς, ἡ, S. ἐξοχάδες.

'Εσπέρα, ἡ, *veſpera*, Abend, Abendzeit; Abend, Abendgegend. —ρία, ἡ, der Abend, Abendbrod; eigentl. fem. von ἕσπερος. —ρίζω, f. ίσω, zu Abend eſſen: als Stammwort v. ἑσπέρισμα. —ρινὸς, ἡ, ὸν, ſ. v. a. d. folgd. —ριος, ὁ, ἡ, oder ἑσπέριος, ία, ιον, zum Abend oder Abendlande oder Abendgegend gehorig, am Abend: gegen Abend oder die Abendgegend. —ρὶς, ίδος, ἡ, die Nachtviole, weil ſie Abends ſtärker riecht, als am Tage: Theophr. 'Εσπερίδες, αἱ, die Nymphen, und ihre Gärten in Africa. —ρισμα, ατος, τὸ, das Veſperbrod, Abendbrod. —ρος, ὁ, *Heſperus*, der Abendſtern; 2) der Abend. 3) Gegend der untergehenden Sonne. 4) ſ. v. a. ἑσπέριος; ſo nennt Sophocl. ἑσπερον θεὸν, den ᾅδης: Oed. Tyr. 178.

'Εσπευσμένως, Adv. vom partic. perf. paſſ. von σπεύδω, in Eile, eilig.

"Εσπομαι, ſ. v. a. ἕπομαι, poet.

'Εσπουδασμένως, Adv. von partic. perf. paſſ. von σπουδάζω, im Ernſt; eifrig.

'Εσσὴν, ῆνος, ὁ, in der Mundart der Epheſier eine Art Prieſter, *rex ſacrificulus, ſacrorum*, Pauſan. Arcad. 13. eigentl. Bienenkönig: bey Callim. jeder König.

"Εσσον, τὸ, ſ. v. a. ἔσθος: bey Heſych. welcher auch ἐστὸν dafür richtiger hat.

'Εσσυμένως, Adv. v. partic. perf. paſſiv. von ἐσσυμένος, σύω, mit Heftigkeit oder Schnelligkeit.

'Εστε, Adv. bis; 2) ſo lange: doriſch ἔστε. Man leitet es von εἰς u. τε ab: mir ſcheint es aus ἐς ὅτε zuſammengezogen.

'Εστενωμένως, Adv. von στενόω, ἐστενωμένος, eng.

'Εστήκω, davon ἐστήξομαι bey den Attikern gemacht iſt; vom Perfect. ἕστηκα, von ἵστημι.

'Εστία, ἡ, der Lat. *Veſta*, als Schutzgöttin einer Stadt; 2) eines Hauſes, wo ſie wie die *lares* auf dem Heerde verehrt ward; dieſer Heerd iſt gleichſam ihr Altar an der die ἱκέται *ſupplices*, die um Vergebung und Verſöhnung bitten, wie zu einem *aſylum* fluchten, und davon ἐφέστιοι heiſsen; 3) das Haus ſelbſt: ἀφ' ἑστίας von Hauſe aus, von ſeiner eignen Familie an. 4) die im Hauſe wohnen, die Familie: οἱ πολλοὶ πλὴν ὀγδώκοντα ἱστιέων εἰσὶ ἐπήλυδες: Herodot. 1, 176. —αμα, ατος, τὸ, (ἑστιάω) die Bewirthung, die Mahlzeit. —αρχέω, Herr im Hauſe (ἑστία) ſeyn: Lucian. —αρχος, ὁ, ἡ, (ἄρχω) Herr, Beſitzer; Beſchützer vom Hauſe; 2) ſ. v. a. ἑστιοῦχος no. 2. Plutarch. Q. S. 2, 10. wo ἑστιάρχης ſteht. —ὰς, άδος, ἡ, Prieſterin der ἑστία, no. 1. *Veſtalis*, Veſtalin. —ασις, ἡ, (ἑστιάω) das Geben eines Schmauſses, Schmaus. —ατορία, ἡ, Schmaus: Regum 4 c. 24. —ατόριον, τὸ, Schmauſehaus; Speiſezimmer: Plutar. 6 p. 534. —άτωρ, ορος, ὁ, (ἑστιάω) der den Schmaus giebt, andre bewirthet. —άω, ῶ, (ἑστία) ich nehme in meinem Hauſe auf, bewirthe, vorzügl. mit einem Schmauſe, Gaſtgebote, Freudenfeſte; daher metaph. ἑστ. τοὺς ὀφθαλμοὺς u. ſ. w. die Augen weiden, ſeinen Augen ein Fest geben: med. schmaufsen, essen, sich gütlich thun.

'Εστιοπάμμων, ονος, ὁ, und —πάμων, (πάομαι) dorisch, Herr des Hauses: Pollux 1, 711. 10, 20. —ουχέω, ich bewohne, bewache das Haus, die Stadt. —οῦχος, ὁ, ἡ, (ἑστία, ἔχω) der das Haus, Stadt bewohnt, bewacht; 2) der Wirth des Gastmahls: Pollux 6, 11. —όω, (ἑστία) δῶμα ἐστιοῦται Eur. Jon 1464. domus liberis fundatur, ist gegründet durch Erben.

'Εστιτρώσκω f. τρώσω, ich verwunde hinein.

'Εστιώτης, ὁ, ἑστιῶτις, ἡ, (ἑστία) zum Hause gehörig, domestica.

'Εστωρ, ὁ, Iliad. ω. 272. ἐπὶ τὲ κρίκον ἔστορι βάλλον, ein Pflock (πάσσαλος) zum festhalten; andere lesen ἕκτορι, andere ἴστορι. Jenes ist von ἕω: Plutar. Alex. 18 τοῦ ῥυμοῦ τὸν ἔστορα καλούμενον ᾧ συνεῖχε τὸ ζυγόδεσμον.

'Εσύστερον, hernach künftig, ὕστερον, ἐς.

'Εσφαλμένως, Adv. part. praet. pass. v. σφάλλω, unwissend, ungeschickt: irrig: fehlerhaft. —φλασις, ἡ, das einwärts drücken, Druck nach innen; v. —φλάω, ich drücke nach innen, einwärts. S. φλάω.

'Εσχάρα, ἡ, der Feuerheerd im Hause; daher ὅσσαι Τρώων πυρὸς ἐσχάραι, statt Feuerstellen, Häuser. 2) der Altar, worauf das Opferfeuer brennt. 3) Kohlenbecken, Rost, Bratenrost, *craticula*. 4) der Schorf, *crusta*, eines Geschwüres oder einer Fistel. 5) das Reibezeug, hohles Stück Holz, worauf man mit einem andern Stücke reibt, um Feuer zu machen. S. πυρεῖον. 6) Rost, Gerüste, Gestelle, Unterlage: Polyb. 9, 41. —ρεύς, ὁ, der auf dem Schiffe die ἐσχάρα besorgt: Pollux 1, 95. Themistius Orat. 15. —ρεών, ῶνος, ὁ, Heerd, wie ἐσχάρα: Theocr. 24, 48. —ριον, τὸ, dimin. von ἐσχάρα, dessen Bedeutungen m. nachsehe. —ριός, ὁ, ἡ, (ἐσχάρα) den Heerd betreffend, zum Heerde gehörig. —ρὶς, ίδος, ἡ, wie ἐσχάριον, kleiner Heerd oder Rost. —ρίτης, ου, ὁ, (ἄρτος) Brod auf dem Heerde oder Roste gebacken. —ρόπνιτος, ὁ, ἡ, (πέττω, πέπτω) κρίμνα, Hippocr. Epidem. 4. auf dem Roste oder Kohlen gebacken. —ρόω, ῶ, mit einem Schorf (ἐσχάρα Nr. 4) überziehen: beschorfen; davon —ρωσις, ἡ, das Ueberziehen mit einem Schorfe. —ρωτικός, ἡ, όν, (ἐσχαρόω) was einen Schorf zu machen pflegt oder die Kraft hat.

'Εσχατάω und ἐσχατεύω, (ἔσχατος) ich bin der äusserste: am äussersten Ende, an der äussersten Gränze. —τιά, ἡ, die äusserste Gränze, das äusserste Land: αἱ ἐσχατιαὶ τῆς οἰκουμένης, Herodot. daher ein einzelnes entlegenes Stück Land, auch ohne Rücksicht auf Entfernung, Landgut. Demosth. p. 1040 setzt ἐσχατιὰν und χωρίον von demselben Lande. Bey Nicand. Ther. 437. ἐσχατιῇ wie adverb. endlich. —τιάω, ῶ, f. v. a. ἐσχατάω. zw. —τίζω, f. v. a. ἐσχατεύω oder ὑστερέω, ich komme spät: Photii Lexic. erklärt es auch für ταπεινόω. —τιος, ὁ, ἡ, poet. f. v. a. ἔσχατος. —τογέρων, oder ἐσχατόγηρως oder ρος, ὁ, ἡ, im äussersten Alter, sehr alt. —τόεις, όεσσα, όεν, poet. f. v. a. ἔσχατος. —τος, άτη, ατον, äusserster, letzter, von Zeit und Raum: und ist diess eine Hohe, so ist es, hochster: letzter im Range, schlechtester: für πρῶτος erster: Pindar. Nem. 10, 59. für innerster ἐσώτατος: Sophocl. Trach. 1070. Adv. —τως, διακεῖσθαι, in den äussersten, elendesten Umständen sich befinden. Polyb.

'Εσχηματισμένως, Adv. part. perf. pass. v. σχηματίζω, bildlich, figürlich.

'Εσω, Adv. drinnen, auch nach innen, hinein; von ἐς gemacht: davon comp. ἐσωτέρω, ἐσώτερος, superl. ἐσώτατος, Adv. ἐσωτάτω: davon

'Εσωθεν, Adv. von innen heraus: auch darinne.

'Εσωπὴ, ἡ, Angesicht, Ansehn: Oppian. Hal. 4, 358. wo andere Ausg. u. Handschr. ἐνωπὴ und ὀπωπὴ haben.

'Εσώτατος, άτη, ατον, und ἐσώτερος. S. ἔσω. —τέριον, τὸ, und ἐσωφόριον, τὸ, wie *interula*, Unterkleid: Neugr.

'Εσωχὰς, άδος, ἡ, S. ἐξοχάδες.

'Ετάζω, f. v. a. ἐξετάζω.

'Εταίρα, ἡ, Freundin: bey feinen Griechen Beyschläferin, Gesellschafterin, Maitresse, Kourtisane, Buhlerin. —ρεία, ἡ, Freundschaft: freundschaftliche Verbindung, Verbrüderung, auch politische Verbindung: Klubb: davon ἑταιρειάρχος und —αρχεία, ἡ, Nicetae Annal. 9, 17, der Anführer und das Amt die Würde eines Anführers von einer solchen Gesellschaft. —ρεῖος, εία, εῖον, zum Freunde, Gesellen, Kameraden, Kompagnon oder zur ἑταίρα, Kourtisane gehörig, sie betreffend: buhlerisch: Ζεὺς, der Vorsteher und Beschützer alter mit einander verbundener ἑταίρων. —ρεύω, ich bin ἑταῖρος oder in einer Gesellschaft: bin eine ἑταίρα, Beyschläferin, Buhlerin: active Diodor. 1 p. 492. —ρέω, ῶ, ich buhle, treibe Buhlerey, Hurerey, Unzucht. —ρήιος, ίη, ήιον, jonisch st. ἑταιρεῖος. —ρησις, ἡ, Buhlerey, Hurerey, männliche Unzucht. —ρία, ἡ, f. v. a. ἑταιρεία. —ρίδια, τὰ, ein Fest zu Magnesia dem Zeus ἑταιρεῖος zu Ehren: Athen. 13.

'Ἑταιρίζω, Iliad. ω. 835 ἀνδρὶ ἑταιρίσαι, statt ἑταῖρος εἶναι, sich zugesellen. Hymn. in Ven. 95 'αἵτε θεοῖσι πᾶσιν ἑταιρίζουσι. 2) Act. zum Freunde, Gesellschafter machen, ἑταιρίζομαι, zum Gesellschafter nehmen: Il. ν. 456. Callim. in Art. 206. — ρικὸς, ἡ, ὸν, Adv. ἑταιρικῶς, oder ἑταίριος, s. v. a. ἑταιρεῖος, auch einem ἑταῖρος oder ἑταίρα ähnlich oder gehörig: ὑπόδημα und dergl. τὸ ἑτ. s. v. a. ἑταῖροι, οἱ. — ρὶς, ἴδος, ἡ, s. v. a. ἑταῖρα. — ρισμὸς, ὁ, (ἑταιρίζω) Buhlerey, Hurerey. — ριστὴς, οῦ, ὁ, (ἑταιρίζω) Buhler, Hurer: davon feminin. — ρίστρια, ἡ, Buhlerin: vorz. aber s. v. a. τριβὰς.

'Ἑταῖρος, ὁ, der Kamerad, Gesellschafter, gute Freund, Gehülfe: auch nennte Socrates seine Schüler so; daher Schüler und Mitschüler; auch nennt man einen unbekannten, dessen Namen man nicht weiss, so. Plato braucht im Superl. ἑταιρότατον, Phaedo u. Dio Cass.

'Ἐτανὸς, von ἐτάω, ἐτάζω, s. v. a. ἐτεὸς und ἐτήτυμος, wahr, ächt.

'Ἑταρίζω, und ἕταρος, s. v. a. ἑταιρίζω und ἑταῖρος.

'Ἔτασις, ἡ, und ἐτασμὸς, ὁ, von ἐτάζω, s. v. a. ἐξέτασις, ἐξετασμὸς, Prüfung, Untersuchung.

'Ἐταστὸς, von ἐτάζω, geprüft, ächt, wahr. Adv. ἐταστῶς.

'Ἐτάτυμος, S. ἐτήτυμος.

'Ἐτεῇ, jonisch s. v. a. ἀληθῶς, *reapse*.

'Ἐτεῖος, εία, ειον, (ἔτος) jährlich, von einem Jahre.

'Ἔτελις, ὁ, bey Aristot. h. a. 6, 13. ein Fisch, den Hesych. für χρύσοφρυς erklärt; aber die Handschr. haben im Arist. ἔντελις, (wie beym Synesius) εὐτελεῖς und *enchalis*.

'Ἐτεοδμὼς, ῶος, ὁ, (ἐτεὸς) ächter, aufrichtiger, guter Sclave. Hesy. — όκριθον, τὸ, ächte Gerste, ἐτεὰ, κριθὴ: Theophr. — ὸς, wahr; ἐτεὸν, wahrhaftig, im Ernst, wirklich, wie ein Adverb, so auch ἐτεῇ, Hom. Il. 7, 359.

'Ἑτεραλκέως, ἑτεραλκὴς, ὁ, ἡ, (ἑτερὸς, ἀλκὴ) νίκη, μάχη, Herodot. 9, 102. davon ἑτεραλκέως ἀγωνίζεσθαι, Herodot. 8, 11. von einem zweydeutigen unentschiedenen Treffen, wo beyde Theile sich den Sieg zuschreiben, wo Muth und Sieg wechselt. — ραχθὴς, ὁ, ἡ, (ἄχθος) auf der einen Seite betastet od. drückend. — ρεγκεφαλάω, auf der einen Seite des Gehirns nicht richtig seyn; s. v. a. παραφρονέω, Aristoph. Poll. 2, 42. 4, 184. — ρῃ, Adv. (eigentl. dat. fem. verst. ὁδῷ) auf einem andern Wege, auf eine andere Art, Weise, an einer andern Stelle. — ρήμερος, ὁ, ἡ, mit dem Tage wechselnd: ζώουσ' ἑτερήμεροι leben einen Tag um den andern.

'Ἑτερήρης, ὁ, ἡ, ὁρμὴν ἑτερήρεα, Maximus vers. 165. nach Hesychius ἀμφίβολον. — ροβάρεια, ἡ, (ἑτεροβαρὴς) das Hängen auf eine Seite: Begünstigen des andern Theils. zw. — ροβουλία, ἡ, (βουλὴ) andere Entschliessung. zweif. — ρογάστριος, ὁ, ἡ, opp. ὁμογάστριος, von einer andern Mutter gezeugt. — ρογενὴς, έος, ὁ, ἡ, (γένος) v. einem andern Geschlechte, Stamme, Volke, Gattung. — ρόγλαυκος, ὁ, ἡ, mit einem bläulichten Auge. zw. — ρόγλωσσος, ἑτερόγλωττος, ὁ, ἡ, eine andere oder verschiedene oder fremde Sprache sprechend, im Gegens. von ὁμόγλωττος. — ρόγναθος, ὁ, ἡ, ἵππος, ein Pferd, dessen eine Seite des Mauls zu hart oder weich ist zum regieren. Xenoph. Equ. 1, 9. — ρογνωμοσύνη, ἡ, andere od. verschiedene Meinung; von — ρογνώμων, ονὸς, ὁ, ἡ, (γνώμη) anderer oder verschiedener Meinung. — ρόγονος, ὁ, ἡ, (γονὴ, γόνος) von verschiedenen Geschlechtern, wie z. B. der Maulesel. — ροδακνέω, andere beissen. zw. — ροδιδασκαλέω, anders oder verschieden lehren: im N. T. — ροδοξέω, ῶ, (ἑτερόδοξος) ich bin verschiedener oder der irrigen Meinung; davon — ροδοξία, ἡ, verschiedene oder irrige Meinung; von — ρόδοξος, ὁ, ἡ, (δόξα) von verschiedener oder irriger Meinung. — ροειδὴς, έος, ὁ, ἡ, (εἶδος) von anderer oder verschiedener Art. — ροεθνὴς, έος, ὁ, ἡ, (ἔθνος) von einem andern Volke. — ρόζηλος, ὁ, ἡ, Adv. ἑτεροζήλως, dem andern mehr ergeben oder geneigt; daher Hesiod. theog. 544. partheyisch. — ροζυγέω, ῶ, am andern Joche ziehen: mit andern oder verschiedenen Thieren zusammengejocht werden: übergetrag. sich mit ungleichartigen Geschlechtern vermischen, 2 Cor. 6, 14. s. ἑτερόζυγος: ungleich ziehn, uneinig seyn: Nicetas Annal. 9, 15. wovon ἑτεροζύγησις, Uneinigkeit: ibid. 20, 1. — ροζύγιοι, verschieden gejochte, verschieden ziehende. zwei. — ρόζυγος, als Beywort von σταθμὸς, beym Phocyl. sich auf die andere Seite neigend: von verschiedenem Joche oder verschiedenem Geschlechte, ungleichartig, bey den LXX Lev. 19, 19. — ρόζυξ, γος, ὁ, ἡ, πόλις, Plutar. Cim. 16. eine Stadt, die ihres Paars beraubt ist: eigentl. s. v. a. das vorh. — ροθαλὴς, έος, ὁ, ἡ, (θάλλω) auf der einen Seite, an dem einen Zweige grünend: von Kindern nach Eust. von verschiedenen Müttern, als ἀδελφὴ bey Nicetas Annal. 9, 4. das Gegentheil ἀμφιθαλὴς heisst ein Kind, das noch beyde Eltern hat.

'Ετεροθελής, έος, ὁ, ἡ, (θέλω) anders wollend. —ρόθηκτος, ὁ, ἡ, (θήγω) einschneidig: Nicetae Annal. 9, 17. —ρόθροος, ὁ, ἡ, f. v. a. ἀλλόθροος. —τροῖος, οία, οῖον, Adv. ἑτεροίως, von anderer Art, verschieden, anders. —ροιότης, ἡ, Verschiedenheit, andere Beschaffenheit. zw. —ροιόω, ῶ, (ἑτεροῖος) verschieden, anders machen, ändern: verwandeln; davon —ροίωσις, ἡ, die Veränderung, Verwandelung. —ρόκαρπος, ὁ, ἡ, andere Früchte tragend. Hippocr. —ροκλινέω, S. ἑτεροκλονέω. —ροκλινής, έος, ὁ, ἡ, (κλίνω) auf die eine oder andere Seite geneigt, sich neigend, abschüssig: Xen. ven. 2, 8. —ροκλίνω, f. ῶ, auf die eine Seite neigen: auf die eine Seite hängen, sich neigen. zweif. —ρόκλιτος, ὁ, ἡ, Adv. —κλίτως, (κλίνω) von verschiedener Wortbiegung oder Deklination. —ροκλονέω, ῶ, verschieden, nach verschiedenen Seiten hin schütteln. —ροκνεφής, ὁ, ἡ, (κνέφας) S. ἑτεροφαής. —ροκρανία, ἡ, f. v. a. ἡμικρανία, Kopfschmerz an der einen Seite des Kopfs (κράνιον), Mikraine. —ρόκωφος, ὁ, ἡ, auf dem einen Ohre taub. zweif. —ροκωφόω, ῶ, ich bin auf dem einen Ohre taub. zweifelh. —ρολεξία, ἡ, verschiedener Ausdruck, andere gleichbedeutende Redensart: zw. —ρόμαλλος, ὁ, ἡ, auf der einen Seite wollig, haarig, zottig. —ρομάσχαλος, ὁ, ἡ, (μασχάλη) als Beywort v. χιτών, f. v. a. ἐξωμίς, mit einem einzigen Ermel. —ρομεγεθέω, ῶ, (μέγεθος) von verschiedener Gröfse seyn oder werden: Artemidor. Onirocr. 1, 33. —ρομέρεια, ἡ, das Halten, Begünstigen der einen Seite oder Parthey: zw. —ρομερής, έος, ὁ, ἡ, (μέρος) von der einen Seite: auf die eine Seite sich neigend: zw. —ρομήκης, εος, ὁ, ἡ, von ungleicher Länge, μῆκος, auf der einen Seite: *oblongus* Diodor. 2, 3. σχῆμα, ἀσπὶς, ἀριθμὸς, um die Hälfte länger. —ρομήτωρ, ορος, ὁ, ἡ, von einer andern Mutter. —ρομόλιος, ὁ, ἡ, δίκη, ein Prozefs, wo der eine Theil blofs erscheint, der andre aber ausbleibt; v. ἕτερος, μολεῖν. S. ἀντιμωλία. —ρόμορφος, ὁ, ἡ, (μορφή) von verschiedener Bildung. —ροπάθεια, ἡ, τῷ τῆς ἑτερ. λόγῳ, Dioscor. 2. so dafs die Krankheit und der Schmerz nach einem andern Orte oder Gliede geleitet wird. —ρόπλοος, contr. ἑτερόπλους, auch ἑτερόπλοιος, von einer Seite schiffbar. ναυτικὸν δάνεισμα ἑτερόπλοον. S. ναυτικὸν 2. —ροποδέω, in den Hippiatr. heifsen ἑτεροποδοῦντες ἵπποι auch ἑτερόχηλοι die einen Fufs kürzer als den andern haben, und also nicht gleich auftreten: von —ρόπους, οδος, ὁ, ἡ, der einen Fufs kürzer als den andern hat; daher Philostr. Soph. 1, 21, 1 es mit βραδὺς verbindet. —ροπροσωπέω, ῶ, ich bin von einer andern Person oder in der Person verschieden: davon —ροπροσωπικὸς, ἡ, ὸν, Adv. —κῶς von der Art eines —ροπρόσωπος, ὁ, ἡ, (πρόσωπον) von oder in einer andern Person: in der Person verschieden, bey den Grammatik. —ρορρεπέω, ῶ, f. v. a. ἑτερορροπέω; dav. —ρορρεπής, έος, ὁ, ἡ, f. v. a. ἑτερόρροπος. —ρορροπέω, (ῥοπή) auf die eine Seite sich neigen oder hängen. —ρόρροπος, ὁ, ἡ, Adv. —ρόπως, auf die eine Seite geneigt, sich neigend, hängend. —ρόρυθμος, ὁ, ἡ, von verschiedenem Takte oder numerus; ἑτερόρυσμος, ὁ, ἡ, von verschiedener Gestalt, ῥυσμὸς, jon. Hesych.

Ἕτερος, έρα, ρον, wie *alter* der andere, der eine von zweyen oder beyden; der andere in der Art, oder verschieden: Xen. Cyr. 8, 3. 8. 1, 6. 2, Adv. ἑτέρως auf eine andre oder verschiedene Art. τοῦ σκέλους ἑτέρως εἶχε, Philostr. Apoll. 3, 39 er hatte den andern Schenkel verschieden, kürzer, er war ἑτεροσκελής. —ροσήμαντος, ὁ, ἡ, (σημαίνω) etwas anderes bedeutend: zw. —ρόσκιοι, (σκιά) deren Schatten nur auf eine Seite entweder gegen Norden od. gegen Süden fällt: Strabo. opp. ἀμφίσκιοι. —ρόστοιχος, ὁ, ἡ, von oder in einer andern Reihe. —ρόστομος, ὁ, ἡ, (στόμα) einschneidig; von verschiedenem Munde oder Schneide. —ρόστροφος, ὁ, ἡ, (στροφή) von zwey verschiedenen Strophen. —ροσχήμων, ονος, ὁ, ἡ, (σχῆμα) von anderer oder verschiedener Bildung, Gestalt. —ρότης, ητος, ἡ, (ἕτερος) Verschiedenheit: andre Beschaffenheit. —ρότροπος, ὁ, ἡ, von andrer Art oder von andern Sitten. —ρότροφος, ὁ, ἡ, (τροφή) νεότης Synes. p. 22. anders gezogen, erzogen, von fremden Sitten. —ρουας, ὁ, ἡ, (οὐς) einöhrig: bey Hesych. ἑτερουῖδα, τρυβλίον καινόν: zw. —ρούσιος, ὁ, ἡ, (οὐσία) von verschiedenem Wesen: verschieden. —ροφαής, ὁ, ἡ, das Gegentheil von ἀμφιφαής, halblichte, wie ἑτεροκνεφής d. G. v. ἀμφικνεφής, halbdunkel. Synes. Insom. p. 143. —ροφθαλμία, ἡ, Verschiedenheit der Augen. —ρόφθαλμος, ὁ, ἡ, einäugig: mit Augen von verschiedener Farbe, wie Pferde; bey Aristot. u. sonst auch f. v. a. schielend: davon —ρόφθογγος, ὁ, ἡ, Synesius p. 325 anders oder verschieden sprechend. —ροφροσύνη, ἡ, Jambl. Pythag. 334. Uneinigkeit in Denkungsart. —ροφρούρητος, ὁ, ἡ, von einem andern bewacht: zw.

'Ετερόφρων, ονος, ὁ, ἡ, (φρὴν) anders denkend, uneinig; davon —ροφυὴς, έος, ὁ, ἡ, (φυὴ) anderswo erzeugt, geboren. —ρόφυλος, ὁ, ἡ, aus von einer andern Zunft, φυλὴ; von einem andern Stamme, Volke, φῦλον. —ρόφυτος, ὁ, ἡ, δένδρον Julian. Ep. 24 ein gepfropfter oder Pfropfreisser annehmender Baum. —ροφωνία, ἡ, verschiedener oder mannichfaltiger Ton, andere Stimme. S. in πρόσχορδος; von —ρόφωνος, ὁ, ἡ, (φωνὴ) von verschiedener oder mannichfaltiger Stimme, Ton. —ρόχηλος, ὁ, ἡ. S. ἑτεροποδέω. —ροχροέω, ῶ, (χρόα) ich habe verschiedene Farbe, oder mehrere Farben. —ροχροιότης, ητος, ἡ, verschiedene oder mannichfaltige Farbe; von —ρόχροος, contr. ἑτερόχρους, ὁ, ἡ, oder ἑτερόχρως, τος oder ἑτερόχρωμος, (χρόα, χρὼς, χρῶμα) von verschiedener oder mannichfaltiger Farbe: davon ἑτεροχρωματέω, Geopon. 2, 6. 37 verschiedene Farbe haben. —ρόω, ῶ, (ἕτερος) anders machen, ändern. —ρωθεν, Adv. von einer andern Seite her. —ρωθι, Adv. auf einer andern Seite. —ρώνυμος, ὁ, ἡ, Adv. ἑτερωνύμως, (ὄνομα) mit einem andern oder verschiedenen Namen. —ρωσε, Adv. auf eine andere Seite hin, anders wohin. —ρωσις, εως, ἡ, (ἑτερόω) Aenderung.

'Ετης, ὁ, Freund, Gesellschafter, Gefährte, wie ἑταῖρος, mit dem es Homer häufig verbindet; und welches beydes Etym. v. ἔθος ableitet; auch s. v. a. δημότης, u. πολίτης Aeschyl. Sup. 253. Aristoph. Plut. 1083. Thucyd. 5, 79. S. in ὦ τὰν, u. ἠθεῖος.

'Ετησίαι, οἱ, verst. ἄνεμοι oder αὖραι, die Jahreswinde, also Passatwinde, welche in den Hundstagen 40 Tage lang wehen. Apollon. 2, 525 v. folgd. —σιος, ὁ, ἡ, (ἔτος) jährig, jährlich. Adv. ἐτησίως.

'Ετητυμία, ἡ, Aechtheit, Wahrheit; von —τυμος, ὁ, ἡ, geprüft, ächt, wahr; v. ἐτὸς, ἔτυμος. Adv. ἐτητύμως.

'Ετι, Adv. noch, von der gegenwärtigen und zukünftigen Zeit: also noch jetzt: noch ferner: dereinst noch: Cyrop. 4, 2, 10. noch m. d. compar. überdiess, ausserdem: οὐδένα ἔτι προσδεξόμεθα, Cyrop. 4, 2, 26 keinen mehr. μὴ γὰρ ἔτι ἀτίμαζε 5, 2, 36 nicht mehr, nicht weiter.

'Ετνηρὸς, breyartig. S. ἔτνος. —ρυσις, ἡ, (ἀρύω, ἔτνος) eine *trulla*, Kochlöffel oder Kelle, damit den Brey zu rühren und heraus zu nehmen.

'Ετνος, εος, τὸ, ein Brey von dickgekochten Hülsenfrüchten, vorz. Erbsen und Bohnen. ἑψήσεως ἕνεκα σπείρεται κύαμος, πίσος, ἐτνηρὸν γὰρ ἐκ τούτων ἕψημα γίνεται, Phanias bey Athen. p. 406. Aristophanes sagt ἦψε κατερεικτῶν χύτρας ἔτνους: Aristotel. Probl. 24, 9 verbindet ἔτνος u. φακῆ.

'Ετοιμάζω, f. άσω, (ἕτοιμος) bereit machen oder halten: bereiten, zurechtmachen; med. τὶ sich etwas zubereiten, es vorbereiten; Xenoph. Cyr. 3, 3. 5. —μασία, ἡ, s. v. a. ἑτοιμέτης: Basilius. —μαστὴς, οῦ, ὁ, d. i. ἑτοιμάζων: Clemens Alex. —μοδάκρυς, υος, ὁ, ἡ, (δάκρυ) zu Thränen stets bereit, leicht weinend; zweif. —μοθάνατος, ὁ, ἡ, bereit zum Tode, leicht sterbend; zw. —μοκοπία, ἡ, Hippocr. Praecept. c. 4. κηφῆνος ἑτ. leere vergebliche Arbeit; zw. —μοπειθὴς, ὁ, ἡ, leicht zu bereden, leicht folgend: Nicetae Ann. 11, 11. —μόῤῥοπος, ὁ, ἡ, (ῥοπὴ) geneigt, leicht sich neigend: ibid. 5, 7. —μος, ὁ, ἡ, Adv. ἑτοίμως, bereit, fertig, gleich da, in Bereitschaft; rasch, hitzig: ἐξ ἑτοίμου s. v. a. ἑτοίμως. —μότης, ητος, ἡ, Bereitschaft, Fertigkeit, Bereitwilligkeit; Zuneigung: λόγων das Sprechen aus dem Stegreife, ohne Vorbereitung: Plutar. Educ. —μοτρεπὴς, έος, ὁ, ἡ, (τρέπω) leicht zu lenken, umzulenken. —μοτρεχὴς, ὁ, ἡ, gern laufend, zum laufen bereit: Nicetas Annal. 17, 2.

'Ετος, εος, τὸ, das Jahr.

'Ετὸς, ἡ, ὸν, s. v. a. ἐτεὸς, ἔτυμος, ächt, wahr, gut.

'Ετὸς, Adv. umsonst, ohne Ursache, Grund. οὐκ ἐτὸς ἄρα ὡς ἔμ' οὐκ εἴλθεν, Aristoph. Plut. 404. drum also ist er nicht zu mir gekommen: Oppian. Cyn. 1, 53. ἐτὸς, es ist wahr; in einem Zwischensatze.

'Ετυμηγόρος, ὁ, ἡ, wahrredend, ἔτυμα, ἀγορεύω. —μηθρόος, ὁ, ἡ, wahrtönend, wahrsagend. —μόδρυς, ἡ, die edle Eiche mit süssen Eicheln. —μολογέω, ῶ, ich erkläre und zeige den Ursprung und Bedeutung eines Wortes mit der Sache übereinstimmig; davon —μολογία, ἡ, die Ableitung u. Erklärung von der Bedeutung und Zusammensetzung eines Wortes und Namens, *veriloquium, notatio*: Cic. top. 8. —μολογικὸς, ἡ, ὸν, zur ἐτυμολογία gehörig oder geschickt darinne. —μολόγος, ὁ, ἡ, einer der ἐτυμολογεῖ.

"Ετυμος, ὁ, ἡ, s. v. a. ἐτεὸς wahr; ἔτυμον s. v. a. ἐτύμως, Adv. τὸ ἔτυμον auch die Ableitung und erste Bedeutung eines Worts und Namens vermöge der Ableitung, davon ἐτυμολογέω. Eben so ἔτυμος, ὁ, ἡ, und ἐτύμως Adverb. ἀπ' ἐτινος ἐτύμου τεθείσης προσηγορίας ταύτης, Diodor. 1, 11. ἐτύμως καλοῦμεν οὐρανὸν ἀπὸ τοῦ ὅρον εἶναι τῶν ἄνω, Aristot. de mundo; wir nennen den Himmel eigentlich οὐρανὸς vermöge der Ableitung und natürlichen Bedeutung des Namens; von ἐτὸς, ἐτὺς kommt ἔτυμος.

Ἐτυμότης, ἡ, f. v. a. ἐτυμολογία, auch die Wahrheit. —μώνιος, f. v. a. ἔτυμος, wie αλλώνιος, ἑτερώνιος. —μως, Adv. S. ἔτυμος.

Ἐτωσιοεργὸς, ὁ, ἡ, vergeblich arbeitend; bey Hesiod. ἔργ. 411. faul träge zur Arbeit. —σιος, ὁ, ἡ, Adv. ἐτωσίως, (ἐτὸς) was ohne Grund, umsonst, vergeblich, eitel ist.

Εὖ, Adv. gut, recht, brav: glücklich, leicht. Und diese Bedeutungen behält es auch in den compos. gewöhnlich aber zeigt es die Vergrösserung oder die Leichtigkeit an. Ist eigentl. das neutr. von εὐς, welches die Dichter in ἐΰς beybehalten haben.

Εὖα, ein Ermunterungs- oder Jubelruf. S. εἶα; davon εὐάζω: 2) bey Suidas der nachgeahmte Laut des Ziegenbocks.

Εὐαγγελίζω, εὐαγγελίζομαι, (εὖ, ἄγγελος) letztere Form ist bey den alten Schr. gebräuchlicher, ich bringe eine fröliche Nachricht, Botschaft, verkündige, kündige sie an: bey Jamblich. Pythag. §. 12. εὐηγγελίζετο, er sahe es als eine gute Vorbedeutung an. —γελικὸς, ἡ, ὀν, zur fröhlichen Botschaft, zum Evangelium gehörig; evangelisch. —γέλιον, τὸ, die fröliche Nachricht, Botschaft; 2) Geschenk für den Ueberbringer derselben: εὐαγγέλια θύειν, Opfer bringen, wegen erhaltener frölicher Botschaft. —γέλιος, ὁ, ἡ, f. v. a. εὐαγγελικὸς: Clemens Al. —γελιστὴς, οῦ, ὁ, d. i. εὐαγγελίζων, frohe Nachricht verkündigend, Verfasser eines Evangeliums, Evangelist; davon —γελίστρια, ἡ, femin. —γελος, ὁ, ἡ, gute oder frohe Botschaft bringend.

Εὐάγεια, ἡ, Heiligkeit, Reinigkeit: Jambl. Pythag. c. 17. —γέω, (εὐαγὴς) ich bin oder lebe rein, unschuldig: Theocr. 126, 30. —γὴς, έος, ὁ, ἡ, (ἄγω, ἄγνυμι) zerbrechlich, leicht zu zerbrechen; 2) (ἄγος, ἅγιος) rein, unschuldig, heilig: überh. f. v. a. ὅσιος; 3) von ἄγω f. v. a. *agilis*, behende, schnell: μέλισσα: Anthol. bey Plato Leg. 12 p. 198. f. v. a. λαμπρὸς, hell, deutlich, klar, wie Hesych. εὐαγὲς, εὔοπτον erklärt; πύργος εὐαγὴς, Eur. Suppl. 652 hoher hellscheinender Thurm. Vergl. Aeschyl. Pers. 466. u. εὐάγητος, aber so scheint es für εὐαυγὴς zu stehn. —γητος, ὁ, ἡ, Aristoph. Nub. 277 φύσις von den Wolken, wo es einige λαμπρὸς andre von ἄγω d. πανταχοῦ φερόμενος erklären. S. εὐαγὴς.

Εὐαγκαλος, ὁ, ἡ, (ἀγκάλη) leicht in oder auf den Armen zu tragen: Aeschyl. Prom. 350. φόρτον εὐ. Aelian. bey Suid. λόγοι εὐ. Themist. or. 19. τόξον κρανείας Eurip. Plutarch. 8 p. 401.

Εὐαγκὴς, ὁ, ἡ, (ἄγκος) λόφος: Pind. Nem. 584 mit einem schönen Thale.

Εὐαγλις, ιδος, ὁ, ἡ, bey Nicand. Al. 432. κώδεια, *caput allii spica* (ἀγλιθας) *habens*. S. ἀγλίς.

Εὐαγόραστος, ὁ, ἡ, leicht zu kaufen oder verkaufen; zw.

Εὐαγρέω, ῶ, (εὔαγρος) ich bin glücklich auf der Jagd oder im Fange, ich fange glücklich; davon —γρία, ἡ, der glückliche Fang, gute Jagd. —γρος, ὁ, ἡ, (ἄγρα) glücklich im Fange, auf der Jagd, bey der Beute.

Εὐαγωγία, ἡ, ἡ πρὸς τὸ ἀγαθὸν, Themist. or. 13 u. 15. die Lenksamkeit, Biegsamkeit womit ein Mensch sich ziehn, anleiten läfst; von —γωγὸς, ὁ, ἡ, (ἀγωγὴ) leicht zu führen, leiten, lenken: Xen. Oec. 12, 15.

Εὐαδεν st. ἕαδεν d. i. ἥδεν f. v. a. ἀρέσκει.

Εὐαδὴς, έος, ὁ, ἡ, (ἄδω) nach Hesychius εὐήνεμος, welcher zugleich die Variante εὐαὴς bemerkt: also zielt er auf Sophocl. Philoct. 828 εὐαὴς ἡμῖν ἔλθοις: wo der Scholiast εὔπνους u. εὐμενὴς hat; das letztere geht auf die Lesart εὐαδὴς. —δίκητος, ὁ, ἡ, (ἀδικέω) leicht zu beleidigen, den Beleidigungen, dem Unrechte ausgesetzt.

Εὐάεια, ἡ, (εὐαὴς) bey Athenae. 5 p. 205. θυρίδες εὐάειαν παρέχουσαι Fenster die einen Durchzug der Luft geben. —ερὴς, ὁ, ἡ, oder εὐαέριος, εὐάερος, (ἀὴρ) mit guter stiller Luft; zw. davon —ερία, ἡ, gute, stille, heitere Luft: bey Plut. 9 p. 147 mit εὐδία verbunden, also gute gesunde Luft.

Εὐάζω, f. άσω, ich rufe im Jubeltone am Bacchusfeste εὐα.

Εὐαὴς, έος, ὁ, ἡ, (ἄημι) πνεῦμα günstiger Wind; pass. gut durchweht, dem Winde ausgesetzt: Hesiod. davon εὐάεια, S. auch εὐαδής.

Εὐαθλος, ὁ, ἡ, gut oder glücklich kämpfend: Pindar.

Εὐαίνητος, ὁ, ἡ, hochgelobt: Pindar.

Εὐαίρετος, ὁ, ἡ, leicht zu fangen nehmen, zu wählen: Xen. Mem. 3, 1, 10.

Εὐαισθησία, ἡ, gute gesunde Sinne. Diog. Laert. dav. —θητος, ὁ, ἡ, Adv. εὐαισθήτως, mit guten, gesunden oder scharfen Sinnen, gut oder scharf empfindend, sehend u. dergl.

Εὐαίων, ωνος, ὁ, ἡ, (αἰὼν) glücklich im Leben. —ως, Adv. Aristoph. Eccles. 1181. komisch aus εὖ αἶ oder εὐαὶ dem Ausrufe, zusammengesetzt.

Εὐάκεστος, ὁ, ἡ, (ἀκέομαι) leicht zu heilen oder zu verbessern. —κέως, Adv. v. dem Adj. εὐακὴς f. v. a. d. vorh. leicht zu heilen: zw.

Εὐάκτιν, ινος, ὁ, ἡ, mit schönen Strahlen: aus Moschopulus.

Εὐαλαζόνευτος, ὁ, ἡ, wobey, womit man sich leicht rühmen, womit man leicht prahlen kann: zw.

Εὐαλδής, ἐος, ὁ, ἡ, Adv. εὐαλδέως (ἀλδω) gut wachsend, gedeihend. —θής, ἐος, ὁ, ἡ, (ἀλθω) gut bald oder leicht zu heilen. —κής, ὁ, ἡ, (ἀλκή) stark, muthig: Clemens Strom. p. 411.

Εὐαλλοίωτος, ὁ, ἡ, (ἀλλοιόω) gut oder leicht zu ändern.

Εὐαλσής, ὁ, ἡ, (ἀλσος) mit guten schönen Hainen oder Wäldern. Strabo 2, p. 466. S.

Εὐαλωσία δημήτηρ (ἅλως) die Tenne oder Scheuer füllende Ceres. Hesych. —λωτος, ὁ, ἡ, (ἁλίσκω) leicht wegzunehmen, zu erobern, bezwingen, bekommen, fangen.

Εὐάμπελος, ὁ, ἡ, mit schönen Weinstöcken oder zum Weinbau geschickt.

Εὐάν, wie εὐα, euan, ein Ausruf und Zuruf der Bacchantinnen bey der Bacchusfeyer.

Εὐανάγνωστος, ὁ, ἡ, (ἀναγινώσκω) leicht zu lesen. —γωγος, ὁ, ἡ, (ἀναγωγή) leicht herauszuholen, zu bringen und auszuwerfen. Dioscor. 3, 44.

Εὐαναδίδακτος, ὁ, ἡ, der leicht eines andern sich belehren läſst. Antonin. 1. 7 lieſst Suidas so, wo andere εὐδιαλέκτως oder εὐδιαλλάκτως. —δοτος, ὁ, ἡ, (ἀναδίδωμι) leicht zu verdauen.

Εὐανάκλητος, ὁ, ἡ, Adv. εὐανακλήτως (ἀνακαλέω) leicht zurückzurufen, zurückzubringen; metaph. leicht umzustimmen; leicht auszusprechen: Xen. ven. 7, 5. —κόμιστος, ὁ, ἡ, (ἀνακομίζω) Plutar. 7 p. 799. leicht zurück zu führen oder bringen.

Εὐανάληπτος, ὁ, ἡ, (ἀναλαμβάνω) leicht wieder zu erhalten, leicht zu verbessern, oder zu stärken. —λωτος, ὁ, ἡ, (ἀναλίσκω) leicht zu verzehren, zu verwenden. —μνηστος, ὁ, ἡ, sich leicht oder gut erinnernd, gut behaltend: Hierocles Pyth. —πνευστος, ὁ, ἡ, (ἀναπνέω) zum Athemholen geschickt: zw. —σφαλτος, ὁ, ἡ, (ἀνασφάλλω) leicht oder bald sich wieder erholend (vom Lager, von der Krankheit), Hippocr. v. ἀνασφάλλω. —τρεπτος, ὁ, ἡ, (ἀνατρέπω) leicht umzuwerfen, umzustoſsen. Cic. Att. 2, 14. —τροφος, ὁ, ἡ, (ἀνατρέφω) leicht wieder durch Nahrung zu stärken: zw.

Εὐανδρέω, ῶ, viele Menschen oder gute tapfre Menschen haben. —δρία, ἡ, Tapferkeit: von einem Orte: die Menge oder Fruchtbarkeit von schönen guten oder tapfern Männern: zu Athen war es ein Wettstreit von schönen Männern: Xen. Memor. 3, 3, 12. daher Andocides c. Alcib. p. 133 sagt: νενικηκὼς εὐανδρίᾳ καὶ λαμπάδι. —δρος, ὁ, ἡ, mit oder von guten schönen oder tapfern Menschen oder Männern: γῆ, Aristoph. Nub. 300. Pindar. Pyth. 1, 78.

Εὐάνεμος, ὁ, ἡ, von oder mit gutem günstigen Winde; starken Winden ausgesetzt, windig: Sophocl. Aj. 198. —νετος, ὁ, ἡ, (ἀνίημι) leicht aufzulösen: Dioscor. 5, 152.

Εὐάνθειος, α, ον, u. εὐάνθεμος s. v. a. εὐανθής: zw. —θέω, ῶ, gut oder schön blühen, blühend oder blumig seyn: zw. bey Hippocr. eine falsche Lesart. —θής, ἐος, ὁ, ἡ, (ἄνθος) schön blühend: überh. schön oder bunt von Farben.

Εὐάνιος, ὁ, ἡ, (ἀνία) nach Hesych. ἐπὶ μηδενὶ ἀνιώμενος, πρᾶος, πειθήνιος: oppos. δυσάνιος: wird mit εὐήνιος verwechselt. —νοικτος, ὁ, ἡ, (ἀνοίγω) leicht zu eröfnen. —νορία, ἡ, dor. st. εὐην.

Εὐάντης, s. v. a. d. folgd. wie δυσάντης. —τητος, ὁ, ἡ, (ἀντάω) dem man leicht gern oder oft begegnet: opp. δυσάντητος; daher von guter Vorbedeutung, Ahndung: angenehm, willkommen, gefällig, freundlich. —τίλεκτος, ὁ, ἡ, (ἀντιλέγω) dem leicht zu widersprechen ist, leicht zu widerlegen. —τυξ, υγος, ὁ, ἡ, Beyw. des Wagens, mit einer schönen ἄντυξ, Wagensitze oder Rädern: Suidas erklärt es d. εὐάξων.

Εὐαξος, ὁ, ἡ, (ἄγω, ἀγνύμι) leicht zu zerbrechen: weichschaalig: Geppon. 10, 57. not.

Εὐαπάλλακτος, ὁ, ἡ, Adv. εὐαπαλλάκτως (ἀπαλλάττω) wovon man sich bald oder leicht losmachen kann. —πάντητος, ὁ, s. v. a. εὐάντητος. 2 Maccab. 4. wovon εὐπαντησία, ἡ, comitas, Freundlichkeit: Plutar. 7 p. 735. —πάρτιστος, ὁ, ἡ, (ἀπαρτίζω) leicht zu vollenden oder ganz zu machen: zw. —πάτητος, ὁ, ἡ, (ἀπατάω) leicht zu hintergehen. —πόβατος, ὁ, ἡ, (ἀποβαίνω) leicht zum herabsteigen. —πόδεικτος, ὁ, ἡ, (ἀποδείκνυμι) leicht zu beweisen. —πόδεκτος, ὁ, ἡ, gern angenommen, werth, lieb; zw. —πόδοτος, ὁ, ἡ, (ἀποδίδωμι) leicht wieder zu geben oder abzuführen. —πόκριτος, ὁ, ἡ, Adv. —ίτως, leicht zu beantworten. —πολόγητος, ὁ, ἡ, (ἀπολογέομαι) leicht zu vertheidigen, zu entschuldigen. —πόλυτος, ὁ, ἡ, (ἀπολύω) leicht loszumachen, ab- oder auszulösen. —πόῤῥυτος, ὁ, ἡ, leicht abflieſsend. —πόσειστος, ὁ, ἡ, (ἀποσείω) Adv. —στως, leicht abzuschütteln. —πόσπαστος, ὁ, ἡ, (ἀποσπάω) leicht ab- wegzuziehen. —ποτείχιστος, ὁ, ἡ, (ἀποτειχίζω) leicht durch eine Mauer oder Burg zu trennen, zu befestigen, zu beschützen.

Εὐαπόφυκτος, ὁ, ἡ, (ἀποφεύγω) leicht zu entgehn.

Εὐαρδὴς, έος, ὁ, ἡ, (ἄρδω) gut bewäſſert, leicht- gut oder geſchickt zu bewäſſern: Plutar. 9 p. 615.

Εὐάρεσκος, ὁ, ἡ, Adv. εὐαρέσκως gefällig, nachgebend: Xen. mem. 3, 5. 5. —ρεστέω, ῶ, gefallen: paſſ. ſeinen Gefallen woran finden, ſich woran ergötzen: zufrieden ſeyn; d. Gegenth. v. δυσαρεστέω. —ρεστήριος, ὁ, ἡ, ver- ausſöhnend; zw. —ρέστησις, εως, ἡ, Billigung, Zufriedenheit. —ρεστικὸς, ἡ, ὸν, der gern gefällt oder zufrieden iſt. —ρεστος, ὁ, ἡ, gefällig, angenehm: neutr. zufrieden, nicht miſsvergnügt: oppoſ. δυσάρεστος. —ρίθμητος, ὁ, ἡ, leicht zu zählen: wenig, gering an Zahl.

Εὐαρκὴς, έος, ὁ, ἡ; (ἀρκέω) genügend, helfend: die von Budaeus u. Steph. angeführten Stellen des Strabo 5 p. 365 u. mehrere gehören vielm. zu ἐνεργὴς.

Εὔαρκτος, ὁ, ἡ, (ἄρχω) wohl oder leicht- gut zu regieren.

Εὐάρματος, ὁ, ἡ, (ἅρμα) der einen guten Wagen, Streitwagen hat, oder ihn wohl gebraucht. —μοστέω (ἁρμοστὸς) wohl gepaſst, gefugt, eingerichtet, wohl gemiſcht, temperirt. πνεύματι καὶ θερμασίῃ Hippocr. praecept. 4. davon —μοστία, ἡ, die gute Miſchung, Einrichtung: die Schicklichkeit, Geſchicklichkeit: von Menſchen Geſchmeidigkeit: ſchöne Muſik, wie εὐάρμοστος ſchön in Muſik geſetzt oder geſpielt: Ariſtot. Eudem. 3, 2. —μοστος, ὁ, ἡ, Adv. εὐαρμόστως, gut paſſend, ſich ſchickend. S. d. vorh.

Εὔαρνος, ὁ, ἡ, (ἀρὴν) mit oder von vielen Schaafen oder Lämmern.

Εὐάροτος, ὁ, ἡ, gut zu ackern: gut geackert; die Lesart εὐάροτρος (ἄροτρον) αὖλαξ Epigr. iſt falſch.

Εὐάρτυτος, ὁ, ἡ, (ἀρτύω) wohl zubereitet, angerichtet.

Εὐαρχία, ἡ, ſ. v. a. εὐηγεσία, gute Führung, Regierung; von —χος, ὁ, ἡ, (ἄρχω) der gut anfängt, oder leitet, regiert, oder leicht zu regieren iſt; εὔαρχος heiſst Κύκνος, der zuerſt den Spiels des Achilles einweihete; εὔαρχος ἐμπολεὺς im Epigr. des Phanias, der erſte Käufer, der das Handgeld giebt; davon hat Heſych. εὐαρχιῶ ſt. ἄρξομαι u. εὐαρχίσασθαι, ἀπάρξασθαι.

Εὔας, ὁ, εὔασμα, τὸ, εὐασμός, ὁ, (εὐάζω) das Jauchzen u. εὖα rufen; 2) bey den Römern die *ouatio*. Plutarch. Marcel. 22 wo erſt εὔαν hernach εὐασμὸν ſteht: Dionyſ. Antiq. 5. 47 nennt die *ouatio* θρίαμβον εὐαστὴν u. ſagt d. lat. ſey aus dem griech. verderbt.

Εὐάστειρα, ἡ, fem. von εὐαστήρ. —στερος, ὁ, ἡ, (ἀστὴρ) hellglänzend; eigentl. hellgeſtirnt: zw. —στὴρ, ῆρος, ὁ, oder εὐαστὴς, d. i. εὐάζων. S. in εὔας; davon —στικὸς, ἡ, ὸν, bacchantiſch. S. εὔας.

Εὐαυγὴς, ὁ, ἡ, (αὐγὴ) gut ſehend; 2) hell, klar, deutlich, rein. Wird oft mit εὐαγὴς verwechſelt.

Εὐαυξὴς, έος, ὁ, ἡ, (αὐξέω) gut wachſend, zunehmend.

Εὐαφήγητος, ὁ, ἡ, (ἀφηγέομαι) leicht zu erklaren, zu erzählen. —φὴς, έος, ὁ, ἡ, gut- ſanft weich anfaſſend oder berührend, oder zu berühren, anzufaſſen; davon εὐάφεια, ἡ, die Weichheit, Sanftheit im Anfühlen. —φορμος, ὁ, ἡ, Adv. —μως (ἀφορμὴ) von oder mit guter Gelegenheit oder Anlage: bequem, gelegen, erwünſcht: leicht zu vertheidigen. —φορος, ὁ, ἡ, (ἀφοράω) leicht daher unten zu erblikken: bey Suidas.

Εὐαχθέω im Heſiod. laſen einige ſt. εὐοχθέω.

Εὐβάστακτος, ὁ, ἡ, (βαστάζω) leicht zu tragen. —βατος, ὁ, ἡ, zugänglich: Polyb. —βιος, ὁ, ἡ, oder εὐβίοτος, gut bequem, rechtſchaffen: glücklich lebend: bey Ariſtot. von Thieren, die ſich wohl zu nähren wiſſen, gleichſam induſtriös ſind. —βλαπτος, ὁ, ἡ, (βλάπτω) dem man leicht ſchaden, den man leicht verletzen kann. —βλάστεια, ἡ, das gute Keimen, aufſchieſsen oder wachſen. —βλαστέω, ῶ, gut keimen, treiben, aufſchieſsen, wachſen; davon —βλαστὴς, έος, ὁ, ἡ, gut keimend, treibend, ſchieſsend, wachſend. —βλαστία, ἡ, ſ. v. a. εὐβλάστεια.

Εὔβλαστος, ὁ, ἡ, ſ. v. a. εὐβλαστής. —βλητος, ὁ, ἡ, leicht zu treffen, dem Schuſſe oder Wurfe ausgeſetzt: Appian. —βοήθητος, ὁ, ἡ, (βοηθέω) dem leicht zu helfen oder abzuhelfen iſt. —βολέω, ῶ, ich bin glücklich im Werfen des Spieſses, Netzes, der Würfel, βέλος. —βολος, ὁ, ἡ, glücklich im werfen, z. B. des Netzes, Spieſses, der Würfel (βόλος). —βοόω. S. das folgende. —βοσία, ἡ, die gute Nahrung; fette Weide, von βόω, βόσκω; wovon auch Ariſtot. H. A. 9. 40. εὐβοοῦνται ſt. εὐωχοῦνται. Bey Strabo 2 p. 764 πεδία εὐβοτούμενα, voll guter Weide, richtiger von εὔβοτος abgeleitet. —βόστρυχος, ὁ, ἡ, mit ſchönen Locken. —βοτέω. S. εὐβοσία. —βοτος, ὁ, ἡ, von guter Weide, gut zur Weide: Hom. Od. 15, 405. oder gut zu weiden: gut geweidet, wohl genährt. Theocrit 5. 24. —βοτρυς, υος, ὁ, ἡ, voll Trauben, mit ſchönen Trauben. —βουλία, ἡ, guter Rath; und was dies vorausſetzt, Einſicht: Klugheit. —βουλος, ὁ, ἡ, Adv. εὐβούλως, (βουλὴ) von gutem Rathe, guten Rath gebend: von guter Einſicht, einſichtsvoll: klug, vorſichtig.

Εὔβροχος, ὁ, ἡ, ἅμμα, Anthol. Knoten oder Schlinge des βρύχος, *laqueus.*

Εὐβύριος, ὁ, ἡ. S. βύριον. —βρωτος, ὁ, ἡ, gut zu eſſen, eſsbar. —βωλοστρόφητος, ὁ, ἡ, (βῶλις στροφέω) deſſen Schollen ſich leicht umwenden oder pflügen laſſen: zw.

Εὐγαθὴς, εὐγάθητος, ὁ, ἡ, dor. ſt. εὐγήθητος, (γαθέω ſtatt γηθέω) erfreulich, angenehm; froh: vom Opfer Eur. Iph. Tr. 212. v. Geſchrey, Herc. 792. —γαιος, ὁ, ἡ, (γαῖα) ſ. v. a. εὔγειος. —γάλακτες, οἱ, αἱ, (γάλα) wohlgeſäugte: Heſych. —γάληνος, ὁ, ἡ, Adv. εὐγαλήνως, (γαλήνη) ſehr heiter: zw. —γαμία, ἡ, die glückliche Heyrath: Pollux 9, 160. —γαμος, ὁ, ἡ, glücklich verheyrathet.

Εὖγε, Adv. (γε, εὖ) das im Lat. beybehaltene *euge*, gut ſo! recht! bravo! auch im Spotte.

Εὔγειος, ὁ, ἡ, mit oder von gutem fruchtbaren Boden. —γένεια, ἡ, gutes oder edles Herkommen, edle Abkunft; die damit verbundene oder davon zu erwartende Edelmüthigkeit, edler Charakter, Treflichkeit: auch von Thieren und Sachen die gute Art, der gute Stamm, die Aechtheit. —γένειος, ὁ, ἡ, (γένειον) mit einem ſtarken Barte, bärtig, bey Hom. Beyw. des Löwen mit der Mähne am Halſe; 2) ſ. v. a. εὐγένιος. —γενέτειρα, ἡ, das fem. v. —γενέτης, ὁ, ἡ, ſ. v. a. εὐγενής. —γενὴς, έος, ὁ, ἡ, Adv. εὐγενῶς, (γένος) von gutem edlen Geſchlechte, edler Abkunft: übergetragen, edelgeſinnt, edeldenkend, wie *nobilis, generoſus:* von Thieren u. Sachen von guter Art, von gutem Stamme, ächt: überh. gut. —γενίζω, d. i. εὐγενῆ ποιεῖ. Excerpta Grotii p. 917 σύ δ' εὐγενίζεις τὴν πόλιν πράσσων καλῶς.

Εὐγένιος, ὁ, ἡ, ſ. v. a. εὐγενὴς: auch eine Art Weintraube; Heſych. *eugeneum* in den Script. R. R. Geopon. 11, 3, 4. —γενὶς, ίδος, ἡ, die Edle: zw. —γεφύρωτος, ὁ, ἡ, (γεφυρόω) mit einer guten Brücke verſehen: gut oder bequem, eine Brücke da anzulegen: Polyb. 3, 66. —γεώργητος, ὁ, ἡ, (γεωργέω) gut zu bebauen, zu beackern, fruchtbar: zw. —γεως, ω, ὁ, ἡ, ſ. v. a. εὔγειος. —γηρία, ἡ, glückliches Alter. —γηρυς, εος, ὁ, ἡ, (γῆρυς) gut-helltönend. —γήρως, ω, ὁ, ἡ, (γῆρας) von glücklichem Alter: glücklicher Greis. —γλαγὴς, ὁ, ἡ, u. εὐγλάγετος, ὁ, ἡ, auch εὔγλαξ, ακτος, ὁ, ἡ, voll reich an Milch; γλάξ, γλάγος; die zweyte Form bey Lucian. Tragop. 110. bey Nicand. Ther. 617. die dritte im Epigr. des Leonidas: ἑρμᾶ τυρευτῆρι καὶ εὐγλαγι τὸν χιμάραρχον τράγον. —γλήνος, ὁ, ἡ, (γλήνη) mit ſchönem Augapfel, überhaupt mit ſchönen, guten ſcharfen Augen. —γλυπτος, ὁ, ἡ, (γλύφω) gut oder ſchön ausgehöhlt, ausgehauen oder in Stein oder Erz gegraben, geſchnitten. —γλυφὴς, έος, ὁ, ἡ, ſ. v. a. d. vorberg. —γλωσσία, εὐγλωττία, ἡ, gute, fertige Zunge, Beredſamkeit, Redſeligkeit. —γλωσσος, εὔγλωττος, ὁ, ἡ, von oder mit einer guten Zunge, γλῶσσα; der gut reden oder ſingen kann; davon —γλωττέω u. εὐγλωττίζω, eine gute Zunge haben, gut reden oder ſingen können. Die zweyte Form hat Philoſtr. Apol. 6, 36. wo das darnebenſtehende τοὺς χαραδριοὺς weggeſtrichen werden muſs, damit man εὐγ. hier nicht für ein activ. halte.

Εὖγμα, τὸ, ſ. v. a. εὖχος v. εὔχομαι. In Photii Lexikon ſteht: εὐγμάσδειων εὐχῆς ἀξιῶν; ſoll vermuthl. εὐγμαλέων heiſsen.

Εὐγναμπτος, ὁ, ἡ, (γνάμπτω) ſ. v. a. εὔκαμπτος: gut-ſtark oder krumm gebogen; leicht zu biegen. —γνωμονέω, ῶ, ich habe die Geſinnungen, Denkungsart eines und handle wie ein εὐγνώμων, ich denke oder handle gut, edel, billig, gütig, milde, klug, einſichtsvoll, vorſichtig u. dergl. —γνωμοσύνη, ἡ, Charakter und Denkungsart eines εὐγνώμων: alſo Gutheit, Güte: Billigkeit: Einſicht, Klugheit u. dergl. von —γνώμων, ονος, ὁ, ἡ, Adv. εὐγνωμόνως, von guter edler Gemüthsart, Geſinnung: gut oder edeldenkend: von gutem richtigen Verſtande und Beurtheilungskraft, verſtändig, überlegt, klug, vorſichtig; bey Xen. Mem. 2, 8, 6 billig, auch gelinde, milde, gütig. —γνώριστος, ὁ, ἡ, (γνωρίζω) leicht zu erkennen, kennbar, kenntlich. —γνωστος, ὁ, ἡ, Adv. εὐγνώστως, wohl bekannt: leicht zu kennen: Xen. Oec. 20, 14. —γομφος, ὁ, ἡ, (γόμφος) gut oder feſt zuſammengefügt, ſtark befeſtigt: πύλη, Eur. Iph. Tr. 1286. —γόνατος, ὁ, ἡ, (γόνυ) mit guten ſchönen deutlichen Knien, Abſätzen, Knoten. —γονία, ἡ, Fruchtbarkeit, Erzeugung guter Kinder. Xen. Lac. 1, 6. von —γονος, ὁ, ἡ, (γονὴ) fruchtbar, von glücklicher Zeugung. —γραμμία, ἡ, ἀκριβὴς τῶν ζωδίων, genaue u. ſchöne Zeichnung der eingewebten Figuren: Athenae 5 p. 197. von —γραμμος, ὁ, ἡ, (γραμμή) ſchön gezeichnet. —γραφὴς, έος, ὁ, ἡ, ſchön geſchrieben: act. ſchön ſchreibend. —γυρος, ὁ, ἡ, (γυρὸς) im Kreiſe herumgeführt, rund; zw. —γώνιος, ὁ, ἡ, (γωνία) gradewinklich, winkelrecht: Xen. Oec. 4, 21.

Εὐδαίδαλος, ὁ, ἡ, ſchön und künſtlich gearbeitet: ναός, Dionyſ. halic. —δαιμονέω, ῶ, ich bin glücklich, wohlhabend, reich; davon —δαιμόνημα, τὸ, glücklicher Ausgang, Glück; zw. —δαιμονία, ἡ, Glück, Glückſeligkeit: glücklicher Zuſtand. —δαιμονίζω, glücklich ſchätzen und preiſen. —δαιμονικός, ἡ, όν, die Glückſeligkeit betreffend, zur Glückſeligkeit gehörig: Xen. Mem. 4, 2, 34. εὐδαιμονικῶς πράττει Ariſtoph. Pac. 856 lebt ist glücklich, ſ. v. a. εὐδαιμόνως. —δαιμόνισμα, τὸ, das glücklich geſchätzte, das Glück: Plato Ep. 8. u. Appian. —δαιμονισμός, ὁ, das glücklich preiſen oder ſchätzen. —δαίμων, ονος, ὁ, ἡ, Adv. εὐδαιμόνως, mit einem guten δαίμων oder *genius* oder Schickſale, glücklich, ſelig; beſonders wie *beatus*, beglückt, begütert, reich.

Εὐδαίνω, Lycophr. 1354 ſ. v. a. εὕδω.

Εὐδάκρυτος, ὁ, ἡ, mit oder von vielen Thränen: mit ſchönen Thränen, aus Philoſtr. —δάπανος, ὁ, ἡ, (δαπάνη) viel Aufwand machend: Plutar. Q. S. 2, 2. paſſ. von mäſsigem Aufwande. —δαρκής, έος, ὁ, ἡ. ſt. εὐδρακής: Heſych. —δείελος, ὁ, ἡ, Odyſſ. β. 167 εὐδείελον Ἰθάκαν legen einige aus εὔδηλον v. δέελον ſt. δῆλον, andre εὖ πρὸς δείλην κείμενον von der Lage gegen Abend, einige εὔκρατον, von εὔδιον. Bey Pindar Olym. 1. 178 iſt εὐδείελος λόφος eben ſo zweydeutig. S. δείελος. —δεινός, ἡ, όν, ſt. εὐδεινός. —δειπνος, ὁ, ἡ, der wohl ſpeiſet, wohl bewirthet wird; Aeſch. Choe. 482 von den Todtenopfern; v. δεῖπνον. Eben ſo als Beywort v. δαΐς, gut, köſtlich, froh: Eur. Med. 200. —δενδρος, ὁ, ἡ, (δένδρον) mit guten-ſchönen oder vielen Bäumen: zur Baumzucht geſchickt. —δέρματος, ὁ, ἡ, (δέρμα) mit gutem ſtarkem Felle: zw. —δέψητος, ὁ, ἡ, gut gegerbt od. mit den Händen erweicht: Hipp. —δηλος, ὁ, ἡ, ſehr deutlich u. klar. —δία, ἡ, (εὖ ζεύς, διός) gutes- heiteres- ſtilles- trockenes auch warmes Wetter; auch vom Meere die Stille, Windſtille, Ruhe, *tranquillitas*: Xen. Cyr. 6, 1. 16.

Εὐδιάβατος, ὁ, ἡ, wodurch- worüber man leicht gehn kann. —βλητος, ὁ, ἡ, oder εὐδιάβολος, ὁ, ἡ, (διαβάλλω) leicht zu verläumden: übel zu deuten oder auszulegen.

Εὐδιάγνωστος, ὁ, ἡ, leicht zu unterſcheiden. —γωγος, ὁ, ἡ, (διαγωγή) vergnügt Dioſcor. 4. 61. vergnügend.

Εὐδιάζω u. εὐδιάζομαι, ſ. v. a. εὐδιάω. βίος ἀσαλεύτῳ ἡσυχίᾳ εὐδιαζόμενος ein in unerſchütterter Stille und Ruhe geführtes Leben: Aeſchin. dial. 3, 17. Heſych hat auch ἐξευδιάζω für εὐδίαν ποιῶ.

Εὐδιάθετος, ὁ, ἡ, Adv. εὐδιαθέτως, gut angeordnet: gut diſponirt, gut geſinnt: gut, leicht zu verkaufen. S. διατίθημι. —θρυπτος, ὁ, ἡ, (διαθρύπτω) leicht zu zerbrechen: zw.

Εὐδίαιος, ὁ, das Loch unten im Schiffe das Waſſer abzulaſſen: Plutarch Symp. Q. 7, 1. vergleicht damit den Alter. —αίτερος, α, ον, ein unregelm comp. v. εὔδιος, ἄνεμος ein mit Heiterkeit des Himmels verbundener Wind: Xen. hell. 1, 6. 39. —αίρετος, ὁ, ἡ, (διαιρέω) wohl getheilt, getrennt, abgeſondert, alſo auch deutlich: gut oder leicht zu trennen, theilen, abſondern. —αίτητος, ὁ, ἡ, (διαιτάω) leicht zu beurtheilen, zu entſcheiden: Strabo. —αιτος, ὁ, ἡ, (δίαιτα) gut oder mäſsig lebend: Xen. apol. 19. —άκλαστος, ὁ, ἡ, (διακλάω) leicht zu zerbrechen, zerbrechlich: zweif. —ακόμιστος, ὁ, ἡ, (διακομίζω) leicht hinüber- hindurch zu tragen- zu bringen. —άκοπος, ὁ, ἡ, εὐδιάκοπτος, (διακόπτω) leicht zu durchhauen, ſchneiden, trennen: Polyb.

Εὐδιακόσμητος, ὁ, ἡ, (διακοσμέω) leicht in Ordnung zu bringen, in den Stand zu ſetzen: Polyb. 8, 36. —άλλακτος, ὁ, ἡ, Adv. εὐδιαλλάκτως, (διαλλάσσω) leicht zu verſöhnen, verſöhnlich.

Εὐδιάλογος, ὁ, ἡ, ſ. v. a. εὐόμιλος. Suid. —άλυτος, ὁ, ἡ, (διαλύω) leicht aufzulöſen, zu trennen, zu vernichten: leicht beyzulegen, zu ſchlichten: auch, ſ. v. a. d. vorh. —ανέμητος, ὁ, ἡ, (διανέμω) leicht zu vertheilen. —ανός, (εὐδία) heiter, warm: Pind. Ol. 9. 146. u. Pyth. 5, 12. wo jetzt εὐδίαν ὅς ſteht. —άπνευστος, ὁ, ἡ, ſ. v. a. das folgd. zw. —άπνοος, contr. εὐδιάπνους, ὁ, ἡ, (διαπνοή) leicht zu durchwehen, zu durchlüften: od. durch die Tranſpiration zu verdampfen. —άρθρωτος, ὁ ἡ, (διαρθρόω) gut vergliedert oder mit einander verbunden. —άρπαστος, ὁ, ἡ, (διαρπάζω) leicht zu plündern, zu rauben.

Εὐδιαῤῥίπιστος, ὁ, ἡ, (διαῤῥιπίζω) leicht auseinander zu wehen od zu zerſtreuen: zw. —άσπαστος, ὁ, ἡ, (διασπάω) leicht zu zerreiſſen. —άστολος, ὁ, ἡ, (διαστολή) gut getrennt, unterſchieden: zw. —άτμητος, ὁ, ἡ, gut zerſchnitten, getrennt, getheilt: zw. —άφθαρτος, ὁ, ἡ, (διαφθείρω) und εὐδιάφθορος, ὁ, ἡ, (διαφθορά) leicht zu verderben.

Εὐδιαφορέω, ῶ, vorzüglich ſeyn, *excellere*: Geopon. 19, 6. 12. —φόρητος, ὁ, ἡ, (διαφορέω) leicht durch den Schweiſs oder durch die Tranſpiration zu verdampfen, auszuführen; gut zu verdauen, *digerere*: 2) active, der leicht ſchwitzt oder tranſpirirt. —φυκτος, ὁ, ἡ, (διαφεύγω) leicht zu vermeiden: zweif.

Εὐδιάχυτος, ὁ, ἡ, leicht zu fchmelzen, zum fliefsen zu bringen: Plutarch. — χώρητος, ὁ, ἡ, (διαχωρέω) leicht zu verdauen u. mit den Excrementen heraus zu führen: auch active, der leicht abführt.

Εὐδιάω, (εὐδία) von der Luft, Wetter, Tage, Meere ftill, ruhig, heiter, trocken oder warm feyn; bey Apollon. τίμνον πλόον εὐδιόωντες d. i. bey heiterm guten Wetter und Winde.

Εὐδίδακτος, ὁ, ἡ, gut oder leicht zu belehren, gelehrig.

Εὐδιεινὸς, ἡ, ὸν, f. v. a. εὔδιος, Adv. εὐδιεινῶς, bey Orph. hym. 21, 5. fteht εὐδεινοῖς, wo es εὐδιινοῖς heifsen follte.

Εὐδιέξοδος, ὁ, ἡ, leicht abzuführen. zw. — στος, ὁ, ἡ, (δίημι) leicht zu zerlaffen, leicht fchmelzend: Diofcor. 1, 18. — ήγητος, ὁ, ἡ, gut oder leicht zu erzählen.

Εὐδιινὸς, S. εὐδιεινὸς.

Εὐδικία, ἡ, (δίκη) Gerechtigkeit.

Εὐδίνητος, ὁ, ἡ, (δινέω) leicht oder viel gedreht. — νος, f. v. a. εὔδιος.

Εὐδίοδος, ὁ, ἡ, wodurch man leicht gehen kann. — οίκητος, ὁ, ἡ, (διοικέω) gut oder leicht zu verwalten, oder zu behandeln. — οπτος, ὁ, ἡ, (διόπτεμαι) leicht zu durchfehen, durchfichtig. — όρθωτος, ὁ, ἡ, (διορθόω) leicht zu verbeffern, gut verbeffert.

Εὔδιος, ὁ, ἡ, (εὐδία) vom Tage, Luft, Wetter, Meere heiter, ftill, ruhig, trocken, warm. Der compar. und fuperl. εὐδιέστερος und εὐδιέστατος, bey Hippocr. aer. loc. 7. werden vom ungebr. εὐδιής gemacht. Bey Xen. findet fich εὐδιαίτερος.

Εὐδμητος, ὁ, ἡ, (δομέω) gut, fchön gebaut.

Εὐδοκέω, ῶ, m. d. dat. damit zufrieden feyn, beyftimmen, darein willigen, genehmigen; auch mit folgd. infin. bey Polyb. häufig; davon — κησις, ἡ, die Zufriedenheit, Beyftimmung, Genehmigung. — κητος, ὁ, ἡ, (εὐδοκέω) gefällig, angenehm: zw. — κία, ἡ, f. v. a. εὐδόκησις, Liebe, Zuneigung, Wohlgefallen. N. T. — κιμέω, ῶ, oder εὐδοκιμέομαι, (εὐδόκιμος) ich ftehe in einem guten Rufe, komme in einen guten Ruf, bin oder werde berühmt; finde Beyfall, verdiene Lob; bin beliebt, angenehm, gefchätzt; bin glücklich; davon — κίμησις, εως, ἡ, das Erlangen von Beyfall, Ehre, Ruhm. — κιμος, ὁ, ἡ, (δόκη) gebilliget, gelobt, gerühmt, geehrt, berühmt. — κουμένως, Adv. (εὐδοκέω) mit Genehmigung: m. d. dat. Polyb.

Εὐδοξέω, ῶ, (δόξα) ich habe einen guten Namen, ftehe in gutem Rufe: habe Ruhm und Ehre; davon — ξία, ἡ, guter Ruf, Ehre, Anfehn, Ruhm. — ξος, ὁ, ἡ, Adv. εὐδόξως, (δόξα, εὖ) in gutem Rufe ftehend, berühmt, geehrt. Bey Herodot. 7, 99 νέας εὐδοξοτάτας παρείχετο, d. i. die beften Schiffe, f. v. a. εὐδοκιμωτάτας, wie Hefych. fonft δόκιμος braucht.

Εὔδουλος, ὁ, ἡ, gut mit den Sclaven umgehend.

Εὐδρακής, ὁ, ἡ, (δέρκω) fcharffichtig: Sophocl. Phil. 844.

Εὐδράνεια, εὐδρανία, ἡ, (εὐδρανής) körperliches Wohlbefinden, Wohlfeyn mit Stärke, Kraft.

Εὐδρομέω, ῶ, gut, fchnell oder glücklich laufen, ἐπὶ τὸ τέλος, Jamblich. Pyth. §. 51. glücklich bis ans Ende laufen, wo falfch εὐδραμεῖν fteht. — μία, ἡ, guter- glücklicher oder fchneller Lauf, Schnelligkeit. — μίας, ου, ὁ, fchnell, gut laufend, fchneller Läufer. — μος, ὁ ἡ, fchnell oder glücklich laufend.

Εὔδροσος, ὁ, ἡ, wohl bethaut.

Εὐδύνατος, ὁ, ἡ, wohlvermögend, kräftig, mächtig.

Εὐδυσώπητος, ὁ, ἡ, Adv. — πήτως, leicht zum erröthen zu bringen, fich leicht fchämend, leicht zu erbitten. S. δυσωπέω.

Εὕδω, ich fchlafe, von ἄω, αὔω kommt ἰαύω, wie ἕω, ἵέω, ἵημι, ἰάλλω: von ἕω, εὔω kommt εὕδω.

Εὐέανος, ὁ, ἡ, (ἑανὸς) gut oder fchicklich gekleidet: zw.

Εὐέγερτος, ὁ, ἡ, leicht zu erwecken, munter: Hierocles Pyth. p. 70. Lond.

Εὔεδρος, ὁ, ἡ, Adv. εὐέδρως (ἕδρα) gut, ficher fitzend, feftliegend; paff. worauf man ficher fitzt, ficher, feft, bey ἵππος: Xen. Equ. 1, 12. ὄρνις, Aelian. H. A. 16, 16 von glücklicher Bedeutung, nach dem Sitze, den er hat.

Εὐειδὴς, έος, ὁ, ἡ, (εἶδος) von guter Bildung, gut gebildet, fchön.

Εὐεικαστος, ὁ, ἡ, (εἰκάζω) leicht zu errathen: Hefych.

Εὔεικτος, ὁ, ἡ, Adv. εὐείκτως, (εἴκω) nachgiebig, folgfam, willig.

Εὔειλος, ὁ, ἡ, (εἴλη) *apricus*, der Sonne ausgefetzt, warm.

Εὐειματέω, ῶ, oder εὐειμονέω, (εὐείματος, εὐείμων) ich habe gute Kleider an, bin gut gekleidet. — ματος, ὁ, ἡ, (εἷμα) gut oder glücklich gekleidet.

Εὐείμων, ονος, ὁ, ἡ, f. v. a. εὐείματος.

Εὔειρος, ὁ, ἡ, (ἔρος, ἔριον) mit oder von guter Wolle. Im Etym. M. fteht auch εὐέρειος und εὐερεία dafür. Jene Form hat Sophocl. Trach. 675. εὔερος Ariftoph. Av. 121. S. εὐερία.

Εὐείσβολος, ὁ, ἡ, (εἰσβολή) f. v. a. εὐέμβολος, von einer Gegend, welche feindlichen Einfällen offen fteht.

Εὐέκβατος, ὁ, ἡ, (ἐκβαίνω) leicht abgehend: Hippocr.

Εὐεκκριτικὸς, ἡ, ὸν, ſ. v. a. das folgd. zw. —κριτος, ὁ, ἡ, leicht abzuſondern, oder aus dem Körper abzuführen.

Εὐέκνιπτος, ὁ, ἡ, (ἐκνίπτω) leicht auszuwaſchen.

Εὐέκπλυτος, ὁ, ἡ, (πλύνω) leicht auszuwaſchen oder zu reinigen: eigentl. von den Sachen, die der Walker reiniget. —πύρωτος, ὁ, ἡ, (ἐκπυρόω) leicht zu verbrennen.

Εὐέκρυπτος, ὁ, ἡ, (ῥύπτω) ſ. v. a. εὐέκπλυτος.

Εὐεκτέω, ῶ, ich bin wohl bey Leibe, bey Geſundheit: ich befinde mich wohl, bin geſund, ſtark, dick und fett; von —της, ου, ὁ, oder εὐεκτικὸς. Adv. —τικῶς d. i. εὖ oder καλῶς ἔχων, der ſich wohl befindet, (am Körper) geſund, ſtark oder fett iſt. —τὸς, ſ. v. a. das vorh. zw.

Εὐέκφορος, ὁ, ἡ, (ἐκφέρω) hervorzubringen, auszuſprechen, oder gut oder leicht hervorbringend oder gebährend.

Εὐέλαιος, ὁ, ἡ, (ἐλαία) gute Oelbäume tragend oder gut Oel bringend, oder reich an Oel od. Oelbaumen. —λεγκτος, ὁ, ἡ, (ἐλέγχω) leicht zu überzeugen, überführen, widerlegen. —λικτος, ὁ, ἡ, (ἑλίσσω) wohl zuſammen gewickelt, wohl gedreht.

Εὐελκὴς, έος, ὁ, ἡ, (ἕλκος) deſſen Wunden oder Geſchwüre leicht zuheilen: Gegentheil von δυσελκής.

Εὐελπὴς, ὁ, ἡ, Quinct. Smyrn. 13, 243 θέρεος εὐελπέος ſoll wohl εὐθαλπέος heiſsen.

Εὔελπις, ιδος, ὁ, ἡ, von guter Hoffnung, der gute Hoffnung hat oder macht oder giebt. —πιστι, Adv. (ἐλπίζω) mit oder unter guter Hoffnung. —πιστία, ἡ, gute Hoffnung.

Εὐέμβατος, ὁ, ἡ, (ἐμβαίνω) von leichtem, guten, bequemen Eingange, Zugange, leicht hineingehend. Hippocr. —βλητος, ὁ, ἡ, leicht zum Einfall, zum Ueberfall: vom Menſchen, der leicht von Krankheiten überfallen wird. —βολος, ὁ, ἡ, ſ. v. a. das vorh.

Εὐέμετος, ὁ, ἡ, leicht oder bald Erbrechen erregend, gut zum Erbrechen: der leicht ſich erbricht. —μέω, ῶ, leicht ſich erbrechen oder ſpeyen; von —μὴς, έος, ὁ, ἡ, ſich leicht erbrechend, zum Erbrechen geneigt.

Εὐεμπτωσία, ἡ, das leichte Hineinfallen; von —πτωτος, ὁ, ἡ, Adverb. εὐεμπτώτως, leicht hineinfallend, leicht ſtrauchelnd: übergetr. ſich leicht vergehend, leicht fehlend.

Εὐένδοτος, ὁ, ἡ, (ἐνδίδωμι) leicht nachgebend.

Εὐέντευκτος, ὁ, ἡ, (ἐντυγχάνω) ſ. v. a. εὐπροσήγορος.

Εὐεξάγωγος, ὁ, ἡ, leicht heraus od. fortzuführen, wegzubringen. —άλειπτος, ὁ, ἡ, (ἐξαλείφω) leicht auszulöſchen oder zu verwiſchen. —ανάλωτος, ὁ, ἡ, (ἐξαναλόω) leicht zu verzehren - zu verbrauchen - zu verdauen. —απάτητος, ὁ, ἡ, (ἐξαπατάω) leicht zu hintergehen, zu betrügen. —απτος, ὁ, ἡ, (ἐξάπτω) leicht anzuzünden. —έλεγκτος, ὁ, ἡ, das verſtärkte εὐέλεγκτος: von ἐξελέγχω. —έλικτος, ὁ, ἡ, (ἐξελίσσω) leicht heraus oder zu entwickeln, aus einander zu wickeln.

Εὐεξία, ἡ, körperliches Wohlſeyn, Wohlbefinden, der Zuſtand eines εὐέκτης oder, welches Wort Heſychius hat, εὔεξος; überh. gute Beſchaffenheit, moraliſch guter Zuſtand: bey Polyb. εὐ. ἐν τοῖς πολεμικοῖς, der ἀνανδρία oppoſ. —ίλαστος, ὁ, ἡ, (ἱλάσκω) leicht zu verſöhnen. —οδος, ὁ, ἡ, mit einem guten oder leichten Ausgange.

Εὐεπάγωγος ὁ, ἡ, leicht darzu zu führen oder bringen: Polyb. 31, 13. —αίσθητος, ὁ, ἡ, leicht oder fein empfindend oder bemerkend: paſſ. leicht zu empfinden od. zu bemerken. —ανόρθωτος, ὁ, ἡ, (ἀνορθόω) leicht zu verbeſſern oder wieder gut zu machen.

Εὐέπεια, ἡ, Wohlredenheit, ſchöne Rede, Beredſamkeit. —πήβολος, ὁ, ἡ, Adverb. —βόλως, der etwas leicht und wohl erlangt, wie ἐπήβολος. —πηρέαστος, ὁ, ἡ, (ἐπηρεάζω) dem man leicht durch Chikane läſtig werden u. ſchaden kann. —πὴς, έος, ὁ, ἡ, (ἔπος) wohlredend, ſchön ſprechend, beredt. —πία, ἡ, ſ. v. a. εὐέπεια.

Εὐεπίβατος, ὁ, ἡ, (ἐπιβαίνω) leicht zu beſiegen, leicht anzufallen. —βλεπτος, ὁ, ἡ, leicht zu erſehn od. erkennen, ſichtbar. —βολος, ſ. v. a. εὐεπήβολος. —βούλευτος, ὁ, ἡ, (ἐπιβουλεύω) leicht zu belauern, den man leicht überliſten, dem man leicht nachſtellen kann.

Εὐεπίγνωστος, ὁ, ἡ, od. —γνωτος, leicht zu erkennen. —πίθετος, ὁ, ἡ, (ἐπιτίθεμαι) Adverb. —θέτως, leicht anzufallen, anzugreifen. —πίληστος, ὁ, ἡ, leicht vergeſſend, vergeſslich. —πίμικτος, ὁ, ἡ, Adv. εὐεπιμίκτως, zur Vermiſchung im Umgange oder Handel geneigt od. geſchickt oder bequem: von Menſchen und Ländern: auch von einem Haafen zum anlanden bequem. —πίστρεπτος, ὁ, ἡ, (ἐπιστρέφω) leicht umzukehren: umzulenken: Appian. Pun. 8. 50. im Etymol. M. ſteht εὐεπίστροφος.

Εὐεπιφορία, ἡ, bey Sextus Emp. Hypot. 1, 1, ſcheint ſ. v. a. εὐφορία, copia: bey Clemens Str. 2 p. 507. die Geneigtheit, groſse Neigung; von —πίφορος, ὁ, ἡ, was einen leichten Weg,

Gang zu etwas hat, abschüssig ist; abfliesst. Adverb. —φόρως.

Εὐεπιχείρητος, ὁ, ἡ, was leicht anzugreifen od. anzufangen ist.

Εὐέργαστος, ὁ, ἡ, πρὸς ἀγαθωσύνην, Clemens Paed. 1 p. 109. leicht zu bilden. zw. —γεσία, ἡ, (εὖ ἔργον) die Gutthat. Wohlthat; 2) der Titel eines Wohlthäters, ψηφίζεσθαί τινι εὐεργεσίαν; 3) ἐπί τε εὐεργεσίας καὶ τὴν σωφροσύνην προτρέψειν, Isocr. d. i. zu guten Handlungen und Sitten. —γετέω, ῶ, ich thue, handle gut; 2) ich thue Gutes, erzeige Wohlthaten, mit d. accus. daher auch in pass. εὐεργετοῦμαι, ich erhalte Wohlthaten; Xen. Mem. 2, 2. 3. —γέτημα, τὸ, gute Handlung; 2) Gutthat, Wohlthat. —γέτης, ου, ὁ, Wohlthäter, wohlthuend. —γετητικός, ἡ, ὸν, (εὐεργετέω) gerne oder gewöhnlich wohlthuend, wohlthätig. —γετικός, ἡ, ὸν, s. v. a. das vorherg. aber von εὐεργέτης, also eigentl. dem Wohlthäter gehörig oder eigen. —γέτις, ιδος, ἡ, Wohlthäterin: wohlthätige. —γέω, ῶ, ich bin glücklich, befinde mich wohl. sehr zw. —γής, έος, ὁ, ἡ, (ἔργον, εὖ) act. wohl, recht thuend, wohlthuend: Odyss. 22, 319. S. aber auch εὔεργος: geschickt machend, fertig arbeitend: pass. wohl gethan, geschickt gemacht, gut oder sorgfältig gearbeitet: Il. 24, 396. 273. Odyss. 17, 267. —γία, ἡ, s. v. a. εὐεργεσία: Joseph. Ant. 6, 11, 2. zw. antiq. 16, 4 wird es aus Hesych. d. εὐπιστία erklärt. Für εὐερμία eine f. L. bey Suidas. —γός, ὁ, ἡ, (ἔργον) guthandelnd, und denkend, gutartig: Od. 15, 421. 2) leicht zu machen. 3) γῆ gut be- gearbeitet, bestellt: Geopon. das Adv. εὐεργῶς ist theils von εὐεργής, theils von εὐεργὸς; und hat also darnach verschiedene Bedeut.

Εὐερέθιστος, ὁ, ἡ, (ἐρεθίζω) leicht zu reizen, reizbar.

Εὐέρειος, S. in εὔειρος.

Εὐερία, ἡ, εὐέριος u. εὔερος, gut mit Wolle versehn, wollicht, βοτὰ εὔερα die Schaafe; εὐερία, ἡ, die Weichheit: Schol. Arist. Av. 121.

Εὐέρκεια, εὐερκία, ἡ, starke Befestigung; von —κής, έος, ὁ, ἡ, Adv. εὐέρκως, (ἕρκος) wohl verzäunt oder eingeschlossen, wohl verwahrt, befestiget, fest ummauert: Il. 9, 468.

Εὐερμέω, ῶ, ich habe gutes Glück, in Photii Lexic. —μής, έος, ὁ, ἡ, dem Hermes der Gott des Handels, des glücklichen Fundes und des zufälligen Glücks überhaupt günstig ist, der gut Glück hat: glücklich; davon —μία, ἡ, bey Hesych. Pollux 9, 160 u. Aelian. h. a. 5, 39. 8, 28. 17 ep. gut Glück im Fange und der Jagd.

Εὐερνής, έος, ὁ, ἡ, (ἔρνος) gut wachsend, blühend: frisch oder gerade gewachsen. δάφνη Eur. Iph. Tr. 1100, Aelian. h. a. 8, 26 verb. es m. εὐθαλής, μέγιστος u. λίαν τεθηλὼς τὴν χλόην. Von der Gegend sagt Strabo 16 p. 1083. A. εὔβοτος καὶ εὐερνὴς ὥστε καὶ ἀειθαλῆ τρέφειν. Von Menschen für schlank: Strabo 2 p. 274. S. vom gut gedeihenden Viehe 11 p. 767.

Εὐεστία, ἡ, gute, schöne Wohnung: ohne Zw. falsche Les. bey Dionys. hal. —στιος, ὁ, ἡ, (ἑστία) gut oder schön wohnend. zw.

Εὐεστὼ, u. εὐετὼ; ingl. εὐετύς, ἡ, (εὖ εἶναι wie ἐστὼ st. οὐσία u. ἀειεστὼ, Ewigkeit, ἀπεστὼ, st. ἀπουσία) Wohlseyn, Glückseligkeit; εὐθυμία.

Εὐετηρία, ἡ, (εὖ, ἔτος) Fruchtbarkeit des Jahres, gesegnetes Jahr; Xen. Hier. 5, 5. —τύς, ἡ, S. εὐεστώ. bey Arat. Dios. 368 hat st. εὐετυῖ eine Handschr. εὐεστοῖ richtiger.

Εὐεύρετος, ὁ, ἡ, (εὑρέω, ρίσκω) leicht zu finden: Xen. oec. 8, 17.

Εὐέφοδος, ὁ, ἡ, (ἔφοδος) was einen guten, leichten Zugang, Angriff, hat. —ψητος, ὁ, ἡ, (ἑψέω) was leicht gekocht oder verdaut wird. —ψος, ὁ, ἡ, ὄσπρια, εὔεψα, leicht, gut kochende Hülsenfrüchte.

Εὐζηλία, ἡ, die gute glückliche Nacheiferung, und dadurch erlangte Fertigkeit. τῆς ἐν τοῖς λόγοις εὐζηλίας καὶ καθαριότητος, Plutar. Lyc. 21. ihr Bestreben um einen guten und netten Ausdruck in Prosa, das Gegenth. κακοζηλία. —λος, ὁ, ἡ, der gut und glücklich oder in guten Sachen einem andern nacheifert: d. Gegentheil κακόζηλος. Adv. εὐζήλως.

Εὔζυγος, ὁ, ἡ, (ζυγὸν) wohl gejocht, gut verbunden; leicht zu jochen, anzuspannen: v. Schiffe, s. v. a. εὐήρετμος: Od. 17, 288.

Εὐζωὰ, Dor. bey Pind. Pyth. 4, 233 st. εὐζωΐα. —έω, ich lebe wohl od. glücklich: opp. κακοζωέω Achmet. Onirocr. c. 151. davon —ΐα, ἡ, glückliches Leben, wie κακοζωΐα.

Εὐζωμεύω, gut und zur Brühe kochen und wohlzubereiten: aus Hippocr. zw. —μον, τὸ, *eruca*, wovon *ruchetta* ital. *roquette* franz. und Rauke, eine Gemüsspflanze, deren Saamen man wie Senf zum Würzen brauchte: Dioscor. 2, 170. *brasica eruca*. Linn. von —μος, ὁ, ἡ, mit oder von guter Brühe: gute Brühe machend oder gebend.

Εὔζωνος, ὁ, ἡ, (ζώνη) wohlgegürtet und zum Kampfe, Arbeit, Laufen gerüstet: daher rüstig, flink, leicht, geschwind, auch von Thieren.

Εὔζωος, ὁ, ἡ, (ζωὴ) glücklich oder lange lebend.

Εὔζωρος, ὁ, ἡ, ſ. v. a. ζωρὸς, vom reinen ungemiſchten Weine, compar. εὐζωρέστερος.

Εὐηγενὴς, ὁ, ἡ, ſt. εὐγενὴς, Hom. Il. 11, 427. aber Il. ψ. 81 wird. es d. εὐδαίμων erklärt. —**γεσία**, ἡ, Odyſ. 19. 114 von ἡγεῖσθαι alſo εὐηγεσία, glückliche, gute Regierung, andere leiteten es von ἄγω ab und erklärten es d. Glückſeligkeit; einige laſen εὐηργεσίης. —**γορέω**, ῶ, ich ſpreche gut; lobe, preiſe; Heſych. dav. —**γορία**, ἡ, Wohlredenheit, Beredſamkeit; Lob, Preiſs: Heſych. u. Achmet.. Onirocr. c. 158. —**γορος**, ὁ, ἡ, Adv. εὐηγόρως beredt, lobend, preiſend; zw.

Εὐηδὴς, ὁ, ἡ, ſehr angenehm: Ariſtides T. 1 p. 358. zw. —**δονος**, ὁ, ἡ, (ἡδονὴ) angenehm: zweif.

Εὐήθεια, ἡ, Gutmüthigkeit. Gutherzigkeit, Treuherzigkeit, Unſchuld, Einfalt, in guter und ſchlimmer Bedeutung; von —**θης**, εος, ὁ, ἡ, Adv. εὐήθως (εὖ, ἦθος) gut oder treuherzig, gutmüthig, unſchuldig: einfältig im böſen und guten Sinne: v. Krankheiten, Geſchwüren, gutartig. —**θία**, ἡ, ſ. v. a. εὐήθεια. —**θίζομαι**, ich handle oder bin wie ein εὐήθης, bin- handle gutmüthig, einfältig, handle dumm: Philoſtr. Apoll. 8, 10. —**θικὸς**, ἡ, ὀν, Adverb. —κῶς, dem εὐήθης treuherzigen, einfältigen gehörig, eigen, anſtändig oder ähnlich.

Εὐήκης, εος, ὁ, ἡ, (ἀκὴ) ſehr ſcharf oder ſpitzig. —**κοέω**, (ἀκοὴ) mit dem genit. ich höre wohl, gut: daher ich gehorche, folge; daher —**κοΐα**, ἡ, das gute Gehör: Gehorſam. —**κοος**, ὁ, ἡ, (ἀκοὴ) der gut hört; gehorſam, willig, folgſam. Adv. εὐηκόως.

Εὐηλάκατος, ὁ, ἡ, (ἠλακάτη) Beywort weiblicher Perſonen, mit der ſchönen Spindel, oder im Spinnen erfahren; 2) auch männlicher, mit dem ſchönen Pfeile, oder als Bogenſchütze erfahren. —**λατος**, ὁ, ἡ, was leicht mit dem Hammer gezogen (ἐλάω ἐλαύνω) werden kann, wie Metalle, leicht zu arbeiten, oder gut gearbeitet, von gezogenem Metalle; 2) πεδίον εὐήλατον, eine Ebne, worauf man gut reiten kann, zum Gebrauche der Reiterey bequem: Xen. Cyr. 1, 4. 16. —**λιξ**, ὁ, ἡ, von guten Jahren, von groſser Statur, ἡλικία: Nicetas Ann. 12, 5. —**λιος**, ὁ, ἡ, Adv. εὐηλίως, das gute Sonne hat, der Sonne ausgeſetzt iſt, hell und warm: von Geſchöpfen, was ſich gerne ſonnt, gern in der Sonne iſt.

Εὐημερέω, ῶ, (εὐήμερος) einen od. mehrere glückliche Tage haben: alſo an e. Tage glücklich ſeyn, z. B. eine Schlacht gewinnen, ſiegen, durch Beredſamkeit ſiegen, Beyfall und Lob verdienen, wie εὐδοκιμέω, glücklich leben, glücklich oder in guten Umſtänden ſeyn; davon —**μέρημα**, τὸ, glückliches Unternehmen, als Sieg: Polyb. glücklicher Fortgang. —**μερία**, ἡ, guter, ſchöner, heiterer Tag: Xen. Hellen. 2, 4, 2. ein glücklicher Tag, glückliche Schlacht, alſo Sieg. glückliches Unternehmen an einem Tage: überhaupt Ehre, Ruhm, Beyfall; 2) glückliche Tage, Glückſeligkeit; von εὐημερέω u. d. folgd. —**μερος**, ὁ, ἡ, (ἡμέρα) mit oder von glücklichen Tagen: der an einem Tage worin, z. B. in einer Schlacht, glücklich iſt, der glückliche Tage verlebt, glücklich; φάος εὐ. Licht eines glücklichen Tages: Sophocl. 2. zahm, milde, wie ἥμερος; πρόσωπον εὐ. heiter. Ariſtoph. —**μὴς**, ὁ, ἡ, ſ. v. a. εὐεμής. zw. —**μονία**, ἡ, (ἥμων) Geſchicklichkeit im Werfen. Heſych.

Εὐηνεμία, ἡ, glücklicher, guter Wind: Windſtille. zw. von —**νεμος**, ὁ, ἡ, mit oder von gutem Winde: λιμὴν, ſicher vor Winden: Eur. Androm. 750. —**νιος**, Adv. εὐηνίως, (ἡνία, εὖ) dem εὐσήνιος opp. folgſam, ruhig, ſtill, ſanft, mild. —**νορία**, ἡ, Mannheit, Tapferkeit: Pindar. Olymp. 5, 46. —**νυστος**, ὁ, ἡ, und —υτος, (ἀνύω) leicht zu vollenden, zu thun. —**νωρ**, ορος, ὁ, ἡ, (ἀνὴρ) Beyw. des Weins, Kupfers und Eiſens, ſtärkend, muthig machend, rüſtend, bewaffnend: bey Pindar. Beyw. von Ländern und Städten, an guten od. tapfern Menſchen reich oder volkreich.

Εὐηπελὴς, ὁ, ἡ, nach Heſych. εὐήνιος, πρᾶος: das Gegentheil κακηπελὴς, der ſich übel befindet; davon —**πελία**, ἡ, Wohlſtand. Geſundheit, Glück: Callim. Cer, 136. Das Gegenth. iſt κακηπελία, von πέλω, πέλομαι, ſeyn. Davon κακηπελέω, übel ſeyn, übel ſich befinden; ὀλιγηπελέω, ſchwach, matt ſeyn: ὀλιγηπελὴς, ὁ, ἡ, matt, ſchwach, krank: ἀναπελέω, ſich erholen: Heſych hat ἀναπελάσας, ἀναῤῥωσθεὶς, Heſych. hat auch ἀνηπελία, ἀσθένεια ſt. νηπέλεια, wie Galen aus Hippocr. νηπελεῖ durch ἀδυνατεῖ erklärt.

Εὐήρατος, ὁ, ἡ, (ἐράω) vielgeliebt: liebenswürdig. zw. —**ρεια**, ἡ, (εὐήρης) ſ. v. a. εὐπείθεια und εὐχέρεια im Etym. M. —**ρετμος**, ὁ, ἡ, (ἐρετμὸς) gut berudert, gut rudernd. —**ρης**, εος ὁ, ἡ, (ἐρέσσω) wohlberudert, gut rudernd, σκάφος, zum rudern bequem: ἐρετμὸν εὐῆρες, Odyſſ. 11, 106. welches andere leicht zu heben, regieren erklären; ſo ἵππος εὐήρης bey Heſych. εὐάγωγος bey Hippocr. geſchickt, bequem.

Εὐηρις, ἡ, fem. des vorherg. gut, künſtlich gearbeitete. zweif. —**ροτος**, ὁ, ἡ, (ἀρόω) leicht zu beackern: mit gutem

Ackerlande: fruchtbar. Hesych. und Suidas

Εὐητηρία, ἡ, f. Les. st. εὐετηρία. Hesych. —τόριος, ὁ, ἡ, gut fürs Herz (ἦτορ), herzerfreuend: Philostr. Icon. 2, 32. zweif. —τριος, (ἤτριον der Faden des Aufzugs) von gutem, feinen, dünnen Faden, Gewebe: Plato Parm. 48. λεῖον καὶ εὐλεγόμενον εὐήτριον ὕφασμα: dem dicken und lockern entgegen gesetzt. —φενής, ὁ, ἡ, s. v. a. ῥυηφενής: Hesych.

Εὐηχής έος, ὁ, ἡ, oder εὔηχος, εὐήχητος, (ἦχος) mit einem guten Tone od. Stimme: gut oder hell tonend, wohlklingend.

Εὐθάλασσος, ὁ, ἡ, (θάλασσα) gut oder bequem am Meere gelegen. zweif. —λέω, ῶ, s. v. a. εὐθάλλω, wohl blühen, grunen. Hesych. erklärt es durch εὐδαιμονεῖν; Democritus Stobaei p. 452. von Kindern ὀλίγα τὰ εὐθηλέοντα. Bey Athenaeus 9 c. 4. nennt Aeschylus χοίρου μάλ' εὐθηλουμένου, ein fettes, wohlgenährtes Schwein. χώρα εὐθαλήσει Geopon. 2, 19. —λής, έος, ὁ, ἡ, s. v. a. εὐθάλλων, gut blühend, grünend, oder in gesündem, guten Zustande.

Εὐθανασία, ἡ, guter, leichter, natürlicher, ehrenvoller, glucklicher Tod. von —νατέω, ῶ, ich sterbe einen guten, leichten, natürlichen, ehrlichen, ehrenvollen Tod; v. —νατος, ὁ, ἡ, Adv. εὐθανάτως, der einen guten, ehrlichen, rühmlichen, natürlichen oder leichten Tod stirbt; oppos. δυσθάνατος.

Εὐθάρσεια, ἡ, Herzhaftigkeit, Muth, Unerschrockenheit. —σέω, ῶ, ich bin dreist, unerschrocken, tapfer, habe guten Muth. —σής, έος, ὁ, ἡ, Adv. —ῶς, (θάρσος) herzhaft, muthig, dreist, unerschrocken.

Εὐθέατος, ὁ, ἡ, gut oder leicht zu sehn, zu beschauen: Pollux 5, 150.

Εὐθένεια, εὐθενία und εὐθενέω, S. εὐθηνεία, εὐθηνέω.

Εὐθεράπευτος, ὁ, ἡ, (θεραπεύω) leicht zu heilen: abzuhelfen, durch Dienste oder Gefälligkeit zu gewinnen: Cyrop. 2, 2, 10.

Εὐθέριστος, ὁ, ἡ, (θερίζω) leicht zu mähen oder abzuschneiden: Dioscor. 1, 18. Plinius 12 c. 15.

Εὐθέρμαντος, ὁ, ἡ, (θερμαίνω) gut od. leicht zu erwärmen.

Εὔθερος, ὁ, ἡ. χωρίον, Pollux 5, 108. wo es sich gut im Sommer (θέρος) leben läst.

Εὐθεσία, ἡ, bey Hippocr. erklärt Galeni Gloss. für das was sonst εὐεξία heist, und führt ἐνιαυτὸς εὐθεσίας an, d. i. ὁ εὐφορίας ἀπεργαστικός. zw.

Εὐθετέω, ῶ, bin gut gesetzt, geordnet, gestellt: ich passe, nütze, εἰς τι, zu etwas; wohl setzen od. stellen, gut ordnen: neutr. s. v. a. εὐθηνέω, Theophr. h. pl. 1, 1. wie εὐθεσία; davon —τησις, ἡ, wie εὐεξία. —τίζω, gut stellen, setzen, legen, ordnen. —τος, ὁ, ἡ, Adv. εὐθετῶς, gut geordnet, wohl angelegt, geschickt, bequem, passend: wohl oder festgesetzt. Hippocr.

Εὐθεώρητος, ὁ, ἡ, (θεωρέω) leicht zu sehen.

Εὐθέως, Adv. (εὐθύς) sogleich, plötzlich, schnell: nun gleich, d. i. zum Beyspiel: wie αὐτίκα und οἷον.

Εὐθηγής, ὁ, ἡ, und εὔθηκτος, ὁ, ἡ, (θήγω) gut geschärft-gewetzt: leicht zu schärfen.

Εὐθηλέω S. εὐθαλέω. —λήμων, ὁ, ἡ, μόσχος, ein mit Milch wohl genährtes Kalb: Antholog. —λος, ὁ, ἡ, (θηλή) mit gutem, vollen Eiter; Brust.

Εὐθημονέω, S. das folgende: Plato Leg. 6 p. 263. sagt εὐθημονεῖσθαι τὰ κατὰ τὰς οἰκήσεις im Medio. —μοσύνη, ἡ, die Ordnung im Handeln: Hesiod. ἔργ. 471. die Liebe zur Ordnung, wenn man alles an seinen gehörigen Platz legt, wenn man es gebraucht hat: Cyrop. 8. 5. 7. von εὐθήμων, der die Ordnung liebt; davon εὐθημονέω, alles in seine gehörige Ordnung stellen und erhalten; von τίθημι, θήσω u. εὖ. —μων, ὁ, ἡ, S. εὐθημοσύνη.

Εὐθηνεία, u. εὐθηνία, ἡ, auch εὐθένεια: von —νέω, auch εὐθενέω, drückt den muntern, gesunden, blühenden Zustand des Korpers, der Aecker, Lander, Volker und Dinge aus, wie *vigere, florere*, also Ueberfluss, Fruchtbarkeit, Wohlseyn, Wohlfarth, Gesundheit, überh. Glückseligkeit. Man sagt εὐθηνεῖσθαι im Medium. Aelian. v. h. 13, 1 ἄμπελοι εὐθενοῦντο βοτρύων; wie *abundare*; andre verbinden es mit d. dativ. Auch bedeutet εὐθηνία ἡ, das lat. *annona*, Lebensmittel, Zufuhr. Plutar. 7 p. 218 τὴν ἀπὸ σιτίων φερομένην εὐθηνίαν Ῥωμαίοις. Herodian. 7, 3 χρήματα εἰς εὐθηνίας ἢ νομὰς τῶν πολιτῶν ἀθροιζόμενα. Die alten Grammatiker leiten es von θάλλω oder θηλή ab: es scheint aber v. σθένος, εὐσθενέω herzukommen und eigentl. körperliche Stärke und Gedeihen auszudrucken.

Εὐθήρατος, ὁ, ἡ, (θηράω) leicht zu fangen. —ρία, ἡ, gute, gluckliche Jagd; von —ρος, ὁ, ἡ, (θήρα) von oder mit guter Jagd: glucklich in oder auf der Jagd: ὄρος, zur Jagd bequem, oder von θήρ abgeleitet, reich an Thieren.

Εὐθής, fur εὐθύς wird aus den LXX, auch von Thomas Mag. angefuhrt.

Εὐθησαυρός, ὁ, ἡ, von oder mit guten, grofsen Schatzen: pass. gut oder leicht zu verwahren: zw.

Εὔθικτος, ὁ, ἡ, Adv. εὐθίκτως, (θίγω) leicht zu berühren: act. gut berührend, treffend: vorz. witzig, ſpöttiſch, *dicax*, *urbanus*; wird m. εὐθήκτος oft verwechſelt. Ariſtot. h. a. 9, 17 ſagt von einem Vogel: τὴν διάνοιαν εὔθικτος καὶ εὐθήμων καὶ εὐβίοτος, was er kurz vorher ſagte: τὴν διάνοιαν εὐμήχανος πρὸς τὸν βίον; vergleich. Caſaub. Athen. 13 K. 6.

Εὐθιξία, ἡ, Geſchicklichkeit im Treffen des Ziels: im Errathen: Witz, Geſchicklichkeit im Spotte, Spaſse: Suidas.

Εὔθλαστος, ὁ, ἡ, (θλάω) leicht zu zerbrechen oder zu zerquetſchen. Geopon.

Εὐθνήσιμος, ὁ, ἡ, ſt. εὐθανάσιμος, einen leichten Tod verurſachend. zw.

Εὔθοινος, ὁ, ἡ, (θοίνη) wohl oder ſtark eſſend: als Beyw. des Hercules: Plutar. 7 p. 85.

Εὐθορύβητος, ὁ, ἡ, (θορυβέω) leicht auſſer Faſſung oder in Furcht zu bringen.

Εὔθραυστος, ὁ, ἡ, (θραύω) leicht zu zerſchlagen, zerbrechen, zerbrechlich.

Εὔθριγκος, ὁ, ἡ, mit einem guten θριγκὸς verſehn oder befeſtigt; zweif.

Εὔθριξ, ιχος, ὁ, ἡ, gut oder ſtark behaart, ſchönmähnig: Il. 23, 13. 301. von ſtarken Haaren gemacht, ἀγκιστρον.

Εὔθρονος, ὁ, ὁ, auf einem gutem oder ſchönen Sitze oder Throne ſitzend: Odyſſ. 6, 48.

Εὔθροος, ὁ, ἡ, gut- ſchön- helltönend: angenehm klingend: opp. δύσθρ.

Εὔθρυπτος, ὁ, ἡ, (θρύπτω) leicht zu zerreiben, zermalmen, als Erde, Fleiſch: in eben dem Sinne wird aus Dioſcor. εὐθρυβὴς angeführt.

Εὐθὺ, Adv. eigentl. neutr. von εὐθὺς, gerade, geradezu, gerades Weges: m. d. genit. geradezu, auf oder gegen; v. Betragen, geradezu, offen; v. d. Zeit, ſogleich.

Εὐθυβολέω, ῶ, (εὐθυβόλος) ich werfe gerade und treffe; davon —βολία, ἡ, das gerade Werfen und Treffen; übergetr. wie εὐθιξία, das Errathen. —βόλος, ὁ, ἡ, gerade werfend, treffend: εὐθύβολος, ὁ, ἡ, getroffen, ὄνομα bey Philo, der rechte Name.

Εὐθύγλωσσος, εὐθύγλωττος, ὁ, ἡ, (γλῶσσα) mit oder von gerader Zunge oder Rede, alles wahrhaft, die Wahrheit ſprechend. —γραμμος, ὁ, ἡ, (γραμμὴ) geradelinigt, gerade.

Εὐθυδικέω, ῶ, ich richte recht; (εὐθὺ, δίκη) oder ich laſſe mich gerade auf den Proceſs ein; wovon —δικία, ἡ, das gerade, recht Richten; 2) εὐθυδικίαν ἀγωνίζεσθαι, εἰσιέναι, oder auch εὐθυδικίᾳ εἰσιέναι, wenn der Beklagte, ſtatt durch allerley Exceptionen, παραγραφαὶ und διαμαρτυρία, die Klage von ſich abzuwenden, ſich gerade darauf einläſst und ſich vertheidiget. —δικος, ὁ, ἡ, (εὐθὺς, δίκη) der gerade, recht richtet. —δρομέω, ῶ, (εὐθυδρόμος) gerade laufen. —δρόμος, ὁ, ἡ, gerade laufend.

Εὐθυέντερος, ὁ, ἡ, (ἔντρον) mit geraden, nicht gewundenen Därmen. —έπεια, u. εὐθυεπία, ἡ, die gerade, wahre, aufrichtige Rede: Heſych. —εργὴς, ὁ, ἡ, (ἔργον) ſchnurgerade gearbeitet; zw.

Εὐθυθάνατος, ὁ, ἡ, ſogleich, plötzlich tödtend, πληγὴ: Plutarch. Anton. 77. —θριξ, χος, ὁ, ἡ, mit geraden oder ſchlichten Haaren.

Εὐθύκαυλος, ὁ, ἡ, mit geradem Stengel.

Εὐθύληπτος, ὁ, ἡ, ſogleich oder leicht zu bekommen: bey Suidas. —λογέω, ῶ, ich ſpreche offen oder gerade zu; zw. von —λόγος, ὁ, ἡ, geradezu oder offen redend; zw. —λορδος, ſ. ἰθύλορδος.

Εὐθύμακρος, ὁ, ἡ, gerade in die Länge; zweif. —μάχης, ου, ὁ, auch εὐθυμάχος, in offener Schlacht fechtend; davon εὐθυμαχέω. S. ἰθυμαχία, und εὐθυμαχία, offnes Treffen: Plutarch. Sertor. 10. —μάχος, ὁ, ἡ, ſ. v. a. εὐθυμάχης. —μέω, ῶ, gewöhnlicher im medio εὐθυμέομαι, (εὔθυμος) ich bin froh, freue mich: vergnüge mich; davon —μία, ἡ, guter Muth, Frohſinn, Heiterkeit: Frölichkeit, Freude. —μος, ὁ, ἡ, (Adv. εὐθύμως) guten Muths, heiter; froh: geneigt, wohlwollend, gütig: Odyſſ. 14, 63.

Εὐθύνη, ἡ, vorz. im plur. εὐθύναι, das Richten, Prüfen, Unterſuchen, Rechenſchaft, ἀπαιτεῖν und διδόναι, fordern oder geben von einem Amte oder Auftrage. —νος, ὁ, ſ. v. a. εὐθυντὴς, der Prüfer, der Richter, welcher die εὐθύνας fordert und verrichtet.

Εὔθυνσις, ἡ, (εὐθύνω) das Geradmachen, Richten, Lenken, Beſſern, Prüfen.

Εὐθυντὴρ, ῆρος, ὁ, ſ. v. a. εὔθυνος: Aeſchyl. Perſ. 830 und οἴαξ εὐθ. das lenkende Ruder: Suppl. 725; davon —τηρία, ἡ, Eur. Iph. Taur. 1356. der Ort wo das Steuerruder befeſtiget iſt. —τήριος, α, ον, geradeınachend: richtend, lenkend, ſteuernd: prüfend, unterſuchend, richtend. —τὴς, ὁ, ſ. v. a. εὐθυντὴρ: davon —τικὸς, ἡ, ὸν, ſ. v. a. εὐθυντήριος. —τὸς, ἡ, ὸν, gerade gemacht, gerichtet, gelenkt, geleitet.

Εὐθύνω, f. υνῶ, (εὐθὺς) gerade machen, richten; daher gerade führen oder leiten: ſteuern, lenken, regieren; beſſern, verbeſſern: tadeln, anklagen; unterſuchen, prüfen; richten.

Εὐθυονειρία, ἡ, der Zuſtand, wenn man gerade, d. i. eintreffende Träume hat; von —όνειρος, ὁ, ἡ, der, die gerade, richtige Träume hat: τὸ εὐθυόνειρον, ſ. v. a. εὐθυονειρία. —όνυξ, υχος,

u. εὐθυόνυχος, ὁ, ἡ, (εὐθὺς, ὄνυξ) mit geraden Nägeln, Krallen.

Εὐθυπλοέω, ich fahre mit dem Schiffe in gerader Richtung: Arrian. Venat. 25, 8 dav. —πλοια, ἡ, das Schiffen in gerader Richtung: zw. —πλοκία, ἡ, (εὐθυπλοκέω) grades Gewebe oder Geflechte: Plato. —πλοος, contr. ους, ὁ, ἡ, grade schiffend. —πνοος, contr. εὔθυπνους, ὁ, ἡ, in gerader Richtung wehend oder blasend: grade- ungehindert- leicht athmend: Hippocr. —πομπής, oder εὐθύπομπος, ὁ, ἡ, grade führend: Pind. Nem. 2, 10. —πορέω, ῶ, (εὐθύπορος) ich gehe gerade, gerades Weges fort; davon —πορία, ἡ, grader Weg, das Gehn in grader Richtung. —πορος, ὁ, ἡ, geraden Weges, geradefortgehend, gerade; mit geraden Poren oder Oefnungen.

Εὐθυῤῥημονέω, ῶ, (εὐθυῤῥήμων) geradezu ohne Umschweife oder Umschreibung sprechen: offen sprechen: aus dem Stegreife reden sagen: Plut. Demetr. 14. —ῤημοσύνη, ἡ, Charakter oder Sprache eines εὐθυῤῥήμων, ὁ, ἡ, (εὐθὺς, ῥῆμα) der geradezu, ohne Umschweife; spricht, die Dinge, auch schändliche oder schmutzige Gegenstände mit ihrem gemeinen Namen ohne Umschreibung oder Metapher nennt. —ῥιζος, ὁ, ἡ, (ῥίζα) mit gerader Wurzel. —ῥιν, ινος, ὁ, ἡ, oder εὔθυῤῥις, ὁ, ἡ, mit gerader Nase.

Εὔθυρσος, ὁ, ἡ, mit einem schönen Thyrsus; zw.

Εὐθὺς, εῖα, ὺ, Gen. έος, είας, έος, gerade, dem krummen entgegengesetzt: metaph. offen, aufrichtig: als Adverb: sogleich, gleich darauf oder darnach; augenblicklich, ohne sich zu besinnen: plötzlich, unbesonnenerweise. S. auch εὐθὺ.

Εὐθυσκοπέω, ῶ, gerade ansehen: bey Plutar. Q. S. 9, 1. zw. —στομος, ὁ, ἡ, (στόμα) mit geradem Munde, m. g. Schnautze: Pollux 5. 60.

Εὐθυτενής, ὁ, ἡ, (τείνω) gerade gezogen, gerade. —της, ἡ, die gerade Richtung, Geradheit; Billigkeit, Ehrlichkeit. —τόμος, ὁ, ἡ, (τέμνω) gerade schneidend, εὐθύτομος; gerade geschnitten; gerade. —τονος, ὁ, ἡ, (τείνω) gerade gespannt, gerichtet, gezogen: τὰ εὐθύτονα, Kriegsmaschine. S. παλίντονος. —τρητος, ὁ, ἡ, (τράω, τιτράω) mit geraden, gerade durchbohrten Löchern.

Εὐθυφερής, έος, ὁ, ἡ, geradegehend od. laufend; wie εὐθυφορέω. —φλοιος, ὁ, ἡ, mit gerader Rinde: Theophr. h. pl. 3, 9. in der Basl. u. Ald. Ausgabe, wo jetzt εὔφλοιος steht: ein andrer Name von ἀλίφλοιος, *suber*, Korkeiche. —φορέω, ῶ, gerade tragen: medium, gerade oder in gerader Linie gehn oder sich bewegen; davon —φορία, ἡ, gerade Bewegung oder in gerader Richtung: oppos. κυκλοφορία. —φρων, ὁ, ἡ, (φρὴν) geraden Sinnes, offen, weise; zweif.

Εὐθυωρέω, ῶ, ich gehe gerade fort: act. εὐθυωροῖτο τούτοις τὰ τῆς ἀμύνης: Nicetas Ann. 6, 9 sogleich Beystand leisten. —ωρία, ἡ, die gerade Richtung, gerader Schritt, Gang, Weg. —ωρὸν, Adv. oder eigentl. neutr. des folgd. gerade, in gerader Richtung, geraden Wegs: gerade in der Stunde, sogleich, αὐτῇ τῇ ὥρα nach Suidas. —ωρὸς, ἀ, ὸν, in gerader Linie od. Richtung gehend, sich bewegend; das neutr. wie ein Adv. gebraucht: Xen. An. 2, 2. 16. bey Suid. steht es statt auf der Stelle, sogleich von ὥρα und εὐθὺς abgel.

Εὐθώρηκος, ὁ, ἡ, (θώραξ) gut bepanzert, bewapnet.

Εὐιακὸς, ἡ, ὸν, (εὔιος) bacchisch.

Εὐΐατος, ὁ, ἡ, (ἰάομαι) leicht zu heilen.

Εὐϊλασία, ἡ, Aussöhnung; das Günstigmachen; zw. —λατεύω, ich bin günstig, geneigt, gnädig: von —λατος, ὁ, ἡ, (ἱλάω) gnädig, hold, günstig, bey den LXX.

Εὐϊματέω, u. εὐίματος, ὁ, ἡ, s. v. a. εὐειματέω, u. εὐείματος.

Εὔϊνος, ὁ, ἡ, (ἶς) mit starken Fasern, fasrig; nervig; zw.

Εὔιος, ὁ, *Evius*, Zuname des Bacchus: auch adj. Eur. Cycl. 25. bacchisch.

Εὔϊππος, ὁ, ἡ, mit guten Rossen, gute Rosse habend oder ziehend; wohlberitten; guter Reuter: Xen. Cyr. 5, 5, 5. u. hell. 4, 2. 5.

Εὔϊστος, ὁ, ἡ, wohl bekannt: wahrsch. f. L. aus Plut. 6 p. 48.

Εὐϊχθὺς, ὁ, ἡ, voll Fische, fischreich.

Εὐκαὴς, έος, ὁ, ἡ, (κάω) leicht oder gut brennend.

Εὐκαθαίρετος, ὁ, ἡ, leicht herunter zu reissen oder zu zerstören. —θεδρος, ἡ, (κάθεδρα) als Beywort des Schiffs, s. v. a. εὔσελμος bey den Grammatic. —θεκτος, ὁ, ἡ, (κατέχω) leicht auf- fest- zurückzuhalten; zu regieren: Xen. Cyr. 7, 5. 69.

Εὐκαιρέω, ῶ, ich habe, bekomme gute Zeit oder Gelegenheit; habe Zeit od. Musse: Polyb. 20, 9. widme meine Zeit und Musse: Marc. 6, 31. εὐκαιροῦντες τοῖς βίοις, Polyb. 32, 21 die reichen, davon εὐκαιρία bey Polyb. Reichthum: Polidon. Athenae. 6 p. 275 sagt οἱ εὐκαιρούμενοι τοῖς βίοις st. εὐκαιροῦντες; davon —ρία, ἡ, gute, rechte, schickliche Zeit, Gelegenheit; Musse; Vermögen. S. εὐκαιρέω. —ρος, ὁ, ἡ, Adv. εὐκαίρως, (καιρὸς εὖ) zu rechter Zeit gethan oder thuend: gelegen, zeitig, müssig, der Zeit wozu hat, seine Zeit einer Sache widmet.

Εὐκαλέω, εὐκαλία, εὔκαλος doriſch ſt. εὐκηλέω, εὐκηλία. S. εὔκηλος.

Εὐκάματος, ὁ, ἡ, κάματος Eur. Bacch. 66. leichte Arbeit; überh. von guter, leichter oder glücklicher Arbeit.

Εὐκαμπὴς, έος, ὁ, ἡ, (καμπὴ) biegſam; gebogen, gekrümmt: Hom. Odyſſ. 18, 367. εὔκαμπτος, ὁ, ἡ, (κάμπτω) leicht zu biegen oder krümmen: dav. —ψία, ἡ, Biegſamkeit.

Εὐκάρδιος, ὁ, ἡ, Adv. —δίως, guten oder muthigen Herzens (καρδία), herzhaft, muthig: Sophocl. Phil. u. Aj. 364. Eurip. Hec. 579. 549. gut für den Magen, ſ. v. a. εὐστόμαχος.

Εὐκαρπέω, ῶ, ich trage gute oder viele Früchte; davon —πία, ἡ, Fruchtbarkeit; oder Tragen guter Früchte. —πίζω, ſ. v. a. εὐκαρπέω; zw. —πος, ὁ, ἡ, fruchtbar: act. fruchtbar machend, befruchtend, als ἀὴρ Theophr. —ποῦμαι, bey Diod. Sic. T. 2 p. 598 wahrſcheinl. ſt. ἐκκαρπ.

Εὐκαταγέλαστος, ὁ, ἡ, leicht zu verlachen; verächtlich; zw. —γνωστος, ὁ, ἡ, leicht zu tadeln, tadelhaft. —γώνιστος, ὁ, ἡ, leicht im Kampfe zu bezwingen.

Εὐκατάκαυστος, ὁ, ἡ, leicht zu verbrennen. —κόμιστος, ὁ, ἡ, leicht herunter zu tragen oder zu bringen; zweif. —κράτητος, ὁ, ἡ, (κατακρατέω) leicht feſtzuhalten; zu behaupten: Polyb.

Εὐκατάληπτος, ὁ, ἡ, leicht zu faſſen oder zu begreifen. —λακτος, ὁ, ἡ, Adv. —λάκτως, leicht zu verſöhnen, oder auszuſöhnen. —λυτος, ὁ, ἡ, leicht aufzuleſen, zu zerſtören: zw.

Εὐκαταμάθητος, ὁ, ἡ, leicht zu erlernen, zu begreifen; zw. —μάχητος, ὁ, ἡ, leicht zu bezwingen, zu beſiegen.

Εὐκατανόητος, ὁ, ἡ, wohl oder leicht zu bemerken, verſtehen oder begreifen.

Εὐκαταπράϋντος, ὁ, ἡ, (πραΰνω) leicht zu beſänftigen. —πρηστος, ὁ, ἡ, leicht zu entzünden oder zu verbrennen: Heſych. Aj. 364. Eurip. Hec. 579. 549. —πτόητος, ὁ, ἡ, (καταπτοέω) leicht zu erſchrecken od. zu ſcheuchen. —πτωτος, ὁ, ἡ, bald oder leicht herabfallend; zw.

Εὐκατασήμαντος, ὁ, ἡ, leicht zu bezeichnen, beſiegeln od. verſiegeln; zw. —σκεύαστος, εὐκατάσκευος, ὁ, ἡ, leicht zu verfertigen, zu erbauen. —σκηπτος, ὁ, ἡ, gut geſtützt od. ſich ſtützend: Hippocr. —στατος, ὁ, ἡ, (καθίστημι) gut geordnet, eingerichtet: feſtſtehend, ſicher. —στροφος, ὁ, ἡ, (καταστροφὴ) Demetrius 10 nennt den Perioden σύστημα ἐκ κώλων ἢ κομμάτων εὐκατάστροφον welches hernach durch καμπήν τινα καὶ συστροφὴν ἔχον κατὰ τὸ τέλος erklärt wird, mit einer geſchickten und bequemen Umbiegung gegen das Ende zu. —σχετος, ὁ, ἡ, gut oder leicht, feſt oder anzuhalten: Hippocr.

Εὐκατάτρεπτος, ὁ, ἡ, beweglich u. ſ. v. a. —στροφος: zw. —τρόχαστος, ὁ, ἡ, (κατατροχάζω) den Streifereyen und Angriffen der Feinde ausgeſetzt: bey Strabo von einem Schriftſteller der leichtſinnig ohne Grund und Glaubwürdigkeit ſchreibt, und daher dem Tadel ausgeſetzt iſt, oder leicht zu widerlegen oder zu überführen. —τροχος, ὁ, ἡ, ſ. v. a. εὐκατάφορος: Heſych.

Εὐκαταφορία, ἡ, Geneigtheit, oder Neigung: Diog. Laert. von —φορος, ὁ, ἡ, (καταφορὰ) abwärts ſich neigend, leicht abwärts gleitend: wohin, wozu geneigt: leicht in einen Fehler in eine Leidenſchaft verfallend und darzu geneigt, wie *proclivis* u. *pronus*. —φρόνητος, ὁ, ἡ, leicht oder ſehr zu verachten, verächtlich: verachtet. —ψευστος, ὁ, ἡ, (καταψεύδομαι) wovon, wogegen man leicht lügen kann.

Εὐκατέργαστος, ὁ, ἡ, (κατεργάζομαι) leicht zu verarbeiten, verdauen: Xen. Memor. 4, 3, 6. leicht zu vollenden: bändigen, aufzureiben, zu beſiegen, zu tödten. —ηγόρητος, ὁ, ἡ, leicht zu beſchuldigen, zu tadeln, anzuklagen. —οπτος, ὁ, ἡ, leicht zu erſehn, erkennen oder ſichtbar: zw. —όρθωτος, ὁ, ἡ, leicht, glücklich oder gut auszuführen: zw. —οχος, ὁ, ἡ, ſ. v. a. εὐκατάσχετος: zw.

Εὔκαυστος, ὁ, ἡ, εὔκαυτος, ὁ, ἡ, ſ. v. a. εὐκατάκαυστος.

Εὐκέανος. S. in ἰθυπτίων.

Εὐκέαστος, ὁ, ἡ, u. εὐκέατος, ὁ, ἡ, (κεάζω) leicht zu ſpalten. S. ἰθυπτίων.

Εὐκέλαδος, ὁ, ἡ, gut- ſtark- laut tönend.

Εὔκεντρος, ὁ, ἡ, (κέντρον) ſcharf, ſpitzig.

Εὐκέραος, ὁ, ἡ, oder εὔκερως, gut oder ſtark gehörnt (κέρας.) —ραστος, ὁ, ἡ, (κεράω) gut gemiſcht, vermiſcht, temperirt. —ρως, ὁ, ἡ, ſ. v. a. εὐκέραος. —φαλος, ὁ, ἡ, (κεφαλὴ) mit gutem ſchönem oder groſsem Kopfe, gut für den Kopf, wie εὐκάρδιος.

'Ευκηλήτειρα, παίδων bey Heſiod. ἔργ. 464 d. i. ἡσυχάστρια, die beruhigerin. —λία, ἡ, die Ruhe, Gelaſſenheit; von —λος, ὁ, ἡ, ruhig, gelaſſen, πόντος, das ruhige Meer. εὔκηλος Δίκη Arat. Phaen. 100. Heſychius hat auch εὐκαλεῖν, ἀτρεμίζειν, ruhig ſeyn; denn doriſch ſagte man εὔκαλος, εὐκαλία. Auch ἔκηλος, ἐκηλία. Das Stammwort iſt κηλὰς, davon κηλέω ich beruhige. —λος, ὁ, ἡ, (κέω, καίω) εὔκηλον δρυὸς πυθμένα, den trocknen, brennbaren Stamm einer Eiche. Jon bey Heſych.

'Ευκινησία, ἡ, Agilität, Gelenkigkeit, Behendigkeit, Leichtigkeit in der Bewegung; εὐκινησία περὶ τὴν ψυχήν,

Witz, Erfindungskraft; wie *moueri* von der Seele; von

Εὐκίνητος, ὁ, ἡ, was sich leicht und geschwind bewegt; behend, gelenkig, flink; von der Seele oder metaph. witzig, erfinderisch, der etwas schnell fasst und einsiehet. Adv. εὐκινήτως.

Εὐκίων, ὁ, ἡ, mit guten, schönen Säulen.

Εὔκλαδος, ὁ, ἡ, mit guten, schönen oder vielen Zweigen oder Aesten.

Εὔκλαστος, ὁ, ἡ, (κλάω) leicht zu brechen oder zerbrechen.

Εὐκλεής, ὁ, ἡ, (κλέος), der einen guten Ruf hat, berühmt; im accus. εὐκλέεα contr. εὐκλεᾶ; doch sagen die Dichter auch εὐκλέα als wäre der Nominat. εὐκλής. Adv. εὐκλεῶς.

Εὔκλεια oder εὐκλεία, u. εὔκλεια, ἡ, guter Ruf, κλέος, Ruhm; davon —ίζω, ich rühme, preise.

Εὐκλειής, ὁ, ἡ, s. v. a. εὐκλεής. Adv. εὐκλειῶς.

Εὔκλειστος, ὁ, ἡ, (κλείω) wohl verschlossen.

Εὐκληΐς, ἡ, (κλείω κλήω), s. v. a. ἡ εὔκλειστος: Hom. Il. 24, 318.

Εὐκληματέω, ῶ, eigentl. vom Weinstocke, der gute Ranken κλῆμα hat, gut wächst.

Εὐκληρέω, ῶ, ich habe ein gutes Loos, Glück, κλῆρος; davon —ρημα, τὸ, u. εὐκληρία, ἡ, das gute Loos, Glück; und —ρος, ὁ, ἡ, der gutes Loos, Glück hat, glücklich: Hom. Il. ψ. 481.

Εὐκλής, ὁ, ἡ, S. εὐκλεής.

Εὔκλωστος, ὁ, ἡ, (κλώθω) schön gesponnen: χιτὼν schön gewebt: Hom. hymn. 1, 203.

Εὔκναμπτος, ὁ, ἡ, s. v. a. εὔγναμπτος.

Εὔκναπτος, ὁ, ἡ, (κνάπτω) leicht zu walken: gut gewalkt oder gereiniget.

Εὐκνήμις, ιδος, ὁ, ἡ, mit der κνημὶς wohl bewafnet; u. εὐκνήμος, ὁ, ἡ, mit guten schönen Waden, κνήμη, Speichen.

Εὔκνιστος, ὁ, ἡ, (κνίζω) γυνὴ Manetho 5, 337 die leicht empfindlich wird.

Εὐκοίλιος, ὁ, ἡ, (κοιλία) mit gutem Bauche oder Leibe, mit ofnem Leibe; gut für den Leib; ofnen Leib machend.

Εὐκοινόμητις, ὁ, ἡ, ἀρχὰ Aeschyl. Suppl. 708 die durch gemeinschaftliche Berathung sorget, μῆτις, εὔκοινος. —νώνητος, ὁ, ἡ, (κοινωνέω) der sich leicht andern mittheilt, mit sich handeln, reden lasst: Aristot. davon —νωνησία, ἡ, Charakter, Betragen eines εὐκοινώνητος.

Εὐκολία, ἡ, Leichtigkeit; Charakter und Betragen eines εὔκολος, Gefälligkeit, Nachgiebigkeit, Humanität.

Εὐκόλλητος, ὁ, ἡ, (κολλάω) leicht anzuleimen, anzufügen, anhängig.

Εὔκολος, ὁ, ἡ, Adv. εὐκόλως, dem δύσκολος dem schweren, schwerfälligen, schwierigen, mürrischen entgegen stehend; also leicht, flink, geschwind; heiter, munter, vergnügt, der nicht leicht böse wird, mit allem zufrieden ist, mit jedermann sich vertragen, alles geniessen oder vertragen kann, wie *facilis* u. *difficilis*.

Εὔκολπος, ὁ, ἡ, mit einem schönen oder grossen Busen.

Εὐκόλυμβος, ὁ, ἡ, leicht oder geschickt schwimmend: Alciphr.

Εὐκόμης, ου, ὁ, (κόμη) mit schönen Haaren, schön behaart. —μιδής, ὁ, ἡ, (κομιδὴ) wohl besorgt, gehalten; bey Herodot. 4, 53 νομὰς καλλίστας καὶ εὐκομιδεστάτας, wo vormals εὐνομιδεστάτας stand. Beydes scheint unrichtig. —μίζω, gut besorgen oder pflegen: zw. st. εὖ κομ. —μιστος, ὁ, ἡ, s. v. a. εὐκομιδής: Hesych. —μος, ὁ, ἡ, s. v. a. εὐκόμης u. ἠΰκομος.

Εὔκομπος, ὁ, ἡ, prahlerisch: zw.

Εὐκοπία, ἡ, leichte Arbeit, Leichtigkeit; von —πος, ὁ, ἡ, Adv. εὐκόπως leicht und ohne Mühe arbeitend oder gearbeitet: leicht, ohne Mühe. —πρώδης, ὁ, ἡ, wie κόπρος, dessen Farbe und Wesen habend.

Εὔκορυθος, ὁ, ἡ, (κόρυς) schön gehelmt.

—ρυφος, ὁ, ἡ, (κορυφὴ) περίοδος εὐκ. καὶ εὐγραμμος oder στρογγύλος Dionys. hal. 6 p. 1078 u. 1093. der ὑπτία u. κεχυμένη oppon. straff und zugerundet.

Εὐκοσμέω, ῶ, (εὔκοσμος) ich bin oder betrage mich ordentlich, ruhig, sittsam, bescheiden. —μηδής, ὁ, ἡ, wohl geordnet, besorgt, geschmückt: zweif. —μία, ἡ, (εὐκοσμέω) das ordentliche, ruhige, stille, gesetzte, sittsame, bescheidene Betragen; Sittsamkeit, Bescheidenheit. —μίως, Adv. mit Anstand, mit Bescheidenheit: zw. —μος, ὁ, ἡ, Adv. εὐκόσμως, ordentlich, ruhig, sittsam, bescheiden, schön geschmückt, schmuckvoll.

Εὐκραδής, bey Nicand. Alex. 347 erklärt man καλῆς κράδης; andre Handschr. haben εὐκραδέος: zweif. Bedeut.

Εὐκραής, έος, ὁ, ἡ, s. v. a. εὐκέραστος.

Εὔκραιρος, ὁ, ἡ, (κραῖρα) schön gehörnt: Hom. hymn. 2, 209.

Εὐκρασία, ἡ, (κρᾶσις) gute, gehörige Mischung oder Temperatur.

Εὔκρατος, ὁ, ἡ, (κεράω, ἄννυμι) gut, gehörig gemischt oder temperirt: gut oder leicht zu mischen: vom Charakter, sanft, mild: Antonin. 1, 15. —τῶς, Adv. (εὐκρίτης) fest: Aristot. Probl.

Εὔκρεκτος, ὁ, ἡ, (κρέκω) κίθαρα, wohltönend; εὔκρεκτοι μίτοι, die mit der Lade wohlgeschlagenen Fäden des Aufzugs: Epigr. Antip.

Εὔκρηνος, ὁ, ἡ, (κρήνη) mit oder von guten, schönen Quellen.

Εὔκριθος, ὁ, ἡ, (κριθὴ) von oder mit guter Gerſte; an Gerſte fruchtbar.

Εὐκρίνεια, ἡ, (εὐκρινὴς) Reinheit, Klarheit; Deutlichkeit. —νέω, ῶ, wohl, gehörig, deutlich ausſuchen, abſondern, unterſcheiden; gehörig in Ordnung bringen, anordnen, zurechtmachen: Xen. hell. 2, 4. 6. —νὴς, ὁ, ἡ, Adv. εὐκρινῶς, (εὖ, κρίνω) wohlgeordnet; 2) deutlich; verſtändlich; 3) rein, klar; 4) zubereitet. παραρτέεσθαι πάντα καὶ εὐκρινέα ποιέεσθαι Herodot. zubereiten und in Ordnung bringen, in den Stand ſetzen; davon διευκρινέω. Bey den Attikern auch ein Geneſender, auch der verſtorbene. σωμάτιον οὐκ εὐκρινὲς ein kränklicher Körper: Iſocr. Epiſt. p. 874. —νητος, ὁ, ἡ, (εὐκρινέω) wohl unterſchieden: zweif.

Εὐκρίνω, wovon εὐκρίνας, ausſuchen, ſ. v. a. εὐκρινέω.

Εὔκριτος, ὁ, ἡ, leicht zu unterſcheiden, deutlich, kenntlich: Pollux 5, 66.

Εὐκρόκαλος, ὁ, ἡ, (κροκάλη) Beyw. des Ufers und Meers, voll Sand und Kieſel am Ufer.

Εὐκρόταλος, ὁ, ἡ, (κρόταλον) ſchön ſchallend, lieblich tönend: zw. —τητος, ὁ, ἡ, (κροτέω) beklatſcht, gerühmt: feſtgeſchlagen: feſt: ſtark: bey Sophocl.

Εὔκροτος, ὁ, ἡ, κτύπος: Pollux 9, 127. ein heller, lauter Knall.

Εὔκρυπτος, ὁ, ἡ, ſ. v. a. d. folgd. zw.

Εὐκριφὴς, έος, ὁ, ἡ, gut verſteckt oder verborgen: zw.

Εὐκτάζομαι v. εὐκτὸς ſ. v. a. εὔχομαι ein Frequentativum wie *dico, dictum, dicto*: Heſych. u. Photius.

Εὐκταῖος, Adv. εὐκταίως (εὔχομαι) wünſchenswerth, erwünſcht.

Εὐκτέανος, ὁ, ἡ, (κτέανον) wohlhabend, reich. S. auch εὐκέανος.

Εὐκτήδονος, ὁ, ἡ, δένδρον. S. κτηδὼν u. ἰθυπτίων. In der Stelle des Theophr. 3. 2 wollte Stephanus εὐκτεανωτέρα in εὐκτισνωτέρα nach dem Beyſpiele des homeriſchen ἰθυκτίωνα leſen; vergl. Leopardi Emend. 12, 3.

'Ευκτημοσύνη, ἡ, Wohlhabenheit, Reichthum: zw. von —μων, ονος, ὁ, ἡ, (κτῆμα) wohlhabend.

Ευκτήριος, ὁ, ἡ, (εὐκτὴρ, εὔκτης) zum Beten gehörig.

Εὐκτικὸς, ἡ, ὸν, Adv. —κῶς, wünſchend, *optativus*, einen Wunſch ausdrückend.

Εὔκτιστος, ὁ, ἡ, u. εὔκτιτος, ὁ, ἡ, (κτίζω, κτιῶ) was Homer auch εὐκτίμενος u. ευναιόμενος nennt, ſchön gebaut, ſchön liegend, gut bewohnt.

Εὐκτος, ἡ, ὸν, Adv. εὐκτῶς, (εὔχομαι) gewünſcht, zu wünſchen: wünſchenswerth.

Εὐκυβέω, (κύβος) ich bin glücklich im werfen der Würfel.

Εὔκυκλος, ὁ, ἡ, Adv. εὐκύκλως, in den Kreis oder rund herum gehend, als χορεία, ἐπίδεσις u. dergl. überh. rund, oder mit guten Rädern (κύκλος) vom Wagen: Odyſſ. 6, 58. —κλωτὸς, ἡ, ὸν, (κυκλόω) gerundet. zw.

Εὐκύλιξ, ικος, ὁ, ἡ, zum- beym Becher geſchickt. zw. —λιστος, ὁ, ἡ, (κυλιω) leicht zu wälzen, alſo rund, *volubilis*: zweif.

Εὐκύμαντος, ὁ, ἡ, (κυμαίνω) ſtark wogend. zw.

Εὔκωπος, ὁ, ἡ, (κώπη) ſ. v. a. εὐήρετμος. zweif.

Εὐλάβεια, ἡ, Charakter und Betragen eines εὐλαβὴς, mithin Behutſamkeit, Bedächtigkeit, Vorſichtigkeit: Aengſtlichkeit, Furcht: Scheue, Schaam: das Zaudern. —βέομαι, οῦμαι, ich handle, betrage mich wie, bin ein εὐλαβὴς, handle feſt, vorſichtig, bedächtig; auch ich fürchte, ſcheue, m. d. Accuſ. ich bin in Furcht, Angſt. —βὴς, εος, ὁ, ἡ, Adv. εὐλαβῶς, (εὖ λαμβάνω) wohl gut faſſend, angreifend, alſo feſt anfaſſend: Aelian H. A. 3, 13. 6, 55. bedächtig oder vorſichtig anfaſſend, unternehmend; auch ſchüchtern, furchtſam, ängſtlich.

Εὐλαγὴς, ὁ, ἡ, (λαγὸς) an Haaſen reich. zweif.

Εὐλάζω, v. εὐλὴ, Würmer haben, 2) jucken wie d. lat. *verminare*. Heſych.

Εὐλάζω. S. εὐλάκα.

Εὐλάιγξ, ὁ, ἡ, ſ. v. a. εὔλιθος v. λᾶας, λάιγξ.

Εὐλάκα, ἡ, bey Thucyd. 5, 16 ἀργυρέα εὐλάκα εὐλάξειν mit ſilbernem Pflugſchaare pflügen, wo Suidas εὐλάχα las u. von λακαίνειν λαχαίνειν graben ableitete, daher auch durch δίκελλα erklärte. Andere wie Heſych. in αὐλάχα u. ἀργύρεα ὕννις bezeugt, laſen αὐλάχα αὐλάξειν ſt. αὔλακι, Furche, Pflugſchaar.

Ἔυλαλος, ὁ, ἡ, gut redend, beredt; viel redend, geſchwätzig.

'Ευλαμπὴς, έος, ὁ, ἡ, oder εὔλαμπρος, (λάμπω) ſchön leuchtend, glänzend.

'Ευλάχανος, ὁ, ἡ, (λάχανον) mit guten, ſchönen oder vielen Küchenkräutern.

'Ευλειίαντος, ὁ, ἡ, oder εὐλέαντος, (λεαίνω) leicht zu zerreiben, zu platten, zu ebnen.

'Ευλειμος, ὁ, ἡ, oder εὐλείμων, ὁ, ἡ, mit ſchönen, guten oder vielen Auen oder Wieſen.

'Ευλεκτρος, ὁ, ἡ, (λέκτρον) von gutem ſchönen Bette; gut ins Bette, zum Beyſchlafe. zw.

'Ευλεξις, εος, ὁ, ἡ, λέγος, eine Rede aus guten Worten zuſammengeſetzt. Lucian tadelt das Wort.

'Ευλέπιστος, ὁ, ἡ, (λεπίζω) leicht von der Haut, Rinde, Schaale zu befreyen.

'Ευλευκος, ὁ, ἡ, sehr weiss: zw.

'Ευλεχὴς, ὁ, ἡ, (λέχος) s. v. a. εὔλεκτρος: glücklich im Ehebette, in der Ehe: zweif.

Εὐλὴ, ἡ, Wurm, Made, vorz. in offenen Wunden und Schäden.

'Ευληθάργητος, ὁ, ἡ, (ληθαργέω) leicht in die Schlafsucht fallend: zw.

'Ευλήκτος, ὁ, ἡ, (λήγω) bald aufhörend, kurz dauernd: zw.

'Ευλημματέω, ῶ, (λῆμμα) ich habe guten Muth, ich bin tapfer, muthig.

'Ευληνὴς, ὁ, ἡ, (λῆνος, *lana*) s. v. a. εὐέριος. Hesych. u. Etym. M.

'Ευληπτος, ὁ, ἡ, leicht zu nehmen, fassen, bekommen.

'Ευληρα, τὰ, bey Homer Il. 23, 481. s. v. a. ἡνία, Zaum, Zügel, wo andre αὔληρα u. ἄβληρα lasen.

Εὐλίβανος, ὁ, ἡ, von oder mit vielem Weihrauch, reich daran.

Εὔλιθος, ὁ, ἡ, von oder mit guten schönen oder vielen Steinen.

Εὐλίμενος, ὁ, ἡ, mit einem guten schönen oder bequemen Hafen.

Εὐλιπὴς, ὁ, ἡ, (λῖπος) sehr fett.

Εὐλιτάνευτος, ὁ, ἡ, (λιτανεύω) leicht zu erbitten; zw.

Εὐλογέω, ῶ, (εὖ λέγω) loben, preisen, rühmen; davon —γητὸς, ἡ, ὀν, gerühmt, gepriesen: und —γία, ἡ, Lob, Preiss, das Rühmen, der Ruhm: bey Cicero Attic. 13, 22 wird es Wahrscheinlichkeit erklärt. —γιστέω, ῶ, (εὐλόγιστος) ich handle klug, vorsichtig und mit Ueberlegung; πρὸς τὰ συντυγχάνοντα, Plut. Otho 13 bey den vorkommenden Unglücksfällen Ueberlegung zeigen und brauchen; davon —γιστία, ἡ, das Handeln und Thun mit Vorsicht, Ueberlegung und Klugheit, s. v. a. εὐβουλία. —γιστος, ὁ, ἡ, Adv. —γίστως, (λογίζομαι εὖ) der wohl berechnet, wohl überlegt oder bedenkt; vorsichtig, klug, überlegt, bedachtsam. —γος, ὁ, ἡ, Adv. εὐλόγως, (λόγος) mit Vernunft mit Grunde handelnd oder gethan; vernünftig, gegründet; der Vernunft, dem Grunde gemäss, daher wahrscheinlich, überlegt, zweckmässig. —γοφάνεια, ἡ, scheinbarer Vorwand; zw. von —γοφανὴς, ὁ, ἡ, wahrscheinlich; zw.

Εὐλογχέω, ich habe ein glückliches Loos; von —χος, ὁ, ἡ, der ein glückliches Loos hat, jonisch von λογχὴ, *sors* no. 2.

Εὐλουσία, ἡ, (λοῦσις) das Reinwaschen, Reinigen; Reinlichkeit; zw.

Εὔλοφος, ὁ, ἡ, Adv. εὐλόφως, (λόφος) mit schönem Federbusche: Soph. Aj. 1303. Kamme oder Kuppe; 2) mit gutem Nacken; folgsam, gehorsam: oppos. δύσλοφος.

Εὐλοχος, ὁ, (λόχος) gut beym Kindbette, beym Gebähren; Helferin der Gebährenden: Eur. Hipp. 166.

Εὐλύγιστος, ὁ, ἡ, (λυγίζω) leicht zu biegen, biegsam.

Εὐλύρας, dor. oder εὔλυρος, (jenes st. εὐλύρης) mit einer schönen Leier; schön auf der Leier spielend: Aristoph.

Εὔλυτος, ὁ, ἡ, Adv. εὐλύτως, (λύω) leicht zu lösen; leicht sich lösend; rüstig, bald bereit, hurtig, fertig: Theophr. char. 6, 5.

Εὐμάθεια, ἡ, die Leichtigkeit im lernen, begreifen; oder die Beschaffenheit einer Sache, die leicht zu lernen, begreifen ist. —θὴς, ὁ, ἡ, der leicht lernt, εὐμαθέστεροι γενήσεσθε πρὸς τὰ λοιπὰ, Demost. ihr werdet wenn ihr dieses gehört habt, das übrige besser verstehn: pass. leicht zu lernen, zu begreifen: Xen. Mem. 1, 2, 35. —θία, εὐμαθῶς. S. εὐμάθεια, εὐμαθής.

Εὐμάλακτος, ὁ, ἡ, (μαλάσσω) bald oder leicht zu erweichen.

Εὔμαλλος, ὁ, ἡ, μίτρα, Pindar. Isthm. 5, 79. eine schöne von Wolle μάλλος gemachte Binde.

Εὐμάρα, ἡ, Fell, Haut: Schol. Theocr. 5, 10. S. εὐμαρίς. —ράντος, ὁ, ἡ, (μαραίνομαι) leicht welkend: hinfällig. —ρεία, εὐμαρία, ἡ, Leichtigkeit; Leichtigkeit, womit man etwas thut, erträgt; s. v. a. εὐκοσμία: Antonin. 4, 3. das Erleichtern des Unterleibes durch den Stuhlgang: Herodot. —ρὴς, έος, ὁ, ἡ, Adv. εὐμαρέως und —ρῶς, leicht, bequem; poet. s. v. a. εὔκολος, und εὐχερής. —ρίζω, f. ίσω, leicht machen, erleichtern. S. ἐξευμαρίζω. —ρὶς, ίδος, ἡ, eine Art Weiberschuh; βαθύπελμος, mit dicker Sohle: im Epigr. Antipatri Lid. no. 82. wo vorher βαθύπεπλος stand. Man leitet es von ευμαρὴς, leicht, bequem, ab; vielleicht kommt es von εὐμάρα s. v. a. δέρμα.

Εὐμεγέθης, εος, ὁ, ἡ, (μέγεθος) sehr gross, von gehöriger Grosse: Xenoph. Equ. 1, 17.

Εὐμέθοδος, ὁ, ἡ, Adv: εὐμεθόδως, auch εὐμεθοδικῶς, methodisch, wissenschaftlich.

Εὐμέθυστος, ὁ, ἡ, (μεθύσκω) bald vom Weine trunken werdend: Geopon. 7, 34.

Εὐμειδὴς, έος, ὁ, ἡ, (μειδάω) sanftlächeld: frölich, heiter, gütig.

Εὐμείλικτος, ὁ, ἡ, oder εὐμείλιχος, u. εὐμειλής: bey Hesych. (μειλίσσω) leicht zu besänftigen, zu erweichen.

Εὐμέλεια, ἡ, oder εὐμελία, schöner guter Gesang, oder gute Modulation; v. —λὴς, έος, ὁ, ἡ, Adv. εὐμελῶς, (μέλος) von oder mit gutem, schönen Gesange oder mit schöner Modulation. —λίας, εὔμμ. ὁ, (μελία) mit einer guten Lanze oder Spiefse von Efchenholze bewafnet: Lanzenführer.

Ευμελιττέω, ῶ, von den Bienen bey Theophr. fie tragen gut, εὐμελιττοῦσιν H. P. 6, 2. bey Ariftot. A. A. 9, 40 εὐμελιττῇ τὰ σμήνη, wo aber die Handfchr. εὐμέλιττα haben.

Ευμένεια, ἡ, Charakter, Betragen eines εὐμενής. Wohlwollen, Zuneigung, Liebe: Güte, Gütigkeit, Freundlichkeit, Freundfchaft. —νέτης, ου, ὁ, f. v. a. εὐμενής, Freund; wovon oder vielmehr von εὐμενετήρ das femin. εὐμενέτειρα, ἡ, Freundin, Befchützerin. —νέω, ῶ, ich bin εὐμενής, hold, freundlich: Pind. Pyth. 4. 225. mit d. Accuf. empfange freundlich, heifse willkommen; von —νής, έος, ὁ, ἡ, Adv. εὐμενῶς, (μένος) gutgefinnt, wohlwollend, liebend, gefällig, freundfchaftlich: oppon. δυσμενής: vom Wege leicht, bequem: Xen. An. 4, 6. 12. bey Hippocr. zuträglich, von Arzneymitteln; wird auch feft erklärt. —νίδες, αἱ; (θεαί) die wohlwollenden, gütigen Göttinnen, werden die Erinnyen, Furien. genannt. —νίζω, (εὐμενής) ich mache geneigt oder gefällig: med. fich einen zum Freunde oder geneigt machen: Cyrop. 3, 3, 22. —νικός, ἡ, όν, einem εὐμενής gehörig oder eigen: alfo freundlich, günftig, gütig.

Ευμέριστος, ὁ, ἡ, (μερίζω) leicht zu theilen.

Ευμεταβλησία, ἡ, Veränderlichkeit; zw. von —βλητος, ὁ, ἡ, oder εὐμετάβολος, ὁ, ἡ, (μεταβάλλω) Adv. —βλήτως, leicht umzuändern, veränderlich. —δοτος, ὁ, ἡ, Adv. —δότως, (μεταδίδωμι) gerne mittheilend, freygebig; bald mitgetheilt, leicht mitzutheilen. —θετος, ὁ, ἡ, leicht oder bald umgefetzt, anders gefetzt. —κίνητος, ὁ, ἡ, (μετακινέω) leicht weg davon und anderswohin zu bewegen. —κόμιστος, ὁ, ἡ, (μετακομίζω) leicht weg und anderswohin zu bringen. —πειστος, ὁ, ἡ, (μεταπείθω) leicht umzuftimmen und auf eine andre Meinung zu bringen. —ποίητος, ὁ, ἡ, (μεταποιέω) leicht anders zu machen oder zu ändern. —πτωτος, ὁ, ἡ, leicht umfchlagend, fich ändernd, veränderlich, im Gegenf. von ἀμετάπτωτος. —στατος, ὁ, ἡ, (μεθίσταμαι) was leicht feinen Platz verändert, veränderlich; εὐμετάτρεπτος, ὁ, ἡ, (μετατρέπω) leicht umzuwenden oder zu drehen, veränderlich; zw. —φορος, ὁ, ἡ, (μεταφέρω) leicht an eine andere Stelle zu tragen oder bringen: zw. —χειριστία, ἡ, Betragen oder Eigenfchaft eines εὐμεταχειρίστος; zw. —χείριστος, ὁ, ἡ, Adverb. —ρίστως, (μεταχειρίζω) gut oder leicht zu handhaben, zu behandeln: bey Xen. Anab. 2, 6, 20. leicht zu fangen, bezwingen; vergl. Plutar. Pomp. 20.

Ευμετρος, ὁ, ἡ, Adv. —έτρως, (μέτρον) von oder mit gutem oder gehörigen Maafse, mäfsig.

Ευμήκης, εος, ὁ, ἡ, (μῆκος) fehr lang, oder gehörig lang.

Ευμηλος, ὁ, ἡ, (μῆλον) mit guten oder vielen Schaafen.

Ευμηρος, ὁ, ἡ, mit guten, ftarken oder fchonen Hüften oder Lenden. —ρυτος, ὁ, ἡ, (μηρύω) leicht zu fpinnen oder auszuziehn. Lucian.

Ευμητις, ιδος, ὁ, ἡ, (μῆτις) klug, verftändig, weife.

Ευμηχανία, ἡ, Gefchicklichkeit, Erfindungskraft, Induftrie; von —χανος, ὁ, ἡ, Adv. εὐμηχάνως, (μηχανή εὖ) leicht und bald Mittel ausfindend etwas auszuführen oder fich zu helfen, erfindungsreich, induftriös, kunftreich.

Ευμικτος, ὁ, ἡ, (μίγνυμαι) eigentlich leicht zu mifchen, oder fich mifchend; gut zum Umgange.

Ευμίμητος, ὁ, ἡ, (μιμέομαι) leicht nachzuahmen.

Ευμίσητος, ὁ, ἡ, (μισέω) fehr haffenswerth. Cyrop. 3, 1, 9.

Ευμιτος, ὁ, ἡ, von oder aus guten feinen Fäden; zw. —τρος, ὁ, ἡ, mit einer fchonen μίτρα: Mofchus 4, 98. χιτὼν εὐμ. mit der μίτρα wohl gegürtet. S. ἀμιτροχίτων.

'Ευμμελίας f. oben in εὐμελίας.

Ευμνημόνευτος, ὁ, ἡ, (μνημονεύω) leicht im Gedächtniffe zu behalten, oft erwähnt, leicht zu erwähnen. —μων, ὁ, ἡ, (μνήμη) von gutem Gedächtniffe, leicht und gut behaltend; zw.

Ευμνηστος, ὁ, ἡ, (μνάω) deffen man fich oft oder leicht erinnert; zw.

Ευμοιρατέω und εὐμοιρέω, ich bin εὔμοιρος, glücklich, habe ein glückliches Loos, Schickfal. Bey Timaeus Locr. τοῖς εὐμοιρατοῖσι: welches εὐμοίρατος f. v. a. εὔμοιρος vorausfetzt; davon —ρία, ἡ, gutes, glückliches Loos, Glück; von —ρος, ὁ, ἡ, (μοῖρα) mit oder von gutem, glücklichen Loofe: glücklich.

Ευμολπέω, gut, fchön fingen: Hom. hymn. 2, 475. davon —πία, ἡ, fchöner, reizender Gefang. —πος, ὁ, ἡ, (μολπή) fchön fingend.

Ευμορφία, ἡ, (μορφή) fchöne Bildung, Schönheit. —φολογεῖν, artig, fchön fprechen: fehr zw. von —φος, ὁ, ἡ, (μορφή) von fchöner Bilduug oder Geftalt, fchön.

Ευμουσία, ἡ, das Gegenth. von ἀμουσία, alfo Bildung, Unterricht und Kenntnifs oder Gefchicklichkeit in den Künften der Mufen, vorz. in Tonkunft, Dichtkunft, Tanz.

'Ε υ μ ο υ σ ο ς, ὁ, ἡ, das Gegenth. von ἄμουσος, von den Muſen oder in den Künſten der Muſen gebildet, unterrichtet, gelehrt: artig; vorz. von Sängern, Dichtern, Tänzern.

Ε ὔ μ ο χ θ ο ς, ὁ, ἡ, von vieler, guter, ehrenvoller Arbeit oder Mühe: Heſych.

Ε ὔ μ υ κ ο ς, ὁ, ἡ, (μύκω) gut, ſehr oder laut brüllend; zw.

Ε ὐ μ υ λ ί α, ἡ, Hom. hym. 2, 325. wahrſch. ſt. αἰμυλίη, oder ein ähnliches Wort, welches ein Freudenfeſt bedeutet.

'Ε υ ν ά ζ ω, f. άσω, (εὐνὴ) ins Bette, zu Bette bringen, alſo auch in den Schlaf bringen, einſchläfern, alſo ruhig machen; daher metaph. beruhigen, beſänftigen, ſtillen; med. zu Bette gehn um zu ſchlafen oder Beyſchlaf zu halten: daher ſchlafen oder mit dem dat: oder σὺν bey oder mit einem Frauenzimmer ſchlafen, Beyſchlaf pflegen: auch vom Frauenzimmer das beym Manne ſchläft.

Ε ὐ ν α ῖ ο ς, αία, αῖον, (εὐνὴ) vom oder im Bette, im Lager, als λαγὼς Lagerhaſe; zum Bette gehörig, Bettgenoſſe. Eur. Suppl. 1028.

Ε ὐ ν ά σ ι μ ο ς, ὁ, ἡ, (εὐνάζω) gut oder bequem zum Lager, Xen. Ven. 8, 4. und εὐνατήρ.

Ε ὐ ν α σ τ ή ρ, ῆρος, ὁ, εὐναστής, ὁ, εὐνάστωρ, ὁ, εὐνατήρ, ὁ, εὐνάτωρ, ὁ, femin. εὐνάστρια, ἡ, und εὐνάτειρα, ἡ, (εὐνάζω) der ins Bette oder zu Bette bringt, Kammerdiener, Kammermädchen; metaph. der zur Ruhe bringt, ſtillt; (εὐνάζομαι) der, die Schlafende: Beyſchläfer, Beyſchläferin: Ehegatte, Ehegattin. S. auch εὐνηστήρ, u. ſ. w. von εὐναστὴρ und εὐνατὴρ kommt —σ τ ή ρ ι ο ν, τὸ, und εὐνατήριον, τὸ, Ort oder Stelle zum ſchlafen: Bette.

Ε ὐ ν ά ω, ῶ, ſ. v. a. εὐνάζω; von der Form εὐνέω kommt

Ε ὐ ν ε ί κ ε τ ο ς, ὁ, ἡ, (νεῖκος) εὐνείκετα λόγια ſ. v. a. εὐδιάκριτα, Antimach. bey Porphyr. über Iliad. ω. 23.

Ε ὐ ν έ τ η ς, ου, ὁ, femin. εὐνέτις, ἡ, ſ. v. a. εὐνατὴρ und εὐνάτειρα, ἡ, Beyſchläfer, Ehegatte, Beyſchläferin, Ehegattin.

Ε ὐ ν ή, ἡ, (εὔω, εὕδω) das Lager, wo Menſchen und Thiere liegen, ruhen, ſchlafen, daher 2) Ehe und Beyſchlaf; 3) Grab; 4) Bette; 5) εὐναὶ, bey Homer Steine, die die Stelle der Anker vertreten; auch bey den Fiſchern: Aelian. H. A. 12, 43.

Ε ὐ ν ῆ θ ε ν, Adv. aus oder von dem Bette.

'Ε υ ν η μ α, ατος, τὸ, (εὐνάομαι) Schlaf, Beyſchlaf; zw.

Ε ὐ ν η σ τ ή ρ, ὁ, εὐνητήρ, ὁ, und εὐνήτωρ, ὁ, femin. εὐνήστρια, ἡ, und εὐνήτειρα, ἡ, der ins Bette oder in den Schlaf bringt; vom medio εὐνάζομαι, der Schlafende, Beyſchläfer, Ehemann: auch εὐνητὴρ χιτὼν ſt. εὐνητήριος, zum Schlafen gehörig.

Ε ὔ ν η τ ο ς, εὔνητος, εὔννητος, ὁ, ἡ, (νέω) gut geſponnen, ſchön gewebt, χιτὼν bey Homer wie εὔκλωστος.

Ε ὔ ν ι α, τὰ, verſt. στρώματα, Lager, Bette, bey Suidas.

Ε ὐ ν ί ς, ίδος, ἡ, ſ. v. a. εὐνέτις; zw.

Ε ὔ ν ι ς, ιος, ὁ, ἡ, ſ. v. a. χηρὸς und ὀρφανὸς, beraubt, verwaiſet, verwittwet, auch m. d. genit. Odyſſ. 9, 524.

Ε ὐ ν ο έ ω, ῶ, (νοέω, εὖ) ich bin geneigt, günſtig, gewogen, m. d. dat. —η τ ό ς, ὁ, ἡ, Adv. εὐνοήτως, leicht oder bald einzuſehen, zu verſtehen.

Ε ὔ ν ο ι α, ἡ, (εὐνοέω) Wohlwollen, Zuneigung, Liebe; davon

Ε ὐ ν ο ϊ κ ό ς, ἡ, όν, Adv. εὐνοϊκῶς, einem εὔνους eigen oder zugehörig, von der Art eines wohlwollenden; im allgem. ſ. v. a. εὔνους.

'Ε ὐ ν ο μ έ ω, ῶ, (νόμος) πόλις εὐνομεῖται, hat gute Geſetze, geſetzliche Verfaſſung; 2) geſetzlich, rechtlich, d. i. gut handeln; davon —μ η μ α, τὸ, geſetzmaſsige Handlung: Plutar. 10 p. 306. —μ ί α, ἡ, gute Geſetze oder geſetzliche Verfaſſung und ihre Beobachtung. Recht und Sitte, Hom. Od. 17, 487. Denn nach Ariſtot pol. 4. beſteht ſie ſowohl in dem καλῶς κεῖσθαι τοὺς νόμους (in der guten Verfaſſung), als auch in dem πείθεσθαι τοῖς κειμένοις; in der Beobachtung derſelben. —μ ο ς, ὁ, ἡ, (νόμος) mit guten Geſetzen; geſetzlicher Verfaſſung, geſetzmaſsig handelnd; 2) v. νομὴ, mit guter Weide, kräuter- futterreich.

Ε ὔ ν ο ο ς, contr. εὔνους, ὁ, ἡ, (νοῦς) von guter Geſinnung, gut- wohlgeſinnt, wohlwollend: geneigt, freundlich, comp. εὐνουστέρος, ſuperl. εὐνούστατος,

Ε ὔ ν ο σ τ ο ς, ὁ, ἡ, der Name einer Figur oder eines Daemon, welche man in den Mühlen als Schutzgott derſelben aufſtellte. Heſych. u Pollux 7, 180.

Ε ὐ ν ο υ χ ί α ς, ὁ, ſ. v. a. εὐνοῦχος auch von Pflanzen. —χ ί ζ ω, zum Verſchnittenen machen, entmannen: neutr. als ein Eunuch leben. —χ ι ο ν, τὸ, eine Art von Lattich, ſonſt ἀστυτις genannt, von der kühlenden und entmannenden Kraft. —χ ι σ τ ή ς, οῦ, ὁ, d. i. εὐνουχίζων, Verſchneider: zw. —χ ο ε ι δ ή ς, ὁ, ἡ, ſ. v. a. εὐνουχώδης.

Ε ὐ ν ο ῦ χ ο ς, ὁ, ein Verſchnittener, dergleichen man in Griechenland und Aſien zu Bedienten und Aufſehern des weiblichen Geſchlechts, auch zu Kammerdienern der Könige u. Fürſten brauchte, und die hernach meiſt die gröſste Gewalt über ihre Herren auch oft die angeſehenſten Poſten bekamen; daher man es nach dem Zuſammenhange bald für einen Sklaven, Bedienten,

Kammerdiener, bald für einen Statthalter der Provinz oder sonst einen vornehmen Mann erklären muſs. Man nennt auch Früchte, die keinen Kern oder Saamen haben, εὔνουχος u. εὐνουχίας. Von εὐνὴ u. ἔχω, weil man Verschnittene vorzüglich zu häuslichen Diensten der Frauen brauchte; 2) Sophocl. nennt εὐνοῦχα ὄμματα st. εὐναῖα.

Εὐνουχώδης, εος, ὁ, ἡ, einem Verschnittenen ähnlich, gleich, oder von der Art eines V.

Εὐνόως, Adv. oder εὔνως, Adv. von εὔνοος.

Εὐνωμος, ὁ, ἡ, (νωμάω) leicht zu regieren, bewegen, schwenken: Sophocl.

Εὔνωτος, ὁ, ἡ, mit gutem, starken Rücken.

Εὔξεινος, ὁ, ἡ, oder εὔξενος, Adv. εὐξείνως, εὐξένως, gut gegen Fremde, wirthbar, gastfreundschaftlich. Auch Beywort von πόντος, *Pontus Euxinus* nach Ovid. Trist. 4, 4, 56. ehemals Axenos; der unwirthbare wegen der wilden Anwohner genannt.

Εὔξεστος, ὁ, ἡ, s. v. a. εὔξοος.

Εὐξήραντος, ὁ, ἡ, (ξηραίνω) bald oder leicht zu trocknen.

Εὔξοος, ὁ, ἡ, s. v. a. εὔξεστος, ὁ, ἡ, (ξέω, ξοή) von hölzernen Geräthen u. Werkzeugen, welche der Tischer, Zimmermann oder Stellmacher mit dem Hobel oder einem andern schabenden oder kratzenden Werkzeuge geglättet oder glatt gearbeitet hat: sauber oder glatt gearbeitet oder gemacht: auch späterhin von Kunstarbeit in Holz geschnitzt: leicht oder wohl zu glätten oder zu schnitzen.

Εὐξυλής, έος, ὁ, ἡ, oder εὔξυλος, (ξύλον) von gutem oder vielen Holze, holzreich, die erstere Form zw.

Εὐξύμβολος, S. εὐσυμβ.

Εὐξύνετος, ὁ, ἡ, (συνίημι) leicht einzusehen; einsichtsvoll, so wie εὐξυνεσία, ἡ, s. v. a. ξύνεσις, Einsicht: Aristot. Nicom. 6, 11.

Εὔξυστος, ὁ, ἡ, (ξύω) s. v. a. εὔξεστος.

Εὐογκία, ἡ, der Zustand eines εὔογκος. S. d. folgd. —κος, ὁ, ἡ, von groſser Masse (ὄγκος), starkem Umfange, stark, bey παχὺς Aristot. im Gegens. v. μικρὸς: Theophr. auch s. v. a. *habilis*, was wegen seiner Gröſse gut zu behandeln ist: wie Democritus Stobaei Serm. 249. εὐογκία der μεγαλογκία entgegen setzt.

Εὐοδέω, ῶ, s. v. a. εὐοδόω. S. ὁδόω; dav. —δής, ὁ, ἡ, εὐοδέα τέχνην, glückliche Kunst: Hippocr. εὐσχημ. c. 2. wo aber andere εὐαδέα und εὐαλδέα lesen. —δία, ἡ, der gute Weg, glückliche Reise; Glück bey einer Unternehmung, und glücklicher Ausgang derselben. S. ὁδόω. —διάζω, s. v. a. εὐοδιόω. S. ὁδόω.

Εὐοδμία, ἡ, Wohlgeruch; von —μος, ὁ, ἡ, wohlriechend; von ὀδμή.

Εὔοδος, ὁ, ἡ, der einen guten glücklichen Weg, Reise hat; auch ein Land, Gegend, Ort, wo man leicht u. bequem gehen kann; 2) der in seinem Unternehmen guten Fortgang und Erfolg hat. S. ὁδόω. Adv. εὐόδως. —δόω, (εὖ, ὁδὸς) ich richte, leite in einen guten Weg, zu einem glücklichen Fortgange, Ausgange ein. S. ὁδόω. Pass. ich habe glücklichen Fortgang, bin glücklich 3 Joh. 2 und Symmach. in der gr. Uebers. Gen. 39, 2.

Εὐοῖ, ein Ausruf oder Zuruf der Bacchanten, *evoë*.

Εὐοικονόμητος, ὁ, ἡ, leicht zu vertheilen oder zu verdauen. —νομικὸς, ὁ, sehr in der Wirthschaft erfahren und geübt; sehr zw.

Εὔοικος, ὁ, ἡ, von- mit oder in einem guten schönen Hause, gut wohnend: pass. gut oder bequem zu bewohnen; bey Dio Cass. 44, 39. wirthlich.

Εὐοινέω, ῶ, (εὔοινος) guten oder vielen Wein haben: zum Weinbau taugen; davon —νία, ἡ, Ueberfluſs am Weine, guter Ertrag von Weine. —νιστος, ὁ, ἡ, (οἰνίζω) mit gutem Weine verrichtet od. dargebracht; zw. —νος, ὁ, ἡ, mit oder von gutem oder vielen Weine; Weinreich, oder zum Weinbau geschickt.

Εὐοιώνιστος, ὁ, ἡ, (οἰωνίζομαι) von- mit oder unter glücklicher Vorbedeutung.

Εὔολβος, ὁ, ἡ, sehr glücklich, reich; zw.

Εὐόλισθος, ὁ, ἡ, sehr schläfrig.

Εὔομβρος, ὁ, ἡ, regnerich, an Regen reich.

Εὐόμιλος, ὁ, ἡ, von gutem Umgange, sanftmüthig, gelassen, freundlich.

Εὐομολόγητος, ὁ, ἡ, leicht zuzugeben, offenbar.

Εὐόνειρος, ὁ, ἡ, gute Träume habend oder erzeugend.

Εὐοπλία, ἡ, gute Bewaffnung, Waffenglück; zw. von —πλος, ὁ, ἡ, (ὅπλον) mit oder von guten oder schönen Waffen: gut gewaffnet; glücklich in den Waffen, im Kriege.

Εὔοπτος, ὁ, ἡ, (ὄπτω) und εὐόρατος, ὁ, ἡ, (ὁράω) gut, leicht oder deutlich zu sehen, sichtbar.

Εὐοργησία, ἡ, Sanftmuth, Gelassenheit: Eurip. Bacch. 641. Hippol. 1050. von —γητος, ὁ, ἡ, Adv. —γήτως, (ὀργέω) der seine Leidenschaften besonders den Zorn mäſsigt, gelassen, ruhig: 2) leicht in den Zorn zu bringen: Plutarch. 7 p. 622. —γος, ὁ, ἡ, (ὀργὴ) s. v. a. d. vorh.

'Ευόρεκτος, ὁ, ἡ, (ὀρέγομαι) von oder mit gutem Appetite oder Eſsluſt: act. Appetit machend. —ριστος, ὁ, ἡ, (ὁρίζω) leicht zu begrenzen, einzuſchränken, zu beſtimmen.

'Ευορκέω, ῶ, ich halte meinen Eidſchwur; davon —κησία, ἡ, ſ. L. Eur. Hippol. 1050. εὐορκησία. —κία, ἡ, Haltung des Eides. —κος, ὁ, ἡ, Adv. εὐόρκως, ſeinen Eid haltend: τὸ εὔορκον, ſ. v. a. εὐορκία. —κωμα, τὸ ſ. v. a. εὐορκία; zw. —κωτος, ὁ, ἡ, ſ. v. a. εὔορκος: Pollux 1, 39. zw.

Ευόρμητος, ὁ, ἡ, leicht in Bewegung zu bringen: (ὁρμάω) wovon man leicht aufbrechen und auf den Feind losgehn kann: (ὁρμάομαι) zweif. —μος, ὁ, ἡ, (ὅρμος) von oder mit guter Landung: λιμὴν: Heſiod.

Ευορνιθία, ἡ, gute Vorbedeutung: Sophocl. von —νις, ιθος, ὁ, ἡ, von mit oder unter glücklicher Vorbedeutung, *vade bonis avibus*; vergl. εὐοιώνιστος.

Εὔοσμος, ὁ, ἡ, (ὀσμὴ) wohl- ſchönriechend.

Ευοσφραντικὸς, ἡ, ὸν, oder εὐόσφρητος, ὁ, ἡ, bey den Grammaticis in Erklär. von εὔρις κύων: Sophocl. Ajac. 8. gut riechend, oder ſpürend.

Ευόφθαλμος, ὁ, ἡ, was ſchöne, gute Augen (ὀφθ.) hat; 2) dem Auge gefällt; 3) ſcheinbar iſt, εὐόφθαλμον ἀκοῦσαι, was ſich dem Scheine nach wohl hören läſst. Adv. εὐοφθάλμως.

Ευόφρυς, ὁ, ἡ, mit ſchönen Augenbraunen.

'Ευοχέω, bey Xenoph. Hippar. 8, 4 ἵπποι εὐοχούμενοι, gut gefutterte Pferde. S. εὐωχέω; 2) gut regieren; von ὀχέω, ὄχος.

'Ευοχθέω, ῶ, bey Heſiodus εὐοχθέων δ' ἵξεαι πολιὸν γέρας, im Wohlſtande, Ueberfluſſe: Rhianus Anal. 1, 479. von —θος, ὁ, ἡ, αὐτόματοι δ' ἀγαθῶν δαῖτας εὐόχθους ἐπέρχονται δίκαιοι φῶτες, Bacchylides, d. i. die vollen, reichen, überflüſſigen Tafeln; von ὀχὴ Nahrung: Eur. Jon 1169 εὐόχθου βορᾶς.

Εὔοχος, ὁ, ἡ, (ἔχω εὖ) feſthaltend, oder feſtgehalten, feſtſitzend, ruhend; σχῆμα, zum feſthalten bequeme Lage: Hippoc.

'Ευοψέω, (ὄψις) gut ausſehn: zw. —ψία, ἡ, Ueberfluſs an Speiſen, vorz. Fiſchen; daher bey Alciphr. 1, 1. guter Fiſchfang; 2) gutes Ausſehn: Suidas. zw. —ψος, ὁ, ἡ, (ὄψον) mit Speiſen und θάλασσα εὐ. mit Fiſchen reichlich verſehn, dergl. erzeugend.

'Ευπαγὴς, ὁ, ἡ, (πήγνυμι) gut zuſammengefügt, feſt, derb.

'Ευπάθεια, ἡ, (εὐπαθὴς) Genuſs des Glücks, Wohlſeyn, Vergnügen, Wohlleben, Vergnügung, Freude: für Wohlthat, die man genieſst, bey Clemens Alex. —θέω, ῶ, ich bin empfindlich; 2) ich laſſe mir wohl ſeyn, pflege mich, mache mich luſtig, vergnüge mich. —θὴς, έος, ὁ, ἡ, (πάθη, πάθος) bald leidend, empfindlich: von einem zarten Körper: Galen. οἶνος Geopon. 5. 45. 6. 6. im moraliſchen Sinne empfindlich, bald in Leidenſchaft zu ſetzen od. gerathend, πρὸς ἁρμονίαν, ſehr für Eintracht geſtimmt und eingenommen, geneigt: Plutar. Solon. So ſcheint auch εὐπαθεῖν πρὸς bey ihm 9 p. 67 zu ſtehn. —θητος, ὁ, ἡ, (εὐπαθέω) dem Leiden ausgeſetzt; zw. —θία, ſ. v. a. εὐπάθεια: bey Herodot. 8, 99 ſind εὐπαθίαι, Wohlleben.

Ευπαιδευσία, ἡ, (παιδεύω) gute Erziehung, Wohlgezogenheit, Kenntniſs; überh. die Eigenſchaften eines —δευτος, ὁ, ἡ, Adv. εὐπαιδεύτως, wohl erzogen, unterrichtet, gelehrt. —δία, ἡ, Beſitz von guten Kindern; Glück an oder in guten Kindern; von

Εὔπαις, αιδος, ὁ, ἡ, mit oder von guten oder ſchönen Kindern: in oder mit ſeinen Kindern glücklich: γόνος εὔ. guter Sohn; ſo erklärt man auch Ἀσκλήπιος εὔπαις bey Ariſtoph.

Ευπάλαιστρος, ſchön wie in der *palaeſtra* (Horat. Carm. 1, 10, 3.) überh. ſchön, gewandt, geſchickt, geübt: Longin. 34, 2. —λαμνος, ὁ, ἡ, ſ. v. a. d. folgd. —λαμος, ὁ, ἡ, (παλάμη) kunſtreich, geſchickt mit der Hand; ſinnreich, klug, erfinderiſch: Aeſchyl. Ag. 1542 εὐπάλαμνον μέριμναν. —λὴς, ὁ, ἡ, (πάλη) leicht zu beſtreiten, bekämpfen; überh. leicht. Adv. εὐπαλέως, εὐπαλῶς.

Ευπαράγωγος, ὁ, ἡ, (παραγωγὴ) leicht aus der vorigen Lage wieder wegzuführen: Hippocr. leicht zu täuſchen, hintergehn, verführen, verleiten.

Ευπαράδεκτος, ὁ, ἡ, leicht anzunehmen, d. i. glaublich; gern angenommen, d. i. willkommen, angenehm: Baſilius. —δοξος, ὁ, ἡ, S. in εὐπάροδος. —δοχος, ὁ, ἡ, (παραδοχὴ) ſ. v. a. εὐπαράδεκτος; zw.

Ευπαραίτητος, ὁ, ἡ, leicht zu erbitten, zu verſöhnen.

Ευπαράκλητος, ὁ, ἡ, (παρακαλέω) der ſich leicht zureden bewegen läſst: Plato Epiſt. 7. —κολούθητος, ὁ, ἡ, Adverb, —θήτως, dem man leicht oder bald folgen kann; erreichbar, verſtändlich. —κόμιστος, ὁ, ἡ, (παρακομίζω) leicht nebenbey oder mitzuführen, herzuführen. —λόγιστος, ὁ, ἡ, (παραλογίζομαι) leicht zu überliſten. —μύθητος, ὁ, ἡ, (παραμυθέομαι) leicht zu bereden, zu troſten, zu erbitten.

'Ευπάραος, ὁ, ἡ, dor. ſt. εὐπάρηος.

'Ευπαράπειστος, ὁ, ἡ, (παραπείθω) leicht zu bereden; leicht zu verleiten: Xen. Ageſ. 2, 12. —πλους, ὁ, ἡ, was man gut und ohne Gefahr vorbeyschiffen kann; zweif.

Ἐυπαράτρεπτος, ὁ, ἡ, (τρέπω) s. v. a. ἐυπαράπειστος: Pollux 8, 12. —τύπωτος, ὁ, ἡ, (παρατυπόω) leicht zu verfälschen; leicht verfälschend; zweif. —Φορός, ὁ, ἡ, (παραφορὰ) der sich leicht mit fortreissen, verleiten, verführen läfst.

Ἐυπάρεδρος, ὁ, ἡ, Adv. ἐυπαρέδρως, wie *assiduus*, beständig, treu, ämsig, eifrig: im N. T.

Ἐυπάρειος, ὁ, ἡ, (παρειὰ) mit schönen Wangen.

Ἐυπαρείσδυτος, ὁ, ἡ, (παρεισδύω) leicht oder bald einschleichend, sich einschmeichelnd; zw.

Ἐυπαρήγορος, ὁ, ἡ, Adv. —γόρως, (παρηγορέω) s. v. a. ἐυπαραμύθητος, leicht zu trösten.

Ἐυπάρθενος, ὁ, ἡ, gute, glückliche Jungfrau.

Εὐπάροδος, ὁ, ἡ, von leichtem Zugange: bey Strabo 3 p. 397. S. ἐυπαροδωτέρα, wo vorher ἐυπαραδοξωτέρα stand. —όξυντος, ὁ, ἡ, (παροξύνω) leicht zu reizen oder aufzubringen: Plutar. 5 p. 228. —όρμητος, ὁ, ἡ, (παρορμάω) leicht in Bewegung zu setzen, anzutreiben, zu reitzen. —οχος, ὁ, ἡ, (παρέχω) leicht darreichend, gebend; ἵππος, ἡ, den Hengst, Beschäler gern zulassend: Hippiatr.

Ἐυπαῤῥησίαστος, ὁ, ἡ, (παῤῥησιάζομαι) sehr oder gern frey oder dreist sprechend.

Ἐυπάρυφος, ὁ, ἡ, (παρυφὴ) mit einem ungewebten bunten Saume oder Rande, dergleichen Kleider die Vornehmen trugen; daher auch von vornehmen Personen gebraucht, wie *praetexta toga*, davon *praetextati*: dergleichen Kleider waren λευκοπάρυφος, φοινικοπάρυφος, χρυσοπ. Dafs das Tuch darzu sehr dünn und fein war, sieht man aus der Stelle bey Athenaeus 6 p. 230 wo ein dünner silberner Becher λεπτότερον τῆς ἐυπαρύφου verst. ἐσθῆτος heifst.

Εὐπατέρεια, ἡ, (εὐπάτηρ) Tochter eines edlen, grofsen Vaters: Il. 6, 292. Od. 22, 227. so auch αὐλὰ, Hof eines edlen Vaters: Eurip. Hipp. 68. —τητος, ὁ, ἡ, (πατέω) leicht zu betreten, sehr getreten, oft betreten. —τόριον, τὸ, *eupatorium*, ein Kraut, Odermennig, *Agrimonia*, gewöhnlich. —τρίδης, oder εὐπάτωρ, ὁ, ἡ, von einem guten Vater oder von guten Vorfahren abstammend. zw.

Εὐπαχής, ὁ, ἡ, (παχὺς) sehr dick, fleischig, feist.

Εὐπεδιάς, άδος, ἡ, (πεδίον) mit guten Feldern, Aeckern. zw. —διλος, ὁ, ἡ, (πέδιλον) mit guten oder schönen Fufssohlen oder Schuhen.

Εὔπεζος, ὁ, ἡ, (πέζα) schönfüfsig.

Ἐυπείθεια, ἡ, (ἐυπειθὴς) Folgsamkeit, Gehorsam. —θέω, ῶ, ich bin folgsam, gehorsam: gehorche: mit d. dat. von —θής, έος, ὁ, ἡ, Adv. ἐυπειθῶς, (πείθομαι) folgsam, gehorsam: leicht zu überreden: leicht glaubend, leichtgläubig.

Εὐπείστος, ὁ, ἡ, Adv. ἐυπείστως, s. v. a. das vorh. auch εὔπιστος: Xen. Cyrop. 1, 2, 12. 2, 1, 24.

Εὔπεκτος, ὁ, ἡ, s. v. a. εὔποκος. Hesych.

Ἐυπελέκητος, ὁ, ἡ, (πελεκάω) leicht zu bebauen, mit der Axt zu bearbeiten. —λής, ὁ, ἡ, (πέλω) leicht: Oenomaus Euseb. 5, 20. zw.

Ἐυπέμπελος, ὁ, ἡ, Aesch. Eum. 479 μοῖραν ὀυκ ἐυπέμπελον d. i. δυσπέμπελον.

Ἐυπένθερος, ὁ, ἡ, der einen guten, edlen, berühmten Schwiegervater hat. zweif.

Εὔπεπλος, ὁ, ἡ, mit schönem Oberkleide: Beyw. von Frauen: Theocr. 7, 32.

Εὔπεπτος, ὁ, ἡ, (πέπτω) leicht zu verdauen. Bey Hippocr. vict. ianor. 2 c. 6. hat die beste Handschr. für ἐυπεπτέστεροι richtiger πεπειρότεροι.

Ἐυπεριάγωγος, ὁ, ἡ, (περιάγω) leicht herumzuführen, wenden oder treiben. —αίρετος, ὁ, ἡ, (περιαιρέω) was man leicht rings herum ab- oder wegnehmen kann. —βλεπτος, ὁ, ἡ, (περιβλέπω) leicht zu übersehen. zweif. —γραφος, ὁ, ἡ, (περιγράφω) leicht od. gut begrenzt oder zu begrenzen: von kleinem oder guten Umrisse, Umfange: ποῦς, niedlicher, wohlgestalteter Fufs: Lucian. ὁπλὴ, rund und von gehörigem Umfange; Geopon. 16, 1, 9. —θραυστος, ὁ, ἡ, (περιθραύω) leicht darüber oder herum zerbrechend; Plutar. 7 p. 798. —κάλυπτος, ὁ, ἡ, (περικαλύπτω) leicht zu bedecken, zu verhüllen, zu verstecken. —κοπτος, ὁ, ἡ, Polyb. 11, 10. was er sonst λιτὸς κατὰ τὴν περικοπὴν nennt. —ληπτος, ὁ, ἡ, (περιλαμβανω) leicht zu umfassen, nicht weit. —οπτος, ὁ, ἡ, s. v a. ἐυπερίβλεπτος: bey Suidas verächtlich. —όριστος, ὁ, ἡ, (περιορίζω) leicht oder bald zu umgrenzen, begrenzen. zw. —πατος, ὁ, ἡ, wornach, wobey man gut herum gehn kann. zw. —σπαστός, ὁ, ἡ, (περισπάω) leicht od. bald herumzuziehn, wegzuziehn: Xen. Ven. 2, 8. —στατος, ὁ, ἡ, sehr umringt, von vielen umgeben: leicht zu umzingeln: act. leicht umzingelnd, bestrickend: Hebr. 12, 1. —στροφος, ὁ, ἡ, (περιστρέφομαι) sich leicht umkehrend, wie *versatilis*, gewandt, verschlagen. zw. —τρεπτος, ὁ, ἡ, leicht umzukehren, zu wenden, zu drehen: leicht umzuwerfen. —φωρος, ὁ, ἡ, leicht zu entdecken: Plutar. 6 p. 887. —χυτος, ὁ, ἡ, sich leicht umher ergiessend, verbreitend: Plut. 9, 757.

'Ευπέταλος, ὁ, ἡ, (πέταλον) schönblätterig. Poet. vet, de herbis c. 2 hat ἄκανθαν εὐπετάλειαν. —τ α σ τ ο ς, ὁ, ἡ, (πετάω) leicht auszubreiten, auszuspannen: bey Hesych. breit und s. v. a. εὐρίπιστος —τ ε ι α, ἡ, Leichtigkeit: Ueberfluss: τροφῆς Xen, Oec. 5, 5. Leichtsinn, —τ ὴ ς, έος, ὁ, ἡ, Adv. εὐπετῶς, (εὖ πίπτω) leicht: angenehm: Cyropaed. 4, 3, 13. leichtsinnig. —τ ρ ο ς, ὁ, ἡ, mit oder von guten, harten Steinen. zweif.

'Ευπεψία, ἡ, (πέψις) gute oder leichte Verdauung.

'Ευπηγὴς, έος, ὁ, ἡ, oder εὔπηκτος, s. v. a. εὐπαγὴς, (πήγω; πήγνυμι) gut zusammengefügt, fest, derb, stark, als Zelt Il. 9, 659. Gewebe Eur. Iph. Taur. 312. Mensch Od. 21, 334. auch von fest geronnenen oder gefrornen Körpern.

'Ευπήληξ, ηκος, ὁ, ἡ, mit gutem oder schönen Helme.

'Ευπηνος, ὁ, ἡ, (πήνη) von gutem oder schönen Gewebe, schöngewebt. Eur.

'Ευπηχυς, εος, ὁ, ἡ, mit schönen Elbogen oder Aermen.

'Ευπίδαξ, ακος, ὁ, ἡ, (πῖδαξ) quellreich: βότρυς, voll Saft: Anthol.

'Ευπιθὴς, ὁ, ἡ, s. v. a. εὐπειθὴς, zuverlässig. zw.

'Ευπίλητος, ὁ, ἡ, (πιλέω) stark getreten, dicht: fest. zw.

'Ευπινὴς, έος, ὁ, ἡ, (πῖνος) mit vielem Schmuze: was Dionys. halic. κάλλος ἀρχαϊκὸν und αὔθαδες nennt, dasselbe heisst bey ihm hernach εὐπινὲς d. i. wo πῖνος καὶ ὁ χνοῦς ὁ τῆς ἀρχαιότητος ἐπιτρέχει, wie er anderswo sagt, woran der Schmuz oder Schimmel des Alterthums haftet: v. ernstem ungeschmückten Ausdrucke. So sagt Damascius bey Suidas in Sallustius: ὀυ τοὺς νεωτέρους ἐκμιμούμενος σοφιστὰς, ἀλλὰ πρὸς τὸν ἀρχαῖον πῖνον τῆς λογογραφίας ἁμιλλώμενος, er ahmte den Schmuz des Alterthums nach: die alte Sprache; daher bey Longin. 30, 1 εὐπίνεια von der Rede. In Photii Lexico steht: εὐπινὲς, τὸ ἀφελὲς καὶ μὴ λίαν τετημελημένον, ἀλλὰ μέτριον πῖνον ἔχον. πῖνος ist der vom Ringeröle entstehende fette Schmuz: davon ἐλαιοπινὴς; also ist εὐπινὴς s. v. a. λιπαρὸς ἐκ τῆς παλαίστρας bey Aristoph. vom Ringeröle glänzend. Salmasius führt aus Diog. Laert. vom Lyco an: τὴν τε σχέσιν πᾶσαν ἀθλητικὴν ἐπιφαίνων ὠτοθλαδίας καὶ ἐμπινὴς ὤν: u. aus Athenaeus 14 p. 661. wo ὀυκ ἀπινὴς d. i. εὐπινὴς einen freyen Menschen andeutet, dergleichen nur auf der Palästra sich üben durften; daher erklären einige das Wort εὐπινὴς und πεπινωμένος durch glänzend, *nitidus*, von der Aehnlichkeit eines mit Oele gesalbten Ringers; bey Cic. Attic. 12, 6. 13, 16 und 17. 14, 7. Den πῖνος von der Rede gebr. kann man d. *nitor obsoletus* aus Cicero ad Herennium 4, 46. übersetzen. Das Wort πῖνος ist ohne Zweifel mit πίων, fett, verwandt, wird aber sonst mit seinen Ableitungen πινάω, πιναρὸς, πινώδης meist nur zum Tadel gebraucht.

'Ευπιστος, ὁ, ἡ, Adv. εὐπίστως, (πίστις) was leicht geglaubt wird, leicht Glauben findet: act. leicht glaubend, leichtgläubig: von gutem Glauben: ergeben, treu: st. εὔπειστος, leicht gehorchend, gehorsam, folgsam: Xen. Cyrop. 1, 2, 12.

'Ευπίων, ὁ, ἡ, sehr fett. zw.

'Ευπλανὴς, έος, ὁ, ἡ, (πλάνη) gut oder glücklich herumlaufend und die Spur verfolgend: von Hunden. zw.

'Ευπλαστος, ὁ, ἡ, Adv. εὐπλάστως, leicht zu bilden, zu formen: gut gebildet: gut nachgebildet, scheinbar.

'Ευπλατὴς, έος, ὁ, ἡ, (πλάτος) sehr breit.

'Ευπλεκὴς, έος, ὁ, ἡ, und εὔπλεκτος, ὁ, ἡ, (πλέκω) gut oder schön geflochten, gedreht, gestrickt, v. Sitze (δίφρος) Stricken, Netzen.

'Ευπλευρος, ὁ, ἡ, (πλευρὰ) mit guten, schonen oder starken Seiten oder Ribben.

'Ευπλήθω, f. Les. st. εὖ πλήθω,

'Ευπληκτος, ὁ, ἡ, (πλήσσω) leicht oder bald zu schlagen.

'Ευπλήρωτος, ὁ, ἡ, (πληρόω) leicht zu füllen, gut gefüllt.

'Ευπλοέω, (εὔπλοος) ich schiffe gut, glücklich; davon

'Ευπλοια, ἡ, gute, glückliche Schiffarth.

'Ευπλοκαμὶς, ίδος, ἡ, das femin. von —κ α μ ο ς, ὁ, ἡ, schon gelockt, schonhaarig. —κ ο ς, ὁ, ἡ, s. v. a. εὐπλεκὴς.

'Ευπλοος, contr. εὔπλους, ὁ, ἡ, (πλέος) leicht zu beschiffen: act. leicht, glücklich schiffend.

'Ευπλουτος, ὁ, ἡ, sehr reich.

'Ευπλυνὴς, έος, ὁ, ἡ, (πλύνω) gut gewaschen, gespült, und also rein: Odyss. 8, 392.

'Ευπνευστία, ἡ, leichtes, freyes Athemholen; von —σ τ ο ς, ὁ, ἡ, (πνέω) gut- leicht- frey athmend.

'Ευπνοια, ἡ, s. v. a. εὐπνευστία, leichtes, freyes Athemhohlen. Galen.

'Ευπνοος, contr. εὔπνους, ὁ, ἡ, gut athmend, gut zum athmen: als ἀὴρ, Plutar. οἰκία, χωρίον, λειμὼν, wo gute Luft ist oder weht: oder auch λειμὼν, angenehm riechend, duftend: μυκτὴρ, weite u. frey athmende Nase: ἵππος αὐλητὴς, mit gutem Odem.

'Ευπόδητος, ὁ, ἡ, gut oder passend für den Fuss. zweif. —δ ί α, ἡ, Güte der Füsse: Xen. Equ. 1, 4.

Εὐποιέω, ῶ, ich bin wohlthätig, thue wohl: m. d. acc. davon —ητικός, ή, ὸν, gerne, gewöhnlich wohlthuend: wohlthätig. —ητος, ὁ, ἡ, wohlgemacht, schön gearbeitet. —ία, ἡ, Wohlthätigkeit, Charakter, Thun eines εὐποιός.

Εὐποίκιλος, ὁ, ἡ, sehr bunt. zw.

Εὐποιός, ὁ, ἡ, wohlthuend.

Εὔποκος, ὁ, ἡ, mit guter oder vieler Wolle.

Εὐπολέμητος, ὁ, ἡ, (πολεμέω) leicht zu bekriegen oder im Kriege zu bezwingen. —λεμος, ὁ, ἡ, Adv. —έμως, gut zum Kriege: muthiger Krieger: Xen. Oec. 4, 3. als Beyw. v. νίκη, Sieg eines glücklichen Krieges: Hom. Hymn. 7, 4. —λιόρκητος, ὁ, ἡ, (πολιορκέω) leicht zu belagern, zu erobern. —λις, ιδος, ἡ, m. guten, schönen, vielen od. grössen Stadten. —λίτευτος, ὁ, ἡ, (πολιτεύομαι) mit oder von einer guten bürgerlichen Verfassung. zw. —λύβουλος, ὁ, ἡ, reich an Rath und Rathschlägen; klug. zw.

Εὐπομπός, ὁ, ἡ, (πομπή) gut od. glücklich begleitend oder führend. zw.

Εὐπόρευτος, ὁ, ἡ, wodurch, wohin man leicht gehn kann. zw. —ρέω, ῶ, (εὔπορος) ich habe Mittel oder Vermögen: ich vermag, habe Ueberfluss: m. d. genit. med. οἱ μετρίως εὐπορούμενοι, Theopomp. Athenaei 6 p. 275. mittelmässig wohlhabend oder reich. —ρημα, τὸ, Vorrath, Vermögen, Gelegenheit. zw. —ρητος, ὁ, ἡ, f. v. a. εὐπόριστος: wahrsch. f. Les. bey Hesych. ὁ καλῶς διοικῶν.

Εὐπόρθητος, ὁ, ἡ, (πορθέω) leicht zu zerstören, zu verwüsten.

Εὐπορία, ἡ, Vermögen, Hülfsmittel, Gelegenheit, Macht, Kraft etwas zu thun: auch Leichtigkeit es zu thun. Bey Isocr. εὐπορίαι Hülfsmittel, natürliche Anlagen worzu. —ριστος, ὁ, ἡ, (πορίζω) leicht anzuschaffen, leicht oder bald zu haben; εὐπόριστα, verst. φάρμακα, leichte Mittel, die man immer haben kann, und ohne grossen Aufwand. —ρος, ὁ, ἡ, Adv. εὐπόρως, von leichtem Gange, leicht gehend: leicht oder gut zum gehn, ὁδὸς Xen. Anab. 2, 5, 9. von πόρος, Mittel vorz. des Erwerbs, der bald Mittel erfindet und aus einer Verlegenheit sich zu helfen weiss, wie εὐμήχανος. der bey Mitteln oder reich, wohlhabend ist; häufig, überflüssig.

Εὐποτμία, ἡ, glückliches Loos, Glück: von —μος, ὁ, ἡ, Adv. εὐπότμως, von glücklichem Loose, glücklich.

Εὔποτος, ὁ, ἡ, (ποτὸν) gut, leicht, angenehm zum trinken.

Εὔπους, οδος, ὁ, ἡ, mit guten Füssen: gut zu Fusse, schnell.

Εὐπραγέω, ῶ, f. v. a. εὖ πράττω, ich bin glücklich in meiner Unternehmung, ich lebe glücklich; davon —γής, έος, ὁ, ἡ, glücklich in seinen Handlungen, Unternehmungen; Suidas hat εὐπραγότερος, als von εὔπραγος: zweif. —γία, ἡ, Glück bey Unternehmungen: Glückseligkeit, Glück.

Εὔπραγμα, ατος, τὸ, f. v. a. εὐπραγία. zweif.

Εὔπρακτος, ὁ, ἡ, (πράττω) leicht zu thun oder auszuführen.

Εὐπραξία, ἡ, f. v. a. εὐπραγία. Xen. Mem. 3, 9. 8 u. 14. braucht es auch für gute Handlung, tugendhaftes Leben; die Form εὔπραξις sehr zw.

Εὐπράσσω, —άττω, f. ξω, f. Les. st. εὖ πράττω, denn verbunden sagt man blos εὐπραγέω.

Εὔπρεμνος, ὁ, ἡ, mit gutem- schönen-starken Stamme: Hesych.

Εὐπρέπεια, ἡ, der Anstand, Würde, Schönheit; 2) ein scheinbarer Vorwand, Plut. Pyrrh. 23. Beschönigung. Plato Phaed. 41 verbindet μετ' εἰκότος τινὸς καὶ εὐπρεπείας, mit einem Gleichnisse und scheinbarer Aehnlichkeit. —πής, έος, ὁ, ἡ, Adv. —πῶς, anständig, schicklich, geziemend, schön, geschmückt, hervorstechend, scheinbar.

Εὔπρηκτος, jonisch st. εὔπρακτος. Opp.

Εὐπρήσσω, gut besorgen, verrichten. Od. 8, 259. besser εὖ πρήσσω jon. st. εὖ πράσσω.

Εὔπρηστος, ὁ, ἡ, (πρήθω) leicht brennend oder zu verbrennen; ἀϋτμή, Il. 18, 471. gut oder leicht anfachend: od. anzufachen, aufzublasen.

Εὔπριστος, ὁ, ἡ, (πρίζω) gut, schön oder leicht gespalten, gesägt oder zu sägen oder zu spalten.

Εὐπροαίρετος, ὁ, ἡ, leicht oder bald gewählt: von schnellem Vorsatze: bey Clemens Strom. 7 p. 856. von gutem Vorsatze, Willen.

Εὐπροόρατος, ὁ, ἡ, leicht vorherzusehn.

Εὐπροτάσχω, f. Les. st. εὖ προτάσχω.

Εὐπρόσδεκτος, ὁ, ἡ, annehmlich, angenehm. —εδρος, ὁ, ἡ, f. v. a. εὐπάρεδρος: im N. T. —ηγορία, ἡ, Gesprächigkeit, Umgänglichkeit, Freundlichkeit im Grüssen, Anreden. Isocr. —ήγορος, ὁ, ἡ, Adv. εὐπροσηγόρως, gut anzureden, gesprächig, umgänglich, gefällig. —ιτος, ὁ, ἡ, Adv. εὐπροσίτως, zugänglich, πράγματα, wovor man sich nicht fürchtet: Aesch. —όδευτος, ὁ, ἡ, (προσοδεύω) von guten Einkünften, einbringend: Geopon. 10, 5, 1. —οδος, ὁ, ἡ, Adv. —όδως, f. v. a. das vorherg. —οιστος, ὁ, ἡ, (προσοίω, d. i. προσφέρω) leicht herbeyzubringen, und von med. und pass. dem man sich nähern kann, der mit ſich handeln, ſprechen läſst, gefällig im Umgange. S. ἀπρόσοιστος.

'Ευπροσόρμιστος, ὁ, ἡ, (ὁρμίζω) leicht- gut- bequem zum Landen od. Einlaufen. —ρητος, ὁ, ἡ, (ῥέω) Pollux 5, 138, und εὐπρόσφθεγκτος, ὁ, ἡ, (φθέγγομαι) bey Heſych. ſ. v. a. εὐπροσήγορος, gut anzureden, zu ſprechen. —φορος, ὁ, ἡ, (προσφέρομαι) ἐν τῇ Ῥωμαίων φωνῇ εὐ. ἐν λόγοις Herodian. 8, 3, 7. der ſich im Sprechen der lateiniſchen Sprache mit Fertigkeit bediente. —φυτος, ὁ, ἡ, (προσφύω) leicht hinzuwachſend. — —ωπέω, ῶ, (εὐπρόσωπος) gefallen: Chryſoſt. ſich gefallen, einen Gefallen haben. N. T. —ωπία, ἡ, gutes, ſchönes Geſicht: gutes Anſehn. —ωπος, ὁ, ἡ, (πρόσωπον) mit ſchonem Geſichte, ſchön mit freundlichem, frölichen Geſichte: Sophocl. Ajac. 1028. mit ſchöner Larve, ſcheinbar, z. B. Vorwand, Entſchuldigung.

'Ευπροφάσιστος, ὁ, ἡ, Adv. εὐπροφασίστως, (προφασίζομαι) leicht vorzuſchützen, αἰτία εὐ. Thucyd. die mit dem Scheine Rechtens vorgeſchützte Urſache. —φορος, ὁ, ἡ, (προφέρω) leicht vorzubringen, auszuſprechen.

'Ευπρυμνής, ὁ, ἡ, Aeſchyl Suppl. 996 φρένος χάριν εὐπρυμνῆ, ſoll wahrſch. εὐπρευμενῆ heiſsen. S. πρευμενής ſt. πραϋμενής. —νος, ὁ, ἡ, (πρύμνα) mit gut gebautem Hintertheile, *puppis*, Hom. Il. 4, 248.

'Ευπρωρος, ὁ, ἡ, (πρώρα) mit gut gebautem Vordertheile, *prora*, πρώρα.

'Ευπταιστος, ὁ, ἡ, als act und paſſ. was leicht anſtoſst oder angeſtoſſen wird, trüglich, ſchlüpfrig, gefährlich; von εὐ πταίω.

'Ευπτέρος, ὁ, ἡ, (πτερὸν) und εὐπτέρυγος, ὁ, ἡ, (πτέρυξ) wohl geflügelt, alſo ſchnell: metaph. hoch, vornehm, edel: Ariſtoph. Nub. 802.

'Ευπτησία, ἡ, (πτάομαι, πετάομαι) Leichtigkeit oder Fertigkeit im fliegen: Artemidorus 5 p. 264.

'Ευπτοίητος, ὁ, ἡ, (πτοία) leicht zu ſcheuchen, ſchüchtern, furchtſam.

'Ευπτορθος, ὁ, ἡ, mit ſchonen Zweigen oder Aeſten.

'Ευπυγία, ἡ, gute volle Hinterbacken. Alexis Athenaei; von —γος, ὁ, ἡ, (πυγὴ) mit guten oder ſchönen Hinterbacken.

'Ευπυργος, ὁ, ἡ, mit ſchönen Thürmen, vorzügl. mit guten Thurmen auf den Mauern der Stadt zur Befeſtigung und Vertheidigung verſehn: Il. 7, 71.

'Ευπυροφόρος ὁ, ἡ, an Weitzen fruchtbar: ſehr zw. dagegen bey Pollux 9, 162. und ſonſt εὔπυρος in dieſer Bedeut. gefunden wird.

'Ευπύρωτος, ὁ, ἡ, (πυρόω) leicht zu entzünden oder glühend zu machen.

'Ευπώγων, ονος, ὁ, mit gutem, ſchönen, ſtarken Barte.

"Ευπωλος, ὁ, ἡ, mit vielen, ſchönen Roſſen, eigentl. Fohlen, *pullus*, dergleichen zeugend, beſitzend. Il. 5, 551.

'Ευραθάμιγξ, γγος, ὁ, ἡ, viel oder ſtark tröpfelnd. Nonnus.

'Ευραὶ, αἱ, Pollux 1, 146. der eiſerne Belag oder Beſchlag der Achſe, woran das Rad ſich reibt.

'Ευρὰξ, Adv. (εὖρος) von der Seite, ſeitwärts: Il. 11, 251. bey Ariſtoph. Au. 1258. ein komiſch gebildetes Wort.

'Ευραφὴς, ὁ, ἡ, (ῥάπτω, ῥαφὴ) gut oder feſtgenaht, zuſammengeſetzt, verbunden.

"Ευρεμα, ατος, τὸ, ſ. v. a. εὕρημα.

'Ευρεσιέπεια, ἡ, ſ. v. a. εὑρεσιλογία; wie —πέω, ſ. v. a. εὑρεσιλογέω: von —πὴς, ὁ, ἡ, (εὑρίσκω, ἔπος. bey den Dichtern ſ. v. a. das proſaiſche εὑρεσιλόγος.

'Ευρεσίκακος, ὁ, ἡ, der Erfinder, Urheber des Uebels.

'Ευρεσιλογέω, (εὑρεῖν, λόγος) ich erſinne Gedanken und Worte, Gründe, Beweiſe u. ſ. w. um etwas zu erklären, beweiſen, etwas jemand weis zu machen oder zu antworten; ich erſinne, erzähle etwas; davon —λογία, ἡ, die Geſchicklichkeit in Erfindung der Gedanken und Worte, etwas zu beweiſen, zu antworten, etwas wahrſcheinlich oder weis zu machen; und —λόγος, ὁ, ἡ, der Gedanken und Worte bald ausfindet etwas zu beweiſen, wahrſcheinlich zu machen, zu antworten u. ſ. w. wie εὑρεσιεπής.

'Ευρέσιος, ζεὺς, der Vorſteher der Erfindungen, der Finder: Dionyſ. halic. von "Ευρεσις, ἡ, (εὑρέω) das Finden, Erfinden; Erfindung. —σίτεχνος, ὁ, ἡ, der Künſte und Mittel erfindet: zw.

'Ευρετὴς, οῦ, ὁ, (εὑρέω, εὑρίσκω) Erfinder: femin. εὑρετίς, ἡ, Erfinderin: davon —τικὸς, ἡ, ὸν, erfinderiſch. —τὶς, ίδος, ἡ, femin. von εὑρετής. —τὸς, ἡ, ὸν, erfunden: zu finden, erfinden. —τρια, ἡ, ſ. v. a. εὑρετὶς, von εὑρετὴρ: Diod. Sic. —τρον, τὸ, (εὑρέω) Finderlohn, Belohnung des Finders.

'Ευρέω, von εὕρω, ſt. deſſen in praeſ. εὑρίσκω, macht εὑρήσω, εὕρηκα u. ſ. w.

"Ευρημα, τὸ, ſ. v. a. εὕρεμα, (εὑρέω) das Erfundene, die Erfindung: guter Fund, unverhoffter Gewinn.

'Ευρημοσύνη, ἡ, Wohlredenheit, Beredſamkeit: Pollux. von —μων, ονος, ὁ, ἡ, (ῥῆμα) wohlredend, ſchön ſprechend, beredt: Heſych.

'Ευρηνος, εὔῤῥηνος, ὁ, ἡ, (ἀρὴν, ῥὴν) mit guten oder vielen Schaafen.

'Ευρησιεπὴς, έος, ὁ, ἡ, u. εὑρησιλογέω u. ſ. w. falſche Leſ. ſt. εὑρεσιεπ. u. ſ. w. doch hat Brunk in Ariſtoph. Nub. 447

εὑρησεπὴς um des Verses willen aufgenommen.

Εὑρέτωρ, ορος, ὁ, ἡ, s. v. a. εὑρετής: Anthol.

Εὔῤῥιζος, ὁ, ἡ, (ῥίζα) mit guter schöner oder starker Wurzel. —ζόω, ῶ, zweif. Lesart. Psalm. 47, 2.

Εὔῤῥιν, ινος, ὁ, ἡ, (ῥίν) u. εὔῤῥινος, ὁ, ἡ, mit guter Nase: fein riechend, gut spürend.

Εὐριπιδης ἀρεθούσης, Pausan. 5, 7 verdorbene Lesart, viell. st. εὐῤῥείτης. —πιδικῶς, Adv. nach Art oder in der Sprache des Euripides: Aristoph. —πιστος, ὁ, ἡ, (ῥοπίζω) leicht zu bewegen, schwankend, leichtsinnig: Cicero Attic. 14, 5.

Εὔριπος, ὁ, eine Meerenge bey der Insel Euböa, wo die Ebbe und Fluth des Meeres öfterer und merklicher als in dem übrigen griechischen Meere war: daher wird εὔριπος u. εὐριπώδης, ὁ, ἡ, euripusähnlich, ein unbeständiger veränderlicher Mensch, oder auch ein Ort von starker oder merklicher Ebbe und Fluth genennt.

Εὑρίσκω, ich finde was ich suche, ich finde aus, erforsche; 2) ich finde von ohngefähr; daher 3) entdecke, erfahre; 4) von Sachen die verkauft werden, gelten. ὅκως αὐτὴ πολλὸν χρυσίον εὑροῦσα πρηθείη Herodot. 1, 195. wenn diese für das meiste Gold verkauft worden. Daher bey Xenoph. Memor. 2, 5, 5. ἀποδίδοται τοῦ εὑρόντος, verkauft ihn für jeden Preiss, st. εὑρεθόντος, wie ἁλόντες capti. S. ἁλῶω.

Εὐροέω, ῶ, s. v. a. εὖ ῥέω, gut fliessen: eigentl. von Flüssen und Wasser: metaph. von Geschäften und Glücksumständen leicht und gut von Statten gehn: daher auch von Menschen, die in glücklicher Lage und Umständen sich befinden; davon

Εὔροια, ἡ, leichtes, gutes Fliessen: übergetr. glücklicher Fortgang, Glück.

Εὐροίζητος, ὁ, ἡ, (ῥοιζέω) ἰὸς, der im Fluge zischende sausende Pfeil.

Εὐροκλύδων, ωνος, ὁ, nach andern εὐροακύλων, εὐράκυλων, Euro-aquilo, Nordostwind: Lucas Act. Apost. 27.

Εὐρόνοτος, ὁ, ἡ, lat. phoenix der Windstrich, den wir Süd-Süd-Ost nennen: in der Mitte zwischen εὖρος u. νότος.

Εὔροος, contr. εὔρους, ὁ, ἡ, gut, leicht, schnell fliessend: übergetr. v. Reden, wie flumen orationis, oratio leniter, celeriter fluens. σῶμα εὔρουν ein Körper von wohlbeschaffenen Absonderungswerkzeugen: Hippocr. von Geschäften die guten Fortgang haben, von glücklichen Menschen, wie εὐροέω.

Εὔροπος, ὁ, ἡ, (ῥέπω) ἅμμα εὔροπον Anthol. von den zusammengeschlungenen Händen, womit man niederdrückt.

Εὖρος, ὁ, Eurus, vulturnus, unser Südostwind: Hesych. hat εὖραι, αὖραι: so dass εὖρα u. εὖρος einerley Ursprung mit αὔρα zu haben scheinen, wie εὔω, αὔω sengen, ἄυω, εὔω, schlafen.

Εὖρος, τὸ, Breite, Weite; wovon εὐρύς, breit, weit.

Εὐῤῥαφής st. εὐραφής. —ῥείτης, ου, ὁ, ἡ, (ῥέω, ῥέω) schönfliessend. —ῥην, νος, ὁ, ἡ, oder εὔῤῥηνος, ὁ, ἡ, s. v. a. εὔρηνος. —ῥής, έος, ὁ, ἡ, oder εὐῤῥεύς, s. v. a. εὔῤῥοος, schönfliessend: dav. d. genit. εὐῤῥεῖος. Hom. Il. 6, 508. 14. 433. —ῥηχος, ὁ, ἡ, Nicand. Tier. 868 sehr flachlicht; v. ῥῆχος, wo vorher ἀῤῥήχου stand. —ῥιν, ινος, ὁ, ἡ, st. εὔριν. —ῥοος, ὁ, ἡ, st. εὔροος.

Εὐρύ, Adv. eigentl. neutr. v. εὐρύς, breit, weit.

Εὐρυάγυιος, υία, υιον, (ἀγυιὰ) Beyw. einer Stadt, gross, weit, mit breiten Strassen, wie Homer das Meer εὐρύπορος und die Erde εὐρυοδεία nennt. —αλος, ὁ, ἡ, im Etymol. M. wird es wie ὠκύαλος von ἅλς abgeleitet: aber Nonnus braucht γαῖα εὐρύαλος so wie χώρα εὐρυάλως, ωτος, ὁ, ἡ, für breit, und leitet es von ἅλος, ἅλως ab, wovon auch ἀλοάω, ἀλοιάω. —άνασσα, ἡ, weit herrschende Königin: Callim.

Εὐρυβατεύεσθαι, nach Art des Eurybates eines berüchtigten Betrügers handeln, also s. v. a. πονηρεύεσθαι Schelmerey, Betrug treiben. —βατος, ὁ, ἡ, (βάω) ὄρος εὐρύβατον: Quint. Smyrn. 2, 282 breiter weiter Berg. —βίης, εὐρυβίας, ου, ὁ, (βία) weit und breit mächtig, s. v. a. εὐρυσθενής.

Εὐρυγένειος, ὁ, ἡ, (γένειον) mit breitem Kinne oder starkem Barte: bey Nonnus αἰὼν εὐρ. von γενεὰ, von vielen Menschenaltern. —δίνης, ου, ὁ, (δίνη) breitfliessend und wirbelnd: Bacchylides.

Εὐρυέδους χθονὸς s. v. a. εὐρυοδείης bey Homer, v. ἔδος. Simon. ap. Platon. Protag. p. 159. Plutarch. 8 p. 965. u. 10 p. 380 von εὐρυεδής, ὁ, ἡ.

Εὐρυθμία, ἡ, Eigenschaft des εὔρυθμος, der beobachtete gute Takt, Harmonie, Wohlklang: anständige oder schickliche Stellung oder Bewegung. S. d. folgd. —μος, ὁ, ἡ, eigentl. von Musik, Gesang u. Tanze, der nach dem Takte u. dem Zeitmasse der Bewegung und des Ganges wohl geordnet, gesetzt, getanzt, gespielt wird: auch von der Dichtkunst und der Rede, wo ein gewisser Takt, Wohlklang und Harmonie in der Zusammenstellung der Worte beobachtet ist: lat. numerosus: überh. harmonisch, taktmässig, wohlklingend, wohlgesetzt: passend, schicklich: concinnus.

'Ευρυκάρηνος, ὁ, ἡ, (κάρηνον) breitköpfig. —κερως, ωτος, (κέρας) mit breiten Hörnern: bey Oppian. Ven. 3 die Hirschart, welche andre πλατύκερως; *platyceros* nennen, Damhirsch. —κοίλιος, ὁ, ἡ, mit weitem Bauche, κοιλία, weiter Oefnung, wie αὐλὸς; das Gegenth. ist στενοκοίλιος bey Aelian beym Porphyrius ad Ptolem. Harm. p. 217. —κολπος, ὁ, ἡ, mit weitem oder breiten Busen. —κόωσα, νὺξ, beym Euphorion, wovon Hesych. mehrere Ausleg. anführt; mir scheints f. v. a. εὐήκοος νὺξ bey Aristot. Problem. die Nacht, wo man die Stimme weit hören (κοᾶν) kann. —κρείων, οντος, ὁ, (κρέω, εὐρὺς) weitherrschend.

'Ευρυλείμων, ωνος, ὁ, ἡ, mit breiten Wiesen oder Auen; zw. —μέδων, οντος, ὁ, (μέδω) f. v. a. εὐρυκρείων. —μενὴς, u. εὐρυμενὸς, (μένος) breit, weit. —μενος, ὁ, ἡ, Apollon. 1, 597 εὐρυμένας φάραγγας st. εὐρείας; Hesych. hat εὐρυμνάν, εὐρύχωρον, contr. —μέτωπος, ὁ, ἡ, (μέτωπον) mit breiter Stirne.

'Ευρύνω, (εὐρὺς) breit machen: erweitern, ausdehnen. —νωτος, ὁ, ἡ, mit breitem Rucken.

'Ευρυόδειος, α, ον, od. εὐρυόδειος, ὁ, ἡ, (ὁδὸς) mit breiten, weiten Wegen: Beyw. der Erde, die breite, wie εὐρύπορος θάλασσα.

'Ευρυοδίνης f. v. a. εὐρυδ. Strabo 1 p. 141 Sieb. —όπα, εὐρυόπης, f. εὐρύωψ. —οχλος, ὁ, ἡ, von grossem breiten Haufen: zahlreich: zw.

'Ευρυπέδιλος, ὁ, ἡ, (πέδιλον) breitgeschuhet; ὁπλὴ breiter Huf. Oppi. —πεδος, ὁ, ἡ, (πέδον) von oder mit breitem weiten Felde. —πορος, ὁ, ἡ, mit weiten oder breiten Wegen: Beyw. des Meers, das weite Meer: Il. 15, 381. —πρωκτία, ἡ, Eigenschaft und Leidenschaft eines —πρωκτος, ὁ, ἡ, Weitarsch: f. v. a. καταπύγων: von der Folge dieser Unzucht.

'Ευρυπτος, ὁ, ἡ, (ῥύπτω) leicht zu reinigen: Pollux 1, 44. —πυλὴς, έος, ὁ, ἡ, u. εὐρύπυλος, ὁ, ἡ, (πύλη) mit breiten grossen Thoren: Il. 23, 74.

'Ευρυρέεθρος, ὁ, ἡ, (ῥέεθρον) mit breitem Bette, breitfliessend.

'Ευρὺς, εῖα, ὺ, Gen. έος, είας, έος, (εὖρος) breit, weit. —σάκης, εος, ὁ, ἡ, (σάκος) mit breitem grossen Schilde. —σθενὴς, έος, ὁ, ἡ, (σθένος) *late potens*, weitherrschend, von weitverbreiteter Macht: sehr stark oder machtig. —σορος, ὁ, ἡ, (σορὸς) σῆμα, Anthol. Denkmal eines weiten oder breiten Grabes. —στερνος, ὁ, ἡ, (στέρνον) mit breiter Brust. —στήθης, εος, ὁ, ἡ, (στῆθος) f. v. a. d. vorh. —στομία, ἡ, breiter, weiter Mund; volle Aussprache mit vollem oder weitem Maule: zw. —στομος, ὁ, ἡ, (στόμα) mit breitem weiten Munde, Oefnung, Mündung; überh. breit, weit: Xen. eq. 10, 10.

'Ευρυτενὴς, έος, ὁ, ἡ, (τείνω) sich weit erstreckend: breit, weit. —της, ητος, ἡ, (εὐρὺς) Breite, Weite. —τιμος, ὁ, ἡ, (τιμὴ) Pind. Ol. 1, 67. ζεὺς weit oder überall verehrt —τίων, ὁ, ein Mannsname, u. bey Diog. Laert. 6, 59 mit Anspiel. auf εὐρὺς, der Name eines κιναιδος oder εὐρύπρωκτος. —τος, ὁ, ἡ, (ῥύω) gut oder reichlich fliessend: Pollux 3, 50. —τρητος, ὁ, ἡ, (τρητὸς) mit weiten Löchern.

'Ευρυφαρέτρης, ου, ὁ, (φαρέτρα) mit breitem oder weiten Köcher: Pind. Pyth. 3, 45. —φυὴς, έος, ὁ, ἡ, (φύω) breit wachsend, das Beywort der Gerste: Hom. —φωνία, ἡ, f. v. a. εὐρυστομία; zw. von —φωνος, ὁ, ἡ, (φωνὴ) weit oder stark tonend; zw.

'Ευρυχαδὴς, έος, ὁ, ἡ, (χαίνω, perf. κέχανδα) mit weiter Oefnung: ποτήριον, Lucian. Lexiph. soll wohl εὐχανδὴς, wie πολυχανδης heissen. —χαίτας, dor. st. εὐρυχαίτης, ου, ὁ, (χαίτη) mit breitem oder langen Haare, Beyw. des Bacchus: Pind. Isthm. 7, 4. —χορος, ὁ, ἡ, weitraumig, geräumig: Hom. von weitem Umfange, weit, gross, als Beyw. von Städten und Ländern. —χωρὴς, έος, ὁ, ἡ, (χωρέω) viel umfassend, weit, breit, geraumig. —χωρία, ἡ, breiter, weiter Platz, Raum Ebne. —χωρος, ὁ, ἡ, weit, breit, gross, f. v. a. das poet. εὐρύχορος.

'Ευρύωψ, ωπος, od. οπος, ὁ, ἡ, (ὢψ) beständiges Beyw. des ζεὺς, weit sehend, weit, laut tosend, stark donnernd; von ὄψ: εὐρυόπα st. εὐρυόπης, Il. 5, 265. κέλαδον bey Plutar. 10 p. 508.

'Ευῤῥώγης, εος, ὁ, ἡ, (ῥὰξ) voller Beeren, oder von guten Beeren.

'Ευρώδης, ὁ, ἡ, f. v. a. εὐρώεις, ohne Beysp. zw.

'Ευρώεις, εντος, (εὐρὼς) eigentl. schimmlicht, und daher (weil Schimmel nur an dunkeln Orten entsteht) dunkel, finster; die Bedeut. εὐρὺς ist ohne Beyspiel und blos durch eine falsche Etymologie entstanden.

'Ευρωπὸς, ἡ, ὸν, f. v. a. d. vorh. Eur. Iph. Taur. 626. von

'Ευρὼς, ῶτος, ὁ, Schimmel, Schmutz u. Unscheinbarkeit, welche Sachen im liegen und ungebraucht bekommen, *situs*.

'Ευρωστέω, ῶ, ich bin bey Kräften, gesund, stark, habe Kräfte; dav. —στία, ἡ, das Starkseyn, Stärke, Kraft. —στος, ὁ, ἡ, Adv. —στως, (ῥώννυμι) stark, kräftig, munter, gesund.

'Ευρώτας, ὁ, ein Fluss im lakonischen Gebiete; 2) die weibliche Schaam mit Anspielung auf εὐρὺς, Anthol. —τιάω, ῶ, (εὐρώς) schimmlicht seyn oder werden, verschimmeln; im Schmutze durchs liegen verderben.

Ἐΰς, ὁ, jonisch ἠΰς, schön, s. v. a. καλός, gut, tapfer, brav; davon der genit. ἐῆος, Il. α. 393. davon ist εὖ in Prosa abgeleitet und eigentl. das neutr. Δωτῆρ ἐάων, Geber des Guten, leiten einige vom genit. ἐάων andere von ἐαί, andere von ἐὰ τὰ, ab. Sonach wäre ἐὺς s. v. a. die jonische Form εὖς, und ἐὰ τὰ, s. v. a. τὰ ἀγαθά.

Ἐυσανίδωτος, ὁ, ἡ, bey den Grammat. als Erkl. und Synonym. von εὐσελμος.

Ἐυσαρκία, ἡ, starkes Fleisch, Fleischigkeit; von — κος, ὁ, ἡ, (σὰρξ) fleischig; davon — κέω, ῶ, fleischig machen: Galen. davon — κωσις, ἡ, s. v. a. εὐσαρκία. zw. eigentl. das Fleischigmachen.

Ἐυσέβεια, ἡ, Frömmigkeit, Gottesfurcht: auch das ehrfurchtsvolle Betragen gegen Eltern, wie *pietas*. — βέω, ῶ, ich bin und handle gottesfürchtig oder fromm: ich habe und bezeuge Ehrfurcht gegen Eltern, Vaterland, Magistrate und andere ehrwürdige Personen: mit περὶ, πρὸς, εἰς. — βημα, ατος, τὸ, (εὐσεβέω) fromme, religiöse Handlung oder That, fromme Verehrung. — βὴς, εος, ὁ, ἡ, Adv. — βῶς, (εὖ, σέβω) die Götter verehrend, gottesfürchtig, fromm, religiös; auch wie *pius*, der Ehrfurcht gegen Eltern, Vaterland u. s. w. hat und bezeigt.

Ἐυσειστος, ὁ, ἡ, leicht zu schütteln, zu erschüttern, oft oder sehr erschüttert, z. B. von Erdbeben.

Ἐυσέληνος, ὁ, ἡ, (σελήνη) mondhell: Hesych.

Ἐυσελμος, ὁ, ἡ, (σέλμα) ναῦς, ein Schiff mit guten Ruderbänken u. Ruderern versehen.

Ἐυσεπτος, ὁ, ἡ, (σέβω) ehrwürdig, verehrt; zw.

Ἐυσήμεια, ἡ, gutes Zeichen, glückliche Vorbedeutung: Hippocr. von — μος, ὁ, ἡ, Adv. — μως, (σῆμα) mit einem guten Zeichen od. m. glücklicher Vorbedeutung: Eurip. Iph. Aul. 252. ausgezeichnet, deutlich.

Ἐυσηπτος, ὁ, ἡ, (σήπω) leicht faulend; davon

Ἐυσηψία, ἡ, schnelles Faulen.

Ἐυσθένεια, ἡ, (εὐσθενὴς) Kraft, Stärke. — νέω, ῶ, ich bin bey guten Kräften: stark, munter; von — νὴς, ἐος, ὁ, ἡ, (σθένος) εὐσθενος zw. bey oder mit guten Kräften, kräftig, stark, munter.

Ἐυσιτέω, ῶ, ich esse gern, habe guten Appetit: von — τος, ὁ, ἡ, gut, mit Appetit essend.

Ἐυσκανδάλιστος, ὁ, ἡ, (σκανδαλίζω) leicht sich stoßend oder ärgernd; zw.

Ἐυσκαρθμος, ὁ, ἡ, (σκαίρω) leicht gut oder schnell hüpfend, springend.

Ἐυσκελὴς, ἐος, ὁ, ἡ, (σκέλος) mit guten oder starken Schenkeln oder Füßsen überh.

Ἐυσκέπαστος, ὁ, ἡ, u. εὐσκεπὴς, ὁ, ἡ, (σκεπάζω, σκέπη) gut bedeckt, verdeckt, leicht oder bald zu bedecken.

Ἐυσκευέω, wohlgerüstet, zubereitet seyn: Sophocl. Ajac. 834. von εὔσκευος, ὁ, ἡ, (σκεῦος) wohl gerüstet oder zubereitet.

Ἐυσκίαστος, ὁ, ἡ, gut beschattet; zw.

Ἐυσκιος, ὁ, ἡ, (σκιὰ) von od. mit gutem, vielen oder angenehmen Schatten.

ὁ, ἡ, Adv. εὐσκόπως (σκοπὸς) und treffend: Odyss. 11, 197. spähend; Beyw. des Hermes Il. 24, 24. pass., gut zur Uebersicht, von einem Orte, von welchem man sich weit umsehen kann: Xen. Cyr. 6, 3. 2.

Ἐυσκωμμοσύνη, ἡ, Fertigkeit im Spotten; von — μων, ονος, ὁ, ἡ, Adv. — μόνως, (σκῶμμα) witzig, beißend im Spotte, gern oder gut spottend: Pollux 5, 161.

Ἐυσμίλωτος, ὁ, ἡ, bey Hesych. εὔβαφος, σμιλάκινος; von σμίλος, σμίλαξ, eine Farbe zum Farben gebraucht; hingegen εὐσμίλευτος von σμίλη s. v. a. εὖ ἐσμιλευμένος.

Ἐυσοια, ἡ, Soph. Oed. Col. 390. s. v. a. εὐσθένεια.

Ἐυσοος, ὁ, ἡ, contr. εὔσους, wohlbehalten, von σόος.

Ἐυσπειρος, ὁ, ἡ, (εὐσπειρὴς) mit oder von guten, schönen oder vielen Windungen, σπεῖρα, schön od. oft gewunden, sich umschlingend.

Ἐυσπλαγχνία, ἡ, (σπλάγχνον) Muth, Herzhaftigkeit: Eurip. Rhes. 142. im N. T. nach hebr. Sprachgebrauch, Mitleid; und — χνίζομαι, mitleidig seyn; zw. von — χνος, ὁ, ἡ, (σπλάγχνον) mit guten, gesunden Eingeweiden; herzhaft, muthig, bey Dichtern; im N. T. nach hebr. Sprachgebrauch, mitleidig.

Ἐυσπορος, ὁ, ἡ, mit oder von guten oder vielen Saamen, σπόρος; gut besäet oder gut zum Säen.

Ἐυσταθεια, ἡ, die Festigkeit, Beständigkeit; 2) der gute Zustand, Befinden. Epikur und seine Schüler sprachen immer von εὐσταθεια σαρκὸς, welche sie auch εὐσταθὲς σαρκὸς καταστήματα nannten, die gute ruhige Beschaffenheit des Körpers. — θέω, ῶ, ich befinde mich wohl am Körper, Gesundheit, bin ruhig und fröhlich: ταῖς διανοίαις wie *consistere mente*, Dionys. 6, 50. in seinem Gemüthe ruhig seyn. — θὴς, ἐος, ὁ, ἡ, (εὖ, ἵστημι) fest, beständig; vorz. beym Epikur vom

Körper geſund, ruhig. S. εὐστάθεια. Adv. εὐσταθῶς. —θία, ἡ, S. εὐστάθεια.

'Ευστάθμως, Adv. genau, nach der στάθμη abgemeſſen.

'Ευσταλὴς, ὁ, ἡ, Adv. —λῶς, (στέλλω) gut ausgerüſtet, zubereitet; gut gekleidet; geputzt; fertig, gerüſtet; leicht gerüſtet oder gekleidet; überh. leicht; auch gering in Lebensart, Aufwand u. dergl. daher Plutar. λιτοὺς καὶ εὐσταλεῖς verbindet. Derſelbe hat auch davon εὐσταλία mit κουφότης τῆς στρατίας verbunden: Sertor. 12 leichte Rüſtung, Bekleidung; überh. Leichtigkeit.

'Ευστάφυλος, ὁ, ἡ, (σταφυλὴ) mit guten ſchonen oder vielen Trauben.

'Ευσταχυς, υος, ὁ, ἡ, mit guten ſchonen oder vielen ſtarken Aehren.

'Ευστεγὴς, ὁ, ἡ, (στέγω) gut bedeckt, verdeckt.

'Ευστειρος, ὁ, ἡ, (στεῖρα) mit gutem oder feſten Kiele oder Boden.

'Ευστερνος, α, ον, (στέρνον) mit guter- ſchöner oder ſtarker Bruſt.

'Ευστέφανος, ὁ, ἡ, oder εὐστεφὴς, ſchön bekränzt: als Beywort einer Stadt, mit guten Mauern, Zinnen oder Thurmen ringsherum verſehen, und alſo ſtark befeſtigt; wo man es auch von στεφάνη ableiten kann. Die Form εὐστέφιος wird aus Anthol, angeführt.

'Ευστιβὴς, έος, ὁ, ἡ, od. εὔστιπτος (στείβω) ſehr- oft od. ſtark betreten, wie ὁδὸς; dah. auch dicht, feſt: eben, gebahnt: φάρος εὔστιπτον bey Apoll. Rhod. dicht gewebt, oder gut (mit den Fuſsen) gewalkt.

'Ευστολος, ὁ, ἡ, ſ. v. a. εὐσταλὴς, wohl gerüſtet, geſchmückt oder gekleidet.

'Ευστομα, Adv. z. B. εὔστομ' ἔχε, d. i. εὔστομος ἴσθι, habe guten Mund, *fave linguae*, ſtill! ταῦτά μοι εὔστομα ἔστω, davon will ich ſchweigen. —μαχία, ἡ, ein guter Magen; Tauglichkeit für den Magen; von —μαχος, ὁ, ἡ, Adv. εὐστομάχως, mit einem guten Magen; activ. gut, heilſam, ſtärkend für den Magen. —μέω, ῶ, (εὔστομος) ich rede oder ſinge gut mit dem Munde: Aelian. H. A. 1, 20. auch ſ. v. a. εὐφημέω; davon —μία, ἡ. guter Mund; gutes Sprechen; Redſeligkeit, Geſchwätzigkeit, Beredſamkeit: bey Dionyſ. hal. von Ausdrücken, Annehmlichkeit; auch von Speiſen, die den Gaumen kitzeln und angenehm ſind: u. ſ. die übrigen Bedeut. von εὔστομος abgeleitet. —μος, ὁ, ἡ, (στόμα) mit gutem- ſchönen- groſsen- weiten Munde oder Oefnung: ἵππος, Pferd das nicht hartmaulig iſt; auch ſ. v. a. εὐπρόσωπος, mit ſchonem Geſichte, wie os für *facies*: geſchwatzig, redſelig; Worte von günſtiger Vorbedeutung redend, ſchweigend. S. εὔστομα: dem Munde angenehm, vom angenehmen Geſchmacke.

'Ευστοχάζομαι, ſ. v. a. das folgd. ſehr zweif. —χέω, ῶ, (εὔστοχος) ich treffe glücklich das Ziel: πάσης περιστάσεως, τῶν καιρῶν, alle Umſtände und Gelegenheit zu nutzen wiſſen, od. ſich darein ſchicken: Polyb. davon —χημα, τὸ, das glücklich getroffene, errathene: zw. —χία, ἡ, Geſchicklichkeit das Ziel im Werfen oder Schieſſen zu treffen oder zu errathen, oder einen treffenden Spott od. Scherz anzubringen; von —χος, ὁ, ἡ, Adv. —στόχως, (στόχος) glücklich im werfen oder ſchieſſen nach dem Ziele: glücklich rathend: treffend und witzig ſpottend od. ſcherzend: ſcharfſichtig, ſcharfſinnig.

'Ευστρα und εὔστρα, ἡ, (εὕω, εὔω, wie αὕω und ἄυω) die Grube, worinne man die geſchlachteten Schweine abſengt: 2) die geröſtete Gerſte, die man zur Polenta (ἄλφιτα) brauchte, und dazu die noch nicht ganz reifen Aehren nahm.

'Ευστραβὴς, έος, ὁ, ἡ, (στρέφω) leicht ſich drehend oder werfend, als Holz. Theophr. —φὴς, έος, ὁ, ἡ, εὔστρεπτος, und εὐστρεφὴς, ὁ, ἡ, ſ. v. a. εὔστροφος.

Ευστρογγυλίζω, runden, rund zuſammen wickeln.

'Ευστροφάλιγξ, γγος, ὁ, ἡ, ſchön gedreht oder gekräuſelt. zw. —φία, ἡ, Lenkſamkeit, Biegſamkeit, Gewandheit des Korpers und Geiſtes; von —φος, ὁ, ἡ, Adv. εὐστρόφως, ſ. v. a. εὐστρεφὴς: gut gebogen, gewunden, geflochten, gedreht: Il. 13, 599. ſich leicht drehend, wendend, lenkſam, biegſam, behende, ſchnell: ναῦς, Eur. Iph. A. 293. leicht oder gut zu drehen, wenden, flechten.

'Ευστρωτὸς, ὁ, ἡ, ſchön gedeckt, *bene ſtratus*: Hom. hymn. 3, 157.

'Ευστυλος, ὁ, ἡ, mit ſchonen oder in ſchöner, richtiger Ordnung geſetzten Säulen.

'Ευσύγκρυπτος, ὁ, ἡ, gut oder leicht zu verbergen: gut oder geſchickt verborgen.

'Ευσυκοφάντητος, ὁ, ἡ, der Chikane ausgeſetzt: Plutar. 8 p. 527.

'Ευσύλητος, ὁ, ἡ, (συλάω) gut od. leicht zu plundern, zu berauben.

'Ευσύλληπτος, ὁ, ἡ, leicht zu ergreifen, zu nehmen, zu faſſen: act. leicht empfangend, koncipirend. —λόγιστος, ὁ, ἡ, (συλλογίζομαι) leicht zu ſchlieſſen, zu errathen oder in einen Schluſs zu bringen.

'Ευσυμβίβαστος, ὁ, ἡ, (συμβιβάζω) leicht zuſammen zu bringen, zu vereinigen, zu verſohnen. zweif. —βλητος, ὁ, ἡ, (συμβάλλω) leicht zu errathen. zweif. —βολος, ὁ, ἡ, (συμβολὴ, σύμβολον) von gutem Umgange, zum

Umgange oder Handel geſchickt oder gut: Xen. Mem. 2, 6, 5. opp. δυσξύμβ. ein gutes Zeichen oder Vorbedeutung gebend: τέρατα προφανῆ καὶ εὐξύμβολα, leicht zu deuten; ξυμβάλλειν Dio Caſſ.

Εὐσυμπεριφορος, ὁ, ἡ, (συμπεριφέρω) nachgiebig, gefällig, ſich leicht u. gern nach andern in Geſellſchaft im Umgange oder nach eines andern Laune richtend: alſo verträglich, umgänglich, *commodus*. —φυτος, ὁ, ἡ, leicht zuſammen wachſend. Theophr.

Εὐσυνάγωγος, ὁ, ἡ, (συναγωγὴ) leicht zuſammen zu bringen, zu ſammeln: τόπος τοῖς πεμπομένοις, Ariſtot. Polit. 7. wohin man leicht alle Einfuhre bringen und ſie ſenden kann. —άλλακτος, ὁ, ἡ, Adv. —άκτως, gut im oder geſchickt zum Umgange: Plutar. von συναλλάσσω. —άρμοστος, ὁ, ἡ, Adv. —όστως, (συναρμόζω) leicht zuſammen zu fügen od. zu paſſen. —άρπαστος, ὁ, ἡ, Adv. —άστως, (συναρπάζω) leicht zu ergreifen oder rauben. zw.

Εὐσυνειδησία, ἡ, gutes Bewuſtſeyn, gutes, reines Gewiſſen; von —είδητος, ὁ, ἡ, Adv. εὐσυνειδήτως, der ſich nichts böſes bewuſst iſt, ein Mann m. gutem Gewiſſen. —εσία, ἡ, (σύνεσις) gute Einſicht, Scharfſinn; von —ετος, ὁ, ἡ, leicht, bald einſehend, ſchnell begreifend, ſcharfſichtig: Ariſtot. Moral. 6, 10.

Εὐσυνθεσία, ἡ, das treue Beobachten der Verträge und Bündniſſe. zweif. von —θετέω, ῶ, ich bin wohl eingerichtet, ordentlich im Stande: führe mich wohl, ordentlich, geſetzt auf; 2) ich halte Treue und Glauben bey dem Bündniſſe, halte das Bündniſs, συνθήκη; vom folgd. —θετος, ὁ, ἡ, Adv. —θέτως, wohl zuſammen geſetzt: wohl geordnet: leicht zuſammen zu ſetzen.

Εὐσύνοπτος, ὁ, ἡ, Adv. —όπτως, gut oder leicht zu überſehen: ſichtbar: leicht einzuſehen, deutlich.

Εὐσύντακτος, ὁ, ἡ, Adv. —άκτως, (συντάσσω) Pollux 9, 161. gut oder ſchicklich zuſammen geſetzt, geſtellt, geordnet, paſſend. —τριπτος, ὁ, ἡ, (συντρίβω) leicht zu zerbrechen.

Εὐσφυκτος, ὁ, ἡ, (σφύζω) mit gutem oder leichten Pulsſchlage: zw. davon

Εὐσφυξία, ἡ, der gute Puls, od. Umlauf des Blutes: Clemens Paed. 3 pag. 286. —σφυρος, ὁ, ἡ, (σφυρὸν) mit ſchönen Knöchelu: überh. mit ſchönen Füſsen.

Εὐσχετος, ὁ, ἡ, (σχέω) gut zu halten od. behalten. Hippocr.

Εὐσχημολογέω, ῶ, artig ſprechen. zweif. —μονέω, ῶ, (εὐσχήμων) ich handle mit Anſtand, Würde: beobachte den Anſtand, das Aeuſsere in Handlungen, Reden, Geberden, Stellung, Kleidung. —μος, ὁ, ἡ, ſ. v. a. εὐσχήμων: f. L. aus dem Index Dionis Caſſ. —μοσύνη, ἡ, ſchickliche Haltung des Körpers, gutes Aeuſsere, Anſtand. —μων, ονος, ὁ, ἡ, Adv. —όνως, (σχῆμα) von guter Geſtalt, von gutem Anſehn, Aeuſsern, Anſtand: anſtändig: von Sachen oder Reden ſcheinbar, anſtändig.

Εὐσχιδής, έος, ὁ, ἡ, und εὔσχιστος, ὁ, ἡ, (σχίζω) leicht oder gut geſpaltet od. getrennt: leicht zu ſpalten, zu trennen.

Εὐσχολέω, ῶ, ich habe Muſe oder Zeit; davon —λία, ἡ, Ruhe, Muſe; von —λος, ὁ, ἡ, (σχολὴ) Ruhe, Muſe habend: müſsig: ruhig.

Εὐσωματέω, ῶ, (εὐσώματος) ich bin wohl bey Leibe, bin ſtark; davon — —ματία, ἡ, das wohl bey Leibe ſeyn, oder ſtark von Körper ſeyn, Wohlbeleibtheit. —ματος, ὁ, ἡ, wohl bey Leibe: ſtark von Körper. —μος, ſ. v. a. das vorherg. bey Polyb. 8, 13, 5. f. L. ſt. εὔζωνος.

Εὔσωτρος, ὁ, ἡ, ſ. v. a. εὐτρόχαλος und εὔτροχος: Heſiod. Scut. 273 ἀπήνη, mit ſchnellen oder guten Rädern, auf Rädern ſchnell fahrend. S. σῶτρον.

Εὐτακτέω, ῶ, Ordnung, Zucht, Diſciplin halten oder beobachten: ſeine Pflicht thun, gehorſam, artig, von guten Sitten oder Betragen ſeyn; von —τος, ὁ, ἡ, Adv. εὐτάκτως, wohl geordnet: ordentlich, gehorſam, ruhig: artig, beſcheiden; τὸ εὔτακτον ſ. v. a. εὐταξία.

Εὐταλαίπωρος, ὁ, ἡ, bey Dionyſ. Antiq. 4, 30. wo die Handſchr. richtiger ταλαίπωρος hat.

Εὐταμίευτος, ὁ, ἡ, (ταμιεύω) wohl verwahrend, eintheilend oder ſparend: paſſive, wohl eingetheilt oder ausgeſpart: wohl verwaltet: bey Hippocr. leicht zu regieren oder anzuſchaffen.

Εὐταξία, ἡ, (εὐτακτέω) gute Ordnung, Zucht, Diſciplin: Züchtigkeit, gute Sitten: Polyb. 32, 11.

Εὐταπείνωτος, ὁ, ἡ, (ταπεινόω) leicht niederzuſchlagen oder zu demüthigen: Syneſius p. 277.

Εὐτάρακτος, ὁ, ἡ, (ταράσσω) leicht zu beunruhigen, zu erſchrecken oder in Unordnung zu bringen.

Εὖτε, als Adv. oder Zeitwort, ſ. v. a. ὅτε, als, wann, m. d. indic, εὖτ' ἄν, wie ὅταν m. d. conjunct. 2) ſ. v. a. das joniſch daraus gemachte ἠΰτε, wie, ὡς εὖτ' ὄρεος κορυφῇσι νότος, Il. 3, 10. Dies iſt die einzige Stelle im Homer, wo dieſer Sprachgebr. ſich jetzt noch findet. Ariſtarch aber ſchrieb auch Il. 19, 386 τῷ δ' εὖτε πτερὰ γίγνετο, wo jetzt ἠΰτε ſteht. Bey Quintus Smyrn. ſehr häufig; überh. iſt das Wort doriſch und joniſch.

'Ευτείχης, εος, ὁ, ἡ, ἐυτείχεος, ὁ, ἡ, u. ἔυτειχος, ὁ, ἡ, und ἐυτείχητος, hom. hymn. 3, 112. (τεῖχος) durch Mauern oder Burgen wohl verwahrt oder befeſtiget. —χιστος, ὁ, ἡ, (τειχίζω) leicht durch eine Mauer oder Burg zu befeſtigen.

'Ευτέκμαρτος, ὁ, ἡ, (τεκμαίρω) leicht zu bezeichnen oder an den Zeichen zu erkennen oder zu errathen.

'Ευτεκνέω, ῶ, ich bin in oder mit den Kindern glücklich: bin an Kindern fruchtbar; dav. —νία, ἡ, Glück mit den Kindern, Fruchtbarkeit an Kindern. —νος, ὁ, ἡ, (τέκνον) mit guten Kindern, mit vielen Kindern fruchtbar: Apollodor. 3, 5, 6.

'Ευτέλεια, ἡ, eigentl. die Wohlfeilheit, wenn man wenig dafür bezahlt: 2) Frugalität, wenn man wenig verzehrt, aufgehn läſst; daher 3) Sparſamkeit, εἰς ευτέλειαν συντέμνειν und σωφρονίζειν bey Thucyd. 8. ſparſamer einrichten; Armuth und niedriger Stand, geringer, niedriger Stand, Anſehn, Anzug; 4) auch von Sachen, die gemein, gering, ſchlecht, verachtet ſind. Bey Ariſtoph. Ran. 404 ἐπὶ γέλωτι κἀπ' ἐυτελεία lieſet Suidas ἐυτελία und erklärt es durch ἐυδαιμονία; Av. 805. εἰς ἐυτέλειαν χηνὶ συγγεγραμμένῳ, einer ſchlecht gemahlten Gans; von folgd. —λής, ὁ, ἡ, der nicht viel koſtet, wofür man nicht viel- was man leicht bezahlt, τελέω, wohlfeil; 2) der ſeine Lebensmittel, Haushaltung mit wenig Aufwand kauft und führt, frugal; 3) gering, ſchlecht, niedrig, arm, von Perſonen und Sachen, wie *vilis*. —λίζω, ſchlecht machen, gering achten oder ſchätzen, verachten; davon —λισμὸς, ὁ, Geringſchätzung, Verachtung; Verkleinerung; Longin. 11, 2. —λῶς, Adv. v. ἐυτελής, ſchlechthin, mit wenigem, geringen Aufwande oder Koſten; wohlfeil.

'Ευτέρπη, ἡ, eine Muſe von der Wirkung des Ergötzens.

'Ευτερπὴς, έος, ὁ, ἡ, (τέρπω) ergötzend, erfreulich.

Ευτέχνητος, ὁ, ἡ, (τεχνάομαι) künſtlich gearbeitet: zw. —νία, ἡ, Kunſterfahrung, Kenntniſs, Wiſſenſchaft: Kunſt; von —νος, ὁ, ἡ, Adv. ἐυτέχνως, künſtlich, kunſtreich, kunſterfahren.

'Ευτηκτος, ὁ, ἡ, (τήκω) leicht ſchmelzend oder geſchmolzen.

'Ευτηξία, ἡ, Ariſtotel. Mirab. c. 51 die Eigenſchaft leicht zu ſchmelzen.

'Ευτμητος, ὁ, ἡ, (τμάω, τέμνω) gut geſchnitten, getheilt, geſpalten: Il. 21, 30. leicht zu ſchneiden, theilen, ſpalten.

'Ευτοκέω, ῶ, wohl- leicht oder glücklich gebähren; davon —κία, ἡ, das leichte glückliche Gebähren: Fruch[illegible]barkeit; davon —κιος, ὁ, ἡ, leich[illegible] Geburt machend, darzu gehörig: [illegible]θος: Euſtath. hexaem. p. 27 Geopo[illegible] 13, 10. —κος, ὁ, ἡ, (τέκω, τίκτω) leic[illegible] gebährend: fruchtbar: paſſ. ἔυτοκος, g[illegible] oder ſchön geboren.

'Ευτολμέω, ich bin dreiſt, muthig, u[illegible] erſchrocken: Dio Caſſ. 55, 16. —μί[illegible] ἡ, Entſchloſſenheit, Muth, Kühnhei[illegible] von —μος, ὁ, ἡ, Adv. ἐυτόλμως, (τόλμ[illegible] mit oder von gutem Muthe, muthi[illegible] kühn, unerſchrocken.

"Ευτομος, ὁ, ἡ, ſ. v. a. d. poet. ἔυτμητο[illegible]

'Ευτονέω, ῶ, ich habe gute Kraft, bi[illegible] ſtark, kräftig. —νία, ἡ, Kraft, Stärk[illegible] Feſtigkeit; Anſtrengung; von —νο[illegible] ὁ, ἡ, Adv. ἐυτόνως, (τόνος) ſtark, krä[illegible]tig, mächtig: thätig, munter, lebhaf[illegible] ἐυτόνως ἀσκεῖν, Xen. Hiero 9, 6: mit An[illegible]ſtrengung, Eifer.

'Ευτοξία, ἡ, Geſchicklichkeit den Bo[illegible]gen zu führen; von —ξος, ὁ, ἡ, (τόξον[illegible] mit ſchönem oder guten Bogen ode[illegible] Pfeilen: geſchickt auf dem Bogen, ge[illegible]ſchickter Bogenſchütze.

"Ευτορνος, ὁ, ἡ, leicht oder gut gedreht[illegible] gedrechſelt: leicht zu drechſeln.

'Ευτόρως, Adv. nett, artig, geſchickt[illegible] zweif.

'Ευτράπεζος, ὁ, ἡ, (τράπεζα) mit- vo[illegible] oder bey einem guten Tiſche. —πελεύομαι, ich bezeige mich artig[illegible] witzig im Sprechen. —πελία, ἡ, das Betragen und Sprechen eines artigen, witzigen Mannes; Artigkeit, Scherzhaftigkeit; Witz. —πελίζω, ſ. v. a. ἐυτραπελεύομαι. —πελος, ὁ, ἡ, (εὖ und τρέπω) eigentlich was ſich leicht dreht, gewandt. ὥσπερ πνεῦμα ἐυτράπελον, veränderlich wie der Wind. Syneſ. οὐκ ἐυτραπέλῳ τῇ γλώσσᾳ οὐδὲ ἐῤῥωμένῃ ᾖδε παιᾶνας, er ſang Päane, aber nicht mit geläufiger und feſter Zunge, ſondern wie ein Trunkner, Dionyſius bey Suidas in παιᾶνας. 'Αθηναῖοι δεινῶς εἰς πολιτείας ἐυτράπελοι Aelian. 5, 13 die leicht ihre Verfaſſung änderten. ἔπος oder λόγος ἐυτράπελος, eine wahrſcheinliche, überredende Rede, Sprache: Pindar und Ariſtoph. Vorzügl. bedeutet es einen im Sprechen, Antworten gewandten, artigen Menſchen, der Spaſs verſteht und erwiedern, witzig, ſpaſshaft ſprechen kann; faſst also das lateiniſche *urbanus, facetus, lepidus, dicax* in ſich, und kann im Allg. durch witzig, ſpaſshaft, artig überſetzt werden: Adv. ἐυτραπέλως.

'Ευτραφέω, ῶ, gute Nahrung haben oder bekommen: Theophr. c. pl. von —φής, έος, ὁ, ἡ, (τρέφω) wohlgenährt, feiſt, fett: ἐυτράφητος, ὁ, ἡ, ſ. v. a. d. vorh. zw. im Etym. M. ἀπίκια.

Εὐτρεπὴς, έος, ὁ, ἡ, gut gewandt (τρέπω), bereit, mit ἕτοιμος beym Demoſth. davon —πίζω, ich mache bereit, bereite, ordne, ordne an: ich bringe in Ordnung, bringe zurechte: daher bey Hippocr. heilen; davon —πισμὸς, ὁ, Zubereitung, Anordnung, das zurechte bringen, heilen. —πιστὴς, οῦ, ὁ, d. i. εὐτρεπίζων: zw.

Εὐτρέπτος, ὁ, ἡ, (τρέπω) leicht zu drehen, wenden, umzukehren: veränderlich: dav. εὐτρεψία, ἡ, Clemens Strom. 2 p. 460. die Veränderlichkeit, von leicht Umſchlagen.

Εὐτρεφὴς, ὁ, ἡ, ſ. v. a. εὐτραφὴς: Od. 9, 425.

Εὐτρητος, ὁ, ἡ, (τορέω) gut, fein oder ſtark durchbohrt oder geöffnet.

Εὐτριαίνης, ὁ, (τρίαινα) mit ſchönem Dreyzack: Pind. Olymp. 1, 117.

Εὐτριβὴς, έος, ὁ, ἡ, (τρίβω) wohl gerieben, geübt: gewandt: zw.

Εὐτριπτος, ὁ, ἡ, (τρίβω) wohl geriegen: leicht zu reiben oder zu zerreiben.

Εὐτριχος, ὁ, ἡ, ſ. v. a. εὔθριξ,

Εὐτροπία, ἡ, guter Charakter: bey Plutarch. 7 p. 949. Schlauigkeit, *verſutia*, wo Reiske εὐστροφία lieſs. —πος, ὁ, ἡ, Adv. εὐτρόπως (τρόπος) von einem guten, edlen Charakter. S. d. vorh. —πις, ιδος, (τρόπις) mit einem guten Boden oder Kiele: zw.

Εὐτροφέω, ῶ, auch im medio ich nähre mich wohl, bin wohl genährt, habe oder bekomme gute Nahrung; davon —φία, ἡ, gute, viele Nahrung, nahrhafte Speiſe: daher der Zuſtand und die Beſchaffenheit eines wohlgenährten Körpers. —φος, ὁ, ἡ, (τροφὴ) wohlgenährt, feiſt, fett: act. εὐτρόφος, wohl oder gut nährend: nahrhaft.

Εὐτρόχαλος, ὁ, ἡ, gut oder ſchnell laufend: von raſcher Bewegung, raſch, ſchnell: rund, ἀλωὴ, Il. 20, 496. —χος, ὁ, ἡ, (τροχὸς) ἅμαξα, mit guten Rädern verſehen, auch ſ. v. a. d. vorh.

Εὐτρύγητος, ὁ, ἡ, (τρυγάω) leicht zu erndten, abzuleſen, abzupflücken.

Εὐτυκίζω, ich bereite, mache zurecht; von —κος, ὁ, ἡ, wovon das Adv. εὐτύκως ſ. v. a.

Εὐτυκτος, ὁ, ἡ, zubereitet, zurecht gemacht; leicht zu machen: von τεύχω wofür man auch τύχω u. τύκω geſagt hat.

Εὐτυχέω, ῶ, (εὐτυχὴς) glücklich ſeyn und das Ziel treffen oder den Wunſch das gewünſchte erhalten: ὅταν εἰς τὴν ἀπέβασιν εὐτυχηθῇ, wenn ſie einen glücklichen mit der Prophezeiung ſtimmenden Ausgang haben: Herod. 2, 9. —χημα, ατος, τὸ, das Glück, der glückliche Zufall. —χὴς, έος, ὁ, ἡ, Adv. εὐτυχῶς, einer dem es glückt oder geglückt hat: der das Ziel getroffen, der ſeinen Wunſch oder das gewünſchte erreicht, erhalten hat, glücklich: τὸ εὐτυχὲς ſ. v. a. d. folgd. —χία, ἡ, (εὐτυχέω) das glückliche Treffen des Ziels, das Erlangen des Wunſches oder gewünſchten; Glück, glücklicher Zufall; Glückſeligkeit.

Εὐύαλος, ὁ, ἡ, von gutem oder ſchönem Glaſe.

Εὐυδρία, ἡ, Ueberfluſs an Waſſer; von —δρος, ὁ, ἡ, (ὕδωρ) mit Waſſer wohl verſehen: waſſerreich: mit oder von gutem oder ſchönen Waſſer.

Εὐυμνία, ἡ, Ruhm: zw. von —νος, ὁ, ἡ, viel- laut gerühmt; rühmlich, ruhmwürdig, preiswürdig: Hom. hymn. 1, 19. 207.

Εὐυπέρβατος, ὁ, ἡ, (ὑπερβαίνω) leicht zu überſteigen: zweif. —πέρβλητος, ὁ, ἡ, (ὑπερβάλλω) leicht zu überwältigen, zu übertreffen, zu beſiegen. —πνος, ὁ, ἡ, von gutem, ſanften Schlafe, dergleichen machend. —ποιστος, ὁ, ἡ, (ὑποίω) leicht zu ertragen.

Εὐυψὴς, ὁ, ἡ, (ὕψος) ſehr hoch: Nicetas Ann. 6, 5.

Εὐύφαντος, ὁ, ἡ, oder εὐυφὴς, (ὑφαίνω, ὑφὴ) wohl oder ſchön gewebt.

Εὐφανὴς, έος, ὁ, ἡ, (φαίνω) gut oder hell leuchtend, ſtrahlend: Nonnus.

Εὐφαντασίωτος, ὁ, ἡ, (φαντασιόω) Quintil. Inſt. 6, 2, 30. *qui ſibi res voces actus ſecundum verum optime fingit*, der ſich alles ſehr deutlich und lebhaft mit der Einbildungskraft vorſtellen kann.

Εὐφαρέτρας, dor. ſt. εὐφαρέτρης, ου, ὁ, (φαρέτρα) mit ſchönem Köcher.

Εὐφάρμακος, ὁ, ἡ, mit oder von guten Heilmitteln, Farbenwaaren, Farben: Heſych. und Euſtath.

Εὐφεγγὴς, έος, ὁ, ἡ, (φέγγος) hellleuchtend oder ſtrahlend; davon —γία, ἡ, helles Licht, Glanz: bey Suidas.

Εὐφημέω, ῶ, (εὔφημος) ich brauche gute, Glück vorbedeutende Worte, als εὐφήμει, *bene* oder *melius ominare*, *bona verba quaeſo*, *male ominatis abſtine verbis*, *fave linguâ*, Hom. Il. 9, 171. Xen. Cyr. 2, 2. 12. daher auch bey Opfern vorz. ſchweigen und aller Worte ſich enthalten, um keine übeln zu brauchen; 2) als act. rühmen, preiſen, loben, mit Beyfall, Lob, Wohlgefallen empfangen, aufnehmen; auch klagen, wie εὐφημία: Soph. Trach. 178. dav. —μία, ἡ, Rede in Worten von guter od. glücklicher Bedeutung: gute Wünſche: Lob, Preis: Beyfall; Klage. S. das vorherg. —μίζω, mit guten Worten oder von glücklicher Vorbedeutung anreden, bewillkommen, Glück wünſchen; auch ſ. v. a. εὐφημέω; dav. —μισμὸς, ὁ, ſ. v. a. εὐφημία: beſonders, wenn man eine unangenehme oder ſchlimme Sache mit einem sanften milden Ausdrucke belegt, bezeichnet, benennt; z. B. die Furien Eumeniden nennt.

Ἐυφημος, ὁ, ἡ, Adv. —μως, von gutem Rufe, Laute, von guter Vorbedeutung, Bedeutung; von Menschen, die in glimpflichen Worten sprechen: Plutar. 10 p. 46. froh, frölich: Plut. Q. S. 7, 8. —μοσύνη, ἡ, s. v. a. εὐφημία.

Ἐυφθαρ-ος, ὁ, ἡ, (φθείρω) leicht zu zerstören oder verderben.

Ἐυφθογγέω, wohltönen, wohlklingen; zw. von —γος, ἡ, von gutem Tone, Laute, gut oder wohl tönend; wohlklingend: schön singend od. sprechend.

Ἐυφιλής, ὁ, ἡ, sehr liebend: Aesch. Eum. 197. auch pass. vielgeliebt. —λητός, ὁ, ἡ, wohl- oder vielgeliebt; zweif. —λόπαις, δος, ὁ, ἡ, liebevoll gegen Kinder: zw. —λοτίμητος, ὁ, ἡ, das verst. φιλότιμος; zw.

Ἐυφιμος, ὁ, ἡ, sehr zusammenziehend: Nicand. Al. 275.

Ἐυφλαστος, ὁ, ἡ, (φλάω) leicht zu zerbrechen, zerbrechlich.

Ἐυφλεκτος, ὁ, ἡ, (φλέγω) leicht zu entzünden, anzuzünden, brennbar: Xen. Cyr. 7, 5. 22.

Ἐυφορβία, ἡ, (φορβή) gute Kost, Nahrung. Sophocl. —βιον, τὸ, eine stachlichte Staudenart in Africa, vom Euphorbius, dem Erfinder, genannt, dessen Milchartiger Saft in der Medicin gebraucht ward, und noch *euphorium* heisst; ist *euphorbia* des Linné.

Ἐυφορέω, ῶ, (εὔφορος) ich trage gut, trage viel Früchte, bin fruchtbar, ὁλκάσει φοροῦσα, ein Schiff mit günstigem Winde segelnd: im N. T. —ρητος, ὁ, ἡ, (φορέω) leicht oder wohl zu tragen. —ρία, ἡ, das leichte Tragen: Kraft oder Geduld etwas zu ertragen; das reichliche Tragen oder Fruchtbarkeit, reichlicher Ertrag, Fülle.

Ἐυφόρμιγξ, γος, ὁ, ἡ, mit der schönen Cither.

Ἐυφορος, ὁ, ἡ, Adv. —ρως, (φορὰ) leicht getragen od. zu tragen: act. leicht tragend; eben so vom Lande viel tragend, d. i. fruchtbar: leicht tragend od. behend; bey σῶμα, Xen. symp. 2, 16 behender Körper; leicht gerüstet; leicht tragend, schnell führend, vom Winde, d. i. glücklicher Wind: Xen. Hell. 6, 2. 15.

Ἐυφραδεία, ἡ, und εὐφραδία, (φράζω) Wohlredenheit, Beredsamkeit, Richtigkeit des Ausdrucks. —δέως, Adv. von —δής, ὁ, ἡ, (φράζω) beredt, wohlredend. 2) (φράζομαι) deutlich, wohl zubemerken.

Ἐυφραίνω, (φρὴν) froh machen, erfreuen, erheitern: med. und pass. sich erfreuen, erheitern, froh, heiter seyn,

Ἐυχαίτης, ου, ὁ, bey Diodor. 20, 54 haben die Handſchr. εὐχαιτίας, ὁ, der ſchönes oder vieles Haar hat, von Thieren, mit ſtarker Mähne, χαίτα.

Ἐυχαλίνωτος, ὁ, ἡ, gut gezäumt oder zu zäumen.

Ἐύχαλκος, ὁ, ἡ, von ſchönem Erz oder Kupfer; ſchön von K. gearbeitet. —κωτος, ὁ, ἡ, ſ. v. a. das vorherg. zweif.

Ἐυχαριεντίζομαι, Antonin. 1, 15. mit Anſtande ſcherzen. —ρις, ιτος, ὁ, ἡ, ſ. v. a. εὐχάριστος u. εὐχάριτος, artig, ſcherzhaft, witzig, angenehm; in Gunſt od. Anſehn ſtehend. —ριστέω, ῶ, (εὐχάριστος) ich bin dankbar, danke. —ριστήριος, ὁ, ἡ, dankend; zum Danke oder Dankbarkeit gehörig: τὸ εὐχ. verſt. ἱερὰ, Dankopfer, Dankfeſt: Polyb. —ριστία, ἡ, (εὐχαριστέω) Dankbarkeit, dankbares Gefühl, Dankſagung, Dank; 2) bey den Kirchenv. das heil. Abendmahl. —ριστος, ὁ, ἡ, u. εὐχάριτος, ὁ, ἡ, Adv. —ίστως, oder —ίτως, (χαρίζομαι, χάρις) dem Sinne nach ſ. v. a. εὔχαρις, artig, ſcherzhaft, witzig: λόγοι εὐχάριστοι Cyrop. 2, 2, 1. wofür 2, 2, 12 ἀστεῖος καὶ εὔχαρις ſteht: eben ſo ſteht ἀχάριστος, für unangenehm: Oecon. 7, 37 u. πρᾶγμα εὐχάριστον, Symp. 3, 9 wo Stephanus ἀχάριτον u. εὐχάριτον leſen wollte, weil er εὐχάριστος blos in der Bedeut. von dankbar anerkannte, wie beyde Worte Cyrop. 8, 3, 49 u. ſonſt ſtehn. Für *gratioſus* in Gunſt ſtehend, angenehm, ſteht εὔχαρις: Cyrop. 7, 4, 1.

Ἐυχειλος, ὁ, ἡ, (χεῖλος) mit ſchönen od. groſsen Lippen.

Ἐυχείμερος, ὁ, ἡ, gut Kälte ertragend: oppoſ. δυσχείμερος; 2) von gutem Winter, wo ſich gut überwintern läſst, von gelindem Winter: Ariſtot. Polit. 7, 10. wo aber Muretus v. lect. 14, 14 εὐδίεροι leſen will: Pollux 5, 108.

Ἐύχειρ, ειρος, ὁ, ἡ, mit leichten, fertigen geübten Händen; davon —ρία, ἡ, die Leichtigkeit und Fertigkeit einer geübten Hand. S. in εὐχερία. —ρος, ὁ, ἡ, ſ. v. a. εὔχειρ; zw. —ρωτος, ὁ, ἡ, (χειρόω) leicht zu überwältigen, zu bändigen: Xen. Oec. 8, 4.

Ἐυχέρεια, ἡ, die Leichtigkeit oder Fertigkeit in Behandlung einer Sache; oder paſſive die Leichtigkeit Bequemlichkeit womit eine Sache oder Perſon ſich behandeln läſst; daher alſo Leichtigkeit, Leichtſinn, Nachläſſigkeit: Geneigtheit, Geſchicklichkeit, Bequemheit zu etwas: Plutar. Lyc. 15. von —ρής, ἐος, ὁ, ἡ, (εὐχερέω) der mit Leichtigkeit oder Fertigkeit etwas behandelt; paſſive leicht oder bequem zu behandeln; daher leicht, bequem; leichtſinnig, nachläſſig, flatterhaft, unbeſtändig; geneigt, geſchickt zu etwas: οἱ εὐχερέστεροι, Dionyſ. Antiq. 7, 1. die reichern. Adv. —ρῶς.

Ἐυχετάω, gewöhnl. med. εὐχετάομαι, ſ. v. a. εὔχομαι; Heſych. hat auch εὐχετιάζω in derſelben Bedeut. —της, ου, ὁ, d. i. ὁ εὐχόμενος: zw.

Ἐυχή, ἡ, Gelübde; Bitte: Gebet; 2) das Rühmen von ſich, Prahlen.

Ἐυχήμων, ὁ, ἡ, wünſchenswerth: Heſych.

Ἐυχιλος, ὁ, ἡ, mit vielem Futter, futterreich: bey Heſych. εὔχορτος, εὔτροφος: bey Xen. ἱππικ. 1, 12 iſt ἵππος εὐχ. ein Pferd, das gut friſst; aber andre Ausg. haben εὐχυλ.

Ἐύχλοος, contr. εὔχλους, ὁ, ἡ, (χλόα) gutſchön-blühend oder grünend.

Ἐύχλωρος, ὁ, ἡ, ſchön grünend, ſchön oder gut grün.

Ἐυχολόγιον, τὸ, Gebetbuch: Suid.

Ἐύχομαι, fut. εὔξομαι, iſt blos im med. gebräuch. von εὔχω, urſprünglich nach Hemſterh. bitten, verlangen; daher im med. für ſich verlangen, bitten von den Göttern, θεοῖς, beten zu den Göttern; wünſchen; auch rühmen, prahlen; d. i. ſich anmaſsen, etwas mit Zuverſicht behaupten u. von ſich ſagen; auch in proſa: Polyb. 5, 43. geloben; verſprechen bey einer Gelübde.

Ἐυχοποιέομαι, ſein Gebet verrichten, *adorare*: bey Strabo 3 p. 368. S. wo falſch ψευδοποιεῖσθαι ſteht.

Ἐύχορδος, ὁ, ἡ, (χορδή) ſchön geſtimmt, ſchönklingend: Pindar.

Ἐύχορτος, ὁ, ἡ, kräuter- oder futterreich.

Ἐῦχος, εος, τὸ, Ruhm, Ehre, ehrenvoller, rühmlicher Sieg: Il. 21, 473 vergl. 472. 2) Ruhmräthigkeit, Prahlerey. S. εὔχομαι.

Ἐυχρηματέω, ῶ, ich habe Vermögen; davon —ματία, ἡ, Wohlhabenheit: Vermögen; von —ματος, ὁ, ἡ, (χρήματα) vermögend, begütert, reich. —μονέω, ῶ, (εὐχρήμων) Pollux 6, 196. ſ. v. a. εὐχρηματέω.

Ἐυχρηστέω, ῶ, ich bin εὔχρηστος, nützlich, bequem, dienlich, gut: εὐχρ. ταῖς ἐπιστροφαῖς, Polyb. 12, 18. εὐχρηστοῦμαι ὑπό τινος, ich erhalte, habe Nutzen, Vortheil, Wohlthat von einem. —στημα, ατος, τὸ, erhaltner Vortheil oder Nutzen. —στία, ἡ, leichter bequemer Gebrauch: Leichtigkeit-Fertigkeit-Bequemlichkeit im Gebrauche: Nutzen, Bequemlichkeit; v. —στος, ὁ, ἡ, Adv. —στως, gut zu gebrauchen, bequem, geſchickt, nützlich, vortheilhaft.

Ἐυχρίαστος, ὁ, ἡ, bey Xen. Reitk. 1, 17. zweif. ſoll viell. εὔχρηστος heiſsen; brauchbar oder geſund. —ἐω, (χρεία) ich habe geſunde Farbe, Anſehn, befinde mich wohl, bin wohl bey Leibe. —ής, ὁ, ἡ, ſ. v. a. εὔχροος, ſchönfarbig: Hom. od. 14, 24.

'Εὔχροια, ἡ, die geſunde Farbe, gutes Anſehn und Befinden; von

'Ευχροός, εὔχρους, ὁ, ἡ, von guter Farbe, Anſehn; geſund, (χρόα).

'Εύχρυσος, ὁ, ἡ, voll Gold, goldreich.

'Ευχρώς, ωτος, ὁ, ἡ, ſ. v. a. εὔχροος: Xen. oec. 10, 5.

'Ευχυλία, ἡ, gute Säfte; guter- angenehmer Geſchmack; von —λος, ὁ, ἡ, Adv. —χύλως, mit oder von guten Säften oder von gutem Geſchmacke: ſaftreich, geſchmackvoll. —μία, ἡ, u. εὔχυμος, ὁ, ἡ, im allgem. ſ. v. a. εὐχυλία u. εὔχυλος: den Unterſchied ſ. in χυλός.

'Ευχωλή, ἡ, (εὔχομαι) das Rühmen; der Ruhm; das Gelübde, der Wunſch, die Bitte: Hom. —λιμαῖος, αία, αῖον, (εὐχωλή) ſ. v. a. εὐκταῖος, *optabilis*, erwünſcht. Bey Herodot. 2, 63 ſind εὐχωλιμαῖοι die er vorher εὐχωλὰς ἐπιτελέοντες nennt. Beym Athenaeus 6 p. 249. werden die *Soldurii* oder *devoti* der Celten beym Caeſar B. G. 3, 22. εὐχωλιμαῖοι überſetzt.

'Ευχώριστος, ὁ, ἡ, (χωρίζω) leicht zu trennen.

'Ευχωστος, ὁ, ἡ, leicht zu verdämmen, auszufüllen. zw.

'Ευψηλάφητος, ὁ, ἡ, leicht zu berühren, zu behandeln. zw.

'Ευψυκτος, ὁ, ἡ, wohl abgekühlt, leicht abzukühlen.

'Ευψυχέω, ῶ, (εὔψυχος) ich bin guten Muthes oder tapfer. —χής, έος, ὁ, ἡ, (ψύχος) von einer mäſsigen Kühlung, kühl. —χία, ἡ, (εὐψυχέω) guter Muth, Tapferkeit, Standhaftigkeit. —χός, ὁ, ἡ, der guten oder frohen Muth hat: alſo tapfer, ſtandhaft od. froh, heiter. Adv. εὐψύχως.

"Ευω und ἕυω, (wie ἄυω und ἄυω, welches daſſelbe Wort nach attiſcher Ausſprache iſt) ich ſenge z. B. todte Schweine. S. ἕυστρα; auch bedeutet es trocknen; daher ἀπαυέω: davon ἀπευήκασιν, ἐξηρημέναι εἰσὶ bey Suidas und Heſych.

'Ευώδης, εος, ὁ, ἡ, (ὄζω) wohlriechend; davon —δία, ἡ, Wohlgeruch; davon —διάζω, Dioſc. 2, 91. Clemens Strom. 8 p. 933. ſ. v. a. ἀρωματίζω, ich mache wohlriechend. —διν, ινος, ὁ, ἡ, leicht oder oft gebährend, fruchtbar.

'Ευώλενος, ὁ, ἡ, (ὠλένη) mit ſchönem Arme oder Elbogen.

'Ευώμαλος, ὁ, ἡ, eben ſ. v. a. ὁμαλός. zw.

'Ευώνητος, ὁ, ἡ, leicht oder wohlfeil zu kaufen, wohlfeil. zweif. —νία, ἡ, Wohlfeilheit. —νίζω, wohlfeil oder geringſchätzig machen. S. ἐπευωνίζω. —νος, ὁ, ἡ, Adv. —ώνως, (ὦνος) in gutem Preiſse, wohlfeil. —νυμος, ὁ, ἡ, mit oder von gutem Namen, berühmt, geehrt: Heſiod. und Pindar; 2) von guter Bedeutung, dah. links, zur Linken, *ſiniſter*, ἀριστερὸς, weil man die von der Linken bemerkten Zeichen, *omina* und *auguria*, für glücklich hielt. Bey den Römern ſind umgekehrt *dextra* die glücklichen Zeichen. Doch waren auch *auſpicia ſiniſtra*, die glücklichen. S. Feſtus.

'Ευώπης, und femin. εὐῶπις, ἡ, auch εὐωπὸς, ἡ, ὸν, und εὔωψ, ὁ, ἡ, (ὤψ) mit ſchönen oder guten Augen oder Geſichte: alſo ſchön oder gut ſehend. Bey Aelian. H. A. 8, 12. ſteht εὔωπις auch als maſcul.

'Ευωρεῖν, (ὤρη, Sorge) ohne Sorge, vergnügt, unbekümmert ſeyn. —ρία, ἡ, von ὤρη, die Sorgloſigkeit, Zufriedenheit, Ruhe: τοιαύτης πάντα κατεχούσης εὐωρίας, bey Longus 1 B. kann auch die Schönheit, das Angenehme der Jahreszeit (von ὥρα) ausdrücken, wie bey Nicetas Annal. 8, 3. davon εὐωριάζειν ſ. v. a. εὐωρεῖν. —ρος, ὁ, ἡ, von ὤρη, ſorglos, ſorgenfrey, unbekümmert; 2) von ὥρα, εὔωρος γῆ, ein fruchtbares Land: γάμος εὔωρος, *maturae nuptiae*, die Hochzeit eines in der Reife der Jahre ſtehenden. —ροφος, ὁ, ἡ, (ὄροφος) mit gutem, ſchönen, feſten Dache oder Decke. zw.

'Ευωχέω, ῶ, ich ſättige, füttere gut: εὐωχοῦσι τὰς ὗς πιαίνοντες, man giebt den Sauen gut, reichlich zu freſſen und macht ſie fett. Ariſtot. V. Menſchen, ihnen gut zu eſſen geben, einen Schmauſs geben, ſie gut bewirthen; εὐωχοῦμαι, ich ſättige mich, eſſe mich ſatt: ἀλλὰ κρέα γε εὐωχοῦ, iſs doch recht Fleiſch, Xenoph. Cyrop. 1, 3. 6. οἱ Μῆδοι καὶ ἔπινον καὶ εὐωχοῦντο, die Meder tranken und lieſsen ſichs gut ſchmecken: 4, 5, 7. Metaph. auch von Bewirthung und Unterhaltung mit Worten, Erzählungen und dergl. von ἔχω, ὀχὴ und εὖ. S. εὐοχέω, und vergl. Xen. Mem. 3, 14. 7. Theophr. char. 8, 1. —χητὴς, ὁ, (εὐωχέω) der Gaſt, Schmauſer. —χητικὸς, ἡ, ὸν, was zum Schmauſen, guten Leben gehört; von —χία, ἡ, (εὐωχέω) Gaſtgebot, Schmaus, Schmauſerey.

'Ευῶψ, ῶπος, ὁ, ἡ, ſ. v. a. εὐώπης.

'Εφαγίζω, Soph. Ant. 196. (ἁγίζω, ἐπὶ) auf dem Grabe weihen, opfern. —γιστεύω, Soph. Ant. 247. ſ. v. a. ἐφαγίζω.

'Εφαιρέομαι, οῦμαι, darauf- darnach- darzu wählen.

'Εφάλιος, ὁ, ἡ, (ἐπὶ, ἅλς) an, bey, über dem Meere.

'Εφάλλομαι, (ἐπὶ, ἅλλομαι) anſpringen, darzu- hinaufſpringen: anfallen, angreifen: davon ἐπάλμενος ſt. ἐφαλόμενος.

'Εφαλμος, ὁ, ἡ, (ἅλμη) in Salz od. Salzlake eingemacht oder eingelegt. Plutarch.

'Εφαλος, ὁ, ἡ, ſ. v. a. ἐφάλιος.

'Εφαλσις, εως, ἡ, (ἐφάλλομαι) das Springen dahin - darzu - hinauf: Anfall, Angriff.

'Εφαμαρτάνω, darnach oder wieder fehlen, ſündigen: act. zur Sünde verleiten, dazu reizen. zw. —τος, ὁ, ἡ, unter der Sünde, (ἁμαρτὴ) der Sünde- dem Fehlen unterworfen, ſündig: zw.

'Εφάμιλλος, ὁ, ἡ, (ἐπὶ, ἅμιλλα) Adv. —ιλλως, worüber, wobey man ſtreitet oder wetteifert, Gegenſtand des Streites oder Wetteifers; 2) was mit andern wetteifert, gleich od. ähnlich.

'Εφαμμα, τὸ, S. ἐφαπτίς. —μος, ὁ, ἡ, ſandig.

'Εφανδάνω, ſ. v. a. ἁνδάνω, gefallen.

'Εφάπαξ, Adv. für einmal, einmal.

'Εφαπλόω, ῶ, darüber entfalten, ausbreiten. —πλωμα, τὸ, darüber ausgebreitete Decke und dergl. Suidas.

'Εφαπτὶς, ιδος, ἡ, (ἐφάπτω) bey Suidas ein männliches kriegeriſches Oberkleid, wie ἐμπερόνημα: wofür Polyb. 2, 28 ἔφαμμα ſagt. —τω, f. ψω, ich knüpfe an, binde: Soph. Ant. 40. ἐφάπτομαι, med. mit dem genit. ich berühre, taſte an; 2) ἐφάπτω, ich zünde an; v. ἅπτω, ἐπὶ. —τωρ, ὁ, ἡ, der berührt, antaſtet, anfaſst; von ἐφάπτομαι.

'Εφαρμογὴ, ἡ, das Anpaſſen, Draufpaſſen, Aufügen: Einfügung, Zuſammenfügung; von —μόζω, anfügen, einfügen, anpaſſen: neutr. dazu paſſen; davon —μοσις, εως, ἡ, ſ. v. a. ἐφαρμογὴ. —μόττω, ſ. v. a. ἐφαρμόζω.

'Εφαψὶς, ιδος, ἡ, das Band, ſo erklärt es Budaeus in der St. d. Galenus: ὄνυχές εἰσι δέρματος ἐφ. zw.

'Εφέβδομος, ὁ, ἡ, S. ἐπίτριτος.

'Εφέδρα, ἡ, (ἐπὶ ἕδρα) das darauf ſitzen, *inſeſſio*: Plato Polit. §. 27. 2) in der Mechanik iſt ἐφέδρα der ἕδρα entgegengeſetzt und oben was ἕδρα unten iſt: Hero Spir. Doch ſcheint es bey Phlegon Trall. Mirab. 3. ſ. v. a. ἕδρα zu ſeyn. —δράζω, ich ſetze, lege darauf: m. d. dat. —δρανα, τὰ, das Geſäſs, der Hintere. Ariſtot. h. a. 1, 13. —δρεία, ἡ, das darauf Sitzen; 2) die Beſatzung eines Orts ihn zu bewachen, *praeſidium*: Polyb. 3) das Beobachten, Aufpaſſen, Auflauern, wie man einem beykommen könne: von —δρεύω, darauf ſitzen, darinne ſitzen; 2) in Beſatzung ſeyn; 3) ein ἔφεδρος ſeyn: und m. d. dat. einem aufpaſſen, auflauern, beobachten, um alle Gelegenheit zu benutzen, wo man ihm beykommen oder ſchaden kann; überh. wo man etwas ausführen kann. —δρίζω, dor. ἐφεδρίσσω, darauf ſitzen, vorz. iſt d. Wort in dem Spiele gebräuchl. wo der Sieger von dem überwundenen auf dem Rücken bis zum Ziele getragen ward: daher der Sieger ἐφεδριστὴρ, das Spiel ſelbſt ἐφεδρισμὸς hieſs. Die Form ἐφεδριάζω und ἐφεδριασμὸς bey Heſych. und Photius iſt zweif. noch mehr die Form ἐφεδριόω ſt. ἐφεδρίζω. —δρος, ὁ, ἡ, darauf - dabey - darneben ſitzend: πηδαλίων ἐφ. Plato Politic. §. 16. auch feſt ſitzend oder feſt ſtehend; dah. ἔφεδρόν τι, bey Hippocr. ein feſtſtehender Sitz oder Stuhl: vorzügl. ein Fechter, der an die Stelle des überwundenen tritt und den Kampf erneuert. Martial 5, 24. nennt ihn *ſuppoſititius*; dah. jeder Feind, Aufpaſſer, Auflaurer oder Stellvertreter und Nachfolger: Xeno. An. 2, 5, 10. Soph. Aj. 615.

'Εφέζομαι, ich ſitze darauf - darbey: Hom. Od. 4, 717.

'Εφεκτικὸς, ἡ, ὸν, (ἐπέχω) was einhalten, zurückhalten, bändigen, mäſsigen kann; 2) ein Skeptiker, der keiner Erſcheinung Glauben beymiſst und mit Gewiſsheit davon ſpricht, ſondern die Erſcheinung als eine ſolche relatif annimmt. —τὸς, (ἐπέχω) ἀδήλων καὶ ἐφεκτῶν, unbekannter Dinge, bey denen man ſich eines poſitiven Ausſpruchs enthält: Sext. Emp. —τος, (ἐπὶ ἕκτος) τόκος. S. ἐπίτριτος.

'Εφελίσσω, Nicand. Ther. 220 ἐπελίσσεται οὐρὴν d. i. ἐφέλκεται, ſchleppt gebogen nach ſich.

'Εφελκὶς, ίδος, ἡ, (ἕλκος) Schorf od. Haut auf dem Geſchwüre. —κυσμὸς, ὁ, das Anziehen, Zuziehn, Nachziehn. —κυστὴς, οῦ, ὁ, d. i. ἐφελκύων; der zu oder nach zieht: nach Suidas auch βοηθὸς. —κυστικὸς, ἡ, ὸν, anziehend, angezogen, nachgezogen, nachziehend: angehängt: von —κύω, f. ύσω, und ἐφέλκω, f. ξω, ich ziehe hinzu oder nach; daher ich locke an; ich ſchleppe bey: Eur. Cycl. 131 ich bringe herbey.

'Εφεξῆς, ἐφεξείης, Poet. Adv. wie *deinceps*, in der Reihe, in der Folge, in der Ordnung, hinter einander, auf einander: nachher: darauf, darnach.

'Εφεξις, ἡ, (ἐπέχω) das anhalten, aufhalten, zurückhalten; 2) ſ. v. a. ἐπισχεσίη, Vorwand. So erklärten es die alten Grammat. in Ariſtoph. Veſp. 337. wo jetzt ἐφέξειν ſteht, und wo ſie ἔφεξιν laſen, und führten aus Eur. Beyſpiele an. Schol. Ariſt. u. Heſych.

'Εφέπω, ἐπιέπω, ich bin hinterher, verfolge, auch active ich ſchicke hinterher, wie das abgeleitete ὀπάζω. Il. χ, 188 Πατρόκλω ἔφεπε ἵππους wie anderswo μέθεπεν ἵππου Τυδείδην. Hernach ſuchen, ausſpüren, wie μεθέπω Il. ι, 121. κορυφὰς ὀρέων und μ. 330 ἄγρην ἐφέπεσκον betrieben die Jagd; τόσσης ὑσμίνης ἐφέπειν στόμα Il. υ. 359. einen ſo groſsen Streit mit vielen Kriegern betreiben, beſorgen. So ἐπὶ ἔργον ἔποιεν ſt. ἐφέποιεν. Ferner πότμον ἐφέψεις ſ. v. a. σπεύδειν, ſuchen, finden, ſich zuziehn. Endlich auch hinzugehn, hinzukommen, ἐφέπεις ὄρος Pind. Pyth. 1, 57. d. i. bewohnſt. συμπόσιας, Pyth. 4. 524. begehn, betreiben, beſuchen; med. ἐφέπομαί τινι, nachgehn, folgen beyſtimmen.

'Εφερμηνευτικὸς, ἡ, ὸν, Adv. ἐφερμηνευτικῶς, weiter erklärend, zur Erklärung beygeſetzt; von —νεύω, dazu- dabey erklären, weiter erklaren, auch ſ. v. a. ἑρμ. Plato Soph. 35.

'Εφερπύζω, f. ύσω, und ἐφέρπω, hinzu- herankriechen, herankommen, gehn: Theocr. 5, 83. 22, 15.

'Εφέσιμος, ὁ, ἡ, wovon an einen andern Richter appellirt werden kann, wobey eine ἔφεσις ſtatt findet. —σις, εως, ἡ, (ἐφίημι) die Apellation; 2) Appetit, Luſt nach etwas; Antrieb; 3) Erlaubniſs, Macht, διδόναι, λαμβάνειν ἔφεσιν.

'Εφεσπερεία, ἡ, S. das folgd. —περεύω, f. εύσω, den Abend dabey wachen, wachend zubringen; dav. ἐφεσπερεία, ἡ, bey Suidas ohne Erklär. wahrſch. das Wachen den Abend über bey einer Sache. —περος, ὁ, ἡ, gegen Abend: zu- für- auf den Abend. —πομαι, poet. ſ. v. a. ἐφέπομαι.

'Εφέστια, τὰ, S. das folgd. —τιος, ὁ, ἡ, (ἐπὶ, ἑστία) der auf dem Heerde iſt, wie die θεοὶ ἐφέστιοι, *penates, lares,* Hausgötzen; daher ein *ſupplex,* ἱκέτης, der ſich auf den Heerd ſetzt, u. um Erbarmen, Schutz fleht; 2) wie ἑστία das Haus bedeutet, ſo auch ἐφέστιος, *domeſticus,* was im Hauſse iſt, zum Hauſse gehört; der zu Hauſse iſt; einheimiſch; ἐφέστιοι ὅσσοι ἔασιν, ſo viel ihrer anſaſsig ſind, ein Haus haben, Dionyſ. Hal. Antiq. 1, 24. 1, 67. 3, 9. und ſonſt braucht ἐφέστια, τὰ, ſt. Familie; auch mit πατρῷα, für Vaterland. —τρὶς, ίδος, ἡ, ein Oberrock, Oberkleid im Winter im Hauſe anzuziehn; jedes Oberkleid; von ἐπὶ, ἕνω, ἕννυμι, wovon auch ἐσθὴς, bey Nicetas Annal. der Sattel.

'Εφέται, οἱ, Atheniſche Kriminalrichter, welche über Mord und Todtſchlag, auſser dem zugeſtandigen freywilligen erkannten; bey Aeſchyl. Perſ. 79. die Anführer. —τικὸς, ἡ, ὸν, verlangend: nachlaſſend; von ἐφίημι und ἐφίεμαι —τίνδα, das Ballſpiel, ſonſt φαινίνδα und ἁρπαστόν.

'Εφετμὴ, ἡ, (ἐφίημι) Befehl, Rath, Auftrag; bey Pindar. Iſthm. 6, 26. Gebet.

'Εφετῶς, Adv. bey Polyb. 2, 8. von zweif. Bedeut. Suidas hat ἐφετὸν δικαστὴν aus Syneſ. p. 54. wo aber richtiger ἐφέτην ſteht.

'Εφευάζω, ſ. v. a. ἐπευάζω: Plutar. Marc. 22.

'Εφευρετὴς, οῦ, ὁ, der darzu erfindet, bey Suidas. —ρίσκω, finden, antreffen: Homer.

'Εφεψιάομαι, ῶμαι, ἐψιάομαι ἐπὶ, m. d. dat. wie *illudo,* verſpotten, ſchmähen: Odyſſ. 19, 331 und 370. —ψω, wieder oder noch einmal kochen.

'Εφέω, ῶ, f. έσω, p. εκα, ſ. v. a. ἐφίημι: Il. 1, 567. 5, 174.

'Εφήβαιον, τὸ, die Schaam, ſ. v. a. ἐπείσιον oder ἐπίσειον: Pollux 2, 70. —βάω, ῶ, (ἐπὶ, ἡβάω) heran wachſen und zum Jüngling werden: Herodot. 6, 83. Aeſchyl. Theb. 671. —βεία, ἡ, (ἐφηβεύω) das Treten in das Alter des ἔφηβος: das Jünglingsalter. —βεῖον, τὸ, Ort für die Uebungen der ἔφηβοι beſtimmt. Pauſan. Lacon. 14. u. 20. wo die Handſchr. φαιβαῖον, die Ausg. ἐφηβαῖον haben. Bey Strabo 5, p. 377 werden neben γυμνάσια genennt ἐφηβικὰ, wo aber die medic. Handſchr. ἐφηβειακὰ d. i. ἐφηβεῖα καὶ richtiger hat. —βεύω, f. εύσω, ich bin, ich werde, kleide mich oder gehe wie ein ἔφηβος. —βία, ἡ, ſ. v. a. ἐφηβεία. —βικὰ, verſt. χωρία. S. ἐφηβεῖον. —βικὸς, ἡ, ὸν, zum ἔφηβος gehörig; τὸ ἐφ. das Alter des Jünglings, oder ſ. v. a. οἱ ἔφηβοι. —βος, ὁ, ἡ, (ἐπὶ, ἥβη) der das Alter erreicht hat, welches man ἥβη, *pubes, pubertas* nennt, welches zu Athen vom 18ten Jahre der Jünglinge, und vom 14ten der Mädchen angerechnet ward; im 20ſten hieſsen ſie οἱ ἐπὶ διετὲς ἡβῶντες. S. ἐπιδιετὴς. —βοσύνη, ἡ, poetiſch; von ἔφηβος; auch —βότης, ἡ, *pubertas,* das reife Jünglingsalter.

'Εφηγέομαι, οῦμαι, ich führe an wider einen und zeige ihm den Weg; 2) ich zeige den Richtern den Miſſethäter an, den ich getroffen habe, damit ſie ihn faſſen können; dieſe Klage oder Anzeige heiſst davon zu Athen ἐφήγησις. —γησις, ἡ, das Anführen, Wegweiſen zu oder wider jemand; 2) Anzeige, Klage. S. ἐφηγέομαι.

'Εφήδομαι, (ἥδομαι, ἐπὶ) darbey- darüber- darzu ſich freuen oder frohlocken. —δύνω, dabey- darüber- darzu erfreuen; med. ſich freuen.

'Εφήκω, dazu kommen, hin- oder ankommen: dahin reichen.

'Εφῆλιξ, ικος, ὁ, ἡ, bey guten Jahren, im guten Alter: ἀφῆλιξ, bejahrt, alt:

κτ.

'Εφηλίς, ἡ, ſ. v. a. ἐπηλίς, der Deckel, 2) ſchwarze Flecken im Geſichte mit ſchuppigter Haut, *vitiligo*; auch ἔφηλις: Brandflecke von der Sonne, ἥλιος; 3) Sommerſproſſen im Geſichte, ſonſt φακός. —λος, einer der die ἐφηλίς no. 2. hat; man erklärt es auch angenagelt feſt, von ἧλος, auch *inſolatus*, geſonnt, von der Sonne verbrannt, v. ἥλιος. —λότης, ἡ, ὀφθαλμοῦ, ein weiſser Fleck im Auge. Sextus Emp. 7, 233. —λόω, (ἧλος, ἐπί) τῶν δ' ἐφήλωται τορῶς γόμφος διαμπάξ, Aeſchyl. Suppl. 951. dieſes iſt durch dreingeſchlagene Nägel durchaus befeſtigt, ſt. das iſt feſt beſchloſſen.

'Εφημαι, d. i. ἧμαι ἐπί, ich ſitze darauf, darüber, dabey. —μερεύω, f. εύσω, ich bin, bleibe den ganzen Tag dabey: Diod. Sic. —μερία, ἡ, Reihe nach der Tagesordnung: Zeche: die Zunft: bey den LXX. —μερινός, ἡ, όν, und ἐφημέριος, ὁ, ἡ, (ἐπί, ἡμέρα) auf den Tag, zu dem Tage gehörig: Hom. Od. 4, 223. 21, 85. täglich: den ganzen Tag hindurch: οὐκ ἂν ἐφημ. βάλοι κατὰ δάκρυ, Odyſſ. gewöhnlich heiſſen die Menſchen ἐφημέριοι ἄνθρωποι, von kurzem Leben, die gleichſam nur auf einen Tag leben und mit Gewiſsheit darauf rechnen können. —μερίς, ίδος, ἡ, Tagebuch. —μερον, τό, das Uferaas, ein Inſect, welches nur kurze Zeit lebt, *Ephemerum*; 2) eine unbeſtimmte giftige Pflanze, oder ein zuſammengeſetztes Gift; von —μερος, ὁ, ἡ, (ἐπί, ἡμέρα) was nur einen Tag lebt, dauert, für den Tag iſt, täglich; überh. ſterblich, vergänglich; *diurnus, quotidianus, mortalis*. —μία, ἡ, ἔφημος, ὁ, ἡ, ἐφήμως, ἐφήμως ſt. εὐφημία, εὔφημος bey Heſych. und Aeſchyl. Ag. 1247. zw. —μοσύνη, ἡ, ſ. v. a. ἐφετμή, Odv. 12, 226.

'Εφησυχάζω, f. άσω, darüber- darauf- dabey ruhen, ruhig ſeyn: zw.

'Εφθαλέος, έα, έον, gekocht. Suid.

'Εφθήμερος, ὁ, ἡ, (ἑπτά, ἡμέρα) von ſieben Tagen, ſiebentägig. —μιμερής, ὁ, ἡ, (ἑπτά, ἡμιμερής) von ſieben Hälften oder 3 1/2 Füſsen, *pedes*, in der Metrik.

'Εφθοπωλεῖον, τό, auch ἑφθοπώλιον, Ort, wo Gekochtes, ἑφθός, verkauft wird, πωλέω, Garküche; v. —πώλης, ου, ὁ, (ἑφθός, πωλέω) Garkoch. —πώλιον, S. ἑφθοπωλεῖον.

'Εφθός, ἡ, όν, (ἕψω, ἕπτω, ἕψω) gekocht.

'Εφθότης, ητος, ἡ, das Gekochtſeyn: der Zuſtand eines gekochten Körpers: Auflöſung, Abmattung. Hippocr.

'Εφθόω, ῶ, (ἑφθός) ich mache gekocht, koche: Suidas.

'Εφιάλλω, ſ. v. a. ἐπιάλλω, daher die zweyte Bedeut. mit verſtandenem χεῖρας ſ. v. a. ἐπιχειρέω. Heſych. hat ἐφιάλλεν und ἠφίαλε durch ἐπεχείρησε erklärt. bey Ariſtoph. findet ſich φιαλεῖν mit dem Apoſtroph. S. φιάλλω.

'Εφιάλτης, ου, ὁ, *incubo*, der Alp; von ἐφιάλλω; auch ἐπιάλτης. —τία, ἡ, *paeonia herba*, weil ſie wider den Alp hilft; auch ἐφιάλτιον.

'Εφιδρόω, ῶ, f. ώσω, darauf- darüber- dabey ſchwitzen; überh. ſchwitzen: obgleich man es bey Hippocrates von einem dünnen Schweiſse an dem Obertheile des Körpers beſonders erklären will; dav. —δρωσις, εως, ἡ, Schweiſs: dünner abmattender Schweiſs, vorz. am Obertheile.

'Εφιελίς, ίδος, ἡ, bey Joſeph. Antiq. 3, 7, 6. ſ. v. a. κάλυξ: zw.

'Εφιζάνω, u. ἐφίζω, drauf ſitzen.

'Εφίημι, (ἐπί, ἵημι) darauf- dahin- dargegen ſchicken- werfen- los oder gehn laſſen: alſo anreizen, aufhetzen; zulaſſen, nachlaſſen, z. B. den Zügel; daher nachgeben, wie *remitto*, zugeben, zulaſſen, nachſehen, *indulgeo*; überlaſſen, zur Entſcheidung, oder appelliren, *provoco*; med. m. d. genit. wornach verlangen, ſtreben, zielen; ſeine Sache überlaſſen, oder Auftrag geben, *mando, praecipio*: Hom. Il. 23, 82. Odyſſ. 13, 7.

'Εφικνέομαι, f. ἐφίξομαι, v. ἐφίκομαι, m. d. genit. ich erreiche, das Ziel u. dergl. daher ich treffe: Herodot. 8, 4 τἆλλα λέγων ἐπίκεο ἄριστα καὶ ἀληθέστατα; 2) ich erreiche, komme dahin, ſo weit. —τός, ἡ, όν, (ἐφικνέομαι) erreichbar: oder was man erreichen, worzu- wohin man gelangen kann.

'Εφίμερος, ὁ, ἡ, (ἵμερος, ἐπί) erwünſcht, lieblich, angenehm, liebenswürdig.

'Εφινος, ὁ, ἡ, σάρξ, das Fleiſch im Halſe im Nacken, ἴς, ἰνός, ἰνίον: Heſych.

'Εφιππάζομαι, f. άσομαι, dazu- darauf- dagegenreiten. —παρχία, ἡ, ein Regiment Reiterey von 1024, oder eine doppelte ἱππαρχία (512) auf die wieder 4 ἴλαι von 128 Mann giengen. —πειος, ſ. v. a. ἐφίππιος. —πεύω, f. εύσω, darauf reiten: reiten: zw. —πιος, ὁ, ἡ, was auf dem Pferde iſt: zum Pferde gehört: τὸ ἐφίππιον, *ephippium*, die Pferdedecke unter dem Sitze oder Sattel. Xenoph. Reitk. 12, 8. Schabracke; ἀγών, der Wettkampf zu Pferde: Plato. —πον, τό, im Gegenſ. v. τέθριππον, einſpänniger Wagen. Polyb. 31, 3. —πος, ὁ, ἡ, (ἐφ' ἵππῳ ὤν) auf dem Pferde ſitzend, zu Pferde, reitend: Reiter: Xen. Cyr. 4, 2, 1. —ποτοξότης, ου, ὁ, berittener Bogenſchütze, τοξότης ἔφιππος: Diodor. 19, 30.

'Εφίπταμαι, ἐφίπτημι, hinzu- hinauf- dagegen fliegen. ἐπιπτάντας hat Strabo 4 p. 304.

'Εφίστημι (ἐφιστάω) ich setze- stelle etwas darauf- daran- darüber. ἐπιστήσας ταῖς θύραις φύλακας, stellte Wächter an die Thüren. ἐπιστήσας τοῖς γάμοις αἰδῶ καὶ τάξιν stellte Ordnung und Schaam als Wächter zu den Heirathen. ἐφίστημι τέλος, *impono finem.* ἐφίστημι στήλην τάφῳ ich stelle einen Stein aufs Grab; daher die metaph. Bedeutung, ich stelle einen über etwas, setze ihn über etwas, gebe ihm Aufsicht, Ansehn, Macht darüber. ἐπέστησε τούτῳ παιδαγωγόν; 2) *fisto*, ich halte an. τὴν πορείαν ἐπιστήσας, hielt auf dem Wege still, an: m. d. Genit. ἐπέστησε τοὺς ἱππέας τοῦ πρόσω, hinderten die Reiter weiter zu gehn. Daher die metaph. Bedeut. ἐπιστήσαντες περὶ θεοῦ, *assensum retinentes, cohibentes de deo*, die ihren Entschluss, Meinung zurückhalten, unentschlüssig, zweifelhaft sind. ἐπιστῆσαι τοὺς ἀκούοντας aufmerksam machen: Polyb. 2, 61. 3) ich bringe, stelle dar, wovon das Gegenth. ἀφίστημι, ich bringe, stelle weg, fort; 4) ἐφίστημι τὴν γνώμην, διάνοιαν, νοῦν, eigentl. m. d. Datif der Sache, wobey meist das Subst. ausgelassen wird, wie in προσέχω τὸν νοῦν τινί, auch προσέχω τινί; auch ἐπιστῆσαι κατά τι, περί τινος, den Verstand, Aufmerksamkeit, Betrachtung, Ueberlegung auf etwas richten. καθ' ὅτι ἂν αὐτῶν ἐπιστήσω τὴν γνώμην, *ad quodcunque enim eorum animum converto*, worauf ich nur meine Aufmerksamkeit Gedanken richte: Isocr. ἐπιστήσας τοῖς ποιήμασι, widmete seine Aufmerksamkeit der Poesie, *animum applicuit ad poemata*; Plutarch. δεῖ ἐπιμελέστερον ἐπιστῆσαι περὶ τῶν τοιούτων, dergleichen Dinge erfordern eine sorgfältigere Untersuchung und Nachdenken: Polyb. παντὶ δῆλον τῷ καὶ μικρὸν ἐπιστήσαντι, Basil. jedem, der nur ein wenig nachdenken will. ἐπιστὰς ἐπὶ τὰ Θησέως ἔργα wenn ich die Thaten des Theseus betrachte, überdenke. Davon kommt ἐπίσταμαι jonisch st. ἐφίσταμαι, ich bemerke, verstehe, weiss, u. ἐπιστήμη; 5) ἐφίσταμαι, auch m. d. Datif ich stelle mich daran, darüber, darauf, ich bin daran, dabey, darüber; ich stehe dabey, darneben, darüber; daher 6) ich bin über etwas gesetzt, habe Aufsicht und Macht darüber; 7) ich bin oben auf, schwimme oben; 8) ich bleibe stehn, halte ein, *consisto*; 9) ich komme herbey, erscheine plötzlich; komme hervor, wie *existo*; auch ich halte ein, *consistere facio*: Dionys. Ant. δ, 35. Die Tempora werden wie von ἵστημι gemacht.

'Εφιστορέω, ῶ, dazu, oder noch forschen oder fragen: Hesych.

'Εφοδεία, ἡ, oder ἐφοδία, (ἐφοδεύω) das Umgehn, Besehn, Visitiren, vorzüglich der Nachtwachen. —δευτής, οῦ, ὁ, s. v. a. ἔφοδος, ὁ. —δεύω, ich gehe hinzu, ich umgehe, begehe, visitire, revidire, vorz. die Nachtwachen: daher auch im medio Nachtwachen ausstellen. Xen. Hellen. 2, 4. 24. —διάζω, f. άσω, zur Reise mit dem Nöthigen versehen, versorgen, ausrüsten; überh. mit dem Nöthigen zu irgend einer Unternehmung versehen: Gell. 17, 2. med. sich zur Reise mit dem Nothigen versehen, versorgen lassen; überh. erhalten, bekommen; παρ' ἐκείνων καὶ ἑαυτὸν ἐφοδιάσασθαι ταῦτα, Jamblich. Pythag. §. 12. δι' ἁμαξῶν τὰ βιώσιμα ἐφοδιάζονται, führen auf den Wagen mit sich. Nicetas Annal. 4, 1. —διος, ὁ, ἡ, (ἐφ' ὁδῷ) zur Reise gehorig oder nöthig; τὸ ἐφόδιον, Reisegeld, zur Reise nothiger Vorrath von Lebensmitteln, Zehrung; metaph. ein Hulfsmittel zur Erlangung einer Sache. —δος, ἡ, (ὁδός, ἐπί) Zugang: Weg, der zu etwas führt: daher Mittel, Weg, Gelegenheit wozu; 2) der Angriff: μάχην ἐξ ἐφόδου συνάπτειν, Diodor. gleich nach dem Marsche und der Ankunft eine Schlacht liefern; 3) das Umhergehn, Umherreisen: Polyb. 2, 10, 8. 4) ὁ, s. v. a. ἐφοδευτής der die Nachtwachen umgeht und visitirt: Polyb. 5) Adject. ὁ, ἡ, zugänglich: Thucyd.

'Εφολκαῖον, τὸ, Steuerruder. Odyss. 14, 350. —κιον, τὸ, und ἐφολκίς, ἡ, (ἐφέλκω) ein Boot, welches dem Schiffe folgt, und in welchem man sich aus demselben aussetzen und in dasselbe überfahren lässt; metaph. Begleiter: Eur. Andr. 199. —κός, ὁ, ἡ, (ἐφέλκω) nach sich ziehend, anziehend, reizend; bey Aeschyl. Sup. 208 ἐν λόγῳ ἐφ. passive der in der Rede, Antwort zu lange weitlaufig spricht.

'Εφομαρτέω, ῶ, nachgehn, folgen, verfolgen. Il. 8, 191. 12, 412. —μιλέω, ῶ, bey einem in der Gesellschaft seyn, mit ihm umgehen: zw.

'Εφοπλίζω, rüsten, zubereiten, bewafnen gegen einen.

'Εφορατικός, ἡ, όν, zur Aufsicht gehörig oder geschickt; von —ράω, ῶ, übersehn, besehn, ansehn; beobachten, in Obacht oder Aufsicht haben. —ρεία, ἡ, die Aufsicht; 2) Amt, Würde des Ephorus. —ρεῖον, τὸ, wo die Ephori sich versammelten. —ρεύω, f. εύσω, ich bin Ephorus. —ριος, s. v. a. ἔφορος, auf der Gränze, angränzend; ἐφορίας ἀγορᾶς ἀπέχεσθαι bey Demosth. p. 632. s. v. a. τῶν ὁρίων τῆς χώρας; weil man an der Gränze anfangs zusammen kam und handelte.

'Εφορκίζω, dazu, dabey schwören, beschwören: zw.

Ἐφορμαίνω, d. i. ὁρμάω ἐπὶ, worauf losgehen, zugehen: angreifen, anfallen: Oppian. —μάω, ῶ, (ἐπὶ, ὁρμάω) act. antreiben, anfeuern, anreizen, erregen, Odyss. 7, 272. neutr. auf oder gegen jemand mit Eile; Heftigkeit, hitzig, zornig losgehn, angreifen, anfallen; meist m. d. dat. —μέω, ῶ, ich bin, liege mit dem Schiffe im Hafen, in der Bucht oder Anfuhrt, entweder um mich vor dem Sturme zu sichern, oder dem Feinde aufzupassen oder ihn zu bloquiren: ἐφορμουμέναι ὑπὸ Ἀθηναίων Thucyd. 8, 20. —μή, ή, der Angriff, Thucyd. 6, 90. wo gewöhnlich ἀφορμὴ steht. Hesych erklärt es auch für einerley mit ὁρμητήριον. —μησις, εως, ή, s. v. a. das vorherg. von ἐφορμάω; 2) von ἐφορμέω, die Anfuhrt der Schiffe, wenn sie in eine Bucht laufen und vor Anker liegen. Thucyd. 6, 90. —μητικὸς, ή, όν, (ἐφορμάω) zum Antreiben, Reizen, oder zum Angriffe gehörig oder geschickt. —μίζω, ich fahre, bringe das Schiff in den ὅρμος, Hafen, Bucht; med. ich laufe in den Hafen ein: dav. —μισις, εως, ή, das bringen des Schiffs in den Hafen oder in die Bucht. —μος, ὁ, ή, (ἐφ' ὅρμῳ) ναῦς. im Hafen, in der Bucht vor Anker liegend: νῆσος und dergl. mit einem Hafen oder Bucht zum Landen versehn; 2) ὁ, Subst. s. v. a. ἐφόρμησις.

Ἔφορος, ὁ, ή, (ἐφ' ὅρῳ) bey- auf- an der Gränze, angränzend.

Ἔφορος, ὁ, (ἐφοράω) Aufseher. In Lacedämon bestand das Collegium der Ephoren aus 5 Gliedern, welche die Gewalt der beyden Könige mäfsigten, und im Gleichgewichte hielten.

Ἐφόσον, Adv. oder ἐφ' ὅσον, so weit, in so fern.

Ἐφυβρίζω, s. v. a. ὑβρίζω, schimpflich schmählich behandeln: Il. 9, 368. m. d. dat. und accus. davon —βριστὴρ, ὁ, oder ἐφυβριστὴς, der beschimpft, schmäht: Anthol. ἐφύβριστος, Adv. ἐφυβρίστως, beschimpft, geschmäht, schimpflich, schmählich behandelt.

Ἐφυγραίνω, s. v. a. ὑγραίνω, benetzen: Hippocr. —γρος, ὁ, ή, benetzt, bewässert; zw.

Ἐφυδάτιος, ὁ, ή, (ἐφ' ὕδατι) über- bey- auf dem- am Wasser. —δραίνω, bewässern; zw. davon —δρία, ή, Zufluſs von Wasser; eigentl. das Bewässern; zw. —δριὰς, άδος, ή, νύμφη, eine Wassergöttin, Wassernymphe: Parthenius c. 14. bey Artemidor. 2, 43 ἐφυδριάδες. —δρος, ὁ, ή, s. v. a. ἐφυδάτιος, auf- über- bey dem Wasser: wässerig, nass: ζέφυρος ἐφ. Feuchtigkeit bringend: Od. 14, 458. —δωρ, ὁ, oder vielmehr ὁ ἐφ' ὕδωρ, Pollux 8, 113. der Aufseher über das Wasser in den gerichtlichen Wasseruhren, oder κλεψύδραι.

Ἐφυλακτέω, mit d. dat. anbellen: Plut. 8 p. 179. 10 p. 40.

Ἐφυμνέω, ῶ, besingen, preisen: Plato bey Sophocl. s. v. a. ἐπάδω, ἐποιμώζω und ἐπαράομαι. —νιον, τὸ, Gesang zu oder nach einem Hymnus: bey Apoll. Rhod. 2, 712. Zuruf od. Beyname.

Ἐφύπερθε, ἐφύπερθεν, Adv. oben darüber: m. d. genit. —περθύριον, τὸ, s. L. Odyss. 7, 91. st. ἐφ' ὑπερθ.

Ἐφυπνίδιος, ὁ, ή, (ἐφ' ὕπνῳ) zum Schlafe gehörig oder führend.

Ἐφυστερέω, ῶ, s. v. a. ὑστερέω, zweif. davon ἐφυστέρησις, ή, Clemens Paed. 2 p. 201 das nachher kommen. —στερίζω, nachher seyn, geschehn, kommen: Thucyd. 3, 82.

Ἐφυφαίνω, (ἐπὶ, ὑφαίνω) ich setze im Weben hinzu; schlage ein. —φή, ή, (ἐφυφάω) s. v. a. κρόκη, der Einschlag.

Ἐφύω, (ἐπὶ, ὕω) beregnen; darauf regnen, wie ὕει so ἐφύει.

Ἐφώριος, zeitig.

Ἐχέβοιον, τὸ, nach Pollux 1, 252 s. v. a. μεσάβοιον.

Ἐχέγγυος, ὁ, ή, (ἔχων ἐγγύην) verbürgend, verbürgt, glaubwürdig, sicher, zuverlässig: treu, ehrlich.

Ἐχεγλωττία, ή, (ἔχω, γλῶττα) Verschwiegenheit: aus Lucian. —δερμία, ή, (δέρμα, ἔχω) Hippiatr. p. 88. Veget. Mulomed. 3, 53 *echedermia* lat. *coriago* Hauttrocknifs, wenns Vieh so mager wird, dafs das Fell an den Knochen gleichsam angebacken festhängt. —θυμος, ὁ, ή, (ἔχω, θυμὸς) der Verstand hat oder der seine Begierden zurückhält, bezähmt: Odyss. 8, 320.

Ἐχείδιον, τὸ, dimin. von ἔχις, eine kleine junge Otter.

Ἐχέκολλος, ὁ, ή, (ἔχω, κόλλα) was sich festleimen läfst; Leim hält.

Ἐχεκτέανος, ὁ, ή, (ἔχω κτέανον) vermögend, reich.

Ἐχεμυθέω, ῶ, ich bin verschwiegen, schweige; davon —μυθία, ή, Verschwiegenheit; das Schweigen. —μυθος, ὁ, ή, (ἔχω μῦθον) seine Rede zurückhaltend, verschwiegen, schweigend: Homer sagt häufig ἔχειν μῦθον σιγῇ.

Ἐχενηΐς, ΐδος, ή, (ἔχω νῆα) Schiffshalter, Beywort des Ankers: Epigr. *echeneis, remora*, ein Meerfisch: Arist. hist. anim. 2, 14 Plin. 9, 25. 32, 1. bey Linné ebenfalls *echeneis*.

Ἐχεπευκής, έος, ὁ, ή, (ἔχω πεύκη) bitter, d. i. ἐχέπικρος, nach Eustath. bitter, herbe: Hom. Il. 1, 51. —πικρος, ὁ, ή, s. d. vorherg. zw. —πωλος, ὁ, ή, s. v. a. ἱπποτρόφος: Hesych.

Ἐχέσαρκος, ὁ, ή, χιτὼν, dicht oder fest am Fleische- Leibe anliegend: Athenaeus 137. —στόνος, ὁ, ἡ, Seufzer bringend-verurſachend; zw.

'Εχέτης, ου, ὁ, (ἔχω) vermögend, reich: aus Pindar. im Etym. M.

'Εχέτλη, ἡ, (ἔχω) Pflugſterze: jede Handhabe, Griff, Stiel; davon ἐχετλεύω, ſ. v. a. ἀροτριάω: Heſychius. —τλιον, τὸ, Nicand. Ther. 825. Behälter, (ἔχω) Fiſchhälter. —τρωσις, ἡ, bey Hippocr. ſ. v. a. λευκὴ βρυωνία.

'Εχεφρονέω, ῶ, ich bin verſtändig, klug, weiſe. —φροσύνη, ἡ, Verſtand, Einſicht, Klugheit: von —φρων, ονος, ὁ, ἡ, (ἔχων φρένα) der Verſtand oder Einſicht hat, verſtändig, klug, weiſe: Odyſſ. 4, 111. vergl. 2, 116.

'Εχθαίρω, ſ. v. a. ἐχθραίνω haſſen, Feind ſeyn. —θὲς, ἐχθεσινὸς ſ. v. a. d. urſprüngliche χθὲς, χθεσινός. —θέω, wovon d. fut. zu ἔχθω genommen wird. —θημα, τὸ, (ἐχθέω) Haſs: eigentl. das gehaſste. —θίων, ὁ, ἡ, compar. von ἔχθος gemacht; davon ἐχθιόνως, Adv. und ἔχθιστος ſuperl. verhaſster, feindſeliger, feindſeligſter, verhaſsteſter. —θοδοπέω, ῶ, ſ. v. a. ἐχθρεύω m. d. dat. Il. 1, 518 Feind ſeyn, ſich verfeinden; von —θοδοπὸς, ἡ, ὸν, verhaſst, verfeindet: ein poet. Wort, obgleich Plato Lgg. 7 es auch braucht: von ἔχθος und der Endigung δοπὸς, welche weder von δέπω, δέψω noch von ὄψ zu ſeyn ſcheint. —θος, εος, τὸ, Haſs, Groll, Feindſchaft. —θρα, ἡ, Feindſchaft, eigentl. femin. ἐχθρὰ v. ἐχθρὸς: davon —θραίνω, Feind ſeyn; befeinden, haſſen; verhaſst machen. γῆν τὴν ἐχθραίσαν αὐτῷ Aelian. H. A. 5, 2. wo die Handſchr. ἐχθαίρουσαν hat ſt. ἐχθρὰν οὖσαν —θρασμα, τὸ, (ἐχθράζω) ſ. v. a. ἔχθρα. Heſych. —θρεύω, m. d. dat. ſ. v. a. ἐχθραίνω. —θροδαίμων, ονος, ὁ, ἡ, den Göttern verhaſst; ſ. v. a. κακοδαίμων, unglücklich: Sophocl. —θρόξενος, ὁ, ἡ, Feind des Gaſtfreundes. —θροποιέω, ῶ, (ποιέω) ich mache Feinde, zu Feinden, verfeinde; davon —θροποιὸς, ὁ, ἡ, zum Feinde machend, verfeindend. —θρὸς, ὰ, ὸν, Adv. ἐχθρῶς, (ἔχθος) verhaſst; haſſend; verfeindet, feindſelig geſinnt, feind. —θρώδης, ὁ, ἡ, Adv. —δῶς, feindlich; dem Feinde ähnlich, gleich.

"Εχθω, (ἔχθος) haſſen, Feind ſeyn: ἔχθεται ἐμοὶ iſt mir verhaſst, mein Feind.

"Εχιδνα, ἡ, die Otter: Viper, bey den Dichtern ſ. v. a. ἔχις: ſonſt aber verſchieden: S. ἔχις: davon —ναῖος, αία, αῖον, oder ἐχιδνήεις, von der Otter; zur Otter gehörig. —νιον, τὸ, dimin. v. ἔχιδνα: wovon auch —νόδηκτος, ὁ, ἡ, (δάκνω) von einer Otter gebiſſen. —νοειδὴς, έος, ὁ, ἡ, (εἶδος) otterartig. —νοκέφαλος, ὁ, ἡ, (κεφαλὴ) otterköpfig. —νώδης, ὁ, ἡ, ſ. v. a. ἐχιδνοειδὴς.

'Εχίειον, bey Nicand. ſt. ἔχιον.

'Εχιναλώπηξ, εκος, ἡ, Igelfuchs: zw.

'Εχῖνες, οἱ, Herodot 4, 192 eine Art libyſcher Mäuſe mit ſtachlichten Haaren: wo jetzt ἐχινέες ſteht. In Ariſt. Mirab. c. 27 ſteht: ἐχινώδεις οὓς καλοῦσιν ἐχίδνας. In Aeliani h. a. 15, 26 ἐχεώδεις, οὓς καλοῦσιν ἐχενάτας. vergl. Ariſtot. h. a. 6, 37.

'Εχινίσκος, ὁ, dimin. v. ἐχῖνος. —νοκέφαλος, ὁ, ἡ, igelkopfig: Pollux 2, 43 f. L. ſt. σχινοκέφ: —νομήτραι, αἱ, Igelmutter, eine Art kleiner Meerigel mit groſsen Stacheln: Ariſt. hiſt. anim. 4, 5. Plin. 9, 31. —νόπους, οδος, ὁ, ἡ, eigentl. Igelfuſs, eine dornichte Pflanze.

'Εχῖνος, ὁ, *echinus*, ein Igel, Landthier mit Stacheln; 2) Meerigel, ebenfalls mit Stacheln. 3) der rauhe Magen der widerkäuenden Thiere. 4) die innere Haut des muskulöſen Magens von den Hühnerarten, Enten, Gänſen u. dergl. 5) eine Art von Keſſel oder groſsen Gefäſse. 6) eine Art von kupfernen oder irdenen Behältniſs, worein man beym Schiedsrichter διαιτητὴς alle Beweiſsmittel that, und welche am Ende verſiegelt dem ordentlichen Richter überliefert ward, wenn die δίαιτα vor den Richter von einer Parthey gebracht ward. 7) ein rauher Theil am Pferdezaume. —νώδης, εος, ὁ, ἡ, igelartig, ſtachelicht.

'Εχιόδηκτος, ὁ, ἡ, von einer Otter (ἔχις) gebiſſen (δάκνω). Beym Cebes ſteht ἐχιόδηκτοι ſo, daſs man eher glauben ſollte, es müſſe ἐχιοδῆκται Schlangenbeſchwörer heiſsen.

"Εχιον, τὸ, *echium* Otternkraut, gut wider den Otternbiſs.

"Εχις, ιος, εως, ὁ, die Otter, wovon man ἔχιδνα als femin. annahm; aber andre unterſchieden beyde als zwey verſchiedene Schlangenarten: Aelian. h. a. 10, 9. und die alten Aerzte als Nicander, Galen und Aetius beſchreiben beyde beſonders als ganz verſchieden und giftig.

'Εχίτης, ου, ὁ, Otternſtein: Plinius 37, 11.

"Εχμα, τὸ, (ἔχω) was anhält, feſthält, aufhält: daher Hinderniſs, Band, Feſſel, Gelenk, Aufhalt: ἀμάρης ἐξ ἔχματα βάλλων Il. ἔχ. γούνων, γαίης, Nicand. u. Apollon. Rhod. Bände der Glieder, Gelenke, Bande der Erde; davon —μάζω, halten, anhalten, aufhalten, feſthalten: befeſtigen, binden, zuſammenhalten: zurückhalten, hindern: wird m. αἰχμάζω oft verwechſelt.

ʼΕχόμενος, mit den genit. τὰ τούτων ἐχόμενα, was damit verbunden ist, daraus, darauf folgt; der folgende, nächste; auch ohne Kasus. Herodotus braucht es bey Umschreibungen τὰ γε τῶν ὀνειράτων ἐχόμενα, καρπῶν, σιτίων; οἰκετῶν, οὐδὲν χρυσοῦ ἐχόμενον, was man sonst auch ohne ἐχόμενα sagt τὰ τῶν ὀνειράτων, καρπῶν, was den Traum angeht, oder schlechtweg st. τὰ ὀνείρατα, οἱ καρποί: auch Dionys. Ant. 9, 26 τὰ τροφῆς ἐχόμενα st. ἡ τροφή. Das Adv. ἐχομένως heisst zunächst; darauf; passend.

ʼΕχόντως, Adv. v. part. praes. ἔχω kommt nur in aufgelösten compos. wie ἐχόντως νοῦν st. νουνεχόντως Plato Phileb. 39 vor.

ʼΕχυρός, ρά, ρόν, Adv. ἐχυρῶς v. ἔχω, wie ὀχυρός, sicher; zuverlässig; auf dessen Wort man sich verlassen kann; da ὀχυρὸς blos von einem haltbaren sichern d. i. festen Orte gebraucht wird; davon —ρότης, ητος, ἡ, Festigkeit: Haltbarkeit, Sicherheit, wie ὀχυρότης. —ρόφρων, ονος, ὁ, ἡ, festen Sinnes: Hesych. —ρόω, ῶ, haltbar, fest machen, befestigen: s. v. a. ὀχυρόω; davon —ρωμα, τὸ, der haltbar oder festgemachte Ort: Sicherheit: Theophyl. hist. 11, c. 13.

ʼΕχω, f. ἕξω, σχήσω, haben: also besitzen, inne haben, in seiner Gewalt haben: auf sich haben, tragen, leiden, dulden: halten, tragen: ἐν στόματι, loben, preisen: ἐν ὀργῇ ἔχ. τινά, auf einen böse, zornig seyn: m. folgd. infin. wie *habeo dicere*, ich kann sagen, weiss zu sagen: m. d. Adverbiis verbunden kann man es dem lat. und deutschen Sprachgebrauche gemäss, durch εἰμὶ mit dem adject. auflösen, wie ἔχω κακῶς *male habeo*, ich bin übel, schlecht, ich befinde mich übel, schlecht. ἔχειν τινὰ τοῦ προελθεῖν u. s. w. zurückhalten von; daher ἔχομαι Med. ich enthalte mich, halte mich zurück. Herodot. 6, 85. 7, 237 ἔχειν εἰς, κατὰ verst. τὸν πλοῦν anfahren, landen. κατὰ τὸν χαλκιδικὸν ἔσχεν εὔριπον Pausan. 1, 23. ὥσπερ εἶχεν so wie er war, mit beygef. ἑστηκώς, Cyrop. 7, 1, 1. so wie er stand. ὡς εἶχε τάχους ἕκαστος, so geschwind jeder konnte: Thucyd. ὡς ποδῶν εἶχον Herod. 6, 116 so viel ihre Füsse zu laufen vermochten: wie Aeschyl. Sup. 844 σοῦσθε ὅπως ποδῶν. Heliodor. ὡς εἶχε δεσμῶν, so wie er gebunden war. Bey den Attikern λῆρεῖς ἔχων u. dergl. steht ἔχων überflüssig; so auch εἴρξας ἔχει st. εἶρξεν. Als neutr. braucht es Herodot häufig, als πρήσσειν τὴν ἐς ἡμέας ἔχουσαν 8, 144 u. s. w. für betreffen, angehn. 5, 81 ἔχθρας ἐχούσης ἐς ʼΑθηναίους Feindschaft gegen die Athener gerichtet. ἔχομαί τινος, sich woran halten, festhalten, dran hängen. Vergl. oben ἐχόμενος: ist dies von einer Arbeit, Unternehmung, an einer Arbeit hangen, sich dran hängen, so ist es, muthig anfangen; rasch fortsetzen. ἐχεδῆ, s. v. a. φερέδη, Plato Cratyl. 42.

ʼΕψαλέος, έα, έον, (ἑψάω) gekocht, zum kochen.

ʼΕψάνη, ἡ, Topf zum kochen, ἕψειν; 2) Bündel von Gemüsskräutern, die ganz in den Topf gesteckt werden; *olerum fasciculos in ferventem ollam dejiciunt* Hieronym. —νός, ἡ, ὀν, was leicht kocht; zart wird. Diocles bey Athenaeus 2 p. 68 sagt: ἑψανὰ ἄγρια εἶναι θρίδακα u. s. w. d. i. Küchenkräuter.

ʼΕψάω, kochen: wovon ἑψαλέος: gewöhnlicher ἑψέω.

ʼΕψευσμένως, Adv. falsch, irrig, erlogen, praet. pass. von ψεύδομαι.

ʼΕψέω, ῶ, kochen, sieden, wie ἕψω: auch im medio ἑψήσασθαι, vom Kochen u. Färben des Haares: Pollux 2 sect. 35. Scheint mit πέπω πέπτω einerley; davon

ʼΕψημα, τὸ, das Gekochte, Gesottene: speciell, ein gekochter Most: Plin. 14, 9. davon —ματώδης, εος, ὁ, ἡ, dem eingekochten Moste ähnlich.

ʼΕψησις, ἡ, das Kochen, die Kocherey, Kochart.

ʼΕψητήριον, τὸ, Geschirr zum Kochen; von ἑψητὴρ oder —τής, οῦ, ὁ, ὁ ἕψων, der kocht, siedet; davon —τικός, ἡ, ὀν, das Kochen betreffend, zum Kochen gehörig. —τός, ἡ, ὀν, gekocht, gesotten.

ʼΕψιά, ἑψιή, ἔψεια, ἡ, (von ψειά, ψεά, s. v. a. ψηφός, ein Steinchen, womit Kinder spielen) eigentl. das Spiel mit Steinchen: dann überh. Spiel; lustige, fröliche Unterhaltung, Scherz, Spass, Vergnügung; davon —άομαι, ῶμαι, eigentl. mit Steinen spielen: überh. vergnügt, lustig seyn in Gesellschaft, sich angenehm mit andern unterhalten. S. ψιάδδω und ψιάζω. —άσιμος, s. v. a. παιγνιώδης, zum Spielen.

ʼΕψιμμυθισμένως, Adv. von ψιμμυθίζω, ich schminke mit Bleyweiss.

ʼΕψω, ich koche.

ʼΕω, das Stammwort von εἰμί, εἶμι, dah. ἔα, contr. ἦ und ἦα st. ἦν und ἦ, *eram, eras*, ferner ἔσομαι das futur. ἐών, ἐοῦσα, ἐόν.

ʼΕω, das Stammwort von ἵζω, ἵζω, ich stelle, setze; davon ἕσω, ἕσα poet. εἶσα, εἷσα; davon εἷμαι, eigentl. perf. passiv. attisch ἧμαι, ich bin gestellt, sitze, liege.

ʼΕω, das Stammwort von ἵνω, ἐνύω, ἕννυμι: davon εἷμα, das Kleid.

Ἔω, das Stammwort von εἶμι, ich gehe, das lat. eo, dav. euntis, eunti; ἰὼν, ἰόντος. S. εἶμι.

Ἕω, das Stammwort von ἕμι, εἷμι, dav. εἶναι, gewöhnlicher ἵημι, mitto, ich schicke, werfe, lasse: futur. ἥσω, eigentlich ἕσω.

Ἕωθεν, Adv. (ἕως) vom Morgen an: Xen. Cyr. 1, 6. 36.

Ἑωθινὸς, was zum Morgen (ἕως) gehört, oder am Morgen geschieht.

Ἑώιος, s. v. a. ἑωθινὸς, auch zur Morgenseite gehörig, gegen dieselbe gelegen.

Ἑωλίζω, procrastino, ich lasse alt werden, wie Fleisch, damit es mürber werde. —λοκρασία, ἡ, (κρᾶσις) eine Mischung von dem übrigen Weine, womit man bey schwelgerischen Gastmalern die begoss, die nicht wachen konnten: daher s. v. a. crapula, die Berauschung und der Taumel vom gestrigen Trunke. —λόνεκρος, eine Leiche, die schon lange steht. —λος, ὁ, ἡ, (ἕως, der Tag) was vom vorigen Tage übrig ist, als Essen: in dieser Rücksicht heisst es alt, u. wird dem neuen, frischen und warmen Essen entgegen gesetzt; hernach von andern Dingen, die durchs Aufbewahren und die Zeit ihre Kraft verlieren, veraltet, ohne Kraft, halb verdorben oder faul. Der Lat. sagt in dem Sinne auch hesternus. ἕωλος ἡμέρα, der Tag nach der Hochzeit. Athenae. 3 K. 15:

Ἑῶμεν, Il. 19, 402. πολέμοιο st. κορεσθῶμεν von ἵημι, wovon ἐξ ἔρον ἕντο.

Ἑῷος, α ον, (ἕως) gegen, vom, am Morgen, v. Raume.

Ἑώρα, ἡ, das Schweben, Hängen: das Erhängen: Soph. Oed. tyr. 1273. schwebende Bewegung; davon μετέωρος u. —ρέομαι, bey Hesych. s. v. a. μετεωρίζομαι, schweben, hängen: davon —ρημα, τὸ, das hängende, schwebende: Maschine hängende oder schwebende Personen vorzustellen auf dem Theater: Suidas aus den Schol. Aristoph. Pac. 75. —ρησις, ἡ, das aufhängen oder schwebend bewegen. —ρίζω, s. v. a. μετεωρίζω.

Ἕως, ω, ἡ, attische Form für ἠὼς jon. ἀὼς dorisch wie λαὸς, λεὼς.

Ἕως, Adv. bis, so lange bis, so lange als: im Gegensatze folgt τέως: gewöhnlich ἕως οὗ, ἕως ἄν, ἕως ὅτε. Mit dem genit. als ἕως πράγματος, λόγου und dergl. st. ἄχρι braucht Polyb. und die Spatern, so wie auch mit den Adverbiis temporum σήμερον, νῦν, ἄρτι, welches man b. den attischen alten Schr. nicht findet. Poetisch wird auch εἵως gesagt: auch steht ἕως bisweilen st. ὡς, ὥστε, dass, bey Homer. Es scheint aus ἐς ὅ zusammen gezogen, wie ἐς ὅτε, ἔστε, also ἔσω, ἕως, εἵως, welches letztere man b. Homer oft scandiren muss, als stünde εἷος.

Ἑωσφόρος, ὁ, ἡ, (ἕως, φέρω) der den Morgen oder Tag bringt, Lucifer, Morgenstern.

Z

Z, der sechste Buchstabe, Ζῆτα, der als Zahlzeichen ζ sieben, ͵ζ 7000 bedeutet. Er ist eigentlich aus ΔΣ entstanden, und deutet ein aspirirtes Σ und Δ an: daher kommt er in vielen Worten vor, die sonst bloss mit Δ oder Σ geschrieben werden. z. B. Ζαυκὸς st. Σαυκὸς, Ζάκυνθος lat. Saguntum; Δεὺς st. Ζεὺς, Jupiter, u. s. w. Die verschiedenen Dialecte behielten auch δ wo andere ζ setzten: dahin gehört ἀδαλέον, ξηρὸν und ἀδαλὸς, ἄσβολος, st. ἀζαλέος, ἄζαλος, ingl. ἀδαμιᾶν τὸ ἀδικάστως φονεύειν, Κρῆτες st. ἀζημιᾶν b. Hesych. S. auch in ζυγὸν. So ἀθήναζε, ἀθήναδε.

Ζα, Partic. insep. vorgesetzt verstärkt die Bedeut., wie ἐρι: in einigen Fallen soll es die Stelle von διὰ vertreten; wie ζαβάλλειν st. διαβάλλειν.

Ζάβοτος, ὁ, ἡ, (βόω) nach Hesych. πολύφορβος, πολύκτηνες. —βρὸς, st. ζάβορος, gefrassig, s. v. a. λάβρος.

Ζάγλη, ἡ, Nicand. Alex. 180. und ζάγκλον, τὸ, krummes Weinmesser, falx.

Ζαγρεὺς, έος, ὁ, Beyw. des Bacchus, auch nach andern des Pluto.

Ζαὴς, έος, ὁ, ἡ, (ἄω) heftig wehend, stürmend. S. in ζάω.

Ζάθεος, έη, εον, göttlich. Hesiod. th. 2. —θερὴς, έος, ὁ, ἡ, sehr warm od. heiss. S. θέρω.

Ζακαλλὴς, έος, ὁ, ἡ, nach Hesych. s. v. a. περικαλλὴς, sehr schön. —κελτίδες, αἱ, fehlerh. st. Ζακυνθίδες. —κορος, ὁ, ἡ, Priester: überh. Diener, Bedienter: einige erklären es für νεωκόρος. Man leitet es von ζὰ st. διὰ her: also διάκορος, wie νεωκόρος. —κοτος, ὁ, ἡ, sehr zornig, grimmig. —κυνθίδες, αἱ, Rüben und Kürbisse aus Zazynth.

Ζαλάω, stürmen. S. ζάλη.

Ζάλη, ἡ, Sturm, Ungewitter; ὀμβρόκτυπος, mit Schlagregen, Aeschyl. Ag. derselbe Prom. 371 πυρπνόου ζάλης; κύματος ζάλη stürmende Wellen. Plato Resp. 6 p. 93 οἷον ἐν χειμῶνι κονιορτοῦ καὶ ζάλης ὑπὸ πνεύματος φερομένου; u. Timae. p. 330 ζάλη πνευμάτων ὑπ' ἀέρος φερομένων. Davon ζαλάω Nicand. Ther. 252 ζαλόωσα χειμερίη χάλαζα, wo der Schol. es durch χιονίζουσα, συστρέφουσα χειμερινὴν erklärt und die Stelle ὥσπερ κρύος ζαλόεν πέριξ βέβριθεν umschreibt. Auf diese Stelle bezogen sich wahrsch. die, welche ζάλην d. χάλαζαν erklärten im Etym. M. und Suidas. ζάλος hat bey

Nicander die Bed. von Schlamm, welchen ein ſtürmiſcher wogender Fluſs zuſammen führt.

Ζαλόεις, όεσσα, όεν, ſtürmiſch; bloſs beym Schol. Nicand. S. ζάλη. —λος, ὁ, bey Nicand. Ther. 568. ζάλον εἰλυόεντα od. nach den Handſchr. ἰλυόεσσαν. Der Scholiaſt erklärt es durch κῦμα, Heſych. durch πηλόν. Scheint mit ζάλη einerley zu ſeyn.

Ζαμενέω, ῶ, Heſiod. theog. 928. v. zw. Bed. zürnen oder alle Kräfte anwenden. —νής, έος, ὁ, ἡ, von groſsem od. ſtarkem Muthe, μένος, muthig, heftig, hitzig; zornig, grimmig; feindſelig, feindlich.

Ζάν, ζανὸς, ὁ, dor. ſt. ζὴν, ſonſt ζεὺς.

Ζανώ, όος, gleichſ. das fem. vom vorigen, alſo ſ. v. a. ἥρη; zw.

Ζάπεδον, τὸ, bey Heſych. μέγα ἔδαφος: zweif.

Ζαπίμελος, ὁ, ἡ, ſehr fett: Heſych.

Ζαπληθής, έος, ὁ, ἡ, (πλῆθος) ſehr voll: Anthol.

Ζαπλουτέω, ῶ, ich bin ſehr reich: Chryſoſt. von —τος, ὁ, ἡ, ſehr reich.

Ζαπότης, ου, ὁ, ſtarker Trinker: Heſych.

Ζάπυρος, ὁ, ἡ, (πῦρ) ſehr feurig, oder brennend; zw.

Ζατεύω, dor. ſt. ζητεύω, ζητέω, wird aus Theocrit. 1, 85 angef. wo die Lesart ſehr zw. Heſych. hat ζατεῖ, ζητεῖ: ferner ζατῶσαι, θωρᾶσαι, φράσαι, ὑπονοῆσαι, ζημιῶσαι: Derſelbe hat ζαγῶσαι, ὑποπτεῦσαι: δωρικὴ ἡ λέξις ἀντὶ τοῦ ἐπισχεῖν, κατασχεῖν. Auch Photius Suid. u. Etym. M. haben ζατῶσαι für ὑποπτεῦσαι oder φράσαι; auch erklärt man ζαττίσασθαι, ἄσεσθαι bey Heſych. für ζατήσασθαι, αἰσθέσθαι: weil er anderswo ſagt: ἐζατωσάμην, διενοήθην u. ἐζατώθη, ᾔσθετο. Daſs die Gloſſen aus einem doriſchen Schriftſteller genommen, und ζαγῶσαι eine Variante von ζατῶσαι ſey, iſt klar: nicht aber der Urſprung und Bedeut. des Worts.

Ζατρεῖον, τὸ, S. in ζήτρειον.

Ζατρεύω, S. in ζήτρειον.

Ζατρεφής, έος, ὁ, ἡ, (τρέφω) gut genährt, feiſt, ſtark.

Ζαυκίτροφος, ὁ, ἡ, zärtlich, vornehm erzogen, ſt. σαυκίτροφος.

Ζαφεγγής, ὁ, ἡ, ſehr hell oder glänzend: Heſych. —φελής, ὁ, ἡ, u. ζαφελός, bey Homer kommen blos die compoſita ἐπιζάφελος (χόλος) u. ἐπιζαφελῶς χαλεπαίνειν vor: einige leiten es von ὀφέλλω u. ζα, für ſehr groſs, ab, andre anders: mit der praepoſit. ἐπι vermehrt, kann man es nicht wohl von ζα ableiten. —φλεγής, έος, ὁ, ἡ, (φλέγω) ſtark brennend, leuchtend, hell; aber Il. 21, 465. ſind den ζαφλεγέες τελέθουσι entgegengeſ. ἀκήριοι φθινύθουσι; daher Heſych. es nicht allein d. μέγα λάμποντες erkl. ſondern auch εὐθαλεῖς, μέγα πνέοντες: wobey offenbar eine andere Lesart zum Grunde liegt, vermuthlich ταχρηεῖς.

Ζάχολος, ὁ, ἡ, (χολὴ) ſ. v. a. ζάκοτος, ſehr zornig. —χρειής, έος, ὁ, ἡ, bey Homer von Kriegern und Winden, heftig, hitzig, leitet man von χράω, (ἐπιχράω) und ζα ab; auch braucht Apollon. Rhod. 1, 1059. ζαχρηέσιν αὔραις für heftige Winde. Im Homer erklärten es andere durch ἐξαπίναιος, andre εὐχρηστες und leiteten es von χρεία ab. Daſs einige ζαχραὴς u. ζακραὴς in der Bedeut. von ἀκραὴς laſen, kann man aus Heſych. muthmaſsen. Die Lesart ζαχρηὴς iſt joniſch ſt. ζαχραὴς. Bey Theocr. 25, 6 iſt ὁδίτης ὁδοῦ ζαχρεῖος (χρεία) ein eilender Reiſender, der den Weg bedarf. —χρειος, ὁ, ἡ, S. d. vorherg. —χρυσος, ὁ, ἡ, reich am Golde: Eur.

Ζάψ, ἡ, ſ. v. a. ζάλη Sturm auf dem Meere: bey Clemens Strom. 5 p. 674.

Ζάω, ζῶ, leben: poet. auch ζώω, fut. ζήσομαι, praeſ. ζῇς, ζῇ, imperf. ἔζην u. ἔζων, infin. ζῆν. Scheint mir mit ζάω, ζαέω, ζάημι blaſen, athmen einerley zu ſeyn, und daher wie πνέω, eigentlich athmen und leben zu bedeuten. Heſych. hat ζάει, πνεῖ, Κύπριοι: ferner ζαέντες, πνέοντες. Daher das Adj. ζαής, ſ. v. a. πνέων, blaſend, wehend. Von der Form ζόω kommt das poet. ζώω. Von der Form ζῆμι kommt ζῆθι u. σύζηθι, wie ζῶθι von ζῶμι beym Etym. M.

Ζε, an den Namen und ſubſtant. angehängt bedeutet die Bewegung an einen Ort hin, ἀθήναζε, nach Athen, wie θε, die Bewegung von einem Orte her, ἀθήνηθεν, von Athen her. Man hat auch δε dafür geſagt, Ἀθήναδε, wie οἴκαδε, ἀγορήνδε. Man hat auch δις geſagt, οἴκαδις u. ſ. w. S. δε u. δις.

Ζέα, u. ζειά, ἡ, die Getraideart, welche Linné *triticum ſpelta* nennt, Dinkel, Dunkel, Spelt, Spelz, Veſen, der Römer *far* und *adoreum*. S. auch ὄλυρα. 2) die Runzeln im Gaumen der Pferde, *gradus* bey Vegetius.

Ζείδωρος, ὁ, ἡ, oder richtiger ζήδωρος, ὁ, ἡ, die nährende, ſonſt βιόδωρος u. φερέσβιος, von ζάω u. δῶρον: da es andre von ζέα od. ζειά ableiteten; Artemidor. Oniroer. 2, 44.

Ζειρά, ἡ, eine Art von weitem Ueberkleide, welches nach Xen. An. 7. 4. 4. die Thracier bis auf die Füſse herab trugen, und nach Herodot. 7, 69 u. 75 die Araber; andere ſchrieben ζίρα u. σειρά: davon ζειροφόρος, der ſolch ein weites Oberkleid trägt.

Ζέλλω, bey Heſych. und Etym. M. ſ. v. a. βάλω, βάλλω.

Ζέμα, ατος, τὸ, (ζέω) das gesottene, Dekokt, Absud; s. v. a. ἀπόζεμα. —μος, s. v. a. θερμὸς. Etym. M. wo aber Sylburg ζέσιμος von ζέω vermuthete.

Ζέννυμι, ζεννύω, s. v. a. ζέω, wie κεράω, σβέω, κεράννυμι, σβέννυμι: davon ἀποζέννυμι, absieden, abkochen. S. auch σβέννυμι.

Ζεόπυρον, τὸ, Galen. de aliment. fac. 1 in Bithynien eine Getraideart, zwischen ζέα und πυρὸς.

Ζέρεθρον, τὸ, s. v. a. βέρεθρον und βάραθρον.

Ζέσις, εως, ἡ, (ζέω) das Sieden, Kochen, Wallen. —τολουσία, ἡ, (λοῦσις) das Waschen od. Baden in oder mit siedendem Wasser: v. —τὸς, ἡ, ὸν, (ζέω) gesotten, gekocht; siedend heiss.

Ζευγάριον, τὸ, (dimin. von ζεῦγος) ein kleines, schlechtes Paar oder Gespann vorz. von Ochsen. —γατὴρ, ῆρος, ὁ, Joseph. Antiq. 12, 4, 16. f. L. st. ζευκτὴρ ἱμάς, Rieme, Strange die Ochsen ans Joch zu spannen. —γεῖον, τὸ, s. v. a. ζεῦγος: Joseph. Ant. 12, 4, 16. zweif. —γελάτης, ου, ὁ, der ein Gespann Ochsen oder Pferde (ζεῦγος) treibt (ἐλαύνω) od. regiert, damit pflügt oder fährt. —γηλατέω, ῶ, ich regiere ein Gespann Ochsen oder Pferde, daher ich pflüge oder fahre. —γηλάτης, ου, ὁ, s. v. a. ζευγελάτης. —γήσιον, verst. τέλος, Vermögen und Klasse der ζευγῖται zu Athen. —γῆτις, ιδος, ἡ, fem. von ζευγήτης s. v. a. ζευγίτης: Hesych. erklärt das mascul. d. μεταβάτης. —γίππης, ὁ, Diodor. 19, 106. l. v. a. der auf einem zweyspännigen Kriegswagen, ζεῦγος πολεμιστήριον, ficht. —γίτης, ου, ὁ, angejocht: gepaart, in der Ehe, in der Schlachtordnung: Plutar. Pelop. 23. κάλαμος, zu den *tibiis paribus*, ζεύγη, geschicktes Rohr; in der Solonischen Eintheilung der Bürger von Athen hiessen ζευγῖται oder ζυγῖται, diejenigen, welche gepaart zwey Fünftheile von dem Vermögen der ersten Klasse der πεντακοσιομέδιμνοι hatten; ἡμίονοι ζευγῖται: Diodor. 17, 71. Maulthiere, die ziehn.

Ζεύγλη, ἡ, s. v. a. ζεῦγος, Joch; eigentl. nur ein Theil des Joches. S. κορώνη. —γλόδεσμον, τὸ, Riemen oder Band an der ζεύγλη. —γμα, ατος, τὸ, Zusammenjochung, Verbindung: auch s. v. a. ζυγὸν u. ζύγωμα. —γνυμι, ζευγνύω, f. ζεύξω, jochen, anjochen, zusammenjochen, anspannen, verbinden, vereinigen: Wasser oder Land durch Brucken; jede Verbindung durch ein Querholz, z. B. ζευγνύειν τὰς ναῦς; die Ruderbänke ζυγώματα, *transtra*, auflegen: Thucyd. 1, 29. S. ὑπόζωμα, und die Ableit. in ζυγ... —γοποιΐα, ἡ, das Machen, Verfertigen (ποιέω) eines Jochs (ζεῦγος), d. i. eines Paars oder zweyer gleicher Dinge, besonders eines zweyspännigen Wagens, und der *tibiae pares*: Theophr. H. P. 4, 12. —γος, εος, τὸ, Joch oder Gespann von Zugvieh oder Ochsen; ein zweyspänniger Pflug oder Wagen: μήτε ἐφ' ἵππου μήτε ἐπὶ ζεῦγος ἀναβῇ: Hippocr. affect. intern. c. 1. ein Paar, Ehepaar: wie *conjugium* von *jugum*; 2) ζεύγη, *tibiae pares*. S. ζευγοποιΐα; daher ζευγίτης κάλαμος, Rohr, welches zu diesen Flöten gebraucht ward: Theophr. H. P. 4, 12. —γοτροφεῖν, d. i. ζεῦγος (von Pferden: Xen. Mem. 1, 1. 9.) τρέφειν, ein Gespann Rennwagenpferde halten. —γοτρόφος, ὁ, ἡ, der ein Gespann Pferde hält.

Ζευκτὴρ, ὁ, S. ζευγατὴρ; davon —τήριος, ια, ιον, zum binden ans Joch geschickt, überh. zum binden; daher ζευκτηρία, ἡ, Band: Act. 27, 40. ζευκτήριον, τὸ, das Joch: Aeschyl. Ag. 540. —κτὸς, ἡ, ὸν, (ζεύγω) gejocht, gepaart: verbunden, verehelicht.

Ζευξίλεως, ώ, ὁ, (λεὼς st. λαὸς) dem Völker unterjocht sind: Sophocl. —ξις, εως, ἡ, (ζεύγω) das Jochen, Verbindung durchs Joch, Ehe, und auf andre Art, als Brücke und dergl. Paarung.

Ζεὺς, gen. διὸς, ὁ, Jupiter. Die casus obliqui διὸς, διὶ, δία sind vom alten δὶς, wie im lat. *Jovis*, *Jovi*, *Jovem*, *Jove* vom alten nom. *Jovis*, der noch in *Jupiter* sichtbar ist, zusammengezogen aus *Jovis pater*. Die Dorer sagen Ζὰν st. Ζὴν, Ζανὸς, der Accus. Ζεῦν bey Athenae. 8 p. 335. jonisch.

Ζεφυρικὸς, ἡ, ὸν, s. v. a. das folgd. —ριος, ὁ, ἡ, vom Zephyr, zum Zephyr gehörig; von —ρος, ὁ, Zephyr, Abendwind, bey uns West.

Ζέω, f. ζέσω, sieden, kochen: kochend heiss seyn, im Kochen sprudeln: und daher von Quellen aufsprudeln; act. kochen, heiss machen: Apollon. 3, 273. S. ζέννυμι.

Ζήδωρος, S. ζείδωρος.

Ζηλαῖος, αία, αῖον, (ζῆλος) eifersüchtig, neidisch, aus Anthol. —λευτὴς, οῦ, ὁ, s. v. a. ζηλωτὴς; zw. von —λεύω, f. εύσω, s. v. a. ζηλόω; zw.

Ζήλη, ἡ, die Nebenbuhlerin: Xenoph. Ephes. u. Aristaen. 1 ep. 25. —λημοσύνη, ἡ, bey Quint. Smyrn. s. v. a. ζῆλος, ὁ. von —λήμων, ονος, ὁ, ἡ, (ζηλέω) beneidend, neidisch, eifersüchtig. —λοδοτὴρ, ῆρος, ὁ, der Eifer; Nachahmung, Neid oder Eifersucht giebt, verursacht. Beyw. des Bacchus: Anthol. —λομανὴς, ὁ, ἡ, d. i. ζήλῳ μαινόμενος, von Eifer, Zorn, Eifersucht wüthend.

Ζῆλος, ὁ, Eifer, Nacheiferung; Bewunderung; Eifersucht, Hitze; Neid, Hass.

Stammt von ζάω, ζέελος, ζῆλος, und drückt also jeden Eifer, heftige Leidenschaft, Verlangen aus; daher ὁ πρὸς φιλοσοφίαν ζῆλος καὶ πόθος, Plutarch. Alexandr. 8. διὰ τὸν εἰς ταῦτα ζῆλον, Diodor. Sic. Bey Plutarch. Cicer. 2 ist ὁ τῶν Ἀσιανῶν λόγων ζῆλος, *asiaticum dicendi genus*.

Ζηλοσύνη, ἡ, s. v. a. das vorberg. zw.

Ζηλοτυπέω, ῶ; m. d. accusat. s. v. a. ζηλόω, nacheifern: nachaffen: beneiden, eifersüchtig auf jemand seyn; davon —τυπία, ἡ, Nacheiferung: das Beneiden: Neid, Eifersucht. —τυπος, ὁ, ἡ, Adv. ζηλοτύπως, (τύπτω, ζῆλος) eifersüchtig, neidisch: nacheifernd.

Ζηλόω, ῶ, (ζῆλος) einen glücklich preisen und schätzen, bewundern; daher nacheifern, nachahmen: und daher überh. nach etwas streben, wie ἀρετὴν und dergl. oder beneiden und daher hassen, oder eifersüchtig seyn auf einen: Theocr. 6, 27. Bey Eur. Med. 59 ist es eine Verneinungsformel, wie ἐπαινεῖν, danken für die Einladung und sie nicht annehmen: dav.

Ζήλωμα, τὸ, (ζηλόω) Dinge, Sitten und dergl. die man nachahmt: Athenae. 6 p. 273. —σις, ἡ, (ζηλόω) das Glücklichpreisen oder Schätzen, das Bewundern; daher Nacheiferung: Neid: Eifersucht. —τής, οῦ, ὁ, (ζηλόω) Bewunderer, Nachahmer, Nacheiferer: der beneidet, eifersüchtig ist; dav. —τικός, ἡ, όν, einem ζηλωτής (in den verschiedenen Bedeut. eigen, ähnlich, gehörig. —τός, ἡ, όν, (ζηλόω) glücklich geschätzt, bewundert; nachgeahmt, beneidet: zu bewundern, zu beneiden.

Ζημία, ἡ, Schaden, Verlust; Nachtheil; 2) Geldstrafe, Strafe; ζημίαν ἐργάζεσθαι, Strafe verwirken, verdienen durch eine unrechte Handlung: Isaeus. ποιεῖν, bey Aristoph. Pl. 1125 Schaden verursachen. —όω, ῶ, Schaden, Verlust zufügen; strafen, bestrafen: τέτταρσι καὶ εἴκοσι μναῖς τοὺς θυγατριδοῦς ζημιῶσαι, um 24 Minen bringen, Schaden von 24 Minen verursachen: Lysias. —ώδης, εος, ὁ, ἡ, Adv. ζημιωδῶς, schädlich, nachtheilig, Schaden oder Verlust bringend. —ωμα, ατος, τὸ, (ζημιόω) zugefügter Schaden, erlittener Verlust; erhaltene Strafe, Bestrafung. —ωσις, εως, ἡ, (ζημιόω) Bestrafung: das Schaden- Nachtheilverursachen.

Ζὴν, ζηνός, ὁ, s. v. a. ζεύς.

Ζηνόφρων, ονος, ὁ, ἡ, (φρὴν) Beyw. des Apollo, der durch Orakel Jupiters Sinn und Entschluss enthüllt; zw.

Ζητεύω und ζητέω, suchen, aufsuchen, aufspüren; suchen, untersuchen, von Richtern und Philosophen; suchen, verlangen oder sich sehnen nach: suchen, verlangen, streben, wollen: als ζητεῖ εἰδέναι, Plato: λαθεῖν Isocr. davon

Ζήτημα, τὸ, das gesuchte: Frage, Untersuchung; davon —μάτιον, τὸ, im Dimin.:

Ζητήσιμα, (ζητέω) zum Suchen leicht, oder geschickt: zw. —σις, εως, ἡ, (ζητέω) das Suchen, Fragen, Verlangen, Untersuchung, Frage, Streitfrage.

Ζητητής, οῦ, ὁ, (ζητέω) der Sucher, Forscher, Frager, Untersucher; bey Hesych. u. Photius ζητόρων, τῶν ζητούντων, doch merkt Hesych. an, dass andre ζητητόρων (von ζητήτωρ) schrieben Von der Form ζητητὴρ kommt ζητητήριος, zum Forscher gehörig; wovon bey Suidas τὰ τῶν ζητητηρίων ὄργανα: welches er d. βασανιστήρια erklärt. —τικός, ἡ, όν, zum suchen, forschen, gehörig, geschickt, geneigt: forschend, suchend.

Ζητρεῖον, τὸ, oder ζήτρειον, s. v. a. ζάτρειον, ζώντειον, ζώτειον, ein Ort, wo die gefesselten Sclaven arbeiten mussten: Pollux 3, 78. 7, 19. ζωντεῖον 3, 78. ζώτριον 7, 19. Das Etym. M. hat ζώστειον, ζώτειον, ζητρεῖον, ζήτρειον, ζήτριον. Dasselbe hat mit Suidas das verbum ζατρεύω für ἐν τῷ μύλωνι βασανίζω, ich züchtige einen Sclaven in der Mühle mit Mühlenarbeit: wird für ein jonisches Wort ausgegeben: Die Ableit. ist so ungewiss als die Orthographie: doch scheint es mit ζώγρειον einerley Urspr. und Bedeut. zu haben.

Ζιβύνη, ἡ, s. v. a. σιβύνη.

Ζιγγίβερις, εως, ἡ, eine Arabische Pflanze, dessen Wurzel man in der Medizin brauchte. Dioscor. 2, 190. Plin. 12, 7. hält man für den Ingwer.

Ζιζάνιον, τὸ, *Zizanium*, *lolium*, ein Unkraut im Getreide, Trespe, sonst αἶρα.

Ζίζυφον, τὸ, *zizyphum*, eine Baumart, deren Früchte in den Apotheken *jujubae* heissen, franz. *gigeolier*; *rhamnus jujuba* Linnaei. S. über Palladius p. 142.

Ζόη, ἡ, jon. st. ζωή; 2) s. v. a. γραῦς, Haut auf Milch und dergl. Hesych. in ζόη u. ζωή, und Eustath. über Il. μ. p. 906. von ζέω.

Ζορκάς, ἡ, und ζόρξ, ζορκός, ἡ, s. v. a. δορκὰς und δόρξ. Nicand. Ther. 142.

Ζόφεος, έα, εον, oder ζοφερός, (ζόφος) finster, dunkel, auch von der Farbe.

Ζοφοδορπίδας, ου, ὁ, (ζόφος, δόρπος) der im finstern oder im verborgenen speist; so nannte Alcaeus den Pittacus. Plutar. Q. S. 8. 6. Diog. Laert. 1, 81. bey Hesych. st. fehlerhaft ζοφοδορκής und ζοπαδοπίδας, bey Suidas ζοφοδορπίας und in der Handschr. des Stephan. ζοφοδορκίας. —ειδελος, ὁ, ἡ, ζοφοειδής, ὁ, ἡ, und ζοφόεις, εσσα, εν, (ζόφος) finster, dunkel, auch von der Farbe.

Ζοφομηνία, ἡ, ſ. v. a. σκοτομήνη, verfinſterter Mond.

Ζόφος, ὁ, Finſterniſs, Dunkel: Abend, auch als Himmelsgegend, als οὐκ ἴδμεν, ὅπη ζόφος, οὐδ' ὅπη ἠώς, Hom. wir wiſſen nicht, wo Abend, noch wo Morgen liegt. —**φόω**, ῶ, f. ώσω, verdunkeln, verfinſtern, davon ζόφωμα τὸ, Nicetas Annal. 19, 9. ſ. v. a. ζόφος. —**φώδης**, εος, ὁ, ἡ, ſ. v. a. ζοφοειδής. —**φωσις**, εως, ἡ, (ζοφόω) Verdunkelung, Verfinſterung; Dunkel, Finſterniſs.

Ζυγάδην, Adv. (ζυγάω) jochweiſe, paarweiſe: Suidas.

Ζύγαινα, ἡ, *zygaena*, der Hammerfiſch, eine Hayfiſchart.

Ζυγανὸς, ἡ, ὸν, ſ. v. a. ζυγιανὸς: zw.

Ζυγάστριον, τὸ, dimin. von ζύγαστρον, τὸ, oder ζύγαστρος, ὁ, bey Heſych. ein hölzerner Kaſten, Xen. Cyr. 7, 3. 1. von ζυγὸς, den zuſammengefügten Bretern.

Ζυγέω, ῶ, gleichſam im Joche ſeyn oder ſtehn, vom Soldaten, der neben andern in derſelben Reihe ſteht. Polyb. 3, 113. ſo wie στιχέω, hintereinander in derſelben Reihe ſtehn.

Ζυγηφόρος, ὁ, ἡ, ſ. v. a. ζυγοφόρ.

Ζυγιανὸς, ἡ, ὸν, im Zeichen der Waage (ζυγὸν) geboren: zw.

Ζύγιμος, ὁ, ἡ, ſ. v. a. ζύγιος: Polyb. 34, 8.

Ζυγίον, τὸ, die Waage, dimin. von ζυγὸν.

Ζύγιος, ία, ιον, (ζυγὸν) zum Joche gehörig oder geſchickt: βοῦς, ἵππος, Jochochſe, Jochpferd, Spannochſe, Spannpferd, Zugochſe, Zugpferd: ἥρη, wie *Juno jugalis*, die Vorſteherin der Ehen und Eheleute, Ehepaare.

Ζυγίτης, ου, ὁ, ein Ruderer in der Mitte des Schiffs. S. μεσόνεοι. ſ. v. a. ζευγίτης. S. ζυγὸν.

Ζυγκλέω, bey Heſych. ξυγκλεῖ, μύει, ὁρμᾷ, σκυθρωπάζω. Derſelbe hat ἐπιζυγκλεῖν, ἐπισκαρδαμύττειν, ἐπιστένειν, ἐπικατακλᾶν; hernach ἐπιζύγκουσα ἐπικλείουσα, μύουσα. Verwandt ſcheint damit ζικνῶσαι, σκυθρωπάσαι, wofur Suid. und Etym. M. ζιγνῶσαι haben. Die Schreibart mit υ ſcheint richtiger, wenn man das Wort von στύζω, στύγω, στυγέω davon στυγνὸς, od. σκύζω, σκυζάω, davon σκυθρὸς, ableitet.

Ζυγόδεσμον, τὸ, und —**δεσμος**, ὁ, desgl. —**δέτης**, ὁ, (ζυγὸς, δέω) der lederne Riem, womit das Joch des Zugpferdes oder Ochſens an die Deichſel des Wagens oder Pflugs feſtgebunden wird, ſo daſs er an der Deichſel, nicht wie bey uns an Strängen zieht: S. μέσαβον. —**ειδὴς**, έος, ὁ, ἡ, (εἶδος) jochartig, jochähnlich. —**κρούστης**, ὁ, (κρούω ζυγὸν) der mit falſcher Waage betrügt: Artemidor. 4, 60. —**μαχέω**, ῶ, unter einander, mit ſeinem Paare, Kameraden, Ehegenoſſen, Hausgenoſſen zanken, widerſtreben, ſtreiten.

Ζυγὸν, τὸ, Ruderbank: Joch, als ζυγὰ ἐπιτιθέναι τινὶ, Xen. Cyr. 3, 1. 27. in plur. auch die Waage, wie ζυγίον. Plato Cratyl. 31. leitet es vom alten δύογον d. i. δύο ἄγω her: welche Ableit. die Stelle des Heſych. beſtätiget, wo er δυοχοῖ d. πωματίζει, σκεπάζει aus Democritus erklärt, und δυοχῶσαι d. πωμάσαι. Es iſt dieſs für ζυγόω geſetzt. S. in ἀναζυγόω.

Ζυγοπλάστης, ου, ὁ, Waageverfälſcher. zweif. —**ποιέω**, ῶ, Joche machen: auch ſ. v. a. ζυγόω.

Ζυγὸς, ὁ, Joch: daher alles was bindet, zwey und mehrere Körper verbindet, vereiniget, wie ein Joch zwey Ochſen: alſo die Riemen an d. Schuhen: Queerbalken: Waagebalken für die 2 Waageſchalen: die Waage ſelbſt; auf dem Schiffe, *tranſtrum*, σέλμα, wo der Steuermann ſitzt: Aeſchyl. Ag. 1629. S. ζευγνύω und σέλμα.

Ζυγόσταθμος, ὁ, Waage, Plutarch. 9 p. 664. —**στατέω**, ῶ, (ἐν ζυγῷ ἵστημι) auf die Waage legen, abwägen: bey Polyb. ζυγοστατεῖται ὁ πόλεμος ſ. v. a. ἰσοῤῥοπεῖ; davon —**στάτης**, ου, ὁ, abwagend, zuwägend. —**τρυτάνη**, ἡ, ſ. v. a. das vorherg. Photii Lex. und Suidas in ζυγὸς.

Ζυγοφορέω, ich trage das Joch: bey Suidas ich wäge; davon —**φόρος**, ὁ, ἡ, der ein oder das Joch trägt.

Ζυγόω, ῶ, anjochen, unterjochen: eins mit dem andern verbinden, vereinigen, an einander jochen. S. ἀναζυγόω und ζυγέω.

Ζυγωθρίζω, bey Ariſtoph. Nub. 747. erklären einige ζυγώθρισον durch κλεῖσον Pollux 10, 26. von ζύγωθρον der Riegel, andre abwägen, überlegen v. ζύγωθρον ſ. v. a. ζυγὸς, *jugum librae*, Waagebalken. —**θρον**, τὸ, (ζυγόω) ein Riegel, der beyde Thürflügel verbindet. S. ἀναζυγόω.

Ζύγωμα, τὸ, ſ. v. a. das vorherg. als τῶν πυλῶν, Polyb. 7, 16. *jugamentum* bey Cato. S. ἀναζυγόω. —**σις**, ἡ, (ζυγόω) das Jochen, Verbinden, Vereinigen durch ein Joch od. überh. —**τὸς**, ή, ὸν, angejocht, angeſpannt: verbunden, vereiniget durch ein ζυγὸν in den verſchied. Bedeut.

Ζύθος ὁ, im genit. ου, oder als neutr. εος, ein Gerſtendekokt, Bier, nach Dioſcor. 3, 109.

Ζύμη, ἡ, Sauerteig: von ζέω, ζύω, wie ῥέω, ῥύω, ῥύμη, weil er andern Teig in Gährung bringt. S. in ζυμόω. —**μήεις**, ήεσσα, ῆεν, geſauert. —**μίζω**, (ζύμη) ſchmecke oder rieche ſauer. —**μίτης**, ου, ὁ, geſäuert, als ἄρτος. —**μόω**, ῶ, (ζύμη) ich säure, ich setze durch Vermischung mit Sauerteige in Gährung: blähe auf: κοιλίην ἔτι ζέουσαν καὶ ἐζυμωμένην, Hippocr. veter. medic. c. 5.

Ζυμώδης, ὁ, ἡ, s. v. a. ζυμήεις. —μωμα, τὸ, fermentum, was zum aufgehn des Teiges genommen wird, wie Sauerteig. Hefen; 2) was durch die Wirkung davon entsteht: z. B. ζύμωμα γῆς heisst der Pilz, (fungus) gleichsam ex terrae fermentatione natus. —μωσις, ἡ, das Säuren, Aufblähen. S. ζυμόω. —μωτικὸς, ἡ, ὀν, (ζυμόω) gut zum säuren oder gähren zu machen. —μωτὸς, ἡ, ὀν, (ζυμόω) gesäuert.

Ζωαγράφω, aufgelöset st. ζωγραφέω. S. ζῶον. —γρια, τὰ, Belohnung für die Rettung oder Erhaltung des Lebens: Herodot. Erhaltung der Lebenskraft, der Lebensgeister, Hom. nach Eust. von ζωὴν ἀγεῖραι, in jener Bedeutung aber vom Kriege, v. ζῶντα ἀγρεύεσθαι. S. ζωγρέω.

Ζωάριον, τὸ, ein Thierchen: dimin. v. ζῶον.

Ζωαρκὴς, έος, ὁ, ἡ, (ἀρκέω ζωὴ) das Leben erhaltend: τὰ ζ. Lebensmittel.

Ζωαρχικὸς, ἡ, ὀν, (ἀρχὴ ζωὴ) zum Lebensprinzip gehörig oder dasselbe enthaltend. zw. —χος, ὁ, ἡ, (ἄρχων ζώου) der ein Thier, als einen Elephanten, lenkt, führt.

Ζωγράφειον, τὸ, Werkstätte, Arbeitszimmer eines Mahlers. —φέω, ῶ, (ζωγράφος) ich mahle; davon —φημα, τὸ, das Gemahlte: Gemählde. —φητὸς, ἡ, ὀν, gemahlt. zweif. —φία, ἡ, (ζωγραφέω) das Mahlen, Mahlerey, Mahlerkunst. —φικὸς, ἡ, ὀν, Adv. ζωγραφικῶς, zum mahlen geschickt, gehörig: ζωγραφικὴ, ἡ, verst. τέχνη, Mahlerkunst. Bey Dionys. Compos. 21. ist die Form ζωγραφίαιος; von —φος, ὁ, (ζῶον γράφω) der Thiere, der Menschen mahlt: der Mahler. S. ζῶον.

Ζωγρεία, ἡ, u. ζωγρία, (ζωγρέω) das Gefangennehmen u. Pardongeben: d. Fangen eines lebendigen Thieres. —γρεῖον, τὸ, ein Käfig, Ort, Platz, worin man lebendige Thiere aufbewahrt; von —γρέω, ῶ, (v. ζωὸς ἀγρέω) ich fange lebendig: überh. ich fange: im Kriege ζωγρεῖν μηδένα, keinem Pardon oder Quartier geben; 2) von ζωὴ, ἀγείρω oder ἄγρω, ich belebe, fache an, s. v. a. ζωπυρέω: Iliad. ε. 698. Aretaeus 4, 3. So hat Hesych. ζώγρει, ἐγρήγορον, —γρητικὸς, ἡ, ὀν, (ζωγρέω) zum lebendig fangen, gefangennehmen gehörig oder geschickt. zw.

Ζωγρίας, ὁ, lebendig gefangener. —γρον, τὸ, und ζῶγρος, ὁ, Hesych. s. v. a. ζωγρεῖον: Basilii Hexaem. 9 p. 87.

Ζωδάριον, τὸ, s. v. a. ζωάριον, ζώδιον u. ζωΰφιον.

Ζωδιακὸς, ὁ, (ζώδιον) näml. κύκλος, der Thierkreis mit den Sternbildern, Zodiacus. —ογλύφος, ὁ, Plutarch. Q. S. 7, 8. der kleine Bilder schnitzt. —ον, τὸ, s. v. a. ζῶον, wovon es eigentlich ein dimin. vorz. ein Gemählde, auch ein Bild, sigillum, vorz. ein Sternbild: wovon ζωδιακὸς. —οφόρος, s. v. a. ζωδιακὸς. —ωτὸς, ἡ, ὀν, (ζώδιον) s. v. a. ζωωτὸς.

Ζωὴ, ἡ, Leben: Lebensunterhalt, Vermögen, wie βίος.

Ζωηδὸν, Adv. nach Art der Thiere: Polyb. 6, 5. —ρὸς, ρὰ, ρὸν, lebendig: act. Leben gewährend. Suid. —φόρος, ὁ, ἡ, Leben bringend, gebend.

Ζωθάλμιος, ὁ, ἡ, Pindar. Ol. 7, 20. nach Hesych. ζώπυρος, ζώσιμος, βιώσιμος, θάλλειν ποιῶν. Bey Nonnus Dionys. 16. steht ζωθάλπιδες ὧραι. Hat einerley Ursprung mit φυτάλμιος u. βιοθάλμιος von θάλπω oder ἄλω, ἄλδω. —θήκη, ἡ, bey Plin. jun. ein Kabinetchen, wie unsere Alkoven, am Tage darinne zu ruhen, wie im dormitorium des Nachts.

Ζωΐδιος, ὁ, κύκλος, s. v. a. ζωδιοφόρος u. ζωδιακὸς.

Ζωικὸς, ἡ, ὀν, (ζῶον) thierisch, animalisch: von ζωὴ, zum Leben gehörig.

Ζῶμα, τὸ, (ζώω) ein Unterkleid, Wams, Kamisol, bis an den Gurt reichend. — —μάλμη, ἡ, θασιὰ, bey Suidas: zw. θασιας ζωμὸς ἅλμης, Schol. Aristoph. Acharn. vers. 671. —μάρυστρον, τὸ, (ζωμὸς, ἀρύω) Schöpfkelle, Schaumlöffel: gewöhnlicher ist ζωμήρυσις. —μευμα, τὸ, die Brühe: bey Aristoph. Equit. 279. auch s. v. a. ὑποζώματα νεώς. —μεύω, mit einer Brühe kochen u. bereiten. S. ζωμὸς. —μήρυσις, ἡ, s. v. a. ζωμάρυστρον. —μίδιον, τὸ, dimin. v. ζωμὸς. —μοποιέω, ich mache, bereite Brühen: s. v. a. ζωμεύω: zw. von —μοποιὸς, ὁ, ἡ, der Brühen kocht oder bereitet: die Brühe würzend oder schmackhaft machend. —μος, ὁ, Brühe des gesottenen Fleisches: jede andre Brühe, womit man eine Speise bereitet oder anrichtet: von ζέω, (wov. ζέσις ζέμα) ζύω (wov ζύμη) und ζόω od. ζώω, s. v. a. ζέω, sieden, kochen: wie ζέω, ζεύω, ζεύγω, ζύω, ζυγὸν, ζυγόω, ζόω, ζώω, ζώνω, ζωννύω, ζώννυμι. —μοτάριχος, ὁ, bey Athenaeus 3 p. 125. ὑποκριτὴς, ein eingepökelter Schauspieler.

Ζωνάριον, τὸ, dimin. des folgd.

Ζώνη, ἡ, (ζώω, ζωννύω) Gürtel, Gurt: Leibgürtel, Leibbinde: was man umgürtet, als χρυσίον, Ranzel, Katze mit Gold: Kleidung zum gürten: Rüstung. —νιον, τὸ, dimin. des vorh. dav. —νιοπλόκος, ὁ, ἡ, (πλέκω) Gürtel flechtend oder strickend. —νίτης, ὁ, temin. ζωνῖτις, ἡ, vom Gürtel: zum G. gehörig: dem G. ähnlich.

Ζώννυμι, ζωννύω, ζωννύσκω, fut. ζώσω, gürten, umgürten, angürten, anziehen, anlegen, als Rüstung u. dergl. daher med. ζώννυμαι, ich rüste mich, mache mich fertig, wie *accingor*. τοῖς ποσὶν εἶχεν ἐζωνώς, Pausan. Arc. 40. hatte ihm beyde Füsse untergeschlagen und hielt ihn so. Ist mit ζυγόω und ζεύγω, ζευγνύω einerley; der Lateiner hat allein die Form ζυγὸν, ζυγόω in *jugum*, *jugare* beybehalten: ζεύγνω, ζεγνύω kann man mit *jungere* vergleichen. Die Form ζόω, ζώω, ζώνω, ζωννύω ist eben so abgeleitet, wie ζέω, ζύω, ζόω, ζώω, wovon ζωμὸς Fleischbrühe.

Ζωνογάστωρ, ορος, ὁ, ἡ, am Bauche über den B. gegürtet. Hesych.

Ζώντειον, τὸ, S. in ζήτρειον.

Ζωογενής, έος, ὁ, ἡ, (γένος) vom Thiere erzeugt, thierisch. —γονέω, ῶ, (ζῶος, γονὴ) Thiere oder lebendige Junge gebähren; überh. zeugen, hervorbringen, fortpflanzen. —γονία, ἡ, Erzeugung von Thieren, Würmern: das Zeugen od. Gebähren lebendiger Jungen. —γόνος, ὁ, ἡ, (ζωὸς, γόνος) Thiere, Würmer oder lebendige Junge gebährend: überh. zeugend, erzeugend, fruchtbar. —δότειρα, ἡ, femin. von —δότης, ου, ὁ, oder ζωοδοτὴρ, ὁ, s. v. a. ζωόδωρος, ὁ, ἡ, (δόω, διδόω, δῶρον, ζωὴ) der Leben od. das Leben giebt, schenkt, gewährt. —ειδής, ὁ, ἡ, (εἶδος) thierähnlich. Geopon. —θετέω, (θέτης, ζῶον) beleben: Archelaus Antigoni Caryst. c. 23. —θηρία, ἡ, Thierjagd; davon —θηρικός, ἡ, ὸν, zur Thierjagd gehörig: Plato Soph. 10. —θυσία, ἡ, das Opfern von Thieren. —θυτέω, ῶ, (ζῶον, θύτης) Thiere opfern. —μορφος, ὁ, ἡ, (ζῶον, μορφὴ) thiergestaltet, mit oder von thierischer Bildung.

Ζῶον, τὸ, lebendig, ein lebendiges Geschöpf, Thier, wie *animal* st. *animale*: eigentl. das neutr. von ζωός. Bisweilen bedeutet ζῶον ein Gemälde, wie ζωγράφος ein Mahler. Herodot sagt oft ζῶα γράφειν und γράψασθαι statt ζωγράφειν, mahlen. τραγικὰ καὶ κωμικὰ καὶ σατυρικὰ ζῶα ἀληθινὸν ἔχοντα ἱματισμὸν, d. i. gemahlte Personen: Athenae. 5 p. 197.

Ζωοπλαστέω, ῶ, (πλάστης) Thiere bilden: Lycophr. 844. —ποιέω, ῶ, lebendig machen: wieder lebendig machen oder beleben: Thiere oder Würmer machen, erzeugen; dav. —ποίησις, ἡ, das Lebendigmachen: Belebung: Erzeugung von Thieren oder Würmern. —ποιητικός, ἡ, ὸν, (ζωοποιέω) zum beleben oder Thiere-Würmererzeugen gehörig oder geschickt. —ποιός, ὁ, ἡ, belebend: Thiere oder Würmer erzeugend. —πώλης, ου, ὁ, Thierhändler. Hesych.

Ζωός, ἡ, ὸν, lebendig: wie ζόος, ζῶς.

Ζωοστασία, ἡ, Thierstand, Stall. —τάμνω, Thiere od. lebendig zerschneiden, aufschneiden. zw. —της, ητος, ἡ, (ζωὸς) thierische Natur: wie θειότης: Plut. —τοκέω, ῶ, ich gebähre Thiere od. lebendige Junge; dav. —τοκία, ἡ, das Gebähren oder Erzeugen v. Thieren oder v. lebendigen Jungen. —τόκος, ὁ, ἡ, (τίκτω) Thiere oder lebendige Junge gebährend. —τροφεῖον, τὸ, Ort wo man Thiere oder Vieh füttert od. hält. —τροφέω, ῶ, (τροφὴ) Thiere, Vieh füttern, nähren, masten, halten; davon —τροφία, ἡ, das Füttern, Nähren, Halten, Masten von Thieren oder Vieh; davon —τροφικός, η, ὸν, zum Viehhalten oder Viehmästen gehörig, geschickt, geneigt. —τρόφος, ὁ, ἡ, der Vieh füttert, mästet, hält.

Ζωοφαγέω, ῶ, Thiere oder Vieh oder Fleisch von Thieren essen, fressen. —φάγος, ὁ, ἡ, Thiere oder Vieh oder Fleisch von Thieren essend, fressend. —φθαλμος, ὁ, ἡ, mit Thieraugen: τὸ ζ. eine Pflanze, sonst βούφθαλμον. —φθορία, ἡ, das Verderben, Tödten v. Thieren: Unzucht mit Thieren: zw. von —φθόρος, ὁ, ἡ, Thiere verderbend, tödtend: Unzucht mit Thieren treibend. zw. —φορεῖν, Geopon. 5, 13. bekleiben, fortkommen, leben. —φόρος, ζωφόρος, ὁ, ἡ, Leben bringend, (ζωὴ) als ἄνεμος, Epigr. Thiere tragend, bringend, zeugend: κύκλος, der Thierkreis, sonst ζωδιακός: am Säulengebälke der mittelste Theil, der Fries, die Borten. —φυτέω, ῶ, ich belebe, erzeuge: bringe lebendige Sprösslinge hervor: aus Athenaeus: zw. von —φυτον, τὸ, (ζῶον, φύομαι) ein lebendiges Geschöpf; 2) ein Pflanzenthier.

Ζωόω, ῶ, lebendig (ζωὸς) machen, lebendig erhalten, schützen; 2) ζωοῦσθαι wie θηριοῦσθαι, von Würmern leiden: Theophr, 3) ich mahle od. sticke mit Thieren, davon ζωωτὸς, wie στρουθωτὸς, mit Vögeln bemahlt, bestickt.

Ζώπισσα, ἡ, Dioscor. 1, 99 altes von gebrauchten Schiffen u. also mit Meerwasser vermischtes Pech und Wachs: Plinius 16, 12.

Ζωπυρέω, ῶ, (ζώπυρον) anfachen, wieder anzünden: beleben: ermuntern: davon —ρημα, τὸ, das angefachte, wiederbelebte: s. v. a. ζώπυρον: zw. —ρησις, ἡ, (ζωπυρέω) das Anfachen des Feuers: das Beleben, Ermuntern.

Ζωπυρὶς θέρμη? belebende Wärme: Julian. Or. 5 p. 172. —ρον, τὸ, (eigentl. d. neutr. von ζώπυρος, πῦρ u. ζάω, das Feuer belebend, anfachend) Funke, glühende Kohle oder Asche um damit

Feuer anzuzünden: daher metaph. Ueberbleibſel, Reſt, Stamm: auch der Blaſebalg: Suidas erklärt auch ζώπυρα durch τοῦ ζῆν ποιητικά; d. i. belebend: auch hat er: ζωπύρια für φυσητήρια; Clemens hat ζώπυρος θάνατος u. ζώπυρα ὑπομνήματα. — π υ ρ ό ω, ῶ, ſ. v. a. ζωπυρέω: zw.

Ζ ω ρ ο π ο τ έ ω, ῶ, ich trinke ungemiſchten Wein, oder mit ſtarken Zügen; davon — π ό τ η ς, ου, ὁ, der ungemiſchten Wein oder Wein mit ſtarken Zügen trinkt; von πίνω und

Ζ ω ρ ό ς, ὁ, ἡ, ungemiſcht, rein, lauter, als οἶνος, wie merum mit und ohne vinum; davon im compar. Adv. ζωρότερον πίνειν, näml. οἶνον oder πόμα, Wein mit weniger Waſſer vermiſcht, alſo ſtärker oder mit ſtärkern Zügen trinken. Im Homer erklärten einige ζωρός d. θερμός, andre d. εὐκέραστος, wohl gemiſcht wie Empedocles Athenaei 10 p. 423.

Ζ ῶ ς, oder vielmehr ζῶς, aus ζόος contr, wie σόος, σῶς, ſ. v. a. ζωός, lebendig.

Ζ ώ σ ι μ ο ς, ὁ, ἡ, (ζάω, ζῶ) vitalis, der leben kann.

Ζ ῶ σ ι ς, εως, ἡ, (ζώω, ζωννύω) das Gürten, Umgürten.

Ζ ῶ σ μ α, ατος, τὸ ſ. v. a. ζῶμα.

Ζ ω σ τ ή ρ, ῆρος, ὁ, (ζωννύω) der Gürtel; am Schiffe eine gewiſſe Höhe ἄχρι καὶ ἐπὶ τρίτον ζωστῆρα; 2) ein Hautausſchlag, der rings um den Leib geht; 3) eine Art von Meertang, fucus; davon — τ ή ρ ι ο ς, ια, ιον, zum Gürtel gehörig, gürtend. — τ η ρ ο κ λ έ π τ η ς, ου, ὁ, Gürteldieb. Lycophr. 1329. — τ η ς, ου, ὁ, Umgürter, ſ. v. a. ζωστήρ. — τ ό ς, ἡ, όν, (ζωννύω) gegürtet. — τ ρ ο ν, τὸ, ſ. v. a. ζῶμα, Homer.

Ζ ώ τ ε ι ο ν, τὸ. S. ζήτρειον.

Ζ ω τ ι κ ό ς, ή, όν, Adv. ζωτικῶς, (ζάω, ζῶ) zum Leben gehörig, Leben gewährend, lebendig machend, Leben erhaltend, als ἄρτος, δύναμις: lebhaft, voller Leben: Xen. Mem. 3, 10. 6.

Ζ ω ΰ φ ι ο ν, τὸ, (ζῷον) ein Thierchen, ein kleines Thier.

Ζ ώ φ υ τ ο ς, ὁ, ἡ, (ζωός, φυτόν) Pflanzen hervorbringend, fruchtbar: Plutar. Romul. 19.

Ζ ώ ω, poet. ſ. v. a. ζάω, ζῶ, ich lebe; 2) das Stammwort von ζωννύω.

Ζ ω ώ δ η ς, εος, ὁ, ἡ, thieriſch, animaliſch.

Ζ ω ω ν υ μ ί α, ἡ, (ὄνομα) Benennung nach Thieren; zw.

Ζ ώ ω σ ι ς, εως, ἡ, (ζωόω) Belebung; zw.

Ζ ω ω τ ό ς, ή, όν, (ζωόω) mit Thieren bemahlt, oder geſtickt, wie belluata tapetia Plauti.

Η

H, der ſiebente Buchſtabe des Alphab. ein langes ε, von dem es in ältern Zeiten nicht verſchieden war, das man daher ſt. des η in Inſchriften findet. Ausſprache und Figur (erſt ƎE hernach H) zeigen, daſs es eigentlich ein doppeltes ε iſt. S. in δέελος ſt. δῆλος. Die älteſte Bedeutung dieſer Figur war eine Aſpiration d. i. eine verſtärkte rauhe Exſpiration, welche einen folgenden Vokal begleitete, wie das lateiniſche H. Als nachher dieſe Geſtalt als Buchſtabe aufgenommen ward, um ein langes ε zu bezeichnen, ſo ward die Geſtalt deſſelben gewiſſermaſsen getheilt und ⊢ als Zeichen der rauhen ⊣ als Zeichen der ſanften Exſpiration gebraucht. Aus dieſen beyden Zeichen ſind die jetzt gewöhnlichen Zeichen des ſpiritus aſper und lenis ‛ und ’ entſtanden: Payne Eſſay p. 9. Dieſe H Figur bezeichnete urſprünglich auch die Aſpiration, welche die Konſonanten begleitete, ſo lange bis eigne Zeichen dafür erfunden waren, alſo KH u. ΠH ſtatt X u. Φ, welche in dem lateiniſchen Alphabet in ch u. ph übrig geblieben ſind.

Ἤ, oder, aut, wird auch bey den Dichtern ἤπερ auch ἤτοι gebraucht; 2) nach dem comparat. als; 3) mit μὲν und δὲ, alſo ἠμὲν und ἠδὲ, bey den Dichtern ſ. v. a. que - et, und; 4) ἤτοι fängt auch die Rede bey den Dichtern an, wo man es durch ἄρα, μὲν, δὲ, καὶ δὴ erklärt; ἤτοι ὅγε, er aber.

Ἦ, in der Frage wie num und an; ἦ γάρ, nicht wahr? 2) auſser der Frage, wahr, gewiſs, wahrlich, wie δή, daher ἦ μὴν in den Formeln des Eidſchwurs; 3) attiſch ſt. ἦν aus ἔα zuſammengezogen; 4) ein Ausruf mit Frage ποῦ Ξανθίας ἢ Ξανθίας, Ariſtoph. Ran. 274. wie he! he!

Ἡ, der Artikel vor dem Subſtant. im Femin. ὁ, ἡ, τὸ; 2) nach und ſt. des Subſt. ἣ δ' ἔβη, wo es den Accent bekommt, da es im erſtern Falle ohne Accent iſt; 3) ſt. αὕτη.

Ἧι, oder ᾗ, vom Artikel ἡ, der Dativ. 2) von ὅς, ἥ, ὅν, der Dativ. poet. ἑός, ἑή, ἑόν, ſuus, ſua, ſuum; 3) wie Adverb. qua, verſt. ratione, wie; daher ᾗπερ ſt. ὥσπερ; auch ᾗ wie qua ſt. ὅπου wo, an welchem Orte.

Ἦα, ſt. ἤϊα; 2) ſt. ἦν, ἤειν, Iliad. ι. 808.

Ἠβαιός, ά, όν, ſ. v. a. βαιός, klein, gering, wenig; ἠβαιόν, auch wie Adv.

Ἡβάσκω, und ἡβάω, (ἥβη) pubesco, mannbar werden, männliche Kraft und Stärke bekommen; aber auch die phyſiſchen Zeichen der Mannbarkeit, die Schaamhaare bekommen. Bey Aeschyl. Ag. 395 ἀεὶ τοῖς γέρουσιν ἡβᾷ εὖ μαθεῖν, Alte wollen immer die Sache genau wissen; fast wie sonst ἀκμάζει bey demselben; ἡβᾷ δῆμος εἰς ὀργὴν πεσών, Eur. Or. 694. vom Zorne aufbraust.

Ἥβη, ἡ, Mannbarkeit, Schaamhaare, *pubes* und männliches Alter, ἐκ παίδων εἰς ἥβην ὁρμᾶσθαι, Xen. Mem. 2, 1. 21. männliche Kraft, Stärke, wie sie der Mann etwa vom 20 — 50sten Jahre hat. Bey Pind. Pyth. 4. 525. Freude, gesellschaftliches Vergnügen, wie in ἡβητήριον. Personificirt ist es Hebe, die Göttin der Jugend, die Tochter des Zeus und der Here, Herkules Gattin. Hesiod. Theog. 950.

Ἡβηδὸν, Adv. nach Jugend Art, im männlichen oder kriegerischen Alter, z. B. πολίτας ἡβηδὸν ἀπέκτεινε, alle Bürger im kriegerischen Alter, waffenfähige Bürger.

Ἡβητὴρ, ῆρος, ὁ, ἡβήτης oder ἡβήτωρ, mannbarer Jüngling, *puber.* —τήριον, τὸ, auch ἡβήτριον, (ἡβητὴρ) ein Ort, wo junge Leute sich versammeln, vorz. zum Schmausen; überh. jeder Ort, wo man sich belustiget. S. ἥβη. —της, ὁ, s. v. a. ἡβητήρ; davon —τικὸς, ἡ, ὸν, zum mannbaren Jünglinge oder Alter gehörig, demselben eigen, jugendlich, wie *juvenilis.* —τριον, τὸ, s. v. a. ἡβητήριον; —τωρ, s. v. a. ἡβητὴρ und ἡβήτης.

Ἡβυλλιάω, ῶ, ein komisches dimin. von ἡβάω. Aristoph. Ran. 516.

Ἡβώτης, ου, ὁ, s. v. a. ἡβήτης und ἡβητήρ; sehr zw.

Ἠγάθεος, ἠγαθέη, st. ἀγάθεος, also einerley mit ἀγαθὸς, doch braucht es Homer, und Pindar. bloss von Ländern und Städten, nicht von Menschen, wie ἀγαθός: also gut, fruchtbar, reich, glücklich.

Ἠγαλέος, α, ον, st. ἀγαλέος (ἄγνυμι) zerbrochen. Hesych.

Ἤγανον, τὸ, bey den Jonern s. v. a. τήγανον.

Ἡγεμονεία, ἡ, (ἡγεμονεύω) das Anführen, Heerführerstelle, Oberherrschaft. —νευμα, ατος, τὸ, s. v. a. das vorherg. zw. —νεύω, f. εύσω, und ἡγεμονέω, (ἡγεμών) s. v. a. ἡγέομαι. —νη, ἡ, gleichsam femin. von ἡγεμών, die Führerin, Anführerin. —νία, ἡ, s. v. a. ἡγεμονεία. —νικὸς, ἡ, ὸν, dem Anführer, Herrscher gehörig, eigen, anständig; im Anführen, Herrschen geübt, erfahren, zum Herrschen geneigt. Adv. —κῶς. —νιὸς, ὁ, s. v. a. ἡγεμών, Beyw. des Hermes, der die Seelen in die Unterwelt bringt und begleitet. Odyss. 24, 1. Virg. Aen. 4, 242. —νὶς, ίδος, ἡ, gleichsam fem. von ἡγεμών, Herrscherin: die Herrschende: Philo und Appian.

Ἡγεμόσυνος, ύνη, υνον, (ἡγεμών) s. v. a. ἡγεμόνιος: Xen. Anab. 4, 8, 24 τῷ Διὶ τῷ Σωτῆρι καὶ τῷ Ἡρακλεῖ ἡγεμόσυνα ἀποθῦσαι, verst. ἱερὰ, diesen Göttern als gütigen Führern oder für die gütige Führung Dankopfer zu bringen. —μὼν, όνος, ὁ, ἡ, (ἡγέω) Führer, z. B. τῆς ὁδοῦ, ein Führer des Weges, ein Wegzeiger; Anführer, Oberhaupt, Regent; daher einer, der zuerst was thut, und mir dadurch Veranlassung giebt, es ihm nachzuthun, *auctor, dux.*

Ἡγέομαι, οῦμαι, f. ἥσομαι, führen, leiten, anführen, vorangehen, τινὶ oder τινὸς, τῆς ὁδοῦ oder τὴν ὁδὸν, ein Heer anführen, Regent, Oberhaupt seyn; 2) meinen, glauben, wie *duco*; von ἄγω, ἀγέω, ἀγέομαι, jonisch ἡγέομαι.

Ἡγερέομαι, jon. st. ἀγερ. oder ἀγείρομαι: Il. κ, wo ἠγερέεσθαι, aber auch praeter. pass. jonisch st. ἠγερῆσθαι seyn kann.

Ἡγεσία, ἡ, s. v. a. ἡγεμονεία.

Ἡγέτης, ου, ὁ, Führer, Anführer.

Ἡγηλάζω, f. άσω, von ἄγω abgeleitet, und ihm an Bedeut. gleich, führen, leiten; κακὸς κακὸν ἡγηλάζει, Odyss. κακὸν μόρον ἡγηλάζεις, ibid. s. v. a. ἄγεις, führst ein schlimmes, trauriges Loos oder Leben; ὑπὸ καρκίνῳ ἡγηλάζει bey Arat. Dios. 161. d. i. συνέσταλται συνέσταλται ἢ ὑπόκειται nach den Schol.

Ἥγημα, ατος, τὸ, (ἡγέομαι) Anführung, Anleitung: 2) Meinung, Willensmeinung, Rath.

Ἥγησις, εως, ἡ, s. v. a. ἡγεσία, das Anführen.

Ἡγήτειρα, ἡ, das fem. v. ἡγητὴρ, ὁ, s. v. a. ἡγήτης, ὁ, u. ἡγήτωρ od. ἡγεμών, der Anführer, Wegweiser, Regent u. dgl. —τηρία, ἡ, od. —τορία, ἡ, verst. παλάθη, eigentl. femin. v. ἡγητήριος od. —τόριος, die Masse von getrockneten Feigen, welche man am Feste πλυντήρια zu Athen in Procession trug, zum Andenken der Erfindung dieser Kost, als des ersten Schrittes zur Kultur des Lebens: vergl. Athenae. 3 p. 74. —τρια, ἡ, das femin. von ἡγητήρ. —τωρ, ορος, ὁ, s. v. a. ἡγητὴρ und ἡγεμών.

Ἡγμένως, Adv. vom part. ἡγμένος, (ἄγω) bey Suidas s. v. a. auf eine gelehrte, verständige Art.

Ἡγνευμένος, Adv. von part. perf. pass. (ἁγνεύω) rein, keusch, züchtig.

Ἤγουν, Conj. (ἢ γε οὖν) oder: das ist, nämlich.

Ἡδανὸς, ἡ, ὸν, s. v. a. ἡδύς, süss, angenehm; zw.

Ἠδὲ, eigentl. ἢ δὲ, wenn ἠμὲν vorhergeht, wie *vel, vel* poet. und, und, sowohl als auch; oft aber ſteht ἠδὲ allein für und.

Ἡδελφισμένως, ὥς ἐν γαστρὶ ἔχουσα, d. i. ὁμοίως ὡς: Hippocr. S. ἀδελφίζω.

Ἡδέως, Adv. von ἡδύς, gern, mit Vergnügen. S. ἡδύς.

Ἤδη, Adv. ſchon; bald; ſogar; jetzt: τὴν ἤδη χάριν τοῦ μετὰ ταῦτα χρόνου παντὸς περὶ πλείονος ἡγεῖσθαι: Demoſth. p. 664.

Ἥδομαι, ich freue mich. S. ἥδω. —μένως, Adv. (ἡδόμενος) mit Vergnügen, ſehr gern.

Ἡδονή, ἡ, (ἧδος, ἥδω) Ergötzung, Vergnügen, Luſt, Wolluſt: ἐν ἡδονῇ, ſanft; πρὸς ἡδονὴν λέγειν, jemanden zum Vergnügen, wie ers gern hört, reden; κότερα ἀληθηΐῃ χρήσομαι πρὸς σε ἢ ἡδονῇ: Herodot. 7, 101. ſoll ich der Wahrheit gemäſs oder dir zu Gefallen ſprechen? 2) ἡδονή, Eſſig, wie γλυκύ, die Galle. —νικός, ἡ, όν, zum Vergnügen gehörig, Vergnügen liebend: ἡδονικοὶ φιλόσοφοι, die Philoſophen, welche alles auf das Vergnügen, als den höchſten Zweck des Menſchen zurückführen. —νοπλήξ, ῆγος, ὁ, ἡ, (πλήσσω) von Luſt, Vergnügen, Wolluſt getroffen, betäubt, trunken.

Ἧδος, τὸ, od. ἦδος, τὸ, ſ. v. a. ἡδονή, Vergnügen, Freude, Nutzen. τί μοι τῶν ἧδος, auch ἐμοὶ τί τόδ' ἧδος, was hilft, nutzt mir dieſes?

Ἧδος, εος, τὸ, ſ. v. a. τὸ ὄξος.

Ἡδύβιος, ὁ, ἡ, von ſüſsem Leben: das Leben verſüſsend: ἡδύβια, τὰ, eine Art ſüſser Kuchen: Athenae. 14. —βόας, doriſch ſt. ἡδυβόης, (βοή, ἡδύς) von angenehmem Geſange, von angenehmer Stimme.

Ἡδύγαιος, ὁ, ἡ, (γῆ) von ſüſsem Boden. —γελως, ὁ, ἡ, ſüſs oder ſanftlächelnd. —γλωσσος, ὁ, ἡ, mit oder von ſüſser Zunge od. Stimme: κήρυξ: Pind. —γνώμων, ονος, ὁ, ἡ, (γνώμη) angenehm von Geiſte: dem ἡδυσώματος entgegengeſetzt.

Ἡδυέπεια, ἡ, ſüſse Rede, ſüſser Geſang; von —επής, έος, ὁ, ἡ, (ἔπος) ſüſs, angenehm ſprechend oder ſingend.

Ἡδύθροος, contr. ἡδύθρους, ὁ, ἡ, ſüſs oder angenehm tönend. —καρπος, ὁ, ἡ, mit ſüſser Frucht. —κρεως, ὁ, ἡ, von ſüſsem od. angenehm ſchmeckendem Fleiſche. —κωμος, ὁ, ἡ, (κῶμος) eine Art oder ein Beywort von Tanz und Geſang: Pollux u. Heſych. —λίζω, ſ. v. a. ἡδιλογέω, ſüſse, angenehme Dinge einem vorreden, um ihm zu ſchmeicheln: welche Handlung und Schmeicheley ἡδυλισμὸς heiſst: wird aus Menander dem Komiker angeführt. —λογέω, ῶ, ich rede angenehm, zu Gefalle; ich ſchmeichle; davon —λογία, ἡ, angenehme Reden, einnehmende Beredſamkeit oder Schmeicheley: vergl. ἡδυέπεια. —λογος, ὁ, ἡ, angenehm ſprechend: ſchmeichelnd. —λύρης, ου, ὁ, ſüſs-angenehm auf der Leyer ſpielend, oder zur Leyer ſingend. —μελής, έος, ὁ, ἡ, (μέλος) ſüſse Lieder ſingend. —μος, η, ον, ſüſs, angenehm. S. auch νήδυμος.

Ἡδυντήρ, (ἡδύνω) ſüſsmachend; würzend, z. B. ἅλς; davon —τήριος, α, ον, ſüſsmachend, würzend; erfreulich, ergötzlich. —τικός, ἡ, όν, (ἡδύνω) geſchickt oder gut ſüſs, angenehm oder ſchmackhaft zu machen oder zu würzen. —τος, ἡ, ὸν, geſüſst, angenehm gemacht; gewürzt; von

Ἡδύνω, ſüſs oder wohlſchmeckend machen, würzen; erfreuen; angenehm ſeyn, wie ἐφηδύνω.

Ἡδυοινία, ἡ, angenehmer Wein: Geopon. 5, 2, 19. —οινος, ὁ, ἡ, mit oder von ſüſsem Weine. —ὄνειρος, ὁ, ἡ, mit oder von angenehmen Träumen. —οσμία, ἡ, ſüſser oder angenehmer Geruch. —οσμον, τὸ, ſ. v. a. μίνθη, mentha Münze: Dioſcor. 3, 41. eigentl. das neutr. von —οσμος, ὁ, ἡ, (ὀσμή) ſüſs, oder angenehm riechend. —όφθαλμος, ὁ, ἡ, mit oder von ſüſsem od. ſanftem Blicke.

Ἡδυπάθεια, ἡ, (ἡδυπαθής) Wohlleben, Vergnügungen, Wolluſt. —παθέω, ῶ, wohlleben, ſich wohl ſeyn laſſen, dem Vergnügen ergeben ſeyn u. nachgehn; davon —πάθημα, τὸ, ein Vergnügen, eine angenehme Empfindung. —παθής, έος, ὁ, ἡ, (πάσχω ἡδύς) der ſichs wohl ſeyn läſst, dem Vergnügen ergeben iſt und nachgeht: Wolluſtling. Eben ſo εὖ πάσχειν, wie bene ſuaviter ſibi eſſe pati. —πνοος, contr. ἡδύπνους, ὁ, ἡ, angenehm wehend, (πνοή) riechend; 2) ἡδυπνοῖν ἄρνιον u. ἡδυχροῖν, ein ſäugendes Lamm nach Photii Lexic. —πολις, ιος, ὁ, ἡ, dem Staate oder den Bürgern angenehm. —πότης, ου, ὁ, (πόω, πίνω) ein angenehmer Trinker oder Gaſt, oder der mit Vergnügen trinkt; davon das fem. ἡδυπότις, ἡ eine Art von Becher, woraus der Trank ſüſser ſchmeckte; auch die Zwiebeln die man zum Tranke iſst; hingegen iſt ἡδύποτος, ὁ, ἡ, angenehm zu trinken. —πρόσωπος ὁ, ἡ, heitern-freundlichen Geſichts.

Ἡδύς, εῖα, ὑ, Genit. ἡδέος, ſüſs: freundlich, angenehm, heiter, froh, καὶ ἡδίους ἔσεσθε ἀκούσαντες, Demoſth p. 641. ihr werdet ſie mit gröſserm Vergnügen hören. Adv. ἡδέως ἔχειν τινὶ, liebreich, freundſchaftlich gegen jemand geſinnt ſeyn: Demoſth. p. 60 u. 191. ἡδέως ἂν αὐτοῖς εἴη, ſie würden es gern ſehn. p. 1354. Von ἅδω ἀνδάνω, joniſch ἥδω.

Ἡδύσαρον, τὸ, eine ſchotentragende

Pflanze, von der Gestalt der Kerne, auch πελεκῖνος genannt: Dioscor. 3, 146.

Ἥδυσμα, ατος, τὸ, (ἡδύνω) alles was zum süſs und angenehm machen einer Speise, eines Trankes dient; daher Gewürz, womit man den Geschmack angenehmer macht; auch womit man den Geruch angenehmer macht; daher bey Galen ἡδύσματα die wohlriechenden Oele. —ματοθήκη, ἡ, Pollux 10, 93. Gefäſs für die Gewürze. —ματολήρων ὀψαρίων γλίσχρων, Archestratus Athenaei p. 311. soll wohl ἡδύσμασι λήρων γλίσχρων heiſsen. —μὸς, ὁ, s. v. ἥδυσμα; eigentl. das Süſsmachen, Würzen.

Ἡδυσώματος, ὁ, ἡ, (σῶμα) von süſsem, angenehmem Körper. S. ἡδυγνώμων.

Ἡδύτης, ητος, ἡ, Süſsigkeit, Annehmlichkeit.

Ἡδυφαγέω, gern oder mit Vergnügen essen, weil es einem süſs oder angenehm schmeckt: zw. —φαής, έος, ὁ, ἡ, angenehm oder schön glänzend: Dionys. Perieg. —φάρυγξ, υγγος, ὁ, ἡ, süſs für die Kehle, wohlschmeckend. —φραδής, ὁ, ἡ, (φράζω) εἰδύλλιον, Nicetae Annal. 4, 2. von angenehmem Ausdrucke, Sprache. —φωνία, ἡ, süſse, angenehme Stimme, von —φωνος, ὁ, ἡ, Adv. ἡδυφώνως, (φωνὴ) mit oder von angenehmer Stimme. —χροος, contr. ἡδύχρους, ὁ, ἡ, (χρόα) von angenehmer Farbe. S. ἡδύπνους.

Ἥδω, (ἅδω, ἀνδάνω, wie λάθω, λανθάνω, λήθω) ich mache süſs; erfreue, vergnüge; ἥδομαι, ich freue mich, vergnüge mich; τὰ ἥδοντα s. v. a. ἡδοναὶ, die Vergnügungen; τὸν νεανίαν ἦσε, Aelian. H. A. 10, 48. freute den Jüngling.

Ἠέ, s. v. a. ἤ, oder poet.

Ἠέλιος, ὁ, s. v. a. ἥλιος, Sonne.

Ἠερέθομαι, jonisch st. ἀερέθομαι.

Ἠερινὸς, ἡ, ὸν, st. ἐαρινὸς: zw.

Ἠέριος, ία, ιον, (ἀὴρ) s. v. a. ἀέριος, in der Luft, durch die Luft; 2) für früh, am Morgen erklären es einige Il. 1, 497. wegen des v. 557. ἠερίη γάρ σοίγε παρέζετο, wo man sonst ἐλθοῦσα darzu verstehn muſs. Eben so erklärt man Odyss. 9, 52 ἦλθον ἠέριοι; vergl. v. 56. und leitet es von ἦρ, st. ἠρινὸς, ab.

Ἠεροδινής, έος, ὁ, ἡ, und ἠεροδίνητος, ὁ, ἡ, (δινέω) in der Luft herumgedreht, sich drehend, wirbelnd. —ειδής, έος, ὁ, ἡ, st. ἀεροειδής, luftartig: dunkel, finster: ein gewöhnliches Beyw. des Meers bey Homer. In der Stelle Il. 5, 770 ὅσσον δ' ἠεροειδὲς ἀνὴρ ἴδεν ὀφθαλμοῖσιν — ἐπὶ οἴνοπα πόντον, kann man es nicht anders erklären, als: durch die heitere Luft. Sonst war es am natürlichsten ἐπὶ ἠεροειδέα πόντον zu verstehn, wenn nicht schon ein Beyw. da wäre.

—εις, εσσα, εν, st. ἀερόεις, voll Luft, luftig: oder dunkel, finster.

Ἠερόθεν, Adv. st. ἀερόθεν, aus der Luft. —μήκης, ὁ, ἡ, (μῆκος) himmellang; zw. —πλαγκτος, ὁ, ἡ, (πλάζομαι) in der Luft oder am Himmel herumirrend. —πος, ὁ, s. v. a. ἀέροπος oder ἀερόπους: jonisch: Anton Liber. 18. —φαής, ὁ, ἡ, in der Luft scheinend, ἄστρον ἠεροφαὲς: Theanus Epistola ap. Holstein ad Porphyr. Pythag. p. 23. —φοῖτις, ἡ, und ἠεροφοίτης, ὁ, ἡ, in der Luft gehend oder fliegend: im Finstern herumwandelnd. —φωνος, ὁ, ἡ, die Luft durchtönend, hellschreyend, κήρυξ: Homer.

Ἤεροψ, der Vogel μέροψ.

Ἠήρ, ἠέρος, s. v. a. ἀὴρ: jonisch.

Ἠθαῖος, Pind. Isthm. 2, 69. s. v. a. ἠθεῖος.

Ἠθαλέος, (ἦθος) gewohnt: Oppian. Cyn. 2, 307. zahm, gewohnt. das. v. 88.

Ἠθάνιον, τὸ, Hesych erklärt es d. ἠθήνιον, scheint s. v. a. ἠθμὸς: Hellanicus Athenaei 2, p. 470. Im Etym. M. steht falsch ἠθάνειον.

Ἠθὰς, άδος, ὁ, ἡ, jonisch s. v. a. ἐθὰς, gewohnt, bekannt, zahm: vertraut: ἠθὰς μύθων: Soph.

Ἠθεῖος, εία, εῖον, bey Homer bezeichnet es Liebe und Vertraulichkeit, wie unser lieb, werth, traut, als Anrede, ἠθεῖε, und ἠθείη κεφαλή; vergl. Odyss. 14, 147. wahrsch. von ἔθος, ἔθειος abgeleitet, und jonisch wie ἠθάς. Am besten läſst sich dies Wort in der Anrede mit dem attischen ὦ τᾶν, vergleichen.

Ἤιθεος oder ἤθεος, ὁ, ἡ, s. v. a. ἤϊθεος.

Ἠθέω, ῶ, seihen, seigen, durch einen Seihesack, Seihe oder Seigetuch schlagen oder gieſsen; davon . . .

Ἠθήνιον. S. ἠθάνιον.

Ἠθητήριος, zum durchschlagen gehörig oder geschickt: daher ἠθητήριον τὸ, verst. ἀγγεῖον, Strabo 3 p. 394. S. s. v. a. ἠθμὸς. —τής, οῦ, ὁ, Seiher, der seiht.

Ἠθίζω, s. v. a. ἠθέω.

Ἠθικὸς, ἡ, ὸν, Adv. ἠθικῶς, zum Charakter (ἦθος) gehörig, sittlich, moralisch.

Ἤθισις, εως, ἡ, oder ἠθισμὸς, ὁ, (ἠθίζω) das Durchseihen, Durchschlagen. —στήριον, τὸ, s. v. a. ἠθητήριον: zw.

Ἠθμάριον, τὸ, dimin. v. ἠθμός. —μοειδής, έος, ὁ, ἡ, wie ein Durchschlag oder Seihetuch gestaltet, geartet, εἶδος, ἠθμὸς. —μὸς, ἠθμὸς, ὁ, (ἤθω) Durchschlag, Seihesack, Seihetuch: σχοίνινος von Binsen geflochten: Cratinus Schol. Aristoph. Equ. 1147. S. ἤθω. —μώδης, ὁ, ἡ, s. v. a. ἠθμοειδής.

Ἠθογραφέω, ῶ, ich stelle die Sitten, den Charakter durch Schrift, Gemälde oder Rede dar; von —γράφος, ὁ, Sittenmahler, der den Charakter durch Gemälde, Schrift oder Reden ausdrückt, darstellt. —λογία, ἡ, ἠθολογέω und ἠθολόγος, ὁ, ἡ, bedeuten die Handlung, das thun und die Person eines Mimus, theatralischen und komischen Dichters, der die Sitten, Gebärden und Handlungen anderer nachmacht, um Lachen zu bewirken. Heisst sonst auch ἀρεταλόγος und βιολόγος. Diodor. 20, 63. Cicero Orat. 2, 59. v. ἦθος, λέγω. —ποιέω, ῶ, ich bilde die Sitten, den Charakter: ich bilde die S. nach, drücke sie aus; dav. —ποιητικὸς, zum bilden od. nachbilden und ausdrücken der Sitten und des Charakters gehörig oder geschickt. —ποιΐα, ἡ, (ἠθοποιέω) Bildung, Nachbildung, Darstellung, Ausdruck der Sitten und des Charakters. —ποιὸς, ὁ, ἡ, die Sitten und den Karakter bildend, nachbildend, darstellend.

Ἦθος, τὸ, ist das jonische ἔθος, Gewohnheit, Gebrauch, überh. das gewohnte, vorzüglich der gewohnte Aufenthalt, also Wohnort, Wohnung. Sonach stimmt das deutsche mit dem griech. sehr genau. Hernach von Menschen, Sitte, Gewohnheit, Art zu handeln und zu sprechen, Charakter: auch die Miene, wie *vultus*, in so fern sie den Charakter ausdrückt.

Ἤθω, d. Stammwort von ἠθέω u. ἠθμὸς: die welche ἠθμὸς schrieben, leiteten ohne Zweifel ἤθω von ἕω, ἵημι ab, wie πρέω, πλέω, πρήθω u. πλήθω.

Ἦϊα, τὰ, Speise, Kost, Nahrung: Hom. 2) Spreu, Hülsen: Hom. Od. 5, 368.

Ἠΐθεος, ὁ, ἡ, ein junger, unverheiratheter Mensch, *garçon* Il. 22, 127. Quinctil. 1, 6. 36. auch von unverheyratheten Mädchen.

Ἠϊόεις, Il. 5 ἐπ' ἠϊόεντι Σκαμάνδρῳ leitet man v. ἠϊὼν ab st. ἠϊονόεντι, mit hohen Ufern; andere von ἴον; andre erklären es schäumend. Quint. Smyrn. 5, 399 nennt ἠϊόεν πεδίον einen Acker, worauf Gänse und Kraniche weiden. Im Homer kann man es nach der gewöhnlichen Erklärung am besten übersetzen: am Ufer des Skamander, st. ἐπ' ἠϊόνι τοῦ Σκαμάνδρου.

Ἤϊος, ἴα, ιον, Beyw. des Apollo: Il. 15, 365. sonst ἰήιος

Ἠϊόω, (ἦϊα) bey Hesych. ἠϊώμεθα, ἐπισιτισόμεθα, πεπληρώμεθα.

Ἠϊὼν, όνος, ἡ, das Ufer, Gestade. Man findet auch das dorische αἰὼν, wovon man αἰονᾶν mit seinen Compos. ableitet. Ist s. v. a. ἀκτὴ st. αἰγιαλός.

Ἦκα, Adv. auch ἦκα, gelinde, sachte, allmählig, leise, ruhig, still, von ἀκὴ, ἀκὴ, wovon ἀκαλὸς, ἀκέων, ἀκᾶ, ἀκὴν, ἔκηλος.

Ἠκαλόεις, όεσσα, όεν, und ἠκαλὸς, s. v. a. ἀκαλὸς und ἔκηλος, ruhig, still, sanft; v. ἀκη, ἀκὰ, ἠκά. Hesych. hat ἠκαλέος und führt aus einem Dichter ἠκαλέον γελώωσα an.

Ἠκεστὸς, έστη, ιεστον, (st. ἄκεστος v. alten κέω, κένω, κεντέω, κέστρα u. κεστὸς) ungebändigt, ein Rind, das noch nicht gezogen, zum Ziehn gewöhnt ist, Il. 6, 94. wenn aber wie es scheint, junge Kühe verstanden werden, so wäre die Erklärung ἀνοχεύτους vorzuziehn.

Ἥκιστος, ίστη, ιστον, der kleinste, geringste; davon ἥκιστα, Adv. am wenigsten, im geringsten nicht, οὐχ ἥκιστα, am meisten; vorzüglich: bey Aelian. ἥκιστος ἀμύνεσθαι, nicht im Stande sich zu vertheidigen, wie οἷος; vergl. Il. 23, 531.

Ἥκω, ich komme; oft muss es übersetzt werden, ich bin gekommen. Die andre frühere Form heisst ἵκω, ἵκομαι; davon ἱκάω, ἱκάνω, ἱκάνομαι und ἱκνέομαι, kommen, ankommen; gehn; angehn einen, um ihn zu bitten oder anzufallen; auch angehn, anbelangen, zukommen, zugehören. Ausser dem praes. findet man kein tempus, von ἵκω aber ἶξα bey Homer. εἰς τοῦτο τῆς ἡλικίας ἥκων Plut. so alt, wie εἰς τοῦτο τόλμης ἥκω *eo audaciae progredior*: eben so εἰς ὅσον ἥκω δυνάμεως so viel ich vermag: Pausan. eben so πόῤῥω ἡλικίας, διαφθορᾶς ἥκειν, weit in Jahren- Alter seyn, tief in Verderbniss seyn. πόῤῥω παιδείας, σοφίας ἥκειν s. v. a. εὖ παιδείας, σοφίας ἥκειν. Auch schlechtweg m. d. Genitif. γένους, φύσεως, δυνάμεως, χρημάτων εὖ ἥκων, von gutem Geschlechte, Natur, Kräften, Vermögen, s. v. a. εὖ ἔχων. Eur. Heracl. 214 ὧδε γένους ἥκεις τοιοῖδε. Elect. 751 πῶς ἀγῶνος ἥκομεν. Bey Demosth. ὅσα τῆς τῶν Φωκέων σωτηρίας ἐπὶ τὴν πρεσβείαν ἧκε so viel die Rettung der Phok. auf die Gesandschaft ankam, darauf beruhte. τόγε εἰς ἐμὲ ἧκον auch mit μέρος, was mich anbetrift, was meinen Antheil betrift. Bey Polybius 12, 15. 28, 15. τὰ πρὸς ἔπαινον, εἰς φιλανθρωπίαν ἥκοντα, was zum Lobe gereicht, was Menschlichkeit und Freundlichkeit anbetrift. τῶν εἰς θαῦμα ἡκόντων Pausan. 8, 18 was Verwunderung verdient. τῶν εἰς τὸ θεῖον ἡκόντων 8, 8. Eben so steht ἀνήκοντες ἀρετῆς. χρημάτων ἐς τὰ μέγιστα, ἐς τὰ πρῶτα bey Herod. τῆς ἐν τῷ λέγειν δυνάμεως οὐκ ἐπὶ τοσοῦτον ἀνήκοντες *in eloquentia non tantus profectus fuerunt*, bey Demosth. ἐς τὸν θάνατον αἱ πολλαὶ ἀνήκουσι bey Thucyd. 3. erklärt es Suidas τελευτῶσι, λήγουσι. Bey

Polyb. 26, 2, 11 fiebt ὃ καὶ νῦν ἥκει γενόμενον, gefchehn ift, *ufu venit.*

'Ηλαίνω, (ἄλη, ἀλάω, ἀλαίνω) ich irre, fchweife herum. Theocrit. 7, 23. wo ἠλαίνονται fteht, ftatt des dorifchen ἠλαίνοντι; 2) vom Irrfinne, thöricht, wahnfinnig feyn; ἠλαίνων ἠπείλησε, drohete in feiner Thorheit: Callim.

'Ηλακάτη, ἡ, Rohr; daher πολυηλάκατα ποταμῶν χείλη. Vergl. Theophr. H. P. 2, 2. Plato Resp. 10 p. 327. 2) alle Stengel mit Gelenken, Knoten, wie beym Rohr, alfo auch des Getreides; 3) der Rocken, *colus*, aus Rohr gemacht; 4) ein Pfeil aus Rohr gemacht, wie ἄτρακτος die Spindel und Pfeil heifst; 5) am Ende des Maftes ift das καρχήσιον, darüber das viereckigte θωράκιον, aus welchem der Theil ἠλακάτη fpitzig hervorragt. Athenae. 11 p. 475. Bey Apollon. 1, 565. wo die Segel aufgezogen werden, heifst es vom Mafte: κὰδ δ' αὐτοῦ λίνα χεῦαν ἐπ' ἠλακάτην ἐρύσαντες. S. ἄτρακτος. Eigentl. eine Mafchine, die rings herum fich dreht; daher auch eine Wurfmafchine, bey Cange Gloffar. graec. in ἠλακάτη und ἀλακάτιον; 6) Bey Homer find ἠλάκατα, τὰ, die Fäden, die vom Rocken gezogen und gefponnen werden; 7) beym Schol. des Thucyd. übers 7te Buch eine Art von Winde, womit die Fifcher fchwere und volle Netze herausziehn, fonft ὄνος, *fucula.* Damit fcheint nr. 5: überein zu ftimmen. —τῆνες, οἱ, eine Art grofser Meerfifche, die eingefalzen wurden. —τώδης, ὁ, ἡ, dem Rocken ähnlich; von der Art der ἠλακάτη.

'Ηλασκάζω, ἠλάσκω f. v. a. ἀλάσκω, ἀλάω, ich irre, ftreife umher; 2) mit dem accuf. ich fliehe vor einem, meide ihn.

'Ηλεκτρα, ἡ, S. ἤλεκτρον no. 3. —τρον, τὸ, oder ἤλεκτρος, ἡ, Bernftein; 2) bey Hom. und Hefiod. glänzendes Metall, eine Compofition von Gold und Silber, auch lat. *electrum*, ein Erz, wo Gold und Silber mit einander vermifcht find; bey Herodot. χρυσὸς λευκὸς; bey Soph. Ant. 1038. ft. Gold; 3) bey Ariftoph. Eq. 532 ἠλέκτρων ἐκπιπτουσῶν fcheint f. v. a. ἐνήλατα no. 1. u. v. λέκτρον zu kommen. S. λεχήρια und λεχμάς. —τρινος, ὁ, ἡ, von ἤλεκτρον gemacht oder fo glänzend. —τροφανής, έος, ὁ, ἡ, (φάος) wie ἤλεκτρον glänzend. —τρώδης, ὁ, ἡ, bernfteinartig, dem ἤλεκτρον ähnlich. —τωρ, ορος, ὁ, ftrahlende Sonne.

'Ηλέματος, άτη, ατον, Adv. ἠλεμάτως, Euphorion bey Clemens p. 574. thöricht; eitel; vergeblich, von ἠλὸς, ἠλεὸς abgeleitet.

'Ηλεός, ά, όν, (ἠλὸς) bethörend, οἶνος γὰρ ἀνώγει ἠλεὸς; 2) bethört, thöricht, fonft φρένας ἠλὸς. S. ἠλίθιος.

'Ηλιάδης, ου, ὁ, Sohn des Helius, der Sonne, ἠλιάδες, αἱ, Töchter der Sonne. —άζω, f. άσω, f. v. a. ἡλιόω, fonnen; 2) in der ἡλιαία Richter feyn. —αία, ἡ, ein öffentlicher Ort, Gallerie, wo man δίαιτας hielt, und wo auch das gröfste Gericht aus 500 auch 1000, und 1500 Richtern beftehend feine Sitzung hielt, und über Staatsangelegenheiten und Staatsverbrechen richtete. —ακὸς, von der Sonne, zur Sonne gehörig; ἐνιαυτὸς, Sonnenjahr, nach dem Sonnenlaufe geordnet. —ασις, εως, ἡ, (ἡλιάζω) f. v. a. ἡλίωσις; 2) das Richteramt in der ἡλιαία. —αστήριον, τὸ, (ἡλιαστήριος von ἡλιαστὴρ) Ort zum Sonnen bequem. —αστὴς, οῦ, ὁ, (ἡλιάζω) der fonnende; 2) ein Richter in der Heliaea: dav. —αστικὸς, ἡ, ὸν, ihn dem Richter ἡλιαστὴς gehörig, eigen, betreffend. —άω, ῶ, (ἥλιος) der Sonne ähnlich feyn, vorz. an Glanz oder Farbe: Philoftr.

'Ηλιβάτας, ταῦρος, Antiphanes Euftathii bey Stephanus; aber bey Athenae. 9 p. 420. fteht richtiger τράγος ὑλιβάτης.

'Ηλίβατος, ὁ, ἡ, hoch, tief, wie *altus.* Die Ableitung ungewifs. Bey Strabo 17 p. 1173 ift πέτρος ἠλίβατος, στρογγύλος, λεῖος, von 12 Fufs im Durchmeffer, meift rund; alo hat das Wort noch irgend einen andern Nebenbegriff.

'Ηλιεῖον, τὸ, (ἥλιος) Ort und Tempel der Sonne. —εύω, an die Sonne bringen, fonnen: Stobaei Serm. 1.

'Ηλιθα, Adv. mit πολὺς: bey Homer f. v. a. ἅλις πολὺς, *fatis valde multus*, fehr viel; 2) f. v. a. ἀθρόως, plötzlich, auf einmal; 3) vergeblich, umfonft, f. v. a. μάτην, bey Callimach. ὃς αἴσιος, οἵτε πέτονται ἤλιθα, καὶ ποίων οὐκ ἀγαθαὶ πτέρυγες. Von ἀλὴς ἅλις, ἀλίζω, ἀλία, in den erften 2 Bedeut. von ἄλη ἀλεὸς ἄλιος ἠλὸς, ἠλεὸς, in der zweyten. In den erften zwey Bedeut. wird es auch ἤλιθα wie ἅλις gefchrieben. —θιάζω, ich handle, rede, thue einfältig, dumm, thöricht; von ἠλίθιος. —θιοεργὸς, ὁ, ἡ, thöricht handelnd; zw. —θιος, ία, ιον, dumm, einfältig, thöricht, f. v. a. ἐμβρόντητος, ἐννεὸς, εὐήθης, ἄκακος, ἄπειρος, nach Plato Alcib. 2: eitel, vergeblich, μάταιος: Theocr. 16. 9. Aefchyl. Ag. 374 ὀδὸς, βέλος; von ἄλη, ἀλεὸς, ἀλεόφρων, ἄλιος, ἠλὸς, ἠλεὸς, ἠλέματος, ἤλιθα vergeblich; davon —θιότης, ἡ, Einfalt, Dummheit, Thorheit. —θιόω, ῶ, wahnfinnig, dumm machen: Aefchyl. Pr. 1069. für ἐμβρόντητον ποιεῖν. —θιώδης, ὁ, ἡ, einem eiteln einfältigen ähnlich: Philoftr. Soph. 2, 1.

'Ηλικία, ἡ, (ἧλιξ) die körperliche Gröfse: auch uneigentl. von andern Dingen, als Säulen: Luci Syr. 28. 2) das Alter, *aetas*, befonders das männliche Alter, von etwa 18 bis 50 Jahren; daher ὁ ἐν τῇ ἡλικίᾳ ὢν oder γενόμενος; 3) das Zeitalter, ἕως εἰς τὴν νῦν ζῶσαν ἡλικίαν ὁ χρόνος προήγαγεν ἡμᾶς, bis auf das gegenwärtige Zeitalter: Demofth. —κιώτης, ου, ὁ, femin. ἡλικιῶτις, im gleichen Alter, *aequalis*; πράξεις ἡλικιώτιδες, in gleichem Alter verrichtete Thaten: Diodor. 1, 58. —κος, κη, κον, (ἧλιξ) wie grofs von Körper, Wuchs: ἡλίκος καὶ οἷος γέγονε, *quantus et qualis evaferit*; εἶναι δὲ μέγεθος ἡλίκον λέοντα, er fey fo grofs wie ein Löwe. Auch ἡλίκος πόνος, kurz wie *quantus*; auch wie mächtig. θαυμαστὸς ἡλίκος, μέγιστα ἥλικα wie θαυμαστὰ ὅσα, wie *mirum quantum*, wunder wie grofs. Das Wort bey der Frage gebrauchlich, ift πηλίκος, und das relativum τηλίκος.

'Ηλιξ, ικος, ὁ, ἡ, f. v. a. ἡλικιώτης, Kamerad: Ariftoph. Ach. 336.

'Ηλιόβλητος, oder ἡλιόβολος, ὁ, ἡ, (βάλλω, ἥλιος) von der Sonne oder den Sonnenftrahlen getroffen, geftochen, verbrannt, entzundet, zerfchmelzt u. dgl. —οειδής, έος, ὁ, ἡ, Adv. —δῶς, (εἶδος) fonnenartig, fonnenförmig, hell, glänzend wie die Sonne. —οθερής, ὁ, ἡ, (θέρω) von der Sonne erwärmt, erhitzt: Etym. M. —οκαής, έος, ὁ, ἡ, (κάω) von der Sonne gebrannt, verbrannt, in der Sonne gebrannt: day. —οκαΐα, ἡ, Sonnenbrand, Sonnenhitze; das Sonnen, Wärmen in der Sonne: Diog. Laert. —οκάμινος, ὁ, ein Zimmer, Stube gegen die Sonne gelegen, wo man im Winter fich aufhielt; v. ἥλιος, κάμινος: Plinius jun. 2, 17 Epift. —οκάνθαρος, ὁ, Sonnenkäfer, der Dreckkäfer bey den Aegytiern der Sonne gewidmet. —όκαυστος, ὁ, ἡ, f. v. a. ἡλιοκαής. —όκεντρις, ιδος, ἡ, (κέντρον) Sonnenftecherin, für das lat. *folipuga*, ein Infekt das bey der Sonnenhitze fticht: Gloffar. Steph. —ομανής, έος, ὁ, ἡ, (μαίνομαι) in die Sonne verliebt, die Sonne liebend, wie τέττιγξ die Cicade: Ariftoph. Av. 1096. —όμορφος, ὁ, ἡ, (μορφή) geftaltet wie die Sonne. —όπους, οδος, ὁ, f. v. a. ἡλιοτρόπιον: aus Diofcor. 4, 193.

'Ηλιος, ὁ, Sonne: im Plural. ἥλιοι, wie *foles*, Sonnenftrahlen: ἥλιοι ἐκ νεφελῶν ὀξεῖς, *crebar ex nube fol* überfetzt es Plinius aus Theophraft, Sonnenftiche: poet. ift ἥλιος auch, wie *fol*, ein Tag. —οσκέπιον, τὸ, (ἥλιος, σκεπάω) eine Pflanze, wie ἡλιοτρόπιον. —οστερής, έος, ὁ, ἡ, (στέρω) 1) paff. der Sonne beraubt: 2) act. der Sonne beraubend, befchattend: Soph. —οστιβής, έος, ὁ, ἡ, (στείβω) von der Sonne betreten, befchienen; zw. —ότευκτος, ὁ, ἡ, (τεύχω) von der Sonne gemacht, entftanden, entfprungen; zw. —οτρόπιον, τὸ (ἥλιος, τροπή) *Heliotropion*, *herba folaris*, *folftitialis*, eine Pflanze; weil fie ihre Blätter und Blume nach dem Laufe der Sonne richtet, wie unfre Sonnenblume: Diofcor. 4 193 *heliotrop. europaeum* Linn. 2) Eine Sonnenuhr, *folarium*, *gnomon*. —οφάνεια, ἡ, Sonnenglanz, Sonnenhelligkeit; v. —οφανής, έος, ὁ, ἡ, glänzend, leuchtend wie die Sonne; 2) paff. Sonnenhelle. —όω, ῶ, (ἥλιος) fonnen, der Sonne ausfetzen: paffiv. von der Sonne befchienen werden: τὰ ἡλιούμενα σκιάζειν Xenoph. ἡλιούμενος ἀνὴρ ein in der freyen Luft und an der Sonne lebender Mann entgegef. dem ἐσκιατραφηκότι, im Zimmer erzognen: Plato.

'Ηλίσκος, ὁ, dimin. von ἧλος.

'Ηλιτενής, ὁ, ἡ, hoch: Suidas: kann mit ἠλίβατος verglichen werden: wenn es nicht aus εἰλιτενής verderbt ift.

'Ηλίτης, ου, ὁ, (ἧλος) von Nägeln: zu N. gehörig oder ihnen ähnlich.

'Ηλιτοεργός, (ἀλίτω, ἔργον) ein Verbrecher, Böfewicht: Epigr. Antipatri Sid. 63. —τόμηνος, ὁ, ἡ, (ἀλίτω, μήν) unzeitig geboren; eigentlich den Monat verfehlend. —τόποινος, ὁ, ἡ, S. νηλιτόποινος.

'Ηλιώδης, εος, ὁ, ἡ, fonnenartig, fonnenähnlich. —ωσις, ἡ, (ἡλιόω) das Sonnen. —ώτης, ὁ, fem. ἡλιῶτις, ἡ, heifst bey den Jonern der Mond: Etym. M. davon der Wind ἀφηλιώτης oder ἀπηλιώτης; eigentl. was von der Sonne kommt, darzu gehört.

'Ηλοειδής, ὁ, ἡ, (ἧλος, εἶδος) nagelförmig, nagelartig. —κεντρον, τὸ, (ἧλος) Sporn; zw. —κόπος, ὁ, (κόπτω) Nagelfchläger, Nagelfchmidt: Gloff. Steph. wo auch ἡλοκοπῶ, *clavo* fteht.

'Ηλος, ὁ, Nagel: davon auch wie *clavus* und *clou* franz: allerhand Erhabenheiten, wie Hüneraugen u. dgl.

'Ηλός, ἡ, όν, φρένας ἠλὸ f. v. a. ἠλεὸς thörigten Herzens, bethört; von ἀλη. S. ἠλίθιος.

'Ηλότυπος, ὁ, ἡ, (τύπτω) mit Nägeln gefchlagen, befchlagen: angenagelt: Nonnus.

'Ηλόω, ῶ, (ἧλος) nageln: annageln, feftnageln.

'Ηλσάμην und ἡλσόμην, Simon und Ibycus Etym. M. ft. ἡλας; von ἐλάω.

'Ηλυγάζω, ich befchatte, verfinftre, verberge, bedecke; desgl. —γαῖος, *umbrofus*, fchattig, dunkel; von —γη, ἡ, der Schatten, Dunkelheit, Finfternifs; einige leiten es von λύγη, λυγαῖος ab: Ernefti von ἀλύνη d. i. ἀ u. λύκη *lux* und davon das lat. *alucinari*. Compos. ἐπηλυγάζω. S. λύγη.

'Ηλυγίζειν, f. v. a. ἠλυγάζω: davon —γισμὸς, die Beschattung, die Bedeckung.

'Ηλυξ, γος, dunkel, finster, schattig; wie ἐπήλυξ.

'Ηλύσιον, verst. πεδίον, elysisches Gefilde: als Wohnort der abgeschiedenen Seelen oder Menschen: von ἠλύσιος, wovon ἠλυσία f. v. a. ὁδὸς von ἠλύθω, wie ἐπηλυσία, u. κατηλυσία. Aufserdem hiefsen χωρία ἠλύσια und ἐνηλύσια, wo der Blitz oder Donner hineingeschlagen hatte, *bidental*, welche hernach durch allerhand Zeremonien aufser Gebrauch gesetzt und geweiht wurden. —σις, ἡ, (ἠλύθω) das Kommen, Ankommen: Ankunft; Gang, Weg.

'Ημα, τὸ, (ἵω) das Werfen, der Wurf: Il. 23, 891. davon ἥμων. —θόεις, όεσσα, όεν, (ἄμαθος) sandig.

'Ημαι, eigentl. εἷμαι v. ἕω, ἵμι, εἷμι das perf. passiv. ich bin gelegt, gestellt worden, ich liege, stehe, sitze; vorz. drückt es das sitzen, sich aufhalten und figürl. auch das müssig seyn aus.

'Ημαρ, ατος, τὸ, poet. f. v. a. ἡμέρα. —τημένως, Adverb. verfehlt, unrecht, falschl. (partic. praet. pass. von ἁμαρτέω).

'Ημάτιος, ία, ιον, (ἦμαρ) f. v. a. ἡμέριος.

'Ημεδαπὸς, ἡ, όν, inländisch, einheimisch: oppos. ἀλλοδαπός.

'Ημεκτέω, bey den Jonern f. v. a. δυσφορέω: S. in αἱμάσσω.

'Ημελημένως, Adv. nachlässig, sorglos: partic. praet. passiv. von ἀμελέω.

'Ημὲν, Conj. bey den Dichtern mit folgendem ἠδὲ, wird durch und und sowohl als auch gegeben; wie das lat. *vel vel*; oft wird ἠδὲ allein ohne ἡμὲν gesetzt; von ἦ u. μὲν.

'Ημέρα, ἡ, Tag: καθ' ἡμέραν, täglich: μεθ' ἡμ. bey Tage: πρὸς ἡμ. gegen den Tag. —ρεύω, ich bringe den Tag zu, bin ἐν τῇ ἀγορᾷ, den Tag über auf dem Markte. —ρήσιος, ία, ιον, oder ἡμερήσιος, ὁ, ἡ, für jeden Tag, auf den Tag bestimmt: τὸ ἡμερήσιον, (μίσθωμα) Tagelohn; ἡμ. (βιβλίον) Tagebuch: διάστημα, Entfernung von einer Tagereise: Dionys. hal. —ρία, ἡ, f. v. a. ἡμέρα; zw. —ρίδης, ου, ὁ, *mitis*, mild, gelinde: bey Plutarch. Esus Carn. p. 131. der Bacchus vom Weinstocke, ἡμερὶς, genannt; vom Weine selbst m. ἀνθοσμίας verb. Q. S. 4, 1. u. 6, 7. —ρίδιον, τὸ, dimin. von ἡμέρα. —ρινὸς, ἡ, ὸν, f. v. a. ἡμερήσιος. —ριος, ὁ, ἡ, f. v. a. d. vorh. täglich: auch f. v. a. ἐφημέριος. —ρὶς, ίδος, ἡ, d. femin. von ἥμερος zahm, δρῦς, ἄμπελος, der Weinstock: Odyss. 5, 69. Theophr. H. P. 3, 6. Bey Aelian. H. A. 15, 1, ein Synonym. von ἀνθηδών: —ρόβιος, ὁ, ἡ, der seinen Unterhalt (βίος) auf einen Tag hat oder sucht, ein Bettler: auch Diogenes bey Hieronym. *in diem vivens*. —ροδρομέω, ῶ, ich bin ein oder laufe wie ein Eilbote; von —ροδρόμος, ὁ, ἡ, den Tag über laufend, als ἥλιος: Tageläufer, Eilbote. —ρόδρυς, υος, ἡ, f. v. a. ἡμερὶς δρῦς: Hesych. —ροθαλὴς, έος, ὁ, ἡ, (θάλλω) lieblich grünend, blühend, z. B. ἔαρ: Anthol. —ροθηρία, ἡ, Jagd zahmer Thiere dav. —ρικὸς, was darzu gehört: Plato Soph. 10 not. —ροκαλλὲς, τὸ, u. ἡμεροκαλλὶς, ἡ, am Tage blühend, eine Lilienart, mit gelber Blume. —ροκλέπτης, ου, ὁ, am Tage stehlend; zw. —ρόκοιτος, ὁ, ἡ, (κοίτη) Tageschläfer: Beyw. der Fledermaus: Dieb: auch ein Fisch, sonst καλλιώνυμος und οὐρανοσκόπος. —ρολεγδὸν, Adv. (λέγω) auf den Tag zutreffend: Aristot. h. an. —ρολεκτέω, ῶ, f. v. a. ἡμερολογέω; zw. —ρολογεῖον, u. ἡμερολόγιον, τὸ, Berechnung der Tage oder Kalender: Plutar. Caes.

'Ημερολογέω, ῶ, τὸν χρόνον, nach Tagen bestimmen od. berechnen; Herodot. —ρονύκτιον, τὸ, f. v. a. νυχθήμερον: Basilius. —ροποιέω, ῶ, f. v. a. ἡμερόω. —ροποιὸς, f. v. a. zahmmachend: besänftigend: zw. —ρος, ὁ, ἡ, Adv. —ρως, zahm, gezähmt, zahm gemacht: dah. übergetragen, wie *mansuetus*, sanft, gefällig; von Thieren und Früchten den wilden oder wildwachsenden entgegengesetzt: Plato Leg. 6 sagt auch ὁδοὶ ὡς ἡμερώταται, Wege, Strafsen, die geebnet und von allen wilden Thieren gereiniget sind. —ροσκοπεῖον, od. ἡμεροσκόπιον, der Ort der Tagewache. —ροσκοπέω, ῶ, Tagewache halten; von —ροσκόπος, ὁ, der Tagewächter, Schildwache am Tage. —ρότης, ητος, ἡ, (ἥμερος) Zahmheit, Sanftmuth: Pollux. —ροτρόφις, ἡ, χοῖνιξ, der den Tag über ernährt: Athenae. 3 p. 98. —ροφαὴς, ὁ, ἡ, (φάος) Nicetae Annal. 11, 1. f. v. a. das folgd. —ρόφαντος, ὁ, ἡ, (φαίνω) am Tage zu sehen, sichtbar. —ρόφοιτος, ὁ, ἡ, (φοιτάω) tagewandelnd: Basilius. —ροφύλαξ, ακος, ὁ, Tagwächter: f. v. a. ἡμεροσκόπος. —ρόφωνος, ὁ, ἡ, (ἡμέρα, φωνέω) Tagerufer, Tagverkündiger, der Hahn: Simonid. —ρόω, ῶ, (ἥμερος) zahm machen, bezähmen: durch Kultur milde, urbar machen als Land, veredeln, verbessern, als Früchte durch Pflege, Pfropfen: von Gegenden oder Ländern, sie von wilden Thieren oder Räubern reinigen: davon —ρωμα, τὸ, das zahmgemachte: aus Theophr. c. plant. 5 für ἡμέρωσις. —ρωρέω, (ὤρη, ἡμέρα) ich bin Tagewächter, wache u.

beobachte bey Tage: Hesych. u. Suid. —ρωσις, ἡ, (ἡμερόω) das Zahmen: vom Lande u. von Pflanzen, die man urbar macht, banet, versetzt, pflegt od. pfropft und veredelt.

'Ημέτερος, έρα, έρον, (ἡμεῖς) unser, *noster.*

'Ημί, attisch st. φημί, dah. ἦν δ' ἐγώ, ἦδ' ὅς, sagte ich, sagte er. Aristoph. Ran. 37 παῖ, ἠμί, παῖ, wie wir sagen, Johann, hört er, (ich sage es ihm) Johann.

'Ημιαμφόριον, τὸ, eine halbe *amphora*, das ist eine *urna*. —ανδρος, ὁ, Halbmann, entmannt; von ἀνήρ. —άνθρωπος, ὁ, ἡ, Halbmensch. —άνωρ, ορος, ὁ, s. v. a. ἡμίανδρος. —άρτιον, τὸ, bey Athen. 3. 28. bey Hesych. ἡμίαρτος, eine Art von Brod, halbrund. —ασσάριον, τὸ, ein halber *as*, *semissis*. zw. —αστράγαλον, τὸ, halber ἀστράγαλος. zweif. —βάρβαρος, ὁ, ἡ, halbbarbarisch oder fremd. —βρεχής, ἡμιβρεχής, ἡμίβρεχος, ὁ, ἡ, (βρέχω) halbdurchnässt, halbfeucht, nicht ganz durchweicht: Theophr. c. pl. 3, 28. Anthol. haben die 2 ersten Formen. —βρώς, ῶτος, ὁ, ἡ, u. ἡμίβρωτος, ὁ, ἡ, (βρόω, βρώσκω) halb verzehrt. —γαμος, ὁ, ἡ, γυνή, Philostr. Soph. 1, 21, 4. ein Halbweib, nach den Gesetzen ungültige Frau. —γένειος, ὁ, ἡ, (γένειον) halbbärtig. zweif. —γενής, έος, ὁ, ἡ, (γένος) halb geschaffen, von unvollkommenem Geschlechte: Plato Timae. —γύναιξ, u. ἡμίγυνος, ὁ, ἡ, Halbweib. —δαής, έος, ὁ, ἡ, (δαίω) halb verbrannt: σκύβαλον ἡμιδαές, Analect. 3 p. 232. no. 386. ein halb verzehrtes Ueberbleibsel: v. δάω, δαίω, theilen, speisen. Viell. zielt in Suidas darauf die Glosse: ἡμιδαπής, ἡμιτελής. —δάϊκτος, ὁ, ἡ, (δαΐζω) halb getödtet. —δακτύλιον, τὸ, halber Finger. Polyb. —δαμής, έος, ὁ, ἡ, (δαμάω) halbgebändigt, bezwungen, getödtet. —δεής, έος, ὁ, ἡ, (δέω) dem die Hälfte fehlt, halbvoll: βίκους εἶναι ἡμιδεεῖς, Xenoph. An. 1, 9, 25. halbe Fässer von Wein. —διπλοΐδιον, τὸ, (διπλοΐς) eine Art von weiblichem Unterkleide: Aristophan. —δουλος, ὁ, Halbsclave. —εκτέον, τὸ, od. ἡμίεκτον ein halber ἑκτεύς, *sextarius*. —έλλην, ὁ, ἡ, Halbgrieche. —εργής, έος, ὁ, ἡ, oder ἡμίεργος, ὁ, ἡ, (ἔργον) halbgethan, halbgemacht, halbfertig. —ετες, τὸ, (ἔτος) ein halbes Jahr: eigentl. neutr. von ἡμιέτης, ὁ, ἡ, von einem halben Jahre. —εφθος, ὁ, ἡ, halbgekocht. —ζώνιον, τὸ, (ζώνη) Halbgurt, oder das *semicinctum*. zweif. —ζωος, ὁ, ἡ, (ζωή) halblebendig. —ηλος, ὁ, ἡ, (ἥλιος) halbbesonnet, halbgetrocknet: Theophr. c. pl. 3 c. 28. wo aber Steph. lieber ἡμίυλος von ὕλη lesen wollte.

—θαλής, έος, ὁ, ἡ, (θάλλω) halbgrünend. —θανής, έος, ὁ, ἡ, oder ἡμιθνής, ῆτος, oder ἡμίθνης, ητος, (θανέω, θνήσκω) halbtodt. —θέαινα, ἡ, Halbgöttin: ἡμίθεος, ὁ, ἡ, Halbgott, Halbgöttin. —θηλυς, ὁ, Halbweib, halbweiblich. —θήρ, ὁ, ἡ, Halbthier, halbthierisch. —θνής, ῆτος, oder ἡμίθνης, ητος, ὁ, ἡ, halbtodt. —θνητος, ὁ, ἡ, s. v. a. ἡμιθανής, halbsterblich, oder halbunsterblich, Halbgott: oder einen Tag um den andern lebendig und todt: Lycophr. 511. —θραυστος, ὁ, ἡ, (θραύω) halbzerbrochen. —θωράκιον, τὸ, halber θώραξ. —ιουδαῖος, ὁ, Halbjude. —κάδιον, τὸ, halber Kadus. —κακος, ὁ, ἡ, halbschlecht, halbböse. —καυστος, ὁ, ἡ, (καίω) oder ἡμίκαυτος, ὁ, ἡ, halbverbrannt. —κενος, ὁ, ἡ, halbleer. —κέραμον, τὸ, (κέραμος) eine Urne. zw. —κερκος ἡμίονος, Nicetae Annal. 2, 10. sonst κόλουρος 15. 2. *curtus mulus* Horatii Serm. 1, 6, 104. —κεφάλαιον, ἡμικεφάλιον, oder ἡμικέφαλον, τὸ, halber Kopf: Phrynich. —κλάδευτος, ὁ, ἡ, (κλαδεύω) halb beschnitten, halb beblattet. zw. —κλαστος, ὁ, ἡ, halbzerbrochen. zw.

'Ημικλεις, ὁ, ἡ, s. v. a. ἡμίκλειστος, halbverschlossen; bey Suidas. —κλήριον, τὸ, (κλῆρος) halbes Loos, Halb. Erbtheil. —κόριον, τὸ, ein halber κόρος. —κοτύλη, ἡ, halbe κοτύλη: dasselbe ist ἡμικοτύλιον, τὸ, wov. ἡμικοτυλιαῖος, v. ein. halben Kotyla. —κραιρα, ἡ, halber Kopf: Aristoph. Thesm. 227. der halbe Backen. —κρανία, ἡ, Schmerz an der Hälfte des Kopfs: wovon das französ. *micraine* st. *hemicraine*, Kopfschmerz; davon —κρανικός, ὁ, der Kopfschmerzen an der einen Seite oder Hälfte des Kopfs hat. —κράνιον, τὸ, (κράνον) der halbe Schädel. —κρης, ὁ, Halbkreter. —κύαθος, ὁ, halber Cyathus. —κύκλιον, τὸ, Halbzirkel: eigentl. das neutrum von —κύκλιος, ὁ, ἡ, halbzirklicht. —κυκλιώδης, ὁ, ἡ, dem halbzirklichten ähnlich; von —κύκλος, ὁ, Halbzirkel. —κυλίνδριον, τὸ, s. v. a. ἡμικύλινδρος, Halbzylinder. —κύπρον, τὸ, ein halber κύπρος. —κύων, ὁ, Halbhund. —λάσταυρος, ὁ, ein halber λάσταυρος. —λέπιστος, ὁ, ἡ, (λεπίζω) halbgeschuppt: halbgeschält: ἡμίλεπτος, halb ausgeschält aus dem Eye: sehr zw. ἡμίλευκος, halbweiss. —λιτριαῖος, αία, αῖον, halbpfündig; von —λιτρον, τὸ, ein halbes Pfund. —λουτος, ὁ, ἡ, halbgewaschen. —λοχία, ἡ, s. v. a. διμοιρία, ein halber λόχος: und —λοχίτης, ου, ὁ, s. v. a. διμοιρίτης. —μαθής, έος, ὁ, ἡ, halbgelehrter: der nur halb gelernt hat: Philostr. Soph. 2, 5, 4.

'Ημιμανὴς, έος, ὁ, ἡ, halbtoll, halbrasend. —μάραντος, halbwelk. —μάσητος, halbgekaut. —μέδιμνος, ὁ, der halbe μέδιμνος. —μέθυσος, halbtrunken. —μερὴς, έος, ὁ, ἡ, zur Hälfte: halbtheilig. —μεστος, ὁ, ἡ, halbvoll. —μετρον, τὸ, das halbe Maaſs, Halbmaaſs. —μηνιαῖος, α, ον; (μὴν) halbmonatlich. —μναῖος, α, ον, von einer halben Mine, (μνᾶ): τὸ ἡμι. eine halbe Mine. —μόριον, τὸ, und ἡμιμοίριον, der halbe Theil, die Hälfte. —μόχθηρος, ὁ, ἡ, halbſchlecht, halbſchlimm.

'Ημίνα, ἡ, (ἥμισυς) die Hälfte näml. eines *ſextarius*, *hemina*: βασιλικὴ ſ. v. a. ἡμικοτύλιον: Ariſtides 1 p. 316. —νηρος, (ἡμινέαρος) κεστρεὺς oder κορακῖνος, in Aegypten ein halbgeſalzener, ἡμιτάριχος, Fiſch.

'Ημίξεστον, ein halber ξέστης, *ſextarius*. —ξηρος, ὁ, ἡ, halbtrocken. —ξύρητος, ὁ, ἡ, (ξυρέω) mit halbabgeſchornem Haupte oder Barthaaren.

'Ημιοβόλιον, τὸ, ein halber ὀβολός. —όδιον, τὸ, das lat. *ſemita* im Gloſſ. Philox. zw. —όδιος, ὁ, ἡ, der zur Hälfte die Wege beſorgt, die Märſche anordnet: Ariſtot. Oecon. 2. zw. —ολία, ἡ, verſt. ναῦς, ein leichtes Fahrzeug, vorz. der Seeräuber, auch ἡμιόλιον, τὸ, verſt. πλοῖον, ſcheint anderthalb Reihen von Ruderbänken gehabt zu haben. —ολιασμὸς, ὁ, das Geben des Ganzen mit der Hälfte davon; von —όλιος, und ἡμιόλος, (ἥμισυς, ὅλος) anderthalb. ὑπισχνεῖται ἡμιόλιον πᾶσι δώσειν οὗ πρότερον ἔφερον: Xen. Anab. 1, 3, 21. um die Hälfte mehr als ſie vorher bekamen. Davon ἡμιόλιον, τὸ, ſ. v. a. ἡμιολία, ἡ, welches ſiehe. Der Grund des Namens liegt in einem jetzt unbekannten Verhältniſſe der Maaſse. —όνειος, zum Mauleſel gehörig, ἡμιονεία, ἡ, verſt. κόπρος, Miſt vom Mauleſel. ζεῦγος ἡμιόνειον, ein mit ein paar Mauleſeln beſpannter Wagen, oder *mulorum jugum*. —ονηγὸς, ὁ, ἡ, (ἄγω, ἡμίονος) der Mauleſel treibt, führt u. ſ. w. —ονικὸς, ἡ, ὸν, zum Mauleſel gehörig: auch ſ. v. a. ἡμιόνειος. —όνιον, τὸ, Dioſcor. 3, 151. und Theophr. hiſt. pl. 9, 19. ein Kraut, ſonſt ἄσπληνον od. σπληνόδριον, vom Mauleſel benannt, weil es von Weibern genoſſen die Unfruchtbarkeit (τὸ ἀγονεῖν) befördern ſollte. —ονὶς, ίδος, ἡ, Miſt vom Mauleſel, wie ὀνὶς vom Eſel, ὄνος: Hippocr. ἡμιονείη bey Suidas. —ονίτης, ου, ὁ, femin ἡμιονῖτις, ἡ, vom Mauleſel: zum M. gehörig: ἵππος ἡμιονῖτις, Stute vom Eſel belegt u. einen Mauleſel tragend: Strabo 5 p. 325. —ονος, ὁ, ἡ, Mauleſel, Mauleſelin. —οπλος, (ὅπλα) halbbewaffnet. zw. —όποι αὐλοὶ, wie διόποι, mit zwey Löchern, ſo ἡμι. halb mit Löchern oder Flöten mit wenigen Löchern, als die αὐλοὶ τέλειοι, gleichſam Halbflöten: Athenaeus 4 p. 176.

'Ημιπαγὴς, έος, ὁ, ἡ, (πηγνύω) halbgeronnen, halbgefroren, halb zuſammen gefügt. —παθὴς, έος, ὁ, ἡ, (πάθος) halb leidend. zw. —παίδευτος, ὁ, ἡ, halbgelehrter. —παχὴς, έος, ὁ, ἡ, halbdick. —πέλεκκον, τὸ, m. doppeltem κ wegen des Verſes, (πέλεκυς) halbe Axt, die nur auf einer Seite ſchneidet: opp. ἀμφιπέλεκκον. —πεπτος, ὁ, ἡ, halbgekocht, halbgebacken. —πηχυαῖος, αία, αῖον, oder ἡμίπηχυς, einen halben Ellebogen oder halbe Elle lang. —πλεθρον, τὸ, das halbe πλέθρον. —πληγία, ἡ, ſ. v. a. ἡμιπληξία. —πληκτικὸς, ἡ, ὸν, an der ἡμιπληξία leidend. —πλὴξ, ῆγος, ὁ, ἡ, (πλήττω) halbgeſchlagen, getroffen, verwundet. —πληξία, ἡ, Schlag und Lähmung durch den Schlag an der einen Hälfte des Körpers. —πλήρωτος, ὁ, ἡ, halbgefüllt, halbvoll. —πλίνθιον, τὸ, ein halber Ziegel od. πλίνθος. —πνικτος, ὁ, ἡ, halberſtickt. —πνοος, contr. ἡμίπνους, ὁ, ἡ, (πνοὴ) halbathmend, halblebendig. —πόδιον, τὸ, halber Fuſs. —πολος, halbe Himmelskugel. Heſych. —πόνηρος, ὁ, ἡ, halbböſe. —πους, οδος, ὁ, der halbe Fuſs. —πτωτος, ὁ, ἡ, halbeingefallen. —πυρος, ὁ, ἡ, halbbrennend, halbfeurig. —πύῤῥος, ὁ, ἡ, halbroth, braunröthlich. —πύρωτος, ὁ, ἡ, ſ. v. a. ἡμίπυρος. —ρόμβιον, τὸ, S. ἡμίτομον. —ῥραγὴς, έος, ὁ, ἡ, (ῥήσσω) halb zerbrochen, zerriſſen oder zerborſten. —ῤῥόπως, Adv. (ῥοπὴ) nicht ſtark, mäſſig. zw. —ρυπος, ὁ, ἡ, halbſchmuzig. Hippocr. —σάκιον, τὸ, (σάκος) ein halber Sack: Pollux 10, 156. wo vorher ἡμισάμιον ſtand. —σάλευτος, ὁ, ἡ, (σαλεύω) halberſchüttert. —σαπὴς, έος, ὁ, ἡ, (σήπω) halbverfault. —σεια, ἡ, verſt. μοῖρα, die Hälfte: femin. von ἥμισυς, halb. —σέλπιδος, ὁ, (ἐλπὶς) halb und halb hoffend: ſehr zw. —σευμα, τὸ, die Hälfte; von —σεύω, (ἥμισυς) ich vertheile zur Hälfte, bringe oder verringere auf die Hälfte. —σίκλιον, τὸ, ein halber σίκλος. —σπαστος, ὁ, ἡ, (σπάω) halbabgeriſſen, halbgezogen, halbniedergeriſſen: Strabo 17 p. 1188. —στάδιον, τὸ, das halbe Stadium; davon ἡμισταδιαῖος von einem halben Stadium. —στατὴρ, ὁ, halber Stater. —στίχιον, τὸ, (στίχος) halbe Zeile, halber Vers. —στρατιώτης, ου, ὁ, halber Soldat. —στρόγγυλος, halbrund.

Ἥμισυς, σεια, συ, Gen. εος, είας, εος, halb, zur Hälfte. —σύτριτον oder vielmehr ἡμισύτριτον z. B. τάλαντον anderthalb Talent, eigentl. drey halbe Talente.

Ἡμισφαγής, έος, ὁ, ἡ, (σφάττω) halbgeschlachtet. —σφαίριον, τὸ, (σφαῖρα) Halbkugel. —τάλαντον, τὸ, halbes Talent. —τάριχος, ὁ, ἡ, halbgesalzen, halbeingepöckelt. —τέλεια, ἡ, (ἡμιτελὴς) κακῶν Lucian 3 p. 18 halbe Leiden. —τέλειος, α, ον, halbganz, halb: φωνὴ bey Dionys. hal. —τέλεστος, ὁ, oder ἡμιτελής, ὁ, ἡ, (τελέω, τέλος) halb vollendet, halb: δόμος ἡμιτελὴς, Hom. Il. 2 ein halbes, vom Manne verlassenes, blos v. der einen Hälfte, der Frau bewohntes Haus, abgebrochene Ehe. —τετράγωνον, τὸ, halbes Quadrat. —τμητος, ὁ, ἡ, s. v. a. ἡμίτομος, getheilt, zerschnitten. —τόμης, ἡμιτομίας, ου, ὁ, (τομὴ) halbverschnitten. —τόμιον, τὸ, die Hälfte: aus Dioscor. 2. —τομος, ὁ, ἡ, halb durchschnitten, getheilt, halb: τὸ ἡμ. bey Hippocr. eine Bandage, Verband, auch ἡμιρίμβιον genannt. —τόνιον, τὸ, (τόνος) ein halber Ton. —τραυλος, halbstammelnd. —τριβής, ὁ, ἡ, (τρίβω) halbabgerieben oder abgetragen: zw. —τριγωνος, ὁ, ἡ, halbdreyeckigt. —τριταῖος πυρετὸς, halbdreytägiges Fieber, halbes oder hitziges Tertian-Fieber. —τύβιον, τὸ, auch ἡμιτύμβιον, ein starkes leinenes Tuch, auch ein Kleid von solcher starker Leinewand; wahrscheinlich ein aegyptisches Wort: Hemsterh. Aristoph. p. 249. —τύμβιον, τὸ, (τύμβος) ein halbes oder kleines Grabmal: Suid. —τυμπάνιστος, ὁ, ἡ, (τυμπανίζω) halbtodt: Pollux u. Hesych.

Ἡμιϋπνος, ὁ, ἡ, (ὕπνος) halbschlafend.

Ἡμιφαής, od. ἡμιφανής, (φαίνομαι) halb zu sehen, halb sichtbar. —φάλακρος, halbkahl. —φάριον, τὸ, (φάρος) ein halbes Kleid: Suid. oder vielmehr eine Art Zeug und daraus gemachtes Kleid: ἁλουργὲς ἡμιφ. Aristaeneti Ep. 1, 4. Saumaise leitete davon separium, siparium ab. —φατος, halb: wie δίφατος, τρίφατος: Hesych. —φαυλος, ὁ, ἡ, halbschlecht. —φαυστος, ὁ, ἡ, (φαύω) halberleuchtet: Pollux 6, 160. —φλεγής, έος, ὁ, ἡ, oder ἡμίφλεκτος, (φλέγω) halbverbrannt. —φόρμιον, τὸ, (φορμὸς) ein halber Korb: Pollux 10, 169. —φρακτος, ὁ, ἡ, (φράσσω) halbverwahrt: Pollux 6, 160. —φυής, ὁ, ἡ, (φύω) halbwüchsig: Pollux 6, 161. —φωνος, ὁ, ἡ, (φωνη) halbtönend, mit halbem Tone: Halblauter. —χλωρος, ὁ, ἡ, halbgrün, halbgelb. —χοαῖος, αία, αῖον, einen halben χόος oder congius haltend. —χοινίκιον, τὸ, ein halber χοῖνιξ. —χοινικος, ὁ, ἡ, einen halben χοῖνιξ haltend; τὸ ἡμ. s. v. a. ἡμιχοίνιξ, ἡ, halber Choenix. —χολώδης, ὁ, ἡ, halbgallig, etwas gallig: Hippocr. zw. —χοος, contr. ἡμίχους, ὁ, ἡ, u. τὸ ἡμίχοον, ein halber χόος. —χόριον, τὸ, (χορὸς) ein halbes Chor. — —χρηστος, ὁ, ἡ, halb gut, halb brauchbar. —χρυσος, ὁ, ἡ, halb golden. —χωστος, ὁ, ἡ, (χωννύω) halb zugeschüttet oder verschüttet. —ψυγής, έος, ὁ, ἡ, oder ἡμίψυκτος, (ψύχω) halb erkaltet, halb abgekühlt, halb getrocknet: Geopon. 2, 27, 9. —ψυχος, ὁ, ἡ, (ψυχὴ) halblebend: zw.

Ἡμιωβέλιον, τὸ, S. ἡμιωβόλιον. —ωβολιαῖος, αία, αῖον, einen halben Obolus werth; von —ωβόλιον, τὸ, ἡμιώβολον, τὸ, und ἡμιώβολος, ὁ, der halbe Obolus. Bey Aristot. Rhet. 1, 14. lesen einige ἡμιωβέλια τρία ἱερὰ falsch: denn es werden anderthalb Oboli von dem Gelde verstanden, welche zum gottesdienstlichen Gebrauche bestimmt waren. —ώριον, τὸ, (ὥρη) halbe Stunde.

Ἦμος, Adv. jonisch s. v. a. ὅτε, als, nachdem.

Ἡμὸς, ἡ, ὸν, s. v. a. ἡμέτερος. —σύνη, ἡ, (ἥμων) Geschicklickeit im Schleudern oder Werfen: Hesych.

Ἡμυόεις, όεσσα, όεν, Nicand. Ther. 626 κέρκορον ἡμυόεντα, wo andre ἡμύοντα lasen und μεμυκότα erklärten: zw.

Ἡμύω, f. ύσω, sich neigen, den Einsturz drohen, fallen: Hom. Il. 2, 149 ἐπί τ' ἠμύει ἀσταχύεσσι τὸ λήϊον, das Feld neigt die Aehren; τῷ κε τάχ' ἠμύσειε πόλις, sich zum Einsturz neigen; ἤμυσαν λοξοῖσι καρήασιν, Apollon. 2, 584 neigten die Köpfe auf die Seite; vergl. Il. 8, 308.

Ἥμων, ονος, ὁ, Schleuderer, Werfer; v. ἕω, ἵημι. Il. Ψ. 886. wo andre ῥήμονες d. i. ῥήτορες lasen: Plutar. Q. S. 5, 2.

Ἤν, Conj. st. ἐὰν, wenn. Mit dem Conj. ungewöhnlich, mit εἴεν bey Thucyd. 3, 44.

Ἦν, imperf. ich war, st. ἔα, wie ᾔδεα, ᾔδην, ἐπεποιήκεα, ἐπεποιήκην jonisch: Heraclides Eustath. p. 19. 46. 21.

Ἠναγκασμένως, gezwungenerweise; partic. perf. pass. von ἀναγκάζω.

Ἠνεκής, έος, ὁ, ἡ, Adv. ἠνεκέως st. ἠνεκῶς, (von ἐνέκω, ἐνέγκω, ich führe, bringe, wie latus von fero) drückt die Ausdehnung der Oberfläche in die Breite, Länge und Weite aus, also breit, lang, weit; auch von der Zeit, lang; διὰ τ' εὐρυμέδοντος αἰθέρος ἠνεκέως τέταται, διά τ' ἀπλέτου αὐγῆς, *late extensa, diffusa est*, Empedocl. bey Aristot. Rhet. 1. ἠνεκὴς s. v. a. ἠνεκῶς und ἠνεκέως, Adv. davon διηνεκής.

Ἠνέμιον, τὸ, s. v. a. ἀνεμώνη: Dioscor. 2, 207. —μόεις, εσσα, εν, (ἄνεμος) windig, dem Winde ausgesetzt, hoch, bey

Hom. häufig als Beyw. von der Burg Ilion.

Ἠνί, Adv. siehe! siehe da! auch ἠνίδε st. ἠν ἴδε, auch ἠν ἰδοῦ, *en ecce*, Eur. Herc. 8677. daher *en!*

Ἡνία, ἡ, die Zügel am Zaume: die Leinen an Wagenpferden; metaph. die Regierung, die Gewalt; ἀφ' ἡνίας, von der Rechten nach der Linken; παρ' ἡνίαν ποιεῖν, Philostr. Icon. 2, 18. ungehorsam, unfolgsam seyn; 2) Rieme, die Schuhe zu binden: Aristoph. Eccles. 532; davon —άζω, ich zäume auf.

Ἡνίκα, Adv. wann, zu welcher Zeit, als.

Ἡνίον, τὸ, s. v. a. ἡνία. —οποιεῖον, τὸ, die Werkstatt, wo man Zäume macht. —οποιέω, ich mache Zäume. —οποιὸς, ὁ, (ποιέω) der Zäume macht. —οστροφέω, ich lenke den Zaum, die Zügel, regiere. —οστρόφος, ὁ, ἡ, (ἡνία, στρέφω) der die Zügel lenkt, regiert. —οχεία, auch ἡνιοχία, ἡ, das Zügelhalten, Lenken, Fahren; 2) die Leitung, Regierung. —οχεύς, έος, ὁ, s. v. a. ἡνίοχος. —οχεύω, f. εύσω, od. ἡνιοχέω, ich halte die Zügel, Xenoph. ἱππικ. 7, 8. ἡνιοχείτω ἀνωτέρω ταῖς χερσὶ, halte die Zügel höher; lenke die Pferde, fahre; übergetr. regieren, steuern, lenken: dav. —όχησις, εως, ἡ, das Zügelhalten, Lenken, Fahren; metaph. das Regieren. —οχικὸς, ἡ, ὸν, dem ἡνίοχος gehörig, eigen; im Fahren geübt, geschickt. —οχος, ὁ, (ἡνίας ἔχων) die Zügel haltend, die Pferde lenkend, Kutscher.

Ἡνίκαπε, S. ἐνίπτω.

Ἦνις, ιος, ἡ, (ἔνος) jährig, ein Jahr alt.

Ἠνορέα, jon. ἠνορέη, ἡ, (ἀνὴρ) Mannheit, Muth, Stärke, s. v. a. ἀνδρία.

Ἤνοψ, ἤνοπος, ὁ, ἡ, ἤνοπι χαλκῷ bey Homer wird durch λαμπρὸν, διαφανῆ, εὔηχον erklärt, und von ανοψ abgeleitet, was man vor Glanz nicht ansehn kann. Bey Suidas in εὔδιος steht: τόφρα δὲ ἦν ὑέλοιο φαάντερος οὐρανὸς ἤνοψ. Sonst nennt Homer oft νώροπα χαλκὸν, welches die Grammatiker gerade so erklären und ableiten.

Ἤνυστρον, τὸ, (ἀνύω) Aristot. h. a. 2, 17. part. anim. 3, 14. der vierte Magen der wiederkäuenden Thiere, wo die Verdauung der Speisen vollendet wird: der Rom, *abomasus*.

Ἧξις, ἡ, (ἥκω) das Kommen, die Ankunft.

Ἠοῖος, οία, οῖον, s. v. a. ἠῷος.

Ἠόνιος, ία, ιον, (ἠιὼν) am Ufer gelegen, dazu gehörig.

Ἠπανέω, ἠπανία und ἠπανάω s. v. a. σπανέω, σπάνις bey Hesych. und Etym. M. ein dorisches Wort, viell. einerley mit σπάνις von πανία, Ueberfluss, Athenaë. p. 111 οὐδὲ κλυτᾶς φάμας ἔσσεται ἠπανία Antholog. S. ἠχανία.

Ἧπαρ, ατος, τὸ, die Leber; auch wie οὖθαρ, Fruchtbarkeit des Landes. Diodor, 1. 19. Schol. Apollon. 2, 1253. Hesych.

Ἡπατηρὸς, ὰ, ὸν, s. v. a. ἡπατικὸς, dagegen sind ἡπατήρια verst. φάρμακα, bey Alexand. Trall. Mittel wider die Leberkrankheit: zw.

Ἡπατητικὸς, ἡ, ὸν, wahrsch. f. L. st. ἀπατητικός.

Ἡπατίας, ου, ὁ, (und ἡπατιαῖος zw.) von oder mit der Leber. λοβοὶ ἡπ. Pollux 2, 215. st. ἡπατικοί. —τίζω, (ἧπαρ) der Leber gleichen oder ähneln. —τικὸς, ἡ, ὸν, (ἧπαρ) in oder von der Leber, zur Leber gehörig; νόσος ἡπατικὴ, Krankheit an der Leber, auch ἡπ. einer der an der Leber leidet, krank ist. —τιον, τὸ, dimin. von ἧπαρ. —τίτης, ου, ὁ, s. v. a. ἡπατικὸς, leberartig, leberähnlich; das femin. ἡπατῖτις, ἡ, νόσος, φλὲψ, Leberkrankheit, Leberader, und dergl. —τοειδὴς, έος, ὁ, ἡ, (εἶδος) leberartig. —τος, ὁ, Leberfisch, unbest. Art. histor. litt. pisc. p. 173. —τοσκοπέω, ῶ, ich besehe die Leber als Wahrsager, *aruspex*; davon —τοσκοπία, ἡ, *auruspicina*, die Wahrsagerkunst aus den Eingeweiden, *extis*, vorzügl. aus der Leber. —τοσκόπος, ὁ, ἡ, (ἧπαρ, σκοπέων) die Leber der Opferthiere betrachtend, um daraus die Zukunft zu entdecken: Wahrsager, *extispex*, *haruspex*. —τουργὸς, ὁ, ἡ, (ἧπαρ, ἔργον) Lycophr. 839. wird *hepatis sector* übers. zw.

Ἠπεδανὸς, ἡ, ὸν, bey Homer nennt der hinkende Vulkan sich so, d. i. gebrechlich und schwach; bey Hippocr. ist es s. v. a. schwächlich, schwach, gelinde, und sonach stammt es mit ἤπιος von einerley Ursprunge her, da man es gewöhnlich von ἀπέδανος, nicht feststehend, πέδον und α ableitet. Oppian hat νηπεδανὸς; davon —δανόω, ῶ, schwach machen, schwächen.

Ἠπειρογενὴς, ὁ, ἡ, (γένος) s. v. a. ἠπειρώτης. —ρος, ἡ, das feste Land, dem Meere und den Inseln entgegengesetzt; 2) bey Homer nennt Ulysses das Land jenseits Ithaka ἤπειρος. Isocrates und andre Griechen nennen bald Griechenland bald Asien so, wo der Zusammenhang bald die Bedeut. zeigt. Eigentl. s. v. a. ἄπειρος γῆ. Hesych. erklärt es auch durch ὁδὸς ἄπειρος. So steht bey Hippocr. δίαυλοι, ἤπειροι, ἵπποι: Sanor vict. 2 K. 11. wo aber die beste Handschr. δίαυλοι καὶ ὑπηέριοι hat; davon —ρόω, ῶ, zu festem Lande machen, wie θαλαττόω (das Land) zum Meere machen. —ρώτης, ου, ὁ, (ἤπειρος) s. v. a. ἠπειρογενής, ein Mann von feſtem Lande, dem Inſulaner entgegengeſ. 2) aus dem Lande Epirus gebürtig.

Ἠπειρωτικὸς, ἡ, ὸν, zu dem ἠπειρώτης gehörig oder ihm ähnlich: ἔθνος, Volk vom feſten Lande. —ρῶτις, ιδος, ἡ, femin. von ἠπειρώτης.

Ἠπερόπευμα, ατος, τὸ, (ἠπεροπεύω) Täuſchung, Betrug. —ροπεὺς, έος, und poet. ῆος, ὁ, oder ἠπεροπευτὴς, Betrüger, Täuſcher. —ρόπευσις, εως, ἡ, das Täuſchen, Betrügen; von —ροπεύω, ich täuſche, überliſte, betrüge durch verführeriſche Reden, Zureden. Erneſti leitet es von ἀπάω, ἀπέω ab, wovon ἀπάτη, und ſo ἄπερος mit ὤψ, ἀπέρωψ, ἀπέρεπος, ἀπεροπεύω. Aber ἀπάτη kommt wahrſch. von πάτος und α. Die Alten zweifelten ſelbſt an der Etymol. und Heſych. hat ὑπεροπεύει, ψεύδεται, ſo wie ὑπεροπεὺς ψεύστης, ὑπερόπτης. Beym Etymol. M. in ἠπεροπευτὴς findet man aus dem Anacreon: βούλεται ἀπεροπὸς ἡμῖν εἶναι, welches Heſych. in ἀπερωπὸς durch ἀπάνθρωπος erklärt. S. ἀπέρωτος; davon —ροπηῒς τέχνη, die Täuſchungskunſt. Polyaen. Stratag. Praefat. und bey Strabo 1 p. 45. S.

Ἠπήσασθαι, aor. 1. von ἠπάομαι oder ἠπέομαι, ſ. v. a. ἀκέομαι, nähen, flicken, ſtopfen; davon

Ἠπητὴς, οῦ, ὁ, ein ſtopfender, ein flickender, Schneider; davon ἠπήτρια, ἡ, das femin. ſ. v. a. ἀκέστρια, die Näherin, die ſtopft, flickt: und —τριον, τὸ, die Nadel zum ſtopfen, flicken, nähen.

Ἠπιαλέω, ῶ, habe das Fieber, ἠπίαλος, Ariſtoph. Ach. 1164. —άλης, ητος, ὁ, ſ. v. a. ἐφιάλτης, der Alp. ἠπιάλητα πνίγων ἡρακλῆς Sophron bey Euſtath. ad Iliad. ε p. 561. Vergl. Demetr. Phaler. §. 156. Bey Ariſtoph. Vesp. 103. S. auch ἠπίαλος. —αλος, mit und ohne πυρετὸς, ein bösartiges Fieber, wo Froſt und Hitze vermiſcht ſind, und eine Empfindung mit der andern oft abwechſelt, die Hitze aber leicht und unmerklich iſt; doch ſetzt Lucian 8 p. 153 ἠπίαλος deutlich für den Fieberfroſt allein; 2) ſ. v. a. ἠπιάλης oder ἐφιάλτης. —αλώδης, ίος, ὁ, ἡ, fieberhaft, von der Art ἠπίαλος. —αμα, τὸ, Linderung, Heilmittel: Herodot. von —άω, ῶ, f. άσω, oder ήσω, (ἤπιος) lindern, mildern, beſänftigen. S. ἠπιόω.

Ἠπιόδωρος, ὁ, ἡ, (ἤπιος, δῶρον) der durch Geſchenke, Gaben mildert: μήτηρ bey Homer, gütige ſanfte Mutter. —οδώτης, ου, ὁ, ſ. v. a. das vorherg. zw. —όθυμος, ὁ, ἡ, ſanftmüthig. —όλης, ου, ὁ, ſ. v. a. ἠπίαλος: zw. —ολος, ὁ, nach Ariſt. hiſt. an. 8, 27. eine Lichtmotte; daſelbſt hat die alte lat. Ueberſ. epiliotis; alſo laſs ſie ἠπιλιώτης. —όμοιρος, (μοῖρα) von mildem gelinden Schickſale; zw.

Ἤπιος, ία, ιον, Adv. ἠπίως, ſanft, mild, gelind, gütig, gelaſſen, vom Charakter eines Vaters, Regenten und andrer Menſchen im Gegenſatze hitziger Leidenſchaften: von Arzeneymitteln (φάρμακα) Il. 11 und Schickſal, das man erlebt (ἦμαρ, Heſiod.): ἠπιώτεραι θέρμαι gelindere Fieberhitze. Hippocr. davon —ότης, ητος, ἡ, Sanftmuth, Milde, Gelindigkeit, Gütigkeit; zw. —όχειρ, ρος, ὁ, ἡ, u. ἠπιόχειρος, mit mildernder, heilender Hand; Beyw. des Apollo als Arzt. —όω, ſ. v. a. ἠπιάω bey Hippocr. ἠπίωσε τῷ σώματι, ſein Körper befand ſich etwas gelinder.

Ἦπου, von ποῦ und ἤ, ſ. v. a. ἤ allein, oder nach dem compar. als; 2) ἦπου ſ. v. a. ἦ, gewiſs, wahrlich, wohl. ὁπότε καὶ ἡμεῖς ἀγαλλόμεθα — ἦπου ὑμῖν γε γενναῖα ἂν ταῦτα φανείη, da wir — ſo werdet ihr gewiſs u. ſ. w. Xenoph. τοῦτο γίνεται καὶ παρὰ τοῖς μηδὲν ἀξίωμα κεκτημένοις, ἦπού γε δὴ παρά γε θυμοειδέσι, vielmehr alſo, gewiſs alſo; εἰ γὰρ οἱ — οὐκ ἐγείρονται τοῖς θυμοῖς, ἦπου τοῖς λόγοις προαχθήσονται, Diodor. 14, 69. vielweniger werden ſie u. ſ. w. 3) in der Frage, denn, *num, utrum*; auch nicht wahr, *nonne*; u. ἦπου οὐ auch ſ. v. a. *nonne* nicht wahr?

Ἠπύτης, ου, ὁ, und ἠπύτα nach einem Dialekte, Schreyer, laut rufender, als κῆρυξ. Hom. von

Ἠπύω, f. ύσω, die joniſche Form für ἀπύω, rufen, laut rufen, ſchreyen.

Ἦρ, ἦρος, τὸ, contr. ſt. ἔαρ, das frühe Jahr, der frühe Tag: alſo Frühjahr u. Morgen.

Ἦρα φέρειν, ἐπιφέρειν, τίνειν τινὶ und bey Homer auch ἐπὶ ἦρα φέρειν, jemand eine Gefälligkeit thun, etwas zu Gefallen thun, Wohlthat erzeigen, Hülfe leiſten: Apollon. 4, 407. ἐπὶ ἦρα φέρεσθαι, den Lohn bekommen; Apollon. 4, 375. ὁ ὀργὰς ἐπιφέρειν τινί. Von ἦρ, ἦρος ſt. ἔαρ. daher ἦρι ἀρδίων ſt. ἕκητι, um der Pfeile willen; ἦρα φιλοξενίης Callim. fragm. 41. ſt. χάριν oder ἕνεκα: davon ἔρανος u. ἐρανίω.

Ἥρα, ἡ, oder ἥρη, Here bey den Lat. *Juno*; davon

Ἡραῖος, αία, αῖον, der Here gehörig, als τὸ ἡραῖον (δῶμα) ihr Tempel, τὰ ἡραῖα, (ἱερὰ) ihre Opfer, Feſt.

Ἡρακλέης, έος, contr. Ἡρακλῆς, Hercules; davon —κλείδης, ου, ὁ, Hercules Sohn oder Nachkomme, Heraclid. —κλειος, εία, ειον, vom Hercules, dem H. gehörig, herkuliſch: als ἡράκλειον (δῶμα) —κλεις, Adv. wie *hercules, hercle, mehercle* u. ſ. w. bey meiner Treue, meiner Treu; nun so wahr! nun wahrlich! Ein Ausruf und Zeichen der Verwunderung, des Erstaunens, Zornes und Abscheues. —κλειτίζω, ich halte es mit dem Heraklit, bin dessen Anhänger, wie μηδίζω, ἑλληνίζω; davon —κλειτιστής, οῦ, ὁ, Anhänger des Heraklitus.

Ἡρανέω, ῶ, S. ἥρανος.

Ἡράνθεμον, τὸ, (ἔαρ, ἄνθεμον) Frühlingsblume: Diosc. 3, 154. Plin. 22, 21. die ἄνθεμις mit purpurrother Blüthe.

Ἥρανος, ὁ, Wächter, Helfer, Beschützer, Regierer: Apollon. 2, 513. davon ἡρανέω f. v. a. βοηθεῖν, χαρίσασθαι. S. ἥρα.

Ἠραρχικός, ἡ, όν, (ἦρ, ἄρχομαι) mit dem Frühling anfangend: aus Gaza: zweif.

Ἠρέμα, und vor einem Vokal ἠρέμας: Apollon. 3, 170. ruhig, still, leise: daher biegsam, nach und nach, nur ein wenig, von ἤρεμος; von —μάζω, (ἤρεμος) ich bin still, traurig: aus den LXX. —μαῖος, Adverb. ἠρεμαίως, f. v. a. ἤρεμος, wie ἥσυχος ἡσυχαῖος. —μέστερος comp. zu ἤρεμος, gleichsam v. ἠρεμής. —μέω, ῶ, (ἤρεμος) ruhig, still, gelassen seyn oder bleiben; davon —μησις, ἡ, das Ruhig- Still- Gelassenseyn. —μία, ἡ, (ἠρεμός) Ruhe, Stille, Gelassenheit. —μίζω, ich bringe in Ruhe: Xen. Hippic. 7, 18, wo es andre für ἠρεμέω: wie Lacedaem. resp. 1; 3. nehmen. —μός, ὁ, ἡ, ruhig, sachte, still, gelassen, sanft. Scheint ein neues Wort zu seyn als ἥσυχος, dem es sonst in allen Ableitungen an Bedeut. gleich ist. Bey Homer und Pindar kommt es nicht vor.

Ἦρι, im Frühling, dat. v. ἦρ st. ἔαρ: am Morgen: Odyss. 20. so dass also ἔαρ, ἦρ das frühe Jahr und den frühen Tag oder den Morgen andeutet.

Ἠριγένεια, ἡ, fem. v. ἠριγενής, ὁ, (γένος, ἦρ st. ἔαρ der frühe Tag, der Morgen) vom Morgen erzeugt: od. den Morgen bringend: Beyw. v. ἀώς od. ἠώς, die Morgenröthe oder des Tages: Hesych. bemerkt aus Aeschylus λέαινα ἠριγένεια, ohne Erkl. —γέρων, οντος, ὁ, *erigeron, senecio*, im Frühlinge greisend, weil das Kraut im Frühlinge eine graue Saamenkrone (γῆρεια) bekommt: *vere canescens* nach Plin. 25 extr. sein Kraut: Dioscor. 4, 97. Theophr. hist. pl. 7, 7. franz. *Senecon, Senecio vulgaris*. Linn.

Ἠριεργής, ὁ, f. v. a. τυμβωρύχος: Hesych. welcher auch ἠριεύς, ὁ, für νεκρός, beyde von ἠρίον abgeleitet hat.

Ἠρινεός, ὁ, f. Lesa. st. ἐρινεός: aus Herodot. 1, 195. —νολόγος, ὁ, ἡ, τέττιξ, der im Frühjahre singt: Hesych. — ?ινός, ἡ, όν, f. v. a. ἐαρινός, von ἔαρ, woraus ἦρ contr. —νοτόκος, ὁ, ἡ, im Frühjahre gebärend: Hesych.

Ἠρίον, τὸ, Grabhügel: davon κενήριον, leerer Grabhügel, ohne Leichnam.

Ἠριπόλη, ἡ, (ἦρι πολέουσα) f. v. a. ἠριγένεια, Morgen, Tag: Anthol.

Ἡρμοσμένως, Adv. von partic. perf. pass. von ἁρμόζω, passend: schicklich.

Ἠρύγγιον, τὸ, Dimin. von ἤρυγγος, ἡ, Nicand. Ther. 850. *eryngium*, eine Distelart, von ἐρύγω, daher sie auch ἐρύγγεια heisst.

Ἠρύγω, f. v. a. ἐρύγω.

Ἡρώειον, τὸ, f. v. a. ἡρῷον. —ελεγεῖον, τὸ, näml. μέλος oder μέτρον, aus heroischen und elegischen Versarten bestehend: Suid. Eustath. Zonaras. —ίζω, (ἥρως) ich bin, handle, beweise mich als einen ἥρως; 2) dichte ein heroisches Lied; zw. —ικός, ἡ, όν, Adv. ἡρωϊκῶς, heroisch: einen ἥρως gehörig, ähnlich, eigen. —ίνη, ἡρῴνη, ἡ, Halbgöttin, Heroide: femin. von ἥρως. —ϊος, ία, ιον, f. v. a. ἡρωϊκός. —ΐς, ΐδος, ἡ, ἡρωΐσσα und contr. ἡρῷσσα, ἡ, f. v. a. ἡρωΐνη. —ολογέω, ich erzähle od. singe von Heroen: Strabo 2 p. 774. —ολογία, ἡ, Geschichte der Heroen: Athenaeus 2 p. 498. —ον, τὸ, näml. δῶμα oder ἕδος, ein Tempel eines Heros, wie ἥραιον, ἡράκλειον; 2) verst. ἔπος, ein heroisches Lied; 3) verst. δεῖπνον, oder ἱερὸν, ein Fest, ein Schmaus am Feste eines Heros: neutr. von —ος, ἡρῷος, ῴα, oder ῷα, ῷον, oder ῷον, f. v. a. ἡρώϊος und ἡρωϊκός.

Ἥρως, ωος, ὁ, bey Homer kommt auch ἥρως vor: als ἥρῳ Δημοδόκῳ 8, 483. Odyss. und ἥρῳ Λαομέδοντι Il. 7, 453. wie ἔρος, ἔρως, und dies Wort bezeichnet bey ihm nicht allein alle oder wenigstens die vorzüglichsten Streiter vor Troja, sondern überhaupt auch die ältesten im Volke, die Sprecher in den Volksversammlungen, (Odyss. 7, 155. ἥρως Ἐχένηος, welcher hernach v. 303 bloss mit dem Worte ἥρως angeredet wird) die Söhne des Nestor und Ulysses ohne alle Rücksicht auf kriegerische Verdienst, den alten Laertes Odyss. 1, 189. den Sänger Demodokus 8, 483 u. sogar den Mundschenken, 18, 422. κρητῆρα κεράσσατο Μούλιος ἥρως κῆρυξ Δουλιχιεύς: θεράπων δ' ἦν Ἀμφινόμοιο. Sonach ist es also bey Homer eigentlich nur ein Ehrenname oder ehrenvolles Beywort aller in ihrer Art geehrten Personen, welches schon andre mit dem lat. *herus, hera* verglichen haben, und bemerkt, dass die Göttin Ἥρη selbst ursprünglich blos ein Ehrenwort gewesen seyn möge. Nur eine Stelle Il. 12, 23. wo ἡμιθέων γένος ἀνδρῶν für die vor Troja gefallenen Griechen oder griechischen ἥρωες gesetzt wird, paſst nicht zu den übrigen homeriſchen Begriffen und Stellen, ſondern iſt wahrſch. ein neuerer Zuſatz aus den Zeiten, wo man ἥρωας für eine Mittelgattung zwiſchen Götter und Menſchen annahm: ἀνδρῶν ἡρώων θεῖον γένος, οἳ καλέονται ἡμίθεοι, wie Heſiodus ſagt. In dieſem Sinne verehrte man Herkules, und ſpäterhin immer noch verſtorbne und um ihr Vaterland verdiente Bürger als Schutzgeiſter und ἥρωας mit einer Art von göttlicher Verehrung, welche aber durch beſondere Zeremonien und Worte von der eigentlichen Götterverehrung unterſchieden war. So werden neben den Landesgöttern immer die ἥρωες ἐπιχώριοι, einheimiſche Heroen genannt, und zu Athen hatten die ἥρωες ἐπώνυμοι den Φυλαῖς ihren Namen gegeben, wo ſie verehrt wurden. Einige nannten dieſe ἥρωας auch δαίμονας und gaben ihnen ihren Aufenthalt in den obern Regionen der Luft. Die homeriſchen Begriffe ſind bey Heſiodus und Pindar ganz verſchwunden: und die Bedeutung des Worts ganz verändert. Heſychius hat mit dem Grammatiker Apollonius dieſe Verſchiedenheit durch die Worte angedeutet: πάντες οἱ κατ' ἐκεῖνον τὸν καιρὸν ἄνδρες ἥρωες ἐκαλοῦντο.

Ἥρωσσα, ἡ, ſ. v. a. ἡρωΐσσα.

Ἡσιεπής, ὁ, ἡ, (ἵημι, ἔπος) d. i. εὔστοχος ἐν τῷ λέγειν: Etym. M. in πεισίστρατον.

Ἧσις, εως, ἡ, (ἥδω) die Vergnügung: Erfreuung: Vergnügen.

Ἧσσα, ἧττα, ἡ, Niederlage, Verluſt: ἡ τῶν ἡδέων ἧττα wenn man der Begierde nach Vergnügen unterliegt: Ariſtot. Eudem. 3, 2.

Ἡσσάω, ἡττάω, ich mache geringer, vorzügl. ich bezwinge, beſiege, bey Diodor. 15, 87. gewöhnlicher iſt das Paſſiv. ἡσσάομαι, ἡττάομαι τινος ſt. ὑπό τινος, ich werde von einem beſiegt, übertroffen, ſtehe ihm nach, unterliege ihm, komme ihm nicht bey; von ἥσσων. —σόνως, ἡττόνως, Adv. vom genit. ἥττων ſ. v. a. ἧττον. —σων, ἥττων, ονος, ὁ, ἡ, m. d. genit. als comparat. geringer, niedriger: an Kräften geringer, alſo unterliegend, als einem Feinde; daher beſiegt, bezwungen.

Ἡστός, ἡ, όν, (ἥδω) vergnügt, erfreut: zu erfreuen, vergnügen.

Ἥσυχα, wie Adv. eigentl. neutr. plur. v. ἥσυχος, ſ. v. a. ἡσυχῇ. —χάζω, (ἥσυχος) ich bin, lebe ruhig, ſtill: ich bin ſtill, ſchweige, verſchweige: Philo. —χαῖος, αία, αιον, poet. ſ. v. a. ἥσυχος. —χαίτερος, compar. zu ἥσυχος, eigentl. von ἡσυχαῖος gemacht und aus ἡσυχαίτερος zuſammengezogen. —χαστήριον, τὸ, ein Ort, Wohnung eines —χαστής, οῦ, ὁ, (ἡσυχάζω) Einſiedler, ruhig und ſtilllebender Mönch. —χῇ, wie Adv. eigentl. der dativ. von ἥσυχος, ſtill, ruhig, gemächlich, ſanft, allmählig, unvermerkt, nach und nach. —χία, ἡ, Ruhe, Muſse: Stille: Stillſchweigen: Einſamkeit, oder einſamer ſtiller Ort: Xen. Memor. 2, 1, 21. —χιμος, ὁ, ἡ, oder ἡσύχιος, ruhig, ſtille; ſ. v. a. ἥσυχος; dav. —χιότης, ἡ, ſ. v. a. ἡσυχία: Clemens al. —χος, ὁ, ἡ, Adv. ἡσύχως, ruhig, müſſig, ſtill, einſam, ſanft, ſtillſchweigend: von ἕω, ἧμαι, fut. ἥσω, ſitzen, ruhen.

Ἦτοι. S. ἤ.

Ἦτορ, ορος, τὸ, Herz, Muth, Seele: Leben, Verſtand. Bey Homer hat es ſeinen Sitz ἐν στήθεσι, ἐν φρεσὶ, ein einzigesmal Il. 20, 169. ἐνὶ κραδίῃ (στένει ἦτορ.) Das ſchlagende Herz bezeichnet die Stelle: Il 22, 452 στήθεσι πάλλεται ἦτορ ἀνὰ στόμα. Als eine Anſpielung auf die Ableitung ſehn einige an Il. 15, 252 ἐπεὶ φίλον ἄιον ἦτορ: wie θυμὸν ἀϊσθων Il. 16, 468. Als Sitz der Ueberlegung nennt es Homer Il. 1, 188 ἐν δέ οἱ ἦτορ στήθεσσιν λασίοισι διάνδιχα μερμήριξεν: wofür Il. 21, 386 ſteht: δίχα δὲ σφιν ἐνὶ φρεσὶ θυμὸς ἄητο: welche Stelle nicht allein zeigt, daſs ἦτορ denſelben Inbegriff von Ideen ausdrückt, den anderswo bey Homer und ſpäterhin allgemein in Proſa θυμὸς bezeichnet: ſondern ſie ſcheint auch mit der vorher angeführten auf die Ableitung von ἄω, ἀέω, ἄημι, ἄημαι, ἀΐω zu deuten, welches die unſtete Bewegung des Windes und Herzens oder das Athmen bezeichnet. Doch ſcheint θυμὸς bey Homer öfterer den Sitz der Begierden und beſonders die Lebenskraſt zu bezeichnen. Im letztern Sinne verläſst θυμὸς die Glieder, ᾤχετο ἀπὸ μελέων: ῥεθέων ἐκ θυμὸν ἕληται: θυμὸν ἀπὸ μελέων δῦναι δόμον Ἄϊδος: die Knochen λίπεν ὀστέα θυμὸς: er wird beym Sterben ausgehaucht θυμὸν ἀποπνείων. Er ſeinen Sitz ἐν φρεσὶ, auch im Singularis ἐς φρένα θυμὸς ἀγέρθη: oder ἐν στήθεσι. Das Wort κραδίη iſt aber von eingeſchränkter Bedeutung: wenigſtens ſchlieſst es neben den andern Bedeutungen die von der Lebenskraſt nicht in ſich, obgleich Homer Il. 13, 442 das ſchlagende Herz, als Theil des Körpers kannte und nannte. In allen übrigen Bedeutungen, welche ἦτορ, θυμὸς u. κραδίη gemein haben, werden ſie auch oft mit einander verwechſelt, oder neben einander genennt.

Ἠτριαῖος, ἠτριαῖος, αία, αῖον, (ἦτρον) vom Unterleibe: zum U. gehörig.

Ἠτριαῖος, ſ. v. a. d. vorherg. τεμάχη ἠτριαῖα: Pollux 2, 170.

'Ητριον, τὸ, der Aufzug auf dem Weberstuhle, die aufgezogenen Fäden des Aufzugs; 2) ein Gewebe, ein Zeug, vorz. ein feiner, dünner; auch ein Beutel, Zeug zum durchseihen, durchschlagen. Kommt von ἄττομαι, davon ἄτμα und διάζομαι, διάττομαι, διάσμα. S. διάζομαι. Also ἄτριον, ἤτριον.

'Ητρον, τὸ, Unterleib, Bauch vom Nabel an.

'Ηττα, S. ἧσσα. —τάομαι, ῶμαι, S. ἡσσάω; davon —τημα, ατος, τὸ, Schaden, Verlust, Niederlage. —τον, ονος, τὸ, eigentl. neutr. von ἥττων, das wenigere, geringere: der Mangel, Verlust: im Gegens. von πλέον. —τόνως, S. ἡσσόνως. —των, S. ἥσσων.

'Ηϋγένειος, ὁ, ἡ, jonisch st. εὐγένειος.

'Ηϋθέμεθλος und ἠϋθέμηλος, (εὖ, θέμεθλον) wohl gegründet: hymn. hom. 31, 1. Hesych. hat ἠϋθέμιλος st. —ηλος.

'Ηΰκομος, ὁ, ἡ, jonisch st. εὔκομος.

'Ηΰς, έος, ὁ, jonisch st. εὖς.

'Ηΰτε, Adv. s. v. a. εὖτε no. 2.

'Ηφαίστειος, εία, ειον, dem Hephaest gehörig, ihn betreffend: vom Il. —στια, τὰ, verst. ἱερὰ, *Vulcanalia*, Fest des Hephaestus. —στόπονος, ὁ, ἡ, oder ἡφαιστότευκτος, ὁ, ἡ, ἡφαιστοτευχὴς, ὁ, ἡ, (πόνος, τεύχω) vom Hephaestus gemacht, bearbeitet. —στος, ὁ, Hephaest, Erfinder des künstlichen Feuers und Bearbeiter des Eisens und der Metalle im und mit dem Feuer: daher statt des Feuers, wie *vulcanus*.

'Ηχανία, ἡ, der Mangel, Armuth: Analect. Br. 3 p. 77. no. 18. wo andere ἠπανία statt des gewöhnlichen (Φερβῆς) ἡ μανίη. Hesych. hat ἤχηνες, κενοὶ, πτωχοὶ, und ἄχηνες, πένητες, ἀχηνία, ἀπορία. S. in ἀχηνία. Suidas ἠχάνω, πτωχεύω, wovon Abresch das lat. *egeo*, *egenus* ableiten wollte. Hingeg. kommt ἠπανία für ἀπορία, ἀμηχανία, σπάνις im Hesych. und Etymol. M. so wie das verbum ἠπανάω und ἠπανέω st. ἀπορέω, ἀμηχανέω, σπανίζω im Hesych. vor.

'Ηχεῖον, τὸ, (ἠχὴ) ein Instrument wie τύμπανον, sonst χαλκεῖον genannt, eine Art von Pauke, aber auch ein Instrument zur Verstärkung des Schalls: Vitruvius 5 K. 5.

'Ηχέτης, ου, ὁ, auch ἠχέτα, ὁ, (ἠχέω) tönend, singend: als τέττιξ, die männliche singende Cicade. Hesiod. davon —τικὸς, ἡ, ὸν, gewöhnlich tönend, rauschend, singend.

'Ηχέω, ῶ, tönen, rauschen, klingen, singen.

'Ηχὴ, ἡ, s. v. a. ἦχος, ὁ, Ton, Laut, Schall, Rede, Gerede, Gerucht: Gesang; 2) s. v. a. ἤχησις.

'Ηχήεις, ήεσσα, ῆεν, (ἠχὴ) tönend, klingend, tosend, brausend, singend: klirrend, wiedertönend, wiederhallend, wie δῶμα. Hom.

'Ηχημα, τὸ, Theophylact. Simoc. das Tönen, der Ton, s. v. a. ἦχος.

'Ηχητὴς, οῦ, ὁ, und ἠχητικὸς, s. v. a. ἠχέτης und ἠχετικὸς.

'Ηχι, Adv. wo, wie *qua*: χι ist ein Anhangsel.

'Ηχόπους, οδος, ὁ, ἡ, wie *sonipes*, mit den Füssen rasselnd, tonend. Eustath.

'Ηχος, ὁ, s. v. a. das poet. ἠχὴ, Ton, Laut, Schall, Geräusch.

'Ηχὼ, όος, contr. οῦς, ἡ, eigentl. s. v. a. ἦχος, u. ἠχὴ, ἡ, Ton, Schall: daher besonders das Echo, Wiederschall.

'Ηχώδης, εος, ὁ, ἡ, (ἦχος) tonend, schallend, rauschend, tosend.

'Ηῶθεν, Adv. (ἠώς) von Morgen an oder her. —θι, Adv. morgens, am Morgen.

'Ηῷν, όνος, ἡ, s. v. a. ἠιὼν, eigentl. also mit dem Jota subscripto.

'Ηῷος, ῴα, ῷον, zum Morgen gehörig, am, zum Morgen: gegen Morgen gelegen, orientalisch, östlich.

'Ηὼς, ἠόος, contr. ἠοῦς, ἡ, Morgenröthe, Morgen, auch personifizirt, wie *aurora* (von *aura*; wie αὐὼς und ἀὼς von ἄω, αὔω, wehen, blasen oder leuchten); überh. auch der Tag oder die Sonne: auch die Himmelsgegend. Attisch ἕως, dorisch ἀὼς, aeol. αὔως.

Θ

Θ, der achte Buchstabe im Alph. Θῆτα, in der Aussprache th, gewöhnlich th, also ein τ mit dem spiritus asper hinterher, bedeutet als Zahlzeichen 9 (die 6 bez. man mit ς: bezeichnet man diese aber mit ζ, so bedeutet alsdann auch das θ in der Reihe die 8 und nicht 9), und mit untergesetztem Striche ͵θ bezeichnet es 9000. Die wahre Aussprache haben allein die Neugriechen, Kopten und Engländer beybehalten oder in ihrer Gewalt, da die übrigen europaeischen Nationen diesen Buchstaben als einen stummen Konsonant aussprechen, indem sie de Aspiration auf den nächstfolgenden Vokal fallen lassen: dahingegen die ächte Aussprache eine zwischen der Zunge, welche an die Spitze der obern Zähne angelegt wird, herausgepresste Exspiration erfordert.

Θαάσσω, und θάζω s. v. a. θάσσω von θάω, sitzen.

Θάημα, τὸ, (θάομαι) s. v. a. θαῦμα, sehenswürdige, bewundernswürdige Sache, Gegenstand.

Θαητὸς, ἡ, ὸν, sehenswürdig: s. v. a. θαυμαστὸς.

Θαιρὸς, ὁ, bey Homer die Angel der Thüre: vergl. Quint. Smyrn. 3, 27. b.

Agathias I οἱ θαιροὶ τῶν οὐδῶν ἐνηρμοσμένοι; 2) am Wagengerüste die Seitenstücke des Auffatzes und die Eckhölzer worein die Seitenstücke gefugt sind: die Unterlagen, davon θαίραια ξύλα Pollux I, 144. u. 253. Hesych hat auch θαιροδύτης für den Ring vorn an der Deichsel beym Joche, wodurch die Leinen ῥυτῆρες gehn.

Θακεύω, oder θακέω, (θάκος) ich sitze; davon

Θάκημα, τὸ, (θακέω) das Sitzen: Sophocl.

Θάκος, ὁ, u. θᾶκος, ὁ. (θάω, θάζω) auch θῶκος, ὁ, Sitz, Gesäfs, Platz.

Θαλάμαξ, ακος, ὁ, s. v. a. θαλαμίτης. —μευμα, τὸ, das Beysammenwohnen, Gesellschaft, als κουρήτων: aus Eurip. —μεύτρια, ἡ, nach Pollux s. v. a. νυμφεύτρια, die das Brautbette und den θάλαμος besorgt; von —μεύω, οὐ γάρ τις ἕτερος θαλαμεύσει Χαρίκλειαν, kein anderer soll die Chariklea als Braut und Frau in den θάλαμος führen und als Frau haben: Heliodor. 4. daher θαλαμεύομαι, ich lebe im Frauenzimmergemache eingezogen: Aristaen. 2 ep. 5. von Eidechsen Synes. de Regno p. 16. —μη, ἡ, Anfenthalt, Lager, Schlupfwinkel, Höle. S. θαλαμος. —μηγός, ὁ, (θάλαμος, ἄγω) was Sueton Caes. 52. auch beybehalten, Seneca Benef. 7, 20. *navis cubiculata* übersetzt hat, ein Fahrzeug zur Pracht und Bequemlichkeit mit Zimmern: eine Gondel, ποτάμιον πλοῖον nach Athen. 5. —μήιος, st. θαλάμειος, zum θάλαμος gehörig. —μηπολέω, ich bin θαλαμηπόλος, ὁ, ἡ, der im Schlafzimmer oder in dem Zimmer der Frau oder der Frauenzimmer den Dienst, die Aufwartung hat: bey der Cybele hiess ein Diener derselben ein *Gallus*, θαλαμηπόλος, weil er sich in den θαλάμαις der Cybele aufhielt. S. über Nicandri Alex. 8. —μία, ἡ, jonisch θαλαμίη, ἡ, κώπη das Ruder des θαλαμίτης; 2) verstand. ὀπή, das Loch, wodurch dieses Ruder geht. Herodot. 5, 33. —μιος, ὁ, verst. ἐρέτης, derselbe θαλαμίτης u. θαλάμαξ, der Ruderer am Vordertheile des Schiffes. S. μεσόνεοι.

Θάλαμος, ὁ, bey Homer ein im Innern des Hauses liegendes Gemach für die Betten und zum Schlafen, also Schlafgemach, *cubiculum*: daher späterhin für Ehebette, Brautbette, Ehe 2) Od. 2 ist θ. ὑψόροφος ein Gemach, wo der Vorrath und Kostbarkeiten aufbewahrt werden. So sagt Xenn. Oecon. 9, 3, ὁ γὰρ θάλαμος ἐν ὀχυρῷ ὢν τὰ πλείστου ἄξια καὶ στρώματα καὶ σκεύη παρεκάλει. welches Columella 12, 2, 2. *excelsissimum conclave* übersetzt; 3) das Wohnzimmer der Frau: τῶν ἐν τοῖς θαλάμοις παρθένων: Xen. Laced. 3, 6. Herodot. I, 9 u. 12. Daher das Wort, so wie vorz. θαλάμη für den verborgenen Wohnort, Schlupfwinkel, Höle, Loch, auch der Thiere, gebraucht wird; 4) der unterste und innerste Raum des Schiffes, wo die Sitze der untersten Ruderer (θαλαμῖται) angebracht waren.

Θάλασσα, θάλαττα, ἡ, Meer, Meerwasser: Scheint mit ἅλς, ἁλὸς verwandt, und das vorgesetzte θ statt eines Spiritus asper zu seyn. —σαῖος, α, ον, poet. s. v. a. θαλάσσιος. —σεύς, έως, ὁ, s. v. a. θαλασσουργὸς: Hesych. von —σεύω, ich halte mich auf dem Meere, auf dem Wasser auf: κατακόρως ἐν ταῖς ἀλληγορίαις θαλασσεύει Heraclid. Alleg. c. 6 braucht viel Allegorien vom Meere hergenommen: τὰ θαλαττεύοντα τῆς νεὼς μέρη, die im Meere stehenden Theile: Plutar. 5 p. 229. —σίας, ου, ὁ, mit Meerwasser vermischt, als οἶνος. —σίδιος, ὁ, ἡ, poet. s. v. a. θαλάσσιος. —σίζω, ich schmecke nach dem Meere oder nach oder wie Meerwasser. —σιος, ὁ, ἡ, aus- vom Meere, zum Meere gehörig: am Meere liegend: στρώματα θαλάσσια bey Diodor. mit Meerpurpurfarbe gefärbte Decken. —σίτης, ου, ὁ, s. v. a. θαλασσίας. —σοβίωτος, ὁ, ἡ, (βιόω) vom Meere lebend: in d. M. seinen Unterhalt suchend: —σογενής, ὁ, ἡ, (γένος) aus dem Meere geboren. —σοειδής, έος, ὁ, ἡ, (εἶδος) meerartig, meerähnlich, von Meeresfarbe. —σοκοπέω, ῶ, Aristoph. Equ. 827 unnütze eitle Dinge schwatzen, von dem plätschern und schlagen des Wassers mit den Rudern, wie πλατυγίζω: Libanius verbindet es mit φλυαρέω. —σοκρατέω, ῶ, (θαλάσσης κρατέω) das Meer beherrschen, die Oberherrschaft zur See haben; davon —σοκρατία, ἡ, die Oberherrschaft zur See. —σοκράτωρ, ορος, ὁ, ἡ, (κρατέω, θάλασσα) der zur See die Oberherrschaft hat. —σόμελι, ιτος, τὸ, eine Art von Meth aus Honig, mit Meer- und Regenwasser gemischt, bereitet: Diosc. 5, 20. Plin. 31, 6. —σόνομος, ὁ, ἡ, (νέμω) im Meere weidend, da seine Nahrung suchend. —σόπαις, ὁ, ἡ, ein Meereskind: Lycophr. 892. —σόπλαγκτος, ὁ, ἡ, auf oder in dem Meere herumirrend. —σόπληκτος, ὁ, ἡ, vom Meere oder von den Wellen geschlagen. —σόπλοος, ὁ, ἡ, auf dem Meere schiffend oder schwimmend: zw. —σοπορέω, ῶ, auf dem- durch das Meer gehn, also schiffen, reisen: von —σοπόρος, ὁ, ἡ, auf dem Meere gehend, fahrend, reisend. —σοπόρφυρος, ὁ, ἡ, s. v. a. ἁλιπόρφυρος: zw. —σουργέω, ῶ, treibe Fischerey oder Schiffahrt und Handel zur See: davon —σουργία, ἡ, Fiſcherey: eigentl. die Beſchäftigung u. Handthierung eines ϑαλασσουργὸς, ὁ, ἡ, der die See bearbeitet um ſeinen Unterhalt zu gewinnen, wie der γεωργὸς die Erde, (ἔργον) alſo der Seefiſcher: der Schiffahrt und Handel zur See treibt.

Θαλασσουργὸς, ὁ, ἡ, ϑαλαττουργὸς, Kaufmann, Seemann, Seeſoldat. —σόω, ῶ, zum Meere machen, durch Meer überſchwemmen, als ἠπείρους: mit Meerwaſſer abwaſchen und reinigen: Heſych. mit Meerwaſſer vermiſchen. Daher iſt τεϑαλασσωμένος οἶνος ſ. v. a. ϑαλασσίας auch ναῦς ϑαλασσοῦται Polyb. 16, 16 wenn das Schiff leck wird; davon

Θαλάττωσις, εως, ἡ, Ueberſchwemmung durchs Meer: Abwaſchung mit Meerwaſſer u. dergl.

Θάλεα, τὰ, (ϑάλος) blühendes Glück, ſeliger Zuſtand: Hom. Il. 22, 504. wo ϑαλέων einige durch ἡδέων andere durch παιγνίων erklären: Suidas hat: τὴν μὲν ἐγὼ ϑαλέεσσιν ἀνέτρεφον u. erklart es: τρυφαῖς.

Θαλέϑω, v. ϑαλέω, ſ. v. a. ϑάλλω.

Θαλεία, ϑάλεια, ἡ, auch ϑαλιὰ (ϑάλλω) Blüthe; blühendes Glück, Feyerlichkeit, lebhafte Freude bey dergleichen Feyerlichkeiten und Gaſtmahlern, das Gaſtmahl ſelbſt: perſonificirt iſt es die Muſe Thalia, die vorzüglich bey ſolchen Feſten präſidirte. Man kann auch ϑάλειὰ als Freudenmahl wie ϑοινὴ von ϑάω nähren, ableiten. S. d. folgde.

Θάλειος, ϑάλεια, ειον, ſ. v. a. ϑαλερὸς, davon δαῖτα ϑάλειαν bey Homer: στέφεσι ϑαλείοις Anthol. ἑορτὴ ϑ. überh. ſ. v. a. ϑαλερὸς. Bey Nicand. Ther. 640 erklaren die Schol. ϑάλεια d. δασεῖα oder laſen ſo dafür.

Θαλερόμματος, ὁ, ἡ, (ὄμμα) ſ. v. a. ϑαλερῶπις; zw. —ρὸς, ρὰ, ρὸν, (ϑάλλω) blühend, grünend, friſch, munter, jung, kräftig. Scheint auch activ. ſtärkend zu bedeuten, wie ϑαλερὸς ὕπνος, Eur. Bacch. 681. ἄκοιτις, ſonſt κουρίδιος; σῶμα ἔμπνουν καὶ ϑαλερὸν ein Körper der Leben und Kraft hat. Plutar. ϑαλερὴ ἀλοιφὴ ſcheint ſtärkende Salbe zu ſeyn; ϑαλερὸν δάκρυ, γόος ϑαλερὸς, viell. häufige Thränen; laute Klagen, wie χλωρὸν δάκρυον; ϑαλερωτέρῳ πνεύματι, Aeſchyl. Sept. 709. ein gelinderer Wind. —ρῶπις, ιδος, ἡ, (ὤψ) ἠριγένεια, Anthol. erkl. Suidas d. εὐπρόσωπος, mit ſchönem, blühendem, reizendem Geſichte, Blicke.

Θαλέω, ῶ, ſ. v. a. ϑάλλω. —λία, ἡ, ſ. ϑάλεια oder ϑαλὸς und ϑαλλὸς; davon kommt das lat. *talea*. —λιάζω, f. άσω, feyre fröhliche Gaſtmähler, von ϑαλιὰ, Plutar. Q. S. 9, 14 p. 975. —λικτρον, τὸ, ein Kraut. Dioſc. 4, 98. Plin. 27, 13. —λιοποιός: S. ϑαλλὸς.

Θαλλέω, ῶ, ſ. v. a. ϑαλέω oder ϑάλλω; zw. —λία, ἡ, ſ. v. a. ϑάλεια und ϑαλία: zw. —λὶς, ἡ. S. ϑαλλὸς no. 2. —λὸς, ἡ, Zweig, Sprößling, beſonders der Oelzweig, ὁ τῆς ἐλαίας ϑαλλὸς, womit man ſich bey Feſten bekränzte, und den die Flehenden (ἱκέται) in der Hand hielten, daher beym Eurip. ἱκτὴρ ϑαλλός. Davon ϑαλλὸν προσείειν τινὶ, ſprüchwörtl. einen locken, wie die Ziege mit dem vorgehaltenen Oelzweige, den ſie gern friſst; 2) auch heiſsen die Blätter der Palmen, woraus man Körbe und andere Geräthe flechtet, ϑαλοὶ. Geopon. 10, 6 ἵνα δὲ εἰς πλέξιν φορμῶν καὶ σπυρίδων λευκοί τε καὶ ἐπιτήδειοι οἱ ϑαλοὶ ὦσι, χλωροὺς ἔτι ἀπὸ τῶν βαΐων ἐκτίλλωμεν αὐτούς. Davon ϑαλλὶς σπυρὶς beym Africanus Ceſtor. p. 306. wo die eine Handſchr. σπυρὶς ausläſst. Daher bey Heſych. ϑάλλικα, σάκους εἶδος. Ferner ϑαλλὶς, μάρσιππος μακρὸς Nach ϑαλιοποιοὶ, οἱ τὰ σκυτούμενα κιβώτια καὶ τοὺς δερματίνους ῥίσκους ἐργαζόμενοι. Endlich ϑαλείας — λινᾶς πήρας.

Θαλλοφαγέω, ῶ, die jungen Zweige des Oelbaums und andrer Bäume freſſen, wie Ziegen u. ſ. w. —φορέω, ῶ, ich bin ein ϑαλλοφόρος, trage den Oelzweig. —φόρος, ὁ, (ϑαλλὸς φέρω) der einen Zweig, beſonders einen Oelzweig trägt, wie die Greiſe zu Athen am Feſte der Minerva: Xen. Symp. 4, 17.

Θάλλω, blühen, grünen; 2) auch activ. grünen, wachſen machen; 3) in ſeiner völligen Kraft und Stärke ſeyn, (vergl. ϑαλερὸς) als πῆμα ϑάλλον, Sophocl. Das Stammwort ϑάλω macht im perf. τεϑαλὼς von τέϑαλα, joniſch τέϑηλα von ϑήλω, Bey Hippocr. de corde findet ſich ϑάλληται aber fehlerh. für ἅλληται.

Θαλὸς, ὁ. und ϑάλος, εος, τὸ, ſ. v. a. ϑαλλὸς, Sprößling, Zweig, beſonders Oelzweig; übergetr. wie *germen*, *ſtirps*, Sproſsling, Sohn, Nachkomme.

Θαλπείω, ſ. v. a. ϑάλπω: zw, im Etym. M. —πιάω, ῶ, warm werden, warm ſeyn; davon ϑαλπιόων. Arat. Dioſ. 341. —πνὸς, ἡ, ὸν, (ϑάλπω) wärmend, hitzend; Pind. Ol. 1, 8. —πος, τὸ, die Wärme, Hitze. —ποτρεφὴς, έος, ὁ, ἡ, (ϑάλπος, τρέφω) in oder von der Wärme genährt; zw. —πτήριος, ὁ, ἡ, (ϑάλπω, ϑαλπτὴρ) wärmend, erwärmend, lindernd, mildernd, tröſtend. —πω, f. ψω, wärmen, erwärmen; Sorge machen, kümmern, ἐμὲ οὐδὲν ϑάλπει κέρδος, Ariſtaen. 1 Ep. 24. λόγοις Ariſtoph. Equ. 210. tröſten, Hofnung machen; täuschen. S. θαλπωρή: hat mit θάλω, θαλύω einerley Ursprung.

Θαλπωρή, ἡ, Erwärmung: Erquickung, Milderung, Linderung: Trost, Freude, Hofnung, wie *fomentum* von *foveo*; von θάλπω wie ἐλπωρή von ἔλπω. Das adject. θαλπωρὸς, wärmend, hat Nicetas Annal. 10, 8.

Θαλυκρὸς, ρὰ, ρὸν, warm, hitzig; 2) vom Affect erhitzt, dreist, kühn; von

Θαλύνω, u. θαλύω, θαλύζω, θαλύπτω, dav. θαλύψαι bey Hesych. und ἀκροθάλυπτα, endlich θαλύσσω, ich erwärme, brenne an, von θάλω, θάλπω; davon

Θαλύσια, τὰ, das Erndtefest, wo der Ceres die Erstlinge der Feldfrüchte gebracht und geopfert, (angezündet, verbrannt) werden; daher —σιος, ἄρτος, das erste Brod, was an diesem Feste von dem ersten Getreide gebacken und der Ceres gebracht wird.

Θάλψις, εως, ἡ, das Wärmen, Erwärmung.

Θαμὰ, und davon θαμάκις, Adv. oft, hintereinander, beständig; jenes eigentl. neutr. plur. von θαμὸς s. v. a. θαμής, θάμειος, θαμινὸς.

Θαμβαλέος, έα, έον, erstaunt, erstaunlich; von —βάω, wovon bey Hesych. ἐθάμβη imperf. st. ἐθάμβαε, d. i. ἐξεπλάγη, erstaunen; desgl. —βέω, bey Homer als neutr. staunen, erstaunen, erschrecken; bey den spätern auch active schrecken u. θαμβοῦμαι, erstaunen, erschrecken, von θάμβος; davon —βησις, ἡ, das Staunen, Erstaunen, Erschrecken. —βήτειρα, ἡ, Beyw. der Furie, schrecklich: zw. —βητὸς, ἡ, ὸν (θαμβέω) angestaunt, gefürchtet. —βος, εος, τὸ, Staunen, Erstaunen, Verwunderung, Bewunderung, auch Schrecken und Angst, wie Diodor. 2, 58. Dasselbe ist τάφος bey Homer s. v. a. θάμβος und ταφών. Das Stammwort ist θάω mit Staunen sehn, davon θαύω, θαῦμα; ferner θάω, θάπω, perf. τέταφα; jonisch θήπω, τέθηπα, welches auch in prosa wie ein praes. gebraucht wird. Von θάπω kommt θάπη, θάπα bey Hesych. φόβος, wofür er auch das aeolische φάβα hat. Dass man auch θάβος gesagt habe, zeigt θάμβος. Dahin gehört auch das jonische θῆβος, θαῦμα bey Hesychius. S. θήπω.

Θαμβὸς, ἡ, ὸν, staunend, erstaunend; bey Eustath. zw.

Θαμειὸς, ὰ, ὸν, und θαμὴς, ὁ, ἡ, häufig, dicht, von θαμὸς s. v. a. θαμινὸς. Die Form θαμὴς zw. denn der plur. θαμέες kann von θαμὺς seyn. —μίζω, f. ίσω, (θαμὸς) häufig kommen, gehn, seyn, *frequento* von *frequens*. —μινὰ, Adv. s. v. a. θαμὰ; eigentl. neutr. plur. v. —μινὸς, ἡ, ὸν, Adv. θαμινῶς, s. v. a. θαμειὸς u. θαμὴς.

Θάμνας, ὁ, *lora*, Lauer: Geopon. 6, 13. —νίζω, f. ίσω, Hesych. hat θάμνισον, ἀποκαύλυψον. die Bedeut. Gesträuche hervorbringen, oder wie ein Strauch, θάμνος, seyn; ist ohne Beyspiel. —νίον, τὸ, oder θαμνίσκος, dünn, von θάμνος. —νίτης, ῖτις, ὁ, ἡ, vom Strauche, straucht-artig: Nicand. Ther. 885. —νοειδὴς, ὁ, ἡ, (εἶδος) strauchartig. —νομήκης, ὁ, ἡ, (μῆκος) von der Länge eines Gesträuches: zw. —νος, ὁ, Gesträuch, Busch: θάμνοι von einem einzelnen Baume beym Homer dichte Zweige; ὑπὸ θάμνῳ πόας, Appi. 1, 115. Diod. Sic. 1 p. 161 βαθεῖα θάμνος; aus θαμινὸς zusammengezogen. —νοφάγος, ὁ, ἡ, (φάγω) Gesträuche fressend: zw. —νώδης, εος, ὁ, ἡ, s. v. a. θαμνοειδὴς. —νών, ῶνος, ὁ, ein Busch: zw.

Θαμὺς, έος, s. v. a. θαμὸς, θαμινὸς, häufig, dicht: davon θαμύντεραι, πυκνότεραι, Hesych. Dasselbe ist θαμυρὸς, wovon θάμυρις, ἡ, bey Hesych. πυκνότης τινῶν, σύνοδος, πανήγυρις und ὁδοὺς θαμυρὰς, τὰς λεωφόρους: endlich das Wort θαμυρίζω s. v. a. ἀθροίζω, συνάγω bey Hesych.

Θανάσιμος, ὁ, ἡ, oder θανάσιμος, ίμη, ιμον, Adv. θανασίμως, tödtlich, was tödten kann, act: sterblich, was sterben kann, neutr. θανάσιμα κρέα, Fleisch von gestorbenem Viehe. Bey Soph. Aj. 517 θανασίμους st. θανόντας.

Θανατάω, θανατιάω, ῶ, ich will, wünsche zu sterben. ἡ κοιλίη ἀγανακτεῖ καὶ θανατοῖ. (so hat die Wiener Ausg.) Hippocr. de liquor. usu c. 2. wird tödtlich. —τηγὸς, ὁ, ἡ, (ἄγω) s. v. a. —ηφόρος, zw. —τήσιμος, s. v. a. θανάσιμος, Pollux 5, 132. zw. in Biblioth. Coislin. p. 482. steht θανατήριος dafür. —τηφορία, ἡ, das Bringen des Todes. —τηφόρος, ὁ, ἡ, oder θανατοφόρος (θάνατον φέρων) Tod bringend, tödtlich, tödtend. —τιάω, S. θανατάω. —τικὸς, ἡ, ὸν, oder θανατόεις, zum Tode gehörig, ihn betreffend: κρίσις, Kriminalprozess, der das Leben eines Menschen betrifft. —τοποιὸς, tödtend, tödtlich: zw. —τος, ὁ, der Tod. θάνατον καταγινώσκειν τινὸς, gegen einen den Tod, die Todesstrafe als Richter erkennen, ihn zum Tode verurtheilen oder verdammen. Ist von θανὸς, θάνω abgeleitet, wovon der aor. 2. ἔθανον und fut. 2. θανοῦμαι: von θανέω, θανίσκω kommt das gewöhnl. θνήσκω; davon —τόω, ῶ, tödten: zum Tode verdammen. —τούσια, τὰ, Todtenfest, in der Unterwelt erdichtet von Lucian: ver. histor. —τώδης, ὁ, ἡ, s. v. a. θανάσιμος. —τωσις, ἡ, (θανατόω) das Tödten: Todesurtheil.

Θάομαι, S. θάω.

Θάπος, s. v. a. τάφος, das Staunen, Erstaunen: zw. Hesych. hat θάπαν, φόβον.

Θάπτω, einen Leichnam besorgen, bestatten, begraben, beerdigen, sey es durch Einscharren oder Verbrennen. Schon die Form zeigt, dass das Stammwort θάπω hiess.

Θάπω das Stammwort von θάμβος und τέθηπα. S. θάμβος.

Θαργήλια, ων, τὰ, ein Fest dem Apollo und der Artemis zu Ehren im Monat Thargelion gefeyert; v. θάργηλος nach einigen der Topf, worinne die geweihten Früchte gekocht dargebracht wurden; auch ἄρτος θάργ. bey Athenae 3 p. 177 das Brod vom neuen jahrigen Korne; nach Hesych. hiess θάργηλος auch s. v. a. ἱκετηρία und nach Etymol. M. s. v. a. θερμός; davon —γηλιών, ῶνος, ὁ, der eilfte Monat der Athenienser mit dem romischen April übereinstimmend.

Θαῤῥαλέος, έα, έον, Adv. θαῤῥαλέως, (θάῤῥος) dreist, muthig, voll Zuversicht; zuversichtlich, kühn; davon —ραλεότης, ητος, ἡ, Dreistigkeit, Muth, Zutrauen, Zuversicht. —ῤῥέω, ῶ, dreist muthig seyn und handeln: guten Muth fassen oder haben. —ῤητικός, ή, όν, (θαῤῥέω) der gewöhnlich guten Muth fasst, dreist ist und handelt. —ῤος, τὸ, s. v. a. θάρσος, τὸ, Muth, guter Muth, Dreistigkeit, Zutrauen, Zuversicht. —ῤούντως, Adv. v. genit. part. praes. von θαῤῥέω: mit Muth, Dreistigkeit, Zuversicht. —ῤύνω, (θάῤῥος) muthig oder dreist machen: Zutrauen, guten Muth, Zuversicht einflössen: ermuntern.

Θαρσαλέος, έα, έον, Adv. θαρσαλέως s. v. a. θαῤῥαλέος. —σέω, ῶ, s. v. a. θαῤῥέω; dav. —σήεις, ήεσσα, ῆεν, s. v. a. θαρσαλέος. —σος, τὸ, s. v. a. θάῤῥος. —συνος, ύνη, υνον, s. v. a. θαῤῥέων, m. d. dat. zutrauend, *confidens*, Muth oder Zutrauen fassend oder habend bey oder zu. —σύνω, s. v. a. θαῤῥύνω. —σύς, εῖα, ὺ, s. v. a. d. gewohnlichere θρασύς.

Θᾶσσον, Adv. schneller, hurtiger: neutr. v. θάσσων. Plato Alc. 1, 4 ἐὰν θᾶττον εἰς τὸν δῆμον παρέλθῃς, sobald als du nur bey dem Volke auftreten würdest. Xen. Anab. 6, 5, 20 ἂν θᾶττον ἐκεῖ γενώμεθα, θᾶττον ἐξιέναι. Cyrop. 3, 3, 22. ἐπεὶ δὲ τάχιστα διέβη: *quam primum*. mit folgd. εὐθὺς Anab. 3, 1. 9. Lacedaem. 2. 1. —σω, f. θάξω, sitzen, von θάω, auch θάζω; davon θᾶκος. —σων, θάττων, ὁ, ἡ, st. τάσσων, compar. v. ταχύς. schneller: wie βραδύς, βραδύτερος, βράσσων.

Θάτερον, st. τὸ ἕτερον, eines von beyden, oder der andere. plur. θάτερα: das masc. ἅτερος, femin. ἡτέρα und θητέρα.

Θάττων, ὁ, ἡ, θᾶττον, τὸ. S. in θάσσων.

Θαῦμα, ατος, τὸ, (θάω, θαύω) was man m. Bewunderung, Verwunderung, Staunen ansieht: Wunder: wunderbarer Anblick, Schauspiel: Gauckeley, Taschenspielerey, um Staunen zu erwecken. —μάζω, ich betrachte, sehe mit Bewunderung, bewundre, verehre, schätze: Thucyd. 1, 38. lobe; 2) mit folgend. εἰ, ὅπως, ὅτι, ὡς, ich wundere mich, es wundert mich, dass; 3) θαυμάζειν τινός, sich über jemand wundern; doch auch bisweilen θαυμάζειν τινὰ in eben dem Sinne. —μαίνω, poet. s. v. a. θαυμάζω. —μαλέος, έα, έον, bewundernswerth, wunderbar; auch ironisch, wie wir schon brauchen. —μάσιος, ία, ιον, Adv. θαυμασίως, s. v. a. das vorige; davon —μασιότης, ητος, ἡ, wunderbare Beschaffenheit, Bewundernswürdigkeit. —μασιουργέω, (θαυμάσιος, ἔργον) Xen. Symp. 7, 2. s. v. a. θαυματουργέω. —μασμός, ὁ, (θαυμάζω) Bewunderung. —μαστής, οῦ, ὁ, (θαυμάζω) Bewunderer: davon —μαστικός, ή, όν, Adv. —κῶς, zum bewundern verwundern gehorig oder geneigt. —μαστός, ή, όν, Adv. —στῶς, (θαυμάζω) bewundernswerth, erstaunlich; davon —μαστόω, ῶ, wunderbar machen: ἐθαυμαστώθη bey Photius statt ἐθαυμάσθη. —ματίζομαι, (θαῦμα) ich erstaune: Hesych. —ματικῶς, Adv. wunderbarlich; zw. —ματοποιέω, ῶ, (θαυματοποιός). Gaukeleyen und Taschenspielerkünste machen; dav. —ματοποιητικός, ή, όν, zum Gaukeler, Taschenspieler u. seiner Kunst gehörig, in der Kunst geschickt. —ματοποιία, ἡ, Gaukeley, das Zeigen und Machen von Kunststucken: Gewerbe oder Künste eines θαυματοποιός; dav. —ματοποιικός, ή, όν, gauklermässig; einem θαυματοποιός eigen oder ähnlich. —ματοποιός, ὁ, ἡ, (θαύματα ποιῶν) ein Wunderthater: der Wunder, Kunststuckchen, Gauckeleyen macht, den staunenden Zuschauern vorspielt: Gaukler, Taschenspieler, Marktschreyer. —ματουργέω, ῶ, s. v. a. θαυματοποιέω: auch Wunder thun; davon —ματούργημα, ατος, τὸ, ein getbanes Wunder; eine Gaukeley. —ματουργία, ἡ, s. v. a. θαυματοποιία. —ματουργός, ὁ, ἡ, s. v. a. θαυματοποιός.

Θαυσίκριον, τὸ, (θαῦσις, ἴκριον) ein Gerüste, worauf man zusieht: Hesych.

Θαψία, ἡ, ein Kraut von der Insel Thapsos: (Diosc. 4, 157. Plin. 13, 22.) zum gelbfärben gebraucht; davon: —ψινος, ίνη, ινον, gelb gefarbt: gelb, bleich. —ψος, ἡ, s. v. a. θαψία.

Θάω, davon θήσατο μαζὸν: Il. 24. 58. Callim. in Jou. 48 ſaugen: Hymn. hom. Apoll. 123 οὐδ' ἄρ' Ἀπόλλωνα θήσατο μαζὸν, für ſäugen. In der Stelle Odyſſ. 4. 89 ἐπηετανὸν γάλα θῆσθαι ſteht es für melken, ausmelken. Andere aber laſen dafür νᾶσαι und erklärten es d. προβαλεῖν oder ῥεῖν, wie Heſych. anmerkt. Scheint von νάω, νάσσω zu kommen: wovon νάρω, ναίρω (wie von νύσσω, νύρω, νυρίζω) bey Heſych. welcher νάρειν, κύειν, κρύπτειν, ζητεῖν, κυΐσκεσθαι, ἀμέλγεσθαι, ferner ἀναρεῖν, ἀμέλγεσθαι κυΐσκεσθαι; auch ἀναροῦσα κύουσα; desgleichen ἐναρεῖν, κυΐσκεσθαι, διαλέγεσθαι: endlich ἰνάρει, μαστεύει hat. Die Begriffe von ſaugen, ſäugen und trinken ſind unter einander nahe verwandt, ſo wie auch melken, drükken, ausdrücken, wie ſchon ἀμέργω u. ἀμέλγω zeigen. So nehme ich alſo νάρω, ναίρω als Ableit. von νάσσω drükken, ſchlagen, feſtdrücken, ausdrükken, alſo auch melken, an. So βλίω βλίσσω βλίττω drücken, ausdrücken, melken; daher trinken und zeideln. Heſych hat nämlich καταβλέθει, καταπίνει: vorher καταβλέει, καταπίνει: auch βλεῖ, βλίσσει, ἀμέλγει. Die Form βλέω iſt auſſer Brauch und dafür βλίττω von βλίω, βλίσσω, bekannter. Im Etymol. M. wird βλίζω, βλίσσω, βλίττω d. θλίβω drücken erklärt; aber es werden noch βλίσαι, τὸ συνεχῶς βαστάσαι, ferner βλίμη, προπηλακισμὸς, (Heſych. ſetzt noch ὕβρις hinzu:) u. βλιαρὸν λαβρὸν angemerkt. Richtig wird auch von βλίζω βλίσσω (perf. paſſ βέβλιμμαι) βλιμάζω, taſten, abgeleitet. Heſych. hat βλιαρὸν, ἀβλαβὲς und βλιβρὸν, λαγαρὸν; ferner βλίδες, ψεκάδες. Er erklärt auch βλιμάζειν durch θλίβειν und βαστάζειν. Hier muſs man βαστάζειν in der Bedeut. nehmen, wo es mit der Hand wägen heiſst; βλίμη nehme ich für βλήμησις, das Betaſten der Bruſt eines Mädchens, und ſo paſst die Erkl. dazu. Heſych. hat in der allererſten Bedeut. ἐκβλίσαι, ἐκθλίψαι, ἐκπιέσαι u. ἐκβλιστέος, ἐκθλιπτέος angemerkt. Von der erſten Form βλάω, βλάζω, βλάσσω, findet ſich bey Heſych. βλάσκει, λέγει, καπνίζει: wovon die letztere Bed. hieher paſst. Denn eben ſo erklärt Hippocr. βλίσαι. Ferner βλαττάζειν, βλιμάζειν, wenn es nicht βαστάζειν heiſſen ſoll. Von der Form βλύω, βλύζω, βλύσσω, hervorquellen laſſen. S. in βλύω u. βλύζω. Das Wort θάω, fut. θήσω erklären die alten Grammatik. überhaupt durch τρέφω nähren. Davon kommt θηλὴ, die Bruſt, Zitze: θαλία, Speiſe, Mahl, θοινὴ, desgl. ferner τιθὴ, τιτθὴ, τιθηνὸς, τιθηνέω, τιθάω, τιθασὸς, τιθαιβω, τιθαιβώσσω. S. auch θοινὴ. Von θάω kommt noch θάζω, θάσσω, wie von θόω, θώω, θώζω, θώσσω, in der Bedeut. von nähren und zu trinken geben, welches beydes eigentl. bey der Mutterbruſt Statt hat. Daher bey Heſych. θάξαι, μεθύαι, aber auch τεθωγμένοι, μεμεθυσμένοι von θώσσω, welches mit θόω, θώω, θοῖμαι ebenfalls mit Speiſe und Trank ſättigen bedeutet. Endlich hat Heſych. θαχθῆναι für θωρηχθῆναι, ſich betrinken.

Θάω, θάομαι davon θαύω, θαῦμα, u. θεάω, θεάομαι. Bey Ariſtoph. Ach. 770 θᾶσθε doriſch ſt. θεᾶσθε: Theocr. 3, 12 θᾶσαι ſt. θέασαι. Daher θατῆρας ſt. θεατὰς bey Heſych. ἐς θατὺν ſt. εἰς θεωρίαν lakoniſch θησαίατο Odyſſ. Σ. 190. Heſych. θάοντα, θεωροῦντα. Die Lacedaem. ſagten σάω ſt. θάω, davon ἕσαμεν, ἐθεωροῦμεν.

Θάω, ſ. v. a. θάσσω u. θάζω wovon θᾶκος, der Sitz.

Θέα, ἡ, das Anſchauen: Anblick, Schauſpiel, Schauſpielort, Platz im Schauſpielhauſe.

Θεὰ, ἡ, Göttin.

Θεαγγελεὺς, έως, ὁ, der die Feyer der Volksfeſte anſagt: Heſych.

Θεαγωγία, ἡ, das magiſche Citiren der Götter: und θεαγωγὸς, ὁ, ἡ, (ἄγω, θεὸς) der die Götter zitirt, ſich ſtellen läſst.

Θεάζω, bin ein Gott, bin göttlich, als φύσις θεάζουσα: Democritus Dionis Or. 53. 2) ſ. v. a θειάζω.

Θέαινα, ἡ, Göttin, ſ. v. a. θεά.

Θεαίτητος, ὁ, ἡ, (αἰτέω) von Gott erbeten.

Θεάκτωρ, ορος, (θεοὺς ἄγων) Götter leitend, Götterbändiger; zw.

Θέαμα, τὸ, (θεάομαι) Schauſpiel. —μων, ονος, ὁ, ἡ, (θεάομαι) Zuſchauer.

Θεανδρικὸς, ἡ, ὸν, gottmenſchlich; v. —δρος, ὁ, (θεὸς, ἀνὴρ) Gottmenſch. —θρωπία, ἡ, Gottmenſchheit; von θεάνθρωπος, Gottmenſch.

Θεάομαι, ῶμαι, ſehen betrachten; Schauſpiele ſehen; von θάω, θάομαι, welches m. nachſehe.

Θεάρεστος, ὁ, ἡ, Adv. —στως, (ἀρέσκω) gottgefällig. —ριον, τὸ, ein Ort für die θεαροὶ oder für den Apollo θεάριος: Schol. Pindari. —ρος, ὁ, doriſch ſ. v. a. θεωρὸς, mit den Compoſ.

Θεαρχία, ἡ, höchſte Gottheit: ſ. v. a. θεοκρατία; davon —χικὸς, ἡ, ὸν, von der höchſten Gottheit, zu derſelben gehörig.

Θεαστὶ od. θειαστὶ od. διαστὶ in der Götter- oder in Jupitersſprache, von θεάζω, θειάζω od. διάζω: Dio Orat. 2 p. 315 διαστὶ διαλέγεσθαι, wo vorher ἰαστὶ ſtand. —στικὸς, ἡ, ὸν, (θεάζω) von Gott eingegeben oder getrieben.

Θεατὴς, οῦ, ὁ, (θεάομαι) Zuſchauer.

Θεατὸς, ἡ, ὸν, (ϑεάομαι) zu ſehen, ſichtlich, ſichtbar, ſehenswerth. —**τρεῖον**, τὸ, ſ. v. a. ϑέατρον: Suidas. —**τρια**, ἡ, Zuſchauerin: fem. v. ϑεατὴρ. —**τρίδιον**, τὸ, dimin. von ϑέατρον. —**τρίζω**, auf dem Theater ſeyn, ſpielen: bey Suidas in σκηνὴ ſteht von der Orcheſtra: ἐφ' οὗ ϑεατρίζουσιν οἱ μίμοι. Active auf dem Theater zeigen oder aufführen, ſpielen, öffentlich zur Schau ſtellen: lächerlich machen. S. ἐκϑεατρίζω. —**τρικὸς**, ἡ, ὸν, Adv. —κῶς, zum Theater gehörig: fürs Theater paſſend: ſ. v. a. ἐπιδεικτικὸς, Aufſehen machend, pomphaft, prahlend, als λέξις: Plutarch. im Gegenſatz von ταπεινὸς. —**τριστὴς**, οῦ, ὁ, (ϑεατρίζω) ſ. v. a. μίμος, Schauſpieler: aus Suidas. —**τροβάμων**, ὁ, ἡ, Theatergänger: Nicetas Annal. 10, 4. —**τροειδὴς**, έος, ὁ, ἡ, Adv. —δῶς, (εἶδος) theater- förmig oder artig. —**τροκοπέω**, ich buhle um den Beyfall, das Zuklatſchen des Theaters oder der Zuſchauer; zw. dav. —**τροκοπία**, ἡ, das Buhlen um den Beyfall der Zuhörer; zw. S. ϑεατροσκοπία: bey Artemidorus 2, 75 ſteht ϑεατροσκοπίαις, es muſs aber ϑεατροκόποις heiſsen, die den Beyfall des Theaters, der Zuſchauer, ſuchen. —**τροκρατία**, ἡ, (κρατέω) die Herrſchaft des Theaters: wie ὀχλοκρατία: bey Suidas ſteht —ασία: Plato Legg. —**τρομανέω**, ῶ, (μαίνω) für das Theater mit raſender Liebe Zuneigung eingenommen ſeyn. —**τρόμορφος**, ὁ, ἡ, (μορφὴ) ſ. v. a. ϑεατροειδὴς: Lycophr. —**τρον**, τὸ, (ϑεάομαι) Schauplatz, Schauſpielhauſs: ſ. v. a. ϑέαμα und ϑεαταὶ. Gewöhnlich war das Schauſpielhaus ein halber Kreis oder Zirkel: und ἀμφιϑέατρον, macht einen ganzen Zirkel: bey Dio Caſſ. wird es aber auch für ἀμφιϑ. gebraucht: davon —**τροποιὸς**, ὁ, ἡ, der Aufſehen macht, Zuſchauer zuſammenlokt, Gaukler, Betrüger; zweifelh. —**τροπώλης**, ου, ὁ, (πωλέω) der das Theater verpachtet. S. ϑεατρώνης. —**τροσκοπία**, ἡ, das Beſehn des Theaters: zw. bey Syneſius Epiſt. 54 οὐδὲ ϑεατροσκοπίαις ἐπεϑέμην: ſoll wahrſch. ϑεατροκοπίαις heiſsen. —**τροτορύνη**, ἡ, d. i. τορύνη ϑεάτρου bey Athenaeus 4 p. 157. der Spottname einer Actrice u. Kourtiſane. —**τρώνης**, ου, ὁ, (ὠνέομαι) der das Theater gepachtet hat: vergl. ϑεατροπώλης.

Θεάφιον, τὸ, oder ϑέαφος, ſ. v. a. ϑεῖον, Schwefel: neugr.

Θέειον, τὸ, und ϑεειόω, ſ. v. a. ϑεῖον, ϑειόω. —**ος**, ſ. v. a. ϑεῖος, göttlich. Oppian. Cyn.

Θεηγενὴς, έος, ὁ, ἡ, ſ. v. a. ϑεογενὴς. —**γορέω**, und ϑεηγόρος, ὁ, ἡ, (ἀγορεύω) ſ. v. a. ϑεολογέω und ϑεολόγος. —**δόκος**, ὁ, ἡ, oder ϑεηδόχος, ſ. v. a. ϑεοδόκος. —**κόλος**, ὁ, ſ. v. a. ϑεοκόλος, Prieſter. Bey Pauſan. 5, 15. ſteht ϑεηκόλοτος fehlerhaft: und davon ſcheint eben daſelbſt ϑεηκολεὼν Wohnung des ϑεηκόλος zu ſeyn, wofür dort ϑεηκαλεὼν ſteht. —**λατος**, ὁ, ἡ, (ἐλάω) von Gott getrieben, angetrieben: von Gott geſchickt, verhängt, als συμφορὰ

Θέημα, τὸ, jon. ſt. ϑέαμα. —**μαχία**, ϑεημάχος, S. ϑεομ. —**μοσύνη**, ἡ, Anſchauung, Betrachtung: Anthol. von —**μων**, ονος, ὁ, joniſch ſt. ϑεάμων. —**πολέω**, ῶ, ich bin ein ϑεηπόλος vorz. ein Prieſter der Cybele oder μητραγύρτης, bey Suidas.

Θεητὴς, οῦ, ὁ, joniſch ſt. ϑεατὴς. —**τόκος**, ſ. v. a. ϑεοτόκος. —**τὸς**, ἡ, ὸν, jon. ſt. ϑεατὸς.

Θεία, ἡ, fem. von ϑεῖος, Tante, Vater- oder Mutterſchweſter. —**άζω**, (ϑεῖος) göttlich machen: ϑειάσας αὐτὸν πολλὰ καὶ προσκυνήσας, Dio Caſſ. begeiſtern: begeiſtert prophezeyen: Thucyd. 8, 7. davon —**ασμὸς**, ὁ, Begeiſterung, Schwärmerey: Prophezeyung: Betheurung bey den Göttern. S. ἐπιϑειάζω. Auch Aberglaube: Thucyd. 7, 50. —**αστὶ**, S. ϑεαστὶ. —**κελος**, ſ. v. a. ϑέσκελος. Ariſtoph. Lyſ. 1252.

Θεικὸς, ἡ, ὸν, Adv. ϑεικῶς, ſ. v. a. ϑεῖος.

Θειλοπεδεύω, an der Sonne trocknen; von —**πεδον**, τὸ, ſt. εἱλόπεδον. wie ϑάτερον. ſt. τὸ ἕτερον, von εἵλη, ein Platz, wo man in der Sonne etwas trocknen kann, Trockenplatz: auch eine Horde, worauf man Sachen zum trocknen legt.

Θεινὸς ſt. ϑεῖος. S. ἔνϑινον. —**νω**, ſchlagen, ſ. v. a. πλήσσω, als μάστιγι, κέντρῳ Hom. und ohne Zuſatz Il. 1, 588. χρόα ϑεῖναι, ſtechen, von den Bienen: Quintus Smyrn. 8, 42.

Θειοδόμος, ὁ, ἡ, ſt. ϑεόδ. (δέμω) ſ. v. a. ϑεόδμητος.

Θεῖον, τὸ, Schwefel: ἄπυρον ϑ. gediegener Schwefel: πεπυρωμένον ϑ. mit Feuer d. Kunſt zubereitet. S. Dioſcor. 5, 124. συρτὸν S. in σύρω.

Θεῖος, εία, εῖον, Adv. ϑείως, göttlich: daher auch alles vorzügliche, was die Kräfte oder die gewöhnl. Erſcheinungen und Wirkungen der menſchlichen Natur zu überſteigen ſcheint, göttlich groſs, göttlich ſtark, göttlich-ſchön und dergl. wie *divinus*: daher τὸ ϑεῖον, das göttliche Weſen, die Gottheit, göttliche Vorſehung.

Θεῖος, ὁ, Vater- oder Mutterbruder, Onkle, Oheim. —**ότης**, ητος, ἡ, Göttlichkeit, göttliche Gröſse, Würde: ἀσκήσεις ϑειότητος, Iſocr. Buſ. mancherley Uebungen, um ihnen Begriffe vom göttlichen Weſen überall gegenwärtig zu machen.

Θειοφαγής, ὁ, ἡ, b. Athenaeus 2 c. 14 θειοφαγὲς μητρῷον μελέτημα: wo aber andre Handschr. θειοφανὲς und θειοπαγὲς haben: die zweyte Lesart scheint beſſer, ſt. θεοφανὲς, von der Göttin gezeigt, gegeben. —**όχροος**, contr. θειόχρους, ὁ, ἡ, (χρόα) ſchwefelfarbig. zw. —**όω**, ῶ, (θείου) ſchwefeln, m. Schwefel reinigen; 2) (θεῖος) göttlich machen, weihen. *conſecrare*: νεὼν Διὸς ἐξεθείωσε, Dio Caſſ.

Θείω, poet. ſt. θέω. —**ώδης**, εος, ὁ, ἡ, ſchwefelicht, ſchwefelartig.

Θελγεσίμυθος, ὁ, ἡ, (θέλγων μύθοις) mit Worten bezaubernd, einnehmend: zw. —**γητρον**, τὸ, oder θέλγμα, Ergötzung, Beſänftigung, Bezauberung, Täuſchung. —**γῖνες**, S. τελχῖνες. —**γω**, f. ξω, hat ganz die Bedeut. des lat. *mulcere*, von Vergnügung und Reiz: ingleichen der durch Zauberlieder hervorgebrachten Wirkung als Täuſchung, daher es σκοτόω erklärt wird, Einſchläferung, Entkräftung; davon τελχῖνες den Namen haben, welche als Zauberer und neidiſche Menſchen (βάσκανοι) beſchrieben werden. Bey Apollodor. wird Apis von τελχὶν und θελξίων umgebracht. Heſych. hat ἐπέθελγον, κατεδαπάνων.

Θέλεμος, ὁ, ἡ, Aeſchyl. Suppl. 1034 πῶμα θέλεμον vom Nilfluſſe. Heſych. erklärt es οἰκτρὸς, ἥσυχος. Aber dies paſst nicht, daher ſoll es wohl θέλιμον heiſsen; bey Suidas θέλιμος εὔκαρπος καὶ γονιμωτάτη: daher bey Heſych. ἀθέλιμος u. ἀθέλιμνος, κακὸς, ἄκοσμος, nährend, befruchtend.

Θέλεος, ὁ, ἡ, S. ἀθέλεος.

Θέλημα, τὸ, Wille, Luſt: davon θεληματαίνω, wollen: Nicetae Annal. 18, 4. —**μος**, ὁ, oder θελήμων, willig, freywillig. —**σις**, ἡ, das Wollen, der Wille. —**τής**, οῦ, ὁ, (θελέω) der Woller, der will: νόμου ἐλέου bey den LXX. —**τὸς**, ἡ, ὸν, gewollt, gewünſcht: angenehm: bey den LXX.

Θέλιμνον, τὸ, ſ. v. a. θεμέλιον, zweymal bey Empedocles bey Simplic. ad Ariſtotel. Phyſica p. 7. 6. und 34. a.

Θέλιμος S. θέλεμος.

Θέλκαρ, τὸ, ſ. v. a. θέλγητρον. Heſych. —**κτήρ**, ῆρος, ὁ. d. i. ὁ θέλγων: davon —**κτήριος**, ὁ, ἡ, oder θελκτικὸς, (θέλγω) lindernd, beſänftigend, verführend, bezaubernd: τὸ θελκτήριον ſ. v. a. τὸ θέλκτρον. —**κτις**, ἡ, femin. v. θέλκτης, ὁ, d. i. θέλγουσα. zw. —**κτριος**, ὁ, ἡ, ſ. v. a. θελκτήριος: ὠδὴ: Theophyl. Epiſt. —**κτρον**, τὸ, ſ. v. a. θέλγητρον. —**κτὼ**, (θέλγω) bey Suidas ἡ κολακευτική.

Θελξίμβροτος, ὁ, ἡ, (θέλγω, βροτὸς) die Menſchen ergötzend, bezaubernd, täuſchend. —**ξίνοος**, contr. θελξίνους, ὁ, ἡ, (θέλγω, νόος) die Seele oder das Herz ergötzend, bezaubernd, täuſchend. —**ξίφρων**, ονος, ὁ, ἡ, (θέλγω, φρὴν) ſ. v. a. d. vorh.

Θελοκακέω, S. ἐθελοκακέω.

Θέλυμνον, τὸ, Grund, Grundlage, Baſis: wovon προθέλυμνος und τετραθελ. Andre ſagen aber auch θέλημνον.

Θέλω, wollen, wünſchen; 2) ſo wie φιλέω, pflegen, *ſoleo*: oder nach dem Zuſammenhange **können**: ἡ γῆ θέλουσα διδάσκει, Xen. Oecon. 5, 12. lehrt willig und gern, oder von ſelbſt. Cyrop. 1, 1, 3. Das Stammwort ἕλω, mit dem θ als Spiritus aſper oder digamma aeolicum geſchrieben, vom lat. *volo*, im conjunct. *velim*, *velle*.

Θέμα, τὸ, (τίθημι) das geſtellte, aufgeſtellte, geſetzte, niedergeſetzte: Stellung, Satz d. i. ausgeſtellte Meinung od. Sentenz: Einſatz, eingeſetztes Geld; davon —**τίζω**, ich ſtelle, ſetze: lege einen Satz, Thema vor: ſtelle die Nativität; bey Heſych. auch ſ. v. a. ἀποτίθεμαι und κυβερνάω. —**τικὸς**, ἡ, ὸν, zum θέμα gehörig: poſitiv: ῥῆμα, *primitivum verbum*, Stammwort bey den Grammatikern: von oder mit einer angeſetzten Prämie oder Belohnung, als ἀγὼν, opp. φυλλίτης, στεφανίτης. —**τισμὸς**, ὁ, (θεματίζω) die Verfertigung eines θέμα: das Stellen, die Stellung.

Θεμείλιον, τὸ, ſt. θεμέλιον bey den Dichtern, ſo wie θεμείλοις ſt. θεμελίοις, Anthol.

Θέμεθλον, τὸ, (θέμα) gelegter Grund.

Θεμελιακὸς, ἡ, ὸν, zum Grunde gehörig: fundamental. —**λιόθεν**, v. Grund aus. —**λιον**, τὸ, (θέμα) Grund. —**λιος**, ὁ, ἡ, zum Grunde gehörig: ὁ θ. verſt. λίθος, Grundſtein, Grund. —**λιοῦχος**, ὁ, ἡ, Heracl. c. 48. ἔχων, ἔχουσα τὰ θεμέλια. —**λιόω**, ῶ, d. Grund legen; davon —**λίωσις**, ἡ, Grundlegung, Gründung. —**λιωτής**, οῦ, ὁ, (θεμελιόω) Grundleger, Gründer.

Θεμερὸς, θεμερόφρων, ὁ, ἡ, ſ. v. a. σεμνὸς, ernſthaft, geſetzt, gravitätiſch, ehrwürdig: davon θεμερύνομαι ſ. v. a. σεμνύνομαι: Analect. Brunck 2 p. 189. τῷ πᾶσιν καιροῖς θεμερώτερα πάντα φύοντι. Heſych. und Pollux 6, 185. —**ρῶπις**, ἡ, αἰδὼς, Aeſchyl. Pro. 134. ſ. v. a. σεμνὴ, die ein geſetztes, ſittſames, ernſtes, ehrwürdiges Auge macht od. hat. Erneſti leitet θεμερὸς von θέω, τίθημι, θέμα, θεμὸς, θεμόω ab, gleichſam geſetzt.

Θέμηλον, τὸ, ſ. v. a. θέμεθλον bey Heſych. welcher davon auch ἀθέμηλος, ohne Grund, hat.

Θεμίζω, ſ. v. a. θεμιστεύω und δικαιόω nach Heſych. Bey Pind. Pyth. 4, 250. θεμισσαμένους ὀργὰς d. i. δικαίους ὄντας ταῖς ὀργαῖς.

Θεμίπλεκτος, ὁ, ἡ, rechtlich geflochten und erworben: Pind. Nem. 9, 125.

Θέμις, ἡ, ιδος, ιτος, ιστος, genit. Sitte, Recht, Gerechtigkeit: perſonificirt iſt die Göttin der Gerechtigkeit, die vor dem Apollo das Orakel ertheilte: daher im plur. θέμιστες auch Orakel heiſſen: Pind. Pyth 4, 96. S. auch in τέμαρος; ſo wie Sitten, Rechte, Einrichtungen. Geſetze: Heſiod. Th. 85. in λιπαρὰς τελέουσι θέμιστας. Il. 9, 156. ſcheint es τιμὰς, ἀξίωμα nach Heſych. zu bedeuten. Der doriſche genit. θέμιστος iſt faſt in allen Ableitungen angenommen worden, auch in den attiſchen Namen Θεμιστοκλῆς, Θεμιστώ. Das Stammwort iſt θέω, θῆμι, τίθημι, θέμα, θέμις, ἡ, ſ. v. a. θεσμὸς, Satzung, Geſetz. —σκόπος, ὁ, ἡ, gerechter Aufſeher: Pind. Nem. 7, 69.

Θεμισκρέων, ὁ, d. i. θεμιτῶς κρέων, recht, geſetzmäſsig herrſchend: Pind. Pyth. 5, 38. wo andre falſch θεμισκερόντων leſen. —στεῖος, εία, εῖον, ſ. v. a. νόμιμος: Pind. Ol. 1, 18. —στευμα, τὸ, Nicetae Annal. 17, 7. ſ. v. a. θέμις; von —στευτὸς, (θεμιστεύω) durch Geſetze, Sitten oder Gebrauch feſtgeſetzt: Heſych. —στεύω, (θέμις) ich gebe Geſetze, ſpreche Recht, richte, regiere. θ. παιδῶν ἠδ' ἀλόχου, Ariſtot. Nicom. 10, 10. ertheile Orakel. Plutar. Alex. 14. οὔ σε θεμιστεύσω, im Orakel b. Aelian. v. h. 3, 43 und 44. ſt. σοι θ. ich werde dir nicht antworten. Jamblich. Porphyr. 1, 27. ὡς οὐ θεμιστεύοι τοῖς ἀνθρωποκτόνοις. Heſych. hat auch von θεμιστέω die Gloſſe θεμιστήσασα, πρακτικὴ, ἀνυσίμη, ἀποτελεσίμη, ſo wie auch ἀθεμιστέω. παρανομέω, ἀδικέω. —στιος, ὁ, ἡ, ζεὺς Plut. 10 p. 397. der Beſchützer der Gerechtigkeit. —στισία, ἡ, ſo viel als ὁσία: Heſych. —στοπόλος, ὁ, ἡ, der Gerechtigkeit (θέμις) übt, (πολέω) Richter: König; vergl. δικασπόλος. —στὸς, ἡ, ὸν, (θεμίζω) geſetzmäſsig, gerecht: Heſych. ſ. v. a. θεμιτὸς. —στοσύνη, ἡ, (θεμιστὺς) Geſetzmäſsigkeit, Gerechtigkeit. zw. —στοῦχος, ὁ, ἡ, d. i. θέμιστα ἔχων, ſ. v. a. θεμιστοπόλος. —στωρ, ορος, ὁ, bey Heſych. ſ. v. a. συνετὸς. —τὸς, ἡ, ὸν, Adv. θεμιτῶς, ſ. v. a. θεμιστὸς, geſetzmäſsig, rechtmäſsig, gerecht, nach göttlichen oder natürlichen Geſetzen erlaubt.

Θεμὸς, ὁ, ſ. v. a. θεσμὸς, bey Heſych. παραίνεσις, διάθεσις; davon —μόω, davon Odyſſ. 9, 486 θέμωσε ἱκάνειν ſt. ἠνάγκασεν, ἐποίησεν ἱκάνειν.

Θεν, am Ende der Subſtant. angehängt bezeichnet die Bewegung v. einem Orte weg, als ὀλυμπόθεν, οὐρανόθεν, θεμελιόθεν, von Olymp, vom Himmel, von Grunde aus, wie *tus* in *coelitus, funditus.*

Θέναρ, τὸ, die flache Hand, womit man ſchlägt, θένω, θείνω; auch die Fuſsſohle: daher auch die Baſis, βώμου θέναρ, Pind. Pyth. 4, 367. und ἁλὸς der Grund des Meeres: Iſthm. 4, 97. davon —ρίζω, ich ſchlage mit der flachen Hand: davon ἐνθεναρίζω ſ. v. a. ἐγχειρίζω.

Θένω, davon θείνω, ich ſchlage, ſtoſse.

Θεοβλάβεια, βία, ἡ, Eigenſchaft und Betragen eines θεοβλαβὴς: Thorheit, Wahnſinn, von Gott als Strafe zugeſchickt. —βλαβέω, ῶ, ich bin ein θεοβλαβὴς, thöricht, wahnſinnig: Aeſchyl. Pr. 828. —βλαβὴς, έος, ὁ, ἡ, Adv. θεοβλαβῶς, (βλάπτω) von Gott mit Blindheit geſchlagen und am Verſtande verletzt: dumm- wahnſinnig handelnd. —γάμια, τὰ, Vermählungsfeyer der Proſerpine: Pollux 1, 37. —γενεσία, ἡ, göttliche Geburt, Wiedergeburt, Taufe: Dionyſ. Areop. —γενὴς, u. θεογένητος, ὁ, ἡ, von od. aus Gott gebohren, erzeugt, entſtanden. —γληνος, ὁ, ἡ, (γλήνη) m. göttlichen, ſchönen Augen. —γλωσσος, ὁ, ἡ, (γλῶσσα) mit göttlicher Zunge, göttlich ſprechend. —γυια, τὰ, f. L. bey Demoſth. ſt. θεοίνια. —γνωσία, ἡ, (γνῶσις) Kenntniſs, Erkenntniſs von Gott. —γνωστος, ὁ, ἡ, Gott bekannt. Anthol. —γονία, ἡ, (γόνος) Zeugung, Geburt, Abſtammung der Götter. —γονὸς, ὁ, ἡ, von Gott geboren oder gezeugt. —γράφος, ὁ, ἡ, (γράφω) v. Gott geſchrieben. —δέγμων, ονος, ὁ, ἡ, und θεοδέκτωρ, ὁ, ἡ, ſ. v. a. θεοδόκος. —δήλητος ὁ, ἡ, (δηλέω) von Gott beſchädigt, verletzt: von Sachen, von der rächenden, verletzenden Gottheit zugefügt. —δίδακτος, ὁ, ἡ, von Gott gelehrt. —δινὴς, έος, ὁ, ἡ, (δινέω) von Gott herumgetrieben, als ῥιπὴ, Nonn. von Gott herausgetrieben, als ὀμφὴ: Nonn. —δμητος, ὁ, ἡ, von Gott erbaut. —δόκος, ὁ, ἡ, (θεὸν δεχόμενος) Gottaufnehmend. —δοσία, ἡ, was man den Göttern giebt: Strabo 17 p. 1165 verbindet ἱερείων θυσίας τε καὶ θεοδοσίας. —δόσιος, ὁ, ἡ, oder θεόδοτος, v. Gott gegeben. —δόχος, ὁ, ἡ, ſ. v. a. θεοδόκος. —δρομέω, bey Suidas κατὰ θεὸν πορεύομαι; v. —δρομος, ὁ, ἡ, fromm lebend. zw. —δώρητος, ὁ, ἡ, v. Gott geſchenkt. —είδεια, ἡ, Aehnlichkeit mit Gott: alſo Gerechtigkeit und andere göttliche Tugenden, S. θεουδεια; von —ειδὴς, έος, ὁ, ἡ, Adv. —δῶς, gottähnlich, der Gottheit gleich; göttlich: gerecht, fromm, u. dgl. S. θεουδὴς. —είκελος, ὁ, ἡ, den Göttern gleich oder ähnlich. —επὴς, ὁ, ἡ, ſ. v. a. θεσπέσιος von Gott geſprochen: Heſych. —εχθία, ἡ, oder θεοεχθρία, (ἔχθος, ἐχθρὸς) Zuſtand eines den Göttern verhaſsten Menſchen. —θεν, von Gott. —θυτος, ὁ, ἡ, (θύω) Gotte geopfert.

Θεοίνια, τὰ, von θέοινος, ὁ, der Weingott, (οἶνος) Bacchus; davon θεοίνιον, τὸ, Tempel und Fest des Bacchus. Bey Demosth. p. 1371. schwören die Priesterinnen desselben: τὰ θεοίνια καὶ ἰοβάκχεια γεραίρω τῷ Διονύσῳ κατὰ τὰ πάτρια: wo die Rede vom Feste λήναια ist.

Θεοκάπηλος, ὁ, ἡ, die mit Gott und Gottes wort oder der Religion kaupeln, oder Handel treiben: Nicetae Annal. 9, 15. —κήρυξ, υκος, ὁ, Herold, Diener der Götter oder des Gottes: Hesych. —κίνητος, ὁ, ἡ, (κινέω) von Gott oder Göttern bewegt, erweckt. —κλητος, ὁ, ἡ, (καλέω) von Gott gerufen: z. B. νηὸς, ein Tempel worinn Gott angerufen wird: Nonnus. —κλυτέω, ῶ, ich rufe im Unglücke klagend u. jammernd die Götter als Zeugen des Unrechts an und bitte dass sie meine Wünsche, Flüche hören, κλύειν, erhören sollen; 2) anrufen m. d. Accus. Eurip. Med. 210 θεοκλυτεῖ δ' ἄδικα παθοῦσα Θέμιν; 3) die Bedeut. von Gott hören, wie ein Wahrsager, ist von den Grammatikern blos aus einer falschen Ableitung erdichtet: Plutarch. Alex. 19. —κλύτησις, ἡ, das Anrufen der Götter bey Klagen über Unrecht: Polyb. —κλυτος, ὁ, ἡ, s. v. a. θεότιμος: Suidas. —κμητος, ὁ, ἡ, (κάμνω) von Gott gemacht; göttlich. —κόλλητος, ὁ, ἡ, (κολλάω) fest an Gott hängend. —κολέω, ich bin Priester: θεοκολήσασαν Ἀρτέμιτι Ὀπίταιδι, Inscript. bey Chandler. S. θηκόλος; von —κόλος, ὁ, ἡ, ein Priester. —κόρος, ὁ, ἡ, ein Priester, Priesterin. —κραντος, ὁ, ἡ, (κραίνω) von Gott vollendet, erfüllt. —κρασία, ἡ, (κεράω) Vermischung mit Gott: Jamblich. Pythag. §. 240. —κρατία, ἡ, (κράτος) Gottesregierung. —κριτος, ὁ, ἡ, (κρίνω) von Gott gewählt. —κτιστος, ὁ, ἡ, oder κτιτος, (κτίζω) von Gott geschaffen, erbaut. —κτονία, ἡ, das Tödten von Gott. Θεοκτόνος, ὁ, ἡ, Gott tödtend. —κυνέω und θεοκυνής. S. in θεοσκυνέω. —λαμπής, ὁ, ἡ, (λάμπω) göttlich glänzend; zw. —ληπτος, ὁ, ἡ, (λαμβάνω) von Gott begeistert; davon —ληψία, ἡ, göttliche Begeisterung: Plutar. 6 p. 207 wird es Aberglaube übersetzt: wie Hesych. θεόπληκτοι, δεισιδαίμονες. —λογεῖον, τὸ, Ort auf dem gr. Theater, wo die Götter erschienen: Pollux 4, 130. —λογέω, ῶ, (θεολόγος) von Gott und göttlichen Dingen reden; sie andern erklären, oder davon erzählen: τὰ θεολογούμενα, Untersuchungen über Gott und göttliche Dinge. —λογία, ἡ, das Reden, Erzählen und die Lehre oder Unterricht von den Göttern und göttlichen Dingen: bey den Griechen vorz. die historische Kenntniss vom Ursprunge des göttlichen Kultus; davon —λογικὸς, ἡ, ὸν, zur Θεολογία oder zum θεολόγος gehörig, ihm eigen: in der Θεολογία geübt. —λόγος, ὁ, der von Göttern und göttlichen Dingen redet, schreibt, unterrichtet. S. θεολογία: Gottesgelehrter, Theolog. —μανέω, ich bin ein θεομανής. S. θεομαντέω. —μανής, έος, ὁ, ἡ, von den Göttern rasend gemacht, als Orestes: Eur. Or. 846. —μαντεία, ἡ, Weissagung: Dio Cass. von —μαντέω, ῶ, ich weissage: Pollux 1, 19. von —μαντις, εως, ὁ, ἡ Begeisterter, Prophet. —μαχέω, ῶ, ich streite gegen Gott oder die Götter: dav. —μαχία, ἡ, das Streiten gegen Gott oder die Götter; 2) der Streit der Götter: von —μάχος, ὁ, ἡ, d. i. θεοῖς od. θεῷ μαχόμενος: der gegen die Götter den Gott oder mit den Göttern streitet. —μηνια, ἡ, d. i. θεῶν μῆνις, göttlicher Zorn. —μήστωρ, ορος, ὁ, (μήδομαι) erfahren in göttlichen Dingen, in göttlicher Weisheit. —μητέω, bey Hesych. θεῖα φρονέω, θεοφορέομαι: von θεόμητις, ὁ, ἡ, (μῆτις) s. v. a. θεόφρων, θεόβουλος bey Suidas und Nonnus.

Θεομήτωρ, ἡ, Gottmutter, Mutter Gottes. —μιμησία, ἡ, Nachahmung Gottes; von —μίμητος, ὁ, ἡ, Adv. θεομιμήτως, (μιμέομαι) Gotte nachgeahmt, nachgemacht: Dionys. Areo. act. Gott nachahmend. —μιμος, ὁ, ἡ, gottnachahmend, göttlich, πρᾶγμα bey Stobae. Serm. 147. —μισής, έος, ὁ, ἡ, von Gott od. von den Göttern gehasst u. dadurch unglücklich; θεομίσης, Gott hassend. —μοιρος, ὁ, ἡ, (μοῖρα) durch göttliches Loos erhalten oder bestimmt: göttlich. ἐμπνοίησις θεομοιρή, Ecphantus Stob. Ser. 146. bey Pindar. Pyth. 5, 6 θεόμορος: nach Hesych. σώφρων. —μυσής, έος, ὁ, ἡ, (μύσος) von Gott verabscheuet. —ξένια, τὰ, ein Fest des Hermes und des Apollo θεόξενος: Schol. Pindar. olymp. 9, 146. Pausanias 10 p. 595. k. —παις, αιδος, ὁ, ἡ, Gotteskind: von Gott gezeugt. —παράδοτος, ὁ, ἡ, von Gott übergeben, überliefert. —πάρακτος, ὁ, ἡ, (παράγω) von Gott eingeführt. —πάτωρ, ὁ, der Vater Gottes. —πείθεια, ἡ, Gehorsam gegen Gott; v. —πειθής, έος, ὁ, ἡ, (θεὸς πείθομαι) gehorsam gegen Gott. —πεμπτος, ὁ, ἡ, von Gott gesandt. —πλανησία, ἡ, (πλανάω) Irrthum oder irrige Einsichten von Gott. —πλαστέω, ῶ, ich bilde oder dichte Götter. —πλάστης, ου, ὁ, der Götter bildet oder dichtet. —πλαστία, ἡ, das Bilden oder Dichten von Göttern. —πληκτος, ὁ, ἡ, (πλήσσω) von Gott geschlagen, getroffen: bey Hesych. s. v. a. δεισιδαίμων: davon

Θεοπληξία, ἡ, Oenomaus Eusebii 5, 36. kann man für Aberglauben oder Thorheit, wie ϑεοβλαβεία, erklären. —πλοκος, ὁ, ἡ, (πλέκω) göttlich: Nicetae Annal. 4, 2. —πνευστος, ὁ, ἡ, von Gott eingehaucht, eingegeben. —ποιέω, ῶ, ich mache od. bilde Götter, ich vergöttere. —ποιητική, ἡ, verst. τέχνη, die Kunst Götter zu machen, bilden, oder zu vergöttern; v. ϑεοποιητικὸς zum Göttermachen gehörig. —ποιΐα, ἡ, die Bildung, Abbildung der Götter: das Göttermachen: Vergötterung. —ποιὸς, ὁ, ἡ, der Götter macht, bildet: der vergöttert. —πολέω, ῶ, s. ϑεηπολέω: die Götter verehren: Plato Leg. 10 p. 117. —πομπέω, s. v. a. ἐνϑουσιάω, bey Hesych. von —πομπος, ὁ, ἡ, s. v. a. ϑεόπεμπτος, von Gott gesendet. —πόνητος, ὁ, ἡ, (πονέω) s. v. a. ϑεόκμητος. —πραγία, ἡ, göttliche Handlung: zw. —πρέπεια, ἡ, die des göttlichen Wesens würdige Art zu handeln oder zu sprechen: zw. von —πρεπὴς, έος, ὁ, ἡ, Adv. —επῶς, Göttern oder einem Gotte anständig, dessen würdig: τὸ ϑεοπρεπὲς subst. göttliche Pracht, göttliche Würde. —προπέω, ῶ, (ϑεοπρόπος) ich wahrsage: Pind. Pyth. 4, 339; dav. —προπία, ἡ, oder ϑεοπρόπιον, τὸ, Weissagung, Ausspruch der Götter, des Orakels: doch ist ϑεοπρόπιον, τὸ, besonders der Ort, wo Orakel gegeben werden. —πρόπος, ὁ, ἡ, (προέπω) göttliche oder von Gott geoffenbarte Dinge voraussagend, Seher, Prophet: auch der, welcher das Orakel fragt, als πέμπω τινὰ ϑεοπρόπον Herodot. ϑεοπρόπον ἦτορ prophetischer Geist. Quint. Smyrn. 12, 525 wo ϑεοπρέπον steht.

Θεόπτης, ὁ, (ϑεὸς ὄπτω) der Gott schauet: 2) der Götter citirt; davon —τία, ἡ, Anschaun Gottes: 2) das Zitiren der Götter, und das Anschauen derselben: davon ϑεοπτικὸς was einem ϑεόπτης oder zur ϑεοπτία gehört. —τος, ὁ, ἐκ ϑεόπτου Polyb. 24, 8, 7. zw. Les, wofür jetzt ϑεοπέμπτου steht. —πτυστος, ὁ, ἡ, (πτύω) von Gott verabscheuet: zw.

Θεόπυρος, ὁ, ἡ, (πῦρ) von Gott angezündet: zw.

Θεόργητος, ὁ, ἡ, s. v. a. ϑεομανὴς: zw. —γὸν, οῦ, τὸ, (ἔργον, ϑεὸς) von Gott geschehn, gewirkt: zw.

Θεοῤῥημοσύνη, ἡ, göttlicher Unterricht: Suidas; von —ῤήμων, ονος, ὁ, ἡ, göttliche Dinge redend, in der Religion unterrichtend: zw. —ῤῆτος, ὁ, ἡ, von Gott gesprochen. —ῤυτος, ὁ, ἡ, von Gott fliessend, herfliessend, kommend.

Θεόρτος, ὁ, ἡ, (ὄρω) von Gott entstanden, entsprungen, gegeben, gemacht, wie *ortus a, ex deo.*

Θεὸς, ὁ, Gott, sanfter bey den lat. ausgesprochen *deus.* Auch ἡ ϑεὸς, sonst ϑεὰ, ϑέαινα. Θεόσδοτος, ὁ ἡ, u. ϑεόσδωρος s. v. a. ϑεόδοτος u. ϑεοδώρητος.

Θεοσέβεια, ἡ, Gottesverehrung, Gottesfurcht. —σεβέω, ῶ, ich bin oder handle gottesfürchtig oder fromm; v. —σεβὴς, έος, ὁ, ἡ, Adv. ϑεοσεβῶς, (σέβω) Gottesverehrer, gottesfürchtig, fromm. —σεπτος, ὁ, ἡ, (σέβω) wie Gott zu verehren. —σέπτωρ, ορος, ὁ, s. v. a. ϑεοσεβὴς: Eur. Hipp. 1364. —σεχϑρία, ἡ, Hass gegen Gott, Gottlosigkeit: zw. Aristoph. Vesp. 418. —σημεία, ἡ, (ϑεοῦ σημεῖον) ein göttliches Zeichen, Vorbedeutung, Orakel. —σκυνέω, bey Hesych. ϑεοὺς τιμῶ; derselbe hat ϑεοκυνῆ, δόξαν ϑείαν ἔχουσαν, also heisst ϑεοσκυνέω auch göttlich verehren, und ϑεοσκυνὴς: göttlich verehrt. —σοφία, ἡ, Weisheit und Gelehrsamkeit in göttlichen Dingen, in der göttlichen Wissenschaft: göttl. Weisheit. —σοφος, ὁ, ἡ, göttlich weise, in göttlichen Dingen weise, in göttlicher Wissenschaft erfahren. —σπορος, ὁ, ἡ, (σπείρω) von Gott gezeugt.

Θεόσσυτος; ϑεόσυτος, ὁ, ἡ, (σύω, σεύω) s. v. a. ϑέορτος: Aeschyl. Prom. 116 598 644.

Θεοστιβὴς, έος, ὁ, ἡ, (στείβω) von Gott betreten. —στοργος, ὁ, ἡ, (στέργω) Gottliebend, gottesfürchtig: Nonnus. —στυγὴς, έος, ὁ, ἡ, oder ϑεοστύγητος, von Gott gehasst: act. Gott hassend; davon —στυγία, ἡ, Hass gegen Gott, Gottlosigkeit. —συλὴς, έος, ὁ, ἡ, (συλάω) Gott oder die Tempel beraubend. —σύνακτος, ὁ, ἡ, (συνάγω) mit Gott verbindend oder verbunden. —σύστατος, ὁ, ἡ, (συνίστημι) Gott empfehlend, von Gott empfohlen: —ταυρος, Beyw. des Jupiter, Gottstier. —τέρατος, ὁ, ἡ, bey Demetr. Phaler. 91 πλάνας ϑεοτεράτους, wo aber die Handschr. ϑεοπεράτους haben: zw. —τερπὴς, έος, ὁ, ἡ, Gott vergnügend, Gott gefällig: Nonnus. —τευκτος, ὁ, ἡ, (τεύχω) von Gott gemacht. —της, ητος, ἡ, (ϑεὸς) Gottheit. —τίμητος, ὁ, ἡ, oder ϑεότιμος, (τιμάω, τιμὴ) von Gott geehrt oder zu ehren. —τόκος, ἡ, (τίκτω) Gott gebährend: dagegen —τοκος, ὁ, ἡ, von Gott geboren. —τρεπτος, ὁ, ἡ, (τρέπω) von Gott gekehrt oder verwandelt: (τρέφω) von Gott ernährt, erzogen. —τυπία, ἡ, (ϑεὸς, τύπος) Aehnlichkeit mit Gott.

Θεουδεία, ἡ, u. ϑεουδὴς, ὁ, ἡ, contr. s. v. a. ϑεοειδεια und ϑεοειδὴς: Odyss. 9, 176 Apollon. Rhod. 3, 586. —δόχος, ὁ, ἡ, s. ϑεοδόχος: Nonnus.

Θεουργία, ἡ, (θεουργέω) Gottesthat: göttliche Handlung: 2) die Handlung und Kunſt eines θεουργὸς Zauberers. —γικὸς, ἡ, ὸν, göttlich machend, ſelig machend: heiligend: 2) zum θεουργὸς, als Wunderthäter, Zauberer gehörig, ihm eigen, anſtändig: zur θεουργία Zauberey gehörig, darinne erfahren, darzu geneigt. —γὸς, ὁ, ἡ, der göttliche Dinge oder Handlungen thut: 2) einer der mit Hülfe der Götter übernatürliche Dinge oder Wunder thut, Zauberer, Hexenmeiſter, Mager.

Θεοφάνεια, ἡ, Gottes Erſcheinung, beſonders bey den Kirchenvätern die Erſcheinung Chriſti in der Welt. —φάνεια, τὰ, n. θεοφανίαι, αἱ, oder vielmehr Θεοφάνια, verſt. ἱερὰ, das Feſt zum Andenken der Erſcheinung Gottes oder Chriſti. —φαντος, ὁ, ἡ, (φαίνω) von Gott gezeigt, geoffenbart. —φάντωρ, ορος, ὁ, (φαίνω, θεὸς) nach Heſych. ſ. v. a. θεολόγος. —φατος, ὁ, ἡ, u. θεοφατίζω, ſ. v. a. θέσφατος, θεσφατίζω. —φθεγκτος, ὁ, ἡ, (φθέγγομαι) ſ. v. a. d. vorh. u. θέσφατος: zw. —φιλὴς, έος, ὁ, ἡ, Adv. θεοφιλῶς, paſſ. von Gott geliebt, und daher ſehr glücklich: act. Gottliebend, fromm; davon —φιλία, ἡ, die Freundſchaft, die Gunſt der Götter oder von Gott. —φιλος, ὁ, ἡ, ſ. v. a. θεοφιλής. —φιν, Adv. poet. ſt. θεοῦ, θεῷ, θεοῖς. —φοβος, ὁ, ἡ, Gottfürchtend. —φορέομαι, οῦμαι, von Gott begeiſtert ſeyn, werden; davon —φόρησις, ἡ, Begeiſterung; und —φόρητος, ὁ, ἡ, Adv. θεοφορήτως, von Gott begeiſtert. act. den Gott, die Göttin tragend: Lucian. 6 p. 176. —φορία, ἡ, ſ. v. a. θεοφόρησις; von —φόρος, ὁ, ἡ, Gott tragend, θεὸν φέρων, einen Gott in Buſen tragend: oder begeiſtert, beſeſſen: vergl. Virgil. Aen. 7, 77-80. —φραδὴς, έος, ὁ, ἡ, ſ. v. a. θεοφράδμων u. θέσφατος; davon —φραδία, ἡ, göttlicher Ausſpruch, Orakel. —φράδμων, ονος, ὁ, ἡ, (φράζω) göttlich redend, weiſe ſagend. —φροσύνη, ἡ, göttlicher Sinn, gottſelige Geſinnung: Begeiſterung. —φρούρητος, ὁ, ἡ, (φρουρέω) von Gott bewacht: bey Dio Or. 61 p. 328. ſteht jetzt richtiger θεοφόρητος. —φρων, ονος, ὁ, ἡ, göttlichen Sinnes; begeiſtert: Prophet. —φύλακτος, ὁ, ἡ, (φυλάττω) von Gott bewacht, beſchützt. —φυτος, ὁ, ἡ, von Gott gepflanzt. —χάρακτος, ὁ, ἡ, (χαράσσω) von Gott eingegraben. —χολωσία, ἡ, der Charakter oder Zuſtand eines θεοχόλωτος, dirus im Gloſſar. Philox. —χόλωτος, ὁ, ἡ, (χολόω) von Gott gehaſst, diis inviſus: Arrian. Epiſt. 2, 8. —χριστος, ὁ, ἡ, von Gott geſalbt.

Θεόω, ῶ, zum Gott (θεὸς) machen, vergöttern.

Θεράπαινα, ἡ, davon θεραπαινίδιον, τὸ, von θεραπαινὶς, ἡ, dimin. ſind, Dienerin, Magd. S. θεράπων. —πεία, ἡ, Dienſt, Bedienung, Dienerſchaft: Bebauung, Anbau (der Erde): Beſorgung, Verſorgung: Hochachtung, Schätzung, Verehrung: Verſorgung, Pflege eines Kranken, Heilung deſſelben; das Beſorgen, Abwarten einer jeden Sache. S. θεραπεύω. —πευμα, ατος, τὸ, erwieſener Dienſt, Bedienung, Pflege, Dienſtleiſtung, Heilung, Heilmittel. S. θεραπεύω. —πευσία, ἡ, bey Heſych. ſ. v. a. θεραπεία und ἱκετεία: bey Pollux 3, 75. die Dienerſchaft θεραπεία, obgleich θεραπουσία gedruckt ſteht —πεύσιμος, ὁ, ἡ, (θεραπεύω) heilbar. —πευτὴρ, ῆρος, ὁ, (θεραπεύω) Bedienter, Diener: Wärter: Pfleger: Arzt. —πευτικὸς, ἡ, ὸν, Adv. θεραπευτικῶς, bedienend, pflegend, wartend, heilend, zum θεραπευτὴς gehörig: oder im Heilen, Warten, Pflegen, Bedienen geübt. —πευτὸς, ὁ, ἡ, geheilt oder zu heilen. —πεύτρια, ἡ, oder θεραπευτρὶς, femin. von θεραπευτήρ. —πεύω, pflegen, warten, beſorgen, verſorgen, bedienen, als die Erde beſorgen, θερ. τὴν γῆν, d. i. bebauen, wie colo terram: ἡδονὴν, Xen. Cyr. 5, 15. 41. ſein Vergnügen bedienen, ihm fröhnen, ihm nachgehn: einen Menſchen beſorgen, ihn verſorgen, d. i. entweder ihn bedienen (daher die Wörter θεράπων, θεράπαινα) als Diener, παιδία θεραπεύοντα Laert. bedienende Sclaven; und ſo als Unterthan und Bürger die Vorgeſetzten: Xen. Cyr. 7, 5. 36. Mem. 2, 1. 12. eben ſo θερ. τὰς θύρας τινὸς, Cyr. 8, 1. 6. jemandes Thür bedienen, als Diener vor ſeiner Thüre erſcheinen, ihm ſeine Aufwartung machen; oder als Wärter, Krankenwärter, alſo pflegen, verpflegen, aufwarten Cyr. 5, 4. 17. oder vom Arzte gebraucht, ihn heilen Cyr. 3, 2, 12. oder ihn verehren, hochachten, ſchätzen, wie colo und obſervo: als Freund, als Lehrer, als Gattin u. dergl. θεοὺς θ. die Götter ehren, ihnen opfern, colo deos: Xen. Mem. 2, 1. 28. und umgekehrt: die Götter verſorgen die Menſchen, ſorgen für ſie: Mem. 1, 4. 10. 4, 3. 9. mit dem infin. wie operam dare ut, einrichten die Sache, daſs. Thucyd. 7, 70. mit ὅπως Libr. 1. mit dem infinit. Eben ſo Lucian. 6 p. 117. ἐπεθεραπεύμην δὲ ἄλλον ἕνα σφίσιν ἱππία ἔπεσθαι. auch Plutar. Coriol. Comparat.

Θεραπὶς, ἡ, ſ. v. a. θεραπεύουσα: Heſych.

Θεράπνη, ἡ, contr. aus θεράπαινα: Eur. Hec. 482. bey Nicand. Ther. 486. find θεράπναι f. v. a. σταθμοὶ, Wohnung, Herberge. — **πνίδιον**, τὸ, dimin. vom vorherg. auch θεραποντὶς als adject. Aefchyl. Suppl. 986. — **πων**, οντος, ὁ, f. v. a. θεραπευτὴς; von θεράπω f. v. a. θεραπεύω, Diener, Bedienter: Diener einer Gottheit, als des Mars Hom. Krieger: der Mufen, Dichter, Sänger.

Θέραψ, απος, ὁ, f. v. a. θεράπων.

Θερεία, ἡ, verft. ὥρα, f. v. a. θέρος, Sommer.

Θερείβοτος, ὁ, ἡ, (βόσκω) πεδίον, Land im Sommer zur Weide dienend. — **γενὴς**, ὁ, ἡ, Nicand. 601. wo gewöhnlich ἀθερειγενὴς falfch fteht, im Sommer θέρος erzeugt, wachfend: hitzig. — **λεχὴς**, έος, ὁ, ἡ, (θέρος, λέχος) zum Sommerlager bequem, umfchattend: Nicand. Ther. 584. — **νομος**, ὁ, ἡ, πόα, Dionyf. Antiq. 2, 2. im Sommer weidend, nährend, Sommergrafs.

Θέρειος, εία, ειον, oder θέριος, θερινὸς, vom Sommer, im Sommer, zum Sommer gehörig: fommerheifs, überh. heifs, warm.

Θερείποτος, ὁ, ἡ, (ποτὸν) im Sommer gewaffert, bewäffert oder getränkt: Lycophr.

Θερειτατος, η, ον, fuperl. von θέρειος ft. θερειότατος fehr heifs.

Θέρετρον, τὸ, Ort den Sommer dafelbft zuzubringen: Galeni Gloff.

Θερήγανον, τὸ, und θέρηγνον, τὸ, (θέρος ἀγω) das Gerüfte oder der Korb auf dem Wagen, worein das abgemähte Getraide, oder die Aehren gelegt und eingefahren wird: Hefych. welcher dafür auch θρήττανον hat.

Θερίζω, (θέρος) den Sommer zubringen, wie χειμάζω den Winter zubringen; 2) die Sommerfaat mähen und erndten: daher überh. erndten, abfchneiden, abnehmen.

Θερικὸς, ἡ, ὸν, zw. f. v. a. θερινὸς, νὴ, νὸν, (θέρος) prof. f. v. a. das poet. θέρειος.

Θέριος, f. v. a. θέρειος.

Θέρισις, ἡ, und θερισμὸς, ὁ, (θερίζω) das Mähen, Erndten. — **στὴρ**, ῆρος, ὁ, Mäher, Schnitter, Erndter; davon — **στήριος**, ὁ, ἡ, f. v. a. θεριστικὸς: und τὸ θ. verft. ὄργανον oder dergl. Senfe, Sichel. — **στὴς**, οῦ, ὁ, f. v. a. θεριστὴρ. — **στικὸς**, ἡ, ὸν, zum Mähen, Erndten gehörig. — **στὸς**, ἡ, ὸν, gemäht, abgefchnitten: geerndtet. — **στρια**, ἡ, fem. v. θεριστὴρ. — **στριον**, θέριστρον, τὸ, Sommerkleid. Theocr. 15, 69. Synef. Epift. 52. Ariftaen. Ep. 1, 22. wie χείμαστρον und ἠρίστριον.

Θέρμα, τὸ, f. v. a. θέρμη. — **μάζω**, θερμάω, θερμαίνω, ich wärme, erwärme, erhitze, trockne; θερμαίνομαι ich werde heifs, warm; auch ich habe Fieberhitze; v. θέρω, θερμὸς, θέρμω. dav. metaph. ἐλπίσι wie fpe calere, κότῳ σπλάγχνα θερ. hitzig, zornig werden. πολλὰ θερμαίνει φρενὶ Aefchyl. Choeph. 1004 u. πολλὰ πράττει θερμᾷ φρενὶ, verwegne gottlofe Handlungen begehn. S. θερμὸς. — **μανσις**, ἡ, Erwärmung. — **μαντὴρ**, ῆρος, ὁ, (θερμαίνω) der Wärmer, ein Gefäfs, Keffel, das Waffer oder andere Flüffigkeit zu wärmen. — **μαντήριος** poet. u. θερμαντικὸς profaifch, erwärmend, gefchickt zum wärmen: τὸ θερμαντήριον, verft. ἄγγος, Gefäfs zum wärmen, heifs machen, Keffel. — **μαντὸς**, ἡ, ὸν, (θερμαίνω) erwärmt; zu erwärmen. — **μασία**, ἡ, (θερμάζω) Erwärmung: Wärme. — **μασμα**, τὸ, (θερμάζω) Erwärmung, warmer Umfchlag. — **μαστίον**, τὸ, θέρμαστρα, ἡ, θερμαστρὶς, ἡ, θέρμαυστρα, θερμαυστρίζω, θερμαυστρὶς, ἡ, alle diefe Worte kommen von θέρμω, θερμάω, θερμάζω oder θερμάνω her, ich wärme, erhitze. Alfo θερμαστὶς ein Keffel, Gefäfs, darinne Waffer warm zu machen: θέρμαστρα u. θέρμαυστρα, der Ofen, Schmiedeofen. θέρμαυστραί τε βρέμουσιν ὑφ' Ἡφαίστοιο πυράγρης. daher θερμάστρηθεν, aus dem Schmiedeofen. Θερμαστρὶς u. θερμαυστρὶς, eine Zange der Schmiede u. Goldfchmiede, damit heiffe Metalle anzugreifen. An der Zahnzange (ὀδοντάγρα) nennt Ariftot. Q. Mechan. 21 die Zufammenfügung der beyden Schenkel der Zange τὴν σύναψιν τῆς θερμαστρίδος. Von diefer Kreuzung und Zufammenfügung der Schenkel heifst θερμαυστρὶς ἡ, u. θερμαυστρίζειν ein heftiger Tanz, wo man wie in der Polonoife auffpringt, und die Füfse fchnell kreuzt, ehe man fie wieder niederfetzt. Noch bedeutet θερμαστρὶς eine Art von Klammer: Mathem. Vet. p. 10. θερμαστίον bey Aeneas Tact. 18. — **μερὸς**, θερμερῶπις. S. θεμερὸς, θεμερῶπις.

Θέρμη, ἡ, Hitze, Wärme: plur. warme Bäder: *thermae*. — **μηγορέω**, ῶ, (θερμὸς ἀγορεύω) hitzig, zornig fprechen. — **μημερίαι**, αἱ, d. i. θερμαὶ ἡμέραι, heiffe Tage, Sommertage. — **μια**, τὰ, Dimin. von θέρμος. — **μινος**, η, ον, (θέρμος) von Feigbohnen. — **μόβουλος**, ὁ, ἡ, hitzigen Entfchluffes (βουλὴ), hitzigen Sinnes. — **μοδότης**, ου, ὁ, fem. θερμοδότις, warmes Waffer gebend. — **μοκοίλιος**, ὁ, ἡ, (κοιλία) von einem hitzigen Magen. — **μοκύαμος**, ὁ, bey Athenae. 2 p. 55 eine unbeft. Hülfenfrucht v. θέρμος u. κύαμος zufammengefetzt: nach Euftath. f. v. a. θέρμος. — **μολουσία**, ἡ, (λούω) warmes Baden, Warmbad. — **μολουτέω**, ῶ, d. i. θερμοῖς λούομαι, ich bade mich in warmen Bädern, Waffer.

von θερμὸς das verbum θερμόω: davon θερμωλή.

Θέσις, ἡ, (θέω, τίθημι) das Stellen, Setzen: s. v. a. θέμα, Satz, Propofition, Thema, ὁ κατὰ θέσιν πατὴρ, *adoptivus*, der an Kindesstatt annehmende, angenommene, Vater, wie θετὸς υἱὸς, angenommene Sohn.

Θέσκελος, ὁ, ἡ, s. v. a. θεοείκελος zusammengezogen.

Θέσμιος, ια, ιον, dorisch τέθμιος, ὁ, ἡ, (θεσμὸς) gesetzmäſsig: τὸ θέσμιον, Subst. Gesetz: Gebühr, Sitte, Gebrauch. — μοδοκέω, ῶ, d. i. θεσμὸν δέχομαι, ein Gesetz annehmen, sich demselben unterwerfen. — μοδότειρα, ἡ, Gesetzgeberin: femin. von θεσμοδοτήρ. — μόθεῖον, S. θεσμοθετεῖον. — μοθεσία, ἡ, Gesetzgebung; gegebnes Gesetz. — μοθέσιον, τὸ, Ort, wo Gesetze gegeben, beschlossen werden; zw. — μοθετεῖον, τὸ, *basilica thesmothetarum*, wo sich die Thesmothetae versammeln: Plutar. Q. S. 1, 1. wo θεσμοθείῳ steht. — μοθετέω, ῶ, ich bin ein θεσμοθέτης ich gebe Gesetze: davon — μοθέτης, ου, ὁ, Gesetzgeber: θεσμοθέται zu Athen sechs Blut- oder Kriminalrichter, welche nach geführtem jährlichen Amte in den Areopagitischen Senat kamen, und denen die jährliche Verbesserung der Gesetzgebung anvertraut war. — μολογέω, Constantin Porphyrog. Themat. 1. verb. es mit διατάσσεσθαι, regieren, verwalten. — μοποιέω, s. v. a. νομοθετέω: Hesych. — μὸς, ὁ, (θέω, τίθημι) dorisch τεθμὸς, ὁ, Satz, Gesetz, Sitte, Gebrauch, Formel, Formular: wie *lex*. — μοσύνη, ἡ, Gesetzmäſsigkeit, Gesetz; zw. — μοφόρια, τὰ, die Thesmophorien, das Fest der Ceres oder δημήτηρ θεσμοφόρος; davon — μοφοριάζω, ich feyre die Thesmophorien. — μοφόρος, ὁ, ἡ, (θεσμὸς φέρω) gesetzgebend: vorzüglich hieſs zu Athen und sonst in Griechenland die Ceres Δημήτηρ, als Erfinderin der Feldfrüchte, durch deren Bau die Vereinigung der Menschen zu einer bürgerlichen Gesellschaft erleichtert und veranlaſst ward, so wie auch die erste Gesetzgebung. — μοφύλακες, s. v. a. νομοφύλακες. — μῳδέω, ῶ, (ᾠδή) Gesetze oder von Gesetzen singen.

Θεσπέσιος, ὁ, ἡ, Adv. — σίως, göttlich, von θέσπις: Il. B, 367. θεσπεσίῃ verst. βουλῇ, θεῶν βουλῇ. — πιδαής, έος, ὁ, ἡ, (θέσπις, δαίω) von den Göttern angezündet oder gelehrt: Hom. — πιέπεια, ἡ, göttliche Rede, Weissagung: als adject. und femin. von θεσπιέπης, weissagend z. δελφὶς πέτρα: Sophocl. — πίζω, weissagen, ein Orakel, einen Befehl ertheilen: von

Θέσπιος, ὁ, ἡ, s. v. a. θεσπέσιος: Aristoph. Av. 977. —πις, ιος, ὁ, ἡ, (θεὸς, ἔπω, ἔσπω) göttlich redend, von Gott begeistert redend, als ἀοιδὴ, ἀοιδὸς: Hom. überh. s. v. a. θεσπέσιος, θεῖος, ἀλλὰ θέσπις: Hymn. Vener. 208. —πισμα, τὸ, (θεσπίζω) Weissagung, ertheiltes Orakel, ertheilter Befehl. —πιῳδέω, ῶ, ich bin ein Prophet: prophezeye; davon —πιῳδημα, τὸ, s. v. a. θέσπισμα: Nicetae Annal. 18. 3. —πιῳδὸς, u. poet. θεσπιαοιδὸς, ὁ, ἡ, (θέσπις ἀοιδὴ, ᾠδὴ) göttlicher, von Gott begeisterter Sänger, Prophet: Wahrsager. —φατηλόγος, ὁ, ἡ, Aeschyl. Ag. 1452. Weissager, v. θέσφατος. —φατος, ὁ, ἡ, s. v. a. θεόφατος, (φάω, φῆμι) von Gott gesagt, geweissagt; daher τὰ θέσφατα, göttliche Reden, Aussprüche, Orakel: Hesych. hat davon θεσφατίζω st. θεοφατίζω, s. v. a. μαντεύομαι, περιττολογέω.

Θέτης, ου, ὁ, (θέω τίθημι) der etwas setzt, festsetzt: versetzt: verpfändet. —τικὸς, ἡ, ὸν, Adv. —κῶς, (θέσις) setzend, festsetzend, bestimmend, positiv: zum Satze gehörig, mit oder voll Thesen oder Propositionen. —τὸς, ἡ, ὸν, gesetzt, bestimmt, festgesetzt; angenommen, an Kindesstatt angenommen, so wie θέσθαι, an Kindesstatt annehmen.

Θευδόσιος, θεύδοτος, θευμορία, θεύμορος, θευμόριος, θεύξενος, θευξένια, θεύφορος, θευφορία, poet. st. θεοδόσιος, θεόδοτος, θεομορία, θεόμορος, θεόξενος u. s. w.

Θευμερᾶ, bey Pind. Nem. 7, 122 falsch st. θευμόρα oder θυμάρει: bey Hesych. kommt θεομορία, ἡ, der Theil des Opferthiers, welcher dem Priester zukommt: Callim. Epigr. χαλεπὴ θευμ. trauriges Verhängniss der Götter, oder Loos: adject. νοῦσος θευμορίη: Apollon. Rhod. 3. 676 von Gott zugeschickt, *fatalis morbus*; davon hat Hesych. θευμοριάζω, θεῷ γέρας ἀναφέρω.

Θέω, laufen, fut. θεύσω, θεύσομαι, von θεύω, wie πλέω, πλεύσω τὸν περὶ ψυχῆς, περὶ σωτηρίας θέειν. S. τρέχω.

Θέω, inus. f. θήσω, davon θῆμι, τίθημι, und das fut. θέσω, θήσω: desgl. θέσις, θέμα.

Θεωνυμίαι, αἱ, göttliche Namen: Dionys. Areop.

Θεωρεῖον, τὸ, Platz auf dem Theater: zw. bey Suidas s. v. a. ματρωπεῖον, wo vormals πρωτεῖον stand; zweif. —ρετρα, τὰ, s. v. a. θεώρητρα, zw. —ρέω, ῶ, (θεωρὸς no. 1.) ich schaue an, betrachte, sehe zu, untersuche; 2) ich gehe als θεωρὸς no. 2. Gesandter oder Deputirter der Stadt oder des Staats zu irgend einem Opfer, Feste oder Feyerlichkeit auswärts, daher θεωρία solch ein Fest und Deputation: überh. θεωρεῖν εἰς, an einen Ort zu irgend einem Feste reisen, auch zu einem Orakel reisen; davon —ρημα, τὸ, das angesehene, angeschaute, betrachtete, untersuchte: das Schauspiel: s. v. a. θέαμα; 2) ein durch Betrachtung und Untersuchung erfundener und festgesetzter Satz, Grundsatz, Regel einer Kunst oder Wissenschaft: daher τὰ θεωρήματα Polyb. 10, 47. Künste und Wissenschaft selbst: überh. Lehrsatz, Proposition. —ρηματικὸς, ἡ, ὸν, das oder die Theoreme betreffend, darzu gehörig, in Theoremen abgefasst oder vorgetragen. —ρησις, ἡ, Betrachtung, Beschauung. —ρητήριον, τὸ, Platz, wo man dem Schauspiele zusieht: Plutarch. 4 p. 669. —ρητικὸς, ἡ, ὸν, beschauend, betrachtend: theoretisch: βίος, dem praktischen oppos. also speculativ. —ρητὸς, ἡ, ὸν, (θεωρέω) Adv. —τῶς, zu sehen, sichtbar: mit dem Verstande oder durch Betrachtung zu erkennen oder finden. —ρητρα, τὰ, (θεωρέω) s. v. a. ὀπτήρια; zw. —ρία, ἡ, Fest und Feyer eines Festes durch Absendung von Deputirten oder Gesandten (θεωρὸν) an einen Ort, um da ein Opfer zu verrichten oder einem Feste im Namen der Stadt oder des Staats beyzuwohnen; 2) das Beschauen, Betrachten, Untersuchen: die Theorie, der Praxis, dem Handeln und practischen Ausübung der untersuchten Regeln entgegen gesetzt: die Speculation; davon —ρικὸς, ἡ, ὸν, zur θεωρία (in der doppelten Bedeut.) gehörig: also zu heiligen Deputationen oder zum Zuschauen auf dem Theater gehörig od. bestimmt. —ριον, τὸ, Schauspiel; sehr zw. —ριος, ὁ, ἡ, Beywort des Apollo: s. v. a. θεάριος. —ρὶς, ίδος, ἡ, (ναῦς) das Schiff: oder ὁδὸς, der Weg, worauf die θεωροὶ fahren oder gehn. —ροδόκος, ὁ, ἡ, dorisch θεαροδόκος: Inscript. Donian. p. 136 der die θεωροὺς aufnimmt. —ρὸς, ὁ, s. v. a. θεατὴς oder θεωρητὴς, Zuschauer; gewöhnlicher aber von θεὸς und ὤρη, ein öffentl. Gesandter, der abgeschickt wird, um an einem Orte ein Opfer im Namen der Stadt zu bringen, oder irgend einer andern Feyer und gottesdienstlichen Handlung beyzuwohnen.

Θέωσις, ἡ, (θεόω) s. v. a. ἀποθέωσις. —τερος, ρα, ρον, comp. von θεὸς, wie βασιλεύτερος, mehr Gott, göttlicher.

Θηβαγενὴς, έος, ὁ, ἡ, (γένος) zu Theben gebohren, aus Theben stammend. —βαῒς, ΐδος, ἡ, Thebaide, oder Gesang, Heldengedicht von Theben und den Thebischen Kriegern.

Θηγαλέος, έα, έον, scharf: schärfend: Analecta 2 p. 496. no. 11. von der un-

bisch werden: Glossar. Steph. zw. von —δρίας, ου, ὁ, (θῆλυς) ein weibischer weichlicher Mensch: davon —δριώδης, εος, ὁ, ἡ, einem weibischen Menschen ähnlich, oder von der Art desselben. —δριῶτις, ιδος, ἡ, fem. d. vorh. zw. —κεύομαι, ich betrage mich weibisch, furchtsam: Clemens Strom. 4 p. 570. von —κὸς, ἡ, ὸν, Adv. θηλυκῶς, (θῆλυς) weiblich, den Weibern oder weiblichem Geschlechte eigen: weibisch, weichlich. —κρανεία, θηλικρανία, ἡ, der weibliche Baum von der Art κρανεία: also Hartriegel, Härtern. —κρατὴς, ὁ, ἡ, (κρατέω) Weiber beherrschend; zw. —κτονος, ὁ, ἡ, (κτείνω) von Weibern ermordet, —κτόνος s. v. a. —υφόνος. —μανὴς, έος, ὁ, ἡ, (μαίνομαι) von rasender Zuneigung und Leidenschaft gegen das weibliche Geschlecht. —μελὴς, έος ὁ, ἡ, (μέλος) mit oder von weiblichem, zarten, sanften Gesange. —μίτρης, ου, ὁ, so nennt Lucian 2 p. 51 den Ganymedes. —μιτρις, ὁ, ἡ, (μίτρα) ἄρχων θηλ. Lucian. Bacch. 3. weibisch gekleidet, mit einer μίτρα; Beyw. des Bacchus: bey Suidas steht falsch θηλύμητρις, ὁ πέρνος. —μορφος, ὁ, ἡ, (μορφὴ) von oder mit weiblicher Bildung. —νοος, contr. θηλύνους, ὁ, ἡ, s. v. a. θηλύφρων; zw.

Θηλύνω, weibisch-weichlich machen: verzärteln: erweichen: δακρύοις: Nicetae Annal. 10, 8: —ύπαις, ἡ, die eine Tochter gebohren hat: Lycophr. 851. —πους, οδος, ὁ, ἡ, βάσις, Eur. Tritt, Gang eines weiblichen Fusses. —πρεπὴς, έος, ὁ, ἡ, (πρέπω) dem Weibe oder weiblichen Geschlechte anständig: von weibischem Ansehn. —πτερὶς, ιδος, ἡ, das weibliche Farkraut: auch θηλυπτέριον, Alexand. Tiall. Epist. de lumbr. §. 7.

Θῆλυς, εος, ὁ, ἡ, auch θῆλυς, θήλεια, θῆλυ, weiblichen Geschlechts, weiblich; weil diess Geschlecht vom männlichen durch Zärtlichkeit, Weichlichkeit und Fruchtbarkeit unterschieden ist, so heisst das Wort auch 2) zärtlich, schwächlich, weichlich: θηλυτέραν καὶ ἐκλυομένην τὴν ὀσμὴν: Theophr. C. P. 6, 23. διαίτας θηλυτέρας ἢ κατ' ἄνδρα, Plutar. Mar. 34. davon θηλύνω, ich schwäche, verzärtele. Daher werden viele Pflanzen weiblich genannt, die durch Fruchtbarkeit oder ein schwächeres Ansehn und Wuchs sich von andern ihrer Art unterscheiden; 3) fruchtbar, befruchtend, θῆλυς ἐέρση, der erquickende und fruchtbare Thau; 4) in der Baukunst heissen diejenigen Theile weiblich, die einen andern, männlichen aufnehmen, wie z. B. einen Zapfen u. dergl. Ueberh. τὸ θῆλυ, das weibliche Geſchlecht. Von ϑάλλω und ϑηλέω, wie aus no. 3 erhellet.

Θηλὺς, ἡ, ſ. v. a. ϑηλὴ: zw. —**σπορος**, ὁ, ἡ, (σπείρω) vom Weibe gezeugt, geboren; zw. —**στολέω**, ῶ, ich trage weibliche Kleider: Strabo 11 p. 798. von —**στολος**, ὁ, ἡ, (στολὴ) in weiblicher Kleidung: zw. —**τερος**, ϑηλυτέρα, eigentl. der Kompar. von ϑῆλυς, wird aber oft ſt. ϑῆλυς, und ϑηλύτεραι für ϑήλειαι, die Weiber, das weibliche Geſchlecht gebraucht. —**της**, ητος, ἡ, die Weibheit: (wie Mannheit:) weibliche Natur und Weſen: Weichlichkeit, Feigheit. —**τοκέω**, ῶ, ich gebähre weibliche Kinder od. Junge; davon —**τοκία**, ἡ, Geburt eines Mädchen oder weiblicher Jungen; von —**τόκος**, ὁ, ἡ, (τίκτω) Mädchen oder weibliche Junge gebährend. —**φανὴς**, έος, ὁ, ἡ, (φαίνομαι) einem Weibe ähnlich, von weiblichem oder weibiſchem Anſehn. —**φόνος**, ὁ, ἡ, Weiber mordend. —**φρων**, ονος, ὁ, ἡ, (φρὴν) weibiſch denkend, oder geſinnt. —**φωνος**, ὁ, ἡ, (φωνὴ) mit weiblicher od. feiner, angenehmer Stimme. —**χίτων**, ὁ, ἡ, (χιτὼν) in weiblicher Kleidung.

Θηλὼ, ἡ, bey Heſych. die Amme von ϑηλὴ; wovon ϑηλόνας, u. bey Heſych. ϑηλὼν ſt. ϑηλὼ. bey Plutar. Q. Rom. p. 175 ϑηλονὰς ἀπὸ τῆς ϑηλῆς καλοῦμεν, οὕτως ἡ Ῥουμίνα ϑηλῶτις οὖσα καὶ τιϑήνη: wo

Θηλῶτις, ἡ, f. Lesart ſt. ϑηλώτις: Valckenair ad Phoen. p. 168.

Θῆμα, τὸ, ſ. v. a. ϑήκη. Heſych.

Θημὼν, ῶνος, ὁ, (ϑέω, τίϑημι, ϑήσω) ſ. v. a. ϑωμὸς, Haufe: davon ϑημωνία, ἡ, oder von ϑημὼν, όνος, die Form ϑημονιὰ, ἡ, ſ. v. a. ϑημὼν. —**νοϑετεῖν**, aus Schol. Theocr. auf einen Haufen bringen oder legen.

Θὴν, ϑηνὸς, ὁ. S. ϑὶν.

Θὴν, Partic. bey den Dichtern ſ. v. a. δὴ; doch ſcheint es Odyſſ. 3, 352 οὐ ϑὴν δὴ τοῦδ' ἀνδρὸς, davon verſchieden zu ſeyn.

Θῆξις, εως, ἡ, (ϑήγω) das Schärfen: bey Heſych. ſ. v. a. ῥοπὴ, στιγμὴ, τάχος.

Θήπω, joniſch ſt. ϑάπω, davon τέϑηπα und ταφὼν, wie in ϑάμβος gezeigt iſt. Heſych. hat ϑήπω, ἐπιϑυμῶ, ϑαυμάζω, bewundern, mit Bewunderung anſehn, (ϑάω, ϑαύω, ϑαῦμα) und verlangen. Daher ϑηπὸν, καταϑύμιον, ϑαυμαστὸν bey Heſych. bewundert, angenehm. Ferner ϑήπῶν, ἐξαπατῶν, κολακεύων, ϑαυμάζων: von demſelben ſind auch ϑηπητὴς, ἀπατεῶν und ϑηπαλέος, βωμολόχος, auch ϑήπει, ψεύδεται angemerkt. Dieſe Form iſt nicht im gemeinen oder attiſchen Sprachgebrauche geblieben, ſondern eine andre ganz verwandte, nämlich ϑώπω, ϑώπτω bey Heſych. ϑώπτει, σκώπτει, ϑεραπεύει: wovon ϑὼψ, bey Heſych. ϑῶπες, κόλακες, εἴρωνες. Auf die rechte Ableitung führt Heſych. ϑὼψ, κόλαξ ὁ μετὰ ϑαυμασμοῦ ἐγκωμιαστής: und Suidas, ϑῶπες οἱ μετὰ ψεύδους καὶ ϑαυμασμοῦ προσιέντες ἐπὶ κολακείᾳ, wie auch Etym. M. ϑώψεις das futur. von ϑώπω hat Heſych. aus Aeſchyl. für das gemeinere ϑωπεύσεις angemerkt. Alſo hat man ſtatt ϑάπω auch ϑώπω. ϑώπτω, futur. ϑώψω geſagt, wovon ϑὼψ, ϑωπεύω, eigentl. anſtaunen, bewundern, loben; alſo iſt ϑὼψ eigentl. ein Anſtauner, Bewunderer, der alles lobt, aber um ſeines Vortheils willen, ſelbſt wenn er lügen und wider Ueberzeugung ſprechen ſoll; daher ϑωπεύειν lobpreiſen, ſchmeicheln: täuſchen: ironiſch loben, verſpotten.

Θὴρ, ϑηρὸς, ὁ, ein Wild, wildes Thier. Geht ein ſubſt. femin. gen. vorher, ſo ſagt man auch ἡ ϑὴρ; davon

Θήρα, ἡ, das Jagen eines Wildes, Jagd: und übergetr. mühſames und eifriges Suchen, z. B. der Wahrheit; 2) der auf der Jagd gemachte Fang, Beute.

Θηράγρα, ἡ, bey Pollux 5, 12. eine f. L. ſt. ϑήρα ἄγρα: Daſelbſt ſteht auch ϑηραγρία, ἡ, ſt. ϑήρα, aber in den Handſchr. fehlt das Wort. —**γρέτης**, ου, ὁ, ein Jäger, Anthol. —**γρος**, ὁ, ἡ, zur ϑηράγρα oder Jagd bequem oder dienlich; ſehr zw.

Θήραμα, τὸ, (ϑηράω) das Erjagte, Fang, Beute.

Θηραρχία, ἡ, Herrſchaft, Aufſicht über wilde Thiere; als Elephanten; von —**χος**, ὁ, (ϑὴρ, ἄρχω) Aufſeher über Wild, als Elephanten.

Θηράσιμος, ὁ, ἡ, (ϑηράω) zu jagen oder fangen.

Θηρατὴς, οῦ, ὁ, (ϑηράω) Jäger; dav. —**τικὸς**, ἡ, ὸν, zur Jagd gehörig od. geſchickt: dah. τὰ ϑηρατικὰ τῶν φίλων, Künſte, Mittel wie m. Jagd auf Freunde macht, ſie gewinnt: Xen. Mem. 2, 6. 33. —**τὸς**, ἡ, ὸν, (ϑηράω) zu jagen od. fangen. —**τρον**, τὸ, (ϑηράω) Werkzeug zum Fange, als Garn, Netz und dergl. bey Aelian. H. A. 12, 46. mit δίκτυον verbunden.

Θηράω, ϑηράομαι, ῶμαι, (ϑὴρ) Thiere jagen, erjagen, fangen: metaph. nach etwas ſtreben: auch erjagen, fangen, erlangen, erreichen. —**ρειος**, ὁ, ἡ, (ϑὴρ) vom Wilde, *ferinus*, als κρέας, Wildpret. —**ρευμα**, τὸ, (ϑηρεύω) ſ. v. a. ϑήραμα. —**ρεύσιμος**, ὁ, ἡ, ſ. v. a. ϑηράσιμος. —**ρευσις**, ἡ, (ϑηρεύω) das Jagen, die Jagd: das Fangen, Erjagen. —**ρευτὴρ**, ῆρος, ὁ, oder ϑηρευτὴς, ſ. v. a. ϑηρατὴς; davon θηρευτικός, ἡ, όν, s. v. a. θηρατικός. —ρευτός, ἡ, όν, s. v. a. θηρατός. —ρεύω, und θηρέω, s. v. a. θηράω: blos ist dieses mehr dorische, θηρεύω attische und jonische Form. —ρημα, τὸ, jonisch s. v. a. θήραμα. —ρητὴρ, ῆρος, ὁ, und θηρήτωρ, jon. s. v. a. θηρατής. —ριακός, ἡ, όν, (θὴρ) von wilden Thieren gemacht od. handelnd: als ἀντίδοτος, Theriak: (v. giftigen Thieren oder Schlangen eigentl. bereitet) βίβλος θηριακὴ, Schrift von wilden gewöhnl. von giftigen Thieren. —ριάλωτος, ὁ, ἡ, von wilden Thieren gefangen, ergriffen. —ρίβορος, ὁ, ἡ, (βορὰ) von wilden Thieren angefressen, gefressen. —ρίδιον, τὸ, dim. v. θὴρ. —ρίκλεια, τὰ, verst. ποτήρια, oder θηρίκλειαι verst. κύλικες, Trinkgeschirre aus Thon schwarz gebrannt, auch von schwarzem Holze, mit breitem Boden: Theophr. H. P. 5, 4. von einem korinthischen Töpfer Therikles zuerst gemacht. —ριμάχος, (μάχη) mit wilden Thieren kämpfend.

θηριόβρωτος, ὁ, ἡ, s. v. a. θηρίβορος. —όδηγμα, τὸ, Biss eines wilden od. giftigen Thieres: aus Dioscor. 2. zw. —όδηκτος, ὁ, ἡ, (δάκνω) von wilden Thieren oder von einem w. Th. auch von einer Schlange gebissen. —οκτόνος, ὁ, ἡ, s. v. a. θηροκτόνος. —ομαχέω, ῶ, ich kämpfe mit wilden Thieren; davon —ομαχία, ἡ, Streit, Kampf, Gefecht mit wilden Thieren. —ομάχος, ὁ, ἡ, s. v. a. θηριμάχος. —ομιγής, ὁ, ἡ, (μίγω) Thiergemischt, mit Thieren oder thierischer Gestalt vermischt. —όμορφος, ὁ, ἡ, (μορφὴ) thiergestaltet, von thierischer Gestalt. —ον, τὸ, dimin. von θὴρ und eben so viel: bey den Aerzten s. v. a. θηρίωμα, bösartiges Geschwür: auch θηρία die Würmer im menschlichen Leibe. —οπρεπής, ὁ, ἡ, thiermässig, einem wilden Thiere zukommend. —ος, α, ον, s. v. a. θήρειος; davon —ότης, ητος, ἡ, Wildheit, thierisches Wesen. —οτροφεῖον, τὸ, (τροφὴ) ein Ort, wo wilde Thiere ernährt, gefüttert werden, Menagerie, Park, Thierhälter. —οτρόφος, ὁ, ἡ, (τρέφω) wilde Thiere oder überh. Thiere nährend: θηριότροφος, ὁ, ἡ, von wilden Thieren ernährt. —οφόνος, ὁ, ἡ, (φένω) Thiere tödtend. —όω, ῶ, zum Wilde machen, wild machen, verwildern lassen, wild, grausam, wüthend, zornig machen; 2) bey Theophr. τὰ σπέρματα θηριοῦται u. ζωοῦται, werden von Thieren u. Würmern angefressen, werden wurmstichig, bekommen Würmer. —ώδης, εος, ὁ, ἡ, Adv. —δῶς, voll wilder Thiere, thierisch, wild: bey Hippocr. auch von bösartigen Krankheiten, Geschwüren und dergl. davon —ωδία, θηριωδεία, ἡ, s. v. a. θηριότης: Aristot. Eudem. 6, 1. —ωμα, τὸ, altes bösartiges Geschwür, Schaden: Cels. 5, 28. —ωσις, ἡ, (θηριόω) das Wildmachen, Verwildern, bösartig machen: die Verwandlung in ein wildes Thier. Lucian.

Θηροβολέω, ῶ, wilde Thiere werfen, schiessen oder treffen, erlegen. —βόλος, ὁ, ἡ, wilde Thiere werfend, schiessend, treffend, erlegend. —βορος, ὁ, ἡ, s. v. a. θηρίβορος. —βοτος, ὁ, ἡ, (βόσκω) v. wilden Thieren, od. überh. von Thieren abgeweidet, abgefressen. —βρωτος, ὁ, ἡ, (βρώσκω) von wilden Thieren gefressen, verzehrt. —ειδής, έος, ὁ, ἡ, thierähnlich, thierartig, thierisch. —θήρης, ου, ὁ, Thierfänger, Jäger. Hesych. —θυμος, ὁ, ἡ, von viehischen, wilden Begierden oder Zorn: zweif. —κόμος, ὁ, ἡ, (κομέω) wilde Thiere pflegend: Wildaufseher. —κτόνος, ὁ, ἡ, (κτείνω) Wildtödter. —λεκτέω, Worte jagen oder klauben: zweif. von θηράω, λέξις; wovon auch —λέξης, ὁ, Wortjäger. Hesych. —λετέω, ich tödte Thiere: zw. von —λέτης, ου, ὁ, (θῆρας ὀλέων) Wildtödter. —μιγής, ὁ, ἡ, oder θηρόμικτος, mit Thieren oder Thiergestalt gemischt. —μορφία, ἡ, (μορφὴ) Thiergestalt. zw. —νόμος, ὁ, ἡ, (νέμω) Wild weidend: θηρόνομος, vom Wilde beweidet. —πεπλος, ὁ, ἡ, (πέπλον) in Thierhaut gekleidet: Athenae. 4 p. 163. zw. —πλαστέω, ῶ, ich bilde Thiere; v. —πλαστος, ὁ, ἡ, (θῆρας πλάσσων) Thiere bildend, machend: Lycophr. 673. —σκόπος, ὁ, ἡ, (σκέπτομαι) auf das Wild lauernd. —σύνη, ἡ, s. v. a. κυνηγία. Hesych. —τόκος, ὁ, ἡ, (τίκτω) Wild gebährend od. zeugend. —τροφος, ὁ, ἡ, von Thieren ernährt oder sich nährend. —τρόφος, ὁ, ἡ, wilde Thiere nährend, erziehend, haltend. —τυπος, ὁ, ἡ, (τύπος) mit Thiergestalt. zweifelh. —φόνος, ὁ, ἡ, (φένω, φόνος) s. v. a. θηροκτόνος. —χλαινος, ὁ, ἡ, (χλαῖνα) mit einer Thierhaut gekleidet: Lycophr. 871.

Θής, θητὸς, ὁ, femin. θῆσσα, ein Lohnarbeiter zu Athen in der letzten Volksklasse ein zwar freyer Bürger, aber v. allen öffentlichen Aemtern und Ehrenstellen ausgeschlossen und gleich Sclaven bey andern arbeitend. Das Wort θῆσαι wird in tabul. heracleens. p. 226. durch weiden oder zum Sclaven machen erklärt.

Θήσατο und θῆσθαι st. saugen und melken. S. θάω. Hesych. hat auch τιθήσατο ἐθηλάσατο.

Θησαυρίζω, (θησαυρὸς) einsammeln, aufbewahren; dav.

Θησαύρισμα, τὸ, das eingesammelte, aufbewahrte. —ρισμὸς, ὁ, (θησαυρίζω) das Einsammeln, Aufbewahren. —ριστὴς, οῦ, ὁ, (θησαυρίζω) der aufbewahrt, einsammelt; dav. —ριστικὸς, ή, ὸν, zum einsammlen, aufbewahren gehörig od. geschickt, geneigt. —ροποιὸς, ὁ, ἡ, d. i. θησαυροὺς ποιῶν: das verbum θησαυροποιέω s. v. a. θησαυρίζω hat Pollux 3. 116. —ρὸς, ὁ, (θέω, τίθημι; θήσω) *thesaurus*, der Ort oder Platz zum sammlen oder aufbewahren: die aufbewahrte oder gesammelte Sache: der Schatz: Vorrath: Schatzkammer. —ροφυλακέω, ich bin Schatzbewahrer. —ροφυλάκιον, τὸ, Ort, Platz, wo man den Schatz bewahrt oder bewacht; von —ροφύλαξ, ακος, ὁ, Schatzbewahrer.

Θησεῖον, τὸ, ein Ort oder Tempel dem Theseus geweihet: davon θησειότριψ bey Aristoph., einer der sich immer daselbst aufhält, wie οἰκότριψ.

Θῆσθαι, melken. S. θάω.

Θῆσσα, ἡ, femin. von θῆς: τράπεζα Eur. s. v. a. θητική.

Θητεία, ἡ, (θητεύω) Lohndienst.

Θητεὺς, έως, ὁ, s. v. a. θῆς: bey Suid. zweif.

Θητεύω, ich diene um Lohn; bin daher arm wie ein θής.

Θητικὸς, ή, ὸν, zum θής, Miethling gehörig, ihm eigen, anständig: τὸ θητικὸν, s. v. a. οἱ θῆτες.

Θῆττα, ἡ, s. v. a. θῆσσα.

Θητώνιον, τὸ, (ὦνος) Tagelohn, Lohn des θής: Suidas.

Θιάζω, s. v. a. θειάζω: bey Hesych. χορεύω.

Θιασάρχης, ου, ὁ, Vorsteher, Anführer des θίασος. —σεύω, ich bin bey einem θίασος oder feyerlichen Aufzuge, Tanze, Opfer u. dergl. θιασεύεται ψυχὰν: Eur. Bach. 75. von θιασεύω, ich weihe in die *orgia*, θιάσους des Bacchus ein: Jon v. 552. —σίτης, ου, ὁ, s. v. a. θιασώτης: Pollux 6, 8. —σος, ὁ, (θεὸς, θεῖος; θειάζω, θιάζω) heisst jede Gesellschaft, die sich versammlet, und zu Ehren einer Gottheit Opfer, Chöre, Musik, Gesänge, Processionen bringt und dabey schmauset: Aristot. Ethic. 8, 11. daher das Wort bald für die Gesellschaft, bald für den Chor, die Musik, den Schmauss, die Procession, und endlich für jede Versammlung gebraucht wird; davon —σιώδης, εος, ὁ, ἡ, ὥρα bey Nonnus, festliche Zeit, Zeit des Festes: s. v. a. θιασωτικὸς. —σὼν, ῶνος, ὁ, ein Versammlungsort des θίασος: Hesych. —σώτης, ὁ, Mitglied eines θίασος: ἔρωτος θιασώτης, bey Xenoph. ein Anbeter, Verehrer des Amor; davon —σωτικὸς, ή, ὸν, zum θιασώτης gehörig: τὸ θιασ. s. v. a. οἱ θιασῶται.

Θίβη, ἡ, ein geflochtener Korb: bey den LXX Exod. 2. Joseph. antiq. 2, 9, 4. not.

Θιβρὸς, ὰ, ὸν, dorisch s. v. a. θερμὸς, warm, heiss, erwarmt, auch θιμβρὸς, davon der lakon. Θίμβρων.

Θιγγάνω, s. v. a. θίγω; wie μανθάνω, λαμβάνω von μάθω, λάβω, das lat. *tingo, tango, contingo*.

Θίγμα, τὸ, das Berührte: bey Hesych. μίασμα; von

Θίγω, f. θίξω, rühren, berühren, anrühren. S. θιγγάνω.

Θιμβρὸς. S. θιβρὸς.

Θὶν, θινὸς, ὁ u. ἡ, auch θὶς, θινὸς, ὁ, ἡ, ein Haufen ὀστέων, ἄμμου: vorzügl. ein Sandhaufen, Sandhügel, Sandebene; daher bey den Dichtern das sandigte Meerufer: Plutar. Alex. 26. auch eine Sandbank, oder Erde die an den Ausflüssen der Strome sich ansetzt: Polyb. 4, 41. davon θινόω und ἀποθινόω bey Polyb. versanden, verschlemmen. Die Schreibart θὴν und θεὶν sind verdächtig: ἐπὶ θινοῖς: Poeta vet. de herbis c. 1. an sandigten Stellen.

Θινὸς, st. θεῖος. S. ἔνθινος.

Θινόω, S. θὶν zu Ende.

Θινώδης, ὁ, ἡ, (θὶν) einem sandigen Ufer gleich: sandig: Plutar. Eum. 16 ἄγκιστρον θινῶδες ἀγκύρας: Plut. virt. mor. p. 752. der im Sande nicht haftende Haken des Ankers.

Θίξις, ἡ, (θίγω) Beruhrung.

Θὶς, S. θὶν.

Θλαδίας, ὁ, oder θλασίας, (wie ὀσμὴ ὀδμὴ) von θλάζω oder θλάω, dem die Hoden eingedrückt sind: daher s. v. a. εὐνοῦχος.

Θλάσις, ἡ, (θλάω) das Quetschen, Drükken, Zerdrücken, Eindrücken.

Θλασπίδιον, τὸ, dimin. des folg. —πις, ἡ, ein Kraut, Dios. 2, 186. Plin. 27, 23. nach Hesych. auch σαύριον genannt: Galenus de Antid. lobt vorz. die Art vom Berge σαῦρος in Kappadocien: eine Art von Kresse oder Senf, wovon der Saame wie Senf gebraucht ward.

Θλάστης, ὁ, s. v. a. ἐμβρυοθλάστης: Galen. 2, de caus. morb. —τικὸς, ή, ὸν, (θλάω) zum quetschen, zerquetschen gehörig oder geschickt. —τὸς, ή, ὸν, (θλάω) zerstossen, zerquetscht, gequetscht.

Θλάω, ῶ, quetschen, stossen, zerquetschen, zerdrücken, zerstossen, zermalmen.

Θλιβερὸς, drückend, von θλίβω: Paul. Aeg. 6. —βίας, ὁ, s. v. a. θλαδίας; v. —βω, drücken, ausdrücken, zusammendrücken, zerdrücken: niederdrücken:

auch metaph. drücken, kränken, beläſtigen; davon

Θλίμμα, τὸ, das gedrückte, ausgedrückte, zerdrückte. — μὸς, ὁ, und θλίψις, ἡ, (θλίβω) das Drücken, der Druck, Drückung, Bedrückung: Quaal, Angſt.

Θνησείδιος, ὁ, ἡ, und θνησιμαῖος, αία, αῖον, (θνῆσις) *morticinus*, geſtorben, vereckt: z. B. ἐσθήματα ἐκ θνησειδίων, Philoſtr. Kleider von verecktem Viehe, θνησιμαίων ἀπέχεσθαι verſt. κρεῶν: Hierocles.

Θνήσκω, ich ſterbe: vom Stammworte θάνω kommen aor. 2. ἔθανον, fut. 2. θανοῦμαι. von θνήσκω fut. τεθνήξομαι, perf. τέθνηκα, wovon τεθνηκὼς, τεθνηώς. Dieſe Form kommt von θανέω, θανέσκω, contr. θνήσκω, wie θόρω θορέω, θορίω, θορίσκω, θρώσκω. Von der Form θανάω, θάνημι, contr. θνῆμι, τέθνημι kommt τεθνᾶσι, τεθνάναι, τέθναθι, τεθναίην.

Θνητογαμία, ἡ, Vermählung (einer Göttin) mit einem Sterblichen; zweif. — γενὴς, έος, ὁ, ἡ, (γένος) von Sterblichen erzeugt. — ειδὴς, έος, ὁ, ἡ, (εἶδος) nach Art der Sterblichen, ſterblich.

Θνητὸς, ἡ, ὸν (θνήσκω) ſterblich: menſchlich.

Θοάζω, (θοὸς) ſ. v. a. θύω no. 3. von heftiger, ungeſtümer Bewegung: wüthen, toben, ſtürmen, ſchnell gehn, ſpringen, eilen: auch raſen, wie ein raſender gehn und wüthen. S. in θύω.

Θοιματίδιον, τὸ, dimin. von — τιον, τὸ, contr. aus τὸ ἱμάτιον.

Θοινάζω, eine andere Form von θοινάω; davon — ναμα, τὸ, gegebenes Mahl, Schmauſs. — νατὴρ, ῆρος, ὁ, d.i. θοινάζων, Schmauſser; davon — νατήριος, ὁ, ἡ, zum Schmauſse oder Schmauſser gehörig: ζῶντα γυψὶ θοινατήριον στήσω, Eur. Rheſ. 1072. zu ſchmauſsen, zu freſſen geben. — νατικὸς, ἡ, ὸν, ſ. v. a. θοινητικὸς. — νάω, ῶ, vorzügl. im medio, eſſen, ſchmauſsen, verzehren; von

Θοίνη, ἡ, Schmauſs, Gaſtmahl: überh. Speiſe vorzügl. angenehme: ἐν θοίνῃ ποιεῖσθαι τοὺς πλουσίους, Damaſcius bey Suidas, eigentl. zu Gaſte bitten: überh. achten; daher Plato Leg. 1 p. 54 τοὺς γὰρ γόητας οὐκ ἐν θοίνῃ λέγω, die Gaukler rechne, zähle ich nicht mit. Das Stammwort iſt θόω ſ. v. a. θάω, τιθάω, davon θήσασθαι und τιθὴ, τιθήνη, alſo nähren, wovon das Etymol. M. richtig θοίνη ableitet. Heſych. hat θωμένους, θοινωμένους, εὐωχουμένους: ferner θῶνται, θοινῶνται, εὐωχοῦνται, εὐθηνοῦνται; auch θωθῆναι, φαγεῖν, γεύσασθαι und θώσασθαι, εὐωχηθῆναι, μεθυσθῆναι: noch θῶσθαι, θοινᾶσθαι, εὐωχεῖσθαι: nach dem Etymol. M. iſt dieſes Wort und Bedeut. doriſch. Heſych. hat auch θῶται, εὐθηνεῖται, θοινᾶται; endlich θωστήρια, εὐωχητήρια. Alſo θόω, θόομαι, θῶμαι, θόονται, θῶνται. Von θόω kommt θώω und θώσσω, wovon bey Heſych. θωχθεὶς, θωρηχθεὶς, μεθυσθεὶς aus Sophocles. Ferner θῶξαι, μεθύσαι, πληρῶσαι, worinne die Bedeut. von eſſen und trinken liegt. Von θόω, kommt θοάω, davon θοωθεὶς bey Heſych. πλησθεὶς, ἑστιαθεὶς, εὐωχηθεὶς. Davon kommt auch θώραξ, wie das Etymol: M. bemerkt: παρὰ τὸ θῶ τὸ εὐωχοῦμαι ἤτοι ἐν εὐωχίᾳ εἰμὶ; ἀφ᾽ οὗ οἱ Δωριεῖς θωρεῖσθαι λέγουσι τὸ εὐωχεῖσθαι. τούτου ὁ μέλλων θώσω; davon θῶρος, θώραξ: nach ihm alſo iſt θῶρος ἡ τροφὴ, καὶ μέθη: und θώραξ ὁ δεκτικὸς τῆς τροφῆς τόπος. Wenn die Worte θωρὸς und θωρεῖν für ſich irgend eine andere Autorität hatten, ſo würde dieſe Etymologie von θώραξ ganz richtig ſcheinen. Unterdeſſen iſt die Verwandtſchaft zwiſchen θαχθῆναι θωχθῆναι und θωρηχθῆναι ſichtbar, wenn man auf die Bedeutung ſieht.

Θοινητήριος, ὁ, ἡ, ſ. v. a. θοινατήριος. — τικὸς, ἡ, ὸν, zum Schmauſse gehörig oder geneigt. — τὸς, ἡ, ὸν, geſchmauſset, zu ſchmauſsen, eſſen. — τωρ, ορος, ὁ, ſ. v. a. θοινατὴρ.

Θολερέω, ῶ, ſ. v. a. ταραχίζομαι. Heſych. von — ρὸς, ρὰ, ρὸν, Adv. θολερῶς, (θολὸς) kothig, ſchlammig, trübe, unrein, dunkel: vorz. vom Waſſer: Plutarch. ſagt vom Schweine: δύσμορφον ἡ ὗς καὶ θαλερὸν: und τὸ θολερὸν περὶ τὴν δίαιταν, 8 p. 661 und 667. daher überh. trübe, unrein.

Θολία, ἡ, nach Pollux πλεκτόν τι θολοειδὲς, ᾧ ἀντὶ σκιαδίου ἐχρῶντο αἱ γυναῖκες, nach dem Schol. des Theocr. σκιάδιον und πέτασος.

Θολοειδὴς, έος, ὁ, ἡ, nach Art oder in der Geſtalt eines θόλος, Gewölbes oder Rotonda.

Θολὸς, ὁ, Schmutz, Koth des trüben Waſſers: αὐτίκα ὑπὸ τοῦ θολοῦ τοὺς πόρους ἐπιπωματίζονται, Athenaeus 7. vom trüben, dicken Waſſer werden ihnen die Kiemöfnungen verſtopſt: daher θολερὸν ὕδωρ, kothiges, dickes, trübes, unreines, undurchſichtiges, dunkles Waſſer; 2) der dunkle Saft, den die Blackfiſche oder Dintenfiſche *ſepiae*, in der Furcht ergieſsen, und damit das Waſſer trüben.

Θόλος, ἡ, Kuppeldach, und daher überh. ein rundes Gebäude, ein runder Tempel, beſonders das Haus, worin die Prytanen zu Athen unterhalten wurden: Pauſan. Att. 53. weil es dieſe Bauart hatte: ein rundes Zimmer, beym Hom. Odyſſ. 22, 442. mit Säulen umgeben, zwiſchen dem Wohnhause und dem Hofraume: v. 466. und eben so ein dergleiches Zimmer in den Badehäusern, das sogenannte *Laconicum*, Schwitzbad.

Θολόω, ῶ, (θολὸς) kothig, trübe, dunkel, unrein machen: trüben, betrüben, beunruhigen. —λώδης, εος, ὁ, ἡ, wie schmutzig, trübe. —λωσις, ἡ, (θολόω) das kothig-trübe-dunkel machen.

Θοός, ά, όν, Adv. θοῶς, schnell, geschwind: spitzig, zugespitzt, als γόμφοι: Apollon. Rhod. und übergetr. νῆσοι beym Hom. wegen ihrer Vorgebirge, oder ihrer ins Meer gehenden Spitzen; dav. —όω, ῶ, spitzig, scharf, schnell machen, s. v. a. παροξύνω: Odyss. 9, 327.

Θοραῖος, αία, αῖον, (θορὸς) zum Saamen gehörig: als πόρος, Arist. der Saamengang. —ρέω, s. v. a. θόρω. —ρή, ἡ, s. v. a. θορὸς, Saame. —ρικός, ἡ, όν, s. v. a. θοραῖος, zum Saamen gehörig, ihn enthaltend. —ρίσκω, und zusammengezog. θρώσκω, ich befruchte, belege, bespringe: s. v. a. das folgd.

Θόρνυμι, θορνύω, (θόρω, θορνύω) springen, hüpfen: vorz. bespringen: im med. sich begehn, begatten.

Θορόεις, von θορὸς, Oppian. Cyn. 3, 522. βρέφος θορόεν, weich, ungebildet, wie der Saame.

Θορός, ὁ, Saame.

Θορυβέω, ῶ, lärmen, Geräusch machen vorz. in den Volksversammlungen, als Zeichen des Beyfalls oder der Missbilligung: daher auch überh. sein Missfallen oder seinen Beyfall durch lärmendes Geräusch oder Geschrey zu erkennen geben: act. τὰς ἐκκλησίας, die Versammlungen durch Lärmen und Geschrey stören: Themist. 401, 21. überh. in Unordnung oder ausser Fassung bringen, verlegen machen. —βητικός, ἡ, όν, (θορυβέω) Lärm, Unruhe machend, erweckend, darzu gehörig oder geneigt. —βοποιέω, ῶ, ich mache Lärm; von —βοποιός, ὁ, ἡ, (θόρυβον ποιέω). Lärmmacher, Unruhestifter. —βος, ὁ, s. v. a. θρόος, verm. d. Stammwort: Lärm, Geräusch, Aufruhr; vorz. ein lautes Zeichen des Beyfalls: Pind. Olymp. 10, 88. davon —βόω, s. v. a. θορυβέω: Pollux 8, 152 zw. —βώδης, εος, ὁ, ἡ, Adv. θορυβωδῶς, lärmend, geräuschvoll, stürmisch.

Θόρω, springen, hüpfen, bespringen, heraufspringen.

Θουραῖος, αία, αῖον, (θοῦρος) springend, muthig, hitzig: zum springen oder bespringen gehörig. —ράς, άδος, ἡ, bey Nicand. s. v. a. θορὰ oder θοραία, nach Hesych. ὀρεκτικῶς ἔχουσα, καταφερής. —ρήεις, ήεσσα, ῆεν, s. v. a. θοραῖος, bey Hesych. λάγνος. —ρήθρα, ἡ, oder θούρηθρα, τὰ, beym Hesychius ὀχεία oder vielm. ὀχεῖα, die männlichen Zuchtthiere. —ρης, ὁ, s. v. a. θόρος, der Springer, männliches Zuchtthier. —ρικός, ἡ, όν, s. v. a. θούριος; zw. —ριομάντις, ὁ, bey Aristoph. ein Wahrsager, mit einer dunkeln Anspielung auf eine Geschichte. —ριος, ία, ιον, s. v. a. θοῦρος. S. in θύω. —ρις, ίδος, ἡ, s. v. a. θουράς, gleichsam das femin. von θοῦρος, mit ἀλκή, ἀσπὶς Hom. heftig, hitzig, ungestüm, muthig, kriegerisch: bey αἰγὶς und ἀσπὶς aber muss man eine andre Bedeut. annehmen, etwa gross oder fürchterlich. —ρος, ὁ, s. v. a. d. abgeleitete θούριος, heftig, hitzig, ungestüm, muthig, kriegerisch: S. in θύω; davon —ρόω oder θαυράω bey Lycophr. 85 θουρῶσαι ἐπὶ λέκτρα st. ὁρμῶσαι.

Θόωκος, ὁ, das auseinandergezogene θῶκος u. θᾶκος, Sitz, Sitzung, Versammlung: Il. 2.

Θραγμός, ὁ, (θράσσω) das Krachen: zw.

Θρακιστί, Adv. in oder nach Thracier Art oder Sprache.

Θρανίω, θρανόω, θρανύσσω wovon das letzte bey Lycophr. 664. συνθρανόω Eurip. Bacch. 623, vorkommt für zerbrechen, zerschlagen, zerschmettern; 2) bey Aristoph. Eq. 369 ἡ βύρσα σου θρανεύσεται, v. θρᾶνος, dein Fell soll mir vom Gerber über der Gerberbank ausgespannt werden. Die erste Bedeut. kommt v. θράω, θραύω, θράνω, θρανεύω; davon ἀθράνευτος s. v. a. ἄθραυστος. —νίας, ὁ, S. θρανίς. —νίδιον, τὸ, od. θράνιον dimin. v. θρᾶνος. —νίς, ὁ, bey Xenocrates cap. 8. θρανὶς ἡ ξιφίας Plinius 32. f. 52. *thranis quem alii xiphiam vocant*: der Schwerdtfisch v. θρᾶνος. Bey Marcellus Sid. 29 ξιφίαι, θρανίαι τε. —νίτης, ου, ὁ, (θρᾶνος) ein Ruderer am Hintertheile des Schiffs. S. μεσόνεοι und θρᾶνος. Vergl. Polyb. 16, 3. κατὰ μέσον τὸ κύτος ὑπὸ τὸν θρανίτην σκαλμόν; davon —νῖτις, ιδος, ἡ, das femin. κώπη, das Ruder eines θρανίτης. —νιτικός, ἡ, όν, einem θρανίτης gehörig. —νος, ὁ, (θράω) Sitz, Bank, besonders Ruderbank, und nach Galen der Abtritt: S. auch θρόνος, jonisch θρῆνυς: auch der vorstehende Balkenkopf, davon θρανογράφοι; endlich der Theil des Schiffs, worauf θρανῖται. Hesych. sagt θρῆνυς ἡ ἐν τῷ μέσῳ πλοίου σανίς. Iliad. o. 729. von θράνιστρον, Dimin. kommt das lat. *transtrum*. S. θρῆνυς.

Θρανόω und θρανύσσω, S. θρανεύω.

Θρασαύχην, ὁ, ἡ, Nicetas Annal. 19, 2. dreist, wild.

Θρασειομάχος, Pindar. Nem. 4, 102 st. θρασυμ; zw. —σέως, Adv. von θρασύς.

Θρασκίας, ου, ὁ, der aus Thracien oder

Norden wehende Wind, bey uns Nord-Nord-West.

Θράσος, τὸ, s. v. a. θάρσος: meist aber Kekheit, Verwegenheit: übertriebener Muth; oder vorgegebene Tapferkeit.

Θράσσω, θράττω, f. ξω, attisch zusammengezogen u. s. v. a. ταράσσω, beunruhigen.

Θρασυγλωττία, ἡ, freche Zunge, keckes Reden. —γλωττος, ὁ, ἡ, (γλῶσσα) von frecher kecker Zunge: frech in Reden: —γυιος, ὁ, ἡ, (γυῖον) muthig, stark an Gliedern oder von Körper: Pind. —δειλος, ὁ, ἡ, Poltron, der mit seinem Muthe prahlt: Aristot. Nicom. 3, 10. —κάρδιος, ὁ, ἡ, (καρδία) muthig, herzhaft. —μάχανος, ὁ, ἡ, dorisch st. —ήχανος, (μηχανὴ) kühn in seinen Planen und Unternehmungen: s. v. a. θρασυμήδης: Pindar. —μάχας, ου, ὁ, Dor. st. θρασυμάχης, oder θρασύμαχος, (μάχη) muthig im Kampfe oder Kriege. —μέμνων, ονος, ὁ, ἡ, (μέμνω, θρασὺς) kühnen Sinnes, kühn, dreist, standhaft. —μήδης, u. θρασύμητις, ιδος, ὁ, ἡ, oder θρασυμήτης, ου, ὁ, (μῆδος, μῆτις) von Entschliessung oder Denkungsart dreist, kühn oder frech: Pindar. —μήχανος, ὁ, ἡ, S. θρασυμαχανος. —μυθος, ὁ, ἡ, (μῦθος) s. v. a. θρασύγλωττος.

Θρασύνω, (θρασὺς) kühn, muthig machen; pass. kühn, muthig seyn, sich muthig beweisen. πλήθει τὴν ἀμαθίαν θρασύνοντες Thucyd. 1, 142 indem sie ihre Unwissenheit durch die Menge dreist machen: überh. im medio dreistkühn handeln oder sprechen.

Θρασυξενία, ἡ, (ξένος) Frechheit eines Fremden: Plato Lgg. 9. —πονος, ὁ, ἡ, d. i. θρασὺς ἐν πόνοις. zw.

Θρασὺς, εῖα, ὺ, Gen. έος, είας, (θράσος) dreist, keck, kühn: frech: muthig, tapfer. —σπλαγχνος, ὁ, ἡ, Adv. θρασυσπλάγχνως, dreist, unerschrocken, muthig: Aeschyl. —στομέω, ῶ, ich rede, spreche dreist oder frey: von —στομος, ὁ, ἡ, (στόμα) der dreist, frey oder frech redet, spricht.

Θρασύτης, ητος, ἡ, (θρασὺς) Dreistigkeit, Kühnheit: Frechheit.

Θρασυφωνία, ἡ, das dreiste freye od. freche Reden; von θρασυφωνέω; von —φωνος, ὁ, ἡ, (θρασὺς, φωνὴ) s. v. a. θρασύστομος. —χειρ, ρος, ὁ, ἡ, mit tapfrer muthiger Faust. —χειρία, ἡ, Muth im Angriffe, von θρασυχειρέω.

Θράττα, ἡ, davon θραττίδιον, τὸ, ein bunter Meerfisch, auch σάττα: Aristotel. G. A. 5. 6.

Θράττω, S. θράσσω.

Θραυλὸς, u. θραυρὸς, (θραύω) zerbrechlich, weich, mürmlicht: zerbrochen: πῦρ ἐνιέντες ταῖς πέτραις ὄξος ἐπέχεον θραυλοτέρας ἐκ τούτου ποιήσαντες beym Suidas d. i. machten sie mürber. Eben so macht es Apollodorus Mathem. vet. p. 21 bey Belagerungen. S. τραυλὸς.

Θραύπαλος, ein Baum bey Theoph. H. P. 3, 7. 4, 1.

Θραυπὶς, ἡ, ein kleiner auf Dornsträuchen lebender Vogel bey Aristotel. H. A. 8, 3. wo die Handschr. θλυπὶς u. θλιπὶς haben. Hesych. aber und Ugutio γράπις. Gaza übersetzt es *carduelis*.

Θραυρὸς, S. θραυλὸς.

Θραυσάντυξ, υγος, ὁ, ἡ, (θραύων ἄντυγα) die Räder zerbrechend: Aristoph. Nub. 1264.

Θραῦσις, εως, ἡ, (θραύω) das Zerbrechen.

Θραῦσμα, τὸ, (θραύω) das Zerbrochene, Stück, Bruchstück. —στὸς, ἡ, ὸν, zerbrochen: zerbrechlich; von

Θραύω, (θρυλλίσσω u. θρύπτω) zerbrechen, zermalmen, zerreiben: daher, wie *frango*, schwächen: τὴν δύναμιν Plut. ἐλπίδα Herodian. 3. 2.

Θράω, wovon aor. 1 med. beym Athen. 5 p. 192. aus Philetas θρήσασθαι vorkommt, sitzen; wovon θράνος, θρῆνυς, θρόνος.

Θρεκτικὸς, ἡ, ὸν, (τρέχω) zum laufen gehörig oder geschickt.

Θρέμμα, τὸ, (τρέφω) alles, was man füttert, nährt, und aufzieht: Zögling: Zuchtvieh; davon —ματοτροφέω, Zuchtvieh halten.

Θρεξάσκω, davon θρέξασκον, s. v. a. τρέχω, von θρέω, θρέξω, ἔθρεξα.

Θρεοκάρδιος, ὁ, ἡ, (θρέω) unruhig od. betrübt: Anacreon 61.

Θρέπτειρα, ἡ, Ernährerin, Erzieherin: femin. von —τὴρ, ῆρος, ὁ, (τρέφω) Ernährer, Erzieher; davon —τήριος, ὁ, ἡ, was man nährt, als πλόκαμος: Aeschyl. Haupthaar, welches man wachsen läst: zum nähren, ernähren, erziehn gehörig oder geschickt: τὰ θρεπτήρια, verst. γέρα, Erzieherlohn, Kostgeld, Unterhalt, den ein Kind seinen alten Eltern gewährt für ehemals von ihnen erhaltenen Unterhalt und Erziehung. —τικὸς, ἡ, ὸν, (τρέφω) gut nährend: zum nähren gehörig oder geschickt. —τὸς, ἡ, ὸν, genährt, gefüttert: zu nähren —τρα, ἡ, s. v. a. θρέπτειρα. —τρον, τὸ, s. v. a. θρεπτήριον.

Θρεττάνελο, b. Aristophan. eine Nachahmung vom Tone der Zither, wie unser Tralera.

Θρέψις, ἡ, (τρέφω) das Nähren, Nahrung, Ernährung.

Θρέω, med. θρέομαι, ich mache einen Lärmen, Geschrey, vorzügl. Klaggeschrey, s. v. a. ὀλοφύρομαι, θρηνέω: Eurip. Med 51. Aeschyl. Theb. 78. dav. θρόος, θροῦς, θρεόω und θρῆνος.

Θρηνέρως, ωτος, ὁ, ἡ, und μισηνέρως, ὁ, ἡ, s. v. a. δυσέρως: Pollux 6, 189.

Θρηνέω, ῶ, (θρῆνος) klagen, winſeln: beklagen, beweinen; dav. —νημα, τὸ, das geklagte: die Klage: Klagelied. —νητὴρ, ῆρος, ὁ, u. θρηνητὴς, ὁ, (θρηνέω) Klager, Weiner; davon —νητικὸς, ἡ, ὸν, Adv. —κῶς, zum Klagen gehörig oder geneigt. —νήτρια, ἡ, femin. von θρηνητὴρ, Klageweib.

Θρῆνος, ὁ, lautes Klagen, Winſeln, Weinen, von θρέω, θρένω joniſch θρήνω.

Θρῆνυς, υος, ὁ, ſ. v. a. θράνος von θράω, joniſch. Il. ο. 729. iſt θρ. ἑπταπόδης der Sitz 7 Fuſs lang für fünf Ruderer: nach Iſa. Voſſius de fabr. trirem. Eigentl. war θρᾶνος und θρῆνυς der Queerbalken im Schiffe, worauf auch die Ruderſitze ruhten, hernach die oberſte Reihe v. Ruderſitzen.

Θρηνωδέω, ῶ, (θρηνωδὸς) ich ſinge Klagelieder; davon —δημα, τὸ, Klagelied, Klagegeſang. —δης, εος, ὁ, ἡ, (θρῆνος, εἶδος) kläglich: klagend. —δία, ἡ, (θρηνωδέω) das Singen von Klageliedern. —δὸς, ὁ, ἡ, (ᾠδὴ, θρῆνος) der die Klagelieder ſingt.

Θρησκεια, ἡ, (θρησκεύω) Gottesverehrung, Gottesdienſt, religiöſe Zeremonie, Aberglauben. —κευτήριον, τὸ, (θρησκεύω) ein Ort zur Verehrung der Gottheit. zw. —κευτὴς, οῦ, ὁ, gottesfürchtig, religiös, abergläubiſch, bigott. —κεύω, ich verehre, bete an, habe religiöſe Ehrfurcht: halte heilig, beobachte heilig. —κὸς, ὁ, ἡ, gottesfürchtig, religios, abergläubiſch, bigott. Plutar. Alexand. 2. leitet es von θρῆξ ab, weil die Thraciſchen Weiber in den Gegenden, wo ſie in den Orphiſchen und Bacchiſchen Myſterien eingeweiht waren, ihre gottesdienſtlichen Uebungen in Schwärmerey ausarten lieſsen. Daher nach ihm in θρησκεύω überhaupt αἱ κατάκοροι καὶ περίεργοι ἱερουργίαι liegen. Andre ſchrieben θρέσκος, θρεσκεύω: ſonach wäre θρῆσκος, θρησκεύω joniſch. Vielleicht leitet man es richtiger von θρέω ſt. τρέω ab, wovon man θρεοκάρδιος Anacr. 61. ableitet. Hemſterhuis leitet es von θρέω, wov. θρόος murmur, rumor herkommt, v. dem zeremoniöſen Gemurmel. Eine Spur liegt in der Gloſſe des Heſych. θρέξατο ἐφυλάξατο, ἐσεβάσθη.

Θριάζω, bey Heſych. die Blätter (θρίον) der Feigen ableſen: davon bey Pollux 7, 140 θριαστὴς, ὁ, ſ. v. a. συκωρὸς zu ſeyn ſcheint; 2) ſ. v. a. ἐνθουσιάω, in prophetiſcher Wuth ſeyn, prophezeien.

Θριαὶ, αἱ, die Steinchen, die man beym Looſen in die Urne warf, und woraus man wahrſagte: daher wie ſortes, Prophezeiung, Orakel. Callim.

Θριαμβευτὴς, οῦ, ὁ, der den Triumph hält; von —βεύω, triumphiren: act. einen im Triumph aufführen. —βικὸς, ἡ, ὸν, zum Triumphe gehörig, den Triumph betreffend. —βὶς, ίδος, ἡ, στολὴ ſ. v. a. θριαμβικὴ. —βος, ὁ, bey den Griechen eine Hymne auf den Bacchus, die bey der Prozeſſion geſungen ward. ὅτε σὺ τοὺς καλοὺς θριάμβους ἀναρύτοισα ἀπηχθάνου, Kratinus bey Suidas in ἀναρύττειν: daher überh. die Prozeſſion bey dem Bacchusfeſte; 2) bey den Römern der Triumph, ein feyerlicher Einzug und Aufzug der Sieger mit Geſängen begleitet, triumphus.

Θριγκίον, τὸ, das dimin. v. dem folgd. —κὸς, ὁ, od. θριγγὸς, θριγχὸς der Kranz, vorſtehender Rand, Zinne, Simſs oben an den Mauern, um ſie wider den Regen zu ſchützen: Eur. Troad. 489. 2) jeder Einſchluſs von Steinen od. Holz, Zaun, Befriedigung; davon —κόω, ῶ, ich ſchlieſse ein, zäune ein; 2) bey Aeſchyl. Ag. 1294. erklärt man ἄτας θριγκοῦν endigen: viell. Einhalt thun: Eur. Herc. 1280 δῶμα θριγκῶσαι κακοῖς, das Maaſs des häuſslichen Unglücks voll machen. —κωσις, ἡ, Verſchanzung, Zaun und θρίγκωμα: Plutarch.

Θριδακίνη, ἡ, ſ. v. a. θρίδαξ; davon —κινὶς, ίδος, das dimin. v. dem vorh. Nicand. Ther. 838. braucht θριδακινίδα als adject. wo in den Handſchr. θριδακηΐδα ſteht. —κινος, η, ον, von Lattich. —κίσκη, ἡ, dimin. von θρίδαξ. —κώδης, εος, ὁ, ἡ, lattigartig; von.

Θρίδαξ, ακος, ἡ, lactuca, Lattich.

Θρίζω, contr. ſt. θερίζω.

Θρινακρία, ἡ, und θρινακρὶς, ἡ, Trinacria, Juſtinus 4, 2. näml. γῆ oder νῆσος, das Land, die Inſel mit drey Vorgebirgen, (τρεῖς, ἄκρα) Sicilien. —ναξ, ακος, ἡ, Dreyzack, eine Gabel das Getreide damit zu ſondern und zu wurfeln.

Θρὶξ, τριχὸς, ἡ, Haupthaar, Baarthaar: auch Borſten, von Schweinen Heſiod. und Wolle.

Θριοβόλος, ὁ, ἡ, (θριὰς βάλλων) Steine oder Looſe in die Urne werfend, looſend, wahrſagend. S. θριάζω.

Θρίον, θρῖον, τὸ, Feigenblatt, Feigenlaub: auch ein Gerichte, welches in Feigenblättern eingewickelt aufgeſetzt ward.

Θρίοι, οἱ, θρίους παρίει Ariſtoph. Equ. 440. ein Seil am Segelwerke, ſonſt ἐκφοροι, das man nach einem Sturme, wenn der Wind nachläſst, zuerſt an der Prora nachläſst. S. τερθρίος.

Θριπήδεστος, ὁ, ἡ, (θρὶψ, ἔδω) wurmfräſsig, wurmſtichig, σφραγίδια Ariſtoph. Teſmoph. 427. zum Siegeln aus dem wurmſtichichten Splinte von Bäumen gemacht. Vergl. Theophr. H. P. 5, 1. Lycophr. 508.

Θριπόβρωτος, ὁ, ἡ, (βρώσκω) ſ. v. a. das vorige. —κοπέω, (θρὶψ, κόπτω) θριποκοπηθέντα ξύλα, vom Wurme angefressenes Holz. Theophr. —φάγος, ὁ, ἡ, der Holzwürmer oder Maden (*cossos*, θρὶψ) isst.

Θριπώδης, εος, ὁ, ἡ, dem Wurmfrasse unterworfen, oder dem Holzwurme ähnlich: aus Theophr. h. pl. 3, 9. wo die Basler Ausg. richtiger θριπήδεστος hat.

Θρίσσα, ἡ, ein Fisch, s. v. a. τριχίας.

Θρὶψ, θριπὸς, ὁ, Wurm, Holzwurm, Holzkäfermade, *cossus*; v. τρίβω.

Θροέω, ῶ, (θρόος, θρέω) lärmen, rauschen, schreyen, laut sprechen: schrekken, s. v. a. σοβέω und διαθροέω s. v. a. διασοβέω, bey Nicetas Annal. häufig.

Θρομβήϊος jonisch st. θρόμβειος, geronnen: Nicand. Alex. 295 ὠὰ νέον θρομβῆτα, frisch geronnene oder gebildete Eyer. —βίον, τὸ, dimin. von θρόμβος.

Θρομβοειδής, έος, ὁ, ἡ, einem θρόμβος ähnlich: wie geronnen. —βος, ὁ, ein Stück, Haufen von geronnenem Blute, wie *grumus*: auch ein kleines Stückchen z. B. Salz und dergl. von τρέφω τέθραμμαι gerinnen machen, wie γάλα. —βόω, ῶ, ich mache gerinnen: Nicand. Al. 315. —βώδης, εος, ὁ, ἡ, s. v. a. θρομβοειδής. —βωσις, ἡ, (θρομβόω) das Gerinnenmachen.

Θρονίζω, (θρόνος) auf den Stuhl, Sessel, Thron stellen oder setzen; dav. —νισμὸς, ὁ, das Erheben, Setzen auf den Stuhl, Sessel, Thron. —νιστής, οῦ, ὁ, der auf den Stuhl oder Thron stellt, setzt. —νον, τὸ, Blume, Blumenwerk in Stickereyen: Hom. Il. 22, 440. Kräuter: Nicand. Ther. 413. Theocr. id. 2. auch s. v. a. φάρμακον, Lycophr. 674. —νοποιὸς, ὁ, ἡ, der Sitze od. Sessel macht, Stuhlmacher. —νος, ὁ, Sitz, Sessel: besonders ein erhabner Sitz, als der der Könige, (Thron) Richter und Obrigkeit: hat mit θρᾶνος einerley Ursprung von θρόω, θράω.

Θρόος, contr. θροῦς, ὁ, (θρέω) Lärmen, Geräusch, lautes Schreyen, lautes Reden, lauter Zuruf: Gerede, Gerücht.

Θρυαλλίδιον, τὸ, dimin. von —λὶς, ίδος, ἡ, der Docht; und eine Pflanze, welche darzu gebraucht wird, wie bey uns die abgezogenen Binsen, welche wahrsch. θρύον heissen.

Θρυγανάω oder θρυγανέω, θύραν, ich klopfe sacht an die Thüre: Aristoph. Eccl. 34. Andre lesen τριγονάω.

Θρύϊνος, ΐνη, ϊνον, (θρύον) von Binsen.

Θρυλιγμὸς, ὁ, ἡ ἡ καλουμένη ἐκμέλεια sagt Dionysius v. Halik. erklärend, ein Fehler im Gesange.

Θρυλλέω, ῶ, (θρύλος θρύλλος) s. v. a. θροέω, einen Ton von sich geben, Geräusch, Lärmen machen: häufig reden oder sprechen von einer Sache, verbreiten, bekannt machen; dav. —λημα, τὸ, d. lat. *fabula*, was allgemein gesprochen geredet wird: allgemeine Rede oder Gerüchtallgem. Gespräch. —λιγμα, τὸ, (θρυλλίσσω) das Zerbrochene: Lycophr. 880. —λίζω, s. v. a. θρυλλέω. —λίσσω, f. ξω, zerbrechen, zerschmettern: Hom. Il. 23. Lycophr. 487. von θράω, θρύω, θρύζω; θριλὸς, s. v. a. θραυλὸς, zerbrochen, zermalmt; davon θρυλίσσω oder θρυλίζω: von θρύζω ist θρυγὴ, θρυγανὸς u. θριγανάω: von θρύω, θρύπτω, θρύπτω. —λος, ὁ, Geflüster, Gemurmel, Gerede; s. v. a. θρόος und θόρυβος: aus Theophyl. Simoc. bey Suidas: von θρέω, so θρόος, θροέω. und θρῦω, θρύλος, θρυλέω u. θρυλίζω, auch mit doppeltem λ.

Θρύμμα, τὸ, (θρύπτω) das Abgebrochene, Stück: davon —ματὶς, ίδος, ἡ, eine Art Kuchen oder Gericht: beym Lucian und Athen. p. 132. s. v. a. ἐνθρυμματίς.

Θρύον, τὸ, *juncus* Binsen: 2) s. v. a. στρύχνον μανικὸν, Tollkraut: Dioscor. 4, 74. Orphica Argon. 914.

Θρύορος, ὁ, f. L. aus Theophr. h. pl. 9, 12. wo man richtiger aus Dioscor. θρύον lieset, das Tollkraut στρύχνον μανικόν.

Θρυπτικὸς, ἡ, ὸν, Adv. —κῶς, zum zerbrechen, zermalmen gehörig oder geschickt: metaph. weichlich, zärtlich, weibisch, wollüstig, spröde; v. —τω, f. ψω, zerbrechen, zermalmen, zerreiben; metaphor. wie *frango*, schwächen, entkräften: medium θρύπτομαι, ich lebe weichlich, zärtlich, wollüstig; ich bin oder thue spröde, *delicias ago*: Xen. Symp. 8, 4. Von θρύω s. v. a. θράω, θραύω. S. θρυλλίσσω.

Θρύψις, εως, ἡ, das Zerbrechen, Zermalmen, Zerreiben; weichliche Lebensart, Schwelgerey, Weichlichkeit, Luxus: Xen. Cyr. 8, 8. 16. Schwächlichkeit, mit ἀσθένεια: Plutar. Demost. 4. S. τρυφερὸς.

Θρυώδης, ὁ, ἡ, (θρύον) voll Binsen, binsenartig.

Θρώσκω, st. θορίσκω, ich springe, bespringe, befruchte: Aeschyl. Eum. 662.

Θρωσμὸς, ὁ, ein über einem andern erhabner Ort; über dem Ufer erhabne Ebne, πεδίου θρωσμὸς, andre nahmen θρωσμὸς für den Namen einer hohen Gegend wie καλλικολώνη.

Θρώσσω hat bey Oppian. Cyn. 4. 177 Belin drucken lassen, welches er θροέων erklärt, aber für μέγα θρώσσων od. θρώων der Handschr. ist es besser mit andern μεγαθύμων zu lesen.

Θυὰ, ἡ, S. θυΐα.

Θυάζω, s. v. a. θύω, opfern: rasen, das Fest des Bacchus feyern; daher θυάς.

Θυανεία, θυανία, ἡ, bey Epichar. Athen. 2 p. 36. ἐκ κώμου θυανεία, ἐκ θυανείας δίκη: Hesych. hat. συανία, λοιδορία, ἡ διὰ χειρὸς μάχη, alſo Schimpfen und ſich prügeln, von θυάω ſt. συάω, ſubo. S. auch συηνία.

Θύαρος, ὁ, ſ. v. a. ἡ αἶρα: Dioſcor. 2, 122.

Θυὰς, άδος, ἡ, (θύω θυάω θυάζω) ein Raſender, Bacchantin, als Beywort von ἑορτὴ bey Nonnus feyerlich.

Θυάω, ῶ, ranzen, von Schweinen in der Bruſt, ſubo: Ariſt. hiſt. anim. 6, 18. vergl. Plin. 8, 51. u. θυαὐεία.

Θυγάτηρ, τέρος, per Syncop. τρὸς, ἡ, Tochter; dav. —τριδῆ, ἡ, Tochtertochter, Enkelin: u. —τριδοῦς, ὁ, Tochterſohn, Enkel. —τριον, τὸ, dim. v. θυγάτηρ. —τροθετέω, ῶ, als Tochter annehmen, θυγατέρα θέσθαι; zw.

Θυεία, ἡ, Morſer; davon

Θυείδιον, τὸ, dimin

Θύελλα, ἡ, (θύω) Sturm, Sturmwind; davon —λήεις, ήεσσα, ῆεν, und θυελλώδης, ὁ, ἡ, auch θυέλλειος, λεία: bey Suidas in ἰουλιανὸς, ſturmiſch, tobend. —λοφορέω, ῶ, in oder mit Sturm führen, tragen, bringen.

Θύεστος, ὁ, ein aus Gewurz bereiteter Trank: führt Heſych. aus Herodot. an: zw.

Θυήεις, ήεσσα, ῆεν, (θύος) wohlriechend.

Θυηκόος, ὁ, ſ. v. a. θυοσκόος.

Θυηλέομαι. S. θυηλή.

Θυηλὴ, ἡ, von θύω θυηλὸς, wovon das femin. θυηλή; eigentl. und urſprünglich Räucherwerk; hernach Opferkochen; oder Theil des Opferthiers, der verbrannt wird, auch Räucherwerk, daher das Opfer ſelbſt: Heſych. erklärt es auch durch Wahrſagung aus dem Opfer: Apollon. 2, 1194. 3, 191. dav. θυηλήσασθαι: Pollux 1, 27. die θυηλὰς auf den Altar oder ins Feuer legen, wo die Handſchr. θυλήσασθαι haben: Heſych. hat auch θυαλοῦν ſt. θυμιάσαι: Theophraſtus Porphyrii Abſtin. 2, 6. ſagt καὶ νῦν πρὸς τῷ τέλει τῶν θυηλῶν τοῖς ψαισθεῖσι θυλήμασι χρώμεθα. u. K. 17. ἐκ τῆς περικειμένης πήρσας τῶν ἀλφίτων ὀλίγας δράκας ἐθυλήσατο. —λημα, τὸ, (θυηλέω) auch contr. θύλημα ſ. v. a. θυηλή.

Θύημα, τὸ, (θύω) ſ. v. a. θυηλή.

Θυηπολέω, ῶ, ich bin ein θυηπόλος, auch ich rede wie ein Prieſter, Wahrſager: Plato Reſp. 2 p. 220. davon —πολία, ἡ, das Opfern: das Wahrſagen. —πόλιον, τὸ, das Opfer; von —πόλος, ὁ, ἡ, od. —πόλης, ου, ὁ, (θύος, πολέω) der ſich mit Opfern beſchäftigt, opfernd; Prieſter: Wahrſager.

Θυητὸς, ἡ, ὸν, (θυάω) geräuchert, wohlriechend.

Θυηφάγος, ὁ, ἡ, (φάγω, θύος) Opfer verzehrend; zw.

Θυΐα, ἡ, ein Baum Hom. od. 5. vergl. Plin. 13, 16. Theophr. hiſt. pl. 5, 5. 1, 15. wovon θυΐνη τράπεζα bey Plutar. Φιλοπλουτ. p. 93 der Lat. citrea menſa; alſo heiſt θυΐα auch θύον, lat. citrus, Zitronenbaum.

Θυῖα, τὰ, ein Bacchusfeſt bey den Eleern Pauſan. 6, 26. wie θυιὰς die Bacchanten, ſonſt θυὰς von θύω.

Θυιὰς, άδος, ἡ, ſ. v. a. θυὰς.

Θυΐδιον, τὸ, dimin. von θυΐς ſ. v. a. θυΐα u. θυεία.

Θυΐνος, ίνη, ϊνον, aus oder von dem Baum θυΐα gemacht, genommen.

Θυΐος, α, ον, aus Theophr. h. pl. 5, 3: wo τὸ τυίον ſteht von einer Eigenſchaft des Bauholzes; zw.

Θυῖον, τὸ, ſ. v. a. θύον: Athenaeus 5.

Θυῒς, ίδος, ἡ, ſ. v. a. θυῖα; zw.

Θυίσκη, ἡ, auch θύσκη, ἡ, (θύος) Räuchergefäſs; die Form θυΐσκος aus Joſeph. zw.

Θυΐτης, ſc. λίθος, ein aethiopiſches Foſſil: Dioſcor. 5, 154.

Θυίω, ſ. v. a. θύω, ruo.

Θυλάκιον, τὸ, θυλακίσκος, ὁ, θυλακίσκη, ἡ, und θυλακίσκιον, τὸ, alles dimin. v. θύλακος. —κίτης, ου, ὁ, fem. θυλακῖτις, ιδος, ſ. v. a. das vorherg. als μήκων, νάρδος: Dioſcor. 4, 65. 1, 8. —κοειδὴς, έος, ὁ, ἡ, (εἶδος) ſackförmig, beutelförmig. —κος, ὁ, Sack, Beutel, Schlauch von Leder meiſtentheils: bey Eur. und Ariſtoph. auch die weiten Unterkleider der Aſiaten und Perſer. —κοτρώξ, τρῶγες, ὁ, ἡ, Säcke zernagend (τρώγω) Heſych. —κοφορέω, einen Sack oder Schlauch tragen: von θυλακοφόρος, einen Sack oder Schlauch tragend. —κώδης, εος, ὁ, ἡ, ſ. v. a. θυλακοειδής.

Θύλαξ, ακος, ὁ, θυλὰς, ἡ, θύλλις u. θύλλιξ, ἡ, ſ. v. a. θύλακος, lederner Sack, Beutel, Schnappſack, Ränzel: Antipatri Sid. Epigr. 82. θυλὰς σκίπωνι συνέμπορος, wo vorher οὖδας ſtand, ſo wie bey Heſych. ουλάδες, πῆραι, θύλακοι ſt. θυλάδες.

Θυλήματα, θυηλήματα, τὰ, ſ. v. a. θυηλέομαι u. θυηλήματα. S. θυηλή.

Θῦμα, τὸ, (θύω) urſpr. das geräucherte: Räucherwerk: das Geopferte, Opfer. —μαίνω, (θυμὸς) ich werde boſe, zornig. —μαλγὴς, έος, ὁ, ἡ, (ἀλγέω) herzkrankend, ſchmerzlich.

Θυμαλὶς, ἡ, Nicand. Ther. 617. θυμαλίδας, wo aber die Handſchr. τιθυμάλους haben. —λώψ, ωπὸς, ὁ, halbverbranntes Holzſtück, ein Brand, oder geſchwelte Kohlen; von τύφω, ſollte alſo eigentl. θυμμάλωψ heiſsen. S. μάλωψ.

Θυμαρέω, ῶ, ich habe Gefallen: Theocr. 26, 9. —ρης, εος, ὁ, ἡ, u. θυμάρμενος, ὁ, ἡ, ſ. v. a. θυμήρης, (ἄρω, ἁρμενος, θυμὸς) das Herz vergnügend, angenehm.

Θυμάτιον, τὸ, dimin. von θῦμα.

Θύμβρα, ἡ, *cunila* u. *saturoia* ein bitteres gewürzhaftes Küchenkraut: Dioscor. 3, 45. Plinius 19, 8. heifst noch jezt bey den Italiänern *coniella* u. *santoreggia*, Saturey, *Satureia hortensis* Linn. —**βρεπίδειπνος**, ὁ, ἡ, der Saturey zur Mahlzeit geniefst: Beyw. eines dürftigen armen Landmannes oder Bürgers. —**βρίτης**, ου, ὁ. οἶνος über *thymbra* abgezogener Wein. —**βρον**, τὸ, f. v. a. θύμβρα: wahrfch. f. L. Theophr. h. pl. 7. 1. —**βροφάγος**, ὁ, ἡ, dem Sinne nach f. v. a. θυμβρεπίδειπνος.

Θυμελαία, ἡ; Dioscor. 4, 173. der Strauch, wovon die Beeren κόκκος Κνίδειος, *coccus Cnidius*, stark purgiren: *Daphne gnidium* Linnaei. —**μέλη**, ἡ. (θύω) Altar: f. v. a. βωμὸς, f. v. a. θύλημα: Pherecrates Phrynichi Apparat. p. 466. bey Eur. Jon der Tempel: bey Aeschyl. Suppl. 677. das Rathhaus: Κυκλώπων θυμέλας st. τείχη: Eur. Iphig. Aul. 152. auf dem Theater der Griechen ein viereckigter Platz vorn in dem Raume der ὀρχήστρα zwischen dem ὑποσκήνιον Links und Rechts, wo die Chore spielten. Auf dem römischen Theater fehlte dieser Theil. Für Schauspiel fetzt Alciphr. epist. 2, 3. σκηναὶ θυμέλαι: dav. —**μελικὸς**, ἡ, ὸν, zum Chore gehörig, Sänger, Tänzer, Musiker.

Θυμέομαι, οῦμαι, böse- zornig werden: v. θυμός; zw. und richtiger θυμόομαι, θυμοῦμαι.

Θυμηγερέω, ῶ, von θυμὸς, ἀγείρω, ich sammle Herz, Muth, erhole mich: Odyss. 7, 283.

Θυμηδέω, ῶ, im medio frölich seyn, sich vergnügen: ὑπὸ συρίγγων καὶ αὐλῶν θυμηδούμενοι: bey Suidas von —**δὴς**, έος, ὁ, ἡ, (ἥδω, θυμὸς) f. v. a. θυμάρης und θυμήρης, die Lust stillend: angenehm; dav. —**δία**, ἡ, Lust, Freude, Annehmlichkeit, Ergötzung.

Θυμήρης, εος, ὁ, ἡ, f. v. a. θυμάρης.

Θυμιάζω, f. v. a. θυμιάω; davon θυμιακτρον: Sophron. im Etym. M. φέρε τὸ θυμιακτρον κατεθυσιμιας, wo jetzt θυμιαστρον steht, d. i. das Räucherfafs. —**αμα**, τὸ, (θυμιάω) das Geräucherte: Räucherwerk. —**ασις**, ἡ, das Räuchern: das Dampfen, Rauchen. —**ατὴρ**, ὁ, f. v. a. das folgende davon abgeleitete —**ατήριον**, τὸ, eigentl. neutr. verst. ἀγγεῖον. v. θυμιατήριος, ein Gefäfs, womit man räuchert, Rauchfafs. —**ατίζω**, f. v. a. θυμιάω: Geopon. 6, 12 u. 13. —**ατικὸς**, ἡ, ὸν, gut zum räuchern: stark rauchend, dampfend. —**ατὸς**, ἡ, ὸν, geräuchert: rauchend. —**άω**, ῶ, räuchern, in Rauch aufgehen lassen. Bey Theophr. de Igne ἄνθρακες θυμιῶντες, dampfende Kohlen; neutral. von τύφω θύμημα oder θύω, θῦμα.

Θυμίδιον, τὸ, dimin. von θυμὸς; wov. —**μικὸς**, ἡ, ὸν, Adv. —**κῶς**, hitzig, heftig, muthig: zornig.

Θύμινος, ίνη, ινον, von oder mit Thymian (θύμος) gemacht. S. ὀξυθύμια.

Θύμιον, τὸ, bey Aetius 13 c. 64. f. v. a. σμίλαξ, bey Dioscor. θύμαλον; 2) bey Theophr. C. P. 3, 1. wird es *cunila* übersezt; 3) ein *tuber*, wie θύμος no. 3.

Θυμίτης, ου, ὁ. οἶνος, Wein m. Thymian angemacht: θυμῖται ἅλες, Aristoph. Ach. 1099 ἅλας θυμίτας οἶσε, παῖ, καὶ κρόμμυα. Vers. 772. stand vor Brunk περὶ θυμιτίδων ἁλῶ st. θυμιτᾶν, Salz mit Thymus abgerieben. Plinius 21 sect. 89 *et in fastidio tritum cum sale thymum.*

Θυμοβαρὴς, έος, ὁ, ἡ, (βαρὺς) herzdrückend. —**βορέω**, ῶ, das Herz sich nagen, abfressen. Hesiod. ἔργ. 799. wov. ζωὴν καταθυμοβορεῖν, carm. Pythagor. das Leben mit herzfressenden Sorgen hinbringen. —**βόρος**, ὁ, ἡ, (βορὰ) herznagend. —**δακὴς**, έος, ὁ, ἡ, (δήκω, δάκνω) herzbeiffend. —**ειδὴς**, έος, ὁ, ἡ, Adv. —**δῶς**, f. v. a. das contr. θυμώδης. —**λέαινα**, ἡ, (θυμὸς) femin. von θυμολέων, έοντος, ὁ, Löwenherz, mit Löwenmuthe. —**μαντις**, εως, ὁ, ἡ, der einen prophetischen Geist hat, nach Ueberlegung etwas voraussieht u. sagt: Aeschyl. Pers. 224. wie θυμόσοφος. —**μαχέω**, ῶ, mit Erbitterung und äufserster Anstrengung fechten oder Krieg führen: im N. T. f. v. a. zürnen, böse seyn: davon —**μαχία**, ἡ, das Streiten u. Kriegführen mit der äufsersten Erbitterung und Anstrengung.

Θύμον, τὸ, S. θύμος, ὁ.

Θυμοξάλμη, ἡ, ein Trank aus Thymian (θύμος), Essig (ὄξος), und Salzwasser (ἅλμη). —**πληθὴς**, ὁ, ἡ, (πλῆθος) voll Zorns: zw. —**ραιστὴς**, οῦ, ὁ, (θυμὸς ῥαίω) tödtend, das Herz oder Leben zerstörend.

Θυμὸς, ὁ, (θύω) die Seele, in so fern sie heftige Begierden und Leidenschaften hat; dah. überh. Lust: Begierde: Zorn: Rachsucht. Muth, Hitze, Heftigkeit. S. auch in ἦτορ.

Θύμος, ὁ, auch θύμον, τὸ; *thymus*, wird für Thymian gehalten: 2) als Speise, Kost der armen Leute im attischen Gebiete wird es von den Scholiasten d. βολβὸς und ἀγριοκρόμμυον erklärt. Aristoph. Pl. 283 πολλῶν θύμων ῥίζας διατετρωγότες. Alexis nennt θύμον ἱερεῖα πολλά: auch Hesych. erklärt θύμον d. κρόμμυον. Aber es scheint blofs von dem ersten θύμος als Speise zu verstehn zu seyn, den man mit Honig und Essig häufig afs; 3) ein fleifchigtes Gewächs, eine kleine Feigwarze, von der Aehnlichkeit mit dem Blumenknöpfchen des

Thymian: wenn es klein ist, θυμίον, grösser heisst es σῦκον; 4) die Brustdrüse, bey ungebohrnen und neugebohrnen Thieren und Menschen sehr gross, die vom Kalbe isst man unter dem Namen Kalbermilch.

Θυμοσοφέω, Nic. Annal. 14, 4. seine Geschicklichkeit beweisen; v. —σοφικὸς, ἡ, ὸν, einem θυμόσοφος gehörig, eigen, anständig. —σοφος, ὁ, ἡ, durch sich selbst weise, von Natur geschickt, klug; von Thieren und Menschen. —φθορέω, ῶ, ich fresse mein Herz mit Sorgen ab, ängstige mich: Soph. Tr. 142. von —φθόρος, ὁ, ἡ, (θυμὸς, φθείρω) mit κάματος, ἄχος, πενία, Muth todtend, niederschlagend: mit φάρμακα den Verstand verderbend, des Verstandes beraubend.

Θυμόω, ῶ, (θυμὸς) zornig machen: med. zornig werden, zurnen.

Θυμώδης, εος, ὁ, ἡ, Adv. —δῶς, (θυμὸς) hitzig, muthig, zornig: (θύμος) thymianartig. —μωμα, τὸ, das Zürnen, Zorn. zw. —μωσις, ἡ, s. v. a. θυμὸς: Cicero Tuscul. 4, 9. zw.

Θυνέω, s. v. a. θύνω und θύω no. 3. Hesiod.

Θυννάζω, ich steche, wie den Thunfisch mit dem Dreyzacke: θυννάζοντες ἐς τοὺς θυλάκους, Aristoph. Vesp. 1087. welches hernach durch κεντεῖν erklärt wird. θυννίζω hat eine ahnl. Bedeut. und Suidas erklart dies und ἀποθυννίζω durch ἀποπέμπομαι, παραλογίζομαι. Beym Luzian, Jup. Trag. εἰ τἀμὰ οὕτως ὑμῖν ἀπὸ τεθύννισται, von zweif. Bedeutung.

Θυνναῖος, αία, αῖον, vom Thunfische, s. v. a. θύννειος.

Θύνναξ, ακος, ὁ, dimin. von θύννος. —νὰς, άδος, ὁ, s. v. a. θυννὶς, dimin. von θύννη. —νεῖος, s. v. a. θυνναῖος. —νευτικὸς, ἡ, ὸν, (θυννεύω) zum Fange des Thunfisches gehörig od. geschickt. —νίζω, S. θυννάζω. —νίον, τὸ, dim. von θύννος aus Athenaeus, vielleicht st. θύννειον. —νὶς, ίδος, ἡ, s. v. a. θυννὰς. —νοθηραῖος, αία, αῖον, zum Thunfischfange gehörig: zw. aus Athenae. 7 p. 306. —νοθήρας, ου, ὁ, (θηράω) Thunfischfänger. —νος, ὁ, *thunnus*, Thunfisch: hat im spanisch. ital. u. im französ. denselben Namen behalten: bey Linne' *Scomber thynnus*. Enthält aber mehrere Arten, dergleichen auch θύννη bezeichnet, die aber schwer zu bestimmen sind. —νοσκοπέω, ῶ, S. in θυννοσκόπος. —νοσκοπεῖον, τὸ, S. eben daselbst. —νοσκοπία, ἡ, S. eben daselbst. —νοσκόπος, ὁ, ἡ, der die Zahl und Richtung der ankommenden Thunfische auf einem Gerölle beobachtet und den Fischern ankündiget, damit sie die Netze aufstellen: diese Handlung heisst θυννοσκοπεῖν und θυννοσκοπία, ἡ, der Ort, wo sie geschieht, θυννοσκοπεῖον. —νώδης, ὁ, ἡ, thunfischartig.

Θύνω, s. v. a. θύω no. 3. wie δύω, δύνω.

Θυοδόκος, ὁ, ἡ, (θύος δεχόμενος) Räucherwerk aufnehmend, enthaltend. —δεις, εσσα, εν, s. v. a. θυήεις.

Θύον, τὸ, Opferkuchen: Räucherwerk. Auch s. v. a. θυῖα, der Baum.

Θύος, εος, τὸ, Räucherwerk, θυμίαμα: Hom, Il. 6. Die Lat. zogen dies *thuos* oder *thuus* in *thus* zusammen; 2) das Opfer, Opferthier, τὰ θυόμενα, ἡ θυσία Hom. Odyss. 15. in Verbindung mit dem verb. θύω; 3) Wuth, Raserey, wie θύω: Aeschyl. Ag. 1420. —σκινέω, bey Aeschyl. Agam. 87 περίπεμπτα θυοσκινεῖς, schickst uberall herum und lässest opfern: wo einige vorschlugen θυοσνεῖς, weil Hesych. hat: ἱεροῖς παρέχεσθαι ἢ θεοῖς. Diese Glosse aber muss entweder in θυοσκοεῖν oder θυοσκινεῖν verandert werden. —σκόος, ου, ὁ, (θύος, κοέω) oder —σκόπος, ὁ, s. v. a. ἱεροσκόπος Wahrsager aus den Opferthieren oder aus dem brennenden Weihrauche.

Θυόω, ῶ, (θύος) rauchern, wohlriechend machen: ἔλαιον τεθυωμένον, wohlriechendes Oel; 2) θυοῦμαι s. v. a. μαίνομαι. S. in θύω.

Θύπτης, ὁ, s. v. a. τυρὸς: Hesych. statt χθύπτης: Clemens Alex. Strom. 5 p. 675. not.

Θύρα, ἡ, Thür, Pforte; davon das lat. *obturare, returare*, die Thüre zumachen, öfnen: auch bedeutet θύρα jedes Bret oder von Brettern zusammengesetztes *tabulatum*, länger als breiter, gleich einer Thüre. Daher Livius des Polybius θύρας *fores*, und Plutarch des Diodorus θύρας κατακεκεντρωμένας durch σανίδας κεντρωτὰς. Valerius Max. 3. *tabulas plumbatas habentes clavorum cavamina* giebt. Daher θυρεὸς ein langer Schild. Eben so verbindet Thucyd, 6, 101. θύρας καὶ πλατέα ξύλα.

Θύραζε, Adv. hinaus, vor der Thür, *foras*. —ράζω, s. v. a. d. lat. *elimino* zur Thüre hinausführen: daher θυράγματα, ἀφοδεύματα bey Hesych. welcher θυράξαι, ἔξω τῆς θύρας διατρίβειν hat. —ραθεν, Adv. von aussen her; draussen: *foris*. —ραῖος, αία, αῖον, zur Thüre gehörig, sie betreffend: draussen seyend; von draussen her, abwesend, fremd, als θυραῖός ἐστι Sophocl. Aj. 804. er ist draussen.

Θυραυλέω, ῶ, ich bin - bleibe - verweile ausser dem Hause: (αὐλή, θύρη) bin iebe in Freyem, unter freyem Himmel, im Kriege, im Felde: 2) ich bin immer vor jemandes Thüre im Vorhofe,

Vorzimmer eines Vornehmen, um ihm aufzuwarten: Themistius.

Θυραυλία, ἡ, das Leben ausser dem Hause, im Freyen, im Felde, unter freyem Himmel, im Kriege; davon —λικὸς, ἡ, ὸν, zum θύραυλος oder zur θυραυλία gehörig. —λος, ὁ, ἡ, (αὐλὴ θύρη) der ausser dem Hause, im Freyem, im Felde, im Kriege lebt.

Θυρέασπις, ιδος, ἡ, eine Art von Schild, aus θυρεὸς u. ἀσπὶς gemischt: aus Anthol. zw.

Θυρεοειδὴς, έος, ὁ, ἡ, (εἶδος) schildartig; v. —ὸς, ὁ, Stein vor die Thüre zu setzen; Hom. od. 9, 240. langer Schild wegen der Aehnlichkeit. S. θύρα. —οφόρος, ὁ, ἡ, (θυρεὸν φέρων) Schildträger.

Θυρεπανοίκτης, ου, ὁ, (θύραν ἐπανοίγων) Thüreröfner: so hiess auch der Philosoph Crates, dem jedes Haus offen stand, der überall willkommen war: Diog. Laërt. 6, 86.

Θύρετρον, τὸ, poet. s. v. a. θύρα: Hom. u. Xeno.

Θύρηθε, s. v. a. θύρηφι: Odyss. ξ, 352.

Θύρηφι, Adv. draussen, vor der Thüre: eigentl. der dat. θύρα, mit angehängtem φι.

Θυρίδιον, θύριον, τὸ, und θυρὶς, ἡ, dim. von θύρα.

Θυροειδὴς, έος, ὁ, ἡ, einer Thüre, einem Fenster ähnlich.

Θυροιγὸς, ὁ, (θύραν οἴγων) Thüröfner, Thürsteher, Pförtner.

Θυροκοπέω, ῶ, ich klopfe an die Thüre: vorz. der Geliebten: Aelian. H. A. 1, 50. metaphor. Synesius p. 138. τὰ αἰσθητήρια: davon θυροκοπία, ἡ, das Klopfen an die Thüre: Libanius in Antioch. p. 335. —κοπήτης, ου, ὁ, (θυροκοπέω) Thüranklopfer: s. L. bey Suidas, wo jezt θυροκοπεῖται steht. —κοπικὸς, ἡ, ὸν, zum Schlagen - Klopfen an die Thüre gehörig, thüreklopfend; von —κόπος, ὁ, (θύρα, κόπτω) an die Thüre klopfend. —κρουστέω, ῶ, (κρούω) s. v. a. θυροκοπέω. —πηγία, ἡ, (πήγνυμι) das Zusammenfügen, oder Verfertigen der Thüren. —ποιὸς, ὁ, (θύραν ποιῶν) der Thüren macht.

Θυρόω, ῶ, mit Thüren versehn. θύραις χρυσαῖσι θυρῶσαι Aristoph. Av. 614. ἐξόδοις πολλαῖς τεθυρωμένον Luci. Hipp. 8 mit vielen Ausgängen durch Thüren versehn.

Θυρσάδδω, θυρσαδδωᾶν st. θυρσάζω θυρσαζουσῶν Aristoph. Lys. 1313 mit dem Thyrsus das Bacchusfest feyern. —σάριον, τὸ, dimin. v. θύρσος: Plutarch. Q. 8. 1, 1. —σαχθὴς, ὁ, ἡ, (ἄχθος) mit dem Thyrsus beschwert, den Th. tragend. —σοειδὴς, έος, ὁ, ἡ, (εἶδος) thyrsusartig, wie ein Th. gestaltet. —σόλογχος, ὁ, d. i. λόγχη τεθυρσωμένη, eine Lanze wie ein Thyrsusstab: Athen. p. 200 u. Procli Sphaera. —σομανὴς, έος, ὁ, ἡ, s. v. a. θυρσοπλὴξ, ὁ, ἡ, (μανία, πλήττω) vom Thyrsus geschlagen und in Wuth, Enthusiasmus gesetzt. —σος, ὁ, Thyrsus, ein mit Epheu und Weinlaub umwundener leichter Stab, wie ihn die Bacchanten trugen: der Vers des Epigram beschreibt ihn genau durch θύρσου χλοερὸν κωνοφόρον κάμακα. S. in θύω: davon —σοτινάκτης, ου, ὁ, (τινάσσων) Thyrsusschwinger. —σοφορέω, ῶ, ich trage den Thyrsus oder Bacchantenstab: davon —σοφορία, ἡ, das Tragen des Thyrsus oder Bacchantenstabs. —σοφόρος, ὁ, ἡ, (θύρσον φέρων) Thyrsusträger: das Fest des Bacchus feyernd. —σόω, ῶ, zum oder wie einen Thyrsus machen: Diod. Sic.

Θύρωμα, τὸ, gemachte Thür, v. θυρόω, u. daher schlechtweg, Thür: das Verthüren, Verriegeln, Versperren: das Machen einer Thür, Tafelung einer Thur, Bretterwerk zu einer Thüre. Bey Herodot. 2, 169 s. v. a. *tabulata*, Gerüste, Stockwerk. —ρὼν, ῶνος, ὁ, Vorhof, Platz vor der Thüre. Plutar. 7 p. 166. —ρωρεῖον, τὸ, Aufenthaltsort eines θυρωρὸς, Thürhüterzelle. —ρωρέω, ῶ, ich bin Thürhüter: von —ρωρὸς, ὁ, ἡ, (ὤρη, θύρα) Thürhüter.

Θυσανόεις, όεσσα, όεν, mit Franzen oder Troddeln besetzt: von —νος, ὁ, (S. in θύω) eine Troddel, Franze, Bommel, ein herabhängender und im gehn sich bewegender Theil an der αἰγὶς u. ζώνη bey Homer. Bey Pindar Pyth. 4, 411. die lange Wolle des Schaafpelzes: κῶας θυσάνῳ χρυσέῳ. Hesych. hat θυσάνουρος von einem Thiere mit zottigem Schwanze: Theophr. h. pl. 1, 9 nennt zottige Wurzeln θυσανώδεις. Bey Diodor. 18, 26 kommt θύσανος δικτυωτὸς ἔχων ἐμμεγέθεις κώδωνας vor. —νουρος, ὁ, ἡ, (θύσανος, οὐρὰ) mit zottigtem Schwanze, wie der Fuchs. —νώδης, εος, ὁ, ἡ, u. θυσανωτὸς, (θυσανόω) s. v. a. θυσανόεις.

Θύσθλα, τὰ, beym Hom. Il. 6, 134 s. v. a. θύρσους oder was sonst die τιθῆναι in Händen hatten, um dem Bacchus zu opfern. νύκτερα θύσθλα die nächtlichen Feste des Bacchus: Oppian. Cyn. 1, 26. Orph. Argon. 902. 1073. θύσθλον βεβακχευμένον Διονύσῳ: Plutarch. 7 p. 954. S. in θύω.

Θυσία, ἡ, (θύω) das Opfern, die Handlung des Opferns: das Opfer, Opferthier: Opferzeit, Opferfest: θυσίας ἄγομεν: Plato Alc. 2, 19. davon —άζω, (θυσία) s. v. a. θύω, βοῦν ich opfere, schlachte; 2) Diodor. 4, 3 τὰς γυναῖκας θυσιάζειν τῷ θεῷ καὶ βακχεύειν d. i. als θυιάδες dem Bacchus dienen und feyern. Derfelbe fagt auch 2 p. 602 τοὺς τῷ διὶ καθιδρυμένους βωμοὺς θυσιάσαντες auf allen Altären opfern.

Θυσιὰς, άδος, ἡ, d. i. θύσσα, Rafende, Schwärmende, Bacchantin; fonft auch θυστάς. —**ασμα**, τὸ, f. v. a. θυσία, v. θυσιάζω, bey den gr. Ueberf. des A. T. —**αστήριον**, τὸ, (θυσιαστὴρ, θυσιαστήριος) Opfertifch, Altar.

Θύσιμος, ὁ, ἡ, zum opfern gefchickt oder üblich. Plutarch. Q. S. 8, 8 verbindet es mit ἱερεύσιμος.

Θυσκάριον, τὸ, dimin. von —**κη**, ἡ, nach dem Etym. ἡ σκάφη ἡ δεχομένη τὰ θύματα: bey Suidas θυΐσκη. —**κόος**, f. oben θυοσκόος.

Θύσσανος, θυσσανόεις, θυσσανωτὸς, f. v. a. θύσανος u. f. w.

Θυστὰς, άδος, ἡ, d. i. θύουσα, alfo entweder eine Opfernde, Priefterin, oder eine fchwärmende Bacchantin, oder adj. bey βοὴ Aefchyl. Theb. 275. Bacchantengefchrey.

Θυτὴρ, ῆρος, ὁ, (θύω) Opfernder, Opp. Hal. 5, 417 Opferpriefter. —**τήριον**, τὸ, f. v. a. θυσιαστήριον: eigentl. neutr. von —**τήριος**, ὁ, ἡ, f. v. a. θυτικός. —**της**, ου, ὁ, f. v. a. θυτήρ: davon —**τικὸς**, ἡ, ὸν, zum Opfer oder Opferer oder Opferpriefter gehörig: ἡ θυτικὴ (τέχνη), Opferkunde, Wiffenfchaft eines aiufpex.

Θύψις, ἡ, das brennen, fengen. S. τύφω.

Θύω, die erfte u. ältefte Bed. ift räuchern *fire, fuffire* lat. 2) opfern, Opfer darbringen, fie fchlachten, fie verbrennen: Opfermahlzeit halten, mit einem Opfermahle etwas feyern, als γάμους: med. von einem *harufpex*, das Opfer und deffen Innres befehen: Xen. An. 5, 6, 18 vergl. 1, 7, 18. von andern, opfern laffen: Xen. Cyr. 3) ein von diefem urfprünglich verfchiedenes verbum θύω drückt eine heftige und ungeftüme Bewegung aus, als des ftürmenden Windes, der tobenden Wogen: Hefiod. Theog. 109. vom Fluffe Il. 21. von der Welle κῦμα: daher überh. toben, wüthen, rafen: Il. 1, 342. daher δάπεδον αἵματι θῦεν Il. 11. d. i. wüthete tobte von Mord. Davon θύνω, (wie δύω, δύνω) u. θυνέω, welches Hefiod. in derf. Bed. braucht: θυέω, wovon θυελλὸς, θυελλή, θυέλη u. θυέλλη, welches Homer mit ἀνέμου verbindet aber auch allein braucht, um den ungeftümen Gang und Bewegung der Luft und des Windes zu bezeichnen. πυρὸς θύελλαι Odyff. 1 bezeichnet ein fchnell um fich greifendes, ungeftümes, wüthendes Feuer. Eben fo wird aus ἄω, ἀέω, ἀελλὸς, das Wort ἄελλα gebildet. Ferner θύσσω bey Hefych. σείω, τινάσσω: dafür ἀθύσσει, μιγνύει, ῥαπίζει bey Hefy. u. ἤθυσσεν, ἐῤῥίπιζεν, ἔνυσσεν: wofür αἰθύσσω f. v. a. ἀνασείω, ῥιπίζω, ἀνακαίω bekannter ift, wie ἀολέω, ἀέλλω, ἀόλλω, αἰολέω, αἰόλλω, αἴολος. Eben daher leite ich ἀθύρω, ἀθυρέω, ἀθηρεύω: nämlich von ἀθύω, ἀθυρὸς, welches eigentl. hüpfen, fpringen und das Spielen der Kinder alfo παίζειν u. σκιρτᾶν nach Hefych. bedeutet. Eben fo kommt von θόω das Adjekt. θοὸς, fpitzig, fcharf, fchnell, hitzig: davon θοόω f. v. a. ὀξύνω: ferner θόρος, gewöhnlicher das jonifche θοῦρος, fchnell, heftig, hitzig, ungeftüm: ἄρης, ἀνὴρ, δόρυ: wovon das poet. femin. θουρὰς u. θοῦρις, als ἀλκὴ, ἀσπὶς: dafür hat man auch θούριος gefagt, als ἄρης, λοχαγέτης: Eur. Phoen. 247 Aefchyl. Theb. 42. λῆμα Ariftoph. Equ. 754. Von θόω kommt θοάω, θοάζω, welches in allen den Bedeutungen von θύω, θύνω vorkommt: Eur. Phoen. 801. Troad. 307. Herc. fur. 583 Oreft. 335. Bacch. 65, wo es die Schol. durch μεθ' ὁρμῆς φέρεσθαι u. ἐκμαίνεσθαι erklären: Apollon. Rhod. 1, 743. Für θαάσσειν fitzen führt es Plutarch. fchon aus Sophocl. Oed. tyr. 2. an, und fo Aefchyl. Suppl. 603. ob mir gleich fcheint, dafs vielleicht das Wort in diefer Bed. durch einen Schreibefehler aus θαάζω, θαάσσω entftanden feyn könne. Hefych. verbindet alle diefe Bed. in θοάζει, τρέχει, μαίνεται, σκιρτᾷ, σπεύδει, ταράττει, κάθηται, χορεύει, ἀνύει, ἥδεται, τελεῖ, πλάττει, φοβεῖται, πλανᾶται, θεοφορεῖται. Endlich θόρω, θορέω, θόρνω, θορνύω, θόρνυμι, θρώσκω, welche alle eine heftige und fchnelle Bewegung ausdrücken. Die Form θυάω für καπράω, in der Brunft feyn, hat Hefych. und fie kommt in ἀναθυάω vor: θυάζω für ὀργιάζω ift ohne Beyfpiel angeführt: aber davon kommt θυὰς, ἡ, die Bacchantin. Man hat das verbum auch mit eingefchobenem jota θύιω gefchrieben, und Hefych. hat θυιόω, davon θυιωθεὶς bey ihm f. v. a μανεὶς, ὁρμήσας. Von θύω ift θυμὸς, der thierifche Theil der Seele oder der Sitz der Begierden, Lüfte und Leidenfchaften abgeleitet: ferner von θύσσω, f. v. a. σείω das Wort θύσανος, Zottel, Bommel, ein herabhängender und fich leicht bey jeder Bewegung regender Theil. Von θύρω ἀθυρω fcheint θύρσος f. v. a. das ältere von θύσω abgeleitete θύσθλον, zu feyn, der grünbelaubte leichte Stab, den die ungeftümen Bacchantinnen (θυάδες) bey der Feyer des Bacchusfeftes trugen und fchwangen. Endlich hat man auch ἰθύω u. ἰθύνω in demfelben Sinne von heftiger ungeftümer Bewegung gebraucht, welches man von ἰθύνω für εὐθύνω unterfcheiden mufs: Homer fagt ſogar von der Schlacht ſelbſt: ἰθῦσε μάχη ἔνθα καὶ ἔνθα πεδίοιο. Hernach wird es auch vom gelüſten, begehren, verlangen (wie θυμὸς von θύω) gebraucht: ὁπότ' ἰθύσει ἐπὶ χερσί μάσασθαι. Odyſſ. u. ἴθυσεν ῥ' ὀλολύξαι, wollte in ein Geſchrey ausbrechen: ibid. ὅ κεν ᾔσι μετὰ φρεσὶν ἰθύσειε Apollon. Rhod. 2. was er in ſeinem Herzen begehrt: auch Herodotus hat das verbum in dieſer Bed. gebraucht. Daher ἰθὺς zweymal in der Odyſſ. für ὁρμὴ, Verlangen, Begehren, Vorhaben, Unternehmung.

Θυώδης, εος, ὁ, ἡ, ſ. v. a. θυόεις. —ωμα, ατος, τὸ, (θυόω) ſ. v. a. θυμίαμα, Räucherwerk: Gewürze: Herodot. 2, 40 u. 86. 3, 113.

Θυωρὶς, ίδος, ἡ, verſt. τράπεζα Opfertiſch: auch θεωρὶς Pollux 4, 123 Athenae 5 p. 195. davon —ρίτης, ου, ὁ, Diener beym Opfertiſche: Lycophr. 93 ſ. v. a. τραπεζίτης. ein Geldwechsler u. Prüfer. S. in θύωρός. — ρὸς, ὁ, ἡ, verſt. τράπεζα, eigentl. der Opfertiſch: hernach Φιλικὴ τράπεζα, davon θυωρεῖσθαι, εὐωχεῖσθαι. Heſych. dann *menſa argentaria* Wechslertiſch oder Komtoir, daher θυωρίτης, ἀργυρογνώμων. vergl. Hemſterh. Lucian 2 p. 303. überh. jeder Tiſch. Callimach. in Dian. bey Nicand. Ther. 103 ſ. v. a. μυρεψός.

Θωὴ, ἡ, Verluſt, zugefügter Verluſt, Beſtrafung: Schaden Maximus vers. 576 davon ἄθωος.

Θωκέω, ῶ, u. θῶκος, ὁ, ſ. v. a. θακέω, θᾶκος.

Θωμεύω (θωμὸς) bey Heſych. συμμίσγω, συντάγέω, bey Hephaeſtion de metris p. 33 καὶ κνίσσῃ τινὰ θωμήσας: ſcheint ſ. v. a. angeln, fangen zu ſeyn: von θῶμιξ. —μιγξ, γγος, ὁ, θῶμιξ, u. θῶμις, ὁ, Seil, Band, Saite, Sehne am Bogen, Faden, Bindfaden; auch Peitſche; davon —μίζω, θωμίσσω, binden, feſſeln: mit einem Seile, Stricke oder Peitſche geiſſeln: Anacr. beym Athen. 12 p. 534. S. auch θωμεύω. —μὸς, ὁ, Hauſe: ſ. v. a. σωρὸς u. θημὼν, u. von einerley Urſpr. m. θημών.

Θῶος, ὁ, (θωὴ) ſchuldig, ſtraffällig: davon ἄθωος.

Θωπεία, ἡ, Schmeicheley. —πευμα, τὸ, u. dimin. —άτιον, τὸ, eine Schmeicheley. —πευτικὸς, ἡ, ὁν, Adv. —κῶς, ſchmeichleriſch, ſchmeichelhaft. —πεύω, ich bin ein θὼψ, ſchmeichle, täuſche betrüge: auch ſ. v. a. θεραπεύω.

Θωπικὸς, ἡ, ὁν, Adv. θωπικῶς, geſchickter, ausgelernter Schmeichler, ſchmeichleriſch.

Θώπτω, u. θώπω, ſ. v. a. θωπεύω, futur. θώψω. Aeſchyl. S. θήπω u. ἐκθωπεύω.

Θωρακίζω, mit dem θώραξ verſehn: panzern, bepanzern, bewafnen. —κιον, τὸ, (θώραξ) ein kleiner Panzer: wegen des ähnlichen Nutzens, Schutzwehr, Vordach, στέγασμα, προβολὴ, wie *lorica*: vorz. heiſst das Gerüſte auf dem Rücken des Elephanten ſo, worinne im Kriege einige Soldaten ſtehn und fechten. Aelian. H. A. 13. —κισμὸς, ὁ, (θωρακίζω) Bepanzerung, Bedeckung, Bewaffnung mit einem Panzer. —κίτης, ου, ὁ, ein bepanzerter Krieger, Küraſſier. —κομάχος, ὁ, ἡ, in einem Panzer oder bepanzert ſtreitend, ἐν θώρακι μαχόμενος. —κοποιὸς, ὁ, ἡ, d. i. θώρακας ποιῶν, Panzermacher. —κοφόρος, ὁ, ἡ, d. i. θώρακα φέρων, einen Panzer tragend, bepanzert.

Θώραξ, ὁ, (S. in θοινὴ) bey den älteſten Schriftſtellern iſt es der ganze Rumpf vom Halſe bis an die Schaam, daher auch θώραξ die ganze Rüſtung und Bedeckung des Rumpfes, der Harniſch: bey den ſpätern Aerzten und Schriftſt. bedeutet es das was wir jetzt Bruſt nennen, welche Herz, Lunge und Leber enthält mit Ribben verwahrt und durchs Zwerchfell geſchieden iſt; bey Ariſtoph. eine Art von Becher; auch ſpäterhin ein Bruſtbild. Von den Theilen und der Geſtalt des Harniſches iſt die Hauptſt. Xenoph. Eq. K. 12.

Θωρηκτὴς, οῦ, ὁ, bepanzert, gerüſtet; Panzerträger. —ρηξις, ἡ, Bepanzerung: das Weintrinken, nehmlich ungemiſchten, und daher ſich betrinken, μεθύειν. —ρήσσω, f. ξω, bepanzern, bewafnen: paſſ. u. med. ſich bepanzern, ſich bewafnen: auch ſ. v. a. μεθύσκεσθαι u. μεθύειν, ſich in ungemiſchtem Weine, *merum*, betrinken.

Θὼς, θωὸς, ὁ, ἡ, eine Thierart beym Ariſtot. hiſt. anim. 9, 44. Plin. 8, 34. wird mit dem Chakal verglichen. Von zweyerley Art, bunte gröſsere, und kleinere einfarbige. Arrian. Indic. p. 329. Jene hieſsen in Griechenland auch Tiger.

Θώσσω, davon θωχθεὶς bey Sophocl. ſ. v. a. θωρηχθεὶς, μεθυσθείς. von θῶμαι kommt noch θώσασθαι und θῶσθαι ſt. εὐωχεῖσθαι beym Aeſchyl. vor. S. θοινὴ und θάω.

Θωϋκτὴρ, ῆρος, ὁ, S. θωΰσσω.

Θωῦμα, τὸ, und θωϋμάζω. jon. ſt. θαῦμα, θαυμάζω.

Θωΰσσω, f. ξω, rufen, ſchreyen: S. ἐπιθωΰσσω zurufen: bey Suidas auch vom Hunde bellen, und davon θωϋκτὴρ κύων: bey Eur. κναὶ θωΰσσειν ſ. v. a. ἐπιθωΰσσειν.

Θὼψ, θωπὸς, ὁ, Schmeichler, und durch Schmeicheley täuſchend. S. θήπω.

I

I, der neunte Buchst. des griech. Alph. ein Selbstlauter: gilt als Zahl 10, auch 9 (s. oben bey Θ), mit einem untergesetzten Striche ι 10,000. Die Attiker hängen diesen Vokal an, oder verwandeln darein die letzte Sylbe des Worts, und setzen den Accent dann auf die letzte Sylbe: als οὑτοσὶ st. οὗτος, νυνμενὶ νυνγαρὶ, st. νῦν μὲν, νῦν γὰρ. Der zweyte Fall findet in ταυτιγὶ, τουτογὶ statt, welche für τοῦτόγε, ταῦταγε stehn, im lat. *hicce, haecce* u. dergl. wo aber auch e in i verwandelt wird, in *siccine* fur *siccene.*

'Ιὰ, ἡ, jon. ἰή, s. v. a. βοὴ, Stimme, Geräusch, *sonus, vox,* Klang: Eur. Rhes. 553. Aeschyl. Prom. 940.

Ἴα, ἰᾶς oder ἰῆς, s. v. a. μία, von εἷς, ἴς, ἴος, eine: eine und dieselbe.

Ἰάζω, mache, spreche den Joniern nach, handle, rede wie die Jonier, wie ἑλληνίζω.

Ἰαιβοῖ, Adv. st. αἰβοῖ: aus Aristoph. zweif.

Ἰαίνω, warm machen, als ὕδωρ Hom. daher erweichen, schmelzen, auflösen, als κηρὸς Hom. flüssig machen: und hiervon, wie διαλύω, διαχύω, von lösender, schmelzender Freude, als θυμὸς εὐφροσύνῃσι ἰαίνεται und πᾶσιν ἐνὶ φρεσὶ θυμὸς ἰάνθη, mit vorhergeh. γήθησαν Hom. wo die Metapher von Regen oder Thau hergenommen ist, der die Pflanze erfrischt: Hom. Il. 23, 598. Plutar. 6 p. 732. hat alle die Bedeut. richtig abgeleitet und erklärt. Man hat auch ἰάζω gesagt, davon ἰαχρὸς. S. auch ἴομαι.

Ἰακὸς, ἡ, ὸν, Jonisch.

Ἰακχαγωγὸς, ὁ, (ἄγω, ἴακχος) der bey der bacchischen Prozession das Bild des Bacchus tragt, führt. —χάζω, s. v. a. ἰαχέω, ich schreye, mache ein Freudengeschrey, vorz. bey dem Bacchusfeste. ἄφραστον ἰακχάζοντες ἀοιδὴν οἰωνοὶ. in den Orphicis vom lauten Geschreye der Vögel. —χαῖος, α, ον, bacchisch; von —χος, ὁ, dem lauten Jubelgeschrey und Jubelliede am Bacchusfeste; 2) der Bacchus selbst. S. ἰαχέω. —χω, s. v. a. ἰάχω u. ἰαχέω, welches siehe.

Ἰαλεμίζω. S. ἠλεμίζω.

Ἰάλεμος, ὁ, Klage-Trauerlied. S. ἤλεμος. Wird im Sprichworte Ἰαλέμου ψυχρότερος, gebraucht; daher ἰαλεμώδης, ὁ, ἡ, s. v. a. ψυχρὸς, οὐδενὸς ἄξιος, bey Suidas. Galenus sagt ἰατρὸς ἰάλεμος, kläglicher, elender Arzt.

Ἰάλλω, von ἴω, ἰάω, ἵημι, ich werfe, schiesse, schleudere, πέμπω, *mitto*; χεῖρας Hand ausstrecken, οἰστὸν Pfeil schiessen; ὑλακὴν wie *latratus mitto,* bellen; ἴχνος ἰῆλαι *vestigium figere* Fuss setzen Nicand. Alex. 242. bey Homer ἀτιμίῃσιν ἰάλλειν mit Schmach belegen, besser drückt es das lat. *petere ignominia, afficere* aus. Bey Hesiod. Theog. μεταχθόνια ἴαλλον erklärt man es laufen oder fliegen. Eigentl. sollte ἰάλλω wie ἵημι geschrieben werden; und so heisst das davon abgeleitete ἐφιάλλω aber man findet auch ἀπιάλλω d. i. ἀποπέμπω so wie εἰσιάλλω s. v. a. εἰσπέμπω.

Ἴαμα, τὸ, (ἰάω) Heilung; Heilmittel.

Ἰαμβειογράφος, ὁ, (γράφω) der Jamben oder Schmähgedichte schreibt; von —βεῖον, τὸ, (nämlich ἔπος oder μέλος) ein jambischer Vers oder Lied: von —βειος, ὁ, ἡ, jambisch. —βειοφάγος, S. ἰαμβοφάγος. —βηλος, ὁ, s.v. a. λοιδορητικὸς Hesych: bey Eustath. über Il. λ. 884 s. v. a. ἴαμβος. —βιάζω, Anthol. und ἰαμβίζω (ἴαμβος) in Jamben reden od. schreiben: schmähen. —βικὸς, ἡ, ὸν, jambisch. —βιστὴς, οῦ, ὁ, (ἰαμβίζων) der in Jamben spricht oder schreibt, der schmäht. —βος, ὁ, ein Jambe, in der Metrik ein Sylbenmaass ∪ — und eine daraus zusammengesetzte Art von Gedicht, in welcher Archilochus (Hor. a. p. 79) und andere Schmähdichter geschrieben haben, daher ein Schmäh-Spottgedicht. —βοφάγος, ὁ, ein Jambentresser, bey Demosth. Spottname eines tragischen Schauspielers, der viele jambische Verse auswendig lernen und hersagen muss. —βύκη, ἡ, ein musikalisches Instrument, auf welchem man die Jamben gespielt haben soll, von σαμβύκη verschieden: Hesych. Suid.

Ἰαμεναὶ, αἱ, sonst εἰαμεναὶ und ἰαμνοὶ, οἱ, wässerigte mit Gras bewachsene Gegenden, beym Nicander Ther. 29. 200. 537. 901.

Ἰάνθινος, ίνη, ινον, veilchenfarbig, violet: Plinius 21, 6 leitet es von ἴον ab: Hesych. aber hat ἴανθον, ἄνθος καὶ χρῶμά τι πορφυροειδὲς. Er hat auch mit Suidas ἰανοκρήδεμνος, στέμμα ἐξ ἴων φορῶν. So wäre ἰανὸς von ἴον: aber man kann ἰανοκρ. auch anders erklären. S. in εἰανὸς.

Ἰάομαι, ῶμαι, heilen; dav. ἰατρὸς Arzt. Hemsterhuis leitet es von ἰάω, wovon auch ἰαίνω, ab, d. i. erwärmen, daher durch einen warmen Umschlag eine Wunde verbinden und den Schmerz stillen, der ältesten Arzneykunde. Eben so bedeuten θέρω, θεράπω θεραπεύω und ἄλθω wärmen, warme Umschläge geben u. heilen. Wirklich steht ἰαίνονται st. θεραπεύονται bey Quint. Smyrn. 4, 402.

Ἰάονες, Jonier.

Ἰάπτω, s. v. a. ἰάλλω, z. B. in der Bedeut. v. *mitto* das compos. προϊάπτω Hom. Il. 1, 3 ὀρχήματα Sophocl. Aj. 710 s. v. a. ὀρχεῖσθαι: 2) in der Bedeut. v. σπαράσ-

φυλακίζομαι, βλάπτω. wie Hesych. es erklärt, scheint es von ἅπτω zu kommen, wie ἄυω, ἰαύω; berühren, treffen, verwunden: τοῦ δ'οὐ χρέα καλὸν ἴαψεν Quint. Smyrn. 6, 546 ἰάψει γῆρας ἐν πένθεσι 3, 434 με θυμὸς (oder πένθος) ἰάπτει 3, 480 λόγοις τινὰ Sophocl. Ajac. 501. wie *tangere verbis*.

'Ιάπυξ, υγος, ὁ, ein Wind, der Nordwest oder genauer Westnordwest Apollon. Arg. 4, 819-21. 765-69.

'Ιὰς, ἀδος, ἡ, d. i. ἰάζουσα, mit γυνὴ, eine Jonierin, mit διάλεκτος, Jonische Mundart.

'Ιάσιμον, τὸ, Nicand. Ther. 894. wo die Handschr. richtiger εἰρύσιμον haben.

'Ιάσιμος, ὁ, ἡ, (ἰάομαι) heilbar. —σις, ἡ, die Heilung. —σιώνη, ἡ, *iasione*, eine Pflanze mit weisser Blume, die grosse Zaunwinde, *convolvulus*.

'Ιασμη, ἡ, auch ἰασμέλαιον, τὸ, ein wohlriechendes Oel bey den Persern: Aetius 1 u. Dioscoridis Notha nach 1, 76. vielleicht Jasminoel.

'Ιασπίζειν, Jaspisartig seyn, Jaspisfarbe haben. —πις, ιδος, ἡ, Jaspis, Art von Edelstein: χλωρὸς ἴασπις, als Weiberputz genannt, der blasse Jaspis.

'Ιαστὶ, Adv. (ἰὰς) jonisch.

'Ιασὼ, όος, contr. οῦς, ἡ, (ἰάω) *Jaso*, die Göttin der Heilkraft, der Gesundheit.

'Ιατὴρ, ῆρος, ὁ, poet. s. v. a. ἰατρὸς: dav. —τήριος, ία, ιον, oder ἰατικὸς, heilend, heilsam; davon ἰατηρία, ἡ, verst. τέχνη, Arzneykunst. —τορία, ἡ, verst. τέχνη. von ἰάτωρ st. ἰατὴρ, Heilkunst: Soph. Trach. 1002. —τὸς, ἡ, ὸν, geheilt. — τραλειπτης, ὁ, Arzt, der durch Leibesübungen, Friktionen und Salbungen Kranke heilt: dessen Kunst —λειπτικὴ, verst. τέχνη heisst: vergl. Plinius 29 c. 1. Celsus 1 c. 1. —τρεία, ἡ, (ἰατρεύω) das Heilen, die Heilung, die Kur. —τρεῖον, τὸ, u. ἰάτριον, τὸ, die Wohnung, Werkstätte eines Arztes, oder Wundarztes: 2) der Arztlohn. —τρευσις, ἡ, s. v. a. ἰατρεία: von —τρεύω, (ἰατρὸς) ich bin ein Arzt, treibe des Arztes Geschäfte, heile. — τρια, ἡ, fem. von ἰατὴρ. —τρικὸς, ἡ, ὸν, Adv. —κῶς, (ἰατρὸς) zum Arzte gehörig: in der Arzneykunst erfahren: ἰατρικὴ verst. τέχνη, Arzneykunst. — τρίνη, ἡ, s. v. a. ἰάτρια. —τρολογέω, ῶ, ich spreche von der Arzneykunst: Diog. Laert. —τρον, τὸ, Arztlohn: s. v. a. ἰατρεῖον no. 2. —τρομάντις, ὁ, Arzt und Wahrsager: Aeschylus. — τρονίκης, ου, ὁ, Sieger aller Aerzte: Plinius 29 c. 1. —τρὸς, ὁ, (ἰάω) Arzt, Wundarzt. —τροσοφιστὴς, οῦ, ὁ, ein späterer Name für einen gelehrten Arzt: wie Cassius, dessen Problemata übrig sind. —τροτέχνης, ου, ὁ, (τέχνη) Arzt, Wundarzt: Aristoph. Nub. 331.

'Ιατταταὶ, interject. oder ἰατταταιὰξ, weh! weh! Aristoph. Equ. 5.

'Ιαῦ, interject. ein Ausruf in Freude wie ἰὼ, ἰὸ! auch in Traurigkeit, wie ἰοῦ: auch wenn man dem rufendem antwortet, he! ho! hier! eben so ist ἰαυοῖ ein Ausruf der Freude.

'Ιαυθμὸς, ὁ, der Schlaf, der Ort wo man schläft- sich aufhält; vorz. der Schlupfwinkel, Wohnung der Thiere: von ἄω, αὔω, ἰαύω, S. εὕδω.

'Ιαυοῖ, s. ἰαῦ.

'Ιαύω, ich schlafe: 2) ich halte mich wo auf.

'Ιαφέτης, ου, ὁ, (ἀφίημι, ἰὸς) s. v. a. ἰοβόλος: Anthol.

'Ιαχέω, ῶ, von ἰάχω, ich schreye- rufe laut, vorzüglich vom Jubelgeschrey; auch von leblosen Dingen, die ein Getöse machen: von ἰὰ, Stimme, Klang, wird ἰάζω, ἰάχω, ἰαχέω, ἰακχάω, ἰακχάζω gemacht, die alle einerley bedeuten; davon ἰακὴ, ἰαχὴ, ἰάχημα, ἴακος, ἴαχος, ἴακχος, das Geschrey, Getöse, Jubelgeschrey. —χὴ, ἡ, ἰάχημα, τὸ, (S. ἰαχέω) das Geschrey, Getöse: ἴαχος, ὁ, Orph. hymn. ἱππ. v. 3. —χρὸς, (ἰάζω s. v. a. ἰαίνω) geschmolzen, erweicht, erfreuet, in Fäulniss gehend; daher s. v. a. θαλπεινὸς, εὐδιεινὸς, σαπρὸς.

'Ιάχω, s. v. a. ἰαχέω, ich schreye, mache Getöse.

'Ιάων, ὁ, s. v. a. ἴων, ein Jonier.

'Ιαωνίζω, s. v. a. ἰωνίζω.

'Ιαωνιστὶ, s. v. a. ἰαστὶ.

'Ιβάνη, ἡ, ein Brunneneymer, ἴβανος, dasselbe; davon ἰβανεῖ, ἀντλεῖ, u. ἰβανατρὶς, das Brunnenseil, so wie ἴβηνος bey Hesych. σορὸς, θήκη. auch ἴβη, σορὸς; davon τιβηνὸς, welches siehe: scheinen mit ἱμᾶν einerley Ursprung zu haben.

'Ίβδη, ἡ, ein Zapfen im Boden des Schiffs, das Wasser auszulassen.

'Ίβηρ, ηρος, ὁ, *Iberus*, davon das Land 'Ιβηρία, *Iberia*, und ἰβηρικὸς, *Ibericus*; begriff Spanien und Portugall. —ρὶς, ἡ, ein Kraut, sonst λεπίδιον: Diosc. 1, 185, u. 2, 205. u. Plin. 25, 8. eine Art von Kresse.

'Ίβις, ιδος, ἡ, ein egyptischer Schlangenreiher, *Tantalus* Linnaei: von zweyerley Art: Herodot. 2, 75 u. 76. Cic. nat. deor. 1, 36.

'Ιβίσκος, ὁ, *hibiscus*: Dioscor. 3, 163. Plin. 19, 5. Eibisch: eine Art wilder Malve, sonst ἀλθαία, genannt.

'Ιβύζω, ἰβυκτὴρ, ἰβυκινέω, und andere Composita. S. in ἰύζω: davon ἰβυκινητῶν aus Polyb. 2, 29. vom Suidas zitirt wird, wo jetzt βυκανητῶν steht.

'Ίγδη, ἡ, ein Reibestein oder Mörser; davon —δίζω, ich reibe etwas im Mörser. —δίον, τὸ, u. ἴγδις, ἡ, dim. von ἴγδη.

Ἴγδισμα, τὸ, das Reiben im Mörſer: 2) ein Tanz, wobey die Hüften ſich wie eine Mörſerkeule bewegen. —δοκόπανον, τὸ, (κόπτω) ſ. v. a. ἴγδη.

Ἰγνύα, ἡ, jon. ἰγνύη, desgl. ἰγνὺς, ἡ, die Kniekehle, *poples*, von γόνυ, γνὺ, wovon γνὺξ, und πρόχνυ ſt. προγονὺ, wozu das Jota kommt. —νυμι, und ἰγνύω. S. in καθίγνυμι u. καθινύμι.

Ἴδα, ἡ, der Berg Ida in Phrygien und Kreta. 2) jeder waldigte Berg; vorzügl. braucht es Herodot. für Waldung, Bäume: λόφος δασὺς ἴδῃσι, 4. 175. ἴδῃσι συνηρεφὴς, 7, 111. ἴδη ναυπηγήσιμος, 5, 23. Schiffsbauholz, Baumaterialien.

Ἰδαία, ἡ, eine Staude, ſonſt *laurus Alexandrina*: Dioſcor. 4, 147.

Ἰδαῖος, αία, αῖον, von Ida, idaeiſch: vorz. ein Beywort der auf dem Berge Ida verehrten Cybele.

Ἰδάλιμος, ὁ, ἡ, (ἴδος, τὸ,) καύματος ἰδαλίμου, Hitze die Schweiſs auspreſst: Heſiod. 2) ſt. εἰδάλιμος.

Ἰδάλλομαι, und εἰδάλλομαι, ſ. v. a. ἰνδάλλομαι: Heſych.

Ἰδανικὸς, ἡ, ὸν, (ἰδεῖν, ἰδέα) idealiſch, blos im Verſtande, oder in der Vorſtellung exiſtirend, intellektuel. Timaeus Locr. —νὸς, ſ. v. a. εὐειδὴς, εὐπρεπὴς: Heſych.

Ἰδὲ, ſt. ἠδὲ, und.

Ἰδέα, ἡ, (ἰδεῖν) Geſtalt, Anblick, Bild, Anſehn: die Art, die Weiſe: im philoſoph. Sinne, Urbild, Form, Modell, Ideal: auch allgemeiner oder abſtrakter Begriff: ὁ φιλόσοφος περὶ τὰς ἰδέας σπουδάζει, ὁ δὲ ῥήτωρ περὶ τοὺς μετέχοντας — τί ἐστιν ἀδικία, ὁ δὲ, ὡς ἄδικος ὁ δεῖνα: Ariſtot. Problem. 30, 9.

Ἴδη, ἡ, S. Ἴδα.

Ἰδίᾳ, Adv. (ἴδιος) für ſich, allein: dem δημοσίᾳ entgegengeſetzt: auf eigene Koſten oder Gefahr: ἰδίᾳ φρενὸς ſt. ἄνευ: Ariſtoph. Ran. 102.

Ἰδιάζω, (ἴδιος) ich bin allein: Herodian. 4, 12 7, 6. bin abgeſondert, bin eigen- eigenthümlich. 2) ἰδιάζομαι, mache mir es zu eigen, eigne mir es zu, maaſse mir an. Auch heiſst ἰδιάζειν τινὶ, mit einem allein reden, auch ſ. v. a. σχολάζειν: Aelian. h. a. 6, 19. ταῖς μιμήσεσιν ἰδιάζειν, eigne Gaben zur Nachahmung haben. —ζόντως, Adv. beſonders, allein.

Ἰδιαίτατα, wie Adverb. eigentl. neutr. plur. von —τατος, άτη, αίτατον, der Superlat. von ἴδιος, wovon ἰδιαίτερος, der unregelm. Compar. wovon das neutr. ſing. ebenfalls wie Adverb. gebraucht wird.

Ἰδιαστὴς, οῦ, ὁ, (ἰδιάζω) abgeſondert- für ſich lebend: Diog. Laert.

Ἰδικὸς, ἡ, ὸν, Adv. —κῶς, ſ. v. a. εἰδικὸς, ſpeciell.

Ἰδιοβουλεύω, und ἰδιοβουλέω, ich berathe mich allein, handle nach eignen Entſchlüſſen, ohne andre zu fragen: Herodot. 7, 4. —γενὴς, έος, ὁ, ἡ, (γένος) von eignem, beſondern Geſchlechte oder Gattung. S. auch κοινογενὴς. —γλωσσος, ὁ, ἡ, (γλῶσσα) von eigner, beſondrer Sprache. —γνωμονέω, ῶ, nach eignem Sinne ſprechen und handeln; von —γνώμων, ὁ, ἡ, (γνώμη, ἴδιος) eigenſinnig, der nach eigenem Sinne handelt. —γονία, ἡ, (ἴδιος, γονὴ) Erzeugung des Thieres aus ſeinem eignen (nicht fremden) Geſchlechte: oppoſ. κοινογονία: Plato. —γραφος, (γράφω) ſelbſt geſchrieben: eigenhändig. —θηρευτικὸς, ἡ, ὸν, für ſich, ſich zum beſten jagend; v. —θηρία, ἡ, Jagd für ſich, nicht für andere; Plato Soph. —κριτος, ὁ, ἡ, nach eigner Wahl und Gutdünken lebend. —κτητος, ὁ, ἡ, (κτάω) eigenthümlich: Strabo. —λογέομαι, οῦμαι, u. ἰδιολογίζομαι, allein- abgeſondert mit einem od. mit einander ſprechen: ſeine eigene Art zu ſprechen haben; zw. —λογία, ἡ, eigenthümliche Redensart, oder Art zu ſprechen: zweif. —μορφος, ὁ, ἡ, (μορφὴ) von eigner- beſonderer Geſtalt oder Bildung.

Ἴδιον, τὸ, (ἴδιος) das Eigene, Eigenthum: *peculium*.

Ἰδιοξενία, ἡ, Gaſtfreundſchaft mit einem Privatmanne oder zwiſchen Privatleuten errichtet: von —ξενος, ὁ, ἡ, von einem Privatmanne, Gaſtfreund: da πρόξενος der Gaſtfreund einer ganzen Stadt od. eines Staats iſt. —πάθεια, ἡ, beſondere- eigene Gemüthsſtimmung oder Verhalten gegen gewiſſe Eindrücke: auch der συμπάθεια entgegenſtehend. —παθὴς, έος, ὁ, ἡ, (πάσχω, ἴδιος) von beſonderer- eigner Leidenſchaft, oder von eigener Gemüthsſtimmung. —ποιέω, ſ. v. a. ἰδιόω, eigen machen, zu eigen geben: im med. wie ἰδιόομαι ſich zueignen; davon —ποίημα, τὸ, das eigen gemachte, angemaaſste. —ποίησις, ἡ, Zueignung, Anmaaſsung: das Annehmen. —πραγέω, ῶ, ich betreibe meine Geſchäfte, Angelegenheiten, ſorge für mich; 2) ich handle für mich ohne Befehl zu haben: Diodor. und Polyb. —πραγία, ἡ, das Betreiben ſeiner eigenen Geſchäfte: das Handeln für ſich ohne Befehl darzu: das Gegenth. von κοινοπραγία. —πραγμονέω, ſ. v. a. ἰδιοπραγέω; von —πράγμων, ονος, ὁ, ἡ, ſeine eignen- nicht fremde Geſchäfte betreibend: für ſich lebend und um andre ſich nicht bekümmernd. —πραξία, ἡ, ſ. v. a. ἰδιοπραγία.

Ἰδιοῤῥυθμία, ἡ, eigene Art u. Lebensweiſe: Marc. Erem. von —ῥυθμος, ὁ, ἡ, ſ. v. a. ἰδιόκριτος, von eigener Art und Lebensweiſe: Marcus Eremita.

'Ἴδιος, ία, ιον, eigen, eigenthümlich; 2) eigen oder beſonders, was einen von andern unterſcheidet; 3) oppoſ. von δημόσιος, was den Privatmann-Privatangelegenheiten betrifft, angeht, darzu gehört. —στόλος, ναῦς, eigenes, auf eigene Koſten ausgerüſtetes Schiff: ἰδιόστολος ἔπλευσε, er fuhr allein: Plutar. —συγκρισία, ἡ, (ἰδία σύγκρασις) eigene und beſondere Miſchung, Temperatur und Konſtitution des Körpers und ſeiner Säfte. —σύστατος, ὁ, ἡ, Adv. —τάτως, (συνίσταμαι) für ſich beſtehend. —τακτος, ὁ, ἡ, Heſych. erklärt damit ἰδιόῤῥυθμος, als Synonym. —της, ητος, ἡ, (ἴδιος) Eigenheit, Eigenthümlichkeit: eigene Art u. Weiſe. —τροπος, ὁ, ἡ, Adv. —τρόπως, von eigener Art oder Weiſe: von eigenen Sitten oder Charakter: eigenſinnig: beſonders, eigen. —τροφος, ὁ, ἡ, beſonders, einzeln oder abgeſondert nährend, haltend: Plato Polit. 5. ſich mit beſondern, eigenen Speiſen nährend: Ariſtot. —φυής, ὁ, ἡ, (φυή) von eigener, beſonderer Geſtalt oder Natur. —χειρος, ὁ, ἡ, Adverb. —είρως, mit eigener Hand, (χείρ, ἴδιος) von oder mit eigener Hand: τὸ ἰδ. Originalhandſchrift.

'Ἰδιόω, eigen machen, zueignen: med. ſich zueignen, anmaaſsen: ſich ganz eigen-geneigt oder verbindlich machen.

'Ἴδισις, ἡ, das Schwitzen, der Schweiſs; von

'Ἰδίω, ich ſchwitze, ſ. v. a. ἱδρόω.

'Ἰδίωμα, τὸ, (ἰδιόω) Eigenheit, eigene Natur, Beſchaffenheit, Eigenthümlichkeit.

'Ἰδιωματικὸς, ἡ, ὸν, was zur Eigenheit, ἰδίωμα, gehört. —ωσις, ἡ, (ἰδιόω) das Zueignen, Vindiziren ſeines Eigenthums. —ωτεία, ἡ, bey Xenoph. und Plato dem ἄρχειν entgegengeſetzt: das Leben eines Privatmanns, ohne öffentliches Amt und Anſehen; von —ωτεύω, ich bin und lebe wie-als ein ἰδιώτης d. i. Privatmann, im Gegenſatze von Magiſtraeten-Regenten; 2) ich bin unerfahren, mit dem genit. Plato Protag. p. 120. 3) ich treibe keine Leibesübungen. S. ἰδιώτης no. 4. —ώτης, ου, ὁ, ein Privatmann, im Gegenſatze des öffentlichen Beamten oder Magiſtrats; 2) ein *plebejus*, aus der niedrigſten Volksklaſſe, die zu der Magiſtratur in Republiken nicht gelangen konnte; 3) ein unerfahrner, unwiſſender Menſch: μὴ ἰδιώτης ἐπιστεύσῃ τοῦ ἔργου, damit du in dieſem Geſchäfte nicht unerfahren ſeyeſt: Xenoph. Oecon. 3, 9. 4) dem ἀσκητής entgegengeſetzt, der keine Leibesübung treibt, und dadurch ſeine Geſundheit vernachläſſiget: Memor. 3, 7. 7. Hipparch. 8, 1. Cyrop. 1, 5. 11. daher ἰδιωτικῶς τὸ σῶμα ἔχεις: Memor. 3, 12. 7. So ſetzt Plato Resp. 9. ἰδιωτεύων dem ἀγωνιζόμενος, und Ariſtot. Nicom. 3, 11 ἀθληταὶ den ἰδιώταις entgegen, weil der geringe Bürger keine Leibesübungen treiben konnte: davon —ωτίζω, ich verwandele in die gemeine Art oder Sprache: Euſtath. —ωτικὸς, ἡ, ὸν, Adv. —κῶς, dem ἰδιώτης gehörig, eigen, anſtändig, in ſo fern ἰδ. den Privatmann, den gemeinen Mann, und den unwiſſenden bedeutet: privat. —ῶτις, ιδος, ἡ, femin. v. ἰδιώτης. —ωτισμὸς, ὁ, (ἰδιωτίζω) die dem Privatmanne oder dem gemeinen Manne eigene Art zu handeln, vorzügl. zu ſprechen: Diog. Laert. 7. —ωφελής, ὁ, ἡ, dem κοινωφελής opp. eigennützig: Stobaei Serm. 141.

'Ἴδμη, ἡ, bey Heſych. ſ. v. a. ἴσμη, d. i. φρόνησις und das folgd. —μοσύνη, ἡ, Kenntniſs, Kunde; von —μων, ονος, ὁ, (εἰδέναι) kundig, erfahren: m. d. genit. ſt. ἴσμων.

'Ἰδνόω, ῶ, krümmen, biegen: Homer u. Hippocr.

'Ἶδος, εος, τὸ, die Hitze: ἴδει ἐν αἰνοτάτῳ, ὁπότε χρόα σείριος ἄζει, Heſiod. daher Heſych. und Suidas es durch πνῖγος u. θέρος, ſtickende Hitze und Sommer, erklären; 2) der durch die Hitze ausgepreſste Schweiſs: dav. ἰδίω und ἰδάλιμος. Von ὕδος wird es wahrſch. abgeleitet: wovon auch *ſudum coelum*, ein trockner Himmel, und *ſudor*. Bey Africanus Ceſtor. p. 290. ſteht: βλεπέτω δὲ τὸ ἄγγος ὑδριμότατος ἥλιος für ἰδριμότατος oder ἰδιμέτατος, ſ. v. a. ἰδάλιμος.

'Ἰδοὺ, Adv. ſiehe! ſiehe da!

'Ἰδρεία, ἡ, und ἰδρία, jon. ἰδρίη, (ἴσημι) die Kenntniſs, Geſchicklichkeit.

'Ἴδρις, ιος, ὁ, ἡ, erfahren, klug: auch m. dem genit. ἴδρις μουσικῆς, der die Muſik verſteht: Heſiod. ἔργ. 778. nennt ἴδρις die Ameiſe.

'Ἰδρίτης, ου, ὁ, ſ. v. a. ἴδρις: auch ἰδρίτα: Anthol.

'Ἱδρόω, ῶ, (ἶδος, ἱδρὼς u. ἱδρὸς) ich ſchwitze.

'Ἵδρυμα, τὸ, (ἱδρύω, ἵδρυμι) was nieder oder feſtgeſetzt-feſtgeſtellt-gebauet-gegründet iſt: ἱερὸν Ἰάσονος ἵδρυμα, Tempel vom Jaſon errichtet: auch ſ. v. a. Sitz, Tempel, wie ἶδος. Die Bürger heiſsen bey Eurip. ἵδρυμα πόλεως, die in der Stadt ihren Sitz haben.

'Ἵδρυμι, und ἱδρύνω, ſ. v. a. ἱδρύω: wovon

'Ἵδρυσις, ἡ, das Feſtſtellen, Niederſtellen, Aufrichten, Errichten, Gründen, Weihen.

Ἱδρυτὸς, ἡ, ὸν, (ἱδρύω) fest- oder aufgestellt, errichtet, erbauet, gegründet, gestellt, geweihet.

Ἱδρύω, (von ἵζω, wie von ἕζω, ἕδρα) ich stelle, setze: richte auf: befestige: ἱδρύειν χύτραις, ἱερείῳ, S. in χύτρα: davon ἱδρυμένος, gestellt, sitzend, liegend: οὐχ ἱδρυτέον b. Sophocl. was hernach heisst οὐχ ἕδρας ἀκμή, man muss nicht müssig sitzen, seyn.

Ἱδρωα, ἱδρῶα, τὰ, (ἱδρὼς) Hitzblasen, Hitzblattern, *sudamina*, bey Plinius *aestates*. Triller Opusc. 2 p. 334.

Ἱδρώδης, ὁ, ἡ, schwitzig, mit Schweiss verbunden.

Ἱδρὼς, ῶτος, ὁ, der Schweiss: der dat. ἱδρῷ kommt vom alten ἱδρὸς, dieses v. ἶδος, τὸ, der Schweiss: davon ἰδίω und ἱδρύω. S. ἶδος. Auch ist der accus. ἱδρῶ st. ἱδρῶτα bey Homer gebr. 2) das mit Schweiss sauer Erworbene, wie wir sagen, meinen sauren Schweiss: Aristoph. Eccles. 750. —σις, ἡ, (ἱδρόω) das Schwitzen: Schweiss.

Ἱδρωτήριος, und ἱδρωτικὸς, Adverb. —κῶς, (ἱδρωτὴρ, ἱδρωτὴς) Schweiss machend oder treibend. —τιον, τὸ, dimin. v. ἱδρὼς. —τοποιέω, ῶ, Schweiss machen oder treiben; davon —τοποιΐα, ἡ, das Treiben des Schweisses. —τοποιὸς, ὁ, ἡ, Schweiss machend oder treibend.

Ἱδρώω, S. ἱδρόω.

Ἵεμαι, poet. s. v. a. εἶμι, ich gehe: auch von der Bewegung eines jeden Körpers: kommt von εἶμι, wovon εἴσομαι und εἴσατο, also versetzt auch ἵεμαι, ἰέσατο, εἴσατο, obgleich ἵεμαι nur in wenigen tempor. gebräuchlich ist.

Ἵεμαι, med. von ἵημι: gebräuchlicher in ἐφίεμαι, s. v. a. ὀρέγομαι.

Ἱεράγγελος, ὁ, ἡ, d. i. ἱερὰ ἀγγέλλων, der ein Fest, eine Feyerlichkeit ankündigt. —γωγὸς, ὁ, ἡ, (ἱερὰ ἄγω) Opfer-Opfergerathe führend.

Ἱερακίζω, ἐάν τε κόρακες ἐάν τε κολοιοὶ ἄνω πέτωνται καὶ ἱερακίζωσιν, Theophr. p. 418. welches Aelian h. a. 7, 7. wiederholt, u. Aratus Dios. v. 232. d. ἰρήκεσσιν ὅμοιον φθεγξάμενοι giebt, wie Raubvögel, Habichte oder Falken schreyen. —κιον, τὸ, (ἱέραξ, ἱεράκιος) Habichtkraut: Dioscor. 3, 72. 73. Plin. 20, 7. 34, 7. *hieracium* Linn. —κίσκος, ὁ, dimin. von ἱέραξ. —κίτης, ου, ὁ, (ἱέραξ) Habicht oder Falkenstein: Plin. 37, 10 und 11. —κόμορφος, ὁ, ἡ, (μορφὴ) von oder mit Habichtsgestalt.

Ἱέραξ, ακος, Habicht: Falke: eigentl. der heilige Vogel, ἱερὸς, wegen der Bedeut. seines Fluges, wie κίρκος, Odyss. 15, 525. daher Virg. Aen. 2, 721 *quam facile accipiter saxo sacer ales ab alio*; 2) ein fliegender Meerfisch, *milvus* bey Plin. S. histor. litter. pisc. p. 113.

Ἱεραοιδὸς, göttlicher Sänger: Hesych. —ομαι, ῶμαι, (ἱερὸς, ἱερὰ) ich bin Priester oder Priesterin: m. d. gen. des Gottes: auch m. d. Dat.

Ἱεραρχέω, ῶ, ich bin das Oberhaupt der Priester- der Geistlichkeit oder in allem, was den Gottesdienst betrift. —χης, ου, ὁ, Oberhaupt der Priester: geistliches Oberhaupt. —χία, ἡ, Amt oder Würde des ἱεράρχης: geistliche Herrschaft. —χικὸς, ἡ, ὸν, Adv. —κῶς, dem geistlichen Oberhaupte, oder der geistlichen Herrschaft gehörig- eigen oder dieselben betreffend.

Ἱερατεία, ἡ, (ἱερατεύω) Priesterthum. —τεῖον, τὸ, Ort, Aufenthalt des Priesters, Sakristey. —τευμα, τὸ, s. v. a. ἱερατεία: auch Priesterschaft bey den LXX. —τεύω, ἱερατεύομαι, ich bin Priester oder Priesterin. —τικὸς, ἡ, ὸν, dem Priester gehörig, ihn oder sein Amt betreffend: priesterlich.

Ἱέρεια, ἡ, fem. v. ἱερεὺς, Priesterin. —ρεία, ἡ, (ἱερεύω) Priesterthum: Priesterwürde. —ρεῖον, τὸ, Opferthier: überh. Schlachtvieh: Xen. Cyr. 1, 4. 11. 2, 2. 2. —ρείτης, ου, ὁ, Priester: aus Plato 2 Resp. fem. ἱερεῦτις, s. v. a. ἱκέτις aus Aeschylus bey Hesych. —ρεὺς, έως, ὁ, (ἱερὸς) Priester. —ρεύσιμος, zum heiligen- opfern geschickt. S. in θύσιμος. —ρεύω, (ἱερὸς) heilig machen, weihen: vorz. Opfer weihen und schlachten: opfern: ein Opferpriester seyn, und dergleichen Geschafte verrichten.

Ἱέρη, ἡ, Priesterin: daher μελλιέρη die Priesterin werden sollte, παριέρη, die Priesterin gewesen war, zu Ephesus: Plutar. 9 p. 176. —ρήϊον, jon. st. ἱερεῖον. —ρὶς, ίδος, ἡ, Priesterin: aus Plutar. def. orac.

Ἱεροβοτάνη, ἡ, das heilige Kraut, bey Reinigungen als Amulet gebräuchlich, auch περιστερεὼν, genannt. Dioscor. 4, 61. Eisenkraut, *verbena* Linn. —γλύπτης, ου, ὁ, (ἱερὸν, γλύφω) der Hieroglyphen macht, eingräbt, in Hieroglyphen spricht: zw. davon —γλυφικὰ, τὰ, verst. γράμματα, Hieroglyphen, Bilderschrift bey den Egyptiern, welche die Priester auf die öffentlichen Denkmäler einhauen und eingraben auch späterhin mahlen liessen. —γλύφος, ὁ, s. v. a. ἱερογλύπτης: zw. —γλωσσος, ὁ, ἡ, (γλῶσσα) mit heiliger- göttlicher- prophetischer Zunge: Pausan. Eliac. —γραμματεὺς, έως, ὁ, eine Art von Unterpriester in Egypten, welche Lucian durch ἐξηγητὴς erklärt, weil sie die heiligen Gebräuche oder Zeremonien erklärten, u. bey

Gottesdienſte beobachten lieſsen, auch die heiligen Schriften deuteten.

Ἱερόγραφα, τὰ, u. ἱερογραφούμενα, σύμβολα, auch ἱερόπλαστα u. ἱερότυπα, Abbildungen, bildliche Vorſtellungen heiliger Dinge: dieſe Vorſtellung ἱερογραφία, ἡ, von ἱερογραφέω oder ἱεροπλαστία: Dionyſ. Areop. —δακρυς, υ, Beyw. des Weihrauchs, *thus*, gleichſam die heilige Thräne, das heilige Harz: Athenaei p. 651. —διδάσκαλος, ὁ, ἡ, der den Gottesdienſt lehrt: *Pontifex*, bey Dionyſ. hal. —δόκος, ὁ, ἡ, das Opfer, oder Opfergeräthe annehmend- aufnehmend- enthaltend. —δουλος, ὁ, ἡ, Gottesſklave: Gottesdiener: zu Korinth und ſonſt hieſsen die einer Gottheit geſchenkten männlichen und weiblichen Sklaven ſo. —θετέω, ῶ, ich ordne- beſtimme den Gottesdienſt: Dionyſ. Areop. —θέτης, ου, ὁ, der den Gottesdienſt einführt- ordnet- beſtimmt. Dionyſ. Areop. —θήκη, ἡ, Heiligthum, Behältniſs heiliger Dinge, *ſacrarium*: Gloſſ. Philox. —θυτέω, ich opfere- weihe den Göttern: zw. —θύτης, ου, ὁ, (ἱερὰ θύων) Opferprieſter, Prieſter. —θυτος, ὁ, ἡ, Gott geweiht, geopfert: τὰ ἱερόθυτα, Opfer. θάνατος, der Tod fürs Vaterland. Plutar. 7 p. 376. —καυτέω, (ἱερὰ, καίω) das oder als Opfer verbrennen: ἄνδρας, Diodor. 20, 65. —κήρυξ, υκος, ὁ, Diener, vorz. Herold beym Opfer oder Gottesdienſte. —κόμος, ὁ, ἡ, (ἱερὰ κομέων) Tempeldiener: Heſych. —λογέω, ῶ, ich rede von heiligen Dingen oder heilige Worte: ἐπὶ πρήγματι, Lucian. Syria. 26, über eine Sache theologiſiren: davon —λογία, ἡ, Geſpräch- Rede von heiligen od. göttlichen Dingen. —λόγος, ὁ, der von göttlichen oder heiligen Dingen- Gegenſtänden oder an heiliger Stelle redet. —μανία, ἡ, die heilige Wuth, wüthendes Feſt: Clemens al. p. 11. —μαντία, ἡ, (ἱερὰ) ſonſt auch ἱεροσκοπία, Wahrſagung aus den Opfern. —μηνία, ἡ, auch ἱερομήνια, τὰ, eigentl. ein heiliger Monat, oder der Tag eines heiligen Monats: überh. ein Feſttag. So nennt Demoſth. p. 525. die Διονύσια, Pindar. Nem. 3, 4. die nemeiſchen Spiele: vergl. Thucyd. 3, 56. —μνημονέω, ῶ, ich bin —μνήμων, ὁ, ἡ, (ἱερὸν, μνήμων) eigentlich der bey den Opfern ein Amt verrichtet: in manchen griech. Städten, wie Byzanz, die oberſte Magiſtratsperſon, welche zugleich die Opfer und den öffentlichen Gottesdienſt beſorgte, wie *Pontifex maximus*: bey den Athenienſern und übrigen Griechen, die Theil an dem Bunde u. den Verſammlungen der Amphiktyonen hatten, der erſte von den Geſandten (πυλαγόραι) welche zu den Verſammlungen geſchickt wurden: Aeſchines. c. Cteſ. p. 506. Dionyſ. Antiq. 8, 55 nennt die *Pontifices* der Römer ἱερομν: c. 56. ἱεροφάντας u. ἐξηγητὰς τῶν ἱερῶν. —μυρτος, ἡ, ſ. v. a. ὀξυμυρσίνη. Dioſcor. 4, 146. —μύστης, ου, ὁ, der in den Gottesdienſt, in die Religion einweiht, auch ἱεροτελεστής: bey Dionyſ. hal. ſ. v. a. ἱεροδιδάσκαλος.

Ἱερὸν, τὸ, (neutr. v. ἱερὸς) das Heilige, oder Geweihte: Opfer, Opferthier: Tempel, Gottesdienſt, oder Feſt eines Gottes: τὰ ἱερὰ, die Eingeweide der Opferthiere, ihre Deutung durch die Opferprieſter, und Bedeutung: daher ἱερὰ ἀγαθὰ, καλὰ: τὰ ἱερὰ γίνεται verſt. εὖ, die Eingeweide verſprechen guten Ausgang: das Gegentheil τὰ ἱερὰ οὐ γίγνεται, ſie geben ſchlechte- üble Zeichen: ἐν τοῖς ἱεροῖς φαίνεταί τις δόλος, in den Eingeweiden der Opferthiere befindet ſich ein Zeichen von bevorſtehender Nachſtellung: Xenoph. Anab. 5, 6, 29. —νίκης, ου, ὁ, Sieger in den 4 oder einem von den 4 heiligen (göttlichen, zur Ehre einer Gottheit gefeyerten) Spielen, als Olympiſche, iſthmiſche. u. ſ. w. —νόμος, ὁ, ſ. v. a. ἱεροδιδάσκαλος: Dionyſ. hal. —νουμηνία, ἡ, ſ. v. a. ἱερομηνία: Schol. Pind. Nem. 3, 4.

Ἱερόπλαστα, τὰ, u. ἱεροπλαστία, S. in ἱερόγραφα. —ποιέω, ῶ, ich bin ἱεροποιὸς, ich beſorge das Opfer oder den Gottesdienſt: davon —ποιΐα, ἡ, die Beſorgung des Opfers oder Gottesdienſtes. —ποιός, ὁ, der das Opferden Gottesdienſt beſorgt- anordnet oder verrichtet: zu Athen eine Würde, um zu ſehn daſs alle Opferthiere bey öffentlichen Opfern ohne Tadel ſeyn möchten, Ulpian ad Midianam p. 367 heiſsen auch μωμοσκόποι. Junius ad Clement. Epiſt. 1, 41. —πολις, ἡ, heilige Stadt. —πρεπής, έος, ὁ, ἡ, Adv. —πῶς, dem heiligen Orte- der heiligen Handlung oder Perſon geziemend- anſtändig- gebührend, heilig, ehrwürdig.

Ἱερόπτης, ου, ὁ, (ὄπτω) Wahrſager aus den Opferthieren: Dio Caſſ.

Ἱερὸς, ά, ὸν, göttlich, gottgeweiht, den Göttern gehörig, irgend in einer Beziehung mit ihnen ſtehend, als ἱερὸν γένος ἀθανάτων, Heſiod. theog. 21 der Unſterblichen göttliches Geſchlecht: ἱερὸν λέχος v. 57. was Jupiter beſteigt: ἱερὴ δόσις v. 93. Geſchenk, was die Muſen als Göttinnen geben: daher heilig, dem gewöhnlichen Gebrauche entzogen: τὸν ἀφ' ἱερᾶς verſt. γραμμῆς λίθον oder πεττὸν κινεῖν, ſein letztes, äuſserſtes wagen: Pollux 9, 7. Suidas ἀφ' ἱερᾶς. Dafür ſagt Theocr. 6. τὸν ἀπὸ γραμμᾶς κινεῖν: Plato Legg: 5 p. 228. ἡ μετὰ τοῦτο φορὰ καθάπερ πεττῶν ἀφ' ἱεροῦ — ἀήθης οὖσα: bey Homer iſt der Begriff viel weiter, und drückt alles ehrwürdige, geachtete aus: ἱερὸν μένος Ἀλκινόοιο, ἱερὴ ἴς Τηλεμάχοιο: auch der Begriff von groſs, ἱερὸν ἰχθῦν u. ἱερὰς ἀλωὰς, Il. 5, 499. ἱερὸν κῦμα Eur. Hippol. 1206. der erſte Begriff iſt von geweihten Thieren, die man frey gehn läſst, ἴω, ἱέω, ἱερὸς, dergleichen eben ſo ἀνετοὶ heiſsen von ἀνίημι, nach Hemſterhuis.

Ἱεροσαλπιγκτὴς, οῦ, ὁ, der Opfertrompeter, der Tr. beym Gottesdienſte. — σκοπέω, ῶ, ich beſchaue u. deute die Eingeweide der Opferthiere: davon — σκοπία, ἡ, das Amt- Geſchäfte eines ἱεροσκόπος, ſ. v. a. ἱερόπτης, der die Eingeweide der Opferthiere betrachtet, u. für den Opfernden auslegt od. deutet: *aruſpex.* — στάτης, ου, ὁ, d. lat. *antiſtes ſacrorum*, Vorſteher der Opfer- des Gottesdienſtes: zw. — στεπτος, ὁ, ἡ, (στέφω) κλάδος, eingeweihter heiliger Zweig, womit man ſich umkränzt: Aeſchyl. Suppl. 20. — στολιστὴς, οῦ, ὁ, (στολίζω) Porphyr. Abſtin. 4, 8, eine Art egyptiſcher Prieſter, die wahrſch. die heilige Kleidung der Gotzen beſorgten. — συλέω, ῶ, ich beraube- plündere die Tempel: davon — σύλημα, τὸ, begangener Tempelraub oder das aus dem Tempel geraubte.

Ἱεροσύλησις, ἡ, oder ἱεροσυλία, das Plündern oder Berauben der Tempel: Tempelraub. — συλος, ὁ, ἡ, (ἱερὸν συλάων) Tempeldieb, *ſacrilegus.* — τελεστὴς, οῦ, ὁ, (τελέω) ſ. v. a. ἱερομύστης: davon — τελεστία, ἡ, das Einweihen in den Gottesdienſt- in die Religion: Suidas in ἁγιστεία. — τροχος, ὁ, ἡ, (τροχὸς) ἅρμα, heiliger Wagen, eigentl. mit heiligen Rädern: Orphic. hymn. — τυπος, ὁ, ἡ, εἰκὼν, heiliges, göttliches Bild. Dionyſ. Areop.

Ἱερουργέω, ῶ, ich opfere, oder verrichte den Gottesdienſt: davon — γία, ἡ, das Amt, Geſchäft eines Opferprieſters: das Opfern, Opfer: Aelian. h. a. 12, 34. — γὸς, ὁ, ἡ, (ἱερὰ ἐργαζόμενὸς) opfernd, Opferprieſter.

Ἱεροφαντέω, ῶ, ich bin- ſehe- kenneweiſs als ἱεροφάντης: Heracl. Alleg. 64. εἰ μή τις τὰς Ὁμήρου τελετὰς ἱεροφαντήσειε, wenn man nicht in Homers Geheimniſſe eingedrungen iſt und ſie kennt. — φάντης, ου, ὁ, fem. ἱεροφάντις, ἡ, (ἱερὰ φαίνων) der den Gottesdienſt vorzügl. Opfergebräuche lehrt, wie z. B. der Vorſteher der Eleuſinien zu Athen hieſs, und überh. alle Oberprieſter bey Gottesdienſten. S. ἱερομνήμων. — φαντία, ἡ, (ἱεροφαντέω) das Amt oder Geſchäft eines Hierophanten. — φαντικὸς, ἡ, ὸν, Adverb. — κῶς, zum Hierophanten gehörig, ihn betreffend, ihm geziemend. — φόρος, ὁ, ἡ, (ἱερὰ φέρων) Opfer od. Opfergeräthe tragend. — φυλάκιον, τὸ, Ort, wo die Heiligthümer oder Opfergeräthe verwahrt werden; von — φύλαξ, ακος, ὁ, Bewahrer der Heiligthümer oder Religion: Dionyſ. hal. — φωνος, ὁ, ἡ, (φωνὴ) mit heiliger oder groſser Stimme: Suid. — ψάλτης, ου, ὁ, der heilige Spieler oder Sänger. — ψυχός, ὁ, ἡ, (ψυχὴ) mit heiliger oder frommer Seele.

Ἱερόω, ῶ, (ἱερὸς) heilig machen, heiligen, weihen, widmen, einweihen: davon

Ἱέρωμα, τὸ, (ἱερόω) das Geweihete, Geopferte: 2 Maccab. 12, 40. — ρώνυμος, ὁ, ἡ, (ὄνομα) mit heiligen- frommen- göttlichen- geweiheten Namen. — ρώσυνα, τὰ, was dem Opferprieſter, ἱερεὺς, beſonders als Belohnung gegeben wird: Heſych. Phot. Etym. — ρωσύνη, ἡ, Prieſterthum: Amt und Würde eines Prieſters, ἱερεὺς.

Ἰεῦ, wie *hui!* ein ſpottender Ausruf: aus Ariſtoph.

Ἱέω, ſ. v. a. ἵημαι, ich werfe.

Ἱζάνω, (ἱζάω) ſetzen oder ſtellen: neutr. ſitzen: ſich ſetzen oder niederlaſſen: ſinken, einſinken.

Ἱζέω, ich ſitze, ſ. v. a. ἵζω und ἕζω: davon

Ἵζημα, τὸ, der Sitz: das Setzen: das ſich ſenken: τῆς γῆς λαμβανούσης ἱζήματα καὶ σύγχυσιν ἐν βάθει: Plutarch. Orac. def. p. 709. wie *ſubſidere.*

Ἵζω, ſ. v. a. ἱζέω und ἱζάνω.

Ἰὴ, io! ἰὴ παιὰν, *jo paean*, ein Ausruf der Freude. S. auch ἰήϊος.

Ἰὴ, ἡ, joniſch ſt, ἰὰ, Stimme, Klang.

Ἴη, joniſch ſt. ἴα, ſ. v. a. μία, eine, *una.*

Ἰηδὼν, ἡ, (ἰαίνω) die Freude: Heſych.

Ἰήϊος, ὁ, Beywort des Apollo, von zweifelhafter Ableitung und Bedeutung. Einige ſchrieben ἱήϊος, der Bogenſchütze, und leiteten es von ἵημι ab: andere ἰήϊος, der Heilende; von ἰάω, wie ἰηκόπος: 2) klagend, jämmerlich, von dem Klagetone ἰὴ: Sophocl. Oed. Col. 174. nennt die Geburtsſchmerzen ἰηΐους καμάτους: und Eur. Phoen. 1046. ἰάλεμοι ἐστέναζον ἰήϊον βοὰν, ἰήϊον μέλος.

Ἰηκοπος, ὁ, ἡ, (ἰάω, κόπος) Schmerz oder Müdigkeit lindernd- heilend: Ariſtoph. Ran.

Ἰήλεμος, jon. ſt. ἰάλεμος, davon ἰηλεμίζειν, beklagen, Callimach. u. ἰηλεμίστρια, ἡ, eine Klagefrau, Klagende: Heſych.

Ἴημα, τὸ, jon. ſt. ἴαμα.

'Ἵημι, von ἴω, ἰέω, ich setze einen Körper (todt oder lebendig) in Bewegung, *mitto*: also ich werfe, schleudre, schmeisse, schicke, lasse, entlasse: med. ἵεμαι, wie ἐφίεμαι, auch m. d. genit. ich strebe oder gehe- verlange nach etwas: auch ohne Casus, streben, verlangen, wünschen: fut. ἥσω, perf. ἧκα und ἕηκα. tertia praes. plur. ἱεῖσι und ἱᾶσι, infinit. ἱέμεν, aor. 2. -ἕμεν.

'Ἰηπαιήων, ονος, ὁ, Beywort des Apollo, von dem Zurufe ἰὴ παιάν. —παιωνίσαι bey Aristoph. Equ. 408. wo sonst καὶ παιῶνα δὴ, stand, ἰὴ παιὰν rufen, dem Apollo zu Ehren jauchzen.

'Ἰησιμας, ἴησις, ἰητὴρ, ἰητρεῖον, ἰητρὸς, jonisch st. ἰασιμὸς, ἴασις, u. s. w.

'Ἰθαγενὴς, έος, ὁ, ἡ, gradebürtig, d. i. in rechtmässiger Ehe erzeugt.

'Ἰθαίνω, s. v. a. ἰαίνω; davon d. folgd.

'Ἰθαρὸς, ἀπὸ κρανᾶν ἰθαρὰν νᾶμα κόμιζε: Dosiadae Securis wo der Scholiast es καθαρῶν erklärt, Hesych. aber ausserdem durch ταχέσιν, ἱλαροῖς, καλαῖς, κούφαις, λευκαῖς: scheint von ἰθάω, ἰθαίνω, s. v. a. ἰαίνω zu seyn, und das lat. *liquidas undas, liquidos fontes*, klarer, reiner Bach, auszudrücken: Hesych. hat ausser ἰθαίνω auch ἴθη, εὐφροσύνη.

'Ἰθεῖαν, verst. ὁδὸν, wie *recta*, verst. *via*, geraden Weges.

'Ἰθέως, Adv. s. v. a. εὐθέως.

'Ἴθι, Adv. imperat. von ἴμι, st. εἶμι, gehe; fort! wohlan! *age, allons*.

'Ἴθμα, τὸ, (ἴω, ἴμι, εἶμι) s. v. a. ἴχνος, Schritt, Tritt, Gang.

'Ἶθρις, ὁ, bey Hesych. und Suidas in ἀῤῥεν, der verschnittene, *eunuchus*: Antipater Sidon. Epigr. 27. ἶθρις ἀνὴρ, wo alle Ausgaben ἶδρις, und Brunk ἡμιανὴρ haben.

'Ἰθὺ, u. ἰθὺς, Adv. gerade aus, gerade zu, gerade darauf los, s. v. a. εὐθύ.

'Ἰθύβολος, ὁ, ἡ, (ἰθὺς, βάλλω) gerade geworfen oder gehend: richtig. —βόλος, Act. gerade werfend, treffend. —δίκης, ου, ὁ, ἡ, (δίκη) gerade oder recht richtend. —δρόμος, ὁ, ἡ, gerade laufend, im graden Laufe. —θριξ, ιχος, ὁ, ἡ, s. v. a. εὐθύθριξ. —κέανος, S. in ἰθυπτίων. —κέλευθος, ὁ, ἡ, gerade gehend, auf gradem Wege. —κρήδεμνος, ὁ, ἡ, (κρήδεμνον, ἰθὺς) ναῦς: Pausan. 7. 21. von zw. Bedeut. —κυφὴς, u. ἰθύκυφος, η, ον, gerade auswärts gekrümmt und bucklicht. —λορδος, η, ον, gerade einwärts gekrümmt. —μαχίη, ἡ, grade Schlacht, Treffen im ofnen Felde; von ἰθυμαχέω (ἰθὺς, μάχη) τινὶ bey Nicetas Annal. 19, 3.

'Ἴθυμβος, ὁ, bacchischer Gesang und Tanz: Pollux 4, 101 u. 104.

'Ἴθυνσις, ἡ, s. v. a. εὔθυνσις.

'Ἰθύντατος, superl. von ἰθύς: Plutar. Q. S. 9, 13. —τειρα, ἡ, femin. von ἰθυντὴρ, ῆρος, ὁ, der richtet, lenket: s. v. a. εὐθυντὴρ, εὐθύντειρα; dav. —τήριος, ὁ, ἡ, zum lenken oder richten gehörig oder geschickt. —τὴς, οῦ, ὁ, und ἰθύντωρ, ορος, ὁ, s. v. a. ἰθυντήρ.

'Ἰθύνω, s. v. a. εὐθύνω, lenken, richten: wieder grade machen, verbessern: S. auch ἰθύω.

'Ἰθυπτετεῖν, gerade gehn, πέτω s. v. a. πίπτω, bey Hesych. —πορέω, ῶ, f. ήσω, ich gehe gerade oder gerade aus: davon —πόρος, ὁ, ἡ, gerade gehend: ἰθύπορος, mit geraden Oefnungen: mit geradem Durchgange, wodurch man gerade zu geht. —πτίων, ωνος, ὁ, ἡ, Homer nennt μελίην ἰθυπτίωνα, Il. φ. 169. wo man es gerade gehend erklärt, und von πέτω ableitet: Aristarch. las ἰθυκτίωνα, und erklärte es von den geraden Holzfasern, welche sonst κτεὶς, und κτηδὼν heissen: dav. bey Theophr. h. pl. 5, 2. εὐκτήδονα καὶ ἀστραβῆ δένδρα, Bäume mit gerade laufenden Fasern des Holzes heissen: aber 3, 10 steht dafür εὐκτεανωτέρα, wo man εὐκτηδονωτέρα verbessern will. Auch bey Plutar. Marc. 8. steht εὐκέανος, wo man εὐκέαστος und εὐκέατος vorschlägt. Aber der Wirkung nach (im spalten des Holzes) bedeutet εὐκτήδονος mit geraden Holzfasern einerley mit εὐκέανος oder εὐκέαστος, von κεάζω und κεαίνω, wohl oder leicht zu spalten, eben wegen der geraden Holzfasern: aus Hesych. in ἰθυκτέανον, τὸ ἰθὺ πεφυκὸς καὶ ὀρθὸν δένδρον, scheint zu erhellen, dass man im Homer ehemals auch ἰθυκέανον od. ἰθυκέαστον gelesen habe. S. εὐκτήδονος.

'Ἰθὺς, ἰθεῖα, ἰθὺ, έος, s. v. a. εὐθύς,

'Ἰθὺς, ύος, ἡ, s. v. a. ὁρμὴ, Verlangen, Begehren, Vorhaben, Unternehmung. S. in ἰθύω.

'Ἰθυσκόλιος, ὁ, ἡ, in gerader Richtung gekrümmt, entweder nach vorn oder nach hinten: Hippocr.

'Ἰθυτένεια, ἡ, gerade Richtung; von —τενὴς, έος, ὁ, ἡ, Adv. —νῶς, (ἰθὺς, τείνω) gerade gestreckt, gerade. —τὴς, οῦ, ὁ, st. ἰθυντής: zwi —της, ητος, ἡ, Geradheit, gerade Richtung. —τομος, ὁ, ἡ, (τομὴ, τέμνω) gerade geschnitten oder getheilt: gerade. —τριχες, plur. von ἰθύθριξ.

'Ἰθυφαλλικὸς, ἡ, ὸν, und ἰθυφάλλιος, vom Ithyphallus, zum It. gehörig: v. —φαλλος, ὁ, (φαλλὸς, ἰθὺς) eigentl. ein aufgerichtetes männliches Glied, dergleichen man beym uralten Dienste und Feste des Bacchus vortrug, auch an den Leib sich band, und darzu allerhand Lieder in einem eignen Metro gemacht absang: daher auch das bacchische Lied selbst, S. auch φαλλός. —φάνεια, ἡ, (φαίνω, ἰθὺς) κατ' ἰθυφάνειαν ὁρᾶται; Heliodor. Optic. wird durch gerade von der Sache selbst einfallende Strahlen gesehn.

'Ιθύω, s. v. a. θύω, no. 3. von schneller, heftiger, ungestümer Bewegung, also toben, wüthen, stürmen: 2) begehren, verlangen. S. ἰθύς, ἡ, u. in θύω. —ωρία, ἡ, s. v. a. εὐθυωρία, gerade Richtung.

'Ιίζω, (ἰὸς) dem Roste ähnlich sehn oder seyn: aus Dioscor. 5.

'Ικανοδοσία, ἡ, (ἱκανὸς, δόσις) Genugthuung, Caution: Theophili Inst. —νοδότης, ου, ὁ, Genugthuer: Kovent: Philox. Gloss. —νὸς, ἡ, ὸν, Adv. —νῶς, (ἵκω, ἱκέω, ἱκάνω) s. v. a. ἱκνούμενος, zukommend, gebührend: schicklich: hinreichend, tauglich, fähig, geschickt, mit nachfolgd. Infinit. überh. auch grofs: ἐφ' ἱκανὸν verst. χρόνον: so ἐξ ἱκανοῦ verst. χρόνου, auf lange, seit langer Zeit: τὸ ἱκανὸν ποιεῖν bey Polyb. 32, 7. d. lat. *satisfacere*, genugthun: auch hinlänglich, hinreichend, genug: davon —νότης, ητος, ἡ, die Tauglichkeit, Fähigkeit, Geschicklichkeit, Hinlänglichkeit. —νόω, ῶ, tüchtig, geschickt machen. ἱκανοῦσθαι pass. m. d. Dat. s. v. a. ἀρκέομαι, zufrieden seyn: Dionys. Ant. 2, 74. τῆς χρείας ἱκανούσης Nicetas Annal. 7, 8. zw. st. ἡκούσης.

'Ικάνω, eine andere Form von ἵκω, und ἥκω, wovon ἱκέω, ἱκάω, ἵκνω, ἱκνέομαι, gehen, kommen, gelangen, erreichen, berühren, εἴπερ τι σε κῆδος ἱκάνει, *si te cura, affinitas tangit*, wenn du einige Fürsorge für mich hast: wenn unsere Verwandschaft dir nicht gleichgültig ist: Il. 13, 464. Mit dem Worte treffen wird man auslangen bey ἄχος ἱκάνει κραδίην καὶ θυμὸν, desgl. πένθος γαῖαν ἱκ. ἄλγος, μόρος, κάματος, χρειώ, τάφος, u. s. w. Ueberh. verbindet es Homer (auch im medio) m. d. Accus. ohne Praeposition.

'Ικελος, έλη, ελον, Adv. ἰκέλως, st. εἴκελος, gleich: davon —λόω, ῶ, gleich machen: aus Anthol.

'Ικεσία, ἡ, das Flehen eines ἱκέτης, fussfälliges Bitten; davon ἱκεσιάζω. S. ἱκετηριάζω: und —σιος, ία, ιον, zum ἱκέτης gehörig, ihn betreffend: ζεὺς ἱκ. der Schutzgott der Flehenden: Poll. 8, 12.

'Ικεταδόκος, ὁ, ἡ, (ἱκέτας δεχόμενος) Flehende auf- annehmend- zulassend. —τεία, ἡ, s. v. a. ἱκεσία: bey Polyaen. 8, 46 st. ἱκέτις: zw. —τευμα, τὸ, das Flehen: die Art des Flehens: Plutar. Them. 24. —τευτικὸς, ἡ, ὸν, Adv. —κῶς, zum ἱκετευτὴς gehörig, ihm eigen, ihn betreffend: flehend, flehentlich. —τεύω, ich komme als ἱκέτης, bitte, flehe um Hulfe: oder bitte mich von meinem Verbrechen zu reinigen. —τηρία, ἡ, S. d. folgd. davon ἱκετηριάζω Nicetas Annal. 12, 8. und ἱκεσιάζω, 12, 10 s. v. a. ἱκετεύω. —τήριος, ία, ιον, (ἱκέτηρ, ἱκέτης) was einem *supplex* gehört: s. v. a. ἱκετευτικὸς: vorz. ἱκετηρία verst. ἐλαία oder ῥάβδος, ein Oelzweig, den der ἱκέτης, oder jeder, dem Unrecht geschehen ist, und darum Hülfe bey dem Rechte eines ἱκέτης fleht, in der Hand hält, welches man τιθέναι ἱκετηρίαν nennt: οὐκ ἱκετηρίαν ἔθηκε τριήραρχος οὐδεὶς πώποθ' ὡς ἀδικούμενος παρ' ὑμῖν, Demosth. p. 262. ἱκετηρίαν ὑμῖν προκεῖσθαι νομίζετε τὸν παῖδα τοῦτον, 1078. seht diesen Knaben für den Oelzweig an; den ich euch als ein ἱκέτης vorzeige: daher auch überh. ἱκετηρ. ὑπέρ τινὸς τιθέναι, für jemand bitten, flehen. Wesseling ad Petit. p. 107. —τηρὶς, ίδος, ἡ, φωνὴ, s. v. a. ἱκετευτικὴ: Orph. hymn. —της, ου, ὁ, (ἵκω) *supplex*, der zu einem andern geht, und um Hülfe fleht: oder sonst ein Unglücklicher, der um Vergebung, Reinigung von Mordschuld, und Hülfe beym heiligen Rechte der ἱκετῶν, u. beym Jupiter ἱκέσιος fleht, indem er auf einem Altare oder auf dem Heerde sitzt, oder die ἱκετηρία in der Hand hält. —τήσιος, ία, ιον, (ἱκέτης) s. v. a. ἱκέσιος. —τικὸς, ἡ, ὸν, s. v. a. ἱκετευτικὸς und ἱκετήριος. —τις, ιδος, ἡ, das femin. von ἱκέτης. —τοδόκος, ἱκετοδόχος, ὁ, ἡ, s. v. a. ἱκεταδόκος. —τώσυνος, s. v. a. ἱκετήριος, τὰ ἱκετώσυνα, verst. ἱερὰ, das Opfer, womit man einen Mörder als ἱκέτης reiniget.

'Ικμάζω, oder ἱκμαίνω, feuchten, befeuchten, nassen: daher auflösen, erweichen: wie ἰαίνω u. andre. —μαῖος, ζεὺς, Apollon. Rh. der benassende, benetzende, regnende. —μαλέος, έα, έον, feucht, nass. —μὰς, άδος, ἡ, oder ἱκμασία, ἡ, Feuchtigkeit, Nässe: bey Homer auch das Fell. Il. 17, 397. Hesych. hat auch ἴκμαρ, τὸ. —μενος, Odyss. 2, 420. οὖρος erklären einige, ἄνεμος ὑγρὸν ἀεὶς, von ἱκμὰς, Feuchtigkeit: schreibt man es aber ἴκμενος, so ist es v. ἵκομαι, der folgende günstige Wind, *ventus secundus*.

'Ικμὴ, ἡ, eine Pflanze an feuchten Oertern: Theophr. h. pl. 4, 11. Man hat also ἰκμὸς, ἰκμὴ, ἰκμὰς, ἰκμαλέος, ἴκμαρ gesagt. —μοβόλος, ὁ, ἡ, befeuchtend: zw. —μόβωλον, τὸ, (βῶλος) nasse angefeuchtete Erdscholle: Dioscor. 2, 128.

'Ικνέομαι, οῦμαι, u. ἵκομαι, s. v. a. ἥκω u. ἱκάνω, kommen, ankommen: gehn, hinein gehn: angehn: bitten, flehen: feindlich einen angehn, anfallen: angehn, anbelangen: schicken: ἡμέας ἱκνέεται Herodot. 9, 26. Die tempora giebt blos die zweyte Form, ἵξομαι, ἱκόμην, ἷκτο, ἷκτο: davon —νουμενως, Adv. auf die zukommende- gebührliche- schickliche Art: Adv. part. jonisch ἱκνεομένως.

Ἰκρίον, τὸ, bey Homer sind ἰκρία νηός, das *tabulatum navis*, sonst κατάστρωμα, Verdeck, auf welchem gefochten wird. S. σταμίν: so heisst auch ein *tabulatum*, Gerüst, worauf Zuschauer stehen oder sitzen können, um etwas anzusehn, bey den alten Römern *falae in circo*. 2) jeder aufgerichtete Balken, Pfahl, Kreuz: bey Aristoph. Thesm. 395 heisst ἀπὸ τῶν ἰκρίων, was v. 495 ἀπὸ τοῦ τείχους nehml. das ὑπερῷον, wo die Frauens wohnten: dimin. ἰκρίδιον. — οπηγὸς, ὁ, ἡ, (ἴκριον πηγνύω) der Gerüste zusammenfügt u. aufstellt. — όω, (ἴκριον) mit Brettern oder von Holz errichten; erbauen: θέατρον, ein Schauspielhaus: Dio Cass.

Ἴκταρ, Adv. (ἵκω, ἴξω, ἰκτὸς, wovon ἐφίκω, ἐφικνέομαι) nahend, nahe: καὶ ταῦτα πάντα πρὸς τύραννον παραβαλλόμενα οὐδ' ἴκταρ βάλλει, kommt ihm gar nicht bey. Eigentl. vom Schiessen, Werfen nach dem Ziele, wenn der Pfeil nicht einmal bis ans Ziel kommt.

Ἰκτεράω, ἰκτεριάω, ῶ, ich leide am ἴκτερος, der Gelbsucht. — ρίας, ου, ὁ, λίθος. Plin. 37, 10 eine gelbe Steinart nach dem Vogel ἴκτερος genannt. — ρικὸς, ἡ, ὸν, gelbsüchtig. — ριώδης, εος, ὁ, ἡ, s. v. a. d. vorherg. — ρόομαι οῦμαι, die Gelbsucht bekommen; von — ρος, ὁ, Gelbsucht: eine Art Vögel Plin. 30, 11, gelb von Farbe, nach welchen (Coelius Aurelian. 3 c. 5) die Krankheit benannt worden seyn soll, vorz. weil sie durch den Anblick des Vogels gehoben werden sollte. Dasselbe fabelten die ältern Griechen vom Vogel χαραδριός. Plinius vergleicht ihn zweifelhaft mit dem lat. *galgulus*. — ρώδης, ὁ, ἡ, s. v. a. ικτεριώδης u. ἰκτερικός.

Ἰκτὴρ, ῆρος, ὁ, u. ἴκτης, Lycophr. 763. davon ἰκτήριος, contr. s. v. a. ἱκετὴρ oder ἱκέτης u. ἱκετήριος.

Ἰκτίδεος, ία, εον, vom Wiesel, ἰκτίς: das fem. ἰκτιδέα, contr. ἰκτιδῆ, wie παρδαλῆ, Wieselfell: Homer nennt κυνέην ἰκτιδέην, d. i. vom Felle der ἰκτὶς gemachten Helm oder Kriegshut. — τῖν, ῖνος, ὁ, oder ἰκτῖνος, ὁ, *milvus*, Weihe: Oppian. Ixeut. 1, 5. nach einer Fabel bey Julian. Misopog. p. 366, hat er in der Stimme etwas vom Wiehern des Pferdes: bey Oppian eine Wolfsart. — τὶς, ἴδος, ἡ, eine Art von Wiesel, (*mustela*) wird aber leichter zahm und geht dem Honig nach: Aristot. h. a. 9, 6. in Sardinien *boccamele*, von Cetti beschrieben: Naturgesch. 1 p. 211 folgd. Aristoph. Acharn. 880 nennt ἰκτίδας unter den Thieren, welche der Boeotier zu Markte bringt.

Ἰκτορεύω, von ἴκτωρ, s. v. a. ἱκετεύω, ἰκτήρ: Hesych.

Ἴκω, kommen, gehn, gelangen: davon ἶξον, Odyss. 4. 1 als imperf. hiervon ist ἵκνω, ἱκάνω, ἱκνέομαι, u. s. w. abgeleitet. Ist mit ἥκω einerley.

Ἰλαδὸν, Adv. *turmatim*, haufenweise, in Menge: s. v. a. εἰλαδόν.

Ἰλάειρα, ἡ, bey Empedocles der Mond: Plutar: 9 p. 642. u. Simplicius ad Aristot. Physica.

Ἰλάομαι, S. ἱλάω, In praes. gewöhnlicher ἱλάσκομαι.

Ἵλαος, ὁ, ἡ, mild, sanft, gütig, gnädig: einerley mit ἱλαρὸς.

Ἰλαρία, ἡ, s. v. a. γαλῆ: Artemidor. 3, 28. u. Suidas in γαλῆ, wofür aber Küster αἴλουρος vermuthete. Bey Lucian 5 p. 276 s. v. a. ἱλαρότης.

Ἱλάρια, τὰ, *hilaria*, Freudenfest; im Frühjahre am Tage der Tagegleiche von den Römern gefeyert: Macrob. Saturn. 1, 21. — ρὸς, ὰ, ὸν, (ἱλάω, ἱλάσκω) *hilaris*, heiter, munter: davon — ρότης, ητος, ἡ, *hilaritas*, Heiterkeit, Frohsinn. — ρόω, ῶ, u. ἱλαρύνω, *exhilaro*, heiter, munter machen, ermuntern, erfreuen.

Ἰλάρχης, ου, ὁ, (ἴλη, ἄρχω) Anführer v. einer Rotte oder Schwadrone Reiter, *alae equitum praefectus*; davon — χία, ἡ, Amt- Würde eines ἰλάρχης.

Ἱλαρῳδεῖν, ein ἱλαρῳδὸς seyn; davon — ρῳδία, ἡ, Lied, Gesang eines — ρῳδὸς, ὁ, eine Art von Sängern oder Dichtern von frohen Liedern: Athenaeus 14 p. 620 u. 697.

Ἱλάσιμος, ὁ, ἡ, besänftigend, versöhnend, aussöhnend: demüthig: bey Nicetas Annal. sehr häufig.

Ἱλάσκω, S. ἱλάω: davon

Ἱλασμὸς, ὁ, Besänftigung, Aussöhnung, Versöhnung. — στήριος, ία, ιον, (ἱλαστὴρ) u. ἱλαστικὸς, (ἱλάζω) s. v. a. das vorherg.

Ἱλάω, ἱλάσκω, ἱλεόω, ich mache einen günstig, gewogen, besänftige ihn für einen andern: med. ἱλάομαι, ἱλάσκομαι, ἱλεόομαι, u. ἱλέομαι ich mache mir günstig, gewogen, besänftige für mich durch Opfer- Geschenke- Bitten: v. ἵλαος.

Ἰλεὸς, ὁ, *ileus*, *volvulus*, eine Krankheit der aufgeblähten und verwickelten Därme, s. v. a. εἰλεός. 2) Schlupfwinkel, *latebra*, s. v. a. εἰλεός, εἰλυός.

Ἵλεος, ὁ, st. ἵλαος. — εόω, ῶ, ἱλεόομαι, οῦμαι, ἱλέομαι, οῦμαι. S. ἱλάω.

Ἵλεως, ω, ὁ, ἡ, Attisch st. ἵλαος.

Ἱλέως, Adv. v. ἵλεος, günstig, gewogen, besänftiget.

Ἴλη, ἡ, s. v. a. εἴλη, ein Haufen, Rotte, Menge, *turma agmen*, vorz. von Reiterey, wie das lat. *ala equitum*. das lat. *ala* ist von ἴλη, εἴλη gemacht. Hemsterh. leitet es von ἴλω, εἴλω, εἰλέω, *volvo* ab, also eigentl. *globus*.

'Ιλήκω, und ἵλημι, ich bin günstig, gewogen, ἵλαος, davon ἱλήκοις, ἵληθι und ἵλαθι, sey mir günstig, gewogen, gnädig, nimm mich meine Bitte und Opfer mit Wohlwollen auf- an.

'Ιλιακὸς, ἡ, ὸν, aus Ilion oder Troja.

'Ιλιὰς, ἄδος, ἡ. die Iliade: Gesang, Geschichte von Ilion: auch femin. verst. γυνὴ, eine Frau Mädchen aus Ilion.

'Ιλιγγιάω, ῶ, (ἴλιγγος) das Drehen den Schwindel haben, schwindelig werden oder seyn.

'Ιλιγγος, ὁ, das Drehen: der Schwindel, wo alles sich mit dem Menschen umzudrehen scheint, *vertigo*; von

'Ιλιγξ, γος, ἡ, (ἑλίσσω, ἰλίσσω) Kreis, Wirbel, Strudel.

'Ιλιόθεν, Adv. von Ilion.

'Ιλιον, τὸ, Ilion, die von Ilus erbauete Stadt Troja; gewohnlicher als fem. 'Ιλιος, ἡ.

'Ιλιοῤῥαιστὴς, οῦ, ὁ, (ῥαίω) Ilions Zerstorer.

'Ιλλαίνω, (ἰλλὸς) ich sehe von der Seite - schiel an: verdrehe die Augen, verdrehe: ὀφθαλμὸς ἰλλαίνων, Hippocr. Coac. c. II. verdrehtes Auge. — λὰς, άδος, ἡ, Band, Strick, Schleife: (εἰλέω, εἴλλω, ἴλλω, ich umwickle) 2) eine Drossel, Krammetsvogelart, auch ἰλιάς. — λίζω, (ἰλλὸς) ich sehe schiel an: 2) ich blinzle, nicke mit den Augen, um genauer zu sehen, oder aus Buhlerey. S. ἰλλώπτω. — λὶς, ίδος, ἡ, eine die schielt. — λος, ὁ, jonisch, das Auge: davon δενδίλλειν. — λὸς, ὁ, s. v. a. στραβὸς, *strabo*, einer, der die Augen verdreht, schielt: ἰλλὸς γεγένημαι προσδοκῶν, περιορῶν, ich habe mich schiel gesehen, indem ich deiner wartete: Aristoph. u. Lucian. — λῶ, von ἰλλὸς, ich sehe von der Seite, blinzle, nicke mit den Augen; ist nur in den Comp. gebräuchlich. 2) von ἔλω, εἴλω, εἴλλω, εἰλέω, *volvo*, *circumvolvo*, ich wälze, drehe herum: wende- bringe- treibe zusammen: versammle, winde herum: binde, umgebe, befestige: ἀτραπὸν σκολιὴν ἴλλων, *iter tortuosum volvens*: ἰλλόμενος ἀλυκτοπέδησι, mit Banden umgeben, gefesselt: γῆ ἰλλομένη, die sich drehende oder befestigte Erde: bey Plato. — λώδης, ὁ ἡ, schielend, blinzelnd. — λωπέω, ῶ, ἰλλωπίζω, u. ἰλλώπτω, von ἴλλειν, ὤψ; ich verdrehe die Augen, und blinzle wie Leute, die etwas genauer betrachten wollen, oder wie liebäugelnde, geile Menschen, oder wie Leute, die andere verspotten, höhnen. — λωσις, ἡ, s. v. a. ἴλωσις: Verdrehung, ὀφθαλμοῦ, des Auges: Hippocr. Coac. c. II.

'Ιλύα, ἡ, s. v. a. ἰλυὸς: Hesych. zw.

'Ιλυσμα, τὸ, (ἰλύω, εἰλύω) das Blatt: Hesych.

'Ιλυόεις, όεσσα, όεν, (ἰλὺς) voll Schlamm, Bodensatz, Hefen, Unreinigkeit: schlammig, kothig, unrein. — ὸς, ὁ, s. v. a. εἰλυὸς oder ἰλεὸς, Schlupfwinkel, Höhle.

'Ιλὺς, ύος, ἡ, Schlamm, Moder, Bodensatz. Hefen: überh. Schmutz, Unreinigkeit: dagegen ist πηλὸς vorz. Lehm, Thon: daher πηλὸς ἰλυώδης, Arrian: Indic. p. 357. lehmigter Morast.

'Ιλυσπάομαι, ἰλύσπωμα, ἰλύσπασις, s. in εἰλυσπ.

'Ιλύω, (ἰλὺς) beschmutzen: mit Schlamm bedecken: Hesych. 2) s. v. a. εἰλύω. — ώδης, εως, ὁ, ἡ, s. v. a. ἰλυόεις.

'Ιμα, τὸ, s. v. a. εἷμα.

'Ιμα, ἡ, s. v. a. ἱμονία. S. ἱμάω.

'Ιμαῖος, αία, αῖον, (ἱμάω) zum Wasserziehn aus dem Brunnen gehörig: μέλος ἱμ: ein Lied, dabey zu singen.

'Ιμαλιὰ, ἡ, die Nahrung. 2) Zugabe von Mehl. — λιος, ία, ιον. reichlich, überflüssig: Hesych. — λὶς, ἡ, Göttin dem Mahlen vorgesetzt. 2) Gesang der Mahlenden.

'Ιμαντάριον, τὸ, u. ἱμαντίδιον, τὸ, dimin. von ἱμάς. — τελίκτευς, έος, ὁ, (ἱμὰς, ἑλίσσω) der Seile windet, Seiler: metaph. der Sophismen dreht: Democritus bey Plutar. Q. S. 1, 3. verbunden mit ἐριδαντεὺς, (ἐριδαίνω) bey Clemens Strom. 1, 3. Bey Pollux 9, 118 wird das Spiel ἱμαντελιγμὸς erklärt. — τινος, ίνη, ινον, von ledernen Riemen gemacht. — τίον, τὸ, dimin. v. ἱμάς. — τόδεσμος, ὁ, das Band von Riemen: od. als adject. aus Riemen gebunden: Hesych. in ζεύγλας. — τοπέδη, ἡ, (πέδη) Band von Riemen, Leder: Anthol. — τόπους, ein am Wasser lebender Vogel bey Oppian. Ixeut. 2, 9. eigentl. Riemenbein, von den langen Füssen. — τώδης, εος, ὁ, ἡ, nach Art eines Riemen. — τωμα, τὸ, S. d. folgd. no. 2. — τωσις, ἡ, das Binden, Zubinden mit Riemen. 2) das Verbinden der Mauer durch Queerholz. Ecclesiast. 22 wo Hieronymus es durch *loramentum* erklärt: davon ἱμαντώματα ἐκ πηλίνων πλίνθων u. προσεπίκτισμα καὶ ἱμ. τοῦ παλαιοῦ περιβόλου Nicetas Annal. 21, 7. u. 10, 4. 3) Krankheit des Zapfens, wenn er verlängert über die Zunge hangt.

'Ιμαοιδὸς, ὁ, einer der beym Wasserziehn (ἱμᾶν) singt.

'Ιμὰς, άντος, ὁ, der lederne Riemen, oder das Seil, Tau von Leder: Peitsche aus einem ledernen Riemen: der lederne *caestus* der *pugilum*, gleichsam ein Handschuh: Il. 23, 684 ἱμάντας εὐτμητούς βοὸς ἀγραύλοιο. Pausan. Arcad. 40. sagt τοῖς πυκτεύουσιν οὐκ ἦν που τηνικαῦτα ἱμὰς ὀξὺς ἐπὶ τῷ καρπῷ τῆς χειρὸς ἑκατέρας, ἀλλὰ ταῖς μειλίχαις ἔτι ἐπύκτευον ὑπὸ τὸ κοῖλον δέοντες τῆς χειρὸς, ἵνα οἱ δάκτυλοι σφίσιν ἀπολείπωνται γυμνοί. οἱ δὲ ἐκ βοείας ὠμῆς ἱμάντες λεπτοὶ τρόπου τινὰ ἀρχαῖον πεπλεγμένοι δι' ἀλλήλων ἦσαν αἱ μειλίχαι. Nachher bekam also der *caestus* durch eingenähte Nägel mehr Schwere und Schädlichkeit. 2) παρὰ κληῖδος ἱμάντα, Odyss. 4, 802. daher 21, 46. ἱμάντα θοῶς ἀπέλυσε κορώνης, ein Queerholz auf der Thüre, wie ein Riegel. S. ἱμάντωσις. Nach Abnehmung des ἱμὰς ward der Schlüssel ins Loch gesteckt und damit der Riegel, ὀχῆες, zurück geschoben. Der Schlüssel war gekrümmt wie ein Haken und hatte einen Stiel. Odyss. 21, 6. S. κλεὶς und βαλανάγρα. 3) der Fehler des Zapfens. S. ἱμάντωσις. Das Stammwort ist ἕω, ἴω, ἵημι, ich werfe: davon futur. ἴσω, ἱμὸς, ἱμῶν (davon ἱμονιὰ) u. ἱμὰς, ὁ, der Riem, vorz. das in den Brunnen beym Wasserschöpfen gelassene Seil; daher καθιμάω s. v. a. καθιέναι.

'Ιμάσθλη, ἡ, die Peitsche von Leder (ἱμὰς) auch μάσθλη: für jeden Riemen ἱμάς: Oppian. Cyn. 4, 217.

'Ιμάσσω, von ἱμάω, ἱμὰς, ich peitsche. Infinit. Aor. ἱμάξαι, oder von ἱμάω, ἱμάσαι, ἵμασεν.

'Ιματιδάριον, τὸ, u. ἱματίδιον, τὸ, Kleidchen. —τίζω, (εἷμα, ἷμα) bekleiden. —τιοθήκη, ἡ, Kleiderbehältniss, Kleiderschrank. —τιοκάπηλος, ὁ, Kleiderhändler oder Trödler. —τιοκλέπτης, ου, ὁ, Kleiderdieb. —τιομίσθης, ου, ὁ, od. ἱματιομισθωτὴς, ὁ, (μισθὸς, μισθόω) Kleiderverleiher: Pollux 7, 78. —τιον, τὸ, st. εἱμάτιον, dimin. v. εἷμα (ἕω, ἕνω, ἕννυμι) Kleid, Kleidungsstück: Tischdecke: auch Pferdedecke; dav. —τιοπώλης, ου, ὁ, Kleiderhändler; davon —τιόπωλις, ιδος, ἡ, das femin. auch als adject. ἀγορὰ, Kleidermarkt, Kleidertrödel. —τιοφορὶς, ιδος, ἡ, (ἱμάτιον φορέω) s. v. a. φάσκωλος: Ammonius p. 141. —τιοφυλακέω, ich bewahre, verwahre die Kleider; davon —τιοφυλάκιον, τὸ, ein Ort, oder Behältniss die Kleider zu verwahren. —τιοφύλαξ, ακος, ὁ, ἡ, Kleiderwächter, Kleiderhüter. —τισμὸς, ὁ, (ἱματίζω) Kleidungsstücke, Garderobe: Plutar. Alex. 39. —τοποιΐα, ἡ, od. ἱματιοποιΐα, das Kleidermachen: Glossar. —τουργικὸς, ἡ, ὸν, zum Kleidermachen gehörig od. darinne geschickt; ἡματουργικὴ verst. τέχνη, Schneiderhandwerk: von —τουργὸς, ὁ, ἡ, d. i. ἵματα, (εἵματα) ἐργαζόμενος, Kleidermacher, Schneider.

'Ιμάω, ῶ, ich ziehe in die Höhe, heraus, vorz. Wasser aus dem Brunnen: davon kommen bey Hesychius ἶβαι, ἴβηνοι, Wassereymer, Aschenkrüge. st. ἷμαι, ἵμηνοι, ferner ἴβανος und ἰβάνη st. ἵμανος, ἱμάνη, der Wassereymer: endlich ἰβανατρὶς st. ἱμητήριον, der Strick zum Wassereymer, um ihn damit zu ziehn. S. ἀνιμάω. 2) s. v. a. ἱμάσσω.

'Ιμείρω; ἱμείρομαι, (ἵμερος) m. d. Genit. ich verlange. 2) ich verlange nach dem Manne, Beyschlafe, ich übe den Beyschlaf. Hippocr. —ρόεις, όεσσα, όεν, was Verlangen nach sich erweckt, liebenswürdig. —ρόνους, ὁ, ἡ, liebenswürdig von Seele: Orph. hymn. —ρος, ὁ, Verlangen, vorz. der Liebenden: Liebe: der Gott der Liebe: Hemsterhuis leitet es von ἕω, ἴω, ἵημι, perf. pass. εἷμαι ab, in dem Sinne, wie ἐφίεμαι steht, d. i. sich nach etwas ausstrecken, sehnen, verlangen, wie ὀρέγομαι: wie εἷμα, ἱμάτιον von ἕω, ἕνω, ἕννυμι. —ροῦσθαι, bey Hippocr. Verlangen nach Beyschlaf haben, und den Beyschlaf üben. S. ἱμείρω. —ρόφωνος, ὁ, ἡ, von angenehmer Stimme.

'Ιμερτὸς, ἡ, ὸν, wonach man verlangt (ἱμείρομαι) liebenswürdig, schön, angenehm, erwünscht.

'Ιμητήριον, τὸ, (ἱμάω) das Seil, damit Wasser aus dem Brunnen zu ziehn. —τὸς, ἡ, ὸν, (ἱμάω) herausgezogen, vom Wasser aus dem Brunnen.

'Ιμονία, ἡ, (ἱμὰς, ἱμῶν) das Seil, damit den Wassereymer - Brunneneymer zu ziehn. S. ἱμάς: davon —νιοστρόφος, ὁ, ἡ, (στρέφω) der den Brunneneymerstrick umdreht.

'Ιμπτω, u. ἵμψιος. S. in ἵπτω.

'Ἶν, nach einem Dialekte s. v. a. ἐν, wovon das lat. *in*, wie *endo* st. ἔνδον, u. *intus* st. ἐντὸς. 2) als subst. ὁ, s. v. a. ἴς, *vis*. 3) s. v. a. οἷ, *sibi*, sich, ἶν αὐτῷ: Hesiod.

'Ἵνα, Conj. dass, damit, m. d. Conjunct. Optat. u. d. Imperfect. ἵν' εἰ μὴ παρεδίδουν, μηδὲν ἂν δίκαιον λέγειν ἐδόκουν, Demosth. p. 849. auch m. d. futur. Indic. ἵνα μὴ, *ut ne*, damit nicht, ἱνὰ τί, worzu? warum? ἵνα μὴ wird bey Homer auch für εἰ μὴ, ausser, erklärt. 2) ἵνα, wo, zu welcher Zeit: wohin, also *ubi* u. *quo*.

'Ινάω, ῶ, s. v. a. ἰνέω.

'Ινδάλλομαι, s. v. a. εἴδομαι, εἰδάλλομαι u. ἰδάλλομαι, scheinen, das Ansehn haben, gleichen: von εἴδω, ἴδω, ἴνδω, ἴνδαλος, ἰνδάλλω: davon

'Ίνδαλμα, τὸ, Gestalt, Bild, s. v. a. εἶδος, εἴδωλον.

'Ινδικὸν, τὸ, bey Diosc. 5, 107 Plinius 35, 6 u. 33, 3 Vitru. 7, 10. eine Farbe, erstlich, welche sich an das indianische Rohr setzen soll: eine zweyte wird aus der Waidküpe bereitet. Gelen nennt ἰνδικὸν μέλαν die erste Art; cum teritur, nigrum sagt Plinius; dav.

'Ινδολέτης, ου, ὁ, ('Ινδῶν ὀλέτης) Sieger der Indier.

'Ινέω, ῶ, ich leere aus, räume, reinige; davon

'Ινηθμὸς, ὁ, die Reinigung, Ausleerung: davon ὑπέρινος.

'Ινίον, τὸ, die Muskeln am Hinterkopfe bis an den Hals: das Genicke. S. ἴς.

'Ινις, ὁ, der Sohn, ἡ, die Tochter. Eurip. Androm. 800. Iph. A. 119. scheint von ἴς zu kommen.

'Ιννος. S. γίννος, und über Varro S. 467.

'Ινυυμι u. ἰννύω. S. καθίνυυμι.

'Ινοειδὴς, έος, ὁ, ἡ, contr. ἰνώδης, (ἴς, εἶδος) nervicht, faserig.

'Ιξ, ἰκὸς, ein Wurm oder Käfer, der den Weinstock beschädiget.

'Ιξάλη, ἡ, (od. vielmehr ἰξαλῆ, wie ἀλωπικῆ, aus ἰξαλέη contr. Ziegenfell: ἰξάλην αἰγὸς Hippocr. de fract. p. 506. Hesych. hat ἰσθλὴ, αἰγεία μηλωτὴ: ferner ἰτθέλα, διφθέρα. desgl. ἰσσέλα, διφθέρα; von —λος, ὁ, ἡ, Il. 4, 105. ἰξάλου αἰγὸς ἀγρίου, ein Beyw. der Gemse oder des Steinbocks, s. v. a. πηδητικὸς, springend, schnell: Andere erklären es auf mancherley Art.

'Ιξευμα, τὸ, (ἰξεύω) das Gefangene, der Fang: zw.

'Ιξευτὴρ, oder ἰξευτὴς, οῦ, ὁ, (ἰξεύω) Vogelsteller mit Leimruthen; davon —τηρία, ἡ, f. Les. st. ἰξεύτρια: Plut. 7 p. 136. —τήριος, ὁ, ἡ, zum Vogelsteller gehörig, ihn betreffend. —τικὸς, ἡ, ὸν, s. v. a. ἰξευτήριος. —τρια, ἡ, femin. v. ἰξευτὴρ.

'Ιξεύω, (ἰξὸς) mit Vogelleim oder Leimruthen Vögel fangen.

'Ιξία, ἡ, *viscum*, Mistel, eine Pflanze, woraus der Vogelleim gemacht wird; 2) die Pflanze *Chamaeleon*, deren Saft giftig. S. über Nicander Alex. v. 279. bey Theophr. h. pl. 9, 19. ist es der Gummi tragende χαμαιλέων λευκὸς, Dioscor. 3, 10. *Atractylis gummifera* Linn. Tournefort Reise 1 S. 37. 3) s. v. a. κίρσος, *varix*. —ας, ὁ, ἡ, eine Pflanze, wie *Chamaeleo*, deren klebriger Saft giftig.

'Ιξιβόρος, S. ἰξοβόρος.

'Ιξίνη, ἡ, eine niedrige stachlichte distelformige Pflanze, von welcher man eine Art von Mastix sammelte: Theophr. h. pl. 6, 4.

'Ιξιόεις, όεσσα, όεν, von ἰξία oder ἰξίας gemacht: κοτὸν ἰξιόεν st. ἰξίου, Nicander Alex.

'Ιξις, ἡ, (ἴκω) die Ankunft, das Kommen, der Gang: bey Hippocr. κατ' ἴξιν, in der Richtung, Gegend, Lage.

'Ιξιφάγος, ὁ, ἡ, S. ἰξοφάγος.

'Ιξοβόρος, ὁ, ἡ, (βορὴ) κίχλη, der Mistler, eine grosse Drosselart, die Mistelbeeren frisst.

'Ιξὸς, ὁ, Mistel, die Pflanze; 2) die Beere derselben; 3) der dav. bereitete Vogelleim.

'Ιξοφάγος, ὁ, ἡ, s. v. a. ἰξοβόρος. —φόρος, ὁ, ἡ, der Mistelpflanzen trägt, wie Eichen und andere Bäume.

'Ιξὺς, ἡ, die Lende, die Gegend üb. den Hüften, wo man sich gürtet, darunter liegen zur Seiten u. mehr hinterwärts ὀσφὺς, Hüften mit den Hinterbacken; überh. die Gegend zwischen den Ribben und Lenden.

'Ιξώδης, εος, ὁ, ἡ, klebricht, zäh wie Vogelleim, ἰξὸς: metaph. geizig, genau.

'Ιοβάκχεια, τὰ, Fest des Bacchus, ἰόβακχος genennt, von ἰὼ, *io*, u. βάκχος. S. Θεοίνια.

'Ιοβάπτης, ου, ὁ, (ἴον, βάπτω) der violet färbt, *violarius*: Glossar. —βαφὴς, ὁ, ἡ, veilchenfarbig: schwarz: Athenaei p. 42. —βλέφαρος, ὁ, ἡ, (ἴον, βλέφαρον) mit schwarzen Augen, eigentl. Augenliedern. —βολέω, ῶ, ich werfe, schiesse mit Pfeilen: ich vergifte: von —βόλος, ὁ, ἡ, (ἰὸν βάλλων) Pfeile werfend, mit Pfeilen schiessend; 2) Gift auslassend, vergiftend. —βόρος, ὁ, ἡ, (βορὰ) giftfressend, giftig. —βόστρυχος, ὁ, ἡ, s. v. a. ἰοπλόκαμος.

'Ιογλήνος, ήνη, (γλήνη) mit schwarzem Augensterne oder überh. Auge.

'Ιόδετος, ὁ, ἡ, (δέω) von Veilchen gebunden od. geflochten. —δνεφὴς, έος, ὁ, ἡ, (ἴον, δνέφος) veilchenfarbig: schwarz: Odyss. 4, 135. —δόκη, ἡ, Pfeilbehälter, d. i. Köcher: das femin. von ἰοδόκος, (ἴος, δέχομαι) Pfeile haltend, aufnehmend; 2) Gift haltend, aufnehmend.

'Ιοειδὴς, έος, ὁ, ἡ, (εἶδος) veilchenartig, veilchenfarbig: schwarz: dunkel: Beywort des Meeres: Odyss. 5, 56. Hesiod. th. 844. —εις, όεσσα, όεν, Homer nennt ein einzigesmal ἰόεντα σίδηρον, wo es im Allgemeinen s. v. a. ἰοειδὴς, d. i. von schwarzer Farbe, schwarz ist. Man erklärt es noch auf mancherley Art.

'Ιόζωνος, ὁ, ἡ, (ἴον, ζώνη) mit einem veilchenfarbnen oder schwarzen Gürtel.

'Ιοθαλὴς, έος, ὁ, ἡ, (θάλλω) στέφανος, von Veilchen gemacht oder blühend: Athenaei p. 409.

'Ιομιγὴς, έος, ὁ, ἡ, (μίγνυμι) mit Gift gemischt, vergiftet.

'Ιόμωρος, ὁ, ἡ, im Homer heissen die Archiver ἰόμωροι, wo die gewöhnliche Erkl. von ἰὸς der Pfeil und μῶρος für Krieger, nach Voss pfeilkühn, wie ἐγχεσίμωρος, nicht statt findet. Andere leiteten es von ἰέναι εἰς μόρον, in sein

Verderben gehn, her. Von ἰὲς kann es nicht kommen, weil dieses die erste Sylbe lang hat: also muss man etwa von ἴα die Stimme, oder von einem mit ἤϊος κάματος, βοή, ἤϊον, βέλος verwandten Ausdrucke die Bedeut. ableiten, etwa s. v. a. Schreyer, Lärmer: μῶρος bedeutet nicht mehr als in ὑλακόμωρος.

Ἴον, τὸ, Veilchen: ἴον μέλαν, das gemeine schwarzblaue Veilchen: λευκὸν, unser Levkoie: κρόκεον, *viola flava*, gelber Lack.

Ἰονθὰς, άδος, ἡ, zottig, haarig: Odyss. 14, 50. von —θος, ὁ, die Haarwurzel, davon ἐξιονθίζω τρίχα, überh. Haar; 2) Flecken im Gesichte, *varus*, dergl. im mannbaren Alter ausbrechen: Pollux 4, 194. daher sie auch ἀκμαὶ heissen: Cassius Problem. 153. Aetius 8 c. 13.

Ἰοπλόκαμος, ὁ, ἡ, s. v. a. ἰοβόστρυχος. —πλόκος, ὁ, ἡ, (ἴον, πλέκω) bey Hephaestio p. 47. aus Alcaeus, und Anthol. s. v. a. das vorherg. eigentl. Veilchen flechtend, um sich damit zu bekränzen.

Ἰορκος, ὁ, bisweilen s. v. a. δόρξ: b. Oppian. aber der bengalische Hirsch, *axis* des Plinius.

Ἰὸς, ὁ, (ἴω. ἵημι) das Geworfene, Geschoss, Pfeil: auch ἰὰ, st. ἰοί: Il. 20, 68. 2) Gift; 3) Rost.

Ἴος, ἴα, ἴον, einer, einzig, allein, derselbe.

Ἰοστέφανος ὁ, ἡ, mit einem Veilchenkranze: Hom. hymn. 5. 18.

Ἰότης, ητος, ἡ, Wille, Schluss, Rath, Plan: Il. 5, 874. —τόκος, ὁ, ἡ, (τίκτω) Gift gebährend, giftig: Oppian. —τυπὴς, έος, ὁ, ἡ, (ἰός, τύπτω) vom Pfeile od. Gifte getroffen.

Ἰοὺ, Ausruf des Schmerzes: au! au! auch der Freude, wie ἰὼ: Plato Resp. 4.

Ἰουδαΐζω, jüdisch seyn, in Gesinnungen- Sitten; davon —ϊσμὸς, ὁ, jüdische Sitten und Religion.

Ἰουλίζω, (ἴουλος) Milchhaare bekommen: Tryphiod. —λὶς, ίδος, ἡ, ein rother Meerfisch, *Labrus Julis* Linn. —λόπεζος, (πέζα) mit vielen Füssen, wie der ἴουλος: Lycophr. 23. —λος, ὁ, das Milchhaar, erste Spur des Bartes; 2) Garbe, auch οὖλος nach Hesych. daher Οὐλὼ Beyw. der Ceres, und ἴουλος, ein Lied zu Ehren derselben: καλὰς ἤειδεν ἰούλους, Eratosth. ap. Tzetz. ad Lycoph. 23. Artemidorus 2, 24 οὖλοι καὶ δράγματα καὶ Δήμητρος ἀσταχύων; 3) ein Insekt ohne Flügel, welches Aristot. h. a. 4, 1. neben σκολόπενδρα nennt: de part. 4. 5. nennt er ἰουλώδη μακρὰ eine Gattung von langen Insekten, wie ἴουλος. Bey Athenaeus 7 p. 304. nennt Numenius die Regenwürmer ἰούλους: aber uneigentlich. Von ὄνος πολύπους oder ὀνίσκος, Kellerassel oder Keller-esel, *oniscus* Linnaei, unterscheidet ihn Aristot. h. a. 5, 32. Es ist also der Vielfuss, *Julus* Linnaei. —λοφυέω, ῶ, s. v. a. ἰουλίζω, aus Gaza. —λὼ, όος, contr. οῦς, ἡ, Beyw. der Ceres. S. ἴουλος. —λώδης, εος, ὁ, ἡ, dem ἴουλος (dem Insekte) ähnlich.

Ἰὸφ, Ausruf der Verabscheuung, wie pfui! Aeschyl. Sup. 834.

Ἰοχέαιρα, ἡ, die sich der Pfeile freut, Pfeile führt: Beyw. der Diana als Jagdgöttin, wie der Donnerer Ζεὺς τερπικέραυνος. Nicander hatte die Schlange ἀσπὶς genannt ἰοχέαιρα, von ἰὸς der Gift.

Ἰόω, (ἰὸς) mit Rost überziehn, zum Rosten bringen: pass. verrosten, rosten.

Ἴπνη, auch ἴππα, der Baumhacker, Baumkleber: ein Vogel: Antonin. Liber. 21. —νιος, ία, ιον, was zum Ofen-Backofen; 2) zum Stalle, Abtritte gehört. —νίτης, ου, ὁ, ἄρτος, Brod im Backofen gebacken. S. κλίβανος. —νοκαὴς, ὁ, ἡ, (καίω) im Ofen gebrennt- geröstet- gebacken. —νολέβης, ὁ, davon dimin. ἰπνολεβήτιον, τὸ, ein Kessel im Ofen eingesetzt, um Wasser darinne zu kochen, d. lat. *miliarium*: Athenaei 3 p. 98. —νοποιὸς, ὁ, ἡ, der v. Thon einen Backofen macht. —νὸς, ἴπνος, ὁ, der Backofen; 2) der Küchenheerd; 3) der Rauchfang über der Küche: die Küche selbst; 4) die Laterne; 5) der Stall, Abtritt. —νόω, ῶ, bey Aeschylus falsch st. ἰπόω.

Ἰποκτόνος, ὁ, ἡ, (κτείνω) Beywort des Hercules, der den ἶψ tödtet.

Ἶπος, ὁ, das Stellholz in der Mausefalle: oder die Falle selbst: Aristoph. Plut. 815. 2) die Presse, vorz. für Kleider: bey Pindar. Olymp. 4, 11. heisst der Berg Aetna ἀνεμόεσσα ἶπος, hohe Last, Bürde; davon

Ἰπόω, ῶ, drücken, pressen: Aristoph. Equ. 924.

Ἱππαγρέται, ῶν, οἱ, (ἀγέρω, ἄγρω, ἵππος) drey Anführer der 300 Gardisten der Lazedaemonischen Könige, die ἱππεῖς hiessen: Xen. Rep. Laced. 4, 3. hist. gr. 3, 3, 9.

Ἵππαγρος, ὁ, s. v. a. ἵππος ἄγριος, wildes Pferd. —γωγὸς, ὁ, ἡ, s. v. a. ἱππηγός.

Ἱππάστος, ὁ, Rossadler. zw.

Ἱππάζω, vorz. im medio reiten: vom Pferde, geritten werden, Xeno: b. Homer Il. 23, 426 heisst es Pferde regieren und zu Wagen fahren.

Ἱππαιχμία, ἡ, (ἱππαιχμέω) Streit zu Pferde: Schol. Pind. Nem. 1, 24. —χμος, ὁ, ἡ, (αἰχμὴ) Pind. Nem. 1, 5. Streiter zu Pferde.

Ἱππάκη, ἡ, ἱππάκης, οὐ, ὁ, bey Eustath. der Pferdekäse. Nach Dioscor. 2, 80. auch das Lab (*coagulum*) von Pferden: bey Theophr. h. pl. 9, 13 hat Plinius 9. ἱππάκη oder ἱππικὴ für eine Pflanze genommen. Wirklich kommt in dem Mathem. veter. p. 86. unter andern Hülsenfrüchten auch ἱππάκη vor. —κοντισταὶ, οἱ, die mit Lanzen zu Pferde fechten.

Ἱππαλεκτρυὼν, ὁ, Rosshahn: fabelhaftes oder abentheuerliches Thier auf den persischen Tapeten abgebildet: Aristoph. Ran. 937.

Ἱππαλίδας, ου, ὁ, bey Theocr. 24, 127. s. v. a. ἱππηλάτης, der Ritter: zw.

Ἱππάνθρωπος, ὁ, Rossmensch, Centaur: Eustath.

Ἱππαπαὶ, hat Aristoph. nach dem ῥυππαπαὶ, einem Ausrufe der Ruderer, gemacht.

Ἱππάρδιον, τὸ, bey Aristot. h. a. 2, 1. nach Pallas der Kameloparde.

Ἱππάριον, τὸ, dimin. v. ἵππος, Pferdchen, Fohlen.

Ἱππαρμοστὴς, οῦ, ὁ, lakonisch s. v. a. ἵππαρχος: Xen. hist. gr.

Ἱππαρχέω, ῶ, (ἵππαρχος) ich kommandire die Reiterey. —χης, ου, ὁ, s. v. a. ἵππαρχος. —χία, ἡ, Amt, Würde eines ἵππαρχος. —χικὸς, ἡ, ὸν, was zum ἵππαρχος oder seinem Amte ἱππαρχία gehört, darzu dient, geschickt od. darinne geübt ist: Xen. Mag. Equ. 5. —χος, ὁ, Anführer der Reiterey.

Ἱππας, άδος, ἡ, verst. τάξις, Klasse oder Stand der Ritter, ἱππεῖς: daher ἱππάδα τελεῖν, zum Ritterstande gehören: Harpocr. und Plutar. Solon. c. 18. Isaeus p. 185. erklärt die Redensart gewissermaassen: ἀπεγράψατο μὲν τίμημα μικρὸν, ὡς ἱππάδα δὲ τελῶν, ἄρχειν ἠξίου τὰς ἀρχάς: daher Hesych. ἱππὰς durch τὰ τῶν ἱππέων τιμήματα erklärt. Dio Cass. sagt aber dafür εἰς ἱππάδα τελεῖν, zum Ritterstande gehören. —σία, ἡ, das Reiten: Uebung im Reiten: die Reiterey. —σιμος, ὁ, ἡ, (ἱππάζω) τόπος, ein Platz, Gegend, worauf man reiten, Kavallerie brauchen kann: metaph. τοῖς κόλαξιν ἑαυτὸν ἀνειχὼς ἱππάσιμον: Plutar. Alex. 23. er gab sich den Schmeichlern Preiss. S. καθιππάζομαι. —στὴς, οῦ, ὁ, (ἱππάζω) Reiter. —στὶ, Adv. nach Art der Reiter, mit aus einander gebreiteten Fussen. —στρίαι κάμηλοι Plutarch. Eum. die bey Diodor. 19. δρομάδες heissen, weil man sie ritt.

Ἱππάφεσις, ἡ, (ἀφίημι, ἵππος) lat. *carceres*, der Ort, auf der Rennbahn oder Reitbahn, von wo aus die Pferde und Wagen ausliefen und den Wettlauf antraten.

Ἱππεία, ἡ, (ἱππεύω) das Reiten: Geschicklichkeit im Reiten; die Reiterey: Xen. Anab. 56, 8. 2) die Pferdezucht, wie πωλεία: Strabo 5 p. 330. —πειος, εία, ειον, vom Pferde, zum Pferde gehörig.

Ἱππελάτειρα, ἡ, das femin. v. ἱππελατὴρ, s. v. a. ἱππηλάτης: Orph. hymn. —λαφος, ὁ, Rosshirsch: Aristot. h. a. 2, 1. unbestimmte Thiergattung aus Arachosien.

Ἱππεραστὴς, οῦ, ὁ, Pferdeliebhaber. —ρος, ὁ, d. i. ἱππικὴ νόσος: Rosssucht: komisch nach ὕδερος, ἴκτερος gebildet: Aristoph.

Ἵππευμα, τὸ, ein Ritt, Marsch zu Pferde: Aristoph. von ἱππεύω; wov. auch —πεὺς, έως, ὁ, Reiter, Ritter: b. Homer auch die zu Wagen fechtende: Il. 15, 258. —πευσις, ἡ, das Reiten. —πευτὴρ, ῆρος, ὁ, oder ἱππευτὴς, s. v. a. ἱππεύς. —πεύω, ich reite, bin ein Reiter, diene als Reiter: ich bin ein Ritter, ἱππεύς.

Ἱππηγέτης, ου, ὁ, (ἀγέτης) Beyw. des Neptuns, Pferdeleiter. —γὸς, ὁ, ἡ, (ἄγω, ἵππος) Pferde führend oder fahrend.

Ἱππηδὸν, Adv. nach Art der Pferde od. der Reiter: Aristoph. Pac. 81.

Ἱππηλασία, ἡ, (ἵππος, ἐλασία) das Antreiben der Rosse; das Reiten: das Fahren; davon —λάσιον, τὸ, das Fahren oder Reiten, wie κυνηγέσιον: Nicetae Annal. 9, 1. —λάσιος, Il. 7, 340. ein Weg so breit, dass man darauf fahren kann. —λατέω, ῶ, ich fahre oder reite; von —λάτης, ου, ὁ, (ἵππου ἐλάτης) der mit Pferden fährt, bey Homer; der reitet: Reiter. —λατος, ὁ, ἡ, zum fahren oder reiten geschickt, bequem, gelegen: worinne, worauf man fahren oder reiten kann.

Ἱππημολγοὶ, Rossmelker: Pferdemilch trinkend, wie fast alle Völker des scythischen oder tatarischen Stammes: v. ἀμέλγω.

Ἱππιάναξ, κτος, ὁ, d. i. ἵππου ἄναξ, Führer der Reiterey: Aeschyl. —ατρία, εία, ἡ, Rossarzeneykunst. —ατρος, ὁ, Pferdearzt.

Ἱππίδιον, τὸ, dimin. von ἵππος, Pferdchen.

Ἱππικὸς, ἡ, ὸν, zum Reiten oder Reiter gehörig: im Reiten geübt: ἱππικὴ verst. τέχνη, Reitkunst: τὸ ἱππικὸν, s. v. a. οἱ ἱππεῖς, die Reiterey, Kavallerie.

Ἵππιος, ὁ, zum Pferde, zum Reiter, zum Reiten gehörig: also s. v. a. ἵππειος und ἱππικός. —οχαίτης, ου, ὁ, λόφος Il. 6, 469. (χαίτη) mit einem Busche von Pferdehaaren. —οχάρμης, ου, ὁ, (χάρμη) auf dem Streitwagen fechtend: Il. 24, 257. späterhin ein Streiter zu Pferde, ein Reiter.

Ἱππίσκος, ὁ, s. v. a. ἱππίδιον.

Ἱπποβάμων, ονος, ὁ, ἡ, zu Pferde gehend: ῥήματα ἱπποβήμονα: Ariſtoph. hochtrabende Worte, wie *equeſtris oratio*. —βάτης, ου, ὁ, oder ἱπποβήτης, Reiter, Ritter. —βινος, (βινέω) eine ſatyriſche Verdrehung des Namen von ἱππόνικος, mit Anſpielung auf ſeine Ausſchweifungen in der männlichen Liebe: Ariſtoph. Ran. 429. —βοσκὸς, ὁ, ſ. v. a. ἱπποφορβὸς: Suidas. —βότης, ου, ὁ, ſ. v. a. ἱπποτρόφος. —βοτος, ὁ, ἡ, von Pferden beweidet: geſchickt zur Roſsweide: Odyſſ. 4, 562. in Il. 2, 287. Eurip. Suppl. 365. heiſst Argos ſo, wie Horat. Carm. 1, 7. 9 *aptum equis*. —βουκόλος, ὁ, ἡ, ſ. v. a. ἱπποφορβὸς: Eurip. Phoen. 28. —βρωτος, (βρόω) von Pferden gefreſſen.

Ἱππογέρανοι, Kranichritter: Lucian. ver. hiſt. —γλωσσος, ὁ, ἡ, mit einer Pferdezunge: neutr. als Kraut, ſ. Les. ſt. ὑπόγλωσσον. —γνώμων, ονος, ὁ, ἡ, Roſskenner: der die Art und Natur der Pferde kennt. —γυποι, Geierritter: Lucian. ver. hiſt.

Ἱπποδαμαστὴς, οῦ, ὁ, oder ἱππόδαμος, (δαμάω, δαμάζω) Roſsbändiger, Reiter, Ritter. —δασυς, εια, υ, mit Pferdehaaren dicht beſetzt: Il. 13, 714. —δεσμα, τὰ, Pferdebänder, Zügel: Eur. —δέτης, ου, ὁ, (δέω) ῥυτὴρ: Soph. Riem daran- damit ein Pferd zu binden, zu halten: Pauſan. Boeotic. c. 26. —διώκτης, ου, ὁ, (διώκω) ſ. v. a. ἱππηλάτης, der reitet oder fährt: Reiter, Ritter. —δρομὴ, ἡ, Ariſtaen. 1. Ep. 8. das Amt oder die Kenntniſs eines ἱπποδρόμος: zw. —δρομία, ἡ, (ἱπποδρομέω) Pferderennen: Wettrennen zu Pferde. —δρόμιος, ὁ, ἡ, zum Pferderennen gehörig oder beſtimmt: als μὴν, der Monat, worin es gehalten ward: ἱπποδρόμια, τὰ, das Pferderennen; von —δρομος, ὁ, das Pferderennen: der Lauf der Pferde: Rennbahn, Platz, wo das Pferderennen gehalten wurde: Odyſſ. 23, 330.

Ἱπποζώνη. S. ἱπποθήλης.

Ἱππόθεν, Adv. vom Pferde her- anherab. —θήλης, ὁ, (ἵππος, θηλάζω) bey Ariſtot. h. a. 6, 23. der Eſel zum beſpringen der Stuten, der von einer Stute geſäugt worden iſt: ſo nennt Heſych. ἱπποζώνη, ἡ τοὺς ἵππους θηλάσασα verſt. ὄνος, die Eſelin, die den Hengſt geſäugt hat. —θοος, ὁ, ἡ, ſchnell zu Pferde, Reiter: Heſych. —θόρος, ὁ, Beſpringer, Beſcheler: vorz. vom Eſel, der Stuten belegt: adject. bey νόμος Plut. eine Melodie beym Belegen der Stuten durch den Eſel geſpielt: Plutar. 6 p. 322. Clemens Paedag. 2, 4 p. 71. —θυτέω, ῶ, (θύτης) Pferde opfern.

Ἱπποκάμπη, ἡ, oder ἱππόκαμπος, ein fabelhaftes Seethier, mit einem gebogenen Fiſchſchwanze, auf welchen die Mahler die Meergötter fahren lieſſen: als eine Art von Fiſchen nennt ihn Aelian. h. a. 14, 20. viell. *Syngnathus hippoc.* Linn. davon —κάμπιον, τὸ, dimin. d. vorh. Pollux 5, 97 auch eine Art von Ohrgehenke. —κάνθαρος, ὁ, Roſskäfer: Ariſtoph. —κέλευθος, ὁ, ἡ, (κέλευθος) den Weg zu Pferde machend: Reiter: Il. 16, 126 wo andere ἱπποκέλευστα laſen, welches Heſych. d. ἵπποις κελεύων erklärt. —κένταυρος, ὁ, (ἵππος, κένταυρος) nach Theſſalien ſetzte die Fabel Hippocentauren, welche halb Pferde halb Menſchen ſeyn ſollten: vermuthlich beſchrieb man ſo abentheuerlich die erſten Reiter, welche man ſahe. —κομέω, ῶ, ich pflege, halte Pferde: bey Ariſtoph. ſ. v. a. ἱπποτροφέω. —κόμος, ὁ, ἡ, (κομέω) Pferdewärter, Pferdeknecht. —κομος, ὁ, ἡ, (κόμη) ſ. v. a. ἱππόδασυς: Il. 13, 132. —κορυστὴς, οῦ, ὁ, Il. 2, 1 ἱπποκορυσταὶ ἀνέρες, im allgemeinen Krieger: ἵππους ὁπλίζοντες, Pferde zum Kriege rüſtend: andere laſen ἱπποκόρυστοι, und erklärten es von κόρυς, Helm, die Krieger mit dem Helme von Pferdehaaren umſchattet. —κόων. S. in κοάω. —κρατέω, die Stärke oder Uebermacht im Kriege in der Reiterey haben, daran dem Feinde überlegen ſeyn, dadurch ſiegen, beſiegen: Thucyd. 6, 71. —κρατία, ἡ, die Uebermacht an Reiterey, oder der Sieg durch die Reiterey: Xen. Cyr. 1, 4. 24. —κρημνος, ὁ, ἡ, ſehr ſteil: ῥῆμα, kühnes Wort: Ariſtoph. Ran. 929. —κροτέω, ῶ, bey Syneſius Ep. 130 ἅπαντα ἱπποκροτεῖται, alles ertönt von Pferden und Reitern; wo Budaeus richtiger ἱπποκρατεῖται lieſet. —κροτος, ὁ, ἡ, von Roſſen tönend beſtampft: Eurip. Hippol. 229.

Ἱππολάπαθον, ein Kraut, Roſsampfer: Plin. 20, 21. —λειχὴν, bey Nicand. Ther. 945. ἵππειος λειχὴν, nennt Eutecnius eine Art von Flechte- Moosart. —λεχὴς, ὁ, ἡ, (λέχος, ἵππος) Pauſan. Arc. 42. Δηώ, die bey einem Pferde geſchlafen oder ein Pferd geboren hat.

Ἱππομανὲς, έος, τὸ, ein Gewächs oder Haut was das Füllen mit auf die Welt bringt, aber von der Mutter verſchluckt wird. ἡ ἵππος ἀπεσθίει τῶν πώλων τὸ ἱππομανὲς, Theophr. nach welchen es Aelian 3, 17. σαρκίον ἐπὶ τῷ μετώπῳ, ein Stück Fleiſch auf der Stirne nennt. Andre geben einen andern Ort und Urſprung an. Aelian. h. a. 14, 18. die Hexen und Zauberer ſuchten dieſes Product auf, und miſsbrauchten es zu Liebestränken und andern abergläubiſchen Mitteln, die auf Liebe und

Zuneigung Bezug haben. Das Wort bedeutet eine rasende Liebe der Pferde.

Ἱππομανέω, ῶ, (μαίνομαι) eigentlich von rossigten Stuten; 2) von geilen Menschen, Frauen; u. 3) ich habe eine rasende Pferdeliebe, bin ein Pferdeliebhaber. —μανὴς, έος, ὁ, ἡ, (μαίνομαι) rossigt, geil, wollüstig; 2) ein Pferdenarr, Pferdeliebhaber. —μανία, ἡ, die Raserey in der Pferdeliebhaberey, und die Neigung für Reiterey und Wettrennen, zu Pferde u. zu Wagen. —μάραθρον, τὸ, wilder Fenchel: eigentl. der grosse Fenchel. —μαχέω, ῶ, ich streite kämpfe zu Pferde —μαχία, ἡ, Treffen zu Pferde oder der Reiterey: v. —μαχος, ὁ, ἡ, (μάχη) vom oder zu Pferde streitend: Kavallerist. —μητις, ὁ, ἡ, (μῆτις, ἵππος) s. v. a. ἱππικὸς, pferdekundig, guter Reiter: Pindar. Isthm. 7, 12. —μιγὴς, έος, ὁ, ἡ, (ἵππος μίγνυμι) mit Pferd oder Pferdegestalt gemischt. —μολγὸς, ὁ, ἡ, s. ἱππημολγὸς; zw. —μορφος, ὁ, ἡ, (μορφὴ) pferdgestaltet. —μύρμηκες, οἱ, Ameisenritter: Lucian. ver. hist.

Ἱππονομεὺς, έως, ὁ, (νέμω) Pferdehirt. —νόμος, ὁ, (νέμω) Pferde weidend: ἱππόνομος, ὁ, ἡ, von Pferden beweidet. —νώμας, ου, ὁ, (νωμάω) Rosse regierend: Eurip. Hipp. 1399.

Ἱππόομαι, οῦμαι, zum Pferde gemacht oder darein verwandelt werden.

Ἱπποπέδη, ἡ, bey Proclus über Euclides p. 31 u. 38. eine krumme Linie, wird mit κισσοειδὴς verbunden: von πέδη ἱππασία: bey Xen. Equ. 7, 13. 14. —πειρης, ου, ὁ, (πεῖρα) der einen Versuch mit einem Pferde oder mit dem Reiten macht: zw. —πῆραι, bey Seneca von πήρα, ἵππος, Ränzel, Mantelsack des Reiters. —πόλος, ὁ, ἡ, (πολέω) poet. s. v. a. ἱππικὸς, geschickt im Fahren mit Pferden oder im Reiten: Il. 13, 4. 14, 227. —πορνος, ὁ, ἡ, wie ἱππόβινος, ein grosser Hurer, sehr lüderlicher Mensch. —ποσειδῶν, ῶνος, ὁ, s. v. a. ἵππιος ποσειδῶν: zw. —πόταμος, ὁ, Fluss- oder Nilpferd. —πώλης, ου, ὁ, (πωλέω) Pferdehändler.

Ἵππος, ὁ, das Pferd, ἡ, die Stute. 2) ἡ ἵππος, die Reiterey, *equitatus.* οἱ ἵπποι die Reiter; 3) ein geiles Weib. 4) das Schaamglied; 5) ein Meerfisch; 6) ein Fehler der Augen, wo sie sich stets bewegen; 7) in den Compos. vermehrt es oft, wie βοῦς, die Bedeut. ἱππόπορνος u. s. w. —σέλινον, τὸ, eine Art Sellery, σέλινον. —σόας, ὁ, und ἱπποσόος, σόα, ἡ, Pindar. Olymp. 3, 46. (σόω, σεύω) s. v. a. ἱππηλάτης Pindar. —στασία, ἡ, ἱπποστάσιον, τὸ, und ἱππόστασις, ἡ, (ἵππος, στάσις) der Pferdestand - stall. —στράτηγος, ὁ, General der Kavallerie. —σύνη, ἡ, Reitkunst: Kunst die Pferde zu regieren. Bey Eurip. Or. 1397. heisst Δαρδανία, Γανυμήδεος ἱπποσύνα, d. i. wo er sich im Reiten übte, wie Brunk erklärt; andere zogen es zu Γαν. als genit. von ἱπποσύνης, s. v. a. ἱππότης: von —συνος, ὁ, s. v. a. ἱππικός. S. ἱπποσύνη.

Ἱπποτέκτων, ονος, ὁ, der Pferdezimmerer: Lycophr. —της, ου, ὁ, Reiter, Ritter, der Pferde zu Wagen oder als Reiter regieren kann: poet. auch ἱππότα. —τιγρις, eine Art von grossen Tigern: Dio Cass. —τιλος, ὁ, eine Krankheit des Pferdes, wenn es dünnen flüssigen Mist lässt. —τοξότης, ου, ὁ, Bogenschütz zu Pferde. —τραγέλαφος, ὁ, Ross-Bock-Hirsch: ein fabelhaftes Thier: Athenaeus. — —τροφεῖον, τὸ, od. —όφιον, τὸ, Ort wo Pferde ernährt oder gezogen werden: Stuterey. —τροφέω, ῶ, Pferde füttern - ziehn - halten: bey Dioscor. 4, 15. πόαν, für die Pferde als Futter brauchen: davon —τροφία, ἡ, das Pferdefüttern: Pferdezucht: das Pferdehalten, besonders bey den Athenern, wenn Reichere auf ihre Kosten dem Staate für die Kavallerie Pferde halten und liefern mussten: Xen. Oecon. 2, 6. auch wenn Reichere zum Wettrennen Pferde hielten. —τροφικὸς, ἡ, ὸν, zum ἱπποτρόφος oder zur ἱπποτροφία gehörig oder sie betreffend. —τρόφος, ὁ, ἡ, (ἵππους τρέφων) Pferde haltend, nährend. S. ἱπποτροφία. —τυφία, ἡ, (τῦφος) Pferdestolz: übertriebene Aufgeblasenheit: Diog. Laert. u. Lucian.

Ἱππουκρήνη, ἡ, Rossquell, den Pegasus auf dem Helikon mit dem Hufschlage geöfnet haben sollte.

Ἱππουρεὺς, ὁ, *Hippurus*, ein Meerfisch: von —ρις, ιδος, ἡ, (ἵππος, οὐρὰ) der Pferdeschweif: Aelian. h. a. 16, 21. daher der Busch auf dem Helme von Pferdehaaren aus dem Schweife., 2) eine Wasserpflanze mit Pferdehaarähnlichen Blättern: Geop. 2, 6. 13) eine Krankheit des Schaamgliedes. —ρος, ὁ, ἡ, mit einem Pferdeschweife: ein Fisch: das Eichhörnchen (σκίουρος) eine Fliege oder Inseckt, wie das Uferaass, mit Schwanzborsten: Aelian. h. a. 15, 1.

Ἱππόφαες, τὸ, ἱπποφανὲς, ἱππόφαιστον, ἱππόφεως, έου, ὁ, ἱπποφυὲς und ἱππόφυον, alles Namen (zum Theil verderbte) derselben Pflanze: bey Theophr. h. pl. 6, 1 u. 5. haben φέως, ὁ, und ἱππόφεως neben den Blättern Stacheln, und φέως heisst auch στοιβή. Dioscor. 4, 162 beschreibt ἱππόφαες, so wie Plinius 22 c. 12. als eine Pflanze, deren sich die Tuchscheerer zum aufkratzen der Tücher bedienten, und deren Wurzel einen medicinischen Purgiersaft enthalt. ἱπποφαιστὸν nennt Discor. 4, 163. eine niedrige Pflanze mit flachlichten Blättern, von demselben doppelten Gebrauche. Diese letztere ist nach Fabius Columna Phytob. p. 85. *Centaurea calcitrapa* Linn. die erstere *Hippophae rhamnoides* Linn.

Ἱπποφοβάς, άδος, ἡ, die Pferdeschreckende: ein fabelhaftes Kraut: Plin. 24, 17. — Φορβεύς, έως, ὁ, s. v. a. ἱπποφορβός. — Φορβία, ἡ, s. v. a. ἱπποτροφία. — Φόρβιον, τὸ, Ort, wo Pferde genährt- gezogen- gehalten werden: Stuterey: Marstall. — Φορβός, ὁ, (φέρβω) s. v. a. ἱπποτρόφος Pferde fütternd oder weidend. — Φορεύς, έως, ὁ, *equus gradarius*, sehr zw. — Φυές, έος, τὸ, oder ἱππόφυον, S. in ἱπποφαές. — χάρμης, ου, ὁ, s. v. a. ἱππιοχάρμης.

Ἱππόω, (ἵππος) ἄνθρωπον εἶναι καὶ ἵππον καὶ τοῖχον οὐ λέγουσιν, αὐτοὺς δὲ τοιχοῦσθαι καὶ ἱπποῦσθαι καὶ ἀνθρωποῦσθαι Plutar. 10 p. 607. von den Akademikern, sie machten sich blos die Vorstellung von Wand, Pferd, und Mensch, da wirklich dergleichen ausser ihnen nicht sey.

Ἱππώδης, εος, ὁ, ἡ, pferdeartig.

Ἱππών, ῶνος, ὁ, Pferdestall: Pferde oder Poststation: Xen. Cyr. 8, 6. 17. — νεία, s. v. a. ἱππωνία. — νέω, ῶ, ich kaufe Pferde. — νης, ου, ὁ, (ὠνέομαι) Pferdekäufer, Rosskäufer. — νία, εία, ἡ, (ἱππωνέω) Pferdekauf.

Ἵπταμαι, f. πτήσομαι, s. v. a. πετάομαι und πέταμαι, (woraus es entstanden) fliegen. Ἵπταμαι und ἵπτημι sind die sanfter ausgesprochenen Formen von πτάω, davon πτήσω: med. πτήσομαι: praet. πέπτηκα, pass. πέπτημαι, aor. 2. med. ἐπτάμην, πτάω macht auch πτῆμι, wie βῆμι v. βάω: davon ἔπτην, infin. πτῆναι, part. πτάς.

Ἵπτω, ἴπω, f. ἴψομαι, Il. 1, 454. 2, 193. u. 16, 237. wird durch βλάπτω, schaden, beschädigen, verletzen erklärt: im Homer scheint es drücken- hart fallen- Unglück zuschicken zu bedeuten: dann könnte man es von ἴπω, ἰπόω, ableiten: Hesych. giebt ἴψαιτο durch μιάσησαν, ferner ἴψας d. ὠδυνήσας: auch ἴψεται d. κακώσει. u. ἐνοχλήσει. Das ἰψόμενον, φθίνοντα bey demf. ist v. ἴψω. Dahin scheint auch ἴψον δεσμωτήριον zu gehören. Die Thessalier brauchten ἴμψαι für ζεῦξαι, wie Hesych. bemerkt, welcher Ἴμψιος Ποσειδῶν für ζύγιος hat.

Ἴπωσις, (ἰπόω) das Drücken, Pressen.

Ἰρᾶι, ἶραι, ἰρῶν, ἰράων, Versammlung, Versammlungsplatz, wo man spricht: εἴρω. S. εἰρέα: Il. 18, 531.

Ἱρά, τὰ, jon. st. ἱερά, Opfer oder Festtag: so wie ἱρεὺς ἱρηΐη, ἡ, st. ἱερεὺς ἱέρεια, ἡ, u. s. w.

Ἰρινόμικτος, mit Irissalbe (ἴρινον) gemischt. — νος, ἡ, ον, von der Iris gemacht oder bereitet: vorz. ἴρινον, τὸ, verst. μύρον Irissalbe.

Ἰριοειδής, ὁ, ἡ, (εἶδος) Irisartig: Lucian. histor. praec.

Ἶρις, ιδος, ἡ, bey Homer die Bothschafterin der Götter, leitet man von εἴρω, ἔρω, ich spreche, verkündige ab. S. ἱρός. 2) der farbenspielende oder vielfarbige Bogen am Himmel vor oder nach dem Regen, Regenbogen, *arcus coelestis, iris*: auch dergleichen farbigter Zirkel an andern Körpern. z. B. ἶρις περὶ λύχνον ἡ διὰ λύχνου διαφαινομένη Theophr. p. 418. ferner der farbigte Zirkel im Auge, die Iris. 3) die Pflanze *iris*, eine Lilienart, mit wohlriechender Wurzel.

Ἱρμός, ὁ, s. v. a. εἱρμός: Hesych.

Ἱρός, ρὰ, ρὸν, jon. st. ἱερός. So auch in den poetischen u. jonischen Composs. wie ἱροδρόμος, der heilige Läufer, der in heiligen Wettkämpfen läuft: Analect.

Ἶρος, ὁ, ein durch Homer (Odyss. 18) verewigter Bettler: daher bey spätern Schriftstellern auch st. eines jeden, besonders armen Menschen: eigentlich nach Homers Erklärung v. 7. ein Bothschafter, Bothe, wie ἶρις, von εἴρω, ἔρω, ich spreche.

Ἴρω, s. v. a. εἴρω.

Ἲς, ἰνὸς, ἡ, Sehne, Nerve: daher Kraft, Stärke: d. lat. *vis*. ἶνα τάμῃ διὰ πᾶσαν, die ganze Sehne am Halse hinten, Il. 17, 522. davon ἰνίον, das Genicke.

Ἰσάγγελος, ὁ, ἡ, Engelgleich.

Ἰσάδελφος, ὁ, Brudergleich.

Ἰσάζω, gleichen, gleich machen, abwägen: Il. 12, 435. med. gleich seyn. Nicand. Ther. 286. Polyb. 6, 29.

Ἰσαῖος, αία, αῖον, s. v. a. ἴσος: Nicander.

Ἰσαίω, s. v. a. ἰσάζω: Nicander.

Ἰσάκις, Adv. (ἴσος) gleich vielmal, gleich.

Ἰσάλη, ἡ, s. v. a. ἰξάλη: Hesych.

Ἰσάμιλλος, ὁ, ἡ, (ἅμιλλα) s. v. a. ἰσόπαλος, im Wettstreite gleich: überh. gewachsen, gleich.

Ἴσαν, sie giengen: 2) sie wussten. S. ἴσημι.

Ἰσανδρος, ὁ, ἡ, manngleich: Eustath.

Ἰσάνεμος, ὁ, ἡ, (ἴσος) windgleich, windschnell; Eurip. Iph. A. 207.

Ἰσάξιος, ὁ, ον, (ἀξία) gleichgeltend; gleich am Werthe: Porphyr. Abst.

Ἰσαπόστολος, ὁ, ἡ, gleich den Aposteln.

Ἰσάριθμος, ὁ, ἡ, an der Zahl gleich; gleich viel.

Ἰσάρτητος, ὁ, ἡ, (ἀρτάω) gleich gehängt, gleichhängend: Philo 1 p. 462.

'Ισάστερος, ὁ, ἡ, (ἀστὴρ) gleich den Sternen, hell, glänzend, schön: Joseph. Macc. 17.

'Ισάτις, ιδος, ἡ, eine Art von Färberpflanze, wie Waid, *Isatis tinctoria* Linn. zum blaufärben: Democrit. ap. Theophr. de sensu p. 41 braucht es für eine Farbe, die man durch *caesius* giebt: Dioscor. 2, 215. 216. Plin. 20, 7. —τώδης, εος, ὁ, ἡ, (ἰσάτις) von der Farbe des Waid.

'Ισαχῶς, Adv. (ἴσος) auf eben so vielerley Art: in eben so vielfachem Sinne: Aristot.

'Ισειον, τὸ, Tempel der Isis: ἴσεια, τὰ, verst. ἱερά, Fest der Isis.

'Ισεννύω, v. ἴσος, u. ἐνὸς, bey Hippocr. ich bin im Mittelalter, mithin in part. s. v. a. ἰσῆλιξ.

'Ισηγορέω, ἰσηγορέομαι, (ἀγορεύω) gleich einem andern sprechen: gleiche Freyheit und Recht zu sprechen haben; davon —γορία, ἡ, Gleichheit oder gleiches Recht und Freyheit zu reden Cyrop. 1, 3, 10 sprechen - votiren: überh. s. v. a. ἰσονομία.

'Ισῆλιξ, ικος, ὁ, ἡ, im Mittelalter.

'Ισημερία, ἡ, (ἴσος, ἡμέρα) Tagesgleiche *aequinoctium*: vorz. die im Frühjahre; davon —μερινὸς, ινὴ, ινὸν, von der Tagesgleiche: zur Tagesgleiche gehörig: aequinoctialisch. —μερος, ὁ, ἡ, an Tagen gleich: s. v. a. d. vorherg. Theophr. c. pl. 4, 12 πυρὸς, der in der Frühlingstagegleiche gesäet wird.

'Ισημι, s. v. a. εἴδω, ἴδω, von dessen fut. ἴσω kommt ἰσέω, ἴσημι, dorisch ἴσαμι, wissen, kennen; ἴσαμεν contr. ἴσμεν, ἴδμεν, wir kennen, wissen: doch ist ἴδμεν auch s. v. a. ἴδμεναι, der infin. imp. ἴσαθι, ἰσάτω, contr. ἴσθι, ἴστω. auch ἴσαν st. ἴσασαν, sie wußten. Odyss. 4, 772, u. Il. 18, 405, wo vorher ἔσαν stand: aber Apollonius hat recht ἴσαν erklärt. Sonst steht ἴσαν auch für, sie giengen: ἴσκω scheint das lat. *scio* gebildet zu haben. —μοιρος, ὁ, ἡ, s. v. a. ἰσόμοιρος: zw.

'Ισήρετμος, ὁ, ἡ, (ἐρετμὸς) mit gleichen- gleich vielen Rudern. —ρης, έος, ὁ, ἡ, (ἴσος, ἄρω) gleich gemacht, gleich. —ριθμος, ὁ, ἡ, s. v. a. ἰσάριθμος.

'Ισθμιακὸς, ἡ, ὸν, s. v. a. ἰσθμικὸς. —μιὰς, άδος, ἡ, s. v. a. d. femin. von —μιαστὴς, οῦ, ὁ, (ἰσθμιάζω) der Zuschauer bey den Isthmischen Spielen, oder der sie mit feyert. —μικὸς, ἡ, ὸν, vom Isthmus, zum Isthmus gehörig: Isthmisch. —μιον, τὸ, was zum Isthmus oder zum Halse zur Kehle gehört: τὰ ἴσθμια (ἀγωνίσματα) die beym Isthmus gefeyerten Spiele: τὸ ἴσθ. Halsband. ἀμφιφορῆος ἴσθ. Hals des Weinfasses bey Suidas; auch eine Brunneneinfassung: vergl. Athenaei p. 677. —μιονίκης, ου, ὁ, Sieger in den isthmischen Spielen oder Wettkämpfen. —μιος, ία, ιον, s. v. a. ἰσθμιακὸς, u. ἰσθμικος, vom Isthmus: zum I gehörig: ἴσθμια, τὰ, die Spiele und Wettkämpfe auf dem Isthmus bey Korinth gehalten. 2) zum Halse gehörig: daher ἴσθμιον τὸ, Halsband: S. vorh. —μοειδης, έος, ὁ, ἡ, (εἶδος) s. v. a. d. contr. ἰσθμώδης. —μόθι, Adv. zum Isthmus: Anthol. —μὸς, ὁ, Erdzunge, Erdenge: besonders die bey Korinth: der Schlund, Hals: Hesych. giebt die Ableitung in εἰσθμὸς, εἴσοδος ὕδατος στενὴ: also ἰθμὸς, wie εἰσίθμη Eingang, ἰσθμὸς, von ἔω, ἰῶ, εἶμι, gehn. —μώδης, εος, ὁ, ἡ, einem ἰσθμὸς ähnlich oder gleich.

'Ισιακὸς, ὁ, ἡ, Iisch: ein Priester- Diener der Isis.

'Ισίκιον, τὸ. u. ἴσικος, ὁ, bey Athenaeus, Alexander Aphrod. Alexander Trallianus, u. Macrob. Satur. 7, 8 aus dem lat. *insicium* gemacht, eine Art von farsirten Gerichte, aus klein gehacktem Fleische gemacht. Apicius beschreibt davon viele Arten, woraus man die Bereitungsart abnehmen kann.

'Ισις, ιδος, ἡ, Isis, eine Göttin der Aegyptier, auch zu Rom vorz. von den Weibern verehrt.

'Ισιστάσιος, f. Les. st. ἰσοστάσιος.

'Ισκαι, αἱ, bey Paul. Aeg. 6, 49 Baumschwämme zum sengen gebraucht.

'Ισκω, davon ἴσκεν, Odyss. 4, 279, gleichmachen, nachahmen, von ἴσος, s. v. a. ἰσόω, oder εἴσκω. 2) Odyss. 19, 203, s. v. a. sprachs: eben so Apollon. Rhod. 1, 834.

'Ισμα, τὸ, (ἴζω) s. v. a. ἵδρυσμα, was man errichtet, aufrichtet, aufstellt: Lycophr. 731.

'Ισοβαθὴς, έος, ὁ, ἡ, (βάθος) gleichtief. —βαλλίων, ein (liederlicher, ausschweifender) Kerl wie Ballio (ein *leno* in den Komödien) Athen. p. 166. Cic. Phil. 2, 6. Rosc. com. 7. —βαρὴς, ὁ, ἡ, (βάρος) gleichschwer. —βασιλεὺς, έως, ὁ, ἡ, gleich dem oder einem Könige: Plutar. Alex. —βοιον, τὸ, (βοῦς) dem Ochsen am Werthe gleich: bey Hesych. ist τὸ ἰσο. eine Blume dem Mohne gleich. —βολος, ὁ, ἡ, bey Hesych. s. v. a. ἰσοστάσιος u. διπλοῦς. —γαιος, ὁ, ἡ, (γαῖα) dem oder am Lande gleich. —γενὴς, ὁ, ἡ, (γένος) an Geburt- an Geschlecht gleich. —γνώμων, ονος, ὁ, ἡ, (γνώμη) gleichen Sinnes, gleicher Meinung: zw. —γονία, ἡ, gleiche Geburt. —γώνιος, ὁ, ἡ, (γωνία) gleichwinkelig. —δαίμων, ονος, ὁ, ἡ, an Schicksale gleich, Pind. Nem. 4, 136. den Göttern gleich: Aesch. Pers. 635 Plutar. 7 p. 767. —δαίτης, ου, ὁ, Beyw. des Bacchus bey Plutarch. vom εἰ, u. Lucian. Saturn. 32 u. 36. wo aber die Ausg. u. Handschr. ἰσοδιαίτης, ἰσοδιαιτητὴς u. ἰσοδίαιτος haben: eigentl. der gleich theilt; vorz. beym Mahle, v. δαίω, ἴσος.

'Ισόδενδρος, ὁ, ἡ, dem Baume gleich. — δίαιτα, ἡ, gleiche Lebensart: sehr zw. — δικίτης, ου, ὁ, S. in ἰσοδαίτης. — διαίτης, ου, ὁ, S. in ἰσοδαίτης. — δίαιτος, ὁ, ἡ, (δίαιτα) von gleicher Lebensart oder Kost. — δομος, ὁ, ἡ, (δέμω) gleich gebaut: in der Baukunst heisst ἰσόδομος, eine Wand, die aus gleich langen und breiten Steinen - Ziegeln gebaut ist, und auf beyden Seiten abgeputzt wird: ψευδισόδομος aber, wenn nur die vordere Seite abgeputzt wird, übrigens aber die Wand mit ungleichen Steinen aufgeführt wird: Vitruv. 2, 8. — δοξος, ὁ, ἡ, (δόξα) an Ruhme gleich: Suidas: — δρομέω, ῶ, ich laufe gleich; von — δρόμος, ὁ, ἡ, gleichlaufend: überh. gleich. — δυναμέω, ῶ, ich bin von gleichem Vermögen- Macht- Bedeutung; dav. — δυναμία, ἡ, gleiche Kraft- Macht oder Bedeutung. — δύναμος, ὁ, ἡ, Adv. — νάμως, gleich stark, gleich mächtig: von gleicher Bedeutung.

'Ισοελκὴς, έος, ὁ, ἡ, (ἕλκω) gleichziehend, oder wiegend, gleichschwer: Nicander. — επὴς, ὁ, ἡ, (ἔπος) gleichsprechend: zw.

'Ισοζυγέω, Nicand. Ther. 908 gleich abwägen; von ζυγὸν, Wagejoch. — ζυγὴς, έος, ὁ, ἡ, oder ἰσόζυγος, ἰσόζυξ, γος, ὁ, ἡ, (ζυγὸν) gleichgepaart: gleichwiegend, überh. gleich. — θεία, ἡ, Gleichheit mit Gott, Göttlichkeit: zw. von — θεος, ὁ, ἡ, Gottgleich, gottähnlich, göttlich. — κατάληκτος, ὁ, ἡ, (καταλήγω) sich gleichendigend, mit gleicher Endigung. — κέφαλος, ὁ, ἡ, (κεφαλὴ) an Kopfe oder Köpfen gleich, — κίνδυνος, ὁ, ἡ, mit- von- in gleicher Gefahr. — κιννάμωμος, bey Plinius 12 c. 20. eine Art casia, dem Zimmet gleich kommend. — κλεὴς, έος, ὁ, ἡ, (κλέος) gleich an Ruhme. — κληρος, ὁ, ἡ, mit oder von gleichem Loose- Antheile- Erbgute- Vermögen. — κλινὴς, έος, ὁ, ἡ, (κλίνω) von gleicher Neigung. — κοιλος, ὁ, ἡ, von gleicher Höhlung. — κόρυφος, ὁ, ἡ, (κορυφὴ) von gleichem Gipfel-Höhle: metaph. πόλεις, gleich grosse Städte: Dionys. Antiq. 3. 9. — κραὴς, ὁ, ἡ, (κεράω, ἴσος) gleich gemischt. S. ἰσοκρατὴς. — κράτεια, ἰσοκρατία, ἡ, gleiche Stärke: bey Herodot. 5. 92. st. ἰσονομία, Demokratie. — κρατὴς, έος, ὁ, ἡ, (κράτος, ἴσος) von gleicher Stärke. — κρατὴς, ὁ, ἡ, bey Hippocr. οἴνῳ ἰσοκράτει st. ἰσοκράει: zweif. st. gleich, zu gleichen Theilen gemischt. — κριθος, ὁ, ἡ, der Gerste (κριθὴ) gleich, an Grösse und Werth u. s. w. — κτιτος, ὁ, ἡ, (κτίζω) gleich gemacht, von gleicher Beschaffenheit: Hesych. Phot. — κωλία, ἡ, Gleichheit der Glieder, Theile: von — κωλος, ὁ, ἡ, (κῶλον) von gleichen Gliedern oder Theilen: τὰ ἰσόκωλα, gleiche Glieder, Kola der Rede durch Kunst eines dem andern entsprechend und ähnlich gebildet. — λογία, ἡ, s. v. a. ἰσηγορία: Polyb.

'Ισόλυρος, ὁ, ἡ, gleich der Leyer oder auf der Leyer: Schol. Soph. Tr. 655. — μαλος, ὁ, ἡ, s. v. a. ἀγχώμαλος Xen. Ages. 219. — μαχος, ὁ, ἡ, (μάχη) in der Schlacht, im Treffen gleich. — μεγέθης, εος, ὁ, ἡ, (μέγεθος) gleichgross. — μερὴς, έος, ὁ, ἡ, (μέρος) von gleichen Theilen: auch s. v. a. ἰσόμοιρος Athenäi 4. — μέτρητος, ὁ, ἡ, (μετρέω) an Maasse gleich. — μέτρος, s. v. a. d. vorhergeh. — μέτωπος, ὁ, ἡ, (μέτωπον) mit gleicher Stirne- Vorderseite- Fronte. — μήκης, εος, ὁ, ἡ, (μῆκος) an Länge gleich. — μήτωρ, ὁ, ἡ, der Mutter gleich: Theocr. 8, 14. — μιλήσιος, ὁ, ἡ, gleich den Milesiern: gleich dem oder der milesischen z. B. ἔριον, Wolle. — μοιρέω, ῶ, (ἰσόμοιρος) ich habe gleichen Theil: τινὶ κακῶν, ich habe mit einem gleichen Theil am Unglücke: Dionys. Antiq. 6, 66. davon — μοιρία, ἡ, gleicher Theil- Antheil; gleiches Recht. — μοιρος, ὁ, ἡ, u. ἰσόμορος, ὁ, ἡ, (μοῖρα) Il. 15, 209. Nicand. Ther. 105, der gleichen Theil hat, also auch gleich, ἴσος: der gleichen Antheil hat, also an Freyheit- Macht- Recht gleich ist. — μυθέω, ῶ, bey Hesych. s. v. a. ἀκριβολογέω: soll ἰσχνομ. heissen. — νειρος, ὁ, ἡ, gleich einem Traume, nichtig. — νεκυς, εως, ὁ, ἡ, gleich einem (andern) gestorbenen: eben so gestorben: Eurip. Or. 200. — νομέω, ich theile gleich, auch νέμω ἴσον: ἰσονομέομαι wird von den griechischen Republiken gebraucht, wo alle Bürger gleiche Rechte und Freyheiten hatten; also in einer Demokratie, in völliger Gleichheit der Rechte leben; davon — νομία, ἡ, die Gleichheit der bürgerlichen Rechte und Freyheit in Demokratien: daher bey Herodot. 5, 37 die Demokratie selbst. — νομικὸς, ἡ, ὸν, Adv. — κῶς, was zum Stande der ἰσονομία gehört: ἀνὴρ ein Bürger der ἰσονομία, der Demokratie: Plato. — νόμος, ὁ, ἡ, (νέμω) gleich ausgetheilt, vertheilt: von νόμος, der mit andern in gleicher bürgerl. Freyheit und Rechten vorzüglich in einer Demokratie lebt. — παις, αιδος, ὁ, ἡ, Knaben- Kinde- gleich. — πάλαιστος, ὁ, ἡ, einer παλαιστὴ, palmus oder Querhand, von 4 Fingerbreite gleich. — παλὴς, έος, ὁ, ἡ, oder ἰσόπαλος, ὁ, ἡ, Adv. — λῶς, (πάλη) eigentl. im Fauſtkampfe und überh. im Kampfe an Kräften gleich gewachſen.

'Ισοπαχής, έος, ὁ, ἡ, (πάχος) gleichdick. —πεδον, τὸ, gleicher Boden, Ebene, Neutr. von —πεδος, ὁ, ἡ, (πέδον) von gleichem Boden: gleich, eben: dem Boden gleich. —πέλεθρος, ὁ, ἡ, ſ. v. a. ἰσομήκης, gleichgroſs. Heſych. —πενθής, ὁ, ἡ, (πένθος) bey Schol. Aeſchyli Eum. 785. ſ. v. a. ἀντιπαθής. —περιμέτρητος, ὁ, ἡ, (περιμετρέω) von gleichem Umfange. —πετρος, ὁ, ἡ, felſen- ſteinhart: Soph. —πηχυς, εος, ὁ, ἡ, von gleich viel Ellen. —πλατής, έος, ὁ, ἡ, (πλάτος) gleichbreit: Steph. führt aus Athenaeus 4 p. 128. auch die Form ἰσόπλατυς an, wo jetzt —ατος ſteht. —πλάτων, ὁ, dem Plato gleich; Anthol. —πλευρος, ὁ, ἡ, (πλευρὰ) gleichſeitig. —πληθής, έος, ὁ, ἡ, (πλῆθος) gleichviel, gleichvoll. —πολίτης, ὁ, Bürger von gleichem Rechte, Bürger in einer Democratie: Dionyſ. hal. oder ein Bürger aus einem *municipio*: daher πόλις ἰσοπλίτις bey Appianus ein römiſches *municipium*, Stadt mit römiſchen Bürgerrechte. —πολιτεία, ἡ, gleich bürgerlicher Stand: Bürgerrecht. —πρεσβυς, ὁ, gleichalt: Aeſchyl. Ag. 76. —πυρον, τὸ, eine Pflanze: Dioſcor. 4, 121. Plin. 27, 11. viell. *Iſopyrum aquilegia* Linn.

'Ισοῤῥοπέω, ich bin am Gewichte gleich; davon —ῤοπία, ἡ, Gleichgewicht; von —ῤοπος, ὁ, ἡ, Adv. —ῤόπως, (ῥοπὴ) am Gewichte gleich: im Gleichgewichte ſtehend: überh. gleich an Stärke u. ſ. w.

'Ισος, oder ἶσος, η, ον, gleich an Zahl. Stärke und dergl. bisweilen auch ſt. ὅμοιος, ähnlich. τὸ ἴσον, die Gleichheit, das gleiche Recht, Billigkeit: ἴσον und ἴσα, wie Adv. ſt. ἴσως. Davon ἴσα καὶ gleichwie, ἴσα καὶ θεὸν εὐφημοῦντες, Heliodor. ἴσα καὶ ὀδυρόμενος, d. i. ὅμοιος ὀδυρομένῳ, Pauſan. 7, 26. —σθένεια, ἰσοσθενία, ἡ, gleiche Stärke, gleiche Kraft oder Macht; von —σθενέω, ῶ, ich bin an Stärke - Kraft - Macht gleich; von —σθενής, έος, ὁ, ἡ, (σθένος) von gleicher Stärke, gleichſtark: m. d. genit. bey Oppian. Hal. 2, 406. —σκελής, έος, ὁ, ἡ, (σκέλος) gleichſchenkelig. —σπριος, ὁ, ἡ, (ὄσπριον) ὥς τις ὄνος ἰσόσπριος, wie eine Kelleraſſel, Kellerwurm, der ſich wie eine Bohne zuſammenrollt u. rund macht: Sophocl. —στάδην, Adv. gleichſtehend: mit gleicher Kraft oder Macht: Suidas in ἀνταγωνιστής. —σταθμέω, ich bin am Gewichte gleich: Suidas; davon —σταθμία, ἡ, gleiches Gewicht. zw. —σταθμος, ὁ, ἡ, von gleichem Gewichte, gleichſchwer. —στάσιος, ὁ, ἡ, (στάσις) gleichſtehend, gleichwiegend: gleichſchwer: im allgem. gleich. —στατέω, ſ. v. a. ἰσοσταθμέω. —στοιχος, ὁ, ἡ, bey Schol. Eur. Andr. 745. ſ. v. a. ἀντίστοιχος. —στροφος, ὁ, ἡ, (στροφὴ) an Strophen gleich: im Etymol. M. ſ. v. a. ἰσόπαλος. —συλλαβέω, von gleichviel Sylben ſeyn, gleichviel Sylben haben. —σύλλαβος, ὁ, ἡ, gleichſylbig, an Sylben gleich. —τάλαντος, ὁ, ἡ, (τάλαντον) von gleichem Gewichte, gleichſchwer: gleich. —ταχής, ὁ, ἡ, Adv. —χέως, (τάχος) gleichſchnell. —τέλεια, ἡ, der Stand - Würde und Recht eines ἰσοτελὴς no. 2. —τελέστος, ὁ, ἡ, (τελέω) Soph. Oed. Col. 1221 ἄϊδος ἰσ. μόρος, mit dem Tode ſich endigend oder dem Tode gleichermaaſsen unterworfen: zw. Bed. —τελής, έος, ὁ, ἡ, (τέλος) gleichen Aufwand machend; 2) gleiche Laſten tragend mit dem Bürger: zu Athen ein μέτοιχος, der im bürgerlichen Range nächſt dem vollen Bürger kam. —της, ητος, ἡ, (ἴσος) Gleichheit: Billigkeit, wie *aequitas*. —τιμία, ἡ, gleiche Ehre: im Allgem. gleicher Stand, gleiche Schätzung, gleiche Rechte und Anſprüche auf Ehre u. Ehrenſtellen; von —τιμος, ὁ, ἡ, (τιμὴ) gleichgeehrt: im Allg. gleichen Standes, gleicher Schätzung, von gleichen Rechten und Anſprüchen auf Ehre u. Ehrenſtellen: von Sachen, von gleichem Werthe: gleichkoſtbar. —τοιχος, ὁ, ἡ, mit gleichen Wänden: Schol. Hom. Il. 1, 306. —τονος, ὁ, ἡ, Adv. —τόνως, von oder m. gleichem Tone oder Accente: mit oder von gleicher Spannung. —τράπεζος, ὁ, ἡ, (τράπεζα) dem Tiſche gleich: von oder an Tiſche oder Eſſen gleich. —τριβής, ὁ, ἡ, (τρίβω, ἴσος) Aeſchyl. Ag. 1454 σελμάτων, active mit andern zugleich auf den Ruderbänken ſchlafend: wo vorher ἰστοτριβὴς ſtand. —τροπέω, ῶ, ich bin von gleicher Art oder Sitten. zw. von —τροπος, ὁ, ἡ, von gleicher Art, gleichem Charackter, gleichen Sitten. zw. —τυπος, ὁ, ἡ, von gleicher Form. —τύραννος, ὁ, ἡ, gleich einem Tyrannen oder unumſchränkten Herrſcher: ἀρχὴ, Dionyſ. eine faſt unumſchränkte Herrſchaft.

'Ισουργέω, ich thue ein gleiches; v. —γος, ὁ, ἡ, (ἔργον) ein gleiches thuend: gleichthuend.

'Ισοϋψής, έος, ὁ, ἡ, (ὕψος) von gleicher Hohe.

'Ισοφαρίζω, doriſch, ſtatt ἰσοφερίζω, d. i. ἴσος φέρομαι, ich bin gleich, ſtelle mich gleich: wie ἀντιφερίζω, ſt. ἄντιος φέρομαι, oder ἀντιφέρομαι, ich ſtelle mich entgegen. S. ἀντιφερίζω: active gleich machen, Nicand. Ther. 572.

'Ισοφόρος, ὁ, ἡ, gleichtragend: οἶνος, der eben ſo viel Waſſer beygemiſcht, verträgt, alſo ſtarker Wein: βόες ἰσοφόροι Odyſſ. 18, 372. an Stärke im Ziehen gleich. —φυής, έος, ὁ, ἡ, (φυὴ) von gleicher Natur: gleichem Weſen. —χειλής, έος, ὁ, ἡ, und ἰσόχειλος, ὁ, ἡ, der die Lippen (χείλη) Rand gleich (ἴσος) hat, m. dem eingegoſſenen Wein, Waſſer, z. B. ein Becher: ἰσοχείλους τῇ γῇ, mit dem Rande der Erde gleich, bis an den Rand in der Erde. —χειρ, ὁ, ἡ, an Händen oder Kraft - Macht gleich. zw. —χνοος, ὁ, ἡ, gleichwollig. Anthol. —χορδος, ὁ, ἡ, (χορδὴ) mit oder von gleich vielen Saiten. —χρονέω, ῶ, ich bin an Zeit - Zeitmaaſs - Leben gleich. —χρόνιος, ὁ, ἡ, oder ἰσόχρονος, an Zeit - Zeitmaaſs - Lebenszeit gleich. —χροος, contr. ἰσόχρους, ὁ, ἡ, (χρόα) v. gleicher Farbe. —χρυσος, ὁ, ἡ, von gleichem Golde: dem Golde gleich. —ψηφια, ἡ, Gleichheit der Stimmen oder des Stimmrechts: von —ψηφος, ὁ, ἡ, gleich an oder in den Stimmen oder im Stimmrechte. —ψυχος, ὁ, ἡ, Adv. —ψύχως, (ψυχὴ) von gleicher Seele - gleichem Sinne - gleicher Geſinnung: eines Sinnes: an Seele oder Muth gleich.

'Ισόω, ῶ, (ἴσος) gleichen, ausgleichen: gleich machen.

'Ιστάω, ῶ, davon ἵστημι: bey Ariſtoph. findet ſich auch ἱστάνειν, ſo wie μεθιστάνειν bey Diodor. 3.

'Ιστέον, von ἴσημι das gerund.

'Ιστεών, ὁ, S. ἱστών.

'Ιστημι, (ἱστάω) ich ſtelle, ſetze, ſtelle auf. πηκτίδα ἱστᾶν, δίκτυα, Falle, Netze ſtellen: auf die Wagſchale, Wage ſtellen, wägen: auch etwas feſtſtellen, unbeweglich machen: καὶ ὃς τὰ ὄμματα ἔστησεν, und ihm waren die Augen erſtarrt. Plato Phaed. ἔστην, σταίην, στῆναι haben die Bedeut. des med. ἵσταμαι, ich ſtelle mich, ich ſtehe: ich bleibe ſtehen: ich ruhe: ich werde feſt dicht: ποταμοὶ ἵστανται, die Flüſſe ſtehn von Froſt: ἵστασθαι πόλεμον bey Herodot. ſich in den Krieg ſtellen, Krieg anfangen: bey Polyb. κατὰ τὸν πόλεμον ἵστασθαι ἀγεννῶς καὶ ἀσικως 17, 3. ἐν ταῖς περιπετείαις εὐλαβῶς καὶ νουνεχῶς 18, 16. εἰσελθὼν μετρίως ἔστη καὶ βέλτιον 31, 7. ὀρθῶς ἵσταντο φάσκοντες 33, 12. wo es durch handeln, ſich betragen, kann überſetzt werden. *in ſenatu pulcherrime ſtare* Cicero ad Div. 1, 4.

'Ιστιάτωρ, ὁ, (ἱστία) Pauſan. Arc. 13. bey den Epheſiern *rex ſacrorum, epulo, epulonis.*

'Ιστίη, ἱστίη, ἡ, jon. ſt. ἑστία. —ητήριον, τὸ, jon. ſt. ἑστιατήριον.

'Ιστιοδρομέω, ῶ, (ἱστίον, δρόμος) m. vollen Segeln fahren: —οκώπη, ἡ, mit Segeln und Rudern: Pollux 1, 103.

'Ιστίον, τὸ, dimin. von ἱστὸς, Gewebe, Decke: beſonders Segel. —οποιέω, ῶ, Segel machen: ναῦν, mit Segeln verſehn: Strabo 15 p. 1012. —ορράφος, ὁ, ἡ, (ἱστίον, ῥάπτω) Ariſtoph. Theſm. 935. für einen aegyptiſchen Leinweber d. i. einen Betrüger.

'Ιστοβοεύς, έως, ὁ, ἱστοβόη, ἡ, (ἱστὸς, βοεύς) am Pfluge die Deichſel, Pflugbaum, Grendel. S. κοράνη. —δόκη, ἡ, d. i. ἱστὸν δεχομένη, das Lager, der Ständer für den Maſtbaum: Il. 1, 494. od. worein er gelegt wird. —κεραία, ἡ, Segelſtange: Artemidorus u. Orph. Arg. 692. —πέδη, ἡ, Odyſſ. 12, 51. ein Holz, woran der Maſtbaum befeſtiget wird. —πόνος, ὁ, ἡ, Weber, Weberin. —πους, οδος, ὁ, ἱστόποδες ſ. v. a. κελέοντες.

'Ιστορέω, ῶ, (ἵστωρ) bedeutet alle Kenntniſſe, die man durch die äuſsern und innern Sinne erlangt: vorzügl. aber ſehen, beſehen, unterſuchen, erforſchen, erfragen: dann auch, etwas andern erzählen, mündlich oder ſchriftlich: 2) als Kenner und als einer der es weiſs, etwas bezeugen: daher ἱστορεῖ ἀλλήλοις, ὅτι οὕτως ἔχει, dieſe Dinge geben einander gegenſeitig das Zeugniſs und den Beweis, daſs ſie ſich ſo verhalten. Daher ἱστόριον, das Zeugniſs, der Beweis. —ρημα, τὸ, was geſehn - unterſucht - erfragt - erzählt wird: ſ. v. a. ἱστορία, Geſchichte, Erzählung: Dionyſ. halic. —ρία, ἡ, das Beſchauen, die Unterſuchung, die Erkenntniſs. die Erzählung von einer Sache: οὐκ ἀκοὴν λέγειν ἀλλὰ ἱστορίαν, Aelian. h. a. 16, 42. was er ſelbſt geſehen habe. —ριέω, Hippocr. Praecept. c. 4. φιλοπονίην μετὰ πόνου ἱστοριευμένην von zweif. Leſ. u. Bedeut. —ρικός, ἡ, όν, Adv. —κῶς, zur Geſchichte gehörig: in der Geſchichte erfahren: Geſchichtſchreiber. —ριογράφος, ὁ, (γράφω) Geſchichtſchreiber. —ριον, τὸ, (ἵστωρ) ein Faktum, das zum Beweiſe oder Erläuterung dient. Hippocr. —ριοσυγγραφεύς, ὁ, ſ. v. a. ἱστοριογράφος: Luciani Macrob. —ρὶς, ίδος, ἡ, ſ. v. a. ἱστορία: Euſtath. Odyſſ. 1 p. 7.

'Ιστὸς, ὁ, (ἵστημι) der Maſtbaum; 2) der Baum, woran die Kette zum Weben ſenkrecht aufgezogen gleichſam ſteht, ſtatt daſs ſie bey uns horizontal über den Bruſtbaum und Kettenbaum aufgeſpannt liegt. Eben ſo werden noch die türkiſchen Tapeten, die ſogenannten Hautelliſſe (*altorum liciorum*) Tapeten gewebt: ſpäterhin kannten und brauchten die Griechen auch den horizontalen Weberstuhl; 3) die Kette, der Aufzug selbst, an dem gewebt wird. So nennen die Lateiner den Weberstuhl selbst, und den Aufzug oder die Kette. Auf die alte senkrechte Weberey, welche noch jetzt in Indien gebräuchlich ist, beziehn sich die Stellen im Homer: *ἱστὸν ἐποιχομένην*, und Hesiodus *ἱστὸν στήσαιτο γονὴ προβάλοιτο τε ἔργον*: ferner *στήμων*, der Aufzug, die Kette. *στῆσαι τὸν στήμονα*, anketten: daher *ἀράχνια δ' εἰς ὅπλ' ἀράχναι λεπτὰ διαστήσαιντο*: Theocr. 16, 97. d. i. *διυφήναιεν* nach dem Scholiasten. Von den einzelnen Theilen S. *μίτος*, *καῖρος*, *κανὼν*, *ἀντίον*, *ἄγνυθες*; 4) das Stück, so viel ein Weberstuhl bereitet: *ὀθονίων ἱστοὺς τρισχιλίους* Polyb. 5, 89.

Ἱ*στοτρίβης*, ὁ, S. *ἰσοτριβής*.

Ἱ*στουργεῖον*, τὸ, Weberstube; von —*γέω*, ῶ, ich bin Weber, ich treibe die Weberey, ich webe; davon —*γία*, ἡ, das Weben, die Weberey. —*γικὸς*, ἡ, ὸν, was zum Weben gehort: als *ἱστουργικὴ (τέχνη)* Weberkunst. —*γὸς*, ὁ, ἡ, (*ἱστὸν ἐργαζόμενος*) Weber.

Ἱ*στὼν*, ὁ, der Ort, wo der Weberstuhl steht, und gewebt wird: auch *ἱστεὼν*, welches Pollux 75, 28. vorzieht

Ἵ*στωρ*, *ορος*, ὁ, ἡ, s. v. a. *ἴδρις* und *cognitor*, der weiss, kennt: ein Zeuge od. Schiedsrichter. S. auch *ἔστωρ*.

Ἰ*σχάδιον*, τὸ, dimin. von *ἰσχὰς*; dav. —*δοπώλης*, ὁ, femin. *ἰσχαδόπωλις*, ιδος, ἡ, Feigenhändlerin. —*δώνης*, ου, ὁ, (*ὠνέομαι*) Feigenkaufer: Pollux 7, 198.

Ἰ*σχαιμος*, ὁ, ἡ, (*ἴσχω*) Blut hemmend-stillend.

Ἰ*σχαίνω*, oder *ἰσχναίνω*, Eurip. Or. 298. trocken oder mager machen.

Ἰ*σχαλέος*, *έα*, *έον*, trocken, getrocknet: Odyss. 19, 233. andre schrieben *ἰσχναλέος*.

Ἰ*σχανάω*, ῶ, eine andere Form v. *ἴσχω*, halten, anhalten, zurückhalten: Il. 15, 723. verlangen, m. d. genit. Odyss. 8, 288. 15, 345. S. *ἰσχνὸς*. —*νω*, s. v. a. *ἔχω*, *ἴσχω*, *ἰσχάω*, halten, anhalten zurückhalten.

Ἰ*σχὰς*, *άδος*, ἡ, die getrocknete Feige; 2) eine Art von Wolfsmilch. S. *ἄπιος* und *ἰσχνὸς*.

Ἰ*σχιαδικὸς*, ἡ, ὸν, oder *ἰσχιακὸς*, an Huftschmerzen oder Lendenweh leidend: Dioscor. 1, 351. *ischiadicus* Plin. 30, 6. von der Arzeney, gut oder heilsam dagegen: Dioscor 2, 205. —*άζω*, ich habe die *ἰσχιὰς*: zw. Suidas, Photius und Hesych. haben es für *ἐν τῷ βαδίζειν ἢ ἐν τῷ ἑστάναι ἐπιπολὺ ἑκατέρως ἑαυτὸν μεταφέρειν*, und so ungefähr, von einer geilen Stellung braucht es Procopius Anecd. 9. *ἰσχιάζουσα*, *βωμολόχως*. —*ὰς*, *άδος*, ἡ, zu den Hüften gehörig, die Hüften betreffend: verst. *νόσος*. Lendengicht, Lendenweh, Huftschmerzen; von

Ἰ*σχίον*, τὸ, Hüfte, Lende. —*ὀῤῥωγικὸς στίχος*, eine Versart, wie der *χωλίαμβος*, aber statt am Ende, wie der *χ*. ist dieser in der vierten Stelle verstümmelt: gleichs. lendenlahm, *ἰσχίον*, *ῥὼξ*: vergl. Thyrwitt de Babrio p. 28.

Ἰ*σχναίνω*, s. v. a. *ἰσχαίνω*. —*ναλέος*, *έα*, *έον*, s. v. a. *ἰσχαλέος*. —*νανσις*, ἡ, (*ἰσχναίνω*) das trocken - mager oder dünn machen. —*ναντικὸς*, ἡ, ὸν, zum mager - hager oder dünn machen geschickt. —*νασία*, ἡ, Hagerkeit, Magerkeit. —*νοεπέω*, oder *ἰσχνολογέω*, ich rede - spreche fein oder spitzfindig. —*νολέσχης*, ὁ, ein subtiler Schwätzer: Pisides Suidae in *ἐπιστάτης*. —*νολογία*, ἡ, dünne - feine - spitzfindige Reden: von —*νολόγος*, ὁ, dünne - spitzfindig redend, sprechend, disputirend. —*νομυθέω* und *ἰσχνομυθία*, ἡ, s. v. a. *ἰσχνολογέω*, und *ἰσχνολογία*. —*νοπέδη*, ἡ, f. L. st. *ἰχνοπέδη*: Analecta 2 p. 9. no. 17. —*νόπορος*, ὁ, ἡ: m. dünnen - engen Gängen, Oefnungen. —*νὸς*, ἡ, ὸν, dünne, hager, fein, im eigentlichen und uneigentlichen Sinne: *ἰσχνῶς εἰπεῖν* Polyb. 1, 2. um nicht mehr zu sagen, zum wenigsten, *ne quid amplius diçam*. Eigentlich ist *ἰσχνὸς*, trocken, durr, hager; von *ἰσχάω*, *ἰσχάνω*. trocknen: davon *ἰσχὰς*, trockne Feige: *ἰσχαλέος* bey Homer und Galen. s. v. a. *ἰσχνὸς*; auch hat Hesych. *ἰσχανὸν*, *ῥικνὸν*: es ist also das zusammengezogene *ἰσχανὸς*, *ἰσχνὸς*. Im Etym. M. steht auch *ἰσχνὸν*, *θαλπεινὸν ἢ σαπρὸν*: von *ἰσχάω*, *ἰσχαίνω*, trocknen, kommt *ἰσχανάω*, dursten, verlangen, mit d. Genit. von *ἰσχάω*, *ἰσχαίνω*, und *κατισχαίνω* wie auch andere Composita: von *ἰσχανὸς*, *ἰσχνὸς* hingegen *ἰσχναίνω*, *κατισχναίνω*. —*νοσκελὴς*, *έος*, ὁ, ἡ, (*σκέλος*) mit hagern - dünnen Schenkeln oder Füssen. —*νότης*, *ητος*, ἡ, Trockenheit, Magerkeit, Hagerkeit, Schmachtigkeit. —*νουργὴς*, ὁ, ἡ, dünne od. fein gearbeitet: Schol. Soph. —*νοφωνία*, ἡ, die schwache Stimme im Sprechen: 2) das Stockern, Stottern im Sprechen: von —*νόφωνος*, ὁ, ἡ, der eine schwache Stimme, *exilis vox*, hat, 2) stockert, stottert, stammelt, wie zornige, trunkene, und alte Leute: Aristot. Probl. 11, 30. u. De Audibil. Solche Leute stokken in der Rede, und wiederholen dasselbe Wort oft. Doch muss es in dem Sinne richtiger *ἰσχόφωνος* u. *ἰσχοφωνία* heissen: Herodot. 4. 155 *ἰσχόφωνος καὶ τραυλὸς*, wo die Handschr. *ἰσχνόφωνος* haben. Dies kommt von *ἰσχ-*

νὸς. jenes von ἴσχω: Plutar. Q. S. 8, 3. verb. ἰσχνόφωνα καὶ διεσηχῆ, d. i. den Ton anhaltend, aufhaltend. —νόω, ῶ, dünne- mager- hager machen.

'Ισχουρία, ἡ. (ἴσχω) der verhaltene Harn, Harnzwang.

'Ισχοφωνία, ἰσχόφωνος. S. ἰσχνόφωνος, No. 2. —ρισίω, bey Hippocr. de arte, wo auch διισχυρισίω ſieht, erklärt es Galen wie βρωσείω durch ἰσχυριστικῶς ἔχω, ich kann oder will es behaupten: verſichern. —ρίζομαι, eigentlich ſich ſtark machen, ſich ſtark zeigen, ſeine Kräfte anſtrengen: geſchieht dieſs durch Worte, ſo iſts ſteif und feſt behaupten oder in der Vorſtellung. ſein feſtes Vertrauen ſetzen: für ſtreiten, kämpfen mit ὑπὲρ Aelian. h. a. 15, 15. —ρικὸς. einem ἰσχυρὸς ähnlich, oder ſ. v. a. ἰσχυρὸς Biblioth. Coiſlin. p. 482. wo auch das dimin. ἰσχυρίσκος von ἰσχυρὸς aus Aelian. angeführt wird. —ροβελής, ὁ, ἡ, (βέλος) ſtark od ſchützend gegen Pfeile: Alcaeus Athenaei p 627. —ρογνωμοσύνη, ἡ, harter- feſter Sinn. —ρογνώμων, ονος, ὁ, ἡ, (γνώμη) harten- feſten Sinnes: Ariſtot. Nicom. 7, 10. —ρόδετος, ὁ, ἡ, feſtgebunden: Schol. Aeſchyli. —ροποιέω, ῶ, ſ. v. a. ἰσχυρόω. —ροπότης, ου, ὁ, ein ſtarker Trinker: Heſych. in ζαπότην. —ροπράγμων, ωνος, ὁ, ἡ, (πρᾶγμα) ſtarke, muthige Thaten verrichtend: Schol. Homeri Il. 5, 403. —ρόῤῥιζος, ὁ, ἡ, (ῥίζα) mit ſtarker- feſter Wurzel. —ρὸς, ρὰ, ρὸν, ſtark, kräftig, mächtig, vermögend; heftig, feſt, dauerhaft, hart: das Adv. —ρῶς, ſehr, ſtark; davon —ρόω, ῶ, ſtark- kräftig- mächtig- feſtmachen: ſtärken, befeſtigen.

'Ισχὺς, ύος, ἡ, Stärke, Kraſt, Vermögen, Macht.

'Ισχυτήριος, α, ον, (ἰσχυντὴρ) ſtärkend: Hippocr. loc. in hom.

'Ισχύω, ſtark- feſt- mächtig ſeyn: ἴσχυον αὐτὸς ἐμαυτοῦ Ariſtoph. Veſp. 376. d. i. ἰσχυρότερος ἦν, vermögen, können.

'Ισχω, eine andre Form von ἔχω, hat alle Bedeut. deſſelben.

'Ισωνία, ἡ, (ἴσος, ὠνὴ) gleicher Preiſs im Verkaufe: Ariſt. Pac. 1227. gleiches Recht zu kaufen: Pollux 7, 15. vergl. Demoſth. p. 1309. u. ἐπώνιον. —νυμος, ὁ, ἡ, (ὄνομα) von gleichem Namen, am Namen gleich: Pindar.

'Ισως, Adv. gleich, der Gleichkeit vorz. unter Bürgern in Demokratien- der Billigkeit gemäſs: auf gleiche Art: 2) vielleicht. —σις, ἡ, (ἰσόω) das Gleichen, die Gleichung.

'Ιταμεύομαι, ich betrage mich wie ein ἰταμὸς, kecker- frecher Menſch: Julian. or. 7 p. 210. —μία, ἡ, ſ. v. a. ἰταμότης, bey den LXX. —μὸς, ἡ, ὸν, Adv. —μῶς, von u. ſ. v. a. ἴτης dreiſt, unerſchrocken, meiſtens aber verwegen, unverſchamt; davon —μότης, ητος, ἡ, Dreiſtigkeit, Unerſchrockenheit, Keckheit, meiſt Verwegenheit, Unverſchamtheit.

'Ιτέα, ἡ, joniſch, ἰτέη, ἡ, die Weide: auch der von Weiden geflochtene Schild.

'Ιτέϊνος, ΐνη, ϊνοῦ, von Weiden, ἰτέα gemacht.

'Ιτέον, (εἶμι) man muſs gehn.

'Ιτεὼν, ῶνος, ὁ, ein Ort mit Weiden bewachſen oder bepflanzt.

'Ιτης, ου, ὁ, (εἶμι, ἰέναι) der dreiſt, unerſchrocken zu einem Geſchafte- in Gefahr geht: auch kühn, unverſchamt. Davon ἴτας u. ἰταμὸς: Plato im Protag. giebt die Ableitung an: ἴταιγε, ἐφ' ἃ οἱ πολλοὶ φοβοῦνται ἰέναι; davon

'Ιτητικὸς, ἡ, ὸν, bey Ariſtot. Nicom. 3, 11. ſ. v. a. ἴτης u. ἰταμὸς.

'Ιτθέλη, ἡ, ſ. v. a. διφθέρα, joniſch, bey Heſych. wofür 'Ιττέσται bey Pollux 2, 210. S. in ἰξάλη.

'Ιτρια, τὰ, eine Art von Opferkuchen: auch andere Kuchen; davon

'Ιτριοπώλης, ου, ὁ, der Kuchen verkauft.

'Ιτρον, τὸ, f. Leſ. ſt. ἦτρον.

'Ιτυς, υος, ἡ, die Peripherie, der Rand, der Kreiſs vom Rade- runden Schilde: auch Il. 4, 466. ſ. v. a. ἄντυξ: überh. jeder runde Körper.

'Ιτω, Imperat von εἶμι, er- es gehe: τὸ μοι δεδομένον ὑπὸ σφῶιν ἴτω Plato Leg. 8 p. 416. gut, es ſey, ich nehme an, was Sie mir zugeben. S. ἕρπω.

'Ιυγὴ, ἡ, ἰυγμὸς, ὁ, und ἰυχμὸς, ſ. v. a. ἰαχὴ, ἰαχὸς, Geſchrey, Lärmen, Getöſe, Stimme. S. ἰύζω.

'Ιυγξ, γος, ἡ, (ἰύζω) iynx, der Drehehals, Wendehals, von ſeinem Geſchrey, dem eines Sperbers gleichend, genannt, den die alten Hexen und Zauberer vorz. als ein Mittel brauchten, jemand verliebt zu machen, als ein φίλτρον: die Art lehrt Theocriti Idylle Φαρμακεύτρια: daher die Bedeutung 2) Zauberreiz, Liebesreiz: heftige unwiderſtehliche Begierde- Verlangen nach etwas.

'Ιύζω, ſ. v. a. ἰάχω, ἰαχέω, und ἰαχάζω, ich ſchreye, mache ein Getöſe, Freudengeſchrey, von ἰα, ἰὴ, ἡ, die Stimme, das Geſchrey; davon ἰυκτὴς, der Schreyer, Rufer: ferner ἰυγὴ, ἡ, ἰυγμὸς, ἰυχμὸς, ſ. v. a. ἰαχὴ, ἴαχος: auch ἰυγγοδρομεῖν, ſ. v. a. βοηδρομεῖν: dann ἰυγγίης, Beyw. des Bacchus, wie Ἴακχος: noch hat Heſych. λυγκτὸς u. ἰυγμωεῖται, Andere haben mit eingeſchobenem β geſagt ἰβύζω; davon bey Heſych. ἰβύει, βοᾷ: dann ἰβυκὴ, εὐφημία: dann ἶβυς, εὐφημία: ἰβῶν, εὐφημῶν: ἰβυκτὴρ, ſ. v. a. ἰυκτὴς der Trompeter: ἰβιβυος, παιανισμὸς: ἰβυδήνας, τοὺς εὐφημοῦντας: ἰβυκρινῆσαι, ἐπευφημῆσαι, βοῆσαι: ἰβόκχα, σεμνότης wie ἴακχος, ἰάκχη. Von ἰβυκινῆσαι hat Suidas aus Polyb. 2, 29 ἰβυκινητῶν angeführt, wo jetzt βοκινητῶν ſteht. Man kann ἰύζω und ἰυγὴ auch von ἄω, αὔω, ich lute- ſchreye ableiten: davon ἀϋτὴ, αὐτέω, αὐδὴ, alſo αὔω, ἀΰζω, ἰαΰζω, ἰύζω, wie ἄω ich ſchlafe, αὔω, ἰαύω.

'Ιυκτὴρ, ἰυκτὴς, ὁ, (ἰύζω) Schreyer, Sanger, Trompeter: der Getöſe macht.

"Ιφθιμος, ὁ, ἡ, (ἶφι) ſtark, mächtig, tapfer. χαλεπόν σε καὶ ἴφθιμόν περ ἐόντα: auch βοῶν ἴφθιμα κάρηνα: für tapfer πολλὰς δ' ἰφθίμους ψυχὰς Il. 1, 3. Die Lesart ἰφθιμένοιο Quint. Smyrn. 13, 334. iſt wahrſch. verderbt.

'Ιφι, wie ein Adv. mächtig, mit Macht; vom alten ἶφις, wovon ἴφιος und ἴφθιμος: bey Homer Τενέδοιο τε ἶφι ἀνάσσεις ſ. v. a. κράτει ἀνάσσεις. So ἶφι βιαζομένη. Das Wort kommt in vielen Compoſ. vor, wie ἰφιγένητος, und in vielen Namen: von Weibern wird es wohl ſchön bedeuten.

'Ιφιγένητος, ὁ, ἡ, von Kraft oder Stärke erzeugt, πῦρ: Orphic. hymn.

'Ιφικρατίδες, ων, αἱ, eine Art Schuhe vom Feldherrn Iphikrates benennt.

'Ιφιος, Il. ε. 556. ἴφια μῆλα erklart man durch ἰσχυρὰ μέγαλα, λιπαρὰ: und Heſych. hat ἶφιν, καλὴν: ἶφις, ταχὺς.

'Ιφυον, τὸ, bey Theophr. h. pl. 6, 6. eine Blume: bey Ariſtoph. Thesm. 910 und Athenae. 2 p. 71. eine Gemüſspflanze: Heſych. erklart ἴφια durch λυχνὶς. An andern Stellen des Theophr. ſteht τίφυον, ſo auch bey Plinius.

'Ιχθύα, ἰχθύη, ἡ, (ἰχθὺς) getrocknete rauhe Fiſchhaut, zum raſpeln, von ῥίνη, *ſquatina*, *ſqualus* genommen. —θυάριον, τὸ, dimiu. v. ἰχθὺς: Diphil. Athenaei 6 p. 228. wo ἰχθυηρὸν ſteht, nach Grotii Verb. —θυάω, ῶ, u. jon. ἰχθυαάσκω, fiſchen, angeln. —θυβολεὺς, έως, ὁ, ſ. v. a. ἰχθυβόλος. —θυβολέω, ῶ, ich werfe oder ſteche Fiſche: von —θυβόλος, ὁ, ἡ, (βάλλω) Fiſche werfend- mit dem Dreyzacke ſtechend. —θυβόρος, ὁ, ἡ, (βορὰ) Fiſche eſſend- freſſend. —θύδιον, τὸ, Fiſchchen. —θυδόκος, ὁ, ἡ, (δέχομαι) Fiſche haltend- aufnehmend- aufbehaltend. —θυήματα, τὰ, (ἰχθύη) Raſpelſpane, ſonſt πρίσματα: Hippocr. —θυηρὸς, ρὰ, ρὸν, (ἰχθὺς) v. Fiſchen: zu den Fiſchen gehörig, die Fiſche betreffend. —θυϊκὸς, ἡ, ὸν, als πύλη, Fiſchthor: 2 Paralip. 15. —θύκεντρον, τὸ, Dreyzack, Fiſchſtecher.

'Ιχθυοβολεὺς, ἰχθυοβολέω und ἰχθυοβόλος, ſ. v. a. ἰχθυβολεὺς, u. ſ. w. —όβρωτος, ὁ, ἡ, (βρώσκω) von Fiſchen gefreſſen. —οειδὴς, έος, ὁ, ἡ, ſ. v. a. ἰχθυώδης. —όεις, όεσσα, όεν, fiſchreich. —οθήρας, ου, ὁ, (θηράω) Fiſchfanger, Fiſcher. —οθηρευτικὴ, ἡ, (τέχνη) Fiſcherey: die Kunſt des ἰχθυοθηρευτὴς ſ. v. a. —οθηρητὴρ, ῆρος, ὁ, oder —ρητὴς, οῦ, ὁ, Fiſchfänger. —οθηρικὸς, ἡ, ὸν, ſ. v. a. —θηρευτικὸς. —όθηρον, ἰχθυόθηρος ſ. v. a. κυκλάμινος: Dioſc. 2, 194. weil man damit Fiſche tödten und fangen kann. —οκένταυρος, ὁ, ἡ, als Beyw. des Triton, aus Schol. Lycoph. 34. aus Menſch und Fiſch, wie der Centaur aus Pferd und Menſch, zuſammengeſetzt. —οκόλλα, ἡ, Fiſchleim: Fiſchblaſe, Hauſenblaſe. —ολκὸς, ὁ, (ἕλκω) Fiſchzieher, Fiſcher, Angler. —ολογέω, ῶ, ich ſpreche- handle von Fiſchen; von —ολόγος, ὁ, von Fiſchen redend- handelnd. —ολύμης, ὁ, (λύμη) Fiſchpeſt, Fiſchfreſſer, Ariſtoph. Pac. 814. wie *pernicies macelli*: Horat. Ep. 1, 15. 31. —όμαντις, εως, der aus Fiſchen weiſſagt; die Kunſt oder Wiſſenſchaft eines ſolchen, ἰχθυομαντεία. —ονόμος, ὁ, ἡ, (νέμω) überh. Fiſche beherrſchend. —οπώλαινα, ἡ, femin. von —πώλης: Pherecrates Athenaei 14, wo auch μαγείραινα, die Köchin, ſteht. —οπωλεῖον, ἰχθυοπώλιον, τὸ, Fiſchmarkt. —οπώλης, ου, ὁ, Fiſchhändler. —οπωλία, ἡ, Fiſchhandel: bey Athenaeus p. 276 muſs es τὰ ἰχθυοπώλια heiſsen. —οτροφεῖον, τὸ, Fiſchbehalter, Fiſchteich. —οτροφικὸς, ἡ, ὸν, zum Fiſchehalten gehörig- geneigt oder geſchickt: von —οτρόφος, ὁ, ἡ, (τρέφω) Fiſchenährend- haltend.

'Ιχθυουλκὸς, ὁ, ἡ, ſ. v. a, ἰχθυολκὸς.

'Ιχθυοφαγέω, ῶ, ich eſſe Fiſche, lebe von Fiſchen: davon —οφαγία, ἡ, das Eſſen der Fiſche, Nahrung von Fiſchen. —οφάγος, ὁ, ἡ, Fiſche eſſend, davon lebend.

'Ιχθὺς, ύος, ὁ, Fiſch.

'Ιχθυώδης, εος, ὁ, ἡ, Adv. —δῶς, fiſchartig in Geſtalt und Geſchmacke: fiſchreich.

'Ιχμα, τὸ, ſ. v. a. ἴχνος und ἴθμα: Heſych.

'Ιχνάομαι, ſ. v. a. ἰχνεύω: Heſych. —νεία, ἡ, (ἰχνεύω) das Auſſpüren, Auſſuchen. —νελάτης, ου, ὁ, d. i. ἴχνη ἐλαύνων, ſ. v. a. ἰχνευτὴς. —νευμα, τὸ, (ἰχνεύω) das Aufgeſpürte. —νεύμων, ονος, ὁ, eine Wieſelart, die die Eyer des Krokodils, 2) ein Vogel, der Würmer, 3) eine Weſpenart, die Spinnen auſſucht. —νευσις, ἡ, das Ausſpüren, Auſſuchen. —νευτὴς, οῦ, ὁ, der Spürer; auch ſ. v. a. ἰχνεύμων. —νεύω, (ἴχνος) ſpüren, auſſpüren, nachſpüren.

'Ιχνηλασία, ἰχνηλατία, ἡ, (ἐλασία) das Spüren, Auſſpüren, Verfolgen der Spur. —λατέω, ῶ, ſ. v. a. ἰχνεύω; von

Ἰχνηλάτης, ου, ὁ, s. v. a. ἰχνελάτης.

Ἴχνιον, τὸ, dimin. von ἴχνος. —νοβάτης, ου, ὁ, (βαίνω) die Spur betretend und sie verfolgend. —νογραφία, ἡ, (ἴχνος, γράφω) Grundriss: Vitruv. 1, 2. —νοπέδη, ἡ, Fussfessel, Schlinge: Anthol. —νος, τὸ, von ἵκω, wie ἴθμα von εἶμι, ἧμι, eigentl. der Tritt, Gang, Schritt: Spur: Fussohle; auch die Ferse, und ἴχνη ὑποδημάτων Arrian. Indic. p. 330. die Absätze, Hacken an den Schuhen.

Ἰχνοσκοπέω, ῶ, aufspüren, nachspüren: davon —σκοπία, ἡ, das Aufspüren.

Ἰχνυτής, οῦ, ὁ, st. ἰχνευτής: zw.

Ἰχώρ, ῶρος, ὁ, heisst das Blutwasser, *serum*, aber auch Eiter, oder anderes unreines Wasser und verdorbene Säfte des Körpers: Il. ε, 416 st. ἰχῶ st. ἰχῶρα, von ἰχώς, wie ἱδρῶ, κυκεῶ. Scheint mit ἰκμάς verwandt zu seyn.

Ἰχωρίζω, eitern: zw. In den Chirurg. vet. p. 114. ἰχωροῦν τὸ ἕλκος, soll wohl ἰχωρρooῦν heissen. —ροειδής, ὁ, ἡ, oder ἰχωρώδης, ὁ, ἡ, (ἰχώρ, εἶδος) eiterartig.

Ἰχωῤῥοέω, ῶ, (ῥοή) von Eiter fliessen, eitern: Dioscor. 3. 26. wo Plinius 27 c. 7. *cum manat sanies* übersetzt.

Ἰχώς. S. ἰχώρ.

Ἴψ, ἰπὸς, ὁ, ἶπες, οἱ, (ἴπτω) ein Insekt, das Horn und den Weinstock anfrisst und beschädigt.

Ἶψος, oder ἰψὸς, nach Plinius *suber*, Korkbaum, nach Hesychius *hedera*, Epheu. Theophr. h. pl. 3, 6.

Ἰὼ, wie auch im lat. *io! triumphe* u. s. w. u. Juch, Heisa! Ausruf der Freude, aber auch der Betrübniss, ach! oh!

Ἰωγή, ἡ, Schirm, Schutz: Odyss. 14, 533. βορέω ὑπ' ἰωγῇ beschützt wider den Nordwind, wo aber die Lesart ungewiss ist.

Ἰώδης, εος, ὁ, ἡ, s. v. a. ἰοειδής, also veilchenartig oder farbig; 2) rostig; 3) giftartig.

Ἰωή, ἡ, das Rufen, Schreyen: Il. 10, 139. vom Winde, Getöse: Il. 4, 276. 11, 308.

Ἰωκή, ἡ, s. v. a. ἰωχμὸς, Schlachtgetümmel: Il. 5, 740. Angriff oder Verfolgung im Treffen; einmal steht auch ἰῶκα st. ἰωκὴν, wie κρόκα st. κρόκην. Man leitet es mit ἰωχμὸς, ἰωξις, von ἰώκω st. διώκω ab, wovon auch προΐωξις, παλίωξις, das Vordringen und Zurückgehn und Zurücktreiben der Streiter.

Ἰὰν, Interject. he da! hör du! zw. —νιά, ἡ, Veilchenbete. —νία, ἡ, Jonien: davon —νίζω, jonisch reden oder leben: u. —νικός, ἡ, όν, Adv. —κῶς, jonisch. —νὶς, ίδος, ἡ, eine Jonierin: mit γῆ s. v. a. Ἰωνία. —νισκος, ὁ, der Fisch χρύσοφρυς: Athenaeus 7 p. 328. Hesych. hat dafür Ἴωνος.

Ἴωξις, εος, ἡ, s. v. a. ἰωχμὸς.

Ἰῶτα, Name des Buchstaben: davon ἰωτακίζειν, u. davon ἰωτακισμὸς, ὁ, der Fehler in der Aussprache, wenn man das jota zu stark ausdrückt: Diomedes Gramm. u. ἰωτογραφέω, mit dem Jota schreiben.

Ἰωχμὸς, ὁ, einerley mit ἰωκή, ἴωξις, davon προΐωξις, παλίωξις, Schlachtgetümmel. Il. 8, 89, 158. Oppian. Hal. 5, 247. S. ἰωκή.

Ἴωψ, ἴωπος, ὁ, ein unbest. Fisch.

K

K, kappa, der zehnte Buchstabe im griechischen Alphabete, bedeutet als Zahlzeichen, als ordinale, der zehnte, als cardinale, 20, und mit untergesetztem Strichelchen ͵κ, 20,000. Ist von γ, gamma, bloss durch die härtere und mehr gewaltsame Aussprache, d. i. durch das abprallen der Zunge vom Gaumen, verschieden, und nach Payne von späterer Erfindung als jener Buchstabe, weil seine älteste Gestalt auf den Denkmälern ein zusammengesetztes gamma zu seyn scheint, nämlich in der ersten geraden und in der zweyten gebognen Form |(. Auf den alten Münzen von Kroton, Korinth u. Syrakus findet man die Gestalt ϙ, woraus das römische Q entstanden ist. Beyde sind nach Payne aus der Verbindung des doppelten gebogenen gamma, also aus ϙ entstanden.

Κα, dorisch st. des jonischen κε, s. v. a. das attische ἄν.

Κάβαισος u. κάβασος, ὁ, ἡ, Pollux 6, 43. s. v. a. ἄπληστος, von κάβος.

Καβάλλης, ου, ὁ, Gaul, Mähre: wie *caballus*. Horat. ep. 1, 14, 43.

Καββαλικός, ἡ, όν, st. καταβαλικὸς, (καταβάλλειν) lacedaemonisch, ein guter Fechter, *luctator, pugil*: und die Kunst καββαλική, st. γυμναστική: Galen u. Antonini 7, 52.

Καβειριάζομαι, die Gebräuche oder ὄργια der Kabirer nachmachen oder feyern: Steph. Byz. —ρικός, ἡ, όν, nach Art der Kabirer, Kabirisch: von —ρεῖ, οἱ, wurden als Söhne des Vulkanus von den Pelasgern in Lemnus u. Samothrazien verehrt, u. mit grossen Zeugegliedern u. in Zwerggestalt abgebildet: ihnen schrieb man auch gewisse Mysterien zu: Herodot. 2, 51. 3, 37.

Κάβηξ, ηκος, ὁ, κάβαξ, s. Les. st. καύηξ: Suidas.

Κάβος, ὁ, wahrscheinlich das hebräische kab, Getraidemaass, welches die

Griechen mit ihrem χοίνιξ verglichen: Geopon, 7, 20. not.

Καγκαίνω, καγχαίνω, s. κάγκω. — **καλέος**. S. κάγκανος. — **καμον**, τὸ, ein orientalisches Harz oder Gummi zum räuchern, u. in der Medizin gebräuchlich. — **κανέης** ὕλης πελεκήτορες: Manetho 4, 374 s. v. a. καγκάνου oder καγκαλέης. — **κανον**, τὸ, bey Galen, Paulus und Aetius: die Pflanze, welche Dioscor. κακαλία nennt: die Bedeut. ist der Etymol. nach dieselbe; denn Hesych. hat κακάλεα, κατακεκαυμένα: so auch καγκαλέος u. κάγκανος. — **κανος**, ὁ, ἡ, bey Homer ξύλα κάγκανα, trocknes Holz, wo einige ἄγανα scheinen gelesen zu haben. Suidas sagt: ἄγανον τὸ κατεαγὸς ξύλον ἢ τὸ φρυγανῶδες καὶ ἕτοιμον πρὸς τὸ κατεαγῆναι, οἱ δὲ τὸ ἀπελέκητον. Eben so δανὰ ξύλα, von δάω, δαίω, wie κάγκανα von κάω, καίω, κάνω, κακάνω, καγκάνω. S. κάγκω. — **κω** bey Hesych. καγκομένης, ξηρᾶς τῷ φόβῳ, wie sonst αὖος τῷ φόβῳ. metaph: ich trockne aus, mache dürre: davon πολυκαγκὴς δίψα bey Homer: davon καγκαίνω bey Hesych. θάλπω, ξηραίνω: davon κάγκανος u. καγκαλέος, verdorrt, verbrannt: davon die Pflanzen κάγκανον u. καγκαλέα. S. in κάγκανος.

Καγχάζω, das lat. cacchinor, laut lachen: daher fröhlich seyn: auslachen, spotten. S. γαγγαλίζω. — **χαλάω**, ῶ, bey Homer, lachen oder vielmehr fröhlich und stolz seyn. S. γαγγαλίζω. — **χασμὸς**, ὁ, (καγχάζω) lautes ausgelassenes Lachen. — **χαστὴς**, οῦ, ὁ, (καγχάζω) der laut lacht: Lacher, Spötter. — **χαστικὸς**, (καγχάζω) zum lachen oder spotten geneigt oder gehörig. — **χλάζω**, hat Hesych. für ἀθρόως γελῶ, also st. καγχάζω. Stephanus führt aus Athenae. 10 p. 438 καγχλάζων an, aber jetzt steht daselbst καγχάζων. Wenn die Form richtig ist, so ist es v. καγχαλάω gemacht. — **χρυδίας**, ου, ὁ, von gerösteter Gerste gemacht, ἄρτος, Brod; 2) auch eine Waizenart. Theophr. c. pl. 3, 26. von — **χρυς**, ἡ, die geröstete Gerste: woraus hernach *polenta* und *ptisana* gemacht ward; 2) der Ansatz zu den Blüthenkätzgen (*amenta*) im Herbste an den Nussbäumen und andern Bäumen; 3) die Frucht oder Blumenähre am Rosmarin u. a. Pflanzen, der davon — **χρυφόρος**, ὁ, ἡ, heisst.

Καδδίζω v. κάδδος, lazed. s. v. a. κάδος, das Gefäss zum Sammlen der Stimmen: davon κεκαδδεῖσθαι Plutar. Lyc. 12. od. κεκαδδίσθαι, κεκαδδίχθαι, durchs Stimmen gewählt oder verworfen werden. — **διχος**, ὁ, ein Maas 4 χοίνικες haltend.

Καδίον, τὸ, oder καδίσκος, ein kleiner κάδος.

Καδμεία, ἡ, die Burg von Theben. — **μεία**, auch καδμία, ἡ, *cadmia*, Galmey. — **μεῖος**, εία, εῖον, u. καδμείων, ὁ, ein Thebaner, als Abkömmling des Kadmus. — **μηΐς**, ίδος, ἡ, s. v. a. καδμεία, die Burg von Theben. — **μος**, ὁ, ein Sohn Agenors, Königs von Phönizien, ein Bruder der Europa, Erbauer von Theben in Böotien, ohngefähr im J. d. Welt 2400, oder 300 vor Trojens Zerstörung, dem man die Einführung der Buchstaben in Griechenland zuschrieb.

Καδοποιὸς, ὁ, der Eimer oder Gefässe macht, nämlich von Thone.

Κάδος, ὁ, *cadus*, ein Fass, Gefäss zum Wasser, Eimer, oder zum Weine, oder zum Stimmensammeln, *situla*: vergl. καδδίζω

Κάδουλος. S. κάδωλος.

Καδύτας, ου, ὁ, eine Schmarotzerpflanze, die sich um andere Gewächse windet.

Καδῶλοι, οἱ, oder κάδουλοι, οἱ, Knaben bey dem Gottesdienste der κάβειροι gebräuchlich, welche Dionys. Antiq. 2, 22. mit dem römischen *Camilli* vergleicht.

Κάζω, ich versehe, rüste aus, mache zurechte, schmücke, *apparo*, *excolo*: παντοίῃς ἀρετῇσι κεκασμένος u. δόλοισι; 2) Il. 11. ἐγχείῃ ἐκέκαστο πανέλληνας d. i. übertraf. Apollon. 11. ἐκέκαστο ἰθύνειν, konnte regieren: davon καστὸς, in den alten Namen Μηδεσικάστη u. Ἰοκάστη.

Καθὰ, Adv. d. i. καθ' ἃ, nachdem, gleichwie, so wie, s. v. a. καθὼς: gewöhnlicher mit περ καθάπερ.

Καθαγιάζω u. καθαγίζω, (κατὰ, ἅγιος) ich widme, heilige, vorz. durch Verbrennen des Opfers: daher verbrennen, vom Opfer. ὅτ' οὖν καθαγίζοιεν τοῦ ταύρου τὰ μέλη, wenn sie alle Glieder und Theile des Stiers verbrannt haben, Plato: daher auch die Leiche verbrennen, oder überh. zur Erde bestatten. Bedeutet auch das Reinigen eines verunheiligten Orts, und das Büssen, oder Bussopfer für eine Missethat. — **γισμὸς**, ὁ, die Weihung, Heiligung: 2) das Verbrennen: 3) die Bestattung zur Erde. S. καθαγίζω. — **γνίζω**, rein (ἁγνὸς) machen: reinigen: von Verbrechen reinigen; aussühnen.

Καθαιμακτὸς, ὁ, ἡ, mit Blut besudelt oder befleckt: von — **μάσσω** u. καθαιματόω, (αἷμα, κατὰ) blutig machen, mit Blut besudeln, beflecken. — **μος**, ὁ, ἡ, (κατὰ, αἷμα) blutig, voll Blut.

Καθαίρεσις, ἡ, (καθαιρέω) das Herunternehmen: das Ein- oder Niederreissen, Niederwerfen: Zerstören, Vernichten: Ermordung, Mord. — **ρέτης**, ὁ, ου, ὁ, (καθαιρέω) der niederreiſst, einreiſst, zerſtört, beſiegt, niederwirft: davon

Καθαιρετικὸς, ἡ, ὸν, zum Herunter- oder Niederreiſſen gehörig oder geſchickt: zerſtöreriſch, mörderiſch. —ρέω, ῶ, (κατὰ, αἱρέω) herunternehmen, herunterreiſſen, oder werfen: niederreiſſen, einreiſſen, als eine Mauer Xen. Cyr. 6, 1, 20: niederwerfen, niedermachen, niederhauen, erlegen, erſchieſsen, Cyr. 4, 3, 16. u. im mildern Sinne: erniedrigen, verringern. —ρω, f. αρῶ, p. αρκα, aor. 1. ἐκάθηρα, (καθαρὸς) reinigen, rein machen, putzen, fegen: daher für die Gottheit, von Verbrechen reinigen, d. i. ausſöhnen: bey Theocr. 5, 119 mit Ruthen ſchlagen: wie unſer komiſches fegen, abſtäuben: καθαίρομαι γῆρας, ich reinige mich vom Alter, wie von Schlacken: Aeſchyl.

Καθάλλομαι, f. καθαλοῦμαι, herabſpringen: m. d. Genit. wider- gegen einen ſpringen.

Καθαλμὴς, έος, ὁ, ἡ, (ἅλμη) ſehr ſalzig. Nicand. Alex. 514.

Κάθαλος, ὁ, ἡ, (ἅλς) ſehr ſalzig, verſalzen: κάθαλα ποιῆσαι πάντα ἐσκοροδισμένα, Diphilus Athen. und von einem Koche ſagt Poſidippus Ath. 14 p. 662. κάθαλος κάτοξος, er verſalzt alles, er verdirbt alles durch zu vielen Eſſig: wie Grotius ſt. καθ' ἁλὸς, κατ' ὄξους lieſt.

Καθαμαξεύω, (κατὰ, ἅμαξα) befahren, ausfahren, wie eine Straſse, ὁδὸς καθημαξευμένη, via trita: σκώμματα καθημαξευμένα, convicia de plauſtro. S. πομπεύω. Beym Aelian γύναιον καθημαξευμένον ὑπὸ παντὸς τοῦ τυχόντος, die von jedem zur Wolluſt ſich brauchen lieſs. Dionyſ. Antiq. 10, 41 verb. es mit ὤλεος. Eunapii Legat. κατεστόρεσεν εἰς τοσόνδε καὶ καθημάξευσε ταῖς συμφοραῖς, herunterbringen, in Verfall bringen.

Κάθαμμα, τὸ, (καθάπτω) das Geknüpfte, Angeknüpfte: das Band, der Knoten: Eur. Hippol. 676. —μίζω, verſanden, mit Sand (ἄμμος) überſchütten.

Καθάπαν, ſt. καθ' ἅπαν, Adv. im Ganzen, überhaupt, in univerſum. —παξ, Adv. ſ. v. a. ἅπαξ, u. überhaupt, ganz u. gar. —περ, Adv. ſ. v. a. καθὰ, mit angehängtem περ, gleichwie, wie: καθαπερεὶ u. καθαπερανεὶ mit εἰ u. ἂν, εἰ, gleichſam, als, alswenn. —πλόω, ῶ, (ἁπλόος) ausbreiten, entfalten, entwickeln: zw.

Καθαπτικὸς, ἡ, ὸν, (καθάπτομαι) anfaſſend, angreifend: beiſsend. —τομαι, (ἅπτομαι, κατὰ) m. d. Genit. ich berühre einen, μάστιγι, mit der Peitſche, u. ſchlage ihn: mit Worten, daher, tadeln, anklagen, Vorwürfe machen: ich greife feindſelig- gewaltthätig an: 2) berühren, ſtreicheln, beſänftigen, wie mulceo. ἐπέεσσι μαλακοῖσι Il. α, 582. bey Herodot. 8, 65. Δημαρήτου τε καὶ ἄλλων μαρτύρων καταπτόμενος, berief ſich. Das Act. καθάπτω, anknüpfen, davon σῶμ' ἐμὸν καθάψομαι σκευῇ πρεπόντως, Eur. Rheſ. 202. zieren, bekleiden. —τὸς, ἡ, ὸν, (καθάπτω) angeknüpft, angepaſst, angezogen: Ariſtoph. Ran. 1212, wo andere κάθαπτος ſchrieben: von —τω, anknüpfen, anbinden, anpaſſen: S. καθάπτομαι,

Καθάρειος, ὁ, ἡ, u. —ρειότης, ἡ, ſ. v. a. καθάριος, u. —ριότης. Adv. —ρείως. Xen. Cyr. 1, 3, 8. —ρεύω, καθαριεύω, (καθαρὸς) ich bin rein: m. d. Genit. von καθαριεύω, (καθάριος) ich bin reinlich. —ρίζω, ſ. v. a. καθαίρω, reinigen, rein machen. —ριος, ὁ, ἡ, Adv. —ρίως, reinlich: ſich oder andere oder ſeine Sachen rein haltend: Reinigkeit liebend, nett, elegant: davon —ριότης, ητος, ἡ, Reinlichkeit, Nettigkeit, Eleganz. —ρισμὸς, ὁ, (καθαρίζω) die Reinigung, das Reinigen: Reinigungsopfer: Lucian. 6 p. 157. ſ. v. a. κάθαρμα.

Κάθαρμα, τὸ, (καθαίρω) das Gereinigte, oder beym Reinigen Aus- oder Weggeworfene, purgamentum, Kehrig, Auswurf: daher beym Reinigungs- und Sühnopfer das Opferthier oder die Materialien des Sühnopfers, welche nach dem Gebrauche als unrein weggeworfen werden. Daher metaph. ein ſchändlicher Menſch, Abſchaum, Auswurf der menſchlichen Geſellſchaft. —μόζω, anpaſſen, anfügen, zuſammenpaſſen oder fügen. —μὸς, ὁ, (καθαίρω) Reinigung: Ausſöhnung: Xen. An. 5, 7, 35.

Καθαροποιέω, ῶ, ſ. v. a. καθαίρω. —ρὸς, ρὰ, ρὸν, Adv. —ρῶς, rein: klar, lauter, unvermiſcht, unbefleckt: καθαρὸς Τίμων, der reine- ächte- pureheſſe Timon: Ariſtoph. An. 1549 ἐν καθαρῷ, verſt. τόπῳ, Ariſtoph. Eccl. 320 einem bewachſenen oder mit Menſchen angefüllten Orte entgegengeſetzt. —ρότης, ητος, ἡ, Reinigkeit, Reinheit. —ρουργικὴ γῦρις, rein oder fein gemahlenes Mehl, pollen, Geopon. 20, 33. von καθαρουργὸς, rein machend, rein arbeitend.

Καθαρπάζω, herunterreiſſen.

Καθάρσιος, ὁ, ἡ, ſ. v. a. καθαρτήριος, reinigend, ausſöhnend: τὸ, verſt. ἱερὸν oder ἱερεῖον, Reinigungsopfer, oder das Opferthier darzu: von —σις, ἡ, (καθαίρω) Reinigung, Ausſöhnung.

Καθαρτὴρ, ῆρος, ὁ, ſ. v. a. καθάρτης: davon —τήριος, ὁ, ἡ, ſ. v. a. καθαρτικὸς. —της, ου, ὁ, (καθαίρω) der reiniget: auch durch Reinigungsopfer von Krankheit und andern Uebeln befreyt. Hippocr. epilepf. 1. davon

Καθαρτικὸς, ἡ, ὸν, zum reinigen gehörig oder gefchickt.

Καθαρύλλος, ὁ, ἡ, dimin. v. καθαρὸς. Alexis Athenai 3 p. 110.

Καθαυαίνω, ganz trocknen oder trokken machen. S. αὔω.

Καθαυτὸν, d. i. καθ' ἀυτὸν, vor fich, allein, befonders: vor fich (z. B. thun), d. i. freywillig, ungeheiffen nach Willkühr: vor fich, ohne eines andern Hulfe.

Καθαύω, S. καταυστής.

Κάθεδρα, ἡ, Sitz, Stuhl, Seffel: Abtritt, Nachtftuhl: das Sitzen, die Lage Stellung des Sitzenden: das Stillefitzen, Verweilen: τοῦ λαγῶ, das Lager des Hafens: Xenoph. Cyneg.

Καθέζω, (κατὰ, ἕζω) fetzen, ftellen: med. fich fetzen, fitzen: wohnen: verweilen, fich aufhalten: zogern.

Καθειμαρμένος, durchs Schickfal, εἱμαρμένη, wider jemand beftimmt. Plutar. Alex. 52. καθειμάρθαι ὅλον τὸν βίον, Lucian. Philop. 14. durchs Schickfal beftimmt und geordnet.

Καθειμένως, Adv. nachgelaffen, nicht angeltrengt, fanft, demüthig: part. praet. paff. v. καθίημι.

Καθείργνυμι, καθειργνύω, u. καθείργω (εἴργω u. εἰργῶ) einfchliefsen, einfperren: einfaffen: verfchliefsen: davon

Κάθειρξις, ἡ, das Einfchliefsen, Einfperren, Verfchliefsen: Einfaffen.

Καθεῖς, oder καθ' εἷς, allein oder mit vorhergehendem εἷς, im N. T. einer nach dem andern.

Καθεκάστην, d. i. καθ' ἑκ. verft. ἡμέραν, jeden Tag, täglich. —κούσιος, ὁ, ἡ, f. v. a. ἑκούσιος, freywillig. Numenor. c. 15.

Καθέκτης, ὁ, (κατέχω) die Fallthüre, am Taubenfchlage. Geopon. 14, 6.

Καθεκτικὸς, ἡ, ὸν, (κατέχω) anhaltend, feft- oder zurückhaltend. —τὸς, ἡ, ὸν, Adv. —τῶς, (κατέχω) an- auf- zurückzuhalten.

Καθελίσσω, —(ἑλίσσω) ich bewickle, umwickle: Herodot. 7, 76. τὰς κνήμας ῥάκεσι κατειλίχατο. jonifch ft. καθηλιγμένοι ἦσαν.

Καθελκυσμὸς, ὁ, das Herunterziehn; von —κύω, od. καθέλκω, (ἕλκω, κατὰ) herunter oder herabziehn. τὰς ναῦς, die Schiffe aus dem Winterbehältniffe ins Meer laffen: aus dem Stapel oder Staffel ins Meer bringen, *deducere navem.*

Κάθεμα, τὸ, (καθίημι) das Herunterhangende: was man herunter hängen lafst, Halsketten, und dergl. Eben fo καθετήρ: Clemens Paed. 2 p. 244.

Καθεξῆς, Adv. f. v. a. d. gewöhnlichere ἐφεξῆς. —ξις, ἡ, (κατέχω) das Anhalten, Einhalten, Fefthalten, Zurückhalten.

Καθερπύζω, u. καθέρπω, herab- herunter kriechen oder fchleichen.

Κάθεσις, ἡ, (καθίημι) das Herablaffen, Hinunter und Hineinftecken. 2) (καθέζω) das Setzen oder Sitzen: der Sitz.

Καθεσμὸς, ὁ, f. Lef. aus Ariftoph, Vesp. 1107. ft. καθ' ἑσμούς.

Καθεστηκότως, Adv. von καθεστηκὼς (καθίστημι) feftgefetzt, feftftehend: eingeführt, gebräuchlich: feft: gefetzt: ruhig: gelaffen: ordentlich. S. auch καθεστῶτα. —στήκω, wovon das fut. καθεστήξω, beftehen, feftftehen. —στῶτα, ων, τὰ, ft. καθεστηκότα, der gegenwärtige Zuftand: die gegenwärtigen beftehenden Sitten- Gewohnheiten- Einrichtung- Verfaffung.

Καθετὴρ, ῆρος, ὁ, (καθέω, καθίημι) ein Korper, den man hinabläfst, hineinfteckt, um damit in der Tiefe etwas zu unterfuchen, wie die Sonde, Sucher, oder ein von Leinwand- Wolle- Charpie zufammengedrehter Korper, um ihn in eine tiefe Wunde mit der Arzney oder fonft zu ftecken. S. auch κάθετος, ἡ. —τηρισμὸς, ὁ, das Hineinftecken des καθετὴρ, u. Unterfuchung damit. —τὴς, ου, ὁ, f. v. a. καθετὴρ, auch eine Art von Grundangel, καθετὴρ bey Artemidor: Onirocr. 2, 14. —τος, ὁ, ἡ, (καθέω, καθίημι) herabgefenkt, heruntergelaffen, ἀμνὸς, βοῦς, als Opfer ins Meer gefenktes Schaaf, Ochfe; μόλιβδος, Senkbley: ἡ καθ. verft. γραμμὴ, der Perpendikel, die fenkrechte Linie, auch die Grundangel. Oppian. Hal. 3, 77 u. 138 τριχίνης καθέτου. Epigr. καθετὴρ bey Artemidor. Onirocr. 2, 14.

Καθεύδω, (εὕδω, κατὰ) einfchlafen, fchlafen: ruhig, forgenfrey oder forglos oder träge feyn.

Καθεύρεμα, τὸ, f. v. a. εὕρεμα: zw. —ρίσκω, f. v. a. εὑρίσκω, Lucian. Ocyp. 68.

Κάθεφθος, ὁ, ἡ, fehr oder gut gekocht: χρυσὸς, ausgekochtes, gereinigtes Gold.

Καθεψέω, ῶ, f. v. a. καθέψω; davon —ψησις, ἡ, das ftarke Kochen- Ver- od. Zerkochen: das Verdauen. —ψιάομαι, (ἐψιάομαι, κατὰ) f. v. a. *illudo,* verfpotten: zw. —ψω, fehr oder ftark kochen: zerkochen, abkochen: verdauen: Ariftoph. Vesp. 795.

Καθηβάω, ῶ, fein Jugendalter durchleben: od. f. v. a. ἡβάω: zw.

Καθηγεμονικὸς, ἡ, ὸν, f. v. a. ἡγεμονικὸς: von —γεμὼν, όνος, ὁ, ἡ, f. v. a. ἡγεμὼν, Anführer. —γέομαι, οῦμαι, f. v. a. ἡγέομαι, u. m. derf. Wortfügung: anführen, vorangehn. —γήτειρα, ἡ, femin. v. καθηγητὴρ, oder

Καθηγητής, οῦ, ὁ, ſ. v. a. ἡγεμών, Anführer, Anleiter.

Καθηδύνω, (ἡδύνω κατὰ) ſehr ſüſs oder zu ſüſs machen. —δυπαθέω, ῶ, (ἡδυπαθέω) verſchwelgen, verpraſſen, mit allerhand Vergnügungen verbringen: Xen. An. 1, 3, 3. m. d. genit. βίου, bey Suidas. S. Hemſterhuis Lucian 2 p. 478.

Καθῆκον, οντος, τὸ, (καθήκω) was ſich ſchickt, Pflicht, Schuldigkeit. —κόντως, Adv. v. καθήκων, nach Schicklichkeit, Pflicht, Schuldigkeit. —κω, (κατὰ, ἥκω) d. lat. *pertineo*, ich komme hin, reiche hin. καθήκει ὁ ἰσθμὸς ἐς τὴν θάλασσαν, reicht- erſtreckt ſich bis an das Meer. καθῆκεν ἐς ἡμᾶς ὁ λόγος, die Reihe zu ſprechen kommt nun an mich. ἑορτῆς εἰς τὰς ἡμέρας ἐκείνας καθηκούσης, da ein Feſt auf die Tage fiel. καθήκων χρόνος, die rechte- beſtimmte Zeit. καθήκουσαι ἡμέραι, die feſtgeſetzte oder die gewöhnliche Zeit. καθήκει μοὶ, es kommt mir zu, iſt meine Pflicht, daher τὸ καθῆκον, die Pflicht. τὰ κατήκοντα, joniſch ſt. καθήκοντα, meine gegenwärtigen Umſtände, Lage: Herodot. 5, 49. 1, 97. 8, 19.

Καθηλιάζω, (κατὰ, ἡλιάζω) ich bringe in die Sonne zu trocknen - zu bleichen. —λόω, ῶ, (κατὰ, ἡλόω) ich verbinde, befeſtige mit Nägeln, vernagele; davon —λωσις, ἡ, das Benageln, Vernageln, Verbinden, Befeſtigen mit Nägeln. —λωτής, οῦ, ὁ, (καθηλόω) der mit Nägeln verbindet, befeſtiget. —λωτὸς, (καθηλόω) mit Nägeln befeſtiget.

Κάθημα, τὸ, ſ. v. a. κάθεμα: Pollux 5, 98. zw. —μαι, (κατὰ ἧμαι) ich ſetze oder laſſe mich nieder: ich ſitze: daher, ich bin ruhig, ſtill oder unthätig oder träge: ich zaudere, verweile, halte mich auf: auch von niedrig liegenden Gegenden und Ländern: Callim. in Delum 168. Aelian. h. an. 16, 12. m. d. Anm. —μαξευμένως, Adv. ausgefahren, abgenutzt, ganz gewöhnlich, wie unſer abgedroſchen, v. part. perf. paſſ. v. καθαμαξεύω. —μέραν, Adv. ſt. κατα ἡμέραν, täglich. τὸ καθημέραν, das tägliche Geſchäfte.

Καθημερεία ἡ, Polyb 6, 33. das Zubringen des ganzen Tages, oder das tägliche Geſchäfte, von καθημερεύω, ich bringe den ganzen Tag zu. —μερινός, ἡ, ὀν, u. καθημέριος, täglich. —μερόβιος, ὁ, ἡ, (βιος) *qui in diem vivit*, der für jeden Tag allein lebt, unbekümmert um den folgenden.

Καθησυχάζω, das verſtärkte ἡσυχάζω: Polyb. 9, 32.

Καθίγγυμι, S. καθίννυμι.

Καθιδρόω, ῶ, (ἱδρός, ἱδρὼς) ich benetze mit Schweiſse. 2) ich ſchwitze. —δρυμα, τὸ, ſ. v. a. ἵδρυμα. —δρύνω, ſ. v. a. καθιδρύω. —δρυσις, ἡ, ſ. v. a. ἵδρυσις. —δρύω, u. καθιδρύνω, auch καθίδρυμι, ſ. v. a. ἱδρύω. —δρως, ὁ, ἡ, auch κάθιδρος, ὁ, (ἱδρὸς, ἱδρὼς) voll Schweiſs, ſchwitzend: ermüdend.

Καθίεμαι, S. καθίημι. —ερεύω, (ἱερεύω, κατὰ) heilig machen, weihen, widmen, opfern. —ερουργέω, ſ. v. a. d. vorh. zw. —ερόω, ῶ, heiligen, weihen, widmen; davon —έρωσις, ἡ, das Weihen, Widmen: die Einweihung.

Καθιζάνω, ſ. v. a. καθέζω u. καθίζω, wovon καθιζάω u. καθιζάνω gemacht iſt: von καθιζάω oder καθιζέω kömmt —ζησις, ἡ, das Sitzen oder Stellen, Setzen. —ζω, (ἕω, ἕζω, ἵζω, κατὰ) ich ſetze nieder, ich ſtelle nieder- auf. καθίζω δικαστὴν τινὰ oder δικαστήριον, ich beſtelle einen zum Richter, ſetze ein Gericht ein oder nieder: βουλὴν Dionyſ. halte Rathsverſammlung: daher allgemein. machen, mit einem adj. od. partic. als κλαίοντα, Xen. Mem. 2, 1. 12. neutr. wie das med. καθίζομαι, ſitzen, ſich ſetzen.

Καθίημι, herunter oder herablaſſen, niederlaſſen: anſtellen gegen jemand; abſchicken gegen jemand. καθιέναι δρᾶμα, ἵππους, ἅρματα Thucydid. 6, 16. zum Wettkampfe ſtellen: πεῖραν Aelian. v. h. 2, 13. not. einen Verſuch machen; die Metapher iſt von der Sonde oder dem Senkbley der Schiffer hergenommen.

Καθικετεύω, das verſtärkte ἱκετεύω, ſehr flehen, bitten.

Καθικνέομαι, οῦμαι, f. ἵξομαι, hingelangen, erreichen, berühren: von Worten, wie καθάπτομαι, anreden, oder in böſem Sinne, anfahren, ſchelten, mit der Ruthe, Peitſche μάστιγι, ῥάβδῳ τινὸς καθ. ſchlagen: ſeltner ἐς ὅλμους καθικνουμένας ὑπέρους, die mit Keulen auf Mörſern zuſchlagen: Pauſan. 5, 18.

Καθιλαρύνω, erheitern, aufheitern: Suidas.

Καθιμάω, ῶ, (ἱμάω, κατὰ) an einem Seile oder Stricke hinunter, hinablaſſen; davon —μησις, ἡ, das hinab oder hinunterlaſſen an einem Seile oder Stricke: das herab- herunterlaſſen: Plut. 7 p. 74. —μονέυω, (ἱμὼν, ſ. v. a. ἱμας oder ἱμονιά) ſ. v. a. καθιμάω: Heſych.

Καθίννυμι med. καθίννυμαι ſ. v. a. καθίζω u. καθίζομαι, Hippocr. περὶ γυναικ. wo zweymal auch καθίγνυσθαι u. ἐγκαθίγνυσθαι ſteht: Heſych. hat ἴννυσιν, ἐκαθίζετο u. ἰννυσθαι, κοσμεῖ.. ἱδρύνεσθαι.

Καθιππάζομαι, ich reite gegen jemand; καθιππάσατο χώρην την Μεγαρίδα Herodot. 9, 14. die Reiterey verwüstete das Land der Megarenser; 2) ich reite in Parade: daher καθίππαξις, πομπῆς ὄνομα bey den Lazedämoniern: Hesych. die Kavalkade: metaph. καθιππάσασθαι τῆς Φιλοσοφίας bey Diog. Laert. wie *invehi in philosophiam*, losziehen, schmähen: bey Aeschyl. Eum. 782 νόμους 734 πρεσβύτην νέος, s. v. a. κατατρέχειν, überwältigen; bey Athen. p. 581 ἑταίρας, den Beyschlaf von hinten treiben. S. ἵππος. —πευσις, εως, ἡ, das Reiten gegen jemand, der Einfall, Angriff zu Pferde; die Prozession-Parade zu Pferde: von — —πεύω, s. v. a. καθιππάζομαι, Herodian. 6, 7. οἱ ποταμοὶ καθιππεύονται man reitet auf den Flüssen, bereitet sie. —ποκρατέω, ῶ, u. καθιππομαχέω, durch Reiterey besiegen: Pollux. —ποτροφέω, ῶ, durch Pferdehalten verthun: Isaeus.

Καθίπταμαι, καθίπτημι, herunter- herabfliegen.

Κάθισις, ἡ, (καθίζω) das Setzen oder Sitzen: der Sitz.

Κάθισμα, τὸ, (καθίζω) der Sitz, Sessel: aus Dioscor. 3. ἐν καθίσματι f. L. st. ἐγκαθίσματι.

Καθιστάνω, u. καθιστάω, ῶ, s. v. a. das folgd. —στημι, (ἵστημι, κατὰ) in praesent. u. den davon abgeleiteten temp. dem fut. aor. 1. niedersetzen, niederstellen, hinstellen, anstellen; anordnen; machen, zurecht machen, einführen: feststellen: ruhig machen, in Ruhe oder Ordnung bringen: aor. 2. praet. neutr. stehen, feststehen, bestehen, dastehen: üblich- gebräuchlich seyn: ruhig stehn oder seyn, sich setzen und ruhig seyn. —στήριον, τὸ, (καθιστὴρ, καθίζω) der Sitz: Schol. Aristoph. Eccl. 729. —στορέω, s. v. a. ἱστορέω, ersehn, erkennen: Geopon. 15, 2, 31.

Καθὸ, d. i. καθ' ὅ, so wie, in soweit, in so fern; vergl. καθά.

Καθοδηγέω, ῶ, καθοδηγία ἡ, u. καθοδηγὸς, ὁ, s. v. a. ὁδηγέω, ὁδηγία und ὁδηγὸς den Weg weisen, anführen: das Anführen, der Anführer. —δος, ἡ, das hinabgehn oder steigen: der Weg Gang hinab: Rückkehr, Zurückkunft, vorz. eines Vertriebenen.

Καθολικὸς, ἡ, ὸν, Adv. —κῶς, (κατὰ, ὅλος) allgemein, was das Ganze betrift; bey den Kirchenvätern, der ganzen oder herrschenden Kirche gemein, mithin rechtglaubig, lehrrecht.

Κάθολος, ganz, alle zusammen. καθόλων δὲ τῶν οἴκων σὺν ὅλαις ταῖς συγγενείαις ἁρπαζομένων Diodor. 17, 13. daher καθόλου, wie Adv. im ganzen, im Allgemeinen, überhaupt; welches wahrsch. st. καθ' ὅλου steht.

Καθομαζώοντες bey Suidas in ἑταιρείη, d. i. ὁμοίως. S. ὁμὸς. In Geopon. 10, 2, 3. steht καθομάδα in derselben Bedeutung. —μαλίζω, (ὁμαλίζω, κατὰ) ebnen, glätten, ἤθη, mildern, mild machen: Plutar. Caes. 15. —μηρίζω, s. v. a. ὁμηρίζω, Aristaen. Epist. 1, 3. τινὰ m. homerischen Versen, in homerischer Weise beschreiben, besingen. Hesych. hat καθομηρεύω in derselben Bedeutung. —μιλέω, ῶ, (κατὰ, ὁμιλέω) m. d. Acc. jemand durch den Umgang, durchs Betragen und Reden im Umgange einnehmen- gewinnen- zu gewinnen suchen. τοὺς μὲν γνωρίμους καθομιλεῖν, τοὺς δὲ πολλοὺς δημαγωγεῖν, die Vornehmen durch seinen Umgang, das Volk durch seine Reden gewinnen. Aristot. bey Diodor. 14, 70. m. d. Dativ. in diesem Sinne. zw. 2) καθωμιλημένος, was gemein, gebräuchlich in Reden geworden, gleichsam zum Sprichworte δόξα καθωμιλημένη Polyb. 10, 5. die durchs Gerücht allgemein verbreitete Meinung. —μολογέω, ῶ, (ὁμολογέω, κατὰ) zugestehn oder bekennen: zusagen, versprechen, angeloben, verloben. —πλίζω, (ὁπλίζω, κατὰ) bewafnen, ausrüsten; davon —πλισις, ἡ, und καθοπλισμὸς, ὁ, Bewafnung, Ausrüstung. —ρατικὸς, ἡ, ὸν, zum herab oder durchsehn gehörig oder geschickt: einsichtsvoll, scharfsinnig; von —ράω, ῶ, herabsehn; heruntersehn Xen. Cyr. 3, 2. 10. besehn, ansehn, einsehn, bemerken: Mem. 4, 7. 7. —ρίζω, begrenzen, bestimmen; davon —ριστικὸς, ἡ, ὸν, begrenzend, bestimmend, festsetzend, gewiss, bestimmt.

Καθορμίζω, einlaufen lassen (in den Hafen) Epict. 7, 1. —μιον, τὸ, bey den LXX s. v. a. ἐνόρμιον, Halsband.

Καθοσιόω, ῶ, wie καθιερεύω, heiligen, reinigen, weihen, widmen, opfern. καθοσιούμενος Μαξιμίνῳ Herodian. 7, 96. wie *devotus*, ganz ergeben; davon —σίωσις, ἡ, wie καθιέρωσις, Weihung, Einweihung, Widmung, Opfern. —σον, d. i. καθ' ὅσον, so weit, so fern.

Καθότι, d. i. καθ' ὅ, τι, wie, auf was Art und Weise, wo- wie ferne.

Καθυβρίζω, übermüthig, frech behandeln, muthwillig beleidigen, beschimpfen. S. ὑβρίζω. M. d. Datif. bey Soph. Aj. 153. sonst m. d. Gen. u. Accus.

Καθυγραίνω, benetzen, benässen, nass machen. —γρος, ὁ, ἡ, u. κάθυδρος, ὁ, ἡ, (ὕδωρ) sehr nass, sehr feucht: sehr wässrig oder wasserreich.

Καθυλακτέω, ῶ, bebellen, anbellen. —λίζω, (ὕλη) durchseichen, durchschlagen. —λομανέω, ῶ, (ὑλομανέω, κατὰ) zu viel in Holz und Laub wachsen oder treiben.

Καθυμνέω, ῶ, besingen, häufig singen.

Καθυπάρχω, s. v. a. ὑπάρχω: Plutar. Cicer. 23.

Καθυπενδίδωμι, Nicetas Annal. 6, 2. nachlassen, nachgeben. —περακοντίζω, s. v. a. ὑπερακ. —περέχω, s. v. a. ὑπερέχω m. d. gen. Stobaei Serm. 249. auch m. accus. ibid. 147. —περηφανέω, gegen einen sich übermüthig oder hoffärtig bezeigen: Eustath. ad Il. —περθε, καθύπερθεν, Adv. eigentl. von oben herab, wie οἴκοθεν s. v. a. ὕπερθεν: über, darüber: oben: *super, superne*. —περτερέω, ῶ, ich bin überlegen, übertreffe; von —πέρτερος, έρα, ερον, compar. von κάθυπερ, καθύπερθε, *super*, *superior*; der superlat. καθυπέρτατος, *supremus*, höher, überlegen. —πισχνέομαι, οῦμαι, s. v. a. ὑπισχνέομαι, versprechen, geloben. —πνής, έος, ὁ, ἡ, und κάθυπνος, ὁ, ἡ, festschlafend, schläfrig; davon —πνιος, ὁ, ἡ, S. in παράπταισμα.

Καθυπνόω, ῶ, tief oder fest schlafen, einschlafen: Xen. Mem. 2, 1. Joseph. Antiq. 20, 2. davon —νωσις, εως, ἡ, tiefer fester Schlaf.

Καθυποβάλλω, das verstärkte ὑπερβάλλω, unterwerfen, unterliegen. —πογράφω, s. v. a. ὑπογρ. Eustath. ad Il. —ποδείκνυμι, vorzeigen, hinzeigen, s. v. a. ὑποδ. Eustath. ad Il. —πόκειμαι, s. v. a. ὑπόκειμαι; zw. —ποκρίνομαι, bey Demosth. einen durch Action- Stimme und Declamation einnehmen und täuschen, wie κατορχέομαι und καταυλέω τινα: Oenomaus Euseb. 5, 26. καθ. τὰ μαντεῖα, bey den Orakeln die Rolle der Götter spielen; mit διαφθείρω Dionys. hal. 6 p. 1117. καθυποκρίνεται Ἐνιπεὺς ἀντὶ Ποσειδῶνος εἶναι, stellt sich, als sey er Lucian. 2 p. 119. —ποπτεύω, Aristot. Rhetor. Alex. c. 5. ἀδικημάτων καθυποπτευθέντων, die man von einem blos argwöhnt. —ποπτος, ὁ, ἡ, f. L. Pollux 2, 57. st. καχύποπτος. —ποστιβίζω. S. in καταζυράω. —ποτάσσω, καθυποτάττω, unterordnen, unterwerfen. —ποτοπέομαι, S. καχυποτοπέομαι. —πουργέω, s. v. a. ὑπουργ.

Καθυστερέω, ῶ, und καθυστερίζω s. v. a. ὑστερέω und ὑστερίζω, zu spät kommen, nachstehen, zurückbleiben; m. d. Genit.

Καθυφαίνω, herab herunter oder fertig weben, verweben; zw. —φεσις, ἡ, Fahrlässigkeit Verrätherey des Sachwalters, Kollusion mit dem Gegner; von —φίημι, (ὑφίημι) ich gehe einem nach, lasse in der Sache nach, und verfahre dabey so nachlässig, dass ich dem Gegner den Vortheil einräume: das lat. *praevaricari* drückt es fast ganz aus. πολλῶν πραγμάτων καιρὸν ἐάν τις ἑκὼν καθυφῇ τοῖς ἐναντίοις καὶ προδῷ: Demosth. εἰ καθυφείμεθά τι τῶν πραγμάτων, wenn wir vernachlässigen, verabsäumen und dem Gegner überlassen. Ders. καθυφεῖκε τὸ πρᾶγμα, γραφὰς, τὰ τῆς πόλεως bey Dinarch. Theocr. fahren lassen u. dafür Geld nehmen: die im Treffen seigen Soldaten nennt Polyaen. 8, 24. 1. καθυφιεμένους ἐν ταῖς μάχαισι. —φίστημι, s. v. a. ὑφίστημι: Julian. Or. 5 p. 163. —ψηλὸς, ἡ, ὸν, bey Dionys. Antiq. 2, 43 haben die Handschriften richtiger das einfache ὑψηλὸς.

Καθύω, beregnen; zw.

Καθωραΐζομαι, das verst. ὡραΐζομαι: Hesych. Suid. Photius.

Καθὼς, Adv. s. v. a. καθὰ, καθὸ u. καθάπερ, (ὡς, κατὰ) gleichwie, so wie, jenachdem.

Καὶ, conjunct u. mit ἂν, cont. κἄν. S. in κἄν und so die übrigen Verbindungen und Zusammensetzungen in der Reihe der Buchstaben, καὶ ταῦτα, u. s. w.

Καιάδας, ου, ὁ, bey den Laced. ein Erdschlund, worein Verbrecher gestürzt, und ihre Leichname geworfen wurden: Pausan. Messen. 18. Strab. 5 p. 356.

Καίαρ, ατος, τὸ, der Erdschlund, Hölung in der Erde. 2) Vertiefung in der Schleuder, worinne der Stein liegt: Aristot. Mechan. soll wohl κύαρ heissen.

Καὶ γὰρ, denn; eigentl. aus καὶ γε ἄρα zusammen gezogen: καὶ γε mit seinen Gefährten. S. hiernächst: καὶ γὰρ δὴ denn wirklich, denn ja; καὶ δὴ allein bedeutet schon, jetzt, eben, νῦν ἤδη. Ferner sind καὶ γὰρ οὖν, καὶ γάρ τοι, u. das poet. καὶ γάρ ῥα in der allgemeinen Bedeutung s. v. a. d. vorh. καὶ γὰρ δὴ, wenigstens lässt sich der Unterschied oder die Bedeutung der einzelnen Partikeln weder im lat. noch im deutschen nachahmen oder deutlich machen.

Καίγε, *et quidem*, und sogar: Eur. Phoen. 1695. καὶ ξυνθανοῦμαί γε; eben so bekräftiget es Odyss. 1, 46. καὶ λίαν κεῖνός γε ἐοικότι κεῖται ὀλέθρῳ, ja nur zu sehr verdient er den Tod, den er starb; καὶ μάλα γε ἀστείας ἑορτῆς, und zwar, und das; 2) schränkt es die Bejahung ein: ἑλληνικόν τι τὸν ὁμόθεν τιμᾶν ἀεὶ sagt Menelaus bey Eur. Or. 487. worauf die Antwort: καὶ τῶν νόμων γε μὴ πρότερον εἶναι θέλειν, ja aber auch, sich nicht über die Gesetze zu erheben.

Καὶ δὴ, schon jetzt, eben, nun: καὶ δὴ καὶ, auch so gar, endlich auch, also auch. Dasselbe ist καὶ δὴ οὖν der Bedeutung nach.

Καὶ εἰ, wie *etsi*, obgleich, wenn auch.

Καιστάεις, καιστάεσσαν · Λακεδαίμονα Odyff. 4, 1 lafs *Zenodotus*; daher Callim. καιεταέντος ἀπ' Εὐρώταο fagte, nach Euftath. d. i. κοίλου.

Καικίας, ου, ὁ, ein Wind, Nord-Oft: Gell. 2, 22. Plin. 2, 47.

Καὶ μάλα, auch καὶ μάλαγε, und zwar fehr.

Καὶ μὲν δὴ, und καὶ μὲν δὴ καὶ, aber auch, überdem.

Καὶ μὴν, *et fane*, gewifs auch, auch noch: gewöhnlicher wenn man den Beweifs vom Gegentheile führt, *atqui*, aber, nun aber, jedoch: καὶ μὴν καὶ, ja was noch mehr, ja fogar.

Καινίζω, (καινὸς) ich neuere. Sophocl. Trach. 867. καί τι καινίζει στέγη, es geht etwas ungewöhnliches im Haufe vor. 2) bey Callimach. πρῶτος τὸν ταῦρον ἐκαίνισεν, *imbuit, aufpicatus eft*, hat ihn eingeweihet. So καίνισον ζυγὸν: Aefchyl. Ag. 1079. καινόω. —νὶς, ἴδος, ἡ, f. L. Lucian 6 p. 178 ft. κοπὶς, Schlachtmeffer. —νισμα, τὸ, Manetho 4, 191. κεδροχαρεῖς σοροεργὰ τέχνης καινίσματ' ἔχοντες, die aus Cedernholze neue Särge machen. —νισμὸς, ὁ, (καινίζω) die Neuerung. —νιστὴς, οῦ, ὁ, (καινίζων) Erneuerer: Gloffar. —νοδοξέω, bey Joseph. Antiq. 6, 11. τὸ μῖσος ἐκαινοδόξει τὴν ἐξουσίαν, haben andere Handfchriften richtiger ἐκαινοτόμει, erneuerte und gab eine neue Richtung. —νοδοξία, ἡ, Neuerungsfucht: zw. —νολογία, ἡ, neue ungewöhnliche Sprache oder Redensart: Dionyf. hal. —νοπαθέω, bey Plutar. 10 p. 550. mit ὀδύρομαι verb. f. v. a. ξενοπαθέω und δεινοπαθέω. —νοπαθὴς, ὁ, ἡ, unerhört: zw. von —νοπηγὴς, έος, ὁ, ἡ, (πήγνύω) neu zufammengefügt od. gemacht: Aefchyl. Theb. 648. —νοπήμων, ὁ, ἡ, (πῆμα) δμωῖς: Aefchyli Theb. 369. ἄρτι δυστυχήσασα, nach Schol. —νοποιέω, ῶ, ich mache neu, erneure; erfinde: davon —νοποιητὴς, οῦ, ὁ, der erneuert, der neu erfindet: Xen. Cyrop. 8, 8, 16. —νοποιΐα, ἡ, Erneuerung, neue Erfindung. —νοποιὸς, ὁ, ἡ, neu machend: erneuernd: neu erfindend. —νοπραγέω, ῶ, ich mache, thue neue ungewohnliche Dinge: ich mache od. fuche Neuerungen. Wird mit κοινοπρ. oft verwechfelt; davon —νοπραγία, ἡ, das Thun von neuen ungewöhnlichen Dingen: Neuerung, Neuerungsfucht. Wird mit κοινοπρ. oft verwechfelt. —νοπρέπεια, ἡ, das Anfehn vom Neuem: Neuheit: das Betragen eines neuen fremden unbekannten Menfchen; von —νοπρεπὴς, έος, ὁ, ἡ, Adv. —πῶς, (πρέπω) was das Anfehn vom Neuen hat: neu, ungewöhnlich: von Perfonen, der fich wie ein Neuling-Fremdling-ein mit der Sache unbekannter beträgt: Plut. 7 p. 320. —νὸς, ἡ, ὸν, neu: fremd: ungewohnt, unbekannt, ungewohnlich; ἐκ καινῆς (ἀρχῆς) von neuem, *denuo*, d. i. *de novo*. —νόσπουδος, (καινὸς, σπουδὴ) neuerungsfüchtig: τὸ κ. Neuerungsfucht: Longin. fubl. 5. —νοσχημάτιστος, ὁ, ἡ, (σχηματίζω) und —σχήμων, ὁ, ἡ, (σχῆμα) neu oder ungewöhnlich gebildet, geftaltet, geftellt: Euftath. ad Il. —νότης, ητος, ἡ, (καινὸς) Neuheit, Ungewohntheit, Unbekanntfchaft. —νοτομέω, ῶ, ich fchneide eine Sache an: bey Xenoph. Vect. 4, 27. ich haue ein neues Geftein im Bergwerke an; ich fchürfe; dann überh. ich fange etwas neues an; ich neuere; davon was neu angefangen oder geneuert wird —νοτόμημα, τὸ, heifst, fo wie καινοτομία, ἡ, das neu anfangen, Neuern: und der dergleichen thut, heifst —νοτόμος, ὁ, ἡ, Adv. —όμως, (καινὸς, τομὴ) dagegen, καινότομος, was neu angefangen, geneuert worden ift; neu, ungewohnlich. —νότροπος, ὁ, ἡ, von neuer ungewöhnlicher Art, Sitte: Appian. —νουργέω, ῶ, (καινὸς, ἔργον) ich fange neue Sache, Neuerungen an, ich neuere, ändere: davon —νούργημα, τὸ, und —νούργησις, ἡ, auch —νουργία, ἡ, die Neuerung, Aenderung. —νουργίζω, f. v. a. —νουργέω, davon —νουργισμὸς, ὁ, die Neuerung, Erneuerung, Aenderung. —νουργὸς, ὁ, ἡ, der Neuerungen macht, vor hat. —νοφανὴς, ὁ, ἡ, (φαίνομαι) was den Schein-Anfehn von Neuheit hat. —νόφιλος, ὁ, ἡ, einer das das Neue-Neuerungen liebt. 2) ein neuer Freund, καινὸς φίλος. —νοφωνέω, ῶ, (φωνὴ) ich brauche neue Worte. —νοφωνία, ἡ, die Neuheit-das Fremde der Worte. —νόω, ῶ, ich neuere, ändere ab: bey Herodot. 2, 100. f. v. a. einweihen, καινίζω. Bey Thucyd. 3, 82. καινοῦσθαι τὰς διανοίας, dafs die Gemüther zu Neuerungen geneigt wurden. —νυμαι, von καίνω, καίνυμι, ich überwinde und tödte den überwundenen: Hefych. hat auch καινία, νίκη.

Καίνω, ich tödte, κανῶ, ἔκανον, κανών. S. κάω u. κτείνω. —νῶς, (καινὸς) Adv. neu, ungewöhnlich. —νωσις, ἡ, (καινόω) die Neuerung.

Καίπερ, Conjunct. obwohl, obgleich, obfchon mit dem Participio, καὶ μάλα περ θυμῷ κεχολωμένον bey Homer; wo καίπερ durch μάλα getrennt fteht, wie im lat. *quo te cunque*, ft. *quocunque te*. Ift auch in Profa gewöhnlich, wird aber da nicht getrennt: von καὶ und περ zufammengefetzt, und f. v. a. εἰ καί.

Καιρικὸς, ἡ, ὸν, (καιρὸς) zur Zeit gehörig, die Zeit betreffend-bezeichnend.

Καίριος, ία, ιον, oder καίριος, ὁ, ἡ, **Adv. —ρίως,** zeitig zur rechten Zeit **schicklich,** passend, treffend; daher **von einem** Schlage- Wunde u. s. **w. treffend,** tödtlich: Xenoph. Cyr. **5, 4. 5.** von einem Theile des Körpers, **dessen** Wunde tödlich wird: Xenoph. **de re eq. 12, 2** u. 8. dafür Eur. Andr. **1116.** εἰς καιρὸν τυπεὶς sagt st. καιρία. **Philostr.** Icon, 3, 10. τὸ εἰς καιρὸν τοῦ **τραύματος,** —ροπτία, ἡ, Joseph. c. Ap. **2, 11. verderbte** Lesart.

Καιρὸς, ὁ, bedeutet überhaupt das rechte Maass, Verhältniss (*modus*) einer Sache zur andern in Ansehung der Zeit, die rechte, bequeme, gelegene Zeit, *opportunitas,* Gelegenheit: ἄνευ καιροῦ unzeitig, *alieno tempore.* Daher καιρὸς, die von den Umständen herbeygeführte rechte Zeit zu handeln- sprechen: ἐπὶ καιροῦ λέγειν, Plutar. Demos. 8. bey jeder vorkommenden Gelegenheit, d. i. aus dem Stegreife reden; 2) eine bestimmte- abgeredete- festgesetzte Zeit; 3) das Maass in Ansehung der Sachen, der Begierde- Leidenschaft des Handelnden; ἐμπίπλασθαι ὑπὲρ καιρὸν, sich übersättigen. ὑπὲρ καιρὸν σῖτα, übermässiges Essen; μείζων τοῦ καιροῦ γαστὴρ, übergrosser Bauch; προσωτέρω τοῦ καιροῦ, *justo longius*; καιροῦ πλέονες, *justo plures*; 4) καιροὶ wie lat. *tempora,* die Umstände der Zeit, die Lage eines Menschen bey den Zeitumständen. Von der Bedeutung No. 1. hängt ab καιρὸς χρόνου, das rechte Zeitmaass, *opportunitas*; ἐν καιρῷ εἶναί τινι, jemandem zur rechten Zeit beystehn- helfen- nützlich werden; ἐκ καιροῦ, *ex tempore*; 5) καιροὶ σωμάτων, die Beschaffenheit des Körpers, in Ansehung der weichlichen oder harten Lebensart: Aristot. Polit. 7, 16. Auch überh. Nutzen: τίς σοι καιρὸς Eur. Andr. 130. was nützt dir es? daher ἐκ καιρῷ τινὶ γίγνεσθαι, jemandem nützlich werden, dienen: Xenoph. Hellen. S. auch καίριος: dafür sagt Philostr. Apoll. 6, 18. ὑμῖν ἂν ἐν κέρδει γενοίμην.

Καῖρος, τὸ, *licium,* Tibull. 1, 6. 79 *firmaque conductis annectit licia telis,* die Schnüre, welche durch die Kreutzung der Gelese gezogen, die sich durchkreutzenden Fäden der Kette oder des Aufzugs parallel neben einander befestigen. Dieses Befestigen der Gelese heisst καιρῶσαι, davon καίρωμα, τὸ, das Befestigte, die Handlung καίρωσις, ἡ, davon die Weberin καιρωστὶς oder καιρωστρὶς bey Callimachus heisst. Davon

Καιροσέων ὀθονέων ἀπολείβεται ὑγρὸν ἔλαιον Odyss. 7, 107. von einem so dichten leinenen Gewebe, dass das Oel davon abläuft: welches man für καιροεσσῶν von καιρόεις erklärt, also εὖ κεκαιρωμένων oder μεμιτωμένων. Andere scheinen κροσσωτῶν geschrieben zu haben. S. Index Script. R. R. p. 373. Hierher scheint auch die Stelle des Hesych. κηροσσαίων, παλαιῶν zu gehoren. —ροσκοπέω, ich passe die Zeit- Gelegenheit ab. —ροτηρέω, —ροφυλακτέω u. —ροφυλακέω, s. v. a. —ροσκοπέω. —ρόω, ῶ, davon καίρωμα, τὸ, καίρωσις, ἡ, ferner καιρωστὶς oder καιρωστρὶς, ἡ, S. καῖρος, τὸ.

Καὶ ταῦτα, und das, und zwar, vorzüglich, insonderheit, *imprimis,* obgleich.

Καίτοι, fast s. v. a. καὶ μὴν, aber, wohl aber, nun aber, doch, und doch zwar, obzwar. Meist wird noch γε angehängt, καίτοιγε, vorz. in den letztern Bedeutungen.

Καίω, attisch κάω, von κάω, καύω, wovon fut. καύσω nebst den abgeleiteten temporibus, brennen, anzünden, sengen: καίεσθαί τινος verst. ἔρωτι, *ardeo (in) aliqua,* von Liebe gegen jemand brennen.

Κακαγγελία, ἡ, die schlimme Nachricht; 2) Verläumdung: Hippocr. wo andere richtiger καταγγελίη haben. **—γελος,** ὁ, ἡ, schlimme- schlechte Nachricht bringend. **—γελτος,** ὁ, ἡ, (ἀγγέλλω) ἄχος, durch eine schlimme Nachricht verursachte Traurigkeit: Sophocl.

Κάκαλα, τὰ, s. v. a. τεῖχος: Aeschyl. Hesychii- Photii. **—λία,** ἡ, ein Kraut: Dioscor. 4, 123. Plin. 25, 11. vielleicht eine Art Huflattig, *tussilago* oder *cacalia* Linn. S. κάγκανον.

Κακανδρία, ἡ, Feigheit, Zaghaftigkeit: Eur. und Sophocl. Bey Hesych. δύναμις ἐπὶ κακά.

Κακανέω, ῶ, aus Plutar. 6 p. 877. ψυχὴν, stärken anfeuern: sehr zw.

Κακάω, ῶ, *caco,* kacken, seine Nothdurft verrichten.

Κακέμφατος, Adv. **—άτως,** (ἔμφατος, κακὸς) von übelm Rufe: Hesych. von übler Bedeutung oder Nebenbedeutung.

Κακεντρέχεια, ἡ, Arglist: von **—τρεχὴς,** έος, ὁ, ἡ, arglistig, κακῶς ἐντρεχής: Polyb. 4, 87.

Κακεργάτης, ὁ, u. κακεργάτις, ἡ, s. v. a. d. folgd. zw. **—γέτης,** ου, ὁ, Uebelthäter, femin. κακεργέτις, ἡ, Uebelthäterin.

Κακεστώ, ἡ, das Gegentheil von εὐεστώ: Hesych.

Κακέσχατος, ὁ, ἡ, äusserst schlau, äusserst verderbt: zw.

Κάκη, ἡ, das schlechte fehlerhafte, der schlechte Charakter, das schlechte Betragen, besonders eines Kriegers, oder Feigheit, Furchtsamkeit, schlechter Zustand, Unglück: Eur. Med. 1057.

Κακηγορέω, ῶ, schelte, schmähe, verläumde; dav. —γορία, ἡ, das Schelten, Schmähen: Verläumdung. —γορίου δίκη, s. v. a. —ρίας, Injurienklage, Klage wegen Schmähung. —γορος, ὁ, ἡ, Adv. —όρως, (κακὸς, ἀγορεύω) übels oder schlecht redend, scheltend, schmähend, verläumdend; der compar. und superl. κακηγορίστερος und κακηγορίστατος: Pollux 2, 127.

Κακηπελέω, S. εὐηπελία.

Κακία, ἡ, wie κακὸς feig, so κακία und κακότης, Feigheit, Muthlosigkeit, Zaghaftigkeit: überh. Untauglichkeit, Ungeschicklichkeit, Unbrauchbarkeit: Fehlerhaftigkeit; 2) Unglück, Unglückseligkeit: oppos. εὐδαιμονία: Xen. Mem. 2, 1, 26 und 29. So setzt Thucyd. 3, 59. der ἡδονῇ die κακία entgegen, d. i. Unlust, Verdruss; 3) Fehlerhaftigkeit: Laster, Untugend, Bosheit; 4) Schande, Schimpf.

Κακιζότεχνος, ὁ, ἡ, (κακίζω, τέχνη) immer etwas an einer Kunstarbeit tadelnd: nie damit zufrieden. So hiess der zu genaue und sorgfältige Künstler Callimachus bey Plinius 34 c. 8. wofür Vitruvius 40 c. 8. das gelindere κακότεχνος d. i. der gekünstelte, braucht. —ζω, (κακὸς) act. ich schelte, beschuldige, tadele jemand: κακίζομαι, ich bezeige mich- handle als ein Feiger, feigherzig: Il. 24, 214. davon

Κακίμηνος, s. v. a. ἀτυχής: Hesych. zw.

Κακισμὸς, ὁ, der Tadel, Vorwurf, Beschimpfung.

Κακκάβα, ἡ, das Rebhuhn, von seiner Stimme; davon —βίζω, druckt das Geschrey der Rebhühner aus, *caccabare*. S. auch κικκαβίζω. —βιον, τὸ, und κακκαβίς, ἡ, dimin. von κακκάβη, die Rebhenne.

Κακκάζω, drückt das Geschrey der eyerlegenden Hühner, kakken, nach Hesychius; der Perlhühner nach Pollux aus. —κάω, s. v. a. κακάω. —κείω, st. κατακείω, d. i. κατακεισόμενος; um sich niederzulegen. —κη, ἡ, die Kakke, Menschenkoth.

Κακοβάκχευτος, ὁ, ἡ, s. v. a. κακῶς βακχεύων: Schol. Eur. —βιος, ὁ, ἡ, schlecht- gering- kümmerlich lebend. —βλαστέω, ῶ, ich keime schlecht od. schwer; von —βλάστης, έος, ὁ, ἡ, oder κακόβλαστος, ὁ, ἡ, schwer oder schlecht keimend. —βλητος, ὁ, ἡ, schlecht oder umsonst geworfen: Suidas. —βουλεύω, ich handle wie ein κακόβουλος, unkluger, thörichter, übelberathener Mensch: im medio Eur. Jon 877. —βουλία, ἡ, Charakter od. Zustand eines κακόβουλος übelberathenen od. sich übel rathenden Menschen, also Unbesonnenheit, Thorheit. —βουλος, ὁ, ἡ, übel rathend: übelberathen: sich oder andern schlecht rathend: thöricht, unbesonnen, unklug. —γαμβρος, ὁ, ἡ, unglücklich durch oder in seinem Schwiegersohne: Eur. Hiks. 260. —γαμίου δίκη, s. v. a. κακογαμίας, d. i. κακοῦ γάμου, Anklage wegen schlechter oder gesetzwidriger Heyrath. —γάμος, ὁ, ἡ, unglücklich verheyrathet: γάμος ἀγ. unglückliche Heyrath. —γείτων, ονος, ὁ, ἡ, schlechter Nachbar. —γένειος, ὁ, ἡ, (γένειον) mit einem schlechten od. dünnen Barte. zweif. —γενής, ὁ, ἡ, (γένος) von schlechtem d. i. niedrigen, unbekannten Geschlechte oder Herkommen: oppos. εὐγενής. zw. —γλωσσία, ἡ, die böse Zunge oder Rede: Schmähsucht: Schol. Pind. Pyth. 4, 504. v. —γλωσσος, ὁ, ἡ, (γλῶσσα) von oder mit böser Zunge oder Sprache: Unglück bedeutend: Eur. Hec. 657. —γνωμονέω περὶ, übel gesinnt seyn gegen einen: Nicetas Annal. 10, 8. —γνωμοσύνη, ἡ, böse Gesinnung, böser Rath: Aesopi Fab. 286. von —γνώμων, ονος, ὁ, ἡ, (γνώμη) von schlechter Einsicht: übel gesinnt. —γονος, ὁ, ἡ, zum Unglücke gebohren: Schol. Soph. Oed. tyr. 27. —δαιμονάω, ῶ, von einem bösen Dämon geplagt werden, rasen, toll und wie besessen seyn und handeln: wie δαιμονάω Memorab. 2, 1. 5. —δαιμονέω, ῶ, unglücklich seyn, Unglück haben oder leiden: von κακοδαίμων; davon —δαιμονία, ἡ, das unglücklich seyn: Unglück: Leiden: 2) von κακοδαιμονάω, Raserey: Xen. Memor. 2, 3, 18. —δαιμονίζω, (κακοδαίμων) unglücklich schätzen, halten: opposit. εὐδαιμ. —δαιμονιστής, S. νουμηνιαστής. —δαιμοσύνη, ἡ, s. v. a. κακοδαιμονία; Hippodamus Stob. Ser. 141. von —δαίμων, ονος, ὁ, ἡ, der einen schlechten, unglücklichen Daemon hat, unglücklich; 2) ein böser Geist. —δάκρυτος, ὁ, ἡ, übel oder sehr weinend oder beweint: Hesych. —δεκτεύω, übel oder schlecht aufnehmen: Hesych. —διδασκαλέω, ῶ, τοὺς νέους, ich unterrichte schlecht oder im Bösen. zw. —δικία, ἡ, schlecht verwaltetes Richteramt, schlecht gesprochenes Urtheil des Richters.

Κακόδμος, ὁ, ἡ, s. v. a. κάκοσμος, übelriechend.

Κακοδόκιμος, ὁ, ἡ, schlecht bewährt, verworfen: Athenaei pag. 85. —δοξέω, ῶ, ich bin oder stehe in schlechtem Rufe; 2) habe eine schlechte oder verkehrte Meinung; davon —δοξία, ἡ, schlechter Ruf: schlechte, verkehrte Meinung oder Lehre. —δοξος, ὁ, ἡ, (δόξα) von schlechtem Rufe: Xeno.

Ageſ. im ſchlechtem Rufe ſtehend: unberühmt oder berüchtigt.

Κακόδουλος, ὁ, böſer ſchlechter Sklave: Lucian Philop. —δωρος, ὁ, ἡ, (δῶρον) zum Unglücke geſchenkt oder ſchenkend: Suidas. —ειδής, ὁ, ἡ, (εἶδος) von ſchlechtem Anſehn, häſslich. —ειμονία, ἡ, ſchlechte Kleidung; von —είμων, ονος, ὁ, ἡ, (εἷμα) ſchlecht gekleidet. —ελκής, ὁ, ἡ, ὄχθους κακοελκέας, Manetho 1, 54. *tubera ulceroſa*, eiternde Geſchwülſte. —έπεια, ἡ, (κακοεπής) ſchlechte fehlerhafte Rede: Schmähung: Schmähſucht. —εργέω, ῶ, ich handle böſe, thue böſes; davon —εργία, ἡ, böſe, ſchlechte Handlung oder That: Odyſſ. 22, 374. —εργος, ὁ, ἡ, böſe-übel-ſchlecht handelnd: γαστὴρ Od. 18, 54. *fames improba*, der böſe Hunger. —ζηλία, ἡ, unglückliche, ungeſchickte Nacheiferung oder Nachahmung von ſchlechten Dingen, in unrühmlichen Eigenſchaften. Worten u. dergl. das Gegentheil εὐζηλία; vergl. Quintil. Orat. 8, 3. u. Demetr. Phal. 186. not. —ζηλος, ὁ, ἡ, Adv. —ζήλως, das Gegentheil v. εὔζηλος, der unglücklich-ſchlecht nacheifert, od. in ſchlechten unrühmlichen Dingen einem nachahmt. —ζοία, ἡ, und κακοζωΐα, ἡ, unglückliches-mühſeliges Leben; von κακοζοέω. S. in εὐζωέω. —ζωος, ὁ, ἡ, (κακός, ζωή) der ein unglückliches-mühſeliges Leben führt. —ήθεια, ἡ, ſchlechte, böſe Sitten, Gewohnheiten; 2) Bosheit, Liſt: κακοήθειαι λεγόμεναι bey Aeſchines ſ. v. a. was er anderswo ἀντίθετα ἐπιβεβουλευμένα καὶ κακοήθεα nennt, Kniffe, Kunſtgriffe, liſtige Reden v. κακοήθης. —ήθευμα, τὸ, bosbafte Handlung, Rede: Plutar. Pomp. 37. von —ηθεύομαι, ich bin oder handle ſchlecht-boshaft oder tückiſch: Schol. Ariſtoph. von —ήθης, εος, ὁ, ἡ, Adverb. —ήθως, (ἦθος, κακὸν) von ſchlechtem Charakter: ſchlecht geſinnt, ſchlecht denkend: boshaft, hämiſch, tückiſch, hinterliſtig. —ηχής, έος, ὁ, ἡ, oder κακόηχος, (ἦχος) ſchlecht-übel-miſstönend: Grammat. —θαλπής, ὁ, ἡ, (θάλπω) ſchlecht wärmend: Grammat. —θάνατος, ὁ, ἡ, ſchlecht oder unglücklich ſterbend: einen böſen od. ſchlechten Tod bringend: Plutar. 9 p. 78. —θελής, έος, ὁ, ἡ, (θέλω) wie *malevolus*, ſchlecht geſinnt, abgeneigt: Theophili Inſt. davon —θελία, κακοθέλεια, ἡ, Abneigung, Feindſchaft. zw. —θεος, ὁ, ἡ, Theophr. Porphyrii Abſtin. 2, 7. der ſchlechte Götter hat oder ſie für ſchlecht wie Menſchen hält: bey Schol. Soph. ſ. v. a. ἀσεβὴς und κακοδαίμων. —θεραπεία, ἡ, ſchlechte Heilung: Hippocr. —θημοσύνη, ἡ, bey Heſiod. ἔργ. 472. d. Gegentheil von εὐθημοσύνη, Sorgloſigkeit und Unordnung. —θήμων, ὁ, ἡ, das Gegentheil von εὐθήμων, ſorglos, unordentlich. —θηνεῖν, oppoſ. εὐθηνέω, in ſchlechten Umſtänden ſeyn, ſchwach, mager ſeyn: nicht gedeihen: unfruchtbar ſeyn. Sollte κακοσθενέω heiſsen. S. εὐθηνέω. —θροος, contr. κακόθρους, ὁ, ἡ, ſchlecht redend: von unglücklicher Vorbedeutung: Soph. Ajac. 137. —θυμία, ἡ, (κακοθυμέω v. κακόθυμος) üble-ſchlechte Geſinnung, Abneigung, Feindſchaft, Miſsmuth: oppon. εὐθυμία: mit μῖσος verbunden, Plut. 7 p. 901. —θυμος, ὁ, ἡ, (θυμός) übelgeſinnt: abgeneigt: miſsmüthig: oppoſ. εὔθυμος

Κακοίλιον, τὸ, das böſe oder unglückliche Ilion: Odyſſ. 19, 260.

Κακοκαρπία, ἡ, ſchlechte Beſchaffenheit der Früchte: Unfruchtbarkeit; v. —καρπος ὁ, ἡ, mit oder von ſchlechter Frucht: unfruchtbar. —κέλαδος, ὁ, ἡ, ſ. v. a. δυσκελ. Schol. Heſiodi ἔρ. 194. —κέρδεια, ἡ, (κακοκερδὴς von κέρδος) ſchlechter oder ſchändlicher Gewinn, häſsliche Gewinnſucht. —κλεής, έος, ὁ, ἡ, (κλέος) von ſchlechtem Rufe, berüchtigt. zw. —κνημος, ὁ, ἡ, (κνήμη) Πὰν, Theocr. 4, 63. mit ſchlechten Schenkeln: wo es Heſych. κακόφθαρτος und κακόσιτος, mager, erklärt. —κοίμητος, ὁ, ἡ, (κοιμάομαι) ſchlecht ſchlafend: Grammat. —κρισία, ἡ, (κρίσις) ſchlechtes Urtheil: ſchlechte Beurtheilung: Polyb. —κτερής, ὁ, ἡ, bey Heſych. ſ. v. a. κακοκτέριστος, ὁ, ἡ, (κτερίζω, κτερείζω) b. Schol. Soph. ſchlecht zur Erde beſtattet: unbegraben. —λίμενος, ὁ, ἡ, (λιμήν) mit einem ſchlechten Hafen. —λογέω, ῶ, ich ſchmähe, ſchimpfe, verläumde; davon —λογία, ἡ, das Schmähen, Schimpfen, Verläumden; von —λογικὸς, ἡ, ὸν, ſchmähſüchtig, verläumderiſch; von —λόγος, ὁ, ἡ, ſchmähend, ſchimpfend, ſcheltend, verläumdend: ſchmähſüchtiger oder verläumderiſcher Menſch. —μαθής, έος, ὁ, ἡ, (μαθέω) ſchlecht-ſchwer-langſam od. wenig lernend oder begreifend. zw. —μαντις, εως, ὁ, ἡ, ſchlechter Prophet, Unglücksprophet: Aeſchyl. —μαχέω, ῶ, (μάχη) ſchlecht d. i. entweder feige oder hinterliſtig im Kampfe ſich bezeigen. —μέλετον, ἰὰν, (μέλος, κακὸς) Aeſchyl. Perſ 932. von Unglück ſingend. —μετρέω, ῶ, ich meſſe ſchlecht oder falſch: Lucian. 4 p. 78. davon —μέτρητος, ὁ, ἡ, ſchlecht oder unrichtig gemeſſen-abgemeſſen: Euſtath. —μετρος, ὁ, ἡ, (μέτρον) ſchlecht oder unrichtig meſſend oder gemeſſen-abgemeſſen, auch vom Verſe.

Κακομηδὴς, έος, ὁ, ἡ, (μῆδος) argliſtig, tückiſch: betrügeriſch: Hom. hymn. 2, 389. —μήτηρ, ερος, ἡ, böſe Mutter. zw. —μήτης, ου, ὁ, oder κακομῆτις, ὁ, ἡ, ſ. v. a. κακομηδὴς und κακόβουλος: Eur. Or. 1403. —μήτωρ, ορος, ὁ, ἡ, der eine ſchlechte oder unglückliche Mutter hat: ſ. v. a. ἀμήτωρ: Grammat. —μηχανάομαι, ῶμαι, (κακομηχανέω zw.) ich handle argliſtig, tückiſch: ich ſtelle nach: τὴν ἄλλην βλακείαν κακομηχανώμεναι, Clemens Paed. 3 p. 253. die andern elenden Künſte der Weichlichkeit übend. —μηχανία, ἡ, argliſtige, tückiſche Handlung oder Betragen: Bosheit im Erfinden, erfinderiſche Bosheit: Lucian. 5 p. 52. —μήχανος, ὁ, ἡ, (κακὸς, μηχανὴ) argliſtig, heimtückiſch, nachſtellend. —μιλία, ἡ, (ὁμιλία) Umgang m. ſchlechten Menſchen: Diodor. 12, 12. —μιμήτως, Adv. ſchlecht nachahmend. —μισθος, ὁ, ἡ, ſchlecht belohnt oder lohnend: Schol. Aeſchyli. —μοιρία, ἡ, unglückl. Geſchick: Schol. Soph. Tr. 862. —μοίριος, ὁ, ἡ, (Schol. Eurip. Phoen. 158.) κακόμοιρος, ὁ, ἡ, u. κακόμορος, ὁ, ἡ, (μοῖρα, μόρος) v. übelm, unglücklichen Looſe - Schickſale: unglücklich. —μορφία, ἡ, häſsliche Bildung, Häſslichkeit; von —μορφος, ὁ, ἡ, (μορφὴ) häſslich gebildet, häſslich. —μουσος, ὁ, ἡ, faſt ſ. v. a. ἄμουσος, ſchlecht von Geſange, von Muſik: bey Plutarch 8 p. 814. κακομουσία, ἡ, ſchlechte od. verderbte Muſik. —μοχθος, ὁ, ἡ, von ſchlechter, unglücklicher oder vergeblicher Arbeit. —νοέω, ῶ, ich bin übel geſinnt: oppoſ. εὐνοέω. —νοια, ἡ, üble Geſinnung: Abneigung: Feindſchaft: oppoſ. εὔνοια. —νομία, ἡ, ſchlechte Geſetzgebung oder geſetzliche Verfaſſung: Xeno. von —νόμος, ὁ, ἡ, mit oder von ſchlechtem Geſetze, von ſchlechter geſetzlicher Verfaſſung und Sitten: Herodot. —νοος, contr. κακόνους, ὁ, ἡ, übel geſinnt: abgeneigt: feindlich geſinnt: opp. εὔνους, gewogen. —νύμφευτος, ἡ, od. κακόνυμφος, ὁ, ἡ, (νυμφεύω, νύμφη) unglücklich verheyrathet. —νως, Adv. von κακόνους.

Κακοξενία, ἡ, Unwirthbarkeit, Unfreundlichkeit gegen Fremde: von —ξενος, ὁ, ἡ, unwirthbar, unfreundlich gegen Fremde oder Gaſtfreunde: Odyſſ. 20, 376. —ξύνετος, ὁ, ἡ, im böſen- zum böſen klug, argliſtig: Thucydid. —οινία, ἡ, Geopon. 5, 43. ſchlechte Beſchaffenheit des Weins. —πάθεια, ἡ, (—παθὴς) Leiden, Kummer, Unglück, Mühſeligkeit. —παθέω, ῶ, ich leide, dulde Unglück: bin unglücklich: habe Schaden. —παθὴς, έος, ὁ, ἡ, oder κακόπαθος, Dion. hal. Adv. —θῶς, παθέω) Unglück leidend, unglücklich, elend, mühſelig. —παρθενεύτως, Adv. ſ. v. a. ἀπαρθ. Schol. Eur. —πάρθενος, ὁ, ἡ, ſ. v. a. ἀπάρθενος παρθ. Eur. unglückliche Jungfrau: Schol. in Analect. 1 p. 36 μοῖρα κακοπ. unglückliches Loos der Jungfrau. —πατρις, ιδος, ὁ, ἡ, von ſchlechtem- unedlem oder unglücklichem Vater oder Vaterlande. —πετὴς, (πέτομαι) ſchlecht fliegend: Ariſtot. h. a. 9, 15 wo jedoch Aelian. h. a. 4, 47 κακοπαθὴς geleſen zu haben ſcheint. —πηρος, ὁ, ἡ, (πήρα) mit ſchlechtem Ränzel: Etym. M. —πινὴς, ὁ, ἡ, (πῖνος) ſchmutzig; niederträchtig; b. Sophocl. Aj. 381. —πιστία, ἡ, Treuloſigkeit: zw. —πιστος, ὁ, ἡ, (πίστις) treulos: zw. —πλαστος, ὁ, ἡ, Adv. —άστως, ſchlecht gebildet oder fingirt- angenommen- ausgedacht: Schol. Lycophr. für ſehr herumirrend aus Hermogenes. —πλοέω, κακοπλώω, ſchlecht oder unglücklich ſchiffen- zu Schiffe fahren. —πνους, ὁ, ἡ, (πνοὴ) ſchlecht oder ſchwer athmend: Pollux 1, 197. —ποιέω, ῶ, m. d. accuſ. ich ſchade, beſchädige, verderbe: bey Xenoph. Oecon. 3, 11. ſchlecht handeln. —ποιητικὸς, ἡ, ὸν, zum ſchaden- beſchädigen, verderben gehörig oder geneigt. —ποιΐα, ἡ, (κακοποιέω) das Schaden, Beſchädigen, Verderben.

Κακοποιὸς, ὁ, ἡ, ſchadend, ſchädlich, beſchädigend, verderbend. —πολιτεία, ἡ, ſchlechte Staatsverwaltung oder ſchlechter Zuſtand des Staats: Polyb. 15, 21. —πονητικὸς, ἕξις σώματος, die Beſchaffenheit eines von Arbeiten entwohnten Körpers: Ariſtot. Polit. 7, 16. —ποτμος, ὁ, ἡ, (πότμος) unglücklich: eigentl. von böſem Geſchicke. —πους, οδος, ὁ, ἡ, mit- von ſchlechten, häſslichen Füſsen. —πραγέω, ῶ, ſ. v. a. κακῶς πράττω, ich bin unglücklich in meinen Unternehmungen; überh. ich bin unglücklich, befinde mich in elender- ſchlechter- unglücklicher Lage; davon —πραγὴς, ὁ, ἡ, ſ. v. a. κακοεργής: Heſych. u. κακοπράγημα, τὸ, Nicetas Annal. 4, 4. Unglück. —πραγία, ἡ, unglückliche- misrathene Unternehmung: überh. Unglück, unglückliche Lage. —πραγμονέω, ῶ, ich handle liſtig - tückiſch: Polyb. —πραγμοσύνη, ἡ, Liſt, Tücke, Ränke, Bosheit: Polyb. von —πράγμων, ονος, ὁ, ἡ, d. i. κακῶς πράττων, ſchlecht handelnd, liſtig, tückiſch, voll Ränke und Betrug: Xen. Hell. 5, 2, 36. —πρόσωπος, ὁ, ἡ, (πρόσωπον) von ſchlechtem Angeſichte, ſchlecht gebildet, häſslich: Schol. Pind. —πτερος, ὁ, ἡ, (πτερὸν) ſchlecht befiedert, ſchlecht fliegend.

Κακοῤῥαφία, ἡ, Argliſt, Nachſtellung: von —ῥάφος, ὁ, ἡ, und κακοῤῥαφὴς b. Heſych. (κακὰ, ῥάπτω) argliſtig, boshaftig, nachſtellend, der andern Unglück bereitet. —ῥέκτης, ου, ὁ, (ῥέζω) ſ. v. a. κακοῦργος: Apollon. Rhod. 3, 595. —ῥημοσύνη, ἡ, Schmähung, Schmähſucht; von —ῥήμων, ονος, ὁ, ἡ, (ῥῆμα) ſchlecht ſprechend od. redend, ſchmähend oder verläumdend: Unglück verkündigend: Aeſchyli Ag. 1166. —ῥοθέω, ῶ, (ῥόθος) ſ. v. a. κακολογέω: Ariſtoph. Thesmo. 896. Ach. 577. davon —ῤόθησις, ἡ, ſ. v. a. κακολογία.

Κακορύπαρος, ὁ, ἡ, ſ. v. a. κακόπινος: Schol. Soph.

Κακὸς, ἡ, ὸν, ſchlimm, ſchlecht, böſe; drückt überh. den Zuſtand von lebendigen und lebloſen Dingen aus, wo ſie das nicht ſind, was ſie ſeyn ſollten, um vollkommen zu ſeyn, wie lat. *malus* u. *vitioſus*; alſo von Soldaten, feigherzig; von *ominibus* u. *auguriis*, was von böſer ſchlimmer Vorbedeutung iſt, *infauſtus obſcoenus*; dem adelichen oder reichen entgegengeſetzt, von geringer Herkunſt oder arm. Ueberh. im phyſiſchen Sinne ſchlecht, im moraliſchen böſe. τὸ κακὸν, das Unglück, der Schaden, Verluſt, das Uebel. Compar. κακίων, Sup. κάκιστος. Adv. κακῶς und κάκιστα. In den Compoſitis drückt es wie das lat. *male* einen Fehler aus im Mangel oder Ueberfluſſe einer Eigenſchaft. Z. B. *maleſanus, calceus male laxus, i. e. nimis laxus.* So auch κάκοσμος übelriechend, κακόψογος, der zu gern tadelt. —σινος, ὁ, ἡ, ſehr ſchädlich: Hippocr. —σιτία, ἡ, Mangel an Eſsluſt; von —σιτος, ὁ, ἡ, ſchlecht eſſend, ſchlechten Appetit habend: der ſchlechte Speiſen iſſet: Arrian. ven. 8. 2. —σκελὴς, έος, ὁ, ἡ, (σκέλος) mit ſchlechten ſchlimmen oder ſchwachen Schenkeln oder Beinen. —σκηνὴς, ὁ, ἡ, (σκῆνος) ἀνὴρ, Analecta 2 p. 150 no. 58 ein Mann von ſchlechtem, elendem, böſem Körper.

Κακοσμία, ἡ, übler häſslicher Geruch, Geſtank: von —μος, ὁ, ἡ, (ὀσμὴ) übelriechend.

Κακόσπερμος, ὁ, ἡ, (σπέρμα) mit oder von ſchlechtem Saamen, ſchlechten Saamen tragend od. habend. —σπλαγχνος, ὁ, ἡ, furchtſam. S. σπλάγχνον. —σπορία, ἡ, ſchlechte oder ungeſchickte Saat: Analecta 3 p. 246 no. 450.

Κακοσσόμενος, laſen einige Il. I, 105. ſtatt κάκ' ὀσσ. d. i. κακῶς ὀσσ. grimmig auſehend.

Κακοστατέω, ῶ, (στάτης) ſchlecht ſtehen, Nicand. Ther. 431. auch vom Winde 269. unbeſtändig ſeyn. —στενακτος, ὁ, ἡ, (στενάζω) ſehr ſeufzend: Schol. Aeſchyli. —στόμαχος, ὁ, ἡ, mit einem ſchlechten, ſchwachen Magen: act. den Magen ſchwächend oder verderbend: von ſchwerer Verdauung. —στομέω, ῶ, ich beſchimpfe, rede übels, auch mit dem accuſ. Sophocl. El. 528; davon —στομία, ἡ, Verläumdung: Beſchimpfung: ſchlechte Ausſprache. —στομος, ὁ, ἡ, (στόμα) ſchlecht ausſprechend, ſchlecht redend: ſchmähend, verläumdend; ſchmähſüchtig. —στρωτος, ὁ, ἡ, (στρώω, στρώννύω) ſchlecht gedeckt, geſtreuet, gelagert, gebettet, gepflaſtert: zw. Aeſchyl. Ag. 565. —σύμβουλος, ὁ, ἡ, ſchlecht oder böſes rathend: zw. —σύνετος, ὁ, ἡ, S. —ξύνετος. —συνθεσία, ἡ, ſ. v. a. κακοῤῥαφία: Grammat. —σύνθετος, ὁ, ἡ, ſchlecht componirt: Lucian. —σύστατος, ὁ, ἡ, ſchlecht zuſammen oder mit einander beſtehend: zw. —σφυξία, ἡ, (σφύξις) ſchlechter Puls: zw. —σχήμων, ονος, ὁ, ἡ, Adv. —μόνως, (σχῆμα) von ſchlechtem Anſtande, unanſtändig, unſchicklich: Pato I'gg. 5. —σχολεύομαι, oder κακοσχολέω von ſeiner Muſe einen ſchlechten Gebrauch machen: vor langer Weile dummes Zeug machen: τὰ παιδάρια τοῖ κακ. ἀνειργουσιν: Plutar. 10 p. 303. —σχολία, ἡ, der ſchlechte Gebrauch der Muſe mit ſeinen Folgen. —σχολος, ὁ, ἡ, Adv. —όλως, (σχολὴ) der ſeine Muſe ſchlecht anwendet, aus langer Weile dummes Zeug machet: πνοαὶ κ. Aeſchyl. Ag. 201. der einen ſchlimmen Aufenthalt verurſacht, verzögernd.

Κακότακτος, ὁ, ἡ, ſchlecht geordnet: zw. —τελεύτητος, ὁ, ἡ, ſchlecht geendigt oder ſich endigend: Schol. Aeſchyli. —τεχνέω, ῶ, argliſtig oder boshaft handeln, alſo betrügen: verfälſchen: S. auch κακοτεχνία; davon —τεχνία, ἡ, Argliſt, Bosheit: Betrug, Verfälſchung: 2) ſchlechte Kunſt: κακοτεχνίας σημεῖον τὸ παρὰ τοῖς ὄχλοις εὐδοκιμεῖν Athenaeus: 3) die Künſteley Demetr. Pial. 27. wie § 28 κακοτεχνεῖν, künſteln. —τέχνιον, τὸ, ſ. v. a. das vorherg. als gerichtlicher Ausdruck, κακοτεχνίου δίκη. auch κακοτεχνιῶν und ἑλεῖν τινὰ κακ. einem ein Falſum zeihen oder Schuld geben und überführen, vorzügl. für falſches Zeugniſs. —τεχνος, ὁ, ἡ, (τέχνη) argliſtig, boshaft: δόλος κακ. Argliſt: überh. betrügeriſch, verfälſchend und dergl. κακότεχνοι ᾠδαὶ καὶ κακόζηλοι Plutar. 8 p. 8. von ſchlechter Kunſt oder gekünſtelt: compar. attiſch —χνέστερος. Lucian. —της, ητος, ἡ, (κακὸς) Untauglichkeit einer Sache oder Perſon zu dem Gebrauche, den man davon machen will oder hoffte: alſo vom Krieger Feigheit u. ſ. w. auch das Uebel, Unglück, Leiden, im moraliſchen Sinne Untugend, Laſter, Bosheit, Frevel.

Κακοτροπεύομαι, od. κακοτροπέω, ich handle ſchlecht oder betrügeriſch, tückiſch: davon —τροπία, ἡ, das ſchlechte- betrügeriſche- tückiſche Betragen. —τροπος, ὁ, ἡ, Adv. —ίπως, von ſchlechten Sitten, falſch, betrügeriſch, tückiſch. —τροφέω, ῶ, ich habe oder bekomme ſchlechte Nahrung: act. ich nähre ſchlecht; davon —τροφία, ἡ, ſchlechte Nahrung oder Koſt. —τροφος, ὁ, ἡ, (τροφὴ, κακὸς) ſchlecht genährt: ſchlecht nährend. —τυχέω, ῶ, ich bin unglücklich: von —τυχὴς, έος, ὁ, ἡ, (κακὸς, τύχη) unglücklich. —τυχία, ἡ, (κακοτυχέω) Miſsgeſchick: Euſtath. ad Odyſſ.

Κακοϋπονόητος, ὁ, ἡ, ſ. v. a δυστόπαστος, Grammat.

Κακουργέω, ῶ, ich thue böſes, handle ſchlecht, handle boshaft, betrügeriſch: betrüge, ſchade, z. B. vom Pferde, welches einen abwirft, hinten ausſchlägt. Xen. Oec. 3, 11. vom Feinde, der ein Land verwüſtet: Xen. hell. 5, 4. 42. 4, 8. 7. davon —γημα, τὸ, die ſchlechte Handlung, Schandthat, Bosheit, Betrug, zugefügter Schade. —γία, ἡ, Betragen oder Charakter eines κακοῦργος, Bosheit, Uebelthat, Frevel: Schaden, Nachtheil, Beſchädigung. —γος, ὁ, ἡ, Adv. —ούργως, (κακὸς, ἔργον) der übles, böſes thut: ſchlecht handelnder- boshafter Menſch, Böſewicht, Uebelthäter, Frevler, betrügeriſcher- hinterliſtiger- ſchädlicher Menſch.

Κακουχέω, ῶ, (κακὸς, ἔχω) ſchlecht behandeln, martern, quälen, beſchädigen, beleidigen, verfolgen: davon —χία, ἡ, ſchlechte Behandlung, z. B. χθονὸς Aeſch. Th. 670. Landesverwüſtung: der dadurch bewirkte ſchlechte Zuſtand, Lage, Elend, z. B. des Körpers, ſowohl äuſsere (in Kleidung) als innere, die Mattigkeit, Krankheit.

Κακόφατις, ιδος, ἡ, (φάτις) übeltönend, oder von übler Bedeutung: Aeſchyli Perſ. 939. —φατον, τὸ, Uebelklang: auch ſ. v. a. κακέμφατον, ein Wort von übler Nebenbedeutung, von übler oder obſcöner Bedeutung. —φημία, ἡ, ſchlechter Ruf: ſchlechte Rede von einem, Verläumdung: zw. von —φημος, ὁ, ἡ, (φήμη) von ſchlechtem Rufe, berüchtigt: von ſchlechter Vorbedeutung, Xen. Mem. 1, 1. 3. Odyſſ. 2, 35. berüchtigt machend, in übeln Ruf bringend. —φθαρτος, ὁ, ἡ, äuſſerſt verderbt. —φθορεύς, έως, ὁ, ſ. v. a. d. folgd. Nicand. Alex. 465. —φθόρος, ὁ, ἡ, ſehr oder ganz verderbend: verderblich, tödtlich: Nicand. Ther. 795. —φλοιος, ὁ, ἡ, mit ſchlechter Rinde: zw. —φραδής, έος, ὁ, ἡ, (φράζομαι) ſchlecht denkend, ſchlechtes vorhabend, auch unbeſonnen, thörigt; dav. —φραδία, ἡ, Nicand. Ther. 348. Unbeſonnenheit, Bosheit. —φράδμων, ὁ, ἡ, ſ. v. a. κακοφραδής: zw. —φρονέω, ῶ, ich bin übelgeſinnt, boshaft oder thörigt: Aeſchyl. Ag. 1184 oppoſ. εὐφρονέω. —φροσύνη, ἡ, üble Geſinnung, Bosheit: Thorheit: von —φρων, ονος, ὁ, ἡ, (φρὴν) ſchlecht- übel oder boshaft geſinnt oder denkend: thörigt. —φυὴς, έος, ὁ, ἡ, (φυὴ) von ſchlechter Anlage- Natur- Geſtalt oder Wuchſe; davon —φυΐα, ἡ, ſchlechte Anlage- Natur- Wuchs- Naturell. —φωνία, ἡ, ſchlechte Stimme oder Ausſprache: ſchlechter- unangenehmer- harter Ton, Uebelklang; v. —φωνος, ὁ, ἡ, Adv. —ώνως, (φωνὴ, κακὸς) mit oder von ſchlechter- ſchlimmer Stimme- Ausſprache: mit oder von einem harten- unangenehmen Tone: übelklingend. —χαρτος, ὁ, ἡ, ſchadenfroh: object. worüber ſich böſe freuen. —χράσμων, ονος, ὁ, ἡ, ſt. κακοχρήμων, von χρῆμα, Theocr. 4, 22. arm. —χροέω, ῶ, (κακόχροος) ich habe eine ſchlechte ſchlimme Farbe. —χροια, ἡ, ſchlechte- häſsliche Farbe; von —χροος, contr. κακόχρους, ὁ, ἡ, (χρόα) mit- von ſchlechter- häſslicher Farbe: entfärbt, blaſs, häſslich. —χυλος, ὁ, ἡ, von ſchlechtem Nahrungsſafte, ſchlechten Nahrungsſaft gebend. —χυμία, ἡ, ſchlechte Säfte; von —χυμος, ὁ, ἡ, mit- von ſchlechten Säften: ſchlechte Säfte erzeugend. —ψογος, ὁ, ἡ, der gern tadelt u. böſes von den Leuten redet. —ψυχία, ἡ, Kleinmuth, Feigheit, Furchtſamkeit: oppoſ. εὐψυχία; von —ψυχος, ὁ, ἡ, (ψυχὴ) kleinmüthig, feig, furchtſam: oppoſ. εὔψυχος.

Κακόω, ῶ, (κακὸς) ſchlecht machen, übel zurichten, z. B. ein Pferd: Xen. Anab. 4, 5, 35. einen unglücklich machen, ihm Uebels zufügen: Odyſſ. 4, 754. 16, 212. überh. ſchaden, beſchädigen; verwüſten, verderben, übel oder ſchlecht behandeln.

Κάκτος, ὁ, eine ſtachlichte Pflanze: Theocr. 10, 4. nach einigen die Kardone oder Artiſchocke: Plin. 21, 16. Theophr. hiſt. pl. 6, 4. S. über Collumella Anmerk.

Κακύνω, ſ. v. a. κακόω und κακίζω: Eur. Hecub. 251.

Κακώδης, εος, ὁ, ἡ, (ὄζω) übel riechend; davon —δία, ἡ, übler Geruch, Geſtank.

Κακώλεθρος, ὁ, ἡ, (ὄλεθρος) äuſſerſt verderblich: Schol. Soph. El. 496.

Κακώνυμος, ὁ, ἡ, ſ. v. a. δυσώνυμος: Grammat.

Κάκωσις, ἡ, (κακόω) üble Behandlung, Mishandlung, Entstellung, Beschädigung, Verwüstung, Niederlage und dergl.

Κακωτικὸς, ἡ, ὸν, geschickt Schaden zuzufügen, schädlich, nachtheilig: Grammat.

Καλαβὶς, oder καλλαβὶς, ἡ, ein Tanz: Athenae. p. 630. davon καλαβίδια, das Fest der Artemis Dereatis zu Lacedämon, und καλαβοῦσθαι, den Tanz verrichten. —βρίζω, davon καλαβρισμὸς, ὁ, S. κολαβρεύομαι. —βώτης, ὁ, s. v. a. ἀσκαλαβώτης.

Καλάθιον, τὸ, desgl. καλαθὶς, ἡ, u. καλαθίσκος, ὁ, dimin. von κάλαθος, kleiner Korb. —θισμὸς, ὁ, Athenae. 14 p. 629. ein Tanz: soll καλαθίσκος heissen, wie 11 p. 467. Pollux 4, 105. u. Hesych.

Καλαθοειδὴς, έος, ὁ, ἡ, Adv. —δῶς, (εἶδος) von der Gestalt eines geflochtenen Handkorbes. —θος, ὁ, ein geflochtener Handkorb, *calathus*; 2) s. v. a. ψυκτήρ: Hesych. auch ein Werkzeug zum Schmelzen und Giessen des Eisens: Hesych.

Καλάϊνος, oder καλλάϊνος, von der Farbe der Steinart *Calais*, d. i. meer- od. blassgrün, sonst *venetus*, ὄστρακα καλλάϊνα, irdenes Geschirr aus Alexandrien von dieser Farbe: Galen. vielleicht von Speckstein: Joannes Laur. de Mens. p. 46 und 73. erklärt es durch das lat. *venetus* und σιδηρόβαφος. Bey Dioscor. 5, 160. ist τερεβινθίζων und καλάϊνον χρῶμα, einerley. —λαϊς, ὁ, oder κάλλαϊς, *Callais*, eine Steinart, meer- oder blassgrün.

Καλαμαγρωστις, ἡ, Rohr oder Schilfgras: Dioscor. 4, 31. —μαδίας, ου, ὁ, ἡ, (κάλαμος) voller Rohr oder Schilf: Dio Cass. —μαῖος, αία, αῖον, zum Halme- zur Aehre gehörig: in den Aehren lebend: καλαμαία, ἡ, eine Art von Heuschrecke, sonst μάντις genannt: Theocr. 10, 18. wie das wandelnde Blatt, *mantis oratoria* oder *religiosa* Linn. —μάομαι, (καλάμη) Halmen oder Garben lesen, Nachlese halten, stoppeln; überh. nach der ordentlichen Erndte von jeder Art Nachlese- Nacherndte halten. —μάριον, τὸ, Rohrbehältniss, Pennal, Federbüchse, Federhalter. —μαύλης, ου, ὁ, oder —μαυλητὴς, (αὐλέω) Rohrbläser, der auf dem Halme oder Rohre bläset: Athenaei p. 176. —μευτὴς, οῦ, ὁ, Schnitter, Mäher: Theocr. 5, 111. der Angler, Fischer: Anthol. von —μεύω, (καλάμη) Halme vom Getreide schneiden- mähen oder lesen: mit der Angelruthe, κάλαμος, Fische fangen, angeln.

Καλάμη, ἡ, *calamus*, *stipula*, der Halm des Getreides; davon metaphor. der Rest von einer Sache, Ueberbleibsel, weil man die Halme bey der Erndte stehn liess und bloss die Aehren abschnitt; so konnte man aus der Stoppel von der Erndte urtheilen: Odyss. ξ. ἀλλ' ἔμπης καλάμην γέ σ' οἴομαι εἰσορόωντα γινώσκειν, wo der alternde Körper mit der Stoppel verglichen wird: ἐπὶ καλάμῃ ἀροῦν, das Land aussaugen, wenn man immer Getreide säet, welches am Ende blos Halme ohne Korn bringt. Lysias. —μητομία, ἡ, das Abschneiden der Halme; von —μητόμος, ὁ, ἡ, (τέμνω) die Halme abschneidend. —μήτρια, ἡ, oder —μητρὶς, ἡ, (καλαμάω) Halme- Aehren lesend: Plutar. 9 p. 134. —μηφάγος, ὁ, ἡ, Halme fressend- verzehrend: Rohr fressend: Analecta 3 p. 87. not. 7. —μηφορεῖν, Strohhalme tragen: bey Themist. 23. die Getreidemarke (*tesseram*) tragen- bringen. —μηφόρος, ὁ, ἡ, Halme tragend. —μίζω, auf einem Rohre pfeifen, singen: Athenae. 16. —μίνθη, ἡ, und καλάμινθος, ἡ, (καλὸς, μίνθα, *mentha*) bey Nicand. Müntze, ein Kraut von mehrern Arten: bey Dioscor. 3, 438. Plinius 19, 10. wozu auch die Krausemüntze gehört: die Art, welche *nepeta* bey den Lat. hiess, nennt man in Etrurien noch *nipotella*; davon —μινθώδης, εος, ὁ, ἡ, von der Art der Müntze oder voll Müntze.

Καλάμινος, ίνη, ινον, (καλάμη) von Halmen, von einem Halme gemacht: 2) (κάλαμος) aus oder von Rohre gemacht. —μιον, τὸ, dimin. von κάλαμος oder καλάμη, so wie καλαμίς. —μὶς, ἡ, die Angelruthe von Rohr, *arundo piscatoria*; 2) das Brenneisen zum kräuseln der Haare, weil es die Gestalt eines Rohrs hatte und hohl war, lat. *calamistrum*. Hesych. hat dafür auch καμακὶς, καμαρὶς u. κάλιξ. Man trug damit auch das στίμμι auf die Augenbraunen. Hesych. in καλλιβαντές. Bey Synes. Calv. p. 65 u. 66. ist κάλαμος ein Werkzeug zum Putze der Haare: κάλαμόν τινα ἔχουσιν ἀεὶ ἐν αὐτῇ τῇ κόμῃ ᾧ ξαίνουσιν αὐτὴν, ὅταν ἡ σχολὴ, und ὁ τῷ καλάμῳ καλλύνων τὴν κόμην. 3) *calamarium*, Behältniss für das Schreiberohr. 4) Rohrbruch, *arundinetum*: καλαμίδας ἀπὸ πτερῶν χηνείων nennt Paul. Aeg. 6. die Pose von einer Gansefeder. —μίσκος, ὁ, s. v. a. καλάμιον. —μίτης, ου, ὁ, s. v. a. καλαμαῖος; davon καλαμῖτις, ἡ, s. v. a. καλαμαία: Epigr. Leonidae Tar. 65. eine Heuschreckenart. —μοβόας, ου, ὁ, auf der Schalmey- dem Halme schreyend oder spielend: ein Spottname bey Plutar. 8 p. 43. —μογλυφέω, ῶ, ich schneide Halme oder Rohre: v. —μογλύφος, ὁ, ἡ, (κάλαμος, γλύφων) der Strohhalme oder Rohr zu Federn schneidet oder schnitzet.

Καλαμογραφία, ἡ, Manetho 4, 72. die Schreiberey. —μοδύτης, ὁ, ein Vogel: Aelian. h. a. 6, 46. gleichsam, der Rohrkriecher. —μοειδής, ·έος, ὁ, ἡ, (εἶδος) halmartig, rohrartig. —μόεις, όεσσα, όεν, v. Rohr, voll Rohr: Eur. Iph. Aul. 1038. —μοκόπιον, τὸ, soll —κόπιον, wie χορτοκόπιον, heißen, (κόπτω) Röhricht zum schneiden: Geopon. 2, 6, 31. —μος, ὁ, *calamus*, das Rohr, zu Pfeilen, und als Feder zum schreiben, desgleichen zu Flöten und Pfeifen gebraucht; daher steht es auch für Pfeil, Feder, Flöte, Pfeife; 2) das lat. *culmus*, Halm, der hohle Stengel des Getreides, sonst καλάμη, dem Rohre ähnlich; das Stroh, welches davon kommt. Auch ward das Rohr zu Meßruthen, Leim- und Angelruthen gebraucht, wie zum Decken der Dächer: ναστὸς κάλαμος, und μεστοκάλαμος heißt die Art, welche inwendig fast ganz voll und nicht hohl ist, zu Pfeilen gebräuchlich, daher auch τοξικὸς und βελίτης genennt, der κρητικὸς: Theophr. h. pl. 4, 12. *calamus Gnossius* Horatii Od. 1, 13. *Cenchrus frutescens* Linn. vergl. Tourneforts Reise 1 S. 115. S. auch καλαμίς. —μοστεφής, ὁ, ἡ, mit Rohr bekränzt. —μοτύπος, (τύπτω) ὁ, der Vogelsteller, der mit der Leimruthe die Vögel berührt: Hesych. —μοφθέγγης, ὁ, (φθέγγεται) der auf dem Rohre-Halme singt- bläst- spielt; dargegen —όφθογγος, ὁ, ἡ, auf dem Rohre-Halme gesungen oder gespielt: Aristoph. Ran. 232. —μοφόρος, ὁ, ἡ, der das Rohr oder Halme trägt. —μόφυλλος, ὁ, mit Rohrblättern. —μόω, (κάλαμος) mit Rohr einen Beinbruch schienen: Galeni Parabil. 3. wie ναρθηκίζω. —μυρίζω, bey Athenäus S. καλαβρεύομαι. —μώδης, ὁ, ἡ, rohrartig oder mit Rohr bewachsen. —μών, ὁ, das Röhrigt, Ort, wo Rohr wächst. —μωτή, ἡ, (καλαμόω) nach Eust. eine Einfassung der Schiffe mit Rohr.

Καλαπόδιον, und καλάπους, s. v. a. καλοπ.

Καλάσιρις, ἡ, bey den Aegyptiern ein langes leinenes Kleid, unten mit Troddeln: Herodot. 2, 81.

Καλαυρῖτις λιθάργυρος, eine Art Silberglätte: Dioscor. 5, 102. vermuthlich von Kalaurien. —ροψ, οπος, ἡ, krummer Hirtenstab: Odyss. 23, 845.

Κάλεσις, ἡ, Dionys. Antiq. 4, 18. S. in κλῆσις. —σίχορος, ὁ, ἡ, und καλεσίχ. (καλέω) den Tanz herbeyrufend, zum Tanze ermunternd: Orph. hymn.

Καλέω, ῶ, rufen: nennen: namentlich rufen: vor Gericht rufen, verklagen, belangen: zu Tische bitten oder einladen: fordern, vorladen: das alte lat. *calo calare*: Bey den Dichtern im passiv. für seyn: Hesiod. ἔργ. 141. vergl. 122. u. 715. theog. 410. Callim. hym. Jov. 20. Del. 131.

Καλήμερος, ὁ, ἡ, (ἡμέρα) mit oder von schönen Tagen: der schöne, glückliche Tage hat: Anthol.

Καλήτωρ, ορος, ὁ, (καλέω) Rufer, d. lat. *calator* Il. 24, 577.

Καλιά, ἡ, (κᾶλον) hölzerne Wohnung: Hesiod. Ἔργ. 503. oder Scheune 301. 307. von Göttern, Grotte, Kapelle, von Vögeln, Nest; davon —άς, άδος, ἡ, s. v. a. d. vorh. bey Dionys. Antiq. 2, 57. *sacellum*, Kapelle.

Καλίδιον, τὸ, dimin. von καλιά.

Καλίκιοι, οἱ, bey Polyb. 20, 16. das lat. *calcei*, Schuhe, Halbstiefeln. S. κάλτιος.

Καλινδέω, ῶ, s. v. a. ἀλινδέω und das gewöhnlichere κυλινδέω: Xen. Cyr. 1, 4. 5.

Κάλινος, (κᾶλον) hölzern, Lycophr. 1418. Hesych. hat auch καλινοί, δοκίδες.

Καλιός, ὁ, oder κάλιος, s. v. a. κύφων und δεσμωτήριον, Hesych. und Schol. Aristoph. Plut. 476. Hesych. hat auch κάλιον, βακτηρίδιον, u. davon καλιῶσαι, κατάξαι.

Κάλλαια, τὰ, der Bart des Hahnes, *palea*, man findet auch κάλλεα, von κάλλος bey Aelian. welcher auch einmal 5, 5. h. a. κάλλη hat. —λαϊνος, S. καλάϊνος. —λαρίας, ὁ, Oppian. Hal. 1, 105. wo vorher κλαρίας stand, s. v. a. γάλλαρίας, eine Art von Kabeljau. —λείβομαι, contr. st. καταλείβομαι. —λίας, ὁ, (κάλλος) der Affe, πίθηκος, bey den Atheniensern, οἱ τοὺς καλλίας ἐν τοῖς οἴκοις τρέφοντες: Dinarchus.

Καλλιβλέφαρος, ὁ, ἡ, mit schönen Augenliedern: τὸ verst. φάρμακον, schöne Augenlieder machend, oder die Haare der Augen färbend. —βόας, ου, ὁ, schön rufend oder tönend: αὐλός: Aristoph. Av. 682. —βότρυς, υος, ὁ, ἡ, mit schönen Trauben: νάρκισσος Soph. —βωλος, ὁ, ἡ, mit schönem fruchtbarem Boden: Eur. Or. 1382. —γάληνος, ὁ, ἡ, (γαλήνη) schön, heiter, reizend und still. πρόσωπον: Eur. Tr. 837. —γένεια, ἡ, das fem. von καλλιγενής, von schönem, gutem Geschlechte, von schöner Geburt: die Ceres Plut. 7 p. 193. —γέφυρος, ὁ, ἡ, (γέφυρα) mit schöner Brücke: Eur. Rhes. 348. —γλουτος, ὁ, ἡ, mit schönen Hinterbacken: Nicander Clem. al. p. 33. —γονος, von schönem Geschlechte oder Geburt. —γραφέω, ῶ, ich mahle oder schreibe schön: ich schminke; davon —γραφία, ἡ, das Schönschreiben, schöne Schrift: von

Καλλιγράφος, ὁ, ἡ, Schönschreiber, schön malend, zeichnend: vorz. einer der Bücher abschreibt. —γύναιξ, αικος, ὁ, ἡ, mit schönen Weibern oder Mädchen. —δενδρος, ὁ, ἡ, (δένδρον) mit schönen Bäumen. —δίνης, ου, ὁ, (δίνη) schön wirbelnd, schön fliessend: Eur. Herc. 368. —διφρος, ὁ, ἡ, (δίφρος) mit schönem Wagen oder Sitze: auf dergl. fahrend oder sitzend: Eur. Hec. 467. —δόναξ, κος, mit schönem Rohre od. Schilfe: schön beschilft: Eurip. Hel. 499.

Καλλιέθειρα, ἡ, mit schönem Haare. —έλαιος, ὁ, ἡ, verst. ἐλαῖα, fruchtbarer Oelbaum, dem ἀγριέλαιος oppos. 2) als Adject. mit oder von schönem Oel. —έπεια, ἡ, das Schönsprechen- schreiben- singen: von καλλιεπής, ὁ, ἡ, schön singend- redend- schreibend: Aristoph. thesm. 49 u. 60. —επέω, ῶ, (ἔπος) ich spreche in schönen Worten, spreche schön: κεκαλλιεπημένοι λόγοι, gezierte Reden. —εργέω, ῶ, schön oder geschickt arbeiten: von —εργος, ὁ, ἡ, (ἔργον) schön gearbeitet oder arbeitend. —ερέω, ῶ, (καλὸν, ἱερὸν) das lat. *lito*, *perlito*, von einem Opfer, was nach den in den Opferthieren gefundenen Zeichen den Göttern angenehm ist od. anzeigt, dass man die Handlung mit ihrer Beystimmung anfangen könne; mit nachfolgendem Infinit. οὐ γὰρ ἐκαλλιέρεε διαβαίνειν Herodot. 6, 76. davon —ερημα, τὸ, s. v. a. καλὰ ἱερὰ, glückliches Opfer, oder Opfer von guter Bedeutung: bey Suidas.

Καλλιζυγὴς, ὁ, ἡ, (ζυγὸν) schön- gut bespannt: Eur. Andr. 277. —ζωνος, (ζώνη) schön gegürtet, mit schönem Gürtel. —θέμεθλος, ὁ, ἡ, (θέμεθλον) schön gegründet. —θριξ, χος, ὁ, ἡ, mit schönem Haare: von Schaafen Odyss. 9, 336. von Pferden: Il. 23, 525. —θυτος, ὁ, ἡ, schön- gut oder glücklich geopfert: βωμὸς Eurip. worauf schöne Opfer gebracht werden. —καρπέω, ῶ, ich bringe schöne oder gute Frucht. —καρπία, ἡ, das bringen oder Tragen guter- schöner Früchte: die Schönheit oder Güte der Früchte. —καρπος, ὁ, ἡ, mit schönen oder guten Früchten, dergleichen tragend: —κέλαδος, ὁ, ἡ, schöntönend oder schönlautend. —κερως, ωτος, ὁ, ἡ, (κέρας) schöngehörnt. —κοίτη, ἡ, Aristaen. 1. Ep. 12. wird als subst. *connuba* übers. von καλλίκοιτος; zw. —κοκκος, ὁ, ἡ, mit schönen Körnern oder Kernen. —κολώνη, ἡ, Schönhügel: ein Ort: Iliad. 20, 53. —κομος, ὁ, ἡ, (κόμη) mit schönem Haare. —κοτταβέω, ῶ, (καλῶς κοτταβίζω) schön den Kottabus spielen: Athenaeus 11. —κρέας, ατος, τὸ, schönes, angenehmes, schmackhaftes Fleisch: zweif. für das Gekröse, μεσεντέρεον, braucht es Theophil. Protosp. —κρήδεμνος, ὁ, ἡ, mit schönem Stirnbande, κρήδεμνον, Odyss. 4, 23. —κρουνος, Δίρκη Nicetas Annal. 3, 1. mit dem schönen Quell. —κτυπος, ὁ, ἡ, schönrauschend, schöntönend: Eur. Bach. 129. —λεξία, ἡ, bey Hesych. und Schol. Aristoph. Thesm. 52. s. v. a. καλλιέπεια. —λογέω, ῶ, (καλλιλόγος) ich drücke schön aus, sage schön: im medio ich rede schön und schicklich: bey Dionys. Antiq. 8, 32. mit εἰρωνεύεσθαι verb. mit schönen Worten bösen, schlimmen Sinn verbergen. —λογία, ἡ, das schön reden, schön sprechen: schöner Ausdruck, schöne Rede: Beredsamkeit. —μηρος, ὁ, ἡ, mit schönen Hüften. —μορφος, ὁ, ἡ, (μορφὴ) schöngestaltet od. gebildet, schön. —μος, ὁ, (κάλλος) poet. s. v. a. καλὸς. —ναος, ὁ, ἡ, (νάω) schönfliessend, mit schönem Wasser: Eur. Alc. 589. Med. 835. Apoll. Rh. 1, 1228. —νικος, ὁ, ἡ, mit schönem Siege: der einen schönen Sieg erhalten: Sieger: τὸ καλλ. der Sieg: στέφανος καλ. Siegeskrone oder -Kranz. —οινία, ἡ, Schönheit oder Güte des Weins: Geopon.

Κάλλιον, neutr. von καλλίων, schöner; auch wie Adv. s. v. a. das davon gemachte καλλιόνως, von κάλλος als compar. abgeleitet. —όπη, ἡ, mit schöner Stimme (ὄψ) *Calliope*, eine von den 9 Musen.

Καλλίουλος, ὁ, auch ἴουλος, ein Lobgesang auf die Ceres: Athenaei p. 618.

Καλλιόω, ῶ, schöner (καλλίων) machen, verschönern oder schön machen. zw.

Καλλιπαιδία, ἡ, schöne Kinder habend; 2) schönes Kind. —παις, αιδος, ὁ, ἡ, Besitz v. schönen Kindern: Schönheit der Kinder. —πάρηος, st. καλλιπάρειος, (παρειὰ) mit schönen Wangen. —παρθενος, ὁ, ἡ, mit schönen Jungfrauen od. Mädchen: jungfräulichrein, jungfräulichschön, als Beywort v. δέρη und ῥοαὶ: Eur. Iph. A. 1574. Hel. 1. —πέδιλος, ὁ, ἡ, (πέδιλον) mit schönen Socken oder Schuhen: Hymn. Merc. 57. —πεπλος, ὁ, ἡ, Beywort der Frauen, mit schönem Oberkleide: schön gekleidet. Pind. —πέτηλος, ὁ, ἡ, (πέταλον) schönblätterig. —πηχυς, εως, ὁ, ἡ, mit schönem Ellbogen oder Armen. —πλόκαμος, ὁ, ἡ, mit schönem Haare: schön gelockt. —πλουτος, ὁ, ἡ, mit schönem Reichthume, mit R. geschmückt: Pind. Ol. 13, 159. —πνοος, contr. καλλίπνους, ὁ, ἡ, (πνοὴ) schön athmend- riechend- tönend, αὐλὸς: Athenaei p. 617. —πολις, εως, ἡ, schöne Stadt: als adject. mit schönen Städten.

Καλλιπόταμος, ὁ, ἡ, mit ſchönen Flüſſen: Eur. Phoen. 643. —πρόβατος, ὁ, ἡ, (πρόβατον) mit ſchönen Schaafen. Grammat. —πρόσωπος, ὁ, ἡ, mit ſchönem Angeſichte Antlitze: ſchön von Anſehn. —πρωρος, ὁ, ἡ, (πρώρα) mit ſchönem Vordertheile, vom Schiffe von Menſchen, m. ſchönem Geſichte. —πτόλεμος, ὁ, ἡ, muthiger Krieger. zweif. —πυγος, ὁ, ἡ, mit ſchönem Hintern - Hinterbacken. —πυργος, ὁ, ἡ, oder καλλιπύργωτος, ὁ, ἡ, (πυργόω) ſchön bethürmt; überh. befeſtiget oder hoch: Eur. Bach. 19. σοφία καλλίπυργος, Ariſtophan. hohe Weisheit. —πωλος, ὁ, ἡ, m. ſchönen Füllen od. Pferden: Pind. Ol. 14, 2. —ρέεθρος, ὁ, ἡ, (ρέεθρον ſt. ρεῖθρον) und καλλιροος, contr. —ρους, ὁ, ἡ. auch καλλιρόη, ἡ, ſchön flieſsend, ſchönes Waſſer gebend: ſ. v. a. καλλίναος.

Καλλιρρημονέω, ich rede ſchön. —ρημοσυνη, ἡ, Schönredenheit, ſchöne Sprache: Prahlerey, Lucian. 2 p. 75. von —ρήμων, ονος, ὁ, ἡ, (ρῆμα) ſchönredend. —ροος, ſ. v. a. καλλίροος.

Καλλισθενής, έος, ὁ, ἡ, (σθένος) mit Kraft geſchmückt. —στάδιος, (κάλλος, στάδιον) mit ſchöner Rennbahn, Beyw. von δρόμος: Eur. Iph. 437. —στεῖον, τὸ, (καλλιστεύω) der Preiſs der Schönheit, des Schönſten (moraliſchen) der Tugend, Rechtſchaffenheit: καλλιστεῖα, τὰ, auch ein Wettkampf der Schönheit. —στευμα, τὸ, der Preiſs, Vorzug der Schönheit. —στεύω, ſ. v. a. καλλιστος, καλλίστη εἰμὶ, ich bin der ſchönſte, auch m. d. genit. bey Herodot. —στέφανος, ὁ, ἡ, (στέφανος, στεφάνη) mit ſchönem Kranze: mit ſchönen Mauern od. Veſten. —στρουθια σῦκα, gewiſſe Feigenart wie στρούθεια, στρουθια eine Art Quitten. —σφυρος, ὁ, ἡ, (σφυρόν) mit ſchönen Knöchſeln, Füſsen: Heſiod. Theog. 526. —τεκνία, ἡ, das Gebähren - der Beſitz von ſchönen - guten Kindern; v. —τεκνος, ὁ, ἡ, (τέκνον, καλὸς) der, die ſchöne-gute Kinder gebiert - beſitzt. —τεχνέω, ῶ, ich arbeite ſchön. —τεχνής, ὁ, ἡ, ſ. v. a. καλλίτεχνος: Anacr. 18. —τεχνία, ἡ, Geſchicklichkeit in - oder Schönheit der Kunſtarbeit. —τεχνος, ὁ, ἡ, (τέχνη) der ſchöne Kunſtarbeit macht, ſchön arbeitet: Strabo. —τόκος, ὁ, ἡ, ſchön gebährend: mit ſchönen Jungen od. Kindern. —τοξος, ὁ, ἡ, (τόξον) m. ſchönem Bogen: Eur. Phoen. 1168 —τράπεζος, ὁ, ἡ, (τράπεζα) m. ſchöner - prächtiger - gut beſetzter Tafel: bey Athenaeus p. 271 und 524. —τριχος, ὁ, ἡ, ſ. v. a. καλλίθριξ, ſchöne Haare tragend oder machend: Dioſcor. 1, 179. —φαρος, ὁ, ἡ, ſchöngekleidet. zw. —φεγγής, έος, ὁ, ἡ, (φέγγος) mit ſchönem Lichte, ſchönleuchtend. Eur. —φθογγος, ὁ, ἡ, ſchöntönend. —φλοξ, γος, ὁ, ἡ, ſchönflammend, ſchönbrennend oder leuchtend: πέλανος Eur. Jon 706. —φυλλον, τὸ, Schönblatt, ſonſt καλλίτριχον oder ἀδίαντον: neutr. von —φυλλος, ὁ, ἡ, (φύλλον) ſchönblätterig. Anacreon. —φύτευτος, ὁ, ἡ, ſchön bepflanzt: Nicetas Annal. 21, 9. —φωνία, ἡ, ſchöne Stimme, Sprache; von —φωνος, ὁ, ἡ, (φωνὴ) mit ſchöner Stimme: ſchön tönend - ſprechend. —χειρ, ειρος, ὁ, ἡ, mit ſchönen Händen. —χέλωνος, ὀβολὸς bey Heſych. der Obolus mit einer darauf geprägten Schildkröte, χελώνη, eigentl. mit ſchöner Schildkröte.

Κάλλιχθυς, υος, ὁ, ein Meerfiſch, gleichſam ein Schönfiſch, ſonſt ἀνθίας.

Καλλίχοιρος, ὁ, ἡ, ſchöne oder gute Ferkel habend oder gebährend. —χορος, ὁ, ἡ, mit oder von ſchönen Tänzen: ſubſt. ſchöner Chor: Eur. Herc. 690. wie εὐρύχορος, von Gegenden und Städten, welche anmuthig ſind oder ſchön: Odyſſ. 11, 580. Hymn. 14, 2. καλλίχωρος bey Heſych. iſt eine falſche Lesart.

Καλλίων, ὁ, ἡ, der Compar. von καλὸς, wird von κάλλος gemacht. —ώνυμος, ὁ, ἡ, mit einem ſchönen Namen (ὄνομα): ein Meerfiſch, ſonſt οὐρανοσκόπος.

Καλλονὴ, ἡ, Schönheit: von Bäumen, bey Theophr. —λος, τὸ, Schönheit: von Menſchen, Thieren und Sachen. Davon der Compar. καλλίων, und Superl. κάλλιστος. Odyſſ. 18, 191. iſt κάλλος eine wohlriechende Salbe; anderswo ſind κάλλεα oder κάλλη ſchöne, ſchöngefärbte Körper, Kleider, auch der rothe Hahnenbart. S. καλλαιον. —λοσύνη, ἡ, ſ. v. a. κάλλος: Eur. Hel. 389: v. —λόσυνος, η, ον, ſchön: Eur. Or. 1387. —λόφυλλος, ὁ, ἡ, ſ. v. a. καλλίφυλλος. —λυντήρ, ὁ, oder καλλυντὴς, ὁ, (καλλύνω) der ſchmückt, putzt, reinigt. —λυντήριος, ὁ, ἡ, zum ſchmücken - putzen - reinigen gehörig oder geſchickt: τὸ καλλυντ. Schmuck: τὰ καλλ. ein Feſt zu Athen am 19ten des Monats Thargelion; von —λυντρον, τὸ, ein jedes Werkzeug zum Schönmachen - Schmücken - Putzen - Reinigen - Fegen, alſo auch Beſem: ſ. v. a. καλλυντήριον; von —λύνω, ſchön, rein machen, reinigen, putzen, ausfegen: paſſ. und med. ſich ſchön machen, ſich brüſten oder rühmen. —λωπίζω, (καλλωπὸς) das Geſicht ſchön machen: ſchmücken, zieren, putzen: ein gutes od. ſchönes Anſehn geben: med. ſchön thun, prahlen, ſich brüſten oder rühmen: ſich etwas zur Ehre rechnen; davon —λώπισμα, τὸ, Schmuck, Zierrath, Putz; und —λωπισμὸς, ὁ, das

Schmücken, Zieren, Putzen: auch ſ. v. a. das vorherg.

Καλλωπιστής, οῦ, ὁ, (καλλωπίζω) der andere oder ſich ſelbſt putzt, ſchmückt, ſchminkt: fem. καλλωπίστρια, ἡ, v. καλλωπιστὴρ gemacht, die andere oder ſich ſelbſt putzt, ſchmückt, ſchminkt; davon —λωπιστικός, ἡ, ὸν, zum Putzen - Zieren gehörig oder geſchickt. —λωπίστρια, ἡ, S. καλλωπιστής.

Καλόβαθρον, τὸ, S. das folgd. —βάμων, ὁ, ἡ, und καλοβάτης, ὁ, (κᾶλον, βαίνω) *grallator*, der auf Stelzen geht: Manetho 4, 287. Eben dahin gehört κωλόβαθρον, die Stelze: Artemidor. 3, 15. dav. κωλοβαθρίζω, auf Stelzen gehn: davon κωλοβαθριστής, Stelzenläufer: bey Nonius *gallatores*, *colobathrarii*. —διδάσκαλος, ὁ, guter Lehrer, oder Lehrer des Guten. zweif. —οηθής, ὁ, ἡ, (ἦθος) von ſchönen - guten - gefälligen Sitten: gutartig, das Gegenth. von κακοήθης: Antonini 1, 1. —θριξ, τριχος. ſ. v. a. καλλίθριξ: Grammat.

Καλοιώνιστος, ὁ, ἡ, (οἰωνίζομαι) von guter Vorbedeutung: aus Schol. Ariſtoph. zw.

Καλοκάγαθία, ἡ, die Eigenſchaft und Tugend eines καλακάγαθὸς, Biederkeit, Rechtſchaffenheit. —κάγαθικός, ἡ, ὸν, eigentl. was einem καλοκάγαθὸς gehört, geziemt, zukommt: προαίρεσις Polyb. 7, 12. aber Plutarch und andere brauchen es auch für d. flgd. —κάγαθός, ὁ, ἡ, d. i. καλὸς καὶ ἀγαθὸς, ſchön und gut, drückt im allgemeinen unſer wacker, ehrlich, rechtſchaffen, brav aus: manchmal auch beſonders den tapfern Mann, wie ἀνδραγαθία: und vorzüglich ſind καλοκάγαθοὶ zu Athen und in andern Staaten die *optimates* der Lateiner, die Männer von guten Familien, von beſſerer Erziehung und Lebensart, aus den höhern Ständen, oder die Patrizier. Xenoph. braucht auch καλὰ κἀγαθὰ ἔργα, gute u. ſchöne Handlungen: Cyrop. 1, 5, 11. Plato Gorg. 45. verbindet es mit Φρόνιμον ἄνδρα περὶ γῆν καὶ καλὸν καὶ ἀγαθὸν, ſ. v. a. γεωργικὸν, ein geſchickter guter Landwirth. —κοπέω, (κᾶλον, κόπτω) Holz hauen: Heſych. —λογία, ἡ, S. καλλιλογία. —μάσχαλος, ὁ, ἡ, (μασχάλη) Theophr. h. pl. 3, 9. wo Plinius *alis ramorum crebro cavatis*, alſo κοιλομάσχαλος überſetzt hat. —μορφος, ὁ, ἡ. S. καλλίμορφος.

Κᾶλον, τὸ, Holz: davon κάλινος, hölzern.

Καλοπέδιλα, τὰ, bey Theocr. 25, 103. falſch ſt. καλὰ πέδιλα. —πόδιον, τὸ, Dimin. v. καλόπους, der Leiſten. —ποιέω, ſchön machen: ſchön handeln, gutes thun. zw. —πους, οδος, ὁ, ἡ, (καλὸς) mit ſchönen Füſsen: (κᾶλον) der hölzerne Fuſs, der Leiſten des Schuſters, auch καλάπους. —πρόσωπος, ὁ, ἡ, S. καλλιπρόσωπος. zw.

Καλορρημοσύνη, ἡ, S. καλιρρημ. Schol. Hom.

Καλός, ἡ, ὸν, Compar. καλλίων auch καλλιώτερος, Superl. κάλλιστος, davon κάλλιστα wie das Adv. καλῶς gebraucht, ſchön: daher gut, brauchbar; 2) moraliſch ſchön, daher gut, edel: τὸ καλὸν die Tugend, *honeſtum*: τὰ καλὰ alle ſchöne, edle, gute, rühmliche Thaten: entgeg. dem αἰσχρὸν oder αἰσχρὰ, Laſter, ſchändliche laſterhafte Handlungen. καλὸς καὶ ἀγαθὸς oder καλοκάγαθὸς, ein guter braver Mann; aber οἱ καλοκάγαθοὶ heiſsen oft ſo viel als *optimates*, die vornehmern und beſſer geſinnten. ἐν καλῷ verſt. τόπῳ, an einem guten - bequemen Platze: m. dem folg. genit. der Sache, wozu der Ort bequem iſt; alſo ἐν καλῷ τοῦ πολέμου, ſehr gelegen zum Kriege. So ſagt Thucyd. auch mit καλῶς und χρησίμως 3, 92. καλῶς τοῦ πολέμου τοῦ πρὸς Ἀθηναίους ἐδόκει ἡ πόλις καθίστασθαι: und ebend. τῆς ἐπὶ Θράκης παρόδου χρησίμως ἕξειν, ſt. ἐν καλῷ, χρησίμῳ, *accommodatus ad*, auch Pauſan. 7, 18. καλῶς τοῦ παράπλου νομίζων κεῖσθαι.

Κάλος, ὁ, gewöhnlicher κάλως, Seil, Tau.

Καλότης, ἡ, ſ. v. a. κάλλος, Plutar. 7 p. 735. —τίθηνος, ὁ, ἡ, gut pflegend: paſſ. gut gepflegt: Heſych. —τυπος, ὁ, ſ. v. a. δρυοκολάπτης: Heſych. —Φρων, ονος, ὁ, ἡ, Synonymum von εὔφρων: Heſych.

Καλπάζω, vom Pferde, welches trabt, den Trab, Trott geht, lat. *trepidare*. S. κάλπη, ἡ, und παρακαλπάζω. —πασον, S. κάρπασον. —πη, ἡ, ἀγὼν κάλπης zu Olympia ein Wettkampf, wo der Reiter gegen das Ziel hin von der Stute ſprang und nebenher im Trabe lief: Pauſan. Eliac. 5, 9. dav. die Stute κάλπη und κάλπις heiſst.

Κάλπη, κάλπις, κάλπιον, τὸ, und κάλπος, ὁ, ein Gefäſs, Geſchirr zum Waſſerſchöpfen, auch ein Trinkgeſchirr, Becher, Urne zum Looſen.

Κάλτιος, ὁ, wovon *calceus*, der römiſche halbe Stiefel: Pollux 7, 90. Man findet dafür auch καλτίκιος und καλίκιος.

Καλύβη, ἡ, (καλύπτω) Hütte, Zelt, Laube. —βιον, τὸ, dimin. des vorherg. —βίτης, ου, ὁ, (καλύβη) von der Hütte, zur Hütte gehörig: in Hütten wohnend: Strabo 7 p. 490. —βοποιέω, καλυβοποιοῦμαι, Hütten, Lauben, Zelte machen. —βος, ὁ, ſ. v. a. καλύβη: Heſych.

Καλύκιον, τὸ, dimin. v. κάλυξ. —**κοστέφανος**, ὁ, ἡ, mit einem Kranze von Rofenknospen oder Rofen: Anthol. —**κώδης**, εος, ὁ, ἡ, nach Art eines κάλυξ, Knospe oder Blumenhülle. —**κῶπις**, ιδος, ἡ, (ὤψ) mit einem Rofengefichte: Homer. hymn. Vener. 285. u. Orph. hymn. Hefych. hat καλύκοιτος, εὐόφθαλμος.

Κάλυμμα, τὸ, (καλύπτω) die Bedeckung, Decke. 2) ein Frauenzimmerputz um den Kopf, Kappe. Ariftoph. Lyf. 530. u. Iliad. ω. κάλυμμ' ἕλε, von der traurigen Thetis. —**μάτιον**, τὸ, dimin. von κάλυμμα.

Κάλυξ, υκος, ἡ, (καλύπτω) urfprünglich jede Hülfe, Schaale, Keim, Knospe, worinne etwas, die Blüthe, die Frucht eingefchloffen liegt. σπορητὸς κάλυκος ἐν λοχεύμασιν Aefchyl. Ag. 1402. keimende Saat: πάντ' ἐν γαίᾳ ἐκ κάλυκος αὐξανόμενα Ariftoph. Au. 1065 κάλυκες ἔγκαρποι χθονὸς Soph. Oed. tyr. 25. vorz. die Knospe oder der die Blume einfchliefsende Kelch; Oppi. Cyn. 1, 123 unterfcheidet κάλυκες u. ἄνθεα: bey Homer ein Stuck des Weiberputzes.

Καλυπτὴρ, ῆρος, ὁ, (καλύπτω) Decke, Deckel: Dachziegel, Dionyf. 6, 92. —**τήριον**, τὸ, Decke, Deckel, Dach: neutr. von καλυπτήριος, von καλυπτὴρ abgeleitet. —**τὸς**, ἡ, ὸν, bedeckt. —**τρα**, ἡ, (καλύπτω) Decke: befonders eine weibliche Kopfdecke, wie ein Schleier: Il. 22, 406. —**τω**, bedecken, verhüllen: fcheint auch κελύπτω u. κολύπτω gemacht zu haben, wovon κέλιφος, κελύφανον, u. κόλυβος, ἔπαυλις Hefych. ingleichen κολύμφατος, φλοιὸς, λεπίδιον, endlich κολύφανον f. v. a. κελύφανον bey demfelben herkommen.

Καλχαίνω, ich bin in tiefen Gedanken, ich finne nach. Sophocl. Antig. 20. Eurip. Heracl. 40. wie πορφύρω, von κάλχη f. v. a. πορφύρη, die Purpurfchnecke: Nicand. Ther. 641. κάλχαίνεται, wo jetzt die Gloffe πορφύρεται fteht. —**χη**, ἡ, die Purpurfchnecke; der Purpurfaft. Nicander Alexiph. 391. wo andere χάλκη haben, welches Hefychius ebenfalls durch πορφύρα erklart. Vergl. Schol. Soph. Antig. v. 20. 2) an der jonifchen Saule die Volute: τὰς κάλχας τὰς ἐπὶ τοῖς ἐπιστυλίοις ἐξεργάσασθαι Chandler Infc. Attic. p. 38.

Καλώδιον, τὸ, dimin. von κάλως, kleines Tau oder Seil. —**λωτὸς**, ἡ, ὸν, (ὤψ) von fchönem Gefichte. —**λως**, ωος, oder ω, ὁ, Schiffsfeil oder Tau: davon —**λωστρόφος**, ὁ, ἡ, (στρέφω) der Seile oder Taue dreht, Seiler.

Καμακίας, ου, ὁ, (κάμαξ) σῖτος, eine Getraideart, die man gefchröpft hat, und die einen grofsen Stengel und kleine Frucht treibt. Theophr. —**κινος**, ὁ, ἡ, aus einer Stange, κάμαξ, gemacht. S. d. folgende.

Κάμαξ, ακος, ἡ, eine Stange, langes Stück Holz als Weinpfahl, Wurffpiefs, und zu anderm Gebrauche, von καμάω, καμάσσω, ich fchlendre; wovon Hefychius auch καμάσσομαι, πτερύσσομαι hat. Scheint eine beftimmte Art von Holz anzudeuten, etwa eine ftarke Rohrart, wie wirklich auch Hefych. κάμακας durch καλάμους ὀξεῖς erklärt. Xenoph. Equit. 12. unterfcheidet δόρυ καμάκινον als zerbrechlich von κρανέινα παλτά.

Καμάρα, ἡ, das lat. *camara*, ein Gewolbe, gewölbtes Zimmer und jeder Ort mit einem gwolbten Dache, z. B. ein bedeckter Wagen. Herodot. 1, 199. und ein unten flaches Fahrzeug, welches oben bedeckt werden kann: Strabo 11 p. 758. Tacitus hift. 3, 47. davon —**ριον**, τὸ, ein dimin. —**ροειδὴς**, ὁ, ἡ, (καμάρα, εἶδος) gewölbartig. —**ρος**, S. κάμμαρος. —**ρόω**, (καμάρα) ich wölbe; Hefych. hat auch καμαρεύω, σωρεύω, συνάγω, ich trage in ein Gewolbe zufammen. —**ρωμα**, τὸ, (καμαρόω) das Gewolbte, Gewölbe, Bogen. —**ρωσις**, ἡ, das Wölben. —**ρωτὸς**, ἡ, ὸν, (καμαρόω) gewölbt, mit Bogen gebauet oder gemacht.

Καμασῖνες, oder καμαστῆνες, ων, οἱ, Fifche: Empedocles.

Καμάσσω, καμάσσύω, f. v. a. σείω und δονέω, fchwenken, erfchüttern: davon κάμαξ wie von δονέω, δόναξ. Hefych. hat καμάσαι, σεῖσαι, von καμάω oder καμάζω, ingl. καμάσσυται, πτερύσσεται endl. κάμασος, βάραθρος.

Καματηρὸς, Adv. —ρῶς, (κάματος) arbeitfam, mühfam, ftark, bey Herodot 4, 135. dem ἀσθενὴς entgegengefetzt; 2) muhfam, befchwerlich, ermudend: 3) καματηρὸν ἀϋτμένα φυσιόωντες beym Apollon. von der Ermüdung und dem damit verknüpften tiefen Athem, fo wie bey Arrian fteht: καματηροὶ καὶ πνευστιῶντες. Auch mühfelig, unglücklich oder kränklich, νοσώδης. S. κάματος. —**τος**, ὁ, (κάμω κάμνω) Arbeit, Mühe, Mühfeligkeit, Leiden, Krankheit, Ermüdung, Ermattung, Erfchlaffung, wie *labor*: verarbeitetes Vermogen; davon —**τόω**, ῶ, f. v. a. κάμνω: Hefych. hat καματῶν, κοπιῶν. —**τώδης**, εος, ὁ, ἡ, Mühe, Arbeit, Krankheit verurfachend: muhfam, ermattend, ermudend: kränklich, fiech.

Καμβατέω ft. καταβατέω. —**βολίη**, ἡ, ft. καταβολία. —**βρίζω** ft. καταβρίζω.

Καμέω, ft. deffen im praef. κάμνω, macht καμήσω, κέκμηκα, u. f. w.

Καμήλειος, εία, ειον, vom Kameele. —**λέμπορος**, ὁ, eigentlich Kameelhändler: bey Strabo 17. p. 1170. der auf Kameelen ſeine Waaren verführt.

Καμηληλασία, ἡ, (ἔλασις) das Kameeltreiben oder reiten. —**ληλάτης**, ου, ὁ, (ἐλάτης) Kameeltreiber oder reiter. —**λίζω**, dem Kameel gleichen: Heliodori Aeth. 10 p. 496. —**λίτης**, ου, ὁ, oder καμηλοκόμος. Kameeltreiber, Kameelwärter: bey Heliodor. Aeth. 10 p. 461. ein Reuter auf einem Kameele. —**λοπάρδαλις**, ἡ, Kameelparder, mit dem arabiſchen Namen, Giraffe, ein vierfüſsiges Thier. —**λος**, ὁ, Kameel, ἡ, das weibliche Kameel. —**λοτροφέω**, (καμήλους τρέφω) Kameele nähren - füttern - halten. —**λωτὴ**, (δορὰ) Kameelhaut: wie μηλωτὴ, Schaafhaut.

Κάμιλος, ὁ, Tau, Ankertau, Matth. 19. 24.

Καμινεία, ἡ, die Schmelzofenarbeit, oder das Feuer der Schmelzofen. Theophr. h. pl. 5, 10. —**νεὺς**, καμινευτὴς u. καμινευτὴρ, ὁ, femin. καμινεύτρια, ἡ, Feuerarbeiter, der im Ofen-beym Feuer röſtet, ſchmelzet; bäckt, brennt. So heiſst Agathokles κεραμεὺς u. καμινεὺς Diodor. 20, 63. von —**νεύω**, im Ofen backen - brennen - röſten - ſchmelzen. —**ναῖος**, oder καμιναῖος, Exodi c. 9. vom Ofen, zum Ofen gehörig. —**νίτης**, ου, ὁ, ἄρτος, Ofenbrod, im Ofen gebackenes Brod. —**νιον**, τὸ, dimin. v. κάμινος. —**νοκαύστης**, ου, ὁ, Ofenheizer: Gloſſar. —**νος**, ἡ, Ofen zum Backen - Brennen der Töpferwaare - Schmelzen der Metalle u. dergl. Denn Stubenofen kannten und brauchten die Griechen und Römer nicht. —**νὼ**, οῦς, ἡ, Odyſſ. 18, 27. von einem alten Weibe, wird verſchiedentlich erklärt, bald für καμινεύτρια, bald für κεκμηκυῖα, bald für ſchmutzig, ruſsig, ſchwarz. —**νώδης**, εος, ὁ, ἡ, ſt. καμινοειδὴς, einem Ofen oder Kamin ähnlich: zw.

Κάμμα, τὸ, eine Art gebacknes, mit Lorbeerblättern, die davon καμματίδες hieſsen. —**μαρος**, *cammarus*, *gammarus*, eine Art von rother Meerkrabben oder Krebſe. —**μονίη**, ἡ, (für καταμονὴ, wie καββαλεῖν ſt. καταβαλεῖν) die Beharrlichkeit im Streite und der dadurch erlangte Sieg, Il. 22, 257. 23, 661. —**μορος** ſt. κατάμορος, d. i. κακόμορος, elend, unglücklich: 2) κάμμορον bey Nicand. Alex. 40 u. Dioſcor. 4. 77. ſ. v. a. ἀκόνιτον; 3) bey Hippocr. iſt κάμμορον ein kühlendes Mittel, wahrſcheinl. κώνειον Schierlingsſaſt. —**μύω**, ſt. καταμύω.

Κάμνω, arbeiten: act. erarbeiten, durch Arbeit erwerben: mühſam arbeiten, mühſam machen, mühſam durch oder zubringen; 2) ermüden, erſchlaffen, ermatten, Xen. Ann. 3, 4, 47: erkranken, krank werden, krank ſeyn Cyrop. 1, 6, 16. οἱ καμόντες heiſsen vorz. die Geſtorbenen, Todten bey den Dichtern. Vom Stammworte κάμω iſt aor. 2 ἔκαμον wie auch κάματος u. καμέω.

Καμπαλέος, α, ον, (καμπὴ) ſ. v. a. καμπτός. —**πεσίγουνος**, ὁ, ἡ, (κάμπτω, γόνυ) ἐριννὺς, die demüthigende. S. γόνυ u. κάμψιπους. —**πεσίγυιος**, ὁ, ἡ, (κάμπτω, γυῖον) der die Glieder biegt; παίγνια, Gliedermänner, Puppen. —**πέστρια**, τὰ, in Mathem. vet. bey Hero, eiſerne gebogene Platten, v. καμπὴ, wo falſch καμβέστρια ſteht.

Κάμπη, ἡ, (κάμπτω) die Raupe, weil ſie im gehn ſich krümmt; 2) eine Art von Meerthier, Walfiſch. Lycoph. 414. davon *hippocampus*.

Καμπὴ, ἡ, Krümmung, Biegung, Bug. —**πιμος**, ίμη, ιμον, u. κάμπιος od. κάμπειος, Heſych. Suid. gebogen, biegſam; umgebogen: δρόμοι κάμπιμοι bey Eur. ſ. v. a. δίαυλοι. —**πτὴρ**, ῆρος, ὁ, Biegung, Krümmung: Bug, Winkel: Cyrop. 7, 1, 6. die Biegung der Laufbahn, *flexus curriculi*: daher βιοῦ κ. bey Stobae. Serm. 263. —**πτὸς**, ἡ, ὸν, (κάμπτω) biegſam, gebogen. —**πτρα**, ἡ, ſ. v. a. κάμψα. Erneſti leitet es vom alten κάπω, *capio* her, eigentl. κάπτρα. —**πτω**, biegen, einbiegen, umbiegen, krümmen, einlenken, umlenken: neutr. krumm ſeyn: übergetr. wie *flecto*, *inflecto*, bewegen, von einer Meinung abbringen: ἀκρωτήριον κάμπτειν, wie *flectere*, um ein Vorgebirge herum fahren. Das Stammwort iſt κάμπτω einerley mit γάμπτω, wovon γαμψὸς gebräuchlicher iſt als καμψὸς, welches Heſych. allein hat. So werden in γνάπτω u. κνάπτω u. ſ. w. κ u. γ verwechſelt. —**πυλαύχην**, ενος, ὁ, ἡ, krummhalſig. —**πυλέω** bey Hippocr. u. Aretae. ſ. v. a. κάμπτω: vielleicht καμπύλλω. —**πύλη**, ἡ, verſt. βακτηρία, krummer Stab, Krummſtab, *lituus*: Philox. Gloſſ. u. Plutarch. 9 p. 157. —**πυλιάζω**, ſ. v. a. κάμπτω: Suidas. —**πυλόγραμμος**, ὁ, ἡ, mit krummen Linien, aus kr. L. gemacht oder beſtehend. —**πυλοειδὴς**, ὁ, ἡ, (εἶδος) krummartig: Plutar. 10 p. 610. —**πυλόεις**, έσσα, έν, poet. ſ. v. a. καμπύλος. —**πυλόπρυμνος**, ὁ, ἡ, (πρύμνα) mit krummem Hintertheile: Grammat. —**πυλόῤῥιν**, ινος, ὁ, ἡ, od. καμπυλόῤῥινος, ὁ, ἡ, krummnaſig. —**πύλος**, η, ον, gebogen, gekrümmt, krumm. —**πυλοσαλπισταὶ**, die auf dem Horne-Waldhorne trompeten: Philox. Gloſſ. —**πυλότης**, ἡ, (καμπύλος) die Krümmung. —**πυλόχρως**, ωτος, ὁ, ἡ, κορμίσι καμπυλόχρωσι bey Clemens Strom.

5 p. 675. s. v. a. ἀρότροις. Hesych. hat καμπελόχοις, ἀρότροις. —πω, S. κάμπτω.

Κάμψα, ἡ, wird für einen Korb oder geflochtenes Gefäſs, aber auch für eine hölzerne Kiste gebraucht; ist das lat. *capsa*: davon das Dimin. καμψίον. Man leitet es von κάμπτω ab. —ψάκης, ὁ, im Buche Judith 10, 5. καμψάκην ἐλαίου, ein Oehlgefäſs von κάμψα. —ψιδίαυλος, ὁ, ἡ, (δίαυλος, κάμπτω) der das vorgeschriebene Maaſs im Wettlaufe zweymal läuft und dabey umbiegt: metaph. Athen. 14 p. 657. —ψίον, τὸ, S. κάμψα. —ψίουρος, ὁ, ἡ, (κάμπτω, οὐρὰ) s. v. a. σκίουρος das Eichhörnchen, von dem rauchen umgebogenen Schwanze. —ψίπους, οδος, ὁ, ἡ, Ἐριννὺς, Aeschyl. Sept. 793. s. v. a. καμψίγουνος. —ψις, εως, ἡ, (κάμπτω) das Biegen, die Biegung, die Krümmung. —ψόδυνος, ὁ, ἡ, (κάμψις, ὀδύνη) δάκτυλος Anthol. ein mit Schmerz sich krümmender Finger. —ψὸς, ἡ, ὸν, s. v. a. γαμψὸς, krumm. S. in κάμπτω.

Κάμω. S. κάμνω.

Κἂν, s. v. a. καὶ ἂν, wenn auch, wenn gleich, obgleich: sogar: auch: κἂν εἰ, auch wenn. κἂν — κἂν, *sive, sive*, es sey — oder. Wenn ἂν das conditionale ist, mit d. conjunct. sonst mit andern tempor. wie ἂν. 2) κἂν s. v. a. καὶ ἐν, und in, auch in.

Καναβευμα, τὸ, das Modell, der Entwurf. S. κάναβος.

Κανάβινος. S. d. folgende. —βος, ὁ, das Holz, um welches die Künstler mit Wachs, Thon oder Gyps eine Figur modelliren oder entwerfen; 2) gewisse anatomische Entwürfe des menschlichen Körpers, wo hauptsächlich die Hauptadern angedeutet waren; 3) magere Menschen, an deren Körper man alle Adern bemerken kann; 4) Quellen in viele Bäche zertheilt. Diese Bedeutung ist aus Misdeutung von Aristot. Thierg. 3, 5. u. Gener. anim. 2, 6. entstanden. Das franz. *canevas* drückt ebenfalls einen Entwurf aus: daher κηρὸς καναβινὸς, Modellirwachs; σῶμα κανάβινον, ein magerer Körper, gleichsam im Umrisse. Bey Suidas ἀπ' ἀκροθυσίων steht in einer Stelle des Aristoph. κιναβευμάτων, wobey Suidas sagt, κίνναβος sey das Modell, εἴδωλον, *proplasma* Plinii, welches Bildner und Mahler vor sich stellten, um darnach zu arbeiten; also ein Modell von Thon, Wachs, u. dergl. oder ein Umriſs mit Linien, ein Entwurf der Mahler; daher kommen alle die andern Bedeutungen; und κίνναβος ist eine falsche Lesart.

Κανάζω, scheint das Stammwort von καναχέω, καναχίζω zu seyn, ein Geräusch, Getöse machen, Ton, Klang geben. Hesychius hat κανάξαι, ταράξαι, d. i. durch Lärmen, Geräusch in Unordnung bringen; daher ἐκκανάξειν, ἐκκενώσειν, ἀπὸ τοῦ κανοῦ, θορυβήσειν, Hesych. den Becher mit einem gewissen Geräusche der Gurgel schnell austrinken; ἐγκανάξαι, mit einem Geräusche eingieſsen; ἐπεγκανάξαι, darzu eingieſsen; διεκάναξε τὸν λάρυγγα, ist mit Geräusch durch die Gurgel gegangen. Eur. Cycl. 157. Aristoph. Eq. 105. Alciphr. 3 Ep. 36. Aelian. Ep. 4.

Κάναθρον, τὸ, (κάννα, *canna*) eigentlich ein Wagenkorb; auch der Wagen mit solchem Korbe. *plaustrum in quo scirpea matta*, Ovidii: Xenoph. Ages. 8, 8. Plutar. Ages. 19. wird auch κάνναθρον geschrieben. Hesych. hat auch χαννητὸς, ὁ, dafür.

Κάναστρον, τὸ, s. v. a. κανοῦν (κάνη) eigentl. ein geflochtener Korb, wovon *canistrum*; 2) auch eine irdene Schüssel oder Gefäſs, τρυβλίον, davon καναστραῖα, κοῖλα ἀγγεῖα bey Suid. Pollux 10, 86. hat auch κάνυστρον.

Καναῦτανες Aelian. h. a. 17, 17. falsch st. καυνάκαι.

Καναχὲς, Adv. mit Geräusch; von —χέω, ein Geräusch machen, tönen, wie Erz, knirschen, von Zähnen von —χὴ, ἡ, ein Geräusch, Ton, Klang. —χηδὸν, Adv. (καναχέω) mit Geräusch, Klang. —χήπους, (ποῦς) *sonipes*, vom Pferde, das mit dem Tritte des Hufes einen Klang giebt: Oppiani Cyn. 2, 431. —χίζω, s. v. a. καναχέω. Das Stammwort scheint κανάζω, κανάξαι zu seyn.

Κάνδαυλος, ὁ, auch κάνδυλος, eine gewisse Art von Zubereitung der Speisen, Brühe, Sauce: Plutarch. Q. S. 4, 1. —δύκη, ἡ, (κάνδυς) ein persisches Oberkleid. —δύλη, ἡ, s. v. a. κάνδυλος. —δυλος, ὁ, S. κάνδαυλος. —δυς, υος, ὁ, ein medisches u. persisches Oberkleid mit Aermeln, Cyrop. 1, 3, 2. —δύταλις, ἡ, auch κανδυτάλη κανδυτάνις, κανδυτάνη, ἡ, ein Kleiderschrank: von zw. Schreibart: Hesych. Phot. Pollux 7, 79. 10, 137.

Κάνειον, τὸ s. v. a. κάνεον, τὸ, Schüssel, Korb.

Κάνεον, κανοῦν, τὸ, (κάνη) ein von Rohr geflochtener Korb, *canistrum*; auch ein irdenes Gefäſs und von andrer Materie, Schüssel u. dergl. Homer sagt auch κάνειον.

Κάνη, ἡ, S. κάννα.

Κάνης, ητος, ἡ, eine Decke, Matte von Rohr, κάνη, *cannae*, auch κάννης; dav.

Κανήτιον, τὸ, ein Dimin.

Κανηφορεῖν, davon κανηφορία, ἡ, u. κανηφόρος, ὁ, ἡ; zu Athen war es eine grosse Ehre, wenn eine Jungfrau vom 10ten Jahre an gewählt ward, am

Bosse der Ceres oder Minerva den Korb mit den Heiligthümern der Göttin in Procession zu tragen, κανηφορεῖν; solche Jungfer hiess κανηφόρος, ἡ, die Handlung κανηφορία. Sie gieng gepudert (Aristoph. Eccles. 732) und trug eine Schnur getrockneter Feigen in der Hand. Lysistr. vers. 647. Hinter ihr trug man einen Sonnenschirm: Aves 1551.

Κανθαρίζειν, zittern. S. in τανθαρύζω. —θάριον, τὸ, Dimin. von κάνθαρος no. 2. —θάριος, oder κανθάρεος, Beyname einer Rebenart. —θαρὶς, ἡ, die Käferart, welche wir spanische Fliegen nennen, cantharis; 2) eine Art, die dem Getraide schadet, nebst andern. —θαρίτης οἶνος, vinum cantharites, Wein von der Rebe κανθάριος. —θαρος, ὁ, eine Käferart, cantharus; 2) ein Trinkgeschirr, cantharus; 3) ein Meerfisch cantharus; 4) eine Art von Boot oder Schiff; 5) ein Zeichen auf der Zunge des von den Aegyptern verehrten Ochsen Apis. —θήλια, τὰ, clitellae, der Saumsattel, worauf bey Lastthieren gepackt wird: 2) grosse Körbe, worinne Weintrauben bey der Lese, und andere Sachen getragen werden; auch κανθήλια: Geopon. 3. 11. Artemidor. 4, 6. —θήλιος, ὁ, cantherius, ein grosser Lastesel: 2) dummer Mensch. —θὶς, ἡ, eine kleine Eselin. dimin. von —θος, ὁ, der Esel. —θὸς, ὁ, der Augenwinkel, canthus; 2) der eiserne Reifen um das Wagenrad. —θων, ὁ, der Esel: 2) der Käfer, κάνθαρος: Aristophanes.

Κανίαξ, κάλαθος bey Hesych. der von Rohr (κάνη, canna) geflochtene Korb.

Κανίσκιον, τὸ, u. κάνυστρον, τὸ, (κάνη oder κάννα) das lat. canistrum, kleines Körbchen oder Schüssel.

Κάνιτρον, τὸ, canistrum, s. v. a. κανίσκιον: Hesych.

Κάννα, auch κάννη, ἡ, canna storea, eine Decke von Rohr oder Binsen geflochten; eigentl. das Rohr, canna. κάνναις καὶ καλάμοις χρῶνται οἱ Νομάδες εἰς τὴν σκηνοποιΐαν bey Suidas. Sollte eigentlich κάνα geschrieben werden, wie die davon abgeleiteten κάνεον, κάναθρον und andere Worte zeigen. 2) ein von Rohr geflochtener oder von Matten gemachter Einschluss, wie ein Zaun, um eine Bildsäule, um Buden und Zelte, auch auf dem Schiffe, wie περιφράγματα u. ὀρφεῖς: Aristoph. Vesp. 394. Pollux 10, 184. heissen sonst auch γέῤῥα. —νάβινος, ίνη, ινον, von Hanf, cannabinus; von, —ναβις, ὁ, cannabis, der Hanf; auch κάνναβος, und das daraus bereitete Werg, stuppa. S. κάναβος. —ναύρον, S. καναυρον. —νη, ἡ, s. v. a. κάννα. —νηποιός, ὁ, (ποιέω) der solche Decken-Matten flicht- macht: Pollux 10, 184. soll κανναχοποιὸς oder καννητοποιὸς heissen. S. κάνης. —νωτὸς, oder κανωτὸς, (κάννη) von Binsen oder Schilf gemacht.

Κανονάρχης, ὁ, (ἄρχω) der die Mönche zum Absingen der canonum weckt, Vorsteher derselben. —νίας, ὁ, (κανὼν) ἄνθρωπος, ein langer-, gerader- schlanker Mensch: Hippocr. —νίζω, (κανὼν) nach der Richtschnur oder Regel etwas machen- abzeichnen- bezeichnen- beurtheilen oder richten: als Richtschnur oder Regel festsetzen. —νικὸς, ἡ, ὸν, nach dem κανὼν Regel- Richtschnur gemacht, regelmässig. 2) κανονικὴ τέχνη nach Proclus über Euclides p. 12. ἡ τὰς τῶν κανόνων κατατομὰς ἀνευρίσκουσα, welche die Töne auf der Tonleiter oder Skala nach den verschiedenen ἁρμονίαις abmisst: also die theoretische Musik, Theorie der Musik, κανονικοὶ, die theoretischen Musiker. Vergl. Gellii noctes 16, 18. —νιον, τὸ, dimin. von κανὼν, s. v. a. σταμὶν: Pollux 1, 92. bey Suidas auch ein Werk, Buch. —νὶς, ίδος, ἡ, ὑπάτη Epigr. Philippi 17. s. v. a. κανὼν, analecta 2 p. 496. Lineal. —νισμα, τὸ, (κανονίζω) s. v. a. κανὼν. —νισμὸς, ὁ, bey Manetho 1, 299. 4. 151 und 292. bezeichnet es einen Theil des Hauses, und wird mit θριγκοὶ verbunden.

Κανοῦν, οῦ, S. κανέον.

Κανυσινὸς, ὁ, verst. Φαινόλης, poenula canusina, davon canusinatus bey Seneca 5. Beat. 25.

Κάνωβος, ὁ, auch κάνωπος, Canopus, eine Stadt in Unterägypten, durch die Schwelgerey ihrer Bewohner berüchtiget: daher diese Lebensart von —βίζω —βισμὸς, ὁ, bey Strabo.

Κανὼν, ὁ, wie regula, ein gerades Holz, etwas gerade oder fest zu halten; an der Waage der Waagbalken, sonst ζυγός. Aristoph. Ran. 799. das Richtholz, Winkelmaass der Zimmerleute; daher metaph. Richtschnur, Muster: 2) das Queerholz am Schilde, womit er festgehalten ward, statt des ὄχανον, Iliad. Θ. 193. 3) alles was das Maass- die Art und Weise bestimmt, oder was nach einem gewissen Maasse und Regel bestimmt ist. 4) Iliad. Ψ. ὡς ὅτε τίς τε γυναικὸς ἐϋζώνοιο στήθεός ἐστι κανὼν ὅντ' εὖ μάλα χερσὶ τανύσσῃ πηνίον ἐξέλκουσα παρὲκ μίτου, ἀγχόθι δ' ἴσχει στήθεος. vergl. Nonnus Dionys. 37 p. 936. Man erklärt es durch κάλαμος μίτων, um den die Weber die Fäden winden; Eustathius durch die Spuhle, worauf das Garn gewunden ist. So setzt Aristoph. Θεσμοφ. 822 ἀντίον und κανὼν, als Weberinstrumente zusammen, wie Pollux 7, 36. Es scheint also der Garnbaum, Weberbaum zu seyn. Doch davon. S. im Index script. rei rusticae unter *tela*. In Plutarch. 6 p. 592 findet sich noch die merkwürdige Stelle: κανόνων διάθεσις καὶ ἀνεγέρσις ἀγνύθων, woraus man schliessen kann, dass mehrere κανόνες an einem Weber-Stuhle waren. Bey den Kirchenvätern Sammlung der Bücher, die die Kirche als Richtschnur angenommen hat, die kirchliches Ansehn haben.

Καπάναξ, S. κατανη.

Καπάνη, ἡ, ein Thessalischer Wagen s. v. a. ἀπήνη; daher Aristoph. Athenaei 10 p. 418: καὶ τὰ Θετταλικῶν μὲν πολὺ καπανικώτερα δεῖπνα, prächtigern, grössere Schmausereyen mit Anspielung auf die grössern thessalischen Wagen. 2) Bey Pollux 1, 142. sind καπάνακες, οἱ, die beyden Seitenhölzer am Sitze des Kutschers, und das hintere Querholz heisst καπάνη: der ganze Sitz ist mit Leder bedeckt, und unten auf dem Wagengestelle mit ledernen Riemen angebunden; daher Pollux ἡ μὲν ἱμάντωσις τοῦ δίφρου τόνος καλεῖται sagt. Hieraus erkläre ich καπανια, ἀρπεδόνες, bey Hesych. und καπαλευτὰς, συηλάτας, wie καπαλίζει, ζευγηλατεῖ st. καπανευτὰς u. καπανίζει. —νικός, S. καπάνη.

Καπέτις, ἡ, S. καπίθη. —τος, ἡ, (σκάπτω st. σκάπετος) Grube, Graben, Grab.

Κάπη, ἡ, (κάπτω) die Krippe mit dem Futter fürs Vieh; κάπηθεν von der Krippe weg.

Καπήδαλος, S. ἐγκαψικίδαλος.

Καπηλεία, ἡ, (καπηλεύω) der Handel, Hökerey mit allerhand Waaren, vorz. das Weinschenken. —λεῖον, τὸ, und καπήλιον, τὸ, ein Laden eines κάπηλος, Krämers, Händlers vorz. eine Weinschenke, *caupona*. —λευτής, ὁ, s. v. a. κάπηλος: von —λεύω, ich bin ein κάπηλος, Händler, Krämer, vorz. Weinschenker: 2) metaph. ich habe feil, verhandle, verkaufe. πάντα τὰ πράγματα bey Herodot τὰ μαθήματα, τὴν σοφίαν, τὰς δίκας, εἰρήνην χρυσίου τὴν μάχην bey Aeschyl. welches Ennius *cauponantes bellum* übersetzte. Ueberh. verfälschen: daher ἀκαπήλευτος γνώμη. —λικός, ἡ, ὸν, Adv. -κῶς, was zum Höker-Händler-Weinschenker gehört; oder im Handeln geschickt ist; listig, betrügerisch. —λιον, τὸ, S. καπηλεῖον. —λις, d. femin. v. κάπηλος, *copa*. —λοδύτης, ὁ, (δύομαι) der immer beym Weinschenken liegt, ist. —λος, ὁ, (κάπτω, κάπη) eigentl. einer der mit Lebensmitteln handelt; von ἔμπορος, *mercator*, verschieden, weil dieser im Grossen die Waaren holt, kauft und verkauft, vorz. ein Weinschenker: aber auch jeder Händler, als σιτοκάπηλος, βιβλιοκάπηλος, ἱματιοκάπηλος, das lat. *caupo*: auch vorzüglich ein Weinschenker. Weil diese Leute ihre Waare gern verfälschen, und damit betrügen, so bedeutet das Wort auch 2) verfälscht, betrügerisch, κάπηλα τεχνήματα Aeschyl. Demosth. p. 784: εἰ δὲ κάπηλος ἐστι πονηρίας καὶ παλιγκάπηλος καὶ μεταβολεύς. S. καπηλεύω.

Καπήρια, τὰ, sonst καπύρια, eine Art Kuchen.

Καπητὸν, τὸ, (κάπη) das Viehfutter, wie das spätere lat. *capitum*.

Κάπια, τὰ, die Zwiebeln; wovon das lat. *caepa*: Hesych.

Καπίθη, ἡ, ein Maass 2 χοίνικας haltend, wie *capis* von κάπη. Hierher gehört καπέτις, χοίνιξ bey Hesych. Xen. Anab. 1, 5, 6. nach Polyaen. 4, 3, 32 ist καπέτις, ἡ, s. v. a. ein attischer χοίνιξ.

Καπνείω, st. καπνέω, ich räuchere. —νέλαιον, τὸ, Rauchöl, d. i. Harz, welches von selbst ausfliesst, in Cilicien so genannt: Galenus. —νη, ἡ, s. v. a. καπνοδόχη, ὀπτανείου: Athen. p. 386. Aristoph. vesp. 143. —νίας, ὁ, rauchig, voll Rauch: οἶνος, eine Art Wein, nach Rauch schmeckend, weil er in dem Rauche alt werden musste, wie die italienischen Weine ehemals, oder überhaupt alter Wein: der Scholiast d. Aristoph. Vesp. 151 nennt eine Art Rebe καπνία, welche den Wein καπνίας bringe, den einige nach Beneventum in Italien versetzten. Von der Rebenart κάπνιος mit spielender Farbe der Beeren. S. Theophr. h. pl. 2, 4. Aristot. gener. anim. 4, 4. —νιάω, ῶ, ich räuchere, σμῆνος einen Bienenstock: neutr. rauchen, dampfen: Plutar. 7 p. 784. —νίζω, ich räuchere; mache Rauch: daher auch, ich mache Feuer an: ich räuchere Fleisch: ich mache Rauch mit Räucherwerk: καπνίζειν αὐτοὺς ὀψοποιουμένους Demosth. p. 1257. κάπνισσαν τε κατὰ κλισίας καὶ δεῖπνον ἕλοντο: Il. 2, 399. —νίον, τὸ, kleiner Rauch. —νιος, ὁ, ἡ, S. καπνιάς. —νισις, ἡ, das Räuchern. —νισμα, τὸ, der Rauch, das Räucherwerk, das Räuchern. —νιστός, ἡ, ὸν, (καπνίζω) geräuchert: ἔλαιον καπνιστὸν, ein mit angezundetem Gewürze wohlriechend gemachtes Oel. —νοδόκη, ἡ, u. καπνοδοχεῖον, τὸ, und καπνοδόχη, ἡ, (καπνὸς, δέχομαι) Rauchfang, ein Loch in der Decke der Küche, wodurch die Sonne auf den Boden schien: Herodot. 8, 137. —νοδόχος, ὁ, ἡ, der den Rauch aufnimmt, auffängt. —νοποιός, ὁ, ἡ, Rauch machend, rauchend. —νός, ὁ, der Rauch, Dampf, v. κάπω, wovon κάπος: κάφω, wovon ἀπεκάπυσε ψυχὴν bey Homer, und κακῶς κεκαφηότα θυμὸν, die schwer athmende Seele. Hesychius hat auch καπύσσων, ἐκπνέων; ferner κάπυκτα, πνέοντα, davon καπυρός, trocken. Im Etym. M. in καφηρεύς, wird κεκαφηότα νίκη st. πνευστιῶντα angeführt. Nicand. Alex. 444 κεκαφηότα für ὀλιγοψυχοῦντα. Oppian. Cyn. 4, 206 γυῖα κεκαφηότα, ermüdeten, matten Glieder, Leib: Quintus Smyrn. 6, 523 ψυχὴν οὔτι κάπυσσεν, efflavit animam.

Καπνοσφράντης, ου, ου. τής, ὁ, Rauchriecher: sprichwörtl. ein karger Mensch, Filz: bey Eustath. —**νοῦχος**, ὁ, (ἔχω) Rauchhälter, s. v. a. καπνοδόχη: zw. —**νόω**, ῶ, ich räuchere: pass. rauchen, dampfen: Eurip. oder in Rauch aufgehen. —**νώδης**, εως, ὁ, ἡ, rauchig, raucherig: übergetr. überh. dunkel.

Κάπος, ὁ, für Hauch, Athem, findet sich nur bey den Grammat. denn die Stelle Eurip. Phoen. 862 gehört nicht hieher. Dort lasen einige κάπος ἐδοῦ st. ἄπος. Hesychius hat auch κάπυς, πνεῦμα, wovon καπύω. S. καπνὸς,

Καππάριον, τὸ, Dimin. v. κάππαρις, ἡ, der Kaperustrauch und Frucht, die Kaper, capparis. —**ποφόρος**, ὁ, ἡ, Kappatragend, mit einem Kappa.

Κάπραινα, ἡ, die wilde Sau: metaph. geiles, wollüstiges Weib. —**πράω**, ῶ, wie subo, wird eigentl. von laufischen wilden Schweinen, metaph. auch von geilen- brünstigen Weibern gesagt. —**πρεᾶ**, ἡ, u. καπριά, ἡ, bey Suidas καπρεαι, bey Aristot. h. a. 9, 50. καπριαὶ, die Eyerstöcke bey Säuen und Kameelstuten, die ihnen ausgeschnitten werden, damit sie nicht mehr brünstig werden: davon —**πριάω**, ῶ, u. καπρίζω, s. v. a. καπραω. —**πριος**, ὁ, s. v. a. κάπρος, Eber: 2) adject. s. v. a. κάπρειος, vom Eber. —**πρίσκος**, ὁ, Dimin. v. καπρος, Name eines Fisches, der grunzet. —**προς**, ὁ, aper, Eber, wildes Schwein: 2) männliches Glied. —**προφόνος**, ὁ, ἡ, Ebertödter. —**πρώζω**, s. v. a. καπράω, nach Eustath. ἀσχιοωρος νεμόμενος καπρώζεται bey Athenaeus p. 402.

Καπτήρ, ὁ, Theophr. c. pl. 5, 6. wird tubus fictilis übersetzt, eine irdene Röhre: zw. —**τω**, geschwind oder gierig essen oder verschlucken: davon κάπη und βουκαπη, Krippe. Das Stammwort muss καπω seyn. S. auch ἀνακ. u. ἐγκαπτω.

Καπυρια, καπυρίδια, τὰ, ein Ingrediens zu Kuchen: Eustath. und Athenaeus 3, c. 29 d. lat. tracta. —**ρίζω**, bey Strabo 17 p. 1152 scheint die Bedeutung zu haben, frische Luft schöpfen: oder vielmehr schwelgen: davon L. 14 p. 976. τρυφητῶν και καπυριστῶν, verbunden werden. S. καπνος. Bey Theocrit. 2, 24 καππυρίσασα, lesen andere richtiger κάππυρος (d. i. κατάπυρος) εἶσα d. i. οἶσα. erwarmt. S. κάπυρος. —**ριστής**, ὁ, Schwelger. S. καπυρίζω. —**ρὸς**, ρὰ, ρὸν, an der Luft getrocknet, trocken: καπυρὸν γελᾶν, wie κραμβαλέος γέλως, eine trockne Lache. S. καπνὸς, bey Theocr. 2, 85 καπυρὰ νόσος, brennende Krankheit, Liebe: καπυραὶ χαῖται, 6, 16, trockne Blüthen. Μοισᾶν καπυρὸν στόμα, 7, 37. wie bey Aristoph. Equit. 536 κραμβότατον στόμα, s. v. a. facetus. τυρὸς, trockner Käse: Inscript. Gruter. p. 218. καπυρὸν πάνυ συρίζω Luci. 2 p. 77 ich singe sehr artig oder schön. Einige leiten es von κατάπυρος falsch ab: davon —**ρόω**, trocken machen: τοῦ μὴ κατὰ τὰς νεωλκτὰς καπυροῦσθαι τὴν ὕλην μὴ νοτιζομένην, Strabo 4, p. 298. damit das Holz nicht eintrockne und leck werde. —**ροτρώγονα** κάρυα Epicharm: Athenaei 2 c. 12. zw. Bedeut. u. Lesart.

Καπύω, S. καπνὸς u. κάπος.

Κάπω, wovon κεκαφώς, u. καπύω. S. καπνὸς u. κάπος.

Κάπων, ωνος, ὁ, d. lat. capo, Kapaun.

Κὰρ, ἐπὶ κὰρ, Il. 16, 392 besser ἐπικὰρ wie ἀνάκαρ, s. v. a. κατώκαρα.

Κὰρ, καρὸς, ὁ, ein Karier: Il. 9, 378. ἐν καρὸς αἴσῃ τίω μιν ist es von κάρ, der Karier, der als Söldner, Lehnsoldat verachtet war. Daher Hesychius ganz recht: καριμοίρους τοῖς ἐν μηδεμιᾷ μοίρᾳ ἢ μισθοφόρους erklärt.

Κάρα, τὸ, Kopf, Haupt. Auch als femin. Aesop. 144.

Καράβιον, τὸ, ein kleiner carabus Meerkrebs, Krabbe, Käfer, und Schiff. —**βὶς**, ἡ, s. v. a. κάραβος, locusta, die Meerkrabbe. Alexander Trall. —**βοειδὴς**, έος, ὁ, ἡ, (εἶδος, κάραβος) dem carabus, der Krabbe ähnlich. —**βοπρόσωπος**, ὁ, ἡ, (πρόσωπον) mit dem Gesichte oder Ansehn eines κάραβος, Krabbe oder Käfers. —**βος**, ὁ, eine Käferart, scarabaeus, wie der Feuerschröter: 2) eine Art von Meerkrebsen, mit langen Schwänzen. S. Athenaei 3 p. 105. beyde lat. Carabus. S. καράμβω, u. κεράμβυξ. 3) eine Art von Schiff. —**βώδης**, εος, ὁ, ἡ, (εἶδος) von der Art oder dem Ansehn eines κάραβος, Meerkrabbe oder Käfers.

Καραδοκέω, ῶ, sich nach jemand umsehen, auf ihn warten, erwarten, verlangen, sich sehnen, harren, hoffen: von κάρα, δοκέω, δοκεύω, eigentl. mit aufgerichtetem Haupte passen, lauern, aufmerken; davon —**δοκία**, ἡ, das Warten, Erwartung: Aufmerksamkeit: das Hoffen.

Καραιβαράω, έω, ῶ, S. καρηβαρέω: aus Eustath. u. Luciani Lexiph. zw.

Καρακάλλιον, τὸ, eine Kappe, cucullа: Glossar.

Καράμβιοι, s. v. a. κάραβοι, Holzkäfer: Aristot. h. a. 5, 19.

Καρανιστής, οῦ, ὁ, u. καρανιστὴρ, ῆρος, ὁ, den Kopf betreffend, das Leben koſtend, als μέρος, δάκη: Eurip. Rheſ. 817 und Aeſchyl. —νος, ὁ, Oberhaupt, Xen. hell. 1, 4, 3. ſcheint ein perſiſches Wort zu ſeyn: davon —νόω, ῶ, Aeſchyl. Choe. 526 λόγος καρανοῦται, ſt. κεφαλαιοῦται.

Καρατομέω, ῶ, ich ſchneide den Kopf ab, köpfe: davon —τομία, ἡ, das Köpfen, Kopfabſchneiden. —τόμος, ὁ, ἡ, (κάρα τέμνων) den Kopf abſchneidend: καράτομος paſſ. enthauptet.

Καρβανίζειν, καρβάζειν, u. καρβαίζειν, ſ. v. a. βαρβαρίζειν; von —βανος, ὁ, ſ. v. a. βάρβαρος. —βατίνη, ἡ, bey Catull 99 *crepidae carbatinae*, Bauerſchuhe von rohem Leder: wird auch καρπατίνη geſchrieben. καρβατιναι οἰκίαι kommen in Mathem. vet. p. 101 vor —βατιών, ὁ, βάλλειν ἐκ τῶν καρβατιώνων λίθοις ὡς μεγίστοις Philo Mathem. vet. p. 92. eine Wurfmaſchine. Hieher ſcheint die Gloſſe des Heſych. zu gehören: κάρβανοι, τὰ τῶν σφενδονῶν καρφία.

Καρδαμίζω, der Kreſſe ähnlich ſeyn: bitter oder ſauer ausſehen: ſonſt κάρδαμον βλέπειν, bey Ariſtoph. Thesm. 624. τί καρδαμίζεις; ey! was redeſt du da viel von κάρδαμα, Kreſſe. —δαμίνη, ἡ, Kreſſenartiges Kraut, ſonſt ἰβηρὶς und λεπίδιον, genannt. —δαμὶς, ίδος, ἡ, ſo viel als das vorherg. Andere erklärten ſie für σισύμβριον, einige für ἰβηρὶς, von der Aehnlichkeit mit der Kreſſe κάρδαμον genannt. —δαμογλύφος, ὁ, ἡ, ſ. v. a. κυμινοπρίστης, Knicker, Filz: Ariſtoph. Veſp. 1357. —δαμον, τὸ, wird für eine Art von Kreſſe *naſturtium* gehalten: vorz. aſsen es die Perſer: Perizon. ad Aelian. v. h. 3, 39. daſs ſie es geſtoſsen und geliebt genoſſen, zeigt die Stelle Polyaen. 4, 3, 32. καρδάμου κεκομμένου σεσησμένου λεπτοῦ, welches jedoch wohl nur vom Saamen zu verſtehen iſt. —δάμωμον, τὸ, *cardamomum*, Dioſcor. 1, 5. Theophr. hiſt. pl. 9, 7. Plin. 12, 13. *Kardamum*, ein Gewürz. —δαξ, κος, ὁ, κάρδακες, οἱ, bey den Perſern eine Art von Söldnern, *barbari milites, quos illi Cardacas appellant*: Corn. Nepos Datam. 8. —δία, ἡ, poet. κραδία, das Herz, als Sitz und Princip des Umlaufs des Blutes, und des Pulsſchlages: übergetr. wie *cor* (ſ. Cic. Tuſc. 1, 9) und unſer Herz, Trieb, Begierde, Muth: im Allg. Seele. S. in ἦτορ. 2) der obere Magenmund. —διακὸς, ἡ, ὸν, zum Herzen gehörig: 2) ſ. v. a. καρδιαλγής. —διαλγεῖν, eigentl. Herzſchmerzen - gewöhnlicher aber Magenſchmerzen haben; von —διαλγὴς, έος, ὁ, ἡ, der von der καρδιαλγία leidet, der Magenſchmerzen hat. —διαλγία, ἡ, Schmerzen des obern Magenmundes von böſen freſſenden Feuchtigkeiten des Magens, Magendrücken, Herzgeſpann: von καρδία no. 2. daſſelbe iſt καρδιωγμός: davon —διαλγικὸς, ἡ, ὸν, zum Magendrücken gehörig, damit verbunden, dergleichen verurſachend: der gewöhnlich Magenſchmerzen hat. —διάω, ῶ, ſ. v. a. καρδιαλγέω: u. καρδιώσσω, Magenſchmerzen oder Magendrükken haben. —δίνημα, τὸ, f. Les. ſt. κορδίνημα oder σκορδίνημα. —διοβόλος, ὁ, ἡ, (βάλλω) das Herz treffend: davon hat Heſych. καρδιοβολεῖσθαι für λυπεῖσθαι, Herzensangſt Kummer haben. —διογνώστης, ου, ὁ, Herzenskenner: Apoſt. Actor. 1, 24. —διόδηκτος, ὁ, ἡ, herzfreſſend, Aeſchyl. Ag. 1482 wo καρδία δηκτὸς ſteht. —διοπονέω, ῶ, am Herzen leiden: Herzensangſt haben: zw. —διουλκέω, ῶ, ich ziehe das Herz (καρδία) des Opferthiers heraus, ἑλκὼ, um es mit Fett bedeckt zu verbrennen: davon —διουλκία, ἡ, die Handlung heiſst, wenn man das Herz herauszieht. —διοφύλαξ ακος, ὁ, Bruſtſchild, der das Herz bewahrt: Polyb. 6, 23. —διόω, ῶ, καρδιοῦμαι, ſ. v. a. καρδιουλκέω. —διωγμὸς, ὁ, ſ. v. a. καρδιαλγία, Magenſchmerz: von —διώσσω, ττω, ſ. v. a. καρδιάω, und καρδιαλγέω; Magenſchmerz haben. —δοπεῖον, τὸ; ſ. v. a. πανσικάπη: Pollux 10, 112. nach Heſych. der Deckel des κάρδοπος, Backtroges. —δοπογλύφος, ὁ, ἡ, (γλύφω) der Backtröge und andere hölzerne Gefäſse aushölt: v. —δοπος, ἡ, Backtrog: Molde: jedes ausgehölte hölzerne Gefäſs.

Κάρη, τὸ, Kopf, (wird nicht deklinirt) Il. 22, 74.

Κάρηαρ, ατος, τὸ, ſ. v. a. d. vorh. Il. 11, 309.

Καρηβαρέω, ῶ, (βαρὺς, κάρη) ſchweren Kopf haben, drückende Kopfſchmerzen leiden; davon —βαρία, καρηβάρεια, ἡ, Kopfſchwere, Kopfſchmerzen: ὀζαλέη βάκτρου καρ. Anthol. der ſchwere Kopf des knotigen Knittels Stocks: davon —βαριάω, ſ. v. a. καρηβαρέω, Ariſtoph. Pollucis 2, 41. —βαρικὸς, ἡ, ὸν, mit ſchwerem Kopfe oder Kopfdrücken: Kopfſchmerzen verurſachend. —βαρίτης, ου, ὁ, οἶνος, ein Wein der Kopfſchmerzen macht: Suidas. —βοάω, ῶ, vom Schreyen und Lärmen drehend werden.

Καρηκομάω, ῶ, davon καρηκομόωντες, die den Kopf voll Haare haben, und ſie nicht vorn (wie die Abantes, welche ὄπιθεν κομόωντες heiſsen) abſchneiden.

Κάρηνον, τὸ, (κάρη) der Kopf.

Καρίδιον, τὸ, und καριδάριον, dimin. v. καρὶς. —δόω, Athenaeus 3 p. 105. καρίδοι τὸ σῶμα, f. v. a. er macht fich krumm, wie die Krabbe καρὶς, welche κυφὴ, κυρτὴ und καμπύλη heifse.

Καρίζω, ich handle wie ein Karier.

Καρικοεργής, έος, ὁ, ἡ, von karifcher Arbeit. —κὸς, ἡ, ὸν, aus Karien. τὸ καρικὸν heifst eine Art Salbe: ein Oel: καρικὴ μοῦσα, das Klagelied bey Begräbniffen. S. καρίναι.

Καρίνη, ἡ, *praefica*, Klageweib, urfprünglich aus Karien (daher καρικὴ μοῦσα Klagelied) dergleichen bey Leichenbegängniffen gemiethet würden, um durch Weinen und Klagen dem Todten die letzte Ehre zu erzeigen: Hefych. und Menanders Komödie καρίνη bey Athenaeus 4 p. 175.

Καρὶς, ίδος, ἡ, eine Krabbe, Garneele, Art von langen aber kleinen Seekrebfen. —στὶ, Adv. nach karifcher Art.

Καρκαίρω, Il. υ, 157. drückt das dröhnen (*tremere*) und den Klang der erfchütterten Erde aus, ertönen, wiedertönen. —καρον, τὸ, bey Sophron das Gefängnifs, bey Rhinthon f. v. a. μάνδρα, davon d. lat. *carcer*. κάρκαρος. S. κάρχαρος. —κινὰς, άδος, ἡ, u. καρκίνιον, τὸ, dimin. d. folgd. kleiner Krebs. —κῖνος, καρκίνος, ὁ, der Meerkrebs, *cancer*: auch das Geftirn am Himmel mit diefem Namen: und das Gefchwür, der Krebs; 2) eine Art von Zange, Feuerzange: 3) eine Art von Zirkel, Inftrument, fonft auch κίρκινος, *circinus*. διὰ τοῦ διαβήτου τοῦ λεγομένου καρκίνου fagt Leontius. —κινόω, ῶ, ich mache dem Krebs ähnlich; 2) ich verurfache den Krebs, das Gefchwür; 3) die Wurzeln καρκινοῦνται, *cancellant et irretiunt terram*, wenn fie fich in einander fchlingen und verwickeln. —κινώδης, εος, ὁ, ἡ, krebsartig. S. καρκῖνος. —κίνωμα, τὸ, *carcinoma*, ein unheilbares Krebsgefchwür, Krebsfchaden.

Καρναβάδιον, τὸ, f. v. a. κάρος, Kümmel. —νεια, κάρνεα, τὰ, ein Feft, dem Apollo κάρνειος zu Ehren von den dorifchen Völkern im Peloponnefus, vorzüglich aber zu Lacedaemon gefeyert: der Monat, worinne es gefeyert ward, hiefs καρνεῖος μὴν, und entfprach dem attifchen μεταγειτνιῶν: die Sieger in den dabey angeftellten Wettftreiten hiefsen καρνεονῖκαι. —νον, τὸ, u. κάρνυξ, ὁ, die gallifche Trompete: Diodor. 5, 30.

Κάροινον, τὸ, auch καρύινον, u. κάρυνον, τὸ, ein füfser eingekochter Wein, *caroenum* oder *carenum* Palladii. S. Index Script. R. R. in Carenum.

Κάρος, ὁ, tiefer Schlaf, Todtenfchlaf, faft einerley mit καταφορὰ.

Κάρος, κάρον, Diofcor. 3, 66. italienifch *caro*, franzöf. *carvi*, Kümmel, *Carum Carvi* Linn. bey Columella 12, 51, 2. *Careum*.

Καρόω, ῶ, (κάρος) in einen fchweren Schlaf verfenken: Schwere des Kopfs und Trägheit des Körpers verurfachen: benebeln.

Κάρπαι, αἱ, Theophr. c. pl. 3 c. 22. eine Art von Würmer auf den Oelbäumen, wofür fchon Stephanus aus 5 c. 14 κάμπαι lefen wollte. —παία, ἡ, eine Art mimifchen Tanzes, worin ein Bauer auftritt, der fich mit einem Ochfendiebe herumfchlägt: Xen. Anab. 6, 1. 7. Hefych. hat καρπέα für einen macedonifchen Tanz angemerkt. —πάλιμος, Adv. —λίμως, reiffend, fchnell, ftatt ἀρπάλιμος, von ἁρπάω; ἁρπάζω. —πάσινος, η, ον, *carbafinus*, S. κάρπασος, ἡ.

Κάρπασος, ὁ, auch κάλπασος, ein Gewächs, deffen Saft giftig, ὀποκάρπασος oder καρπάσου ὀπὸς, bey Plinius *fuccus Carpathi* heifst. —πασος, ἡ, das lat. *Carbafus*, eine Art von feinem Flachs aus Spanien; davon καρπάσινος das lat *carbafinus*: Suidas in ἀμοργὶς, Dionyf. Antiq. 2, 68. —πεία, ἡ, Benutzung, Genufs; von —πεύω, vorz. im med. nutzen, benutzen: im Activo hat es Hyperides Pollucis 7, 149. —πήσιον, τὸ, und καρπησία, ἡ, ein ausländifches gewürzhaftes Holz. —πίζω, ich nehme die Frucht ab: überh. ich erndte, fammle: Diofcor. 3, 37. 2) —ζομαι, ich geniefse die Frucht, ich nutze, benutze. 3) καρπίζεσθαι γῆν, die Erde ausfaugen, von Früchten: Theophr. h. pl. 8, 9. dagegen καρπίζειν, befruchten: Eur. Bach. 402. 4) ftatt καρφίζω, *in libertatem vindico*, ich fpreche mit aufgelegter Ruthe frey. —πιμος, ίμη, ιμον, früchtetragend, nutzbar. —πίον, τὸ bey Ctefias viell. f. v. a. καρυόφυλλον welches griechifch μυροφόδα heifsen foll. —πὶς, ίδος, ἡ, ft. καρφὶς, die *vindicta*, womit der Praetor einen Menfchen für frey erklärt. —πισμὸς, ὁ, das Einfammlen der Früchte; 2) die Benutzung 3) ft. καρφισμὸς, die Erklärung eines Menfchen für frey. S. καρπιστής. —πιστεία, ἡ, ft. καρφιστεία, f. v. a. καρπισμὸς no. 3. Charifius hat *vindiciae*, καρπίστρια. —πιστὴς, οῦ, ὁ, ft. καρφιστὴς, *vindex*, der einen für frey erklärt: Arrian. Epict. 3, 24 und 26. Tertullianus c. Valentin. verbindet: *Lytroten et Carpiften*. Bey Clemens Strom. 5 p. 679 ift καρπισμὸς die *manuipatio*. S. κάρφος. —ποβάλσαμον, τὸ, Balfamfrucht. —ποβριθὴς, ὁ, ἡ, Nicetas Annal. 21, 9. mit Früchten beladet. —ποβρωτος, ὁ, ἡ, mit efsbarer oder zerfressener Frucht: Deut. 20. in den LXX. zw.

Καρπογένεθλος, ὁ, ἡ, (γενέθλη) f. v. a. καρπογόνος: Anthol. —πογονέω, ῶ, ich zeuge- bringe Frucht; davon —πογονία, ἡ, Fruchterzeugung: das Fruchttragen, Fruchtbarkeit. —πογόνος, ὁ, ἡ, (γόνος, γένω) Frucht-erzeugend- bringend- tragend. —πόδεσμα, ων, τὰ, (κάρπος δεσμὸς) Armfessel: Lucian. Lexiph. davon —ποδέσμιος, mit einem Armbande oder Armfessel, nach dem Glossar. Steph. wo das vorige Wort durch *lemniscus, articularia fascicula*, und das gegenwärtige *leminiscatus* erklärt wird. So steht es wirklich bey Horapollo Hierogl. 2, 78 vom Stiere. —ποδότειρα, ἡ, femin. von καρποδοτὴρ, ὁ, oder καρποδότης, ὁ, Fruchtgeber: das Verbum καρποδοτέω, Frucht geben, hat Nicetas Annal. 5, 7. —πολογέω, ῶ, ich lese oder sammle Früchte, ich nehme Früchte ab; davon —πολογία, ἡ, das Ablesen- Abnehmen- Sammlen der Früchte: Geopon. 10, 78. —πομανής, έος, ὁ, ἡ, (μανία, μαίνομαι) Fruchtschwelgend, zu viel Frucht treibend oder tragend, wie ὑλομανής: Sophocl. —ποποιὸς, ὁ, ἡ, (καρπὸν, ποιέων) Fruchtmachend, Früchte erzeugend oder gebend: Eur. Rhes. 963. —πὸς, ὁ, die Frucht; von Bäumen, und von der Erde. 2) der Kern, der Saamen. 3) Nutzen, Gebrauch, Vortheil. 4) die Vorhand, der Theil vor den Fingern oberwärts, *carpus*. ἀπὸ τοῦ καρποῦ τῆς χειρὸς ἥδιστα τὰ μύρα φαίνεται Theophr. *experimentum unguentorum capitur inversa manu, ne carnosae partis calor vitiet* übersetzte es Plinius 13 c. 2. Was Homer οἰὸς ἄωτον nennt, sagt Oppian. Hal. 2, 22 καρπὸν μήλων εὐανθέα, d. i. Wolle. S. κάρφος. —ποτελέω, Frucht zollen- bringen- tragen: zw. —ποτοκέω, ῶ, ich erzeuge- trage Frucht; davon —ποτοκία, ἡ, das Erzeugen oder Tragen von Früchten. —ποτόκος, ὁ, ἡ, (καρπὸν τίκτων) Frucht erzeugend- hervorbringend- tragend. —ποτρόφος, ὁ, ἡ, (τρέφω) mit Früchten genährt, gefuttert: καρποτρόφος, act. mit Früchten oder Früchte nährend, fruchtbringend. —ποφάγος, ὁ, ἡ, (καρπὸν φάγων) Früchte essend, davon lebend. —ποφορέω, ῶ, ich trage Frucht: davon —ποφορία, ἡ, das Fruchttragen, die Fruchtbarkeit. —ποφόρος, ὁ, ἡ, (καρπὸν φέρων) fruchtbringend, fruchttragend, fruchtbar. —ποφυέω, ῶ, (φύω) Frucht bringen. —ποφύλαξ, ακος, ὁ, Fruchtwächter. —πόω, ῶ, ich mache Frucht; ὕβρις ἐκάρπωσε στάχυν ἄτης Aeschyl. Pr. 818. ich bringe sie dar: τοῖς θεοῖς τὰ νενομισμένα ἱερὰ καρπώσει. dor. Inscript. Mus. veron. p. 15. und die LXX Levit. 2, 11. καρποῦμαι, ich habe- geniesse die Frucht, ich nutze, habe den Nutzen auch den Schaden von einer Sache, wie ἀπολαύειν, im guten und bösen Sinne. καρποῦσθαι τὴν χώραν, vom Feinde, der die Früchte des Landes wegnimmt. —πώδης, εος, ὁ, ἡ, fruchtbar, nützlich. —πωμα, τὸ, Frucht, Nutzen: 2) Darbringung, Weihung, Opfer. —πώσιμος, ὁ, ἡ, wovon man Frucht- Nutzen haben kann. —πωσις, ἡ, f. v. a. κάρπωμα, die Nutzung. —πωτὸς χιτὼν, ein Unterkleid, dessen Ermel bis an die Vorderhand (καρπὸς) gehen.

Καῤῥέζω, st. καταῤῥέζω, abgekürzt κατῤέζω, des Wohlklanges wegen καῤῥ. —ῤον, τὸ, Karre, Wagen: bey den LXX. —ῤων, ονος, ὁ, ἡ, starker, besser: ein dorisches Wort, von κάρτος unregelmässig gemacht: regelmässig ist κάρτιστος oder κράτιστος der superlat. auch im attischen Dialekte gewöhnlich. Καῤῥόθεν, von einem bessern Orte her, hat Damascius Suidae in κάῤῥων.

Κάρσια, ἡ, die schiefe Richtung: sehr zw. von —σιος, ία, ιον, Adv. —σίως, gewöhnlicher und f. v. a. ἐγκάρσιος u. ἐπικάρσιος: Hesych. —σις, ἡ, (κείρω) das Scheeren, Abschneiden, Beschneiden.

Κάρτα, Adv. sehr: auch bejahet es wie unser gar sehr, allerdings, vorz. bey den Jonern. Von κάρτος abgeleitet, wie κάῤῥων, und κάρτιστος, oder κράτιστος. —τάζομαι, bey Hesych. f. v. a. καρτύνομαι, διϊσχυρίζομαι, διαμάχομαι: derselbe hat auch καρταίνω; f. v. a. κρατέω. —ταίπους, ποδος, ὁ, f. v. a. κραταίπους, verst. ταῦρος: Pind. Olymp. 13, 114. —ταλάμιον, τὸ, dimin. von —ταλλος, κάρταλος, ὁ, ein Korb, bey Sirach: nach Suidas unten spitzig. —ταμον, ἐραστὴν, Nicetas Annal. 9, 5. zw. —τεραίχμης, ου, ὁ, (αἰχμὴ) stark oder muthig mit der Lanze oder im Kriege: muthiger Krieger. —τεραύχην, ενος, ὁ, ἡ, starkhalsig. —τερέω, ῶ, (καρτερὸς) ich bin stark, muthig: ich daure halte aus, dulde, ertrage muthig; m. d. Accus. aber Aelian. h. a. 13, 13 sagt καρτ. ἀπὸ τοῦ ὕπνου, sich des Schlafs enthalten; davon —τέρησις, ἡ, und —τερία, ἡ, das Dulden, Erdulden, Duldsamkeit, Ausharren, Beharrlichkeit, Standhaftigkeit: vorz. Enthaltsamkeit. —τερικὸς, ἡ, ὸν, Adv. —κῶς, (καρτερία) zum Dulden- Ausharren- zur Enthaltsamkeit gehörig- geneigt oder darinne geübt. —τεροβρόντης, ου, ὁ, (βροντὴ) gewaltig donnernd: Pind. —τερόθυμος, ὁ, ἡ, bey Homer heiſst Hercules καρτ. der ſtandhafte und duldſame: bey Heſiodus ἔρις, die hartmüthige, hartnäckige: überhaupt ſ. v. a. ταλασίφρων.

Καρτεροπλήξ, ῆγος, ὁ, ἡ, (πλήσσω) ſtark ſchlagend: Diodor. 5, 33. —τερὸς, ρὰ, ρὸν, Adv. —ρῶς, (κάρτος) kräftig, mächtig, ſtark, gewaltig, muthig: mit dem genit. mächtig, d. i. inne habend, oder beſitzend; auch Sieger: daher metaph. ſeiner, oder ſeiner Leidenſchaften mächtig: alſo duldend, geduldig, gelaſſen, enthaltſam. —τερούντως, Adv. vom genit. partic. praeſ. von καρτερέω, muthig, ſtark, mit Geduld. —τερόφρων, ονος, ὁ, ἡ, (φρὴν) ſ. v. a. —θυμος. —τερόχειρ, ρος, ὁ, ἡ, ſtark von Hand, muthig, angreifend: Hom. hym. 7, 3. —τεροψυχία, ἡ, (καρτερὰ ψυχὴ) Starkmuth. zweif. —τερώνυξ, υχος, ὁ, ἡ, od. καρτερώνυχος, (ὄνυξ) mit ſtarken Nägeln - Klauen - Krallen. —τον, τὸ, bey Athenaeus 9 c. 3. eine Art von Paſternack, Karotte: wahrſch. f. Les. ſt. καρωτὸν: Bodaeus über Theophr. p. 1120. *carotte*, franzöſ. In Geopon. 2, 6, 32. iſt κάρτον, *porrum ſectivum*, Schnittlauch: κρόμμυον καρτὸν b. Galenus Method. lib. 12. —τὸς, ἡ, ὸν, (κείρω) geſchoren, geſchnitten: zu ſcheeren oder ſchneiden. S. d. vorherg. —τος, τὸ, ſ. v. a. κράτος, Stärke, Kräfte, Muth; dav. —τύνω, ſtärken, verſtärken: ſtark - muthig machen: ſ. v. a. ἰσχυρίζω, daher im medio ſ. v. a. ἰσχυρίζεσθαι.

Καρύα, ἡ, Nuſsbaum: die Frucht κάρυον, τὸ, die Nuſs. —άριον, τὸ, dimin. des vorh. —ατίζειν, eine Art von Tanz tanzen, dergleichen die Lazedaemonier zu Karyae alle Jahre an einem Feſte thaten: von dieſem Orte heiſsen auch καριατίδες, αἱ, die Jungfern v. Karyae: in der Baukunſt gewiſſe Figuren, (weibliche) die als Träger unter das Gebälke und andere Laſten geſtellt werden.

Καρύδιον, τὸ, dimin. von καρύα oder κάριον kleiner Nuſsbaum, kleine Nuſs.

Καρυηδὸν, nach Art einer Nuſs, wie eine Nuſs: ſo heiſst ein gewiſſer Bruch eines Knochen, wenn das Bein in mehrere kleine Theile zerſplittert, ſonſt auch ἀλφιτηδὸν. —ηρὸς, ρὰ, ρὸν, (κάρυον) von der Nuſs: zur Nuſs gehörig: nuſsartig.

Καρυίνη, ἡ, S. Index Script. R. R. in carenaria. —ινον, τὸ, S. κάροινον. —ινος, η, ον, ſ. v. a. καρυηρός. —ίσκος, ὁ, nuſsförmiger Becher: Exod. c. 25 u. 36. zw.

Καρυκάζω, ſ. v. a. καρυκεύω: Heſych. —κεία, ἡ, (καρυκεύω) das Bereiten eines Eſſens mit ausgeſuchter Brühe oder Sauce: überh. die künſtliche oder leckerhafte Zubereitung der Speiſen. —κευμα, τὸ, künſtlich oder leckerhaft zubereitetes Gericht; von —κεύω, mit einer künſtlichen od. leckerhaften Brühe oder Sauce zubereiten; v. —κη, ἡ, eine von den Lydern erfundene Brühe oder Sauce mit Blut bereitet; daher dunkel von Farbe: wird für jede ausgeſuchte Brühe und damit zubereitetes Eſſen gebraucht: dav. —κινος, η, ον, und καρυκοειδὴς, ὁ, ἡ, blutroth, dunkelroth: Hippocr. bey Xen. Cyr. 8, 3, 3. wird die Farbe καρύκινον von πορφυρὶς, φοινικὶς, und ὄρφνινος unterſchieden. —κιον, τὸ, ſ. v. a. καρύκευμα: eigentl. dimin. von καρύκη. zw. —κοειδὴς, ὁ, ἡ, ſ. v. a. καρύκινος. —κὸν, τὸ, f. Les. ſt. καρικὸν, b. Hippocr. —κοποιέω, ῶ, ſ. v. a. καρυκεύω; von —κοποιὸς, ὁ, ἡ, der Speiſen m. künſtlichen - koſtbaren - leckerhaften Brühen oder Saucen zubereitet, alſo ein Koch.

Καρυμνὸς, S. καρυοβαφής.

Κάρυνον, τὸ, S. κάροινον.

Καρυοβαφὴς, ὁ, ἡ, mit Nuſsſchalen (κάρυον) d. i. ſchwarz gefärbt: im Etym. M. wo damit καρύκιον oder καρύκινον erklärt wird. Im Heſych ſteht καρυχροῦς, καρυοβαροῦς, ſoll καρυοβαφεῦς heiſsen, von χροα und κάρυον. Derſelbe hat auch καρυμνὸν, μέλαν, und das Etymol. M. führt κάρυος ῥόος für μέλας an. —οκατάκτης, ου, ὁ, (κάρυον, καταγνύω) Nuſsknacker: der Vogel, Kernbeiſſer. —οκοκκόμηλα, Nuſspflaumen. *nuciprunum:* Plin. 15, 13. —ον, τὸ, jede Nuſsart: vorz. Wallnuſs; 2) der Stein der Steinfrüchte; 3) der Kern der Fichtenzapfen: Theophr. c. p. 1, 23. 4) in der Mechanik, ein Körper, wie ein Globen, worüber ein Seil gewunden, in einer Nuſs geht: Mathem. vet. p. 44. —οπος, ὁ, bey Plinius zu Ende des 12. B. wo jetzt *Camacus* ſteht. —όφυλλον, τὸ, Nuſsblatt, ein indiſches Gewächs, Gewürznelken, Nelkenblüthe, *caryophyllum*: Paulus Aegin. 7. —όχροος, ὁ, ἡ, S. in καρυοβαφής.

Καρυτίζομαι, ſ. v. a. εὐφραίνομαι bey Heſych. bey Nicetas Annal. 9, 4. ſcheint es ein Spiel zu ſeyn, viell. mit Nüſſen ſpielen.

Καρυώδης, εος, ὁ, ἡ, nuſsartig, nuſsähnlich. —ωτικὸς, ἡ, ὸν, ſ. v. a καρυωτὸς: Strabo 17 p. 1151. —ῶτις, ιδος, ἡ, *caryotis*, Plin. 15, 18. eine Art Datteln, wie Nüſſe geſtaltet, auch καρυωτὸς φοῖνιξ, *palmula caryota*, von κάρυον, καρυόω, die Geſtalt einer Nuſs geben. Dieſe Art von Datteln ward allein aufbewahrt; war ohne Kern, u. von dreyerley Art, Nicolai, *adelphides*, und *pateti* πατητοί.

Καρφαλέος, έα, έον, (κάρφω) trocken, dürre.

Καρφαμάτιον, τὸ, (ἀμάω, κάρφος) ein Werkzeug die trocknen Aehren damit abzumähen: Heſych. etwa wie das lat. *merges*. — **φεῖον**, τὸ, dimin. des folgd. bey Nicand. Alex. 118. ſ. v. a. κάρπος. — **φη**, ἡ, ſ. v. a. κάρφος. — **φηρὸς**, ὰ, ὸν, S. καρφιρὸς. — **φίον**, τὸ, dimin. von κάρφος, wie καρφεῖον. — **φις**, oder καρφὶς, ἡ, ſ. v. a. κάρφη. zweif. — **φίτης**, ου, ὁ. aus Halmen gemacht, Θάλαμος κ. vom Schwalbenneſte: Anthol. — **φοειδὴς**, έος, ὁ, ἡ; (εἶδος) dünn-fein oder leicht wie ein κάρφος, Halm, Stückchen Holz. — **φολογέω**, ῶ, (κάρφος, λέγω) ich leſe Halme - Stoppeln - Flocken - Fahnen auf oder ab, von Kleidern und ſonſt; dav. — **φολογία**, ἡ, das Ab- oder Aufleſen der Stoppeln - Flocken - Faſern, dergleichen unruhige Kranke in hitzigen Fiebern thun.

Κάρφος, τὸ, bedeutet jeden trocknen Körper, vorzüglich aber ein trocknes Reiſs, Stroh, Halme und dergl. wie das lat. *palea*, *ſiſtuca*, *ſtipula*; daher es Heſych. durch ἄχυρον, χόρτος, und ξύλα λεπτὰ καὶ ξηρὰ, kleines, trocknes Holz oder Spane, Heu und Spreu erklärt. Auch durch φορυτὸς, allerhand Gemille, was der Wind fort und zuſammenwehet. Lucian im Hermot. ſetzt φρύγανα als Synonym. von dem vorhergehenden κάρφη. Mit dergl. Halmen, Heu und kleinem Reiſsig bauen die Schwalben und andere Vögel ihre Neſter, welche davon καρφίτης Θάλαμος, εὐναῖαι καρφηραὶ heiſsen, und bey Ariſtoph. Av. 641. ſagt der eine Vogel: εἰσέλθετ' εἰς νεοττιὰν γε τὴν ἐμὴν καὶ τάμὰ κάρφη καὶ τὰ παρόντα φρύγανα; Polyb. δ, 36. nennt ein Täfelchen m. der Parole κάρφος. Auch heiſst ſo die Ruthe, *vindicta* und *feſtuca*, womit der Praetor den Sclaven berührte, indem er ihn für frey erklarte. S. καρπιστὴς. Nicander braucht κάρφος und κάρπειον für κάρπος, als Alex. 230 μηλεῖης ἄγρια κάρφη und Ther. 893 κάρφεα ὀρμίνοιο. Schon dieſe beyden Bedeut. beweiſen die Richtigkeit der alten Bemerk. daſs καρπὸς und κάρφος einerley Urſprung haben. Dioſcorides 3, 27. 29 und 40. ferner 4, 80. nennt λεπτόκαρφα Pflanzen, die dünne, ſchwache Zweige od. Stengel treiben. Daher hat Heſych. κάρπη d. κλωνία, und καρποῖς d. βλαστήμασι erklart.

Καρφύνω, und κάρφω, bey Heſychius ξηραίνω und διαφθείρω, womit er vermuthlich auf die Stelle Odyſſ. 14, 398. zielte: κάρψω μὲν χρόα καλὸν ἐνὶ γναμπτοῖσι μέλεσσι, wo es Euſtath. d. συσπᾶσαι erklart, andre d. κατοῤῥικναίνω. Die erſte Bedeut. mag erhitzen, brennen, trocknen ſeyn: dann mager, runzlicht machen, einſchrumpfen laſſen: daher überh. unſcheinbar machen, entſtellen. Heſiodus op. 7. ἀγήνορα κάρφει, wo man es d. εὐτελῆ καὶ ταπεινὸν ποιεῖ, demüthigen, erklärt. Davon καρφαλέος δίψη, ἄσταχυς, ἠία. trocken, dürr. Nicander Ther. 691. nennt das Feuer καρ. alſo das trocknende, brennende. Il. 14, 409 καρφαλέον δὲ οἱ ἀσπὶς ἄϋσεν, wo es Euſtathius vom Klange eines trocknen und geſchlagenen Korpers erklärt. Nicander Ther. 328. hat αὐαλέῃ περὶ χροῒ καρφομένη θρὶξ, wo es mehr als vertrocknen ſeyn muſs τειρόμενος καμάτοις κάρφουσι, Alexiph. 383 drückt die Trockenheit und den Duſt aus. Eben ſo ſteht v. 80. ὑποκάρφεται von der Trockenheit. Heſych. erklärt κατακάρφω durch ξηραίνω, ἀφανίζω und καταφλέγω.

Καρφυρὸς, Heſych. hat κάρφυραι νεοσσιαὶ, θάμνοι; ferner καρφυροι, νεοσσοὶ; noch καρφυλαὶ, αἱ ἐκ τῶν ξηρῶν ξύλων γινόμεναι κοῖται, und citirt Eur. Jon 172. wo jetzt εὐναίας καρφηρὰς θήτων τέκνοις vom Schwalbenneſte ſteht, wie καρφίτης Θάλαμος in der Antholog. Auch hat Heſych. καρπύραι, ξύλων ξηρῶν κοῖται. Wenn anders die Lesart richtig iſt, ſo kommen καρφυρὸς und κάρφυλὸς von καρφὺς, hingegen καρφηρὸς von κάρφη, und beyde bedeuten m. καρφίτης daſſelbe. — **φώδης**, εος, ὁ, ἡ, was wie κάρφος, trockner Halm - Stroh-Reiſsig iſt.

Καρχαλέος, έα, έον, Il. Φ 541. δίψῃ καρχαλέοι. Apollon. 4, 1442. wo aber andere richtiger καρφαλέοι ſchon ehemals laſen; denn κάρχαλος, καρχαλέος und καρχώδης bey Heſych. iſt ſ. v. a. τραχὺς. Im Apollon. 3, 1058 καρχαλέοι κύνες, wo das Etym. M. καρχαρέοι hat. — **χαρέος**, S. καρχαλέος. — **χαρίας**, ὁ, ἡ, eine Hayfiſchart, *canis carcharias*. — **χαρόδους**, οντος, ὁ, ἡ, (κάρχαρος, ὀδοὺς) was ſpitzige - ſcharfe Zahne hat, wie Hunde und dergl. Thiere, nicht breite oder platte dichtſtehende wie Menſchen. — **χαρος**, ὁ, ἡ, ſ. v. a. τραχὺς, ſcharf, ſpitzig: heftig, böſe wie ein Hund: lat. *aſper*. Bey Heſych. findet man auch κάρκαροι, τραχεῖς u. καρκαρὶς, δεινή. Daſſelbe ſcheint auch κερχνὸς zu ſeyn, weil Heſych. κάρκαρα οὖλα ὀδόντων καὶ τα ποικίλα τῇ ὄψει hat, und κερχαλέον, σκληρὸν, κέρχανα ἢ κερχάνεα ὀστέα καὶ ῥίζαι ὀδόντων. und κερχνεῖ, τραχύνει. Wenigſtens hat καρχαρος einerley Urſprung m. χάρω, χαράσσω, ich ſcharfe, ſpitze, wov. χάραξ, der ſpitzige Pfahl. So wie καρχαρίας der Seehund heiſst, eben ſo hat Heſych καρκωλαμία. — **χηδονιάζω**, wie βοιωτιάζω, ich halte die Parthey der Karthaginienſer.

Καρχηδόνιος, ὁ, von Karthago, καρχηδών; 2) ein Edelstein, *carbunculus.* —**χήσιον**, τὸ, ein Becher, unten breiter als oben; 2) an dem Mastbaume der obere Theil, wo die Segelstangen befestiget werden; andre erklaren es für eine Rolle am Maste, über welche Taue fahren; einige für das Maas, welches noch jetzt auf Galeeren wie ein Becher gestaltet ist; ital. *Calceso*, franz. *calcet*, od. der Mastkorb. Dahin kann man die Stelle des Lucian rechnen: τῷ καρχησίῳ ἐπικαθίσαι, und καρχησίῳ τὸ κέρας προστέλλειν, Amores p. 263. Gewisse Taue und Stricke heissen davon καρχήσιοι; auch Bandagen der Wundärzte. Hesychius erklärt es auch für ein dreyeckigtes Werkzeug der Zimmerleute oder Maurer. Hero in Mathem. vet. p. 129. erklärt es durch πῆγμα ἐκ τεσσάρων τοίχων συμπεπηγὸς, ὧν οἱ μὲν πλάγιοι τρήματα ἔχουσι et cet. wo falsch χαλκήσιον gedruckt steht.

Κάρωσις, ἡ, (καρόω) die Betäubung des Kopfs mit Schlaf- Schwindel od. Kopfschmerz verbunden.

Καρωτίδες, καρωτικαὶ ἀρτηρίαι, (κάρωσις) die Schlaf- Blut- od. Schlagadern. —**τικὸς**, ἡ, ὸν, (καρόω) betäubend und in tiefen Schlaf bringend.

Κασαλβάζω, (κασάλβη) Aristoph. Equ. 355 κασαλβάσω τοὺς ἐν πύλῳ στρατηγοὺς, ist eine Grossprecherey des Kleon, wie im franz. *je m'en vais les foutre.* In einem andern Sinne b. Hermippus Schol. Aristoph. Vesp. 1164. wie eine Hure weichlich einherziehn. —**βὰς**, άδος, ἡ, κασάλβη, ἡ, die Hure: Aristoph. Eccles. 1106. davon —**βιον**, τὸ, Hurenhaus: hat einerley Ursprung mit κάσαυρα, κασαυρὰς, und κασωρὶς, und ist vielleicht dav. nur durch Aussprache od. Schreibart verschieden. Bey Lycophr. findet man κάσσης πελειάδος, st. πόρνης.

Κάσαμον, τὸ, s. v. a. κυκλάμινος.

Κάσας, ου, ὁ, od. κασῆς, κατᾶς, bey Xen. Cyr. 8, 3. 6. eine kostbare Pferdedecke oder Fell, um darauf zu sitzen: κάσας ἐφιππείους. Hesych. hat auch κάσσον für ein dickes, rauches Kleid: wahrsch. v. κὰς, κὼς, κῶας das Fell, wovon κάττυμα, κάσσυμα und καττὺς.

Κασαύρα, ἡ, und κασαυρὰς, ἡ, die Hure, s. v. a. κασωρίς. —**ρεῖον**, τὸ, und κασαύριον, τὸ, Hurenhaus: Aristoph. Equ. 1285. Bey Artemid. 1, 80 ἑταίραις ταῖς ἐπὶ καιστηρίοις ἑστώσαις, soll κασαυρίοις heissen. —**ρὶς**, ιδος, ἡ, s. v. a. κασαύρα. In der Stelle des Aristoph. Equ. 1285 κασαυρίοις hat Suidas auch die Lesart κασαλβίοις. S. κασαλβὰς.

Κασία, ἡ. S. κασσία.

Κασιγνήτη, ἡ, leibliche Schwester; v. κασίγνητος. —**γνητικὸς**, ἡ, ὸν, brüderlich, schwesterlich; von —**γνητος**, ὁ, (γένος, γενάω, γεννάω, und κάσις) der leibliche Bruder; 2) Bruders. Schwesterkind; 3) Blutsverwandter; auch wie ἀδελφὸς, als ein adject.

Κασιόπνους, ὁ, ἡ, (πνέω) nach Kasia riechend: Athenaei 1 p. 449.

Κάσις, ιος, ὁ, Bruder, ἡ, Schwester: Eur. Hecub. 361. 943. Alcest. 410. Lycophr. 399. Nach Hesych. auch s. v. a. ἡλικιώτης, und ἀνεψιὸς, Bruders oder Schwester Kinder: auch bey den Lazedaem. ein Knabe von der nämlichen ἀγέλη oder βουά.

Κάσσα, ἡ, S. κασαλβὰς. Daher κατάκασσα, κατωφερὴς, geil, verhurt: Callimach. bey Suidas und Etymol. in ψέθυρ. —**σία**, ἡ, *cassia*, Dioscor. 1, 12. Plin. 12, 19. eine gewürzhafte Rinde wie Zimmet, wovon man doppelt so viel nahm, wenn man keinen Zimmet, κινάμωμον, hatte. κ. σύριγξ, *cassia fistula*, hiess die Art wahrsch. weil die abgezogene und trockne Rinde Röhren bildete. S. κινάμωμον. —**σίζω**, wie *cassia* aussehen oder schmecken: Dioscor. 1, 13. —**σιτέρινος**, ίνη, ινον, von Zinn gemacht, zinnern; von —**σίτερος**, ὁ, Zinn, *plumbum album* lat. wird auch καττιτ. geschrieben, mit seinen Ableit. —**σιτερουργὸς**, ὁ, (ἔργον) Zinnarbeiter. zw. —**σιτερόω**, ῶ, (κασσίτερος) überzinnen, verzinnen. zw. —**συμα**, att. κάττυμα, τὸ, (κασσύω) Schuhsohlenleder, u. lederne Schuh od. Sohlen: eigtl. was von Leder zusammengeflickt ist; 2) metaph. *machinatio, sutela dolorum*, Intrigue, Anzetteley. —**σύω**, attisch καττύω, entweder von κὰς, κὼς, κωὰς, die Haut, das Leder, δέρμα, wovon κάσας, ὁ, oder von κατὰ und σύω, das lat. *suo*, eigentl. ich flicke Leder, Häute zusammen, wie der Schuster: daher 2) metaph. wie lat. *suo dolos*, ich spinne etwas durch Intriguen an. —**σωρεῖον**, τὸ, und κασωρεῖον, das Hurenhaus.

Κάστανα, ἡ, eine Stadt in Thessalien, und im Pontus: Herodot. 7, 183. dav. —**ναϊκὸς**, ἡ, ὸν, κάρυον κασταναϊκὸν Diodor. 2, 50. eine Kastaniennuss, wofür 3, 19 κασταΐνῳ καρύῳ steht. —**νεὼν**, ὁ, Kastaniengarten: Geopon. 3, 15, 7. —**νὸν**, τὸ, die Kastanie.

Καστόρειος, ὁ, ἡ, vom Kastor kommend oder erfunden: zu Ehren des Kastor gemacht, als μέλος: vom Kastor oder Biber. —**ριαι**, Καστορίδες κύνες, eine Art von Jagdhunden, im lacedaemonischen zuerst vom Kastor gezogen: Xen. Cyneg. c. 3. Bey Oppian. hal. 1, 396. Aelian. h. a. 9, 50. Tzetzes Chil. 6, 47. und 341. ingleichen Philoponus in Cap. 1. Geneseos p. 188. sind καστορίδες Meerthiere, viell. Robbenarten, *phocae.* —**ρίζω**, dem Bibergeil an Geruch oder Geschmack ähnlich seyn; v.

Καστόριον, τὸ, Bibergeil, *caſtoreum*, ein ſtarkriechendes Medicament, welches man ehemals für die Hoden des Bibers hielt, da es eine Materie iſt, welche in Behältniſſen neben den Zeugetheilen erzeugt und aufbewahrt wird.

Καστόρνυμι, ſt. καταστορν. wie καῤῥέζω: Odyſſ. 17, 32.

Κάστωρ, ορος, ὁ, Caſtor, der bekannte Sohn des Tyntarus und der Leda, Bruder des Pollux u. der Helena; 2) der Biber, ein vierfüſsiges Waſſerthier.

Κασωρεύω, Lycophr. 772. huren; von —ρὶς, ἴδος, ἡ, Lycophr. 1385: κόρη κασωρὶς, Hure; dav. —ρῖτις, ἡ, die Hure: bey Hipponax. S. κάσαυρα.

Κατὰ, Praep. m. dem genit. u. accuſ. a) m. d. genit. wider, gegen: auch in den Compoſ. κατηγορεῖν τινὸς, καταλέγειν, καταχέειν, κατασκεδάζειν τινὸς, widergegen einen ſprechen: ins Geſicht, gegen gieſsen - werfen: d. Lateiner drückt dieſes d. *ob* aus, wie κατᾴδω, *occino*, u. ſ. w. 2) ferner, in Abſicht, was anbetrift, *de*; 3) ὀμόσαι καϑ' ἱερῶν τελείων, m. u. bey einem ſolennen Opfer ſchwören. κατὰ βοὸς, καϑ' ἑκατόμβης εὔξασϑαι und ſ. w. eine Gelübde auf einen zu opfernden Ochſen u. ſ. w. thun; vergl. Ariſtoph. Equ. 660 καϑ' ἱερῶν τελείων ἑστιᾶν ſagt Lucian 2 p 77. wofür 7 p. 272 ἐφ' od. ἀφ' ἱερῶν τ. ſteht, einen groſsen vollſtändigen Schmaus mit Opfer geben. b) m. d. accuſ. im Allgem. *adverſus*, d. i. im guten Sinne, gegen, bey, nahe; im ſchlimmen, gegen, wider: nach, in welcher Bedeutung es oft wegbleibt: (καϑ') ὂν τρόπον, δεινὸς (κατὰ) λόγον, groſs im Reden, groſser Redner u. dergl. καϑ' Ἡρόδοτον kann heiſsen, nach dem Zeugniſſe, nach der Erzählung des Herodotus, oder, mit dem Herodotus zu reden, in der Sprache des Herod. endl. auch zur Zeit im Zeitalter des Herodotus. Auch drückt es herunter, wie ἀνὰ hinauf, aus, auch in den Compoſ. ἀνὰ μὲν τὸν ποταμὸν οὐ δύναται πλέειν, κατὰ ῥόον δὲ κομίζεται, Herodot. 2, 96. den Fluſs hinauf kann es nicht fahren, aber mit dem Strome - den Strom heruntergeht es. So ſind auch ἀναπλεῖν und καταπλεῖν verſchieden. In der Zuſammenſetzung läſst es ſich, wenn die Bedeut. des Simpl. bleibt, durch zer- ver- be, in ſehr vielen Fällen ausdrücken: als zerlegen, verbrauchen, beſchlagen, belegen, beweinen, welches letzte Wort zugleich ein Beyſpiel iſt, wie es aus einem Neutr. ein Activ. machen kann; z. B. in καταβοάω, καταϑρηνέω.

Κᾆτα, contr. aus καὶ εἶτα: wird zu Anfange einer Frage mit Heftigkeit und Leidenſchaft gebraucht.

Καταβάδην, Adv. herabſteigend od. unten: opp. ἀναβάδην: Ariſtoph. Ach. 411.

Καταβαϑμὸς, ὁ, (καταβαίνω) das Herabſteigen: ſteil herabgehender Ort: *catabathmus*, zwiſchen Africa und Aegypten. —**βαίνω**, καταβάω, κατάβημι, davon κατάβα und κατάβηϑι, ſteig - komm herab: futur. καταβήσω und καταβήσομαι, eigentl. herabſteigen, herabgehn, vorz. vom Wege aus dem Mittellande ans Meer. S. ἀναβαίνω, herabkommen, metaph. ſich herablaſſen, *demittere ſe.* δεῖ τὴν ἀρχὴν τῆς συζεύξεως κατὰ τὴν ἡλικίαν εἰς τοὺς χρόνους τούτους καταβαίνειν Ariſtot. muſs mit dieſer Zeit zuſammentreffen: ἵππος ταχὺ καταβαίνεται. Xenoph. Equ. 11, 7. man ſteigt ſchnell vom Pferde. Bey Herodot. 1, 90 λέγων δὲ ταῦτα κατέβαινε αὖτις παραιτεόμενος, fieng er wieder an zu bitten: 9, 94 ἐς ὃ κατέβαινον συλλυπεύμενοι τῷ πάϑει, bis ſie in ihrer Rede dahin - darauf kamen, daſs ſie den Fall beklagten. —**βακχεύομαι**, in bacchiſche Wuth ſetzen oder begeiſtern: bey Suidas in βακχεύων: Eur. Bach. 109 καταβακχιοῦσϑε δρυὸς ἐν κλάδοις: ſt. —χεύεσϑε, nehmt in der bacchiſchen Wuth Aeſte von Eichen in die Hand. —**βάλλω**, herabwerfen, herunterwerfen, hineinwerfen: herunter oder hineinlegen: nieder oder zu Boden werfen od. ſchmeiſſen: beſiegen, erlegen, erſchieſsen: zerſtören: niederlegen: erlegen, bezahlen: herunter- hineinfallen laſſen: im medio, niederlegen, gründen, ſtiften, anfangen: τὴν κυρηναϊκὴν κατεβάλετο φιλοσοφίαν, Strabo 17 p. 1194. —**βαπτίζω**, untertauchen: erſaufen; davon —**βαπτιστήριον**, τὸ, Ort zum Untertauchen od. Taufen. zweif. v. —**βαπτιστὴς**, οῦ, ὁ, der untertaucht oder erſäuft. —**βάπτω**, ſ. v. a. καταβαπτίζω, eintauchen: färben: Lucian Imag. —**βαρέω**, ῶ, (βάρος) durch die Laſt niederdrücken, beläſtigen. —**βαρὴς**, ὁ, ἡ, (βάρος) ſehr ſchwer: Dio Caſſ. —**βάρησις**, ἡ, (καταβαρέω) das Niederdrücken, Unterdrücken: Beläſtigen. —**βαρύνω**, ſ. v. a. καταβαρέω. —**βασανίζω**, das verſtärkte βασανίζω: Hippocr. Praedict. —**βάσιον**, τὸ, ſ. v. a. κατάβασις, ἡ, Suidas in πορϑμήιον. Das Gehn aus dem Mittellande nach der See zu: wie ἀνάβασις, das Gegentheil: der Weg, Gang hinab: der Abhang, abſchüſſiger Ort; Demetr. Phal. 248. —**βάσιος**, ὁ, ἡ, ζεὺς, ſ. v. a. καταιβάτης. zweif. —**βασκαίνω**, bezaubern, behexen. —**βασμὸς**, ὁ, ſ. v. a. —ϑμὸς: Schol. Aeſchyli Prom. 810. —**βατεύω**, Schol. Soph. Oed. Col. 480. erklärt damit καταστείβω, betreten. —**βάτης**, ου, ὁ, ein Streiter zu Wagen, der auch abſteigt u. zu Fuſse ſtreitet. Platonis Critias S. auch καταιβ.

Καταβαΰζω, ὁ καὶ τοκέων καταβαΰξας, der auch ſeine Eltern anbellte. Anthol. S. βαΰζω. —βαυκαλᾶν, καταβαυκαλεῖν, einſingen, durch Singen einſchläfern. Aelian. h. a. 14. 20. davon —βαυκάλησις, ἡ, das Einſingen: das Einſchläfern: Athenae. 14 p. 618. —βαυκαλίζω, ſ. v. a. καταβαυκαλέω: Suidas, Photius. —βδελύσσομαι, das verſtärkte βδελ. verabſcheuen. —βεβαιόω, d. verſtärkte βεβαιόω, beſtärken, befeſtigen: davon —βεβαίωσις, ἡ, Beſtärkung, Befeſtigung. —βεβλακευμένως, Adv. vom part. perf. paſſ. v. καταβλακεύω, nachläſſig, träge: zw. —βελής, ὁ, ἡ, (βέλος) voll von Pfeilen: Dionyſ. Antiq. 2, 42. —βημι S. καταβαίνω. —βιάζομαι, erzwingen, zwingen, bezwingen: wird auch als paſſiv. gefunden. —βιβάζω, herunterführen: herunterbringen: herunter gehn laſſen: machen, daſs einer herabkommt, herablaſſen, herabwerfen: davon —βιβασμὸς, ὁ, das Herunterbringen-laſſen: Herabführen, Herabwerfen. —βιβρώσκω, S. καταβρώσκω. —βιόω, ῶ, verleben, durchleben: das Leben hinbringen oder endigen: davon —βίωσις, ἡ, das Vollbringen des Lebens: Oppian. —βλακεύω, (βλὰξ, βλακὸς) m. d. Accuſ. ich vernachläſſige etwas, verſehe etwas aus Nachläſſigkeit. S. καταδειλίαζω. med. καταβλακεύομαι, ich werde-bin nach- fahrläſſig, träg, faul, handle ſo. —βλάπτω, S. in βλάζω. verlezzen, beſchädigen. —βλέπω, herunter- herabſehen: anſehn und unterſuchen: Plutar. 7 p. 855. —βλημα, τὸ, (καταβάλλω) alles, was man nieder oder herunterlegt- wirft, als Grundlage: was man darauf wirft oder legt: was man heruntergehn oder hängen läſst, als Vorhänge: Pollux 4. 127. u. 131. —βλὴς, ῆτος, ſ. v. a. μάνδαλος, Riegel: Heſych. welcher auch κάβλη, μάνδαλος τῶν θυρῶν, Πάφιοι hat, wahrſcheinl. ſt. κάβλης. —βλητικὸς, ἡ, ὸν, (καταβάλλω) zum niederwerfen- erlegen gehörig oder geſchickt. —βληχάομαι, beblöcken, ſehr blöcken: Theocr. 5, 42. —βλώσκω, ſ. v. a. κατέρχομαι, S. βλώσκω Odyſſ. 16, 466. —βοάω, ῶ, m. d. genit. anſchreyen: ſchelten: anklagen: Vorwürfe machen: ſchimpfen: m. d. accuſ. überſchreyen: S. κατακράζω: davon —βοὴ, ἡ, u. καταβόησις, ἡ, (καταβοάω) das Schreyen wider einen, Anklage, Vorwurf. —βολὰς, ἡ, ſ. v. a. κλάδος: Heſych. —βολεὺς, έως, ὁ, der Bezahler: Gloſſar: von —βολὴ, ἡ, (καταβάλλω) die Grundlage, Grund, der Anfang: αἰτίας καὶ καταβολῆς συγγενικῆς τινος συνεπιθεμένης, aus einer Familienurſache und einem Grundfehler der Geburt: Plutar. Timol. ἐκ καταβολῆς, von Grund aus: Polyb. 1, 36. καταβολὴν ποιοῦμαι, ich lege den Grund, fange an: das Ablegen, Erlegen, Bezahlen: das Niederwerfen; der Anfall, Anfang. πυρετοῦ, vom Fieber: S. κατηβολέω. —βολικὸς, ὁ, zum niederwerfen- erlegen gehörig od. geſchickt: zw. —βόλος, ὁ, (καταβάλλω) der niederwirft, erlegt, tödtet: zw. —βορβόρωσις, ἡ, (καταβορβορόω, βόρβορος) das Beſchmutzen, Beſudeln mit Koth. —βοῤῥος, ὁ, ἡ, (βορέας, κατὰ) ſ. v. a. καταβόρειος, wie παράβοῤῥος, u. πρόσβοῤῥος, bey Ariſtot. Oecon. 1. hinter dem Nordwinde gelegen, und dem Mittage zugekehrt: denn πρόσβ. bedeutet gegen Norden gelegen, wie κατὰ ποταμὸν, *ſecundo flumine*, Strom ab. —βοσκέω, καταβόσκω, abhüten: med. καταβόσκομαι, abweiden, abfreſſen: verzehren: Callim. Dian. 125. wie *depaſci*. —βόστρυχος, ὁ, ἡ, ſchön od. voll gelockt, mit vielen Locken: Ariſtaen: 2 ep. 19. —βουκολέω, ῶ, verleiten, täuſchen, anführen, hintergehn: zw. —βραβεύω, verurtheilen, verdammen: Demoſth. Midian. c. 25. —βραχὺ, d. i. κατὰ βραχὺ, nach und nach, allmählig. —βρέμω, umrauſchen, Anacr. 6, 5. —βρέχω, ſtark benetzen oder anfeuchten oder einweichen. —βρίζω, ich ſchlafe ein, verſchlafe, vernachläſſige: Heſych. welcher auch das verkürzte καμβρίζω anmerkt. —βρίθω, ſ. v. a. καταβαρύνω. —βρογχίζω, ſ. v. a. καταβροχθίζω: zw. Hippocr. Coac. —βροντάω, ῶ, bedonnern, durch den Donner ſchrecken oder betäuben: S. καταστράπτω. —βροτόω, ῶ, (βρότος) mit Blut beſudeln: zw. —βροχὴ, ἡ, (καταβρέχω) das Benetzen oder Einweichen. —βροχθίζω, (βρόχθος) verſchlucken, verſchlingen: davon —βροχθισμὸς, ὁ, das Verſchlucken, Verſchlingen. —βρόχω, verſchlucken, verſchlingen: davon καταβρόξειεν, Ody. 4. 222, καταβροχθεὶς Lycophr. 55 vergl. 742. —βρύκω, zerbeiſsen, zerfreſſen, aufzehren. —βρύχω, d. verſt. βρύχω, brüllen oder mit den Zähnen knirſchen. —βρωμα, τὸ, Zehrung, Speiſe: zw. —βρωσις, ἡ, das Verzehren, Aufzehren, Verſchlukken: von —βρώσκω, καταβιβρώσκω, (βρόω) aufzehren, verzehren, verſchlukken: davon κατέβρως Hymn. in Apoll. 127. —βυθίζω, untertauchen, erſäufen, verſenken: davon —βυθισμὸς, ὁ, das Untertauchen, Verſenken, Erſäufen. —βυρσόω, ῶ, (βύρσα) mit Leder oder Fell bedecken.

Καταγαιος, ὁ, ἡ, (γαῖα) ſ. v. a. καταγειος, auf der Erde: unterirdiſch.

Καταγανόω, das verstärkte γανόω, glänzend oder heiter machen: Clemens Al.

Καταγγελεὺς, έως, ὁ, d. i. ὁ καταγγέλλων. —**γελία**, ἡ, die An- oder Verkündigung: 2) die Anklage, Beschuldigung. S. κακαγγελία. —**γέλλω**, f. ελῶ, ankündigen, verkündigen, offenbaren: πόλεμον, den Krieg dem Feinde ansagen: angeben, verklagen, Herodian: 5, 2, —**γελος**, ὁ, ἡ, Ankündiger, Bote: Angeber, Ankläger. —**γελτος**, angekündigt: angezeigt: verrathen: angeklagt. —**γίζω**, in ein Gefäſs thun oder gieſsen.

Κατάγειος, ὁ, ἡ, ſ. v. a. κατάγαιος. —**γέλασμα**, τὸ, das Verlachen, der Spott. —**γελαστικὸς**, ἡ, ὸν, Adv. —κῶς, zum verlachen- verſpotten geneigt- gehörig oder geſchickt. —**γέλαστος**, ὁ, ἡ, Adv. —άστως, verlacht, verſpottet: zu verlachen, lächerlich. —**γελάω**, ῶ, (γελάω) m. d. Genit. ich verlache, verſpotte: Herodot. verbindet auch oft den Dativ. damit. —**γελως**, ωτος, ὁ, das Verlachen, Verlachung, Verſpottung: ὁ κατ. τῆς πράξεως, Plato Crito 5 das lacherlichſte bey der Sache. —**γέμω**, voll- beladen ſeyn: bey Suidas. —**γεύω** bey Suidas καταγευσθεὶς; γεύσει νικηθεὶς überſchmeckt. —**γεωργέω**, ῶ, beackern, bearbeiten, beſäen, beſtellen: zum Feldbaue anwenden: Strabo 9 p. 641. —**γεωτὴς**, ὁ, oder καταγεωστὴς, Todtengraber: Heſych. —**γηραιὸς**, bey Dionyſ. Antiq. 2, 46 καὶ καταγήραια σώματα falſch ſt. καὶ τὰ γηραιὰ. —**γηράσκω** oder καταγηράω, veralten, alt werden: ſein Alter hinbringen: der infin. καταγηράναι iſt von —ηράνω gemacht. —**γηρως**, ὁ, ἡ, veraltet: ſehr alt. —**γιγαρτίζω**, (γίγαρτον) bey Ariſtoph. Ach. 275, im obſcoenen Sinne, ein Mädchen ſchanden. —**γινέω**, joniſch ſ. v. a. κατάγω, v. ἀγινέω ſt. ἄγω: Odyſ. 10, 104 herabführen- tragen- bringen. —**γίνομαι**, ſich aufhalten, ſeyn, *verſari*: Demoſth. herabgehn oder kommen: εἰς βυθὸν, Plutar. 9 p. 719. —**γινώσκω**, u. καταγιγνώσκω, ſ. v. a. γιγνώσκω, doch mit dem Unterſchiede, daſs κατ. etwas ſchlimmes, böſes bemerken, abmerken, bedeutet. καταγνοὺς τοῦ γέροντος τοὺς τρόπους, wie er dem Alten ſeine Schwäche und Karakter abgemerkt hatte. Ariſtoph. Eq. 46. Xenoph Cyrop. 1, 3. 10. 8, 4. 9. Doch hat Aelian. h. a. 16, 39 καταγνῶναι τὸ μέγεθος, für entdecken, ausfindig machen; 2) m. d. genit. καταγινώσκω τινὸς ἀδικίαν, ich beſchuldige einen des Unrechts; 3) καταγ. δίκην, einen Prozeſs aburteln, und zwar wider einen und ihn verurtheilen, Ariſtoph. Eq. 1360, Aeſchyl. Eum. 579. θάνατος αὐτοῦ κατεγνώσθη, es iſt ihm der Tod zuerkannt worden. Bey Diodor findet man auch καταγινώσκειν θανάτου τινα, nach d. lat. *damnare aliquem mortis.*

Καταγκυλόω, ῶ, krümmen, krumm machen: zw. —**αγλαΐζω**, d. verſtärkte ἀγλαΐζω, ſehr zieren.

Καταγλισχραίνω, ſehr ſchlüpfrig- klebrig machen. —**γλυκαίνω**, ſehr ſüſs machen: τὴν ἀκοὴν, durch eine angenehme Empfindung kitzeln oder ſchmeicheln. ἐν χορδαῖς καταγλυκαίνεσθαι, Athenaeus 14 p. 638 angenehm ſpielen. —**γλυφὴ**, ἡ, Einſchnitt, Aushöhlung. —**γλωττίζω**, jemand ſchnäbelnd küſſen mit Berührung der Zunge; 2) ψευδῆ κατεγλώττιζε μου, redete falſche Sachen von mir; 3) καταγ. τινὰ, jemand zum Schweigen bringen, niederreden: Ariſtoph. im medio Numenius Euſebii Praep. 14, 6. 4) ποιήματα κατεγλωττισμένα, Gedichte voll geſuchter, ſeltner Worte. S. γλῶττα. —**γλώττισμα**, τὸ, u. καταγλωττισμὸς, ὁ, das Schnäbeln; 2) der Gebrauch von ausgeſuchten ſeltnen Worten.

Κατάγλωττος, ποιήματα κατάγλωττα, mit ſeltnen geſuchten Worten gefullte Gedichte: Anthol. u. Dionyſ. hal. 6 p. 944.

Κάταγμα, τὸ, (κατάγνυμι) der Bruch; 2) (κατάγω) ſ. v. a. *tractum laneum*, ſonſt μήρυμα, die gekrempelte u. zum Spinnen fertig gemachte Wolle: Plato Politic. c. 23.

Καταγνάπτω, Eurip. Troad. 1252. ἐλπίδας βίου ἐπὶ σοὶ κατέγναψε, ſoll heiſſen κατέγναμψε v. γνάμπτω, umbiegen und feſtbinden, an deinem Leben war die Hoffnung ihres Lebens feſtgebunden. —**γνυμι**, καταγνύω, fut. —άξω, ſ. v. a. κατάσσω, zerbrechen: κατεαγὼς τὰ ὦτα. S. in ὠτοκάταξις. —**γνυπόω**, S. γνυπετὸς, u. καταγρυπνέω. —**γνωσις**, ἡ, (καταγινώσκω) Miſsbilligung, Tadel: Verdammung: Xen. Mem. 4, 8, 1. —**γνωστὸς**, verurtheilt: getadelt: zu verurtheilen oder tadeln. —**γογγύζω**, gegen einen murren, wie *obmurmuro*. —**γοητεύω**, behexen, bezaubern: betrügen, überliſten. Xen. An. 5, 7, 9. —**γομος**, (γόμος) voll geladen: Diodor. 5, 35. —**γομφόω**, ῶ, (γόμφος) benageln, vernageln, annageln: befeſtigen.

Καταγοράζω, φορτία Demoſth. p. 908 für das geliehene Geld Waaren kaufen: davon

Καταγορασμὸς, ὁ, der Kauf von dem geliehenen Gelde: ſ. v. a. ἀγορ. das Kaufen, der Einkauf überh. Diodor. Sic. —**γόρευσις**, ἡ, ſ. v. a. κατηγορία. Plutarch. 7 p. 688. von —**γορεύω**, angeben, anzeigen, ausplaudern: da hingegen κατηγορέω anklagen bedeutet.

Κατάγραπτος, ὁ, ἡ, bezeichnet, bemahlt. S. κατάγραφος: bey Hesych. bunt: Geopon. 10, 14 u. 47. u. 60. —γραφή, ἡ, Bezeichnung, Beschreibung: Einschreibung oder das Eintragen in Rechnungsbücher, Musterrollen; 2) vorz. heisst die Malerey im Profil d. i. mit halbem Gesichte von der Seite so: ὥσπερ οἱ ἐν ταῖς στήλαις καταγραφῇ ἐκτετυπωμένοι, διαπεπρισμένοι κατὰ τὰς ῥῖνας γεγονότες. Plato Symp. 11. —γραφος, ὁ, ἡ, s. v. a. κατάγραπτος, vorz. im Profil gemalt. S. καταγραφή. —γράφω, bezeichnen, beschreiben: einschreiben, niederschreiben, eintragen, enrolliren: verschreiben, zuschreiben lassen Plut. 7 p. 882. Aelian. h. a. 7, 11 κατέγραψεν ἕξειν δεῖπνον, rechnete darauf eine Mahlzeit zu haben. Bey Suidas sagt er καταγράφων ἑαυτῷ λύτρα πλεῖστα: er hoffte, versprach sich. τοῖς ὄνυξι τὰς μήτρας καταγράφουσι v. h. 10, 3 zerkratzen die Gebärmutter. —γρέω, s. v. a. καθαιρέω, u. καταλαμβάνω: Hesych. —γρυπόω, Plutar. 9. p. 19. verbindet ἀστηρὸν καὶ κατεγρυπωμένον. Hesych. erklärt γρυπὸν u. γρυπνὸν d. στυγνὸς, κατηφὴς u. ἀγνυπωμένον, ταλαίπωρον, κατηφής. S. in γυπετός. —γυιόω, ῶ, sehr entkräften oder schwächen: Hippocr. —γυμνάζω, sehr üben: durch Uebung gewöhnen: durch Uebungen verthun, auf Uebungen verwenden: Hesych. κατεγυμνάσατοι ἐπὶ γυμνασίαν ἀνάλωσεν. —γύναιξ, αικος, ὁ, καταγύναικος und καταγύνης, weibisch, den Weibern sehr ergeben: die mittelste Form in Philox. Gloss. In Aristot. Mirab. Ausc. c. 90 haben die ältern Ausgaben καταγύναικας, die neuern καταγυνεῖς.

Κατάγχω, erwürgen: zurückhalten, verhindern, bey Hesych.

Κατάγω, st. dessen in ges. καταγνύω, κατάγνυμι, und κατάσσω macht κατέαξα, κατέαγα, κατεαγμένος, brechen, zerbrechen.

Κατάγω, f. ξω, *deduco*, ich führe herab, ich leite herab, z. B. den Faden mit Spinnen vom Rocken: dah. s. innen: dav. κάταγμα, der Faden, wie *deducere filum*; 2) ich führe zurück, φυγάδα, einen Exulanten, einen vertriebenen König zurückbringen, in sein Vaterland-Reich wieder einsetzen. 3) κατάγω τὴν ναῦν, *subduco navem in portum*, ich führe das Schiff nach geendigter Fahrt in den Hafen: daher κατάγεσθαι in den Hafen einlaufen. Auch κατάγομαι ὡς αὐτὸν, ἐς τὴν οἰκίαν, ich kehre bey ihm in das Haus ein. Von den Schiffern heisst es auch κατάγειν τὰ χρήματα εἰς χίον, ihre Ladung nach Chios bringen: daher τὰ καταγόμενα, Waaren, die zu Schiffe eingeführt werden. 4) κατάγειν τὰ πλοῖα bey Demosth. bedeutet auch, die Schiffe zwingen in einen gewissen Hafen einzulaufen, und ihre Waaren daselbst zu verkaufen; daher auch ein Schiff wegnehmen, wie Seeräuber: ἐληΐζοντο καὶ κατῆγον τοὺς ἐμπόρους Polyb. 5, *navem avertere* bey Hyginus: davon —γωγή, ἡ, (κατάγω) das Herabführen: Herabkommen: Ankunft, Einlaufen im Hafen: der Ort zum Anlanden oder zum Einkehren unterwegens: das Zurückfahren: Zurückbringen, z. B. φυγάδων, der Verwiesenen; davon —γώγιον, τὸ, Ort zum Einkehren, Herberge. —γωνίζομαι, im Kampfe besiegen: überwältigen, übertreffen: davon —γώνισις, ἡ, und —νισμός, ὁ, Besiegung, Ueberwindung.

Καταδάζομαι, vertheilen zerreissen od. aufzehren: Il. 22, 354 κύνες τε καὶ οἰωνοὶ κατὰ πάντα δάσονται: zutheilen: tabula heracl. p. 265, κατεδασσάμεθα. —δαίνυμαι u. —δαίομαι, verzehren, aufzehren Theocr. 4, 34. Hesych. hat auch καταδέδασται, καταβέβρωται, von —δάομαι. —δάκνω, zerbeissen: beissen: zweif. —δακρύω, beweinen: weinen machen, zu Thränen bringen. —δακτυλικὸς, Aristoph. Equ. 1381. geschickt zum καταδακτυλίζειν, welches Hesych. Photius und Suidas als Synonym von σιφνιάζω und σκιμαλίζω brauchen, um die Knabenschänderey zu bezeichnen, u. worauf Arist. zugleich anspielt. Sonst braucht es Schol. Arist. Pac. 548. für σκιμαλίζω. —δαμάζω, od. καταδάμναμαι, ganz bändigen, besiegen, bezwingen. —δάνειος, ὁ, ἡ, verschuldet: Diodor. Sic. 17, 109. —δάομαι, s. v. a. καταδαίομαι. —δαπανάω, ῶ, verwenden, verbrauchen, verthun. —δαπάνη, ἡ, Aufwand, Verwendung: aus Alexander Aphrod. Probl. —δάπτω, oder καταδαρδάπτω, zerreissen, auffressen, verzehren: Il. 22, 389. —δαρθάνω, auch καταδαρθέω, καταδάρθω: Xenoph. Agesil. 9, 3. Odyss. 15, 493. einschlafen: schlafen gehen. —δειδίττομαι, s. v. a. καταφοβέομαι, ich fürchte: Hesych. —δεής, ἐος, ὁ, ἡ, (καταδέω) mangelhaft, unvollkommen: einem andern nachstehend an Zahl, Grösse u. s. w. geringer: schwächer, kleiner u. s. w. —δεῖ, es fehlt. —δείδω, fürchten, befürchten: Aristoph. Pac. 759 οὐ κατέδεισα. —δείκνυμι, καταδεικνύω, zeigen, anzeigen; bekannt machen: lehren: einführen, einsetzen: Dio Cass. —δειλιάω, und καταδειλιάω; m. d. Accus. οὔτε κατεβλακεύσαμεν τὰ τούτου οὔτε μὴν κατεδειλιάσαμεν οὐδὲν, ἐφ' ὅ τι ἡμᾶς παρεκάλεσε, Xenoph. Anab. 7, 6, 22.

wir haben nichts aus Nachlässigkeit versehen, oder durch Feigheit verderbt.

Καταδειπνέω, verzehren: verspeisen: Plutar. 7 p. 480. —δενδρος, ὁ, ἡ, mit Baumen bepflanzt. —δέομαι, sehr bitten. —δέρκομαι, poet. s. v. a. καθοράω, herabsehn, besehn. —δεσις, ἡ, (καταδέω) das Anbinden, Zubinden, Verbinden. —δεσμεύω, od. καταδεσμέω, an- festbinden: verbinden. —δεσμος, ὁ, ein Band, Verband; 2) das Bezaubern, Behexen durch Knüpfung eines Knoten, wie das Nestelknüpfen. —δεύω, ich befeuchte. —δέχομαι, ich nehme an oder billige: ich nehme auf: ich nehme auf mich. unternehme etwas: ich nehme wieder auf: Demosth. p. 1317. —δέω, ich binde zusammen und feste: ich verbinde, vereinige: ich lege einen Verband an: 2) ich bezaubere, behexe einen durch magische Knoten, wie durchs Nestelknüpfen; 3) ich hindere, halte ein; 4) ich verurtheile: ἦν μὲν καὶ οὗτοι καταδήσωσι ἐπιορκῆσαι. Herodot. 4, 68. ὅσοι μὲν ἀπέλυσάν μὴ Φῶρα εἶναι —ὅσοι δὲ μιν κατέδησαν Φῶρα εἶναι. So setzt Antiphon dem ἀπολῦσαι lossprechen, καταλαβεῖν, festhalten, verdammen, entgegen. καταδέω, s. v. a. ἐνδέω, ἐπιδέω, ermangeln, Mangel haben, bedürfen: καταδέουσαι μιῆς χιλιάδος ἕνδεκα μυριάδες, weniger ein tausend: Herodot. überh. s. v. a. καταδεὴς εἰμὶ, ich stehe einem nach, gebe ihm nach, bin hinter ihm: ἀνδρὸς ἰδιώτου καταδέουσιν ἐς εὐδαιμονίαν, Pausan. 8, 33. stehe einem Privatmanne in Ansehung des Wohlstandes nach. —δεῶς, Adv. Von καταδεής. —δηιόω, verheeren, verwüsten. —δηλος, ὁ, ἡ, sehr deutlich, ganz offenbar. —δῆμα, τὸ, Aristotel. Problem. 25, 2. wird Zwischenraum übersetzt; zw. —δημαγωγέω, ῶ, das Volk durch alle Künste eines Demogogen nach seinem Willen leiten- verleiten- verwohnen, durch demagogische Künste besiegen: Plutar. Thes. 35. —δημοβορέω, ῶ, volks oder öffentliche Guter verthun, verzehren: Il. 18, 301. vom Volke selbst. —δημοκοπέω, ῶ, durch Volksschmeicheley gewinnen und verderben, fast s. v. a. ἐκδημ. bey Chion. Epist. vergl. Appian. Mithrid. 19. —δημομερίσαι, unter das Volk vertheilen: Hesych. —δηόω, ῶ, s. v. a. καταδῃόω. —δηριάομαι, streiten, hadern: Il. 16, 96. —διαιρέω, ῶ, feindselig oder wie Beute theilen, Polyb. 2, 45. vertheilen. —διαιτάω, ῶ, als διαιτητὴς, Schiedsrichter gegen jemand erkennen. —διαλλάσσω, ττω, wieder aussohnen, verlohnen. —διασπεκλέω, ῶ, s. v. a. σπεκλέω und διασπλεκόω, Schol. Aristoph. Plut. 1082. —διδάσκω, verlehren, d. i. Irrlehren beybringen: bey den LXX. —διδράσκω, entlaufen, entgehen: bey den LXX. —δίδωμι, vergeben, vertheilen: austheilen: neutr. sich ergiessen, von Flüssen: Herodot.

Καταδιίστημι, absondern, zertrennen, abtheilen: Hesych. —δικάζω, eigentlich wider jemand den Ausspruch thun, ihn verurtheilen, verdammen, für schuldig erkennen, καταδ. σου ζημίαν, θάνατον, ich verurtheile dich zur Strafe, zum Tode; doch sagt man auch καταδικάζω σε θανάτῳ. Bey Pausan. 6, 3. ὡς χρημάτων καταδικάσαιτο ὁ λέων ἑκατέρου τῶν Ἑλλανοδικῶν, dass er beyde Richter überführt und zu einer Geldbusse verurtheilen habe lassen; davon —δικαστὴς, ὁ, Jamblich. Pyth. 1, 25. der einen verdammt oder den Process wieder einen gewinnt. —δίκη, ἡ, Verurtheilung, Verdammung, Bestrafung; davon —δικος, ὁ, ἡ, verurtheilt, verdammt, φυγῆς, θανάτου, bey Diodor. für schuldig erklärt; davon —δικόω, ῶ, s. v. a. καταδικάζω: zw. —διφθερόω, ῶ, befellen, d. i. mit Fellen bedecken: wie καταβυρσόω. —διψάω, ῶ, sehr dursten: aus Xeno. zw. —διώκω, verfolgen. —δοκέω, ῶ, s. v. a. καταδοξάζω, von einem etwas glauben, denken- was nicht gut ist, Herodot. 6, 16. daher καταδοκοῦμαι, man denkt von mir, argwöhnt: αὐτὸς καταδοκηθεὶς φονεὺς εἶναι Antiphon. Bey Herodot. s. v. a. δοκέω schlechtweg, so wie καταφρονέω st. φρονέω. —δολεσχέω, ῶ, m. d. Genit. einem vorplaudern, einem durch sein Geschwätz lästig werden. S. ἀδολεσχέω. —δοξάζω, s. v. a. καταδοκέω, wider einen meinen- Verdacht haben- urtheilen: Jambl. Pyth. 1 c. 27. von einem etwas glauben- vermuthen, was nicht gut ist: Xenoph. Anab. 7, 7. 30. überh. von einem glauben: Dionys. Antiq. 6, 10. 2) berühmt machen. —δουλόω, ῶ, καταδουλόομαι, οῦμαι, (δοῦλος) ich mache zu Sclaven, unterjoche, bezwinge, überwinde; 2) sclavisch gesinnt machen, feige, muthlos machen: Xen. Cyr. 3, 1. 23. davon —δούλωσις, ἡ, das Unterjochen und zum Sclaven machen. —δουπέω, ῶ, rauschend- krachend herabfallen; davon κατέδουπε. Hesych. erklärt κατέδουπον d. niederstürzen und sterben, wie *cadere in praelio*; für vertösen, betauben hat es Nicetas Annal. 2, 7. —δουπος, ὁ, oder vielmehr κατάδουποι, οἱ, die Völker in Aethiopien: oder κατάδουπα, τὰ, der Ort daselbst, wo der Nil sich über die Felsen herab mit einem grossen Getöse stürzt. —δοχὴ, ἡ, Wiederaufnahme, Zurückberufung aus der Verweilung: aus Plato Lgg. —δρέπω, abstreifen, abpflücken.

Καταδρομέω, ῶ, f. v. a. κατατρέχω: zw. —δρομή, ἡ, das Anrennen: Angriff: Streiferey: δόμου, Aelian. h. a. 2, 9. Haus, wo man sich hinrettet, Schlupfwinkel. —δρομος, ὁ, Rennbahn, Sueton. Nero 11. 2) Seil von oben herab gehend, wie ἐπίδρομος. 3) Adject. belaufen: Eur. Troad. 1300. —δρομος, ὁ, ἡ, durchlaufen, belaufen, herabgelaufen. —δρυμα, τὸ, (καταδρύπτω) Eur. Suppl. 51. χειρῶν, das Zerkratzen, Zerfleischen. So hat von δρύμα Hesych. δρυμάσσω in der Bedeut. von δρύπτω angemerkt. —δρυμος, ὁ, ἡ, waldig. —δρύπτω, zerreissen, zerkratzen, zerfleischen. —δρυφάσσω, verzäunen, befestigen: Lycophr. 239. wo andere κατεδρύφραξε lesen. S. δρυφάσσω. —δυναστεία, ἡ, Ausübung oder Gebrauch seiner Gewalt oder Herrschaft wider einen: Unterdrückung: zw. von —δυναστεύω, seine Gewalt - Macht- Herrschaft gegen einen ausüben, gebrauchen: in seiner Gewalt haben oder unterdrücken: m. d. Genit. —δυμι, καταδύνω, u. καταδύω, Activ. ich tauche unter, versenke: καταδύουσι μίαν ναῦν. 2) Neutr. vorz. die Form —υμι, ich tauche unter, gehe unter, versinke, κατέδυ ἡ ναῦς: davon κατέδυ ἥλιος und καταδῦντα ἥλιον von der untergehenden Sonne. 3) von tief versteckten Sachen oder Personen, ξύλον κατὰ τέφρας πολλῆς καταδεδυκὸς, und καταδύσης αἰχμῆς εἰς βάθος, Plutar. 4) κατάδυμι, καταδύομαι, ich gehe heimlich wohin, verstecke mich, μνηστήρων καταδῦναι ὅμιλον, Odyss. ο. 327. sich heimlich unter den Haufen der Freyer mischen: μάχην καταδύμεναι ἀνδρῶν Iliad. heisst wohl nur, sich mitten in das Gefecht begeben: καταδύονται εἰς φάραγγας, verkriechen sich in Klüften. Xen. Cyneg. ἐν μυχῷ τοῦ συμποσίου ὑπ' αἰδοῦς καταδεδυκὼς: Lucian. davon die metaph. Bedeut. 5) ἐμὲ δὲ οἱ ἄλλοι ἄνθρωποι καταδύουσι τῷ ἄχει. Xenoph. Cyr. 6, 1. 37. u. 35. καταδύεσθαι δὲ ὑπὸ τῆς αἰσχύνης. Anab. 7, 7. 8. κατὰ τῆς γῆς καταδύομαι ὑπο τῆς αἰσχύνης ἀκούων ταῦτα. Demosth. p. 578. ουκ ἂν ἐπ' αὐτῷ τούτῳ κατέδυ καὶ μέτριον παρέσχεν ἑαυτὸν. p. 616. παρακάθηται καὶ οὐ καταδύεται τοῖς πεπραγμένοις: daher καταδύομαι ἀτενίσαι u. s. w. statt αἰσχύνομαι. Vergl. Zosim. 5, 40. Daher Accius: *si meus mertaret dolor*: ferner *quod hic non mertat metus* und *praesentem dictis praesens mertare instituit* st. *mergere, mersare* bey Nonius: davon —δυσις, ἡ, das Untertauchen: 2) Schlupfwinkel, Höhle. —δυσωπέω, ῶ, ich mache schaamroth und bringe auf andere Gedanken. S. δυσωπέω. —δύω, S. καταδυμι. —δω, m. d. Genit. ἀνιῶν καὶ κατάδων καὶ καταγελῶν Luci. 2 p. 134 was hernach ἐπάδω heisst, vorsingen *occinens*: ich singe einem vor Aelian. h. a. 1, 20. und werde ihm so lästig. 2) m. d. Accus. besänftige, heile durch eine ἐπωδὴ, Gesang, Heil oder Zauberformel, Eurip. Iph. 1337. bey Herodot. 7. 191. m. d. Dat. wie καταγελάω. Aelian. h. a. 7, 2. τὸ δεῖπνον κ. die Mahlzeit durch Gesang aufheitern. —δωροδοκέω, ῶ, ich besteche mit Geschenken. S. δωροδοκέω.

Καταείδω, poet. s. v. a. κατάδω. —ἕννυμι, καταεννύω, bekleiden, ankleiden; davon καταείνυον Il. 23, 135 νηοὺς καπνῷ κατείνυον: Oppian. Hal. 2, 673. von ἕω, ἕζω, ἕνω, ἑνύω, ἕνυμι, ἕννυμι: wovon εἷμα, ἱμάτιον, Kleid.

Καταζαίνω, das verst. ἀζάνω oder ἀζαίνω, ganz trocken machen, austrocknen. —ζάω, ῶ, s. v. a. καταβιόω, verleben, sein Leben zubringen oder beschliessen. —ζεύγνυμι, καταζευγνύω, f. εύξω, zusammen oder anspannen: einkehren, ausruhen; mithin von einer ganzen Armee, sich lagern, ein Lager aufschlagen: und von einer Kolonie, sich niederlassen. —ζευγοτροφέω, ῶ, mit oder durch das Halten von Spannpferden oder Mauleseln zum Ziehn verthun oder zusetzen: Isaeus. —ζευξις, ἡ, (καταζευγνύω) das Zusammenspannen, Anspannen: Plutar. 9 p. 7. das Einkehren, Ausruhen, sich lagern. —ζηνάσκω, Hom. Od. 11, 586. eine andre Form von καταζάνω. —ζωμεύω τὸ γάλα bey Hesych. s. v. a. τυρεύω, oder ὥσπερ ζωμὸν ἐκροφέω. —ζώννυμι, καταζωννύω, f. ζώσω, begürten, umgürten; davon bey Hesych. καταζώστης, ὁ, Gurt, Riemen etwas fest zu gürten oder schnallen.

Καταθαλαττόω, ganz mit dem Meere überschwemmen, oder zu Meere machen: bey Schol. Lycophr. 712. ins Meer werfen. —θάλπω, fut. ψω, das verstärkte θάλπω, wärmen, erwärmen; zw. —θαμβέω, ῶ, bey Plutar. Num. 15. χειροήθης καὶ κατατεθαμβημένη τὴν δύναμιν, bewundernd und fürchtend seine Macht, v. med. καταθαμβέομαι. κατατεθαμβημένοι καὶ μακαρίζοντες Plut. 7 p. 849. —θάπτω, f. ψω, begraben, beerdigen. —θαῤῥέω, καταθαρσέω, ῶ, m. d. Genit. muthig - frech - dreist gegen einen seyn: m. d. Accus. dreist anfangen, nicht achten, nicht fürchten; m. d. Dat. worauf sich verlassen. —θαρσύνω, muthig machen, anfeuern gegen jemand. —θεάομαι, eigentl. herabsehen: betrachten, beschauen. —θέλγω, f. ξω, s. v. a. κατακηλέω, bezaubern, besänftigen, bezähmen; dav. —θελξις, ἡ, Bezauberung, Besänftigung. —θεματίζω, haben einige Handschriften Math. 26, 74. st. καταναθεματίζω: ſo wie Stephanus aus Juſtinus Martyr κατάθεμα, und καταθεματισμὸς ſt. καταναθεμα, u. ſ. w. anführt.

Κατάθεος, ὁ, ἡ, fromm, gottesfürchtig Pollux 1, 20. —θεραπεύω, das verſt. θεραπεύω; zw. —θέρω, das verſt. θέρω: Schol. Sophocl. Tr. 191. —θέσιον, τὸ, (κατατίθημι) Niederlage, Behältniſs: Ort zum niederlegen oder hinſtellen; zw. —θεσις, ἡ, das Darauf- Hin- Niederlegen, Darlegen, Erlegen, Bezahlen: und ſo die übrigen Bedeut. von κατατίθημι in das Subſtantivum verwandelt. —θέω, ſ. v. a. κατατρέχω, berennen, durch Streifzüge plündern: bey Plato Theaet. c. 22. im diſputiren jemand widerlegen und zu Schanden machen. —θεωρέω, ich ſehe herunter und betrachte: Pollux 4, 8. —θήγω, fut. ξω, ſchärfen; antreiben, ermuntern. —θήκη, ἡ, (παρατίθημι) das Niedergeſtellte oder gelegte: ſ. v. a. παρακαταθήκη aus Iſocr. zweif. —θηλύνω, verzärteln, weibiſch oder weichlich machen: κατατεθηλισμένος πρὸς αὐτοῦ durch Weichlichkeit ganz verderbt, Lucian 3 p. 149. —θήπω, bewundern, anſtaunen: vorz. im perf. κατατέθηπα gebräuchlich. —θλάω, ῶ, zerquetſchen, zerbrechen. —θλέω, ῶ, im Kampfe überwinden, beliegen: ſich ſehr im Kampfe üben: Plutarch. —θλίβω, fut. ψω, zerdrücken, bedrücken unterdrücken; dav. —θλίψις, ἡ, das Zerdrücken: Bedrückung, Unterdrückung. —θνήσκω, ſ. v. a. θνήσκω, ſterben. —θνητὸς, ἡ, ὸν, ſ. v. a. θνητὸς, ſterblich. —θοινάω ῶ, verſchmauſen, aufzehren. —θολόω, ῶ, ganz od. ſehr trübe oder dunkel machen. —θορέω, ῶ, herabſpringen: dagegen ſpringen; ſ. v. a. καταθρώσκω. —θορυβέω, ῶ, wider jemand lärmen: τὴν ἀπὸ ἁμάξης πομπείαν πᾶσαν κατεθορύβει Numenius Euſebii Praep. 14, 6. alle Schimpfreden (*convicia ex plauſtro*) brachte er im Zanke wider ſie vor: bey Pollux 8, 154 einen Sprecher durch Lärmen zum Stillſchweigen bringen. —θρασύνω, ſ. v. a. καταθαρσύνω. —θραύω, zermalmen, in kleine Stücke zerbrechen. —θρέω, ῶ, ſ. v. a. καθοράω, herab- herunterſehn. —θρηνέω, beklagen, betrauren, beweinen. —θροέω und καταθρυλλέω bey Pollux 8, 154. als Synonym v. καταθορυβέω. —θρύπτω, das verſt. θρύπτω, zerdrücken, zermalmen, ganz weich machen: auch in den metaph. Bedeut. des ſimplex. —θρώσκω, herunter- herab oder darüber ſpringen: τὴν αἱμασίαν Herodot. —θυμέω, ῶ, das verſt. ἀθυμέω, den Muth ſinken laſſen, muthlos werden, traurig- niedergeſchlagen ſeyn. —θύμιος, ὁ, ἡ, oder ία, ιον, Adv. —μίως, im Sinne, im Herzen: μηδέ τί τοι θάνατος καταθύμιος ἔστω, Il. 10, 383 denke nicht an den Tod; 2) nach dem Sinne, erwünſcht, angenehm. —θυμοβορέω, ῶ, S. θυμοβορέω. —θύω, opfern, ſchlachten, verzehren: 2) καταθύεσθαί τινα, durch ein Zauberopfer jemand zwingen, Theocrit. 2. —θωρακίζω, bepanzern.

Καταιβασία. Plutar. 8 p. 195 ſind καταιβασίαι, Blitze und Donner, wie ζεὺς καταιβάτης, der blitzende und donnernde Jupiter. —βάσιος, ὁ, ἡ, πῦρ, Feuer vom Blitze, Nicetas Annal. 19, 5. —βασις, ἡ, d. i. κατάβασις. —βάτης, ου, ὁ, d. i. καταβάτης, der herabſteigende: der im Donner und Blitze herabſteigende Zeus, Donnerer. Daher πληγεὶς καταιβάτῃ, d. i. κεραυνῷ Nicetas Annal 12, 2 Ἀχέρων Eur. Bach. 1349. zu dem man herabſteigt. —βάτις, Adj. bey κέλευθος und οἶμος, bey Apollon. Rhod. u. Nonn. abſchüſſiger Weg, oder der Weg hinab; act. die herabführende, die den Mond bezaubernde. Vergl. καταιβασία. —βατὸς, ἡ, ὸν, ſt. καταβατὸς, worauf man herab gehn od. ſteigen kann, als θύρα: Odyſſ. 13, 110.

Καταιγδὴν, Adv. (καταίσσω) mit Ungeſtum darauf- dagegen rennend: Apollon. Rhod.

Καταιγιδώδης, (καταιγὶς) einem Windſtoſse- Sturme ähnlich: ſtürmiſch. —γίζω, davon καταιγὶς, ἡ, drückt den Windſtoſs, oder einen ſtarken Wind, der plötzlich von oben herab ſtöſst, einbricht, aus, wie ἐπαιγίζειν und αἰγὶς. S. ἐπαιγίζω: überh. Sturm: daher καταιγὶς πραγμάτων Nicetas Annal. 3, 7. davon —γιος, ὁ, ἡ, ſ. v. a. καταιγιδώδης: Pollux 1, 110. zw. —γισμὸς, ὁ, (καταιγίζω) Epikur nannte die körperlichen Reitze zur Wolluſt καταιγισμούς: Athenaei p. 546. Plutar. 8 p. 483. verb. es mit χειμῶνες, alſo Sturm.

Καταιδέω, ῶ, ich beſchäme, κατήδεσαν αὐτὸν, bey Suidas u. Heſych. καταιδέομαι m. d. Accuſ. ich ſchäme- ſcheue mich vor jemand: ich bereue etwas: ich habe Ehrfurcht- Achtung vor einem.

Καταιθαλόω, ῶ, (αἰθάλη) zu Ruſs oder Aſche verbrennen: mit Ruſs beſchmutzen und ſchwarz machen. —θύσσω, das verſt. αἰθύσσω: wovon Heſych. καταίθιξ ὄμβρος aus einem Tragiker hat: πλόκαμοι νῶτον καταίθυσσον Pindar. Pyth. 4, 147. umwallten den Rücken. εὐδιανὸς τεὰν καταιθύσσει ἑστίαν heiter umſtralt er deine Familie, dein Haus: Pyth. 5, 13. —θω, verbrennen.

Καταικίζω, ich miſshandele und entſtelle durch Miſshandlung: Odyſſ. 16,

θέντας 5 p. 360 und anderswo ψαλίδας καταν: von gebogenem Mauerwerke oder Schwibbögen. —καμψις, ἡ, das Nieder- oder Herunterbiegen. —καπηλεύω, verhökern, verfälschen.

Κατακάρδιος, ὁ, ἡ, (καρδία) gegen das Herz: in das Herz gehend: πληγὴ, Herodian. nach dem Herzen, nach Wunsche. —κάρπιον, τὸ, Frucht: aus Theophr. zw. —καρπος, ὁ, ἡ, Adv. —κάρπως, fruchtreich, fruchtbar: reich. —καρπόω, ῶ, das Opfer verbrennen, bey den LXX. wie ὁλοκαρπόω für ὁλοκαυτέω. —κάρπωσις, ἡ, das Verbrennen, das Verbrannte, vom Opfer: bey den LXX. wie ὁλοκάρπωσις, u. ὁλοκάρπωμα fur ὁλοκαύτωμα. —κάρφω; Aeschyl. Agam. 80 vertrocknen, verzehren: S. in κάρφω. —κασα, ἡ, S. κάσσα. —καυμα, τὸ, (κατακαίω) das Angebrannte: das Verbrannte: Brandblase: Brand: Lucian. —καυσις, ἡ, (κατακαίω) das Verbrennen. —καυτης, ου, ὁ, (κατακαίω) der verbrennet: Verbrenner. —καυχάομαι, ῶμαι, m. d. genit. sich gegen einen ruhmen od. brüsten: einen verachtlich behandeln. —κεάζω u. κατακεαίνω. S. κεάζω. —κειμαι, darnieder liegen, sich niederlegen, von Kranken und Essenden: da liegen, bereit liegen, bereit seyn: da liegen und nichts thun, sich um nichts bekümmern: Xen. Anab. 3, 1. 14. —κείρω, f. κερῶ, ich schneide ab, beschneide: 2) verzehre, plündre. S. κείρω no. 4. —κείω, f. v. a. κατακαίω. S. κέω. 2) f. v. a. κατάκειμαι: S. κακκείω, —κελευσμὸς, ὁ, das Befehlen, Zurufen, Aufmuntern; v. —κελεύω, befehlen, gebieten: von κελευστὴς, der den Takt und das Zeichen den Ruderern angiebt: Aristoph. Ran. 208. —κενόω, ῶ, d. verstärkte κενόω: zw. —κεντάννυμι, oder κατακεντάω u. κατακεντέω, durchstechen; durchbohren, durchschiessen, niederschiessen: die erste Form bey Lucian Philop. 4. —κέντημα, τὸ, das Durchstechen; 2) das durchstochene, das Loch: Plato Tim. p. 401. —κεντρόω, (κέντρον) bestacheln: mit Stacheln- Spitzen besetzen- versehen: Diodor. Sic. —κέομαι, f. v. a. κατάκειμαι. —κεράννυμι, vermischen, temperiren: davon —κέρασις, ἡ, Vermischung: Mischung, Temperatur. —κεραστικὸς, ἡ, ὀν, sonst ἐπικεραστικός, zum mischen oder temperiren gehörig oder geschickt. —κεραυνόω, ῶ, niederdonnern, mit dem Donner erschlagen. —κερδαίνω, aus Gewinnsucht vernachlässigen- versehn oder drücken: Xen. Oecon. 4, 7. —κερματίζω, in kleine Theile oder Stücke zerlegen, zerhauen, oder zertheilen: zerstückeln: grosses hartes Geld in kleinere Münzen verwandeln, auswechſeln, umtauſchen: S. κέρμα.

Κατακερτομέω, ῶ, d. verſt. κερτομέω, verſpotten, ſchelten: m. d. genit. Polyaen. 1, 34, 2. —κέφαλα, Adv. ſt. κατὰ κεφαλῆς, umgekehrt: Geopon. 10, 30. —κηλέω, ῶ, bezaubern, einnehmen, beſänftigen; davon —κηλητικός, ή, όν, zum bezaubern- einnehmen- beſänftigen gehörig oder geſchickt. —κηρόω, ῶ, (κηρὸς) mit Wachs überziehen. —κηρύσσω, κατακηρύττω, durch den Herold verkündigen oder befehlen, gebieten: εἰς ἕνα τῶν φίλων: Plutar. Sull. compar. einem Freunde zuſchlagen laſſen. —κινέω, ῶ, u. κατακίνησις, ἡ, ſ. v. a. κινέω, κίνησις: zw. —κιρνάω, ῶ, ſ. v. a. κατακεράννυμι, vermiſchen. —κισσηρίζω, (κίσσηρις) mit Bimsſtein glätten, abreiben: Athenaeus 12. —κισσος, ὁ, ἡ, mit Epheu umwunden: voll Epheu: Anacr. 6.

Κατακκίζομαι, ſprode thun und ſich verſtellen: Heſych. S. ἀκκίζ.

Κατακλάζω, ich zerbreche. —κλαίω, beweinen: bey Plato Phaedo 66 ὅντινα οὐ κατέκλαυσε, den er nicht gerührt hatte, und zu Thränen gebracht: wo aber Stephanus richtiger κατέκλασε lieſet. —κλασις, ἡ, (κατακλάω) das Zerbrechen, der Bruch: das Verdrehen bey Hippocr. —κλαυσις, ἡ, (κατακλαίω) das Beweinen. —κλάω, ῶ, zerbrechen: rühren, zum Mitleide bewegen: ἐμοὶ κατεκλάσθη ἦτορ Odyſſ. 4, 538, mein Herz brach mir: wie *frango*: vergl. Callim. in Del. 102. —κλεὶς, εἶδος, ἡ, ein Theil an der Thüre, eine Art von Schloſs oder Schlüſſelloch: Ariſtoph. Veſp. 154. nach Pollux 2, 133 die Verbindung der Schlüſſelbeine mit der Bruſt: Herodian. 4, 13 braucht es ſt. σφαγὴ, Kehle: Cicero Attic. 9, 18 Schluſs. —κλεισις, ἡ, (κατακλείω) das Verſchlieſsen: Einſperren. —κλειστός, ὁ, ἡ, (κατακλείω) verſchloſſen, eingeſchloſſen: zum verſchlieſſen, werth verſchloſſen und aufbewahrt zu werden. —κλείω, verſchlieſſen: einſchlieſſen (in eine Feſtung) oder belagern: beſchlieſſen oder beendigen. —κληίζω, joniſch ſt. κατακλείω und κατακλεΐζω, verſchlieſſen und berühmt machen, beſingen. —κληΐς, ίδος, ἡ, jon. ſt. κατακλεὶς. —κληροδοτέω, verlooſen, durchs Loos vertheilen: ſ. v. a. κατακληρουχέω. —κληρονομέω, ῶ, ererben, durch Erbſchaft bekommen, als Erbſchaft beſitzen: zum Erbe machen: als Erbſchaft geben, vererben: verlooſen, vertheilen: bey den LXX. —κληρουχέω, ῶ, (κλῆρος, ἔχω, κληροῦχος) wird vorz. vom vertheilen des eroberten Landes unter die Koloniſten gebraucht: wofür Diodor. 13, 2. auch κατακληρόω braucht. —κληρόω, ῶ, ich verlooſe vertheile durchs Loos: Med. κατακληροῦμαι, ich wähle mir oder bekomme durchs Loos. —κλησία, ἡ, u. κατάκλησις, ἡ, (κατακαλέω) das Zuſammenberufen der Bürger von dem Lande auſser der Stadt: eben das iſt κατάκλητος ἁλία, tabula heracleenſ: eine Volksverſammlung. —κλιμα, τὸ, bey Joſeph. Antiq. 15, 9, 3. f. Leſ. ſt. περιάλειμμα, Anſtrich. —κλινὴς, έος, ὁ, ἡ, (κατακλίνω) bey Tiſche oder auf dem Krankenbette liegend: 2) geneigt, abſchüſſig. —κλινοβατὴς, ὁ, ἡ, bey Lucian. Tragop. 197. die Krankheit, die um die Betten geht. —κλίνω, ich neige, biege nieder: ich lege nieder auf das Lager am Tiſche oder aufs Krankenbette: κατακλίνομαι, ich lege mich nieder am Tiſche (*diſcumbo, accumbo*) oder aufs Krankenlager. —κλισις, ἡ, (κατακλίνω) das Niederlegen zu Bette, aufs Krankenlager oder bey Tiſche. τοῦ γάμου Herodot. 7, 129 das Beylager, wodurch die Heyrath vollzogen wird. —κλιτον, τὸ, (κατακλίνω) ein Lager, Bette, Stuhl darauf ſich zu lehnen- legen. —κλύζω, ich überſchwemme, ſetze unter Waſſer: 2) ich beſpule, ſpüle ab: οἱ ὑετοὶ κατακλύζουσι τὰ ἴχνη Xenoph. Ven. 5, 1. τὴν πύελον κατάκλυζε bey Ariſtoph. Av. ſpüle oder fülle die Wanne: metaph. ich überſchütte, überſtröme, überhäufe: πάνυ μικρὰ πορίσαντες κατακλύσειαν ἂν ἀφθονίᾳ τὴν ἐμὴν δαπάνην Xenoph. Oecon. 2, 8. würden mir zu meinem Aufwande einen groſsen Ueberfluſs verſchaffen: τὴν Φρυγῶν πόλιν χρυσῷ ῥέουσαν ἤλπισας κατακλύσειν δαπάναισιν Eurip. Tro. 994. νῦν μέντοι τὸ βασιλικὸν χρυσίον ἐπικέκλυκε τὴν δαπάνην αὐτοῦ, Aeſchin: Cteſ. jezt hat das Gold des Königs ſeinem Aufwande neuen Vorrath verſchafft. S. ἐπικλύζω: davon

Κατάκλυσις, ἡ, das Ueberſchwemmen, Ueberhauſen. —κλυσμα, τὸ, (κατακλύζω) ſ. v. a. κλυστὴρ, Klyſtier: Hippocr. —κλυσμὸς, ὁ, Ueberſchwemmung, Ueberhäufung, Bähung. —κλυστρον, τὸ, *compluvium*: Gloſſ. Philox. Regenhof. —κλῶθες, αἱ, ἅσσα ἡ αἶσα κατακλῶθές τε βαρεῖαι γεινομένῳ νήσαντο λίνῳ Odyſſ. 7, 197. wo aber andere laſen: αἶσα κατακλώθησι βαρεῖα, in dem Sinne wie Homer ſonſt ἐπικλώθω von der αἶσα braucht: denn dieſe allein und die μοῖρα kennt Homer, nicht aber drey μοῖραι oder Parzen, welche hier κατακλῶθες, von κατακλώθω, die Spinnerinnen heiſsen würden, wenn die Lesart richtig wäre. Suidas hat aus dieſer Stelle wahrſch. κατακλώθη für εἱμαρμένη genommen: Lycophr. 145 braucht ſo κατεκλώσαντο ſt. ἐπεκλ.

Κατακνάω, ῶ, κατακναίω u. κατακνήθω, zerſchaben, zerreiben, zerkratzen, zertheilen, zerſchneiden, zuſammenſchneiden, wie *concidere*: bey Lucian. Ocyp. 91. ſ. v. a. κατατέμνειν ſchröpfen: κατακναίοντα ἑαυτὸν Themiſtii orat. 32 p. 362 ſich quälen, plagen. —κνιδεύω, jukken, brennen, wie Brennneſſel: zw. u. ohne Beyſp. —κνίζω, zerhacken, zerritzen, zerſchneiden, zertheilen: 2) Kitzeln, Jucken, Brennen verurſachen: 3) metaph. necken, reizen, eiferſüchtig machen: auch anſtechen, ſticheln auf einen. S. κνάω u. κνίζω: davon —κνισμὸς, ὁ, ſ. v. a. κνισμὸς, Schol. Ariſtoph. Plut. 975. —κνώσσω, ſchlafen, verſchlafen. S. κνώσσω. —κοιμάω, ῶ, einſchläfern: beſänftigen, lindern: med. einſchlafen; davon —κοιμητὴς, οῦ, ὁ, ſ. v. a. κατακοιμιστὴς: zw. —κοιμητικὸς, ἡ, ὸν, zum einſchläfern gehörig oder geſchickt. —κοιμίζω, ich bringe in Schlaf, zu Bette, ſchläfre ein, beſanftige: φυλακὴν κατακοιμίζω, ich ſchlafe auf der Wache ein: Ariſtoph. Veſp. 2, ſonſt καταλύω: bey Xenoph. Memor. 2, 1, 30. verſchlafen. —κοιμιστὴς, οῦ, ὁ, der in Schlaf-zu Bette bringt: Kammerdiener. —κοινόω, ſ. v. a. κοινόω: zw. —κοινωνέω bey Aeſchin. c. Cteſ. κατακοινωνήσαντες τὰ τῆς πόλεως ἰσχυρὰ d. i. verſchwendeten durch gemeinſchaftlichen Betrug und Vortheil. —κοιρανέω, ῶ, ich beherrſche, regiere als Herr und Gebieter. —κοιτος, ὁ, ἡ, (κοίτη) im Bette, im Lager: ſchlafend: Ibycus Athenaei p. 601. —κολλάω, ῶ, verleimen, anleimen, feſtleimen, —κολουθέω, ῶ, folgen, befolgen, gehorchen. —κολούω, d. verſtärkte κολούω. —κολπίζω, in einen Buſen-Meerbuſen einlaufen: Thucyd. 8, 92. davon κατακόλπισις, das Einlaufen in einen Hafen, mit ἐπιβάθρα bey Suidas verbunden, vergl. Polyb. 34, 12. bey Nicetas annal. 21, 10. heiſst κατεκολπίζοντο νήσοις landen. —κολυμβάω, ῶ, untertauchen; davon —κολυμβητὴς, οῦ, ὁ, Taucher. —κομάω, τὸν μύστακα κατακομᾶν ἔθελον ſehr an Haaren wachſen und lang werden: Procop. Anec. c. 7. —κομιδὴ, ἡ, Her-ab- oder Herunterbringung, Thucyd. 1, 120. —κομίζω, herunter- herabbringen. 2) zurückbringen: med. ſich zurückbringen, zurückkehren: auch zurückbringen, zurück erhalten. —κομος, ὁ, ἡ, mit zerſtreuten- herabhängenden Haaren: Eur. Bacch. 1185. —κομψευέσθαι, artig oder zierlich reden von oder wider: aus Baſilius. —κονὰ, ᾶς, Dor. Eur. Hipp. 821. nach dem Scholiaſt. διαφθορὰ, Verderben, Tod, v. κατακαίνω, —καίνω: andere aber leſen: κατακονᾷ vom folgenden, und erklärten es d. καταναλίσκει. —κονάω, ῶ, ſchärfen, anſchärfen: daher zerreiben, aufreiben. S. d. vorb. —κονδυλίζω, mit Fäuſten oder Ohrfeigen zerſchlagen: Aeſchin. or. —κοντίζω, mit dem Spieſse treffen und erlegen. —κοπὴ, ἡ, das Zerhauen, Zerſchneiden, Zertheilen: das Behauen oder Beſchneiden: τῶν δένδρων Theophr. c. pl. 2, 18. —κοπος, ὁ, ἡ, zerhauen, zerſchnitten, zertheilt: zerſchlagen: ermüdet, abgemattet: von κόπος oder dem folgd. —κόπτω, f. ψω, zerſchneiden, zerhauen, zertheilen: niederhauen, zuſammenhauen, niedermachen: Xeno. Hipparch. 4, 5 ermüden: zerſchlagen, zerprügeln: medium κατακόπτομαι, m. d. accuſat. wie *plango*, betrauren, beklagen, indem man ſich auf die Bruſt oder die Lenden ſchlägt. —κορέννυμι, κατακορεννύω, f. έσω, ſättigen. —κορέως, Adv. von —κορὴς, έος, ὁ, ἡ, u. κατάκορος, ὁ, ἡ, (κόρος) act. ſehr ſättigend. 2) paſſ. geſättiget, voll, überdrüſſig: von der Farbe, dunkel, wie *ſaturatus*, ungemiſcht: von Menſchen, die irgend eine Sache übertreiben, und von Handlungen: κατακόροις καὶ περιέργοις ἱερουργίαις: Plutar. Alex. 2.

Κατακορμάζω, u. κατακορμίζω, ich ſchneide- haue in Klötze- Stücke- Scheite, κορμὸς. —κορος, ὁ, ἡ, Adv. —κόρως, ſ. v. a. κατακορὴς. —κόῤῥος, f. Leſ. bey Ariſtot. oec. ſt. κατάβοῤῥος. —κοσμέω, ῶ, ordnen, in Ordnung ſtellen od. bringen: rüſten, bereiten, anordnen, bewafnen: Polyb. 3, 114. ruhig- ſtille machen Plutar. Lyc. Num. 14. eben ſo verbindet er κατέχειν τὴν διάνοιαν καὶ κατ. Brut. 13. davon. —κόσμησις, ἡ, das Stellen oder Bringen in Ordnung: Anordnen, Ausrüſten, Zubereiten. —κοτταβίζω τινὸς Ariſtoph. Pollucis 6, 111. einem Schönen zu Ehren beym Schmauſse den κότταβος ſpielen und ihn dabey nennen. S. κότταβος. —κουστὴς, οῦ, ὁ, Horcher, Hörer, Zuhörer: Gloſſar. von —κούω, eigentl. vermöge des κατὰ, behorchen, belauſchen um zu verrathen: ſo ſagt Thucyd. 3, 22. οὐ κατακουσάντων, ſie hatten des Feindes Ankunft im Ueberſteigen nicht bemerkt, um ihn bey Zeiten abzuhalten: 2) überh. ſ. v. a. ἀκούω, hören, verſtehen, gehorchen, erhören.

Κατακραδάω, f. Leſ. aus Polyb. 18, 1, 16. ſt. κατακρατεῖν. —κράζω, niederſchreyen, im ſchreyen übertreffen: im medio Ariſtoph. Equ. 287 wie καταβοήσομαι vers 86 u. Acharn. 711. —κρας, Adv. jon. κατάκρης, (ἄκρα) von oben herab: Odyſſ. 5, 313 ὣς ἄρα μιν εἰπόντ' ἔλασεν μέγα κῦμα κατ' ἄκρης: hernach braucht Homer von der Eroberung und Zerstörung von Troja αἱρεῖν, πέρθειν, πυρὶ σμύχειν κατ' ἄκρης, wie Herodot. 6, 18 weil die grossen Städte eine hochgelegene Burg ἄκρα hatten, welche ihnen statt einer Festung dienten, so dass wenn diese mit Sturm erobert war, die Stadt als ganz erobert anzusehen war, und meist zerstört wurde. Vergl. Thucyd. 4. 112.

Κατάκραιτις, ἡ, s. v. a. oben καταιέρασις. — κρατέω, ῶ, m. d. genit. festhalten, anhalten: in seiner Gewalt haben: besiegen, überwältigen, beherrschen: in seiner Gewalt oder inne haben: festhalten, oder behalten; davon — κράτησις, ἡ, das Festhalten: Anhalten: Ueberwältigung, Unterjochung. — κρατητικός, ἡ, όν, anhaltend, hemmend, stillend: dagegen ist κατακρατικός s. v. a. κατακεραστικός. S. in ἐπικρατικός. — κράτος, Adv. d. i. κατὰ κράτος, mit Gewalt, mit Sturm, mit aller Macht, aus allen Kräften. — κραυγάζω, m. d. genit. s. v. a. κατακράζω: Suidas.

Κατακρεμάννυμι, u. κατακρεμαννύω, aufhängen, anhängen: pass. darauf- daran- hängen- schweben: davon — κρέμαστος, ὁ, ἡ, aufgehängt: herabhangend. — κρεμάω, ῶ, s. v. a. κατακρεμαννύω. — κρεουργέω, ῶ, ich zerhaue, zerhacke, wie der Koch das Fleisch: Herodot. 7, 181. — κρῆθεν oder κατάκρηθεν, Adv. d. i. κατ' ἄκρηθεν oder κατὰ κεφαλῆς, von oben herab: Odyss. 11, 587. Il. 16, 548. κατάκρηθεν λάβε πένθος, bedeutet eine grosse, mächtige Trauer, welche die Tr. ergriff: s. v. a. κατὰ κράτος. — κρημνάω, ῶ, κατακρήμνημι s. v. a. κατακρεμάω u. κατακρεμαννύω, anhängen, aufhängen: herabhängen lassen, herabsenken. — κρημνίζω, (κρημνὸς) von einer steilen Anhohe herunter werfen, herabstürzen: dav. — κρημνιστής, οῦ, ὁ, der herabwirft, herabstürzt. — κρημνος, ὁ, ἡ, abschüssig, steil: Batrach. 153. — κρης, Adv. S. κατάκρας. — κρίβόω, ῶ, d. verstärkte ἀκριβόω. — κριδεύω, S. in κρίδδω. — κρίμα, τὸ, Verdammung: Verdammungs- oder Todesurtheil: Dionys. hal. von — κρίνω, verdammen, verurtheilen: davon — κρίσιμος, ὁ, ἡ, s. v. a. κατάκριτος, verdammt, verurtheilt: Arriani Peripl. Eryth. — κρισις, ἡ, das Verurtheilen: Verdammung. — κροάομαι, s. v. a. ἀκρ. d. simplex. zw. — κροταλίζω, beklappern, umlärmen, sehr klappern oder klatschen: zw. — κροτέω, ῶ, beklatschen: sehr loben, billigen: Hesych. — κρουνίζω, (κρουνὸς) herabquellen, herabfliesen: bey Athen. p. 320 darauf träufeln. — κρουσις, ἡ, das herabstossen oder schlagen: zw. — κρουστικός, ἡ, όν, zum herab- od. herunterstossen- schlagen- treiben gehörig oder geschickt: οἶνος κατ. aus Aristot. Probl. oppos. ἐπιπολαστικός: zw. — κρούω, ich schlage herunter oder hinein: ἐπιούρῳ Geopon. 10, 23 u. 61. und treibe so herunter. 2) ich zerschlage durch ein Messer oder Lanzette z. B. die Haut, also öfne oder schröpfe: Hippocr. 3) bey Plato Leg. 8 p. 428 κατακρούων οἰκειῶται von weggefangenen Bienen, wo einige es durch betrügend, παρακρούων, andere besser *aera pulsans delectione apes ad se trahit*, durchs Klingeln mit kupfernem Geräthe erklären. — κρύπτω, f. ψω, verbergen, verhehlen; davon — κρυφή, ἡ, s. v. a. κατάκρυψις: verborgener Ort, Zufluchtsort: Ausflucht: Soph. Oed. Col. 217. — κρύφω, Quint. Smyrn. 2. 477. s. v. a. κατακρύπτω. — κρυψις, ἡ, das Verbergen, Verhehlen, Verheimlichen: das Verstellen. — κρώζω anschreyen: von Raben und Dolen: Aristoph. Equ. 1020 wo vorher κατακράζω stand. — κτάομαι, ῶμαι, sich erwerben, erworbenes besitzen, einnehmen, z. B. den Zuhörer Aelian. v. h. 3, 8. wie ἀνακτάομαι. — κτεατίζω, d. verstärkte κτεατίζω: im medio besitzen, erwerben: Apollon. 3, 136. — κτείνω, ermorden, erlegen, todten. — κτενίζω, d. verstärkte κτενίζω, sehr kämmen und putzen. — κτενος, ὁ, ἡ, κόμη, schön gekämmtes und geputztes Haar: Hesych.

Κατάκτης, ου, ὁ, (κατάγω) der herunter oder zurückfahrt: 2) (κατάγω od. κατάγνυμι) der zerbricht. — κτησις, ἡ, (κατακτάω) Erwerbung, Erlangung: Polyb. 6, 48. Behauptung. — κτὸς, ἡ, όν, (κατάγω-γνυμι) was sich herunterführen, bringen, ziehen lässt, was sich zerbrechen lässt, zerbrechlich. — κτρια, ἡ, d. femin. v. κατάκτης oder κατακτὴρ bey Hesych. s. v. a. ἐριουργὸς, die Spinnerin. — κτυπέω, ῶ, zerschlagen, vertösen zw.

Κατακυβεύω, verspielen, im Würfelspiele verlieren. — κυβιστάω, Aelian. h. a. 5, 54. verb. es mit κατορχέομαι, aus Freude und jemandem zum Spotte tanzen und Burzelbäume machen. — κυδρόω, ehren: Nicetas Annal. 2, 3. — κυκάω, (κυκάω) zerlassen und vermischen: Hippocr. — κυκλόω, ῶ, s. v. a. κυκλέω: zw. — κυλίνδω, κατακυλινδέω, u. κατακυλίω herunter oder herabwälzen oder werfen. — κυμβαλίζω, durch das Geräusch der Cymbeln vergnügen oder betauben, wie καταυλέω: Justin. Martyr. Coh. p. 39. — κύπτω, f. ψω, den Kopf hervor u. herunterstrecken, mit vorgestrecktem Kopfe und gebognem Körper wohin ſehn oder hinabgehn: ἐπεὶ δὲ κατέκυψεν εἴσω τοῦ χάσματος Lucian 2 p. 208 ſobald er nur mit dem Kopfe innerhalb der Oefnung war. κατακύψας ἐς τὸ ἄστυ προσκήρυττε 3 p. 158 ſtecke den Kopf hinunter und ruf herbey, oder geh hinunter auf die Burg: oppoſ. ἀνακ.

Κατακυριεύω, beherrſchen: überwältigen, beſiegen: Pſalm. 9, 33. —κυρόω, ῶ, beſtätigen: zuſchlagen (in einer Auction) Joſeph bey Heſych wird es auch d. κατακρίνω erklärt. —κωκύω, ſ. v. a. καταθρηνέω, beklagen, beweinen: Heſych. —κωλύω, verhindern, aufhalten, zurückhalten. —κωμάζω, Eur. Phoen. 363 vom Unglücke, das einbricht, kommt. —κωχή, ἡ, ſ. v. a. κατοχὴ (κατέχω) das Aufhalten, Zurückhalten, Behalten: das Befallen, Beſetzen, Beſitzen, Einnehmen: v. göttlicher Inſpiration bey Plato. S. παρακωχή. —κώχιμος, der ſich anhalten, einnehmen läſst: ποιῆσαι κατ. ἐκ τῆς ἀρετῆς. geneigt machen zur Tugend: Ariſtot. Nicom. 10. πρὸς την ὁμιλίαν τῶν γυναίκων Polit. 2. ſ. v. a. κατωφερής.

Καταλαβέω, wovon καταλελάβηκε, ſ. v. a. καταλαμβάνω. —λαγνεύω, davon bey Heſych. καταλαγνευθεὶς, vergeilt, in Wolluſt erſoffen. —λαζονεύομαι, ich prahle gegen jemand oder von einer Sache: ich erzähle prahlend. —λαθιστής, ὁ, (ἀλαθίζω) ſ. v. a. ἐξηγητής: Heſych. —λακτίζω, gegen einen hinten ausſchlagen: Gloſſar. —λαλέω, ῶ, m. d. genit. ich behellige einen mit Reden, falle ihm beſchwerlich: 2) m. d. accuſ. ich rede ihm nach, beſchuldige, berede ihn: Polyb. davon —λαλιά, ἡ, Nachrede, Beſchuldigung. —λαλος, ὁ, ἡ, der andern nachredet, böſes von ihnen ſpricht. —λαμβάνω, ich hole ein: 2) faſſe, halte feſt: 3) halte an, halte zurück: καταλαβεῖν αὐξανομένην τὴν δύναμιν Herodot. 1, 46. 4) einnehmen, beſetzen, *occupare*. 5) faſſen, begreifen, verſtehn: erfahren, finden, ausfinden: ertappen: befinden: Neutr. καταλαμβάνει (ἡ τύχη) es trift ſich Herodot. 4, 105. 7, 38. ἐπεὶ κατέλαβον αἱ ἡμέραι, als die Tage eintraten, ankamen: Herodian. 1, 15. —λάμπω, f. ψω, beleuchten, erhellen: ὧν ὁ ἥλιος καταλάμπει Plato Reſp. 6 p. 110. gegen welche die Sonne ſcheint und ſie beleuchtet: neutr. leuchten, helle ſeyn.

Καταλγέω, ſtarken Schmerz empfinden: Polyb. 3, 80. —γύνω, einen ſchmerzen, kränken, Schmerzen verurſachen.

Καταλεαίνω, f. ανῶ, d. verſtärkte λεαίνω, ganz glatt machen: ganz zerreiben, abreiben, glätten. —λέγω, f. ξω, ausleſen, wählen, aufſchreiben und eintragen in eine Liſte, vorz. die zum Kriegsdienſte beſtimmten Bürger: daher rekrutiren, werben, eine Armee zuſammenbringen: daher καταλογος, die Rolle der Kriegsdienſte thuenden Bürger: daher ἱπποτροφεῖν· κατέλεξε τοὺς πλουσιωτάτους Xen. Ageſ. 1, 24. Hiſt. gr. 3, 4, 16. 2) dahin- darzu- darunter rechnen oder zahlen: bey Hom. zu Bette bringen: im medio zu Bette gehn. Sonſt auch herſagen, hernennen, hererzählen, aufzahlen, aufführen. —λείβω, f. ψω, herunter- herab oder darauf gieſsen oder träufeln: 2) zerſchmelzen und verzehren: δέμας ἀεικέλιον καταλείβων Eurip. Andr. 130 wie κατατήκω. —λειμμα, τὸ, (καταλείπω) Ueberbleibſel, Reſt, Rückſtand.

Καταλειπτος, ὁ, ἡ, (καταλειπ.) übriggelaſſen. (καταλείφω) beſalbt: Ariſtoph. —λείπω, f. ψω, zurücklaſſen, verlaſſen: hinter ſich laſſen: unterlaſſen: im Stiche laſſen, verlaſſen: hinterlaſſen. —λειτουργέω, ῶ, im öffentlichen Dienſte bey Verwaltung öffentlicher Aemter verwenden, verbrauchen, zuſetzen. S. λειτουργέω. —λείφω, f. ψω, darauf- daran ſchmieren oder ſtreichen: beſtreichen. —λειψις, ἡ, (καταλειπω) das Zurücklaſſen, Verlaſſen. —λεπτολογέω, ῶ, Feinheit und Spitzſindigkeit der Rede anwenden: Ariſtoph. Ran. 828. —λεπτύνω, f. υνῶ, ſehr dünne- mager dünn machen: Schol. Apollon. 2, 197. —λευκαίνω, f. ανῶ, überweiſsen, ganz weiſs machen: zw. —λεύσιμος, ὁ, ἡ, werth geſteinigt zu werden; von —λεύω, ſteinigen: mit Steinen zu Tode werfen: Heſych erklärt es auch durch εἰς τὰ μέταλλα βάλλειν, zur Bergwerksarbeit verurtheilen. —λέω, ῶ, zermahlen. —λήγω, f. ξω, aufhören, ſich endigen. —ληΐζομαι, verheeren, ausplündern, berauben. —ληκτικὸν μέτρον, ein Verſemaaſs oder Vers mit einer überzähligen Sylbe am Ende: von καταλήγω —ληκτικὸς, ſich endigend: bey Antonin 9, 42 μὴ —τικῶς δέδωκας, haſt es ihm nicht abſolut und ohne weitere Abſicht gegeben. —ληξις, ἡ, das Aufhören, der Schluſs: das Ende. —ληπτικός, ἡ, ὸν, Adv. —κῶς, (καταλαμβανω) zum faſſen- greifen- begreifen- einſehn gehörig oder geſchickt. —ληπτός, ἡ, ὸν, (καταλαμβανω) zu faſſen- greifen- begreifen, einzuholen, zu erlangen, einzuſehn, zu begreifen: πένθος θεόθεν κατάληπτον Eur. Hippol. 1357 ſcheint active zu ſtehn, das uns durch göttliches Schickſal betrift. —ληρέω, ῶ, (ληρος) m. d. genit. einem vorſchwatzen: Julian. Epift. 509. 2) κατελήρησα τὴν ἐξώμιδα, mit den Narrenpoffen habe ich meine ἐξ. verloren: Athenaeus 13 p. 567.

Καταλήψιμος, ὁ, ἡ, (καταλαμβάνω) der ergriffen- begriffen- gefafst- verdammt werden kann. —ληψις, ἡ, (καταλαμβάνω) das Faffen, Greifen, Ergreifen, Erlangen: das Befitzen, Einnehmen: Begreifen, Einfehn, Verftehn: das Ergreifen der Anfall einer Krankheit: das Fefthalten, Gefangennehmen. —λιθάζω, fteinigen. —λιθοβολέω, ῶ, mit Steinen bewerfen, fteinigen. —λιθος, ὁ, ἡ, voll Steine, voll Edelfteine. —λιθόω, ῶ, fteinigen: Demofth. —λιμπάνω, eine andere Form von καταλείπω. —λιπαίνω, f. ανῶ, fehr fett- feift machen: mäften, düngen. —λιπαρέω, ῶ, d. verftärkte λιπαρέω, fehr flehen und bitten. —λιχνεύω, in oder mit Leckerbiffen verthun, verfchlemmen: zw.

Καταλλάγδην, Adv. (καταλλάττω) umgekehrt, wechfelsweife. —λαγή, ἡ, (καταλλάττω) Verwechfelung, Auswechfelung, Vertaufchung: Ausföhnung, Verföhnung. —λάκτης, ου, ὁ, (καταλλάσσω) Ausföhner, Verföhner, Friedensftifter; davon —λακτικὸς, ἡ, ὸν, zum ausföhnen, verföhnen gehörig oder gefchickt: leicht zu verföhnen. —λάσσω, άττω, ich verwechfele, vertaufche: καταλλάττομαι νόμισμα, ich wechfele, taufche mir Geld ein. 2) ich verföhne, mache, dafs fie die Gefinnungen und Freundfchaft wechfeln. καταλλάσσετο τὴν ἔχθρην τοῖσι στασιώτῃσι, Herodot. 1, 61. wechfelte die Feindfchaft mit feiner Parthey aus oder um oder in Freundfchaft, d. i. verföhnte fich. —ληλος, ὁ, ἡ, paffend, fchicklich, entfprechend; davon —ληλότης, ητος, ἡ, das Paffen, Stimmen, Uebereinkommen; paffender Zufammenhang, fchickliches Verhältnifs.

Καταλοάω, f. ήσω, od. άσω, zermalmen, zerfchlagen, zerprügeln, zerreiben, zerdrefchen. S. ἀλοάω. —λογάδην, Adv. in Profe; von καταλογή: Hefych. —λογεὺς, έως, ὁ, der die Bürger wählt und auffchreibt, in eine Rolle bringt, als Soldaten oder als Kontribuenten. —λογέω, ῶ, (ἀλογέω) vernachlaffigen, nicht achten: mit d. Genit. Stobaei Serm. 133. m. d. Accuf. Herodot. 3, 225. —λογή, ἡ, (καταλέγω) das Auslefen und Vertheilen in Klaffen oder Auffchreiben: bey Hefych. auch τὸ τὰ ἄσματα μὴ ὑπὸ μέλει λέγειν, alfo ein Lied lefen, nicht fingen. —λογία, ἡ, f. v. a. καταλόχεια. —λογίζομαι, zurechnen, zufammenrechnen, anrechnen; berechnen: εὐεργεσίαν καταλογιῇ πρὸς ἡμᾶς ἐπὶ τῇ τοσαύτῃ ὕβρει Lucian. 2 p. 122. wirft uns wohl noch eine Wohlthat nach aller diefer Schmach in Rechnung bringen: darunter- darzu zahlen oder rechnen, wie *annumero*: Xenoph. Memor. 2, 2. 1. überlegen, bedenken: dav. —λογισμὸς, ὁ, das Zurechnen, Anrechnen, Zufammenrechnen. —λογος, ὁ, (καταλέγω) das Verzeichnifs von Perfonen die wozu auserlefen find, vorz. zu den λειτουργίαις zu Athen, und zum Kriegsdienfte: daher das Auffchreiben und Ausheben zum Kriegsdienfte, die Zeit deffelben, und der Kriegsdienft felbft; davon οἱ ὑπὲρ τὸν κατάλογον, die über das zum Kriegsdienfte fähige und pflichtige Alter find. —λοιάω, f. v. a. καταλοάω. —λοιπος, ὁ, ἡ, übriggelaffen. —λοκίζω, zerfurchen, zerreiffen, ὄνυξι f. v. a. δρύπτω: Eurip. —λούω, ich verwafche, verfpüle: καταλούει τὸν βίον Ariftophan. Nub. 840. verbadeft, verfchwendeft mein Vermögen: wo auf das vorhergehende λουσόμενος angefpielt wird. —λοφάδια, Adv. f. v. a. κατὰ λόφου, auf dem Nacken: Odyff. 10, 169. —λόχεια, ἡ, f. v. a. λέχος: Paralip. c. 13. wo andere καταλυγία lefen. —λοχίζω, in λόχους vertheilen und fammlen: bey Pollux 1, 173 fteht καταλοχῆσαι ft. —ίσαι: zweif. davon —λοχισμὸς, ὁ, Vertheilung in λόχους: bey Plutar. Cic. 15 Werbung. —λοχος, ὁ, f. v. a. λόχος: aus Thucyd. fehr zw.

Κατάλσης, ὁ, ἡ, (ἄλσος) mit Hainen verfehn Strabo 5 p. 364.

Καταλυγίζω, drehen, beugen, binden: Hefych. —λυκουργίζω τινὸς, gegen einen Lykurgs Gefetze anführen: Alciphr. 2, 1. —λυμα, τὸ, (καταλύω) Zimmer, Wohnung: Wirthshaus: Marc. 14, 14. Luc. 2, 7. —λυμαίνομαι, befchädigen, verwüften, verheeren. —λυμακόω, tabul. heracl. 1. vers. 9. verwildern- verwachfen laffen. —λύμανσις, ἡ, Verheerung, Verwüftung. —λύσιμος, ὁ, ἡ, auflösbar, zerftörbar. —λυσις, ἡ, (καταλύω) Auflöfung, Zerftörung, Vernichtung, Beendigung, Ende, Tod: das Einkehren, das Wirthshaus, Herberge: Karavanferey. —λυσσάω, καταλυττάω, wider einen wüthen oder in Wuth feyn: zweif. —λυτήριον, τὸ, f. v. a. κατάλυμα. —λυτὴς, ὁ, d. i. καταλύων. —λύτης, oder κατάλυτος, einer der ins Wirthshaus einkehrt: Fremder: Polyb. 2, 15. Plut. Sull. 25. —λύω, auflöfen; aufheben, z. B. φυλακὴν, die Wache auflöfen od. fie verlaffen, πότον, ein Trinkgelage, oder davon her- zurückkommen: ἐν τόπῳ τινὶ, wo einkehren, mit zu ergänz. πορείαν, ὁδὸν: auflöfen, zernichten, vernichten, tödten: med. fich od. f. Sache beendigen; f. Streitigkeiten beylegen,

μεθύσκω, mit lauterm Weine berauſchen, trunken machen: Polyb. 5, 39. 2. —μειδιάω, ῶ, verlachen, auslachen, θανάτου: Joſephus b. j. 3, 7, 33.

Καταμειλίσσομαι, λίττομαι, f. ξομαι, d. verſt. μειλίσσομαι, beſänftigen, verſöhnen. —μελετάω, ῶ, üben, ausüben, durch Uebung erlernen, in Uebung erhalten. —μελέω, ῶ, vernachlaſſigen, verwahrloſen. —μελιτόω, ῶ, (μέλι) mit Honig beſtreichen oder ſuſs machen: τὴν λόχμην, den Buſch mit honigſüſſem Geſange anfüllen: Ariſtoph. Av. 224. —μέλλω, f. ήσω, verzögern, verſchieben: b. Polyb. häufig v. furchtſamen Kriegern, welche die Gefahr oder das Treffen ſcheuen, und den Feind nicht angreifen wollen. Wird mit καταμελέω oft verwechſelt. —μεμπτος, ὁ, ἡ, verachtet, getadelt: zu tadeln: Soph. von —μέμφομαι, tadeln, ſchelten, anklagen, beſchuldigen: mit dem Dativ. und Accuſ. —μεμψις, ἡ, Tadel, Vorwurf, Unwillen: Thucyd. —μένω, verbleiben, verweilen. —μέργω, pflücken: Pollux 1, 225. —μερίζω, zertheilen, zerſtückeln: vertheilen. - μερὶς, ἶδος, ἡ, Theil, Stück; ſehr zweifelh. —μέρος, Adv. eigentlich κατὰ μέρος, theilweiſe, ſtückweiſe. —μέστιος, ὁ, ἡ, voll, ſo viel als μεστὸς: Nicand. Alex. 45. —μετρέω, ῶ, vermeſſen, ausmeſſen: davon —μέτρησις, ἡ, Vermeſſung, Ausmeſſung. —μήκης, εος, ὁ, ἡ, ſehr lang: falſche Leſ. aus Herodot. 4. 72. wo κατὰ τὰ μήκεα ξύλα jetzt ſteht. —μηλόω, ῶ, ich ſtecke eine Sonde (μήλη) hinein, um zu ſondiren, oder ich ſtecke den Finger wie eine Sonde in den Hals, um zu brechen. ἀναγκάζω πάλιν ἐξεμεῖν ἅττ' ἂν κεκλόφωσί μου, κημὸν καταμηλῶν: Ariſtoph. Equ. 1150 wo ſtatt des Fingers der κημὸς genannt wird, worein die Richter ihre Stimmen warſen: alſo ich werde ihn verurtheilen laſſen, und ſo zwingen auszuſpeyen, was er geſtohlen hat. —μήνιος, ὁ, ἡ, (μὴν) monatlich: τὰ κατ. Monatsfluſs, monatliche Reinigung der Weiber; davon —μηνιώδης, εος, ὁ, ἡ, der monatlichen Reinigung (καταμηνια) ähnlich, gleich. —μήνυσις, ἡ, Anzeige, Angabe oder Anklage. —μηνύω, anzeigen, angeben: Xen. Anab. 2, 2. 20 m. d. genit. Hellen. 3, 3, 2 μάλα σοῦ ψευδομένου κατεμάνυσεν, hat dich einer Lüge geziehen. —μιαίνω, f. ανῶ, beflecken, beſudeln: verunreinigen. —μιγνυμι, καταμιγνύω, fut. ίξω, vermiſchen. —μιμέομαι τὰς σπουδαίας κινήσεις, durch ſatyriſche Nachahmung ernſthafte Stellungen und Bewegungen verderben u. lächerlich machen: Dionyſ. Antiq. 7, 72.

Καταμικρὸν, Adv. eigentl. κατὰ μικρὸν, nach und nach: theilweise, stückweise: allmählich. —μιμνήσκομαι, s. v. a. μιμν. ich erinnere mich. zweif. —μίξις, ἡ, (καταμίγνυμι) Vermischung. —μίσγω, καταμίσγομαι, s. v. a. καταμίγνυμι. —μισθοδοτέω, ῶ, auf Lohn oder Sold verwenden und so verthun: Dionys. hal. —μισθοφορέω, ῶ, durch Sold verthun: μὴ καταμισθοφοροῦσα συνεξαναλωθῇ τοῖς χρήμασι; Dionys. 4, 23. damit sie nicht d. übermässigen Aufwand auf den Sold fremder Soldaten sich sammt ihrem Vermogen aufzehre. —μνημονεύω, in das Andenken - Gedächtniss fassen: εἴτε γραψάμενος καταμνημονεύσας, Plutar. 9 p. 1. —μολίσκω, s. v. a. καταβλώσκω: Schol. Apoll. rh. 1, 322. —μομφος, ὁ, ἡ, s. v. a. κατάμεμπτος, active, tadelnd: Aeschyl. Ag. 149. —μόνας, Adv. eigentl. κατὰ μόνας, einzeln, besonders, fur sich. —μονὴ, ἡ, (καταμένω) das Verbleiben, Verweilen: Polyb. 3, 70. —μονομαχέω, ῶ, im Zweykampfe besiegen. —μονος, ὁ, ἡ, (καταμένω) bleibend, fortdauernd, beständig: Polyb. —μόσχευσις, ἡ, Fortpflanzung durch Ableger: Glossar. wo auch καταμοσχεύω, *propagino*, angemerkt ist. —μουσόω, ῶ, verschönern, durch Gelehrsamkeit oder Poesie auszieren: Julian. Epist. 30.

Κατάμπελος, ὁ, ἡ, mit Weinstöcken besetzt: weinreich. —πέχω, od. καταμπίσχω, umthun, anthun: τὰ κράνη: Plutar. bedecken: Eur. Hel. 859. —μυθολογέω τινὰ, mit Mahrchen, Mythologien einen vergnügen: Philostr. heroic. 7. —μυρίζω, besalben: Cyrill. c. Jul. —μυσις, ἡ, das Zumachen der Augen im Schlafe od. Tode. —μύσσω, καταμύττω, f. ξω, ritzen, aufritzen, zerritzen: ritzend verwunden. —μυττόω, f. Les. st. καταμυττωτεύω, aus Aristoph. Pac. 247 ἐπιτρίψεσθε καταμεμυττωτευμένα, ihr werdet ganz zu einem μυττωτὸς gerieben u. aufgerieben werden. —μύω, die Augen zumachen, schlafen, sterben.

Καταμφιέννυμι, f. έσω, bekleiden: bedecken, umgeben.

Καταμωκάομαι, ῶμαι, verlachen, verspotten; davon —μώκησις, ἡ, das Verlachen, die Verspottung. —μωλύνω, lindern, mindern: Hippocr. S. μωλύνω. —μωλωπίζω, (μώλωψ) ich bedecke mit Schwielen: Suidas. —μωμέομαι, das verstarkte μωμέομαι, tadeln: Cyrill. c. Jul.

Καταναγκάζω, das verstärkte ἀναγκάζω, bezwingen! zwängen, δεσμοῖς Eur. Bach. 643. b. Hippocr. so wie διαναγκ. ausgerenkte Glieder oder Knochen hineinzwängen mit Gewalt und durch Gegendruck einrenken: bey Thucyd. erzwingen: peinigen, plagen, τὸ σῶμα mit πονεῖν und μοχθεῖν verbunden, Lucian 3 p. 6. —νάγκη, ἡ, Zwang, Zwangsmittel: ἐρωτικαὶ κ. Liebestränke oder φίλτρα: Synesius; daher auch eine darzu gebrauchte Pflanze: Dioscor. 4, 134. Plinius 27, 8. —νάθεμα, τὸ, Verwünschung; davon —ναθεματίζω, verwünschen. —ναιδεύομαι τινὸς, unverschämt einen behandeln: bey Eustath. davon oder vielm. von —δίζομαι kommt —ναιδιστὴρ, ὁ, Manetho 4, 235. unverschämter Mensch. —ναισιμόω, ῶ, verbrauchen, verzehren: Hipp. S. ἀναισιμόω. —ναισχυντέω, s. v. a. καταναιδεύομαι. zw. —ναλείχω, auflecken, ablecken. zw. —ναλίσκω, oder καταναλωμι, oder —λόω, wovon fut. ώσω, verwenden, verbrauchen, verthun, verzehren, aufzehren. —ναρκάω, Paulus im N. T. braucht es mit dem genit. nach dem griech. Sprachgebrauche würde es heissen, aus Trägheit vernachlässigen, träge, nachlässig gegen einen handeln. —νασκύλλω, beunruhigen, belästigen: Aesopi Fab. 293. —νάσσω, festtreten - klopfen - schlagen od. stampfen: κατανάξαντες τὴν γῆν: Herodot. 7, 36. —ναυμαχέω, ῶ, in einem Seetreffen überwinden - schlagen - besiegen. —νάω, (νάω) in Prosa κατοικίζω, hinsetzen, versetzen, hinbringen um daselbst zu wohnen, eine Wohnung geben.

Κατανδραφάσσω, s. v. a. κατακτείνω: Hesych. welcher auch ἀνδραφάσσειν, κατ᾽ ἄνδρα σφάττεσθαι hat, und ἀνδραφυστεῖν, φεύγειν ἢ ἐπὶ φόνῳ διώκειν. —δρίζομαι, mit d. genit. übermannen, besiegen: Hesych. Suid. Phot. —δρολογία, ἡ, d. i. ἡ κατ᾽ ἄνδρα συλλογὴ, 2 Macc. 12. Sammlung, Werbung Mann für Mann.

Κατανεανιεύομαι, s. v. a. καταλαιχάομαι und κατισχύω: Hesych. Suid. —νείσσομαι, κατανίσσομαι, herabkommen, herabgehn: wiederkommen. —νεμέσησις, ἡ, (νεμεσάω) Unwille: Clemens Paed. 1 p. 146. —νέμω, vertheilen, austheilen: mit dem Viehe betreiben, um dieses weiden zu lassen: med. unter sich theilen, besitzen, haben; 2) abweiden, abfressen, verzehren, auch vom Feuer. —νέομαι, κατανεῦμαι, s. v. a. κατανείσσομαι. —νεύσιμος, ὁ, ἡ, zu bewilligen, was man bewilligen kann; von —νευσις, ἡ, das Zunicken: Bewilligung; von —νεύω, zunicken, zuwinken, zugestehn, bewilligen: ὑποσχεσίην κατανεύομεν, Versprechen geben: Quint. Smyrn. 2, 148. 2) sich hinabneigen oder senken: Geopon. 2, 4, 2. active τὴν κεφαλὴν, den

Kopf herunter hängen laſſen oder ſenken: Pollux 1, 205.

Κατανεφόω, ῶ, (νέφος) bewölken, verfinſtern: —**νῆσαι**, (νέω) anhäufen, aufhäufen: aus Herodot. —**νήχομαι**, herunter- herabſchwimmen.

Κατανθίζω χρώμασιν, Diodor. Sic. mit Blumen oder bunten Farben zieren.

Κατανθρακόω, ῶ, und κατανθρακίζω, Anthol. verkohlen, zu Kohlen brennen: Eur. Iph. A. 1602. verbrennen, ausbrennen, ein Auge: Eur. Cycl. 659.

Κατανίζω, begieſsen, beſprengen: anfeuchten, ſ. v. a. κατανίπτω: Hippocr. —**νιμμα**, τὸ, (κατανίπτω) das darüber gegoſſene Waſſer zum abſpülen, auswaſchen, abwaſchen: Athenaei p. 18. woraus Euſtath. —νισμα zitirt. —**νίπτης**, ου, ὁ, (κατανίπτων) der benetzt, auswäſcht, abwäſcht Etym. M. —**νίπτω**, f. ψω, ſ. v. a. κατανίζω. —**νίσσομαι**, ſ. v. a. κατανείσσομαι. —**νίσταμαι**, m. d. genit. gegen einen- dagegen aufſtehen: ſich wider einen auflehnen, widerſetzen, rebelliren, widerſtehn. —**νίφω**, f. ψω, beſchneien, verſchneien. —**νοέω**, ῶ, bemerken, betrachten: einſehen, kennen lernen. Bey Hippocr. neutr. bey ſich- bey Sinne- bey Verſtande ſeyn: wie καταφρονέω: davon —**νόημα**, das Bemerkte: Bemerkung, Beobachtung, Wahrnehmung. —**νόησις**, ἡ, das Bemerken, Beobachten, Wahrnehmen. —**νοητικὸς**, ἡ, ὀν, gut oder genau bemerkend, beobachtend: ſcharfſichtig. —**νομιστεύω**, zu Münze machen, in Münze- Geld νόμισμα verwandeln: Joſeph. b. j. 1. —**νομοθετέω**, ῶ, dagegen ein Geſetz geben: aus Plato.

Κάτανος, wovon das lat. *Catinus*, Tiegel. —**νοστέω**, ich kehre zurück: Polyb. 4. 17. —**νοσφίζομαι**, entwenden, ſich zueignen, ſtehlen: Dionyſ. hal. —**νοτίζω**, benetzen: Eur. Iph. Tr. 832. —**νουθετέω**, ῶ, durch Warnung leiten und lehren: Syneſ.

Κάταντα, Adv. Il. 23, 116. πολλὰ δ' ἄναντα κάταντα, πάραντά τε δόχμιά τ' ἦλθον d. i. ſie giengen einen weiten Weg, bergauf, bergunter, ſchief u. in die Queere. Iſt eigentl. neutr. plur. vom alten κάταντος ſ. v. a. κατάντης: So iſt πάραντος, neben dem geraden Wege weggehend, ſt. παράντης: alſo κατὰ ἄναντα u. ſ. w. —**τάω**, ῶ, ankommen, anlangen: ſich endigen: ſich womit beſchlieſsen, wie *evenire*: begegnen, ſich zutragen: zurückkehren: alle dieſe Bedeut. bey Polyb. davon —**τημα**, τὸ, das Ereigniſs: Ausgang: Ende: Juſtin martyr. dial. p. 276 Schol. Ariſt. Ran. 1026. —**της**, εος, ὁ, ἡ, herabgehend, abſchüſſig. —**τηστιν**, Adv. gegen über, Odyſſ. 20, 387: andere leſen κατ' ἄντηστιν, auch ἀντῆσιν u. ἀντήσειν bey Heſych. —**τία**, ἡ, die abſchüſſige Lage: Hippocr. —**τιβολέω**, ῶ, d. verſtärkte ἀντιβ. Pollux 2, 69 u. Joſeph. —**τικρὺ**, Adv. καταντιὸν, καταντιπέρας, gegen über, dagegen: eigentl. κατὰ ἀντικρὺ u. ſ. w. —**τλέω**, ῶ, (ἀντλέω) m. d. genit. darauf- darüber- gieſsen: auch m. d. accuſ. begieſsen, übergieſsen, überſchütten: mit Waſſer bähen: γέλωτα τινὸς κατ. dem Spotte ausſetzen, verſpotten: davon —**τλημα**, τὸ, das darauf gegoſſene Waſſer bey der Bähung. —**τλησις**, ἡ, das daraufgieſsen des Waſſers und das Bähen. —**τλος**, ὁ, ἡ, ſ. v. a. ὑπέραντλος: Pollux 1, 113. —**τυγώδης**, ὁ, ἡ, nach Art einer ἄντυξ, alſo rund: Nicetas Annal. 17, 2.

Κατανυκτικὸς, ἡ, ὸν, zerſtechend: nagend, freſſend, beiſsend: Suidas in γοερὸν. —**νυξις**, ἡ, (κατανύσσω) das Zerſtechen: das Verurſachen eines heftigen und innigen Schmerzes oder Betrübniſs. —**νύσσω**, κατανύττω, f. ξω, (νύσσω) durchſtechen: zerſtechen, *compungo*: reizen, kränken, betrüben. —**νυστάζω**, (νύω, νυστάζω) einnicken, einſchlummern: active einſchläfern. Aelian. h. an. 13, 22. 14, 20. —**νύω**, κατανύτω, vollenden, endigen: mit verſtandenem ὁδὸν, den Weg vollenden, ankommen, gelangen, hinkommen: vollſtändig bey Xen. Cyr. 8, 6, 17. —**νω**, ſ. v. a. d. vorh. τὰ δὲ πολλὰ κατάνεται Odyſſ. 2, 58. wird verzehrt, geht darauf. —**νωτιαῖος**, αία, αῖον, auf oder hinter dem Rücken. —**νωτίζομαι**, auf dem Rücken tragen: Plutar. fac. lun. p. 655. Nicetas Annal. 5, 4.

Καταξαίνω, zerkratzen, zerritzen, zerhauen: πέτρα κατεξαμμένη Diodor. 17, 71. ausgehauener Felſen: τὰ ὅπλα κατέξανται, 17, 94 ſind abgenutzt: πληγαῖς κατ. τὸ σῶμα, einen zerpeitſchen, zerſchlagen: Ariſtoph. Acharn. 320 ſagt κατ. εἰς φοινικίδα, einen blutroth peitſchen, mit Anſpielung auf das krempeln u. ſpinnen der Wolle zu einem Purpurkleide: πόνοις κατ. *atterere*, durch Arbeit drücken, plagen, entkräften: Eur. Tro. 755. vom Schmachten und Verzehrung der Liebe, des Grams, Parthen. Erot. 17. δακρύοις καταξανθεῖσα Eur. Tro. 508. δάκρυσι παρειὰς ξαίνειν Antipatri Epigr. τῇ βαρύτητι τῶν ἔργων κατέξαινον τὴν ταλαιπωρίαν Diodor. Excerpt. 34 p. 599, wo es bloſs, ihr Elend- Mühſeligkeit vernehmen bedeutet. S. ξαίνω. —**ξενόω**, ῶ, d. verſtärkte ξενόω, Aeſchyl. Choeph. 704. —**ξέω**, f. έσω, zerkratzen, zerſchaben: abkratzen, abſchaben: künſtlich ſchnitzen, oder mit Schnitzarbeit zieren: Ariſtót. Mirabil. c. 104.

Καταξηραίνω, vertrocknen, austrocknen: von, —ξηρος, ὁ, ἡ, sehr trocken, dürre. —ξιοπιστεύομαι, (κατὰ, ἀξιόπιστος) bey Polyb. 12, 17. m. d. genit. an jemandes Glaubwürdigkeit zweifeln. —ξιος, ὁ, ἡ, s. v. a. ἄξιος, wovon das Adverb. bey Polyb. nach Würden: davon —ξιόω, ῶ, würdigen, werth halten: ehren: schäzzen: Polyb. bitten, verlangen, wie ἀξιόω: davon —ξίωσις, ἡ, Würdigung, Werthschätzung, Hochachtung: Würde: Polyb. —ξυράω, beschéeren, abscheeren: Athenaei p. 529. Nicolaus Damasc. Excerpt. p. 426 κατεξυρημένος τε καὶ καθυπεστιβισμένος, der sich durchaus beschoren und mit Stibium bemahlt und als Mann entstellt hätte. —ξυσμὸς, ὁ, das Zerritzen, Zerschnizzen, Beschnitzen: Schnitzeley od. Bildhauerarbeit: zw. —ξύω, zerritzen, zerkratzen, zerschaben: beschnitzen, mit Schnitzwerk zieren: fast einerley mit καταξέω.

Καταπαιδεραστέω, ich verbringe durch Paederastie, Isaeus. —παίζω, darüber - dabey spassen oder scherzen: verspotten: m. d. genit. Aristoph. Etym. M. —παίω, darauf schlagen: zuschlagen, zerschlagen: bey Hesych. μαστίζω, τιμωρέομαι. —πακτὸς, ἡ, ὸν, καταπακτὴ θύρα bey Herodot. 5, 16. s. v. a. καταπηκτὴ, eine Zug- oder Fallthüre. —παλαίω, im Faustkampfe (πάλη) bezwingen, besiegen: überh. überwinden. —παννυχίζομαι, durchnachten; in nächtlicher Feyer (παννυχὶς) zubringen: Theophyl. hist. pl. 5, 1. —πανουργεύω, m. d. genit. gegen jemand schelmisch handeln: aber Suidas führt es m. d. accus. an, und dann heisst es, an Schelmerey übertreffen, überlisten. —παρσις, ἡ, (καταπείρω) das durchbohren, anbohren. —πασμα, τὸ, ein Mittel oder Arzney darauf zu streuen, Streupulver: von —πάσσω, ττω, f. άσω, bestreuen: m. d. genit. darauf streuen: Aristoph. Eq. 99, überstreuen, voll streuen. —παστος, ὁ, ἡ, bestreut: gesprenkelt: bunt gewebt oder gestickt. —πατέω, ῶ, zertreten, fest oder zusammentreten: mit den Füssen treten, nicht achten, verachten: davon —πάτημα, τὸ, das Zertretene oder Festgetretene. —πάτησις, ἡ, das Zertreten oder Festtreten. —παυμα, τὸ, Ruhe: Ende. —παύσιμος, ὁ, ἡ, s. v. a. —στικὸς: Gregor. Naz. —παυσις, ἡ, das Bewirken der Ruhe, ruhig machen: das Stillen, die Stillung: das Absetzen. —παυστικὸς, ἡ, ὸν, zur oder in Ruhe bringend, stillend: was macht, dass etwas aufhört: von —παύω, aufhören lassen, abbrechen, beendigen: zur Ruhe bringen, Ruhe verschaffen, ausruhen lassen, stillen, lindern, besänftigen: hemmen, hindern, verhindern: absetzen. —πειθὴς, έος, ὁ, ἡ, folgsam, gehorsam: von —πείθω, überreden, überzeugen, bewegen: med. sich überzeugen lassen, oder glauben: sich bewegen, überreden lassen, oder folgen, gehorchen. —πειλέω, ῶ, dargegen drohen: bedrohen: Soph. oed. col. 690. —πεινος, ὁ, ἡ, verhungert: aus einer f. Les. bey Aristot. Polit. 8, 1.

Κατάπειρα, ἡ, Versuch: Probe. —πειράζω, ich versuche, probire, mit der Nebenbedeut. ob ich jemand betrügen-bestechen u. dergl. kann: τὴν ὑμετέραν ψῆφον καταπειράσοντες. Lysias: davon —πειρασμὸς, ὁ, Versuch, Prüfung, Probe. —πειρητὴρ, ῆρος, ὁ, bey Herodot. 2, 28 u. Hesych. καταπειρητηρίη, ἡ, jonisch st. καταπειρατὴρ, ὁ, u. —ρατηρία, das Senkbley, womit die Schiffer den Grund und die Tiefe erforschen: sonst βολὶς, v. καταπειράω. Isidorus Orig. 19, 3. *catapirates linea cum massa plumbea, qua maris altitudo tentatur.* —πείρω, durchbohren, durchstechen, anspiessen, aufspiessen. —πελματόω, ῶ, (πέλμα) σανδάλια καταπεπελματωμένα Josuae c. 10. versohlt, geflickt. —πελτάζω, bey Aristoph. Ach. 160. καταπελτάσονται τὴν Βοιωτίαν ὅλην, werden ganz Boeotien als πελτασταὶ stürmen und erobern. —πελταφέτης, ου, ὁ, der das Geschoss aus dem καταπέλτης abschiesst. —πέλτης, ου, ὁ, (πάλλω) eine Wurfmaschine mit Thiersehnen gespannt, zum Abschiessen von Pfeilen, Lanzen, u. dergl. 2) ein Instrument zur Tortur - Marter: davon —πελτικὸς, ἡ, ὸν, zum καταπέλτης gehörig, oder von der Art des κατ. bey Polyb. τὰ κατ. verst. ὄργανα, s. v. a. οἱ καταπέλται. —πελτόω, f. Les. st. καταπελματόω. —πέμπω, f. ψω, herabschicken, herablassen: verschicken: hineinlassen, τὸ πνεῦμα εἰς τὸν αὐλόν. Pollux. —πέπαινω, d. verstärkte πεπαίνω: Glossar. —πενθέω, ῶ, betrauren, beweinen, beklagen. —πέπτω, zerkochen: verdauen. —πεπυκασμένως, Adv. klug, listig: vom partic. perf. pass. v. καταπυκάζω; zw. —περαιόω, ῶ, übersetzen: Eustath. davon —περαίωσις, ἡ, das Uebersetzen: der Uebergang: Eustath. —πέρδω, τινὸς, ich farze einem entgegen - ins Gesicht: τῆς πενίας, u. s. w. wie *oppedere*: ein pöbelhafter Ausdruck st. verachten u. verächtlich begegnen. perf. καταπέπορδα, aor. 2. κατέπαρδον, καταπαρδεῖν. —περίειμι, s. v. a. περίειμι, m. d. genit. überwinden, überlegen seyn: Polyb. 15, 67.

Κατατερίξυσις, ἡ, f. v. a. κατάξυσις od. περίξυσις: Schol. Hom. —περονάω, ῶ, mit einer περόνη befeftigen: Polyb. 6, 23. —περπερεύομαι, nach Suidas χαριεντίζομαι. —πετάζω, —πεταννύω, —πετάννυμι, bedecken: davon ἵπποι ██ατεπταμένοι Φοινικίσι ἱματίοις: Xen. Cyr. 8. 3. 12 u. 16. eigentl. darüber ausbreiten: ὅσον ἂν τόπον ἐπίσχῃ κατα-πετασθὲν τὸ τῆς νεὼς ἱστίον: Plutar. Thef. 25. —πετάομαι, κατατέτομαι, herunter- herabfliegen. —πέτασμα, τὸ, (πετάζω) Bedeckung, Decke, Matratze, Vorhang. —πετροκοπέω, ῶ, mit dem Steinhauen oder Steinbrechen zerbrechen oder verderben: bey Diodor. Sic. 16, 60 an dem Felfen zerfchlagen. —πετρόω, ῶ, (πέτρα) fteinigen Xen. Anab. 1, 3. 2. —πέττω, f. v. a. —πέπτω, u. —πέσσω. —πέφνω, ermorden. —πεφρονηκότως, Adv. verächtlich: vom partic. perf. act. v. —νέω. —πήγνυμι, u. καταπηγνύω, ich fchlage etwas oder pflanze es in die Erde; 2) ich mache etwas gerinnen oder frieren. —πηδάω, ῶ, ich fpringe herab. —πημαίνω, ich fchade, m. d. accuf. befchädigen. —πήξ, ῆγος, ὁ, ein Pfahl, in die Erde gefchlagen: bey Suidas; 2) f. v. a. ἐπίπηξ, ein Pfropfreifs: Geopon. 10, 65. bey Jofeph. b. j. 6, 5, 3. ein Theil der Thüre, wird Riegel überfetzt; viell. f. v. a. ἐπιβλής. —πηρος, ὁ, ἡ, *mutilus*, verftümmelt, lahm, gebrechlich. —πήσσω, f. v. a. καταπήγνυμι. —πιαίνω, ich mache fett. —πιέζω, ich drücke zufammen: ich unterdrücke: davon καταπίεσις, das zufammen oder Unterdrücken. —πικρος, ὁ, ἡ, fehr bitter, herbe. —πίμελος, ὁ, ἡ, fehr fett, feift. —πιμπλάω, καταπίμπλημι, καταπιπλάω, καταπίπλημι, fut. —πλήσω von καταπλέω, καταπλάω, ich erfülle. —πιμπράω u. καταπίμπρημι, ich brenne an, verbrenne. —πίνω, ich verfchlucke, effe oder trinke hinunter: ich verfreffe, vertrinke: fut. καταπιοῦμαι u. Paffiv. καταποθήσομαι, Aor. 2. κατέπιον v. καταπίω u. καταπόω, wovon πόμα. —πίπλημι, S. καταπιμπλάω. —πιπράσκω, ich verkaufe. —πίπρημι, f. v. a. καταπίμπρημι. —πίπτω, ich falle herab, nieder: τῷ θυμῷ, *concido animo*, laffe den Muth finken: perf. καταπέπτωκα, fut. καταπεσοῦμαι, aor. 2. κατέπεσον. —πισσόω, u. καταπιττόω, ich verpiche. —πιστεύω, ich vertraue, vertraue an. —πιστόω, ῶ, f. v. a. πιστόω, ich verbürge: med. πιστοῦμαι, ich verbürge mich: davon —πίστωσις, ἡ, Verficherung: Verbürgung: Plutar. Pelop. 18. —πίττωμα, τὸ, Nicetas Annal. 19, 9. das Verpichte: das Pech: von καταπιττόω, wovon auch —πίττωσις, ἡ, das Verpichen. —πλαγής, έος, ὁ, ἡ, f. v. a. καταπλήξ: erfchrocken, furchtfam: davon καταπλαγία, ἡ, Furchtfamkeit: Pollux 3, 137. —πλασμα, τὸ, (καταπλάσσω) Pflafter, Arzney, Salbe, Schminke aufzulegen, aufzufchmieren, anzuftreichen: —ασις, ἡ, das An- Auffreichen, Befchmieren: Hippocr. hum. p. 49. von

Καταπλάσσω, άττω, befchmieren, befalben, mit einem Pflafter oder Schönpfläfterchen, belegen, durch Salbe heilen: verftreichen, zuftreichen: verfchmieren, verftopfen. τὰ ὦτα κηρῷ, Plutar. davon —πλαστὸς, ἡ, ὀν, darauf- darüber geftrichen od. gefchmiert: darauf zu ftreichen: 2) erdichtet, verftellt, geheuchelt: Menander Suidae in ἀπαμφιέσαντες. —πλαστύς, ύος, ἡ, f. v. a. κατάπλασμα: Herodot. 4, 75. wo vorher καταπλαστὴ ftand. —πλέκω, ich knüpfe, flechte; eigentl. aber ich verflechte. οὐκ εὖ τὴν ζόην κατέπλεξε Herodot. 4, 205 hat ihr Leben nicht gut geendiget; wie man fagt διαπλέκειν τὸν βίον, ft. διάγειν. καταπλέξας τὴν ῥῆσιν, befchlofs feine Rede, 8, 83. —πλεονεκτέω, ich übertreffe im Ueberliften, bevortheile, übervortheile einen: Vortheil od. Vorzüge haben, Hippocr. εὐσχήμ. —πλεος, att. κατάπλεως, ὁ, ἡ, angefüllt, voll. —πλέω, f. εύσω, herab- heruber oder zurückfchwimmen oder fchiffen. —πληγμὸς, ὁ, f. v. a. κατάπληξις: Ecclefiaft. c. 21. —πλήθω, f. ήσω, (πλέω, πλήθω) anfüllen, vollfüllen. —πληκτικὸς, ἡ, ὀν, Adv. —κῶς, zum niederfchlagen- fchrecken- fchüchtern machen gehörig oder gefchickt. —πλήξ, ῆγος, ὁ, ἡ, erftaunt, erfchrocken, fchüchtern aus Schaamhaftigkeit, Arift. Magn. Mor. 1, 30. Nicom. 11, 7. verdutzt, dumm. —πληξις, εως, ἡ, das Erfchrecken od. das fchüchtern- furchtfam- erftaunt machen: Erfchrockenheit: Schüchternheit: Niedergefchlagenheit. —πλήσσω, ήττω, eigentl. ich fchlage nieder, metaph. ich fetze in Erftaunen- Verwunderung- Schrecken. καταπλήσσομαί τινα med. ich erftaune- erfchrecke vor- über jemand. καταπληξάμενος τοὺς ἔνδον παρέλαβε τὴν πόλιν Diodor. 20, 107 durch das Schrecken der Einwohner bekam er die Stadt in feine Gewalt. —πλιγμέω, (πλίγμα) *de gradu dejicere*, den Fechter aus feinem Stande mit gefchränkten Füfsen bringen und zu Boden werfen: Hefych. S. auch πλίσσω. —πλοκή, ἡ, (καταπλέκω) das verflechten, verbinden: in der Mufik bey Ptolemaeus harmon. 2, 12 das verbinden- verfchlingen- verflochten mehrerer Töne mit und hintereinander herabwärts fteigend, fo wie ἀναπλοκή oben d. f. v. a. aufwärts fteigend.

Κατάπλοος, contr. κατάπλους, ὁ, das herab und herunter oder heranschwimmen od. schiffen: die Anfuhrt: Ort zum heranfahren: die Ankunft oder Rückkunft der Flotte des Schiffes. —πλουτέω, ῶ, sehr reich seyn: auch m. d. accus. st. κατὰ, woran reich seyn. —πλουτίζω, d. verstärkte πλουτίζω, bereichern. —πλουτομαχέω, ῶ, durch Reichthum bekampfen, besiegen: Diodor. 5, 38. —πλύνω, f. υνῶ, ich begiesse mit Wasser und spüle oder wasche ab oder aus. metaph. νῦν δ' ἤδη καταπέπλυται τὸ πρᾶγμα, jetzt aber ist die Sache Ehre schon alt. geringgeschätzt, gleichsam wie ein farbigtes Kleid ausgewaschen, verschossen, abgetragen; davon —πλυσις, ἡ, das Bespülen, Ausspülen, Auswaschen, Abwaschen. —πλώω, s. v. a. καταπλέω. —πνευμα, τὸ, das angehauchte, angeblasene: λωτοῦ, bey Eur. Phoen. die geblasene Flöte von Lotusholze. —πνέω, f. εύσω, darauf- darein blasen, anblasen, anwehen, durchwehen. —πνίγω, f. ίξω, d. verstarkte πνίγω, ersticken, erdrosseln; davon —πνιξις, ἡ, das Ersticken, Erdrosseln. —πνοή, ἡ, das Anblasen: Anwehen: Pind. Pyth. 5, 161. —πνοος, ιους, ὁ, ἡ, beweht, umweht: Pollux 1, 240. —πόδα, καταπόδας, Adv. eigentl. κατὰ πόδα, πόδας, auf dem Fusse, sporenstreichs, sogleich. S. ποῦς. —πόθρα, ἡ, (καταπίνω) ein Theil des Schlundes: Paulus aeg. u. —ποικίλλω, d. verstärkte ποικίλλω oder mannigfaltig machen oder zubereiten. —πολαύω, verniessen: zuviel oder unrecht geniessen: Hippiatr. —πολεμέω, ῶ, im Kriege bezwingen: durch Krieg entkräften oder uberwinden; dav. —πολέμησις, ἡ, das Ueberwinden im Kriege: das Entkräften oder Bezwingen durch Krieg. —πολιτεύομαι, durch Politik- Maasregeln und das Benehmen bey Führung oder Leitung der Staatsgeschäfte bezwingen, überwinden, in seine Gewalt bringen: τὸν δῆμον Pollux 4, 36. τὴν πλεονεξίαν, Plutar. Lyc. 9. durch politische Einrichtungen die Habsucht bezwingen. —πολύ, Adv. eigentl. κατὰ πολὺ, in vielem, um vieles: sehr, viel. —πομπεύω, im feyerlichen Aufzuge einherführen: gegen einen prahlen: m. d. genit. Lucian. 5, 299. —πονέω, ῶ, durch Arbeit ermüden, abmatten, belästigen: entkräften. —πόνησις, ἡ, Ermüdung, Ermattung, Entkräftung. —πονος, ὁ, ἡ, ermüdet: mühsam ἐκβεβιασμένοις καὶ καταπόνοις ἔοικε τὰ ζωγραφήματα: Plutar. Timol. 36. —ποντίζω, ins Meer versenken: im Meere ersäufen; davon —ποντισμός, ὁ, Versenkung ins Meer: Ersäufung im Meere. —ποντιστής, οῦ, ὁ, der ins Meer versenkt, im Meere ersäuft: vorz. Seeräuber. —ποντόω, ῶ, s. v. a. καταποντίζω. —ποπέρδω, oppedo, m. d. genit. entgegenfarzen. —πορεύομαι, ich reise oder komme herab: bey Polyb. s. v. a. κατέρχομαι ich komme zurück aus dem Exilium. —πορέω (ἀπορέω) bey Hippocr. de artic. ἣν κατηπορηθῇ ἢ ἀμεληθῇ, wenn aus Unwissenheit Unvermögen oder Nachlässigkeit die Einrenkung versehn oder unterlassen worden ist. —πορθέω, ῶ, d. verstärkte πορθέω, verwüsten, verheeren. —πόρνευσις, ἡ, das Verhuren oder Schänden durch Hurerey; von —πορνεύω, verhuren: durch Hurerey schänden und entehren, zur Hurerey anführen oder bestimmen. —πορνοκοπέω, ῶ, (πορνοκόπος) mit und bey den Huren verthun: Pollux 3, 117.

Καταπορσύνω, f. υνῶ, bey Xenoph. Cyrop. 1, 6. 17. falsch st. πορσύνω. —πόσις, ἡ, (καταπίνω) das Verschlingen, Verschlucken von Speise und Trank: die Kehle, der Schlund. —πότης, ὁ, der Schlucker, Schlemmer, Fresser. —πότιον, τὸ, u. κατάποτον, τὸ, (καταπίνω) was verschluckt verschlungen wird. Eine Pille, ein Trank: eigentl: neutr von κατάποτος, zum trinken od. verschlucken. —πραγματεύομαι, τοῦ λιμοῦ Gregor. Naz. wider die Hungersnoth Mittel ausfindig machen und anwenden. —πρακτικός, κή, κόν, Adv. —κῶς, der etwas ins Werk zu setzen auszurichten geschickt ist. —πρανής, έος, ὁ, ἡ, s. v. a. καταπρηνής. —πρᾶξις, ἡ, τῶν ἐντολῶν, Vollendung, Vollziehung, Bewirkung, Erfüllung: Clemens Alex. —πράσσω, ττω, vollenden, vollführen, verrichten, ausrichten, bewirken, durchsetzen, erlangen: im medio erwerben: Xen. Cyr. 7, 5, 76. —πράϋνσις, ἡ, Besänftigung: von —πραΰνω, besänftigen. —πρεμνος, ὁ, ἡ, (πρέμνον) nach Hesych. s. v. a. κατάκλαδος, eigentl. mit vielen Stämmen. —πρεσβεύω, τινός, Polyb. 23, 11. gegen einen eine Gesandschaft annehmen u. führen. —πρήθω, f. πρήσω, s. v. a. καταπίμπρημι u. —ἱπρημι, anbrennen, verbrennen. —πρηνής, έος, ὁ, ἡ, abschüssig, abhängig, herabgehend, herabhängend. καταπρηνεῖ χειρὶ, Il. 16, 792. Od. 13, 164 *manu supina*, mit flacher Hand. —πρηνίζω, von einem steilen- abschüssigen Orte herabwerfen, herabstürzen. —πρηνόω, ῶ, s. v. a. d. vorh. Anthol. zw. —πρίω, zersägen, zerschneiden, zerbeissen (ὀδοῦσι), zertheilen. —προδίδωμι, verrathen: im Stiche lassen. —προΐημι, feindlich oder zornig gegen einen τινὸς oder wegwerfen: daher. im medio verwerfen, verachten. καταπροϊεσθαι ἀλλήλων einander verlassen: Procop. Anecd. 2.

Καταπροΐκομαι, oder vielmehr καταπροΐσσομαι, davon futur. καταπροΐξομαι, m. d. genitif οὐ καταπροΐξει ἐμοῦ, oder mit folgd. partic. οὐ καταπροΐξαι ποιήσας, du sollst mirs nicht umsonst gethan haben, ich will dirs schon gedenken, οὐ κατὰ προῖκα ποιήσας ἔσῃ. —προλείπω, f. ψω, verlassen, zurücklassen: im Stiche lassen: Apoll. rh. 3, 1163. —προνομεύω, durch Streitereyen und Fouragirungen verwüsten oder aufzehren: zweif. —προτερέω, ῶ, m. d. genit. einem zuvorkommen, übertreffen: Diodor. 17, 35. Polyb. —προχέω, f. εύσω, p. κέχυκα, vergiessen: ausgiessen, mit dem Nebenbegriffe von darüber- dagegen- darauf: zw. —πρωκτίζω, s. v. a. καταπυγίζω: Schol. Aristoph. thesm. 1135. —πρωκτος, ὁ, ἡ, f. L. Aristoph. Eccl. 364. wo itzt κατὰ πρωκτὸν steht. —πτάω, ῶ, gewöhnl. κατάπτημι, med. κατάπταμαι, fut. ήσομαι, herab- herunterfliegen. —πτερος, ὁ, ἡ, (πτερὸν) beflügelt: Aeschyl. Pr. 797. —πτέω, καταπτήσσω, auch καταπτώσσω, vom ersten ist καταπτήτην bey Homer, active erschrecken: im medio erschrocken- bestürzt werden, m. d. accus. vor einem: aber auch das activum wird neutr. oder in der Bedeutung des medii gebraucht: überh. schüchtern- furchtsam- erschrocken seyn- handeln- sprechen. S. πτώσσω. —πτίσσω, (πτίσσω) zerstossen: Plutar. 7 p. 766. —πτοέω, ῶ, Geopon. 2, 2, 5. erschrecken. —πτυστος, ὁ, ἡ, bespuckt: zum bespucken: verabscheuungswürdig: Eur. Tr. 1024. Anacreon hatte im femin. καταπτύστην gesagt: Pollux 2, 103. —πτυχής, έος, ὁ, ἡ, (πτυχὴ) Theocr. 15, 35. mit vielen Falten, also weit. —πτύω, m. d. genit. gegen einen spucken, anspucken: m. d. acc. bespucken, auch aus Abscheu, daher verabscheuen. —πτωμα, τὸ, das herabgefallene: der Ruin, Einsturz: von καταπίπτω: wovon auch κατάπτωσις, ἡ, das herunter- herabfallen: der Fall. —πτώσσω, s. v. a. καταπτήσσω. —πτωτος, (καταπίπτω) herabgefallen, herabfallend: Glossar. St. —πτωχεύω, (πτωχὸς) bettelarm machen: τύχαι καταπτωχευμέναι bettelhafte Glücksumstände: Dionys. antiq. 9, 51. τῶν μὲν ἐν δόξῃ κατεπτωχευμένων εἰς θέατρα καὶ δεῖπνα καὶ φιλαρχίας, sie hatten ihr Vermögen verschwendet und sich arm gemacht: Plutar. Cicer. 10. derselbe Cato min. 25. braucht καταπτωχεύειν active zum Armen machen. —πυγέω, Suidas hat καταπυγῶν, κατασελγαίνων: zw. s. v. a. καταπυγίζω. —πυγής, έος, ὁ, s. v. a. καταπύγων: Hesych. —πυγίζω, d. verstärkte πυγίζω: Schol. Aristoph. —πυγός, ὁ, ἡ, s. v. a. καταπύγων. —πυγοσύνη, ἡ, Geilheit: vorz. widernatürliche Hurerey; von —πύγων, ωνος, ὁ, (πυγὴ) ein geiler Mensch: vorz. der widernatürliche Wollust oder Hurerey treibt, auch εὐρύπρωκτος von der Wirkung genannt: compar. καταπυγωνέστερος Aristoph. Lysistr. 776. —πύθω, f. ύσω, faul machen, verfaulen lassen: pass. faul werden, verfaulen: Il. 23, 328. —πυκάζω, d. verstärkte πυκάζω, dicht machen, dicht anfüllen oder bedecken. —πυκνος, ὁ, ἡ, das verstärkte πυκνὸς, sehr dicht oder hart, κοιλίη, Hippocr. —πυκνόω, ῶ, ganz dicht oder voll machen. —πυκτεύω, im Faustkampfe besiegen: zw. —πυρίζω, anzünden: verbrennen: zw. von —πυρος, ὁ, ἡ, (πῦρ) angezündet, brennend, feurig: sehr heiss, glühend. —πυρπολέω, ῶ, durch Feuer zerstören oder verwüsten. —πυῤῥος, ὁ, ἡ, sehr roth. —πώγων, ὁ, ἡ, bartig, mit langem Barte: Diodor. 3, 63. —πωλέω, verkaufen: zw.

Κατάρα, ἡ, Fluch, Verfluchung, Verwünschung. S. ἀρά. —ῥαθυμέω, s. v. a. καταῤῥαθ. —ῥαίζομαι, d. verstärkte ῥαίζομαι: zw. —ῥακόω, καταῤῥακόω, (ῥάκος) zerlumpen, zerreissen: zerfetzen. —ῥάκτης, ου, ὁ, *cataracta*, Wasserfall: Arrian. Alex. 7, 7. Wasserstrudel Diodor. 17, 97 wo es Curtius 9, 4 *vortex rapidissimus* übersetzte. 2) eine Zug- oder Fallthüre oder Thor. κλείθροις καὶ μοχλοῖς καρτεροὺς ὄντας καταῤῥάκτας Plutar. Anton. 77. Im Arat. 26 steht θύρα καταῤῥακτὴ von καταῤῥακτὸς, wofür in oper. Moral. p. 1399 ἐπιῤῥακτὴ steht. 3) ein Wasservogel der schnell sich herabstürzt. —ράομαι, ῶμαι, (ἀρὰ) m. d. dat. verfluchen, verwünschen: μὴ καταράσῃ τὴν Ἶσιν τούτῳ Anthol. wünsche ihm nicht den Zorn der Isis: eigentl. böses anwünschen; davon —ράσιμος, ὁ, ἡ, verwünschenswerth: zum verfluchen: von —ρασις, ἡ, Verfluchung, Verwünschung. —ῥάσσω, καταράττω, herunterschmeissen. —ρατος, ὁ, ἡ, (καταράω) verflucht, verwünscht: zu verfluchen. —ῥαψωδέω s. v. a. φλυαρέω: Hesych.

Κατάρβυλος, ὁ, ἡ, (ἀρβύλη) χλαῖνα, s. v. a. ποδήρης, bis auf die Schuhe gehend: Sophocl.

Καταργέω, ῶ, verabsäumen, vernachlässigen: κατηργηκέναι και καταπροϊεσθαι τοὺς καιροὺς: bey Suid. in κατηργ.

Κάταργμα, τὸ, (κατάρχω) im plur. die als Opfer dargebrachten Erstlinge: Plutar. Thess. 21.

Κατάργυρος, ὁ, ἡ, versilbert: silbern; davon —γυρόω, ῶ, versilbern: besilbern, mit Silber oder Gold bestreichen: Sophocl. Ant. 1077.

Καταρδεύω, benetzen, befeuchten: tränken: davon —δευτος, ὁ, ἡ, benetzt: angefeuchtet, getränkt. —δω, s. v. a. καταρδεύω, metaph. s. v. a εὐφραίνω: Hesych. aus Aristoph. Achar. 658.

Καταρέζω, s. v. a. καταρρ. —ρης ἄνεμος, für einen von oben herausbrechenden Sturmwind führt Eustath. aus Alcaeus und Sappho an: wo andere κατάρτης von καταίρω vorschlagen.

Καταρθρόω, ῶ, vergliedern: zw.

Καταριγηλὸς, ἡ, ὸν, d. verstärkte ῥιγηλὸς, schrecklich verhasst: Odyss. 14, 226. —ριθμέω, ῶ, vorrechnen, herzählen, darunter- darzu zählen: davon —ρίθμησις, ἡ, Hererzahlung: das her oder vorrechnen. —ριπτάζω u. —ίπτω, herunter- hinab- hineinwerfen oder schmeissen. —ριστάω, ῶ, mit dem ἄριστον, Mittagsmahle verthun: Athenaeus 10 c. 6. —ριστεύω, sich brav gegen jemand beweisen: Pollux 1, 176.

Καταρκέω, ῶ, s. v. a. ἀρκέω: Eur. —κής, ὁ, ἡ, s. v. a. τέλειος, ἀσφαλής: Hesych. wo falsch καταρχὴς steht.

Καταρκτικὸς, (κατάρχω) zum Anfange gehörig oder geschickt: αἴτιον κατ. Plutar. 10 p. 362.

Καταρόω, ῶ, bepflügen, mit Furchen überziehn: bestellen: Aristoph. Au. 582. metaph. säen, zeugen.

Καταῤῥαγὴ, ἡ, (καταῤῥήγνυμι) das Zerreissen: zw. eigentl. s. v. a. κατάῤῥηξις. —ῤῥαθυμέω, ῶ, durch Trägheit oder Nachlässigkeit verabsäumen, versehn: καταῤῥαθυμήσαντες ὑστερίζουσι, durch ihre eigene Sorglosigkeit und Trägheit bleiben sie zurück: Xen. Mem. 3, 5, 13. —ῤῥαίνω, f. ανῶ, beträufeln, besprengen, benetzen. —ῤῥάκτης, ου, ὁ, oder καταῤῥακτὴρ, s. v. a. καταράκτης. —ῤῥάπτω, f. ψω, zusammennähen, annähen; nähen: Plutar. 5 p. 240. —ῤῥάσσω, καταῤῥάττω, f. ξω, s. v. a. καταῤῥήγνυμι u. καταῤῥήσσω, mit Gewalt und Ungestüm herunter- herabwerfen. S. in καταῤῥήγνυμι.

Καταῤῥαφὴ, ἡ, (καταῤῥάπτω) b. Paul. Aegin. 6. heisst die Operation am untern Augenliede so, am obern ἀναῤῥαφὴ, wenn die Wunde zugemacht wird nach ob. od. unten. —ῤῥαφος, ὁ, ἡ, (ῥαφὴ) durch Nähte verbunden: zusammengenäht: zusammengeflickt: geflickt, lumpicht. zw. —ῤῥαψῳδέω, ῶ, S. καταραψ. —ῤῥέζω, heruntermachen, herunterstreichen und so niederlegen, ἀπάνθας die aufgerichteten Stacheln: Oppian. Hal. 4, 611 daher überh. streicheln, besänftigen, zahm- sanft machen, wie *mulcere*: Odyss. 4, 610. —ῤῥεμβεύω, irrend herumführen: bey den LXX.

Καταῤῥεπὴς έος, ὁ, ἡ, herabgeneigt, abhängig: auf e. Seite sich neigend. —ῤῥέπω, f. ψω, sich herunterlenken- auf eine Seite herabneigen: sich neigen. —ῤῥέω, f. εύσω, herunter oder herabfliessen: nach u. nach herabfallen: zusammenfallen. —ῤῥήγνυμι, καταῤῥηγνύω, fut. ήξω, herunterbrechen, stürzen: schmeissen: niederwerfen: auch neutr. herunterstürzen oder fallen: ἡ γαστὴρ κατεῤῥάγη, Aelian. h. a. 3, 18 von einem gewaltsamen Durchfalle. So sagen die Aerzte τὴν γαστέρα καταῤῥῆξαι, den verstopften Leib durch ein Purgiermittel öffnen: überh. zum Durchbruche- Ausbruche bringen: dah. πόλεμος κατεῤῥάγη, der Krieg brach aus; davon —ῤῥηκτικὸς, ἡ, ὸν, zum herunterwerfen oder heruntertreiben gehörig oder geschickt den Durchbruch befördernd. —ῤῥηξις, ἡ, (καταῤῥήγνυμι) κοιλίης Hippocr. die gewaltsame, künstliche oder heftige Eröffnung des Unterleibes, heftiger Durchfall: activ. das heftige gewaltsame Herunterreissen oder Stürzen. —ῤῆσις, ἡ, Anklage, Verdammung: Suidas. —ῤήσσω, καταῤῥήττω, s. v. a. καταῤῥήγνυμι. —ῤῥητορεύω, gegen einen reden: einen niederreden, durch Reden betäuben- ermüden- besiegen: überreden. —ῤῥιγέω, das verstärkte ῥιγέω: Apoll. rh. 3, 1131. —ῤῥιζος, ὁ, ἡ, (ῥίζα) bewurzelt: eingewurzelt, mit vielen Wurzeln. zweif. —ῤῥιζόω, ῶ, einwurzeln, bewurzeln: Hippocr. Plutar. 9 p. 214 —ῤῥικνόω, (ῥικνὸς) davon bey Suidas κατεῤῥικνωμένος, vertrocknet, runzlicht, gekrummt, krumm. —ῤῥινάω, ῶ, oder —ῤῥινέω, zerfeilen, abfeilen: metaph. fein und subtil machen: Aristoph. Ran. 901. wo einige Ausgaben καταῤῥινίζω haben; vergl. Aeschyl. Suppl. 755 καταῤῥινόω aber von ῥινὸς ist s. v. a. καταδερματόω, mit Leder überziehn, bey Hesych. —ῤῥιπτάζω, ῥιπτέω, —ῥίπτω, herab- herunterwerfen, zerwerfen: zerstreuen. —ῤῥοιζέω, ῶ, (ῥοιζέω) keichen, Keichhusten haben. sehr zweif. —ῤῥοίζομαι, (κατάῤῥοος) den Katarrh oder Schnupfen haben. —ῤῥοϊκὸς, ἡ, ὸν, (κατάῤῥοος) auch καταῤῥοιτικὸς, (καταῤῥοίζομαι) und zw. καταῤῥοητικὸς, v. Katarrh kommend, dazu gehörig, katarrhalisch. —ῤῥοος, contr. κατάῤῥους, ὁ, (καταῤῥέω) Katarrh, Fluss, eigentlich wenn der Fluss in den Mund herabsteigt; κόρυζα, wenn er in die Nase kommt, Schnupfen; βράγχος, wenn er in die Kehle kommt und der Kranke davon heiser redet, schnarrt; σταφυλὴ, wenn der Zapfen fällt; ἀντιάδες, wenn die Mandeln anlaufen.

Καταῤῥοπία, ἡ, die Neigung herab: die abschüssige Richtung; von —ῥοπος, ὁ, ἡ, s. v. a. καταῤῥέπης; bey Hippocr. abnehmend. —ῥος, ὁ, f. Lef. st. —ῥοος: aus Hippocr. morb. sacr. p. 306. —ῥοφέω, ῶ, herunterschlürfen, ausschlürfen, verschlucken. —ῥοώδης, ὁ, ἡ, von der Art (εἶδος) des Katarrh; am Katarrhe leidend. —ῥυθμίζω, (ῥυθμὸς) in eine Form, in die Form, in das Ebenmaas, in den Tackt bringen. —ῥυπαίνω, f. ανῶ, u. καταῤῥυπόω, (ῥῦπος) beschmutzen. —ῥυτος, ὁ, ἡ, was von oben her begossen wird, zufliessendes Wasser hat; metaph. überflüssig. S. auch κεραμωτος; von

Καταῤῥύω, s. v. a. —ῥέω, —ῥυέω und —ῥυημι, herunter-herabfliessen. —ῥωδέω, ῶ, auch καταῤῥωδέω, fürchten, befürchten: sich fürchten vor Jemanden, m. d. accus. —ῥωξ, γὸς, ὁ, ἡ, πέτρα, eine von den stürmenden Wellen abgebrochene und zerrissene Klippe oder Felsen. Die Form καταρωγέα hat Hesych. angemerkt.

Κάταρσις, ἡ, (καταίρω) Ankunft; 2) Anfahrt, Anfuhrt, Ort wo man landen oder anlanden kann. κατάρσεις ἐπιφόρους Plut. Pomp. 65. unter dem Winde liegend. Aelian. v. h. 9, 16. verbindet κατάρσεις mit ὅρμοις und καταγωγαῖς.

Καταρτάω, ῶ, darauf-darüber-daranhängen: wird häufig mit καταρτίζω verwechselt; davon —τησις, ἡ, das auf- oder anhängen: wird mit κατάρτισις häufig verwechselt. —τίζω, (ἄρω, ἀρτίζω) ich richte ein, bringe ein verrenktes Glied wieder an seine Stelle; bringe eine Sache wieder in Ordnung-zurechte; mache zurechte: erneuere, stelle wieder her; sohne aus u. dergl. —τιος, ἡ, Artemidor. 3, 34. Maltbaum. 2, 58 steht ἡ καταρτία; aber auch im Etym. M. unter ἱστὸς steht ἡ κατάρτιος: bey Clemens Al. τὸ κατάρτιον. —τισις, ἡ, (καταρτίζω) das Einrichten, Zurechtbringen oder machen: Erneuerung, Wiederherstellung, Aussöhnung und dergl. —τισμος, ὁ, s. v. a. κατάρτισις. —τιστηρ, ὁ, und καταρτιστης, ὁ, (καταρτίζω) der einrichtet, wiederherstellt, Themistius or. 1 p. 61. in Ordnung bringt, aussöhnt: Schiedsrichter: Herodot. 5, 161 5, 28 und 106. —τυσις, ἡ, Bereitung, Zubereitung, Einrichtung, Anordnung: Erziehung: Plutar. Them. 2. verbindet es mit παιδεία. S. παιδαρτάω. —τυω, ich bereite, bereite zu, mache fertig, vollende; 2) Pferde und Esel heissen κατηρτικότες ἵπποι, Philostr. Apoll 7, 23. wenn sie geschichtet und alle Milchzähne gewechselt haben, also ausgewachsen sind; daher b. Aeschyl. Eum. 476 κατηρτικως vom Orestes metaph. durch τέλειος ἡλικίαν erwachsen erklärt wird. τῆς ἡλικίας καὶ τοῦ κατηρτυκέναι: Philost. Apoll. 5, 33. ἵππον χαλινῷ καταρτύειν, durch den Zaum bändigen: Soph. Ant. 478. ordnen, in Ordnung bringen, mit Ordn. verrichten: Plato Menon 24.

Καταρύημι u. καταρυέω, s. v. a. καταῤῥέω.

Καταρχαιρεσιάζω S. ἀρχαιρεσιάζω. —χὰς, Adv. eig. κατ' ἀρχὰς, anfänglich, zu Anfange. —χὴ, ἡ, Anfang; Beginnen: plur. die Erstlinge, Opfer, das man davon darbringt. —χω, ich fange an, hebe an; 2) ich beherrsche, mit dem genit. ἡ φιλοτιμία κατῆρχε τὴν ἡλικίαν. bezwang das Alter: Diodor. 14, 74. zw. 3) κατάρχομαι von den Opfern, bezeichnet die Gebräuche, womit man beym Opfer den Anfang machte: daher auch opfern, und mehrere Handlungen die beym Opfer vorfallen, m. d. genit. Homer setzt auch den accus. darzu. Weil κατάρχεσθαι τῶν ἱερῶν auch das Opferthier schlagen oder stechen heisst, so braucht es Lucian metaph. σκυτάλην λαβὼν οὐ πρᾴως μου κατήρξατο, schlug mich damit und weihte mich damit gleichsam ein Vom Anfange der Einweihung: ὥσπερ ἐν τελετῇ κατηργμένης αὐτοῦ φιλοσοφίας, Plutarch. Audit.

Κατάσαρκος, ὁ, ἡ, sehr fleischig, feist, fett, dick, wohlbeleibt; davon —σαρκόω, ῶ, fleischig, dick, feist machen. —σάττω, f. ξω, darauf-darüber feststdrucken - stopfen oder treten.

Κατασβέννυμι, κατασβεννύω, f. σβέσω, auslöschen: stillen; davon —σβεσις, ἡ, das Auslöschen: Stillen. —σεισις, ἡ, das herunterschutteln, einrenken, durchschütteln: Hippocr. erschuttern, Händeschütteln: davon —σείω, (κατὰ, σείω) durchschütteln, herunterwerfen. herunterschütteln; 2) erschüttern, schütteln; 3) erschrecken; 4) κατασείειν τινὶ τὴν χεῖρα, jemandem die Hand bewegen, schütteln, ihm mit der bewegten Hand ein Zeichen geben, z. B. zum Schweigen: auch schlechtweg κατασείειν τινὶ, einem mit der Hand ein Zeichen geben. Cyrop. 5, 4, 4. zu Boden oder herunterfausen: Athenaeus 10 p. 431. —σέω, od. κατασήθω, durchsieben, zersieben: Geoponica 12, 17. —σημαίνω, f. ανῶ, bezeichnen, besiegeln: im medio versiegeln: Xen. Cyrop. 8, 2, 16. —σημαντικὸς, gutdeutlich bezeichnend: Longin. subl. 32, 5. —σήπω, morsch-faul machen, verfaulen lassen; passiv. verfaulen. Jenes steht in der letzten Bedeut. Xen. Cyr. 8, 2, 21.

Κατασθμαίνων χαλινῶν ἵππος, Aeschyl. 3. 393. ein Pferd, das den Zaum beschaumt.

Κατασιγάζω, ſtillſchweigen heiſsen, zum Stillſchweigen bringen. κατασιγάω., ſ. v. a. das vorherg. auch verſchweigen: Plato Phaedo. —σιδηρόω, ῶ, (σίδηρος) vereiſen, mit Eiſen beſchlagen oder belegen: Diodor. Sic. —σικελίζω, mit τυρὸν Ariſtoph. Veſp. 946. ſt. σικελικὸν τυρὸν καταφαγεῖν. —σιλλαίνω verſpotten, durchziehen, belachen. —σιμος, ſ. v. a. σιμὸς, reſimus: Gloſſar. St. —σινάζω, ſ. v. a. κατασίνομαι, ſ. v. a. καταβλάπτω, verletzen, beſchädigen. —σιτέομαι, οῦμαι verzehren, aufzehren. —σιωπάω, ῶ, ich ſchweige, verſchweige; 2) κατασιωπάω und κατασιωπάομαι: Polyb. 18, 29. ſ. v. a. κατασιγάζω, ich bringe zum Stillſchweigen, gebiete Stillſchweigen: Dio Or. 32 p. 702. durch Schweigen beſiegen oder beſchämen: πρός τι, wozu ſchweigen: Demoſth. —σκάζω, ſ. v. a. σκάζω, hinken. zw. —σκαίρω, darauf- darüber- herunter- herabſpringen oder hüpfen. zweif. —σκάπτω, vergraben, niederreiſsen u. zerſtören. —σκαριφάω, zerritzen, aufritzen: zw. —σκαφή, ἡ, (κατασκάπτω) das Vergraben, Niederreiſsen u. Zerſtoren: bey Sophocl. Ant. 920. θανόντων κατασκαφαὶ die Gräber der Todten. —σκαφὴς, έος, ὁ, ἡ, vergraben, niedergeriſſen, zerſtört: οἴκησις, Soph. Ant. 891. ſ. v. a. κατασκαφή. —σκεδάζω, —δάννυμι, —δαννύω und —δάω, (σκεδαζω) ich werfe- gieſse gegen- wider- uber jemand; ὕδωρ τινὸς κατασ. jemand mit Waſſer begieſsen, offundere: daher metaph. ὕβριν τινὸς κατασκ. Schmähung- Muthwillen uber jemand ausgieſsen; 2) zerſtreuen, aus einander jagen, diſſipare, verbreiten; 3) zerſtreuen, vernichten, ein Gerucht, einen Gegenbeweis widerlegen. —σκελετεύω, ganz zum σκέλετος machen, alſo trocken, dürr, mager machen, austrocknen, auszehren: κ. ἑαυτὸν ἐν παιδεύμασιν, ſich mit anhaltendem Fleiſse womit beſchaftigen: Plutar. —σκελὴς, ὁ, ἡ, zuſammengetrocknet, vertrocknet, ausgetrocknet, dürr, mager: auch metaph. vom Ausdrucke: Dionyſ. Iſocr. 2. von —σκέλλω, ganz trocken, dürr machen, austrocken, auszehren; Aeſchyl. Prom. 480. —σκεπάζω, bedecken. —σκέπτομαι, beſehen, anſehen, betrachten, unterſuchen. —σκευάζω, bereiten, zurechte machen, anordnen, beſtellen, ausrüſten, ausſchmucken: etwas feſtſetzen, beſtimmen, beweiſen; κατασκευάζομαι med. bey Thucyd. 2, 17. 5, 75. 8, 24. ſich eine Wohnung bereiten, wohnhaft ſich niederlaſſen; vergl. Lyſias p. 754. und frag. 4. Davon κατασκευασείω, gern einrichten wollen: Xen. Hellen. 2, 3. 36. zw. —σκεύασμα, τὸ, (—σκευάζω) das eingerichtete, zubereitete: Gebäude, Zimmer, Maſchine: bey Polyb. im plur. für Geräthe, Geräthſchaft: Mittel, Hülfsmittel, Erfindung. —σκευασμὸς, ὁ, ſ. v. a. das vorh. Mittel, Erfindung: Demoſth. —σκευαστὴς, οῦ, ὁ, d. i. κατασκευάζων, der einrichtet, zubereitet, erfindet, erbauet u. dergl. davon —σκευαστικὸς, ἡ, ὸν, Adv. —κῶς, zum einrichten- bereiten- auszuführen- beweiſen gehörig od. geſchickt. —σκευαστὸς, ἡ, ὸν, (κατασκευάζω) durch Kunſt gemacht, bereitet, gebaut u. ſ. w. —σκευὴ, ἡ, alle künſtliche Ausrüſtung, Bereitung, Zubereitung, Anordnung, Ausſchmükkung, Einrichtung: daher ἁπλοῦν καὶ ἄνευ κατασκευῆς, Aelian. h. a. 5, 38. einfach und ohne alle Kunſt: daher auch die Werkzeuge dazu, Geräthe, Hausrath, Meubeln, Vorrath: auch ſ. v. a. —εύασμα. —σκεψις, ἡ, (κατασκέπτομαι) das Betrachten: Unterſuchung.

Κατασκέω, ῶ, ſehr üben: ſehr genau od. ſorgfältig etwas machen: δίαιτα ἀκριβὴς καὶ κατησκημένη, Plutar. Ageſil 33. eine genaue und ſorgfältige Lebensart. —σκηνάω, κατασκηνάομαι, ῶμαι, ſ. v. a. das folgd. Plato Reſp. 10. —σκηνόω, ῶ, (σκηνὴ) ſich lagern: ſein Zelt oder Lager aufſchlagen, ins Zelt- Lager oder Quartier gehn: ſich niederlaſſen, um auszuruhen od zu wohnen. —σκήνωμα, τὸ, Aeſchyl. Choeph. 998. ſ. v. a. παρατέτασμα, nach den Schol. —σκήνωσις, ἡ, das Einkehren, Beziehen des Zeltes- Lagers, Quartiers: Polyb. 11, 26. —σκήπτω, fut. ψω, faſt ſ. v. a. ἀποσκήπτω, losbrechen, vorzugl. vom ausbrechenden Donner- Ungewitter- Kriege- Zorne und andern Leidenſchaften und Krankheiten: daher überh. einen Ausgang, Ende nehmen: ὁ πόλεμος εἰς τοῦτο τὸ τέλος κατέσκηψε, Dionyſ. Ant. 3, 54. davon —σκηψις, ἡ, das herunter- herabfallen: der Ausbruch: Ausgang, Ende. S. das vorherg. —σκιάζω, und κατασκιάω, ich beſchatte, umhülle, bedecke. κατεσκίασεν ἄνωθεν σαρξὶ τὰ ὀστᾶ, bedecke die Knochen mit Fleiſch: Plato. —σκίδναμαι, ſ. v. a. κατασκεδάζω. —σκιος, ὁ, ἡ, beſchattet, ſchattig. —σκιρόω, ſehr hart machen, verhärten. —σκιρτάω τινὸς, Polyaen. 8, 23, 7. verachten, verſpotten, wie κατορχέομαι u. inſueto. Plutar. 9, p. 158. ſagt νέον ὄντα κατ. τοῦ βήματος, leichtſinnig hinaufſpringen. —σκλημι, davon das perf. κατέσκληκα, trocken- hart- feſt- rauh- mager- ausgezehrt ſeyn. βύρσα ξηρὰ καὶ κατεσκληκυῖα: Plutar. Bey Suidas findet ſich κατεσκλητευμένος fur ἐξίτηλος, τεταλαιπωρημένος: zweif. Von σκέλω, σκέλλω, σκελέω, σκέλημι, σκλῆμι.

Κατασκόπευσις, ὁ, das Unterſuchen: Beſehn: Auskundſchaften; von —σκοπεύω; oder κατασκοπέω, beſchauen, betrachten, unterſuchen, erforſchen; davon —σκοπὴ, ἡ, oder κατασκόπησις, ἡ, das Beſchauen, Unterſuchen, Erforſchen. —σκοπικὸς, ἡ, ὀν, zum Erforſchen - auskundſchaften gehörig oder geſchickt. —σκόπιον, τὸ, Kundſchafter - oder Warteſchiff: aus Cic. ad Attic. 5. ſehr zweif. —σκοπος, ὁ, ἡ, Prüfer, Unterſucher: Kundſchafter, Spion. —σκυθρωπάζω, bey Suidas κατασκυθρωπῶν mit dem genit. ſich gegen jemand mürriſch betragen, bezeigen: das verſtärkte σκυθρ. Joſeph. ant. 11, 5, 6. —σκύλλω, zerreiſsen, zerzauſen: Clemens Paed. 3 pag. 290. —σκώπτω, verſpotten. —σμικρίζω, ſ. v. a. —κρύνω: Ariſtot. Nicom. 8, 13, zweifelh. —σμικρολογέω, ῶ, μὴ —λόγει πλουσίην τὴν φύσιν ἐοῦσαν, klage die Natur die ſo reich iſt, nicht als karg an: Democr. Epiſt. ad Hippocr. —σμικρύνω, f. υνῶ, (σμικρὸς) verkleinern: klein oder kleiner - geringer machen. —σμυρνος, ὁ, ἡ, (σμύρνα) Dioſcor. 1, 26. nach Myrrhen riechend. —σμύχω, (σμύχω) ich verbrenne, eigentl. durch ein ſchmauchendes Feuer: Theocrit. 3, 17 σεσηρός τι καὶ κατεσμυγμένον ὑποβλέψασα, Heliodor. 7 p. 342. mit einem tückiſchen u. bittern Hohngelächter, wenn die Lesart richtig. —σμώχω, (σμάω, σμήχω) zerreiben: Nicand. Alex. 332. —σοβαρεύομαι, (σοβαρὸς) m. d. Genit. ich bezeige mich als ein ſtolzer übermüthiger Menſch. —σοβέω, verſcheuchen, verjagen: Heſych. —σοφίζω, κατασοφίζομαι, durch Liſt-Ränke - Trugſchlüſſe oder Sophiſterey überwinden - täuſchen - betrugen - zu entgehn ſuchen - überliſten. —σοφιστεύω, m. d. Genit. wider jemand durch Liſt - Sophiſterey ſtreiten: m. d. Accuſ. durch Soph. beſiegen. —σπάζομαι, umarmen, herzlich od. freundſchaftlich aufnehmen oder behandeln. —σπαθάω, ῶ, verſchwenden, verpraſſen. —σπαράσσω, άττω, fut. ξω, das verſt. σπαρ. zerreiſſen, zerfleiſchen, zerzauſen. —σπασις, ἡ, (κατασπάω) das Herab - Herunterziehn oder Reiſſen. —σπασμα, τὸ, (κατασπάω) das herab - heruntergezogene oder geriſſene.

Κατασπασμὸς, ὁ, ſ. v. a. κατάσπασις. —σπαστικος, ἡ, ὀν, (κατασπάω) zum herab - herunterziehn oder reiſſen gehörig oder geſchickt. —σπαταλάω, ῶ, (σπάταλος) Analecta 2, 309. ſein Leben und Vermögen in Schwelgerey zubringen u. verſchwenden. —σπάω, ῶ, herab oder herunterziehn od. reiſſen: niederziehn oder reiſſen; γάλα, machen, das Milch in die Brüſte tritt oder kommt: auch verſchlingen, hinabſchlucken. —σπείρω, beſäen, ſäen, und metaph. zeugen Eur. Herc. 496. —σπεισις, ἡ, das begieſsen, beſprengen mit der Libation oder dem Weihwaſſer; 2) weihen, opfern. Plut. Sert. 14 nennt ſo den Dienſt derer, welche ſich einem Feldherrn weihen, *devovent ſe*, wie *ſoldurii* bey den Galliern: Caeſar b. g. von

Κατασπένδω, τὸν οἶνον den Wein durch die Libation (σπένδω, σπονδὴ) verbringen. πρόβατα κατεσπεισμένα Plutarch. Alex. 50 Schaafe die ſchon durch die über ſie ausgegoſſene Libation zum Opfer geweiht waren; vergl. Q. S. 8, 8. Daher κατασπένδειν ἑαυτὸν Plutar. Sert. wie κατάσπεισις no. 2. —σπέρχω, antreiben, betreiben, beſchleunigen. —σπεύδω, das verſt. σπεύδω, activ. u. neutr. ſ. v. a. κατεπείγω und κατασπέρχω, betreiben, antreiben, drängen; neutr. eilen. —σπευσις, ἡ, Eile, Eilfertigkeit; zw. —σπιλάζω, (σπιλὰς) ich beflecke; 2) ich bedecke, Etymol. M. 3) bey den ſpätern Griechen bedeutet es plötzlich kommen, *irruere*: ὁ δὲ ἀπροσδοκήτως τοῖς βαρβάροις κατεσπίλασε Theophylact. Simoc. πνεύματος λάβρου κατασπιλάζοντος Euſeb. —σπλεκόω, ſ. v. a. κατελαύνω, Heſych. S. σπλεκόω. —σποδέω, und bey Suidas κατασποδόω, Ariſtoph. Theſm. 560. τὸν ἄνδρα πελέκει κατεσπόδησεν, hat ihn mit der Axt niedergehauen. Heſych. erklärts κατελᾶν. S. σποδέω. Von im Streite gefallenen Kriegern braucht man auch κατασποδεῖσθαι Aeſchyl. Th. 811. —σπορὰ, ἡ, (κατασπείρω) das Beſäen. —σπουδάζω, ſ. v. a. σπουδάζω, aber m. d. Genit. κατεσπουδάσαμεν τοῦ υἱοῦ, *filii ſatagimus*, ich habe mir wegen des Sohns Mühe gegeben. Bey Herodot. 2, 173 κατεσπουδάσθαι ἀεὶ ſtets ernſthaft und geſchäftig ſeyn; davon δραστήριος καὶ κατεσπουδασμένος λίαν bey Prokop. unternehmend und zu hitzig. δῆμος κατεσπουδασμένος heiſst bey ihm der geliebte, begünſtigte anecd. c. 76.

Κατάσσω, Celſus Origenis 7 p. 368 u. Heſych. in ἐνιῆλαι, ſ. v. a. κατάγω, κατάγνυμι und καταγνύω, wofür man auch κατάζω geſagt hat. Artemidorus braucht κατάσσω häufig.

Κατασταγμὸς, ὁ, das träufeln darauf oder darüber; von —στάζω, f. αξω, darauf - darüber od. herabträufeln od. gieſsen, neutr. herabflieſsen od. tröpfeln. Eur. Hel. 991. Iph. T. 72. vergl. Hec. 241. Suppl. 587.

Καταστα θμεύω, einquartieren: vom Vieh, in den Stall bringen: Strabo. —σταθμίζω, zuwägen, nach dem Gewichte abtheilen: davon —σταθμισμὸς, ὁ, das Zuwägen oder Abtheilen nach dem Gewichte. —σταλτικὸς, ἡ, ὸν, κατάσταλσις, ἡ, (—στέλλω) zum zurücktreiben- halten- zum aufhalten- ſtillen- unterdrücken gehörig oder geſchickt. —σταμνίζω, vom Weine, auf einen στάμνος ihn abziehn. ὁ κατεσταμνισμένος οἶνος θᾶττον ἕλκει τὰς τῶν παρακειμένων ὀσμᾶς, διὰ τὴν ὀλιγότητα καὶ τὸ γυμνὸν, der auf kleine Gefäſse gezogene Wein nimmt den Geruch von nahen Körpern eher an, wegen ſeiner geringen Maſſe, und weil er nicht bedeckt iſt. Theophr. c. pl. 2, 25. Pollux 8, 262 bey Athenaeus 2 p. 499 kommen κατεσταμνισμένοι λάγυνοι Flaſchen von abgezogenem Weine vor. —στασιάζω, durch Aufruhr vorzügl. d. eine Gegenparthey und überh. durch Kabale unterdrücken oder ſeinen Gegner oder die andere Parthey beſiegen. —στασις, ἡ, (καθίστημι) das Hinſtellen, Feſtſtellen, Feſtſetzen; daher auch Anordnung, Anſetzung, Einſetzung, Beſtallung, die Wahl eines Bürgers zum Reiterdienſte, und das ihm aus der Kaſſe zur Equipage gegebene Geld. τὴν δὲ ἀπόστασιν λαμβάνων πρὶν καὶ μαθεῖν τὴν ἱππικὴν, du läſst dich zum Reiter anwerben, ehe du reiten gelernt haſt. Eupolis. auch das Stillen, Beſänftigen, Hemmen: vom medio oder paſſiv. der Zuſtand, Beſchaffenheit, Einrichtung: Ruhe, Stand, Lage. —στάτης, ου, ὁ, (καθίστημι) Anordner: auch Wiederherſteller, Sophocl. El. 72. —στατικὸς, ἡ, ὸν, von oder in einem gewiſſen Zuſtande; 2) zum feſtſtellen- ſtillen- beſänftigen- beruhigen gehörig oder geſchickt. —στεγάζω, bedecken, bedachen; bey Diodor. 2, 8 die Brücke belegen, *conſternere*: davon —στέγασμα, τὸ, das Bedeckte: die Bedekkung, Decke, Deckel. —στεγνόω, (στεγνὸς) dicht bedecken, verdecken: Geopon. 13, 14. 7. —στεγος, ὁ, ἡ, (στέγη) bedeckt, bedacht od. mit einem Dache verſehen. —στείβω, f. ψω, betreten: πέδον: Soph. —στείχω, f. ξω, ſ. v. a. κατέρχομαι im Proſa. —στέλλω, f. στελῶ, zurück oder aufhalten: ſtillen, beſänftigen: τὸν θόρυβον τῇ χειρὶ bey Suidas. S. auch ἀναστ. 2) bekleiden, ausrüſten. —στενάζω, und καταστένω, beſeufzen; m. d. Genit. Nicetae annal. 14, 2. über jemand ſeufzen. —στερίζω, beſternen, verſternen, mit Sternen ausſchmücken; unter die Sterne verſetzen. —στερος, ὁ, ἡ, (ἀστὴρ) beſtirnt, glänzend wie ein Stern. —στερόω, ῶ, ſ. v. a. καταστερίζω; davon

Καταστέρισις, ἡ, und gewöhnlicher καταστερισμὸς, ὁ, das Verſternen, Verſetzen unter die Geſtirne. Ein Buch des Eratoſthenes unter dem Namen καταστερισμοὶ erklärt den Urſprung von den Namen der Geſtirne und der aſtronomiſchen Fabeln. —στεφανόω, ῶ, (στέφανος) bekränzen, kränzen. —στεφὴς, ὁ, ἡ, bekranzt. Soph. v. —στέφω, f. ψω, bekränzen. —στηλιτεύω, (στήλη) eigentl. beſaulen: durch ein öffentl. Dekret auf einer Säule eingehauen und öffentl. ausgeſetzt brandmarken und gleichſam an den Pranger ſtellen: überh. ſchmähen, ſchänden, proſtituiren. —στηλόω, ῶ, beſäulen, mit Säulen, Grabſteinen oder Meilenzeigern bezeichnen oder beſetzen- verzieren. Polyb. 34, 12. —στημα, τὸ, (καθίστημι) Stellung, Stand: Zuſtand, Verfaſſung, Beſchaffenheit, ſ. v. a. κατάστασις. Veget. Mulom. 1, 17 hat d. griech. Wort *cataſtema* behalten: Polyaen. 5, 12, 3 br. es ſt. χειμὼν; davon —στηματικὸς, ἡ, ὸν, geſetzt, ruhig: Plut. Gracch. 2. —στημος, ὁ, ἡ, (στήμων) mit vielen oder ſtarken Kettenfaden: von einem dichtgewebten Tuche oder Kleide: zw. —στηρίζω, ſ. v. a. κατασκήπτω, Hippocr. davon καταστηριγμοὶ bey Suidas im Ἵππαρχος und Ἐρατοσθένης falſch ſt. καταστερισμοί. —στιγμα, τὸ, das beſtochene oder gefleckte: der Fleck, die Flecken; zw. von —στίζω, *compungo*, mit Stichen- Flekken oder Punkten bedecken oder bezeichnen: ganz bunt machen: davon —στικτος, ὁ, ἡ, ganz mit Stichen, Punkten oder kleinen Punkten bedeckt- bezeichnet; ganz bunt. —στίλβω, darauf- dagegen leuchten- glänzen- ſchimmern. —στοιχίζω καὶ στοιχειόω τοὺς εἰσαγομένους in den erſten Elementen unterrichten: Plutarch 10 p. 286. zw. —στολὴ, ἡ, (καταστέλλω) das Hemmen, Aufhalten, Zurückhalten: das Herablaſſen, z. B. περιβολῆς des Kleides: Plut. Pericl. 5 daher Hippocr. es von περιστολὴ unterſcheidet. Im N. T. für Bekleidung, Kleidung überhaupt. —στολίζω, bekleiden, auskleiden: Plutar. —στομίζω, ſ. v. a. ἐπιστομίζω: Plutar. Ariſtid. zw. —στομὶς, ἡ, ein Theil der Flöte, viell. am Mundſtücke: Heſych. —στοναχέω, ῶ, oder καταστοναχίζω, beſeufzen, bejammern, beklagen. —στορέννυμι, καταστορεννύω; das fut. ρέσω, von d. Form —ρέω, herab- auf die Erde oder niederwerfen: erlegen, tödten, auf die Erde oder zu Boden ſtrecken: Xen. Cyrop. 3, 3, 64. Eur. Herc. 1000. Davon κύνα καστόρνυσα Odyſſ. 17, 32

Häute auflegend, darauf deckend, ſt. καταστ. metaph. τὴν θάλατταν, das tobende- vom Sturme unebene Meer ebnen, beſänftigen, beruhigen, *ſternere mare.*

Καταστοχάζομαι, m. d. Genit. erzielen, errathen; davon —στοχασμὸς, ὁ, das Erzielen, Errathen: die Muthmaſsung. —στοχαστικὸς, ἡ, ὸν, zum erzielen- errathen gehörig od. geſchickt. —στραγγίζω, ausdrucken, auspreſſen; zw. —στράπτω, f. ψω, beblitzen, durch den Blitz beleuchten- blenden - abſchrecken bey Themiſt. Or. 27 welcher auch καταβροντᾶν durch Donner abſchrecken braucht. —στρατεύομαι, ich ziehe gegen jemand zu Felde, bekriege ihn: m. d. Genit. Clemens Alex. —στρατηγέω, ῶ, durch eine Kriegsliſt hintergehen oder überwinden, überliſten. —στρατοπεδεία, ἡ, aufgeſchlagenes Lager, Cantonirungsquartier; Aelian. v. h. 9. 3. von —στρατοπεδεύω, ſich lagern laſſen oder einquartieren, kantonnen laſſen: Cyrop. 7. 1, 8. med. ſich lagern, in Cantonirungsquartiere gehen. —στρεβλόω, ῶ, ſehr foltern, martern: Plutar. 5 p. 482. —στρέφω, f. ψω, umkehren, umdrehen, umwenden: den Acker, wie *vertere aratro*: Xen. Oecon. 17, 20. endigen, beſchlieſſen, τὸν βίον, das Leben: im medio unterjochen, ſich unterwerfen, erobern, in ſeine Gewalt bringen: auch zurück oder wiederkehren. —στρηνιάω, S. στρηνιάω. —στροφὴ, ἡ, das Umwenden, Umkehren: die Wendung, der Aufgang, das Ende, τοῦ βίου, des Lebens. —στροφικῶς, Adv. nach Art einer Kataſtrophe, d. i. der Wendung- des Ausgangs vorzügl. in Tragödien. —στρωμα, τὸ, das Verdeck eines Schiffs: Decke, Lager Theophr. char. 22, 2. von —στρώννυμι, καταστρωννύω, f. στρώσω, ſ. v. a. καταστορέννυμι: davon —στρωσις, ἡ, das Darauf oder Niederwerfen - Bedecken. —στυγέω, ῶ, S. καταστύζω. —στυγνάζω, ich bin traurig: Schol. Apoll. 4, 8. von —στυγνος, ὁ, ἡ, traurig, niedergeſchlagen: Athenaei p. 585. —στύζω, wovon Aor. 2. κατέστυγον αὐτὴν Il. κ. 115. κατέστυγε Il. 17, 694. in der Bedeutung von erſtaunen, nicht aber haſſen wie καταστυγέω. Die Bedeut. συλλέξαι, κατασῦραι bey Heſych. finden ſich nirgends. —στύφελος oder κατάστυφλος, ὁ, ἡ, das verſt. στυφελός. Heſiod. theog. 806 wo τὸ ὄϊκισι καταστυφέλου διὰ χώρου beſſer κατιεισι στυφελοῦ δ. χ. verbunden wird. Eur. Iph. taur. 1429. —στύφω, ſauer machen, τὸ αὐστηρὸν και κατεστυμμένον Plutar. Cat. min. 46. das ſaure und herbe Weſen. —στωμύλλω, meiſt καταστωμύλλομαι mit u. ohne d. Genit. von στωμύλος, geſchwatzig, ſ. v. a. mit leichter Zunge viel ſprechen: οἷα κατεστωμύλατο οὐκ ἄκαιρα Ariſtoph. Theſm. 461. mit welcher Fertigkeit und Beredſamkeit hat ſie geſprochen, uns vorgeredet? ὦ κατεστωμυλμένε Ran. 1160. du Schwätzer. —σιβωτέω τὴν ψυχὴν Plutar. 10 p. 511. wie eine Sau mäſten; das ſimpl. kommt blos bey Heſych als Erkl. v. ὑσπολέω vor. —σύομαι, hervorſtürzen, darauf losſtürmen. —συρίττω, f. ξω, m. d. Genit. entgegenziſchen oder pfeifen: ausziſchen, auspfeifen. —σύρω, ich ziehe, reiſſe herab oder herunter; 2) Herodot. 5, 81. κατὰ μὲν ἔσυραν Φάληρον, ſie plünderten, Polyb. verbindet es mit ἐπιτρέχειν. —σφαγὴ, ἡ, das Abſchlachten, Todten: zw. v. —σφάζω, od. άττω, f. ξω, abſchlachten, tödten, morden; davon —σφακτικὸς, ἡ, ὸν, zum abſchlachten- todten- morden gehörig- geſchickt- geneigt. —σφαλίζω, feſt oder ſicher machen, befeſtigen, binden: τοὺς πόδας πέδαις. —σφενδονάω, ῶ, m. d. Genit. einen m. d. Schleuder werfen: m. d. accuſ. niederſchleudern, m. d. Schleuder herunterwerfen oder erlegen. —σφηκόω, ῶ, annageln, feſtnageln, befeſtigen: καθηλέω Heſych. und Tryphiodor. 87. —σφηνόω, ῶ, (σφὴν) verkeilen: feſt verbinden oder fugen; Hippocr. —σφίγγω, zuſammenſchnüren- drücken- binden: zw. Joſeph. ant. 3. —σφραγίζω, verſiegeln, beſiegeln. —σχάζω, zerritzen, aufritzen; mit dem Aderlaſseiſen öffnen: davon —σχάσμα, τὸ, gemachter Ritz, Einſchnitt: Wunde.

Κατασχασμὸς, ὁ, das Ritzen- Verwunden: vorz. mit dem Werkzeuge zum Aderlaſſen. —σχάω, nachlaſſen, herunterlaſſen. —σχεδιάζω, m. d. genit. Joſeph. b. j. 3, 8, 9. ſ. v. a. καταφλυαρέω, καταψεύδομαι. —σχέθω, eine andere Form von u. ſ. v. a. κατέχω. —σχεσις, ἡ, (κατέχω) das Aufhalten, Anhalten, Zurückhalten, Behalten, Hemmen: die Beſitznehmung: das Zurückbehalten. —σχετλιάζω, m. d. Genit. unwillig gegen einen ſeyn od. werden; zw. —σχετος, ὁ, ἡ, (κατέχω) eingenommen, beſeſſen, aufgehalten, ἀνὴρ ἐκ νυμφῶν κατάσχετος, von den Nymphen begeiſtert, wie κάτοχος, Pauſan. μή τι κατάσχετον καλύπτει καρδίᾳ. Soph. Ant. 1253 ſt. μανιῶδες. —σχηματίζω, bilden, formen, geſtalten. —σχημονέω, ῶ, (ἀσχημονέω) m. d. Genit. unanſtändig- ungebührlich behandeln: gegen jemand ſich unanſtändig betragen. —σχίζω, (σχίζω) ich zerſpalte, zerhaue, zerbreche, zerreiſſe in Stücken, Holz, Kleider u. dgl. τὰς θύρας, die Thüren einbrechen: Demosth. τὰς πύλας, τὸν μυχλὸν Arrian. zerbrochen: davon

Κατάσχισις, ἡ, das Zerſpalten, Zerhauen, Zerbrechen, Zerreiſſen; und —σχισμα, τὸ, ein durch zerſpalten- zerhauen- zerreiſſen entſtandenes Stück. —σχολάζω, χρόνον Soph. Phil. 127. ich verbringe die Zeit müſsig- unthätig. —σχολέω, ῶ, beſchäftigen, zu thun machen: Baſilius. —σωρεύω, anhäufen, vollhäufen, überhäufen; zweif. —σωτεύω, vorz. im medio, (ἀσωτεύω) ich verlüdere, verbringe durch ein lüderliches Leben: Joſeph. b. j. 4, 4, 3. —σώχω (σώχω) ich zerreibe, zermalme.

Κατατάμνω, doriſch und joniſch ſ. v. a. κατατέμνω. —ταχύω, eine andere Form u. ſ. v. a. κατατείνω. —ταξις, ἡ, (κατατάσσω) das Hinſtellen- Einſtellen- Einſetzen- Eintragen an ſeinen Ort oder Stelle oder nach der Ordnung. —ταράσσω, ἀττ. ῶ, d. verſtärkte ταράσσω, ganz in Unordnung bringen, verwirren, beunruhigen. —ταρταρόω, in den Tartarus hinabwerfen od. ſtürzen: Apollodor. u. Sext. Empir. —τασις, εως, ἡ, (κατατείνω) Anſpannung, Ausdehnung: das Ausſtrecken, das Einlenken- Einrenken- Einrichten durch Ausdehnung. —τάσσω oder κατατάττω, ich ordne; ſtelle: ſtelle- rangire ein: trage ein, ſchreibe nieder: κατατάξασθαι τοῖς Φυλέταις ὑπὲρ τοῦ ὀφλήματος Dinarch. wie *conſtituere pecuniam*, Nachweiſung und Sicherheit geben. —ταχέω, ῶ, ich übertreffe an Geſchwindigkeit; hole ein; übereile, m. d. acc. ich komme oder thue zuvor, auch m. d. infin. Polyb. 2, 18. 3, 16. —ταχύνω, ſ. v. a. καταταχέω. —τέγγω, ich netze durch oder benetze: mache weich, erweiche. S. τέγγω. —τεθαῤῥηκότως, Adv. dreiſt, zuverſichtlich, kühn: partic. praet. v. καταθαῤῥέω. —τείνω, anſpannen, ausſtrecken, anſtrengen, ausdehnen, foltern: auch einrenken- einrichten durch Ausdehnen wie ein verrenktes Glied: zurückbiegen, zurückhalten, hemmen, zügeln, niederſpannen, niederdrücken, niederwerfen: neutr. ſich ausſpannen, d. i. theils weiter gehen, theils ſich anſtrengen, eilends gehn, *contendere iter*, ſich ſtemmen, theils ſich wohin erſtrecken, wohin reichen. —τειχίζω, f. Leſ. aus Xeno. Ageſ. 2, 19. wo andre ἀνατειχίζειν laſen und jetzt ἃ ἐνετετείχιστο ſteht. —τειχογραφέω, m. d. genit. Strabo 14 p. 992 gegen einen Pasquille auf die Wand ſchreiben. Soll κατατοιχ. heiſsen. —τελής, έος, ὁ, ἡ, davon hat man κατατελέα aus Herodot. und Arrian. angeführt, u. d. ἀναλώματα, τὰ συνέδρια τῶν ἐν ἀρχαῖς, u. Ueberbleibſel, erklärt. Aber im Herodot. 1, 103. 7, 211. 9, 20 u. 22 ingleichen bey Arrianus Anab. iſt κατὰ τέλεα, *turmatim*, nach Kompagnien.

Κατατεμαχίζω, in Stücken zerlegen, zerſtücken: Nicetas Annal. 21, 3. —τέμνω, (τέμνω) ich zerſchneide, ich zerlege und theile in Stücken; daher auch metaph. ich trenne, zertheile: ferner ich zerhaue, bringe um, haue nieder. τὰ κατατετμημένα bey Xenoph. Vect. 4, 27. den ἀτμήτοις entgegengeſetzt, die Stellen in Bergwerken, wo man ſchon gegraben und gearbeitet hat; davon καινοτομεῖν, ſchurfen: u. ἐπικατατέμνειν bey Ariſtid. 1 p. 303 ſ. v. a. κατακρούω, ſchropfen. —τέρπω, ergötzen: zw. —τεύχω, ſ. v. a. κατατυγχάνω: zw. —τεφρόω, ῶ, mit Aſche bedecken: Strabo 6 p. 413. —τεχνολογέω, ῶ, kunſtmäſsig behandeln, abhandeln, beſtimmen, beſchreiben: Grego. Naz. —τεχνος, ὁ, ἡ, kunſtvoll: gekünſtelt: das adv. κατατεχνικῶς Plutar. Pericl. c. 5. hat ſchon Steph. verworfen, u. κατατέχνως vorgezogen. —τήκω, f. ξω, zuſammenſchmelzen, zerſchmelzen: verſchmelzen, durchſchmelzen, verzehren: überh. entkraften, verringern. τὰς τέχνας εἰς ταῦτα κατ. die Kunſt auf eine mühſelige Art verwenden: Dionyſ. 6 p. 1114. —τίθημι, ich ſetze- ſtelle- lege nieder; 2) ich erlege, bezahle baar. 3) κατατίθεμαι, ich lege von mir ab; 4) ich lege für mich nieder, als einen Schatz, oder als ein Depoſitum: daher metaph. δοκέοντες μεγάλην χάριτα καταθήσεσθαι Herodot. 6, 41. glaubten ſich dadurch einen groſsen Dank zu verdienen. τῇ πόλει χάριν καταθέσθαι, Antiphon. ſich bey dem Staate Dank verdienen. ἔχθραν φανερὰν πρὸς ἐκείνους Lyſias p. 84 ſich von jenen Feindſchaft dadurch zuziehn. —τιλάω, ῶ, m. d. genit. bekacken, beſcheiſsen. —τίλλω, zerzupfen, zerzauſſen, zerrupfen. —τιτραίνω, u. κατατιτράω durchbohren, durchſtoſsen. —τιτρώσκω, ſ. κατατρώσω, mit Wunden überhäufen. —τοιχογραφέω, S. κατατειχογρ. —τοκίζω, (τόκος) dav. κατατοκιζόμενοι Ariſtot. Polit. 2. die durch Zinſen von geborgtem Gelde verarmen und in Schulden verſinken. —τολμάω, ῶ, m. d. genit. τῆς θαλάττης, ich wage mich aufs- ins Meer. —τομή, ἡ, (κατατέμνω) das Zerhauen, zerſchneiden: Einhauen, Einſchneiden: der Einſchnitt: auch ſ. v. a. καταγραφή. —τονος, ὁ, ἡ, (τείνω, τόνος) herunter geſpannt oder gezogen: Vitruv. 10, 15 weniger hoch als ſeyn ſollte.

Κατατοξεύω, mit dem Pfeile zerſchieſsen, niederſchieſsen, erſchieſsen. τῷ λοιμῷ τοὺς Ἀχαιοὺς mit den abgeſchoſſenen Pfeilen die Peſt unter die Achiver bringen: Lucian 3 p. 69. —τραυματίζω, ganz oder über und über verwunden. —τράω, ῶ, ſ. v. a. κατατιτράω, durchbohren. —τρέπω, vorzügl. im medio, in die Flucht ſchlagen, eigentl. ganz umkehren, wie *convertere in fugam*. —τρέχω, belaufen, berennen, beſtreifen, durch Streifereyen verheeren: auch v. Feinden vor Gerichte oder in Schriften jemand angreifen, durchziehn, tadeln durchlaufen, durchgehn; beſehen, betrachten. —τρῆσις, ἡ, (κατατράω) das Durchbohren. —τριακοντουτίζω, eine komiſche Zuſammenſ. v. τριακοντούτης gemacht, mit einer obſcönen Anſpielung: Ariſtoph. Equ. 1391. —τριβή, ἡ, ſ. v. a. ἐντριβή, das Schminken: Clemens Alex. von —τρίβω, f. ψω, zerreiben: daher verringern, vermindern, vorbringen, als Zeit, Vermögen, wie *tero, contero*: Xen. Oecon. 1, 22 u. 15, 10. —τρίζω, d. verſtärkte τρίζω, von dem feinen ſcharfen Tone und Geſchrey der Mäuſe: Batrachomyom. —τρίχιος, ὁ, ἡ, haarfein: Heſych. —τριψις, ἡ, (κατατρίβω) das Zerreiben. —τροπος, ὁ, ἡ, ſ. v. a. κατάντης, wie πρόστροπος, ἀνάντης: Heſych. welcher auch κάτροπος dafür hat: wahrſch. für κατάροπος. Κατατροπόομαι, in die Flucht ſchlagen, beliegen, Aeſop. 145, 1. S. τροπόω. —τροχάζω, ſ. v. a. κατατρέχω; davon —τρόχαστος, ὁ, ἡ, worüber ein Wagen fahren kann: zw. —τρυπάω, ῶ, durchbohren: zw. —τρυφάω, ῶ, τοῦ λόγου, διηγήματος Gregor. Naz. in einer Erzählung ſchwelgen, etwas weitläuftig und mit beſonderm Wohlgefallen an der Sache erzählen: auch ſ. v. a. ἐντρυφάω: Gregor. Naz. —τρύχω, ſ. v. a. κατατρύω, zerreiben, aufreiben: ermüden, entkräften, verzehren: Odyſſ. 15, 318. Xen. Cyrop. 5, 4, 6. Theocr. 1, 78. S. τρύχω u. τρύω. —τρώγω, zernagen, zerkauen, verzehren. —τυγχάνω, wie τυγχάνω m. d. genit. erzielen, erreichen, erhalten: glücklich ſeyn worinne. —τυραννέω, ῶ, m. d. genit. beherrſchen: durch tyranniſche Uebermacht bezwingen oder unterdrücken: Strabo. —τυφλόω, hat Budaeus aus Lucian, wo es aber nicht ſteht: Hemſterh. ad Luc. 2 p. 352. —τωθάζω m. d. genit. ſ. v. a. τωθάζω: Heliodor. Aethiop. 5 p. 263.

Καταυαίνω, f. ανῶ, austrocknen, ausdorren.

Καταυγάζω, darauf ſcheinen oder leuchten: beſcheinen, beleuchten, erhellen, erleuchten: davon —γασμός, ὁ, Erleuchtung, Beleuchtung. —γάστειρα, ἡ, femin. von καταυγαστήρ, der- die beleuchtende.

Καταυδάω, ſ. v. a. κατείπω ich gebe an: Soph. Ant. 86; davon —δησις, ἡ, lautes Reden, Schreyen: Hippocr.

Καταῦθι, Adv. dort, ſ. v. a. καταυτόθι, Odyſſ. 10, 567.

Καταυλακίζω, befurchen: ſ. v. a. καταλοκίζω. —λέω, ῶ, ich vergnüge, bezaubere, nehme ein, beſiege einen durch das Flötenſpiel, daher καταυλούμενον διάγειν; ſein Leben damit zubringen, daſs man ſein einziges Vergnügen am Flötenſpiele findet. νῆσος κατηυλεῖτο καὶ κατεψάλλετο ertönte ganz vom Schalle der Flöten und Cithern Plutar. Anton. 56. So κατυρχέομαι und καθυποκρίνομαι. Eur. Herc. 871 καταυλήσω φόβῳ σε neben χορεύσω σε, von der heftigen Bewegung eines Wuthenden. —λησις, ἡ, (καταυλέω) das Beblaſen mit der Flöte, das Umblaſen, Umſpielen. —λίζομαι, ſich lagern: niederlaſſen: einkehren. —λος, ὁ, ἡ, nach Heſych. καταυλημένος u. καταπεπταμένος.

Καταύστηρος, ὁ, ἡ, ſehr- zu ſehr ſauer, ernſthaft, zu ſtreng: Arrian. Epict. 1, 25. —στής, ὁ, bey Heſych. καταδυστής, derſelbe hat auch καταῦσαι, καταυλῆσαι. Photii Lexic. hat καταντλῆσαι. Ferner hat Heſych. καθαῦσαι, ἀφανίσαι u. Euſtath. Odyſſ. 5 p. 1547 führt aus Alcman an: τὰν μοῦσαν καταύσεις, d. i. ἀφανίσεις.

Καταυτίκα, Adv ſ. v. a. αὐτίκα, aus Theocr. 3, 21 wo aber κατ' αὐτίκα τίλαι zuſammengehört. —τόθι, Adv. ſ. v. a. αὐτόθι: Il. 21, 201.

Καταυχάομαι, ſ. v. a. κατακαυχάομαι, aus Epiſt. Jacob. 2. zw. —χμος, ὁ, ἡ, ſehr trocken: τὸ κατ. τῆς ὑδρεύσεως Theophyl. Simoc hiſtor. 5. 4. der Mangel an Waſſer wegen des trocknen Bodens.

Καταύω, (αὔω) ich verſenge, verbrenne. S. καταυστής.

Καταφαγάς, αδος, ὁ, ἡ, ein Freſſer, Schlemmer: Pollux 6, 40. S. κατωφαγάς. —φαγεῖν, aor. 2. (im praeſ. ungebräuchlich, καταφάγω) aufeſſen, aufreſſen, verzehren. —φαίνω, u. —φαίνομαι, ſ. v. a. φαίνω, φαίνομαι: zeigen: erſcheinen. —φάνεια, ἡ, Sichtbarkeit, Helle, Deutlichkeit: zw. von —φανής, έος, ὁ, ἡ, ſichtbar, helle, deutlich: freyliegend. —φαντάζω, darſtellen, vorſtellen: aus Baſilius. —φαντός, ἡ, όν, (καταφημι) zu bejahen, wie ἀπόφαντος, zu verneinen: Diog. Laert. 7, 65. zu ſehn, ſichtbar: zw. —φανῶς, Adv. von καταφανής, ſichtbarlich. —

Φαρμακεύω, mit einem Arzenay-

oder Zaubermittel bestreichen oder bezaubern, behexen, bezwingen, einnehmen: vergiften: beschädigen, verletzen.

Καταφαρμάσσω, καταφαρμάττω, f. ξω, s. v. a. d. vorh. —φασις, ἡ, (κατάφημι) Bejahung. —φάσκω, s. v. a. κατάφημι. —φατίζω, betheuern und versichern, geloben: Plutar. Solon. 25. —φατικὸς, ἡ, ὸν, Adv. —κῶς, (κατάφασις) bejahend. —φαυλίζω, geringschatzen, verkleinern, schlechtmachen. —φέγγω, beleuchten: blenden: zw. —φέρεια, ἡ, das Abschüssige; von —φερὴς, έος, ὁ, ἡ, (καταφέρομαι) auch κατωφερὴς, herabgehend, abgängig, abschüssig: einen Hang wozu- wohin habend: geneigt, leicht worein verfallend. —φέρω, herab- herunter- hineintragen oder bringen: τὴν πληγὴν, den Schlag herunter- darauf führen oder thun: im passiv. ich komme, gehe, falle herunter oder herab: ich verfalle: ich gleite oder sinke herab: ich komme an oder lande: vorz. εἰς κάρον oder ὕπνον κατ. ich verfalle in einen tiefen vorz. betäubenden Schlaf: wie καταφορὰ. m. d. genit. τινὸς πολλὰ κατ. einem viel vorwerfen. —φεύγω, herab- herunter- hinein- hinunter fliehn: seine Zuflucht wohin nehmen; davon —φευξις, ἡ, Zuflucht, Zufluchtsort, s. v. a. —φυγὴ, Thucyd. —φημι, bejahen, ja sagen: zusagen: der infin. καταφάναι für κατειπεῖν bey Hesych. u. καταφαντικὸς, bejahend, sind von καταφαίνω gemacht, oppos. ἀνάφημι. —φημίζω, (φήμη) ein Gerücht von oder wider einen verbreiten: Plutar. Cicer. 41. Polyb. 16, 12. —φημὸς, (φήμη) beruchtigt, in üblem Rufe: Glossar. St. —φθανοῦμαι, bey Aeschyl. Eum. 401. καταφθατουμένη, st. καταφθάνουσα, κατακτωμένη, einnehmend, nach Hesych. —φθάνω, zuvorkommen, überraschen: überfallen: zw. —φθείρω, verderben, vernichten. —φθινύθω, καταφθίνω u. καταφθίω, auszehren, verzehren, durch Verzehrung verderben- zernichten: neutr. verzehrt- vernichtet werden; vergehn, verschmachten und dergl. die erstere Form ist v. καταφθινύω gemacht. Von κατάφθιμι, κατάφθιμαι vergehn, sich verzehren, sterben, sind εἰ κατέφθιτο u. καταφθίμενος gemacht. —φθορὰ, ἡ, (καταφθείρω) das Verderben, die Verderbung, das Vernichten, die Zerstörung, Verwüstung: Tod: Niederlage: Schändung, Entstellung, Entehrung. —φιλέω, ῶ, beherzen, beküssen, abküssen. —φιλοσοφέω, ῶ, m. d. genit. gegen einen philosophiren, raisonniren; Basilius: καταφιλοσοφοῦσι τῶν Ἰνδῶν Aelian h. a. 6, 56 von Elephanten, die Indianer durch Nachdenken übertreffen, überlisten. —φλάω, s. v. a. κατακόπτω: Hesych. —φλέγω, verbrennen: davon —φλεκτος, ὁ, ἡ, verbrannt. —φλεξίπολις, ὁ, ἡ, Städteverbrenner: Anthol. —φλεξις, ἡ, Verbrennung. —φλυαρέω, ῶ, m. d. genit. einem mit Schwatzen lästig fallen. —φοβέω, ῶ, in Furcht und Schrecken setzen. Med. erschrecken, in Furcht gerathen: fürchten. —φοβος, ὁ, ἡ, erschreckt, voller Furcht u. Schrecken; κ. ὢν τοὺς κελτοὺς st. καταφοβούμενος: Polyb. —φοινίσσω, sehr oder ganz roth machen, roth färben. —φοιτάω, jonisch καταφοιτέω, ich gehe herunter, oder auf einen zu: Herodot. 7, 125. —φονεύω, ermorden: Dio Cass. —φορὰ, ἡ, (καταφέρω) das Niederfallen, Herunterfallen z. B. ὄμβρων: das Niederfallen des Schwerdtes, das Treffen: active das Herunterwerfen, der Schlag, das Hauen, der Hieb. S. διάληψις ἡλίου, Untergang der Sonne. Dionys. Antiq. 2, 43. fast s. v. a. κάρος der tiefe Todtenschlaf, wie καταφέρεσθαι, in einen tiefen betäubenden Schlaf verfallen. —φορέω, ῶ, s. v. a. καταφέρω.

Καταφορικὸς, ἡ, ὸν, Adv. —κῶς, was mit καταφορὰ geschieht, also heftig stürmisch herabkommend, zufahrend, überh. heftig hitzig: 2) mit Schlafsucht verbunden, in tiefen Schlaf verfallend. —φορος, ὁ, ἡ, s. v. a. d. gewöhnlichere —φερὴς und εὐκατάφορος. bey Aristot. Probl. 23, 41 τὸ κατάφορον dem γαληνίζον entgegengesetzt, also unruhig, bewegt. Wird mit κατάφωρος oft verwechselt. —φορτίζω, belasten: zw. —φορτικὸς, ἡ, ὸν, bey Hesych. s. v. a. σφοδρος, viell. st. —φορικὸς. —φορτος, ὁ, ἡ, belastet: m. d. genit. Josephi vita 26. —φραγμα, τὸ, Bedeckung: Schutzwehre: zw. —φράζομαι, betrachten, bemerken, überlegen. —φράκτης, ου, ὁ, (καταφράσσω) Panzer: zw. —φρακτος, ὁ, ἡ, bepanzert, bedeckt: ναῦς, ἵππος: von —φράσσω, άττω, bedecken, bepanzern, durch eine Bedeckung verwahren oder befestigen. —φρονέω, ῶ, m. d. genit. ich verachte, verschmähe einen; behandle ihn verächtlich: 2) achte nicht, wie *contemnere ventos*. 3) bei Herodot. s. v. a. φρονέω, wie καταδοκέω für δοκέω: bey Hippocr. bey Besinnung oder bey Verstande seyn, oppos. παραφρονέω: davon —φρόνημα, τὸ, Verachtung; die daraus entstehende Dreistigkeit. —φρόνησις, ἡ, das Verachten, Verschmähen. —φρονητὴς, οῦ, ὁ, (καταφρονέω) Verächter. —φρονητικὸς, ἡ, ὸν, Adv. —κῶς, zum verachten oder nicht achten gehörig- geschickt- geneigt; verächtlich, verachtend.

Καταφρονις, ιδ' s. v. a. καταφρόνησις. S. Φρόνις. —Φροντίζω, verstudiren, Aristoph. Nub. 859. komischer Ausdruck: bey Polyb. besorgen. — Φρύαγμα, τὸ, Stolz, Uebermuth: zweifelh. von —Φρυάττομαι, eigentl. vom muthigen Rosse, welches wider Zaum und Gebiss sich sträubt und daran nagt; überh. sich gegen Personen oder Sachen übermüthig-stolz- hoffärtig betragen; sich brüsten. Schol. Aeschyli Theb. 399. —Φρύγω, oder —ύσσω oder —ύττω, zerrösten, zerbraten: Aristoph. Nub. 396. —Φυγγάνω, s. v. a. καταφεύγω. —Φυγή, ἡ, und davon das dimin. —ύγιον, τὸ, Zuflucht: Ort der Zuflucht. —Φυλαδὸν, Adv. s. v. a. κατὰ φυλὰς, nach Tribus od. Stämmen: Oppian. Hal. 3, 644. —Φυλάσσω, καταφυλάττω, bewahren, bewachen, behüten: Aristoph. Eccl. 482. —Φυλλοροέω, ῶ, das verst. φυλλοροέω, die Blätter fallen lassen oder verlieren: verwelken: Pind. ol. 12, 22. —Φύξιμος, ὁ, ἡ, zu dem man fliehen oder Zuflucht nehmen kann: aus Plut. —Φυσάω, ῶ, m. d. Genit. darauf blasen: m. d. Accus. beblasen. —Φύτευσις, ἡ, das Bepflanzen: von —Φυτεύω, bepflanzen: verpflanzen. —Φυτος, ὁ, ἡ, bepflanzt, mit Bäumen besetzt. —Φωνεῖν, durchtönen, mit seiner Stimme erfüllen: τὸ ἄλσος Gregor. Naz. bey Hesych. s. v. a. ταράσσω; davon —Φώνησις, ἡ, das Erfüllen mit der Stimme. —Φωράω, (φὼρ) einen auf dem Diebstahle ertappen: überh. überführen, Thucyd. 1, 82. daher auch verurtheilen Philo vita Joseph. überhaupt entdecken, schliessen, bemerken, Cyrop. 8, 7, 17 wo Cicero es durch *intelligere* giebt. —Φωρος, ὁ, ἡ, ertappt, überführt: offenbar, deutlich. —Φωτίζω, beleuchten, erleuchten, erhellen. —χαίνω, (χαίνω) m. d. Genit. ich verspotte, verlache einen mit offenem Munde oder mit hellem Gelächter; davon καταχήνη. —χαίρω, ich freue mich wider jemand, d. i. über sein Unglück: Herodot. 7, 239. —χαλαζάω, wider jemand hageln; wie mit Hagel einen überschütten mit Steinen und dergl. m. d. Genit. Lucian. —χαλάω, ῶ, herablassen: Josuae c. 2. — χαλκεύω, σίδηρον, verarbeiten zu Werkzeugen: Plutar. Lys. c. 17. einschmelzen u. verarbeiten: Plutar. 8 p. 215. —χαλκος, ὁ, ἡ, mit Kupfer belegt, verkupfert: kupferreich: mit kupfernen Waffen bedeckt, bepanzert. — χαλκόω, ich verkupfere, bedecke od. überziehe mit Kupfer: Diodor. Sic. —χαρίζομαι, m. d. Accus. ich thue

etwas aus Gunst, Gefälligkeit: τὰ δίκαια. das Recht nach Gunst sprechen, Plato. τἀληθὲς τοῖς πολίταις Aelian. v. h. 14, 5. die Wahrheit verbergen aus Gefälligkeit gegen seine Mitbürger. — χαριστικὸς, ὁ, (καταχαρίζομαι) der gern giebt, verschenkt, zu Gefallen thut; zw. —χαρμα, τὸ, (καταχαίρω) Schadenfreude, bittrer Spott; zw. —χάσκω, das Maul gegen eine Sache gierig aufsperren. darnach verlangen, *inhiare*; Nicetas Annal. 4, 6, 9, 11. m. d. Genit. —χασμα, τὸ, s. v. a. χάσμα Plutar. Q. S. 4, 5. zweif. —χασμάω, ἄομαι, (χασμάω) s. v. a. καταχαίνω. 2) sich öfnen, aufplatzen, von Hülsenfrüchten, Theophr. c. pl. 4, 14. davon —χασμησις, ἡ, s. v. a. καταχήνη. —χέζω, f. έσω, *concaco*, bekacken, ankacken. —χείριος ἐρετμὸς Apollon. 1, 1198 der in die Hand passt, nach der Hand ist. —χειροτονέω, ῶ, m. d. Genit. gegen- wider jemand stimmen und ihn verdammen: θάνατόν τινος, gegen jemand den Tod erkennen. ihn zum Tode verurtheilen: ist allemal vom ganzen Volke zu verstehen; dav. —χειροτονία, ἡ, Verdammung durch die Volksstimmen. —χεύω, giebt die meisten tempora zu —χέω, m. d. Genit. dargegen- entgegen- darüber- daraufhinein- hinuntergiessen: begiessen: ausgiessen, vergiessen: ἀχλὺν einen Nebel über einen ausgiessen und verbreiten: Odyss. 7, 42. metaph. ἐλεγχείην σφῶιν καταχεύη Il. 23, 108. mit Schande sie überhäufen. —χή, ἡ, s. L. st. καταχήνη, aus Hesych. —χήνη, ἡ, Spott, Hohn. S. καταχαίνω. —χηρεύω, τὸν βίον, das Leben als Wittwe (χήρη) zubringen: Demosth. —χής, ὁ, ἡ, dor. st. κατηχὴς, (ἦχος) stark tönend, tösend, Theocr. 1, 7.

Καταχθέω, belästigen: Joseph. —χθομαι, das verst. ἄχθομαι, belästiget werden, sich belästiget fühlen und klagen, sich beschweren. —χθόνιος, ὁ, ἡ, unterirdisch: irdisch.

Καταχλαινόω, ῶ, bekleiden, eigentl. mit einer χλαῖνα, einem warmen Oberkleide. —χλευάζω, verlachen, verhöhnen, verspotten. —χλιδάω, (χλιδὴ) m. d. Genit. Athenaei 5 p. 212. gegen jemand mit seiner Pracht u. Ueppigkeit pralen, sich zeigen. —χλοος, ὁ, ἡ, (χλόη) sehr grün: Erotiani Gloss. aus Hippocr. wo jezt κατάχολος, gallengelb, steht. —χλυσις, ἡ, (ἀχλύς) Verfinsterung durch Nebel, Umnebelung. —χολος, S. κατάχλοος. —χορδεύω und καταχορδέω, ich hacke- zerschneide die Därme, (χορδαὶ) wie der Wurstmacher; ἑαυτὸν μαχαίρα κατεχόρδησε, stiess sich das Schwerdt in die Därme, bey Suidas. Vergl. Herodot. 17, 75.

ἐκχορδεύειν bey Nicetas Annal. 5, 6. κατ. ἐν ταῖς βασάνοις Themiſt. or. 21 p. 261. martern, zerzerren.

Καταχόρευσις, ἡ, bey Pollux 4, 84. der Tanz aus Freude über den erlangten Sieg: von καταχορεύω: bey Suidas: ὁ δὲ κατεχόρευε τῶν Ῥωμαικῶν συμφορῶν, er war ſo froh u. ſpottete des Unglücks der Römer; wie κατορχέομαι. —χορηγέω, ῶ, als χορηγὸς oder durch χορηγία in Chören und Schauſpielen verwenden, verthun Plutar. 7 p. 375. im allgem. viel verthun, freygebig hergeben: Plutarch. Eum. 13 Lyſ. 9. —χόω, giebt die tempora zu καταχώννυμι. —χράω, καταχράομαι, καταχρῶμαι, das Activ. kommt blos bey Herodot. vor καταχρῆ, καταχρήσει, für ἀποχρᾷ, ἀποχρήσει, es iſt genug, wird genug ſeyn: auch χράω ich diene: ἀντὶ λόφου ἡ λοφιὴ κατέχρα Herodot. 7, 70. 2) καταχρῶμαι m. d. Dativ. ich brauche, gebrauche zu etwas eine Sache. 3) ich verbrauche m. d. Accuſ. 4) ich mache einen übeln- übermäſsigen Gebrauch v. einer Sache φαίη ἄν τις καταχρήμενος verſt. τῷ ὀνόματι d. i. καταχρηστικῶς im uneigentl. Sinne: Strabo 5 p. 323. 5) καταχρήσασθε μοι, εἰ δοκῶ τοιοῦτος εἶναι, macht mit mir was ihr wollt, wenn ich es zu verdienen ſcheine, Aeſchines. 6) κατεχρήσατο λέοντα, erlegte den Löwen: Herodot. —χρέμπτομαι, m. d. Genit. anſpucken, beſpucken: Ariſtoph. —χρεος, Att. καταχρεώς, ὁ, ἡ, verſchuldet: verpfandet. —χρησις, ἡ, Gebrauch: unrechter Gebrauch, Miſsbrauch, auch eines Wortes im uneigentlichen Sinne: S. καταχράομαι no. 4. —χρηστικὸς, ἡ, ὸν, Adv. —κῶς, miſsbrauchend, unrechtbrauchend, im unrechten Sinne brauchend. —χρισις, ἡ, das Einſalben, Einreiben, Einſalbung. —χρισμα, τὸ, das eingeriebene, angeſtrichene: die Salbe. —χριστός, ὁ, ἡ, beſalbt, eingeſalbt. —χρίω, beſalben, beſchmieren, einſalben, einſchmieren: anſtreichen, beſtreichen. —χρόω, ſ. v. a. καταχρώζω. —χρυσος, ὁ, ἡ, vergoldet: goldreich, γῆ: Pollux 7, 97. dav. —χρυσόω, ῶ, vergolden. —χρώζω, u. καταχρώννυμι od. —ωννύω, f. ώσω, farben: dah. beſchmutzen, entſtellen, Eur. Hec. 912. —χυμα, τὸ, (καταχύω) das darauf- darübergegoſſene Waſſer u. dergl. —χυσις, ἡ, (καταχύω) das Darauf- Darübergieſsen, das Begieſsen: auch das Gefäſs damit zu begieſsen. —χυσμα, τὸ, (κατὰ, χύω) was über etwas ausgegoſſen wird; ſo hieſsen vorzügl. καταχύσματα, Nüſſe, Feigen und andere Naſchereyen, welche bey Einführung eines neuen Sklaven oder der Braut ausgeſchüttet wurden, zum Willkommen und als *omen* des künftigen Ueberfluſſes und Segens im Hauſe; bey den Römern ſtreute der Bräutigam Nüſſe vor der Braut: daher *ſparge, marite, nuces*; davon —χυσμάτιον, τὸ, dimin. d. vorh. eine Brühe- Würze über ein Eſſen zu gieſsen. —χυτλον, τὸ, (καταχύω) Gieſskanne. —χυτρίζω, nach Scholiaſt. Ariſtoph. Veſp. 288 u. Etym. M. ſ. v. a. καταβλάττω. —χύω, ſ. v. a. καταχέω. —χωλεύω, lähmen, lahm machen: neutr. ſ. v. a. χωλεύω, Gregor. Naz. —χωνεύω, einſchmelzen. —χώννυμι, καταχωννύω, f. καταχώσω, ſ. v. a καταχόω, verſchütten: überſchütten: vergraben: zuſchütten. —χωρίζω, (χώρα) eintragen, einſtellen, an Ort und Stelle bringen oder ſetzen: niederſchreiben, niederlegen: davon —χωρισμὸς, ὁ, das Einſtellen, Eintragen, Niederlegen. —χωσις, ἡ, (καταχώννυμι) das Verſchütten, Vergraben: Geopon. 4, 3, 2.

Καταψαίρω, bey Suidas und Heſych. κινέομαι. —ψάλλω, durch Spielen der Cither ergötzen: Plut. Q. S. 7, 8. verb. es mit καταυλεῖν. S. καταυλέω. —ψάω, (ψάω) das lat. *permulcere*, mit der Hand ſtreicheln, das Pferd, Kinder, denen man ſchmeichelt oder die man ruhig machen will. —ψεκάζω, beträpfeln, beträufeln, benetzen. —ψελλίζω, (ψελλὸς) τὴν φωνὴν κατεψελλισμένος, mit ſtammelnder Sprache: Philoſtr. Icon. 1, 25. —ψεύδομαι, fut ψεύσομαι, m. d. Genit. belügen, vorlügen, erlügen, erdichten. —ψευδομαρτυρέω, ῶ, m. d. Genit. gegen einen falſches Zeugniſs ablegen. —ψευσις, ἡ, oder καταψευσμὸς. (—ψεύδομαι) das Belügen: die wider jemand oder von einem vorgebrachte Lüge, Strabo 1 p. 103. —ψέφω, bey Heſych. ſ. v. a. κατασκοτίζω und φροντίζω. —ψηφίζομαι, m. d. Genit. gegen einen ſtimmen: verurtheilen, verdammen; dav. —ψηφισμὸς, ὁ, oder καταψήφισις, ἡ, Verurtheilung, Verdammung. —ψήχω, (ψήχω) durchreiben, ſtreichen, ſtreicheln, zahm machen, beſänftigen, *permulcere, demulcere*, wie καταψᾶν. 2) durchreiben, ſägen, ſchneiden, klein machen, zerreiben, zerſägen. —ψιθυρίζω πρὸς τινά, m. d. Genit. τινὸς, einem vorflüſtern, einziſcheln wider jemand, einen verläumden bey jemand: Plutar. 7 p. 886. —ψιλόω, ῶ, ganz nackend oder kahl machen. —ψοφέω, *perſono*, τὰς ἐκκλησίας φιλήμασι, laſſen die Kirche von Küſſen erſchallen: Clemens Alex. —ψυκτικὸς, ἡ, ὸν, zum abkuhlen od. erkalten gehörig oder geſchickt. —ψυκτος, ὁ, ἡ, (καταψύχω) abgekühlt: abzukühlen: erkältet.

Κατάψυξις, ἡ, Abkühlung, Kühlung: Erkältung, Verkältung, *perfrictio*. — **ψυχρος**, ὁ, ἡ, ſehr kalt. — **ψύχω**, f. ξω, abkühlen, kalt machen: erfriſchen; 2) erkalten, verkälten. Es bedeutet aber auch dürren, trocken machen, trocknen: πράγματα ξηρὰ καὶ κατεψυγμένα Plutar. 6 p. 180.

Κατάωρος, ὁ, ἡ, das verſt. ἄωρος: Eurip. Troad. 1082.

Κατέαγα, das attiſche perfectum v. κατάγνυμι oder κατάσσω.

Κατεβλακευμένως, Adv. von partic. perf. paſſ. von καταβλακεύω Ariſtoph. träge, ſaumſelig.

Κατεγγυάω, ῶ, verbürgen: verloben. κατεγγυήσας αὐτὸν πρὸς εἴκοσι τάλαντα, er zwang ihn für 20 Talente Bürgſchaft zu leiſten: Polyb. 5, 15. med. ſich verbürgen, verloben, als Braut verſprechen laſſen; metaph. τὴν ὑπόθεσιν, ſich einen hiſtoriſchen Gegenſtand ausſuchen Polyb. 3, 5. wie *deſpondere* für beſtimmen. — **γύη**, ἡ, Verbürgung: Verlobung: Demoſth. — **γυητικὰ**, *ſponſalia*, Verlöbniſs: Gloſſar. St.

Κατεγκαλέω, ῶ, ſ. v. a. ἐγκαλέω, anklagen: Dionyſ. Areop. verklagen. — **κειμαι**, eindringen, zuſetzen: bey Hippocr. morb. mul. p. 654. ſ. v. a. κατάκ. zw. — **κλημα**, τὸ, ſ. v. a. ἐπίκλημα, Anklage, Beſchuldigung: Euſtath. — **κονέω**, ῶ, eilen: Heſych. — **χαίνω**, f. ανῶ, m. d. dat. verſpotten, verlachen: Ariſtoph. — **χέω**, eingieſsen: Athenaei p. 473. — **χλιδάω**, ῶ, m. d. Dat. ſpröde oder übermüthig begegnen, ſ. v. a. ἐντρυφάω Athenaeus 13 B.

Κατεδαφίζω, auf den Boden werfen, der Erde gleich machen und zerſtören. — **έδω**, verzehren, anfeſſen: fut. κατεδοῦμαι u. κατέδομαι bey Ariſtoph. perf. κατεδήδοκα. — **εθίζω**, gewöhnen: τινὰ τινί, woran Polyb. 4, 21.

Κατειάδιον, τὸ, Aretaeus 5, 2. ſcheint ſ. v. a. καθετήρ, Katheder, von κατίημι, joniſch ſt. καθίημι zu ſeyn: doch S. κατιάς.

Κατείβω, mit καταλείβω einerley.

Κατείδω, herabblicken, erblicken, überſehen, bemerken: Plato Soph. 16. κατειδότα, gewiſs wiſſend. — **δωλος**, ὁ, ἡ, mit Götzen- Götzenbildern angefüllt Act. 17, 16. wie κατάμπελος.

Κατεικάζω, (εἰκάζω) Herodot. 6, 112. ταῦτα μὲν νυν οἱ βάρβαροι κατείκαζον, dieſes vermutheten, ahndeten ſie von den Athenienſern und zu deren Nachtheile: vergl. 9, 109. — **εικής**, έος, ὁ, ἡ, ſ. v. a. ἐπιεικής. Heſych. — **ειλέω**, ῶ, bewickeln: einwickeln: zuſammenwickeln: zuſammendrängen u. einſperren, κατειληθέντες ἐς τὸ ἄστυ Herodot. 1, 116. vergl. 90. Heſych. erkl. es auch κατέχειν, καταβαλεῖν, συνέχειν, συστέλλειν. — **είλησις**, ἡ, das Einwickeln, Zuſammenwickeln. — **ειλίσσω**, jon. ſt. καθελίσσω.

Κατείλλω, ſ. v. a. καθείργω u. κατακλείω. Hippocr. — **ειλυσπάομαι**, ῶμαι, ſich herunter winden. Ariſtoph. Lyſiſtr. 722. — **ειλύω**, e. andre Form v. κατειλέω, umwickeln, einwickeln, bedecken. — **ειλωτίζω**, zum εἵλως od. Sklaven machen, unterjochen. Suid. — **ειμι**, herabkommen: wiederkommen, davon καταείσατο γαίῃ od. γαίης ſt. κατῆλθε εἰς τὴν γῆν. S. εἶμι. — **είργω** (ἔργω, εἵργω) ich treibe ein, ſchlieſse - ſperre ein: ἐς τὰς νέας κάτερξε, trieb ſie in die Schiffe zurück. Herodot. 5, 63. ich zwinge, dränge, nöthige. — **ειρωνεύομαι**, m. d. genit. ich brauche gegen jemand Ironie, um ihn zu verſpotten od. ihn zu täuſchen. m. d. acc. ἰδιώτου προσώπῳ καὶ φαυλότητι χλαμυδίου καὶ διαίτης εὐτελείᾳ κατειρωνευόμενος τὴν ἐξουσίαν der ſeine Macht u. Freyheit verſtellte u. verbarg: Plut. Phoc. 29. — **εκλύω**, auflöſen, ſchwächen, entkräften. Polyb. — **εκπλύνω**, ſ. v. a. καταπλύνω. Pollux 6, 49. — **εκφεύγω**, entfliehen, entkommen. Eurip. Cycl. 438. — **ελαύνω**, ich treibe hinein, ſtoſse hinein: 2) m. d. genit. wie *invehi in aliquem* auf- gegen einen reiten - fahren - losziehn: κατελάσας τῆς Ὀπώρας Ariſtoph. Pac. 711. obſcön, wie reiten. — **ελέγχω**, f. ξω, das verſtärkte ἐλέγχω: zw. — **ελεέω**, ῶ, ſich erbarmen. zweif. — **έλευσις**, ἡ, das Herabkommen: Rückkehr. zw. — **ελίσσω**, jon. ſt. καθελίσσω bewickeln. — **ελπίζω**, bey Herodot. 8, 136. ſ. v. a. ἐλπίζω, auch bey Polyb. doch mit dem Nebenbegriffe von Verachtung des Feindes. — **ελπισμὸς**, ὁ, ſ. v. a. ἐλπὶς b. Polyb. 3, 72. wo jedoch die eine Handſchrift κατεπελπισμὸς hat, d. i. Reiz, Lockung, welches vorzuziehn wäre. — **εμβλέπω**, anſehen. zw. — **εμέω**, m. d. genit. beſchreyen, anſchreyen. — **εμματέω**, S. καταματέομαι. — **εμπάζω**, Nicand. Ther. 695. nach dem Schol. καταλαμβάνω, κατεπείγω oder κατοπάζω. — **εμπεδόω** ὅρκοις Nicetas Annal. 5, 4. τινὰ, einen ſchwören laſſen, um ſich ſeiner Treue zu verſichern. — **εμπρήθω**, ſ. πρήσω, anbrennen, verbrennen, anzünden. Eur. Herc. 1151. — **εναίρω**, ermorden, im medio, Nicander. — **έναντι**, Adv. ſ. v. a. κατεναντίον, und nomina von —τίος, gegen entgegen. — **εναρίζω** ναίρω. Sophocl. — **ενδεής**, έος, ὁ, ἡ, bedürftig, ſ. v. a. ἐνδεής. zw. — **ενέγκω** u. κατένεξις, ἡ, ſ. v. a. καταφέρω u. καταφορά. — **ενεχυράζω**, verpfänden; dav. κατενεχυρασμὸς, ὁ, die Verpfändung; Pollux 8, 148.

Κατενυύω, S. καταέννυμι. —εντείνομαι, s. v. a. κατατ. bey Anton. philos. —εντευκτής; οῦ, ὁ, (κατεντυγχάνω) Ankläger. Iobi c. 7. —εντρυφάω, s. v. a. κατεγχλιδάω, Gloss. Philox. —εντυγχάνω, τινὶ (κατὰ) τινὸς sich bey einem über jemand beschweren od. beklagen; ihn verklagen: Basilius u. Euseb. —ενῶπα, κατένωπα, Adv. Il. 15, 320 m. d. genit. s. v. a. κατεναντίον, entgegen, gegen. —ενώπιον, s. v. a. d. vorherg. u. κατέναντι. —εξανάστασις, εως, ἡ, (κατεξανίσταμαι) das Aufstehen gegen einen, Empörung, Widersetzung, Verachtung: Jambl. Pythag. §. 158. davon —εξαναστατικὸς, ἡ, ὸν, zum Aufstande-Widersetzung-Widerstande gehörig-führend od. geschickt. —εξανίσταμαι, (κατὰ, ἐξαν.) m. d. genit. ich erhebe mich gegen jemand, rüste mich-streite wider ihn-mit ihm. Plutarch. Phoc. 10. —εξεράω, m. d. genit. Clemens Coh. p. 46. bekacken, bepissen. S. ἐξεράω, —εξετάζω, d. verst. ἐξετάζω. Pandect. —εξουσιάζω, gegen einen seine Macht oder Gewalt brauchen oder üben Matth. 20, 25. davon —εξουσιαστικὸς, ἡ, ὸν, ῥάβδος ἀρχικὴ καὶ κατεξ. womit die Regierung und Ausübung der Gewalt angedeutet wird. Clemens Paed. 1 p. 134. —εξούσιος, ὁ, ἡ, s. v. a. αὐτεξούσιος: sehr zweif. —επαγγελία, ἡ, das Zusagen, Versagen: von —επαγγέλλομαι, zusagen: zum Gebrauche versprechen: τῇ φιλίᾳ τὴν πολιτείαν Plutar. 9, p. 219. —επάγω, πᾶσι τὴν τιμωρίαν κατ. Plutar. 8 p. 179 s. v. a. *injungere poenam*, auflegen. —επάδω, m. d. genit. vorsingen: κατεπάδουσα συνεχῶς τοῦ βασιλέως τὴν τοῦ καίσαρος ἐς αὐτὸν εὔνοιαν, bey Suidas m. d. acc. bezaubern, einschläfern, durch Zaubermittel bezwingen, in seine Gewalt bringen, zähmen. —επαίρομαι, m. d. genit. sich gegen einen erheben od. brüsten. —επακολούθημα, τὸ, f. L. st. κατ' ἐπακ. Clem. al. p. 429. —επάλληλος, ὁ, ἡ, abwechselnd: Schol. Apollon. —επείγω, drängen, drücken, treiben, antreiben, eilig machen: bedrängen, drängen, dringen, betreiben, beschleunigen: τὰ κατεπείγοντα das Dringendste nothigste: die Noth, Bedürfniss. Polybius sagt κατεπείγεσθαι τινὸς für eine Sache nöthig haben und darnach verlangen, 5, 37. 30, 5. —επεισόδιος, s. v. a. ἐπεισόδιος: Athenäus 10 p. 459. zw. —επευφημίζω, θρόνον Ἀλεξάνδρῳ κατεπευφημισμένον Plutar. Eum. 13. *nuncupatum Alexandro*, dem Alexander geweihet und nach ihm benannt: S. ἐπιφημίζω. —επιγάστριος, ὁ, ἡ, s. v. a. ἐπιγάστριος, Theophilus Protosp. fabr. corp. hum. 2, 9. —επιδείκνυμαι, sich gegen einen zeigen, sich brüsten. Antonin. 11, 13. —επίθυμος, ὁ, ἡ, begierig, verlangend. zw. Glossar. St. hat κατεπιθύμιος, *desiderabilis*, wünschenswerth. —επιλαμβάνω, ergreifen, angreifen: bey den LXX. —επιορκέω, ῶ, durch Meineid betreiben-durchsetzen oder überwinden: Demosth. p. 1269. —επιτηδεύω, bey Dionys. hal. vom Ausdrucke, der mit vieler Sorgfalt ausgearbeitet, mit Kunst oder Schmuck überladen ist. 6. pag. 921. —επιφεύγω, f. ξω, s. v. a. καταφεύγω: Dio Cass. —επιχειρέω, ῶ, Hand an einen legen, angreifen: anfallen: m. d. genit. Eustath.

Κατέπω, κατειπεῖν τινὸς, wider jemand sprechen, anklagen: auch mit dem acc. angeben, anzeigen und verklagen, gestehn od. gerade heraussagen: εἰ μὲν οὖν μοι συνοίσει κατειπόντι τὴν ἀλήθειαν Isocr. —εράω, heraus-herunter-hineingiessen. —εργάζομαι, bewirken, vollenden, zu Stande bringen: besiegen, überwinden, bezwingen, tödten, wie *conficio*, Xen. Cyr. 4, 6. 4. Im guten Sinne, einen wohin bringen, gewinnen, wozu bewegen, Xen. Mem. 2. 3. 11 u. 16. τὶ, sich etwas erwerben, als τὸ εἰδέναι, Xen. Mem. 3, 6. 18. die Kenntnis: v. Dingen, bearbeiten, verarbeiten. —εργάθω, bey Aeschyl. Eum. 569. κατεργάθομαι, st. κατείργω. —εργασία, ἡ, (κατεργάζομαι) das Bereiten, Verfertigen: Erwerben, Verdienen, Verarbeiten, Verdauen u. s. w. —εργαστικὸς, ἡ, ὸν, zum bewirken-vollenden gehörig od. geschickt. —έργαστος, ὁ, ἡ, ausgearbeitet, mühsam-sorgfältig bearbeitet. zw. —εργὸς, ὁ, ἡ, (κατὰ, ἔργον) bearbeitet, auch durch Arbeit entkräftet. —έργω, bey Herodot. 17, 102. ist κατέργοντες verderbt. —ερεθίζω, d. verstärkte ἐρεθίζω. zweif. —ερείδω, dargegen stellen, stützen: neutr. κατερείσαντος ἀνέμου indem der Wind dargegen-darauf losbrach, wie κατασκήπτω, Dio Orat. 74 p. 396. —έρεικτος, zerrissen, zerspaltet, gebrochen, geschroten: v. —ερείκω, (ἐρείκω, κατὰ) ich zerreisse. κατηρείκοντο τὰ ἐσθῆτος ἐχόμενα Herodot. 3, 66. sie zerrissen ihre Kleider. χερσὶ καλύπτρας κατερεικόμεναι Aeschyl. Pers. 537. ich zerbreche, schrote auf der Mühle, mache ἔρειγμα, Aristoph. Vesp. 649. τὸν ἐμὸν θυμὸν κατερεῖξαι, um meinen Zorn zu brechen. —ερείπω, einreissen, niederreissen: bey Photius findet man auch κατερειπώθη; von κατερειπόω, S. κατεριπόω. —ερεύγω, m. d. genit. anrülpsen, anspeyen, entgegen rülpsen oder speyen.

Κατερεφὴς, ὁ, ἡ, ſ.v. a. d. gewöhnlichere κατηρεφὴς, bedeckt: zw. —ερέφω, f. ψω, bedecken, bedachen: Apoll. rhod. 2, 1075. —ερέω, (ἐρέω, κατὰ) ich zeige an, klage an, m. d. genit. u. acc. αὐτὸς ἐγὼ σφέας κατερέω πρὸς τὸν μάγον, ſo will ich euch ſelbſt bey dem Magus angeben, Herodot. 3, 71. —ερητύω, aufhalten, zurückhalten. —εριθεύομαι, durch Kabale jemand beſiegen - unterdrücken. S. ἐριθεύομαι. —ερικτος, ſ. v. a. κατέρεικτος. —εριπόω, ſ. v. a. κατερείπω, Suidas: davon —ερίπωσις, ἡ, das Einreiſsen, Niederreiſsen, Suid. —ερυθραίνω, roth machen oder färben. Heſych. —ερυθριάω, das verſtärkte ἐρυθριάω, Heliodori aeth. 10 p. 486. —ερυκάκω, oder κατερυκάνω, κατερύκω, aufhalten, zurückhalten. —ερύω, herunter - nieder - herabziehn. —έρχομαι, herab - herunter - hernieder - zurückkommen: wiederkommen. —ερῶτα, Adv. ſt. καὶ ἄλλοτε auch ſonſt aeoliſch Sappho bey Dionyſ. Compoſ. c. 23. v. ἐτερῶτα ſt. ἑτερῶθε: Heſych. hat κατέροτα καὶ ἄλλοτε, wo aber Koen ad Gregor. pag. 274. das aeoliſche κατέρυτα vorzog. —εσθίω, aufeſſen, verzehren. —εσπευσμένως, Adv. (κατασπεύδω) in Eile, eilfertig, eilig. —εσπουδασμένος, Adv. —μένως, (κατασπουδάζω) ſorgfältig, eifrig: δέησις, *preces enixae.* Dionyſ. Ant. p. 2305.

Κατεστραμμένως, Adv. vom perf. paſſiv. von καταστρέφω, umgekehrt.

Κατεσχαρόω, (ἐσχάρα) verſchorfen, mit einem Schorfe die Wunde überziehn: Heſych. —ευγμα, τὸ, (κατεύχομαι) Gelübde: u. ſ. v. a. κατάρα. —ευδαιμονίζω, ſehr glücklich preiſen. Joſeph. b. j. 1, 33, 8. —ευδοκέω, m. d. Dat. billigen, loben, zufrieden ſeyn. Polyb. —ευημερέω, u. κατευδοκιμέω, Diodor. Sic. m. d. genit. mehr Glück und Beyfall als ein anderer haben, einen an Glück u. Beyfall übertreffen. —ευθικτέω, (εὔθικτος) recht berühren, treffen. 2 Maccab. 14, 43. —ευθὺ, Adv. gerade zu, gerade aus. Xen. Symp. 5, 2. gerade gegen über. —ευθυντὴρ, ῆρος, ὁ, od. κατευθυντὴς, ὁ, d. i. κατευθύνων; davon —ευθυντηρία, ἡ, dadurch erklärt der Schol. Hom. das Wort στάθμη Richtſchnur, verſt. κάθετος, ἡ, von —ήριος, richtend. —ευθύνω, ich richte gerade, ich richte ein, regiere, lenke, leite; 2) κατευθύνειν αὐτοῦ τὸν εὔθυνον, Plato Leg. 12 p. 183. ſ. v. a. καταδικάζειν; 3) neutr. κατευθύνειν verſt. βίον, glücklich leben, ſeyn, bey den LXX. τῇ πτήσει ὄρθιος ἐπὶ τοὺς πολεμίους κατ. Plutar. 11 p. 80. gerade gegen die Feinde zufliegen. —ευκαιρέω, Polyb. 12, 4. κατευκαιρήσας ἀπάγει, bey guter Gelegenheit führt er ſie fort. —ευκηλέω, (εὔκηλος) beſänftigen, ſtillen: ruhig machen: Apoll. 4, 1059. —ευκτικὸς, ἡ, ὸν, Adv. —κῶς, wünſchend, verwünſchend. —ευκτος, ὁ, ἡ, gewünſcht, gelobet: Heſych. —ευλογέω, das verſtärkte εὐλογέω, loben, preiſsen. —ευμαρίζω, nach Heſych. Suid. u. Phot. ſ. v. a. κατευχειρίζω, erleichtern, ebnen: auch hat Heſych. κατεξευμαρίζοντος, κατευθύνοντος leicht machen, erleichtern.

Κατευμεγεθεῖν, mit dem genit. nach Heſych. und Suid. ſ. v. a. καταδυναστεύω,: Nicetas Annal. 21, 9. braucht es. —ευνάζω, (εὐνὴ) zu Bette oder in den Schlaf überh. zur Ruhe bringen: beſänftigen, beruhigen, mildern, ſtillen; davon —ευνασμὸς, ὁ, das zu Bette - in den Schlaf oder zur Ruhe Bringen: die Beruhigung: Plutarch. —ευναστήριος, ὁ, ἡ, (κατευναστὴρ ſt. κατευναστὴς) ſ. v. a. κατευναστικὸς. —ευναστὴς, οῦ, ὁ, (κατευνάζω) der zu Bette, in den Schlaf oder überh. zur Ruhe bringt; überh. der da ſtillt, lindert: auch ſ. v. a. κατακοιμιστὴς. —ευναστικὸς, ἡ, ὸν, (κατευνάζω) zum Einſchläfern - Beruhigen - Stillen bequem oder darinne geübt - geſchickt. —ευνάω, ῶ, ſ. v. a. κατευνάζω. —ευοδόω, ῶ, das verſtärkte εὐοδόω als act. oder neutr. Judicum c. 8. act. Geopon. Prooem. 11. einen glücklichen Weg oder Fortgang gewähren, gedeihen laſſen. —ευόδωσις, εως, ἡ, glücklicher Fortgang: Gloſſar. Steph. —ευορκέω, ῶ, wahr und feyerlich ſchwören bey einem Gotte: Gorgias bey Ariſtot. Rhet. 3, 3. hat auch κατευορκίζω geſagt. —ευόροφος, ὁ, ἡ, f. L. ſt. κατ᾽ εὐόρ. Antipatri Epigr. 19. —ευπορέω, ſ. v. a. εὐπορέω mit der Nebenbedeutung wider jemand: Diodor. 17, 45. —ευρύνω, erweitern. —ευστοχέω, ῶ, ſ. v. a. κατευτυχέω, erzielen, glücklich treffen oder ſeyn: Diod. Sic. —ευτελίζω, das verſtärkte εὐτελίζω: Plutar. 10 p. 514. —ευτρεπίζω, zurechtmachen, wieder in Ordnung bringen: Cyrop. 8, 6, 16. Ariſtoph. Eccleſ. 510. —ευτυχέω, ῶ, mit dem genit. glücklich ſeyn gegen einen - in einer Sache. —ευφημέω, Lob - Beyfall - Glückwünſche zurufen: auch mit dem acc. Plutar. —ευφραίνω, erfreuen, ergötzen: Luciani Amor. —ευχειρίζω, ſ. v. a. κατευμαρίζω: Suidas. —ευχὴ, ἡ, Wunſch, Gebot, Gelübde. —εύχομαι, m. dem genit. verwünſchen, verfluchen: ſ. v. a. καταράομαι: auch geloben bey: wünſchen, bitten: Theocr. 1, 97. ſich berühmen, prahlen. —ευωχέω, (εὐωχὴ) ſich ſatt - voll eſſen bey einem Schmause: Aristot. Eudem. 3, 1. verb. μεθύων mit κατευωχηκώς: gewöhnl. im medio: Plutar. 7 p. 434. bey Clemens Alex. im activo bewirthen.

Κάτεφθος, ὁ, ἡ, f. v. a. κάθεφθος: Athenaei 2. 18. —εφίστημι, gegen einen aufstehen. —εχθραίνω, befeinden, anfeinden, hassen: Juliani or. 5. —εχμάζω, f. v. a. κατέχω: Hesych. welcher auch κατέχμασον für καταφόνευσον, wahrsch. st. καταίχ. hat. S. auch κατοχμάζω. —έχω, f. καθέξω, od. κατασχήσω, festhalten, anhalten, zurückhalten, aufhalten: in Besitz nehmen, von der Gottheit, besitzen, begeistern: behalten: mit dem particip. κατέχουσι διώκοντες Herodot. 6, 41. lassen nicht ab ihn zu verfolgen: halten mit dem Verfolgen an: neutr. anlanden, anfahren, verstanden τὴν ναῦν, das Schiff wohin führen und anhalten: κατασχομένη Il. 3, 419. sich bedeckend, verbergend, wie Odyss. 6, 141. ἄντασχομένη verst. τὴν χεῖρα. —έψησις, und κατέψω, f. v. a. καθέψησις u. καθέψω Diod. Sic.

Κατηβολέω, einen Fieberanfall haben: in Ohnmacht fallen; von —βολή, ἡ, Fieberanfall: Ohnmacht: in Galeni Glossar. steht auch κατηβολὶς dafür.

Κατηγεμών, jon. statt καθηγ. —γέομαι, jon. st. καθηγ. —γορέω, gegen einen reden, von einem oder wider einen reden, ihn tadeln, schelten, ist dies im Gericht, angeben, anklagen, verklagen: daher verrathen oder zu erkennen geben: Xen. Cyr. 1, 4. 3. in der Logik, von einer Person oder Sache sagen, behaupten, eine Behauptung, einen Satz aufstellen; dav. —γόρημα, τὸ, (κατηγορέω) ein Punkt der Klage. Verbrechen weswegen man angeklagt wird, Beschuldigung: Dionys. 11, 12. τρόπου, was man an dem Charakter eines Menschen zu tadeln hat: Demosth. —γορία, ἡ, (κατηγορέω) Anklage, Beschuldigung: Angabe, Prädikat, Eigenschaft, welche man einer Sache oder Person beylegt od. v. ihr nennt oder anführt: davon —γορικός, ἡ, όν, Adv. —κῶς, zur Anklage-zum Beschuldigen gehörig oder geneigt: zur Kategorie-zum Prädikate gehörig, dergleichen betreffend oder von der Art einer Kategorie. —γορος, ὁ, κατηγορέων, Ankläger.

Κατήκοος, ὁ, ἡ, (κατὰ, ἀκοὴ) einer der hört, erhört; 2) der gehorcht: Unterthan; 3) der Horcher, Spion. —ήκω, jonisch st. καθήκω.

Κατῆλιψ, φος, ἡ, bey Aristoph. erklären einige durch Dach, andre durch Leiter und ἰκρίωμα, wahrsch. der Oberstock des Hauses. Bey Theocr. 4, 56. heisst ἀναίλιπος, ἀνήλιπος, ἀνάλιπος ohne Schuh, von ἦλιψ, der Schuh. Hesych. hat auch κατάλιψ. S. νήλιπος. —λογέω, und κατηλοκίζω, falsche Lesarten st. καταλογέω und καταλοκίζω. —λυς, υδος, ὁ, ἡ, herabgehend, abschüssig: Nonn. —λυσία, ἡ, und κατήλυσις, ἡ, das hinab- oder hinuntergehn: der Gang od. Weg hinunter: Aratus Phoen. 536.

Κατῆμαρ, Adv. d. i. κατ' ἦμαρ, täglich. —μελημένως, Adv. vernachlässigt, nachlässig, part. praet. pass. S. καταμελέω. —μύω, senken, sinken lassen: κατήμυσαν θυμὸν ἀχέεσσι, Apollon. 2, 862. S. ἠμύω.

Κατηναγκασμένως, Adv. gezwungen, zwangsweise: vom partic. praet. pass. S. καταναγκάζω. —νεμος, ὁ, ἡ, (ἄνεμος) gegen den Wind liegend: dem Winde ausgesetzt.

Κάτηξις, εως, ἡ, jonisch st. κάταξις, das Zerbrechen; 2) st. κάθηξις, Rückkunft. zweif.

Κατήορος, ὁ, ἡ, herabgelassen, herabhängend, schwebend wie ἐπήορος.

Κατηπιάω, ῶ, (ἤπιος) lindern, mildern, stillen, besänftigen.

Κατηρεμέω, ῶ, oder κατηρεμίζω, beruhigen, besänftigen: Plutar. 7 pag. 508. —ρεφής, έος, ὁ, ἡ, (ἐρέφω) gut bedeckt oder umschattet: von Bäumen dicht belaubt, schattigt. —ρης, ὁ, ἡ, (ἄρω, κατὰ) ausgerüstet, fertig: 2) hängend, schwebend, von αἴρω: Eurip. Supp. 110. vergl. Elect. 498. Iphig. 1346. 3) mit Ruderern versehn. Herodot. 8, 21. wie τριήρης von ἔρω, ἐρέω, ἐρέσσω.

Κατήφεια, ἡ, Niedergeschlagenheit, Traurigkeit, Schaam. S. κατηφής. —φέω, ich bin niedergeschlagen, traurig, beschämt: von —φής, ὁ, ἡ, niedergeschlagen, traurig, beschämt. Man leitet es von κάτω, φάη, φάος ab, der die Augen niederschlägt, daher Plutarch. die κατήφεια beschreibt: λύπην κάτω βλέπειν ποιοῦσαν. Ist also einerley mit κατωπὸς, κατωπιάω. —φία, ἡ, jonisch f. v. a. κατήφεια; dav. —φιάω, davon partic. κατηφόων, f. v. a. κατηφέω. —φών, ὁ, Priamus nennt seine Söhne κακὰ τέκνα, κατηφόνες, die den Eltern Schande oder Traurigkeit verursachen, dedecus, probrum. Andre nehmen es als adject. st. ἀναίσχυντοι.

Κατηχέω, ῶ, entgegentönen: beschallen, umschallen, umtönen. μέτροις κατᾴδουσι καὶ μύθοις κατηχοῦσι τοὺς ἀκούοντας, bezaubern und ergötzen durch das Versmaas und wohlklingende Mythen, Lucian, 6 p. 271, gewöhnlicher, unterrichten, belehren, benachrichtigen; davon —χημα, τὸ, Schall, zw. —χής, έος, ὁ, ἡ, S. καταχής. —χησις, ἡ, die Bezauberung, Betäubung durch Töne;

2) das Unterrichten: Hippocr. der Unterricht: Dionys. halic. die Kenntniss.

Κατηχητὴς, ὁ, (κατηχέω) ein Unterrichter, Lehrer. —χητος, der unterrichtet wird - worden ist. —χίζω, s. v. a. κατηχέω; davon —χισμὸς, ὁ, die Unterrichtung, die Lehre worin man unterrichtet. —χιστὴς, ὁ, s. v. a. κατηχητὴς; davon —χιστικὸς, ἡ, ὸν, zum Unterrichte gehörig od. geschickt.

Κατηχουμένια, κατηχουμενεῖα, τὰ, Stellen - Plätze für die Katechumenen.

Κατιάπτω, f. ψω, verletzen, verderben: Odyss. 2, 376. S. ἰάπτω.

Κατιὰς, αδος, jonisch st. καθιὰς: b. Paul. Aeg. 6, 73 und 74. ein chirurgisches Instrument zum zerschneiden oder zertheilen. S. κατειάδιον.

Κατιθὺ, Adv. s. v. a. κατευθὺ, gerade über, gegen über. —θύνω, s. v. a. κατευθύνω.

Κατικμαίνω, befeuchten, benetzen, u. so erweichen: Lycophr. 1053.

Κατιλλαίνω, (ἰλλαίνω) ich verspotte, indem ich von der Seite blinzle, nikke. S. κατιλλώπτω: davon —ιλλαντὴς, ὁ, einer der mit blinzelnden Augen von der Seite sieht: Aristot. Physiogn. —ίλλω, Pausanias erklärte κατείλαδα νύκτα durch κατίλλουσαν, und dieses durch καθείργουσαν. In Hippocr. erklärt Erotian. φωναὶ κατειλλουσαι d. κατεχόμεναι, Dioscorides aber d. κατίλλειν durch κατείργειν, κατακλείειν und lass κατίλλουσαι, Galen durch κατακλειόμεναι, ἐνειλούμεναι, δεδεμέναι. S. auch κατειλέω u. ἐξίλλω. —ιλλώπτω, (κατὰ, ἰλλώπτω) ich sehe mit blinzelnden Augen nach etwas, um es genauer zu betrachten oder um zu liebäugeln od. zu verspotten: S. ἰλλώπτω. Daher 1) genau zusehn, betrachten: εὖ κατιλλώψας ἄθρει: Aeschyl. 2) verliebt zublinzeln, zunicken. τῇ θεραπαίνῃ, adnictare ancillae lascivis oculis. κατιλλώπτων πρίαπος, Priap mit geilen Blicken. S. ἐγκατιλλ. und ἐπιλλίζω. —ιλύω, (ἰλὺς) ich überschütte mit Schlamm - Moder - Koth: ich verschlamme: Xen. Oecon. 17, 13. —ιόω, (ἰὸς) ich überziehe mit Rost, mache verrosten: mache fleckigt. —ισχναίνω, ich mache ganz mager. —ισχνος, ὁ, ἡ, sehr mager; davon —ισχνόω, s. v. a. κατισχναίνω: Joseph. Antiq. 2, 5, 5. —ισχύω, bezwingen, überwältigen, m. dem genit. Aelian. h. a. 5, 19. bey Dionys. Antiq. mit dem accus. einem Gewalt anthun, durch Gewaltthätigkeit beleidigen: derselbe 6, 65. braucht es auch für bestärken: bey Polyb. überhand nehmen und die Oberhand haben oder behalten. —ίσχω, eine andere Form von κατέχω, so wie das simplex ἴσχω statt ἔχω. —ιτήριος, (κάτειμι) zum Herabgehn oder zur Rückkunft gehörig, dieselbe betreffend: κατιτήρια verst. ἱερὰ, Opfer für die glückliche Rückkehr: Hesych. vergl. Moeris p. 222.

Κατοδυνάω, ῶ, sehr schmerzen oder grossen Schmerz machen: bey d. LXX. —οδύρομαι, beklagen, beweinen. —οίησις, ἡ, (κατοίομαι) Einbildung von sich: Plutar. 10 p. 602. verb. es m. μεγαλαυχία. —οικὰς, άδος, ἡ, s. v. a. κατοικίδιος: Nicander Alex. 60 und 535. welcher Theriac. 557. dafür κατοικὶς sagt. —οικεσία, ἡ, s. v. a. κατοίκησις. zw. —οικέσια, τὰ, verst. ἱερὰ von κατοικέσιος, ein jährliches Fest zum Andenken der Ankunft oder Niederlassung an einem Orte: Gregor. Naz. —οικέω, ῶ, bewohnen: davon —οίκησις, ἡ, das Bewohnen: Wohnung, Aufenthalt. —οικητήριον, τὸ, Wohnung: im N. T. eig. neutr. von —ήριος, verst. χωρίον, von —κητὴρ, der Bewohner. —οικία, ἡ, Wohnung, Behausung: Kolonie: Strabo Landhaus, Meyerey. —οικίδιος, ὁ, ἡ, auch —δία, ἡ, (οἰκία, κατὰ) zum Hause gehörig: im Hause befindlich: häuslich: ὄρνις, Haushuhn. —οικίζω, in eine Wohnung bringen, versetzen: Aristoph. Pac. 205 εἰς φῶς ἡλίου, Eur. Hipp. 617. in das Tageslicht bringen. πόλιν, γῆν, bebauen, anbauen, mit Einwohnern - Anbauern - Kolonisten besetzen, bevölkern: Aristoph. Au. 196. Eur. Phoen. 645. auch wieder aufbauen und besetzen oder bevölkern. —οικὶς, ίδος, ἡ, S. κατοικάς. —οίκισις, ἡ, und κατοικισμὸς, ὁ, (κατοικίζω) das Anbauen und Besetzen mit Einwohnern - Kolonisten. —οικιστὴς, οῦ, ὁ, (κατοικίζων) der einen Ort anbaut durch Kolonisten, Stifter einer Stadt oder Kolonie. —οικοδομέω τὶ τῶν δημοσίων, ich baue - bebaue - verbaue; 2) ich setze - sperre in ein Haus ein: Isaeus p. 224. S. ἐγκατοικοδομέω. —οικονομέω, ῶ, wirthlich oder sparsam einrichten - eintheilen, ménager: Plutar. 5 p. 407. —οικος, ὁ, ἡ, Bewohner, Einwohner. —οικοφθορέω, ῶ, (S. οἰκοφθορέω) einen ganz ums Vermögen bringen: κατοικοφθόρησε τὴν πόλιν, brachte die Stadt ums Vermögen: Plutar. Alcib. —οικτείρω, und κατοικτίζω, vorz. im medio κατοικτίζομαι, mit dem acc. ich beklage, ich habe Mitleiden, bezeige jemandem mein Mitleiden; davon —οίκτισις, ἡ, und κατοίκτρισις, das Beklagen oder Bezeigen des Mitleides. —οιμώζω, bejammern, beklagen: Hesych. —οινος, ὁ, ἡ, von Weine trunken; dav. —οινόω, mit Weine trunken machen. —οίομαι, Einbildung von sich oder Eigendünkel haben, bey den LXX. Habac. 2. davon κατοίησις.

Κατοίχομαι, hinuntergehn: sterben: das praes. wird meist als perf. gebraucht, οἱ κατοιχόμενοι, die gestorbenen. —οιωνίζομαι, aus Phalar. Ep. eine Vorbedeutung bekommen haben oder abnehmen. —οκλάζομαι, s. v. a. ὀκλάζω: Strabo 3 p. 436. S. —οκνέω, ῶ, aus Trägheit oder Furcht etwas unterlassen, verabsäumen: auch s. v. a. das verstärkte ὀκνέω. S. auch κατόνημι. —οκωχή, ἡ, s. v. a. κατοχή. —όλεθρος, s. v. a. κατώλ. zw. —ολιγωρέω, ῶ, vernachlässigen, verabsäumen. —ολισθαίνω, κατολισθέω, ῶ, herunter- herab- hinein- gleiten - glitschen - fallen - verfallen - versinken: herabkommen. —ολολύζω, (ὀλολύζω) Aeschyl. Agam. 1126: γένει κ. was hernach ἐπορθιάζω δώμασι heisst, mit Jammergeschrey anwünschen oder verwünschen. —ολοφύρομαι, bejammern, beklagen. —ομβρέω, beregnen, benetzen; davon —ομβρία, ἡ, das Beregnen: Ueberschwemmung: Glossar. —ομβρίζω, beregnen: Geopon. 2, 8, 4. —ομβρος, ὁ, ἡ, sehr beregnet oder dem Regen ausgesetzt. —όμνυμι, medium κατόμνυμαι und κατομνύω, (κατὰ, ὀμόω, ὀμνύω) ich beschwöre - bekräftige durch einen Eid: τῆς κεφαλῆς, τῶν θεῶν, beym Kopfe, bey den Göttern schwören: auch θεοὺς κατομόσαι. Mit d. genit. wider jemand schwören und ihn anklagen: Herodot. 6, 65. κατόμνυται Δημαράτου. —ομφάλιος, ὁ, ἡ, (ὀμφαλὸς) τετάνυσται οὐρὰ Nicand. Ther. 290. vom Nabel oder After an, wie κατωμάδιος. —ονειδίζω, beschimpfen: tadeln. zweif. —ονεύομαι, (ὀνεύω) durch das Umdrehen der Winde ausspannen, ausstrecken: Galeni Glossar. —ονέω, κατόνημι. S. in κατονόω. —ονομάζω, benennen: zusagen, verloben: Polyb. 5, 43. bestimmen, widmen, weihen. —όνομαι, S. κατούδω. —ονομασία, ἡ, (—άζω) Benennung: Einweihung, Bestimmung. —ονόω, gewöhnlicher κατόνομαι, von ὄνομαι verachten, tadeln: bey Arat. Dios. 410 τῶν μηδὲν κατόκνησο, hat der Schol. μηδὲν καταμεμψάμενος erklärt, also κατόνησο gelesen wie auch eine Handschr. hat, die andre aber κατόνοσσε; die erstere Form κατόνησο wäre von κατονέω κατόνημι, wie Aratus von πονέω hat πεπόνησο: Herodot. 2, 136 μή με κατονοσθῇς, wo καταμέμφεσθαι die Erklärung ist. —οξος, ὁ, ἡ, S. in κάθαλος. —οξύνω, sehr spitzig oder schnell machen, beschleunigen: Athenaei p. 637. —οξυς, ξεῖα, ξυ, das verstärkte ὀξὺς, sehr spitzig, scharf, hell: oder scharf oder spitzig zugehend. —οπάζω, (ὀπάζω) bey Hesiod. oper. 324. folgen, verfolgen, vertreiben, s. v. a. διώκω. —όπιν, κατόπισθε und vor einem Vokale κατόπισθεν, ohne Casus u. mit dem genit. hinter: von der Zeit, nach, κατόπιν ἑορτῆς; davon ὁ κατόπιν χρόνος, die folgende Zeit. Dieses κατόπιν, ἀνόπιν, μετόπιν, ist von ὄπις, dieses von ἕπω ich folge, also eigentl. die Folge, daher κατ' ὄπιν in der Folge, nach, wie *secundum*, s. v. a. *pone*, *post* von *sequi*. Von ἕπω kommt ὀπάζω, κατοπάζω. —οπτάω, ῶ, sehr oder stark braten od. rösten. —όπτευσις, ἡ, das Ausspähen: Belauschen: und

Κατοπτευτήριος, ὁ, ἡ, (κατοπτευτὴρ, von κατοπτεύω) zum ausspähen - belauschen geschickt - gehörig. —οπτεύω, (ὄπτω) ich forsche aus und verrathe: ὑπὸ λουτροῦ κατωπτεύθησαν, Xen. Oec. 10, 8. ἐκπέμπουσι ἐς τὰ χωρία τὰ ὕποπτα τοὺς κατοπτεύσοντας, Arrian. Ven. 15 u. 20. —οπτὴρ, ῆρος, ὁ, belauernd, wie κατόπτης: hymn. hom. 2, 372. davon —οπτήριος, ὁ, ἡ, s. v. a. κατοπτευτήριος: Strabo 9 p. 648. —όπτης, ου, ὁ, s. v. a. κατοπτὴρ u. κατάσκοπος. —οπτία, ἡ, s. v. a. κατόπτευσις. zw. —οπτίλλεται ἐμοὶ s. v. a. δοκεῖ, Dius Stobaei Serm. 159. von ὀπτίλος: wovon auch κοτοπτίλλουσιν st. προσοπτ. den ansehenden, welches in demselben Fragmente Ruhnken st. κοτοκέλλουσι setzte: Koen ad Gregor. p. 114. —όπτομαι, besehen, beschauen; ausspähen, erforschen. —οπτος, ὁ, ἡ, (κατόπτω) zu sehen, sichtbar: in dem Glossar. auch s. v. a. κατόπτητος, sehr gebraten: wird auch aus Dioscor. angeführt. —οπτρίζω, (κάτοπτρον) ich zeige im Spiegel - wie im Spiegel: medium, sich spiegeln, sich im Spiegel sehn oder besehn. —οπτρικὸς, ἡ, ὸν, Adv. —κῶς, (κάτοπτρον) den Spiegel betreffend, zu dem Spiegel gehörig: ἡ κατ. verst. τέχνη oder ἐπιστήμη, die Lehre v. den vom Spiegel zurückgeworfenen Strahlen, Katoptrik. —οπτρον, τὸ, ein Spiegel: bey Aeschyl. Agam. 317 haben einige Ausg. κάτοπτρον st. κάτοπτον: Hesych. hat κάτοπτρον für ἀόρατον angemerkt. —οργάω, s. v. a. ὑπεραγκάζω: Hesych. u. Phot. —οργιάζω, zu den Orgien oder Mysterien einweihen, zu deren Feyer vorbereiten, darin unterrichten, einen begeistern zur Feyer derselben: Plutar. 9 p. 69. —ορθόω, ῶ, (ὀρθὸς) aufrichten, grade machen: aufrecht erhalten, ordnen, anordnen: recht oder gut machen: glücklich vollführen: κατώρθωσαι φρενὶ Aeschyl. Choe. 510 hast beschlossen; davon —όρθωμα, τὸ, das recht oder gut gemachte: also gute rechte Handlung: glücklich ausgeführte oder tapfere Handlung. —ορθωσις, ἡ, das gerade oder recht machen: Verbeſſerung: glückliche Ausführung.

Κατορθωτὴς, οῦ, ὁ, (κατορθόω) der verbeſſert, gerade gut macht, glücklich ausführt: davon —ορθωτικὸς, ἡ, ὸν, zum verbeſſern oder glücklich ausführen gehörig oder geſchickt. —ορρωδέω, ῶ, m. d. acc. fürchten, ſcheuen: ohne caſus, aus Furcht zaudern, nicht daran wollen. —ορυκτὸς, ἡ, ὸν, vergraben, begraben. —όρυξις, ἡ, das Vergraben, Begraben: von —ορύσσω, κατορύττω, vergraben, begraben. —ορυχὴ, ἡ, ſ. v. a. κατόρυξις: auch das Grab. —ορφνάω, (ὄρφνη) finſter machen: Heſych. —ορχέομαι τινὰ ich nehme einen durch Tanz oder Pantomime ein, bezaubere ihn, auch ich bezwinge, beherrſche ihn dadurch: bey Strabo 17 p. 1153 ſehr tanzen 2) τινὸς, ich begegne einem verächtlich und ſchmählich, wie *inſulto*. S. auch κατακυβιστάω.

Κατορχίτης οἶνος, Wein aus getrockneten Feigen in Cypern gemacht: Dioſcor. —ουδαῖος, (οὖδας) ſ. v. a. καταχθόνιος, auf oder unter der Erde: irdiſch, unterirdiſch. —ουλὰς, νὺξ, ſ. v. a. ὀλοὴ νὺξ, finſtre Nacht, Apollon. Argon. 4, 1695. u. Sophocl. im Nauplius bey Photius. Andere ſchrieben κατειλὰς: u. Heſych. hat κατειλάδα, ἡμέραν χειμερινὴν u. εἰλὰς, σκοτεινὴ. —ουλόω, ῶ, vernarben; dav. —ουλωτικὸς, ἡ, ὸν, zum vernarben gehörig oder geſchickt. —ουρανόθεν, Adv. f. L. aus Orph Lap. Corall. 92. ſt. κατὰ οὐρανόθεν πταμένη. —ουρέω τινὸς (οὐρέω) ich bepiſſe einen; behandle ihn ſchimpflich, ſchmählich, um ihm meine Verachtung zu beweiſen. —ουρίζω, ſ. v. a. ἐπουρίζω, Soph. Trach. 840. —ουρόω, (οὖρος) ἐπαράμενον τοὺς ἱστοὺς καὶ κατουρῶσαν Polyb. 1, 61 und hatte günſtigen Wind, oder mit dem Winde. —οφείλω, ſ. v. a. ὀφείλω, aus Demoſth. —οφρυάω u. κατοφρυόω, (ὀφρὺς) im paſſ. κατωφρύωνται μᾶλλον Philoſtr. Apoll. 3, 8 haben ſtärkere Augenbraunen. med. bedeutet es die Augenbraunen ſtolz erheben, alſo ſtolz- hoffärtig ſeyn; auch m. d. genit. gegen einen ſich ſtolz betragen- bezeigen. —οχα, der Griff am Bohrer, wofür, Heſych. auch κάτοχος u. κατωχάνης hat. —οχεὺς, έως, ὁ, der Halter, der zurück oder feſthält. — —οχεύω, belegen, beſpringen laſſen: Levit. 19, 19. —οχὴ, ἡ, (κατέχω) das Feſthalten, Inhalten, Beſitz, Beſitznehmung. ἀναίρξεις καὶ κατοχαὶ Plut. 8 p. 311 das Einhalten, Unterdrücken, Hinderniſs; 2) der Zuſtand eines Beſeſſenen, Inſpirirten, (κατεχόμενος) Wuth, Enthuſiasmus, daher Plutar. Alex. 2 κατοχὰς καὶ ἐνθουσιασμοὺς verbindet. 3) auch eine Krankheit, ſonſt κάτοχος u. κατάληψις genannt, die Schlafſucht bey ofnen Augen. —όχιμος, ſ. v. a. κάτοχος, Beſeſſener und beſeſſen, begeiſtert, eingenommen: vom Beſitze Levit. 25, 46, wie Iſaeus de Menechi heredit. ἵνα κατόχιμον γένηται τὸ χωρίον καὶ ἀναγκασθῇ τῷ ὀρφανῷ ἀποστῆναι. —οχμάζω, binden, befeſtigen, Oppian. Hal. 5, 226. S. κατεχμάζω. —οχος, ὁ, ἡ, Adv. κατόχως, (κατέχω) behaltend, feſthaltend, anhaltend: paſſive feſtgehalten, angehalten, beſeſſen, eingenommen; begeiſtert: ἄρει: Eur. Hec. 1075 dem Mars ergeben: auch ein von der Krankheit κατοχὴ oder κάτοχος (ſonſt κατάληψις) der Schlafſucht mit ofnen Augen befallener Menſch. —όψιος, ὁ, ἡ, (ὄψις) ſichtbar, vor Augen liegend: m. d. genit gegenüber liegend oder ſtehend: Eur. Hippol. —οψοφαγέω, ῶ, verſchwelgen. S. ὀψοφ. davon —οψοφαγία, ἡ, das Verſchwelgen.

Κατρεὺς, ὁ, Aelian. h. a. 17, 23 eine indianiſche Pfauenart.

Καττίτερος, ſ. v. a. κασσίτερος, Zinn. —τυμα, τὸ, S. κάσσυμα. —τὺς, ἡ, ſ. v. a. κασσὺς, ein Stück Leder, um es um den Axtſtiel zu legen, damit er paſſe: Heſych. u. Pollux 10, 166.

Κάτω, Adv. unten, unterhalb: auch m. d. genit. unter: οἱ κάτω, die untern: vorzügl. die am Meere wohnen, οἱ ἄνω, die mitten im feſten Lande wohnen: οἱ κάτω τοῦ χρόνου γεγενημένοι Aelian. h. a. 10, 22, die nachher gebornen, auch ohne χρόνου 11 c. 10 wie οἱ ἄνω τοῦ χρ. die Vorfahren: 10, 50. ὁ κάτω νόμος bey Demoſth. erklärt Erneſti, die nächſtfolgende Stelle des Geſetzes: Compar. κατώτερος ſuperl. κατώτατος: davon Adv. —ωτέρω u. —ωτάτω. Aus κατὰ gemacht, wie ἄνω aus ἀνὰ, u. εἴσω aus εἰς, ἔξω aus ἐξ.

Κατωβλέπων, οντος, ὁ, verſt. ταῦρος, bey Aelian. h. a. 7, 5. Athenaei 5 p. 221 κατώβλεπον, verſt. θηρίον, Archelans Athenaei 9 p. 409 κατώβλεψ, bey Plinius 8 c. 21 *catoplepas*, d. i. der niederſchauende Stier, eine afrikaniſche unbekannte Thierart, mit groſsem niederhängenden Kopfe. —γειος, ὁ, ἡ, u. κατώγεως, ὁ, ἡ, ſ. v. a. κατάγειος. — —δυνάω, ſt. κατοδυνάω: zw. —όδυνος, ὁ, ἡ, (ὀδύνη) groſsen Schmerz habend.

Κάτωθε, κάτωθεν, Adv. von unten herauf: unten, mit dem genit. unter, unterhalb. —θέω, ῶ, herunter- herabſtoſsen oder werfen.

Κατωκάρα, Adv. eigentl. κάρα κάτω, mit dem Kopfe unten: über Kopf.

Κατώλεθρος, ὁ, ἡ, verderblich: zw.

Κατωμάδιος, ία, (κατά, ὦμος) auf den Schultern getragen oder befindlich: Il. 23. 431. —**μαδόν**, Adv. (ὦμος) auf den Schultern: Il. 23. 500. —**μίζω**, ich lege die Schulter einem unter und halte oder hebe ihn. —**μίς**, ἡ, S. in κατωτίς. —**μισμός**, ὁ, eine Art der Einrenkung, wo einer mit seiner Schulter den verrenkten Arm in die Höhe hält. —**μιστής**, ἵππος, Pferd, das den Reiter über die Schultern herunterwirft: Hesych. —**μος**, ὁ, ἡ, (κάτω, ὦμος) mit niedrigen Schultern. Vordertiffe. —**μοσία**, ἡ, u. κατώμοσις, ἡ, (κατόμνυμι) Eidschwur, Schwur, das Schwören bey einer Gottheit oder wider einen, eidliches Zeugniss wider jemand: Herodot. 6, 65. —**μοτικός**, ἡ, όν, von κατώμοτος, ὁ, ἡ, (κατόμνυω) gemacht, ὅρκος κατώμοτος Schwur, wo man bey einem Gotte schwört, ihn zum Zeugen anruft, welches mit νὴ oder νὴ μὰ τὸν Δία u. s. w. geschah; daher heisst νὴ u. dergl. eine Partikel κατωμοτικός, welche beym Schwüre κατώμοτος gebräuchlich ist, oder auch beym bejahenden Schwure νὴ gebräuchlich, wie ἀπώμοτικός, beym verneinenden μά: Adv. —κῶς, bey- mit bejahendem Schwure.

Κατωνάκη, ἡ, ein männliches und weibliches Sklavenkleid, welches unten (κάτω) einen Vorstoss von Schaaffell (νακός τὸ) hatte: davon κατωνακοφόρος, der dergl. Kleid trägt, Athenaeus 6 p. 271, wo falsch κατωναφ. steht.

Κατωπιάω, u. κατωπος (κάτω, ὤψ) s. v. a. κατηφιάω u. κατηφής Aristotel. h. a. 8, 24.

Κάτωρ, im homerischen Hymnus; verderbtes Wort: Ernesti leitet es von κάζω ab und erklärt es für κάστωρ Regent, Regierer. —**ραίζομαι**, jonisch st. καθωραίζομαι, s. v. a. σεμνύνομαι: Hesych. —**ρής**, έος, ὁ, ἡ, bey Hesych. κατ. ρις; κάτω ῥέπων: In Chandleri Inscript. Part. 2 no. 4, 1. kommen unter andern Schmucke auch κατωρεῖδε (d. i. κατωρήδη) δύο vor. —**ρυξ**, υχος, ὁ, ἡ, u. κατώρυχος, ὁ, ἡ, (κατορύσσω) vergraben, in den Grund gelegt; bey Aeschyl. Cr. 452 find κατώρυχες ἔναον, die in Gruben, Höhlen wohnenden. 2) s. v. a. ein Senker, Senkreis, *mergus*, davon der dativ. κατωρυχέεσσι st. κατωρυχέσι, poet.

Κατωτερικός, ἡ, όν, herunterführend, abführend, von Arzeney: Hippocr. —**τερος**, unterer; superl. κατωτάτος, unterster, Adv. davon κατωτέρω, κατωτάτω. —**τίς**, ἡ, bey Hesych. eine Kappe am Rocke, über die Ohren (οὖς) gehend, *cucullus*; soll wahrsch. κατωμίς heissen.

Κατωφαγᾶς, ὁ, der mit niederhängendem Kopfe immer isst, gefrässig. Aristoph. Av. 288. mit Anspielung auf κατωφαγάς. —**φελής**, έος, ὁ, ἡ, sehr nützlich: zw. —**φέρεια**, ἡ, die abschüssige Lage, Neigung, Hang: von —**φερής**, έος, ὁ, ἡ, Adv. —ρῶς, d. i. κάτω φερόμενος, sich herabneigend, abschüssig, abhängig: geneigt, mit einem grossen Hange, vergl. καταφερής. —**φορος**, ὁ, ἡ, (φορά) sich herunter oder herabwärts bewegend. —**χράω**, ῶ, gewöhnlicher κατωχριάω, erblassen, blass werden: Lucian. Philop. 23 hat das passiv. κατωχριωμένους.

Καύαξ, ακος, ὁ, καύης, u. καύηξ, ηκος, ὁ, s. v. a. das homerische κήξ und das davon abgeleitete lat. *gauia*, ein gefrässiger Meervogel.

Καυάξαις, Hesiod. ἔργ 666. st. κατάξαις, v. κατάγω, κατάγνυμι oder κατάσσω, zerbrechen.

Καῦθμος, ὁ, der Brenner, eine Krankheit oder Fehler der Bäume von der Hitze; eigentl. das Brennen, der Brand.

Καυκαλίς, ἡ, *Caucalis*, eine doldentragende Gartenpflanze: Dioscor. 2, 169 heisst auch καῦκος, wovon καυκαλίς abgeleitet ist, welches Hesych. auch angemerkt hat, so wie καυκαλίας bey Hesych. eine Art Vogel. —**καλόω**, Aretaeus 2, 11 st. βαυκαλόω: zw. —**κίζεσθαι**, Athenaei 4 p 134. viell. s. v. a. βαυκίζομαι. —**κίς**, ἡ, s. v. a. βαυκίς. —**κόν**, τὸ, bey Hesych. καυλίον καὶ ἄγριον λάχανον: bey Plinius 26 c. 7 stand ehemals *caucon, quae et ephedra*: wo die Handschr. die zwey ersten Worte auslassen.

Καυλέω, *caulesco*, ich treibe einen Stengel. —**ληδόν**, nach Art des Kohls; die Aerzte nennen einen Bruch in die Quere καυληδὸν κάταγμα, welches Plinius 12, 22 *raphani modo frangi* übersetzt; dasselbe heisst auch ῥαφανηδὸν und σικυηδὸν, wenn nehmlich ein Knochen oder Holz ohne Splittern und Fasern bricht und auf dem Bruche glatt ist. Auch die Franzosen sagen, wie eine Rübe brechen, *comme un navet.* —**λίας**, ου, ὁ, vom Stengel gemacht, wie ῥιζίας. —**λικός**, ἡ, όν, zum Stengel gehörig oder ihm ähnlich. —**λίον**, τὸ, u. καυλίσκος, ὁ, dimin. von καυλός: ein gewisses Meerkraut bey Aristot. h. a. 8, 2. —**λοκινάρα**, ἡ, Geopon. 20, 31 Artischockenstengel: zw. —**λομύκητες**, οἱ, bey Lucian. Vera hist. die Stengelpilze. —**λοπώλης**, ὁ, Kohlhändler. —**λός**, ὁ, Stiel, Schaft; daher auch Stengel; männliches Glied, Nicand. die Lateiner haben *caulis* auch vom Stengelkohl gebraucht, und das deutsche Kohl ist daraus gemacht. —**λώδης**, εος, ὁ, ἡ, stengelartig oder auch kohlartig. —**λωτός**, ἡ, όν, (καυλόω) nach

Art eines Stengels oder Schaftes mit einem Stengel oder Schafte gearbeitet.

Καῦμα, τὸ, (κάω καίω) Brand, Hitze: hitziges Fieber. —μασία, f. Lef. ſt. καυσία. —ματηρὸς, ὰ, ὸν, heiſs, hitzig, brennend. —ματίας, bey Diog. Laert. zen. 154 falſch ſt. κλιματίας. —ματίζω, ausdorren, durch Hitze quälen oder auszehren: in medio von groſser Hitze (der Sonne, des Fiebers, u. ſ. w.) leiden, wie aeſtuare. —ματόομαι, οῦμαι, ſ. v. a. —τίζομαι: Gloſſar. St. —ματώδης, έος, ὁ, ἡ, ſ. v. a. —τηρὸς. —μὸς, ὁ, ſ. v. a. καυθμὸς.

Καυνάκη, ἡ, oder καυνάκης, ὁ, Ariſtoph. Vesp. 1137. 1149. ein babyloniſcher oder perſiſcher Pelz, von dem Felle gewiſſer Mäuſe oder Wieſel, bey Aelian. h. a. 17, 17 falſch καναυτᾶνες genannt. —νιάζω, ich ziehe ein Loos, looſe; von —νος, ὁ, ſ. v. a. κλῆρος, das Loos.

Καυσαλὶς, ἡ, (καίω) Brandblaſe: Heſych. welcher auch dafür καυχαλὶς hat.

Καυσθμὸς, ὁ, ſ. v. a. καυθμὸς: zw.

Καυσία, ἡ, cauſia, ein mazedoniſcher Hut mit breiten Krempen; die Könige trugen darum eine oder 2 Binden, διαδηματοφόρον und δίμιτρον καυσίαν. —σιμος, ὁ, ἡ, (καίω) brennbar, verbrennlich. —σις, ἡ, (κάω, καίω) das Brennen, Verbrennen: der Brand: brennende Hitze: auch das glätten mit warmem Wachſe, Vitruv. 7, 9. —σόομαι, οῦμαι, ich leide von brennender Hitze oder von der Hitze des Brennfiebers; von —σος, ὁ, ſ. v. a. καῦμα: eine Schlangenart ſonſt διψὰς: Brennfieber, hitziges Fieber. —στειρὸς, ὰ, ὸν, ſ. v. a. καυστηρὸς, brennend, hitzig: μάχη: Homer. ſ. v. a. δηϊοτὴς. —στηριάζω, u. καυστήριον, τὸ, ſ. v. a. καυτηριάζω u. καυτήριον. —στηρὸς, ρὰ, ρὸν, ſ. v. a. καυστειρὸς. —στης, ου, ὁ, (καίω) der brennt oder verbrennt; davon —στικὸς, ἡ, ὸν, Adv. —κῶς, brennend, glühend heiſs: ſengend, ätzend. —στὸς, ἡ, ὸν, (καίω) verbrannt, zu brennen, brennbar. —στρα, ἡ, lat. buſtum, uſtrina, der Ort wo man Leichen oder andre Körper verbrennt: Strabo 5 p. 361.

Καυσώδης, εος, ὁ, ἡ, ſ. v. a. καυματώδης. —σωμα, τὸ, (καυσόω) und καύσων, ὁ, ſ. v. a. καῦσος und καῦμα Brand, brennende Hitze: καύσων iſt auch der Name eines ſengenden Windes.

Καυτὴρ, ῆρος, ὁ, der Brenner: Brenneiſen, ſ. v. a. καυτήριον; davon —τηριάζω, mit glühendem Eiſen brennen oder brandmarken. —τήριον, τὸ, neutr. von καυτήριος, verſt. σιδήριον, Eiſen zum brennen oder brandmarken, das Brandmahl. S. auch κασαύριον. —τικὸς, und καυτὸς, ſ. v. a. καυστικὸς und καυστὸς.

Καυχάομαι, ſ. v. a. d. poet. εὔχομαι, εὐχετάομαι, von ſich ſagen oder rühmen, prahlen, ſich berühmen. —χὰς, άδος, ἡ, Prahlerin: die prahlende. —χη, ἡ, ſ. v. a. καύχησις. —χημα, τὸ, (καυχάομαι) eine Prahlerey: ein Gegenſtand der Prahlerey; davon —χηματίας, ου, ὁ, ein prahlhafter Menſch: Schol. Ariſtoph. Ran. 40. Etym. M. —χησις, εως, ἡ, (καυχάομαι) das Prahlen, Prahlerey. —χητὴς, οῦ, ὁ, (καυχάομαι) Prahler.

Καύω, ſt. deſſen in praeſ. καίω, macht καύσω, u. ſ. w. καῦσις, καύσιμος u. ſ. w.

Καφέω, ῶ, davon κεκαφηότα θυμὸν, S. καπνὸς.

Καφώρη, ἡ, auch σκαφώρη, der Fuchs: Aelian. h. a. 7, 47.

Καχάζω, ſ. v. a. καγχάζω.

Καχεκτέω, ῶ, ſich in übeln- ſchlechten Leibes oder Geſundheitsumſtänden befinden: auch im moraliſchen Sinne ſich in übler- ſchlechter Beſchaffenheit der Seele befinden, böſe Geſinnungen haben, übel geſinnt ſeyn; davon —τημα, τὸ, ſchlechte Beſchaffenheit, ſchlechte Umſtände: Nicetas Annal. 1, 10. —της, ου, ὁ, von ſchlechter- übler Beſchaffenheit des Leibes, der Geſundheit und der Seele, übel geſinnt, ſchlecht denkend: Polyb. verb. es mit στασιώδης und κινητικὸς, wo man es aber beſſer durch arm überſetzt, wie 23, 2. wo καχέκται den εὐπόροις entgegenſtehn. —τος, ὁ, ἡ, ſ. v. a. d. vorh. zw.

Καχελκὴς, ὁ, ἡ, (ἕλκος, κακὸς) mit ſchwer zu heilenden Geſchwüren: Hippocr.

Καχεξία, ἡ, ſchlechte Beſchaffenheit des Körpers, der Geſundheit und der Seele oder Denkungsart und Geſinnung, üble- ſchlechte Geſinnung oder Sitten: ſ. v. a. κακὴ ἕξις.

Καχεταιρεία, ἡ, (κακὸς, ἑταῖρος) böſe Geſellſchaft- Kameraden.

Καχήμερος, ὁ, ἡ, (κακὸς, ἡμέρα) der böſe Tage- Leben hat.

Καχλάζω, (χλάζω) ein Geräuſch machen, wie z. B. anſchlagende Wellen, kochendes Waſſer u. dergl. Daher Dionyſ. hal. 6 p. 1041. νᾶμα πλούσιον καὶ τὰς μεγάλας κατασκευὰς καχλάζον durch den prächtigen- erhabenen Ton der Rede, einher rauſchenden Fluſs der Rede. —λαίνω, (χλάω, χλάζω) mit Geräuſch bewegen. —λασμα, τὸ, das Getöſe von anſchlagenden Wellen- kochendem Waſſer. —λασμὸς, ὁ, ſ. v. a. κάχλασμα, auch ein hervorſprudelnder Quell. —ληξ, ὁ, und κάχλιξ, ein kleiner Stein, wie er in den Flüſſen gefunden wird, calculus; ſcheint für χάλιξ, ὁ, calx, calculus, zu ſtehn.

Καχρυδίας, ου, ὁ, von gerösteter Gerste, κάχρυς, gemacht. S. κάγχρ. —διον, τὸ, dimin. v. κάχρυς.

Καχρυόεις, der κάχρυς oder κάγχρυς ähnlich. S. κάγχρ.

Κάχρυς, υος, ἡ, S. κάγχρυς.

Καχρυφόρος, oder καγχρυφόρος, ὁ, ἡ, d. i. κάχρυν φέρων, φέρουσα.

Καχρυώδης, εος, ὁ, ἡ, s. v. a. καχρυόεις.

Καχυπονόητος, ὁ, ἡ, bey Pollux 2, 57. aus Plato zw. s. v. a. d. folgd. —ποπτος, ὁ, ἡ, (κακὸς, ὑπόπτης) immer argwohnisch: pass. verdächtig. —ποτοπέομαι, ich argwöhne, vermuthe böses-schlimmes: von κακὸν, ὑποπτέω, wovon auch d. folgd. Aristoph. Ran. 958. wo andere Handschr. u. Etym. M. richtiger κάθυπον. d. i. ἐπὶ τὸ χεῖρον τυπάζω, haben. —πότοκος, ὁ, ἡ, bey Suidas s. v. a. καχύποπτος.

Κάψα, ἡ, καψάκης, ὁ, und dimin. καψάκιον, τὸ, Kapsel, Kiste, Behältniss. καψάκης, ὁ, kömmt blos bey den LXX Reg. 3. c. 17. vor; καψάκιον hat Hesych. bey Theophr. c. pl. 1, 7. steht jetzt καψακίοις wo vorher ἀξαρίχοις, welches Casaub. über Athen. 3, 4. in ἀῤῥίχοις verwandelte.

Καψιδρώτιον, τὸ, (κάπτω, ἱδρὼς) Schweisstuch, *sudarium.*

Καψικήθαλος bey Hesych. S. ἐγκαψικίδαλος.

Κάψις, εως, ἡ, (κάπτω) das Verschlukken, Essen.

Κάω, st. καίω, κάομαι, fut. 2. καήσομαι, aor. 2. ἐκάην.

Κάω, das Stammwort von καίνω, und κτάω, ich tödte.

Κε, vor einem Consonanten, κεν vor einem Vokal; dorisch κα, s. v. a. in Prosa ἄν. Ist wahrsch. aus γε, dorisch γά entstanden, und hat die Bedeut. etwas verändert.

Κεάζω, (κέω, κείω) ich spalte, spelle, trenne, werfe aus einander mit dem Schwerdte, Spiesse, Blitze; 2) ich reibe etwas klein: Nikander. Die Form κεαίνω hat Aelian. h. a. 14, 8. m. dem comp. κατακεῆναί τε καὶ ἐκκαῦσαι, wo κατακῆναι gedruckt steht; davon κέασμα bey Hesych. s. v. a. κλάσμα, ein abgehauenes - abgeschnittenes Stück; und κέαρνον, τὸ, s. v. a. das abgeleitete σκέπαρνον, τὸ, Holz- oder Zimmeraxt, mit eingesetztem π. Hesych. hat auch κέρνα, ἀξίνη.

Κεάνωθος, ὁ, eine Art Unkraut Scharte, *serrutula arvensis*: Theophr. hist. pl. 4, 11.

Κέαρ, ατος, τὸ, contr. κῆρ, Herz; dah. Gesinnung, lat. *cor.* κορζία sagten die Paphier nach Hesych.

Κέαρνον, τὸ, und κέασμα, S. κεάζω.

Κέβλη, oder κεβλὴ, st. κεβαλὴ, κεφαλὴ, der Kopf.

Κεβληγόνος, ὁ, ἡ, (κέβλη, γόνος) μήκων, der Mohn, der den Saamen im Kopfe trägt, Nicand.

Κεβλήπυρις, ein unbekannter Vogel: Aristoph. Au. 303.

Κεβριόνης, ὁ, Name eines Riesen u. Vogels.

Κεγχραλέτης, ὁ, (ἀλέω) der den κέγχρος mahlt, zermalmt. —χραμιδώδης, ὁ, ἡ, τὰ κεγχραμιδώδη, s. v. a. κεγχραμίδες. —χραμὶς, ἡ, (κέγχρος) die kleinen Körner in den Feigen, latein. *frumenta fici.* —χρεὼν, ῶνος, ὁ, ein Ort in der Werkstätte, wo Metall gekörnt od. gekörntes Metall getrocknet wird. —χριαῖος, αία, αῖον, v. der Grösse eines Hirsekorns, κέγχρος, wov. auch —χρίας, ου, ὁ, ἕρπης ein Ausschlag auf der Haut, wie Hirsekörner. 2) eine Schlangenart. —χριδίας, ὁ, eine Schlangenart, wie κεγχρὶς, κεγχρίας u. κεγχρίνης, ὁ. —χρινος, ίνη, ινον, von Hirse gemacht. —χρὶς, ίδος, ἡ, eine kleine Falkenart; 2) ein kleiner Vogel, der Hirse liebt; 3) eine Schlangenart. S. κερχνὶς u. κέρχω. —χρίτης, ου, ὁ, ῖτις, λίθος κεγχρίτης, *miliaris lapis*, κεγχρῖτις ἰσχὰς, die trockne Feige mit den Körnern, κεγχραμὶς sonst genannt. —χροβόλος, ὁ, ἡ, der Hirse wirft- streuet. —χροειδὴς, ὁ, ἡ, hirseartig oder formig. —χρος, ὁ, ἡ, die Hirse; 2) das Korn in der Feige. Man findet auch κέρχνος geschrieben, Pollux 6, 61. —χροφόρος, ὁ, ἡ, Hirse tragend. —χρώδης, ὁ, ἡ, s. v. a. κεγχροειδής. —χρώματα, τὰ, der Rand (ἴτυς) vom Schilde, weil er Erhabenheiten oder kleine Löcher hatte. —χρων, ονος, ὁ, Hippocr. aer. et loc. 8 ein in Phasis einheimischer Wind.

Κεδάζω, u. κεδαίω, s. v. a. σκεδάζω, von σκεδάω; zerstreuen, auseinanderwerfen.

Κέδματα, τὰ, Flüsse und daraus entstandene langwierige Schmerzen, vorz. in den Hüftgelenken oder in der Schaamgegend: Hippocr. —ματώδης, ὁ, ἡ, den Zufällen κέδματα ähnlich, von der Art derselben.

Κεδνὸς, ἡ, ὸν, (κέδω, κήδω, κεδάω, κεδανὸς, κεδνὸς) act. sorgsam, sorgfältig, vorsichtig, klug. treu; pass. der Sorge- Vorsorge - Achtung werth, ehrwürdig, achtbar; Homer braucht es blos von Personen, aber Pindar. Olymp. 8, 105. sagt auch κεδνὰν χάριν hochgeschätzter Ruhm und Ehre.

Κεδρέλαιον, τὸ, (κέδρος) Cedernöl oder das flüssige Pech. —λάτη, ἡ, Cederntanne, die grosse Ceder: Plinius 24, 5.

Κεδρία, ἡ, Cedernholz, Cedernpech, *cedria.*

Κεδρίνεος, έα, εον, und κέδρινος, von Cedernholze gemacht.

Κέδριον, τὸ, Cedernöl, sonst κεδρέλαιον.
Κεδρὶς, ἡ, die Frucht des κέδρος, Wachholderbeeren.
Κεδρίτης, ου, ὁ, οἶνος, Wein mit der Frucht von κέδρος angemacht.
Κέδρος, ἡ, der Cedernbaum, *Pinus cedrus* Linnaei. 3) eine Art von Wachholder, dessen wohlriechendes Holz als Räucherwerk diente: Theophr. h. pl. 3, 12 Dioscor. 1, 105 *juniperus oxycedrus* Linn. Kommt von κέω, f. v. a. καίω, ich brenne.
Κεδροχαρὴς, ὁ, ἡ, S. καίνισμα.
Κεδρόω, ῶ, ich salbe - balsamire - schmiere mit Oel von Kedrus ein, Diod. Sic.
Κεδρὼν, ῶνος, ὁ, Cedernhain oder Wald.
Κέδρωσις, ἡ, f. v. a. λευκάμπελος, Diosc. 4, 184.
Κεδρωτὸς, ἡ, ὸν, mit Cedernöl gesalbt, eingelegt, od. aus Cedernholz gemacht: Eur. Or. 1511.
Κεῖθεν, st. ἐκεῖθεν.
Κεῖθι, st. ἐκεῖθι,
Κεῖμαι, f. κείσομαι, vom Stammworte κέω, κέομαι, κεῖμι, κεῖμαι, κείω, κείομαι, ich liege, ruhe, bin gestellt - gelegt, entweder zum Aufbewahren oder zum zeigen - aufstellen, oder zum ruhen; auch von weggeworfenen - todten - geheiligten Körpern und Dingen.
Κειμηλιάρχης, ου, ὁ, und —ίαρχος, (ἄρχω) Aufseher über Kostbarkeiten und Seltenheiten; dav. —λιάρχιον, τὸ, Sammlung oder Kabinet von seltenen und kostbaren Dingen; von —λιον, τὸ, seltener - geehrter - kostbarer Körper oder Geschenk, welches man sorgfältig aufbewahrt, eigentl. neutr. von —λιος, ὁ, (κεῖμαι) was liegt und als eine kostbare Sache aufbewahrt u. geschätzt wird: Plato Legg. 2. davon κειμηλιόω als Kostbarkeit oder Seltenheit aufbewahren: Nicetas Annal. 10, 8, davon κειμηλίωσις, ἡ, das Aufbewahren der Kostbarkeiten, aus Phavorini Lex. angeführt wird.
Κείνῃ, st. ἐκείνῃ, (ὁδῷ) auf jene Art, auf jenem Wege.
Κεῖνος, poet. st. ἐκεῖνος; 2) der Geliebte, bey den Kretern.
Κεινὸς, st. κενὸς, leer.
Κεῖπος, ὁ, eine Affenart. S. κῆπος.
Κειρία, ἡ, eine Binde, Verband: Binde, womit man kleine Kinder wickelt; 2) ein Strick, den Boden der Betten damit zu überziehen, *institta*. S. κηρία. Andere sagten und schrieben καιρία u. leiteten es von καῖρος, ὁ, her. Chirurg. vet. Cochii p. 157.
Κεῖρις, ἡ, *Ciris*, eine Art von Raubvogel, oder auch ein Meervogel.
Κειρύλος attisch f. v. a. κηρύλος.
Κείρω, f. κερῶ, κερέειν st. κερεῖν, ἐκάρην, auch von κέρω fut. κέρσω, ich nehme weg; daher σοί τε κόμην κερέειν, das Haar abschneiden: κείροντό τε χαίτας, sie schnitten sich die Haare ab, welches man im Unglück und Traurigkeit that: daher metaph. ἡμετέραις βουλαῖς Σπάρτη μὲν ἐκείρατο δόξαν, *consiliis nostris laus est attonsa Laconum* nach Cicero. 2) schneiden, zerschneiden, abschneiden: δοῦρ' ἐλάτης κέρσαντες: metaph. μάχης ἐπὶ μήδεα κείρει, wie *praecidere*; 3) mit den Zähnen abschneiden-wegnehmen, fressen: Iliad. λ, 559. κείροντες βαθὺ λήιον; Daher Odyss. λ. 577. γῦπε δέ μιν παρημένω ἧπαρ ἔκειρον, zerfleischten ihm-zerfrassen ihm dieLeber. Seneka hat es *tondere jecur* übersetzt; 4) ich raube, plündere, οὐδ' ἄρα τὴν Ἑλλάδα Ἕλληνες ὄντες κεροῦσι, Plato. τὴν τροφόν τε καὶ μητέρα κείρειν, derselbe. κτήματα κείρειν Homer. Eben so κατακείρετε οἶκον. Herodot. sagt 8, 32. πάντα ἐπέφλεγον καὶ ἔκειρον, wo Xenophon sagt κόπτειν καὶ καίειν.
Κεῖσε st. ἐκεῖσε, dorthin.
Κείω, f. v. a. κέω und κεῖμαι ich liege, vorz. zu Bette; davon κακκείων; das praef. hat auch die Bedeutung des fut. wie in εἶμι.
Κείω und κατακείω für καίω, κατακαίω.
Κείω, ich spalte, f. v. a. κεάζω u. κέω. S. in κέω.
Κεκαδὼν und κεκάδοντο, S. χάζω.
Κεκινδυνευμένως, Adv. gewagt, gefährlich: von partic. praet. pass. v. κινδυνεύω.
Κεκλασμένως, Adv. zerbrochen, gebrochen, v. partic. praet. pass. v. κλάω.
Κεκλήγω, v. κέκληγα, S. κλάζω, *clango*.
Κέκλω, gewöhnlicher κέκλομαι, f. v. a. κέλομαι, rufen, zurufen, gebieten, befehlen, heissen: von κέλω gemacht wie μένω, μέμνω, φένω, πέφνω, durch reduplication u. Zusammenziehung.
Κεκμηκότως, Adv. mit Mühe, vom part. praet. act. v. κάμνω, καμέω.
Κεκολασμένως, Adv. bezähmt, gemäsigt, v. partic. praet. pass. v. κολάζω.
Κέκραγμα, τὸ, (κράζω) od. κεκραγμὸς, ὁ, Geschrey, Lärmen.
Κεκράγω, (κράζω, κέκραγα) ich schreye.
Κεκράκτης, ου, ὁ, (κράζω) Schreyer.
Κεκραμένως, Adv. gemischt, temperirt, gemäsigt: v. partic. praet. pass. v. κράω st. κεράω,
Κεκραξιδάμας, ου, ὁ, (κράζω, δαμάω) eine komische Compos. wie τοξόδαμας, der Schreyer: Aristoph. Vesp. 596.
Κέκραχθι, f. v. a. κράξον, schreye, attisch.
Κεκριμένως, Adv. geurtheilt, mit Unterscheidung - Ueberlegung - Urtheil, vom part. praet. pass. v. κρίνω.
Κεκροτημένως, Adv. (κροτέω) wohltönend: von der Rede: zw.

Κεκρυμμένως, Adv. heimlich: vom part. praet. paſſ. von κρύπτω.

Κεκρυφαλοπλόκος, ὁ, ἡ, der das Kopfnetz, κεκρύφαλος, ſtrickt-knüttet. Pollux 7, 169. u. 10, 192. —φαλος, ὁ, *reticulum*, ein geſtricktes-geknüttetes Netz, worinn die Weiber ihre Haare und Kopf verbargen, Art von Kopfzeug; 2) der zweyte Magen der wiederkäuenden Thiere, die Haube, *la bonnet*, weil er netzförmige Falten hat: 3) ein Theil am Pferdezaume, Xen. Eq. 6, 7. Kehlriemen; der um die Stirne unter den Ohren geht: 4) der Sack-Bauch vom Jagd-Stellnetze, Derſ. Cyn. 6, 7. νεύρινοι κεκρ. οἶς πρὸς τὰς ἐπιστροφὰς τῶν σχοινίων ἐχρῶντο Plutar. Alex. 25.

Κεκύθω, ſ. v. a. κεύθω, (κύθω) Odyſſ. 6, 303.

Κελαδεινὸς, u. κελαδεννὸς, rauſchend, Geräuſche machend, lärmend: von —δέω, ῶ, rauſchen, wie ein Fluſs oder flieſſendes Waſſer: lärmen, Geräuſch machen; ſchreyen, laut rufen, ausrufen, ertonen laſſen, beſingen, wie κηρύττω, Eurip. von der geſchwätzigen Schwalbe: Ariſtoph. Ran. 683. davon —δημα, τὸ, das Rauſchen, Geräuſch, Larmen, Geſchrey. —δόδρομος, ὁ, ἡ, (κέλαδος, δρόμος) Beywort der Diana, die mit dem Jagdgeſchrey einhereilt: Orph. —δος, ὁ, (κέλω, κελόω, κελαρὸς, κελαρύζω) das Rauſchen des Waſſers, das Brauſen der Wellen, Geräuſch, Lärmen, Geſchrey im Kriege und bey der Jagd. —δω, davon κελαδέω, u. κελάδοντα ποταμὸν, πόντου bey Homer, κελάδοντος ἀήτεω Oppian. Cyn. 1, 106. rauſchend, brauſend.

Κελαινεγχὴς, έος, ὁ, ἡ, (ἔγχος, κελαινὸς) mit ſchwarzer-blutiger Lanze: Pindar. —νεφὴς, έος, ὁ, ἡ, ſchwarz: αἷμα κ. πεδίον Hom. Pindar. wie ἰοδνεφὴς, veilchenfarbig, ohne alle Rückſicht auf νέφος; 2) als Beyw. von ζεὺς erklärt man es durch μελαίνων τὰ νέφη, Wolkenſchwartzer. Aber es ſcheint natürlicher das Wort von κέλω κέλλω, in Bewegung ſetzen, und νέφος abzuleiten, in dem Sinne von νεφεληγερέτης u. ὀρσίνεφης, der die Wolken entſtehn läſst u. in Bewegung ſetzt, wie auch ſchon der Erneſtiſche Hederich vorſchlägt. —νιάω, ῶ, (κελαινὸς) ſchwarz ſeyn: dav. κελαινιόων ſt. —άων. —νόβρωτος, ὁ, ἡ (βρώσκω, βρόω) ſchwarz u. angefreſſen. Aeſchyl. Pr. 1033. —νόρινος, ὁ, ἡ, mit ſchwarzer Haut, Op. Hal. 5, 18. —νὸς, ἡ, ὸν, ſchwarz, dunkel: daher, wie *ater*, alles aus der Unterwelt u. was vom Lichte der Sonne nicht beſchienen wird. Scheint von dem auch in Proſa gewöhnlichen μέλας, μέλαινα blos durch einen Dialekt verſchieden zu ſeyn: davon —νότης, ητος, ἡ, die Schwärze, ſchwarze Farbe. —νοφαὴς, κελαινοφανὴς, ὁ, ἡ, (φαὸς) ſchwarz ſcheinend, ſchwarz: ὄρφνα Ariſtoph. Ran. 1366. —νόφρων, ὁ, ἡ, (φρὴν) von ſchwarzer Seele od. Geſinnung: tuckiſch Aeſchyl. Eum. 462. —νοχρὼς, ῶτος, ὁ, ἡ, (χρὼς) mit-von ſchwarzem Körper-Haut od. Farbe: ſchwarz. —νώπας, ὁ, ſ. v. a. κελαίνωψ, (κελαινὸς, ὤψ) ſchwarz von Anſehn: fürchterlich; dunkel: κελαινώπαν θυμὸν Sophocl. Ajax 973. verborgener Zorn, wie in einer ſchwarzen Wolke gehüllt: daſſelbe iſt κελαινώπης, ὁ, —ῶπις, ἡ, Pindar. Pyth. 1, 13.

Κελάρυζα, ης, ἡ, S. λακέρυζα. —ρύζω, ſ. v. a. κελαδέω, u. von derſelben Wurzel: Heſych. hat auch κελαρύζεται im Medio. Suidas, ὡς φάρυγξ ἐκελάρυζε rauſchen, Geräuſch-Lärmen machen: auch von der rauſchenden lärmenden Stimme der Thiere. Die falſche Schreibart κελαρίζω hatte ſonſt auch Opp. Cyneg. 2, 143. davon —ρυξις, ἡ, κελάρυσμα, τὸ, u. κελαρυσμὸς, ὁ, das Rauſchen, Geräuſche, Larmen, Getoſe; Oppian. Cyn. 4. 306. braucht κελαρύσματα für rauſchendes Waſſer.

Κελέβη, ἡ, Trinkbecher, Waſſereymer, Opferſchaale: Athen. 11. p. 475. —βειον, u. κελεβήιον, ſ. v. a. d. vorherg. bey Antimachus Athenaei auch ein Geſchirr mit Honig.

Κελέοντες, οἱ, ſ. v. a. ἰστόποδες. Theokrit. 18. ſagt οὔτ' ἐνὶ δαιδαλέῳ πυκινώτερον ἤτριον ἱστῷ κερκίδι συμπλέξασα μακρῶν ἔταμ' ἐκ κελεόντων, woraus man ſieht, daſs es ein langes Stück Holz war, woran das Gewebe geknüpft war, der Fuſs des ſtehenden Weberſtuhls: Anton. Lib. 10 Kap. im Etym. M. heiſsen ſie auch βρίκελλοι. S. Index Script. R. R. in tela.

Κελεὸς, ὁ, ein Waldvogel bey Ariſtot. h. a. 8, 3. wo falſch κολιὸς ſteht, iſt der Grünſpecht,

Κελεύθειος, εια, ſ. v. a. ἐνόδιος: Heſych. von κελεύθω wov. auch —θείω, bey Heſych. ſ. v. a. ὁδεύω: dav. —θητὴς, οῦ, ὁ, ſ. v. a. ὁδίτης, Wanderer. —θιάω, ῶ, S. κελευστιάω. —θοποιὸς, ὁ, ἡ, ſ. v. a. ὁδοποιὸς: Aeſchyl. Eum. 12. —θοπόρος, ὁ, ſ. v. a. ὁδοιπόρος: Anthol. —θὸς, ἡ, plur. τὰ κέλευθα poet. der Gang-Weg zu Waſſer od. zu Lande; von κέλλω, κελῶ, κελέω, κελεύω, wie ἐλεύθω von ἔλλω, ἐλῶ, ἐλέω, ἐλεύω; Heſych. hat auch κέλευθρα für κέλευσις angemerkt.

Κέλευμα, τὸ, ſ. v. a. κέλευσμα.

Κέλευσις, ἡ, das Befehlen, Gebieten.

Κέλευσμα, τὸ, (κελεύω) der Zuruf, vorzüglich des κελευστὴς auf dem Schiffe, des Feldherrn, des Kutſchers, um die Ruderer, Soldaten, Pferde anzutreiben: der Befehl, das Gebot.

Κελευσμός, ὁ, davon κελευσμοσύνη, ἡ, (κελεύω) der Befehl, das Gebot. Herod. 1, 157. — **στάνωρ**, ὁ, der Männern, Menschen befiehlt, über sie herrscht, Apollodor. p. 162. welcher auch p. 38. κελεύτωρ als Name für κελευστής hat, von ἀνὴρ s. v. a. ἀνήρ, u. κελεύω abgeleitet. — **στής**, οῦ, ὁ, (κελεύω) Befehler, der antreibt, regiert: auf dem Schiffe, der den Ruderern den Takt zum Rudern angiebt und zuruft: Xen. Oec. 21, 3. — **στικός**, ἡ, ὀν, zum κελευστής gehörig, befehlerisch, befehlend. — **στός**, ἡ, ὀν, (κελεύω) befohlen, geheissen. — **τιάω**, st. κελευστιάω v. κελευστής, hat die Bedeutung eines Frequent. κελευστικῶς ἔχω, immer im Befehlen-Ermuntern begriffen seyn, wie πνευστιάω häufig Odem holen: Hom. Aus Hesych. Erkl. κελευθιόων πρὸς ὁδὸν ἔχων τὴν διάνοιαν, lässt sich vermuthen, dass andere κελευθιόων lasen, von κέλευθος, κελευθιάω.

Κελεύω, s. v. a. κέλλω, κελῶ, κέλω, *impello, incito*, ich treibe an, setze in Bewegung, ermuntere, ermahne, befehle, heisse.

Κελεών, ὁ, S. κελέοντες. Ist von demselben Stammworte, wovon κέλεμνον, κελένδρυον: daher bey Hesych. ἀμφικέλεμνον d. i. ἀμφίξυλον, daher auch κηλώνειον.

Κέλης, ητος, ὁ, (κέλω) ein Reitpferd zum Wettrennen: ἵππος κέλης. Odyss. 5, 371. Vom aeolischen κέληρ nannte Romulus seine Reuter *celeres*: und das lat. *celsus* st. *eques* leitet selbst Festus von κέλης ab. Koen ad Gregor. p. 140. 2) ein Jagdschiff mit einer Ruderbank, *celes*: davon

Κελητίζω, ein einzelnes Pferd reiten, überh. reiten: Il. 15, 675. Hesych. hat auch κελητιάω dafür. — **τιον**, τὸ, dimin. v. κέλης.

Κελλός, u. κελλόω bey Hesych. s. v. a. στρεβλός, πλάγιος, πλαγιάζω: S. in κυλλός.

Κέλλω, f. κέλσω, f. v. a. κίλλω, ich bewege, das lat. *cello, percello*. In dieser Bedeut. u. für landen bemerken es die Grammatiker, und steht so mit νῆα Eurip. Electr. 139 jedoch zeigt sie sich in dem abgeleiteten ὀκέλλω. Gewöhnl. heisst κέλλειν als neutr. s. v. a. sich wohin bewegen, gehn, vorz. wenn das Schiff ans Land - in den Hafen geht, κέλλει ἡ ναῦς. Davon leitet man ὠχελής, langsam, gleichsam ὠκυκελής. s. v. κέλω. κελῶ, κελεύω, ἡ κέλευθος der Weg ab. Ὀκέλλω ist s. v. a. κέλλω, wie σκιμβάζω s. v. a. κιμβάζω und Nicand. sagt Theriac. 295. πλόον ὀκέλλει d. i. *iter fluctuosum impellit, movet*. ἐκέλλει τὴν ναῦν, das Schiff ans Land - in den Hafen führen, ἐπικέλλειν νήσῳ, ἠπείρῳ ναῦν, mit dem Schiffe an einer Insel - am Ufer landen. ἐποκέλλειν, auf einen Felsen das Schiff führen. S. ἐξοκέλλω, ἀποκέλλω, ἐγκέλλω, welche als act. u. neutr. gebraucht werden. Davon kommt κελεύω, wie αὐτοκέλης s. v. a. αὐτοκέλευστος.

Κελτιστί, nach der Art der Celten, auf celtisch, in der Sprache der Celten.

Κελύφανον, τὸ, κελύφη, ἡ, u. κέλυφος, τὸ, (γλύπω, γλύφω, γλύπτω, κελύφω) die Hülse, Schaale.

Κέλω, davon κέλομαι, ich treibe an, ermuntere, befehle. S. κέλλω.

Κέλωρ, ὁ, Sohn: Eur. Andr. 1033. Lycophr. 495. Pollux 13, 19. dav. κελώριον, παιδίον bey Hesych. — **ρύω**, hat Hesych. für schreyen und leitet es von κέλωρ, die Stimme ab: vielleicht st. κελαρύζω.

Κεμαδόσσοος, ὁ, ἡ, (κεμὰς, σέω, σόω, σεύω) der, die, Hirsche od. Rehe aufjagt - jagt.

Κεμάς, ἡ, eine noch unbestimmte Hirsch- oder Antilopenart - auch das Reh: ξουθῆς δειλότερον κεμάδος Analect. Brunk. 2, p. 65. bey Aelian. 1. a. 14, 14 ist es *Antilope pygarga*. Lin.

Κέμμα, τὸ, (κέω, κεῖμαι) das Lager. κέμματα θηρείων μελέων μυκτῆρσιν ἐρευνῶν Empedocles Plutarchi.

Κεμφάς, st. κεμάς: zw.

Κέμφος, st. κέπφος: zweif.

Κεν, S. κε.

Κεναγγία, ἡ, S. κενεαγγείη.

Κενανδρία, ἡ, (κενός, ἀνήρ) Leere. Mangel an Menschen. — **ορος**, ὁ, ἡ, leer an Menschen.

Κεναύχης, ὁ, ἡ, Plutar. Consol. p. 321. st. s. v. a. κενεαυχής.

Κένδυλα, ἡ, S. σχένδυλα.

Κενεαγγέειν, leere Gefässe haben durch Ausleerungen od. Hunger: dah. vorz. fasten oder hungern; davon — **αγγείη**, jon. st. κεναγγία, Leere der Gefässe: vorz. das Fasten oder Hungern; davon — **αγγικός**, ἡ, ὸν, zur Leere der Gefässe gehörig, mit dem Zustande der Leere der Gefässe - dem Fasten od. Hungern verbunden. — **αγορία**, ἡ, (ἀγορέω) eitle- leere Reden, Prahlerey, Windbeuteley. — **αυχής**, έος, ὁ, ἡ, (κενός, αὐχή) der mit leeren eiteln falschen Dingen prahlet.

Κενέβριος, ὁ, ἡ, s. v. a. νεκριμαῖος und θνησιμαῖος, als κρέας, Fleisch von verstorbenem verreckten Viehe: Aelian. h. a. 6, 2. Pollux 6, 55.

Κενεμβατέω, ῶ, f. ήσω, u. davon κενεμβάτησις, ἡ, (κενός, ἐμβάτης) ich trete falsch, thue einen Fehltritt: Galen. u. Plut. auch von einem Instrumente, welches in einen verborgenen Ort geſteckt wird, um damit etwas zu zerſchneiden: wenn es in einen hohlen und leeren Ort kömmt, ſo fühlt es der Operateur und ſagt, das Inſtrument κενεμβατεῖ; er drückt und ſtöſst alſo μέχρι κενεμβατήσεως, bis er fühlt, daſs er ins leere-hohle-weiche ſtöſst.

Κενεὸς, ά, ὸν, κενεότης, ἡ, u. κενεόφρων, ὁ, ἡ, ſ. v. a. κενὸς, κενότης, κενόφρων.

Κενεὼν, ὁ, (κενὸς) der leere Raum, vorzügl. der in den Weichen oder zwiſchen den Ribben u. den Hüften, alſo die Seiten des Unterleibes, ſonſt λαγόνες genannt, die Flanken; 2) Gefäſs γλαφυρῷ κενεῶνι Nonnus Dionyſ. 12 p. 346. —ώπρισις, ἡ, führt Steph. als den Namen einer Pferdekrankheit an, aber in Hippiatr. p. 150 flgd. ſteht immer κενόπρισις: die rechte Lesart iſt κενεόπρησις *inflatio laterum*, von πρήθω, κενεὼν, Aufblähung der Seiten.

Κενήριον, τὸ, (κενὸν, ἠρίον) ſ. v. a. κενοτάφιον.

Κενοβουλία, ἡ, leerer-eitler Rath: zweif.

Κενοδοντὶς, ἡ, gleichſ. femin. von κενόδους, οντος, mit leeren oder ausgebrochenen Zähnen: Epigr. Phaniae 4. —δοξία, ἡ, leerer nichtiger Ruhm, Ruhmſucht: von —δοξος, ὁ, ἡ, voll Eigendünkels, ruhmſuchtig. —κοπέω, Chryſipp. bey Plutarch verbindet es mit μωρολογεῖν leeres Gewäſch vorbringen, 10, p. 291. —λογέω, ῶ, ich rede eitle-leere Dinge oder Reden; davon —λογία, ἡ, eitle Rede, eitles Geſchwätz; von —λόγος, ὁ, (κενὰ λέγων) eitler-leerer Schwätzer. —παθέω, ῶ, (κενὸς, πάθος) ich habe eine leere-trügliche Empfindung. —πρισις, ἡ, S. κενεώπρισις.

Κενὸς, ἡ, ὸν, leer, eitel, nichtig: εἰς κενὸν umſonſt, vergebens. —σοφία, ἡ, leere, eitle, eingebildete Weisheit; v. —σοφος, ὁ, ἡ, mit-von leerer-eitler-eingebildeter Weisheit. —σπουδέω, ich treibe leere-eitle Dinge mit Ernſt, ſuche-begehre nichtige Dinge: Joſeph. Bey Antonin. 4, 32. ſteht κενὰ σπωμένους ſt. κενοσπουδέοντας; davon —σπουδία, ἡ, die Beſchäftigung-das Treiben-Begehren-Suchen von eiteln, nichtigen Dingen. Bey Dionyſ. antiq. 6, 70. Eitelkeit. —σπουδος, ὁ, ἡ, (σπουδὴ, κενὸς) der nichtige-eitle-leere Dinge begehrt-treibt-ſchätzt: Bey Artemidor. 4, 84. iſt κενοσπούδως, zu voreilig. —ταφέω, ῶ, einem in der Fremde geſtorbenen ein Ehrenbegräbniſs errichten: m. d. Akkuſ. Eur. Hel. 1562. 1066. τὸν βίον Plutar. 10 p. 645. ſich gleichſam lebendig begraben. —τάφιον, τὸ, leerer Grabhügel, *cenotaphium*, vergl. Virg. Aen. 3, 304. —ταφος, mit einem κενοταφίῳ beehrt. zw. —της, ητος, ἡ, (κενὸς) die Leere, Nichtigkeit. —τομία, ἡ, Beſchäftigung mit leeren-nichtigen Dingen; zw. u. ohne Beyſpiel. Bey Plut. Caeſ. c. 6. ſoll κενοτομεῖν wahrſch. καινοτομεῖν heiſsen.

Κενοφροσύνη, ἡ, eitler-leerer Sinn, Eitelkeit; von —φρων, ονος, ὁ, ἡ, eiteln-leeren Sinnes. —φωνέω, eitel oder vergeblich reden: Suid. u. Nicetae Annal. 1, 9. davon —φωνία, ἡ, eitle-vergebliche Rede: Heſychius. —φωνος, ὁ, ἡ, (φωνὴ) mit leerer Stimme: eitel-leer redend-tönend.

Κενόω, ῶ, (κενὸς) leer machen: leeren, ausleeren, entblöſsen, berauben, erſchöpfen.

Κενταύρειος, εία, ειον, von Centauren: Cent. gehörig oder anſtändig. —ρίδης, ου, ὁ, von Centauren entſproſſen: ἵππος κενταυρίδης ἢ κοππατίας Lucian. 8 p. 7. theſſaliſches Pferd. —ρικὸς, ἡ, ὸν, Adv. —κῶς, Centaurenmäſsig, centauriſch, auch ſ. v. a. —ρειος. —ριον, κενταύρειον, τὸ, auch κενταυρὶς, ἡ, Theophr. h. pl. 9, 9. Plinius 25 c 6. u. κενταυρίη, ἡ, Hippocr. 2 de morb. p. 154. eine Pflanze, wovon Dioſcorides 3, 8. u. 9. zwey Arten beſchreibt, *centaurium majus* c. 8. auch Theophr. h. pl. 1, 19, 14: 3, 5. Plinius 25. c. 4. und 6. *Centaurea centaurium* Linnaei. Die kleinere Art Dioſc. 3, 9. Theoph. 1. pl. 9, c. 4. wo ſie πάναξ λεπτόφυλλον heiſst; Plinius 25, c. 6. *gentiana centaureum* Linnaei. —ρίσκος, ὁ, ein kleiner Centaur. —ροκτόνος, ὁ, Centaurentödter oder Mörder. —ρομαχία, ἡ, (μάχη) Centaurenſchlacht. —ροπληθὴς, έος, ὁ, ἡ, voll von Centauren: Eur. Herc. 1273. —ρος, ὁ, Centaur, nach der Fabel oben Menſch unten Pferd, in Theſſalien, wahrſch. aus dem erſten Anblicke eines Reuters erdichtet.

Κεντάω, oder κεντέω, ſtechen, ſtoſsen, anſpornen: ausſtechen, das Auge Eur. Hec. 1157. durchſtechen, durchbohren, niederſtechen, ermorden, 1148. 387. von κένω fut. κένσω, davon κέντωρ, ὁ, und κεντάω, ſo wie auch, κτένω, κτείνω.

Κέντημα, ατος, τὸ, Spitze, Stachel. —τηρία, ἡ, f. Les. ſt. κενταύριον, Theoph. h. pl. 9, 1. —τησις, εως, ἡ, (κεντέω) das Stechen, Stoſsen mit der Spitze. —τητήριος, ὁ, ἡ, (κεντητὴρ) zum Stechen gemacht oder geſchickt: τὸ κεντ. Stachel, Pfrieme. —τητικὸς, ἡ, ὸν, (κεντήτης) ſ. v. a. d. vorh. —τητὸς, ἡ, ὸν, (κεντέω) geſtochen, geſtickt: Epict. 39. —τίζω, ſ. v. a. κεντάω. —τρήεις, ήεσσα, ῆεν, (κέντρον) ſpitzig, geſtachelt. —τρηνεκὴς, έος, ὁ, ἡ, geſpornt oder vielmehr mit dem Stachel *ſtimulus* angetrieben, ἵπποι Il. 5, 752.

von κέντρον u. ἐνέκω, ἐνέγκω, wovon auch διηνεκής, δουρηνεκής u. ποδηνεκής.

Κεντρίζω, (κέντρον) f. v. a. κεντάω, stechen, stacheln. —τρίνης, ου, ὁ, eine Art von Hayfisch, Athen. 7. eine Art von Käfer oder Wespen: Theophr. h. pl. 2, c. ult. Plin. 17, 27. —τριον u. κεντρὶς Stachel: Ort, wo das Pferd gespornt wird: Hippiatr. —τριόω, stechen: Hippocr affect. intern. c. 43. —τρίσκος, ὁ, eine Fischart, die wie der Aal sich fortpflanzen soll, im Flusse Lykus: Theophr. —τροβαρής, ὁ, ἡ, (κέντρον, βάρος) nach dem Mittelpunkte die Schwere habend: daher κεντροβαρικὰ, τὰ, ein Buch des Archimedes, wo er lehrt den Schwerpunkt eines Körpers suchen und finden —τροδήλητος, ὁ, ἡ, oder —δάλητος, (δηλέω) durch den Stachel schadend- stechend: Aeschyl. Suppl. 571. —τρομυρσίνη, ἡ, die stachlichte μυρσίνη, sonst ὀξυμ. Theophr. 1. pl. 3, 17. —τρον, τὸ, (κεντέω) der Stachel, *stimulus*, womit die Ochsen angetrieben wurden; 2) der Sporn: 3) jede Spitze, Stachel, Dorn; 4) *centrum*, der Mittelpunkt, κάτοπτρον ἀκριβὲς (κατὰ) τὸ κέντρον Lucian. hist. conscr. 86. gerade geschliffener Spiegel: 5) im Marmor und andern Steinarten gewisse Stellen, wo die Lagen oder Fasern in einander gewunden sind; 6) metaph. der Reiz, Antrieb; davon —τροτύπος, ὁ, ἡ, (τύπτω) mit dem Stachel treffend- stoſsend- stechend. —τρόω, ῶ, (κέντρον) spitzig- stachlicht machen: mit Spitzen oder Stacheln versehn- bewaffnen- beschlagen. —τρώδης, ὁ, ἡ, spitzig, stachlicht, eigentl. κεντροειδὴς stachelartig. —τρων, ὁ, das lat. *cento* (κεντρόω) aus Stücken zusammengeflickter Rock; davon ὁμηρόκεντρα u. ὁμηροκεντρωνὲς Gedichte heiſsen, die aus einzelnen homerischen ganzen od. halben Versen zusammengesetzt sind, dergleichen man *Virgilio centones* und des Ausonius *Cento nuptialis* hat: 2) bey Aristoph. Nub. 450. ist es der Beyname eines schelmischen- listigen Menschen, wo es der Scholiast auch für σάγμα erklärt. —τρωσις, εως, ἡ, (κεντρόω) das Bestacheln: das Stechen mit dem Stachel. —τρωτὸς, ἡ, ὸν, (κεντρόω) bestachelt, gestochen. —τυρίων, ωνος, ὁ, das lat. *centurio*. —τωρ, ορος, ὁ, der sticht, spornt, antreibt: ἵππων, Il. 5, 102. von

ένω, fut. κένσω, aor. 1. infin. κένσαι; davon κέντωρ, stechen, spornen. Von κέω kommt κεάω, κεάζω spalten: ferner κέω, κένω, κεντω, κεντέω: Von der Form κάω kommt κάνω, καίνω stechen, erstechen, tödten. Von der Form κέζω ist κεστὸς, πολυκεστος ἱμὰς u. πολυκέντητος gestickt, bunt, ferner κέστρα, κέστρος, κέστρον, Werkzeug zum Stechen. S. auch κτείνω.

Κένωμα, τὸ, (κενόω) das ausgeleerte: Unrath.

Κένωσις, εως, ἡ, die Ausleerung, das Ausleeren.

Κενωτικὸς, ἡ, ὸν, zum ausleeren- abführen gehörig oder geschickt.

Κέομαι, f. v. a. κεῖμαι von κέω, κείω, κεῖμι, κεῖμαι.

Κεπφόομαι, οῦμαι, ich lasse mich leichtsinnigerweise locken, anführen, betrügen wie der Vogel κέπφος. —φος, ὁ, ein leichter Seevogel aus der Gattung *Procellaria* Linn. der mit Meerschaum sich locken und fangen läſst; daher für einen leichtsinnigen thörichten Menschen; davon

Κέρα, ἡ, f. Les. bey Theophr. h. pl. 9, 13 st. κέρας, wie auch aus Hesych. in σταφυλῖνος erhellet, der Name der wilden Pastinakwurzel.

Κεραβάτης, ου, ὁ, f. v. a. κεροβάτης. —ελκής, έος, ὁ, ἡ, (ἕλκω) mit den Hörnern ziehend, ein Ochse vor dem Pfluge: 2) bey den Hörnern herunterziehend, f. v. a. ταυρελάτης: Hesych.

Κεραία, ἡ, (κέρας) die Hervorragung, (wie beym Horne) die Spitze, der Schenkel vom Zirkel: Sextus Emp. 10, 53. die Segelstange: der Accent- über einem Worte wie *apex*, περὶ συλλαβῶν καὶ κεραιῶν Plutar. 10 p. 524. auch f. v. a. κέρας, das Horn. ἐκ κεραίας διαδραμεῖν, segeln, wenn man den Wind von der Seite nicht von hinten hat. S. ποῦς no. 5. τὸ διὰ πάσης κεραίας διῆκον πικρὸν καὶ νοερὸν Dionys. Dinarch. 7 sprüchwörtlich - sich durchaus verbreitend, erstreckend, gleichsam durch jede Sylbe, durch jedes Wort.

Κεραΐζω, von κείρω, κερῶ, κεράω, ich raube, beraube plündere, verwüste Il. 5. 557. 2) auch morden, tödten, ἐγὼ δ' ὄπιθεν κεραΐζων u. Τρῶας κεραΐζε καὶ ἄλλους. In der ersten Bedeutung hat es Herodot. 2, 115 οἰκία τοῦ ξείνου κεραΐσας u. 2, 121 τοὺς γὰρ κλέπτας οὐκ ἀνιέναι κεραΐζοντας, denn die Diebe hörten nicht auf den Schatz zu plündern. Eben so werden κείρειν u. κατακείρειν gebraucht. S. κείρω no. 4. Für würgen, tödten. Herodot. 7, 125.

Κεραίνω, Il. ι, 203 lasen einige κέραινε st. κέραιρε.

Κεραιοῦχος, (κεραία ἔχω) κάλως, ein Seil oder Strick womit die Segelstangen gehalten oder regiert wird, auch κεροιλκὸς genannt; daher metaph. δικαιοδότης bey Hesych.

Κεραίρω, eine andere Form von κεράω, κεράννυμι, wie γεράω, γεραίω, γεραίρω. Il. 9, 203.

Κεραῒς, ιδος, ἡ, d. i. κεραΐζουσα: ferner, ein Wurm dem Horn schädlich:

Odyss. Φ. wo st. κέρα ἶπες ἔδοιεν einige lasen: κεραΐδες ἔδοιεν. 3) ein Schaaf von einem gewissen Alter, *bidens*. Lycophr. 1517.

Κεραϊστὴς, οῦ, ὁ, (κεραΐζω) Plünderer, Dieb, Verwüster: hymn. in Merc. 336. —ΐτις, ἡ, nach Dioscor. 2, 124. sonst βούκερας und τῆλις, *foenum graecum*.

Κεραλκὴς, (κέρας, ἀλκὴ) βοῦς, der Ochse der in den Hörnern Kraft hat, wenn er an denselben vor dem Pflug gespannt ist.

Κεράμβηλος, und κεράμβυξ, ὁ, *Cerambyx*, der sogenannte Feuerschröter, ein Käfer mit langen Hörnern, Anton. liber. 22. 2) κεράμβηλον, τὸ, ein Popanz in den Gärten die Vögel zu scheuchen.

Κεραμαῖος, αία, αῖον, s. v. a. κεράμεος und κεράμειος, Polyb. 10, 44. zw. —μείη, ἡ, verst. τέχνη, Topferkunst. —μεικὸς, ὁ, zu Athen ein doppelter Platz; in u. ausser Athen; im letztern begrub man die im Kriege getödteten. —μεῖον, τὸ, (κεραμεύω) Topferwerkstätte, und Plutar. 8 p. 151. Aeschines or. verbindet es m. ἐπαύλιον. —μειος, εία, ειον, und κεράμεος contr. κεραμοῦς, (κέραμος) irden, vom Töpfer gemacht. —μεὺς, ὁ, (κεραμεύω). der Topfer. —μευτικὸς, ἡ, ὸν, zum Töpfer gehörig, κεραμευτικὴ, verst. τέχνη, Töpferkunst; von —μεύω, (κέραμος) τὰ τρυβλία κακῶς κερ. τὴν δὲ πόλιν εὖ καὶ καλῶς sagt Aristophanes vom Kephalus, einem Töpfersohne: eigentl. Topferwaare bereiten - machen. —μιδόω, ῶ, (κεραμὶς) ich versehe - decke mit Ziegeln. —μικὸς, ἡ, ὸν, (κέραμος) irden, vom Töpfer gemacht. —μιον, τὸ, das irdene Gefäfs - Geschirr - Fafs, wie *testa*. —μιος, ία, ιον, s. v. a. κεράμεος u. κεραμικὸς. —μὶς, ἡ, (κέραμος) γῆ, Thon, Töpfererde; 2) Dachziegel: 3) Gefäfs, Geschirr von Thon, Topfergeschirr. μίτης, ὁ, —ῖτις, ἡ, wie γῆ, Töpfererde, eigentl. zum κέραμος gehörig. —μοποιὸς, ὁ, Topfer: der irdene Waare macht, Hafner. —μοπωλεῖον, τὸ, Markt für irdene Waaren. —μοπωλέω, ῶ, ich verkaufe irdene Waaren, handle mit irdener Waare. —μοπώλης, ου, ὁ, der irdene Waaren verkauft oder damit handelt. —μος, ὁ, die Töpfererde, Topferthon, Thon; 2) alles daraus gebrannte irdene Gefafs und Körper, als Weingefäfs, Topf, Schüssel, Dachziegel u. dergl. 2) Gefangnifs bey den Cypriern wofür es einige auch Il. 5, 387. erklärten. —μωτὸς, ἡ, ὸν, (κεραμόω) von irdener Waare; von Ziegeln gemacht. κεραμωτὸν (τὸ) καταῤῥυτον ein abhangiges Ziegeldach: Polyb. στέγη κερ. Ziegeldach: Strabo.

Κεράννυμι, κεραννύω, u. κεράω, f. κερῶ und κεράσω, von der letzten Form werden die übrigen tempora der zwey erstern gemacht; mischen, vermischen; vorzügl. den Wein mit Wasser zum Tischtrunke mischen; daher ὅτε οἶνον ἐνὶ κρητῆρσι κέρωνται Il. 4, 260. wenn sie sich den Wein in den grofsen Gefäfsen mit Wasser mischen. Das Stammwort ist κέρω, κεράω, davon auch κίρνημι, Wie πέλω, πίλνω.

Κέραξ, ακος, ὁ, s. v. a. κέρας, Hesych.

Κεραοξόος, ὁ, ἡ, (ξέω, κέρας) Hornarbeiter, der Horn polirt, schnitzt und zu Bogen und andern Werkzeugen verarbeitet.

Κεραὸς, gehörnt, hörnern. —οῦχος, s. v. a. κεροῦχος.

Κέρας, ατος, τὸ, das Horn, woraus unter andern Trinkgeschirre, Bogen, und musikalische Instrumente gemacht wurden; daher steht es auch 2) für Bogen; 3) Becher; 4) für das lat. *cornu*, d. i. die phrygische Flöte mit einem unten angesetzten Horne, damit sie einen rauhern und grobern Ton gab; daher heifst sie auch καρασφόρος αὐλὸς, davon κεραύλης. Die Zubereitung durch röften des Horns lehrt Aristot. de Audib. 5) der Flügel einer Armee, wie *cornu dextrum, sinistrum*. 6) eine Hervorragung, Erhabenheit, wie *cornu montis*.

Κερὰς, άδος, ἡ, gehörnt: auch s. v. a. κεραὶς no. 3.

Κεράς, Adv. ἐκ δ' ἔχεεν κελέβην, μετὰ δ' αὖ κεράς ἠφύσατ' ἄλλο bey Suidas st. ἀπὸ τοῦ κεράσματος ἄλλο ἤντλησε: es scheint aber vielmehr zu heissen: ἠφύσατο δ' αὖ ἄλλο μετάκερας, laues Wasser.

Κερασβόλος, ὁ, ἡ, (κέρας, βάλλω) ὄσπρια κερασβόλα, Hülsenfrüchte die nicht weich werden im Kochen, weil sie nach der Fabel der Landleute im säen den Ochsen auf die Horner gefallen waren; 2) metaph. ein harter und unbiegsamer Mensch.

Κερασία, ἡ, s. v. a. κέρασος, Kirschbaum: Geopon. —σιον, τὸ, Kirsche: Frucht vom κέρασος oder κερασία, des Kirschbaums.

Κέρασμα, τὸ, (κεράω) Gemischtes, gemischter Trank.

Κέρασος, ὁ, Kirschbaum: Plinius 15, 25.

Κεράστης, ου, ὁ, (κέρας) überh. gehörnt: ein Käfer, den Feigen schädlich, Theophr. h. pl. 5, 5. *cerastes*, Hornschlange Plin. 8, 23. 11, 37.

Κερασφόρος, ὁ, ἡ, (φέρω) hörnertragend; gehornt.

Κερατάρχης, nach Aelian tact. 22. ein Auffeher über 32. Elephanten, und dessen Amt κερatαρχία. —ταύλης, ου, ὁ, (αὐλέω) Hornbläser, Hornist. S. κέρας no. 4

Κερατεία, ἡ, der Baum der das Johannisbrod trägt: Plin. 19, 12, 20, 17. richtiger κερατέα, Geopon. 11, 1. κεράτιον, τὸ, die wie ein Horn gebogne Frucht desselben. —τίας, ου, ὁ, (κέρας) gehörnt. —τίζω, mit den Hörnern stoſsen; zw. —τινος, ίνη, ινον, (κέρας) hörnern: von Horn gemacht. —τιον, τὸ, dimin. v. κέρας, ein kleines Horn: Johannisbrod, oder die Frucht von κερατία, ἡ, auch f. v. a. τῆλις, *foenum graecum*: Columella 5, 10, 20. u. de Arbor. 25, 1. —τιστής, οῦ, ὁ, (κερατίζω) der mit den Hörnern stöſst. —τίτης, ου, ὁ, femin. —ῖτις, ἡ, gehörnt: hornförmig. —τογλυφος, ὁ, ἡ, (γλύφω) f. v. a. —οξόος: zw. —τοειδής, έος, ὁ, ἡ, f. v. a. κερατώδης, hornartig, hörnern. —τοποιός, ὁ, (ποιέω) bey Hesych. als Erkl. von κεραοξόος. —τόπους, οδος, ὁ, mit Hornfüſsen: Glossar. St. —τουργός, ὁ, ἡ, (ἔργον) f. v. a. κεραοξόος. —τοφορέω, ich trage Hörner: von —τοφόρος, ὁ, ἡ, Hörner tragend, f. v. a. κερασφόρος. —τοφυέω, ich zeuge oder bekomme Hörner: von —τοφυής, ὁ, ἡ, (κερατόφυος, ὁ, ἡ, zw.) Hörner zeugend od. Hörner tragend, Athenaei p. 476. —τόφωνος, ὁ, ἡ, mit oder aus dem Horne sprechend oder tönend, Athenaei 14 p. 637. —τόω, zu Horn machen, verhärten, Aelian. h. a. 12, 18. —τώδης, εος, ὁ, ἡ, f. v. a. κερατοειδής. —τών, ῶνος, ὁ, βωμὸς Plutar. Thes. 20. der von Hörnern (κέρας) erbauete Altar, wo Stephanus lieber κερατοῦς st. κερατόεις lesen wollte.

Κεραύλης, ου, ὁ, f. v. a. κερατaύλης.

Κεραύνειος, ὁ, ἡ, vom Donner, zum D. gehörig. —νίας, ου, ὁ, v. Donner getroffen: Hesych. λίθος, Donnerstein. —νιον, τὸ, eine Art Trüffel, ὕδνον, *tuber*, die nach dem Donner wachsen soll. v. —νιος, α, ον, f. v. a. κεραύνειος. —νοβάλλομαι, ich werde vom Blitze getroffen. —νοβλής, ῆτος, ὁ, ἡ, oder κεραυνόβλητος, ὁ, ἡ, (βλέω, βάλλω) v. Donner getroffen. —νοβολέω, ῶ, den Donner werfen, mit dem Donner werfen oder treffen; dav. —νοβολία, ἡ, das Werfen des Donners, das Treffen mit dem D. das Donnern; davon —νοβόλιον, τὸ, in Glossar. Steph. wird es d. *bidental* und *fulgur* erklärt, d. i. ein vom Donner getroffener Ort und der Donner selbst. —νοβόλος, ὁ, ἡ, (κεραυνὸς, βάλλω) den Donner werfend, donnernd, mit dem Donner werfend oder treffend: κεραυνόβολος, ὁ, ἡ, vom Donner getroffen. —νοβρόντης, ου, ὁ, Blitzdonnerer: Aristoph. Pac. 376. —νός, ὁ, Donnerschlag, *fulmen*, der Blitz ἀστεροπή oder στεροπή, der Donner βροντή: Hesiod. Theog 690. die Cyklopen schmieden nach der Fabel dem Jupiter κεραυνοὺς, gleichsam Donnerkeile, nach unserer Vorstellung. —νοσκοπεῖον, τὸ, nach Pollux 4, 127 und 130. Maschine auf dem Theater den Donnerschlag nachzuahmen: eigentl. ein Ort, wo man den Donner beobachtet. —νοσκοπία, ἡ, (κεραυνοσκοπέω) Beobachtung und Deutung des Donners. —νοφαής, έος, ὁ, ἡ, (φάος) vom Donner oder wie der Blitz leuchtend: Eur. Tro. 1103. —νοφόρος, ὁ, ἡ, Donner tragend, Donnerträger. —νόω, ῶ, mit dem Donner treffen - erschlagen: davon —νωσις, ἡ, das Treffen mit dem Donner, Erschlagen durch d. Donner.

Κεράω, f. v. a. κεράννυμι.

Κεράω, (κέρας) Polyb. 18, 7. sich auf die Flanke stellen, daher ὑπερκεράω u. περικεράω.

Κεραῶπα (κέρας, ὤψ) σελήνην, Maximus vers. 337. f. v. a. κεραειδῆ.

Κέρβερος, ὁ, der Hund, welcher den Eingang der Unterwelt bewacht. S. auch λάλαξ: —βολέω, ῶ, f. v. a. σκερβολέω und κερτομέω.

Κερδαίνω, fut. ανῶ, gewinnen, überh. davon haben, wie ὄνειδος, Schande zum Lohn haben. Auch überh. wuchern, auf Gewinnst bedacht seyn: Eur. Heracl. 959. καὶ κερδανεῖς ἅπαντα, damit wirst du für alles bezahlt werden. S. ἐμπολέω. —δαλέη, έης, contr. λῆ, ῆς, der Fuchs: Archilochus Dionis Orat. 64. bey Gregor. Naz. der Fuchspelz wie λεοντῆ: das femin. v. —δαλέος, έα, έον, Adv. —λέως, (κέρδος) gewinnsüchtig, schlau, listig, klug, verständig; dav. —δαλεότης, ητος, ἡ, Klugheit, List, Verschlagenheit, Schlauigkeit. —δαλεόφρων, ονος, ὁ, ἡ, (φρὴν) poet. f. v. a. κερδαλέος. —δάριον, τὸ, dimin. von κέρδος: Glossar. St. —δέμπορος, ὁ, im Handel den Vortheil gebend: Beyw. des Merkurius: Orph. —δέω, ῶ, f. v. a κερδαίνω, welches st. jenes im praes. gebraucht wird; davon —δητικὸς, *lucrosus*, gewinnsüchtig: Glossar. St. —διστος, ίστη, ον, superlat. und κερδίων, ὁ, ἡ, κέρδιον, τὸ, compar. von κέρδος gemacht, nützlicher, listiger, schlauer, klüger: u. so im superl. der nützlichste, schlaueste, u. s. w. —δογαμέω, ῶ, des Gewinnstes wegen heyrathen. zw. —δον, τὸ, sonst στρούθιον, Dioscor. 2, 193. viell. mit d. lat. *gerdius* verwandt. —δος, τὸ, Gewinn, Gewinnst, Vortheil, Nutzen: Gewinnsucht, Schlauigkeit, Verschlagenheit, Klugheit, List: doch in der letztern Bedeut. meist im pluralis κέρδεα. —δοσυλλέκτης, ὁ, Nicet. Annal. 16, 2. ein Mann, der überall zu verdienen sucht.

Κερδοσύνη, ἡ, s. v. a. κερδαλεότης. — δόψιον, τὸ, f. L. statt κερδόφιον, τὸ, Glossar. St. dimin. von κέρδος, kleiner Gewinnst. — δώ, όος, contr. οῦς, ἡ, (κέρδος) Fuchs, gleichsam der Verschlagene, wie κερδαλέη; 2) s. v. a. γαλῆ, Wiesel: Artemid. 3, 28.

Κέρδων, kommt als Sclavenname bey Demosth. vor: dav. *cerdo* einen Handwerksmann bedeutet, von κέρδος, Gewinnst. — δῷος, (κερδώ, κερδοῖος) Gewinn bringend, oder gebend: Beyw. des Hermes; 2) vom Fuchse κερδώ, Fuchsahnlich: Gregor. Naz.

Κερεαλκής, poet. st. κεραλκής, (ἀλκή, κέρας) an Hörnern stark: Apollon. 4, 469.

Κερητίζω, bey Plutar. 9 p. 337. viell. st. κελητίζω.

Κέρθιος, ὁ, *certhia*, eine Art von Baumläufer: Arist. hist. anim. 9, 17.

Κερκέτης, ου, ὁ, der kleine Anker, nach Hesych. und Photius: bey Eustath. üb. Il. Φ. p. 1221. erklärt es Pausanias für eine Art von δελφὶς und Anker: μηχάνημα σιδηροῦν ὃ ἐξαρτᾶται τῆς νεὼς ὅταν ἡ ἄνεμος πρὸς τὸ ἀντέχειν. In diesem Sinne erklärt Schol. Aristoph. Equ. 759. τοὺς δελφῖνας durch ἐξάρτημα τῶν νεῶν, ἀγκυρώματα. — κίδιον, τὸ, dim. von κερκίς. — κιδοποιϊκή, κερκιδοποιητική, ἡ, τέχνη, die Kunst des — κιδοποιὸς, ὁ, ἡ, (ποιέω) der die κερκὶς macht - arbeitet, vorz. das Werkzeug der Weber. — κίζω, weben, eigentl. m. der κερκὶς d. i. m. der Weberlade das Gewebe festschlagen. — κὶς, ἡ, *radius, pecten textorius*, die Weberlade: S. in Index script. Reimat. S. 370. folgd. 2) das Gewebe oder die Weberey selbst; 3) ein hölzerner spitziger Pflock, *paxillus*; 4) ein langes Holz zum umrühren, *tudicula*; 5) der große lange Knochen des Schienbeins, *radius*; 6) eine Art von Pappeln, die Espe: Aristot. h. a. 7, 5. Theophr. h. pl. 3, 14. auch 1, 18. haben für κικὶς einige Ausg. κερκίς; vergl. Etym. M. in κερκίς; 7) *plectrum*, zum Schlagen der Saiten; 8) *radius mathematicus*; 9) ein Theil des Theaters, wird im Gloss. Steph. *cuneus* erklärt: περὶ τὴν κερκίδα καθίζουσαι θεωρεῖν, Pollux: ἀνάλημμα καὶ τὴν ἐπ' αὐτῷ κερκίδα καὶ τὸ βῆμα Inscriptio Chandleri; 9) Haarkamm: Apollon. 3, 46. Scheint von κρέκειν zu kommen, d. i. von dem Geräusche, welches die Weberlade und die Zitterespe machen; vergl. κέρκω. — κισις, ἡ, (κερκίζω) das Weben, eigentl. Schlagen mit der Weberlade: Aristot. Physic. lib. 7. — κιστική, (τέχνη) Weberkunst, Weberey. — κίων, ἡ, bey Aelian. h. a. 16, 3. ein fremder Vogel, welcher 15, 14. wahrsch. κερκορώνη heisst. — κοπίθηκος, ὁ, (κέρκος) geschwanzter Affe, Schwanzaffe. — κορώνη, S. κερκίων. — κος, ἡ, Schwanz — κουρος, κερκοῦρος, ὁ, lat. *cercurus*, eine Art v. leichtem Schiffe den Cypriern eigen: Plinius 7, 56. — κοφόρος, ὁ, ἡ, Schwanzträger, geschwänzt. — κω, s. v. a. κρέκω. — κώπειος, ὁ, ἡ, einem κέρκωψ eigen oder ähnlich: daher listig, verschlagen, Synes. — κώπη, ἡ, auch κέρκωψ, ὁ, Aelian. h. a. 10, 44. eine Art von Cicade, von Legestachel, (κέρκος) der hinten ausgeht. — κωπίζω, (κέρκωψ) ich mache den Affen, also ich äffe, bin hinterlistig - muthwillig - geil. — κωσις, ἡ, (κέρκος, κερκόω) ein Auswuchs am Muttermunde: Paul. Aeg. 6, 70. — κωψ, ωπος, ὁ, (κέρκος) eine wahrscheinl. geschwanzte Affenart, beschrieben von Ovid. Metamor. 14, 90. daher ein schlauer - heimtückischer - muthwilliger - geiler Mensch; 2) s. v. a. κερκώπη.

Κέρμα, τὸ, (κείρω) ein Stück Geld, Münze: überh. jeder in kleinere Stücke zerlegter oder getheilter Körper. — ματίζω, (κέρμα) ich zerstücke, zerschneide, trenne, theile; 2) ich schlage zu einem Stucke Geld - Münze. — μάτιον, τὸ, dimin. von κέρμα. — ματιστής, οῦ, ὁ, (κερματίζω) und κερμαδότης, ὁ, (κέρμα, δίδωμι) s. v. a. κολλυβιστής, Geldwechsler: für Wucherer bey Nicetas Annal. 8, 2.

Κέρνος, ου, ὁ, od. εος, τὸ, od. κέρνον, nach Athen. 11 p. 476 und 478. eine irdene große Schüssel mit kleinern darinne befestigten Gefäßen, worinne allerhand Früchte als Opfer dargebracht wurden; der Priester trug die Opferschüssel, daher hieß er κερνοφόρος: Nicand. Alex. 217. und das Tragen dieser Schüssel in der Prozession κερνοφορεῖν. Bey Pollux 2, 180. heissen κέρναι, αἱ, zwey Hervorragungen v. den Knochenfortsätzen der Rückenwirbel am Rücken: doch haben die ältern Ausg. κέρνα.

Κεροβάτης, ου, ὁ, Πάν, Aristoph. Ran. 230. der auf hörnernen- od. Bocksfüßen oder auf Felsenspitzen geht. — βόας, ὁ, λωτὸς, Flöte vom Tone (βοή) des Horns oder mit Horn besetzt, wie κέρας no. 4. Antiol.

Κερόδετος, (δέω) mit oder an Horn gebunden: τόξον, Eur. Rhes. 33.

Κεροειδής, ὁ, ἡ, (εἶδος) hornartig. — εις, όεσσα, όεν, gehörnt: ὄχος Callim. Dian. 113. ein von gehornten Thieren gezogener Wagen: hornartig.

Κεροίαξ, ακος, ὁ, (οἴαξ) bey Lucian. navig. 4. die Taue und Seile, womit die Segelstangen (κέρας, κεραία) regiert werden, lat. *ceruchus.* ἐπὶ τῆς κεραίας. ἄνω ἀσφαλῶς διαθέοντα, τῶν κεροιάκων ἐπειλημμένων: bey Nicet. Annal. 13, 4. ἐπὶ τῶν κερ. καθίζεσθαι.

Κεροπλάστης, ου, ὁ, (κέρας, πλάσσω) nach Hesych. u. Pollux 2, 32. der das Haar putzt: Archilochus Plutar. 10 p. 66. wo falsch κηροπλ. steht.

Κερόστρωτος, ὁ, ἡ, (κέρας, στρωννύω) bey Plin. 11, 37. wo aber Harduin *cestrota*, d. i. mit dem *cestrum* gemahlt, (vergl. 35 c. 17.) wie mich deucht, sehr unrecht geschrieben hat.

Κερουλκὶς, ίδος, ἡ, nach dem Schol. des Theocr. ἡ ἀπὸ τῶν κεράτων ἑλκομένη. —κός, ἡ, όν, (ἕλκω, κέρας) an den Hörnern ziehend: κάλως Tau zum Ziehn der Segelstange, κέρας, κεραία: als Beywort des Apollo, der einen hörnernen Bogen zieht oder spannt, und daher als Beyw. des Bogens selbst: Eur. Or. 268 ἐκ κεράτων σκευαζόμενος nach dem Schol. Sophocl. Plutarch. Q. S. 2, 5. nennt die κερουλκοὶ wahrsch. Bogenschützen.

Κερουτίας, ου, ὁ, übermüthig, stolz; v. —τιάω, ῶ, (κέρας) eigentl. v. Thieren, die sich auf die Stärke ihrer Hörner verlassen, oder die muthig sie mit Kopf und Hals emportragen: daher v. Menschen, denen wie wir sagen, der Kamm wächst, und die ihre Kräfte, Verdienste, Ansehn fühlen. Der Lat. sagt eben so *cornua tollere, sumere*, den Kopf höher tragen. S. κορυπτιάω und κορωνιάω.

Κερουχὶς, ίδος, ἡ, Theocr. 5, 145. femin. von —χος, ὁ, ἡ, (κέρατα, ἔχω) gehörnt: s. v. a. κεραιοῦχος.

Κεροφόρος, Eur. Bacch. 690. s. v. a. κερατοφόρος, hörnertragend, gehörnt.

Κερόω, κερόωσι σελήνην; Arat. Dios. 48. d. i. κεραιοποιοῦσι, σχηματίζουσιν εἰς κεραίας, wo andre es d. κεραννύουσι v. κεράω erklären.

Κερτομέω, ῶ, (κέρτομος) lästern, schmähen, spotten, kränken: m. d. accus. davon —μησις, ἡ, und κερτομία, Verspottung, Kränkung, Schimpf; davon —μίας, ου, ὁ, Spötter: Hesych. wenn es nicht der accus. von κερτομία ist. —μιος, ὁ, und κερτόμεος, die Verlängerung von und s. v. a. —μος, ὁ, ἡ, (wahrsch. von κείρω und τέμνω) nagend, verläumdend, chikanirend, vorz. einer der d. Spott und Schimpf kränkt-neckt-reizt: κέρτομος χαρὰ täuschende Freude: Eur. Alc. 1124.

Κερχαλέος, έα, έον, und κερχναλέος, trocken, rauh und heiser. S. κέρχω. —χάω, ῶ, und κερχνάω, s. v. a. κέρχω.

Κερχναλέος, s. v. a. κερχαλέος. —νασμὸς, ὁ, (κερχνάω) die Trockenheit, Rauhigkeit und Heiserkeit des Halses. —νάω, ῶ, s. v. a. κερχάω. S. κέρχω. —νη, ἡ, und κερχνηΐς, ἡ, bey Aristoph. der Thurmfalke, *tinnunculus*, sonst auch κεγχρὶς und κεγχρηΐς. —νος, ὁ, wenn es Hesych. für eine Hülsenfrucht erklärt, steht es für κέγχρος, wenn Pollux für Silbererzkörner, stehts ebenfalls für κέγχρος. S. κεγχρεών. Für Rauhigkeit führt Erotian die Stelle des Sophocles an: ἰχθὺς τραχὺς ᾧ χελώνης κέρχνος ἐξανίσταται. S. κέγχρος. Alexander Trall. 5, p. 243. sagt: οὔτε ψόφον τινὰ οὔτε κέρχνον ὑπομένουσιν. —νέω, ῶ, und κέρχνω, s. v. a. κέρχω. —νώδης, εος, ὁ, ἡ, trocken, rauh, heiser. —νωμα, τὸ, die Trockenheit, Rauhigkeit, Heiserkeit. —νωτὸς, ἡ, ὸν, trokken, rauh, heiser gemacht.

Κέρχω, wovon κερχάω, κερχέω, κέρχνω, κερχνάω, κερχνέω, drückt bey Hippocr. und Theophil. protosp. 3, 14. vorz. das trocken-rauh-und heiser machen, oder den heisern Ton der Luftröhre aus: daher κερχαλέον ὑποσυρίζειν von einer solchen heisern Stimme, wenn die Luftröhre trocken, rauh oder im Katarrh voll Schleim ist. Das Wort scheint von κρέκω, *tinnio, strido*, herzukommen, wovon κερκὶς, das Weberblatt, das im hin und hergehn einen *sonum stridulum* von sich giebt. Diesen pfeifenden u. schringenden Ton bemerkt man an der Sprache eines heisern Menschen. Daher scheint auch der heisere Thurmfalke (κερχνὴ und κερχνηΐς) seinen Namen, im lat. *tinnunculus*, zu haben. Wird mit καρχαλέος und καρφαλέος verwechselt. S. auch κάρχαρος. —χώδης, εος, ὁ, ἡ, trocken, rauh, heiser, s. v. a. κερχαλέος: Hesych. hat auch καρχώδης für rauh, τραχύς. S. κέρχω.

Κέρω, κέρσω, S. κείρω.

Κέρω, S. κεράννυμι.

Κερωδὸς, ὁ, *cornicen*, der auf dem Horne bläst: Glossar. St.

Κερωτυπέω, Aeschyl. Ag. 666. mit dem Horne stossen.

Κεσκίον, τὸ, Werg, Abgang des Flachses: Hesych. und so sagt Herodes Stobaei ἢ ταῖσι μηλολόνθαις ἅμματ' ἐξάπτων τοῦ κεσκίου μοι τὸν γέροντα λωβῆται, er knüpft Fäden von Werg an die Maikäfer und verdirbt mir so den Rocken. —κομαι, s. v. a. κεῖμαι. S. κάω, liegen.

Κεστὸς, gestickt, schön gestickt: Il. 14, 214. ἱμὰς, der Brustgürtel der Venus, welchen jedoch andere für eine Art von Unterkleid deuteten, welches ἱμὰς nicht zulässt. Anderswo ἱμὰς πολυκέστος, die Binde, womit der Helm unter dem Halse gebunden ist.

Κέστρα, ἡ, nach Hesych. und Pollux 10, 160 und 183. 6, 53. eine Art von Hammer, Waffe und Fisch. Zum Beweise der ersten Bedeut. führen sie die Stelle des Sophocles an: κέστρᾳ σιδηρᾷ πλευῥὰ καὶ κατὰ ῥάχιν ἀλοήσας: ferner daſs der Fiſch σφύραινα auch κέστρα heiſse. Pollux vergleicht dieſen Hammer mit κροταφὶς, welcher nach Heſych. ein ſpitziges und ein kolbigtes Ende hatte, alſo ein Spitzhammer; 2) als Waffe iſt es ſ. v. a. κέστρος; 3) als Fiſch unterſcheiden es einige von σφύραινα, wie Scholiaſtes Ariſtophan. Nub. 338. anmerkt, wo κεστρᾶν τεμάχη μεγάλα ἀγαθᾶν unter die Leckerbiſſen gezahlt werden. Der Scholiaſt hat daſelbſt die Lesart αἱ κεστρέαι und ſagt, zu ſeiner Zeit nenne man κεστρεῖς die κεφάλους. Bey Athenaeus 7 p. 323. wird κέστρα (den die Attiker ſo nannten, die andern σφύραινα) mit dem Kongeraale, mit der βελόνη und σαυρὶς verglichen. Ariſtot. h. a. 9, 2. nennt die σφύραινα nur einmal. Man hält ihn für *Eſox Sphyraena* Linnaei, eine Hechtart; 4) eine Pfrieme. Mathem. vet. p. 140.

Κεστραῖος, ὁ, ſ. v. a. κεστρεὺς, Hippocr. —στρέα, ἡ, ſ. v. a. κέστρα —στρεύς, ὁ, ein Meerfiſch, v. der Geſtalt (κέστρα) ſo genannt, *mugil* bey Plinius, den man immer mit leerem Magen wollte gefunden haben, und daher νῆστιν, den Faſter nannte, und ſo ſpottweiſe auch einen Hungerleider hieſs. Einige Arten hieſsen κέφαλοι, σφηνεῖς, δακτυλεῖς χέλωνες, μύξινοι. S. Athen. 7 pag. 306. —στρεύω, ich bin wie ein κεστρεὺς hungrig, nüchtern. —στρῖνος, ὁ, ſ. v. a. κεστρεὺς, davon κεστρινίσκος, ὁ, ein Dim. —στρίτης, ὁ, οἶνος, Wein, der zubereitet iſt mit —στρον, τὸ, *betonica*, Dioſcor. 4, 1. die Pflanze *betonica officinalis* Linn. 2) *ceſtrum*, ein Griffel, Grabſtichel, ſpitziges Eiſen. —στρος, ὁ, nach Heſych. das Hervorbrechen der Saamenkörner an den Pflanzen; 2) eine Rauhigkeit, Schärfe auf d. Zunge; 3) ſ. v. a. κεστροσφενδόνη. —στροσφενδόνη, ἡ, eine im Kriege mit dem Perſeus erfundene Maſchine, bey Polyb. u. Livius 42, 65. womit man wie mit einer Schleuder Steine warf. —στρόω, (κέστρον) ich gravire, ſteche mit einem ſpitzigen Eiſen, oder mache ſpitzig; davon —στρωσις, εως, ἡ, das Graviren mit einem ſpitzigen glühenden Eiſen, *ceſtrum* bey Plinius 11, 37. und —στρωτὸν ξύλον, ein zugeſpitztes Holz und an der Spitze gebrannt, wie Pfähle, die man in die Erde ſetzt.

Κευθάνω, ſ. v. a. κεύθω.

Κευθμὸς, ὁ, u. κευθμών, ὁ, (κεύθω) Schlupfwinkel, ſich zu verbergen: 2) Höle, Tiefe, verſteckter abgelegener Ort.

Κεῦθος, τὸ, ſ. v. a. κευθμὸς. —θω, f. κεύσω, ich verberge, verſtecke, verhehle, ſ. v. a. κύθω von κύω, S. κύθω; 2) ich bin verborgen: Sophocl. Ant. 911. μητρὸς δ' ἐν Ἅδου καὶ πατρὸς κεκευθότοιν Oed. Tyr. 977. θανὼν κεύθει, κάτω δὴ γῆς. S. auch σκευάζω.

Κευτηρία, ἡ, Theophr. 1. pl. 9, 1. wahrſch. ſt. κενταύριον, τὸ.

Κεφαλαία, ἡ, ein eingewurzelter, alter Kopfſchmerz. —λαιον, τὸ, vom adject. —λαῖος. davon ῥῆμα κεφ Ariſtoph. Ran. 854. *capitale verbum*, ein groſses Wort: τὸ κεφ. τῆς ῥαφανίδος, das Kopfende des Rettigs: Idem Nub. 987. daher wie *caput* und *capitulum*, die Hauptſache, Hauptſumme, das Kapital, Summa: Summarium, kurzer Inbegriff: ἐν κεφαλαίῳ oder ἐπὶ κεφαλαίων εἰπεῖν, ſummariſch oder den Hauptſachen nach erzählen. —λαιόω, ῶ, in Hauptabſchnitte bringen, ſummariſch berühren: zuſammenrechnen, ſummiren. —λαιώδης, εος, ὁ, ἡ, Adv. —ωδῶς, ſummariſch. —λαίωμα, τὸ, (κεφαλαιόω) die zuſammengezogene Summe. —λαλγέω, ῶ, (κεφαλὴ) ich habe Kopfſchmerz: davon —λαλγὴς, έος, ὁ, ἡ, einer der Kopfſchmerz hat, oder davon leidet: active Kopfſchmerz verurſachend: Xen. Anab. 2, 3, 15. —λαλγία, ἡ, Kopfſchmerz. —λαλγικὸς, ἡ, ὸν, von κεφαλαλγὸς (ſ. v. a. κεφαλαλγὴς) od. dazu gehörig od. zum Kopfſchmerz geneigt. —λὴ, ἡ, der Kopf; 2) φίλη κεφαλὴ in der Anrede, für den ganzen Menſchen, lieber Mann, lieber Freund: 3) das äuſserſte Ende eines Körpers, wie das deutſche Kopf von Knochen, Nagel u. ſ. w. 4) die Summe, der Schluſs, die Hauptſache, die Hauptperſon: κατὰ κεφαλῆς über den Kopf; verkehrt: κατὰ κεφαλῆς φυτεύειν verkehrt einen Schnittling pflanzen. S. κατακέφαλα. Demoſth. p. 1042 μὴ εὐθὺς ἐπὶ κεφαλὴν εἰς τὸ δικαστήριον βαδίζειν, wie wir ſagen: über Hals über Kopf. —ληγερέτης, ου, ὁ, Spottname des Perikles nach dem homeriſchen νεφεληγερέτης gebildet, ſ. v. a. Groſskopf: Cratinus Plutar. Pericl. —λήτης, ου, ὁ, λίθος, Eckſtein: Heſych. —λικὸς, ἡ, ὸν, den Kopf betreffend: φάρμακα, ἔμπλαστρα, Mittel-Pflaſter für Kopfwunden, *cephalica*: wie *capitalis*, κολάζειν κεφαλικῶς am Leben ſtrafen: Herodian. 2, 13. —λίνη, ἡ, nach Pollux 2, 107. der unterſte Theil der Zunge nach dem Schlunde zu, auch γεῦσις, als der Sitz des Geſchmackes, genannt. —λῖνος, ὁ, ein Meerfiſch ſonſt βλεψίας: Athen. 7 p. 306. —λιον, τὸ, bey Heſych. —ῆνος geſchrieben, Dim. v. κεφαλή. —λὶς, ἡ, *capitulum*, das Köpfchen; 2) der Obertheil einer Sache; 3) ein Theil am Schiffe. Ariſtot. Rhetor. σκορόδου κεφαλὶς, wie *capitulum allii* bey Palladius; bey Polyaenus 3, 9, 38. κεφαλίδας ἐξῆπτον ἑκάστης νεὼς καὶ οὕτως ἀνείλκυσέν τεταρσωμένας sind κεφ. nach Leo Tactic. 20, sect. 190. s. v. a. σχοινία, Taue, Seile.

Κεφαλισμὸς, ὁ, bey Aristot. Topic. 8. 12. sind κεφαλισμοὶ nach Alexander Aphrodis. Erklär. die Multiplication der einzelnen Zahlen, bis 10, also unser Ein mal eins: von κεφαλίζω, wie συγκεφαλαιόω u. συγκορυφόω gebraucht. —λίτης, ου, ὁ, S. —ήτης. —λιῶται, οἱ, Hauptmänner, Anführer, die Vornehmsten: Olympiodorus Photii. —λοβαρὴς, έος, ὁ, ἡ, mit schwerem Kopfe. —λοδέσμιον, τὸ, Dim. v. —λόδεσμος, Kopfbinde, Kopfband. —λοειδὴς, έος, ὁ, ἡ, (εἶδος) kopfartig, wie ein Kopf geformt. —λόθλαστος, ὁ, ἡ, (θλάω) mit gequetschtem- gedrückten Kopfe: τὰ κεφ. Theophr. 1. pl.9,c. ult. Quetschung am Kopfe. —λοκρούστης, ου, ὁ, (κρούω) den Kopf schlagend oder stechend; eine Art von *phalangium*, sonst κρανοκολάπτης genannt. —λόμακτρον, τὸ, (μάσσω) Schweisstuch zum Abtrocknen des Kopfs: zw. —λόῤῥιζος, ὁ, ἡ, (ῥίζα, κεφαλὴ) mit kopfartigen d. i. knolligen- bollenartigen Wurzeln. —λος, ὁ, *cephalus*, *capito*, ein Meerfisch, vom grossen Kopfe benannt: Aristot. h. a. 5, 11. 8, 2. —λοτομέω, ῶ, ich schneide den Kopf ab: von —λοτόμος, ὁ, ἡ, (τέμνω) Kopfabschneider. —λώδης, εος, ὁ, ἡ, s. v. a. κεφαλοειδὴς. —λωτὸς, ἡ, ὸν, (κεφαλόω) mit einem Kopfe, gleichsam bekopft, köpfig: τὸ κεφ. πράσον oder auch allein κεφ. *porrum capitatum*, Kopflauch, Porrébollen: sonst γηθυλλὶς: Athenaei 9. Artemid. 1, 69. anderen nennten auch so den θύμος: Dioscor.

Κεχαρισμένος, ένη, ένον, annehmlich, angenehm, reitzend: part. praet. pass. v. χαρίζομαι, wovon man auch κεχαρισμενώτατος als superl. findet. —ριτωμένως, Adv. (χαριτόω) s. v. a. κεχαρισμένως angenehm: Schol. Aristoph.

Κεχηνότως, Adv. gähnend oder mit offnem Munde, vom part. perf. χαίνω, ich gähne.

Κεχλαδάω und κεχλοιδιάω, S. κιχλιδάω u. καχλοιδιάω.

Κεχλαδὼς, S. χλήζω.

Κέω, das Stammwort von κείω, κείομαι, κεῖμαι, ich liege: ὄρσο κέων Odyss. 7, 342. geh um dich zu Bette zu legen; davon κέσκω, κέσκομαι, s. v. a. κεῖμαι.

Κέω, κείω, ich spalte; davon κεάζω und κένω, fut. κένσω, aor. 1. κένσαι, κέντωρ u. κεντέω.

Κέω, κείω, s. v. a. κάω, καίω, ich brenne, zünde an, verbrenne, ἔκεια, κείαντες st. ἔκαυσα u. καύσαντες, S. κατακείω u. συγκέω.

Κῆ, jonisch st. πῆ oder ποῖ: hingegen κη *encliticum* st. που.

Κῆβος, ὁ, eine Art geschwänzter Affen; der bunte ist *simia Diana* Linn. der braunrothe aber *simia mora* oder *rubra* Linn.

Κηδαίνω, s. v. a. κήδω u. κηδέω: bey Hesych. μεριμνάω.

Κηδεία, ἡ, Besorgung, besonders eines Todten, d. i. Begräbniss, Leichenbegängniss: Verwandtschaft, Schwägerschaft.

Κήδειος, ὁ, (κῆδος) wie κεδνὸς, unserer Sorge- Vorsorge- Achtung würdig: lieb, angenehm, theuer, schätzbar, Il. 19, 294.

Κηδεμονία, ἡ, (κηδεμὼν) Besorgung, Vorsorge, Pflege. —μονικὸς, ἡ, ὸν, Adv. —κῶς, einem κηδεμὼν eigen oder anständig: also sorgfältig, vorsorgend, pflegend, besorgt, sorgsam. —μὼν, όνος, ὁ, (κηδέω) Besorger, Pfleger, Beschützer, Vormund.

Κήδεος, κηδεὸς, Il. 23, 160. οἷσι μάλιστα κήδεος ἐστι νέκυς, nach dem Schol. Φροντίδος ἄξιος (also s. v. a. κήδειος) u. κηδεύσιμος. Hieher gehört κηδεὸς, ὁ νεκρὸς bey Suidas.

Κηδέσκω, κηδέσκομαι, jonisch s. v. a. κήδω, κήδομαι.

Κηδεστὴς, οῦ, ὁ, (κηδέω) ein durch Heyrath Verwandter, besonders Schwiegervater, Schwiegersohn; davon —στία, ἡ, Verwandtschaft, Verschwägerung, Schwägerschaft; davon —στικὸς, ἡ, ὸν, die Verwandtschaft durch Heirath betreffend: darzu gehörig. —στρια, ἡ, fem. v. κηδεστὴρ s. v. a. κηδεστὴς, Schwiegermutter, Schwägerin.

Κήδευμα, τὸ, s. v. a. κῆδος, Sorge; 2) Anverwandtschaft, Verwandte durch Heyrath: die Heyrath selbst, νομίμοις κηδεύμασι συνειργνύναι, Plutar. 7 p. 915. 3) das Leichenbegängniss.

Κηδευτὴς, οῦ, ὁ, s. v. a. κηδεμὼν, Aristot. Probl. 19, 48. von

Κηδεύω, (κῆδος) besorgen, speciell eine Leiche besorgen, zur Erde bestatten: τινὶ, sich mit einem verschwägern, verwandt werden, verwandt seyn. S. κῆδος.

Κηδέω, ῶ, s. v. a. d. vorh. 2) s. v. a. κήδω, betrüben.

Κήδιστος, superl. u. κηδίων compar. von κῆδος gebildet, der Bedeutung nach von κήδειος, also theuerster, werthester.

Κήδομαι, als passiv. von κήδω, ich habe Sorge, Kummer, Betrübniss: als medium m. d. genit. sorgen, pflegen, versorgen, besorgen.

Κῆδος, τὸ, Sorge, Bekümmerniss, Kummer: besonders Trauer: Pind. Pyth. 4, 190. Leiche, Leichenbegängniss:

2) Verwandſchaft durch Heyrath, alſo Schwägerſchaft, Verſchwägerung.

Κηδοσύνη, ἡ, ſ. v. a. κῆδος: zw. von —συνος, ὁ, beſorgt, bekümmert, ſorgſam, zw.

Κήδω, (κῆδος) beſorgt, bekümmert machen; betrüben, ängſtigen, ſchaden: Schaden - Nachtheil - Unheil verurſachen, zufügen: bey Hom. häufig.

Κηδωλὸς, ἡ, ὸν, ὁ τῶν ὅλων κηδόμενος: Suidas zw.

Κηθάριον, τὸ, u. κήθιον, τὸ, Ariſtoph. Vesp. 674. ein Gefäſs worein die Looſe beym Wählen der Richter geworfen wurden. 2) ſ. v. a. φιμὸς, eine Art von Becher, worinne man die Würfel ſchüttelte ehe man ſie ausgoſs: Athenae. 11 p. 474. leitet es richtig von χάω d. i. χωρέω ab: Heſych. hat auch κήθειον; andere ſchrieben χείτιον (von χέω dav. χειά) u. κήτιονς. Heſych. hat auch κῆθα. τάφος Uebrigens iſt es in der erſten Bedeut. völlig mit κημὸς einerley und dieſes hat einerley Urſprung mit κηθάριον.

Κηθίδιον, τὸ, u. κηθὶς, ἡ, Pollux 7, 205. 10, 150. ſ. v. a. κηθάριον.

Κηκαδέω, ῶ, bey Heſych. zw. ſ. v. a. κηκάζω, ſchmähen, ſchimpfen, ſchelten, übelh. ſ. v. a. κακίζω. S. d. folgd.

Κηκὰς, ἡ, joniſch ſ. v. a. κακὴ oder vielmehr κακωτικὴ, u. κακολόγος, Nicand. Alex. 185. beſchädigend: ſchmähend, ſcheltend: davon

Κηκασμὸς, ὁ, Schimpf, Schmähung: Lycophron.

Κηκίδιον, τὸ, kleiner Gallapfel: und —ιδοφόρος, ὁ, ἡ, (φέρω) Galläpfel tragend: von

Κηκὶς, ἡ, die hervordringende Feuchtigkeit, Waſſer, Dampf, Rauch; davon κηκίω, vom hervordringenden Waſſer einer Quelle-Schweiſse (κακιῶσαι, ἱδρῦν ἀρχόμεναι Heſych. ſt. κηκιοῦσαι) Dämpfe, Rauche. μυδῶσα κηκὶς μηρίων ἐτήκετο, die aus dem Hüftenfleiſche dringende Feuchtigkeit in Fett ſchmolz, Soph. Antig. 1007. πορφύρας κηκῖδα nennt Aeſchyl. Agam. 968. den Purpurſaft, vergl. Choeph. 241. daher 2) der Gallapfel, ein Auswuchs, der aus dem hervorquellenden Safte, der von Inſekten angeſtochenen Zweigen u. Aeſte der Eichen entſteht. S. κίκυς.

Κηκίω, ich quelle, dringe heraus- hervor, vom Quellwaſſer, Schweiſse, Dämpfe, Rauche, S. κηκίς. Heſych. hat d. lakoniſche κακιῶσαι von κακιάω ſt. κηκίω.

Κηλαίνω, (κηλέω) ich mache zahm, kirre, ſanft: beſänftige, vergnüge.

Κηλὰς. αἱ κηλάδες νεφέλαι θέρους ἄνεμον σημαίνουσι. Theophr. p. 471. wofür an einer andern Stelle falſch κοιλάδες ſteht. Heſych. κηλὰς νεφέλη ἄνυδρος, καὶ ἡμέρα χειμερινὰ, καὶ αἲξ ἐν τῷ μετώπῳ ἔχουσα σημεῖον ξυλοειδές. Alſo heiſst κ. νεφέλη eine trockne Wolke, ἡμέρα κ. ein ſtürmiſcher Tag. αἲξ κ. eine Ziege mit einem Flecke- Blaſſe auf der Stirne. S. κνηκίς.

Κήλαστρα, ἡ, bey Heſych. κήλαστρος, ἡ, —στρον, τὸ, bey Theophr. ein immer grünender Baum, celaſtrus.

Κήλειος, ὁ, u. κήλιος, Il. θ 217. Odyſſ. ο. 744. ſ. v. a. καυστικὸς, θερμὸς, λαμπρὸς, von κέω, καίω ich brenne; davon κηλιὸς, bey Heſych. ξηρὸς, u. εὔκηλος, ferner κηλούμενος, φλεγόμενος.

Κηλέστης, ου, ὁ, (κηλέω) der beſänftiget, bezaubert, entzückt.

Κηλέω, ῶ, von κηλὸς, wovon εὔκηλος u. ἕκηλος ruhig, gelaſſen, ſcheint die erſte Bedeutung zu ſeyn, beruhigen, ruhig- ſtille- gelaſſen machen beſänftigen; 2) jemand durch Worte- Geſang reizen- vergnügen- entzücken- bezaubern, u. ſo einen wilden Menſchen- Thier zahm oder ruhig machen, das lat. *permulcere*; *delinire*.. und wie Livius ſagt: *paulatim mulcendo tractandoque manſuefacere*: daher auch κακὰ κηλεῖν, ein Unglück mildern oder abwenden; 3) durch glatte Worte einen betrügen und ihm ſchaden; daher Suidas κυλῶ, βλάπτω, ἀπατῶ und κηλέστης, ἀπατεὼν, ferner κηληθμὸς, ἀπάτη; wo er die Etymologie von χαλάω beybringt.

Κήλη, ἡ, attiſch κάλη, Geſchwulſt, Kropf, Bruch: davon κηλήτης.

Κηληθμὸς, ὁ, (κηλέω) Vergnügung, Bezauberung, Täuſchung.

Κηλήκτας, ὁ, dor. ſt. κηλήτης ſ. v. a. κηλήτωρ, Plutar. 6 p. 826. zw.

Κήλημα, τὸ, (κηλέω) das bezauberte, getäuſchte: Täuſchung. Betrug: Suidas.

Κήλησις, ἡ, (κηλέω) das Vergnügen, Bezaubern, Täuſchen.

Κηλήτειρα, ἡ, fem. von κηλητὴρ, ſ. v. a. κηλήτωρ. —τήριον, τὸ, Mittel zum bezaubern oder beſänftigen, eigentl. das neutr. v. —τήριος, ία, ιον, (κηλητὴρ) ſ. v. a. κηλητικὸς, beſänftigend, ausſöhnend: Eur. Hec. 535. —της, ου, ὁ, (κήλη) der eine Geſchwulſt vorz. einen Kropf oder Bruch hat: S. κηλήκτας. —τικὸς, ἡ, ὸν, (κηλέω) zum bezaubern- vergnügen- täuſchen gehörig oder geſchickt. —τωρ, ορος, ὁ, (κηλέω) ſ. v. a. κηλητὴρ, ὁ, der bezaubert, vergnügt, täuſcht.

Κηλιδόω, ῶ, (κηλὶς) beflecken, beſchmutzen: davon —δωτὸς, ἡ, ὸν, beſchmutzt.

Κηλὶς, ἶδος, ἡ, Fleck, Schmutz: übergetr. Schimpf, Schmach, Schandfleck Xen. hell. 3, 1, 9. mit τιμωρία verbunden, ein Verweiſs, *nota*, Herodian. 6, 9. Heſych. erklärt es auch die Wunde und ſcheint damit βροτοφθόρους κηλῖδας Aeſchyl. Eum. 790. gemeint zu haben.

Κῆλον, τὸ, ein Stück trocknes Holz. 2) Pfeil von Holz, oder ein Spieſs; 3) ſ. v. a. κήλημα: Pind. Pyth. 1, 21. —νειον, κηλώνιον, τὸ, ſt. κηλώνειον, ſchrieben die, welche es von κῆλον ableiteten.

Κηλὸς, ἡ, ὸν, S. κήλειος: davon

Κηλόω, ῶ, ich brenne. S. κήλειος. 2) ſ. v. a. κηλέω, ich reitze, vergnüge, locke, verführe.

Κήλων, ὁ, der Beſcheeler, Hengſt; eigentl. von Eſeln: metaph. geiler Menſch. 2) ſ. v. a. κηλώνειον, tolleno, Brunnenſchwengel.

Κηλώνειον, τὸ, κηλώνιον, joniſch κηλωνήιον. S. κήλων. 2.

Κηλωστὰ, κηλωτὰ, τὰ, (κηλόω) Lycophr. 1387. νυμφεῖα Hurerey.

Κημὸς, ὁ, (S. κηθάριον) der Maulkorb, der dem Pferde angelegt wird, wenn es ohne Zaum geführt wird, damit es nicht beiſſen kann. Xenoph. Equ. 5. 3. κημοὶ κεντρωτοὶ, mit Stacheln, Aeliani 13, 9. und Arrian. Indic. p. 331. auch eine Art von Fiſcherreuſse, und ein geflochtenes Gefäſs, die Stimmen oder Stimmſteine darein zu werfen: einerley mit κήθιον, κηθάριον: Schol. Ariſtoph. Equ. 1147. davon

Κημόω, ῶ, ἵππον, ich lege dem Pferde den Maulkorb an; davon

Κήμωσις, ἡ, das Anlegen des Maulkorbs.

Κῆνσος, ὁ, das lat. cenſus, Schätzung, bey der Schätzung angegebenes Vermögen.

Κήνυγμα, κηνύσσα, S. κίνυγμα.

Κὴξ, κηκὸς, ἡ, ſ. v. a. κήϋξ, ein Meervogel.

Κηπαία, ἡ, Dioſcor. 3. 168. eine Salatpflanze, wie Tripmadame, ſedum Cepaea Linnaei.

Κηπαῖος, αία, αῖον, (κῆπος) aus dem Garten, in Garten gezogen.

Κηπεία, ἡ, (κηπεύω) das Ziehn und Pflegen einer Pflanze im Garten.

Κήπευμα, τὸ, das im Garten gezogene und gepflegte Gewächs.

Κηπεὺς, ὁ, u. κηπευτὴς, ὁ, (κηπεύω) Gärtner: die erſtere Form bey Pollux 7. 110.

Κηπευτὸς, ἡ, ὸν, im Garten gebauet.

Κηπεύω, (κῆπος) im Garten bauen und pflegen, erziehn: Eur. Hipp. 78. Troad. 1175.

Κηπίδιον, τὸ, Dim. von κῆπος: wie auch

Κηπίον, κήπιον, τὸ, auch ſ. v. a. κῆπος no. 2 bey Lucian.

Κηποκόμας, ὁ, der die Haare nach der Art κῆπος genannt geſchoren hat: Euſtath. —κόμος, ὁ, (κῆπος, κομέω) Gärtner: Heſych. —λόγος, ὁ, ἡ, Ἐπίκουρος Analecta 2 p. 53. der in Garten lehrende Epikur. —ποιΐα, ἡ, der Gartenbau: Geopon. 12, 2.

Κῆπος, ὁ, der Garten: 2) eine Art ſich die Haare zu ſcheeren. S. μάχαιρα. 3) eine Affenart; 4) die weibliche Schaam, Diog. Laert. 11, 12. daher μανιόκηπος.

Κηπουργία, ἡ, u. κηπουργικὸς, ſ. v. a. κηπουρία, ἡ, (Gärtnerey) u. κηπουρικὸς Pollux 7. 101 u. 141.

Κηπουρέω, ῶ, (κηπουρὸς) ich treibe den Gartenbau. —ρικὸς, ἡ, ὸν, zum Gärtner oder Gartenbau gehörig, dieſelbe betreibend: von —ρὸς, ὁ (κῆπος, οὖρος) Gartenhüter, Gartenaufſeher, Gärtner.

Κηπωρία, ἡ, (Pollux 7. 141.) κηπωρέω, κηπωρικὸς, u. κήπωρος ſ. v. a. κηπουρία, κηπουρέω u. ſ. w. von ὤρη, κῆπος abgeleitet.

Κῆρ, ſt. κέαρ, Herz.

Κὴρ, κηρὸς, ἡ, Schickſal, Geſchick, Göttin des Geſchicks, κῆρες, Schickſalsgöttinnen, Parcae u. Furiae, daher wie fatum, hartes Geſchick, Unglück, Leiden, vorz. der Tod: Schaden, Nachtheil, Gebrechen, Mangel: Dionyſ. Antiq. 8. 61. ſetzt κῆρας τε καὶ ἄτας den ἀρεταῖς entgegen, alſo Untugend, Fehler, Mangel, Gebrechen, Schwachheit: davon

Κηραίνω, nach Heſych. ſ. v. a. βλάπτω, φθείρω, beſchädigen, verderben: und neutr. μεριμνάω, φροντίζω, δυσθανατέω. Für beſorgt ſeyn und Angſt haben: Philo vita Moſis περὶ ἆς κηραίνειν καὶ δυσθανατοῦσιν οἱ ἰατρομαντοῦντες. Dieſer braucht es T. 1 p. 280 für zürnen. Eur. Hippol. 223 τὰ τάδε κηραίνεις, u. Herc. 518 wie προκηραίνω Sophocl. Trach. m. d. genit. für etwas ſorgen, beſorgt ſeyn. Die Bedeut. eines activi findet man in ἐκκηραίνω bey Aeſchylus. ἐπικηραίνειν erklärt Heſych. d. ἐπιδυσμενεῖσθαι. Bey Plutar. Plac. ph. 2 c. 4. ἐν ᾧ τὰ περίγεια κηραίνεται, d. i. dem Verderben, Zerſtörung unterworfen ſind.

Κηραμύντης, ου, ὁ, d. i. κῆρα ἀμύνων, Lycophr. 663. ſ. v. a. ἀλεξίμορος.

Κηράνθεμον, τὸ, bey Dioſc. 5. 17 ſ. v. a. κήρινθος u. ἐριθάκη, eine Art von Wachs.

Κηραφὶς, ἡ, Nicand. Alexiph. 392. bey Heſych. χηρ. κάραβος, ſonſt auch καραβὶς, die Meerkrabbe, locuſta, ſonſt auch γραῖς, γραῖα. S. καραβὸς.

Κηραχάτης, ου, ὁ, wachsgelber Achat: Plin. 37. 10.

Κηρεία, S. κηρία.

Κηρέλαιον, το, Wachsöl, eine Salbe aus Oel und Wachs: Oribaſius.

Κηρέσιος, ſ. v. a. ἐλίθριος, νεκτήριος: Heſych. —σιφόρος, ὁ, ἡ, ſ. v. a. ὀλέθριος: Nicetas Annal. 21, 3.

Κηρεσσιφόρητος, ὁ, ἡ, (κῆρες, φορέω)

erklärt der folgende Vers Il. 8. 527. durch die vom Schickfal-Unglück her-, beygebrachten- herbeygeführten.

Κηρία, ἡ, f. v. a. κειρία, Binde, Todtenbinde und dergl. Ariftoph. Eccl. 1035. ἣν περιῆς γέ που τῶν κηριῶν, wo falfch κηρίων von κηρίον fteht, welches Brunk in κηρίνων d. i. Wachskerzen verwandeln wollte. Hefych. hat κηρείαις ἐπιθανάτια ἐντετυλιγμένα. Aber Av. 876. braucht Ariftoph. κειρίαν. S. κειρία. —άζω, (κηρίον) bey Ariftot. h. a. 5, 15. u. 9, 38. von der Brut und dem Eyerneste der Meerfchnecken, welches einer Honigwabbe mit vielen Zellen ähnlich fieht; gleichfam raafsen.

Κήρινθον, τὸ, bey Theoph. h. pl. 6, 7. eine Sommerblume: hingegen ift bey Ariftot. h. a. 9, 40. κήρινθος, ὁ, das fogenannte Bienenbrod, fonft ἐριθάκη genannt. Die Handfchr. haben κύρινθος; das lat. *cerinthe* fcheint mit Theophr. κήρινθον verwandt.

Κήρινος, ίνη, ινον, wächfern, γυναῖκες κηρίναι heifsen Weiber, die fich wie die Wachspuppen fchminken, Philoftr. Apoll. 11, 22. Epift. 40.

Κηριοειδής, έος, ὁ, ἡ, (εἶδος) wachsartig, wie eine Wachsfcheibe. —οκλέπτης, Honigfcheibendieb: Theocr. id. 19. in der Ueberfchr. —ον, τὸ, (κηρὸς) Wachskuchen der Bienen, Rahfs, Rofs, *favus*; 2) eine Krankheit, S. ἀχώρ: davon —οποιὸς, ὁ, ἡ, Wachszellen oder Honigzellen machen.

Κηρὶς, ἡ, S. κιρρίς.

Κηρίτης, ου, (λίθος), *cerites*, Wachsftein: Plin. 37, 10. —τρεφής, ὁ, ἡ, (τρέφω) zum Unglück oder Tode geboren: fterblich: Hefiod. op. 418.

Κηρίφατος, ὁ, ἡ, (κήρ, φάω) vom Schickfal oder von Krankheit getödtet: Hefych.

Κηριώδης, ὁ, ἡ, (κηρίον) der Honigwabbe ähnlich, dem Raafe gleich: ἄνθος κηριῶδες ein Blüthenkopf aus mehreren kleinen Blüthen zufammengefetzt: Theophr. u. Athenaei 2, 11. not.

Κηρίων, ὁ, damit drückt Plutar. 7 p. 71. das lat. *cereus* Wachslicht oder Wachsfackel aus: bey Photius u. Hefych. eine Peitfche, fonft κηρίνη.

Κηρογονία, ἡ, Erzeugung, Bildung des Wachfes oder der Honigzellen: Jofeph. antiq. —γραφέω, ῶ, ich mahle mit Wachs; dav. —γραφία, ἡ, das Mahlen mit Wachfe, Wachsmahlerey. — γράφος, ὁ, ἡ, der mit Wachfe fchreibt oder mahlt, κηρόγραφος, mit Wachfe gefchrieben oder gemahlt. —δετος, ὁ, ἡ, (δέω) mit Wachs gebunden oder befeftiget. —δομέω, ῶ, mit Wachs bauen: Phocylides Schol. Nicand. Alex. 449. —ειδής, έος, ὁ, ἡ, (εἶδος) wachsartig, wachsähnlich, wächfern.

Κηρόθεν, vom Herzen: κηρόθι im Herzen: beyde von κῆρ ft. κέαρ abgeleitet.

Κηροπαγής, έος, ὁ, ἡ, (πηγνύω) von oder mit Wachfe zufammengefügt. — —πήγιον, τὸ, Leuchter, worauf man Wachslichter fteckt oder fetzt: zw. —πισσος, ἡ, Wachspech, eine Salbe aus Wachs und Pech: Hippocr. S. auch πισσόκηρος. —πλαστέω, ῶ, ich bilde aus Wachs oder wie Wachs: bey Diofcor. 17, 75. Wachszellen machen, wie Bienen. —πλάστης, ου, ὁ, Wachsbildner, Wachsboffirer; davon —πλαστικὸς, was zum —πλάστης gehört: als —στικὴ, ἡ, verft. τέχνη, feine Kunft: Pollux 7, 165. —πλαστος, ὁ, ἡ, aus Wachs gebildet- gemacht: wächfern. —ποιέω, ῶ, Wachs machen, wächferne Zellen bauen. —πώλης, ου, ὁ, Wachshändler.

Κηρὸς, ὁ, Wachs, *cera*.

Κηροτέχνης, ου, ὁ, (τέχνη) f. v. a. — πλάστης: Anacr. 10, 9. —τρεφής, ὁ, ἡ, S. κηριτρεφής. —τρόφος, ὁ, ἡ, (κήρ) Tod nährend, Tod bringend, tödtlich: (κηρὸς) Wachs erzeugend: Anthol.

Κηρουλκὸς, ὁ, ἡ, (κήρ, ἕλκω) in das Verderben ziehend: Lycophr. 407.

Κηροφορέω, ῶ, Wachs eintragen- tragen- bringen. —χίτων, ὁ, ἡ, (χιτὼν) λαμπὰς, Fackel mit Wachs (κηρὸς) überzogen: Anthol. —χυτέω, ich fchmelze Wachs; bilde aus wie Wachs: Ariftoph. Thesm. 56. πλάσσει καὶ κηροχυτεῖ τὰν ψυχὰν, bey Stob. Serm. 141. von —χυτος, ὁ, ἡ, (κηρὸς, χέω) aus gefchmolzenem Wachfe gemacht- gebildet.

Κηρόω, ῶ, (κηρὸς) ich überziehe mit Wachfe; 2) von κήρ, ich verletze, befchädige.

Κηρύβια, beffer κυρήβια.

Κήρυγμα, τὸ, (κηρύσσω) das ausgerufene, Ausruf, bekannt gemachter Befehl- Belohnung, κηρυγμάτων μεγάλων γιγνομένων τοῖς πρώτοις ἀναβᾶσι: Xenoph. Hell. 5, 4, 11.

Κηρύκαιναι, αἱ, femin. v. κήρυξ, Weiber in Alexandrien, welche in den Häufern die φυλάκια no. 3. abholten und ins Meer trugen. Bey Ariftoph. eccles. 713. κηρύκαινα, die Ausruferin, Heroldin. —κεία, ἡ, (κηρυκεύω) Amt des Ausrufers, Herolds, Opferdieners. —κειον, τὸ, Ausruferlohn: *caduceus*, Heroldsftab, dergl. Merkurius trägt, mit 2 darum fich windenden Schlangen. —κειος, εία, ειον, den Herold betreffend, dem Herold gehörig oder eigen. —κευμα, τὸ, f. v. a. κήρυγμα, Botfchaft: Aefchyl. Theb. 653. —κευσις, ἡ, f. v. a. κηρυκεία: davon —κευτικὸς, ἡ, ὸν, zum Ausrufen oder zum Amt eines Ausrufers gehörig. —κεύω, ich bin ein κῆρυξ, verrichte das Amt eines Ausrufers- Herolds-Opferdieners.

Κηρυκικὸς, ή, ὸν, dem- zum Herold gehörig, ihn betreffend, für ihn ſchicklich —κινος, ſ. v. a. κυρυκικὸς, ῥάβδος κηρυκίνη bey Suidas ſ. v. a. κηρύκειον. Heroldsſtab. —κιον, τὸ, ſ. v. a. κηρύκειον. —κιοφόρος, ὁ, (φέρω) den Heroldsſtab tragend.

Κηρυκτὴς, οῦ, ὁ, (κηρύσσω) ſ. v. a. κῆρυξ.

Κηρύλος, ὁ, ein Meervogel, den einige für das Männchen vom Halegon ausgaben, Antig. Caryſt. 27. attiſch κειρυλος.

Κῆρυξ, υκος, ὁ, ein öffentlicher Diener; bey der Armee ein Herold od. Geſandte: *caduceator*, *legatus*; beym Opfer und der Opfermahlzeit, der Opferprieſter und Opferdiener; auch andere Diener beym Gottesdienſte: im Staat der Ausrufer, *praeco*; 2) eine Schneckenart, *ceryx*, deren gewundene Schaale die Tritonen, Herolde und Ausrufer brauchten, wie ſonſt die Hörner, um darauf zu blaſen und das Volk zu verſammlen, ſonſt *murex* genannt: metaph. auch der Haushahn, weil er wie der Herold ruft und weckt: das femin. S. κηρύκαινα. —ξις, ή, *praeconium*, das Ausrufen, Verkündigen.

Κηρύσσω, κηρύττω, f. ξω. (κῆρυξ) ich bin ein Herold oder Ausrufer: ich rufe aus: mache laut bekannt und verkündige daher auch, ich laſſe durch den Ausrufer etwas feil bieten u. verkaufen: auch bey Eur. laut anrufen, ſo wie bey Hom. durch Herolde zuſammen rufen: loben, rühmen.

Κηρώδης, εος, ὁ, ή, ſ. v. a. κηροειδὴς, wachsartig, wächſern.

Κήρωμα, τὸ, (κηρόω) das von Wachs gemachte, mit Wachs überzogene, alſo gewichſte Schreibtafel: ſ. v. a. κηρωτὸν, Wachspflaſter: vorz. aber eine ſpäter aufgekommene Salbe der Ringer: daher auch der Ringeplatz ſelbſt. Plutarch. 9 p. 159. verbindet παλαίστρας καὶ κηρώματα: wie Seneca brevit. vit 12. Plinius 35, 2. vergl. 35, 13. —ματικὸς, ή, ὸν, mit Wachsſalbe beſchmiert. *ceromaticum collum*, Juvenal. 3, 68. —ματιστὴς, οῦ, ὁ, (κηρωματίζω) der mit der Salbe beſchmiert wie ἀλείπτης: Schol. Ariſtoph. Equ. 490.

Κηρών, ῶνος, ὁ, (κηρὸς) ein Bienenſtock, worein Wachs und Honig geſammlet wird: Schol. Ariſtoph. eccl. 737.

Κήρωσις, ή, (κηρόω) das Ueberziehn mit Wachs. S. in κώνησις, welches Ariſtot. h. a. 9, 40 (vergl. 5, 22) dafür braucht.

Κηρωτὴ, ή, ſ. v. a. κηρωτὸν, τὸ. —τὸς, ή, ὸν, mit Wachs überzogen oder gemiſcht: daher κηρωτὸν, τὸ, *ceratum*, ein Wachs- oder Klebepflaſter, wo man Oehl oder Gummi oder Pflanzenſäfte mit Wachs vermiſcht, aufſtreicht; auch κηρωτὴ, ή, eine Art von Pomade von mittler Feſtigkeit zwiſchen Pflaſter und Salbe.

Κητεία, ή, (κητεύω, κῆτος) der Fang von groſsen Meerfiſchen.

Κήτειος, εία, ειον, *cetaceus*, was groſſen Meerfiſchen, *cetis*, ähnlich- gehörig iſt.

Κήτημα, τὸ, eingeſalzenes Fleiſch von *cetis*, ſonſt ὠμοτάριχος Athenaei 3, p. 121.

Κητόδορπος, ὁ, ή, was den *Cetis* Nahrung giebt: Lycophr. 9, 54.

Κῆτος, εος, ους, τὸ, bedeutet einen groſſen Meerfiſch, wie Thunfiſch, Hayfiſch u. dergl. auch die ſogenannten Walfiſche, *cete*, *cetacei piſces*; 2) das Geſtirn im Thierkreiſe, *piſtrix*; 3) in den Kompoſit. bedeutet es Hölung, Vertiefung, wie βαθυκήτης, μεγακήτης. Hemſterhuis nahm die Grundbedeutung von Gröſse an.

Κητοφόνος, Tödter der groſsen Meerfiſche.

Κητώδης, ὁ, ή, nach Art u. Gröſse der *ceto*. groſsen Meerfiſche.

Κητώεις, ώεσσα, ῶεν, bey Hom. Λακεδαίμων κητώεσσα bedeutet nach einigen groſs, wahrſch. tief- hohl liegend. S. in καιετάεις. ἵππος κητώεις Quint. Smyrn. 12, 310. was er ſonſt πολυχανδὴς nennt, ſehr groſs oder weit.

Κητῶος, ῶα, ῶον, ſ. v. a. κήτειος.

Κηϋξ, ſ. v. a. καύηξ u. κῆξ.

Κηφὴν, ῆνος, ὁ, *fucus*, die Throne, Drone, im Bienenſtocke, die nicht arbeitet und doch mitzehrt: ὄρνις Eur. Bacch. 1353. alt, entkräftet: doch S. in κόθουρος. —νιὸν, τὸ, die kleine Throne, Brut davon: auch die Zelle der Thronen: Ariſtot. h. a. 9, 46. —νώδης, ὁ, ή, Thronenartig.

Κηώδης, ὁ, ή, und κηώεις, ώεσσα, ῶεν, wahrſch. von κάω, καίω, dampfend, duftend, wohlriechend.

Κιάθω, S. κίω, ich gehe.

Κιβδηλεία, ή, (κιβδηλεύω) Verfälſchung, Betrug, Falſchheit. —δήλευμα, τὸ, ſ. v. a. κιβδηλεία. —δηλεύω, (κίβδηλος) ich verfälſche Gold- Geld- Waaren. u. betrüge damit andere: ἐν τάδ' ἐκιβδήλευσας Eur. Bacch. 467. liſtig- verſchlagen- ſchlau machen und reden. —δηλία, ή, ſ. v. a. Verfälſchung des Goldes - des Geldes - der Waare: Betrug, Falſchheit. —δηλιάω, ῶ, ich ſehe gelb - blaſs aus - habe die Gelbſucht: von der Farbe des unächten Goldes: Ariſtot. —δηλος, ὁ, ή, verfälſcht, unächt, vorz. vom Gelde, hernach von andern Waaren, womit man

Betrug ſpielt; metaph. von Menſchen und Sachen betrügeriſch, hinterliſtig, vorz. im Handel und Wandel: auch täuſchend. χρησμοῦ κιβδηλοῦ Herodot. 1, 75. täuſchendes zweydeutiges Orakel, κίβδηλοι ἀκοαὶ, betrügeriſche Reden: κίβδηλον κακὸν οἱ δοῦλοι, Sklaven ſind eine immer falſche und böſe Race. Das Stammwort ſcheint κίβδος u. κίβδη, ἡ, geweſen zu ſeyn, welches entweder die Metallſchlacken des Goldes oder ſonſt eine Unreinigkeit andeutet, welche mit dem Golde vermiſcht es unächt und unſcheinbar macht. Bey Heſych. findet man κίβδης, κακοῦργος, χειροτέχνης. Bey Pollux 7, 99. κιβδολοὶ oder wie die Handſchr. u. Photius haben, κιβδόνες, οἱ μεταλλεῖς, die Bergleute, die Metall graben. Auch Moeris hat κίβδωνες für μεταλλεῖς, als attiſch. Auch leiten die Grammatiker von κιβδηλὶς ſt. κίβδος das verbum κιβδηλιάω ab.

Κίβισις, κίβισις, ἡ, auch κύβισις, κυβησία, und κυβεσις ſ. v. a. πήρη Taſche, Schnapſack, auch κίββα.

Κιβώριον, τὸ, Theophr. 1. pl. 4. 10. Dioſcor. 2, 128. Athen. 3 p. 72. Strabo 17 p. 1151. das Fruchtgehäuſe, welches in einzelnen Fächern den Saamen κύαμος αἰγυπτιακὸς genannt enthält, welcher gegeſſen ward, ſo wie auch die Wurzel κολοκασιὰ genannt. Iſt nymphaea nelumbo, od. eine ähnliche Art, unſrer gemeinen Waſſerroſen nymphaea alba u. lutea ähnlich. Die Blätter wurden zu Bechern verarbeitet; daher es auch einen Becher bedeutet.

Κιβώτιον, τὸ, u. κιβωτόριον, Geopon. 18, 21. dim. v. κιβωτὸς; davon —τοποιὸς, ὁ, ἡ, (ποιέω) der Kiſten oder Kaſten macht. —τὸς, ἡ, hölzerner Kaſten, Kiſte, Schrank.

Κιγκλίζω, ich bewege oft u. ſchnell, wie der κίγκλος den Schwanz; überh. ich bewege. οὐ χρὴ κιγκλίζειν ἀγαθὸν βίον ἀλλ' ἀτρεμίζειν, τὸν δὲ κακὸν κινεῖν, d. i. bey einem glücklichen und guten Leben muſs man ruhig beharren und nicht ſtets ändern, Theognis. S. κίγκλος. —κλὶς, ἡ, das lat. cancelli, eine Doppelthüre, ein Verſchlag mit ſolcher Thüre, zu Athen der Einſchluſs um die Rathsverſammlung, ſ. v. a. δρύφακτα. —κλισις, ἡ, u. κιγκλισμὸς, ὁ, (κιγκλίζω) eine ſchnelle, häufige Bewegung: überh. Bewegung. —κλος, ὁ, ein Waſſervogel, der häufig den Schwanz bewegt, wie die Bachſtelze und Elſter, pica. Er ſoll kein eignes Neſt bauen: daher πτωχότερος κίγκλου: davon heiſst κιγκλίζω ich bewege ſtark und häufig vorz. den Hintern: ſo ſteht bey Theocr. 5, 117. ἐκιγκλίζευ von der geilen Bewegung der Hintertheile im Beyſchlafe. Bey Suid. findet man κίγηλος u. κίγκαλος geſchrieben. Hierher ſcheint auch die Stelle des Plutarch. zu gehören; στροβεῖς σεαυτὸν κιχλίου βίον ζῶν διὰ τὴν μικρολογίαν, wo es viell. κίγκλου heiſsen ſoll. S. Aelian 1. a. 12, 9.

Κίδαλον, τὸ, S. ἐγκαψικίδαλος.

Κίδαρις, ἡ, eine Art von perſiſchen Turban, Pollux 7, 58. Curtius 3, 3, 19. wird auch κίταρις geſchrieben, von τιάρα verſchieden, Strabo 11 p. 797. τὴν κίδαριν ὥσπερ οἱ βασιλεῖς ἐπαράμενος Plutarch. Them. 29. die Kidaris wie die Konige aufſetzend und gerade tragend.

Κιδαφεύω, S. κίδαφος.

Κιδάφη, ἡ, u. κιδάφιος S. κίδαφος. —φος, liſtig, ſchlau, vorz. κιδάφη, der Fuchs, ἀλώπηξ, davon κιδαφεύειν liſtig, ſchlau ſeyn oder handeln; auch κιδάφιος ſ. v. a. κίδαφος: dafür hat Heſych. auch κινδάφη, κινδάφιος, κιναφεύειν, κιναβεύματα; daſs man auch σκίνδαφος ſagte, ſieht man aus dem verdorbenen σκίνδακος b. Aelian. 1. a. 7, 47.

Κίδναμαι, von κίδνημι, ſ. v. a. σκεδάω, σκεδάννυμι, ich zerſtreue, verbreite, κίδναμαι ich werde zerſtreuet, verbreitet; med. ich verbreite mich: von κεδάω, κεδάνω, κεδαννύω, κεδάννυμι auch mit dem Sigma σκεδάω, σκεδάννυμι davon κιδάω, κίδνω, κιδνάω und σκιδνάω, —νὸς, ἡ, ὸν, S. ἄκιδνος, ſ. v. a. ſchwach.

Κιθάρα, ἡ, cithara, Cither: 2) ſ. v. a. κίθαρος, Bruſt; 3) Ribbe. Heſych. ſagt κίθαρος, στῆθος, πλευρὰ, u. ſo ſteht im Hippiatr. p. 135. αἵ τε κιθάραι παρ' ἑκάτερα τοῦ νώτου, wofür ein anderer daſelbſt ſagt: τάτε ὀστᾶ τῶν πλευρῶν. —ραοιδος, ὁ, ſ. v. a. d. contr. κιθαρῳδὸς: wovon Ariſtoph. Veſp. 1278. einen ſuperl. —αοιδότατος gebildet hat. —ρίζω, Cither ſpielen: paſſ. ich laſſe mir die Cither ſpielen. —ριον, τὸ, dim. v. κιθάρα.

Κίθαρις, ἡ, ſ. v. a. κιθάρα, auch die Kunſt die Cither zu ſpielen. —ρισις, ἡ, u. κιθαρισμὸς, ὁ, (κιθαρίζω) das Spielen der Cither auf der Cither. —ρισμα, τὸ, (κιθαρίζω) ein Lied oder Geſang auf der Cither geſpielt. —ριστήριος, ία, ιον, (κιθαριστὴρ) ſ. v. a. —ριστικὸς. —ριστὴς, οῦ, ὁ, (κιθαρίζω) der die Zither ſpielt; davon —ριστικὸς, ἡ, ὸν, zum Zitterſpieler und Zitherſpielen gehörig, geneigt, geſchickt, daſſelbe betreffend. —ρίστρια, ἡ, und —ριστρὶς, ίδος, ἡ, femin. von κιθαριστὴρ, ſ. v. a. κιθαριστής. —ριστὺς, ἡ, das Spielen der Cither, die Kunſt die Cither zu ſpielen Il. 2, 600. —ρος, ὁ, ſ. v. a. θώραξ, die Bruſt, wie χέλυς, und 2) ein Fiſch aus der Gattung der Schollen. S. κιθάρα. —ρῳδέω, ῶ, ich ſpiele die Cither und ſinge darzu: davon —ρῳδησις, ἡ, und κιθαρῳδία, ἡ, das Spielen der Cither und Singen darzu: dav.

Κιθαρῳδικὸς, ἡ, ὸν, zum Spielen der Cither mit Geſang begleitet gehörig-geneigt-geſchickt, daſſelbe betreffend. —ρῳδὸς, ὁ, (ἀοιδὸς, κιθάρα) der die Cither ſpielt und dazu ſingt.

Κιθὼν, ὁ, joniſch ſt. χιτὼν, bey Heſych, der Deckel eines Faſſes; vielleicht ſt. χήθιον.

Κίκαμα, τὰ, eine Art von Gemüſs: Nicand. Ther. 841. Heſych. hat κικάμια und ſagt, es ſey der καύκαλις ähnlich. Eutecnii Paraphraſis hat κίχυμος dafür.

Κίκι, εως, τὸ, ſonſt κρότων, *ricinus communis* Linnaei Wunderbaum, aus deſſen Frucht ein purgirendes Oel gepreſst wird: Dioſcor. 4, 164. Plinius 15, 7. 23, 4. davon

Κίκινος, ινη, ινον, vom Wunderbaume oder deſſen Frucht gemacht. —νος u. κίκιννος, ὁ, das lat. *cincinnus*, Locke, gekräuſeltes Haar.

Κικκαβαῦ, bey Ariſtoph. drückt das Geſchrey der Nachteulen aus. —κάβη, ἡ, die Nachteule. —καβίζω, Ariſtoph. Lyſiſtr. 761. ὑπὸ τῶν γλαυκῶν κικκαβιζουσῶν ἀεὶ. wo jetzt κακκαβιζουσῶν falſch ſteht. Die Lat. ſagen *tutubare*. Von κικκάβη auch κικύβη und κικυμὶς kömmt bey Heſych. κιχυβεῖν nicht gut ſehn, δυσωπεῖν und κικυμινὰ, γλαυκά. —κος, ὁ, das lat. *ciccus* im Sprüchwort *ciccum non interduim*, eigentl. die Fruchthülſe, Schaale oder der Kriebs im Obſte: bey Heſych. falſch κικαῖος.

Κικλήσκω, joniſch ſ. v. a. καλέω, καλέσκω, contr. κλέσκω joniſch κλήσκω verdoppelt κικλήσκω.

Κικλισμὸς, ὁ, falſch ſt. κιχλισμός.

Κικράω, und κίκρημι, ſ. v. a. κεράω, durch redupl. gemacht, wie χράω, κιχράω.

Κικυμὶς, ἡ, κίκυμος, ὁ, und κίκυβος, die Nachteule; ſonſt κικκάβη: davon —μώττω, ich ſehe nicht gut, wie die Nachteulen. Auch Feſtus hat *cicuma, noctua*. Dahin ſcheint κυβήναις γλαυξὶ bey Heſych. zu gehören, κύβα, κύμα, κίκυμα, von κύβα, viell. auch κύμβα u. κυμβευταὶ, welche Worte Heſych. durch ὄρνιθας, ὀρνιθευταὶ erklärt, ſind viell. Nachteulen und die mit Nachteulen Vögel fangen. S. κικκαβίζω.

Κίκυς, ἡ, Odyſſ. λ, 392. vom todten Agamemnon; οὐ γάρ οἱ ἔτ' ἦν ἲς ἔμπεδος οὐδέ τι κίκυς οἵη περ πάρος ἔσκες ἐνὶ γναμπτοῖσι μέλεσσι, man erklärt es δύναμις, κατὰ δυνάμεως κίνησις, Kraft, u. leitet es von κίω ab; andere aber ſchrieben κηκὶς oder κηκὺς und erklärten es durch ἰκμὰς, Feuchtigkeit, Blut. Dieſer Erklärung folgte Aeſchylus im Siſyphus, der von Todten ſagte οἷς οὐκ ἔνεστι κίκυς (l. κηκὺς) οὐδ' αἱμόῤῥυτοι φλέβες. Suidas hat auch κίκυς, ὁ, ſtark, und κικύω für ἰσχύω, ταχύνω. Davon kömmt ἄκικυς, ὁ, ἡ, ſchwach, ohnmächtig, ohne Kraft welches bey Hippocr. in den Handſchr. auch ἀκήκυς geſchrieben wird. S. κηκὶς.

Κίκω, S. κίχω.

Κιλικίζω, S. in ἐγκιλικίζω. —κιον, τὸ, lat. *cilicium* (*veſtimentum*) grobes Tuch und Decke von Ziegenhaaren. —κισμὸς, ὁ, (κιλικίζω) Handlungsart der Cilicier, ſpeciell nach Suidas bey Theopompus dem Hiſtor. das Morden im Trunke.

Κιλλακτὴρ, ὁ, (κίλλος, ἄγω) der Eſeltreiber. —λαμαρύω, (κίλλω, ἀμαρύζω) ſ. v. a. κατιλλώπτω. —λίβας, αντος, ὁ, (κιλλὸς, βαίνω) beym Ariſtoph. Achar. 1122 ſind κιλλίβαντες ein Geſtell, worauf das Schild weggelegt wird; für ein Tiſchgeſtelle hat es Heſych. angemerkt: bey Bito in Mathem. veter. bedeutet es das Geſtelle-Gerüſte für eine Wurfmaſchine: einen Theil vom Wagengeſtelle bey Pollux 1, 144. wo die Handſchr. κιλλύβαντες und κιλλήβαντες haben. —λιξ, ὁ, auch κίλιξ, ein Ochſe mit krummen Hörnern: Heſych. S. in κυλλός. —λιος, ία, ιον, (κίλλος) zum Eſel gehörig. χρῶμα, Eſelsfarbe. —λος, ὁ, doriſch der Eſel, Heſych. hat auch κίλλαι von κίλλης. —λὸς, ſ. v. a. κίλλιος: κίλλαι, *tali*, Knöchelwürfel aus Eſelsknochen: Heſych. —λουρος (κίλλω, *cillo, cello*, οὐρὰ) ſ. v. a. σεισοπυγὶς, der Vogel, Bachſtelze. —λω, ein altes Wort, davon das lat. *cillo, cello, percello*, wie κέλλω, κίλλω; davon κίλλουρος, κιλλαμαρύζειν.

Κιμβάζω auch ὀκιμβάζω ſ. v. a. ὀγκλάζω ich hucke, kaure nieder, zaudere, ſäume, *deſideo*, auch σκιμβάζω. —βεία, ἡ, und κιμβία, ſ. v. a. κιμβικεία Hemſterh. ad Plut. p. 191. —βερικὸν u. κιμβεριὸν verſt. ἱμάτιον ein Frauenskleid: Ariſtoph. Lyſiſtr. 45. —βιξ, ικος, ὁ, ein Filz, Geitzhals, auch ſ. v. a. μικρολόγος bey Athenae 7 p. 303. wo κίμμιξ ſteht. —βικεία, ἡ, ſchmutziger Geitz: von —βικεύομαι Nicetae Annal. 12, 3. 7. 9. filzig ſeyn und handeln.

Κιμωλία, ἡ, verſt. γῆ, eine weiſſe Thon- oder Bolus Art von der Inſel Cimolus.

Κινάβρα, ἡ, der Geſtank des Bocks: τράγον πολλῆς τῆς κινάβρας ἀπόζοντα Lucian bis accuſ. 10. der Geſtank unter den Achſeln, *hircus alarum*; jeder Geſtank; davon —βράω, ῶ, ich habe einen Bocksgeruch-Geſtank an mir, αἰγῶν κιναβρώντων Ariſtoph. Plut. 294.

davon κιναβρεύματα bey Hesych. ἀποκαθάρματα ὄζοντα.

Κίναδος, τὸ, wird meist im Schimpf von Menschen gebraucht, wo man es Fuchs, verschlagen übersetzt, weil die Sicilianer den Fuchs κίναδος nannten. Cicero Or. S. giebt es im Demosth. durch *bellua*, Unthier. Es scheint auch wie κινώπετον jedes Thier vorz. giftige Thiere und Schlange zu bedeuten; denn Demokritus in Stobaei Serm. 42 sagt περὶ κιναδέων τε καὶ ἑρπετέων. Bey Theocr. 5, 25. steht zwar καὶ πῶς, ὦ κίναδ' εὖ τάγ' ἔσσεται oder κίναδε, τάδε γ' ἐς. aber die Stelle ist verdächtig. Auch haben nur Harpokr. und Suidas das Dimin. κινάδιον angemerkt. S. κινώπετον.

Κιναθίζω, davon κινάθισμα, τὸ, κλύω πλέος ὀρνίθων Aeschyl. Prom. 124. d. i. Bewegung, Geräusch von Vögeln, wo andere es durch θησαυρισμὸν, so wie κίναθος erklären, wovon Hesych. κιναθίας, κρυπτὸς hat. Derselbe giebt κιναθίζειν durch κινεῖν, ἀποθησαυρίζειν und μινυρίζειν. Von κινέω ist κινάθω und κιναθίζω. S. κινέω.

Κιναιδεία, κιναιδία, ἡ, das unzüchtige Leben u. Handlung eines κίναιδος. Bey Demetr. Phal. 97. κιναιδεῖαι die Geräthe des κίναιδος, als τύμπανα und dergl. —δίζομαι, (κίναιδος) unzüchtig handeln oder sprechen; davon —δισμα, τὸ, unzüchtige Handlung oder Rede. —δολογέω, ich rede unzüchtig: von —δολόγος, ὁ, ἡ, der unzüchtig redet oder unzüchtige Erzählungen schreibt. —δος, ὁ, (κινῶν τὴν αἰδῶ) s. v. a. καταπύγων, der männliche Hurerey treibt oder mit sich treiben lässt, *cinaedus*, *pathicus*: überh. unzüchtiger Mensch. —δώδης, ὁ, ἡ, einem κίναιδος ähnlich od. unzüchtig.

Κίναμον, τὸ, s. v. a. κίνναμον, *cinnamum*, Zimmet, Nicandri Ther. 947. —μωμον, τὸ, Zimmet.

Κινάρα, ἡ, *cinara*, eine Art Artischocke. S. über Columella 10, 235.

Κιναργὸς, (κίνω, ἀργὸς) s. v. a. ἄψυχος, Hesych.

Κιναχύρα, ἡ, (κινέω, ἄχυρον) eine Art von Beutel an der Mühle oder ein Sieb, damit die Kleye von Mehle zu trennen: Aristoph. Eccles. 730.

Κινδαλισμὸς, ὁ, κίνδαλος, S. κινδαλ.

Κίνδαξ, ὁ, ἡ, S. σκίναξ. —δύνευμα, τὸ, (κινδυνεύω) ein Wagestück, eine Probe, gewagtes kühnes Wort, Philostr. Soph. praef. —δυνευτὴς, οῦ, ὁ, (κινδυνεύω) Wagehals; davon —δυνευτικὸς, ἡ, ὸν, zum wagen gehörig oder geneigt. —δυνεύω, ich begebe mich in Gefahr, wage mich, ich bin in Gefahr, im Kriege und vor Gerichte: daher περὶ τῆς ἑαυτοῦ βασιλείας κινδυνεύσαντα πρὸς Κλέαρχον Demosth. p. 197. *in summum de regno suo periculum adductus a Clearcho*, den Clearchus in die Gefahr setzte sein Reich zu verlieren: τὴν ψευδομαρτυρίαν κινδυνεύειν p. 1033. sich in die Gefahr begeben des falschen Zeugnisses wegen angeklagt zu werden. διὰ τῶν πολιτευομένων τὰ μέγιστα κινδυνεύεται τῇ πόλει p. 432 durch die Volksredner und Staatsmänner wird der Staat in die grösste Gefahr gesetzt; 2) ich scheine, eigentl. ich laufe Gefahr, dass man glaubt: τί γὰρ ἄλλο ἢ κινδυνεύσεις ἐπιδεῖξαι σὺ μὲν χρηστός τε καὶ φιλάδελφος εἶναι Memor. 2, 3. 17. was ists alsdenn weiter als dass du risquirst zu zeigen, dass du ein gutherziger Mann und Bruderfreund bist? ἐνθυμοῦ οὖν ὅτι κινδυνεύεις δυσαρεστότερος εἶναι τῶν τε οἰκετῶν καὶ τῶν ἀρρωστούντων 3, 13, 3. überlege wohl dass du zu befürchten hast für eigensinniger angesehn zu werden als Sclaven und Kranke. Oft aber muss man es schlechtweg durch scheinen übersetzen: κινδυνεύει ἀναμφιλογώτατον ἀγαθὸν εἶναι τὸ εὐδαιμονεῖν, die Glückseligkeit scheint das unbezweifelte Gut zu seyn. Pass. κινδυνεύομαι ich komme in Gefahr: κινδυνεύεσθαι εὖ τε καὶ χεῖρον εἰπόντι πιστευθῆναι Thucyd. 2, 35. sie kommen in Gefahr dem guten oder schlechten Redner geglaubt oder bezweifelt zu zu werden. τὰ κεκινδυνευμένα die Gefahren, die mit Gefahr unternommenen Thaten. —δυνος, ὁ, Versuch, Gefahr, Treffen, Schlacht und so jede Art von Gefahr oder gewagter Handlung. Die Ableitung von κίνω, κίνδω, ist gewiss, aber die Art zw. Photii Lex. hat auch κίνδαξ, κίνδυνος. —δυνώδης, εος, ὁ, ἡ, gefährlich.

Κινέω, ῶ, in Bewegung setzen, anregen, antreiben, erwecken, forttreiben, erschüttern: etwas feststehendes schwankend machen oder abändern, verändern; anheben, anfangen: veranlassen, die Ursache geben oder seyn: in Leidenschaft setzen, bewegen, rühren, reitzen; unruhig oder aufrührisch machen. Das Stammwort ist κίω, κίνω, davon κινέω, κινύω, κίνυμι und κινύσσω. S. κίω. Von der alten Form ist κινάθω, κιναθίζω gemacht. S. auch σκίναξ.

Κινηθμὸς, ὁ, Bewegung, s. v. a. κίνησις: poet. —θρὸν, τὸ, s. v. a. κίνητρον, Pollux.

Κίνημα, τὸ, (κινέω) eine Bewegung, Unruhe, Verwirrung; davon

Κίνησις, ἡ, die Bewegung; der Antrieb, der Anfang, der Entschluss. κίνησις λείη σαρκὸς war der cyrenaischen Sekte höchstes Gut, nur im Ausdrucke der Bewegung von der Epikurischen ruhigen *voluptas* verschieden. —σιφόρος, ὁ, ἡ, (φέρω) Bewegung bringend, bewegend: Orph. hymn. in natur. 21.

Κινησίχθων, ὁ, ἡ, (κίνησις, χθὼν) Erderschütterer, Schol. Soph.

Κινητὴρ, ῆρος, ὁ, oder κινήτης, ὁ, (κινέω) der bewegt, in Bewegung setzt, erschüttert, aufrührt; davon —τιάω, Plato comicus Athenaei 10 p. 442. f. v. a. βινητιάω. —τικὸς, ἡ, ὸν, zum bewegen gehörig- geschickt - geneigt, bewegend, rührend, erregend, erweckend. —τὸς, ἡ, ὸν, bewegt, beweglich. —τρον, τὸ, (κινητήριος contr.) ein Werkzeug zum bewegen oder umrühren; Pollux 7, 169.

Κίννα, ἡ, eine Grassart in der Mundart der Cilicier nach Dioscor. 4, 32.

Κιννάβαρι, εως, τὸ, Zinnoberfarbe oder Zinnobererzt, woraus Quecksilber bereitet wird; 2) eine vegetabilische rothe Farbe von dem Harze eines Baums begleitet, sonst Drachenblut genannt, αἷμα δράκοντος Dioscor. 5, 109. auch κιννάβαρι ἰνδικὸν, lat. *indicum* allein. —βαρίζω, die Farbe des Kinnabari Zinnobers oder Drachenbluts haben. —βάρινος, ίνη, ινον, u. —βάριος, von Zinnober gemacht, Zinnoberroth. —βευμα, τὸ, und κίνναβος, S. κάναβος.

Κινναμολόγος, ὁ, (λέγω, κίνναμον) ein indianischer Vogel der sein Nest mit Zimmetreisern bauen soll: Plinius 10, 33. welcher bey Aristot. h. a. 9, 13. Aelian. h. a. 2, 34. u. 17, 21. κιννάμωμος heisst. Vergl. Heeren Ideen u. f. w. 2. B. 734 S. u. Herodot. 3, 111. —μον, τὸ, und κιννάμωμον, τὸ, die zweyte Form scheint aus der ersten und ἄμωμον zusammengesetzt zu seyn: gleichwohl kennt Herodot. 3, 111 blos den zweyten Namen, und sagt, dass die Griechen ihn von den Phoeniziern erhalten hätten, das was er bedeutet, und man gewöhnlich Zimmet übersetzt, nennt er κάρφη, dünne und dürre Reisser. Nicander Ther. 947 hat κίναμον für κίνναμον gebraucht: wie Dionysius Periegetes ἀκηρασίων κιναμώμων sagt. Aus Theophr. h. pl. 9 c. 5 sieht man, dass κιννάμωμον aus viel dünnern Reisern bestand, als κασσία oder κασία, welche in Röhren, also vom Holze der Zweige abgeschält verkauft wird. Die Fabel sagte, die Reisser würden ganz in einen ledernen Beutel oder Sack gethan, darinne aber von einem Wurme ausgefressen. Diesen meinte wahrsch. Hesych. κασιοβόρος, ἐν κασίᾳ γενόμενος σκώληξ. Die hohle Rinde nannte man κασία σύριγξ, συρίγγιον, daher *cannella cassia*, das deutsche und franz. Kanelle, welche Namen alle eine Röhre bedeuten. Die jungen Zweige mit der Rinde mag man κιννάμωμον oder ξυλοκασία genannt haben. Vergl. Watson in Philosoph. Transactions vol. 47. p. 301. davon κινναμώμινος oder κιναμ. von oder mit Zimmet gemacht oder bereitet: und —μωμίζω, ich gleiche dem κιννάμωμον, Dioscor. 5, 139. —μωμοφόρος, ὁ, ἡ, Zimmet tragend.

Κίνυγμα, τὸ, das Bewegte: ein bewegter- beweglicher- schwebender Körper αἰθέριον κιν. Aeschyl. Prom. 157. wo einige Handschr. mit Hesych. κήνυγμα haben. S. κινύσσω.

Κίνυμι, passiv. κίνυμαι, f. v. a. κινέω, κινέομαι.

Κινύρα, ἡ, ein asiatisches Instrument mit 10 Saiten bezogen die mit dem plectrum geschlagen wurden, von einem traurigen Tone; davon leitet man ab —ρομαι, ich winsele, klage, beklage. —ρὸς, ρὰ, ρὸν, winselnd, klagend, traurend.

Κινύσσω, Aeschyl. Choeph. 194 wo andre κηνύσσω mit Hesych. haben, wovon κίνυγμα, f. v. a. κινύω und κινέω.

Κινώπετον, τὸ, und κινωπηστὴς, ὁ, Nicand. Ther. 14. wo falsch κινωπιστὴς steht; denn eben so wird ἑρπετὸν, ἑρπηστὴς gemacht) ein wildes Thier; bey Nicand. vorz. Schlangen und kriechende Thiere. Ist mit κνὼψ einerley und die Ableitung von κινέω und πέδον wahrscheinlich falsch, wie die von κνώδαλον aus κινέω, ἅλς; so dass jenes eigentl. Landthier, dieses Seethier anzeigte. Alle drey sind wahrsch. von κινέω. κινόω, allein abgeleitet, u. f. v. a. ἑρπετὸν oder πρόβατον, ein sich bewegendes Thier, lebendiges Geschöpf. Auch scheint κίναδος, bey Hesych. θηρίον, ὄφις, einerley Ursprung zu haben.

Κιξαλλεία, ἡ, die Strassenräuberey; v. —λεύω; (κιξάλλης) ich treibe Strassenräuberey. —λης, ου, ὁ, der Strassenräuber, Vagabund, jonisch.

Κιόκρανον, τὸ, S. κρίσκανον.

Κιονικὸς, ἡ, ὸν, von der Säule, zur Säule gehörig. —νιον, τὸ, κιονὶς, ἡ, u. κιονίσκος, ὁ, Dimin. von κιών: bey Diosc. 2, 6. ist κιόνιον die Spindel in dem Gewinde der Schnecken, der Pfeiler, um welchen das Gewinde sich dreht: κιονὶς, ἡ, besonders *uva*, *Columella*, der Zapfen im Schlunde. —νοειδὴς, ὁ, ἡ, (εἶδος) säulenartig. —νόκρανον, τὸ, Säulenkopf, Xen. hell. 4, 4, 3. —νοφορέω, Säulen tragen.

Κιρκαία, ἡ, *circaea*, eine Pflanze: Diosc. 3, 134. Appollodor. 3, 1, 5 erwähnt κιρκαία ῥίζα als ein Zaubermittel. —κη, ἡ, Aelian. h. a. 4, 5. ein Insekt unbek. —κήλατος, ὁ, ἡ, (ἐλαύνω) vom Habicht (κίρκος) verfolgt Aeschyl. Suppl. 61.

Κιρκήσια, τὰ, verst. ἀγωνίσματα, die lat. *ludi Circenses*. —**κινος**, ὁ, *circinnus*, der Zirkel auch καρκίνος: Sextus Emp. 10, 53. —**κος**, ὁ, eine Falken- oder Habichtart, die im Schweben Zirkel macht; 2) der Zirkel, Ring, Bogen, wovon das lat. *circinnus*, *circulus* 3) der römische *Circus*. —**κόω**, ῶ, s. v. a. d. lat. *circino*, ich umgebe, binde in die Runde - in einem Ringe-Bande, s. v. a. κρικόω, Aeschyl. Prom. 74.

Κιῤῥὶς, ἡ, sonst κηρὶς, ein Meerfisch Oppian. Hal. 1, 129. 3, 187. not.

Κιῤῥὸς, ῥὰ, ῥὸν, gelb, οἶνος, gelber bey uns weisser Wein.

Κίρσιον, τὸ, eine Distelart *Carduus* Linnaei, welche wider die κιρσοὺς helfen sollte: Dioscor. 4, 119. —**σοειδής**, ὁ, ἡ, nach Art eines κιρσός. —**σοκήλη**, ἡ, Erweiterung der Blutgefässe an dem männlichen Schaamgliede und Hodensacke, Geschwulst der Saamenadern, Aderbruch, Cels. 7, 18. —**σὸς**, ὁ, *varix*, ein erweitertes Blutgefäss vorzüglich an den Hüften, Schenkeln u. überh. an den Untertheilen des Leibes. S. κριστὸς. —**σώδης**, ὁ, ἡ, s. v. a. κιρσοειδής.

Κὶς, κιὸς, ὁ, ein Kornwurm, *curculio*.

Κίσηρις, ὁ, und κίσσηρις, der Bimstein.

Κίσθαρος, ὁ und κίσθος, ὁ, s. v. a. κίστος.

Κίσσα, κίττα, ἡ, die Elster, *pica*: bey schwangeren Frauen der Ekel an gewohnlichen Speisen, und die Lust nach ganz ungewohnlichen und oft widersinnigen; dav. —**σαβίζω**, κιτταβ. wie die Elster schreyen: Pollux 5, 90. —**σάμπελος**, ἡ, und κισσάνθεμον, τὸ, nach Dioscor. 4, 139. das Kraut, sonst ἑλξίνη genannt: auch heisst die zweyte Art von κυκλάμινος ebenfalls κισσάνθεμον und κισσόφυλλον: 2, 195. —**σαρὸς**, ὁ, s. v. a. κίστος: andere sagten dafür κίσθαρος: Dioscor. 1, 126. —**σάω**, ῶ, (κίσσα) den heftigen und oft widernatürlichen Appetit der Schwangern haben: lüstern wornach seyn, verlangen: Aristoph. Pac. 497. mit d. genit. vergl. Vesp. 349. —**σήεις**, εντος, Nicand. Ther. 510. s. v. a. κίσσινος. — —**σηρεφής**, S. κισσηρεφής. —**σήρης**, ὁ, ἡ, Soph. Ant. 1132. mit Epheu bewachsen. —**σηρίζω**, ich glatte mit Bimstein: Nicol. Dam. p. 449. von —**σηρις**, εως, ἡ, der Bimstein; auch κίσηρις. —**σηρώδης**, ὁ, ἡ, bimsteinähnlich. —**σητὸς**, ἡ, ὸν, s. v. a. κισσωτὸς, (κισσόω) mit Epheu bekränzt: Eustath. ad Il. pag. 65. —**σηφερής**, bey Suidas, soll wol κισσηρεφὴς mit Epheu bedeckt, heissen. —**σινοβαφής**, έος, ὁ, ἡ, f. Les. st. ὑσγινοβαφής, wie bey Xen. Cyr. 8, 3, 13. die Ausg. und Handschr. κισσινοβ. und κισσινοβ. für ὑσγινοβ. haben. —**σινος**, ίνη, ινον, von Epheu gemacht. —**σιον**, τὸ, Dimin. von κισσὸς; zweif. —**σόβρυος**, ὁ, ἡ, (βρύω) voll Epheu, mit Epheu bekränzt: Orph. hymn. in Bacch. 4. —**σοδέτας**, (δέω) Beyw. des Bacchus, mit Epheu bindend oder gebunden: Dionys. hal. rhet. p. 154. —**σοειδής**, έος, ὁ, ἡ, Adv. —δῶς, (εἶδος) epheuartig. —**σοκόμης**, ου, ὁ, (κομάω) das Haar mit Epheu bekränzt. —**σόπληκτος**, ὁ, ἡ, von Epheu oder dem mit Epheu umwundenen Thyrsus des Bacchus geschlagen, d. i. in Wuth gesetzt, μέλεα κισσ. Dithyramben: Antiphenes Athenaei 14 p. 643. —**σοποίητος**, von Epheu gemacht: Luciani Bacch. —**σὸς**, κιττὸς, ὁ, Epheu, *hedera*. —**σοστέφανος**, ὁ, ἡ, u. —στεφής, mit Epheu bekränzt. —**σοφορέω**, κιττοφορέω, ῶ, Epheu tragen, sich damit bekränzen, wie die Bacchantinnen u. alle, die das Fest des Bacchus feyern, thun. —**σοφόρος**, ὁ, ἡ, Epheu tragend, m. Epheu bekränzt, wie Bacchanten und Bacchantinnen. —**σόφυλλον**, τὸ, eine Art v. κυκλάμινος, Weinlaub, von der Aehnlichkeit der Blätter: Dioscor. 2. 195. —**σοχαρής**, ὁ, ἡ, (χαίρω) an Epheu seine Freude habend, des E. sich freuend: Orphic. —**σοχίτων**, ωνος, ὁ, ἡ, mit Epheu angezogen, bekränzt: Orphei Lapid —**σόω**, κιττόω, ῶ, (κισσὸς) mit Epheu bekränzen, umwinden: Eur. Bacch. 205. —**σύβιον**, τὸ, ein Becher aus Epheuholz: jeder Trinkbecher. —**σώδης**, εος, ὁ, ἡ, epheuartig: an der κίσσα leidend, κισσάουσα: Dioscor. 5, 12.

Κίστη, ἡ, *cista*, Kiste, Kasten. —**τηφόρος**, ὁ, ἡ, s. v. a. κιστοφόρος. —**τὶς**, ἰδος, κίστις, ιδος, ἡ, dimin. von κίστη. —**τος**, ὁ, ein Strauchartiges Gewächs mit rosenfarbner Blüthe, *cistus* Linnaei. —**τοφόρος**, ὁ, ἡ, Kistenträger: eine Münze mit einer Kiste: Ernesti clavis Ciceron.

Κίταρις, εως, ἡ, s. v. a. κίδαρις.

Κιτρία, ἡ, f. Lesart: Geopon. 10, 7, 11. wo jetzt richtiger κιτρέα, wie an andern Stellen, steht, Citronenbaum, der auch κίτριον heisst, so wie auch die Frucht, welche die ältesten Schriftsteller μῆλον Μηδικὸν nannten. Die Frucht heisst auch κιτρόμηλον Geopon. 10, 76, 6 der Baum κιτρόφυτον 10, 8, 2. das Blatt κιτρόφυλλον 9, 8.

Κιτταβίζω, und κιττάω, S. κισσαβίζω, κισσάω. —**τάριον**, τὸ, bey Diosc. 3, 19. wird κιτταριος; *alveolis* ubersetzt, ist also s. v. a. κυτταροι und κυττάριοι. Hesych. hat auch κίττυλα, τὰ κελύφη τῶν καρπῶν angemerkt.

Κιχάνω, κιχάω, κιχέω, κίχημι, ich hole ein, erlange, finde, erfinde was ich suche: davon κιχεὶς Il. 16, 342. κιχήσω, κιχήσομαι, κιχήμεναι ſtatt κιχῆναι. S. κίχω.

Κιχήλη, ἡ, ſ. v. a. κίχλη: Ariſtoph. Nub, 339.

Κίχησις, ἡ, (κιχάνω) das Einholen, Erlangen.

Κίχητος, τὸ, Weibrauchfaſs bey den Cypriern: Heſych. wahrſcheinl. ſt. χῆτος, κῆθος, κηθάριον.

Κίχλη, ἡ, *turdus*, Droſſel, Krammetsvogel; 2) ein Meerfiſch von der Farbe.

Κιχλιδιάω, oder nach den Handſchr. κιχλοιδιάω, führt Pollux 6, 185. als ein komiſches Wort und Synonym. von χλιδᾶν an: Heſych. hat κέχλαδᾶν, χάσκειν. κεχλαδοῦσι, χάσκουσι. κέχλοιδεν, διέλκετο. u. κεχλοιδασμένους, διελκυσμένους. Derſelbe hat χλοιδῶσι, θρύπτονται. und χλοιδέσκουσαι, γαστρίζουσαι. χλοιδᾶν, διέλκεσθαι καὶ τρυφᾶν. χλοάζεσθαι, γαστρίζεσθαι. Endlich noch ἀχλιδιᾶν, θρύπτεσθαι. Woraus ſo viel erhellet, daſs bey Pollux es κεχλιδᾶν heiſsen müſſe.

Κιχλίζω, und κιχλίσκω bey Heſych (κίχλη) drückt das kichern, leichtfertige Lachen der Mädchen, Verliebten und Fröhlichen aus; 2) Krammetsvogel eſſen, ſchmauſsen, ſchwelgen, herrlich leben.

Κιχλίον, τὸ, Dimin. von κίχλη. S. κίγκλος. —λισμὸς, ὁ, das kichern, leichtfertige Lachen; 2) das Eſſen der Krammetsvögel, Schmauſserey, Schwelgen. S. κίχλη.

Κιχλοιδιάω, S. κιχλιδάω.

Κίχορα, κιχόρια, κιχόρεια, τὰ, Cichorien.

Κιχράω, κίχρημι, (χράω, χρῆμι) ich borge, leihe, κίχραμαι, ich entlehne etwas von einem andern. S. χράω.

Κιχώρη, ἡ, und κιχώριον, τὸ, *cichorium*, Cichorienkraut. —ριώδης, ὁ, ἡ, cichorienähnlich oder artig.

Κίχω, davon ἀπέκιξαν Ariſtoph. Acharn. 869. ſ. v. a. ἀπέβαλον, und Doſiadae Ovum: τὸ μὲν θεῶν ἐριβόας ἑρμᾶς ἔκιξε κάρυξ Φῦλ' ἐς βροτῶν, ſt. ἤνεγκεν, hat gebracht. Heſych hat κίξαντες, ἐλθόντες, πορευθέντες, und κίξατο, εὗρεν, ἔλαβεν, ἤνεγκεν. So auch κιχεῖν, ἐνέγκειν, εὑρεῖν. Es kömmt alſo von κίω her, κίκω, κίχω; davon κιχέω, κιχάω, κίχημι. Eben ſo kommt von κίω auch κίνω, κίνυμι, κινέω.

Κίω, ein poet. Wort, ich gehe: davon κὶς ſt. ἔκιε, und κιὼν, gehend, wie ἰών; davon κιάθω, μετακιάθω. Plato Cratyl. 37. nennt es ein fremdes Wort und leitet davon richtig κίνω, κινέω ab. S. auch κίχω und κιχάνω. Von κίω (κίνω) iſt das lat. *cio*, *cieo*.

Κίων, ονος, ὁ, ἡ, Säule; 2) der geſchwollene Zapfen im Schlunde; 3) die Scheidewand der Naſe: Pollux 2, 79, 80. metaph. auch ein hoher Berg.

Κλαγγάζω, *clangere*, klappern, ſ. v. a. κλάγγω, von Kranichen. —γαίνω, κλαγγάνω, ſ. v. a. κλάγγω u. κλάζω von Hunden auf der Jagd, die anſchlagen, auch vom Geſchrey der Vögel. —γὴ, ἡ, (κλάζω) die unartikulirte Stimme der Vögel, Hunde und anderer Thiere, das Geſchrey, Getöſe der rauſchenden Flügel, der Trompete, der lärmenden und tobenden Streiter, das Geräuſch eines abgeſchoſſenen Pfeils; dav. —γηδὸν, Adv. mit Geräuſch - Getöſe - Lärm. —γώδης, ὁ, ἡ, beym Hippocr. eine Stimme, die durch eine Krankheit verändert und dem rauhen Tone der Kraniche oder anderer Vögel ähnlich geworden iſt. —γω, (κλάω, κλάζω) lat. *clangere*, ſchreyen, lärmen, ein Geräuſch - Getöſe machen, eine Stimme von ſich geben, von Thieren als Hunden und Vögeln. ζεὺς ἔκλαγξε βροντὰν, Pind. Pyth. 4. lieſs den Donner ertönen. S. κλάζω.

Κλαγερὸς, (κλάζω) κλαγερῶν γεράνων, der hellſchreyenden Kraniche: Anthol.

Κλαγκτὸς, ἡ, ὸν, (κλάζω) φωνὴ κλαγκτὴ, ſ. v. a. κλαγγὴ: Athenaei p. 15.

Κλαδαρόμματος, ὁ, ἡ, S. κλαδαρὸς, —ρόρυγχος, ὁ, (κλαδάω) Aelian. h. a. 12, 15. eine Art von Vogel, τροχίτος, der mit dem Schnabel klappert.

Κλαδαρὸς, ρὰ, ρὸν, (κλάζω) zerbrochen, zerbrechlich, κάμακες κλαδαραὶ Analecta 1 p. 234. no. 47. bey Polyb. 6, 25 λεπτὰ καὶ κλαδαρά. Daher bey Clemens Paedag. 3 pag. 293 und 294. κλαδαρὸν περιβλέπειν, u. κλαδαραὶ ὄψεις, wie κλαδαρόμματος bey Heſych. von einem weichlichen - verliebten - wollüſtigen Blicke, lat. *oculus mobilis*, ein ſchwimmendes Auge. Andere leiten dieſe Bedeut. von κλαδάω ſ. v. a. σείω ab. —δάσσω, ich bewege, ſchwinge: Empedocl. ſ. v. a. κλαδάω. —δάω, Zweige abnehmen, abbrechen, ſ. v. a. κλαδεύω; 2) ſ. v. a. κλαδάσσω, ich erſchüttere, ſchwinge.

Κλαδεία, ἡ, und κλάδευσις, ἡ, (κλαδεύω) das Beſchneiden, Blatten und Verhauen des Weinſtocks: die erſtere Form in Geopon. —δευτὴρ, ῆρος, ὁ, (κλαδεύω) der Zweige - Laub abbricht, beſchneidet; davon —δευτήριον, τὸ, das Meſſer zum Beſchneiden der Bäume; von —δεύω, (κλάζω, κλάδω, κλαδάω, κλαδέω) ich breche oder ſchneide die jungen Triebe - Schöſslinge von Bäumen inſonderheit vom Weinſtocke ab. —δίσκος, ὁ, dimin. von —δος, ὁ, (κλάω) der junge jährliche Trieb, Reiſs, Schoſs an den Aeſten der Bäume, welche man abbricht, um ſie auf andre zu pfropfen; 2) metaph. wie unſer Sproſs u. Zweig.

ein Sohn oder Abkömmling. Man sagt auch κλαδὶ, κλάδεσι st. κλάδῳ, κλάδοις.

Κλαδώδης, ὁ, ἡ, was viele Schüsse, junge Zweige an den Aesten hat. —δὼν, ὄνος, ὁ, s. v. a. κλάδος: Hesych.

Κλάζω, s. v. a. κλάγγω, drückt die unartikulirte Stimme der Thiere aus, als Adler, Geyer, Schweine: das Geräusch des fliegenden Pfeils, das Getöse des Windes, das wilde thierische Geschrey und Getöse der Streiter. Vom jonischen κλήζω das Partic. κεκληγώς u. das verb. κεκλήγω. Dorisch sagte man χλάζω, κέχλαδα. S. χλάζω. Von κλάω, κλάζω auch κλάγω, κλάγγω, κλαγγέω, κλαγγάω, κλαγγή, wie πλάζω, πλήζω, πλήττω, plangere, πάγω, πήγω, pangere.

Κλαιέω, st. dessen im praes. κλαίω, macht κλαιήσω.

Κλαῖστρον, τὸ, dorisch s. v. a. κλεῖθρον.

Κλαίω, attisch κλάω, wie καίω, κάω, f. κλαύσω und κλαιήσω oder κλαήσω, ich weine, beweine: κλαίειν λέγω σοι, plorare te jubeo, ich wünsche Unglück u. Herzeleid, der Gegensatz von χαίρειν λέγω σοι, salvere te jubeo, ich wünsche dir Freude. Auch überh. κλαίειν, weinen, seinen Fehler bereuen, und dafür bestraft werden. —ωμιλία, ἡ, Anal. Brunk 2, 389. Umgang im Weinen.

Κλαμβὸς, ἡ, ὸν, verstümmelt; aus Hippiatr.

Κλαμυστέω, s. v. a. βοάω, καλέω: Hesych. welcher auch κλαμμύειν, κηρύσσειν hat. Scheint von κλάζω abgeleitet und das lat. clamo zu seyn.

Κλάνιον, τὸ, Armband, sonst ψέλιον.

Κλὰξ, ακὸς, ἡ, dorisch st. κλεὶς, Schlüssel.

Κλάπαι, αἱ, bey Suidas in καλόβαθρον, s. v. a. gralla, und bey Dio Cass. 77, 4. Holzschuhe: aus dem lat. clava gemacht.

Κλαρίας, ὁ, S. καλλαρίας. —ριον, τὸ, S. κληρίον.

Κλασαυχενίζομαι, νεύομαι, (κλάω, αὐχὴν) ein Dichter bey Plutar. Alcib. 1. den Hals wie ein Weichling gebogen tragen.

Κλασίβωλαξ, ακος, ὁ, ἡ, Erdschollen zerbrechend: Epigr. von

Κλάσις, ἡ, (κλάω) das Zerbrechen, der Bruch: ἀμπέλων Theophr. das Abbrechen der Blätter und Reiser des Weinstocks, das Blatten, Verhauen.

Κλάσμα, τὸ, das Abgebrochene, das Stück, der Splitter. —μὸς, ὁ, s. v. a. κλάσις.

Κλαστάζω und κλαστάω, s. v. a. κλάζω, ich breche, vorz. ich verbreche den Wein (pampino); metaph. demüthigen, Aristoph. Equ. 166. —τὴρ, ὁ, oder κλάστης, ὁ, (κλάω) b. Hesych. der Winzer, der den Wein beschneidet. —τήριον, τὸ, verst. δρέπανον, Weinmesser zum beschneiden: Hesych. und Schol. Aristoph. Equ. 166. neutr. von κλαστήριος; von

Κλαυθμονὴ, ἡ, s. v. a. das folgd. Pollux 2, 64. S. κλαυμονή. —θμὸς, ὁ, (κλαίω) das Weinen. —θμυρίζω, ίζομαι, weinen, winseln, vorz. von kleinen Kindern. Photius und Hesych. haben auch die Form κλαυμυρίζομαι angemerkt. S. κολαβρεύομαι; dav. —θμυρισμὸς, ὁ, das Weinen, Winseln: bey Oppian. Cyn. 4, 248. haben die Handschr. κλαυθμυρίδων, andere κλαυθμυριμῶν. —θμώδης, εος, ὁ, ἡ, (εἶδος) dem Weinen ähnlich, weinerlich: Hippocr. —θμὼν, ῶνος, ὁ, ein Ort des Weinens: Jud. 2, 1. das Weinen: zw.

Κλαῦμα, τὸ, das geweinte oder Weinen: πολλῶν αὐτῷ κλαυμάτων ἄξια εἴργασται, Andocides, hat viele Schläge verdient. —μονὴ, ἡ, Plato Legg. 7 p. 328. st. κλαυθμονή. —μυρίζομαι, S. κλαυθμυρ.

Κλαυσάσκω, jonisch s. v. a. κλάω, κλαίω. —σιάω, ῶ, (κλαῦσις) weinerlich thun, weinen-winseln wollen: knarren, v. der Thüre: Aristoph. Plut. 1099. —σίγελως, ὁ, (κλαίω) das mit Weinen vermischte Lachen: Xeno. Hell. 7, 2. 9. vergl. Il. 6, 484. —σίθυρος, ὁ, ἡ, Beyw. eines Liedes, welches der Liebhaber weinend vor der Thüre (θύρα) seiner Geliebten singt. —σίμαχος, ὁ, im oder wegen des Treffens weinend, oder weinen machend, d. i. kriegerisch: Aristoph. Pac. 1292. —σιμος, weinerlich: Glossar. St. —στικὸς, ἡ, ὸν, zum Weinen gehörig oder geneigt.

Κλαυτὸς, ἡ, ὸν, (κλαίω) beweint, zu beweinen, weinerlich.

Κλάω, st. κλαίω; und dies auch im praes. st. κλαύω, wovon κλαύσω u. alle übrige vorherg. Ableit.

Κλάω, f. άσω, brechen, abbrechen, zerbrechen: auch vom Blatten oder Abbrechen der Blätter und jungen Zweige, wie κλαδάω.

Κλεεινὸς, ἡ, ὸν, und κλεεννὸς, (κλέω, κλείω) s. v. a. κλεινὸς, bekannt, kundbar, berühmt. Hesych. hat auch κλεαινὸς dafür.

Κλεηδὼν, όνος, ἡ, s. v. a. κληδών.

Κλειδίον, τὸ, (κλεὶς) kleines Schloss, auch ein Ventil; 2) Schlüsselbein, clavicula. —δοποιὸς, ὁ, Schlüsselmacher, Schlösser. —δοῦχος, ὁ, ἡ, (ἔχω, κλεὶς) Schlüssel habend - tragend - führend. —δοφύλαξ, ὁ, ἡ, Schlüsselbewahrer, Schliesser: Luciani Amor. —δόω, ῶ, (κλεὶς) verschliessen: zw, davon —δωμα, τὸ, s. v. a. κλεῖθρον: Suidas. —δωσις, ἡ, das Verschliessen. zw.

Κλείζω, (κλέος) rühmen, rühmend erzählen: Pind. Olymp. 1, 226.

Κλειθρία, ἡ, Schlüsselloch: Luciani Necyom. andere erklären es d. Ritze od.

Gitterfenster. Euagrius h. eccl. I, 14. erklärt das abgeleitete κλειθρίδια durch θυρίδας. Hemsterh. ad Luci. 3 p. 368. davon

Κλειθριώδης, εος, ὁ, ἡ, einem Schlüsselloche oder Ritze ähnlich, od. mit dergl. versehn: Glossar. Steph. —θρον, τὸ, (κλείω) Schloss, Riegel zum verschliessen der Thüre. —θροποιὸς, ὁ, s. v. a. κλειδοποιὸς: Glossar. St.

Κλειννύω, f. L. aus Plutar. 7 p. 116. st. ἐλιννύω.

Κλεινὸς, ἡ, ὸν, (κλέω, κλείω) bekannt, berühmt.

Κλεῖος, τὸ, s. v. a. κλέος, davon κλεῖα st. κλέα.

Κλεὶς, ειδὸς, ἡ, accusat. κλεῖν, Schlüssel, Schloss. S. ἱμὰς und βαλανάγρα; 2) αἱ κλεῖδες, Schlüsselbeine, zwischen welchen der Hals und die Gurgel, das *jugulum*.

Κλεισίαι, αἱ, und κλεισιάδες, αἱ, (κλίνω) Thüre, Thorweg, *valvae*, zum aufschlagen, auch κλισίαι und κλισιάδες gewöhnlicher: Dionys. Antiq. 2, 66. nennt auch die Schleussen κλεισιάδες. —σιον, τὸ, s. v. a. κλίσιον.

Κλεισμὸς, ὁ, gewöhnlicher κλισμὸς: Hesych. und Pollux 10, 47. haben κλεισμόθρονος.

Κλείσουρα, S. κλεισώρεια.

Κλειστὸς, ἡ, ὸν, verschlossen, zum verschliessen. —στρον, τὸ, (κλείω) *claustrum*, Schloss, Riegel zum zuschliessen: Lucian. —σώρεια, ἡ, bey Suidas aus Theophylactus Simoc. hist. 7, 14. u. Eustath. κλέσουρα, das lat. *clausura*, Pass. —τόπωλος, ὁ, ἡ, s. v. a. κλυτόπωλος. zw. —τοριάζω, und κλειτορίζω, ich berühre die κλειτορὶς, ἡ, und erwecke durch diesen Kitzel die Lust zum Beyschlafe. —τορὶς, ίδος, ἡ, ein hervorragender fleischigter Theil innerhalb der weiblichen Schaam, der Kitzler, dessen Berührung u. Kitzeln d. Reiz u. Trieb zum Beyschlaf erweckt; sonst νύμφη, ἡ, u. μύρτον genennt. —τὸς, ἡ, ὸν, (κλείω, κλέω) bekannt, berühmt: daher vortreflich.

Κλειτὸς, S. κλιτὸς.

Κλείω, f. είσω, davon κεκλεισμένος perf. pass. ich schliesse, verschliesse.

Κλείω, von κλέω und eben so viel: wie κλεῖος aus κλέος. S. κλέω; davon

Κλειὼ, οῦς, ἡ, Clio, eine v. den Musen.

Κλέμμα, τὸ, (κλέπτω) der Diebstahl; 2) heimliche - versteckte - listige Handlung: List, Betrug; davon —μάδιος, s. v. a. κλοπαῖος und κλοπιμαῖος, gestohlen. ἐὰν τις κλεμμάδιον ὁτιοῦν ὑποδέχηται Plato Legg. 12 p. 205. Aus dieser Stelle hat man falsch κλεμμαδὸν als Adv. verstohlner Weise, angenommen: andere haben κλεμμάδιον daraus als dim. v. κλέμμα angeführt. Auch stand ehemals b. Hesy. falsch κλέμμαδον, κλοπαῖον. —ματικὸς, ἡ, ὸν, (κλέμμα) diebisch: betrügerisch: listig. —ματιστὴς, ὁ, (κλεμματίζω) Dieb; diebisch, Nicetas Annal. 8, 2. —μυς, ἡ, die Schildkröte, Anton. Liber. 32.

Κλέος, τὸ, (κλέω, κλύω) der Ruf, die Sage, das Gerücht. κλέος ἐσθλὸν, εὐρὺ, μέγα, Ruf, Ruhm, Ehre. ἄειδε κλέα ἀνδρῶν, singe die durch den Ruf bekannte Thaten der Männer - Vorfahren. 2) nach Hom. bedeutete es auch ohne Zusatz, Ruhm, Ehre, *gloria*.

Κλέπος, τὸ, s. v. a. κλέμμα: Solon bey Pollux 8, 34. u. Schol. Aeschyli Prom. v. 400.

Κλεπτάριον, τὸ, *furunculus*: Glossar. St. zw. —τέλεγχος, ὁ, den Dieb entdeckend od. überführend, Dioscor. 5, 161. —τὴρ, ὁ, (Manetho 1, 311) u. κλέπτης, ὁ, der Dieb: der heimlich etwas thut; davon ein superlat. κλεπτίστατος. —τίδης, ὁ, s. v. a. κλέπτης: komische Form bey Pollux 8, 34. —τικὸς, ἡ, ὸν, zum stehlen gehörig - geschickt - geneigt: davon κλεπτικὴ verst. τέχνη, Kunst zu stehlen. —τος, st. κλεπτικὸς: diebisch, verstohlen: Aristoph. Vesp. 935 u. 933. —τοσύνη, ἡ, Dieberey - Betrügerey: Kunst zu stehlen: überh. List - Verschlagenheit. —τρια, ἡ, eine Diebin: femin. v. κλεπτὴρ. —τω, f. ψω, perf. κεκλοφα, davon κλοπὴ: perf. pass. κέκλεμμαι, davon κλέμμα: aor. 2, pass. ἐκλάπην, κλαπεὶς, stehlen, entwenden: heimlich etwas thun: betrügen, täuschen, Soph. Ant. 1218. κλέπτων mit nachf. verbo, heimlich.

Κλέτας, τὸ, nach Eustath. ὀρεινὴ τραχεῖα ἐξοχὴ: Lycophr. 703. ὑψηλὸν κλ. wo es durch ἀκρώρεια, κλιτὺς erklärt wird, wo Hesych. κλέπας u. κλέπος gelesen zu haben scheint, welche beyde Worte er durch νοτερὸν, δασὺ, ὑψηλὸν, πηλῶδες erklärt.

Κλεψίαμβος, ὁ, wird als ein musikalisches Instrument und als eine Melodie angeführt: Athenaeus 4 p. 182. 14 p. 636. Pollux 4, 59. Hesych.

Κλεψιμαῖος, αία, αῖον, s. v. a. κλοπαῖος, κλοπιμαῖος u. κλεμμίδιος, gestohlen.

Κλεψίνοος, contr. κλεψίνους, ὁ, ἡ, verstohlen, heimlich, hinterlistiges Sinnes: der anders spricht als er denkt: zweif. —νυμφος, ἡ, (νύμφη) heimlich heyrathend: Lycophr. 1116 Ehebrecherin.

Κλεψιποτέω, heimlich oder verstohlen trinken, im oder beym Trinken betrügen: bey Pollux u. Suidas: dav. —ότης, ὁ, der heimlich trinkt oder beym Trinken betrügt: zw.

Κλεψίρρυτος, ὁ, ἡ, ὕδωρ, führt Hesych an, für ὕδωρ τῆς κλεψύδρας. So hiess nemlich eine Quelle zu Athen, deren Wasser unter der Erde verborgen fortgieng und an einem andern Orte wieder zum Vorschein kam: Scholiast. Aristoph. Lys. 912. Vesp. 853.

Κλεψιτόκος, ὁ, ἡ, (κλέπτω, τόκος) heimlich gebährend. Oppian.

Κλεψίφρων, ονος, ὁ, ἡ, s. v. a. κλεψίνοος: zweif.

Κλεψίχωλος, ὁ, ἡ, das Hinken verbergend, Lucian. Ocyp. 33, wo andere falsch —χολος lesen.

Κλεψύδρα, ἡ, (κλέψις, ὕδωρ) Wasseruhr: Vergl. Galenus de animi erratis, cap. 5. 2) ein Gefäss mit eugem Halse und breitem durchlocherten Boden, wie eine Gieskanne. S. auch κλεψίρρυτος.

Κλέω, st. dessen in praes. καλέω, macht κλήσω, ἔκλησα, κέκληκα, κέκλημαι, v. κλέος: dah. Il. 24, 202. Φρένες ἧς τὸ πάροσπερ ἔκλεο ἐπ' ἀνθρώπους bekannt warst unter den Menschen.

Κλέω, (κλέος) wovon κλέομαι Odyss. N. 299. dafür sagt Homer öfterer κλείω und κλείομαι, ich mache bekannt-berühmt-verkündige-besinge; κλέομαι, κλείομαι, ich werde-bin bekannt-berühmt. 2) ich sage, Hesych. κλεῖν, λέγειν u. κλείσατε, εἴπατε. Ebenderselbe hat κλευσόμεθα, ἀκούσομεν, φθεγξόμεθα st. κλεοσόμεθα. Dass κλέω, κλείω u. κλύω einerley Wort sey, zeigt κλειτὸς s. v. a. κλυτός.

Κλῆδες, attisch st. κλεῖδες. —δην, Adv. v. καλέω namentlich.

Κληδονέω und κληδονίζω, (κληδών) ich verbreite ein Gerücht; daher bey Eurip. Herc. 1288, κληδονοῦμαι, man sagt mir boses nach, schmahet mich. 2) ein omen geben, machen; daher κληδονίζεσθαι, omen auspicium capere. S. κληδὼν, no. 2. —δόνισμα, τὸ, (κληδονίζομαι) das omen, s. v. a. κληδὼν no. 2. —δονισμὸς, ὁ, ominatio, die Handlung, wenn man auf ein omen, Vorbedeutung eines Lauts-Tons-Stimme bey einer That achtet.

Κληδὸς, ὁ, bey Hesych. der Haufen u. 2) κλήδεα (v. κλῆδος, τὸ) bey demselben φραγμοὶ, maceriae. Steph. leitet es von κληίζω ab u. schreibt κλῆδος, aber es steht für χληδὸς.

Κληδουχέω, ich habe-führe die Schlüssel als Aufseher-Priester u. s. w. von —δοῦχος, ὁ, ἡ, s. v. a. κλειδοῦχος: Aristoph. thesm. 442. —δὼν, ἡ, von κλέος, κλεηδὼν und κληηδὼν, ὄνος, das Gerücht-die Rede-der Ruf-der Ruhm: 2) s. v. a. φήμη u. das lat. omen, irgend ein Laut-Ton-Stimme von Bedeutung; 3) s. v. a. κλῆσις, das Nennen-Rufen, Aeschyl. Ag. 236. Eur. Andr. 561.

Κλήζω, (κλείω) ich verschliesse; 2) v. κλέος, κλέω, ich verkündige-rühme-preise-nenne-benenne.

Κληηδὼν, όνος, ἡ, s. v. a. κληδών.

Κλῆθρα, jonisch κλήθρη u. κλῆθρος, alnus, die Erle, Else.

Κλῆθρον, τὸ, (κλήζω) claustrum, das Schloss od. der Riegel zum verschliessen.

Κλῆθρος, ἡ, S. κλῆθρα.

Κληΐζω, s. v. a. κλήζω, —ῒς, ΐδος, ἡ, jonisch s. v. a. κλεὶς. —ϊστὸς, ἡ, ὸν, verschlossen; 2) berühmt. von κληΐζω.

Κλῆμα, τὸ, s. v. a. κλάδος u. κλὼν, von κλάω, Zweig, Schoss: vorzügl. aber der Schoss, Zweig der Weinrebe, palmes; eine Weinrancke, dergl. trugen als Stock die Röm. Centurionen deren insigne es war: überh. auch wie vitis, viticula, eine Ranke, wie vom Kürbis u. dergl. Gewächsen, biegsam aber leicht abzubrechen: davon —ματικὸς, ἡ, ὸν, zur Weinranke, zur Ranke oder Rebe gehörig. —μάτινος, ίνη, ινον, von Weinranken-Weinreben gemacht, als φλὸξ. —μάτιον, τὸ, dimin. v. κλῆμα, —ματὶς, ίδος, ἡ, dimin. v. κλῆμα: überh. auch Reissig, dünnes Holz: Bey Dioscor. 4, 7. Plin. 24, 15. eine Pflanze, dessen Zweige oder Schosse den Weinranken ähnlich: *Vinca minor* Linnaei. Sinngrün, Wintergrün: davon κληματίτης, ὁ; femin. —ῖτις, ἡ, mit Ranken oder Ranken ähnlich, bey Dioscor. 4, 182. Plin. 24, 10, eine Pflanze die an den Bäumen ranket: *Clematis vitalba* Linnaei, bey Theophr. h. pl. 5, 10, ἀτραγένη. —ματόεις, τέφρα κληματόεσσα, Nicander Alex. 530, s. v. a. κληματίνη. —ματόω, (κλῆμα) κεκλημάτωται χῶρος, der Ort treibt Weinranken. Sophoc. Bey Theophr. c. pl, 2, 14. κληματοῦσθαι in die Ranken treiben. —ματώδης, εος, ὁ, ἡ, wie Weinranken: Ranken ähnlich.

Κληρικὸς, ἡ, ὸν, ein Kleriker, zum Clerus-zur Geistlichkeit gehorig. —ρίον, τὸ, dimin. von κλῆρος: bey Plut. Agis 13, sind κλαρία (dorisch) Schuldbücher, Schuldscheine. —ροδοσία, ἡ, Vertheilung durchs Loos, Verloosung; Vermächtniss; Erbschaft, von —ροδοτέω, ῶ, (κλῆρος, δίδωμι) ich gebe, vertheile durchs Loos: vermache; dav. —ροδότης, ου, ὁ, durchs Loos vertheilend, verloosend: vermachend. —ροθεσμοθετέω, f. Les. st. κλήρῳ θεσμοθετέω: Plut. 7 p. 342. —ρονομέω, (κλῆρος, νέμω) bekommen durch das Loos oder mein Loos, Antheil: τῆς ἐπιγραφῆς τῶν ἐκβαινόντων πλεῖστον κληρονομήσειν Polyb. 2, 21; vorzügl. vom Erbgute; daher, ich bin Erbe (m. d. genit.) von einem: ich erbe, ererbe activ. Proverb. 13, 22 τινὰ zum Erben hinterlassen: dav. —ρονόμημα, τὸ, das Loos, das Zugetheilte, das Erbtheil. Lucian.

Κληρονομία, ἡ, (κληρονομέω) das Erben, das Erbe, die Erbſchaft. — ρονομικὸς, ἡ, ὸν, erbſchaftlich, zur Erbſchaft gehörig, ſie betreffend. — ρονόμος, ὁ, ἡ, (κλῆρος, νέμω) der durchs Loos etwas bekommt: der vom Erbgute ſeinen Antheil erhält: alſo Erbe. — ροπαλὴς, έος, ὁ, ἡ, durch Loos vertheilt, zu vertheilen, Hom. hymn. 2, 129. S. πάλλω. — ρος, ὁ, das Loos, Looſungszeichen, Il. 7, 175. Eur. Phoen. 855. die Looſung, das Looſen, das Loos: das durch das Loos zu habende zugetheilte Land, Erbe, vorzügl. aber Land. S. κληροῦχος Heſiod. oper. 341. Ein den Bienenſtöcken ſchädlicher Wurm, ſonſt πυραύστης, Ariſtot. hiſt. anim. 8, 27. Man leitet es von κλάω ab, weil man in den älteſten Zeiten Stücken von Erde, Erdklumpen, Steinchen oder Reiſer beym Looſen gebrauchte. — ρουχέω, ῶ, (κληροῦχος) durch Loos bekommen und beſitzen: vorzügl. ein zugetheiltes Stück Land als Koloniſt einnehmen, in Beſitz nehmen und haben: active anweiſen, Dionyſ. Ant. 9, 37. davon — ρουχία, ἡ, das bekommen durch das Loos: das einnehmen und beſitzen des durch das Loos od ſonſt zugetheilten Landes: alſo die Beſitznehmung durch eine Kolonie: die Koloniſten ſelbſt: davon — ρουχικὸς, ἡ, ὸν, die Vertheilung oder Einnehmung des Landes an Koloniſten, kurz, die κληρουχία betreffend od. darzu gehörig. — ροῦχος, ὁ, ἡ, (κλῆρος, ἔχω) der das durch das Loos oder ſonſt ihm zugetheilte bekommt - hat - beſitzt - in Beſitz nimmt: vorzügl. der ein ihm zugetheiltes Stück vom feindlichen eroberten Lande in Beſitz nimmt als Koloniſt. Dionyſ. Antiq. 8, 75 γῆ κληροῦχος ſt. κληρούχων. — ρόω, ῶ, looſen, durchs Loos wählen; οὓς ἐκλήρωσε πάλος Eur. Jon 416. med. κληροῦμαι, m. d. acc. ich bekomme durchs Loos: überh. ich erhalte oder beſitze: davon — ρωσις, ἡ, das Looſen - Verlooſen - Wählen durchs Loos. — ρωτήριον, (χωρίον) (κληρωτήρ) Ort, wo die Wahlen durchs Loos gehalten werden, wo die gewählten Magiſträte und Richter auf dem Theater ſaſsen; u. ſ. v. a. κληρωτίς: Ariſtoph. Eccleſ. 681. wo der Schol. es durch κληρωτὴ ἀρχὴ erklärt. Pollux 10, 61. Plut. 9 p. 169. — ρωτὴς, οῦ, ὁ, (κληρόω) looſend - verlooſend - durchs Loos wählend. — ρωτί, Adv. durchs Loos. — ρωτικὸς, ἡ, ὸν, zum Looſen - Verlooſen - Wählen durchs Loos gehörig oder geſchickt. — ρωτὶς, ίδος, ἡ, (κληρόω) Gefäſs, die Looſe hinein zu werfen: *urna*, *ſitula*: vorzügl. bey den Wahlen der Richter zu Athen: Scholiaſt. Ariſtoph. Veſp. 672 u. 750. — ρωτὸς, ἡ, ὸν, Adv. — τῶς, (κληρόω) verlooſet - erlooſet - durch Loos gewählt - beſtimmt - vergeben. — ρωτρὶς, ίδος, ἡ, ſ. v. a. κληρωτὶς, Philox. Gloſſar.

Κλῆσις, εως, ἡ, (καλέω, κλέω, ἐκλῆμι) Ruf, Einladung: Vorforderung Xen. hell. 1, 7. 8. angeſtellte Klage, Forderung ins Gerichte: abgelegtes Zeugniſs, Dionyſ. Antiq. 4, 20 nennt κλήσεις und καλέσεις die Klaſſen und leitet das latein. *claſſis* richtig davon her.

Κλητεύω, (καλέω, κλητὸς) ich fordere vor Gericht. 2) ich bin κλητήρ; 3) ich fordere einen, der ſich weigert Zeuge zu ſeyn vor Gericht und zwinge ihn die Strafe zu bezahlen, ἀναγκάσω αὐτὸν ἢ μαρτυρεῖν ἢ ἐξόμνυσθαι ἢ κλητεύσω αὐτὸν, Demoſth. lat. *denunciare teſtimonium*. — τὴρ, ὁ, (καλέω) der rufet, herbeyrufet; 2) der Zeuge, den man dazu ruft, *anteſtamur*, od. deſſen Namen man auf der geſchriebenen Klage angiebt, zum Beweiſe, daſs wir den dritten vor Gericht gefordert haben: im letztern Falle heiſst er lat. *ſubſcriptor*, κλητῆρα ἐπιγράφεσθαι: eine Klage ohne ſolche Zeugen heiſst, ἀπρόσκλητος δίκη: 3) Laſteſel, Ariſtoph. Veſp. 189 u. 1350, wov. *clitellae*. — τικὸς, ἡ, ὸν, heiſst der Vokatif, der rufende, nennende. — τὸς, ἡ, ὸν, (καλέω) gerufen, aufgerufen. — τωρ, ὁ, ſ. v. a. κλητὴρ, (καλέω) der ruft, herbeyruft: Gerichtsdiener: auch der Zeuge, wie κλητήρ.

Κλιβάδιον, τὸ, ſt. κλυβάδιον, ſonſt ἐλξίνη.

Κλιβανεὺς, ὁ, Manetho. 1, 81 *clibanarius*. — νίτης, ου, ὁ, ἄρτος, ein Brod im κλίβανος gebacken. — νοειδὴς, ὁ, ἡ, von der Geſtalt eines κλίβανος. — νος, ὁ, iſt nicht *fornax* der Ofen od. Heerd, ſondern *teſtum*, auch *clibanus* lat. ein irdenes od. eiſernes Geſchirr, unten weiter als oben (Columella 5, 10, 4. *ſcrobis clibano ſimilis ſit*) worinn man im Feuer oder mit herumgelegten Kohlen Brod backte, welches beſſer ausgebacken ward, als im Backofen, weil das Brod im Gefäſs eingeſchloſſen war und überall gleich von der Hitze gebacken ward. — νωτὸν, das *opus teſtaceum*, Eſtrich mit zerriebenen Scherben gemacht.

Κλιδὸν, Adv. v. κλίνω Opp. Cyn. 1. ſ. v. a. ἐγκλιδὸν.

Κλίμα, τὸ, (κλίνω) die Neigung die abſchüſſige Lage: vorzügl. *inclinatio coeli*, die Neigung der Erde gegen den Pol zu von dem *Aequator* an, u. die nach dem Grade dieſer Neigung ſich richtende Wärme und Witterung: überh. eine gewiſſe Gegend, Erdſtrich, Land, in Rückſicht auf die Lage und Neigung deſſelben; gegen die Pole zu.

Κλιμάζω. S. κλιμακίζω.

Κλιμακηδὸν, oder κλιμακιδὸν, nach Art einer Leiter oder Treppe, κλίμαξ, ſtufenweiſe. —κίζω, drückt eine Kunſt - Vortheil der Fechter (πύκτης) aus, die κλίμαξ no. 3. heiſst: davon κλιμακισμὸς, ὁ, u. διακλιμακίζω. Man hat auch κλιμάζω dafur geſagt. Heſych. erklärt es σκελίζειν, ἀπατᾷν, ein Bein unterſchlagen, betrügen. Es ſcheint alſo der Vortheil darin beſtanden zu haben, daſs die Fechter einander die Beine zu verdrehen und unterzuſchlagen ſuchten. Daher metaphoriſch ὅταν σὺν κλιμακίζῃ καὶ παράγῃ τοὺς νόμους Dinarch. wo andre κλιμάζῃ ſchrieben, andre deuteten es auf das Folterinſtrument, κλίμαξ no. 2. —κιον, τὸ, dimin. von κλίμαξ, ὁ, eine kleine Treppe oder Leiter: auch die Staffel darinne. —κὶς, ἡ, eine kleine Leiter, eine Frau die ſich zur Leiter macht, indem ſie einen andern auf ſich in den Wagen ſteigen laſst: ſonſt κολακὶς, Plutar. —κίσκος, ὁ, kleine Leiter, κλίμαξ. —κισμὸς, ὁ, ein Fechterſtreich - Liſt. S. κλιμακίζω. —κόεις, εσσα, εν, (κλίμαξ) was eine Treppe, Leiter - Stufen hat. —κοφόρος, ὁ, der eine Leiter trägt: bey Heſych. κλιμακηφόρος, der einen Todten auf der Baare (S. κλίμαξ. no. 4.) trägt.

Κλιμακτὴρ, ῆρος, ὁ, Stufe, Staffel einer Treppe, Leiter: davon —τηρικὸς, ἡ, ὸν, zur Stufe oder Staffel gehörig: ἐνιαυτὸς, Stufenjahr.

Κλιμακώδης, εος, ὁ, ἡ, einer Leiter oder Treppe ähnlich. —κωτὸς, ἡ, ὸν, (κλιμακόω) wie eine Treppe oder Leiter gemacht oder zugehend: Polyb. 5, 59.

Κλίμαξ, ακος, ἡ, (κλίνω, κλίμα, weil ſie angelehnt wird). Treppe, ἑλικτὴ, Windeltreppe Athenaei 5. p. 206. auch die Leiter, *ſcala*. 2) ein derſelben ähnliches Inſtrument zum foltern, worauf der Menſch gebunden ward, ἐν κλίμακι δήσας, Ariſtoph. Ran. 618. 3) bey Sophocl. Trachin. 520. ἀμφίπλεκτοι κλίμακες, eine Art von Fechterkünſten. S. κλιμακίζειν. 4) ein Theil am Wagengeſtelle. 5) eine rhetoriſche Figur, die Gradation im Ausdrucke. Es kommen κλίμακες στυππίναι u. σκύτιναι in Mathem. veter. p. 102. vor, Leitern von Werg und Leder.

Κλιματίας, ὁ, (κλίμα) σεισμὸς, eine Erderſchütterung, wie ἐπικλίντης. Heracl. Allegor. 38.

Κλινάριον, ου, τὸ, dimin. von κλίνη, kleines Bett. —νεγέρτου ἐνύπνια. Nicetae Annal. 18, 5, viell. κλινήρους: *aegri ſomnia*. —νειος, α, ον, (κλίνη) zum Bette gehörig, vom Bette.

Κλίνη, ἡ, (κλίνω) das Lager, eigentlich worauf man bey Tiſche lag, überh. jedes Lager - Bette - Sänfte. —νήρης, εος, ὁ, ἡ, (ἄρω, κλίνη) bettlägrig, krank. —νηφόρος, ὁ, ἡ, (φέρω) das Bette od. Tiſchlager oder Sanfte tragend. —νίδιον, τὸ, dimin. von κλίνη. —νικὸς, ἡ, ὸν, bettlägerig; 2) Arzt, der ſeine bettlägerige Kranke beſucht: deſſen Kunſt und Methode, κλινικὴ, verſt. τέχνη. —νὶς, ίδος, ἡ, ſ. v. a. κλινίδιον. —νοκοσμέω, ῶ, die Betten - Tiſchlager ordnen - ſchmücken. —νόκωμος, Epigr. Pauli Silent. 3 p. 72. ἐν κλινοκώμῳ. —νοπετὴς, έος, ὁ, ἡ, (πίπτω) ſ. v. a. κλινήρης, bettlägrig. —νοπηγία, ἡ, (πηγνύω) das Zuſammenfügen oder Verfertigen von Betten; davon —νοπήγιον, τὸ, Ort oder Werkſtätte, wo Betten oder Sanften gemacht werden. —νοπόδιον, τὸ, (κλινόπους) ein Kraut mit quirlformig ſitzenden Blüthen. bey Dioſcor. 3, 109. *Clinopodium* Linnaei: von der Aehnlichkeit der runden Blumenhaufen mit den Füſsen von Bettſtellen. —νοποιικὸς, ἡ, ὸν, zum Machen - Verfertigen der Betten oder Sänften gehörig oder geſchickt. —νοποιὸς, ὁ, ἡ, (κλίνας ποιέων) der Betten oder Sänften macht. —νόπους, οδος, ὁ, Fuſs des Bettes oder der Sänfte. —νότροχον, τὸ, bey Theophr. 1. pl. 3, 4. die dritte Art von Maſer (*acer*) nach der Mundart der Stagiriten, wofür andre ἰνότροχον leſen wollen. Vielleicht gehört im Heſych. κλινόστριχνον, τὴν ψαλλίδα hieher. —νουργὸς, ὁ, ſ. v. a. κλινοποιὸς. —νοφόρος, ὁ, ſ. v. a. κλινηφόρος. —νοχαρὴς, έος, ὁ, ἡ, (κλίνη, χαρὰ) Bettfreund, der gern im Bette liegt, Lucian. Tragop. 131.

Κλιντὴρ, ὁ, (κλίνω) ein Ruheſtuhl oder Ruhebette; Lager bey Tiſche; davon —τήριον, τὸ, dimin. ſ. v. a. κλιντὴρ, wovon κλιντήριος, zum κλιντὴρ, gehörig, oder neigend.

Κλίνω, ich neige, ſenke; bewege nach einem Orte hin, lege nieder. Das lat. *clino*, in den compoſ. *inclino*, *declino*, *acclino*, *reclino* gebräuchlicher. Das Stammwort iſt κλίω, wovon die meiſten tempora gebildet werden.

Κλισία, ἡ, (κλίνω) ein Ort wo man ſich niederlegen oder worauf man ſitzen und ſich anlehnen und ausruhen kann; daher ein Zelt, ein Lehnſtuhl, Ruhebette; auch eine ländliche Wohnung, Hütte. —σιὰς, άδος, ἡ, S. κλεισιάς. —σίηθεν, Adv. aus dem Lager, Bette. —σίηνδε, Adv. im Lager, zu Bette. —σιον, τὸ, (κλισία) eine Wohnung für Sclaven, Geſinde rings um das Herrnhaus, Odyss. 24. 207. Häuschen, Hütte, auch Schoppen und Viehstall.

Κλίσις, ἡ, (κλίνω) Biegung, Neigung, Bewegung nach einem Orte hin, Schwankung.

Κλισμὸς, ὁ, (κλίνω) s. v. a. κλισία, Odyss. 4. 136. vergl. 123.

Κλίτος, τὸ, bey den LXX. s. v. a. κλιτύς.

Κλιτὸς, ἡ, ὸν, nach Hesych. geneigt, κατωφερής.

Κλιτὺς, ύος, ἡ, Neigung, Abhang, Abschüssigkeit.

Κλοιὸς, ὁ, Halsband für Hunde: für Menschen Halseisen, sonst κύφων, von κλείω, κέκλοια. Der plur. wird auch κλοιὰ gemacht.

Κλοιόω, ins Halseisen κλοιὸς bringen, davon bey Hesych. κλοιωτὸς, aus Halseisen gebunden, s. v. a. κλοιώτης, οἱ wie δεσμώτης, bey demselben.

Κλοῖστρον, τὸ, und κλῷστρον bey Hesych. s. v. a. κλεῖστρον.

Κλονέω, ῶ, f. ήσω, heftig bewegen, erschüttern, in Unruhe setzen: med. κλονεῖσθαι, böse werden, zürnen, bey den LXX. —νησις, ἡ, Bewegung, Erschütterung s. v. a. κλόνος. —νις, ἡ, Antimachus bey Pollux 2, 178 sagt κλόνιός τε θοραίης σφονδυλίων ἐξ, woraus erhellet, dass eigentl. das Heiligen-Bein, *os lumbare*, verstanden wird, also das lat. *clunis*, Steiss; Schol. Aeschyl. Prom. 496. und Hesych erklären es d. γαστήρ, ἰσχίον, ὀσφύς, ῥάχις. —νόεις, όεσσα, όεν, voller Unruhe, unruhig. —νος, ὁ, heftige Bewegung, Unruhe, Verwirrung, Geräusch der Wagen, Getümmel der Schlachten u. dgl. Man leitet es von κλίνω ab. —νώδης, εος, ὁ, ἡ, s. v. a. κλονόεις.

Κλοπαῖος, αία, αῖον, gestohlen. —πεία, ἡ, (κλοπεύω) Dieberey, das Stehlen. —πεῖον, τὸ, das gestohlne. Maximus vers. 600. —πεὺς, έως, ὁ, Dieb, Soph. Ant. 493. ᾑρῆσθαι κλοπεὺς, st. φωραθῆναι, verrathen, entdeckt werden. —πεύω, u. κλοπέω, s. v. a. κλέπτω: Xenoph. anab. 6, 1 wo aber Suidas ἐκλώπευον lass. —πὴ, ἡ, (κλέπτω, κέκλοπα) od. κλοπία, s. v. a. κλοπεία, Diebstahl: heimliches Thun. —πιμαῖος, αία, αῖον, Adv. —αίως und κλόπιμος, ίμη, s. v. a. κλοπαῖος. —πιος, ὁ, ἡ, diebisch, verhohlen. —πὸς, ὁ, (κλέπτω, κέκλοπα) s. v. a. κλοπεύς. —ποφορέω, ῶ, (κλοπή, φέρω) bestehlen, Genes. 3. und Nicetae Annal. oft.

Κλοτοπεύω, Hom. Il. οὐ γὰρ χρὴ κλοτοπεύειν ἐνθάδ' ἐόντας οὐδὲ διατρίβειν erklärt man durch andern, unter allerhand Vorwand und List etwas verschieben; davon Hesych. κλοτοπευτής, der Prahler, hat. Man nimmt an, dass es für κλοπεπεύειν stehe, u. s. v. a. κλωπεύω, κλοπεύω heisse, mit List etwas thun. Andere lesen κλιτεπεύειν, schöne Worte brauchen, zum Vorwand brauchen.

Κλύβατις, ἡ, s. v. a. ἐλξίνη, ein Pflanze, Nicand. Ther. 537.

Κλυδάζομαι, s. v. a. κλυδωνίζομαι. S. auch κλύζω. dav. —δασμὸς, ὁ, das Wogen, Rauschen: —διος, S. κλύς. —δων, ωνος, ὁ, (κλύζω) die Woge, Welle: das Wogen des Meeres; dav. —δωνίζομαι, von Wogen beunruhiget werden; Wogen - Wellen schlagen: rauschen, wogen. —δώνιον, τὸ, dimin. von κλύδων.

Κλύζω, f. ύσω, ich besprenge, benetze, spüle ab - aus, reinige, wasche; daher κλύζειν τινὰ, durch ein Klystier reinigen, und κλυστήρ, das Klystier: κῦμα τ' ἐπ' ἠιόνος κλύζεσκον. Iliad. ψ. s. v. a. anderswo, ἔνθα λαίγγας ποτὶ χέρσον ἀποκλύνεσκε θάλασσα, wo die anschlagenden Wellen anspielten und das Ufer abspülten: ἐκλύσθη δὲ θάλασσα, das Meer ward stürmisch, von Wellen bewegt: ὁ ποταμὸς ὑπὸ τῶν διαβαινόντων ἐκλύσθη. Plutar. d. i. der Fluss trat aus, floss über die Ufer: eben so bey Hippocr. intern. affect. 24 κλύζεσθαι, wo die Handschr. κλυδάζεσθαι hat. S. χρυσόκλειστος.

Κλύμενον, τὸ, *clymenon*, eine gewisse Pflanze welche Fabius Columna für *calendula officinalis* Linn. hält: Diosc. 4, 12. κλύμενος Beyw. des Ἄδης, wird auch allein für ihn als Regent der Unterwelt gesetzt: bey Theocr. 14, 26 ἔρως κλ. die berüchtigte bekannte Liebe: von

Κλῦμι, ich höre, davon κλῦθι, κλῦτε, κέκλυτε. S. κλύω.

Κλὺς, κλυδὸς, davon κλύδα, Nicand. Alex. 170. s. v. a. κλυδών: davon κλύδιον πέλαγος bey Hesych. und συγκλύδεα.

Κλύσις, ἡ, (κλύζω) das Ab - Auswaschen oder Spülen mit Infusionen oder Klystiren.

Κλύσμα, τὸ, das Abwaschen; 2) die Feuchtigkeit und medicinische Komposition womit ein Glied - eine Wunde ausgewaschen - abgewaschen wird; 3) *aestuarium*, ein Ort wohin die Fluth spielt; παρὰ τὴν ἠιόνα ἐπ' αὐτῷ τῷ κλύσματι, Lucian. Dipsad. 6. davon —μάτιον, τὸ, ein Dimin.

Κλυστὴρ, ὁ, das Klystier, *clyster*: sonst auch ἔνεμα; 2) Klystierspritze: davon —στήριον, τὸ, ein Dimin.

Κλυτοεργὸς, ὁ, ἡ, s. v. a. κλυτοτέχνης: Odyss. 8. 345. —τόκαρπος, ὁ, ἡ, στέφανος, dessen Frucht Ehre ist: Pindar. —τόμαντις, ὁ, berühmter Prophet: κω.

Κλυτομήτης, ου, ὁ, und —τόμητις, ὁ, ἡ, berühmt durch Kenntniſs, Einſichten: Homer hymn. 19, 1. Philoſtr. Icon 3, 13. —τόμοχθος, ὁ, ἡ, durch Arbeiten berühmt gemacht oder machend: Anthol. —τόπαις, αιδος, ὁ, ἡ, berühmt durch Kinder: Anthol. —τόπωλος, ὁ, ἡ, berühmt durch Pferde oder die Reitkunſt. —τὸς, ἡ, ὸν, oder —τὸς, ὁ, ἡ, (κλυω) hörbar, berüchtiget, berühmt, glorreich: 2) κλυτὸν λιμένα bey Homer erklaren einige rauſchend, κλυτὰ μῆλα und αἰπολία von der Stimme der Schaafe und Ziegen, ſchreyende Heerden von Schafen und Ziegen. κλυτὸς ὄρνις der Hahn bey Heſych. Eben ſo erklaren einige κλυτὸς ἀμφιτρίτη, und bey Ibycus κλυτες von der Dämmerung. —τοτέχνης, ου, ὁ, (τέχνη) berühmter Künſtler: Il. 1, 511. —τότοξος, ὁ, ἡ, berühmt durch den Bogen und die Kunſt ihn zu regieren, berühmter Schütze. —τόφημος, ὁ, ἡ, (φήμη) durch den Ruf bekannt: Orpheus Arg. 214.

Κλυω, iſt nur in der Form verſchieden von κλέω, welches heiſst ein Gerücht, Ruf verbreiten, verkündigen; hingegen κλύω, ich erfahre durchs Gerücht, ich höre, ich vernehme: κλύω τινὸς u. ἐκ τινὸς einen anhören, von jemand hören; 2) wie ἀκούειν ſ. v. a. folgen, gehorchen, m. d. gen. und dativ. 3) erhören, m. d. genit. κακῶς κλύειν πρὸς τινὸς, *male audire ab aliquo*, von jemand geſchmähet, geläſtert werden. S. κλῦμι, κλυτὸς.

Κλωβὸς, ὁ, ein Käfig, Vogelbauer, vorz. der Vogelſteller. Oppian. Ixeut. 3, 14 mit Fallthüren; ſcheint von κλοιὸς, κλῳὸς zu kommen; ἀμφιῤῥῶξ im Epigr. weil er auf beyden Seiten ſich öfnet.

Κλωγμὸς, ὁ, (κλώζω, *glocio*) drückt die Stimme der Dolen u. gluckenden Hühner aus; 2) der Ton oder Zungenſchlag womit man Pferde zum laufen ermuntert; 3) der Ton womit man Schauſpieler und andere (nach unſrer Art) auszischt.

Κλώδωνες, αἱ, *Bacchae*, die Bacchantinnen in Macedonien, wo ſie auch μιμαλλονες hieſsen; von der Etymol. S. Polyaen. Stratag. 4, 1.

Κλώζω, ein der Stimmen der Dolen u. gluckenden Hühner nachgebildetes Wort, welches ohngefähr den Ton, Gluck ausdrückt; von der gluckenden Henne brauchen die Lateiner auch *glocire*, gluchſen. 2) bedeutet es den Ton, womit man den Pferden Muth, Aufmerkſamkeit macht, indem man mit der an den Gaumen ſchnell anſchlagenden Zunge einen dem vorigen ähnlichen Ton hervorbringt; 3) mit demſelben Tone gab man auf dem Theater den Schauſpielern ſein Miſsfallen zu erkennen, daher bedeutet es ſ. v. a. unſer, auszischen.

Κλῶθες, αἱ, Odyſſ. 7, 197. ὅσσα οἱ αἶσα κατακλῶθές τε βαρεῖαι γεινομένῳ νήσαντο λίνῳ, Heſych laſs mit andern κατὰ κλῶθες und erklärte es μοῖραι, alſo ſt. κλωθῶες. S. κατακλώθω.

Κλώθω, f. ώσω, ich ſpinne; τὰ κεκλωσμένα, was dem Menſchen von den Parzen, κλῶθες, zugeſponnen iſt. Scheint auch zwirnen zu bedeuten. S. im Index Script. rei rusticae S. 360 folgd

Κλωθὼ, οῦς, ἡ, *Clotho*, eine von den Parzen, die den Faden des Lebens ſpinnt, κλώθει. S. κλῶθες.

Κλωμακόεις, όεσσα, όεν, von —μαξ, ὁ, ſ. v. a. κρώμαξ, ein Steinhaufen, od. ſteiler felſigter Ort; daher κλωμακόεσσα Il. 2, 729. ſteinigt, ſteil, bergigt, rauh. S. κρωμακόεις.

Κλὼν, ὁ, κλώναξ, ὁ, —νάριον, und —νίον, τὸ, dim. v. κλὼν, der äuſſerſte Zweig, Schoſs, Trieb an Bäumen; ein Reiſs *surculus*; v. κλάω, wovon auch κλάδος daſſelbe bedeutet. —νίζω, (κλὼν) ſ. v. a. κλαδεύω, ich breche- ſchneide die jungen Schöſſe ab. —νίον, τὸ, ſ. v. a. —νάριον, kleiner junger Sproſs, Zweig, Schoſsling.

Κλῳὸς, ὁ, attiſch ſt. κλοιὸς.

Κλωπάομαι, (κλὼψ) ſ. v. a. κλέπτω, ich ſtehle; thue etwas heimlich, verſteckt, unbemerkt. ——πεία, ἡ, ſ. v. a. κλοπεία. S. κρυπτεία. —πεύω, ſ. v. a. κλοπεύω. —πήιος, α, ον, ſ. v. a. κλοπαῖος: Apoll. Rhod. —πικὸς, ἡ, ὸν, (κλὼψ) diebiſch; κλ. ἕδραι Eur. Rheſ. 512. Diebesſitze, heimlicher verſteckter Ort, Hinterhalt. —ποπάτωρ, ορος, ὁ, ἡ, von einem diebiſchen Vater; zw.

Κλῶσις, ἡ, (κλώθω) das Spinnen: Lycophr. 716.

Κλώσκω, ſ. v. a. κλώθω: Heſych.

Κλῶσμα, τὸ, (κλώθω) das Geſpinnſt od. auch das Gewebe. —μὸς, ὁ, ſ. v. a. κλωγμὸς: bey Quinctil. Inſtit. 11, 3, 51 ſoll wohl κρωγμὸς heiſsen.

Κλωστὴρ, ῆρος, ὁ, u. κλωστὴς, ὁ, (κλώθω) der Spinner: auch ſ. v. a. κλῶσμα, das Geſpinnſt, der geſponnene Faden: Knaul: κλωστῆρα λίνου: Aeſchyl. Choe. 505. —στόμαλλος, ὁ, ἡ, ſ. v. a. στεψίμαλλος: Euſtath. ad Odyſſ. 1 p. 368. —στὸς, ἡ, ὸν, geſponnen, gezwirnt.

Κλὼψ, ὁ, Dieb, Spitzbube, aus κλοπὸς zuſammengezogen.

Κμέλεθρον, τὸ, ſ. v. a. μέλεθρον oder μέλαθρον, Balken: pamphyliſch Etym. M.

Κμητὸς, ἡ, ὸν, (καμέω, κάμνω) gearbeitet, gemacht, in den comp. πολύκμητος u. ſ. w. gebräuchlicher.

Κναδάλλω, ſ. v. a. κνάω, κνήθω, wie ψάω, ψαθάλλω, davon ἀνακναδάλλω, ich reitze durch kitzeln, und mache daſs der Vogel ſich in die Höhe bewegt, Pollux 7, 136. 9, 108.

Κναίω, ſ. v. a. κνάω, gebräuchlicher ſind die comp. ἀποκναίω und διακναίω, wovon ἀποκναίω das durchs allmählige ſchaben, kratzen, abnehmen verurſachten vermindern, erſchöpfen, und metaph. ermüden, ängſtigen, muthlos machen, betrüben bedeutet.

Κνακὸς, ὁ, κνακίας, ὁ, κνάκων, ὁ, doriſch ſt. κνηκὸς, κνηκίας, κνήκων, Beyw. von mehrern Thieren. S. κνῆκος.

Κνάμπτω, κνάπτω, κνάφαλον, τὸ, κνάφειον, τὸ, κναφεὺς, κναφέω, κναφήϊον, τὸ, κναφικὸς, κνάφος, ὁ, ſiehe alle im Buchſtaben γ, alſo γνάμπτω u. ſ. w. nach.

Κνάω, κνέω, κνῆμι, f. ήσω, ich ſchabe, kratze: ſchabe-kratze ab; 2) kratzen, κνᾶσθαι ſich kratzen, κεφαλὴν, den Kopf, *ſcalpere caput*. 3) kitzeln, krabbeln.

Κνεφάζω, (κνέφας) ich verfinſtere, verdunkele, Aeſchyl. Ag. 135. —**φαῖος**, αία, αῖον, Adv. —αίως, finſter, dunkel: 2) κνεφαῖος ἦλθε er kam in der Abenddämmerung. —**φαλον**, τὸ, falſch, ſt. κνάφαλον u. γνάφαλον aus Suid. —**φας**, τὸ, auch κνέφος, τὸ, Schatten, Dunkelheit, Finſterniſs: 2) die Abend- und Morgendämmerung, *crepusculum*, *diluculum*. S. ἀκροκνέφαιος. ἅμα κνέφα in der Dämmerung. Beyde Formen kommen, von νέφος, wie auch γνόφος und δνόφος. S. σκνίφος, σκνιφόω.

Κνέωρον, τὸ, die Pflanze θυμελαία, vorzügl. die Blätter derſelben: Dioſc. 4, 173. Theophr. 6. 2 unterſcheidet 2 Arten, welche in das Geſchlecht *Daphne* oder *Cneorum* Linnaei gehören.

Κνήδη, falſch ſt. κνίδη.

Κνηθιάω, ῶ, ſ. v. a. κνηστιάω u. κνησιάω: zw.

Κνηθμὸς, ὁ, das Jucken, Brennen: von

Κνήθω, ſ. v. a. κνάω, ich reibe, kratze, ſchabe; κνήθομαι, ich kratze mich; 2) ich kitzele, verurſache Jucken, Brennen; 3) ich reitze zum Groll, Haſs, Zorn, Liebe.

Κνηκεῖος, ſ. v. a. κνηκός. S. κνῆκος. —**κέλαιον**, τὸ, Safloroel. Dioſcor. 1, 44. S. κνήκινος. —**κοειδὴς**, u. κνηκώδης, ὁ, ἡ, dem κνῆκος Saflor ähnlich. —**κίας**, ὁ, dor. κνακίας, S. κνῆκος. —**κινος**, von κνῆκος, Saflor; ἔλαιον κνήκινον ſonſt κνηκέλαιον, aus dem Saamen des Saflor gepreſstes Oel. —**κὶς**, ἡ, οὐδέποθι κνηκὶς ὑπεφαίνετο (Heſych. hat ἐπενήνοθε) πέπτατο δ' αἰθὴρ bey Suidas, d. i. kein trübes Wölkchen war am Himmel: Scheint ſ. v. a. κηλὰς zu ſeyn u. κνιζὸς ἀὴρ. Wird auch vom Felle auf dem Auge, einem Fehler des Auges gebraucht. Bey Cleomedes 2 p. 72 ſteht αἱ περὶ τὸν ἥλιον φαινόμεναι πολλάκις ἐν... ονεὶ κνικίδες νεφώδεις. Bey Plutarch. 8. p. 303 διαδρομὴ κνηκίδος ἀραιᾶς, wofür 7 p. 861. διαδρομὴ σπιλάδος ſteht, wie κηλὰς. Derſelbe 9 p. 745 ſetzt nach νέφη u. ὁμίχλαι noch κνηκίδες. —**κος**, ἡ, *cnecus*, Saflor, eine diſtelartige Pflanze, deren Blumen man beym Käſe machen als Lab zum gerinnen der Milch brauchte. Von der gelben Blume derſelben oder dem weiſsen Saamen erklärt man κνηκὸς, doriſch κνακὸς, τράγος, bey Theocr. auch κνάκων, ὁ, ferner ἵππος, durch πυῤῥὸς, gelbbraun, λευκὸς, weiſs, und ψαρὸς ſcheckigt. Bey Lycophr. heiſst der Adler κνήκειος, *fulva aquila*: bey Babrius κνηκίας der Wolf, gewöhnlich *canus lupus*. —**κὸς**, ἡ, ὸν, dor. κνακὸς. S. κνῆκος. —**κώδης**, ὁ, ἡ, S. κνηκοειδὴς.

Κνῆμα, τὸ, u. κνῆσμα, τὸ, (κνάω) ſ. v. a. κνίσμα. —**μαῖος**, αία, αῖον, was zum Schenkel an die Wade, κνήμη, gehört. —**μαργος**, ὁ, (ἀργὸς, κνήμη) mit weiſsen Schenkeln: Theocr. 25, 127. nach Heſych. ταχύκνημος. —**μη**, ἡ, der Schenkel, das Schenkelbein, Wadenbein; die Wade; die Speiche im Rade. —**μία**, ἡ, die Radeſpeiche; auch die Hölzer, welche das Geſtell des Stuhles ſtützen, die Füſse. —**μιδοφόρος**, ὁ, ἡ, (κνημὶς, φέρω) der Beinharniſche trägt. —**μιδωτὸς**, ἡ, ὸν, (κνημιδόω) ſ. v. a. d. vorh. Gloſſar. St. —**μὶς**, ἡ, (κνήμη) eine Bedeckung um die Schenkel: aus Polyb. 10, 9 erhellet, daſs ſie von ὑποδήματα u. κρηπῖδες verſchieden waren und zugleich getragen wurden; 2) Schiene um das Rad: Diodor. 18, 27. —**μοπαχὴς**, έος, ὁ, ἡ, (πάχος) dick wie die Wade oder der Schenkel. —**μὸς**, ὁ, eine waldigte Gegend eines Berges. So wie man ποῦς u. πρόπους von untern Theilen des Berges braucht, ſo auch κνήμη, die Wade, in κνημὸς, daher Etymol. M. es durch προβάσεις, ἐξοχὰς u. καθύγρους τῶν ὀρῶν erklärt. —**μόω** bey Heſych. ſ. v. a. φθείρω, zweymal: in der dritten Stelle ſagt er κνημῶσαι, περιχῶσαι, φράξαι, φθεῖραι, κλεῖσαι, ἐλθεῖν. Er hat auch ἐξεκνημώθη, ἐξεφθάρη: ferner διεκνημώσατο u. ἐκνημοῖντο in derſelben Bedeut. wie auch κνηστὴρ, φονεὺς, ὀλετὴρ. Phanocles Athenaei 13 p. 597. hat κνημωθεὶς in einer dunkeln Stelle.

Κνησείω, (κνήθω fut. κνήσω) oder κνησιάω u. κνηστιάω, Jucken empfinden und Luſt haben ſich zu reiben: Plato Gorg. 49. bey Aelian. h. a. 7, 35 ſteht κνησιεῖ falſch. —**σέρα**, falſch ſt. κρησέρα.

Κνῆσις, ἡ, (κνάω) das Reiben, Abreiben, Schaben, Abſchaben. —**σίχρυσος**, ὁ, ἡ, ῥίνη Anthol. Goldnagend.

Κνῆσμα, τὸ, ſ. v. a. κνῆμα; das geriebene, abgeriebene, abgekratzte. Wird auch mit κνίσμα verwechſelt. —**μονὴ**, ἡ, u. κνησμὸς, ὁ, (κνάω) das Jucken. —**μώδης**, εος, ὁ, ἡ, (κνησμὸς, εἶδος), mit Jucken behaftet.

Κνηστὴρ, ὁ, u. κνηστήριον, τὸ, ſ. v. a. κνῆστις. —**στιάω**, ῶ, ſ. v. a. κνησιάω: Clemens Strom. 5 p. 677. Julian. or. 7 αἱ τιτθαὶ περὶ τὰς ὀδοντοφυΐας κνηστῶσι σκύτινα ἄττα προς ἀρτῶσι ταῖν χεροῖν ἵνα παραμυθοῖντο τὸ πάθος, welche beym Zahnen Jucken haben. —**στις**, ἡ, (κνάω) ein Meſſer zum Schaben, z. B. des Kaſes. κνῆστι χαλκείῃ κνῆ τυρὸν Homer. ſt. κνήστιδι: τυροῦ κνήστεως, Porphyr. Pyth. 34, ſoll wohl κνηστοῦ heiſsen. 2) das Jucken, Brennen, wie κνησμὸς, Oppian. Hal. 2, 427. 3) bey Plutar. Anton. 87 ſcheints eine Frihrnadel (*calamiſtrum*) zu bedeuten. κνῆστις κοίλη. Dio 51, 14 ſetzt dafür βελόνη. —**στὸς**, ἡ, ὸν, (κνάω) geſchabt, gekratzt, geſchnitten, zerſchnitten. —**στρον**, τὸ, ſ. v. a. κνῆστις; 2) die Pflanze κνέωρον.

Κνήφη, ἡ, ſ. v. a. κνησμὸς: Jucken, Krätze: bey Suidas, auch unter Ἀφροδίτη. Heſych. in κνίδαι hat das Wort σκνῆφαι.

Κνιδάω, mit Neſſeln peitſchen: ein Brennen oder Jucken verurſachen: Heſych. —**δειος**; κόκκος. S. θυμελαία. —**δέλαιον**, τὸ, Dioſcor. 1, 43 Oel aus dem Saamen von κόκκος κνίδιος gepreſst. —**δη**, ἡ, (κνίζω) Brenneſſel, Neſſel: *urtica*. 2) ein Meergeſchöpf, deſſen Berühren Jucken verurſacht, das aber gegeſſen ward; auch ἀκαλήφη, *urtica marina*, Meerneſſel: Ariſtot. h. a. 5, 16. Aelian. h. a. 7, 35. Xenocr. alim. aquat. 16. gehört in das Geſchlecht *Actinia* u. *Meduſa* Linnaei. —**διος**, κόκκος. S. θυμελαία. —**δωσις**, ἡ, (κνιδόω) das Jucken, Brennen: Hippocr.

Κνίζα, ἡ, jon. κνίζη τὶς ἤδη καὶ πέπειρα γίνομαι Anacr. bey Euſtath. wo Stephan. es erklärt *ſcalptura mihi opus eſt et matureſco*. Mir ſcheint es ſt. κνίδη zu ſtehn, d. i. ich werde ganz Neſſel und Jucken. —**ζω**, (κνάω, κνήθω) ich kneipe, ſchabe, kratze, ritze; ich kneipe- ſchabe- ritze- ſchneide ab; 2) ich mache durch Berührung der Haut eine unangenehme Empfindung, bringe ein Brennen-Jucken hervor: 3) metaph. von der Liebe und ihrem Reitze: ἔρως ἔκνιζεν αὐτὸν τῆς παιδὸς er brannte vor Liebe nach dem Mädchen. So auch κνίζεσθαι ἔρωτι τινὸς, auch m. d. genit. allein, vor Liebe gegen jemand brennen; 4) durch Neckereyen jemand betrüben, erzürnen, zur Eiferſucht reizen, vorzügl. von Liebenden: übelh. reizen, betrüben, erzürnen, wie *pungere*, *vellicare*.

Κνικὶς, ἡ, S. κνῆνις.

Κνιπεία, ἡ, Geitz, Mangel: S. in κνιπὸς. —**πήρα**, ἡ, oder κνιποπήρα. S. κνύπερις. —**πολόγος**, ὁ, eine Art Baumläufer oder Specht, der an den Bäumen läuft und Inſekten (κνὶψ) ſucht. —**πὸς**, geitzig, filzig. Iſt mit γνῖφος einerley, davon γνίφων, *Gnipho*, ein Geitzhals, unter welchem Namen in den Komödien geitzige Greiſe aufgeführt werden. Aſpaſius über Ariſtot. Nicom. Eth. 4 fol. 51. a. verbindet κίμβιξ, κυμινοπρίστης, γνίφων u. σκνιπὸς. S. in γνίφων. Daraus hat man auch σκνιπὸς, und mit der Aſpiration σκνιφὸς gemacht. Im Schol. Ariſtoph. Plut. 590 haben für σκνιφοὺς die ältern Ausg. σκιφοὺς. Um der leichtern Ausſprache willen ſcheint man σκιπὸς u. σκιφὸς gemacht zu haben. Heſych. hat σκιπὸς, σκνιφὸς, μικρολόγος, und Suidas ſagt σκιφὸς, ὁ παρ' ἡμῖν λεγόμενος σκνιπὸς. Daraus erklärt Hemſterh. ad Plut. Ariſtoph. p. 191 σκιφης μεστοὶ στίχοι bey Diogenes Laert 4, 27. davon σκιφία, bey Heſych. in κιμβία, u. Suidas in κίμβεια, nach Hemſterh. Verbeſſerung, wo jetzt σκυφία u. σφηκία ſtebt. In Theophanes Chronogr. p. 248 ſtebt κνιπία παντὸς εἴδους für Mangel, *inopia omnis ſpeciei* in der hiſtoria miscella 17 p. 529. wo andre Handſchr. σκνηπία u. σκηπία haben.

Κνιπότης, ητος, ἡ, ὅταν δ' ἐς τοὺς ὀφθαλμοὺς κατὰ σμικρὸν ῥέῃ καὶ κνιπότητα παρέχῃ, Hippocr. wo man es durch Jucken κνησμὸς u. ξηροφθαλμία erklärt. Dahin gehört Heſych. κνυζοὶ, οἱ τὰ ὄμματα πονδοῦντες. S. σκνιπὸς. —**πόω**, S. σκνιφὸς.

Κνὶς, wovon κνίδα im accuſ. ſt. κνίδην: Oppian. wie κρόκα ſt. κρόκην.

Κνίσα, ἡ, ſ. v. a. κνίσσα. —**σαρ**, τὸ, ſ. v. a. ξυρὸς: Suidas. zw.

Κνίσδω, doriſch ſt. κνίζω.

Κνίσμα, τὸ, (κνίζω) das Kneipen, Abkneipen, Abſchaben, das Abgeknippene, ein Stückchen. κνίσματα καὶ περιτμήματα τῶν λόγων, Brocken und Schnitze von Gedanken u. Reden. Plato: 2) das Kneipen und Zwicken der Verliebten, *morſiunculae et vellicationes*. τὰ ποθούντων κνίσματα, Anthol: 3) davon die durch dergl. Neckereyen entſtandene- erweckte- genährte Liebe, oder auch 4) die Reize, Veranlaſſungen zu Groll und Feindſchaft, durch Neckereyen: S. auch κνῆσμα, womit es oft verwechſelt wird, als Xenoph. Symp. 4, 28. —**μὸς**, ὁ, (κνίζω) das Brennen und Jucken; 2) das verliebte Jucken, Trieb. zur Wolluſt; 3) Neckereyen, und daraus entſtandener Groll, Schmollen, Eiferſucht, Feindſchaft, vorzügl. zwiſchen Liebenden. Wird oft mit κνησμὸς verwechſelt.

Κνισμώδης, ὁ, ἡ, juckend, brennend. S. κνησμώδης.

Κνισολοιχός, S. κνισσολοιχός.

Κνίσσα, ἡ, *nidor*, der Dampf und Geruch von fettem gebratenen oder im Feuer angezündeten Fleifche, vorzügl. von Opferthiere und Braten: 2) das fette Netz, worein das Opferfleifch gehüllt und angezündet wird, fonft δῆμος. — **σάριον**, τὸ, dimin. v. vorigen. — **σάω**, u. κνισσέω (κνίσσα) ich bringe einen Duft, Geruch (*nidor*) von verbranntem fetten Opferfleifche, Braten, und andern ähnlichen Dingen hervor; daher κνισσᾶν περὶ βωμούς, bey den Altären opfern; κνισσᾶν ἀγυιάς, die Strafsen mit Opferduft erfüllen. κνισσοῦται ὁ ἰχθύς, verwandelt fich in Dampf. κεκνισσωμένον δέλεαρ, ein duftender Köder von geröfteter Lockfpeife. — **σήεις**, ήεσσα, ῆεν, (κνίσσα) desgl. κνισσηρός, duftend, dampfend, wie angezündetes fettes Opferfleifch. — **σοδιώκτης**, ὁ, (κνίσσα διώκω) Bratenriecher, der dem Bratengeruche nachgeht: Hom. batr. 231. — **σοκόλαξ**, ὁ, (κνίσσα, κόλαξ) f. v. a. d. vorige. — **σολοιχία**, ἡ, die Leckerey: von κνισσολοιχός, ὁ, ἡ, (λείχω, κνίσσα) Fettlecker, Bratenlecker, Leckermaul: Athenaei 3. — **σός**, f. v. a. κνισσηρός, fettig, Athenaei 3 p. 115 διὰ τὸ κνισόν. 2) f. v. a. λίχνος, ibid. — **σόω**, κνισόω, f. v. a. κνισσάω. Bey Lucian Saturn. Ep. 23 τὸν ζωμὸν κνισσῶσαι, anbrennen laffen und verderben. — **σώδης**, εος, ὁ, ἡ, oder κνισσωτός, mit Fett angefüllt, fett: dampfend wie gebratenes Fett oder Fleifch. τὸ μνημονευόμενον αὐτῆς ἀμαυρόν ἐστι καὶ κνισσῶδες ὥσπερ ἑώλων Plutar. 10 p. 479. ἀνάμνησιν ἐξίτηλον ὥσπερ ὀσμὴν ἕωλον ἢ κνίσσαν ἐναπολειπομένην Q. Symp. 6. praef. vergl. Aefchyli Choe. 482.

Κνιστός, ἡ, όν, (κνίζω) klein gefchnitten, gefchabt, gehackt.

Κνίψ, ὁ, auch σκνίψ, ὁ, eine kleine Ameifenart, die dem Honig nachgeht; auch mehrere geflügelte und ungeflügelte Infekten die auf den Bäumen und in Holze leben. Plinius hat es meift *culex* überfetzt.

Κνοή, ἡ, jonifch ft. χνόη, χνοίη.

Κνόος, κνοῦς, ὁ, (κνάω, κνέω, κνύω) das Knarren der Wagenachfe, davon κνόη am Rade; das Geräufch der Füfse im gehen.

Κνῦ, οὐδὲ κνῦ, auch nicht das Mindefte.

Κνύζα, ἡ, (κνάω, κνύω) das Jucken, die Krätze; 2) f. v. a. κόνυζα: Theocr. 4, 25. — **ζάω**, davon κνυζάομαι med. bey Theocr. 6, 30 das Knurren und fchmeichelnde Winfeln der Hunde bezeichnet. Daher auch die fröhlichen Töne eines Säuglings; auch die fchmeichelnde Stimme eines zahmen Löwen. Das activ. κνυζάω u. κνυζέω hat Euftath. aus Athenaeus angemerkt; κνυζεῖ hat Oppian Cyn. 1, 507 wo vorher κνίζει ftand. Die Formen κνύζω und κνύζομαι med. hat Suidas nebft Beyfp. das lat. *gannire* und *gannitus* drückt, daffelbe aus u. führt auf den Urfprung γάνος, γανύω, γάνυμαι, γανύζω, γνύζω, γνυζάω, κνυζάω. Dafs κ u. γ fehr nahe in der Ausfprache verwandt find, zeigt fchon γνάπτω u. κνάπτω. — **ζηθμός**, ὁ, u. κνύζημα, τὸ, (κνυζάω) das freundliche und fchmeichelnde Knurren und Winfeln der Hunde und anderer Thiere: S. κνυζάω. — **ζισμός**, ὁ, bey Athenaeus 9 p. 376 falfch ft. κνυζηθμός, wie auch Euftath. dort gelefen hat. — **ζός**, bey Hefych. ἀήρ, trübe, finftre Luft: ὀφθαλμοί, trübe Augen: fcheint für σκνιφός zu ftehn; davon — **ζόω**, ῶ, Odyff. 13, 401 κνυζώσω δέ τοι ὄσσε πάρος περικαλλέ' ἐόντε, werde dein Auge trüben, finfter machen. — **ζω**, f. v. a. κνύω u. ξύω. S. auch κνυζάω.

Κνῦμα, τὸ, (κνύω) das Schaben, Kratzen; fanfte Berühren, Klopfen an der Thüre.

Κνύος, τὸ, *fcabies*, *porrigo*; die Krätze; auch f. v. a. *vitiligo*, wenn der Kopf fchäbigt wird und die Haare ausgehn: Hefiod. von

Κνύω, f. ύσω, ich fchabe, kratze: berühre fanft.

Κνώδαλον, τὸ, jedes wilde oder fchädliche Thier; alfo vom Löwen bis auf die Schlangen. Die Grammat. leiten es von κινεῖν ἅλς her, und fagen es bedeutet eigentl. ein Meerthier. Im Hymn. in. Merc. 188 γέροντα κνώδαλον als adject. zw. S. in κινώπετον. — **δαξ**, ὁ, bey Hefych. κέντρον ἄξονος, γνώμων; ὄργανον χρυσοχοϊκὸν καὶ χαλινόν. der felbe hat κνώδακες, οἱ ἐν τοῖς φυσητῆρσιν ἀσκοί. Bey Hero kommt das Wort oft vor für Zapfen; Spirit. 1 p. 197 ἀγγεῖον ἐν κνώδακι στρεφόμενον. Auch Vitruv 10, 6. braucht es in diefem Sinne: davon τὸ ἐκνωδισμένον ἀγγεῖον, das im Zapfen fich bewegende Gefäfs bey Hero a. a. Orte. Scheint von ὀδούς zu kommen. — **δων**, ὁ, am Hirfchfänger 2 vorftehende Zähne am Eifen, (ὀδόντες) Xenoph. Cyneg. 10, 3. Sophocl. Aj. 1025 braucht es für ein Schwerdt.

Κνωπόμορφος, ὁ, ἡ, (μορφή, κνώψ) mit Thiergeftalt: Lycophr. 675.

Κνώσσω, ich fchlafe: das Stammwort mufs κνάω, κνῶ gewefen feyn.

Κνώψ, κὸ, ἡ, bey Nicand. Theriac. 751 f. v. a. κινώπετον. 2) bey Suidas f. v. a. τυφλός.

Κοάλεμος, ein dummer thörigter Menfch, von κοάω u. ἀλεός, wovon ἠλεός, ἠλέματος.

Κοάω, ῶ, davon fcheinen die Beywörter, ehemals als Namen von Perſonen gebräuchlich, εὐρυκόωσα, ἱπποκόων, λαοκόων, λαοκόωσα, Δηικόων, Δημοκόων; Heſych. hat εὐρυκοὰς, μεγαλόνους, μέγα ἰσχύων die erſte Bedeut. von κοάω, wovon auch bey ihm κὸν, εἰδὸς und κῶν, εἰδὼς zu kommen ſcheinen. ἀμνοκῶν hat ſich bey Ariſtoph. in der gemeinen Sprache erhalten. S. κοέω.

Κοβαλεία, ἡ, ſ. v. a. βωμολοχία, Schmarotzerey, Poſſenreiſſerey, *ſcurrilitas*: von —λεύω, (κόβαλος) ich mache den Schmarotzer, Poſſenreiſſer, durch Liſt, Betrug, Spaſs. —λία, ἡ, ſ. v. a. κοβαλεία. —λίκευμα, τὸ, (κοβαλικεύω) die Schmarotzerey, Poſſen, Gaunerey. —λικεύω, ſ. v. a. κοβαλεύω. —λος, ὁ, ein vielbedeutendes Wort von unbekanntem Urſprunge, wenn man es nicht mit dem Etym. M. von κόπτω in der Bedeut. von κόπις, ὁ, ableiten will, welches ſ. v. a. βωμολόχος, μόθων u. πανοῦργος bedeutet und mit dieſen Worten oft verbunden wird; das lat. *paraſitus* u. *ſcurra* erſchopfen es faſt ganz. Im Ariſtot. h. a. 8, 12 hat es Plin. 10, 23 durch *paraſita* überſetzt. Es ſoll auch gewiſſe Geſellſchafter des Bacchus bezeichnen, ohngefähr wie die *Satyri* u. *Fauni*, die ihn durch ihre Poſſen beluſtigten. Erneſt. vergleicht das teutſche Kobold, lachen wie ein Kobold, damit das franz. *Gobelin* übereinkommt. Kurz, es druckt einen Schmeichler, Poſſenreiſſer, verſchlagenen Menſchen aus, der durch Poſſen, Betrug und Schmeicheley ſich nährt: daher die Nebenbegriffe von ſchlau, liſtig, luſtig ſcherzhaft und dergl. Weil die mittelſte Sylbe lang iſt, ſo findet man auch κόβαλλος und bey Heſych. ἀνδροκόβαλλος, πανοῦργος geſchrieben. Auch findet man κώβαλος. Aus der Gloſſe des Heſych. κομπαλικεύσει, προσαλαζονεύσει u. κυμβακεύεται, κόμπους λέγει, ſollte man faſt einerley Urſprung mit κόμπος u. κομψὸς vermuthen.

Κόβειρος, bey Heſych. ſ. v. a. κόβαλος.

Κογχάριον, τὸ, dimin. von —χη, ἡ, auch κόγχος, ὁ, *concha*, eine zweyſchaalige Muſchel; iſt einerley mit χήμη u. bey den Attikern gebräuchlicher; 2) ihre Schaale, womit man ſchopfte und abmaaſs; daher 3) jedes Gefaſs wie eine Muſchelſchaale geſtaltet; 4) ein Maas; 5) die Hirnſchaale oben; 6) der *umbo*, gewölbte Theil am Schilde; 7) Augenhöle; 8) Knieſcheibe; 9) Ohrhöle. Von einer leichten Sache ſagte man κόγχην διελεῖν, eine Muſchel öfnen. —χίον, τὸ, dimin. von κόγχη: wovon auch —χίτης, ὁ, λίθος, Muſchelmarmor. —χοειδής, ὁ, ἡ, muſchelartig. —χος, ὁ, auch ἡ, ſ. v. a. κόγχη; auch die *conchis* der Römer, Linſen gekocht und nicht durchgeſchlagen, bey Athen. p. 160 κόγχον καὶ κύαμον συνάγαγε φησιν ὁ Κράτης: in Stobaei Serm. 1. braucht Muſonius es von den Speiſen der Armen. —χύλη, ἡ, ſ. v. a. κόγχη; vorzügl. aber die Purpurſchnecke; davon κογχύλιον. —χυλίας, ὁ, u. κογχυλιάτης, ὁ, λίθος, der Marmor mit eingeſchloſſenen und verſteinerten Konchylien, wie κογχίτης: Xen. An. 3, 4. 10. —κυλιευτής, ὁ, (κογχυλιεύω) der Konchylien- vorzügl. Purpurſchnecken fängt. —χύλιον, τὸ, (κογχύλη) die Muſchel u. Muſchelſchaale; 2) vorzügl. Purpurſchnecke; 3) die davon bereitete Purpurfarbe; 4) die damit gefärbte Wolle. —χυλιώδης, ὁ, ἡ, (εἶδος, κογχύλιον) Konchylienartig. —χυλιωτὸς, ἡ, ὸν, *conchyliatus*, mit Purpur gefärbt.

Κοδαλεύομαι, ſ. v. a. οἰκουρέω: Heſych.

Κοδομεῖον, τὸ, das Gefäſs, worinne die Gerſte geröſtet ward. Suidas hat das joniſche κοδομήιον durch καμινευτικὸν erklärt. —μεύς, ὁ, der die Gerſte roſtet. —μεύτρια, ἡ, die die Gerſte röſtet: femin. von —μευτὴρ, ὁ, von —μεύω, ich röſte die Gerſte; überh. ich röſte. —μὴ, ἡ, Name der Magd, die Gerſte röſtet.

Κοδράντης, ὁ, aus dem lat. *quadrans*, der vierte Theil des *as*.

Κοδύμαλον, τὸ, Athenaei 3 p. 87 wird es verſchiedentlich auch für eine Quitte gedeutet: nach Belon. Obſerv. 1, 17 heiſst itzt Mespilus Amelanchier Linnaei auf Kreta κοδόμαλο.

Κοέω, ῶ, joniſch ſ. v. a. νοέω, auch κοάω; davon κονέω u. κοννέω bey Aeſchyl. Supp. 171. Heſych. hat auch κοθεῖν, ferner ἐκοάθη, ἐκοάμεν u. ἔκομεν, davon εὐρυκόας, μεγαλόνους bey Heſych. ferner ἀμνοκῶν bey Ariſtoph. κοάλεμος, μακοᾶν, Λαοκόων. Hieher gehort εὐρυκόωσα νύξ. Dieſes iſt das Stammwort von ἀκούω. Denn erſt hieſs es ἀκόω wie κόω, κόων, zuſammengez. κῶν wie in ἀμνοκῶν; nachher ἀκούω; davon iſt ἀκοή, ἀκοάζω, wofür Homer joniſch ἀκουή, u. ἀκουάζω ſagt. Heſych. hat ἀκοάζη u. ἀκοαστῆρες. Es bedeutet alſo ἀκόω, ἀκούω ſ. v. a. συννοέω; wie κόω, κοέω, κοάω ſ. v. a. νοέω, ich hore, merke, iſt. Von ἀκοάζω kommt bey Heſych. ἀκοράζεσθαι, ἀκροᾶσθαι, und das gemeine ἀκροάομαι, ἀκροάζομαι kommt davon her. Dargegen nach Valkenair kommen beyde von ἀκή, ακόω, ἄκρος, ἀκρόω, ἀκροάω her, und bedeuten eigentl. die Ohren ſpitzen, um zu horen.

Κοθαρὸς, κοθαρίζω doriſch ſt. καθαρ. tabula heracl. p. 279.

Κόθορνος, ὁ, *cothurnus*, ein hoher Schuh, vorz. der tragiſchen Schauſpieler, der für beyde Geſchlechter und auf beyde

Füſse paſste; daher κόθ. auch ein falſcher Menſch, Achſelträger hieſs.

Κόθουρος, ὁ, ἡ, bey Heſiod. ἔργ. 304 κηφήνεσσι κοθούροις εἴκελος, den faulen Thronen gleich. Die es ὁ κρύπτων τὴν οὐρὰν erklärten, laſen κύθουρος, v. κύθω, κεύθω; die es durch ἄκεντρος κολόβουρος erklärten, laſen κόλουρος, von κόλος; andre erklärten κόθουρος durch ἀργὸς, ἀχρεῖος, κακοῦργος, von κοθὼ, βλάβη. So hat Heſych. κοθοῦριν, ἀλώπεκα; aber bey Plutar. Them. 21 ſagt Timoleon οὐκ ἐγὼ μόνα κολουρὶς. ἐντὶ καὶ ἄλλαι ἀλώπεκες. Derſelbe Flamin. 21 ὥσπερ ὄρνιν ὑπὸ γήρως ἀπτῆνα καὶ κόλουρον, den Eurip. κηφῆνα nennt. S. in κηφὴν.

Κοῒ, drückt das Quicken oder Grunzen der Schweine aus, ſo wie das davon gemachte Wort κοΐζω.

Κοΐκινος, von den Blättern der Palme κοῖξ geflochten, gemacht.

Κοικυλίων, der Name eines Gähnaffens oder Dumkopfs bey Aelian: v. h. 13, 15. von

Κοικύλλω, Ariſtoph. Theſmoph. 852 τί κοικύλλεις, was ſiehſt du dich um und zauderſt? von κῖλα, κύλλειν, κοικύλλειν, wie μύλλειν, μοιμύλλειν, alſo Gähnaffen feil haben.

Κοιλαίνω, fut. ανῶ, (κοῖλος) ich höhle aus, mache hohl. —**λαινώδης**, ὁ, ἡ, Hippocr. loc. in hom. c. 3. ſ. v. a. κοῖλος, zw. —**λανσις**, ἡ, (κοιλαίνω) das Aushöhlen. —**λὰς**, ἡ, die Höhlung, Höhle: [illegible]es Thal; die Tiefe, [eigentlich ſ. v. a. κοίλη von κοῖλος. —**λέμβολον**, τὸ, (ἔμβολον, κοῖλος) der Hohlkeil: eine gewiſſe Schlachtordnung und Stellung der Armee, Suidas.

Κοίλη, ἡ, (κοῖλος) Höle, Quint. Smyrn. 9, 477. wie ſonſt κοιλὰς. —**λία**, ἡ, (κοῖλος) die ganze Bauchhölung, *venter*; 2) der Magen: ἡ κάτω κοιλία, wie *alvus ſuperior* und *inferior*, heiſst der Theil der Därme vom Magen bis ans Kolon; das übrige bis an den After ἔντερα: Daher Herodot. 2, 40 κοιλίην πᾶσαν den Magen ſammt den Därmen des Opferſtiers nennt. Vergl. 2, 86. auch der Stuhlgang: κοιλίαι σπυραδώδεες Hippocr. Coac. c. 20 wie *alvus viridis* bey Columella. —**λιακὸς**, ἡ, ὸν, am Magen, an der Verdauung leidend, *coeliacus* und *alvinus*, bey Plinius: κοιλιακὴ διάθεσις und πάθος κοιλιακὸν heiſst jede Beſchwerung die von ſchlimmer Verdauung entſteht. Celſ. 4, 12, auch iſt es eine Art von Durchfall oder rother Ruhr. —**λίδιον**, τὸ, dimin. von κοιλία. —**λιοδαίμων**, ὁ, ἡ, (κοιλία) ein Schlemmer, Freſſer: wie σοροδαίμων gemacht. —**λιόδεσμος**, Bauchgurt, Bauchbinde, *ventralis*: Gloſſar. St. —**λιόδουλος**, ὁ, ἡ, Sclave ſeines Bauchs oder Magens. —**λιολυσία**, ἡ, Oeffnung des Leibes: Durchfall: Cicer. Attic. 10, 13. —**λιολυτικὸς**, κὴ, κὸν, Geopon. 10, 51 den Durchfall verurſachend. —**λιοπώλης**, ὁ, (κοιλία, πωλέω) der Magen- Magenwurſt verkauft: Ariſtoph. —**λιοῦχιον**, τὸ, (κοιλία, ἔχω) bey Theophr. char. 18, 1 Geldſchatulle, Geldkaſten. —**λιοφορέω**, *uterum fero*, trächtig, ſchwanger ſeyn. Epiphan. —**λίσκος**, ὁ, (κοῖλος) ein chirurgiſches Meſſer vorn hohl, ausgehöhlt, ſonſt ἐκκοπεὺς κοῖλος oder κοιλισκωτὸς, wofür falſch κυκλίσκος u. κυκλισκωτὸς bey Paul. Aegin. ſteht. Chirurg. Vet. Cochii p. 109 daſſelbe Meſſer wenn es vorn ſpitzig iſt heiſst σμιλιωτὸς ἐκκοπεὺς, zum Ausſchneiden der Schädelknochen, wofür falſch μηλιωτὸς bey Paul. ſteht. Chirurg. Vet. p. 94. bey Celſus 5, 17 *ſcalper excißorius.*

Κοιλιώδης, εως, ὁ, ἡ, (κοιλία, εἶδος) bauchig, hohl. —**λίωσις**, ἡ, (κοιλιόω) αὐλῶν bey Nicomach. Muſic. die Höhlung, der Bauch der Flöte. —**λογάστωρ**, ορος, ὁ, ἡ, hohlbauchig, Aeſchyl. Theb. 502. —**λοκρόταφος**, ὁ, ἡ, mit hohlen Schläfen. —**λομάσχαλος**, S. in καλομάσχαλος. —**λονεύριοι**, Hippocr. loc. in hom. c. 3. welches Wort aber die Handſchriften auslaſſen, von zw. Bedeut. —**λόπεδος**, ὁ, ἡ, νάπος, Pind. pyth. 5, 50 in einer hohlen- tiefen Gegend liegend. —**λὸς**, λη, λον, hohl, ausgehöhlt, vertieft, concav, wovon das latein. *coelum*, dem κυρτὸς, erhobnen, gewölbten entgegengeſetzt. κοίλη ναῦς, die Hölung des Schiffs, der Bauch; φλὲψ, die Hohlader, κοῖλος ἄργυρος, zu Gefäſsen verarbeitetes Silber; χρυσὸς κοῖλος ἐμφαγεῖν Lucian. navig. 20, Geſchirr von Gold zum Eſſen; τόποι κοῖλοι, tiefe Gründe, wie eingeſchloſſene Thäler; κοῖλος ποταμὸς, ein Fluſs der nicht ſein volles Waſſer hat; τὸ κοῖλον, *cavum*, die Höhlung, die Höhle, vertiefter Theil. τὸ κοῖλον τοῦ ποδὸς δεῖξαι, die hohle Fuſsſohle zeigen, d. i. ausreiſſen. S. auch κῦλον. —**λόσταθμος**, ὁ, davon —λοσταθμέω bey den LXX, erklären einige für ein gewölbtes Zimmer, Platz; andere für einen Platz worein man auf einer Treppe hinunter geht. Heſych. hat dafür κολόσταθμος. —**λοστομία**, ἡ, hohle Stimme oder Ausſprache: Quinctil. Inſt. 1, 5, 32. von —**λόστομος**, ὁ, ἡ, (στόμα) hohlmäulig: der eine hohle Stimme oder Ausſprache hat. —**λοσώματος**, ὁ, ἡ, hohlleibig, Athenaei p. 449. —**λότης**, ητος, ἡ, (κοῖλος) Höhlung. —**λοφθαλμία**, ἡ, tiefe- hohle Augen: von —**λοφθαλμιάω**, ῶ, hohle- tiefliegende Augen haben: von

Κοιλόφθαλμος, ὁ, ἡ, hohläugig, mit tiefliegenden Augen. —λοφυής, ὁ, ἡ, (φυή) hohl gemacht oder geschaffen. Oppian. Hal. 3, 653. —λόφυλλος, ὁ, ἡ, mit hohlen Blättern. —λοχείλης, ὁ, ἡ; κόμβαλα κοιλοχείλεα, mit hohlem Rande. Anthol. —λόω, ῶ, hohlen, aushöhlen: davon —λωμα, τὸ, eine Hohlung, Höhle, Vertiefung; ausgehöhlter Körper. —λῶπις, ἡ, im masc. κοιλώπης, s. v. a. κοιλωπὸς, mit hohlen Augen, von hohler Ansicht, überh. hohl.

Κοιμάω, ῶ, zu Bette- zur Ruhe- in den Schlaf bringen: beruhigen, stillen, lindern, s. v. a. παύω: im med. zu Bette gehn, schlafen, ruhen. Von κέω, κείω; κοίω, dieses u. κοίτη: dav. —μημα, τὸ, ein Schlaf: αὐτογέννητα κοιμήματα Sophocl. Antig. Beyschlaf des Vaters mit der leiblichen Tochter. —μησις, ἡ, das Schlafen, der Schlaf. —μητήριον, τὸ, Ort zum Schlafen, Zimmer, Kammer: bey den christl. Schriftstellern der Kirchhof. —μίζω, einschläfern: überh. in den Schlaf- zur Ruhe bringen, besänftigen, stillen, lindern: davon —μιστὴς, οῦ, ὁ, der in den Schlaf oder zur Ruhe bringt.

Κοινάω, s. v. a. κοινόω, Pindar. Pyth. 4, 204 νυκτὶ κ. ὁδὸν, den Weg in der Nacht machen; vergl. v. 236. —νεῖον, —νίον, τὸ, gemeinschaftlicher Ort, Versammlungsort: Inscr. Gruter. p. 216 bey den Grammat. wird es auch durch Wirthshaus, Hurenhaus erklärt.

Κοινῇ, Adverb. (eigentl. κοινῇ ὁδῷ oder dergl. wie δημοσίᾳ) gemeinschaftlich, auf gemeinschaftliche Kosten.

Κοινηλογέομαι, οῦμαι, m. d. dat. mit einem sprechen, sich verabreden oder berathschlagen. S. κοινολ.

Κοινισμὸς, ὁ, (κοινίζω) Quinctil. Instit. 8, 3. 59 eine Vermischung der verschiedenen Dialecte im Reden oder Schreiben.

Κοινοβιακὸς, ἡ, ὸν, zum gemeinschaftlichen oder Klosterleben gehörig. —βιάρχης, ὁ, Vorsteher des κοινόβιον, Klosters. —βιον, τὸ, *coenobium*, gemeinschaftliches Leben oder der Ort zum gem. Leben, Kloster. —βιος, ὁ, ἡ, mit andern in Gemeinschaft lebend. Jambl. Pyth. §. 29. davon —βιότης, ητος, ἡ, das Leben in Gemeinschaft mit andern. —βλαβὴς, ὁ, ἡ, gemeinschädlich: opp. κοινωφελής: Nicetas Annal. 16, 1. —βουλευτικὸς, zur gemeinschaftlichen Berathschlagung gehörig: Hippodam. Stob. Serm. 41. —βουλέω, ῶ, gemeinschaftlich berathschlagen: davon —βούλης, ὁ, der Rathsherr, Rath. Hesych. und Livius 45, 32. —βουλία, ἡ, gemeinschaftliche Ueberlegung, Berathschlagung. —βούλιον, τὸ, *commune concilium*, gemeinschaftliche Versammlung und Rath. —βωμία, ἡ, ἀνάκτων (κοινὸς, βωμὸς) Aeschyl. Suppl. 230. die gemeinschaftlichen Altar und Verehrung habenden Götter. —γάμια, τὰ, gemeinschaftliche Heirath: opp. ἰδιογάμια. —γενὴς, έος, ὁ, ἡ, gemeinschaftlich oder mit andern zeugend: opp. ἰδιογενής: oder aus der Gemeinschaft von zwey verschiedenen Gattungen entsprungen: Plato Politic. 9. —γονία, ἡ, gemeinschaftliche Zeugung zweyer verschiedenen Gattungen, als des Pferdes und Esels: oppos. ἰδιογονία, Plato polit. 9. —δημεὶ, Adv. s. v. a. κοινῇ oder δημοσίᾳ Suidas; κοινοδημόσιον, τὸ, s. v. a. δημόσιον oder δικαστήριον, Hesych. —δίκαιον, τὸ, gemeinschaftliches oder allgemeines Gericht: Polyb. 23, 15. zw. obgleich Spanheim κοινοδίκων aus Marmora Oxon. anführt. —δρομέω, ῶ, S. κυνοδρομέω. —λαίτης, ὁ, einer vom gemeinem Volke. —λεκτέω, die Sprache des gemeinen Lebens reden: Eustath. —λεκτρος, ὁ, ἡ, (λέκτρον) der ein gemeinschaftliches Bette hat: von Eheleuten: Aeschyl. Pr. 561. —λέκτως, Adv. in der gemeinen Sprache: zw. —λεχὴς, ὁ, ἡ, (λέχος) s. v. a. κοινόλεκτρος: s. v. a. μοιχὸς Ehebrecher: Sophocl. Elect. 96. —λογέομαι, οῦμαι, m. d. dativ. mit einem sich besprechen, oder berathschlagen: davon —λόγημα, τὸ, eine Unterredung: Berathschlagung, und —λογία, ἡ, das Berathschlagen oder Besprechen unter einander. —λογίζομαι, bey den LXX s. v. a. κοινολογέομαι.

Κοινονοημοσύνη, ἡ, gemeine- bürgerliche- sich zu jedem herablassende Gesinnung, *communitas, civilitas*; Sorge fürs Wohl des Staats, Anton. phil. 1, 16. von κοινονοήμων ὁ, ἡ, von νόημα, κοινὸς.

Κοινοπαθὴς, ὁ, ἡ, (πάσχω, κοινὸς) βίων ἤθη φιλάνθρωπα καὶ κοινοπαθῆ Dionys. Antiq. 2, 41 gesellig, mit andern in Gemeinschaft leidend, nach ihnen sich bequemend; das Gegenth. ἰδιοπαθής. —πλοος, contr. —πλους, ὁ, ἡ, Schiffsgefährte: ὁμιλία κ. Unterhaltung der Gefährten zu Schiffe: Soph. —ποιέω, gemein machen, s. v. a. κοινόω: Clemens Alex. —πους, ὁ, ἡ, παρουσία bey Sophocl. der mit zugleich kommt und gegenwärtig ist. —πραγέω, ῶ, (πράττω) gemeinschaftlich mit einem handeln, Theil an der Handlung nehmen: m. d. dativ. τῶν τούτοις κοινοπραγούντων Diodor. 19, 6. davon —πραγία, ἡ, gemeinschaftliches Handeln, Theilnahme an der Handlung: Diodor. Sic.

Κοινὸς, ἡ, ὸν, gemein, gemeinſchaftlich: allgemein; niedrig, gering- von Charakter, wie *communis*, gegen jeden herablaſſend, ſich mit jedem gemein machend, jeden gleich behandelnd: billig, gerecht: τὸ κοινὸν, *commune*, die Gemeine, Commüne, der Staat.

Κοινότης, ητος, ἡ, (κοινὸς) Gemeinheit; Gemeinſchaft, Gemeinſchaftlichkeit: Gefälligkeit, gefälliges- freundliches- herablaſſendes Betragen. —τοκος, ὁ, ἡ, von gemeinſchaftlicher Geburt od. Eltern: Soph. —τροφικὸς, ἡ, ὸν, zur gemeinſchaftlichen Ernährung gehörig: Plato polit. 5. v. κοινοτροφία, ἡ, die gem. Ernährung: oppoſ. μονοτροφία. —φαγία, ἡ, gemeines d. i. unreines Eſſen, Verunreinigung durchs Eſſen verbotener Speiſen: Joſeph. Antiq. 11, 8. vergl. Marc. 7, 2. —φρων, ὁ, ἡ, gleiches Sinnes, gleichgeſinnt, einträchtig: Eurip. Iph. taur. 1008. Jon 577. —χρησία, ἡ, oder κοινοχρηστία, ἡ, Gemeinnutzen.

Κοινόω, ῶ, m. d. Accuſ. gemein machen, d. i. 1) eine Sache mittheilen; 2) eine Rede mittheilen, bekannt machen; Thucyd. 8, 48. mit einem gemeinſchaftlich überlegen; med. einem etwas mittheilen und ihn um Rath fragen, auch vom Orakel u. dgl. Xen. An. 6, 2. 15. 7. 1. 27. —νωμα, τὸ, (κοινόω) die Gemeinſchaft Φοίβου κοινώμασι βλαστὼν, aus dem Beyſchlafe des Ph. entſproſſen, Plutar. 7 p. 334.

Κοινὼν, ῶνος, Geſellſchafter, Gefährte, Theilnehmer, Rath, Xenoph. —νέω, ῶ, (κοινωνος) ich habe etwas gemeinſchaftlich, ich habe Antheil woran, ich nehme Antheil τινὸς woran: wird anders als κοινόω, konſtruirt, nehml. κοινωνῶ τινὶ τινὸς ſt. κοινωνος τινὸς εἰμὶ τινὶ; hingegen heiſst es κοινόω τινὶ τί. —νημα, τὸ, das mitgetheilte: Gemeinſchaft, Umgang: Handel und Wandel heiſsen κοινωνήματα Themiſt. or. 21. —νησις, ἡ, das Mittheilen, Theilnehmen oder Theilnehmen laſſen. —νητικὸς, ἡ, ὸν, zum mittheilen - zur Gemeinſchaft gehörig - geſchickt. —νία, ἡ, (κοινωνέω) Theilnahme, Gemeinſchaft, Geſellſchaft, Zuſammenkunft: Mittheilung: Verwandtſchaft: Umgang: Beyſchlaf: davon —νικὸς, ἡ, ὸν, Adverb. —κῶς, zur Theilnahme - Gemeinſchaft- Geſellſchaft gehörig- geſchickt- geneigt: geſellſchaftlich, geſellig, mittheilend. —νοποιέω, ῶ, ſ. v. a. —νέω: Gloſſar. St. —νὸς, ὁ, ἡ, Geſellſchafter, Gefährte, Gehülfe, Theilnehmer: ſ. v. a. κοινὼν, ὁ, ἡ.

οινωφέλεια, ἡ, ſ. v. a. κοινωφελία: v. —φελὴς, ὁ, ἡ, gemeinnützig. —φελία, ἡ, Gemeinnützigkeit. —φέλιμος, ὁ, ἡ, ſ. v. a. —φελης.

Κοῖξ, ὁ, *coix*, eine Palmenart in Egypten, aus deren Blättern mancherley geflochten ward: daher auch ſolches Flechtwerk, Körbe und dergl. eben ſo heiſsen. Die Attiker ſagten ſo; die übrigen Griechen κοῖς.

Κοιογένεια, ἡ, Köus Tochter, Leto od. Latona.

Κοιοφόρος, ἡ, ſ. v. a. ἔγκυος, ſchwanger. Heſych. welcher auch κοίημα und ἔγκοιος für κύημα und ἔγκυος hat.

Κοιρανέω, ῶ, (κοίρανος) ich habe die Macht, Gewalt, ich ordne, befehle Il. 4, 230. ich herrſche, beherrſche; dav. —νίη, ἡ, joniſch ſt. —ία, Macht, Gewalt, Anführung, Befehlshaberwürde, Herrſchaft. —νίδης, ου, ὁ, ſ. v. a. κοίρανος: Soph. Ant. 940. —νικὸς, ἡ, ὸν, einem Anführer - Gebieter - Herrſcher gehörend - gebührend oder ihn betreffend. —νος, ὁ. Anführer, Befehlshaber, Herrſcher, Beherrſcher, Eigenthümer von κῦρος: denn οι und υ werden auch in κοινὸς und ξυνὸς verwechſelt.

Κοῖς, S. κοῖξ.

Κοισύρα, ἡ, Alkmäons Gattin, Megakles u. Lamachus Mutter, aus Eretria, reich und vornehm: daher κοισυροῦσθαι nach Schol. Ariſtoph. Nub. 40. ſ. v. a. μεγαφρονεῖν. S. ἐγκοισυρόω.

Κοιτάζω, (κοίτη) ins Lager- Bette bringen oder legen: med. ſich lagern oder zu Bette gehn und ſchlafen. —ταῖος, αία, αῖον, (κοίτη) der im Bette liegt od. ſchläft, ἐν τῇ χώρᾳ κοιταῖον γίγνεσθαι, auf dem Lande ſchlafen. Demoſth. κοιταίους ἐν τῇ πόλει γίγνεσθαι Polyb. 5, 17 wo man es bleiben, übernachten erklärt; aber Suidas hat eine Stelle: παρήγγειλε ἔρχεσθαι κοιταίους, wo er es erklärt, zur Schlafzeit kommen. So Polyb. 3, 61. 5, 17 wie νυκταῖος. Bey Plutar. Grach. 9 τὸ κοιταῖον ſt. κοίτη. —τασία, ἡ, (κοιτάζω) der Beyſchlaf: zweif.

Κοίτη, ἡ, Bette- Schlaf- Ruheſtelle; Lager, auch eines Thiers: Schlaf, Beyſchlaf; metaph. Bette des Fluſſes; von κέω, κείω, κοίω, κέκοιμαι, davon auch κοιμάομαι; dav. —τὶς, ίδος, ἡ, dimin. v. κοίτη, Käſtchen, worein man etwas legt. —τονητὴς, ὁ, wahrſch. f. l. ſt. κοιτωνίτης. —τοτετῶν θηρίων Artemidor. 2, 69, wo Cornarii Ueberſ. κοιτοδυτῶν hat: zw. —τος, ὁ, ſ. v. a. κοίτη, das Lager, das Bette: daher das ſchlafen, der Schlaf. —τοφθορέω, (κοῖτος, φθείρω) Plutarch. Erzieh. 7. ſagt μοιχεύοντες καὶ κοιτοφθοροῦντες zuſammen: das Ehebette eines andern verderben, beflecken.

Κοιτὼν, ῶνος, ὁ, (κοίτη) Schlafzimmer, Schlafgemach: davon κοιτώνιον, τὸ, u. κοιτωνίσκος, ὁ, dimin. ſind.

Κοιτωνίτης, ὁ, Kammerdiener, zu Galens Zeiten, sonst κατακοιμιστής. Arrian. Epict. 1, 19. —**νοφύλαξ**, Hüter, Wächter des Schlafzimmers.

Κοιφὶ, S. κοῦφι.

Κοκκάζω, f. L. ft. κοκκύζω. S. ἐπικοκκύστρια.

Κοκκαλία, τὰ, f. κωκάλια. —**καλος**, ὁ, der Kern von στρόβιλος, *nux vinea*. —**κίζω**, (κόκκος) auskernen, entkernen, Pollux 6, 80. —**κινοβαφής**, έος, ὁ, ἡ, f. v. a. κοκκοβαφής, (βάπτω) karmoisinroth gefärbt; Athenaeus 5. von —**κινος**, ίνη, ινον, (κόκκος) *coccineus*, karmoisinroth. —**κίον**, τὸ, dimin. v. κόκκος. —**κοβόας** ὄρνις f. v. a. ἀλεκτρυὼν führt Eustath. aus Sophocl. an. —**κοθραύστης**, ὁ, ein Vogel bey Hesych. unserm Kernbeisser ähnlich. —**κος**, ὁ, der Kern bey Baumfrüchten als Aepfeln u. dergl. die Beere; wegen der Aehnlichkeit eine Pille: speciell, die Scharlachbeere, womit scharlachroth gefärbt wird, *coccus tinctorius*, wovon *coccineus*, der Baum woran die Scharlachbeeren sitzen, Scharlacheiche ἡ, κόκκος, Dioscor. 4. 48. Strabo 3, p. 384. S. Theophr. h. pl. 3, 8 u. 16. nennt den Strauch od. Baum πρῖνος, *quercus coccifera* Linnaei. S. ὕσγη. —**κυ**, ein Auf- od. Zuruf, κόκκυ μεθεῖτε. κόκκυ ψωλοὶ πεδιόνδε, Aristoph. Ran. 1384. Av. 507 f. v. a. He! halt ein! He, ins Feld! Im Etymologicum wird κόκυ für ταχὺ als attisch angeführt. —**κύαι**, οἱ, jonisch die Vorfahren. Anthol. in eben der Bedeut. hat Hesych. κούκα, πάππον u. κυκοίας, προγόνους. —**κυγέα**, ἡ, ein Baum, dessen Frucht mit Wolle umgeben. Theophr. h. pl. 3, 16. wo κοκκυμηλέα steht: aber Plin. 13 c. 22. hat *coccygia*: davon hat Hesych. κεκοκκυγωμένον u. χρῶμα κοκκύγινον, d. i. purpurroth, ἀπὸ κοκκυγέας δένδρου. Also diente der Baum auch zum farben; wahrscheinl. *cotinus* des Plin. eine Art von Sumach, *Rhus* Linn. —**κύζω**, ich schreye, rufe wie der Kuckuk; 2) wie der Hahn. —**κυμηλέα**, ἡ, der Pflaumenbaum; dav. —**κύμηλον**, τὸ, die Pflaume; eigentl. Kukuksapfel. —**κύμηλος**, ἡ, der Pflaumenbaum: Pollux 1, 232. —**κυμηλών**, ὁ, der Pflaumenbaumgarten. —**κυξ**, ὁ, der Kukuk von seinem Geschrey, welches die Griechen durch κόκκυ, die Lateiner *cucu*, (davon *cuculus*) ausdrucken; 2) ein Meerfisch der einen Ton wie der Kukuk von sich geben soll, Knorrhahn, 3) eine frühzeitige Feige, die im Frühjahre reif wird, wo der Kukuk schreit, sonst ὄλυνθος genennt, *grossus*. 4) *os coccygis*, Kukuksbein oder Steissbein. S. κοχώνη; 5) auch ist es ein Schimpfwort, wie das altdeutsche Gauch, von einem lüderlichen oder geilen Menschen, weil der Kukuk als ein Ehebrecher angesehen wird, weil er seine Eier in fremde Nester legt und daselbst ausbruten lässt. ὁ Μελέαγρος κόκκυξ ἠλίθιος περιέρχεται, d. i. der einfältige Gauch. So steht bey Aristoph. Acharn. 598. κόκκυγες γε τρεῖς; ja, drey Gauche haben sich gewählt. Vielleicht aber gehört hierher die Glosse des Hesych. Κόκκυγες ἐπὶ ὑπονοηθέντων πλεόνων εἶναι καὶ ὀλίγων ὄντων; weil der Kukuk schnell von einem Baume zum andern fliegt und ruft, so dass man glaubt es seyen mehrere da, die rufen.

Κοκκυσμὸς, ὁ, (κοκκύζω) das Krähen, das überspannte in der feinen Stimme. Nicomach, Music. 20. dagegen das überspannte in der groben Stimme βηχία od. βηχίας verst. φθόγγος heisst, weil dergl. beym Schnupfen und Husten (βήξ) geschieht. —**κων**, ωνος, ὁ, bey Hippocr. der Kern des Granatapfels: 2) κόκκος κνίδιος. 3) nach Hesych. auch Mistelbeere. —**κωτὸν**, in Philox. Glossar. *granatum*, viell. Granatapfel, *granatum malum*.

Κολαβεῖν, S. ἐγκολυβάζω. —**βος**, ὁ, st. κόλλαβος. —**βρεύομαι**, κολαβρίζω, davon κολαβρισμὸς, ὁ, drücken eine Art von Waffentanz aus. Bey Suidas wird κόλαβρίζειν aus den LXX Job. 5, 4 durch verachten, verspotten erklärt, von κόλαβρος das Ferkel: dafür haben andre καλαβρίζειν. Bey Athenaeus 8 p. 364 καλαμυρίζουσι τοὺς οἰκέτας, liefet Toup καλαβρίζουσι. Kasaub aber κλαυθμυρίζουσι d. i. sie schlagen. —**βρος**, ὁ, eine Art von Gesang, den die κολαβρίζοντες zum Tanze sangen; 2) ein Ferkel: zw.

Κολάζω, (κολάω) in Prosa f. v. a. d. poetische κολούω, von κόλος, κολόω u. κολάω; also eigentl. abschneiden, beschneiden, verkürzen, verstümmeln, wegnehmen: daher heisst es von Bäumen, sie beschneiden, das überflüssige Holz wegnehmen; kurz wie im lat. *castigare* im eigentl. und metaphor. Sinne; mässigen; warnen, einen Verweis geben, strafen, züchtigen, bändigen, zurückhalten, mässigen. Bey Aristoph. Equit. 456. ὅπως κολᾷ τὸν ἄνδρα st. κολάσῃ, wie man sagt ἐλῶ st. ἐλάσω. Eben so Vesp. 244. ἐπ' αὐτὸν ὡς κολωμένους, wo κολουμένους steht. Hesych. κολωμένους, κολώσαντας. Der Scholiast sagt richtiger κολάσοντας. Kommt von κολάω, fut. κολάσω, att. κολαῶ, κολῶ, im medio κολῶμαι st. κολάσομαι.

Κολακεία, ἡ, das Schmeicheln: die Schmeicheley, Betragen, Charakter eines Schmeichlers: von κολακεύω, wov. auch —κευμα, τὸ, eine Schmeicheley, Wort od. Handlung um zu schmeicheln: und —κευτής, οῦ, ὁ, s. v. a. κόλαξ. dav. —κευτικός, ἡ, ὸν, Adv. —κῶς, zum Schmeichler oder schmeicheln gehörig oder geschickt; schmeichelnd, schmeichlerisch. —κεύω, (κόλαξ) ich schmeichele: ich nehme ein-täusche-verführe durch Schmeicheley: davon —κία, ἡ, s. v. a. κολακεία: davon —κικός, ἡ, ὸν, Adv. —κῶς, s. v. a. κολακευτικός. —κίς, ἡ, die Schmeichlerin. S. κλιμακὶς: femin. v. **Κόλαξ**, ὁ, Schmeichler, Schmarotzer.

Κολαπτὴρ, ὁ, Meissel, Werkzeug zum einhauen im Stein: Plutar. 7 p. 382 verb. es mit ξυστὴρ einem Werkzeuge zum schaben, abkratzen, od. poliren, von —τω, schlagen auf etwas und durchs Schlagen aushöhlen - ausgraben: mit dem Schnabel worauf pikken, hacken.

Κόλαρις, ὁ, ein Vogel Aristot. h. a. 9, 1. wo die alte lat. Uebers. κάλαπυς die Handschr. κάλαρις haben. —ρος, ὁ, Athenaei 4 p. 164. wofür Kasaub. κάλαβρος liest.

Κόλασις, ἡ, (κολάζω) die Beschneidung, Einschränkung, Hemmung, Züchtigung, Bestrafung mit Worten u. Handlungen.

Κόλασμα, τὸ, (κολάζω) eine Strafe, Züchtigung: Xen. Cyrop. 3, 1. 23. —μὸς, ὁ, s. v. a. κόλασις.

Κολαστήριον, τὸ, Züchtigungsort, Richt-Folterplatz, Gefängniss: Züchtigungs-Folterinstrument; Züchtigungsmittel, Mittel einen wovon zurückzubringen. Xen. Mem. 1, 4, 1. eigentl. das neutrum, von —στήριος, ὁ, ἡ, s. v. a. κολαστικὸς, von κολαστὴρ od. —στής, οῦ, ὁ, (κολάζω) der straft, züchtiget, rächt, foltert, unterdrückt mindert u. s. w. —στικὸς, ἡ, ὸν, zum strafen-züchtigen-unterdrücken-mässigen gehörig oder geschickt.

Κολαφίζω, f. ίσω, (κόλαφος) ich ohrfeige, gebe eine Ohrfeige, beschimpfe; Suidas erklärt ἐκολάφισαν auch durch ἐβασάνισαν, ἢ τοῖς ὀφθαλμοῖς πανίον ἐπέθηκαν, womit er das Spiel κολλαβίζειν zu meinen scheint; davon —φισμα, τὸ, das Ohrfeigen, die Ohrfeige. —φος, ὁ, (scheint von κολάπτω zu kommen) bey den Doriern was den Attikern κόνδυλος, colaphus, die Ohrfeige od. vielmehr der Faustschlag.

Κολάω. S. κολάζω.

Κολεάζω, bey Hesych. wird κολεάζοντες d. ὠθοῦντες u. d. abgeleitete κολεασμὸς d. τὸ περαίνεσθαι erklärt: von κολεὸς, Scheide, einscheiden; eben so hat Hesych. und Suidas ἐγκολεάζω, u. davon ἐγκολεήσατο durch ἐς τὸν κολεὸν κατέθετο erklärt.

Κολέκανος, auch Κολοκάνος bey Strattis, ein langer, magerer Mensch.

Κολεκτρύων, lasen einige in Aristoph. Ran. 932 st. ἱππαλεκτρύων, wie Suidas bezeuget; Hesych. hat κολοκτρύων, ein fabelhafter oder fingirter Vogel.

Κολεόπτερος, ὁ, ἡ, ein Insekt, das seine weichen Flügel (πτερὸν) mit einer harten Flügeldecke wie mit einer Scheide (κολεὸς) bedeckt hat, wie die Käfer, *scarabaei*. —ὸς, ὁ, auch κουλεὸς, die Scheide.

Κολερὸς, (κόλος, ἔριον) οἶες κολεραὶ, kurzbaarigte Schaafe.

Κολετράω, ῶ, Aristoph. nub. 552. mit Füssen treten, stossen.

Κοληβάζω, S. ἐγκοληβάζω.

Κολίανδρον, neugr. st. κορίανδρον, Koriander. —ας, ὁ, ein Meerfisch, lat. *Colias lacertorum minimus* bey Plin. von der Art der Thunfische.

Κόλιξ, S. κόλλιξ.

Κολιὸς, ὁ, ein Vogel. S. κελεὸς.

Κόλλα, ἡ, der Leim, *gluten*. —λαβίζω, f. ίσω, bey Pollux 9, 129. ein Spiel, wo einer dem andern die Augen zuhält, und ein dritter ihm eine Ohrfeige giebt und dabey frägt, mit welcher Hand er ihn geschlagen habe. Scheint für κολαφίζειν zu stehen; davon —λαβισμὸς, ὁ, das Spiel. S. κολαφίζειν. —λαβος, ὁ, der Wirbel, s. v. a. κόλλοψ no. 1. auch eine Art von Waitzenbrod oder Kuchen, von den Sicyoniern λάσταυρος genennt. In so fern stimmt die Bedeutung einigermaassen mit κόλλοψ no. 3. —λάμφακον, b. Lucian. Tragop. 157. verderb. Lesart. —λάω, ῶ, (κόλλα) leimen, zusammenleimen; dah. überh. fest zusammenfügen, ankleben, befestigen, verbinden. —λεψὸς, ὁ, Pollux 7, 183. der Leim kocht. —λήεις, ήεσσα, ῆεν, zusammengeleimt, zusammengefügt. Il. 15, 389. —λημα, τὸ, (κολλάω) das Zusammengefügte oder Geleimte. zw. —λησις, ἡ, (κολλάω) das Leimen-An-Zusammenleimen oder fügen: das Festbinden, fest verbinden, fest anfügen. —λητὴρ, ὁ, o. κολλήτης, ὁ, (κολλάω) der leimt, verbindet, befestiget, zusammenfügt. —λητήριος, s. v. a. κολλητικὸς: Gloss. St. v. —λητικὸς, ἡ, ὸν, zum leimen-zusammenfügen-befestigen-verbinden gehörig o. geschickt. —λητὸς, ἡ, ὸν, (κολλάω) zusammen-angeleimt: verbunden, zusammengefügt. —λίζω, f. v. a. κολλάω Geopon. —λίκιος, α, ον, ἄρτος, ein Brod von der Art oder Gestalt wie κόλλιξ. —λικοφάγος, der die Brode, κόλλικας, isst. Bey Aristoph. ein Beyw. der Boeotier.

Κόλλιξ, ὁ, ein Brod von runder langer Gestalt, wie aus ἐλισβόκολλιξ erhellet; κρίζινον κόλλικα, δούλιον χόρτον Athenaei 7, 304. also ein grobes Brod etwa wie das westphälische: s. v. a. ἄρτος χονδρίτης Athen. 3 p. 311. —λομελέω, ῶ, (κόλλα, μέλος) ich klittere Verse zusammen, setze Lieder zusammen, Aristoph. Thesm. 54. —λοπίζω, f. ίσω, ich spanne mit Wirbeln (κόλλοψ) auf u. ab. —λοποδιώκτης, ὁ, einer der den κόλλοψι no. 3. nachläuft, διώκει. —λοπόω, ich leime zusammen, weil der Leim aus κόλλοψ no. 1. gekocht wird. —λοπώλης, ὁ, Leimhändler, Pollux 7, 183. —λούριον, τὸ, s. v. a. κολλύριον. —λουρος, ὁ, bey Marcell Sidet. v. 22 ein unbekannter Fisch.

Κόλλοψ, ὁ, die dicke Haut oben am Halse der Ochsen, Schweine, Pferde, *callosum*, am Schweine d. lat. *glandium*, Geopon. 19, 6. Columella 7, 9, 11 not. Athenaei 3 p. 96 καπριδίου νέου κόλλοπά τινα. 2) der Wirbel woran die Saiten an der Lyra gespannt werden. Daher Aristoph. κόλλοπα ὀργῆς ἀνεῖναι, gleichsam die Wirbel vom Zorne nachlassen, abspannen; 3) metaph. ein Jüngling, der seine Schönheit verlohren hat und durch Wollust alt geworden ist. S. in μάστροιος. 4) am Rade ein Holz, Hebel, womit man es herumdreht, wie mit dem Wirbel die Saite: Aristot. Mechan. 14. —λυβάτεια, ἡ, Nicand. Ther. 572. 589 u. 851. Die Pflanze, welche er sonst κλύβατις nennt, die ἐλξίνη. Jetzt steht in den Ausgaben dafür πουλυβάτεια, aber auch Hesych. hat κουλιβάτια, σιδηρῖτις. —λυβιστής, ὁ, (κόλλυβος) ein Geldwechsler, Mäckler. —λυβιστικός, ἡ, ὸν, was zum Geldwechslergeschäfte zum Wechsler gehört. —λυβος, ὁ, bey Aristoph. Pac. 1200 ein kleines Stück Geld, οὐδὲ κολλύβου; vorzügl. bedeutet es ein Stück Geld, welches beym Verwechseln von fremden Geldsorten mit einheimischen beym Wechsler (*collybistes*) das Agio ausmacht, daher auch das ganze Geschäft des Geldwechslers. 2) κόλλυβα bedeutet auch eine Art von Naschwerk, τραγήματα, Schol. Aristoph. Plut. 768. —λύρα, ἡ, s. v. a. κόλλιξ, eine Art von Brod oder Kuchen, von langer und runder Gestalt: Vergl. Plaut. Pers. 1, 3, 12. der auch ein *jus collyricum* nennt; davon —λυρίζω, ich backe solche Kuchen oder Brod. —λύριον, τὸ, dim. v. κολλύρα, bedeutet eine Masse, die der κολλύρα an Gestalt ähnlich ist, vorzügl. eine Augensalbe: bey Lucian Pseudoalex. eine gewisse Materie, worinne man Siegel abdrücken und nachmachen kann. Bey Dioscor. 5, 172 und Plin. 35 c. 16 eine Art von Samischer Siegelerde. S. κολλυρόω. —λυρὶς, ἡ, dim. und s. v. a. κολλύρα. —λυρίων, ὁ, *collurio*, ein Raubvogel, auch κορυλλίων: Aristot. h. a. 9, 123. —λυρόω, ich streiche weiss an, von κολλύρα einer runden langen Masse von Farbe: Hesych. —λώδης, εος, ὁ, ἡ, (κόλλα) leimartig, klebrig.

Κολόβιον, κολοβίων, (κολοβὸς) ein Unterkleid ohne Aermel, Kamisol. —βοανθεῖν, eine schmetterlingsförmige Blüthe haben: Theophr. von —βοανθής, έος, ὁ, ἡ, (ἄνθος, κολοβὸς) verstümmelte Blüte tragend: bey Theophr. h. pl. 6, 5 eine Pflanze mit Schmetterlingsblumen, wie Schoten, Bohnen und dergl. —βοκέρατος, ὁ, ἡ, (κέρας) mit verstümmeltem Horne: zw. —βόκερκος, ὁ, ἡ, mit verstümmeltem Schwanze, gestutzt. —βόπους, ὁ, ἡ, mit verstümmelten Füssen. —βοῤῥιν, κολοβοῤῥὶς, ινος, ὁ, ἡ, mit verstümmelter Nase. —βὸς, ὁ, ἡ, (κόλος, κολόω, κολούω) verstümmelt, beschnitten, verkürzt. —βόσταχυς, υος, ὁ, ἡ, mit verstümmelter oder kurzer Aehre: aus Dioscor. —βότης, ητος, ἡ, (κολοβὸς) das verstümmelt oder kurz seyn: die Verstümmelung, Kürze. —βόω, ῶ, (κολοβὸς) verstümmeln, beschneiden, abkürzen, zu kurz machen; davon —βώδης, εος, ὁ, ἡ, wie verstümmelt: zw. —βωμα, τὸ, das Verstümmelte: ein verstümmelter Theil: Verstümmelung, v. κολοβόω: wovon auch —βωσις, ἡ, das Verstümmeln, die Verstümmelung; u. —βωτὴς, οῦ, ὁ, der verstümmelt oder verkürzt.

Κολοιάρχης, ὁ, der Vorsteher, Anführer der Dolen; Aristoph. —άω, S. κολοιός.

Κολοιὸς, ὁ, die Dole, *graculus*, dieser Vogel fliegt immer in Haufen u. macht ein grosses Geschrey und Lärmen dabey. Daher braucht Homer das Wort κολοιᾶν vom Thersites, μοῦνος ἀμετροεπὴς ἐκολώα, st. ἐκολοία, welches Gellius 1, 15 *strepentium sive modo graculorum instar loqui* erklärt: wie eine Dole schnattern, kreischen. Auch den Lärmen nennt Homer κολωὸν, Il. 1, 575. ἐν δὲ θεοῖσιν κολωὸν ἐλαύνετε, *strepitus, tumultus*. Daher Hesych. κολοιή, φωνή.

Κολοιτία, ἡ, bey Theophr. h. pl. 1, 18. bey Hesych. κολοιτέα und κοίλωτέα, ein Baum, der Schoten trägt.

Κολοιώδης, ὁ, ἡ, dohlenartig.

Κολοκασία, ἡ, auch κολοκάσιον, τὸ, S. in κιβώριον: doch scheint man auch in der Folge eine Art von *Arum* so genannt zu haben. —κορδόκολα, τὰ, in der Anthol. scheint eine Art von Schauspiel zu seyn. —κυμα, τὸ, aeol. σκώληξ, eine still und langsam sich bewegende und ans Ufer spielende Welle, *namque movetur aqua et tantillo momine flutat.* Lucret. scheint aber bey Aristoph. Equ. 692. von den Wellen zu stehen, die vor einem Sturme hergehen, ihn verkündigen.

Κολόκυνθα, κολοκύνθη κολοκύντη, ἡ, der runde Kürbis, *cucurbita*: der lange hiess σικύα. Suid. in κρίνον sagt: die κολόκυνθα heisse ebenfalls κρίνον, (wahrsch. wegen der Aehnlichkeit der Blume) und κολόκυνθα sey ein medisches Wort. — κυνθίς, ἡ, die Koloquinthenpflanze und Frucht, bitter vom Geschmack: Dioscor. 4, 178. *cucumis colocynthis* Linn. — κύντη, ἡ, att. s. v. a. κολοκύνθη, davon ein dimin. κολοκύντιον.

Κόλον, τὸ, Speise, Essen, Futter; wov. Eustath. mit Atnenaeus ἄκολος und κόλαξ ableitet.

Κόλος, ὁ, ἡ, s. v. a. κολοβὸς, verstümmelt; vorz. ohne Hörner.

Κολοσσαῖος, s. L. st. κολοσσιαῖος, aus Luciani Hermot. s. v. a. κολοσσικὸς, einem Kolossus gleich, kolossalisch, wie κέγχρος, κεγχριαῖος. — σικὸς, ἡ, ὸν, zum Koloss gehörig, kolossalisch. — σοβάμων, ὁ, ἡ, Lycophr. 615. (βάω, βῆμι) in einer Bildsäule dastehend, abgebildet. — σὸς, ὁ, eine grosse Bildsäule, gewöhnlich über Lebensgrösse gearbeitet: jede Bildsäule: Aeschyl. Agam. 427. vorzügl. jene berühmte riesenmässige, eherne, 70 Ellen hohe Statue des Apollo in Rhodus: Plin. 34. 7. Von dergl. sagt Strabo 1 p. 365 ἐν τοῖς κολοσσικοῖς ἔργοις οὐ τὸ καθ' ἕκαστον ἀκριβὲς ζητοῦμεν ἀλλὰ τοῖς καθόλου προσέχομεν μᾶλλον. — σουργία, ἡ, Verfertigung eines Kolosses: bey Strabo, kolossalische Arbeit.

Κολοσυρτὸς, ὁ, Geräusch, Lärmen: Il. 12, 147. Hesiod. Theog. 880. lärmender Haufe: Aristoph. Vesp. 660. Plut. 536. die Ableitung zw.

Κολουραῖος, α, ον, πέτρα ὑπὸ κολουραία bey Callimachus legten einige d. κοίλη κεκαμμένη, στρογγύλη aus, bey Suidas, andere d. νεωτάτη, κολοβὴ, bey Hesych. dessen Glosse κολουρία, τῇ ἀποτομίᾳ hieher gehört. — ρις, S. κοθοῦρις. — ρος, ὁ, ἡ, Stutzschwanz, mit abgekürztem Schwanze. S. auch ἡμίκερκος; 2) κόλουροι, αἱ, verst. γραμμαὶ, zwey Zirkel an der Himmelskugel durch die Aequinoctial und Solstitialpunkte gezogen und in den Polen sich durchkreuzend.

Κόλουσις, ἡ, (κολούω) das Verstümmeln, Verschneiden, Beschneiden.

Κόλουσμα, τὸ, s. v. a. κλάσμα: Hesych.

Κολουτέα, ἡ, Theophr. h. pl. 3, 17. ein Baum. S. κολοιτέα.

Κολούω, (κόλος, κολάω) verstümmeln, verschneiden, verkürzen, nicht ganz lassen: daher μύθους κολ. nicht erfüllen, vollenden, in der Mitte abschneiden: Il. 20, 370. unterdrucken, verhindern, wie das verwandte κολάζω; überh. verringern, verkleinern, Odyss. 8, 211. 11, 339.

Κολόφουρα, τὰ, f. L. statt λόφουρα: Theophr. hist. pl. 3, 10. — φὼν, ὁ, Gipfel, Spitze: daher das Höchste, Letzte, Ende: bey Plutar. curios. p. 88. ein Werkzeug zu Leibesübungen, wie der Ball.

Κολοφώνιος, von Kolophon in Jonien, daher κολοφωνία, verst. ῥητίνη, Kolophonium oder Geigenharz: τὰ κολοφώνια, verstand. ὑποδήματα, eine Art Schuhe.

Κολπίας, ου, ὁ, (κόλπος) mit einem Busen. — πίζω, (κόλπος) ich mache einen Busen, bilde in - zu einem Busen — πίτης, zum Busen gehörig: Philostr. Apoll 3, 35. — ποειδὴς, ὁ, ἡ, Adv. — δῶς, einem Busen ähnlich. — πος, ὁ, Busen, Schoos wie ein Busen: Meerbusen, wie *sinus*; jede Hohlung, vorz. Fistelschaden, wenn unter der Haut ein um sich fressender Schaden mit Eiter entsteht. — πόω, ῶ, in einen Busen zusammenziehen - krümmen - beugen, wie *sinuo*. S. ἐγκολπίζω. — πώδης, εος, ὁ, ἡ, busenartig, voll Krümmungen-Vertiefungen. — πωμα, τὸ, (κολπόω) gemachter Busen, Krümmung. — πωσις, εως, ἡ, das Bilden eines Busens od. Bausches, *sinus*, metaph. ἱστίων, πτερῶν, das aufblähen, aufspannen der Segel oder Flügel durch den Wind: Herodian. 1, 15. — πωτὸς, ἡ, ὸν, als χιτὼν, Plut. ein Busen oder Falten schlagendes Kleid.

Κολύβδαινα, ἡ, Athenaei 3 p. 105. eine Art von Krabben, καρίς.

Κόλυθρον, τὸ, die reife Feige: b. Athenaeus κέλυτρον.

Κολυμβὰς, άδος, ἡ, die schwimmende, tauchende, ἐλαία. die eingemachte in Salzwasser schwimmende Olive. — βάω, ῶ, schwimmen, tauchen; davon — βήθρα, ἡ, Ort oder Platz zum schwimmen - tauchen - baden. — βησις, ἡ, das Schwimmen, Tauchen. — βητὴρ, ῆρος, ὁ, oder — βητὴς, Schwimmer, Taucher; davon — βητικὸς, ἡ, ὸν, Adv. — κῶς zum schwimmen oder tauchen gehörig oder geschickt. — βὶς, ἡ, s. v. a. κολυμβὰς: auch als Vogel, Taucher, eine Entenart. — βος, ὁ, s. v. a. — βητης, d. Taucher, Pausan. 2, 35. das Tauchen, Schwimmen, κολυμβητὴς, Analect. Brunk 2 p. 122. der Taucher, ein Wasservogel.

Κολυτέα, ἡ, bey Theophr. h. pl. 3, 18. ein Baum, verschieden von κολουτέα.

Κολχικὸν, τὸ, *Colchicum*, Zeitlose, eine Pflanze mit giftiger Bollenartiger Wurwzel: Dioscor. 4, 84. *colchicum autumnale* Linnaei.

Κολῳάω, ῶ, S. κολοιάω.

Κολώνη, ἡ, und κολωνός, ὁ, Hügel, Grabhügel. κολώνην ἄκραν τάφου Sophoc. daher κολωνία bey den Eleern τάφος, das Grab. Bey Arat. Phaen. 120. sind κολῶναι Städte. —νοειδής, ὁ, ἡ, von der Art oder Gestalt eines Hügels.

Κολῳός, ὁ, S. κολοιός.

Κόμαιθος, ὁ, ἡ, (αἶθος) mitbrennendem d. i. rothem Haar: Lycophr. 934. wo κομαιθῶ steht.

Κόμαρον, τὸ, die Frucht von —ρος, ὁ, ἡ, bey Theophr. h. pl. 3, 16, der Erdbeerbaum, welcher die essbare Frucht μεμαίκυλον trägt, *arbutus unedo* Linn. hingegen die wilde Art und kleiner mit schlechtern Früchten heisst ἀνδράχνη, *portulaca, arbutus andrachne* Linn. davon —ροφάγος, ὁ, ἡ, (κόμαρος, φάγω) die Früchte des Erdbeerbaums essend: Aristoph. Av. 240.

Κομάω, ῶ, ich lasse meine Haare lang wachsen, habe langes Haar; auch metaph. von Bäumen, Laub haben, bekommen, wie *coma, comare;* 2) weil man im Unglück und Traurigkeit sich das ganze Haupthaar abschnitt, im Glücke aber lang wachsen liess (S. Herod. 1, 82.); so kommt daher, dass κομᾶν als ein Zeichen der Freude, des Stolzes gebraucht wird. Zu Athen trugen auch die jungen Leute (ἔφηβοι) langes Haar, bis ins achtzehnte Jahr, wo sie ins Bürgerbuch und unter die *curiales*, δημότας, eingeschrieben wurden, wo sie dann das Haar etwas abgeschoren trugen. Daher wird κομᾶν oft von galanten-stolzen jungen Menschen gebraucht; auch überh. als Zeichen des Stolzes reicher Leute, weil nach einigen den ἱππεῖς allein langes Haar zu tragen erlaubt war. ἐπὶ τυραννίδι ἐκόμησε Herod. 5, 71. strebte nach der Oberherrschaft; zweifelh. b. Callimach. κεκομημένον ὕλῃ behaart, bewachsen. Zu Sparta trugen die Bürger alle langes Haar, dagegen zu Athen, nach dem Jünglingsalter, geschoren; daher zu Athen κομᾶν auch ein Zeichen der Trauer war. Aristotel. Rhet. 3, 11 κομῶντα καὶ αὐχμηρὸν ἔτι.

Κομβολύτης, ὁ, (κόμβος, λύω) ein Beutelschneider. —βος, ὁ, ein angesetzter Streif von Zeug od. eine Schleife, um damit etwas zu befestigen, zu knüpfen, zu gürten. Dies erhellet aus den Erklär. v. ἐγκομβωθεὶς b. Hesych. durch δεθείς. Ferner sind ἐπικόμβια unter den Byzantinischen Kaisern gewisse *missilia*, welche. Kantacuzenus erklärt, ἀποδέσμους τινὰς ἐν ὀθονίων τμήμασι δεδεμένας ἔνδον ἔχοντας νομίσματα χρυσᾶ καὶ ἐξ ἀργύρου καὶ ὀβελούς, d. i. Streifen von Zeug od. Schleifen, mit darinne befestigten Münzen, die unter das Volk geworfen wurden. S. Muretus über Curopalatam S. 814. Davon ἐγκομβώσασθαι und ἐγκόμβωμα, z. B. τὴν ἐπωμίδα πτύξασα διπλῆν ἄνωθεν ἐνεκομβωσάμην, ich habe die Epomis doppelt gelegt und oben aufgebunden. ἐγκόμβωμα erklärt Pollux 4, 119. für einen weissen Ueberzug, der über die ἐξωμίς der Sklaven gezogen wird, vermuthl. um das Unterkleid rein zu halten; bey Longus Pastor II p. 59. lauft Tityrus τὸ ἐγκόμβωμα ῥίψας, γυμνὸς da ist es also das Unterkleid selbst.

Κομέω, ῶ, jonisch st. κομάω, sorgen, besorgen, versorgen, pflegen, warten, schmücken, davon κομέεσκε jonisch st. ἐκόμεε, ἐκόμει. Das Stammwort ist κόμω, das lat. *comere* putzen, davon κομέω, κομίζω, κόμπτω davon κομψός, *comtus*.

Κόμη, ἡ, *coma*, das Haupt-Kopfhaar: auch von Bäumen das Laub, von der Erde das Gras, wie *coma, comare*, besonders der Blumenstengel bey Hyacinthen u. dergl. Dioscor. 4, 63 u. 70.

Κομήτης, ἡ, einer, der lange Haare hat, und wie κόμη übergetragen, belaubt, θυρσὸς κισσῷ κομήτης, Eur. Bacch. 1053. begraset, mit Gras bewachsen, λειμών. Hipp. 210. κομήτης τὰ σκέλη mit haarigten Schenkeln: Lucian. Bacch. 2. 2) verst. ἀστήρ, *stella comata*, Schwanzstern, Komet.

Κομιδή, ἡ, (κομίζω, κομίζομαι) das Tragen, Bringen; 2) das Fahren, Gehn, Ankunft; 3) die Wiedererhaltung einer Sache, von κομίζεσθαι; 4) die Pflege, Wartung, Sorge, Vorsorge; daher 5) κομιδῇ wie ein Adverb. sorgfältig, genau: sehr, gar sehr, gänzlich. —δῇ, wie ein Adv. S. κομιδή no. 5. mit Sorgfalt; gar sehr: auch in der Antwort s. v. a. gar sehr, allerdings, ja wohl.

Κομίζω, f. v. a. κομέω, sorgen, besorgen, pflegen, warten: Il. 24, 541. od. 24, 250. wo es mit dem lat. *comere* übereinkommt u. v. κόμω, κόμπτω kommt, wovon κομψός; 2) bringen, tragen, fortbringen, forttragen: med. davon- oder wegtragen: erhalten, bekommen: wieder erhalten oder zurückbekommen: für zurückgehn oder kehren wird es auch gesetzt, aber nur dann, wenn von einem Wege zur See und zu Schiffe die Rede ist, wo also die eigentl. Bedeut. zurückgetragen werden, zurückfahren, Statt findet.

Κομιστή, ἡ, f. v. a. τροφή: Hesych. —στήρ, ὁ, oder κομιστής, (κομίζω) der trägt, bringt; 2) pflegt, wartet, besorgt: νεκρῶν, Eur. Suppl. 25. der die Todten besorgt, sie begräbt. —στός, ἡ, όν, (κομίζω) getragen: gewartet, gepflegt.

Κομίστρια, ἡ, femin. v. κομιστήρ, Pflegerin, Wärterin: Hesych. —στρον, τὸ, Traglohn: auch von κομίζεσθαι, s. v. a. σῶστρον: Aeschyl. Ag. 975.

Κόμμα, τὸ, (κόπτω) das geschlagene, gehauene, geschnittene, eingeschnittene: Einschnitt, Abschnitt, s. v. a. κῶλον, ein Glied einer Periode, *comma*; 2) Gepräge, Schlag, *moneta*; 3) der Anfang der komischen παράβασις im Chor: Pollux 4, 112. —ματίας, ὁ, der viel Kommata in der Rede macht: Philostr. Soph. 2, 29. —ματικὸς, ἡ, ὸν, Adv. —κῶς, kommatisch, aus Kommata d. i. einzelnen Sätzen oder Kolis bestehend, darzu gehörig. —μάτιον, τὸ, dimin. von κόμμα, kleiner Abschnitt, Stück. —μι, τὸ, *commis* u. *gummi*, Gummi: in Herodot. 2, 86. lass man ehemals τῇ κομμίδι, wo jetzt τῷ κόμμι steht. —μιδώδης, εος, ὁ, ἡ, voll Gummi: gummiartig. —μίζειν, wie Gummi aussehen, Dioscor. —μις, ἡ, S. κόμμι. —μιώδης, εος, ὁ, ἡ, s. v. a. —μιδώδης. —μὸς, ὁ, (κόπτω) s. v. a. κοπετὸς, *planctus*, das Klagen, Jammern. —μὸς, ὁ, die Sorge, welche man auf die Zierde und Putz des Körpers verwendet; der Putz, das Putzen des Körpers selbst: von κόμω, *comere*, κομέω, κομίζω, κόμπτω, κομψὸς, κομμὸς; davon —μόω, ῶ, putzen, zieren, schminken; davon —μωμα, τὸ, das geputzte, geschminkte: der künstliche Putz, Schminke. —μωσις, ἡ, das Putzen oder Schminken: 2) s. v. a. κώνησις und πισσόκηρος. —μωτὴς, οῦ, ὁ, (κομμόω) der putzt, schminkt, durch Kunst ziert und schmückt; davon —μωτίζω, s. v. a. —μόω, Synesius p. 83 und bey Suidas ἐπιμελοῦμαι. —μωτικὸς, ἡ, ὸν, Adv. —κῶς, zum putzen - schminken - zieren gehörig - geschickt - geneigt. —μώτρια, ἡ, fem. v. —μωτήρ, s. v. a. —ὴς, Putzmädchen für die Toilette der Hausfrau. —μωτρίδιον, τὸ, ein Instrument oder eine Salbe zum putzen, oder ein Theil des weiblichen Putzes: Pollux 7, 96.

Κομοτροφέω, ῶ, das Haar nähren od. wachsen lassen: Diodor. Sic.

Κομπάζω, eigentl. s. v. a. κομπέω, aber meist metaph. grossprechen, prahlen, aufschneiden; davon —πασμα, τὸ, die prahlende Rede, und —πασμὸς, ὁ, die Grossprecherey, Prahlerey, und —παστὴς, οῦ, ὁ, der Grossprecher, Prahler: davon —παστικὸς, ἡ, ὸν, Adv. —κῶς, grosssprecherisch, prahlend. —πέω, ῶ, (κόμπος) das lat. *crepare* in allen Bedeutungen, nehml. tönen, klingen, von irdenen und metallenen Korpern, die an einander stossen; ὡς μὲν κόμπει χαλκὸς Iliad. 2) κομπεῖν μῦθον, auch allein κομπεῖν, κομπεῖσθαι, wie *crepare*, *jactare*, in hochtönenden Worten - in stolzer Sprache sprechen, prahlen, grosssprechen: davon —πηρὸς, ρὰ, ρὸν, prahlend, grosssprecherisch. —πολακέω, (κόμπος, λακέω) ich spreche in hochtönenden klingenden aber wenig Sinn habenden Worten. Aristoph. Ran. 961. prahlen: Philostr. Icon. 1, 27. Wyttenb. ad Plutar. 5. N. V. p. 6. —πολακύθης, ὁ, unter diesem Namen, gleichsam als von einem Vogel, versteht Aristoph. den Prahler Lamachus: Acharn. 589 u. 1182. im Etym. M. steht —ακύθης, wo es richtig von κομπολακέω abgeleitet wird. —πορρήμων, ὁ, ἡ, (κόμπος, ῥῆμα) grosssprechend, grosse - hochtönende Worte brauchend: zw. —πος, ὁ, (κόπτω, κομμὸς, κόμπος s. v. a. πάταγος) bey Homer das Geräusch, das der die Hauzähne fegende Eber, ferner der Tanzende mit dem Fusse macht; Sophocl. nennt auch κωδωνοφόρους κόμπους, das Geräusch der Klingel, daher κόμπος λόγου, metaph. von hochtönenden - prahlerischen Reden; hernach von Sachen und Personen, Prahlerey, Grosssprecherey, Stolz, Hoffart, Pracht. Bey Pindar. s. v. a. Lob, sonst auch αὔχος, καῦχος. —πὸς, ὁ, s. v. a. κομπαστὴς, prahlend, prahlerisch. zw. —ποφακελορρήμων, ὁ, heisst bey Aristoph. der Dichter Aeschylus, weil er hochtönende Worte (ῥῆμα) gleichsam in Bündel, (φάκελος) d. i. in Compositis zusammensetzte. —πώδης, ὁ, ἡ, Adv. —δῶς, prahlend, prahlerisch: τὸ κομπῶδες s. v. a. ὁ κόμπος.

Κομψεία, ἡ, (κομψεύω) artiges - feines - kluges - witziges - verschlagenes Betragen od. Reden. —ψευμα, τὸ, (κομψεύω) artige - feine Rede - Handlung - Erfindung. —ψεύομαι, (κομψὸς) ich mache zierlich - artig, ziere: ὁ λόγους ὑπὸ τοιούτων σχημάτων αὐτῷ κεκόμψευται, Dionys. hal. daher im medio κομψεύομαι, ich mache mich - betrage mich - handle oder spreche zierlich - artig - fein - witzig - scherzhaft - spasshaft - schlau - verschlagen: κόμψευε νῦν τὴν δόξαν, Soph. Ant. 324. rede und schwatze du was du willst von dem Anscheine. —ψευριπιδικῶς, artig und in der Manier des Euripides: Aristoph. Equ. 18. wo Brunk —ευριπικῶς liefet. —ψέτος, ἡ, ὸν, s. v. a. κομψὸς: aus Dionys. hal. —ψοεπὴς, έος, ὁ, ἡ, (ἔπος) fein - artig - zierlich - witzig in seinen Reden. zweif. —ψολόγος, der prahlet, gut schwatzen kann: ἰατρὸς, Aesopi fab. 192. —ψοπρεπὴς, έος, ὁ, ἡ, (πρέπω) artig und anständig: Aristoph. Nub. 1030. —ψὸς, ἡ, ὸν, Adv. —ῶς, von κόμω, κόμπτω, κόμπτω das lat. *como*, *comere*, davon *comtus*, ganz das κομψὸς, geputzt, gepflegt, hauptſ. vom Putz und Pflege des Körpers; davon auch κομμὸς, der Putz, die Zierde. Alſo zierlich, geputzt; galant: metaph. fein, artig, manierlich in Handlung und Worten; daher witzig, höflich; klug, ſchlau, verſchlagen, liſtig: dem natürlichen und ungeſchminkten entgegengeſezt.

Κομψότης, ητος, ἡ, (κομψὸς) ſ. v. a. κομψεια: Plato Ep. 10.

Κοναβέω, ῶ, (κόναβος) oder κοναβίζω, tönen, wiedertönen, ſchallen; davon —βηδὸν, Adv. mit Geräuſche, Getöſe. —βίζω, ſ. v. a. κοναβέω. —βος, ὁ, Geräuſch, Getöſe, Schall, Lärmen.

Κόναρος, S. κόνναρος.

Κόνδυ, υος, τὸ, ein perſiſches Wort für d. griech. σκύφος, Trinkbecher: Athenaei 11 p. 477. auch braucht es Nicetas annal. 19, 5. und Euſtath. Ism. amor. 4 p. 145. —δύλη, ἡ, eine Brauſche, Geſchwulſt von einem Schlage - Falle: wird aus Schol. Ariſtoph. ad Acharn. angeführt, viell. ſt. κορδύλη oder κορδύλη. —δυλίζω, m. d. accuſ. ich gebe einem eine Maulſchelle, lat *pugnum impingo alicui*; davon —δυλισμὸς, ὁ, das Maulſchellengeben, die Schmach, Miſshandlung; von —δυλος, ὁ, Knochengelenke, Gelenkkopf der Knochen des Arms - Ellebogens und vorz. der Finger: daher 2) die gebogene Hand, ſo daſs die Fingergelenke vorſtehn u. ein damit gegebener Schlag, da hingegen ein Schlag mit der flachen Hand oder eine Maulſchelle ἐπὶ κόῤῥης πατάξαι heiſst; κονδύλους ἐνέτριψε ἢ καὶ κατὰ κόῤῥης ἐπάταξε Lucian 1 p. 146. 3) jede Hervorragung, Geſchwulſt, *tuber*, vorzügl. eine harte; wie die von den vorſtehenden Gelenkköpfen der Knochen, wie κονδύλωμα. und das zweif. κονδύλη. Dargegen hat Heſych, κονθῆλαι, αἱ ἀνοιδήσεις, ferner κονδυλούμεναι, ἀνοιδοῦσαι und κανθύλας, τὰς ἀνοιδήσεις aus Aeſchylus. So viel iſt gewiſs, daſs κόνδυλος eine Ableitung in Form eines dimin. iſt: wozu man als Stammwort annehmen kann, κόνδος, bey Heſych. κεραία, ἀστράγαλος. Davon iſt auch κόνδαξ, welches Etym. M. ohne Erklär. hat. —δυλόομαι, οῦμαι, (κονδύλος) ſchwellen, auflaufen. Heſych. —δυλώδης, εος, ὁ, ἡ, (κόνδυλος, εἶδος) einem Knochengelenke oder einer harten Geſchwulſt ähnlich. —δύλωμα, τὸ, (κονδυλόω) ſ. v. a. κόνδυλος: ein geſchwollener Theil, eine Geſchwulſt, vorzügl. eine harte Geſchwulſt, *tuberculum* Celſus 6, 18.

Κονέω, auch κοννέω. S. κοέω.

Κονέω, ῶ, (κόνις) ich laufe ſchnell und mache dabey Staub: überh. ich eile, bin thätig, beſchäftigt: davon ἐγκονέω und διακονέω gebräuchlicher ſind; davon hat Heſych. κονήτης, θεράπων, der Diener.

Κονὴ, ἡ, (κένω, καίνω) ſ. v. a. φόνος, Mord.

Κονία, ἡ, der Staub, auch κονίαι, αἱ, bey Homer; 2) der Ringeſtaub, womit die Fechter ſich bewarfen, damit ſie einander an dem geſalbten Körper faſſen konnten; daher ἄνευ κονίας ſ. v. a. ἀκονιτὶ *ſine pulveris jactu*, *ſine pulvere*, d. i. mit leichter Mühe, ohne einen Streich zu thun; 3) Fluſsſand, Il. Φ. 4) Aſche; 5) Kalkſtaub, kleingeſchlagener Kalk; dah. κονία ασβεστος ungelöſchter Kalk: daher κονία auch der mit Waſſer angemachte gelöſchte Kalk, womit man die Wände tüncht; dieſer Anſtrich, Ueberzug ſelbſt, *tectorium*; daher κονιᾶν, mit Kalk anſtreichen; 6) Lauge, wenn Waſſer über Kalkſtaub oder Aſche gegoſſen und abgezogen wird. κονία ἀσβέστου, Kalklauge, κονία τέφρας, *cinis lixivius*. στακτὴ, Tropflauge. σαπωναρικὴ, Seifenlauge, πιλοποιητικὴ, Hutmacherlauge. βαλανευτικὴ, Badelauge. λούειν ἄνευ κονίας, ohne Lauge waſchen: Ariſtoph. Lyſiſt. 470. wo v. 377 ῥύμμα ſt. κονία ſteht. —αμα, τὸ, (κονιάω) *opus albarium*, *tectorium*, der Anſtrich mit Kalktünche, b. Demoſth. p. 175. ſind κονιάματα überh. geringe Reparaturen. —ασις, ἡ, (κονιάω) das Anſtreichen mit Kalktünche oder Pech. —ατὴς, ὁ, der mit Kalktünche oder Pech anſtreicht - überzieht. —ατὸς, ἡ, ὸν, was mit Kalktünche angeſtrichen iſt, wie eine Mauer; 2) mit Pech angeſtrichen, ausgepicht: wo es eigentl. κωνιατὸς von κωνιάω heiſsen ſollte. —άω, ῶ, ich beſtaube, beſchmutze mit Staub; κονιᾶσθαι *pulverare ſe*, ſich im Staube wälzen, baden, wie die Hünerarten; 2) ich überſtreiche mit Kalk, weiſse ab, eine Mauer u. ſ. w. daher κονιατὸς; 3) ich überziehe mit Pech, eigentl. κωνιάω: metaph. auch κονιᾶν τὸ πρόσωπον, das Geſicht übertünchen mit Schminke. S. κονία u. κονίζω.

Κονιβατία, ἡ, Hippocr. Vict. ſanor. 3, 2. das Gehn im Staube; andre Handſchr. leſen κοιναβατία oder κονιοβατία, auch σχοινοβατία.

Κονίζω, ich erfülle mit Staub, mache ſtaubig; wie durch ſchnelle Flucht, εὐρὺ κονίσσουσι πεδίον; daher κεκονιμένοι ἐκ πεδίοιο φεῦγον, ſie flohen beſtaubt, in groſsem Staube: d. i. eiligſt. κονίσαι λαβὼν λέκιθον Ariſtoph. Eccleſ. 1223. nimm eilig. S. κονέω. Für beſtauben, beſudeln: ὡς τοῦ μὲν κεκόνιτο κάρη ἅπαν. So ſteht καρπαλίμως ἐπέτοντο κονίοντες πεδίοιο, ſie flogen ſtäubend, d. i. ſchnell durch das Feld; 2) κονίομαι, ich beſtaube mich, wälze mich im

Staube, wie die Hünerarten; 3) v. den Fechtern, die sich mit dem feinen Fechtersande am eingeschmierten Körper bestrichen und so zum Kampfe rüsteten, oder auch in diesem Sande auf der Erde mit einander fochten. S. πύγμαχος: daher also ich rüste mich zum Kampfe, und ich fechte.

Κονίλη, ἡ, *cunila*, ein Kraut von der Gattung *origanum*.

Κόνιον, τὸ, als dim. von κόνις, Suidas. zw. —νιον, τὸ, s. v. a. κώνειον, Schierling *cicuta*: b. Diog. Laert. 2, 46. lesen die Handschr. u. Suidas πρὸς γὰρ Ἀθηναίων κόνιον μὲν ἁπλῶς συ ἐδέξω, wo izt κώνειον ἁπλῶς μὲν ἐδ. steht. —όπους, ὁ, ἡ, auch κονίπους, οδος, ὁ, Staubfuss; in der Epidaurischen Republik hiessen die Rathsherren ἄρτυνοι, das Volk aber, weil es meist auf dem Lande sich aufhielt, κονίποδες: Plutar. 7 p. 171. daher κονιορτόποδες, ἀγροῖκοι, ἐργάται bey Hesych. 2) eine schmale Schuhsohle unter dem Fusse, die nicht die ganze Sohle bedeckt. —ορτὸς, ὁ, (κονία, ὄρω) aufgerührter fliegender Staub; 2) ein schmuziger oder geiziger Mensch. Euκτήμων, ὁ κονιορτος Demosth. pag. 547. Athenaei p. 120. 122. —ορτόω, ῶ, act. ich besprenge mit Staub, bestaube. —ορτώδης, εος, ὁ, ἡ, bestaubt, staubig.

Κόνιος, (κόνις) staubig, ζεὺς κόνιος, der Staub macht. κονία χέρσῳ, Pind. Nem. 9, 102. —όω, und κονίπτω s. v. a. κονίζω, ich mache Staub, bestaube.

Κονίπους, ὁ, ἡ, S. κονιόπους.

Κόνις, ἡ, der Staub; 2) die Asche; 3) die Lauge, *cinis lixivius*: das lat. *cinis* ist davon gemacht; vergl. κονία.

Κόνις, ἡ, κόνιδες, die Eyer der Läuse, Wanzen und Flöhe: Nisse: Aristot. h. a. 5, 31. dav. κονιδῖτις, ἡ, das Läusekraut, b. den Sicilianern, sonst ψύλλων, Dioscor. 4. 70. in Appendice. —σαλέος, κονισσαλέος, staubig, bestaubt; v. —σαλος, und κονίσσαλος, ὁ, ἡ, s. v. a. κόνις, der Staub; 2) s. v. a. γλοιός, *strigmentum*; 3) eine Art v. Daemon zu Athen, wie Priapus und Orthanes: Aristoph. und Synesius Epist. 32. —στήριον, τὸ, s. v. a. κονίστρα. —στικὸς, ἡ, όν, ὄρνις, ein Vogel, der gern sich im Sande-Staube walzt-badet. —στρα, ἡ, ein Ort mit Staube-feinem Sande gefüllt, wo die Hüner und andere Vögel sich wälzen-baden können: 2) wo die Fechter sich üben-mit einander im Sande fechten. S. κονίω. Bey Suidas in κονία stand ehemals κόνιτρον, ῥύπος, wo jetzt νίτρον, ῥύπος steht.

Κονίω, s. v. a. κονίζω, davon κεκόνιτο, κεκονιμένος, da von jener Form κεκόνιστο, κεκονισμένος kommt. S. κονίζω. ἵπποι κονίοντες πεδίοιο, verst. διά, Pferde, die stäubend durch das Feld laufen: χορεῖ, κονίει, Aeschyl. Th. 60.

Κόνναρος, ὁ, *Conarus*, ein Baum dem *Paliurus* ähnlich, Athenaeus 14 p. 649. den man für κήλαστρος des Theophr. hält.

Κοννέω, (κόω, κοέω, κονέω) ich weiss, kenne. S. κοέω.

Κόννος, ὁ, Polyb. 10, 18. eine Art von Ohrschmuck; 2) der Bart, Kinnbart: Lucian. Lexiph. οὐ πρὸ πολλοῦ τὸν κόννον καὶ τὴν κορυφαίαν ἀποκεκομηκώς. Hesych. κόννος, πώγων, ὑπήνη und κοννοφόρων, σκολλυφόρων. Man leitet es von κόνος, Kegel, ab.

Κόνταξ, ὁ, κόνταχα παίζειν, Epigr. Rufini vom Knabenspiele, welches in κυνδαλισμὸς erklärt ist; übergetragen der Beyschlaf; andere lesen κόνδακα, viell. κύνδακα, von κύνδαξ woron κύνδαλος; jene Lesart ist v. κοντὸς. —τοβολέω, (βάλλω) ich werfe mit dem κοντὸς, Stange, Spiesse: Strabo 10 p. 688.

Κοντὸς, ὁ, *contus*, eine Stange, Stecken, Stiel am Wurfspiesse, Ruderstange u. dgl. —τοφόρος, ὁ, ἡ, eine Stange, Spiess tragend. —τωτὰ πλοῖα, (κοντόω, κοντὸς) Schiffe mit Ruderstangen versehn und fortbewegt: Diodor. Sic.

Κόνυζα, ἡ, Theophr. h. pl. 6, 2. Dioscor. 4, 13. Plin. 21, 9 u. 10, wovon die grosse Art, das Männchen, bey Theophr. *erigeron viscosum* Linnaei, oder nach Rauwolf *baccharis* Dioscoridis Linnaei. Die kleine Art oder Theophrasts Weibchen ist *erigeron graveolens* Linn. die dritte Art des Dioscor. ist *inula dysenterica* Linn. davon —ζίτης, οἶνος, Geopon. 8, 10, Wein mit κόνυζα bereitet.

Κοπάζω, (κόπος) ich ermüde, lasse nach, höre auf, ἄνεμος ἐκόπασε: Herodot. 7, 191.

Κοπανίζω, (κόπανον) stossen, zerstossen, schlagen: davon κοπανιστήρ; wovon —νιστήριον, τὸ, Instrument zum stossen-schlagen-bläuen-zerstossen. —νον, τὸ, (κόπτω) s. v. a. d. vorh. bey Aeschyl. Choe. 860. s. v. a. κόπις, Schwerdt, Messer.

Κοπὰς, ἡ, (κόπτω) Theophr. h. pl. 1, 5 συκῆ, ἐλαία, die beschnitten-gestutzt wird, ἐπικεκομμένον δένδρον nach Hesych.

Κόπειον, κόπαιον, u. κόπεον, τὸ, (κόπτω) das Stück Gloss. St. zw.

Κοπετὸς, ὁ, (κόπτομαι) *planctus*, das Klagen mit Schlagen an die Brust verbunden.

Κοπεὺς, έως, ὁ, (κόπτω) Meissel, Lucian. Somn. 13, Dioscor. 1, 35. S. ἐγκοπεύς.

Κοπὴ, ἡ, (κόπτω) das schneiden, hauen, stossen: auch s. v. a. κόμμα: man führt auch aus Strabo die Bedeutung eines steilen Ortes an, aber daselbst 10 p. 694 steht richtiger σκοπὴ s. v. a. σκοπιά,

Κόπηθρον, τὸ, (κόπτω) ein wildes Gemüsskraut: Hesych.

Κοπία, ἡ, s. v. a. ἡσυχία Hesych. welcher auch κόπασον d. ἡσύχασον erklärt.

Κοπιαρὸς, ρὰ, ρὸν (κοπιάω) ermüdend: Aristot. probl. 5. dafür hat Nicet. annal. 3, 7. κοπηρός. —άτης, ὁ, für Todtengräber, *vespillo*: zweif. —άω, ῶ, (κόπος) ich ermüde, bin müde-überdrüssig-satt-entkraftet; höre auf.

Κοπίζω, ich feyere und schmause in der κοπὶς no. 2. von κόπις, ὁ, windbeuteln, lügen.

Κόπις, ἡ, (κόπτω) Dolch, Messer zum schlachten, des Kochs. 2) bey den Lazedaem. war κοπὶς eine besondere Mahlzeit, welche man den Fremden vorsetzte und an gewissen Festen gab: davon κοπίζειν, solche Mahlzeit halten und solches Fest feyern. Athenaei 4, p. 138 u. 139.

Κόπις, ὁ, (κόπτω wovon δημοκόπος) b. Eurip. Hec. u. Lycophr. ein Sprecher, Schwätzer, listiger Redner: wovon viell. κοπίζω, ψεύδομαι: Hesych. hat auch κόπις für κέντρον u. ὀρνίθιον (eine Art von kleinen Vögeln) angemerkt.

Κοπιώδης, ὁ, ἡ, s. v. a. κοπώδης: Hippocr.

Κόπος, ὁ, (κόπτω) Ermüdung, Mattigkeit; davon

Κοπόω, ῶ, durch Arbeit abmatten, ermüden, Dio Or. 11, p. 344. Plutar. 7. p. 242.

Κόππα, τὸ, s. v. a. κάππα, der Buchstabe κ. auch ein Zahlzeichen von 90, von unbest. Figur: Schol. Aristoph. Nub. 23 davon κοππατίας, ὁ, (ἵππος) Aristoph. Nub. 23 u. κοππαφόρος bey Lucian. ein Pferd, welches den Buchstaben κ oder coppa zum Zeichen eingebrennt hat: wie σαμφόρος das sigma hat. Von der Gestalt des koppa auf Münzen handelt Mazochi ad tab. l. heracl. p. 122. S. auch unter κ. zu Anfange.

Κοπραγωγέω, Mist fahren: Aristoph. Lys. 1174. v. —γωγὸς, ὁ, Mist führend oder fahrend.

Κοπρέαι, S. κοπρίαι.

Κόπρειος; S. κόπριος.

Κοπρέω, ῶ, u. κοπρεύω, ich miste.

Κοπρία, ἡ, der Misthaufen; der Mist, bey den LXX.

Κοπρίαι, οἱ, (κόπρος) bey den Spätern niedrige Possenreisser; Dio verbindet κοπρίας τινὰς καὶ γελωτοποιούς. Bey Sueton. Tiber. 61. Claud. 8 steht *copreae*. Isidors Glosse hat *Scurrula*, *qui incopriat*.

Κοπρίζω, ich miste.

Κοπρικὸς, ἡ, ὸν, u. —νος, mistig, dreckigt, zum Mist-Dünger gehörig.

Κόπριος, ία, ιον, mistig, dreckig; 2) gering, verachtet, niedrig. τὸ κόπριον s. v. a. κόπρος. Bey Aristoph. Equ. 899 hat Brunk —πρειος ἀνὴρ st. —πριος gedschrieben, Scheisskerl.

Κόπρισις, ἡ, (—πρίζω) u. —πρισμὸς, ὁ, das Misten.

Κοπριώδης, ὁ, ἡ, (—πρια) dreckigt, mistig.

Κοπριὼν, ὁ, der Dreckkäfer; doch nennt Hippocr. σκώληκας κοπρίωνας gewisse Würmer, de superfoet. c. 10. welche er als Aetzmittel mit der Wolfsmilchraupe braucht.

Κοπροβολεῖον, τὸ, (βάλλω) s. v. a. —δοχεῖον, τὸ, (δέχομαι) Misthaufen, Kloake, und —θέσιον, τὸ, (τίθημι) Miststätte, Geopon. —λογέω, (λέγω) ich sammle Mist-Dung. —λόγος, ὁ, ἡ, der Mist sammlet; 2) drekkigt geitziger Mensch: niedriger Mensch: Aristoph. Vesp. 1184.

Κόπρος, ἡ, Koth, Dreck, Mist, Auswurf von Menschen und Vieh; zur Wirthschaft gebraucht Dung, Dünger; 2) der Ochsenstall, Odyss. 10, 411 wo σηκοὶ der Verschlag der Kälber ist; andre schrieben zum Unterschiede —πρὸς. 3) s. v. a. κόνις, Staub und Schmutz. —συρὴ, ἡ, das Misten, περικάθαρσις: Hesych.

Κοπροφορέω, ῶ, ich trage Mist m. d. acc. Aristoph. Equ. 295. mit Drecke werfen. —φόρος, ὁ, ἡ, Misttragend, κόφινος, Korb zum Misttragen.

Κοπρόω, ῶ, s. v. a. —πρίζω, misten.

Κοπρώδης, εος, ὁ, ἡ, s. v. a. —πριώδης, mistartig, mistig.

Κοπρὼν, ὁ, der Misthaufen, Miststätte, Abtritt. —νης, ου, ὁ, (ὠνέομαι) der den Mist gekauft-gepachtet hat. —ώνυμος, ὁ, ἡ, (ὄνομα) der vom Dreck den Namen hat.

Κόπρωσις, ἡ, (—πρόω) das Misten.

Κοπτάριον, τὸ, dimin. v. —τὴ. —τη, ἡ, (—τω) bey Hesych. u. Athenaeus 14. p. 648. Schnittlauch. —τὴ, ἡ, u. —τον, τὸ, eine Art von Kuchen, aus gestossenen Materialien gemacht: daher auch gewisse Arzeneyen in Form von Kuchen aus gewissen gestossenen Dingen bereitet, wie σησαμίδες u. πυραμοὶ κοπταὶ aus Sesam u. Waitzen bereitet dergl. Marzipan, Morsellen, Brustkuchen u. dergl. *copta rhodia* bey Martialis: von —τὸς, ἡ, ὸν, geschlagen, gestossen: zerschlagen, zerstossen: von —τω, ich schneide, spalte, zerschneide, schneide ab; verwunde, schlachte: Xen. Anab. 2, 1. 6. schlage, stosse, ermüde durch Stossen. κόπτειν ῥήμασι wie *proscindere contumeliis*, schmähen. κόπτειν δένδρα, Bäume umhauen: der Adler bey Hom. hackt den Drachen κόψε γὰρ αὐτόν. So werden die Schiffe durch den ἔμβολον *rostrum* verwundet, angebohrt κόπτονται. für schlagen ὅστις σ' ἀμφὶ κάρη κεκοπὼς. Ferner τόξῳ κόπτειν sonst ἐπιπλήττειν. Ders. ποτὶ γαίῃ κόπτειν an die Erde schlagen, werfen. —τειν τὴν θύραν, *percutere fores* an die Thüre klopfen. —τειν νόμισμα, Geld-Münze schlagen, *percutere numos*; davon κόμμα der Schlag. κόπτε δὲ δεσμούς, er schmiedete Fesseln. κόπτειν, *tundere*, weich-klein schlagen; daher metaph. —τειν ἐρωτήμασιν, *obtundere, interrogationibus*: mit Fragen plagen und ermüden: ἵππος τὸν ἀναβάτην κόπτει, das Pferd stösst den Reuter und ermüdet ihn; daher κόπος, die Müdigkeit, Ermattung. σῖτος κόπτεται κεκομμένα ἔσπρια, das Getraide verdirbt, wird wurmfrässig: in medio κόπτομαι das lat. *plango*, ich schlage mich vor Betrübniss an die Brust: dah. ich betraure m. d. acc. wie *plangere aliquem*. Daher κοπετός. Im obscönen Sinne κόπτεσθαι, Aristoph. Ran. 425 wie latein. *praecidi*.

Κοπώδης, εος, ὁ, ἡ, (κόπος) ermüdend, mühselig.

Κόπωσις, ἡ, (κοπόω) Ermüdung, Ermattung.

Κοράκειος, εία, ειον, vom Raben, rabenähnlich.

Κορακεύομαι, bey Hesych. als Erklärung von κοράττω. —κεύς, έως, ὁ, eine Fischart: Hesych. viell. derselbe mit κορακῖνος. —κίας, ου, ὁ, rabenartig: κολοιός, Rabendohle: Aristot. h. a. 9, 24. mit rothem Schnabel. —κιδίον, τὸ, dim. v. κορακῖνος. —κινος, ίνη, ινον, (κόραξ) vom Raben: rabenähnlich, rabenschwarz. —κῖνος, ὁ, eine Art von Meer-auch Flussfisch, wahrsch. von der schwarzen Farbe des Raben (κόραξ) genannt. —κιον, τὸ, u. κορακίσκος, ὁ, dim. von κόραξ. —κοειδής, έος, ὁ, ἡ, contr. κορακώδης, (εἶδος) rabenartig.

Κοραλλίζω, roth wie Korallen seyn: von —λιον, κουράλιον, τὸ, Korallen, vorzügl. die rothe Koralle. Die Alten gaben es für eine Meerpflanze aus, welche in der Luft erhärte: Ovid. Metam. 4, 749. 15, 416. Plinius 32, 4. Ist eigentl. der Pflanzenähnliche und Steinartige oder hornartige Sammelplatz von den Wohnungen mehrerer Arten von Meerpolypen, eine sogenannte Thierpflanze. —λιοπλάστης, ου, ὁ, der Korallen bildet. zw.

Κόραξ, ακος, ὁ, Rabe: 2) eine Art von Fischen: überh. ein Haaken, dergl. bey Belagerungen, Vitruv. 10, 19: auch die krumme Spitze am Schnabel des Haushahns: Hesych. der Thürklopfer: Bey Lucian. 3 p. 14. κόρακα διτάλαντον σπικείμενος, eine Art von Halseisen, wie κυφων: doch bezw. Hemsterh. die Lesart. ἄπαγε εἰς κόρακας geh zum Henker od. an den Galgen, dass dich die Raben fressen. Das lat. *corvus* hat einerley Ursprung von κόρος, κόραξ: so wie *cornix* mit κορώνη, von κοράω, κορωνός, gekrümmt, von dem krummen Schnabel. —ξὸς, ἡ, ὸν, eine unbestimmte Art von Fischen: Xenocrat. c. 12. not. 2) κοραξός, ἡ, ὸν, rabenartig, rabenfarbig: zweif.

Κοράσιον, τὸ, das Mädchen, die Puppe; dim. v. κόρη: davon —σιώδης, εος, ὁ, ἡ, was dazu gehört-ihm-ihr gleicht. Plut. Φιλοπλουτ. p. 93.

Κοράττω, (κόραξ) ich bitte unaufhörlich-ungestüm, lasse mich nicht abweisen. Suidas und Hesych. welcher auch κοράττειν d. κορακεύεσθαι erklärt.

Κορδακίζω, den Tanz κόρδαξ tanzen. —κικός, ἡ, ὸν, für den κόρδαξ passend, dazu gehörig. —κισμός, ὁ, (κορδακίζω) das Tanzen eines κόρδαξ, ein unanständiger Tanz.

Κόρδαξ, ακος, ὁ, ein plumper u. unanständiger Tanz, den nur trunkene und ungesittete Leute tanzten: Theophr. Char. 6, 1. —δίνημα, τὸ, S. σκορδίνημα. —δυβαλλῶδες πέδον Lucian. Tragop. 222. wird für κορδυλοβαλλ. d. i. *pavitum, solum, pavimentum*, Ehrich angenommen: v. βάλλω u. κοσδύλη, *fistuca*, zweif. —δύλη, ἡ, die Keule, Prügel. 2) Brausche, Beule, *tuber, tumor*. 3) eine Bedeckung des Kopfs od. Binde; 4) ein junger Thunfisch oder eine eigne kleine Art. —δυλος, ὁ, auch σκορδύλος eine Wassereidechse, od. eigentl. eine Larve davon.

Κορεία, ἡ, (κορέω) das Kehren, Putzen, Reinmachen. 2) von κορέω ich sättige, die Sättigung; 3) von κορή, κορεύω, der Zustand des Mädchens, Jungferschaft. Anton. Liber. 29. —ρειος, was dem Mädchen, der Jungfer gehört, zukömmt. τὰ κορεῖα, das Fest der Proserpina, die κόρη hiess.

Κορέννυμι, κορεννύω u. κορέσκω, f. v. a. κορέω, sättigen; davon

Κορεστος, ἡ, ὸν, gesättiget: zu sättigen, sättlich.

Κόρευμα, τὸ, Jungferschaft, Jungferstand. Eur. Alc. 313.

Κορεύομαι, (κόρη) ich bin, lebe als Jungfer. Eur. Alc. 314.

Κορέω, κορέννυμι, f. έσω, ήσω, (κόρος) f. v. a. die abgeleiteten κορεννύω und κορέσκω, sättigen.

Κορέω, putzen, reinigen, fegen, kehren; putzen, schmücken.

Κόρη, ἡ, das Mädchen, die Jungfrau; 2) vorzügl. Proserpina. 3) eine Puppe von Wachs, Thon u. dergl. 4) die Pupille, Sehe im Auge, wie *pupa, pupula, pupilla*.

Κόρηθρον, τὸ, der Besen; von κορέω, wovon auch κόρημα, τὸ, das Kehricht, der Auswurf.

Κορθύλος, ὁ, (κόρθυς) der Vogel, βασιλίσκος ſonſt genannt: Heſych. —θύνω, u. κορθύω, (κορύω, κορύθω, wie von φορύω, φύρω) ſammlen, häufen, bey Homer u. Heſiod. erheben, wie κορύσσω. —θυς, υος, ἡ, ſ. v. a. κόρυς, und bedeutet einen Haufen und eine Erhöhung; davon bey Theocr. 10, 47. κόρθυος ἁ τομὰ, die abgeſchnittenen u. auf einer Reihe nach der Seite des Schnitts zu liegenden Bündel von Aehren, τὰ κατ' ὀλίγον δράγματα, nach Heſych. welcher auch die Form κορθύλη hat.

Κορίαννον, u. κορίανον, τὸ, *coriandrum* Korianderkraut u. Saamen, *coriandrum ſativum* Linnaei.

Κορίδιον, τὸ, dimin. v. κόρη.

Κορίζομαι, ſ. v. a. ὑποκρίζομαι: die andern Bedeutungen S. κουρίζω.

Κορίκιος, α, ον, zweif. bey Pollux ſtatt —κὸς, ἡ, ὸν, Adv. —κῶς, dem Mädchen gehörig: wie ein Mädchen zart, zärtlich.

Κορινθιουργής, ὁ, ἡ, (ἔργον) von Korinthiſcher Arbeit oder Erz: wie ἀττικουργής, u. ſ. w.

Κόριον, τὸ, dim. v. κόρη: 2) Koriander.

Κόρις, ὁ, ἡ, die Wanze: 2) eine Art von Johanniskraut, *hypericum*: Dioſc. 3, 174.

Κορίσκη, ἡ, u. κορίσκιον, τὸ, dimin. von κόρη.

Κορίσκω, jon. ſtatt κορέσκω, wie οἰδέω, οἰδίσκω u. dergl.

Κοριώδης, εος, ὁ, ἡ, ſ. v. a. κοριοειδής, dem Mädchen- der Puppe- dem Koriander ähnlich.

Κορκορυγέω, ῶ, —κορυγή, u. —γμὸς, ſtehn ſtatt des gewöhnlichen βορβορυγέω, —γή, u. —γμος, das hohle Getoſe im Bauche und in den Därmen von Menſchen und Vieh. S. βορβορύζω.

Κόρμα, S. κορμὸς. —μάζω, ſ. v. a. κατακορμάζω: Heſych. —μὸς, ὁ, (κείρω) ein Stück vom Stamm, ein Klotz, oder ein Stück aus dem Stamme geſchnitten: Geopon. 9, 11, 8: συγκόψαντες αὐτὰ τὰ πρέμνα εἰς κορμοὺς μείζονας: Erneſti mit andern will aus der aeoliſchen Form κορπὸς, das lat. *corpus*, (*truncus corporis*) ableiten.

Κορνοπίων, Beyw. des Herkules: von —νωψ, οπος, ὁ, gewöhnlicher πάρνοψ, eine Heuſchreckenart.

Κόροιφος, ὁ, ἡ, S. κοιφάω.

Κοροκόσμιον, τὸ, (κόρη, κόσμος) Mädchenputz oder Spielwerk. —κότας, ὁ, ſt. κροκότας: Dio Caſſ. —πλαθος, ὁ, ἡ, (πλάσσω) ſonſt κοροπλάστης, der Puppen aus Thon oder Wachs bildet: ὥσπερ ἂν εἴ τις Φειδίαν τολμῴη καλεῖν κοροπλάθον: Iſocr.

Κόρος, ὁ, *ſatietas*, die Sättigung, das Sattſeyn, und der darauf folgende Ekel- Uebermuth- Muthwillen-Stolz.

Κόρος, ὁ, der Knabe, das Kind, der Sohn: joniſch κοῦρος; 2) ein junger Trieb, Zweig, Schöſsling am Baume oder Pflanze, κόρους κλεκτοὺς ἀκραιφνεῖς μυῤῥίνης Strattis Etymol. M. in κορυθάλη. S. auch μόσχος. 3) der Beſen; 4) ein Maaſs von 41 Medimnis.

Κόῤῥη u. κόρση, doriſch κόῤῥα, eigentl. der Schlaf: ἐπὶ κόῤῥης παίειν, πὺξ ἐλαύνειν, hinter die Ohren ſchlagen, wo man es auch gewöhnlich durch den Backen erklärt. S. κόνδυλος no. 2. 2) Haar. 3) der ganze Kopf: von κείρω, worzu die Bedeutung 2 paſst: Nicander Alex. 414 hat auch κόρσεα, κέρσεια, τὰ, ſt. κόρσαι, die Kopfe.

Κόρσης, ου, ὁ, der ſich die Haare abſchneidet: Athenaeus 13 p. 565. —σιον, τὸ, (κόρση) bey Theophr. h. p. 4, 10. Diodor. 1, 10 die Wurzel der Waſſerpflanze Lotus, bey Heſych. κορσίπιον u. κόρσειον, bey Diodor. κόρσεον. —σόω, ῶ, ich ſcheere: davon κορσωτεὺς u. κορσωτὴρ, ὁ, der Scheerer, Balbierer, u. κορσωτήριον, τὸ, die Balbierſtube. —σωτὸς, ἡ, ὸν, πτέρυξ, Lycophr. 201, ſ. Leſ. ſt. κροσσωτή.

Κορυβάντειος, ſ. v. a. κορυβαντικὸς.

Κορυβαντιασμὸς, ὁ, die Feyer, das Feſt der Korybanten. S. κορύβας. —βαντιάω, ῶ, S. κορύβας. —βαντίζω, ich weihe in den Gottesdienſt der Korybanten ein, *luſtro more Corybantum*, Ariſtoph. Vesp. 119. Plato Legg. 7 p. 325, reinige und heile einen durch Korybantiſche Zeremonien. —βαντικὸς, ἡ, ὸν, korybantiſch. —βάντιον, τὸ, Tempel der Korybanten. —βαντισμὸς, ὁ, die Einweihung, die *luſtratio* nach Art der Korybanten. —βαντιώδης, ὁ, ἡ, ſ. v. a. κορυβαντικὸς. —βας, ἄντος, ὁ, ein Prieſter der Rhea oder Cybele in Phrygien, die den Gottesdienſt mit lärmender Muſik und bewafneten Tanzen in einer wüthenden Begeiſterung und heftigen Bewegung verrichteten: daher κορυβαντιᾶν, dieſe Gebärden, Bewegungen, und Begeiſterung nachmachen: begeiſtert, auſser ſich ſeyn: τὸν τῆς ποιητικῆς κορύβαντα ſt. ἐνθουσιασμὸν, Lucian. Conſcr. hiſtor. 82.

Κορυδαλλὶς, ίδος, ἡ, κορυδαλὸς, ὁ, die Schopflerche, die Lerche mit dem Kamme, *alauda criſtata*; von —δὸς, ὁ, eben ſo viel: von κόρυς, der Helm.

Κόρυζα, ἡ, *pituita*, eine Erkältung, Schnuppen, Katharr, deſſen Folgen ſich am Kopfe vorz. durch den flieſsenden Rotz zeigen, und eine Abſtumpfung des Geruchs und Geſchmacks, auch meiſt der innern Sinne und des Verſtandes zur Begleitung haben: daher 2) metaph. auch, Dummheit, Einfalt, Mangel an Einſicht durch κόρυζα u.

κορυζάω bezeichnet wird: von κόρυς, der Kopf.

Κορυζάω, ῶ, κορύζω, ich habe den Schnupfen: 2) ich bin einfältig, dumm. S. κόρυζα: daher einen klug machen, ἀπομύττειν, schnäutzen, *emungere*, heifst: Polyb. 38, 4 braucht es sogar von ganzen Städten: πᾶσαι μὲν ἐκόρυζον αἱ πόλεις. Aber die Form κορύζω kommt sonst nirgends vor.

Κορόθαϊξ, κος, ὁ, u. κορυθαίολος, ὁ, bedeuten bey Homer einen Krieger mit einem Helme bewafnet, worauf der Federbusch sich bewegt im Gehn oder Streiten, v. κόρυς u. ἀίσσειν u. αἰόλλειν, αἰόλος, sich schnell bewegen, *nutare*; Il. 22, 132. 2, 816. —θιον, τὸ, dimin. v. κόρυς. —θος, ὁ, eine Art τροχίλος, Schneekönig von der Kuppe, κόρυς, ἡ, genannt: Hesych. wie κορθύλος.

Κορυκοβολία, ἡ, u. —μαχία, ἡ, κόρυκος, ὁ, S. in κωρυκοβ. u. f. w.

Κορυλλίων, ὁ, f. v. a. κολλυρίων.

Κορυμβὰς, ἡ, (κόρυς) die Schnur am Rande des Netzes, u. d. womit man es wie einen Beutel zusammenzieht. S. κορυφάς. —βήθρα, ἡ, Dioscor. 2, 210, f. v. a. κισσὸς, vorz. die Art, welche κορυμβίας, ὁ, heifst, weil sie die Früchte in einem Büschel (κόρυμβος) zusammenträgt. —βον, τὸ, κόρυμβος, ὁ, (κόρυς, κορυω) drückt die Spitze, das Aeusserste von einem Körper aus: daher κορ. ὄχθου, ὄρεος, wie *vertex*, Spitze: Aeschyl. Perf. 660. Herodot. 7, 218. 2) von Schiffen, die Schnäbel Il. 9, 241. von hochfrisirten Haaren: die Frucht des Epheu ὄμφακι πυκνῷ καὶ περκάζοντι ὅμοιος nach Plutar. Q. Symp. 3, 2. —βόω, κόμην χρυσῷ στρόφῳ κεκορυμβωμένη Nicol. Damasc. p. 450 in einen Wirbel gebunden, und mit einem goldnen Bande geflochten.

Κορυνάω, ῶ, S. d. folgd. —νη, ἡ, (κόρυς der Scheitel) Keule, Kolbe: vorz. ein Stecken od. Holz mit einem dickern Ende: Streitkolbe: Il. 7, 141. bey Pflanzen Theophr. h. pl. 3, 6, was Plin. nennt *geniculatum incrementum, cucuminum articulatio*, der kolbigte Trieb, Sprofs der Pflanzen, vorz. die Blütheknospe, und der Blüthenstengel oder Schofs: daher κορυνᾶν solche Blüthenknospen oder Sprosse treiben, Theophr. h. pl. 4, 12 u. davon κορύνησις, ἡ, das Treiben von Blüthknospen; Pianias Athenaei 2 p. 61. —νησις, ἡ, S. κορύνη. —νήτης, ου, ὁ, oder κορυνίτης, femin. κορυνῖτις, ἡ, keulen oder kolbenartig: mit einer Keule oder Kolbe: auch ein Keulen oder Kolbenträger im Kriege, der einen Streitkolben trägt: Iliad. 7, 9. 138. —νηφόρος, ὁ, (κορύνην φέρων) Keulen oder Kolbentragend. —νιόεις, ιόεσσα, όεν, u. κορυνώδης, ὁ, ἡ, (κορύνη) kolbigt, keulenartig: Hesych. erklärt κορυνῶδες, d. ὀζῶδες: Bey Hesiod. Scut. 389 erklärt der Schol. κορωνιόωντα πέτηλα, d. ἐπικαμπεῖς στάχεις: aber andere lesen κορυνιόεντα πέτηλα, welches sie erkl. ῥαβδώδη καὶ δι' εὐκαρπίαν ἐγκώδη. —νίτης, ὁ, ῖτις, ἡ, von der Keule, zur Keule gehörig, mit der Keule: Beyw. der Nymphen: Orph. hymn. 9.

Κορυπτιάω, bey Aristoph. Equ. 1341 lasen einige ἐκορυπτία für ἐκεροντία, f. v. a. κεροντιάω. —τίλος, ὁ, der mit den Hörnern stöfst, stöfsig: von —τω, u. κορύσσω, f. v. a. κυρίσσω, mit den Hörnern stofsen; von κόρυς, ἡ, der Scheitel, oder von κόρος, f. v. a. *cornu*, wovon κόραξ u. κορώνη kommen: wird mit κυρίσσω häufig verwechselt: Theocr. 3, 5. Heaephistio p. 44. Vannus Crit. Dorville p. 457. S. κορύσσω, womit es einerley ist: davon κορυγή; und bey Hesych. κορυγγεῖν, κερατίζειν.

Κόρυς, υθος, ἡ, Helm; 2) f. v. a. d. abgeleitete κόριδος u. κορύδαλος.

Κορύσσω, f. v. a. κορύπτω u. κορθύω erheben: erregen, erwecken, πόλεμον, κλόνον; im medio, sich zum Kriege-Streite erheben-rüsten-gehn: überh. streiten: davon das lat. *corusco*, **corusso* f. v. a. *vibro*: Dieselben Lateiner haben *coruscare* für stofsen mit den Hörnern gebraucht (Lucretius 2, 320. Cicero Quinctil. 8, 3, 21.) so dafs also auch κορύπτω dasselbe Wort ist.

Κορυστὴς, οῦ, ὁ, u. χαλκοκορυστής, Streiter: mit Erz-ehernem Harnisch oder Helm bewafneter Streiter.

Κορυφαγενὴς ὁ, ἡ, aus dem Wirbel oder Kopfe gezeugt-entstanden: Plutar. 7 p. 500. —φαία, ἡ, am Zaume der Theil der oben über den Kopf geht: Xenoph. Eq. 3, 2. 5, 1. —φαῖον, τὸ, der obere Rand des Stellnetzes: Xenoph. ven. 10, 2. —φαῖος, αία, αῖον, der an der Spitze (κορυφῇ) steht, oben an: der Vorfänger, Vortänzer im Chor: überh. der Anführer, der Hauptmann. —φὰς, άδος, ἡ, der Rand des Nabels, woher sich gleichsam wie mit einer Schnur ein Beutel zusammenzieht: Hippocr. S. κορυμβάς. —φὴ, ἡ, (κόρυς) der Wirbel vom Kopfe: der Kopf: die Spitze-das Höchste-Oberste von Menschen u. Dingen: die Summe: auch f. v. a. κορυφιστήρ. —φιστὴρ, ῆρος, ὁ, u. —φιστής, ὁ, am Kopfzeuge der Frauen, u. am Zaume der Pferde, f. v. a. κεκρύφαλος: der Rand am Kopfzeuge, womit man es zusammenzieht: eine Stirnbinde, wie ein Diadem. —φος, ὁ, eine kleine Vogelart: davon μελαγκόρυφος: bey Hesych. falsch κόρυφος. —φόω, ῶ, f. ώσω, (κορυφή) ich bringe etwas auf eine Spitze-Hügel-Erhabenheit zusammen: ich erhebe: ich mache spitzig oder erhaben: ich sammle, häufe an: κορ. τὴν γῆν, *aggerare terram*: daher auch, ich summire, rechne-ziehe in eine Summe- in eine Formel- kurzen Inbegriff zusammen.

Κόρχορος, ὁ, auch κόρκορος, eine schlechte Gemüsart.

Κορωνεκάβη in der Anthol. heisst so, eine alte Frau wie ἑκάβη, Hecuba und κορώνη die lange lebende Krähe. —νεως, ω, συκῆ, eine Feige von schwarzer oder Rabenfarbe: von —νη, ἡ, *cornix*, die Krähe. S. κορωνός. 2) der Klopper an der Hausthüre, auch der Ring, woran man die Hausthüre zuzieht. 3) das gekrümmte Ende am Bogen, woran die Sehne befestigt wird: 4) am hintern Schiffstheile *puppis*, πρύμνα, auch das gebogene Hintertheil selbst: davon ναῦς κορωνίδες, bey Homer: Ueberh. das Aeusserste, die Spitze von etwas. 5) die Krone, *corona*, der Kranz; 6) am Pfluge ein Theil: das Aeusserste von der Pflugdeichsel, nach Pollux 1, 252. Apollon. 3, 1317· αὐτὰρ ἔγ' εὖ ἐνέδησε λόφοις, (τὰ ζυγά) μεσσηγὺ δ' ἀείρας χάλκεον ἱστοβοῆα θοῇ συνάρασσε κορώνῃ ζεύγλῃσιν, das Joch ward also mit dem Jochriemen ζεύγλῃ an das Ende der Pflugdeichsel befestigt; 7) ein Wasservogel, Odyss. 12, 418, der sonst εἰναλίη κορ. heisst, den Arriani Peripl. Eux. p. 22. von λάρος u. αἴθυια unterscheidet. S. in κόραξ. —νιάω, ῶ, (κορώνη) bey Hesiod. κορωνιόωντα πέτηλα, gebogene Blätter: S. κορωνιόεις: von Stieren bedeutet es den Hals-Kopf und Hörner hochtragen, als ein Zeichen des Muths und Wohlseyns: daher erklären es die Grammatiker durch γαυριᾶν, übermuthig- stolz thun. In dieser Bedeut. kommt es von κορώνη, das Horn her, und eben so werden κορυττιᾶν u. κερουτιᾶν gebraucht. —νιδεύς, έως, ὁ, (κορώνη) junge Krähe. —νίζω, d. i. τῇ κορώνῃ ἀγείρω, für eine Krähe sammlen, oder mit einer Krähe in der Hand betteln, welches einige thaten, mit Absingung von Liedern, welche κορωνίσματα hiessen, so wie die Sänger κορωνισταὶ Athenaeus 8 p. 360. —νιος, ὁ, ἡ, βοῦς, mit gebogenen Hörnern: Hesych. welcher κορωνὸς auch für gerade Hörner angiebt. —νίς, ίδος, ἡ, bey Homer ναῦς κορωνίδες, von dem gekrümmten Ende des Hintertheils, κορώνη, no. 4, auch an den Hörnern. überh. s. v. a. κορώνη; Besonders heisst auch im lat. *coronis*, das Zeichen welches Schriftsteller und Grammatiker am Schlusse eines Buchs oder eines Theils desselben, einer Scene, eines Actus setzten: daher auch überh. der Schluss, das Ende einer Sache: Meleager Epigr. 129 beschreibt es, οὐλα ναμφθεῖσα δρακοντείοισιν ἀώτοις, also bestand es aus Kraus in einander gezogenen Schlangenlinien oder Zügen: S. in κόραξ. Ueberdem war es ein Zeichen, womit die Grammatiker die Crasis wie τοῦ λαιον, bezeichneten: Lexicon de spiritibus p. 242. —νισμα, τὸ, u. κορωνιστής, S. in κορωνίζω: bey Plutar. 7 p. 63 heissen κορωνισταὶ, s. v. a. οἱ κομῶντες im Dialekte der Kumäer. —νοβόλος, ὁ, ἡ, (βάλλω κορώνη) Krähen werfend- schiessend- treffend: Anthol. —νοειδής, έος, ὁ, ἡ, (εἶδος) dem κορωνόπους ähnlich, oder von der Art desselben. —νόπους, οδος, ὁ, dimin. κορωνοπόδιον, Krähenfuss, ein Kraut, Theophr. h. pl. 7, 9. Plin. 21, 36 22, 19. Diosc. 2, 158. *Plantago coronopus* Linn. —νὸς, βοῦς bey Archiloch. erklären einige durch γαῦρος ὑψαύχην, andere durch ὀρθόκερως, auch μηνοειδῆ ἔχων κέρατα. In dem abgeleiteten κορωνιόωντα πέτηλα bey Hesiod. erklärt man es ἐπικαμπῆ. Bey Theocr. 25, 151 ἐπὶ βουσὶ κορωνίσι βουκόλοι ἦσαν. Im ganzen bedeutet es einen muthigen Ochsen und Kuh., S. κορωνιᾶν. Die eigentl. Bedeut. ist krumm, gebogen, ὀστέου τὸ κορωνὸν, sonst κορώνη, bey Hippocr. der krumm gebogene Theil des Knochens: daher νῆες κορωνίδες, krummgebogene Schiffe: κορώνη als Vogel hat den Namen vom krummen Schnabelende. S. in κόραξ.

Κοσκινεύω, sieben. —νηδόν, Adv. nach Art des Siebens, wie beym Sieben. —νίζω, s. v. a. κοσκινεύω: Geopon. —νιον, τὸ, dimin. v. κόσκινον. —νόγυρος, ὁ, (γῦρος) s. v. a. τηλία, Schol. Arist. Plut. 38. —νόμαντις, εος, ὁ, ἡ, Siebprophet, der aus einem Siebe weissagt; seine Kunst oder Wissenschaft κοσκινομαντεία, oder —ντική. —νον, τὸ, Sieb. —νοποιός, ὁ, ἡ, (ποιέω) Siebmacher. —νοπώλης, ου, ὁ, Siebhändler. —νόρινος, ὁ, ἡ, (ῥινὸς) mit einer Haut durchlöchert wie ein Sieb (von Leder.)

Κοσκυλμάτια, τὰ, Schnitzel von Leder, der Abgang, bey Aristoph. Equ. 49 vom Cleo dem Gerber, statt Schmeicheley, glatte Worte gebraucht: Lennep leitet es von σκύλλω ab.

Κοσμάριον, τὸ, dimin. v. κόσμος, kleiner Schmuck. —μέω, ῶ, ich ordne-stelle- richte ein; 2) ziere, schmücke: ehre; 3) bin κόσμος, no. 5. regiere, beherrsche: Soph. Aj. 1113. davon —μημα, τὸ, das Geschmückte: der Schmuck, Putz. —μησις, ἡ, das Ordnen: Schmücken, Zieren. —μήτειρα, ἡ, femin. v. κοσμήτηρ oder —μήτης, ὁ, (κοσμέω) der ordnet, stellt, Il. 1, 16. 375. 3, 8. der schmückt, ziert: davon

Κοσμητικὸς, ἡ, ὸν, zum ordnen- stellen- schmücken gehörig oder geschickt. —μητὸς, ἡ, ὸν, (κοσμέω) geordnet, gestellt: geschmückt. —μητρον, τὸ, Werkzeug zum putzen, fegen: Schol. Aristoph. Pac. 59. —μήτωρ, ορος, ὁ, s. v. a. κοσμήτης, und κοσμητὴρ: der anordnet, stellt, und anführt. —μιαῖος, αία, αῖον, (κόσμος) von der Gröſse der Welt, Democritus Stobaei Phys. p. 348. —μικὸς, ἡ, ὸν, (κόσμος) weltlich, die Welt betreffend, durch die Welt verbreitet. —μιον, τὸ, dimin. von —μος, wie —μάριον: zweif. —μιος, ία, ιον, oder —μιος, ὁ, ἡ, Adv. —μίως, wohl geordnet, ordentlich, gesetzt, ruhig, gelassen, still, sittsam, bescheiden, mäſsig, artig: davon —μιότης, ητος, ἡ, Beschaffenheit: gesetztes- mäſsiges- bescheidenes- gesittetes Betragen, Anstand. —μιώδης, εος, ὁ, ἡ, einem κόσμιος ähnlich oder anständig; zw. —μογένεια, —μογενία, ἡ, Entstehung der Welt; zw. —μογονία, ἡ, (γόνος) Erschaffung- Hervorbringung der Welt. —μογραφία, ἡ, (—μογραφέω) Weltbeschreibung; zw. —μογράφος, ὁ, ἡ, Weltbeschreiber; zw. —μοκόμης, ου, ὁ, (—μέω, κόμη) das Haar ordnend: Beyw. des Kamms: Anthol. —μοκράτωρ, ορος, ὁ, (κρατέω) Weltbeherrscher: Regierer der Welt. —μολογία, ἡ, Unterricht und Lehre von der Welt; davon —μολογικὸς, ἡ, ὸν, die Lehre von der Welt betreffend, darzu gehörig. —μοπλάστης, ου, ὁ, (πλάσσω) s. v. a. —μοποιὸς: Philo. —μοπλόκος, ὁ, ἡ, (πλέκω) die Welt zierend, schmückend: Beyw. des Apollo: Analect. 2 p. 518. —μοποιέω, ῶ, (—μος) die Welt machen oder schaffen; davon —μοποιΐα, ἡ, Welterschaffung. —μοποιὸς, ὁ, (ποιέω) Weltschöpfer. —μόπολις, ὁ, wie κόσμος, eine Magistratsperson bey den Lokrensern; Polyb. 12, 16. —μοπολίτης, ου, ὁ, Weltbürger, Kosmopolit. —μοπρεπὴς, ὁ, ἡ, der Welt- dem Weltall anständig oder gemäſs: Stobaei Serm. 249. —μος, ὁ, Ordnung, Anordnung: 2) Einrichtung, Disciplin: 3) Zierrath, Schmuck: eigentl. u. metaph. Lob, Ehre: 4) das ganze Weltall, von der wunderbaren Anordnung der Theile der Welt, wie das lat. *mundus*, also auch der Himmel mit den Sternen, und die Menschen selbst: 5) ein Magistrat der Kretenser, wie die lakedaemonischen Ephori: von κόμω, κόμπτω, *como*, wovon κομίζω und κομψὸς. —μοσάνδαλον, τὸ, der Rittersporn?, die Blume, sonst Hyacinthus genannt nach Pausan. 2, 35 wo falsch κομοσάνδαλον steht. Vergl. Athenaei 15 p. 681 u. 685. Pollux 6, 106. —μοσωτήριος, ὁ, ἡ, weltheilsam; zweif. —μουργέω, ich schaffe die Welt: Heraclitus ap. Proclum ad Platon. Timaeum. dav. —μουργία, ἡ, Weltschöpfung. —μουργὸς, ὁ, (ἔργον, κόσμος) Weltschöpfer. —μοφθόρος, ὁ, ἡ, Weltverderbend oder zerstörend.

Κόσσυφος, oder κόττυφος, attisch κόψιχος, ὁ, die Amsel, *merula*; 2) auch ein Meerfisch, von der Farbe.

Κοσταὶ, od. κόσται, sonst ἀκοσταὶ, Gerste. —στάριον, τὸ, wo Costus wächst; zw. v. —στος, ὁ, *costus*, eine aromatische Wurzel, wie der Pfeffer: Dioscor. 1, 15.

Κοσύμβη, oder κοσσύμβη, ἡ, auch κόσυμβος, ὁ, kommt von κόρυμβος, und bedeutet das äusserste an einem Körper oben oder unten: daher 1) den Zopf oben auf dem Scheitel, den die Attiker κρώβυλος nennen: Pollux 2, 30. wo auch die Handschr. κορύμβην st. κοσύμβην haben: und Hesych. erklärt κρώβυλος d. κόρυμβος; 2) am Kleide unten eine Troddel, Knoten, Zopf; daher χιτὼν κοσυμβωτὸς, ein Kleid mit solchen Troddeln. Daſs dergleichen Kleider die Hirten trugen, sieht man aus Dio Orat. 71 p. 382. wo κοσύμβη fürs ganze Hirtenkleid steht. —βωτὸς, ὁ, S. κοσύμβη.

Κοταίνω, und κοτέω, (κότος) ich grolle, hasse, zürne, beneide: m. d. Dat. auch im med. κοτέομαι, κετεσσάμενος, und im perf. act. κεκοτηὼς st. κεκοτηκώς.

Κοτήεις, ήεσσα, ῆεν, (κοτέω) gehäſsig, zornig, neidisch.

Κοτινὰς, άδος, ἡ, ἐλαία, ein auf einem wilden Stamme (κότινος) gepfropfter Oelbaum; 2) die Beere- Frucht des wilden Oelbaums. —νηφόρος, ὁ, ἡ, wilde Oelbäume tragend. —νος, ὁ, ἡ, *oleaster*, der wilde Oelbaum, aus dessen Zweigen und Blättern Kränze gemacht wurden.

Κοτινοτράγος, ὁ, ἡ, die Frucht vom wilden Oelbaum fressend, Aristoph. av. 240.

Κοτὶς, ίδος, ἡ, S. κόττα.

Κότος, ὁ, Groll, Haſs, Zorn, Neid: s. v. a. χόλος, und von einerley Ursprunge von χόω, χώω, χώομαι.

Κοτταβεῖον, τὸ, und κοττάβιον, τὸ, das Becken zum und der Preis beym Spielen des κότταβος; wovon —ταβίζω, Kottabus spielen, welches in dem künstlichen Herabwerfen einzelner Weintropfen in ein Becken bestand, so daſs sie klatschten. —ταβικὸς, ἡ, ὸν, den Kottabus betreffend. —ταβὶς, ίδος, ἡ, eine Art Becher: Athenaei 4 p. 149: auch s. v. a. —ταβική. —ταβισμὸς, ὁ, od. —τάβισις, ἡ, (—ταβίζω) das Kottabus Spiel.

Κότταβος, ὁ, und das dav. abgeleitete κοτταβίζω zeigen ein aus Sicilien nach

Griechenland und vorzüglich nach Athen übergetragenes gesellschaftliches Spiel, wo beym Freudenmahle die jungen Leute den reinen ungemischten Wein tropfenweise aus dem Becher in ein anderes Geschirr fallen lassen, und aus dem Klatschen und Klange, den die Tropfen machten, schlossen die Liebhaber auf die Zuneigung des geliebten Gegenstandes, den sie meist dabey nannten. Auf diese einfache Art bezieht sich die Stelle in Xen. Hellen. 2 c. 3. wo der verurtheilte Theramenes den Giftbecher austrinkt, und die Neige an die Erde klatscht mit den Worten: Κριτίᾳ τοῦτ' ἔστω τῷ καλῷ, dies sey dem schönen Kritias gebracht: welches Xen. ἀποκοτταβίζειν, Cicero Tuscul. 1, 40 *e poculo reliquum sic ejicere, ut id resonet* nennt. Die Neige, welche aus dem Becher so herunter in eine kupferne Schüssel oder Becken geklatscht wird, heisst λάταξ und λαταγή, das Becken λεκάνη σκάφη und χάλκειον: aber für λάταξ wird auch κότταβος u. für λεκάνη auch λαταγεῖον und κοτταβεῖον oder κοττάβιον gesetzt. Dies letzte Wort wird auch für den Becher, woraus man giesst, und für die Prämie des Gewinners in diesem Spiele gebraucht. Das Spiel selbst ward nämlich nach und nach immer künstlicher und mannichfaltiger; auch dem Sieger gewisse Preise bestimmt und gegeben. Pollux 6, 109-111 hat fast nur die verschiedenen dabey gebrauchten Wörter, nicht aber die Ordnung und Arten des Spiels angegeben. Bestimmter spricht Athenaeus 15 p. 667 folgd. Die einfachere Art nämlich war diese. Man füllte das Becken mit Wasser, auf welchem mehrere kleine Becherchen leer schwammen: diese suchte man durch die herabfallenden Tropfen Wein umzustürzen so dass sie Wasser schöpften und zu Grunde giengen. Eine zweyte Art beschreibt Scholiastes Aristoph. Pac. 342. und aus ihm Suidas. Ein langer Stab war in der Erde befestiget, mit einem Stabe oben in die Queere, wie einem Wagebalken, an dessen beyden Seiten zwey Schaalen hiengen, und darunter zwey mit Wasser gefüllte Becher. Unter dem Wasser stand eine kleine kupferne Bildsäule, welche γέρων und Μάνης hiess. Man nahm also einen vollen Becher Wein und liess ihn tropfenweise in die leeren Wagschaalen fallen, so dass diese oder eine davon endlich gefüllt wurde, sich senkte, und indem der darunter hängende und mit Wasser gefüllte Becher auf den Kopf des darunter stehenden Μάνης mit einem Geklirre stiess, wohl etwas von dem Weine ausgoss: in welchem Falle der Spieler siegte. Die dritte Art ist κότταβος κατακτός, welchen Aristoph. Pac. 1243. nennt und zum Theil beschreibt. Ein tiefes hohles rundes Becken hatte in der Mitte eine lange Ruthe befestiget, über welche in die Queere ein andrer Stab wie ein Waagebalken gelegt war, an welchen zu beyden Seiten ἐλλύχνια und hohle Becher hingen. So sagt der Scholiast über die a. St. von Arist: ἐξ ἑκατέρων μερῶν ἐξῆπτον ἐλλύχνια καὶ κυμβεῖα κοῖλα. Hernach aber sagt er bestimmter, dass die Becher unter den ἐλλύχνια lagen, (ὑπέκειτο) Ferner stellte man ein Gefäss mit Wasser auf: καί τι ἀγγεῖον ἐτίθεσαν: wohin sagt der Schol. nicht. Hernach beschwerte man den einen Theil der Waage, und machte dass er sich neigte und so (wahrscheinlich aus dem mit Wasser gefülltem Gefässe) die ἐλλύχνια sich füllten. Hierauf beschwerte man die andre Seite der Waage, und machte so dass diese sich mit den gefüllten ἐλλύχνια wieder erhob, und ihr Wasser daraus in die darunter gestellten oder hängenden Becher ergoss. Wer die meisten Becher (κυμβεῖα) auf diese Art berührte oder machte dass sie im Wanken von den ἐλλύχνια berührt wurden, bekam den Preis. Diese Art hatte vom Herunterziehn, κατάγειν, den Namen κατακτὸς κότταβος bekommen. Nach Pollux hieng die ganze Maschine schwebend von der Decke herab: καὶ τὸ μὲν κοτταβεῖον ἐκρέματο ἀπὸ τοῦ ὀρόφου ὕπτιόν τε καὶ λεῖον χαλκοῦ τε πεποιημένον, ὥσπερ λυχνίου τὸ ἐπίθεμα, ὃ τὸν λύχνον ἐπ' αὐτοῦ φέρει. Von der Decke also herab hieng eine Art von Leuchterstock, mit einer langen Ruthe oder Stabe in der Mitte, welcher ῥάβδος κοτταβικὴ hiess. Auch Pollux erwähnt eines runden hohlen Beckens, welches auch σκάφη und χάλκειον hiess und mit Wasser gefüllt war, sagt aber nicht wo es stand. Nur setzt er hinzu, dass man in die von der Decke herabhangende Maschine (κοτταβεῖον) die Tropfen Weins aus dem Becher musste mit einem gewissen Geklirre herabfallen lassen. (ἐπικοτταβίσαντα ποιῆσαί τινα ψόφον.) Noch setzt er hinzu, auf dem Becken hätten eine Kugel eine πλάστιγξ und ein μάνης geschwommen. ἐπεπόλαζε δ' αὐτῷ σφαῖρα καὶ πλάστιγξ καὶ μάνης, καὶ τρεῖς μυρίναι, καὶ τρία ὀξύβαφα; welche Worte nicht allein dunkel sind, sondern auch die mehrern Arten des Spieles zu verwechseln scheinen. Ueberhaupt bleibt in dieser letzten Art des Spieles manches Dunkel übrig: wie z. B. was die ἐλλύχνια über den Bechern sind, und mehrere Dinge. Uebrigens heifst das ganze Spiel κύσσαβος und κότταβος wie es scheint von κόσσω, κόττω dorisch st. κόπτω, schlagen, stofsen: und λάταξ, der mit einem gewissen plätschernden Tone herabfallende Tropfen, so wie das davon gemachte Geräusch λαταγεῖν, von λατάω, welches einerley mit λατύω, λατύσσω, s. v. a rauschend schlagen. Im gedruckten Etym. M. p. 615, 57 steht παρὰ τὸν ὄτταβον, ὅ σημαίνει τὸν τάραχον: οὕτω δὲ λέγουσιν Ἴωνες, aber die Leidner Handschr. bey Koen ad Gregor. p. 209 παρὰ τ. ὄτταβον· οὕτως γὰρ λέγουσιν οἱ Ἴωνες ὄτταβος καὶ οὐ κότταβος. Sonach wäre der Name vom Geräusche hergenommen.

Κόττα, ἡ, κόττη, κόττος, ὁ, Pollux 2, 29 sagt die Dorer nennten den Kopf κόττα, und davon heisse προκόττα, eine Art das Haar zu scheeren, wenn vorn über der Stirn die Haare stehn bleiben, am Hinterkopfe aber geschoren werden, τὰ πρὸ τῆς κοττίδος, wo die Handschr. κοτίδος haben, wie bey Hippocrates meist gedruckt steht. Hesych. in προκόττα setzt hinzu: καὶ οἱ ἀλεκτρυόνες κοττοὶ διὰ τὸν ἐπὶ τῇ κεφαλῇ λόφον. Der Flussfisch κόττος kommt bey Aristot. h. a. 4, 8. vor, wo ehemals βοῖτος stand. Dies ist *cottus gobio* Linn. Kaulkopf, Kotzkolbe, wörtlich Grosskopf. Hesych. hat κόττος, ὄρνις, ohne nähere Bestimmung der Art, ohne Zweifel verstanden den Haushahn. Davon κοτίνας, ἀλέκτωρ und κοττυλοιοὶ κατοικίδιοι ὄρνεις, ferner κοττάναθρον, ἔνθα οἱ ὄρνιθες κοιμῶνται: noch κοττοβολεῖν, τὸ παρατηρεῖν τινὰ ὄρνιν. auch κόσκικοι, οἱ κατοικίδιοι ὄρνιθες, und ψηλαφηκότταμοι ψήλικες τῶν ἀλεκτρυόνων οἱ νοθογένναι. Zwar sind die meisten dieser Wörter verderbt, aber die Hauptdeutung ist überall ersichtlich. Der lat. Zuname *Cotta* der *gens Aurelia* so wie *coturnix*, die Wachtel, ist von κόττα und ὄρνιξ st. ὄρνις gemacht. —τάνη, ἡ, unter den Fischerwerkzeugen: Aelian. 12, 43. —τανον, τὸ, *cottanum* Martialis 4, 89 eine Art kleiner Feigen. S. über Palladius S. 97.

Κοτυλαῖος, Kotylenweise, im Kleinen: κοτύλαια μικρὰ Hesych. S. κοτυλίζω. —λη, ἡ, (κότυλος) jede Höhlung od. Höhle, also die hohle Hand, hohler Fuss, hohles Fass, Becher, Il. 22, 494. speciell, *cotyla*, ein Maas der Flüssigkeiten, s. v. a. τρύβλιον. u. ἡμίξεστον, und fast s. v. a. *hemina*, 7 1/2 Unze des Gewichts: vorz. auch die Höhlung des Knochens, worein der Kopf des Hüftknochens gefügt ist, die Pfanne. —ληδών, όνος, ἡ, die Knochenhöhle, Pfanne, worinne der Kopf des Hüftknochens geht; 2) die Höle oder hohles Knöpfchen wie kleine Schröpfköpfe an den Fängern der Blackfische oder Dintenfische, πολύπους: Oppian. hal. 2 braucht κοτυλ. nicht allein für diese Saugwarzen, sondern für die Fänger selbst. 3) ähnliche Knöpfchen in der Mutter trächtiger wiederkäuender Thiere; 4) eine Pflanze, *umbilicus veneris* lat. *cotyledon umbilicus* und *tuberosa* Linnaei Dioscor, 4, 92 und 93.

Κοτυλήρυτος, κοτυλήρρυτος, ὁ, ἡ, stark und gleichsam aus oder nach dem Gefässe κοτύλη fliessend: ῥύω: Il. 23, 34. Nicand. Ther. 539 scheint es von dem bestimmten Maasse κοτύλη zu verstehn, wenn er ὄξος κοτυλήρυτον nennt. —λιαῖος, αία, αῖον, eine —τύλη haltend. —λίζω, ich verkaufe die Waare im Detail nach Kotylen: überh. ich gebe kleine Portionen: Pollux 7, 195 und Steph. Byz. in Ἰσεῖον. —λὶς, ἡ, —λίσκη, ἡ, —λίσκιον, τὸ, u. —λίσκος, ὁ, dimin. von —λη, und —λος abgeleitet. —λιστὴς, οῦ, ὁ, bey Julian. Misop. p. 360. eine unbekannte Art von Spieler. —λος, ὁ, s. v. a. —λη, welches eigentl. das femin. davon ist, wahrscheinl. mit κοῖλος verwandt. —λώδης, εος, ὁ, ἡ, von der Art od. Gestalt einer —λη. —λων, ὁ, (—λη) schimpflicher Zuname eines Säufers: Plut. Anton. 18. Varius Cotyla bey Cicero. Φιλωνίδης κοτύλη, Dionys. hal. 12 p. 2340.

Κουβαρὶς, ἡ, Dioscor. 2, 37. neugriechischer Name für ὀνίσκος, *millepeda*, Kellerassel.

Κοῦκι, τὸ, die Kokuspalme und ihre Frucht. —κίμηλον, τὸ, (—κι) Kokusfrucht. —κιοφόρος, ὁ, ἡ, δένδρον —κιοφόρον, die Kokuspalme, die die Kokusnuss, —κι, trägt. —κούλιον, τὸ, der Kokkon der Seidenraupe.

Κουκοῦφα, ἡ, Horapoll. 2, 55. ein Vogel, den man für den Storch hält.

Κουλεὸν, τὸ, od. —λεὸς, s. v. a. κολεὸς davon —όπτερος, ὁ, ἡ, s. v. a. —λεόπτερος.

Κουλιβάτεια, S. κολλυβάτεια.

Κουρὰ, ἡ, (κείρω) das Abschneiden, Beschneiden: das Scheeren, od. Abschneiden der Haare - Wolle - des Barts: Tonsur.

Κουράλιον, τὸ, s. v. a. κοράλλιον.

Κουρεακὸς, (—ρεὺς) λαλιά, Polyb. Balbier oder badermässige Schwatzhaftigkeit oder Geschwätz.

Κουρεῖον, τὸ, (—ρὴ) die Balbierstube, wo man sich das Haar und Bart verschneiden oder scheeren liess, und wo die Schwätzer gern zusammen kamen und plauderten, wie bey uns im Bier- Wein und Kaffeehause 2) das Opferthier, Schaaf, was man am Tage —ρεῶτις den Φράτορες gab, wenn man den Sohn bey ihnen einschreiben liess, auch μεῖον genannt.

Κουρείω, s. v. a. —ριάω: zw.

Κουρεὺς, έος, ὁ, oder —ρευτὴς, fem. —ρεύτρια, (κείρω, κουρὰ) Scheerer, Scheererin: bey Hesych. ist —ρεὺς auch ein Vogel, dessen Stimme dem Schalle von dem Messer der Tuchscheerer (γναφικοῦ μαχαιρίου) gleicht.

Κουρεύω, (—ρὰ) s. v. a. κείρω: aus Schol. Aristoph.

Κουρεώτης, ὁ, κουρεῶτις, ἡ, ἡμέρα, ἑορτὴ, der erste Tag des Festes ἀπατούρια, wo man die Söhne bey den Φράτορες einschreiben liess, und das Opferthier κουρεῖον, auch μεῖον brachte, also von κόρος, κοῦρος: da es andere von κουρὴ ableiteten, weil man zugleich dem Knaben die Haare beschnitten haben soll.

Κούρη, ἡ, jonisch st. κόρη.

Κουρήσιμος, ὁ, ἡ, s. v. a. —ριμος: Schol. Soph. Electr. 52.

Κούρητες, οἱ, Il. 19. 193 —ρητας ἀριστῆας nach Hesych. s. v. a. νεηνίαι Jünglinge: da das Volk —ρῆτες in Creta o. Pleuron anders geschrieben wird: davon —ρητίζω u. —ρητισμὸς, ὁ, der Gottesdienst der Kureten, welchen Dionys. Antiq. 2, 71 mit dem der Salii vergleicht.

Κουρίας, ου, ὁ, gewöhnlich geschoren, mit abgeschornem Haare. —άω, ich verlange nach der —ρὴ, habe sie nöthig: also ich habe lange Haare: ὑπεράγαν κουριᾶν, mit übermässig langen Haaren: Aelian. h. a. 7, 48. τρίχες κουριῶσαι Artemidor. 1, 20.

Κουρίδιος, ία, ιον, (κόρος, κοῦρος) Beyw. einer Ehefrau und des Ehemanns, die jung, als Junggesellen und Jungfrauen geheyrathet haben: junger Ehemann, junge Ehefrau. Odyss. 15, 22. —ριδίοιο φίλοιο.

Κουρίζω, (κοῦρος st. κόρος) als neutr. ich bin ein Knabe; als Activ. den Knaben erziehn, Hesiod. —ρίζομαι, s. v. a. κορίζομαι. S. ὑποκουρίζομαι.

Κουρίζω, (κουρὴ, κείρω) ich schneide immer ab, κυπάρισσος κουριζομένη, caedua cyparissus, die immer oben abgestutzt wird, wie die Weide bey uns: Theophr.

Κουρικὸς, ἡ, ὸν, (—ρὴ) zum Scheeren des Haares gehörig.

Κούριμος, ίμη, ιμον, s. v. a. —ρικὸς, zum barbieren, haarabschneiden gehörig: 2) beschnitten, abgeschnitten, beschoren Eur. Tr. 279. El. 521. 3) —ριμος, ἡ, verst. παρθένος, eine tragische Larve einer Jungfrau wahrscheinl. mit abgeschnittenen Haaren, Pollux.

Κουρὶξ, Adv. (—ρὰ) an-bey den Haaren: Odyss. 22, 188.

Κουρὶς, ίδος, ἡ, (—ρὰ) Scheermesser.

Κοῦρμι, τὸ, eine Art Cretisches Bier von Gerste, nach Diosc. 2, 110. oder Weizen nach Posidonius Athenaei 4, p. 152. bisweilen auch noch mit Honig bereitet: heisst bey Athen. κόρμα.

Κουροβόρος, ὁ, ἡ, (βορὰ) Knabenfressend, Aeschyl. —γονία, ἡ, (γονέω) das Erzeugen von Knaben; Hippocr. —θάλεια, das femin. von —ροθαλὴς, wofür bey Suidas falsch κοριθαλὴς steht, wie Stephanus schon bemerkt hat: wird verschiedentlich erklärt v. κοῦρος, Knabe, u. θάλλειν wachsen, blühen. Vielleicht ist es s. v. a. κούριμος δάφνη, laurus caedua, v. κείρω, die oben abgeschnitten von neuem ausschlägt und wächst.

Κοῦρος, jonisch s. v. a. κόρος: wie κούρη, Mädchen st. κόρη. —σύνη, ἡ, das Knabenalter, Jugend. eigentl. das femin. von —συνος, ὁ, ἡ, (κοῦρος) zum dem Knaben gehörig; —ρόσυνον, τὸ, verst. ἱερὸν, das Fest am Tage —ρεῶτις, wenn der Knabe unter die Φράτορες eingeschrieben wird.

Κουρότερος, comp. von —ρος, jünger: oder auch überh. jung: —ροτέρα ψυχὴ, jugendliche Seele bey Athenaeus. —τοκέω, Knaben gebähren: von —τόκος, ὁ, ἡ, Knaben oder Kinder gebährend. —τροφέω, ῶ, ich ernähre-erziehe Knaben - männliche Jugend: von —τρόφος, ὁ, ἡ, (—ρος, τρέφω) Knaben oder männliche Jugend nährend, ernährend, erziehend: überh. Ernährer, Pfleger: ἀγαθὴ κ. Odyss. 9, 27. ἐλπὶς κ. Pindar.

Κουστωδία, ἡ, d. lat. *custodia*.

Κουφαγωγὸς, aus Xenoph. f. L. st. κυφαγωγὸς. —φίζω, (—φος) leicht machen, erleichtern, in die Höhe heben, erheben: davon —φισις, ἡ, Erleichterung. Erhebung. —φισμα, τὸ, das Erhobene oder Erleichterte: die Erleichterung. —φισμὸς, ὁ, s. v. a. κούφισις. —φιστὴρ, ὁ, (—φίζω) Chirurg. vet. p. 102 der Erleichterer: der in die Höhe hält. —φιστικὸς, ἡ, ὸν, erleichternd, erhebend.

Κουφοδοξία, ἡ, leerer Wahn, nichtige Meinung: zweif.

Κουφόλιθος, bey Alexander Aphrod. über Aristot. Meteor. 4. eine weisse Steinart, aus welcher mit Purpur gemischt eine Zinnoberrothe Malerfarbe bereitet wird. —λογέω, ῶ, ich werde leichtsinnig oder unbedachtsam; davon —λογία, ἡ, leichtsinnige oder unbedachtsame Rede; thorichtes Geschwatz. —λόγος, ὁ, ἡ, (κοῦφος, λέγω) leichtsinnig - unbedachtsam - thoricht sprechend: Schwätzer. —νοια, ἡ, Leichtsinn, Unbeständigkeit. —νόος, contr. κουφόνους, ὁ, ἡ, Adv. —όνως, leichtsinnig: τὸ —φόνουν, Leichtsinn.

Κουφόνωτος, ὁ, ἡ, von oder mit leichtem Rücken.

Κουφόπτερος, (πτερὸν) leicht fliegend mit leichten Flügeln. Orph.

Κοῦφος, η, ον, Adv. —φως, leicht, nicht schwer: geschwind, flüchtig, geringfügig: metaph. leichtsinnig, unbeständig, windig, dem gesetzten oppos. davon —φόσκευος, ὁ, ἡ, leicht angezogen oder bewafnet. Hesych. —φότης, ητος, ἡ, (—φος) Leichtigkeit: Leichtsinn, Unbeständigkeit. —φόω, ῶ, f. Les. bey Hippocr. st. κωφόω.

Κοφινοποιὸς, ὁ, Korbmacher: von —νος, ὁ, Korb: nach Pollux 4, 168 u. Hesych. ein boeotisches Maas von drey χόες: dav. —νόω, mit dem Korbe bedecken, einem den Korb aufsetzen, eine boeotische Bestrafung: Stobaei Serm. 145. —νώδης, ὁ, ἡ, korbartig.

Κοχλάζω, f. L. st. καχλάζω. —λακώδης, εος, ὁ, ἡ, *siliceus*, bey Theophr. h. p. 9, 10. zweif. von —λαξ, ακος, ὁ, s. v. a. κάχληξ, Dioscor. 2, 75. 3, 151. Galen 8 κατὰ τόπους. —λαι, αἱ, aus Aristot. h. a. 14, f. L. st, κοχλίαι oder κόχλοι. —λασμα, τὸ, f. L. st. κάχλασμα. —λιάριον, τὸ, *cochleare*, Löffel. —λίας, ου, ὁ, *cochlea* u. *concha*, Schnecke mit gewundener Schaale: davon eine Wassermaschine mit einer Schraube: überh. eine Schraube, deren Zwischenräume nach einander eine Linie ausmachen, welche ἕλιξ Schneckenlinie heisst —λίδιον, τὸ, kleine Schnecke. —λίον, τὸ, von κόχλος, kleine Schnecke; 2) was schneckenförmig gewunden ist, wie z. B. eine Windeltreppe Strabo 17 p. 1145. die Schraube in der Presse, an der Wassermaschine, u. s. w. —λὶς, ίδος, ἡ, kleine Schnecke. —λιώδης, εος, ὁ, ἡ, (κοχλίας) schneckenförmig: wie ein Schneckenhaus gewunden, im Schneckengange gedreht: —λιώρυχον, τὸ, s. v. a. κοχλιάριον, Pollux 6, 87. 10, 89. —λὸς, ὁ, *concha*, *cochlea*, Schnecke, eigentl. mit gewundenem Gehäuse. Man übersetzt es auch von zweyschaaligten, wie die Austern.

Κόχυ, (χύω) st. χύδην, in Menge, häufig: davon

Κοχύω, u. κοχυδέω, (χύω, κοχύω) in Menge fliessen, mit Geräusch fliessen. Theocr. 2, 107.

Κοχώνη, ἡ, die Stelle zwischen den Hüftenbeinen bis hinten am After: Aristoph. Equit. 524. ἀποκρυπτόμενος εἰς τὰς κοχώνας, versteckte das Fleisch zwischen den Beinen. Suidas erklärt es durch μασθόσκελον. Im Aristoph. haben einige Ausg. falsch κόχωνα, als wenn κόχωνον τὸ, gebräuchlich wäre. κόκκυξ u. κοχώνη, u. d. lat. *coxa*, *coxendix* haben einerley Ursprung für Heiligenbein oder Steissbein. Bey Pollux 2, 18. nennt Theopompus comicus, ein altes trunkenes Weib κοχώνη: bey Aelian. v. h. 2, 41. heisst Diotimus der Trunkenbold χώνη der Trichter, wenn es nicht etwa οὗτος τοι κοχώνη ἐπεκαλεῖτο st. καὶ χώνη heissen soll.

Κόψιμος, ἡ, b. Theophr. h. p. 3, 15. ein Baum, wofür Athenaeus p. 50. richtiger κότινος hat.

Κόψιχὸς, ὁ, attisch st. κόσσυφος.

Κράας, ατος, τὸ, s. v. a. κρᾶς, der Kopf.

Κράβατος, oder κράββατος, ὁ, *grabatus*, ein Ruhebette: die Attiker nannten es σκίμπους: davon —τιον, τὸ, dimin.

Κράγγη, ἡ, eine Art von Krabben, *squilla*. —γὼν, ἡ, s. v. a. κράγγη.

Κραγέτης, ου, ὁ, (κράζω) der Schreyer, Pind. Nem. 3, 43. Philostr. Icon. 3, 6. sonst κράκτης. —γὸν, Adv. κραγὸν κεκράξεται Aristoph. eq. 487. s. v. a. κραυγαστικῶς.

Κραδαίνω, (κραδάω) schwingen, schwenken, schütteln, erschüttern: pass. geschüttelt, geschwenkt werden: zittern, wanken. —δαιον, τὸ, f. Les. st. κράδη, Pollux 6, 40. —δαλος, ὁ, Feigenzweig: Hesych. —δαλὸς, ἡ, ὸν, (κραδάω) s. v. a. ῥαδαλὸς, d. i. εὔσειστος. —δάω, ῶ, s. v. a. κραδαίνω, Il. 7, 213. an κράδος leiden: Theophr. h. pl. 4, 16. —δεύω, s. v. a. d. vorh. Hesych. —δη, ἡ, die Spitzen von den Aesten der Feigenbäume, der Ast des Feigenbaums: 2) der Feigenbaum selbst. 3) eine Theatermaschine. S. κράδος. —δηφορία, ἡ, das Tragen der Feigenbaumäste, wie θαλλοφορία, zu Ehren des Bacchus: Plut. Q. S. 4, 5. —δίας, ὁ, jon. κραδίης, ὁ, τυρὸς, Käse mit dem Safte von der Feige (κράδη) bereitet: νόμος, eine Melodie, die den als Reinigungsopfer fortgeführten und mit Ruthen von Feigen gepeitschten Menschen auf der Flöte gespielt ward, Hesych. u. Plut. 10 p. 658. —δίη, ἡ, jonisch, statt καρδία. —δοπώλης, ου, ὁ, der Zweige oder Blätter von Feigenbäumen verkauft. —δος, ὁ, eine Krankheit an den Aesten der Feigenbäume, wenn sie dürr und schwarz werden, Theophr. h. pl. 4, 16. —δοφάγος, ὁ, ἡ, der Zweige und Blätter vom Feigenbaume isst: überh. Landmann.

Κράζω, vom Raben, scheint seiner Stimme nachgebildet zu seyn, worinne man Kra hört; 2) bedeutet es jedes rauhes Schreyen m. harter Stimme: mit dem accus. κράζειν τι, mit Geschrey etwas verlangen, fordern: fut. κράξω, κεκράξομαι. Von κράω der ersten Form wird auch κραύω, κραύζω gemacht, davon κραυγὴ, κραυγάνω: ferner κράζω, κράξω, κραγὴ, davon κραγγὼ, κραγγάνω, wovon ἐγκραγγάνω u. ἐκκραγγάνω angemerkt werden.

Κραίνω, f. ανῶ, ſ. v. a. κρέω, wov. κρέων, κρέουσα, v. alten κράω, wovon κράας, κρᾶσι, der Kopf, das Ende, Hochſte: daher κραίνω, ich endige, vollende: bewirke, erfülle; 2) ich beherrſche, regiere; 3) ich endige mich, τελευτάω. κραινόντων ἐς ὀστέα, die ſich in die Knochen verlieren und endigen: Hippocr. und Aretaeus. Davon iſt abgeleitet κρεάω, κρεαίνω, aor. 2. κρεῆναι, joniſch κρηῆναι.

Κραιπαλάω, ῶ, einen Rauſch haben, vom Rauſche Kopfſchmerzen oder einen ſchweren Kopf haben: überh. vom Weine und deſſen Genuſſe trunken ſeyn, u. vom Rauſche taumeln. —πάλη, ἡ, (κρὰς, πάλλειν) *crapula*, der Rauſch, den man ſich trinkt, nebſt den Folgen von Kopfſchmerz u. Taumel: überh. Kopfſchmerz von Vollerey; davon —παλίζω, ſ. v. a. κραιπαλάω. zw. —παλόκωμος, ὁ, ἡ. ὄχλος λαῶν, Ariſtoph. Ran. 217. im Rauſche bey Nacht umherziehend, κραιπαλῶν καὶ κωμάζων. —παλώδης, εος, ὁ, ἡ, ſich oder andere berauſchend.

Κραιπνὸς, ἡ, ὸν, und κραιπνόσσυτος, (σύομαι, κρ.) leicht, behend, ſchnell, geſchwind: κραιπνὰ ſtatt κραιπνῶς, Adv. —νόφορος, ὁ, ἡ, (κραιπνὸς, φορὰ) ſich ſchnell bewegend, ſchnell: Aeſchyl. Pr. 132.

Κραῖρα, ἡ, die Spitze, das Ende, Aeuſserſte, der Kopf: daher δίκραιρος, ὀρθόκραιρος, τανύκρ. εὔκρ. Heſych. hat auch κράρα: viell. von κρὰς, κρατὸς.

Κράκτης, ου, ὁ, (κράζω) Schreyer; dav. —τικὸς, ἡ, ὸν, zum ſchreyen gehörig, geſchickt, geneigt.

Κρᾶμα, τὸ, (κεράω) das Gemiſchte, die Miſchung, Temperatur, Mixtur.

Κραμβαλέος, α, ον, (κράμβος) gebraten, trocken. —βεῖον, τὸ, ſ. v. a. κραμβίον. —βη, ἡ, Kohl: davon κραμβίδιον, τὸ, ein dimin. —βίον, bey Hippocr. das Dekokt vom Kohl, nach andern der Schierling. —βὶς, ἡ, Aeliani h. a. 9, 39. Kohlraupe und Schmetterling. —βὸς, η, ον, getrocknet, trocken, dürr; 2) ein Fehler der Früchte, bey den Weintrauben, wenn ſie vertrocknen, der Brand, ὁ κράμβος; 3) γέλως κραμβὸς, wie καπυρὸς, wird *ſuavis riſus* überſetzt, wir ſagen, ein trocknes Lachen, Lächeln. —βοφάγος, ὁ, ἡ, (κράμβην, φάγω) Kohleſſer, Kohlfreſſer: batrach. 216.

Κραναήπεδος, ὁ, ἡ, (πέδον) mit hartem Boden. —νάϊνος, ίνη, ϊνον, ſ. v. a. κράνειος: Strabo 12 p. 856. —ναὸς, ἡ ὸν, hart, rauh, unfruchtbar, vom Lande. —νεία, κρανία, und κρανέα, ἡ, Geopon. 10, 87. ſ. v. a. κράνον τὸ, no. 2. *cornus*, Hartriegel u. der dav. gemachte Lanzenſtiel, Lanze. —νέϊνος, ΐνη, ϊνον, (κράνον) vom Hartriegel gemacht. —νειον, und κράνιον, ein Hayn und Ringplatz vor Korinth, wo ſich Diogenes von Sinope gewöhnlich aufhielt. —νειὸς, von κράνον, *cornus*, gemacht: die Form κράνινος f. L. aus Schol. Lycophr. 553. —νίον, τὸ, (κράνος) Hirnſchädel, Schädel. —νοκολάπτης, ου, ὁ, (κράνον, κολάπτω) auch κεφαλοκρούστης genannt, von derſelben Bedeut. eine Art von giftigem Phalangium. —νον, τὸ, ſ. v. a. κάρα, κάρηνον, Kopf, Schadel; 2) *cornus*, *cornu*, Hartriegel, *cornus* Linnaei. —νοποιέω, κρανοποιὸς, ὁ, ἡ, (κράνος, ποιέω) ich mache Helme; Helmmacher. —νος, εος, τὸ, Helm, von κράνον, Schädel; Kopf: dargegen κράνος, ἡ, ſ. v. a. κρανέα oder κρανιά: Geopon. 7, 35. —νουργία, ἡ, Helmfabrik; v. —νουργὸς, ὁ, (κράνος, ἔργον) Helmfabrikant.

Κράντειρα, ἡ, fem. v. d. folgd. —τὴρ, ῆρος, ὁ, oder κράντης, κράντωρ, (κραίνω) Vollender: Beherrſcher, Herrſcher; 2) κραντὴρ, der hinterſte und zuletzt hervorbrechende Backenzahn, bey uns der Weisheitszahn, *genuinus*: Ariſtot. h. a. 2, 4. für jeden Zahn bey Nicand. Ther. 447. und Lycophr. —τήριος, ὁ, ἡ, (κραντὴρ) vollendend, wirkſam. —της, u. κράντωρ, ſ. v. a. κραντὴρ.

Κρὰς, ατὸς, τὸ, Haupt, Kopf: κρᾶς, dor. κρῆς, ſt. κρέας, Fleiſch. —σις, ἡ, (κεράω) Miſchung, Vermiſchung: Temperatur: in der Grammatik das Zuſammenziehn der Vokale und Diphthonge.

Κρασπεδίτης, ου, ὁ, der letzte in einem Chore. S. in συνήκοος: von —πεδον, τὸ, der Saum, Rand, das Aeuſserſte, z. B. eines Fluſſes, d. i. Ufer, eines Berges und dergl. Wahrſcheinlicher iſt die Ableitung von ἄκρος, πέδον, wenn nicht etwa κροσσὸς und κρόσσαι zum Grunde liegt. —πεδόω, am Rande oder mit einem R. einfaſſen: umſäumen, umgeben, Eur. Jon. 1423.

Κραστήριον, τὸ, Krippe: von κραστίζω, ſ. v. a. γραστίζω, von κράστις, ſ. v. a. γράστις, grünes Pferdefutter: bey Heſych. findet ſich κρατηρίαι, für κραστήρια bey Pollux 7, 142 und 10, 166.

Κραταβόλος, ὁ, ἡ, (κρὰς, βάλλω) den Kopf treffend oder verwundend: Eur. Bach. 1094. —ταιγος, κραταιγὸς, ὁ, ein Baum, Theophr. h. pl. 3, 15. Plinius 27, 8. den andre κραταιγόνα nannten, wenn es nicht etwa κραταίογον heiſsen ſoll. Damit hat nur den Namen gemein eine Pflanze, welche Theophr. 9, 19. unter dem Namen τῆς κραταιου erwähnt. Dieſelbe nennt Dioſcor. 3, 139 κραταιόγονον, und bemerkt, daſs andere ſie κραταίγονον hieſsen: dieſe hatte von γόνος und κρατέω, als eine Fruchtbarkeit erzeugende Pflanze den Namen, und ſcheint, wenigſtens den angeführten Wirkungen nach, fabelhaft zu ſeyn: Heſych. hat κραταίγονον, βολάνη, μεθ᾽ ἧς πλέκουσι: und κραταιγὸς, δένδρον angemerkt. Von Athenaeus 2 p. 50. wird die Stelle angeführt, aber ganz falſch von dem Kirſchbaum erklärt. Der Baum iſt *Crataegus torminalis* Linn. Elzbeerenbaum, Arlsbeerenbaum.

Κραταιγύαλος, ὁ, ἡ, (κραταιὸς, γύαλον) Il. 19, 361. θώραξ, mit feſten γυάλοις, überh. feſt. —ταίγων, όνος, ὁ, S. in κράταιγος. —ταιῒς, Adv. mächtig, mit Macht: ſubſt. Macht, Laſt: Odyſſ. 11, 596. —ταιΐς, ἡ, heiſst die Mutter der Scylla: Odyſſ. 12, 124. Apollon. rhod. 4, 829. hingegen Odyſſ. 11, 596. vom Steine des Siſyphus. τότ᾽ ἀποστρέψασκε κραταιΐς laſen andere κραταῒ ἴς, die Gewalt, Uebermacht, von κραταῖος, κραταία. So las auch Heſych. —ταίλεως, ω, (κραταιὸς, λέα, λᾶς) hartſteinig, felſig: Aeſchyl. Ag. 677. Eur. Electr. 534. —ταίνω, ſ. v. a. κρατύνω: Gloſſar. zw. —ταιὸς, ὰ, ὸν, Adv. κραταιῶς, ſtark, mächtig, heftig, gewaltſam: überh. ſ. v. a. κρατερὸς, beyde von κράτος, κρατέω, abgeleitet: davon —ταιότης, ητος, ἡ, Stärke, Kraft, Macht: zw. —ταιόω, ῶ, (κραταιὸς) ſ. v. a. κρατύνω, im N. T. —ταίπεδος, mit feſtem Boden oder Erde, Odyſſ. 23, 46. —ταίπους, οδος, ὁ, ἡ, ſtarkfüſsig, ἡμιόνος Hom. Ireſ. 88. καρταίπους. —ταίρινος, ὁ, ἡ, χελώνη Herodot. 1, 8. Euſeb. Praep. 5, 21. ſonſt λιθόῤῥινος, mit feſter-ſtarker Haut-Schaale. —ταίωμα, τὸ, (κραταιόω) das Befeſtigte, verſtärkte: Feſte, Feſtigkeit. —ταίωσις, ἡ, ſ. v. a. d. vorh. bey den LXX. —τάνιον, τὸ, eine Art Becher: Athen. 11, 10. —τεραίχμης, ὁ, (αἰχμὴ, κρατερὸς) mächtig tapfer im Kriege, mit der Lanze fechtend: Pind. iſthm. 6, 55. —τεραύχην, ενος, ὁ, ἡ, ſ. v. a. καρτ. —τερὸς, ρὰ, ρὸν, Adv. —ρῶς, (κρατέω) ſ. v. a. κράταιος u. κρατὺς, ſtark, kräftig, mächtig: feſt, hart: heftig: tapfer. —τερόφρων, ονος, ὁ, ἡ, mit ſtarkem-feſten-harten Sinne, alſo tapfer, unerſchrocken, oder hart, trotzig, grauſam: duldſam, ſtandhaft. —τερόω, ῶ, ſ. v. a. κραταιόω u. κρατύνω: zw. —τερώδους, ὁ, ἡ, mit ſtarken Zähnen. zw. —τέρωμα, τὸ, bey Heſych. eine Miſchung von Kupfer und Zinn. —τερώνυξ, υχος, ὁ, ἡ, oder κρατερώνυχος, ὁ, ἡ, (ὄνυξ) mit ſtarken Klauen-Krallen-Hufen: Odyſſ. 10, 218. —τευταὶ, ῶν, αἱ, u. κρατευτήρια, τὰ, jenes Il. 9, 214. dieſes bey Pollux 10, 97. wird von einigen für den Bratſpieſs ſelbſt, von andern für die Baſis, den Stein, worauf er ruht, gehalten: wahrſcheinlich der Griff des Bratſpieſses, von κρατέω, —τεύω. Auch ſpäterhin legte man den oder die Bratſpieſse über ſolche Unterlagen, und machte mit mehrern eine Art von Roſt. z. B. Dioſcor. 2, 83 ſagt: διατιθέντες ὀβελίσκους ἐπὶ πλατυστόμου κεραμεοῦ ἀγγείου διεστῶτας ἀπ᾽ ἀλλήλων. Auch leitet Feſtus, *craticulum* u. *crates* von κρατέω ab.

Κρατέω, ῶ, (κράτος) m. d. genit. ich habe Macht, übe meine Macht, Gewalt, Kraft über etwas: daher, ich habe in meiner Macht, Gewalt: beherrſche, beſitze es: erlange, erhalte es: 2) ich habe die Oberhand, beſiege, bezwinge: daher 3) ich übertreffe. 4) ich halte etwas feſt, faſſe es; daher, behalte, gedenke etwas. Als neutr. κρατεῖ, behält die Oberhand, iſt beſſer, wird beybehalten, wird üblich: vom Baume, der verſetzt oder gepfropft wird κρατεῖ, er bekleibet. lat. *comprehendit*, *tenet*: davon —τημα, τὸ, Stütze: zw. —τὴρ, ῆρος, ὁ, (κεράω) ein Gefäſs, worinne man den Wein mit Waſſer vermiſcht: Il. 23, 219, auf einem Dreyfuſse ſtehend: τρίπους κρατῆρα χαλκοῦν ἄγων οἴνου μεστὸν καὶ φιάλας ἀργυρᾶς Plutar. Cleom. 13. Oefnung eines feuerſpeyenden Berges, *crater*, Plin. 3, 8.

Κρατηρία, ἡ, Dioſcor. 4, 155: ſ. v. a. κρατὴρ, u. was bald a. d. Stelle folgt, κρατήριον τὸ. —τηρίζω, nach Euſtath. συμπίνω. ſ. Sophron Athenaei p. 504 ἐκρατηρίχθημες, wofür Heſychius ἐκρατηρίσθημεν, ἐμεθύσθημεν hat: wie unſer pokuliren für zechen. Bey Demoſth. p. 313 v. zw. Bed. im Etym. M. wird es d. κιρνᾶν u. σπένδων τὸν οἶνον erklärt. —τήριον, τὸ, dimin. v. κρατήρ. —τησίμαχος, ὁ, ἡ, (κρατέω, μαχη) in der Schlacht ſiegend. —τησίπους, οδος, ὁ, ἡ, (κρατέω) mit den Füſsen oder im Laufe ſiegend: Pindar. Pyth. 10, 25. —τησίππος, ὁ, ἡ, (κρατέω, ἵππος) ἅρμα κρ. Pindar. 9, 8 mit den Pferden im Wettrennen ſiegend. —τησις, ἡ, (κρατέω) das Halten, Feſthalten: die Beherrſchung. —τητικὸς, ἡ, ὸν, zum Halten gehörig-geſchickt-geneigt.

Κρατὶς, ἡ, ſ. v. a. κραστις, Ariſtot. h. 8, 8. wo andere Ausgaben κράσις haben. —τιστεύω, (κράτιστος) ich bin oder zeige mich als den beſſern oder beſsten: τινὸς (κατὰ) τὶ, ich übertreffe einen worinne, Xen. Cyr. 1, 5, 1. vergl. An. 1, 9, 2. —τιστίνδην, Adv. mit Auswahl der Beſsten. —τιστος, ιστη, ιστον, ein von κράτος gebildeter ſuperl. der ſtärkſte, tapferſte, muthigſte: feſteſte: überh. der beſte, trefflichſte.

Κρατοβρὼς, ῶτος, ὁ, (κρὰς, βρώσκω) Kopf oder Hirnfreſſer: Lycophr. 1066.

Κρατόδετος, ὁ, ἡ, (κρὰς, δέω) am Kopfe- mit dem Kopfe- mit oder am Ende gebunden, σφενδόνη, bey Hesych.

Κράτος, εος, τὸ, Stärke, Macht, Kraft: Macht über einen, Gewalt, Herrschaft, Regierung, Befehl: Uebermacht, Sieg.

Κρατυντὴρ, ῆρος, ὁ, (κρατύνω) s. v. a. κατισχύων, Hesych. davon —τήριος, zum festhalten oder befestigen gehörig oder geschickt, Hippocr. —τικὸς, ἡ, ὸν, s. v. a. d. vorh. von

Κρατύνω, (κρατὺς) stark- festmachen: befestigen, verstärken, sichern, versichern.

Κρατὺς, ὁ, (κράτος) s. v. a. κρατερὸς. — —σμὸς, ὁ, (κρατύνω) Festigkeit, Stärke: Hippocr.

Κραυγάζω, oder κραυγάνω, Herodot. 1, 111, s. v. a. κράζω, schreyen.

Κραυγασμὸς, ὁ, (κραυγάζω) das Geschrey, Schreyen: Photius u. Phrynichus. —γαστος, ὁ, Schreyer, Hesych. in βαβάκτης und βάβαλον. —γαστικὸς, ἡ, ὸν, Adv. —κῶς, schreyend, schreyerisch. —γὴ, ἡ, das Geschrey, das Schreyen. S. κράζω. —γίας, ὁ, ἵππος, ein vom Geschrey scheu werdendes Pferd, Hesych. —γὸς, ὁ, u. κραυγῶν, der Schreyer, der Specht, Hesych.

Κραῦρα, ἡ, u. κραυρᾶν bedeutet eine Krankheit der Ochsen bey Aristot. h. a. 8, 23 die dem Fieber in Ansehung der Hitze gleicht, von κραῦρος: Hesych. hat aber dafür κράρα. 2) eine Krankheit der Schweine, das. 8, 21. 3) der Bienen, Hesych. —ρος, ρα, ρον, trocken, hart, spröde. Plato nennt die Natur der Knochen κραυροτέραν καὶ ἀκαμπτοτέραν: davon —ρότης, ητος, ἡ, die Trockenheit, Härte, Sprödigkeit: und —ρόω, trockenmachen: Nicander Athenaei p. 133: καὶ τὰς μὲν κραύρωσον ἀπαυήνας βορέησι nach Valken. Verbess. bey Koen ad Greg. p. 227 wo jetzt καύκοσον ἀποβλήνας steht.

Κρεάγρα, ἡ, (κρέας, ἀγρέω) ein Instrument das Fleisch aus dem Topfe-Kessel zu nehmen. —γραπτος, ὁ, ἡ, (κρέας, γράφω) das Fleisch oder die Haut ritzend, verwundend, Lycophr. 759, wo Tzetzes es durch κρεαγραπτούσας erklärt. —γρὶς, ίδος, ἡ, s. v. a. κρεάγρα, Anthol.

Κρεάδιον, τὸ, dimin. v. κρέας, Stückchen Fleisch.

Κρεανομέω, ῶ, ich theile (νέμω) das Fleisch (κρέας) vom Opferthiere unter die Gäste aus: πολλάκις ἐληλυθότι αὐτῷ οὐδεπώποτε κεκρεανομήκασι, haben ihm nie vom Opferfleische mitgetheilt; davon —νομία, ἡ, lat. visceratio, das Austheilen des Fleisches vom Opferthiere unter die Gäste. —νόμος, ὁ, ἡ, der die κρεανομία hält, macht.

Κρέας, ατος, τὸ, Fleisch: Stück Fleisch.

Κρεγμὸς, ὁ, (κρέκω) das Schlagen, Spielen, s. v. a. κροῦσις, auch eine gewisse kreischende Stimme.

Κρεηδόκος, ὁ, ἡ, oder κρειοδόκος, (δέχομαι) Fleisch aufnehmend- fassend.

Κρεηφαγέειν, Jon. u, κρεηφαγίη, ἡ, st. κρεωφαγεῖν, u. s. w.

Κρειοδόκος, s. v. a. κρεηδόκος, Anthol.

Κρεῖον, τὸ, (κρέας) Fleischkessel, Fleischtopf: Il. 9, 206.

Κρεισσότεκνος, ὁ, ἡ, (κρείσσων, τέκνον) Aeschyl. Th. 786. ὄμματα, Augen, höher geachtet, als die Kinder. —σων, κρείττων, νος, ὁ, ἡ, Adv. κρεισσόνως, κρειττόνως, wird als compar. von ἀγαθὸς gebraucht: stärker, mächtiger, tapferer, besser: auch der Sieger: γαστρὸς, χρημάτων, der sich von seinem Bauche, oder von dem Gelde oder Geitze nicht bezwingen lässt: λόγου, alle Worte, alle Beschreibung übertreffend: über alle Worte gut, schön u. s. w. ὁ κρ. besonders οἱ κρείττους, die Bessern, die Götter. Der Superl. ist κράτιστος. Der dorische compar. κάῤῥων, von κάῤῥος, κάρτος: eben so κράτος, κρατίων, κράσσων, jonisch κρέσσων, attisch κρείττων.

Κρειττόω, u. davon κρείττωσις, ἡ, bey Theophr. h. pl. 4, 16. c. pl. 5, 13. ὅταν κρειττωθῇ, wo andere Ausgaben an der zweyten Stelle κυρτωθῇ lesen, andere κρυωθῇ u. τυλωθῇ, weil Plinius 17 c. 24. von dieser Krankheit des Weinstocks sagt: *acini, priusquam crescant, decoquuntur in callum.* Die Leseart κρυωθῇ hat schon Steph. verworfen.

Κρείων, οντος, femin. κρείουσα, ἡ, Herrscher, Gebieter, Herr, Anführer. Von κρέω, κρείω, s. a. v. κράω, κραίω, κραίνω, also s. v. a. κραντὴρ, κράντωρ, und κράντειρα.

Κρεκάδια αὐλῆς Aristoph. vesp. 1215. nach Brunk s. v. a. παραπετάσματα, *aulaea*, Decken unter der Decke: wahrscheinl. eine verderbte Lesart.

Κρέκω, schlagen, klopfen: das Gewebe ἱστὸν κρ. d. i. weben, Sappho: davon κερκὶς: daher κιθάραν κρ. Cither schlagen, βοὴν πτεροῖσι κρέκειν, mit den Flügeln schlagend eine Stimme hervorbringen: Aristoph. welcher sogar κρέκειν αὐλὸν Av. 682 braucht.

Κρεμάθρα, ἡ, (κρεμάω) Hängematte, Hängekorb: auch ein Fruchtstiel, Theophr. 1. pl. 3, 16.

Κρέμαμαι, ich bin aufgehängt, hänge: von κρεμάω, κρέμημι, passiv. κρέμαμαι, hingegen von κρεμάω macht d. passiv. κρεμᾶμαι.

Κρεμάννυμι, s. v. a. κρεμάω.

Κρεμασμὸς, ὁ, das Aufhängen. —στὴρ, ῆρος, ὁ, (κρεμάω) der aufhängt: der Muskel- die Sehne- das Band- der Stiel woran etwas hängt: auch s. v. a. κρεμάστρα u. κρεμάθρα; davon

Κρεμαστήριος, ὁ, ἡ, ſ. v. a. κρεμαστός. — **στής**, οῦ, ὁ, ſ. v. a. κρεμαστήρ. — **στός**, ἡ, όν, aufgehängt, ſchwebend, hängend: σκεύη κρεμαστά, Hängewerk, Xen. Oec. 8, 12. κρεμαστὰ ἱστία καὶ βύβλους Athenaei 1 p. 27. zum aufhängen geſchickt oder tauglich. — **στρα**, ἡ, ſ. v. a. κρέμαθρα: von

Κρεμάω, κρεμάννυμι, κρεμαννύω. hängen, aufhängen: ſchwebend befeſtigen: übergetr. wie *ſuſpenſum teneo*, in Hoffnung oder Aufmerkſamkeit ſetzen, in Erwartung erhalten.

Κρεμβαλιάζω, od. κρεμβαλίζω, mit der Klapper ſpielen, klappern, klimpern. S. κρέμβαλον. — **βαλιαστής**, οῦ, ὁ, (κρεμβαλιάζω) der mit dem κρέμβαλον ſpielt: ſtand ehemals Hymn. Hom. 1, 162 wo jetzt κρεμβαλιαστύς, ἡ, ſteht, neben φωνή, Ton, Klang, Stimme. — **βαλον**, τὸ, (κρέκω) eine Klapper, Werkzeug einen klappernden · klirrenden Ton hervorzubringen, worzu man in alten Zeiten tanzte: Athenaei 14 p. 636. dies heiſst κρεμβαλιάζειν: man klimperte aber auch mit Scherben, Muſcheln und andern klirrenden und klingenden Körpern, Schol. Ariſtoph. Ran. 1340.

Κρεμνάω, ῶ, u. κρήμνημι, ſ. v. a. κρεμάω, κρεμόω, Il. 7, 83 καὶ κρ. ποτὶ ναὸν ſt. κρεμαῶ, κρεμάσω, ich will ſie aufhängen: wie gewöhnl. im part. praeſ. γελάων, γελόων, u. dergl.

Κρέμυς, υος, ἡ, ſt. χρέμυς, ein Fiſch.

Κρέξ, κός, ἡ, *crex*, ein Vogel mit einem ſpitzigen und ſägeförmig eingeſchnittenem Schnabel, Schol. Ariſtoph. Av. 1138. Ariſtotel. hiſt. an. 19, und 17. nach Tzetzes über Lycophr. 513 ein Meervogel der Ibis ähnlich. Nach Ariſtot. part. anim. 4, 12 ein Waſſervogel mit langen Füſsen und den hintern Zehen kürzer: So weit paſst darauf *Rallus crex* Linn. aber nicht der ſägeförmige Schnabel.

Κρεόβρωτος, ὁ, ἡ, (βρόω, βρώσκω) Fleiſchfreſſend: Aeſchyl. Suppl. 295. — **κάκκαβος**, ὁ, Fleiſchkopf: b. Athenaeus 9. ein aus Fleiſch, Blut und Fett zubereitetes Gericht. — **νομία**, ἡ, ſ. v. a. κρεωνομία. zw. — **σήπομαι**, f. L. b. Plutar. 10 p. 139. wahrſch. ſt. κατασήπ. — **σκευασία**, ἡ, Zubereitung des Fleiſches und das Kochen: Athenaei 12.

Κρεουργέω, ῶ, ich zerhaue Fleiſch od. wie Fleiſch: ich bin Fleiſchhauer. — **γηδόν**, Adv. (κρεουργέω) διασπάσαντες τοὺς ἄνδρας, Herodot. in Stücken zerreiſsen nach Art des Fleiſchhauers. — **γία**, ἡ, das Zerhauen des Fleiſches oder wie Fleiſch; davon — **γικός**, ἡ, όν, den Fleiſchhauer oder das Zerhauen des Fleiſches betreffend - darzu gehörig. — **γός**, ὁ, ἡ, (ἔργον) Fleiſchhauer, Fleiſcher.

Κρεοφαγία, ἡ, und κρεοφάγος. S. κρεωφα.

Κρέσσων, ὁ, ἡ, ſ. v. a. κρείσσων.

Κρεΰλλιον, τὸ, dimin. von κρέας, Stückchen Fleiſch.

Κρέω, wov. κρέων, κρέουσα, ſ. v. a. κραίνω, ich bin der Oberſte, Beherrſcher, König. S. κραίνω.

Κρεωβορία, ἡ, (κρεωβορέω) das Fleiſchfreſſen. — **βόρος**, ὁ, ἡ, fleiſchfreſſend: Nicetas annal. 5, 6. — **βριθής**, ὁ, ἡ, Nicetas annal. 17, 6. mit Fleiſch beſchwert, dick, beleibt. — **δαισία**, ἡ, (δαίω) Fleiſchvertheilung. — **δαίτης**, ὁ, Fleiſchvertheiler: Plutar. ſymp. 2, 10. — **δειρα**, ἡ, (δείρω) Pollux 7, 25. Werkzeug das geſchlachtete Vieh abzuſtreifen. — **δης**, εος, ὁ, ἡ, fleiſchartig, fleiſchig. — **δοσία**, ἡ, (δόσις) ſ. v. a. κρεωνομία. — **δοτέω**, ῶ, ſ. v. a. κρεωνομέω; von — **δότης**, ου, ὁ, Fleiſchvertheiler, vorz. vom Opferthiere. — **δόχος**, ὁ, ἡ, ſ. v. a. κρεηδόκος. — **θήκη**, ἡ, Fleiſchkammer, Fleiſchbehältniſs: Gloſſar. St. — **κοπέω**, ῶ, ich haue, zerhaue das Fleiſch; von — **κόπος**, ὁ, ἡ, (κόπτω) Fleiſch hauend - zerhauend. zw. — **λογέω**, ῶ, (λέγω) Fleiſch ſammeln. zw. — **νομέω**, ῶ, (νέμω, κρέας) das Fleiſch vertheilen: vorzügl. vom Opferthiere; davon — **νομία**, ἡ, Vertheilung des Fleiſches vorz. vom Opferthiere. — **πωλεῖον**, τὸ, ſ. v. a. κρεωπώλιον. — **πώλης**, ὁ, Fleiſchhändler, Fleiſcher. — **πώλιον**, τὸ, Fleiſchbank, der Fleiſchmarkt: b. Artemid. 5 p. 253: Verkauf des Fleiſches. — **στάθμη**, ἡ, Fleiſchwaage. — **φαγέω**, ῶ, ich eſſe Fleiſch; dav. — **φαγία**, ἡ, das Fleiſcheſſen, der Genuſs des Fleiſches; von — **φάγος**, ὁ, ἡ, Fleiſch eſſend, davon lebend.

Κρήγυος, ὁ, ἡ, ächt, wahr, gut, brauchbar, nützlich.

Κρήδεμνον, τὸ, (κρὰς, δέω, δέμα) Kopfbinde, überh. ein Kopfputz, Bedeckung des Kopfs, wie eine Kappe, womit man auch das Geſicht bedecken konnte: ἄντα παρειάων σχομένη κρήδεμνα, Odyſſ. wo Juno dem Ulyſſes 5, 346. ihr κρ. giebt, um es um den Leib zu binden. Ueberh. trugen es nur verheyrathete Frauenzimmer, Il. 22, 470. Homer nennt auch die Mauern, od. Zinnen der Mauern von Troja, ingleichen den Deckel eines irdenen Gefäſses - Faſſes κρ.

Κρῆθεν, Adv. (κρὰς) vom Kopfe od. v. oben her.

Κρῆθμον, τὸ, Meerfenchel, ein Knochenkraut, *Crithmum maritimum* Linn. wird auch κρίθμον b. Dioſcor. 2, 157. (vergl.

Plinius 25, 13 und 26, 10.) geſchrieben. Die Neugriechen nennen auch *Salicornia europaea* Linn. χρίθμον, und eſſen ſie. Forskål Flor. aegypt. p. 18. bey Lycophr. 238. ſ. v. a. ὄστρεον.

Κρημνάω, κρημνέω, und κρήμνημι, ſ. v. a. κρεμάω; ich laſſe herabhängen, werfe herab: Eur. Jon. 1613. κρήμναμαι, ich hänge, ſchwebe an etwas: Appian. Mithr. 97 τοὺς δὲ μὲν ἐκρήμνη. Civil. 1, 71 ἐκρήμναντο αἱ κεφαλαί. S. auch ἀνακρήμνημι. —νηγορέω, ῶ, hochtrabend ſprechen: ſ. v. a. κρημνοκομπέω. zw. —νίζω, ſ. v. a. κρημνάω, od. ich werfe über einen κρημνὸς Abſturz; davon —νισις, ἡ, das Herabſtürzen: Schol. Thucyd. —νοβατέω, ῶ, ich ſteige, gehe, klettre auf ſteile Berge, Gegenden; von —νοβάτης, ου, ὁ, (βαίνω) der auf ſteilen Gegenden oder Bergen geht, dahin ſteigt oder klettert. —νόθεν, Adv. von der Höhe herab. —νοκομπέω, ῶ, ſteile groſse hochtrabende Worte brauchen, prahlen, Suidas. —νοποιὸς, ὁ, Ariſtophan. Nub. 1367. ſteile hochtrabende Worte und Metaphern brauchend. —νὸς, ὁ, (κρεμάω) wovon κρημνάω, der abhängige Rand eines Berges, Felſen, Ufers vom Meere und von Flüſſen: Herodot. 7, 23. Il. 12, 54. vorz. aber ein ſteiler Abgrund; 2) vom Rande der Wunden, Geſchwüre braucht es Hippocr. davon —νώδης, εος, ὁ, ἡ, abſchüſſig, ſteil: einem κρημνὸς ähnlich. —νώρεια, ἡ, (κρημνὸς, ὄρος) ſteiler Berg, oder eine ſteile Stelle des Berges. zw.

Κρηναῖος, αία, αῖον, aus oder von dem Quelle, zum Quell gehörig; von —νη, ἡ, Quell, Brunnen: von κράω aus κεράω, weil man mit Quellwaſſer den Wein miſchte, und gemiſcht trank. —νιὰς, ἡ, ſ. v. a. κρηναία, vorz. νύμφη, Quellnymphe. —νὶς, ίδος, ἡ, dimin. von κρήνη: auch νύμφη κρ. wie κρηνιὰς, Moſchus. —νοφυλάκιον, τὸ, b. Pollux 8, 117 κρηνοφυλάκιον ἀρχὴ, ſoll wahrſch. κρηνοφυλάκων heiſsen, der die Aufſicht über die Brunnen u. die Vertheilung des Röhrwaſſers hat, κρηνοφύλαξ, ὁ, ἡ, (κρήνη) bey Ariſtot. Polit. 6; 8 ἐπιμελητὴς κρηνῶν. Heſych. hat auch κρηνάγγη, ἀρχὴ ἐπὶ τῆς ἐπιμελείας ὕδατος; ſoll wahrſch. κρηνάρχη heiſsen: Plutar. Them. 31 τῶν Ἀθήνησιν ὑδάτων ἐπιστάτης ὤν, εὑρὼν τοὺς ὑφῃρημένους τὸ ὕδωρ καὶ παροχετεύσαντας.

Κρηπιδοποιὸς, ὁ, ἡ, (κρηπὶς, ποιέω) Schuſter, der Halbſtiefeln macht. —δοπώλης, ου, ὁ, der Halbſtiefeln verkauft. —δόω, ῶ, gründen, ſtützen: davon ὀρθὸς ἐπὶ θατέρου σκέλους κρηπιδούμενος bey Plutar. apopht. lacon. ſtützte ſich auf das eine Bein: in demſelben Sinne ſcheint es bey Suidas zu ſtehn: ἤρετο Λεσχίδην τὸν ποιητὴν μεταξὺ κρηπιδούμενος, wo man es überſetzt, ſich die κρηπὶς Stiefeln anziehend. —δωμα, τὸ, Grundlegung, Grund, Baſis, ſ. v. a. κρηπὶς.

Κρηπὶς, ίδος, ἡ, das lat. *crepida*, eine Art von Schuh, davon mehrere Arten als ἀττικὴ und γυναικεία, welche auch σχιστὴ und λεπτοσχιδὴς hieſs, von den vielen Streifen, woraus ſie geſchnitten waren; 2) die Baſis, das Geſtelle, franzöſ. *le ſoc*; 3) lat. *crepido*, der Rand, das Ufer eines Fluſſes.

Κρῆς, ſt. κρέας.

Κρησέρα, ἡ, das Mehlſieb oder Beutelſieb zum reinigen des Mehls: Dim. κρησέριον Pollux: bey Heſych. findet ſich auch das verwandte κρασσέα, ἀλευρότησις, ſt. κρασεὰ.

Κρησφύγετον, τὸ, (φεύγω) Zuflucht, Zufluchtsort.

Κρηταγενὴς, ὁ, ἡ, (κρήτη, γένος) *Cretenſis*, ein Beyname des Jupiter, in Kreta geboren. —τήριον, τὸ, (κρητὴρ) ſ. v. a. ἐπίλυσις, Heſych. —τίζω, wie die Kreter handeln oder reden. —τικὸς, ἡ, ὸν, Adv. —κῶς, kretiſch, von der Inſel Kreta. —τισμὸς, ὁ, (κρητίζω) Handlungsart der Kreter.

Κρηφαγεῖν, (κρῆς, ſt. κρέας) ſt. κρεηφαγεῖν.

Κρῖ, τὸ, Gerſte, Il. 5, 196, abgekürzt von κριθή.

Κριάδδω, S. κρίδδω.

Κριανὸς, ἡ, ὸν, (κριὸς) im Widder geboren: zweif.

Κριβανίτης, ου, ὁ, im Ofen in einem bedeckten Scherben gebacken. —νος, ὁ, Ofen, wie κλίβανος: 2) eine vom Meere ausgenagte Klippe, Aelian. h. a. 2, 22. —νωτὸς, Ariſtoph. Plut. 765. κριβανωτῶν ὁρμαθῷ ἀναδῆσαι wo es κριβανιτῶν heiſsen ſoll, von κριβανίτης, denn jenes bedeutet einen Körper in Form eines κρίβανος gemacht.

Κριγὴ, ἡ, u. κριγμὸς, ὁ, (κρίζω) das Knorren, Knirſchen mit den Zähnen: auch ſ. v. a. τριγμὸς. S. in κρίζω.

Κρίδδω boeotiſch ſt. κρίζω, laut lachen: Strattis Athenaei 14 p. 622 wo ἐκριδδέμεν ſteht: Heſych. κριαδέμεν γελᾶν. derſelbe hat καταχριδεῦσει, καταγελάσει.

Κριδὸν, Adv. (κρίνω) mit Auswahl od. Beurtheilung.

Κρίζω, perf. κέκριγα, davon auch κρικώ, Il. 16, 470. knarren, einen ſcharfen Ton von ſich geben, wie eine zerbrechender Körper knaxen, wie eine Fledermaus u. dergl. alſo ſ. v. a. τρίζω. Wo Hom. Odyſſ. 24, 7 u. 9. τετριγυῖαι von dem Laute der Schatten in der Unterwelt ſpricht, (vergl. Il. 23, 101) laſen andere κεκριγυῖαι, daher Hipponax Etymol. M. p. 538 ſagte: κριγὴ δὲ νεκρῶν ἄγγελος τε καὶ κῆρυξ

Schol. Ariſtoph. av. 1520. Hemſterh. Lucian. 3 p. 349.

Κριηδὸν, Adv. (κριὸς) nach Art des Widders, Ariſtoph. Lyſ. 309.

Κριθάμινος, ſ. v. a. κρίθινος, S. πυράμινος. —θανίας, ου, ὁ, πυρὸς, eine Waitzenart, die Nebenſchoſſe treibt: Theophr. 8.

Κριθάριον, τὸ, kleines Gerſtenkorn.

Κριθὴ, ἡ, Gerſte: 2) Gerſtenkorn, kleines Geſchwür am Augenliede.

Κριθίασις, ἡ, eine Pferdekrankheit, die man davon ableitete, wenn das Pferd von der Gerſte, womit es ehemals wie bey uns mit Haber gefüttert ward, zu viel und zur unrechten Zeit gefreſſen hat, und ſie nicht verdauen kann. Xen. Hipp 4, 2. Ariſtot. 8, 24. *hordeatio* bey Vegetius Mulomedic. franzoſ. *la fourbure*, die Rehe, Rehkrankheit. Chabert über die Viehkrankheiten Leipzig, 1792. —άω, Gerſte freſſen: zu viel davon freſſen, und zu muthig ſeyn, wie bey uns, es ſticht ihn der Haber: Aeſchyl. Agam. 1652: krank ſeyn, wenn das Pferd erhitzt zu bald und zu früh davon gefreſſen hat. S. d. vorh.

Κριθίδιον, τὸ, dimin. v. κριθὴ, —θίζω, mit Gerſte füttern, bey Thyrwitt de Babrio p. 18. —θινος, ινη, ινον, von Gerſte gemacht, bereitet.

Κριθολόγος, ὁ, ἡ, (λέγω) Gerſte ſammlend, leſend: bey den Opuntiern ein Magiſtrat wie ἱεροποιὸς bey den Athenienſern: Plut. 7, p. 173. —μαντις, εως, ὁ, ἡ, Gerſtenprophet. Seine Kunſt κριθομαντεία. —τράγος, ὁ, ἡ, Ariſtoph. av. 231 Gerſte freſſend. —φαγία, ἡ, das Eſſen od. die Nahrung von Gerſte oder Gerſtenbrode, Polyb. 6, 38. —φάγος, ὁ, ἡ, Gerſte eſſend, ſich davon nährend. —φόρος, ὁ, ἡ, (φέρω) Gerſte bringend, tragend. —φυλακία, ἡ, das Amt eines κριθοφύλαξ, zur Aufſicht über die Ausfuhr: Heſych. wahrſch. dem σιτοφύλαξ ähnlich. S. aber Demoſth. Leptin. p. 254.

Κριθώδης, εος, ὁ, ἡ, Gerſtenartig, ἄρτος, Nonn. Gerſtenbrod.

Κρίκε, S. κρίζω. —κηλασία, ἡ, (κρίκος, ἐλάτης) das Ringelſtechen, Oribaſ.

Κρικίον, τὸ, dimin. auch κρικίλλιον, τὸ, von —κος, ὁ, ſ. v. a. κίρκος, der Ring, Zirkel: eine Agraffe oder *fibula*: eine *ſphaera armillaris*, Ringkugel. —κόω, ῶ, ich mache zum Ringe, ſchlieſse im Ringe, Zirkel ein; davon κεκρίκωται τὸ χεῖλος χαλκῷ hat durch die Lippen einen kupfernen Ring, Strabo 17 p. 1177.

Κρικω, ſ. v. a. κρίζω. —κωτὸς, ἡ, ὸν, σφαῖρα κρικωτὴ, *ſphaera armillaris*, Ringkugel.

Κρίμα, τὸ, (κρίνω) Urtheil, Beſchluſs, Entſcheidung: Strafe, Verurtheilung.

Κριμνατίας, u. κριμνίτης, ὁ, ἄρτος Athenaei 3 p. 112. ſonſt χόνδριβος genannt, v. κρίμνον gemacht, wo jetzt κλιμματίας ſteht. —νον, τὸ, bedeutet Gerſte, Dünkel und Waitzen, der nur grob geſchroten nicht fein gemahlen iſt. Bey Plutar. Q. S. 6, 7. ſ. v. a. σκύβαλον, Kleye. —νώδης, εος, ὁ, ἡ, (κρίμνον εἶδος) grobem Mehle ähnlich: οὔρησις, Urin, worinne Theile, wie grobes Mehl ſchwimmen, Hippocr. καταν ίφει κριμνώδη Ariſtoph. Nub. 965. es ſchneiet ſo, als wenn es grobes Mehl regnete, d. i. groſse Flocken u. dicht.

Κρινάνθεμον, τὸ, ſ. v. a. *ſedum*, Hauslaub: Hippocr. —νινος, ινη, ινον, von Lilien gemacht, als ἔλαιον, μύρον, Polyb. 31, 4. —νον, τὸ, auch κρίνος, τὸ, Ariſtoph. Nub. 911. βασιλικὸν κρ. ſonſt λείριον, die weiſse Lilie: Dioſcor. 3, 116. S. auch κολοκύντα. —όχρους, ὁ, ἡ, (χρόα) mit Lilienhaut oder Farbe, weiſs: zweif.

Κρίνω, f. κρινῶ, ſcheiden, trennen, ſondern, abſondern: unterſcheiden, auswählen, ausleſen: von unterſcheiden kommen die Bedeutungen, urtheilen, beurtheilen, richten, entſcheiden: im paſſiv. κρίνομαι von Perſonen, die einen Streit haben, und mit einander kämpfen, durch den Kampf ihren Streit ausmachen und entſcheiden: v. Sachen, die entſchieden werden, und einen Ausgang haben, Ende nehmen: v. Krankheiten, die ſich berechnen u. urtheilen laſſen, ob ſie ein gutes oder ſchlimmes Ende nehmen werden. Von κέρω, κείρω, κέρνω, κίρνω, wovon auch das lat. *cerno* iſt.

Κρινὼν, ὁ, Lilienbeet, dav. κρινωνιὰ, ἡ, wie ῥοδωνιὰ, ſ. v. a. d. vorherg. u. die im Lilienbeete wachſende junge Brut oder Pflanzen. Theophr. h. pl. 2, 2.

Κριξὸς, ſ. v. a. κρισσὸς u. κίρσος doriſch.

Κριοδόχη, κριοδόκη, ἡ, (δέχομαι) das Geſtelle, worauf der Widder od. Mauerbrecher liegt oder ruht. —ειδὴς, έος, ὁ, ἡ, (εἶδος) widderartig, widderförmig. —κοπέω, ῶ, ich ſtoſse (κόπτω) mit dem Mauerbrecher, κριος, *aries*, in die Mauern. —κρουῶ, ſ. v. a. d. vorherg. ſehr zw. denn nach der Analogie ſollte es κριοκρουστέω heiſsen. —μαχία, ἡ, (μάχη) Widderkampf: v. —μαχῶ, (μαχη) wie ein- oder mit dem Widder kämpfen. —μυξος ἀνὴρ, (μύξα, κριὸς) der Dichter Leonidas bey Galen Method. 6, ſagt es von dummen Menschen, die *pituitam hirci* haben.

Κριοπρόσωπος, ὁ, ἡ, (πρόσωπον) mit dem Gesichte - Ansehn - Vordertheile eines Widders.

Κριὸς, ὁ. Widder, Stär, Schaafbock: 2) wie *aries*, Mauerbrecher. Belagerungsmaschine: 3) ὀροβιαῖος Theophr. 1. pl. 8. 5. Dioscor. 2, 126. eine Art von Cicherebsen, ἐρέβινθος, *cicer arietinum*: 4) s. v. a. κόγχη τραχεῖα Athenaeus 3 p. 87. 5) ein Theil der korinthischen Saule: Hesych. nach Stephanus die Volute: wegen der Aehnlichkeit mit gewundenen Widderhörnern, wie *capreolus vitium*. Schon das Etym. M. erwahnt die richtige Ableitung von κέρας, κεραὸς, κερεὸς, κεριὸς, κριὸς gehornt.

Κριοφάγος, ὁ, ἡ, Widderfresser, dem Widder geopfert werden. — φόρος, ὁ, ἡ, (φέρω) Widdertrager.

Κρίσιμος, ὁ, ἡ, Adv. —ίμως, (κρίσις) s. v. a. κριτικὸς, entscheidend, den Ausschlag gebend: was beurtheilt od. gerichtet werden kann.

Κρίσις, ἡ, (κρίνω) Trennung, Scheidung, Unterscheidung: Entscheidung, Ausschlag, Ausgang (des Krieges, der Krankheit) Urtheil, Urtheilsspruch, Beurtheilung.

Κρισκρανὰ, τὰ, in den Excerpten des Ctesias steht; καὶ κρυφθῆναι ἐν τοῖς κρισκράνοις τῶν βασιλείων οἰκημάτων, wo andere, Handschr. κριοκράνοις haben: Jungerm. über Pollux 7, 121. verbesserte richtig κιοκράνοις st. κιονοκράνοις, welche erstere Form auch Pollux hat.

Κρισσὸς, ὁ, s. v. a. κιρσός. —σώδης, εος, ὁ, ἡ, s. v. a. κιρσώδης.

Κριτήριον, τὸ, (κριτὴρ s. v. a. κριτής) Werkzeug zum richten, prüfen, beurtheilen: Richtschnur, Richtscheid, Prüfstein: Merkmal, Kennzeichen: 2) Ort des Gerichts, Richterstuhl: κρ. καθίζειν, ein Gericht oder Richter niedersetzen - verordnen, Polyb. 9, 33.

Κριτὴς, οῦ, ὁ, Richter, Urtheiler, Beurtheiler, Entscheider; davon —τικὸς, ἡ, ὸν, zum richten oder Richter - zum beurtheilen oder entscheiden gehörig - geschickt - geneigt: der Kritiker, Sprachforscher und Beurtheiler der Schriften: dessen Wissenschaften ἡ κριτική, verst. τέχνη. —τὶς, ίδος, ἡ, Richterin, Alexand. aphrod. —τὸς, ἡ, ὸν, aus oder abgesondert, unterschieden: gewählt, ausgewählt, mithin der beste: beurtheilt. S. κρίνω.

Κροαίνω, s. v. a. κρούω von κρόω, davon κροάω und κρότος, ich schlage. vom wild springenden Pferde sagt Homer. πεδίοιο κροαίνων, *pulsans campum pedibus*, wo andere es durch ἐπιθυμῶν falsch erklärten. Oppian. Cyn. 1, 229 hat daraus κροαίνοντες πεδίοισι, Philostratus hat dieselbe Phrasis oft nachgeahmt, unter andern Soph. 1, 25. 7. κροαίνειν ἐν τοῖς τῶν ὑποθέσεων χωρίοις st. *exspatiari tanquam in campo*: Anacr. sagt μέλος κροαίνω, wie *lyram pulsare*, ein Lied spielen.

Κρόκα, st. κρόκην, S. κρὸξ. —κάλη, ἡ, s. v. a. κρόκη no. 2 u. 3. —κεος, ὁ, ἡ, πέπλος Eurip. Hec. 467. safrangelb. —κη, ἡ, (κρέκω) der lockre Faden zum Einschlag ἀπὸ λεπτῆς κρόκης ὁ πᾶς πλοῦτος ἀπήρτηται Lucian. navig. 26. Daher der Einschlag beym Gewebe, *subtemen*. S. κροκὶς; 2) der runde Stein am Meeresufer Lycophr. 874. 3) das Meeresufer. —κίας, ου, ὁ, von Safranfarbe, als λίθος, Plutar. ἀλεκτρυών. —κιδίζω, und —δισμὸς, s. Les. st. —κυδίζω, u. s. w. —κίζω, (κρόκος) dem Safran gleichen: 2) κρόκη, weben: zw. —κινος, ίνη, ινον, von Safran: —κιος, s. v. a. —κεος, safranfarbig, Artemid. 1, 79. —κὶς, ίδος, ἡ, (κρόκη) auch —κὺς, ἡ, bedeutet die wolligen Flokken am Tuche und Kleidern: ὁπόσον περιττὸν τοῖς ἱματίοις τῶν κροκύδων ἐπανθεῖ. 2) Daher auch ein Stück vom Kleide, *lacinia*, 3) s. v. a. *flocci, tomentum*, Knaul Wolle. Was Galen κροκύδα κογχυλίου nennt, drückt Aetius durch πτυγμα πορφύρας ἐρίου, Plinius d. *lanam conchylio infectam* aus. Der Faden des Einschlags gab eigentlich den Tüchern das weiche und flockigte Ansehn; denn er ward nicht so derb gedreht (im Spinnen) und hernach vom *fullo* aufgekratzt. Plato Polit. 23. ὅσα δέ γε αὐτὴν μὲν συστροφὴν χαύνην λαμβάνει, τῇ δὲ τοῦ στήμονος ἐμπλέξει πρὸς τὴν τῆς γνάψεως ὁλκὴν ἐμμέτρως τὴν μαλακότητα ἔχει, ταῦτα ἄρα κρόκην μὲν τὰ νηθέντα φῶμεν. —κισμὸς, ὁ, (—κίζω) das Gewebe: Schol. Soph. —κόβαπτος, ὁ, ἡ, und —κοβαφὴς, ὁ, ἡ, (βάπτω) mit Safran oder gelb gefärbt. —κοδειλέα, ἡ, der Koth von der Eidechse, κροκόδειλος χερσαῖος genannt, den man in Augensalben und als Schminke brauchte: Plinius 28 c. 8. Galeni Simplic. 10 c. 29. Horatii Epod. 12, *color stercore fucatus crocodili*. —κοδείλινος, η, ον, vom Krokodil, λόγος, der Krokodilschluss: Clemens Alex. —κοδείλιον, τὸ, ein Kraut, Diosc. 3, 12. Plin. 27, 8. 28, 8. wahrsch. von der rauhen Oberflache der Stengel mit *crocodilus terrestris*, d. i. *lacerta stellio* Linn. verglichen: vielleicht *centaurea crocodilium* Linn. bey Galenus auch κροκοδειλιὰς Comp. medic. sec. loc. 2.

Κροκόδειλος, ὁ, die gröſste und gefährlichſte Eidechſe im Nil, Krokodil: 2) κροκ. χερσαῖος, Landkrokodil, heiſst die ſtachlichte Landeidechſe, *lacerta ſtellio* Linn. 3) eine ſpitzfindige verfängliche Schluſsform oder Sophiſterey, deren Gegenſtand der Krokodil war. —κοδειλῖτις, ἴδος, ἡ, für *ambiguitas crocodilina*, Quinctil. 1, 10. wahrſcheinl. f. Lesart. —κοδίλη, ἡ, der Faden, den man ſpinnt, von κρόκη u. εἰλέω: eben ſo erklärt Heſych. κροκόδειλος durch τύλη oder γνάφαλον, Flokken. Jedoch leſen bey Pollux 7, 29 die Handſchr. ganz anders. —κοειδής, έος, ὁ, ἡ, (εἶδος) ſafranartig, ſafranfarbig. —κοείμων, ονος, ὁ, ἡ, (εἷμα) in ſafrangelber Kleidung. —κόεις, όεσσα, όεν, oder —κεος, ſafranfarbig. —κόμαγμα, τὸ, das holzigte Ueberbleibſel der Gewürze nach der Bereitung des Safranöls: Dioſcor. 1, 26 Plinius 21, 20. —κὸν, τὸ, ſt. —κος (ὠοῦ) Eigelb. zweif. —κονητική, ἡ, verſt. τέχνη, (κρόκη, νήθω) die Kunſt den Faden des Einſchlags zu ſpinnen. S. στημονητικός. —κόπεπλος, ὁ, ἡ, mit einem gelben Oberkleide, als Beyw. der Aurora. —κος, ὁ, *crocus*, Safran: ὠοῦ κρόκος, das Gelbe vom Ei; 2) f. L. ſt. βρόμος bey Theophr. h. p. 8, 4. —κόττα, —κόττας, —κούτας, ὁ, *crocuta, crocotta*, ein indinaniſches Thier, wahrſcheinl. eine Art von Hyäne. —κόω, ῶ, (—κος) ich beſtreue, bekränze, befärbe mit Safran. —κυδίζω, (—κύς) ich leſe oder ſuche die Flocken am Kleide ab oder auf, wie Schmeichler an andern thun, und Wahnſinnige oder Leute im hitzigen Fieber thun: davon κροκυδισμὸς, ὁ, das Aufſuchen und Ableſen der Flocken, welche Heſych. κροκύλεγμος, ὁ, (λέγω) nennt. —κὺς, ύδος, ἡ, Flocke, *floccus*; eigentl. die vom Einſchlage (κρόκη) des Tuchs und tuchenen Kleides ſich ablöſende Wolle. —κύφαντος, ὁ, ſ. v. a. κεκρύφαλος: bey Antonin: 2, 2 iſt κροκύφαντον ſ. v. a. πλεγμάτιον, Gewebe. —κώδης, εος, ὁ, ἡ, (—κος) *croceus*, ſafranartig oder farbig: 2) (κρόκη) κροκώδες διάνημα; Plato Politic. §. 46 ein Faden von der Art des Einſchlags. —κωτίδιον, τὸ, u. —κώτιον, τὸ, dimin. von —κωτὸς, ὁ, (—κόω) verſt. χιτὼν oder πέπλος, ein feſtliches od. Staatskleid von Safranfarbe. —κωτοφορέω, ῶ, von —κωτοφόρος, ὁ, ἡ, (—κωτὸς, φέρω) ich trage ein ſafranfarbiges Staatskleid: der dergleichen trägt.

Κρεμμυογήτειον, τὸ, Zwiebellauch: aus Theophr. h. pl. 4. —μυον, od. eigentl. κρέμυον, τὸ, Zwiebel. Man leitet es von μύω, κόρη, ab, weil ſie weinen macht, und die Augen reizt. Die Griechen und Römer unterſchieden die Zwiebeln vom Knoblauch und Lauch durch die einfache knollige aus mehrern concentriſchen Häuten beſtehende Wurzel und hohlen Blätter, da der Lauch γήθυον, γήτειον platte Blätter hat. S. σκόροδον. —μυοξυρεγμία, ἡ, Knoblauchrülps, Ariſtoph. Pac. 529. S. ὀξυρ. —μυοπώλης, ου, ὁ, Zwiebelhändler.

Κρομυόεις, Zwiebelreich: davon κρομυοῦσα (ſt. κρομυόεσσα) Plinius 5, 31 die Zwiebelinſel: ſo wie κρομυὼν, ὁ, Zwiebelgarten: ein Flecken bey Korinth.

Κρόνια, ων, τὰ, das Feſt dem κρόνος zu Ehren zu Athen am 12 des Monat Hekatombaeon gefeyert: 2) die Saturnalia der Römer. —νιὰς, ἡ, ἡμέραι κρονιάδες, die Saturnalia. —νίδης, ου, ὁ, der Sohn des κρόνος Saturns, vorz. Jupiter: κρονίδαρ lakoniſch ſ. v. a. πολυετής, Heſych. —νικὸς, ἡ, ὸν, od. —νιος, dem Kronos od. Saturnus gehörig, kroniſch, ſaturniſch: ihm eigen: alt, altfränkiſch, albern, dumm: μὴν κρ. der nachheſige ἑκατομβαιὼν, Plut. Thes. 12: —νιππος, von κρόνος und ἵππος, (welches ſonſt vorſteht, wie ἱππόπορνος u. dgl.) ſehr alt, alter Narr, vor Alter dumm, Ariſtoph. Nub. 1070. S. κρόνος. —νίων, ωνος, ὁ, ſ. v. a. κρονίδης. —νόληρος, ὁ, ein alter Dummkopf: ſ. v. a. —νιππος Plutar. —νος, ὁ, Saturn, Vater des Ζεὺς: ein alter mürriſcher-dummer-ſchwachſinniger Mann: Plato Euthyd. p. 37. οὕτως εἶ κρόνος, wofür bald darauf ſteht: ἀρχαιότερος εἶ τοῦ δέοντος p. 54. Daher auch κρονίων ὄζειν Ariſtoph. Nub. 398 von altfränkiſchen Dingen. —νότεκνος, ὁ, Kronos Vater oder Uranus: Orph. hymn.

Κρὸξ, κὸς, ἡ, ſ. v. a. κρόκη, davon κρόκα und κρόκες bey Heſiod. u. Anthol.

Κρόσσαι, αἱ, bey Homer ſind an den Mauern die στεφάναι πύργων od. προμαχῶνες, *pinnae murorum*, ſtufenweiſs vorragende Zinnen; die deutlichſte Stelle iſt Il. μ. 258. κρόσσας μὲν πύργων ἔρυον καὶ ἔρειπον ἐπάλξεις. Dieſe Erklärung billigt auch Herodot. 2, 125. Andere erklären es von Sturmleitern. Iſt vermuthlich einerley mit —σὸς, ὁ, ſ. v. a. θύσανος; davon —σόω, ῶ, τὴν ἐσθῆτα, ich beſetze das Kleid mit einem κρόσσος unten: davon —σωτὸς, ὁ, χιτὼν, ſ. v. a. θυσανωτὸς, ein Kleid unten mit Franzen, Troddeln (*villis*) geſäumt-beſetzt.

Κρόσφος, ὁ, ſ. v. a. γρόσφος.

Κροτάλια, τὰ, (κρόταλον) Name von drey oder mehrern im Ohre hängenden und klappernden Perlen, Plinius 9, 35. —λίζω, f. ίσω, (κρόταλον) bey

Homer κεῖν' ὄχεα κροτάλιζον, auch κροτέοντες, S. in ἀνακυμβαλιάζω: gewöhnlich heifst es applaudiren, τινὶ, einem applaudiren. ὑπὸ πάντων κροταλισθεὶς, von allen applaudirt: dav.

Κροτάλισμα, τὸ, Schlag, Nicetas annal. 12, 3. —λισμὸς, ὁ, das Klappern - Klingeln mit dem κρόταλον. 2) der Applaufus, Beyfall mit Händeklatfchen. —λον, τὸ, (κρότος, κροτέω, κροτάω) Klapper, Klingel, Schelle: im komifchen Sinne Schwätzer, Zungen-Drefcher, Eurip. Cycl. 104 Ariftoph. Nub. 260, 448. woraus man falfch das Adject. κρόταλος genommen und angeführt hat.

Κροταίνω, f. v. a. κροτέω, Oppian. Cyn. 4, 237.

Κροταφὶς, ἡ, der Spitzhammer. S. κέστρα. —φίτης, ου, ὁ, (κρόταφος) μῦς, der Schlafmuskel. —φος, ὁ, (κροτέω) der Schlaf am Kopfe. 2) der Kolben am Hammer, u. dgl. σχῆμα κατὰ κρόταφον, eine Figur von der Seite.

Κροτέω, ῶ, fchlagen, gewöhnl. ein Inftrument: vom Menfchen Plutar. educ. 14. klatfchen, beklatfchen, τὼ χεῖρε Xen. Cyr. 8, 4. 12 die Hände zufammen fchlagen, und im paff. beklatfcht werden: Aefchin. phil. 3, 12. klappern, vom Storche: plappern, von Menfchen: laut reden, crepare bey Horat. tönen, ertönen ἄραβον κροτοῦντος Aelian. h. a. 2, 11. davon —τημα, τὸ, f. v. a. κρότος; 2) πάνσοφον κρ. nennt Sophocl. den Ulyffes, f. v. a. παιπάλημα. —τησις, ἡ, (κροτέω) das Schlagen 2) der Hände d. i. Klatfchen, applaudiren. —τησμὸς, ὁ, S. κροτισμὸς. —τητὸς, ἡ, ὸν, (κροτέω) zufammengefchlagen, befeftigt: 2) beklatfcht. —τισμὸς, ὁ, (κροτίζω) das Schlagen, Klatfchen: bey Aefchyl. S. 563 lefen andere κροτησμὸς. —τοθόρυβος, ὁ, der Lärm vom Schlagen - Händeklatfchen: ein Wort des Epikur Plutar. audit. p. 166. —τος, ὁ, (κρόω, κρούω, κροαίνω) das Geräufch - der Ton, den zufammengefchlagene Hände - Topfe - Gefäfse - der ftampfende Fufs - die ins Waffer fchlagende Ruder u. dgl. machen. S. κροτεῶ: daher das Händeklatfchen, Applaudiren, Beyfall: auch vom leeren Lärm - Getofe der Worte.

Κροτὼν, ωνος, ὁ, ricinus, Hundelaus, Tecken, 2) der Wunderbaum, aus deffen Frucht, der Hundelaus ähnlich, ein Oel κίκι, bereitet wird. S. κίκι. —τώνη, ἡ, Theophr. h. pl. 1, 13 ein Knorren, Aftknoten am Oelbaume und andern Baumen, fonft γόγγρος. —τωνοειδὴς, έος, ὁ, ἡ, (εἶδος) dem κρότων ähnlich.

Κροῦμα, τὸ, (κρούω) das Gefchlagene: der Schall: das auf dem Inftrumente gefpielte Stück: ein Lied: ein Stück Mufik auf einem Inftrum. zu fpielen, eigentl. einem folchen, das gefchlagen wird, überh. auch auf jedem Inftrumente; davon —ματικὸς, ἡ, ὸν, zum fchlagen oder fpielen der Inftrumente gehörig od. gefchickt: λέξις, ein leerer blos tönender Ausdruck, Polyb. 3, 36. —μάτιον, τὸ, dimin. v. κροῦμα, wovon —ματοποιὸς, ὁ, (ποιέω) komifcher Ausdruck für Spieler oder Flötenblafer, Athenaeus 8.

Κρουναῖος, αία, αῖον, (κρουνὸς) ὕδωρ, Springwaffer. —νεῖον, τὸ, oder —νία, ein Trinkgefchirr, von der Aehnlichkeit mit κρουνὸς, Athenaei p. 480. —νηδὸν, Adv. (κρουνὸς) nach Art eines Springs - Quells. —νίζω, f. ίσω, (κρουνὸς) ich ergiefse, wie der Spring das Waffer: davon —νισμα, τὸ, dafs wie aus einem Springe ergoffene - ftrömende Waffer - Wein - Strom: davon κρουνισμάτιον, τὸ, bey Hero ein Wafferröhrchen. —νὸς, ὁ, der Weg - Gang oder das Bette eines Fluffes oder Stroms, wie die Stelle: κρουνῶν ἐκ μεγάλων κοίλης ἔντοσθε χαράδρης Iliad. zeigt: auch der Hahn an einem Gefäfse, davon κρουνίσκος dimin. —νοχυτρολήραιον, τὸ, bey Ariftoph. Equ. 89 von einem unverftändigen Schwatzer, mit dem Nebenbegriffe eines Waffertrinkers.

Κρούπαλα, ων, τὰ, holzerne Schuhe: bey Sophocl. ἀμφίλινα κρούπαλα: doch hat Hefych. auch κρούπανα und κρούπετα in eben dem Sinne. Wie aus κρούπέζα, fcrupeda, fo ift aus κρούπανα fculponea, gemacht. —πέζα, ἡ, f. v. a. d. vorh. davon das dimin. —πέζιον, τὸ, und —πεζοφόρος, ὁ, ἡ, der hölzerne Schuhe trägt: bey Plautus heiffen diefe Schuhe fcrupedae. —πεζόω, davon —πεζούμενος, fculponeatus, in hölzernen Schuhen.

Κρουσιδημέω, ῶ, bey Ariftoph. Equ. 859 ein komifches Wort nach κρουσιμετρέω gemacht, das Volk täufchen, betrügen.

Κρουσίθυρος, ὁ, ἡ, (θύρα, κροῦσις) Thüre klopfend, f. v. a. θυροκοπικὸς, von einem Flotenftücke gebraucht bey Athenaeus p. 618. —σιμετρέω, ῶ, (κροῦσις) ich betrüge beym meffen vorz. des Getraides, indem ich an das Maas fchlage und rüttele, damit das darauf liegende wieder abfalle: Im Theophr. Char. 11 wird diefe Handlung befchrieben; φειδωνίῳ μέτρῳ τὸν πύνδακα ἐγκεκρουσμένῳ μετρεῖν: wofür in dem neu entdeckten Charakter περὶ αἰσχροκερδείας fteht φειδομένῳ. — κεκρουμένῳ: Im Etym. wird das ganz ähnliche παρακρούεσθαι (eigentl. mit falfchem Maafse und überh. betrügen) vom Meſſen mit der Waage erklärt, wo man an die Schaale ſchlägt, welche ſinken ſoll. Darauf zielt auch der Vers vom Pſeudophocylides 13 σταθμὸν μὴ κρούειν ἑτερόζυγον, ἀλλ' ἴσον ἕλκειν· Luciani Timon 57 bezieht παρακρ. ganz deutlich auf das Getraidemaaſs: μῶν παρακέκρουσμαί σε; καὶ μὴν ἐπεμβαλῶ χοίνικας ὑπὲρ τὸ μέτρον.

Κρουσιμέτρης, ου, ὁ, oder κρουσίμετρος, falſch meſſend, im Meſſen betrügend.

Κροῦσις, ἡ, (κρούω) das Schlagen, Klopfen: das Prüfen der irrdenen Geſchirre durchs Klopfen: bey Ariſtoph. Nub. 318 wird es d. παραλογισμὸς ἀπάτη u. δοκιμασία erklärt: das Spielen der muſikal. Inſtrumente, welche geſchlagen werden: beſonders aber wird κροῦσις noch gebraucht. So ſoll Archilochus den Trimeter, den Uebergang in einen fremden Takt (ῥυθμὸς) und die παρακαταλογὴν καὶ τὴν περὶ ταῦτα κροῦσιν erfunden haben, Plutar. 10 p. 681. ferner τὸ τῶν ἰαμβείων τὰ μὲν λέγεσθαι παρὰ τὴν κροῦσιν, τὰ δὲ ᾄδεσθαι. annoch τὴν κροῦσιν τὴν ὑπὸ τὴν ᾠδὴν, da die Alten vorher πρόσχορδα κρούειν pflegten. In Ariſtot. Probl. 19 kommt vor καθάπερ τοῖς ὑπὸ τὴν ᾠδὴν κρούουσι καὶ γὰρ οὗτοι τὰ ἄλλα οὐ προσαυλοῦντες, ἐὰν εἰς ταυτὸν καταστρέφωσιν, εὐφραίνουσι μᾶλλον τῷ τέλει ἢ λυποῦσι ταῖς πρὸ τοῦ τέλους διαφοραῖς. Scheint alſo das Begleiten der Singeſtimme durch ein Inſtrument beym Ende des Takts in der Oktave zu bedeuten.

Κροῦσμα, τὸ, und κρουσματικὸς, ſ. v. a. κροῦμα, κρουματικὸς. —μὸς, ὁ, (κρούω) ſ. v. a. κροῦσις Schol. Aeſchyli. Th. 567.

Κρουσολύρης, ου, ὁ, oder κρουσιλύρης, ὁ, Orph. die Cither ſchlagend. —στικὸς, ἡ, ὸν, zum ſchlagen- treffen gehörig oder geſchickt.

Κρουω, ſchlagen, anſchlagen, zuſammenſchlagen, von κρόω, wie κολόω, κολούω, alſo mit κροτέω und κροαίνω einerley, wie das doriſche προκρόω bey Ariſtoph. zeigt: S. auch in κροῦσις.

Κρυβάζω, ſ. v. a. κρύπτω, Heſych.

Κρύβδα, κρύβδην, Adv. (κρύπτω) verborgen, heimlich.

Κρύβηλος, verborgen, Heſych. κρυβησία, ἡ, ſ. v. a. νεκυσία, von κρυψ. κρύβες, οἱ, ſ. v. a. νεκροί: Heſych. κρυβήτης, ὁ, ſ. v. a. νεκρὸς, der geſtorbene und in der Erde verborgene: Heſych. von κρύπτω abgeleitet.

Κρυερὸς, ρὰ, ρον, (κρύος) kalt, kältend: ſchauderlich, ſchrecklich, furchtbar.

Κρυμαλέος, έα, έον, eiskalt. —μοπαγὴς, ὁ, ἡ, (πήγνυμι) vom Froſte geronnen- gefroren oder frieren machend, Orph. hymn. —μὸς, ὁ, Eiskälte: von κρύος, κρύω. S. κρύω. —μοχαρὴς, ὁ, ἡ, (χαίρω) des Froſtes- der Kälte ſich freuend; gern im Froſte lebend: Orph. hymn. zw. —μώδης, εος, ὁ, ἡ, kalt wie Eis.

Κρυόεις, όεσσα, όεν, (κρύος) ſ. v. a. κρυμώδης. —όομαι, οῦμαι, gefrieren, zufrieren: Gloſſar. Philox. von

Κρύος, τὸ, Froſt, Eis: S. κρύω.

Κρυπτάδιος, ία, ιον, verſteckt, verborgen: davon κρυπταδίῃ, verſt. ἐδῷ, und κρυπτάδια, wie ein Adv. Il. 6, 161. 1, 542. —τάζω, u. κρυπτάσκω, ich verſtecke, verberge. —τεία, ἡ, bey den Lazedamoniern eine Uebung der Jugend im Stehlen und Hintergehn der Heloten, wie aus Plato Leg. 1 p. 22 erhellt, vergl. Plutar. Lycurg. 28. Iſocrates Panath. p. 540 nennt es κλοπίαν od. κλωπείαν. —τεύω, κρυπτεύομαι, ich verſtecke mich, ſtelle mich in einen Hinterhalt: bey Eurip. Helen. 548 κρυπτεύομαι, man ſtellt mir nach: Bach. 876. —τη, ἡ, *crypta*, *crypto porticus*, von κρύπτω, κρυπτὴ, verſt. στοὰ, ein verdeckter Gang: ein unterirdiſches Behältniſs, Gewölbe. —τηρία, ἡ, und κρυπτήριον, τὸ, Schlupfwinkel zum verbergen. —τία, ἡ, S. κρυπτεία. —τικὸς, ἡ, ὸν, Adv. —κῶς, was verbergen, verſtecken kann. —τὸς, ἡ, ὸν, verſteckt, verborgen: zum verſtecken- verbergen. —τω, f. ψω, Aor. 2. paſſ. κρυβεὶς, ich verberge, verſtecke. Das Stammwort κρύπω, mit der Aſpiration κρύφω: vom perf. κέκρυμμαι iſt *crumena*, und viell. auch γρυμέα oder γρυμαία, ſ. v. a. πήρα, Pollux 10, 160 Heſych. u. Suidas.

Κρυσταίνω, (κρύος) ich mache durch Kälte gerinnen oder frieren, *glacio*, Nicand. Alex. 314. —σταλλίζω, ich glänze wie Kryſtall. —στάλλινος, ίνη, ινον, rein und durchſichtig wie Kryſtall. —σταλλοειδὴς, ὁ, ἡ, (εἶδος) Adv. —δῶς, dem Kryſtall ähnlich. —σταλλόπηκτος, ὁ, ἡ, (πηγνύω) zu Kryſtall oder Eis geronnen- gefroren. Eur. —σταλλοπὴξ, ῆγος, ὁ, ἡ, ſ. v. a. d. vorige, Aeſchyl. —σταλλος, ὁ, ἡ, richtiger κρύσταλος, (κρύος, κρυστάω, κρυσταίνω) alles, was geronnen- gefroren und dabey durchſichtig iſt, alſo Eis, Glas und der Kryſtall, *cryſtallum*, überh. alle durchſichtige auch gefärbte Edelſteine, Diodor. 2, 52. Aelian. h. a. 15, 8 Strabo 15 p. 1045. Bey Oppian. h. 3. 155 ſ. v. a. νάρκη das Erſtarren, weil es eine Art von Gerinnung des Bluts vorausſetzt. S. κρύω.

Κρυσταλλοφανὴς, έος, ὁ, ἡ, von dem Schein - Ansehn des Krystall; Strabo. —σταλλόω, s. v. a. κρυσταίνω.

Κρύφα, Adv. (κρύπτω) heimlich; davon —φαῖος, αία, αῖον, Adv. κρυφαίως, verborgen, heimlich. —φανδὸν, Adv. (κρυφαίνω) κρυφῆ, u. κρυφηδὸν, heimlich. —φιαῖος, αία, αῖον, von κρύφιος, und eben so viel. —φιμαῖος, αία, αῖον, Adv. —αίως, von κρύφιμος, und eben so viel, d. i. verborgen, heimlich. —φιομύστως, Adv. (μύω) verborgen: zw. —φιος, ία, ιον, auch ὁ, ἡ, Adv. —φίως, (κρύπτω) verborgen, heimlich; davon —φιότης, ητος, ἡ, Verborgenheit, Dunkelheit, Suidas, in ἀδηλία. —φόνους, ὁ, ἡ, s. v. a. κρυψίνους, Etym. M. —φος, ὁ, s. v. a. κρυφιότης, der Schlupfwinkel.

Κρυψίγονος, ὁ, ἡ, von heimlicher Geburt, Orph. hymn. —δρομος, ὁ, ἡ, im Verborgenen laufend, Orph. hymn. —μέτωπος, ὁ, ἡ, der die Stirn verbirgt, Luciani Lexiph. 7. —νοος, κρυψίνους, ὁ, ἡ, Adv. —νως, (κρύπτω, νοῦς) heimlicher- arglistiger Mensch, der seine Gedanken verbirgt.

Κρύψις, ἡ, (κρύπτω) das Verbergen: die Kunst zu verbergen. —ψίχολος, ὁ, ἡ, der seinen Zorn- Galle (χολὴ) verbirgt, Eustath. —ψορχις, (κρύπτω, ὄρχις) ein Mann mit verborgenen im Unterleibe eingeschlossenen Hoden, Galeni defin.

Κρυώ, das Stammwort von κρύος, Eiskälte, welche das Wasser gerinnen macht: Homer Odyss. 14, 477. braucht von dem sich anlegenden Eise dasselbe Wort κρύσταλλος περιτρέφεται, welches er anderswo vom Gerinnen der Milch und dem daraus bereiteten Käse braucht, τρέφω, τροφαλὶς. Von κρύω, ist κρυμὸς, wie κρυερὸς von κρύος. Von κρυω, κρυστὸς, κρυσταω, ist κρυσταίνω, gerinnen machen, u. κρύσταλλος für νάρκη bey Oppianus. Das lat. *cruor* ist eigentl. geronnenes Blut. Aus κρυμὸς ist d. lat. *grumus* von kleinen in ein Häufchen oder Klümpchen sich vereinigenden Theilen: Hesych. hat auch κροῦμαι, μύξαι, st. κρῦμα, jonisch und lakonisch. Nächst κρύσταλλος zeigt das lat. *crusta* die Bedeut. am deutlichsten. —ώδης, εως, ὁ, ἡ, eiskalt, kalt wie κρῦος.

Κρωβύλος, ὁ, s. v. a. κόρυμβος, eine Art von Haarflechte mitten auf dem Scheitel emporstehend, welche zu Athen Kinder von Stande trugen: daher auch ein Feder- oder Haarbüschel auf dem Helme, Xenoph. Anab. 5, 4, 13.

Κρωγμὸς, ὁ, *crocitatio*, das Schreyen der Krähe: von

Κρώζω, *crocitare*, schreyen, wie eine Krähe, da man vom Raben κράζειν sagt, 2) metaph. das ähnliche Schreyen und Sprechen von Menschen, wie unser krähen. Vergl. κλάζω, u. κλώζω.

Κρωμακόεις, όεσσα, όεν, desgl. κρωμακωτὸς, (von κρώμαξ, ὁ, der Steinhaufen bey Hesych.) s. v. a. κλωμακόεις, felsigt, steil, rauh.

Κρώπιον, τὸ, dimin. v. κρῶπος, Sichel, Sense: auch ein Doppelbeil.

Κρώσσιον, τὸ, dimin. v. κρωσσὸς, ὁ, Wassereymer, Fass, *hydria*.

Κτάομαι, ῶμαι, f. κτήσομαι, perf. κέκτημαι u. ἔκτημαι, v. κτάω, welches heisst, ich erwerbe, verschaffe etwas einem andern: κτάομαι, ich erwerbe mir selbst etwas, verschaffe mit etwas; daher ich kaufe: im perf. κεκτῆσθαι, so viel als haben, besitzen.

Κτάω, ich tödte. S. κτείνω.

Κτέανον, τὸ, s. v. a. κτῆμα: bey Theocr. 25, 109 ist κτεάνων κομιδὴ, die Wartung des Viehes, *pecorum*, also s. v. a. κτηνῶν.

Κτέαρ, ατος, τὸ, s. v. a. κτέανον, Besitz, Vermögen, Il. 5, 154. 9, 478.

Κτεάτειρα, ἡ, von κτεάτηρ, ὁ, die Besitzerin, Frau: Aeschyl. Ag. 366 κόσμων, die erwirbt, giebt. —τίζω, f. ίσω, (κτέαρ, κτέατος) s. v. a. κτάω, ich erwerbe.

Κτεινω, f. ενῶ, ich tödte; vom alten κάω, καίνω, καίνυμι, καίνυμαι, was überwinden, und den überwundenen tödten heisst: davon ist κτάω, κτῆμι, κταίνω, κτάνω, wie von der andern Form, κέω, κείνω gemacht κτείνω, mit eingeschobenem τ, wie πόλις, πόλεμος, πτόλις, πτόλεμος. Bey Hesych. findet man daher κτᾶν, κτάνειν, für tödten; davon κτάσθαι getodtet seyn, κτάτο, er war getödtet worden. Von dieser ersten Form kommen bey Homer κτέωμεν st. κτῶμεν oder κτείνωμεν, ferner κτάμενος st. κτεινόμενος vor: welches letztere man jedoch besser von κτῆμι, κτάμαι, ableitet: noch ἀπέκτατο, für er starb, blieb: u. κατάκτας st. κακτατείνας. Endlich kommen auch in den compositis ἀποκτείνω u. s. w. einige Tempora davon vor wie z. B. ἀπέκτακα, ἀπεκτακώς. Von κτάω kommen bey Homer ἔκτα, er tödtete, u. ἔκταν st. ἔκτασαν, sie tödteten, vor. aor. 2. ἔκτανον. S. κείνω.

Κτεὶς, ενὸς, ὁ, der Kamm: 2) das Blatt, Riethblatt an der Lade der Weber, eine Art von Kamm: 3) die Schaamhaare und der Theil wo sie wachsen. *pecten* lat. 4) κτένες, die Schneidezähne. 5) Kammuscheln. 6) κτένες κηπουῥικοὶ, der Harken, Mathem. veter. p. 100. davon

Κτενίζω, f. ίσω, kämmen, ſtriegeln. —νιον, τὸ, dimin. v. κτείς. —νιστής, οῦ, ὁ, (κτενίζω) der kämmt, die Haare putzt. —νοειδής, ὁ, ἡ, Adv. —δῶς, contr. κτενώδης, ὁ, ἡ, (κτείς) kammartig, einem Kamme ähnlich. —νοπώλης, ου, ὁ, Kammhändler.

Κτέννω, κτέννυμι, κτεννύω, andere Formen von u. ſ. v. a. κτείνω.

Κτενώδης, εος, ὁ, ἡ, S. κτενοειδής.

Κτενωτὸς, ἡ, ὸν, gekämmt, gewebt. S. κτείς, no. 2. κτενωτὴν τρίχα, d. i. ἐφαπτίδα hat Heſych.

Κτέρας, ατος, τὸ, ſ. v. a. κτέανον u. κτῆμα. S. κτέρος. —ρείζω, f. σω, od. κτερίζω, ſ. v. a. κτεατίζω, vorzüglich aber einen Todten mit allen Ehrenzeichen zur Erde beſtatten, *juſta, exequias facere.* S. κτέρος; davon —ρισμα, τὸ, ſ. v. a. κτέρος od. κτέρεα, oder was bey der Beſtattung zur Erde dem Todten mitgegeben wird. —ριστής, οῦ, ὁ, (κτερίζων) *libitinarius* nach Ulpian in den Pandekten, der das Leichenbegängniſs beſorgt. —ρος, τὸ, ſ. v. a. κτέαρ u. κτέρας, vorz. aber ſind κτέρεα die Sachen, welche man beym Begräbniſſe dem Todten gleichſam als Eigenthum mitgiebt, oder auf den Scheitorhaufen wirft, meiſt Koſtbarkeiten oder geliebte Gegenſtände: daher drückt das Wort, ſo wie κτέρεα κτερεΐζειν bey Homer, *parentalia parentare*, oder κτερεΐζειν νεκρὸν, die ganze vollſtändige Beſtattung zur Erde, *exequiae*, mit allen Ehrenzeichen aus, Leichenbegängniſs.

Κτηδὼν, όνος, ἡ, von κτείς, der Kamm: Heſych. erklärt es auch durch Dreyzack. Im Holze erklärt es Plinius im Theophraſt bald durch *pectinem*, bald d. *venarum curſum*: Plin. 16, c. 38. *ſunt in arboribus et earum materie pectines per longitudinem rectae, pectinum modo lineae et intervalla, graece* κτηδόνες *appellantur*: ſcheint die Faſern oder Lagen des Holzes auszudrücken, und eine gewiſſe Richtung derſelben. Wirklich erklären es einige τὰς κατ' εὐθεῖαν oder γραμματοειδεῖς διαφύσεις τῶν ξύλων. Suid. αἱ ἐπ' εὐθείας τῶν ξύλων ἐκφύσεις: daher ſagt Theophr. h. pl. 5, 2. Bäume deren Holz gut ſpaltet εὐκτηδόνες, ſind die, welche die Holzlagen-Faſern - den Span nicht gedreht- gewunden haben: dahin gehört beym Mechanicus Hero p. 134. τὰς κληδόνας τοῦ ξύλου εἰς τὸ ὕψος τῆς χοινικίδος δεῖ ποιεῖν: ſind wie es ſcheint die Holzlagen, die vom Kern aus, wie aus dem Zentro, nach der Peripherie durch die Holzringe gehn: Dioſcor. 5, 145. nennt die Lagen der Schieferſteine κτηδόνας. S. in ἰδυπτίων.

Κτῆμα, τὸ, (κτάομαι) der Beſitz, das Eigenthum: 2) das, was man beſitzt, an Vieh, Grundſtücken oder baarem Gelde: Vermögen: vorz. im plural. κτήματα: davon —ματικὸς, ἡ, ὸν, einer der Eigenthum- Vermögen hat. —μάτιον, τὸ, dimin. v. κτῆμα, wovon —ματίτης, ου, ὁ, einer der Eigenthum- Ländereyen- Vermögen hat. —ματολογία, ἡ, Angabe von dem Eigenthume, aus Theod. Gaza: zw.

Κτῆμι, (κτάω) ich tödte, davon ἔκτην, κτὰς, κτάμενος. S. κτείνω.

Κτηνηδὸν, Adv. (κτῆνος) nach Art des Viehes. —νίατρος, ὁ, Vieharzt. —νίτης, ου, ὁ, was zum Vieh gehört. —νοβάται, der mit Hausthieren ſich begeht, Schol. Ariſtoph Ran. 432. —νόομαι, οῦμαι, (κτῆνος) zum Thiere- Vieh werden: Gregor. Naz. —νοπρεπής, έος, ὁ, ἡ, (πρέπω) viehmäſsig. —νος, εος, τὸ, ſ. v. a. κτέανον u. κτῆμα, Beſitz- Eigenthum- Vermögen an Vieh- Geld u. dergl. daher Heſych. κτήνη durch χρήματα u. βοσκήματα erklärt, Aeſchyl. Ag. 132. vorz. heiſst es in Proſa das Vieh, Zuchtvieh, Zugvieh. Sophocl. Trach. 690 nennt die Wolle κτησίου βοτοῦ λάχνην, für κτήνους. Alſo heiſst es auch ein Schaaf, überh. Hausthiere. Xen. Cyr. 8, 2. 14. Oecon. 7, 19. —νοστάσιον, τὸ, (κτῆνος, στασις) Viehſtall. —νοτροφεῖον, τὸ, Viehſtall, Viehſtand: Geopon. 15. 8. und —νοτροφέω, ῶ, (κτῆνος, τροφὴ) ich nähre, halte Vieh; davon —νοτροφία, ἡ, das Halten des Viehes, Viehzucht: und —νοτρόφος, ὁ, ἡ, der Vieh nährt- hält- zieht. —νώδης, εος, ὁ, ἡ, Adv. —δῶς, wie ein Vieh (κτῆνος) geartet: dumm, ſtupid, brutal; davon —νωδία, ἡ, viehiſche Dummheit, Stupidität.

Κτησίδιον, τὸ, dimin. v. κτῆσις, kleines Eigenthum. —σιος, ὁ, ἡ, zum Eigenthume gehörig: κτησίου βοτοῦ λάχνην. S. κτῆνος: der Eigenthum- Vermögen giebt, ζεὺς, ἑρμῆς, u. ſ. w. bey Dionyſ. Antiq. 8, 41 ſind κτήσιοι θεοὶ mit ἑστία πατρῷα verbunden ſ. v. a. *penates.* —σιππος, ὁ, ἡ, (κτῆσις, ἵππος) Pferdebeſitzer.

Κτῆσις, ὁ, ἡ, (κτάω, κτάομαι) der Erwerb, κτῆσιν τῶν χρημάτων ἔτι μᾶλλον ἐποιοῦντο, Thucyd. 2) das erworbene Eigenthum, Vermögen: 3) der Beſitz.

Κτητὴ, ἡ, fem. v. κτητὸς, Erworbene, Erkaufte, Sklavin. —τικὸς, ἡ, ὸν, Adv. —κῶς, zum erwerben oder zum Beſitze oder Eigenthume gehörig oder geſchickt: κτητικὴ τέχνη, Kunſt, ſich etwas zu erwerben: auch bey den Grammat. *poſſeſſivus*: von —τὸς, ἡ, ὸν, (κτάω) erworben, erkauft: zu erwerben, erkaufen.

Κτήτωρ, ορος, ὁ, Befitzer, Eigenthümer, Herr.

Κτίδεος, u. κτιδέη, ft. ἰκτίδεος; u. f. w. v. ἰκτὶς, Wiefel, Marder, Il. 10, 335. 458.

Κτίζω, f. ίσω, erbauen, errichten, hervorbringen, fchaffen, erfchaffen, bebauen, anbauen, τέχνην, *condere artem*, ftiften, erfinden: Phalaris Epift. Ift mit κτάω einerley, und fo wie diefes κτῆμι, κτῆμαι, fo macht κτίω, κτῖμι, κτῖμαι, dav. κτίμενος, κτιμένη, mit εὖ, wohl gebauet, angebauet, gut gelegen: davon auch κτίων, περικτίων. S. in κτίλος.

Κτίλος, ὁ, bey Homer der Bock, Schaafbock. 2) adject. κτίλος, ὁ, ἡ, zahm, mild, fanft: ἦσαν γὰρ κτίλα πάντα (θηρία) καὶ ἀνθρώποισι προσηνῆ fagt Empedocles, u. Hefiodus χρὴ δέ σε πατρὶ κτίλον ἔμμεναι: Pindar. Pyth. 2, 31 nennt den Priefter der Venus ἱερέα κτίλον Ἀφροδίτας. f. v. a. σύντροφον. Bey Nicand. Ther. 471. μῆλα κτίλα, 452. ὦεα, wo die Bedeut. nicht fo deutlich ift: denn ἥμερα der Scholien pafst auf bebrütete Eyer nicht. Die urfprüngliche Bed. ift v. κτίω, κτίζω, (eigentl. f. v. a. κτάω) einerley mit κτήσιος, zahm, und zum Eigenthume gemacht, wie die Hausthiere, κτήνη, κτέανα. —λόω, ῶ, zahm- kirre machen, zahmen: vertraut oder bekannt machen. S. κτίλος.

Κτῖμι, davon κτίμενος. S. κτίζω.

Κτίννυμι, κτιννύω, eine andere Form von u. f. v. a. κτείνω.

Κτὶς, ἡ, ft. ἰκτὶς.

Κτίσις, ἡ, (κτίζω) Erfchaffung, Erbauung, Bebauung, Anbauung: f. v. a. κτίσμα.

Κτίσμα, τὸ, das Erfchaffene, Gefchöpf: das Erbauete, Gebäude; davon —ματολατρεία, ἡ, Verehrung gefchaffener Dinge; von —ματολάτρης, οὐ, ὁ, Verehrer gefchaffener Dinge.

Κτιστὴρ, ὁ, und κτίστης, ὁ, (κτίζω) Schopfer: Erbauer, Anbauer, Bebauer: Bewohner. —στὸς, ἡ, ὸν, erfchaffen, erbaut, angebaut, bearbeitet, als Stein, der behauen, Hom. hymn. 1, 299. —στὺς, ύος, ἡ, f. v. a. κτίσις. —στωρ, ορος, ὁ, κτίτης, und κτίτωρ, ὁ, (κτίζω und κτίω) *conditor*, Erbauer, Stifter, u. f. v. a. κτίστης.

Κτίω, das Stammwort von κτίζω.

Κτονέω, ῶ, f. v. a. κτείνω; von —νος, ὁ, (κτείνω) Ermordung, Mord.

Κτυπέω, ῶ, (κτύπος) durch Schlagen- Stofsen - Stampfen Geräufch oder Lärmen machen: κτυπεῖσθαι τὰ ὦτα ὑπὸ εὐνοίας ἵππων, Philoftr. Apoll. 8, 13. *auribus percuffis fonitum percipere et fentire equos*: von κτύπος; davon —πημα, τὸ, und κτυπία, ἡ, bey Hefych. das Durchfchlagen- Stofsen - Klopfen- Klatfchen verurfacht: Geräufch, Lärm, Getöfe, Krachen. —πος, ὁ, durch Schlagen - Stofsen - Klopfen - Klatfchen entftehender Lärm - Getofe - Geräufch; v. τύπτω, τύπος, κτύπος.

Κυάθειον, τὸ, und κυάθιον, τὸ, kleiner κύαθος, Becher. —θίζω, ich pokulire, zeche; 2) Polyb. 8, 8 ταῖς ναυσὶν αὐτοῦ κυαθίζειν ἐκ θαλάττης Ἀρχιμήδη, fchöpfen und trinken aus dem Meere: bey Plaut. Menaechm. 2, 2, 29. *cyathiffare.* —θιον, τὸ, κυαθὶς, ἡ, kleiner (κύαθος) Becher. —θίσκος, ὁ, kleiner Becher: μήλης κυαθ. der hohle Theil an der chirurgifchen Spatel, *fpecillum*. —θος, ὁ, ein Becher; 2) ein Maas von flüffigen und trocknen Dingen 2 κόγχας und 4 μύστρα, *cochlearia*, haltend; 3) man fetzte die ehernen Becher auch als Schröpfköpfe auf, Braufchen (ὑπώπια), Ariftoph. Lyfiftr. 444. Pac. 541. Bey Nicolaus Smyrn. vom Fingerzählen heifst κύαθος auch die hohle Hand. κύος und κύαρ die Höhle, ift das Stammw. —θότης, ἡ, von Plato bey Diogen. Laert. aus κύαθος gemacht, Becherheit, wie aus Menfch Menfchheit. —θώδης, εος, ὁ, ἡ, becherartig.

Κυαίνω, f. v. a. κυέω: Hefych.

Κυάμειος λίθος, Bohnenftein: Plin. 37. 11. —μευτὴς, οῦ, ὁ, der mit Bohnen ftimmt. —μευτὸς, ἡ, ὸν, der m. Bohnenftimmen gewählt worden ift: ψηφοφορία, das Stimmen mit Bohnen; Plutar. von —μεύω, ich wähle jemand durch meine Stimme mit Bohnen. —μιαῖος, αία, αῖον, von der Gröfse einer Bohne. —μίζω, von den Mädchen, mannbar feyn. S. κύαμος no. 4. —μινος, ίνη, ινον, von Bohnen. —μιον, τὸ, kleine Bohne. —μιστὸς ἄρχων, Plutar. 8 p. 257. f. v. a. κυαμευτός. zweif. —μοβόλος, ὁ, der feine Bohne im (Stimmen) wirft. —μος, ὁ, Bohne, Pflanze und Frucht, wahrfch. unfere Saubohne oder Pferdebohne; 2) Stimme, welche mit Bohnen gegeben wird; 3) ein Maas, das fo viel als eine Bohne beträgt; 4) die erfte Milch, die fich in der Bruft eines Mädchens zu Anfange der Mannbarkeit erzeuget, und die Bruftwarzen hart macht: davon κυαμίζειν, mannbar werden, Pollux 2, 163. u. 2, 18. —μοτρώξ, ῶγος, ὁ, (τρώγω) Bohnenfreffer: Ariftoph. Equ. 41. mit Anfpielung auf den Gebrauch der Bohnen beym Votiren des verfammelten Volks. —μοφαγία, ἡ, das Bohneneffen. zw. —μὼν, ῶνος, ὁ, Bohnenfeld: Ort wo Bohnen wachfen.

Κυαναιγὶς, ίδος, ἡ, mit fchwarzer oder fchreckender Aegide: Pind. Olymp. 13, 109.

Κυανάμπυξ, υκος, ὁ, ἡ, mit dunkelblauem oder ſchwarzen ἄμπυξ. Pindarus Luciani. —ναύγετις, ἡ, ſ. v. a. das folgd. Orph. hymn. —ναυγής, έος, ὁ, ἡ, (αὐγή) glanzend blau oder ſchwarz: ὀφρύς, Eurip. Alc. 261. —νέαι, αἱ, nämlich πέτραι, die dunkelblauen-ſchwarzen-oder Kyaniſchen Felſen im Pontus Euxinus, Euripid. Med. 1. —νεος, έα, έη, εον, und κυάνειος, α, ον, (κύανος) das lat. *coeruleus*, ſchwarzblau, dunkelblau: daher oft für ſchwärzlich, ſchwarz oder dunkelfarbig. —νέμβολος, ὁ, ἡ, Eur. Electr. 436. Ariſtoph. Equ. 554. Ran. 1318 τριήρης und πρώρα, von ἔμβολος oder ἔμβολον, die Spitze oder Schnabel des Schiffs, alſo ſ. v. a. κυανόπρωρος. —νίζω, blau- blaulicht ausſehen. —νήτης, ὁ, ῖτις, ἡ, dem κύανος ähnlich, blaulicht oder ſchwarzblau. —νοβενθής, ὁ, ἡ, mit ſchwarzer oder dunkler Tiefe oder Boden: Athenaei p. 485. wo andre —κευθὴς leſen. —νοειδής, έος, ὁ, ἡ, (εἶδος) ſ. v. a. das vorberg. ſchwarzblau, ſchwärzlich. —νόθριξ, χος, ὁ, ἡ, ſchwarzhaarig. —νοκευθής, S. —βενθής. —νόπεζα, ἡ, ſchwarzfüſſig: mit ſtahlblauem Geſtelle oder Füſſen, Il. 11, 628. —νόπεπλος, ὁ, ἡ, m. dunkelblauem od. ſchwärzlichen Oberkleide. —νοπρώρειος, ὁ, ἡ, oder κυανόπρωρος, ὁ, ἡ, mit ſchwarzblauem od. ſchwarz gefärbten Vordertheile, πρώρα: andre laſen im Homer κυανοπρῴιρος, und —ώειρος, von πρῴιρα ſt. πρώρα. S. auch κυανέμβολος. —νόπτερος, ὁ, ἡ, (πτερὸν) dunkelblau oder ſchwarz geſiedert. —νος, κυανὸς, ὁ, Kupferoker, theils gegrabener, theils gemachter, v. blauer Farbe: bey Hippocr. de corde wird dieſer κύανος wie der Mennig μίλτος mit Waſſer aufgelöſt zum färben: ſpäterhin hieſs auch der Lazurſtein ſo; 2) die blaue Kornblume; 3) die blaue Amſel, Ariſtot. h. a. 9, 21. Aelian. 4, 59. 4) κυανὸς als adject. ſ. v. a. κυάνεος, wovon κυανώτατος b. Suidas: bey Homer und Pauſan. 5, 11. bedeutet es eine gewiſſe Farbe, womit man lackirte oder anſtrich, die ſich aber nicht beſtimmen läſst. —νόστολος, ὁ, ἡ, (στολὴ) ſchwarz gekleidet. —νόφρυς, υος, ὁ, ἡ, (ὀφρὺς) mit ſchwarzen Augenbraunen. —νοχαίτης, ου, ὁ, (χαίτη) mit ſchwarzen Mähnen oder Haaren. —νοχετέων πηγάων, Orph. de galactite v. 21. von ἐχετὸς, κυανὸς. zweif. —νόχροος, κυανόχρως, ωτος, ὁ, ἡ, (χρόα, χρὼς) mit ſchwarzer oder dunkler Oberfläche-Haut-Farbe-Körper: die Form —χρωτος, Orph. hymn. —νῶπις, ιδος, ἡ, (κυανὸς, ὢψ) maſcul. κυανωπὸς, ὁ, mit dunkelblauen oder ſchwärzlichten Augen. —νωσις, ἡ, (κυανόω) die blaue Farbe, Plutar. Plac. Philoſ. 1, 6.

Κύαρ, κύατος, τὸ, Höhle, Loch, in der Nadel u. ſ. w. v. κύω, wovon κύτος.

Κυβάζω, ſ. v. a. κυβηστίζω, ich ſtelle auf den Kopf, kehre um.

Κυβάλης, ſ. v. a. κίναιδος von κύπτειν, bey Euſtathius: dafür Heſych. κυπάται, κίναιδοι, μαλακοί.

Κύβας, ὁ, der Sarg.

Κύββα, ἡ, ſ. v. a. κύμβα; Heſych. zw.

Κύβδα, Adv. (κύπτω) mit vorwärts geneigtem-überhängenden Kopfe: überh. vorwärts geneigt: vorz. im Beyſchlafe. S. κυπτάζω. 2) Auch von der Stellung im männlichen Beyſchlafe, Ariſtoph. Thesm. 498. Equ. 365. Machon. Athenaei p. 580. davon κύβδασος, ὁ, ein erdichteter Dämon, wie κονίσαλος, Plato Athenaei 10 p. 442. wofür Toup κύβδαλος las, und im Heſych. κύπται (ſl. κυπάται) κίναιδοι.

Κύβεθρον, τὸ, ſ. v. a. κυψέλη, Heſych.

Κυβεία, ἡ, (κυβεύω) das Würfelſpiel.

Κυβείας, ὁ, der Fiſch wovon das κύβιον. —βεῖον, τὸ, der Ort, wo man Würfel ſpielt.

Κυβέλειον, τὸ, ein Tempel der Cybele, Syneſius: von —λη, ἡ, Cybele, die Phrygiſche Göttin der die Galli dienten.

Κυβερνάω, ῶ, f. ήσω, das lat. *guberno*, lenken, ſteuern: übergetr. regieren. —νήσια, τὰ, zu Athen ein Feſt zum Andenken der Steuermänner des Theſeus. Plutar. c. 16. —νησις, ἡ, (κυβερνάω) das Steuern, Lenken, Regieren. —νήτειρα, ἡ, femin. v. κυβερνητὴρ, ὁ, der ſteuert, lenkt, regiert. —νητήριος, ſ. v. a. κυβερνητικός. —νήτης, ου, ὁ, ſ. v. a. κυβερνητὴρ, *gubernator*, welches von der Form —νήτωρ gemacht iſt. —νητικὸς, ἡ, ὸν, zum ſteuern-lenken-regieren gehörig oder geſchickt: ἡ —κὴ, die Kunſt des Steuermanns: γράμμα-τικὸν, Buch von der Kunſt des Steuermanns. —νισμὸς, ὁ, (κυβερνίζω) ſ. v. a. κυβέρνησις, bey den LXX. —νος, ὁ, ſ. v. a. —νητής: aus Gregor. Naz.

Κυβευτήριον, τὸ, Ort zum Würfelſpielen: ueutr. von —ήριος, ſ. v. a. —τικὸς, von κυβευτὴρ, ὁ, od. —τὴς, οῦ, ὁ, der Würfelſpieler: davon —τικὸς, ἡ, ὸν, zum Würfelſpielen gehörig-geſchickt oder geneigt.

Κυβεύω, (κύβος) würfeln, Würfel ſpielen: daher wagen, es aufs Glück ankommen laſſen.

Κυβὴ, ἡ, der Kopf. S. κύμβαχος. —βηὶν, ο. κυβηβᾶν, zw. über den Kopf werfen, umwerfen. S. κύμβαχος.

Κυβήβη, ἡ, Cybele, die phrygiſche Göttin. —βος, ὁ, ἡ, der ſich mit dem Kopfe neigt, oder ein Diener der Cybele.

ein Begeisterter, Wahnsinniger, wie die Diener der Cybele.

Κυβηλίζω, ich schlage mit der Axt. —λὶς, ιος, ἡ, die Axt: bey Athenaeus 4 p. 109. steht unter der Gerathschaft des Kochs auch τὴν κύβηλον, wo aber die Handschr. κυβίλην haben. —λιστὴς, ὁ, ein Diener der Cybele, dergleichen herum betteln giengen: ἀγύρτην καὶ κυβηλιστὴν nennt Kratinus den Lampon. S. μητραγύρτης.

Κυβήνη. S. κικυμώττω.

Κυβήριον, falsch st. κυρήβιον.

Κύβησις, u. κύβισις, ἡ, S. κίβισις.

Κυβίζω, ich mache zum Kubus: berechne nach dem Kubus, in Kubikzahlen.

Κυβικὸς, ἡ, ὸν, Adv. —κῶς, (κύβος) kubisch, würflicht: oder mit Kubikzahlen berechnet.

Κύβιον, τὸ, der Fisch die Pelamys von einem gewissen Alter, (bey Oppian. κιβείας): 2) das davon eingesalzene vierekigte Stück (κύβος) Fleisch, *cybium salsamentum*; davon —οσάκτης, ὁ, (σάττω) s. v. a. ταριχέμπορος, der mit eingesalzenen Fischen handelt: Schimpfname des Nachfolgers von Ptolemaeus Auletes, Strabo 17, p. 1146. Sueton Vespas. 19.

Κυβιστάω, ῶ, f. ήσω, ich werfe- stelle mich auf den Kopf, (κύβη) tauche unter, mit dem Kopf voran: stürze mich hinein, Xen. Memor. 1, 3. 9. symp. 2, 11 davon —στημα, τὸ, ein Burzelbaum: s. v. a. d. folgd. —στησις, ἡ, das Stürzen od. Stellen auf den Kopf der Gaukler: das Burzelbaum machen od. sich überschlagen. —στητὴρ, ῆρος, ὁ, einer der sich auf den Kopf stellt- über den Kopf wirft und taucht, oder ein Gaukler, Springer, Tänzer, Odyss. 4, 14. Il. 18, 604. — στίνδα παίζειν, das Burzelbaum machen spielen, von κυβιστάω abgeleitet.

Κύβιτον, τὸ, woraus *cubitus*, der Ellbogen, Hippocr.

Κυβοειδὴς, έος, ὁ, ἡ, (εἶδος, κύβος) nach Art eines Kubus: kubisch, viereckig.

Κύβος, ὁ, *cubus*, bedeutet überh. einen viereckigten Körper, also einen Würfel, u. dergl. 2) eine kubische Zahl: ἡ ὀγδοὰς κυβος ἀπ' ἀρτίου πρῶτος οὖσα καὶ τοῦ πρώτου τετραγώνου διπλασία Plutar. Thes. 35. vergl. 7 p. 159 die Zahl 8 ist der erste Kubus von der geraden Zahl 2, und die doppelte Zahl von der ersten Quadratzahl 4. Namlich 2 mal 2 giebt die erste Quadratzahl 4, diese mit sich multiplicirt, giebt die Quadratzahl 16, diese mit der *radix*, giebt die Kubikzahl 64.

Κύβωλον, τὸ, bey Pollux 2, 142. s. v. a. κύβιτον, *cubitus*, der Ellbogen: Hesych. hat κύβωλα durch κῶλα, ὀσφῦς u. ὠλέκρανα erklärt.

Κυγχνὶς, ίδος, ἡ, falsch st. κυλιχνὶς in Galeni Glossar. —χραμος, ὁ, bey Aristot. h. a. 8, 12. ein Vogel, der mit den Wachteln wegzieht, wo die Handschr. κέχραμος, κέγχραμις, u. κέκρανος haben Hesych. κύγχρανος, εἶδος ὀρνέου, auch κιγκράμας, ὄρνεον bey Plinius 10, 23. *cychramus*: wahrsch. hiess er κέγχραμος, u. so erklären es Bellon und Büffon von der *miliaria avis*, einer Art von Ortolan.

Κυδάζω, f. άσω, auch κυδάσσω u. κυδάττω, ich schmähe, schimpfe, beschimpfe, Sophocl. Aj. 734. Apollon. 1, 1337. v. κῦδος, welche das lat. *fama*, im guten und bösen Sinne ausdrückt, also Ehre und Schmach. Doch ist die Form κυδαίνω von dem guten Sinne üblich: Hesych. hat κυδάττειν, ἐπιφωνεῖν. — δαίνω, f. ανῶ, (κῦδος, κυδάω) ich ehre, rühme, lobe, mache berühmt. S. κυδάζω. Il. 20, 42 μέγα κύδανον, waren stolz, oder froh. —δάλιμος, ὁ, ἡ, (κῦδος) geehrt, gerühmt, berühmt; gelobt. —δαλος, ὁ, oder κυδάρος, ὁ, eine Art von Schiff. Pollux. 1, 82. u. Hesych. —δάσσω, u. κυδάττω. S. κυδάζω. — δάω, ῶ, für κυδιάω u. κυδαίνω: zweif. —δέστερος, bey Polyb. 3, 96. gleichsam von κυδὴς, sonst ἐπικυδὴς. —δήεις, ήεσσα, ῆεν, (κῦδος) berühmt, rühmlich, gepriesen, stolz.

Κυδιάνειρος, ὁ, κυδιάνειρα, ἡ, μάχη, ἀγορὰ, den Mann ehrend, Ruhm bringend: Homer; von ἀνὴρ, u. κῦδος, Ehre. Plato Gorg. 40. ἀγορὰς, ἐν αἷς ἔφη ὁ ποιητὴς τοὺς ἄνδρας ἀριπρεπεῖς γίγνεσθαι. —άω, ῶ, (κῦδος) ich rühme mich, brüste mich, bin stolz, muthig, auch m. dem dat. davon κυδιόων st. κυδιάων.

Κύδιμος, ὁ, ἡ, (κῦδος) geehrt, berühmt, s. v. a. κυδάλιμος: κύδιμος ἔσσο, betrage dich rühmlich, Quint. Smyrn. 14, 200.

Κύδιστος, ὁ, u. κυδίων, superl. u. compar. von κῦδος, berühmtester, geehrtester: berühmter, geehrter: auch hat das Etym. M. κυδότερος und κυδότατος angemerkt: τὶ κύδιον μοὶ ζῆν Eur. Alc. 960, was nützt es mir zu leben.

Κυδνὸς, ἡ, ὸν, (κῦδος, κυδινὸς) s. v. a. κυδρὸς.

Κυδοιδοπάω, ῶ, S. κυκοιδοπάω.

Κυδοιμέω, ῶ, ich mache einen Tumult, Lärm: 2) active, bekriegen, Il. 15, 136. v. —μὸς, ὁ, der Tumult, Lärm, Getümmel, vorz. der Schlacht: daher 2) Gefecht, ὀρνίθων κυδοιμοι Theocr. 22, Hahnengefechte.

Κῦδος, εος, τὸ, Ehre, Ruhm, Lob. 2) ὁ κῦδος, Schmach, Schande, nach dem Etymol. M. in ἐκυδάσσετο bey den Syrakusanern. Aber κῦδος scheint wie *fa*-

ma, gute und böse Nachrede, Lob u. Schmach zu bedeuten, u. gener. masc. u. neutrius gewesen zu seyn.

Κυδρός, ρὰ, ρὸν, s. v. a. κυδνὸς, von κῦδος, (so wie ἐχθρὸς von ἔχθος) berühmt, ehrwürdig; davon —δρόω, ῶ, ich ehre; mache berühmt, κυδροῦμαι, s. v. a. κυδιάω, γαυριάω, ich bin stolz, bilde mir etwas ein, *glorior*.

Κύδων, ωνος, ἡ, eine Stadt auf der Insel Kreta, wovon κυδώνιον μῆλον, die Quitte, u. κυδωνιὰς, ἡ, s. v. a. κιδωνίη, Beyw. der Diana, kommen. —ναῖα σῦκα, Athenaeus 3 p. 81. nach Hesych. κοδώνεα Winterfeigen. —νέα, ἡ, und κυδωνία, ἡ, Quittenbaum, Geoponica. —νιάω, ῶ, μαζὸς κυδωνιᾷ, *mamma foriat*, die Brust strotzt und schwillt auf, wie ein Quittenapfel; von —νιον μῆλον, Quittenapfel; davon —νίτης, (οἶνος) Quittenwein.

Κυέω, ῶ, (κύω) empfangen, schwanger werden - gehn - od. seyn.

Κυζικηνὸς, (στατὴρ) Kyzikenische Münze, 28 attische Drachmen, ohngefähr 5 Rthlr. Xen. Anab.

Κύημα, τὸ, (κυέω) das Empfangene, die Frucht im Mutterleibe. —ησις, ἡ, das Schwangerseyn, die Schwangerschaft. —ητικὸς, ἡ, ὸν, (κυέω) zum empfangen oder gebähren gehörig - geschickt, oder geschickt machend.

Κυθέρεια, ἡ, oder κυθηριὰς, ἡ, Beyname der ἀφροδίτη, von der Stadt Cythera in Kreta, oder von der Insel κύθηρα: andere leiteten es von ἔρος, κύθω (s. v. a. κεύθω) ab.

Κύθος, S. κύθω.

Κύθω, s. v. a. das gewöhnlichere κεύθω, von κύω, so wie von jenem κυθάνω, κυθώνυμος, κυθηγενὴς u. s. w.

Κύθρα, und κύθρινος, ὁ, jonisch st. χύτρα, u. χύτρινος.

Κυθρόγαυλος, ein Gefäss, bey Joseph. Antiq. 8, 3. bey den LXX Reg. 3, 7 χυτρόγαυλος, von χύτρα, γαυλὸς.

Κύθρος, κύθρινος, S. χύτρος, χύτρινος.

Κυΐξ, κος, ἡ, ein Bollengewächse: Theophr. h. pl. 7, 13. wo andere τρὶξ lesen. zw. —ΐσκω, ich mache schwanger, κυΐσκομαι med. ich werde schwanger: Aristot. h. a. 6, 18 κυΐσκονται οὐκ ἐκ μιᾶς ὀχείας ἀλλὰ πολλάκις ἐπιβιβάσκουσι (wo die Ausgaben ἐπιβάλλουσι ohne Sinn haben) sie werden von einem Sprunge nicht trächtig, sondern man belegt sie öfters: c. 19. steht τὰ δὲ πρόβατα κυΐσκεται, (die Ausg. haben κυΐσκουσι) μὲν ἐν τρισὶν ἢ τέτταρσιν ὀχείαις, ἂν δ' ὕδωρ ἐπιγένηται μετὰ τὴν ὀχείαν ἀνακυΐσκει; wo Gaza *abortum infert* falsch übersetzt, statt so springen - belegen von neuem die Böcke die Schaafe. Eben so ist ἀποκυΐσκω eigentl. gebähren machen, ἀποκυΐσκεσθαι gebähren oder s. v. a. ἀποκυέω.

Κυκανάω, eine andere Form v. κυκάω: Aristoph. thesm. 852.

Κύκας, bey Theophr. h. pl. 2, 8. ist accus. plur. st. κοΐκας von κόϊξ; vergl. Plinius 13, 4. —κάω, ῶ, rühren, mischen, vermischen: übergetr. wie *misceo* u. *turbo*, verwirren, in Unordnung bringen, im Treffen; Il. 18, 229. 20, 489. davon

Κυκεία, ἡ, Vermischung, Verwirrung. zw. —κεῶ, statt κυκεῶνα. —κεὼν, ῶνος, ὁ, accus. auch κυκεῶ, (κυκάω) ein Trank oder Gemisch, dessen Grundlage Gerstenmehl (ἄλφιτα) war, entweder mit Wasser oder Wein oder Milch eingerührt, wozu man noch bald Honig, bald Kase, bald Salz, bald Kräuter und Blumen that, wodurch es bald dick, bald dünn wie ein Trank, und bald zum stärken, erfrischen, nähren, bald zum purgiren gebraucht ward: daher die Beywörter παχὺς, λεπτὸς, ἄναλτος, ἀνθινός. Die gemeinste und geringste Art meint Plutar. 8 p. 33. wo Heraklitus die Vortheile der geringen Kost empfehlen will: λαβὼν ψυχροῦ κύλικα καὶ τῶν ἀλφίτων ἐπιπάσας καὶ τῷ γλήχωνι κινήσας ἐκπιὼν ἀπῆλθεν.

Κυκηθρα, ἡ, s. v. a. ταραχὴ, Hesych. —θρον, τὸ, Rührkelle, Aristoph. Pac. 654. metaph. ein Aufwiegler, Joseph. antiq. 17, 5, 8 μεγάλων πραγμάτων, der grosse Unruhen macht: woraus man falsch das Wort κύκηθρος gemacht und aufgeführt hat.

Κύκημα, τὸ, s. v. a. τάραχος, Hesych.

Κύκησις, ἡ, (κυκάω) das Rühren, Mischen: s. v. a. ταραχή. —σίτεφρος, ὁ, ἡ, Aristoph. Ran. 711. mit Asche gerührt - gemischt.

Κυκητής, οῦ, ὁ, (κυκάω) der mischt, rührt, in Bewegung oder Unordnung bringt.

Κυκλάζω, ich gehe rund herum, umgebe, schliesse ein.

Κυκλαίνω, ich runde, mache rund.

Κυκλάμινος, ἡ, κυκλάμινον, τὸ, und κυκλαμὶς, ἡ, Orph. Argon. 915. eine Pflanze, mit einer runden Knollenwurzel, deren Blume zu den Kränzen genommen ward, Saubrod, *cyclamen europaeum* Linnaei.

Κυκλὰς, άδος, ἡ, rund: κυκλάδες heissen gewisse Inseln des aegeischen Meeres, weil sie im Zirkel liegen; 2) verst. ἐσθὴς, ein Staatskleid der Frauenzimmer, wie *robe ronde*: ὥρα st. κυκλουμένη, Eurip. Alc. 450. die im Kreise umkehrende Jahreszeit.

Κυκλεύω, (κύκλος) in einen Kreis drehen, im Kreise bewegen: umdrehen, umwenden; 2) auf einer sich kreisför mig wendenden oder drehenden, oder mit Kreiſen (alſo auch mit Rädern) ſich bewegenden Maſchine drehen und bewegen, alſo fahren, führen, fortfahren, fortführen, Il. 7, 332. neutr. fahren, Strabo 6 p. 433.

Κυκληδὸν, Adv. rings herum, wie im Kreiſe.

Κύκλησις, ἡ, (κυκλέω) das Herumdrehen, die Umwälzung: die kreisförmige Bewegung.

Κυκλιὰς, ſ. v. a. κύκλος, τυροῦ κυκλιὰς, ſ. v. a. τροφαλὶς: Anthol.

Κυκλικὸς, ἡ, ὸν, Adv. —κῶς, zirkelartig, zirkelrund; 2) κυκλικοὶ hieſsen die Dichter, welche die Gegenſtände aus dem Zirkel der Homeriſchen Fabeln weitläuftiger behandelten und beſungen, Horatii Art. 132, 136.

Κυκλιοδιδάσκαλος, ὁ, ein Dichter v. kykliſchen Gedichten, vorz. Dithyramben. —ιος, ία, ιον, (κύκλος) χοροὶ κύκλιοι hieſsen anfänglich bloſs die Chöre, welche an den Feſten des Bacchus tanzten und ſangen, nämlich die Lieder διθύραμβοι, entweder von der Form des Tanzes im Zirkel, oder von der Form des Geſanges, Rundgeſanges, mit Muſik begleitet; daher ἐχορήγησεν κύκλον, ſ. v. a. κυκλίῳ χορῷ, Perizon. Aelian. 10, 6. Nachher hieſsen auch ähnliche andern Gottheiten zu Ehren aufgeführte Chöre und Geſänge, ſo wie auch alle am Bacchusfeſte aufgeführte Chöre, tragiſche, komiſche und ſatyriſche κυκ. χοροὶ: Aeſchines c. Cteſi. pag. 625. Aeſchin. phil. 3, 20. Xen. Oecon. 8, 20.

Κυκλίσκος, ὁ, dim. von κύκλος. S. auch κοιλίσκος. —κωτὸς. S. κοιλισκωτὸς.

Κυκλόεις, όεσσα, όεν, ſ. v. a. das proſaiſche κυκλικὸς.

Κυκλοβορέω, ῶ, bey Ariſtoph. ſ. v. a. κυκλοβόρου φωνὴν ἔχω, von dem reiſſenden Winterſtrome in Attika κυκλόβορος, der brauſend einherſtrömte. —γραφέω, ῶ, im Kreiſe od. zirkelförmig ſchreiben, in Perioden ſchreiben: b. Dionyſ. hal. 6 p. 1008. weitläuftig ſchreiben. —δίωκτος, ὁ, ἡ, (διώκω) im Kreiſe getrieben, umher getrieben. —ειδὴς, ὁ, ἡ, kreisförmig. —εις, όεσσα, όεν, poet. ſ. v. a. κυκλικὸς. —έλικτος, ὁ, ἡ, (ἑλίσσω) im Kreiſe gewunden, kreisförmig gehend, Orphic. hymn.

Κυκλόθεν, Adv. aus dem Umkreiſe, von allen Seiten, rings herum.

Κυκλομόλιβδος, ὁ, ein bleyerner Kreis, ein rundes bleyernes Gefäſs, Analecta Br. 3 p. 69. —παιδία, ἡ, ſ. v. a. ἐγκυκλοπ. zw. —πορεία, ἡ, das Herumgehn im Kreiſe; von —πορέω, ῶ, im Kreiſe herumgehn.

Κύκλος, ὁ, Kreis, Zirkel, Umfang, Mauer: in der Logik ein Zirkelſchluſs: in der Rhetorik eine Periode: auch wie *circulus*, von verſammelten Menſchen, ein Kreis, Xen. Anab. 5, 7, 2. συνίστανται κύκλοι: im plural. auch κύκλα, τὰ, die Räder, Ringe, und dergl. runde Körper: κύκλῳ, rings herum: wie

Κυκλόσε, Adv. rings umher, nach allen Seiten hin: Il. 4, 212. —στομος, bey Aelian. h. a. 13, 2. falſch ſt. λυκόστομος.

Κυκλοτερὴς, έος, ὁ, ἡ, Adv. —ρῶς, (τείρω) rundgedreht, zugerundet, rund. —φορέω, ῶ, im Kreiſe bewegen: paſſiv. im Kreiſe bewegt werden, ſich bewegen oder gehn; davon —φορητικὸς, ἡ, ὸν, Adv. —κῶς, im Kreiſe bewegend, od. bewegt od. gehend. —φορία, ἡ, die kreisförmige Bewegung; davon —φορικὸς, ἡ, ὸν, Adv. —κῶς, zur kreisförmigen Bewegung gehörig oder geſchickt.

Κυκλόω, ῶ, (κύκλος) in einen Kreis od. Zirkel bringen, rings umher einſchlieſſen: im med. κυκλοῦμαι, ich gehe rings umher, umgebe, umzingele: ich drehe mich im Kreiſe umher und tanze: Callim. Dian. 170. 267. ich ſtehe in Kreiſen oder Zirkeln umher, Xen. Anab. 6, 4, 20. davon

Κύκλωμα, τὸ, das Herumgedrehte, umgebene: ſ. v. a. κύκλος.

Κυκλώπειος, ὁ, ἡ, εία, ειον, und κυκλώπιος, und κυκλωπικὸς, Adv. —κῶς, von dem oder den Cyklops - Cyklopen, den C. gehörig - ähnlich oder anſtändig. —κλώπιον, τὸ, das Weiſse im Auge, weil es rings um die Sehe geht. —κλωπὶς, ιδος, ἡ, poet. ſ. v. a. κυκλωπική.

Κύκλωσις, ἡ, (κυκλόω) das Umringen, Einſchlieſsen, Umzingeln: die umzingelnden, Thucyd.

Κυκλωτὸς, ἡ, ὸν, (κυκλόω) gerundet.

Κύκλωψ, ωπος, ὁ, ἡ, eigentl. rundäugig, σελήνη κύκλωψ Parmenid. Clementis al. 5 p. 732 der runde Mond: vorzügl. κύκλωπες eine Menſchenraçe, Bewohner von der Küſte von Sicilien, mit einem einzigen runden Auge mitten auf der Stirne, Odyſſ. 9, 106. Heſiod. Theog. 139.

Κύκνειος, vom Schwane: dem oder zum Schwane gehörig. —νίας, ἀετὸς, Schwanenadler, weiſser Adler, Pauſan. 8, 17. —νίτης, ὁ, κυκνῖτις, ἡ, ſ. v. a. κύκνειος, als βοὴ κυκνῖτις, Sophocl. —νοκάνθαρος, ὁ, ein Schiff, das zugleich die Geſtalt eines κάνθαρος und κύκνος hat; beyde Arten von dem Zeichen ſo genannt, Athenaeus 9. —νόθρεπτος, ὁ, ἡ, von Schwänen genährt oder erzogen, Schol. Lycophr. 237.

Κυκνόμορφος, ὁ, ἡ, (μορφὴ) mit Schwanengestalt. —νος, ὁ, *cycnus*, Schwan.

Κυκοιδοπάω, s. v. a. κυκάω, Aristoph. Nub. 616. wo andere κυδοιδοπᾶν wie Pac. 1152 schrieben, wo es Lärmen, Geräusch machen, heisst. Hesych. hat auch ἰδοιδοπεῖν, von κυκάω oder κυδοιπὸς u. δόπος, st. δοῦπος.

Κύλα, ων, τὰ, u. κυλὰς, ἡ, der eingedrückte Theil am Unteraugenliede. S. κυλοιδιάω.

Κύλη, ἡ, S. in κύλιξ.

Κυλικεῖον, τὸ, der Schenktisch, worauf die Becher und das Trinkgeschirr steht, Athenaei 2 c. 2. 2) Trinksaal. —κειος, ὁ, ἡ, zu dem Becher oder Trunk gehörig. —κηγορέω, ῶ, f. ήσω, (ἀγορεύω) ich spreche von- beym Becher: Athenaei 11. p. 461 u. 480. Pollux 6, 29. —κηγόρος, ὁ, ἡ, der vom- beym Becher spricht. —κήρυτος, ὁ, ἡ, (ἀρύω) mit Bechern geschöpft od. zu schöpfen.

Κυλίκνη, ἡ, s. v. a. κυλίχνη. —κιον, τὸ, kleiner Becher. —κὶς, ίδος, ἡ, kleiner Becher: Medicinbüchse. —κοφθορέω, mit dem Giftbecher tödten, Nicet. Annal. 15. 4.

Κυλινδέω, ῶ, sonst auch καλινδέω, ich wälze, κυλινδέομαι, ich wälze mich, drehe mich, treibe mich herum: von κυλίνδω: davon —δήθρα, ἡ, der Ort, wo nach dem Ritte die Pferde hingeführt werden, um sich zu wälzen. S. ἐξαλίζω. —δησις, ἡ, das Wälzen, ἡ ἐν τοῖς λόγοις, Uebung in der Redekunst; Plato Soph. 52. —δρικὸς, ἡ, ὸν, Adv. —κῶς, zylindrisch, rund. —δροειδὴς, έος, ὁ, ἡ, Adv. —δῶς, zylinderförmig. —δρος, ὁ, (κυλίω) der Zylinder, langer runder Körper, der um seine Achse gewunden ist, Walze. —δρόω, ῶ, ich wälze, ebne mit der Walze. —δρώδης, εος, ὁ, ἡ, s. v. a. —οειδής. —δω, (κυλίω) ich wälze: kommt v. ἀλίω, ἀλίζω, ἀλίνω, ἀλίνδω, καλίνδω, καλινδέω.

Κύλιξ, ικος, ἡ, Becher, Kelch: das Stammwort κύλη, ἡ, aus Alexis hat Athenaeus 2 p. 470 u. dieses von κύλος, s. v. a. κοῖλος hohl. S. in κυλλὸς.

Κυλὶς, ἡ, S. κυλοιδιάω. —λισις, ἡ, (κυλίω) das Wälzen, Rollen. —λίσκη, ἡ, u. davon κυλίσκιον, τὸ, s. v. a. κυλίχνη, κυλίχνιον: Pollux 5, 95. 6, 98. 16, 66. —λισμα, τὸ, (κυλίω) das Gewälzte, s. v. a. κυλίστρα, der Ort zum wälzen: 2 Petr. 2, 22. —λιστὸς, ἡ, ὸν, (κυλίω) gewälzt: zum wälzen, στέφανος, Athenaei 2, 10. —λίστρα, ἡ, s. v. κυλινδήθρα, Xenoph. —λίχνη, ἡ, davon κυλίχνιον, τὸ, u. κυλιχνίς, ἡ, desgl. κύλιχνος, ὁ, alles von κύλιξ abgeleitete Formen, bedeuten kleine Becher, Büchsen, auch Schüsseln, um darinne Speisen aufzutragen, *culigna* bey Festus. —λίω, ich wälze, wickle, drehe herum, wie κυλίνδω.

Κυλλαίνω, S. in κυλλὸς. —λάστις, ιος, ὁ, jonisch κυλλήστις, ὁ, aegyptisches Brod aus ὀλύρα, Herodot. 2, 77. —λοίπους, s. v. a. d. folgd. S. χαλαίπους. —λοπόδης, ου, ὁ, u. κυλλοποδίων, ὁ, (κυλλὸς, ποῦς) der krumme Füsse hat, und daher hinkt, Beyw. des Vulkan. S. auch χαλαίπους.

Κυλλὸς, ἡ, ὸν, gebogen, krumm, bey Hippocr. mit σκολιὸς verbunden: Einige verstanden es vorzügl. von der einwärts gehenden Krümmung, wie Galen bemerkt: daher auch χωλὸς, lahm, mit einem krummen Fusse: davon κυλλόω, krumm oder lahm machen: u. κύλλωσις, ἡ, die Lähmung durch Krümmung, bey Hippocr. davon auch κυλλοίπους κυλλοπόδης, κυλλοποδίων. Bey Aristoph. Av. 1379 in der Stelle Equ. 1083 κυλλὴ χεὶρ, wird zugleich auf die krumme oder lahme Hand, aber auch auf die hohlgemachte bettelnde oder Geldnehmende Hand angespielt, d. i. κοίλη χεὶρ. S. in κύλιξ. Was Hippocrates de artic. p. 627. κατὰ τὸν κενεῶνα κυλλοὶ nennt, heisst p. 628 κοιλαινόμενοι κατὰ τὸν κεν. statt κυλλαινόμενοι und im Mochlico p. 508 καμπύλοι ἐν τῷ κενεῶνι. Hesych. führt aus Sophoclis Phaedra an: κυλλαίνων ὦτα, was bey Homer οὔατα κάββαλεν Odyss. ρ, 302. heisst. Das Stammwort ist κύλω, κύλλω, einerley mit κέλω, κέλλω, u. κίλω, κίλλω. Von κέλω, κέλλω kommt ausser andern Formen auch κελλὸς, κελλόω bey Hesych. στρεβλὸς, πλάγιος, πλαγιάζω. Derselbe hat von κίλω, κίλλω angemerkt κίλιξ, u. κίλλιξ, von einem Ochsen mit verdrehtem od. krummen Horne. So wie Hesych. κυλλοποδίων, χωλὸς, μονόχειρ, d. i. mit gelähmtem Fusse oder Hand, erklärt, eben so hat er κελλὰς, μονόφθαλμος, welches ich als das femin. von κελλὸς annehme. Sonach scheint es, dass κίλιξ mit ἕλιξ, u. ἑλιξόκερως übereinkommt; ferner dass κύλω, κύλλω κυλίω, κυλίσσω, κυλίνδω mit ἀλίω, ἀλίσσω, ἀλίνδω, ἑλίω, ἑλίσσω einerley Ursprung und die Bed. von winden, wälzen, biegen, umbiegen, krümmen hat.

Κυλοιδιάω, ῶ, ich habe den Theil unter dem Auge (κῦλα) geschwollen oder geschwollene Augen, von Schlaflosigkeit oder Schlägen: ἐὰν δὲ τοῦτο δρᾷς, κυλοιδιᾶν ἀνάγκη, wenn du's thust, so musst du nothwendig Schläge und geschwollene Augen bekommen, Aristoph.

das obere Augenlied nennt man κῦλον, κοῖλον, das untere ὑπόκοιλον, ὑποκοιλίς, u. ὑποφθάλμιον: bey Pollux 2, 66 vergl. Theophil. Protoſpath. 4. 18. heiſst das obere ἐπικολίς, das untere κιλίς. Es ſcheint, als ob das Wort κοῖλον u. κύλον hier einerley ſey und bedeute, alſo nicht ſo wohl das Augenlied, als eine Vertiefung unter und über dem Auge.

Κῦλον, τό. S. κυλοιδιάω.

Κῦμα, τό, (κύω) die Welle, Bewegung des ſtürmiſchen Meeres: metaph. von Unglück, das wie Wellen auf uns ſtürmt: 2) die Frucht im Mutterleibe. 3) *cyma, ae,* u. *cymatis,* der junge Schoſs von Kohl, der wie Spargel gegeſſen wird 4) eine architektoniſche Zierrath, wie κυμάτιον. S. λέσβιον. Hemſterhuis vergleicht d. lat. *cumus, cumulus.*

Κυμαγωγία. S. κυματωγή. —μαίνω, f. ανῶ, wallen, Wellen ſchlagen, drückt die Bewegung des unruhigen Meeres aus, alſo Unſtätigkeit, Schwanken, heftige Bewegung: metaph. Unruhe der Seele, heftige Bewegung durch Leidenſchaft: active, in heftige Bewegung, Unruhe ſetzen: τὸν οἴστρῳ κυμήναντα θεοὺς Ἔρωτα, Anthol. σὸν ἄνθος ἥβας κυμαίνει Pind. Pyth. 4, 281 ſ. v. a. σφριγᾷ. —μάκτυπος, ὁ, ἡ, ſ. v. a. κυματόκτυπος bey Hephaeſtion p. 43 von Wellen rauſchend. —μανσις, ἡ, (κυμαίνω) das Wellenſchlagen, die Bewegung in einer Wellenlinie. —μάς, άδος, ἡ, ſ. v. a. ἔγκυος, die ſchwangere.

Κυματηρός, ά, όν, Wellen ſchlagend, voll Wellen. —τίας, ου, ὁ ποταμὸς κυματίης ἐγένετο, Herodot. der Fluſs fieng an Wellen zu ſchlagen: metaph. ἢν κυματίας ὁ δῆμος γένηται, wenn das Volk unruhig wird, Libanius: ἄνεμος, ein Wind der Wellen ſchlägt. —τίζω, ſ. v. a. κυμαίνω und κυματόω, in Wellen oder Bewegung oder Unruhe ſetzen. —τιον, τό, (κῦμα) kleine Welle: 2) kleine *cyma,* Kohlſtengel: 3) eine Zierrath in der Baukunſt wie ein vorſtehender Rand, *cymatii projectura* Vitruv. 3, 3. ein Kranz, στρεπτὸν τραπέζης κ. Exodi 25, 24. Clemens Strom. 6 p. 784. —τοαγής, ὁ, ἡ, (ἄγνυμι) wie Wellen anſtürmend und ſich brechend: Soph. oed. col. 1243. —τοβόλος, ὁ, ἡ, Wellen werfend oder ſpeyend: Gloſſar. —τόδρομος, ὁ, ἡ, in den durch die Wellen laufend, Schol. Lycophr. 789. —τοειδής, έος, ὁ, ἡ, (εἶδος) ſ. v. a. d. contr. κυματώδης. —τοπλήξ, ῆγος, ὁ, ἡ, oder κυματοπληγής, ὁ, ἡ, (πλήσσω) von Wellen geſchlagen hin und her geworfen.

Κυματόφθορος, ὁ, ἡ, (φθορά κῦμα) Eurip. fragm. Polyd. von den Fluten getödtet, ertrunken. —τόω, ῶ, ſ. v. a. κυμαίνω, Plutar. 4 p. 64 νότος κυματώσας τὸ πέλαγος. —τωγή, ἡ, ſt. κυματοαγή, (κῦμα, ἄγω, ἄγνυμι) Brandung, Ufer, wo die Wellen ſich brechen, Herodot. u. Lucian. bey Joſeph. Antiq. 15, 9 ſteht falſch κυμαγωγία dafür. —τώδης, εος, ὁ, ἡ, Wellenförmig, voll Wellen. —τωσις, ἡ, das Fluten, Wogen.

Κυμβαλίζω, die Cymbel ſchlagen; davon —βαλιστής, οῦ, ὁ, femin. κυμβαλίστρια, ἡ, eigentl. von —τήρ, der die Cymbel ſchlägt oder ſpielt, Cymbaliſt. —βαλον, τό, (κύμβος) *cymbalum,* Cymbel, ein Inſtrument wie ein flaches Becken (bey der Janitſcharenmuſik braucht man ein ähnliches Becken) das geſchlagen einen Ton giebt, ὀξύδουπα κοιλοχείλεα κύμβαλα Anthol. —βαχος, ὁ, ἡ, mit dem Kopfe vorwärts, ἔκπεσε δίφρου κυμβ. ſtürzte vom Wagenſitze über Kopf. 2) κόρυθος κύμβαχον ἀκρότατον erklärt man bey Homer von dem Theile des Helms, worin der Federbuſch ſteckt: das Stammwort ſcheint κύβη, κύμβη, der Kopf: dav. κύπτω und κύβδα: ferner κυβηστίζω, ἐπὶ κεφαλὴν ῥίπτω bey Heſych. κυμβηστιᾷν im Etym. M. für κυβιστάω, welches v. κυβίζω, κυβιστής gemacht iſt. Dahin gehört auch κυβησίνδα, ἐπὶ κεφαλήν. v. κύμβη alſo κύμβαχος. —βη, ἡ, κυμβίον, τό, dimin. u. κύμβος, ὁ, die Hauptbedeutung iſt eine Höhlung, daher Heſych. κύμβος, κοῖλος μυχός, βυθὸς καὶ κεραμίου πυθμήν: alſo auch der Boden eines Gefäſses: daher ein hohles Gefäſs, Trinkgeſchirr; Kahn wie *cymba:* Heſych. hat auch κύμβη, πήρα, Ranzel. Von κύμβος leitet man d. lat. *catacumbae* ab. Nicand. Ther. hat κύμβος für ein Gefäſs, *cymbium,* Becher, oder vielmehr für ὀξύβαφον, wofür er Alexiph. κύμβην ſetzt, welches Euſtath. auch von der Schaale der Schnecken erklärt. In Chandleri Inſcript. Part. 2, no. 1. kommt κυμβίον als Theil einer Säule vor: 2) ein Vogel, wie es Heſych. erklärt, Empedocles Simplicii ad Ariſtot. Phyſ. p. 258. ὡσαύτως θάμνοισι: καὶ ἰχθύσιν ὑδρομελάθροις θηρσὶ τ᾽ ὀρεσι μελέεσσιν ἰδὲ πτεροβάμοσι κυμβαις.

Κύμινδις, ἡ, ein Nachtvogel, Il. 14, 291. Plin. 10, 8.

Κυμινοδόκη, ἡ, von κυμινοδόχος, Kümmelbehältniſs, Kümmelgeſchirr auf den Tiſch zu ſetzen, wie die Salzmeſte. —νοθήκη, ἡ, ſ. v. a. d. vorh. Poll. 10, 23. —νοκίμβιξ, ικος, ὁ, d. verſtärkte κίμβιξ, ſ. v. a. —πρίστης, Ariſtot. Ethic. 4, 1. Knauſer, Knicker. —νον, τὸ, *cuminum*, Kümmel, Diofcor. 3, 68

Κυμινοπρίστης, ου, ὁ, Kümmelfpalter: ein grofser Geitzhals, Knaufer, Knicker, der fogar die Kümmelkorner nicht ganz, fondern gefpalten auffetzt. Ariftot. Ethic. 4. 1. Theocr. 10, 55. Daher Ariftoph. Vefp. 1357 das gleichbedeutende καρδαμογλύφος, der die Kreffenkörner fchnitzt und fpaltet, damit verbunden hat, um die Bedeutung zu verftärken. —νότριβος, ὁ, ἡ, mit Kümmel gerieben: ἅλς, *fal cyminatus* des Palladius: Athenaeus 7 p. 320 u. p. 310 wo κυμίνῳ αὐτὰ πάσας ἁλὶ falfch fteht. —νώδης, εος, ὁ, ἡ, kümmelartig.

Κυμοδέγμων, ονος, ὁ, ἡ, (δέχομαι) Wogen oder Fluten aufnehmend, Eurip. Hipp. 1173: —θαλής, ὁ, ἡ, (θάλλω) Fluthenreich: Beyw. des Neptunus: Orphic. hymn. —τόμος, ὁ, ἡ, (κύματα, τέμνω) bey Theoph. Simocatta, was wir jetzt Eisbock nennen, Wogenbrecher, von dreyeckigter Geftalt.

Κυνάγχη, ἡ, auch σινάγχη, ἡ, (κύων, ἄγχω) eine Entzündung der Werkzeuge der Refpiration, wobey der Kranke die Zunge herausftreckt: wenn die Entzündung blofs im Halfe fich befindet, heifst es παρασινάγχη: 2) f. v. a. κλοιὸς κυνάγχος, Hundehalsband, Rhiani. epigr. 8 wo andere κυνακτὴς haben. —χικός, ἡ, όν, an der κυνάγχη leidend. —χος, ὁ, f. v. a. κυνάγχη, Hippocr. loc. in Hom. c. 13.

Κυναγωγός, ὁ, Hundeführer, der fie füttert und abrichtet: auch f. v. a. κυνηγὸς, der fie auf die Jagd führt, Xen. u. Arrian.

Κύναιδος, ὁ, ἡ, fehr unverfchämt, Hefych. zw.

Κυνάκανθα, κυνακάνθη, ἡ, Hundedorn, Arift. anim. 5, 19 viell. f. v. a. κυνόσβατος.

Κυνακτής, οῦ, ὁ, Hundefeil. S. κυνάγχη.

Κυναλώπηξ, εκος, ἡ, Hundefuchs: Beyname eines liederlichen Mannes bey Ariftoph. Equ. 1067 Lyfiftr. 957. nach Hefych. auch ein Baftard vom Hunde und Fuchs, dergleichen die Lazedämonifchen ἀλωπεκίδες Xenoph. Venat. 3, 1. Aus Hefych in κυνάλωψ, κυνοφόντις fcheint zu erhellen, dafs andere im Ariftoph. κύν' ἀλώπηξ lafen, u. κύνα ἄδικον erklärten: Hefych hat auch aus Sophocles ἀλωπὸς durch ἀλωπεκώδης, πανοῦργος, u. ἀλωπὰ δ. ἀλώπηξ erklärt.

Κυνάμυια, ἡ, f. v. a. κυνόμυια.

Κυνάνθρωπος, ὁ, ἡ, f. v. a. λυκάνθρωπος.

Κυνάρα, κύναρος ἄκανθα, bey Athenaeus 2 p. 70 von zw. Bedeut. f. v. a. κυνόσβατος oder κινάρα. —ριον, τὸ, dimin. v. κύων.

Κυνάς, άδος, ἡ, lakonifch f. v. a. ἀπομαγδαλιά. Pollux 6, 93. Athenaeus 9 p. 409. 2) f. v. a. κύναρος, Hefych. 3) Hundeshaar, Theocrit. 15, 23. ἡμέραι κυνάδες, Hundstage, Plutar. 7 p. 496. —στρόν, τὸ, Hundsftern, Schol. Lycophr.

Κυνάω, ῶ, f. v. a. κυνίζω, den Cyniker fpielen: bey Ariftot. h. a. 6, 20. haben die beften Handfchr. κυνᾶν, wo die Ausg. σκυζᾶν haben, läufifch feyn, ranzen, in der Brunft feyn, von Hunden.

Κυνδάλη, ἡ, bey Hefych. f. v. a. —λισμός, ὁ, ein Spiel der Knaben, wo fie einen in lockerer Erde geftecktenn Pflock (πάσσαλον) mit einem Prügel umzufchlagen fuchten. S. κόνταξ; davon

Κυνδαλοπαίκτης, ου, ὁ, (παίζω) der diefes Spiel fpielt. —λος, ὁ, eine Art von hölzernen Nagel: wird falfch auch κίνδαλος mit feinen Ableit. gefchrieben.

Κυνέη, contrah. κυνῆ, ἡ, Hundsfell, woraus man Mützen, Hüthe und Helme machte; daher es dafür u. vorzügl. für Helm gebraucht wird, Il. 10, 257.

Κύνειος, und κύνεος, εία, εον (κύων) vom Hunde oder zum Hunde gehörig: hündifch.

Κυνέω, ῶ, f. v. a. κύω, küffen, Odyff. 21, 224. vergl. 225. davon προσκυνέω.

Κυνηγέσιον, τὸ, f. v. a. κυνήγιον. —γεσία, ἡ, das Jagen, die Jagd. —γέσιον, τὸ, die verfammleten Jäger: bey Ariftot. h. a. 3, 5 find τὰ κυνηγέσια den μονοπεῖραι λύκοι entgegengefetzt, d. i. in Haufen ziehende und jagende Wölfe: 2) die Jagd, das Jagen. —γετέω, ῶ, ich jage: von —γέτης, ου, ὁ, femin. κυνηγέτις, ἡ, (ἀγέτης, κύων) Hundeführer, Jäger, der die Hunde zur Jagd führt, und damit jagt. —γετικός, ἡ, όν, zum Jäger oder zur Jagd gehörig, gefchickt, geneigt: κυνηγετικὴ verft. τέχνη, Jägerey, Jagdkunft. —γέω, ῶ, ich jage, gehe auf die Jagd, fange. —για, ἡ, u —γιον, τὸ, f. v. a. κυνηγεσία, κυνηγέσιον, Jagd, Jägerey: von —γός, ὁ, ἡ, Jäger: f. v. a. κυνηγέτης u. κυναγωγός.

Κυνηδόν, Adv. nach Art der Hunde.

Κυνηλασία, ἡ, die Jagd mit Hunden: von —λατέω, ῶ, (κύων, ἐλαύνω) ich jage, hetze mit Hunden.

Κυνήποδες, οἱ, (κύων, πούς) am Pferdefufse die Knochen, die man auch σφυρὰ, englifch *follock*, franz. *boulet*, deutfch, Kugel; Köhde nennt.

Κυνητίνδα, παιδιὰ, ἡ, das Luftfpiel, von κυνεῖν küffen, Pollux 9, 114.

Κυνία, ἡ, nach Diofcor. 4, 192 f. v. a. κυνοκράμβη. —νίας, ὁ, πῖλος, χὴρ, der Hut vom Hundefell, der Hundsigel, *erinaceus caninus*, Hefych.

Κυνίδιον, τὸ, dimin. v. κύων, Hündchen.

Κυνίζω, f. ίσω, ich ahme den Hund nach; auch eine Art von Gang drückt es aus, μετὰ βλακείας περιπατεῖν, Hefych. 2) ich bekenne mich zur Sekte der Cyniker.

Κύνικλος, ὁ, lat. *cuniculus*, Kaninchen. —κὸς, ἡ, ὀν, hündifch. 2) Cynifch. 3) κυνικὸς σπασμὸς krampfhaftes Verzerren des Mundes.

Κύνιξις, ἡ, f. v. a. ἀκροβολισμὸς, Hefych.

Κυνίσκη, ἡ, eine junge Hündin. —κος, ὁ, ein junger Hund.

Κυνισμὸς, ὁ, (κυνίζω) Cynifche Denkungs-Handlungsart oder Philofophie: Vergl. Dio Or. 32 p. 677. R.

Κυνιστὶ, Adv. hündifch, auf hündifche Art.

Κυνίσφηλος, ὁ, ἡ, f. v. a. ἀπατητικὸς, Hefych.

Κυνοβάμων und κυνοβάτης, ὁ (βαίνω) ἵππος, ein Pferd, das den Hundetrab geht, Hippiatr. Hefych. —βλὼψ, ῶπος, ὁ, ἡ, (βλέπω) mit hündifchen Augen - Angeficht, Hefychius. —βρωτος, ὁ, ἡ, vom Hunde angebiffen, gefreffen. —γαμία, ἡ, Hundeheyrath: fo nannte Crates feine Verbindung mit Hipparcheia, Clemens Strom. 4 p. 619. —γλωσσον, τὸ, Hundszunge ein Kraut mit langen, breiten Blättern. —γνώμων, ὁ, ἡ, (γνώμη, κύων) unverfchämt, Nicetas annal. 9, 17. —δέσμη, ἡ, u. κυνοδέσμιον, τὸ, eine *fibula* zur *infibulatio* gebräuchlich, wenn die Vorhaut an die Eichel des Schaamglieds gebunden wird. —δεσμὸς, ὁ, ein Hundeband, Halsband des Hundes. —δήκτος, ὁ, ἡ, vom Hunde gebiffen. —δους, —όντος, ὁ, der Hundszahn, neben dem Schneidezähnen ftehend, *dens caninus*, Eckzahn. —δρομέω, ῶ, ich jage mit den Hunden, hetze mit Hunden: Xenoph. davon κυνοδρομία, ἡ, das Jagen, Hetzen mit Hunden: metaph. ἐκυνοδρομοῦμεν ἀλλήλους ζητοῦντες Xenoph. Symp. 4, 64, wir liefen einander nach, und fuchten einander auf, wie der Jäger mit den Hunden dem Hafen nachfetzt: Kamerarius fchlug ἐκοινοδρομοῦμεν vor. —ειδὴς, έος, ὁ, ἡ, contr. κυνώδης, welches S. —ζολον, (ὄζω) Hundeftank; fonft fchwarzer χαμαιλέων, Diofcor. —θαρσὴς, έος, ὁ, ἡ, oder κυνοθρασὺς, hundsfrech, hundsdreifte, Theocrit. 15, 53. —κάρδαμον, τὸ, f. v. a. κάρδαμον, Diofcor. —καυμα, τὸ, Hundstagshitze: Euftath. —κεντρον, τὸ, eine Pflanze, Hefych. —κεφάλαιον, τὸ, fonft ἀνεμώνη genannt, Hefych. bey Diofcor. 2, 207 fteht in den Nothis ὄρνιος κεράινος, viell. ft. κυνὸς κρανίον. Diofcor. hat aber 4, 70 denfelben Namen zu ψύλλιον angemerkt, nemlich κυνοκεφάλιον. —κέφαλος, ὁ, ἡ, mit einem Hundekopf: Hundskopf. 2) Name einer Gattung von Affen mit dergl. Kopfen, auch einzelner Arten: Ariftot. h. a. 2, 8. Aelian. h. a. 4, 46. 10, 25. Diodor. 3, 35. —κλόπος, ὁ, ἡ, (κλέπτω) Hundedieb. —κοπέω, Ariftoph. Equ. 289 fchlagen; mit einem zweif. Nebenbegriffe. —κράμβη, ἡ, Hundekohl, Diofcor. 4, 192. *thelygonum cynocrambe* Linn. —κτόνος, ὁ, ἡ, (κτείνω) Hunde mordend - tödtend. —κυτὶς, ίδος, ἡ, f. v. a. κυνόῤῥοδον, aus Marcellus empiricus: fehr zweif. —λέσχης, ου, ὁ, ἡ, unverfchämter Schwätzer, Zotenreifser: zweif. —λογέω, vom Hunde od. Hundsftern fprechen, Athenaei p. 23. —λοφα, ων, τὰ, (κύων, λόφος) eine Erhabenheit am Rükken, von den vorftehenden Fortfätzen der Rückenwirbel wie κέρνα, Pollux 2, 180. —λυσσος, ὁ, Hundstoll; toll von eines tollen Hundes Biffe: S. λύσσα. —μαλον, τὸ, f. v. a. κοκκύμηλον, Hefych. —μαχέω, ῶ, mit Hunden- gegen Hunde kämpfen - ftreiten. —μορον, τὸ, die Frucht v. κυνόσβατος, Galeni Comp. med. f. loc. 1 c. 1. —μυια, ἡ, Hundsfliege, unbeftimmte Art: übergetr. unverfchämt. —πρηστις, (πρήθω) ein Thier, welches die Hunde todtet oder aufbläht, wie βούπρηστις, Hefych. —πρόσωπος, ὁ, ἡ, (πρόσωπον) mit einem Hundsgefichte. —ροδον, κυνόῤῥοδον, τὸ, Hundsrofe, *rofa canina*, Plinius 8, 41. viele verwechfelten es mit κυνόσβατος, der Hainbutten oder Hagebuttenftrauch.

Κυνοῤῥαϊστὴς, κυνοραιστὴς, οῦ, ὁ, (ῥαίω, κύων) Hundslaus, *ricinus*.

Κυνόσαργες, εος, τὸ, ein Ringeplatz aufser der Stadt Athen, dem Herkules geheiliget, zu welchem die unächten Kinder fich hielten, daher εἰς κ. τελεῖν von unächten Kindern, Plutar. 9 p. 9. —σβατος, ὁ, *rubus caninus*, Hainbuttenftrauch: die Frucht κυνόσβατον, τὸ, Hainbutten, Hahnbutten.

Κυνοσσόος, ὁ, ἡ, (σόω, σεύω) s. v. a. κυνηγὸς, Hesych.

Κυνοσουρὰ, ἡ, lat. *cynosura*, Hundeschwanz, der kleine Bär am Himmel. —σουρα, ὡᾶ, sonst auch οὔρινα, ζεφύρια, ὑπήνεμα, Aristot. h. a. 6, 2. Plin. 10, 60 Windeyer. —σπάρακτος, ὁ, ἡ, (σπαράσσω) von Hunden zerrissen. —σφαγὴς, ὁ, ἡ, (σφάττω) dem oder der Hunde geopfert werden, Lycophr. 77 wo andere Ausg. κυνοσφανὴς, mit Hundegestalt, lesen. —τροφικὸς, κὴ, zum ziehn od. ernähren der Hunde gehörig oder geschickt: —κὴ, verst. τέχνη, Kunst Hunde zu ziehn.

Κυνοῦλκος, ὁ, ἡ, (κύων, ἕλκω) Hundeführer, Nicol. Damasc. p. 449.

Κύνουρα, τὰ, Lycophr. 99. Meerklippen: bey Hesych. κύνούρια, s. v. a. κυματωγὴ.

Κυνούχιον, τὸ, (ἔχω, κύων) ein Koffre oder Ränzel von Hundefell, wie κυνοῦχος, zweif. —χος, ὁ, Hundehalter, (ἔχω) Hundeband, Hundeseil: κλοιοὺς κυνούχους Anal. Br. 2, 213. 2) ein Ränzel, Sack von Hundehaut: Xenoph. ven. 2, 10.

Κυνοφαγεῖν, Hunde od. Hundefleisch essen. —φθαλμίζομαι, mit Hundsaugen oder unverschämt ansehen, Synesius. —φόντις ἑορτὴ, ein Fest, wo die Hunde getödtet werden, Athenaei p. 99. —φρων, ὁ, ἡ, (φρὴν) hündisch gesinnt, unverschämt; Aeschyli Choe. 619.

Κύντερος, ὁ, compar. u. κύντατος, superl. von κύων gemacht, unverschämter, dreister, schlimmer, übler: u. so d. superl. der unverschämteste, dreisteste, schlimmste, übelste. Nach Photii Lexic. haben die Komiker auch κυντερώτερος u. κυντατώτατος gesagt.

Κυνώδης, εος, ὁ, ἡ, hundeartig, hündisch.

Κυνώπης, ου, ὁ, fem. κυνῶπις, ἡ, (κύων, ὤψ) Hundsgesicht, mit hündischen Augen: unverschämt.

Κύνωψ, ωπος, ὁ, Theophr. h. pl. 7, 8 u. 17. hält man für ψύλλιον des Dioscor. andere lesen ἐχίνωψ.

Κύος, εος, τὸ, s. v. a. κύημα, Aristoph. Pollucis 2, 6. davon

Κυοτοκία, ἡ, Geburt, das Gebähren, Alexand. aphrod. —τροφία, ἡ, Ernährung oder Nahrung der Mutterfrucht, Hippocr. —φορέω, ῶ, (κύος, φέρω) schwanger gehen; davon —φορία, ἡ, die Schwangerschaft.

Κυπαρίσσινος, κυπαρίττινος, von Cypressen gemacht; von —σόροφος, ὁ, ἡ, Athenaei 9 p. 402. mit Decken von Cypressenholz eingelegt. —σος, —ττος, ἡ, Cypresse, *cupressus semper virens* Linn. —ρισσὼν, ῶνος, ὁ, Cypressenhayn, Cypressenwald. —ριττοτρόφος, ὁ, ἡ, (τρέφω) Cypressen nährend-tragend. —ρος, ὁ, s. v. a. κύπταρος.

Κυπὰς, άδος, ἡ, Bey Lycophr. 333, κυπάστις χερμάδων soll vielleicht κυπασσὶς χερ. heissen, wenigstens ists s. v. a.

Κυπασσὶς, ὁ, ἡ, ein Kleid von einer unbekannten Gestalt: davon κυπασίσκος beym Hipponax.

Κυπειρὶς, ἡ, s. v. a. κύπειρος, oder eine Art davon, etwa *cyperus longus* Linn. —ρον, τὸ, s. v. a. d. flgd. bey Hom. welcher es als eine Wiesenpflanze zum Pferdefutter dienlich nennt. —ρος, ὁ, eine Wasser oder Wiesenpflanze, von zweyerley Art mit langer u. mit runder gewurzhafter Wurzel, Theophr. h. p. 4, 11. Dioscor. 1, 4. Plinius 21, 18, *cyperus longus* u. *esculentus* Linn. den κύπειρος Ἰνδικὸς Dioscor. halt man für die Curcumawurzel.

Κυπελλὶς, ίδος, ἡ, u. κύπελλον, τὸ, ein Becher oder Trinkgeschirr: —λόμαχος, ὁ, ἡ, der mit Bechern - bey Bechern - beym Trunk streitet. Anthol. —λοχάρων, ὁ, ἡ, (χαίρω) der sich mit Bechern erfreuet, ergötzt, oder s. v. a. οἰνοχάρων, Eustath. über Odyss.

Κυπερὶς, ἡ, τῆς πτελέας bey Theophr. wofür andere κνίπηρα lesen. S. κύπταρος.

Κύπη, ἡ, s. v. a. γύπη.

Κυπόω, davon ἀνακυπόω. Hesych. hat auch κυβάσαι, καταστρέψαι, das Stammwort ist κύπω, κύπτω.

Κυπριάζω, s. v. a. κυπρίζω.

Κυπρίδιος, α, ον, der Venus gehörig: zur Liebe gehörig: zärtlich.

Κυπρίζω, ich blühe, vorz. von der weissen Blüthe des Oelbaums.

Κύπρινον, τὸ, verst. μύρον oder ἔλαιον, Oel, Salbe aus dem Oel mit der Blüte des Baumes κύπρος bereitet. —νος, ὁ, *cyprinus*, Karpfenart.

Κύπρις, ιδος, ἡ, die Venus auf der Insel Cyprus verehrt; die Liebe: Beyschlaf: 2) s. v. a. d. flgd.

Κυπρισμὸς, ὁ, (κυπρίζω) die weisse Blüthe des Oelbaums, auch κύπρις: jede Blüthe.

Κυπρογένεια, ἡ, Beyw. der Venus; femin. von —γενὴς, ὁ, ἡ, (γένος) zu Cyprus geboren.

Κύπρος, ἡ, die Insel Cyprus: 2) ein dort häufig wachsender Baum, *cyprus*, aus dessen wohlriechender Blüte das κύπρινον ἔλαιον bereitet ward; *Lausonia inermis* Linn. Henna oder Hanna der Araber: 3) ein Maas vom Getraide 2 *modios* haltend.

Κυπτάζω, ein frequentativum von κύπτω, mit vorgestrecktem - vorwarts geneigten Kopfe gehn - seyn, um etwas zu besehen, um mit Vorsichtigkeit an etwas verdächtiges zu gehn: mit geneigtem Kopfe etwas thun u. arbeiten, ämsig m. einer Sache - Arbeit sich beschäftigen: od. wie die Spitzbuben, die sich ducken, um sich zu verbergen, u. sich an e. heranzuschleichen: dav. kommt die Bedeut. sich aufhalten, verweilen: ὅταν περὶ τὸν τεθνεῶτα κυπτάζωσι, Plato, wenn sie einen todten plündern, und alles durchsuchen: εἰώθασι μάλιστα περὶ τὰς σκηνὰς κλέπται κυπτάζειν καὶ κακοποιεῖν, Aristoph. Pac. 731 es pflegen sich die Diebe zu verstecken oder herumzuschleichen: τί κυπτάζεις ἔχων περὶ τὴν θύραν, Nub. 509 was lauerst du an meiner Thüre? von der Frau, die den Mann belauert, beobachtet, ob er schlaft. Lysistr. 17 περὶ τὸν ἄνδρ' ἐκύπτασεν, Bey Suidas stehts von einem, der sich in einem Wagen mit Heu beladen versteckt - verbirgt: 2) bedeutet es die Stellung im Beyschlafe von-hinten: wo es mit dem lat. *ceveo* verwandt zu seyn scheint. — τω, ich neige, biege mich vorwärts: εἰς γῆν, von schaamhaften, die mit niedergeschlagenen Augen, und niederhängendem Kopfe auf die Erde sehn: κεκυφότα νῶτα, krummer - gebogener Rücken: ἔθει κύψας, er lief mit vorhängendem Kopfe, Aristoph. Ran. 1091. ὁμόσ' εἶμι κύψας, ich gehe ihnen mit gesenktem Kopfe und entschlossen entgegen, Eccles. 863. Archilochus brauchte ἔκυψεν statt ἀπήγξατο, er hieng sich auf. Das Stammwort ist κύπω, davon ἀνακυπτόω, umwenden, umdrehen übrig ist. Scheint auch mit dem lat. *cubo, cumbo, incumbo* (ἐγκύπτω) verwandt. Von der activen Bedeutung stammen κυφὸς, gebogen, gekrümmt, mit seinen Ableitungen. S. auch κυπόω; 2) als Activ. vorwärts beugen; bey Philo: davon κυπτὸς, gebückt, demüthig, in bittender Stellung.

Κυρβαίη μᾶζα, Homeri Iref. 6. zweif. — βασίαντος, ὁ, s. v. a. κορύβας. Davon hat Hesych. κυρβαδῶμεν für κρύψωμεν u. κυρβάσαι, ἀποσκιρτᾶν, vom Tanze der Korybanten, und dem Larmen, womit sie das Geschrey des neugebohrnen Jupiter verbargen u. unbemerkbar machten. — βασία, ἡ, man findet auch κύρβασις, ἡ, eine spitzige persische Mütze, Hut, Turban: daher vergleicht Aristoph. damit den Hahnenkamm, und Hippocr. eine Art von Hut von Leinen über die Brustwarze zu legen, Aretaeus 3, 10.

Κύρβεις, οἱ oder αἱ, zu Athen die dreyeckigten oder pyramidenförmigen hölzernen Tafeln, die man an einer Axe umdrehen konnte, worauf in alten Zeiten die Gesetze verzeichnet und aufbewahrt worden waren.

Κυρεία, ἡ, und κυρία, ἡ, (κυρεύω) die Herrschaft, Macht, Gewalt, Regierung.

Κυρέω, ῶ, (κύρω) bedeutet s. v. a. τυγχάνω, als ich bin, als verb. auxil. 2) m. d. genit. ich treffe, erlange, treffe an, finde. Auch m. d. accus. Eurip. Hec. 693. Rhes. 113. 697. Aeschyl. Theb. 701. 3) sich zutragen, begegnen, geschehen.

Κυρηβάζω, s. v. a. κυρίσσω, ich streite, kämpfe, eigentl. wie die Stäre u. Böcke: ich streite m. Worten, schelte, schimpfe: Aristoph. Equ. 272. andere schrieben κυριβ. davon, — βασία, ἡ, das Streiten, Suidas: und — βάτης, ὁ, und κύρηβος, der Streiter, Zanker, Schimpfer; Hesych. wo κυριβ. steht. — βιον, τὸ, die Hülse, Kleye v. Feldfrüchten: dav. κυρηβιοπώλης, der Kleye macht u. verkauft: davon der Name κυρηβίων und κύρηβος, Xenoph. memor. 2, 7, 6.

Κύρημα, τὸ, (κυρέω) s. v. a. κύρμα, was einem begegnet, was man findet.

Κυρία, ἡ, femin. von κύριος, Frau im Hause, Eigenthümerin, Hausfrau: verstand. ἡμέρα und ἐκκλησία; S. in κύριος. Bey Polybius ist ἡ κυρία als substant. s. v. a. *potestas*, Macht, Gewalt. — ακός, ἡ, όν, (κύριος) dem Herrn gehörig, ihn betreffend: bey den christl. Schriftstellern Gott und Christo gehörig, κυριακὴ verst. ἡμέρα, *dominica*, Sonntag. — αρχία, ἡ, Ursprung der Herrschaft: aus Dionys. areop.

Κυριβάζω, m. d. Ableit. S. κυρηβάζω.

Κύριευσις, ἡ, das Besitzen od. Bekommen. ἐw. von — εύω, (κύριος) mit d. genit. ich bin Herr, Besitzer, Eigenthümer von etwas: ich besitze, ich habe oder bekomme in meine Gewalt, bekomme, erwerbe, bekomme wieder, erobere, bemächtige mich.

Κυρίζω, s. v. a. κυρίσσω.

Κυρίλλιον, τὸ, ein Gefäss mit engem Halse, sonst βομβύλιος, Pollux 10, 68.

Κύριξις, ἡ, (κυρίσσω) das Stossen mit den Hörnern, Kämpfen.

Κυριοκτονέω, ῶ, ich tödte, morde den Herrn; davon —οκτονία, ἡ, Ermordung des Herrn. —οκτόνος, ὁ, ἡ, (κτείνω) Mörder des Herrn. —ολεκτέω, ῶ, eigentlich reden; davon —ολεκτικῶς, oder —λεκτῶς, Adv. eigentlich redend, im oder mit dem eigentlichen Ausdrucke. —ολεξία, ἡ, eigentlicher Ausdruck, dem tropiſchen entgegengeſetzt. —ολογέω, ῶ, in eigentlichen, nicht tropiſchen Ausdrükken ſprechen oder ſchreiben. —ολογία, ἡ, ſ. v. a. κυριολεξία, Longin. c. 28.

Κύριος, ὁ, (κῦρος) Eigenthümer, Herr, Beſitzer, Inhaber: ſo heiſst der Vater υἱοῦ κύριος, und der Mann κύριος γυναικὸς, nicht aber δεσπότης, welches bloſs auf Sclaven geht: daher der Grieche ſeine Götter wohl κυρίους nicht δεσπότας nannte; 2) als adject. κύριος, ία, ιον, von Menſchen, Sachen, Gliedern, Tagen, auf welchen die vorzüglichſte Macht-Kraft-Wirkung beruht: hauptſächlich, vorzüglich, entſcheidend, bedeutend, beträchtlich: v. der Rede od. dem Ausdrucke, eigenthümlich, dem metaphoriſchen entgegengeſetzt: ἐκκλησία, regelmäſsige-beſtimmte-feſtgeſetzte Verſammlung des Volks. —ότης, ητος, ἡ, (κύριος) Eigenthum, Beſitz, Macht, Herrſchaft im N. T.

Κυρίσσω, u. κυρίττω, mit den Hörnern ſtoſsen, wie Böcke; davon

Κυρίττολος, ὁ, ſtöſsig, S. κορύπτιλος.

Κυριωνυμέω, ich habe einen beſondern-eigenthümlichen Namen, Euſtath. davon —νυμία, ἡ, beſondere, eigenthümliche Benennung, Euſtath. —νυμος, ὁ, ἡ, (κύριος, ὄνομα) des Herrn oder einen beſondern, eigenthümlichen Namen führend. zw.

Κυρίως, Adv. nach Art des Herrn oder Eigenthümer: eigenthümlich: daher beſtändig, dauerhaft, rechtskräftig, rechtsbeſtändig, rechtmäſsig, als διδόναι, κλᾶσθαι und dergl.

Κυρκανάω, bey Ariſtoph. ſ. v. a. κυκανάω.

Κύρμα, τὸ, (κύρω) Fund, Beute.

Κῦρος, εος, τὸ, die Beſtätigung, Kraft, Gültigkeit, Anſehn, Macht; hauptſächliche, vorzügliche Wirkung, Kraft, Hauptſache. τῆς διδασκαλίας, *cardo, caput*. πρᾶξις καὶ κύρωσις, *effectus et vis* Plato Gorg. 4. wofür § 5 τὸ κῦρος ſteht; und 6 κυρουμένη τὸ πᾶν τῷ λόγῳ. § 8 πραγματεία καὶ κεφάλαιον.

Κυρόω, ῶ, ich beſtätige, wie ein Geſetz, Wahl, Beſchluſs: daher τὰ κυρωθέντα, was beſchloſſen und beſtätiget-feſtgeſetzt iſt-Kraft und Gültigkeit erhalten hat. S. κῦρος.

Κυρσάνιος, ὁ, bey den Lazedaem. ſ. v. a. νεανίας oder μειράκιων viell. von κόρος, κοῦρος, κόρσος, κύρσος. Wenigſtens hat Heſych. κυρσίον μειράκειον. Aus κύρσος iſt κυρσάνιος, wie aus νέος νεανίας gemacht. S. auch σκυρτάω.

Κυρταύχην, ενος, ὁ, ἡ, m. krummem, gebogenen Halſe. —τη, ἡ, ſ. v. a. κύρτος, Herodot. Clio 191. Käfich. Pollux 10, 160. Scheint v. κυρτὸς, krumm-gebogen-geflochten, zu kommen. —τία, ἡ, od. κυρτεία, ἡ, die Jagd mit dem κύρτος: auch κυρτία jedes Flechtwerk, wie eine Fiſcherreuſse; daher auch eine Art v. Schild, Diodor. 5, 33. —τιάω, νῶτα κυρτιόωντας Manetho 4, 119. ſ. v. a. νῶτα κυρτοὺς. —τίδιον, τὸ, und κυρτὶς, ἡ, ein kleiner κύρτος. —τὸς, ἡ, ὸν, bucklicht, krumm, convex. —τος, ὁ, ein aus Binſen geflochtener Korb, Fiſcherreuſse, *naſſa*, oder Vogelbauer, *cavea*. S. κύρτη. —τότης, ητος, ἡ, die Krümmung, Buckel, Convexität. —τόω, ῶ, ich krümme, mache bucklicht oder convex. —τωμα, τὸ, (κυρτόω) ein convexer-erhobener-krummer-bucklichter Theil: Buckel, Krümmung, Bogen. —τωσις, ἡ, (κυρτόω) das krumm-bucklicht-convex-erhoben machen; auch ſ. v. a. κύρτωμα.

Κύρω, fut. κύρσω, davon κυρέω, der Bedeut. nach ſ. v. a. τυγχάνω: mit dem dativo begegnen, darauf ſtoſsen: darzu kommen, hineingerathen, ſ. v. a. ἐπικύρω oder ἐντυγχάνω, als πήματι: auch im medio κακῷ κύρεται Hom. 2) mit d. genit. wie τυγχάνω, bekommen, erreichen, haben; 3) mit d. accuſ. αὖλιν ἔκυρσαν Oppian. Hal. 1, 34. *nanciſci*, bekommen und haben.

Κύρωσις, ἡ, (κυρόω) Beſtätigung, Beſtärkung; 2) ſ. v. a. κῦρος, τὸ; davon

Κυρωτικὸς, ἡ, ὸν, beſtätigend.

Κύσθος, ὁ, (κύω, κυσὸς) jede Hölung, vorzügl. der After, und die weibliche Schaam.

Κυσίας, ὁ, (κυσὸς) ſ. v. a. πασχητίας, Heſych.

Κυσοβάκχαρος, der, die ſich den After, oder Schaamtheile mit Baccaris ſalbt. —δακνιάω, (δάκνω) ich habe Jucken im κυσὸς After oder in den Schaamtheilen. —δόχη, ἡ, eine Art von hölzernen Werkzeuge, woran od. worein die Sclaven zur Strafe gebunden wurden, auch κυσοχήνη, Alciphr. 3 Ep. 72. —λάκων, ὁ, ein Knabenliebhaber, *paedicator*, weil die Lacedaemonier ſolche waren. —λαμπὶς, ίδος, ἡ, ſ. v. a. πυγολαμπὶς. —λέσχης, ου, ὁ, (λέσχη) Zotenreiſser. —νίπτης, ου, ὁ, (νίπτω) der ſich oder andere nach der Unzucht die Theile wäſcht; dav. —νίπτρια, ἡ, das femin.

Κυσὸς, ὁ, κύσσαρος, ὁ, und κυσσὸς ſ. v. a. κύσθος von κύω, κύος.

Κύστιγξ, γος, ἡ, dimin. von κύστις. —**στιον**, τὸ, eine Art v. Judenkirſche (*ſolanum halicacabum*) weil die Beere in einer Blaſe ſitzt. —**στις**, ἡ, (κύστη) Blaſe, Urin- und Gallenblaſe: Beutel. Kommt von κύω, ich faſſe.

Κυτίδιον, τὸ, dimin. von κυτὶς ſt. κοιτίδιον und κοιτὶς, kleine Kiſte od. Büchſe, Schol. Ariſtoph. Pac. 665.

Κύτινος, ὁ, *cytinus*, der fleiſchigte Kelch an dem Granatapfel. —**νώδης**, εος, ὁ, ἡ, nach Art und Geſtalt des κύτινος.

Κυτὶς, ίδος, ἡ, S. κυτίδιον. —**σήνομος**, ὁ, ἡ, (νέμομαι) den Cytiſus freſſend, Nicand. —**σος**, ὁ, *cytiſus*, eine ſtrauch- oder baumartige Kleeart, *cytiſus graec.* und *laburnum* Linnaei.

Κύτος, εος, τὸ, (von κύω ich faſſe in mir, nehme ein) die Holung, Weite, der Raum, jeder hohle Körper oder jeder hohle Theil des menſchlichen u. thieriſchen Körpers

Κύτος, τὸ, ſ. v. a. σκύτος, die Haut, wovon *cutis*. S. σκύτος und ἐγκυτὶ.

Κύτρα, ἡ, κύτρος, ὁ, jon. ſt. χύτρα, χύτρος.

Κυττάριον, τὸ, dimin. von —**ταρος**, ὁ, ſ. v. a. das Stammwort κύτος, beſonders Bienenzellen: eigentl. κύταρος; So heiſst der Kelch, in welchem die Eichel ſitzt: u. der κύτινος des Granatbaums: an den Fichten der männliche Blüthenzapfen: daher Ariſtoph. Thesm. 516 τὸ πόσθιον στρεβλὸν ὥσπερ κύτταρον, wo es im neutro ſteht. Auch vom *cavo coeli* ſteht Pac. 199 οὐρανοῦ κύτταρος: Heſych. und die alten Grammatiker haben auch die Leſeart κύπαρος dafür angemerkt, wovon noch bey Theophr. h. pl. κυπερὶς übrig iſt. Von κύπη, wofür γύπη gebräuchlich iſt, κύπαρος u. κύψη, κυψέλλη.

Κυτώδης, ὁ, ἡ, (κύτος) hohl, ausgehöhlt, weit.

Κυφαγωγὸς, ἵππος, (κυφὸς, ἄγω) ἵππος, ein Pferd, das den Hals vorwärts gebogen trägt, Xenoph. equ. 7. 10.

Κυφαλέος, έα, έον, ſ. v. a. κυφὸς.

Κύφελλα, τὰ, die Wolken; Nebel; Lycoph. 1426 2) die Ohren, derſ. 1402. Ariſtarchus erklärte ἀμφικύπελλον durch ἄμφωτον, im Etym. M. wahrſch. mit σκύφος u. κύπελλον einerley.

Κῦφι, εως, τὸ, ein aegyptiſches Arzneymittel, aus lauter hitzigen Sachen zuſammengeſetzt: bey Ariſtides 1 p. 279 ſteht κοιφι.

Κυφοειδὴς, ὁ, ἡ, von der Art des κῦφι.

Κυφὸς, ἡ, ὸν, krumm, höckerig, eigentl. nach vorn gebogen, oder überhangend, von κύπω, κύπτω; davon

Κῦφος, τὸ, Krümmung, Höcker, Buckel: 2) hohles Gefäſs, σκαφίδιον, τὸ, Etym.

Κυφότης, ἡ, (κυφὸς) das gebogne- krumm- höckrig- bucklig ſeyn: ſ. v. a. κυρτότης.

Κυφόω, ῶ, krümmen, biegen, ſo daſs z. B. beym buckligten Rücken (κύφωσις) der Kopf vorwärts geſtreckt ſteht.

Κύφωμα, τὸ, (κυφόω) Höcker, Buckel.

Κύφων, ωνος, ὁ, (κυφὸς) ein jedes krummes Holz: ein Werkzeug, worin Miſſethäter krumm geſchloſſen auch gefoltert und gemartert wurden: daher auch 2) ein böſer Menſch, der dergl. Strafe verdient hat: 3) das krumm gebogene Joch, οὐδ' ἐμοὶ ἡμίονοι κύφων' ἕλκουσιν ἀρότρου Theognis, wo man es falſch durch *ſtiva* überſetzt: davon —**νισμὸς**, ὁ, (κυφωνίζω) das Krummſchlieſsen; oder Foltern im κύφων, Heſych.

Κύφωσις, ἡ, Krümmung, Biegung, vorz. des Rückgrads durch einen Buckel. S. κυφόω.

Κύχραμος u. κύχρανος. S. κύγχραμος.

Κυψέλη, ἡ, von κύπη, auch γύπη, jede Hohlung oder Loch, alſo das Ohrloch, auch der darinnen befindliche Ohrenſchmalz: eine Kiſte, Behältniſs, vorz. ein Bienenſtock, auch κύβεθρον: davon —**λιον**, τὸ, desgleichen κυψελὶς, ἡ, ein dimin. —**λόβυστος**, ὁ, ἡ, (βύω) der die Ohren durch Unreinigkeit verſtopft hat. —**λος**, ὁ, die Erdſchwalbe, die in Erdhöhlen wohnt.

Κύω, u. κυέω, f. κυήσω, eigentl. ich faſſe, habe in mir, davon κύτος, κυσὸς, κύσθος, von Hohlungen und hohlen Körpern: vorz. von der Schwangerſchaft, Trächtigkeit der Thiere, auch für gebären: metaph. womit ſchwanger umgehn: davon κύησις, κύημα, κῦμα; ferner κύθω, κεύθω.

Κύω, f. κύσω, ich küſſe, Eur. Cycl. 550 ſonſt κυνέω.

Κύων, κυνὸς, ὁ, ἡ der Hund, 2) Meerhund, 3) Hundsſtern. 4) ein Wurf im Spiele der *talorum*. 5) ein unverſchämter Menſch, 6) metaph. heiſsen bey den Dichtern die Boten, und welche die Befehle der Götter ausführen, ihre Hunde, ſo der Adler διὸς κύων, die Parzen ἀίδου κύνες, die Harpyen Διὸς κύνες.

Κῶας, τὸ, wovon κώεα u. κώεσι, als von κῶος, das Schaaffell als Kleid, Decke, u. ſ. w.

Κώβαλος, S. κόβαλος.

Κωβιδάριον, τὸ, u. κωβίδιον, τὸ, ein kleiner κώβιος.

Κωβιὸς, ὁ, lat. *gobius*, *gobio*, eine Art von Meerfiſch, auch ein Fluſsfiſch viell. *Gobius* Linnaei: S. Hiſtor. litter. Piſcium p. 46.

Κωβίτης, ὁ, κωβῖτις, ἡ, vom κωβιὸς oder ihm ähnlich, vorz. ἀφύη κωβῖτις, eine Sardellenart. S. histor. litter. pisc. p. 47.

Κωβιώδης, εος, ὁ, ἡ, dem κωβιὸς ähnlich, oder von dessen Art.

Κωδάριον, τὸ, dimin. v. κώδιον.

Κώδεια, κωδία, ἡ, Kopf, Il. 14, 499. besonders der Mohnkopf: die Formen κώδη, ἡ, u. κωδύα zw. oder ohne Beyspiel.

Κώδιον, τὸ, Schaaffell, Fell, Vliefs, sonst κῶας: auch eine Bettdecke, Oberbette, Diodor. 13 82. S. χλαῖνα. In der Odyss. 1, 443 οἰὸς ἀωτος: davon —οφόρος, ὁ, ἡ, Felltragend, mit einem Felle bekleidet.

Κώδων, ὁ, eine Glocke, Schelle, dergleichen man bey Untersuchung der Nachtwache brauchte, um zu sehn, ob die Wache schlief, diese musste sogleich beym Tönen der Glocke anrufen: daher κωδωνοφορεῖν, die Nachtwachen visitiren, und bey Thucyd: τοῦ κώδωνος παρενεχθέντος, als die Patrouille vorbeygieng: Plutar. Arati 7. 2) das breite Ende der Trompete: das Mundstuck dargegen γλωσσὶς, Hero spirit. 1 p. 171. Sophocles setzt κώδωνος τυρσηνικῆς für die Trompete selbst: 3) metaph. ein geschwätziger Mensch. —νίζω, mit der Schelle- Glocke klingeln, u. als Patrouille die Nachtwachen visitiren; od. mit dem Klange der Trompete (κώδων) die zum Kriege bestimmten Pferde probiren, ob sie das Geräusch vertragen: überh. probiren, prüfen von Pferden, Menschen, irdner Waare, Münze und dergl. —νόκροτος, ὁ, ἡ, (κώδων. κρότος) klingend, tönend von Schellen, oder wie eine Schelle, Eur. Rhes. 383 vergl. 308. Sophocles Plutarchi Q. S. 2, 5 nennt σάκος κωδ. —νοφαλαράτωλος, ὁ, ἡ, Μέμνων, ein Memnon, der an den *phaleris* des Pferdes (πῶλος) Glocken hängen hat, Aristoph. —νοφορέω, ῶ, ich trage Schellen- Glocken, wie die Pferde oder Patrouille. S. κώδων: von —νοφόρος, ὁ, ἡ, der Glocken oder Schellen tragt, wie ein Pferd oder die Patrouille. S. κώδων.

Κώθων, ωνος, ὁ, ein lakonisches Trinkgeschirr mit gewundenem Halse: davon auch das viele Trinken, Saufcrey, wofür bey Aretaeus 2, 13 κωθωνισμὸς steht: bey Plutar. Anton. 4 κώθων ἐμφανὴς Saufereyen in aller Gegenwart. Bey Athenaeus p. 199 κωθώναι st. κώθωνες, zw. —νίη, ἡ, s. v. a. κωθωνισμός. S. d. vorige. —νίζω, bey Aristot. probl. 3, 14, ich trinke, zeche: davon —νιον, τὸ, dimin. v. κώθων, Geopon. 20, 10. —νισμός, ὁ, Aristot. probl. 3. 38, das Trinken, Zechen. —νιστήριον, τὸ, (κωθωνίζω) bey Diodor. 5, 19 ein Lustort zum trinken- zechen.

Κωκάλια, τὰ, eine Art von Landschnecken mit Schaalen, Aristot. h. a. 4, 4. muss κοκκάλια heissen.

Κώκυμα, τὸ, (κωκύω) das geheulte, das Heulen, Weinen.

Κωκυτὸς, ὁ, das Heulen, Weinen; 2) Fluss in der Unterwelt; von

Κωκύω, ich heule, weine, schreye weinend: Arist. Lys. 1222 κωκύσεσθε τὰς τρίχας μακρὰ u. v. 448. ἐκκοκκιῶ σοῦ τὰς στενοκωκύτους τρίχας. Dies letzte Worte erklärt man, die mit Seufzern ausgezogen werden: zw.

Κωλακρέτης, ὁ, zu Athen s. v. a. ἀποδέκτης, ὁ, der Rendant der Republik, deren 12 nach den φυλαῖς waren. die alle Staatsschulden beytrieben, den Richtern ihren täglichen Sold (bey Aristoph. κωλακρέτου γάλα spasshaft genannt) auszahlten und die Ausgaben zu den öffentlichen Opfern, wovon sie Haut und Füsse (κωλᾶς) bekommen.

Κωλάριον, τὸ, dimin. v. κῶλον.

Κωλεὰ, ἡ, oder κωλέα, auch κωλία und contr. κωλῆ, welches siehe. —λεός, ὁ, s. v. a. κωλεὰ, κωλῆ, u. κωλήν, ὁ,

Κωλῆ, ἡ, st. κωλέα oder κωλεὰ, s. v. a. κωλεός, u. κωλήν, der Hüftknochen mit dem daran sitzenden Fleische, woraus beym Schweine der Schinken gemacht wird: daher alle diese Wörter auch einen Schinken bedeuten, oder das Hinterviertel: daher μηρίον als ein Theil des κωλήν Athenaei 4 p. 154. Vergl. Xenoph. Cyneg. 5, 30. von κῶλον, *artus*. 2) Bey Aristoph. Nub. 989 und 1013 s. v. a. Schaamglied, davon das lat. *colis*.

Κωλήν, ῆνος, ὁ, s. v. a. κωλῆ.

Κωλήπιον, τὸ, u. κωλήφιον, τὸ, dimin. von folgd. κωλήψ, *colephium* bey Vegetius Mulom. 3, 17, 5. wo man die Anmerk. S. 105 nachsehe.

Κώληψ, ηπος, ἡ, (κῶλον) die Kniekehle; Hüfte, wird auch Knöchlel erklärt. S. d. vorige.

Κωλιάς, ἡ, verst. ἄκρα, ein Vorgebirge von Attika, worauf ein Tempel der Ἀφροδίτη κωλιάς: die Erde oder Thon von diesem Orte diente zur Verfertigung der attischen Töpferwaare, Suidas in κωλιάδος u. Plutar. de audit. p. 135 ἀγγεῖον ἐκ. τῆς ἀττικῆς κωλιάδος κεραμευμένον.

Κωλικός, ἡ, όν. an der Kolik leidend: κωλικὴ νόσος oder διάθεσις, die Kolik, *colica*, hat ihren Sitz im *colo*, von versetzten Winden, Auswurf oder Entzündung auch der benachbarten Theile.

Κωλέβρα – ρον, τὸ. S. in καλέβ.

Κωλομετρία, ἡ, die Ausmessung und Abtheilung (metrische) der κῶλα im Chore, Suidas in Εὐγένιος.

Κῶλον, τὸ, ein Glied am Körper; 2) an einem Gebäude, eine Piece. S. μονόκωλος: auch eine Seite von einem Körper z. B. einem Viereck. 3) ein Glied des Perioden, S. μονόκωλος. 4) das Colum, ein Darm: davon κωλικὸς.

Κωλοτομέω, ῶ, (κῶλα. τέμνω) Glieder verstümmeln: bey Plutar. 7 p. 785 τῆμος ὅτ' αἴζηοὶ δὴ μήτερα κωλοτομεῦσιν, st. θερίζουσι, abschneiden, mähen: An einer andern Stelle aber steht dafür βωλοτ.

Κώλυμα, τὸ, und κωλύμη, ἡ, (κωλύω) das Hindernis, Verhinderung, Abhaltung; davon —μάτιον, τὸ, bey Hero spirit. 1 p. 171, welches er selbst durch χελωνάριον erklärt.

Κωλυσανέμας, od. ἄνεμος, ὁ, die Winde abhaltend. —σίδειπνος, ὁ, ἡ, das Gastmahl aufhaltend, Plut. symp. 8, 6. —σίδρομος, ὁ, ἡ, den Lauf hemmend, hindernd, Lucian. Tragop. 189. —σιεργέω, ῶ, ich verhindere zu thun, hindere die Arbeit, Polyb. 6, 15. davon —σιεργία, ἡ, Verhinderung-Störung der Arbeit, Abhaltung. —σις, ἡ, (κωλύω) Abhaltung, Verhinderung; Hindernifs.

Κωλυτὴρ, ῆρος, ὁ, u. κωλυτὴς, ὁ, (κωλύω) der abhält, zurückhalt, hindert, unterdrückt; davon —τήριος, ὁ, ἡ, u. κωλυτικὸς, κὴ, κὸν, zum abhalten- zurückhalten- hindern- unterdrücken gehörig oder geschickt. —τὸς, ἡ, ὸν, verhindert: abgehalten: zu verhindern oder abzuhalten.

Κωλύω, schwächen, mindern, abhalten, zurückhalten, hindern, verhindern, unterdrücken: auch m. d. genit. Xen. Anab. 1, 6, 2. τοῦ καίειν. Ist mit κολάζω, u. κολούω einerley, nur dafs das ο in ω verwandelt worden. κωλωτὴ, ἡ, als Vogel, aus der f. Leseart Aristot. h. a. 9, 1. κωλωτῆ st. κωλώτῃ, genommen.

Κωλώτης, ου, ὁ, (κῶλον) f. v. a. ἀσκαλαβώτης: davon —τοειδὴς, ὁ, ἡ, dem κωλώτης ähnlich, und eben so fleckig, Hippocr.

Κῶμα, τὸ, (hat mit κοίτη u. κοιμάω einerley Ursprung) *sopor*, Schlaffucht, stete Neigung zum schlafen, oder wenn einem Kranken immer die Augen zufallen, ohne dafs er schlafen kann: auch ein schwerer widernatürlicher Schlaf des Kranken: davon κωματώδης u. κωμαίνω. —μάζω, drückt eigentlich die Handlungen bey einem feyerlichen Aufzuge- Procession an den Bacchusfesten (κῶμος) aus, wo man anfänglich auf Wagen sitzend durch die κώμας, worinne zuerst die Einwohner zerstreut wohnten, fuhr, Lobgesänge auf den Bacchus und lustige Lieder sang, auch die vorübergehenden neckte und verspottete. Daher Demosth. κωμάζειν u. παιανίζειν verbindet. Man trug bey diesen bacchischen Aufzügen meist Larven. Daher Demosth. p. 433 einem Bürger vorwarf: ἐν ταῖς πομπαῖς ἄνευ τοῦ προσώπου κωμάζει: daher bey Demosth. p. 517. καὶ τοῖς ἐν ἄστει Διονυσίοις ἡ πομπὴ καὶ οἱ παῖδες καὶ ὁ κῶμος καὶ οἱ κωμῳδοὶ καὶ οἱ τραγῳδοὶ. Daraus entstand in der Folge die Komödie u. Tragödie. S. πομπεύω: 2) *comissatio*, ein Bacchantenaufzug junger- lustiger Leute, die nach einem Gastmahle mit Musik durch die Stadt ziehn, und so allerley Scherz, Muthwillen, Unfug, übermüthige Handlungen treiben und Reden führen: 3) wird κωμάζειν wie κῶμος von jeder feyerlichen Procession mit Freuden und Lobgesängen, mit Musik, Tanz und Scherz verbunden, gesagt: daher es einzeln, bald lobsingen, jubeln, fröhlich seyn, bald in feyerlicher Prozession gehn, ein Fest feyern, u. s. w. übersetzt werden mufs. S. κῶμος: ferner, tanzen, Musik bringen: dav. ἐγκώμιον, ἐγκωμιάζω. —μαίνω, (κῶμα) ich nicke, habe immer Trieb, Neigung zum Schlafe.

Κώμακον, τὸ, bey Theophr. h. pl. 9, 7. ein aromatisches Gewächs: nach einigen die Muskatonnufs.

Κώμαξ, ακος, ὁ, f. v. a. κωμάζων, muthwilliger Mensch.

Κωμάρχης, ου, ὁ, u. κώμαρχος, ὁ, (ἄρχω) der Vorsteher, Beherrscher einer κώμη, eines Dorfes oder Fleckens.

Κωμάσδω, Dor. st. κωμάζω.

Κωμασία, ἡ, die Handlung des κωμάζειν, vorzügl. der Aufzug an Bacchusfesten, Clemens Alex. Strom. 5, 7.

Κωμαστήριον, τὸ, S. πωμαστήριον. —στὴς, οῦ, ὁ, der an Bacchusfesten in Prozession geht und lustig dabey ist: auch Bacchus selbst, wenn sein Fest gefeyert wird: 2) junger, trunkener Mensch, der im κῶμος *comissatio*, durch die Stadt zieht. —στικος, ἡ, ὸν, Adv. —κῶς, was zum κωμάζειν am Bacchusfeste u. bey Schmausereyen gehört und darzu sich schickt, oder von der Art ist, wie die Handlungen beym κωμάζειν.

Κωματώδης, εος, ὁ, ἡ, (κῶμα) der immer Lust- Neigung zum Schlafe hat, und doch nur die Augen zu hat, ohne zu schlafen, wie ein Kranker.

Κώμη, ἡ, *vicus*, wie ein Dorf, wo mehrere Menschen in besondern Wohnungen beysammen wohnen, im Gegensatz der Stadt, welche Mauer hat;

2) in der Stadt *vicus*, ein Quartier, Gegend, wo mehrere Menſchen zuſammenwohnen. Valkenaer leitet es von κέω, κείω, κοίω, wie κοίτη ab, Ort zum ſchlafen.

Κωμηδὸν, Adv. (κώμη) *vicatim*, Dorfweiſe, Quartierweiſe, nach Dörfern, Quartieren in κώμαις.

Κωμήτης, ου, ὁ, ἡ, ein Landmann, der in einer κώμη wohnt; 2) in der Stadt der *vicinus*, der in demſelben Quartiere, Viertel, Gegend der Stadt wohnt, Nachbar. —τικὸς, ἡ, ὸν, was zu einem κωμήτης gehört, ſich für ihn ſchickt. —τις, ιδος, ἡ, femin. v. κωμήτης. —τωρ, ορος, ὁ, ſ. v. a. κωμήτης.

Κωμίδιον, τὸ, dimin. v. κώμη.

Κωμικεύομαι, bey Lucian. Philop. 22. ich ſpreche komiſch. —κὸς, ὁ, Adv. —κῶς, zu der komiſchen Dichtkunſt gehörig, nach Art der komiſchen Dichter.

Κώμιον, τὸ, kleine κώμη.

Κωμογραμματεὺς, έως, ὁ, der γραμματεὺς, Magiſtratsperſon einer κώμη, Joſephi antiq. 16. —δρομέω, ſ. v. a. κωμάζω, Pollux 9, 11. —πολις, ἡ, eine κώμη, ſo groſs wie eine Stadt, nach unſrer Art ein Marktflecken zwiſchen Dorf und Stadt.

Κῶμος, ὁ, (κώμη) eigentl. ein feyerlicher Aufzug an den Feſttagen des Bacchus, wo man auf Wagen (ἐφ' ἀμαξῶν) durch die κῶμας, *vicos*, zog, in welchen anfangs die Einwohner von Griechenland u. Athen zerſtreut wohnten, ehe ſie in Städte mit Mauern zogen. So ſang man zu Ehren des Bacchus im Taumel der Freude Loblieder, luſtige Geſänge, und trieb mit allen vorübergehenden Scherz, verſpottete - ſchimpfte ſie: daher ἐξ ἁμάξης σκώμματα. S. ἅμαξα. Dieſe Handlungen nennte man κωμάζειν u. πομπεύειν: daher πομπεύειν auch Scherz treiben, verſpotten heiſst. Daraus entſtand in der Folge die Komödie κωμῳδία, von κώμη u. ᾠδὴ. S. πομπεύω. 2) κῶμος (*comiſſatio*) der ſchmauſsenden trunknen Jünglinge, beſonders die mit Muſik und ihren Liebſten u. Freunden nach dem Schmauſe in der Stadt umherziehn, zu ihren Bekannten gehn, und andere Schwänke machen: dergl. in Platons Sympoſium vorkommt: daher κῶμος auch für das Leben und Betragen von luſtigen oder liederlichen übermüthigen Leuten geſagt wird; 3) bey Pindar und ſonſt, auch die Proceſſion, in welcher ein Wettſieger geführt wird, die Freudengeſänge und die Fröhlichkeit, die dabey Statt finden, alſo Muſik. Tanz, Lobgeſang.

Κωμόω bey Hippocr. laſs Galen κεκωμῶσθαι in dem Sinne von κεκωματῶσθαι, ἐν κώματι εἶναι, zw.

Κωμύδριον, τὸ, dimin. v. κώμη.

Κώμυς, υδος, ἡ, ein Bündel, Büſchel, *manipulus*; 2) eine Stelle, wo das Rohr dicht mit den Wurzeln verwachſen ſteht: Theophr. h. pl. 4, 12. κώμυδες, οἱ, ſteht dort; 3) ſ. v. a. κορυθάλη.

Κωμῳδέω, ῶ, ich bin ein κωμῳδὸς, Komödienſänger oder Dichter; 2) activ. ich verſpotte, ziehe durch, wie in der Komödie, ſonderlich der ſogenannten alten, durch Perſonalitäten geſchah; davon —δημα, τὸ, die Spottrede, der Spott, Verſpottung, wie in der alten Komödie, Plato Legg. 2. —δία, ἡ, der komiſche Geſang, Komödie; 2) Verſpottung, wie in der Komödie. S. κῶμος. —διακὸς, ἡ, ὸν, auch κωμῳδικὸς, ἡ, ὸν, Adv. —κῶς, nach Art der Komödie, komiſch —διδάσκαλος, ὁ, ſt. κωμῳδοδιδ. abgekürzt: Hemſterh. ad Ariſtoph. p. 89. —διογράφος, ὁ, (γράφω κωμῳδία) der Komödienſchreiber. —διοποιὸς, ὁ, (ποιέω) ſ. v. a. d. vorh. —δόγελος, ὁ, ſ. v. a. κωμῳδὸς, Anal. Brunk. 1 p. 421. —δογράφος, ὁ, ſ. v. a. κωμῳδιογράφος. —δοδιδασκαλία, ἡ, die Kunſt Komödien zu machen: die Komödie ſelbſt; von —δοδιδάσκαλος, ὁ, der komiſche Dichter, in ſo fern er die Akteurs und den Chor übt und unterrichtet, διδάσκει, wie ſie ſein Stück aufführen, vorſtellen ſollen. S. διδάσκω. —δολειχῶν, περὶ τὸν εὖ πράττοντ' ἀεὶ Ariſtoph. Veſp. 1318. ſoll das Schmarotzen - Tellerlecken (λείχω) mit Poſſentreiben (κωμῳδὸς) ausdrücken. —δοποιητὴς, οῦ, ὁ, und —δοποιὸς, ὁ, (κωμῳδὸς, ποιέω) ein Komödienmacher, Komödienſchreiber. —δοποιΐα, ἡ, das Komödienmachen. —δὸς, ὁ, (κώμη, ᾠδὸς) ein Komödiendichter, eigentl. der ſelbſt ſeine Lieder und Geſänge am Feſte des Bacchus abſingt. S. κῶμος. —δοτραγῳδία, ἡ, eine aus Comödie und Tragödie gemiſchte Fabel, Stück, wie der cyclops des Euripides, dergleichen man eigentlich Σατύρους nannte. —δοτραγῳδὸς, ὁ, der Dichter oder Sänger einer κωμῳδοτραγῳδία.

Κωνάω, von κῶνος, den Kreiſel herumdrehen, δινεῖν; 2) von κῶνος no. 5. pichen, verpichen.

Κωνάριον, τὸ, dimin. von κῶνος.

Κωνειάζομαι, (κώνειον) ich trinke Schierlingsſaft, Strabo 10 p. 745.

Κώνειον, und κάνιον, τὸ, *cicuta*, Schierlingskraut, und der tödtliche Saft dav.

Κώνησις, bey Ariſtot. h. a. 9, 40. ſ. v. a. κόμμωσις, κήρωσις: andere leſen κώνισις von κωνόω und κῶνος no. 5.

Κωνίας, ὁ, οἶνος, gepichter Wein, von κῶνος no. 5.

Κωνίζω, ich piche, *pico*, v. κῶνος no. 5.

Κωνικός, ή, όν, Adv. —κῶς, (κῶνος) konisch, kegelförmig.

Κωνίς, ή, ein Wassergefäſs, von der Gestalt eines Kegels.

Κωνίτης, ὁ, κωνῖτις, ή, πίσσης κωνίτιδος, Epigr. Rhiani, wo κωπήτιδος steht. S. κωνίας.

Κωνοειδής, έος, ὁ, ή, Adv. —δῶς, (κῶνος, εἶδος) kegelförmig.

Κῶνος, ὁ, *conus, meta*, ein Kegel; 2) kegelförmiger Kreisel, *turbo*; 3) die Helmspitze; 4) der kegelförmige Zapfen (Frucht) von Fichten, Kiefern, u. s. w. S. κόννος; 5) das flüssige Pech: davon κωνῆσαι, ἀκώνητος, d. i. πισσῶσαι, ἀπίσσωτος, Dioscorides 1, 94.

Κωνοτομεῖν, einen Kegelschnitt machin, Eratosthenes. —Φορέω, ῶ, ich trage einen κῶνος oder στρόβιλος; dav. —Φόρος, ὁ, ή, πεύκη κωνοφόρος, s. v. a. στροβιλοφόρος.

Κωνωπεῖον, τὸ, (κώνωψ) *conopeum*, ein Bette mit Vorhängen v. dünnem Zeuge, um die Mücken abzuhalten. —πεών, ὁ, s. v. a. κωνωπεῖον. —πειδής, έος, ὁ, ή, (εἶδος, κωνωψ) mückenartig. —ποθήρας, ου, ὁ, (θήρα) Mükkenfänger.

Κώνωψ, ωπος, ὁ, ή, die Mücke, die sticht, *culex*.

Κῶος, εος, τὸ, davon leitet man κώεα u. κώεσι her, ist s. v. a. κῶας; 2) κῶος, ein Wurf im Spiele mit ἀστραγάλοις, der sechs gilt; 3) κῶοι Holen, Lager. S. Hesych. und Etymol. M. in εὐρυκόωσα, wo κόοι durch κοιλώματα erklärt werden; wie bey den Lazed. καιέται oder καιάται, Strabo 8 p. 564.

Κώπαιον, τὸ, (κώπη) der Obertheil, Griff des Ruders, Hesych. davon —ώδης, ὁ, ή, ruderförmig. zw.

Κωπείρης, f. L. st. κωπήρης, aus Eur.

Κωπεύς, έως, ὁ, κοπέες, Holz zu Rudern tauglich und gebräuchlich. S. πλατόω; 2) der Ruderer. zw.

Κωπεύω, und κωπέω, στρατὸν, die Armee zur Schlacht bereiten, so daſs der Soldat das Gefäſs (κώπη) das Schwerdt in der Hand hält; ναῦν, das Schiff zur Fahrt zubereiten, so daſs die Ruder κῶπαι bereit an ihren Stellen liegen; Hesych. in κεώπηται und κεκώπευται; derselbe hat aus Sophocles ἐκκεκώπηται st. ἐξήρτηται angemerkt.

Κωπεών, ὁ, bey Theophr. h. pl. 5, 2. s. v. a. κώπη.

Κώπη, ή, (κόπτω, andre von κάπω, *capio*) das Ruder; 2) der Griff am Degen, *manubrium, capulus*: Cato nennt *cupa* den Griff, womit die Oelmühle gedreht wird; so auch Diodor. Sic. u. Lucian. 6 p. 181.

Κωπήεις, ήεσσα, ῆεν, (κώπη) mit einem Griffe, Hefte.

Κωπήιον, τὸ, (κώπη) hieher ziehe ich κουπήϊον, καμάρα ἡ τῶν ἁμαξῶν γινομένη, der mit gebogenen Queerhölzern gemachte Himmel oder Decke eines Wagens.

Κωπηλασία, ή, (κώπη, ἐλαύνω) das Rudern. —λατέω, ῶ, ich rudere. —λάτης, ου, ὁ, (κώπης ἐλάτης) der Ruderer. —λατος, ὁ, ή, vom Ruder getrieben, oder wie ein Ruder gearbeitet, gestaltet, wie χαλκήλατος.

Κωπήρης, εος, ὁ, ή, (κώπη, ἄρω) mit Rudern versehn; 2) χεὶρ die das Ruder haltende Hand, Eur.

Κωπητὴρ, ῆρος, ὁ, bey Pollux 1, 92. die Seitenwände des Schiffes, woran die Ruder angebracht sind. Die Handschr. haben daselbst κωπητὴρ: aber bey Agathias lib. 5 steht auch κωπωτῆρας ἐφ' ἑκατέρα πλευρᾶ.

Κωπίον, τὸ, dimin. von κώπη, kleines Ruder.

Κωπωτὴρ, ῆρος, ὁ, S. κωπητὴρ.

Κῶρος, dorisch st. κοῦρος Knabe.

Κωρυκαῖος, ὁ, und κωρυκιώτης, ὁ, eigentlich ein Bewohner des Vorgebürges in Cilicien κώρυκος, welche die landenden Schiffe ausspionirten und verriethen; daher jeder Spion, Horcher, Verrather. —κιον, τὸ, und κωρυκίς, ή, und κωρυκίδιον, τὸ, dimin. von κώρυκος. —κοβολία, ή, (βολή) und κωρυκομαχία, ή, (μαχέω) das Werfen des Ballons, das Fechten - Wetteifern im Ballonspielen: von —κος, ὁ, ein lederner Sack, Beutel; 2) Ballon, den man im Spiele schlagt. —κώδης, εος, ὁ, ή, (κώρυκος) wie ein Sack, Beutel.

Κῶς, s. v. a. κῶας, und κῶος. Hemsterhuis leitet es von ὄϊς, attisch οἶς, aeolisch ὤϊς, und mit dem Zusatz κῶς ab; wornach es mit dem Jota κῷς sollte geschrieben werden, ein Schaaffell.

Κωταλίς, ή, *tudicula*, Eustath. soll wohl κωπαλὶς von κώπη heiſsen.

Κωτιλάς, άδος, ή, s. v. a. κωτίλη, ή, —λία, ή, (κωτιλεύω) das Geschwätz, das Plaudern mit Schmeicheln verbunden.

Κωτίλλω, ich schwatze, plaudere, *garrio*: meist mit dem Begriffe von Schmeicheley verbunden: αἱμύλα, μαλθακὰ κωτίλλειν, süſse, weiche, glatte Worte plaudern: εὖ κώτιλλε τὸν ἐχθρὸν, zu deinem Feinde sprich mit guten, freundlichen Worten, Theognis; von

Κωτίλος, ίλη, ίλον, geschwätzig, plauderhaft von Menschen, insonderheit Weibern, und einigen Vogeln, z. B. der Schwalbe, *garrulus, argutus*: von κόπτω, κόπτιλος, κόττιλος, κώτιλος, wie κόπις, ὁ, und κόβαλος, *loquendo obtundens*.

Κωφάω, ῶ, ich mache taub, auch ſtumm: κώφησε τε πᾶσαν ἰωὴν Opp. Cyn. 3, 286. κωφᾶσθαι, vertauben und verſtummen. S. κωφὸς.

Κωφεύω, ich ſchweige, bin ſtumm.

Κωφίας, ου, ὁ, eine Schlangenart, d. i. die taube.

Κωφὸς, ἡ, ὸν, von κόπτω, ſ. v. a. *tuſus, obtuſus*, ſtumpf, abgeſtumpft: κωφὸν βέλος ἀνδρὸς ἀνάλκιδος Il. λ, 390, ſtumpf und ohnmachtig: im Gegentheil ὀξὺ βέλος: daher vom ſtumpfen Sinnen, Gehöre, Geſichte, und gelähmter Zunge und Sprache, alſo taub und ſtumm: κωφὴ ἀκοῆς αἴσθησις Antiphanes Athenaei p. 450. ὠτῶν κώφωσις Pempelus Stobaei Serm. 77. ὀφθαλμῶν κώφωσις, Blodigkeit der Augen, Hippocr. daher auch ſtupid, dumm, thöricht, unwiſſend, unerfahren: welche letztere Bedeut. man auch von der Taubheit ableiten kann: wovon auch die übrigen kommen, wo es heiſst, ſtill, ruhig. Wie unſer ſtumpf u. ſtumm, wovon geſtum ungeſtum, d. i. unſanft, unruhig: endlich bedeutet es auch eitel, vergeblich.

Κωφότης, ἡ, die Taubheit, auch Unwiſſenheit, Dummheit: bey Demoſth. τοσαύτην κωφότητα καὶ τοσοῦτον σκότος, ſo groſse Vergeſſenheit und Verdunkelung. S. d. vorh.

Κωφόω, ῶ, ſ. v. a. κωφάω: davon

Κώφωμα, τὸ, die Taubheit oder überhaupt Stumpfheit: und

Κώφωσις, ἡ, Betäubung, Taubheit, Abſtumpfung, Stumpfheit. S. κωφὸς.

Κωχεύω, ich hebe, ſtütze, trage: ſ. v. a. ὀχέω: πιστοί γε κωχεύουσιν ἀμφορεῖ δέμασι tragen den Leichnam auf der Bahre, Sophocl. davon ἀνακωχεύω, ich halte in die Höhe, ſtütze-ziehe-halte zurück: Sophocl. Electr. 732 braucht es vom Anhalten des rennenden Wagens: von Schiffen bey Herodot. 6, 116 ἀνακωχεύσαντες τὰς νῆας, und bey Arrian. als neutr. ἀνεκώχευσαν αἱ σὺν Ἀλεξάνδρῳ νῆες, wenn die Schiffe nicht landen, ſondern auf dem hohen Meere vor Anker liegen, ſonſt σαλεύω: Herodot. 7, 36 ἵνα ἀνακωχεύῃ τὸν τόνον τῶν ὅπλων, um die Spannung der Taue und Stricke zu unterſtützen: überh. anhalten, aufhalten, zurückhalten: davon ἀνακωχὴ, Aufhalt, Aufſchub κακῶν, πολέμου, Erleichterung, Waffenſtillſtand: auch eine Stütze. S. ὀκωχεύω und παρακωχή.

Κὼψ, S. σκὼψ.